POLSKA

Dwory, dworki, pałace...

POLAND: Manors and Country Houses

Carlson Wagonlit Travel to unia dwóch potentatów z długoletnią tradycją: **Wagonlit Travel** w Europie, **Carlson Travel Network** w USA oferujących nowoczesną technologię w obsłudze podróży służbowych.

Carlson Wagonlit Travel was created by the union of the European – based **Wagonlit Travel**, the North American **Carlson Travel Network** two leaders with remarkable complementary experience, organization and corporate philosophy in Business Travel Management.

Mirosław Wiśniewski

POLSKA

Dwory, dworki, pałace...

POLAND: Manors and Country Houses

Wstęp / Introduction: Stanisław Ledóchowski

Opracowanie graficzne / Graphic design : Marek Zadworny

Warszawa 1997

Oficyna Wydawnicza JUMAR Hanny Puchalskiej

Redaktor naczelny / Managing director **Hanna Puchalska**
Zastępca redaktora naczelnego / Vice-managing director **Elżbieta Sęczykowska**

© Zdjęcia / Photos **Mirosław Wiśniewski**
© Wstęp / Introduction **Stanisław Ledóchowski**
© Autor tekstu „Maćkowa Ruda" / Text "Maćkowa Ruda": **Andrzej Strumiłło**
Opracowanie graficzne / Graphic design **Marek Zadworny**
Redakcja i korekta / Editor and proof-reader **Kamilla Nowakowska**

Skład i łamanie / Lay-out: VA Studio

ul. Ludowa 9/16, 00-780 Warszawa, tel./fax (48 22) 41 71 77 oraz 0 90 205 297

ISBN 83-902705-4-4
Wydanie pierwsze / First edition Warszawa 1997

W albumie wykorzystano zdjęcia:

© Hanny Długosz /str. 174, 175, 177/,
© Hanny Puchalskiej /str. 38, 110, 133/,
© Macieja Bronarskiego /str. 128, 130/,
© Włodzimierza Echeńskiego /str. 32–37, 108, 109/.

Wydawca serdecznie dziękuje w/w autorom za wzbogacenie albumu ich pracami.

Prolegomena

Tych siedzib miało już nie być, zostały skazane na powolną śmierć – gniazda i ostoje kultury szlacheckiej. Tak znamienna dla Rzeczypospolitej Obojga Narodów mnogość rodzin nobilitowanych zakreśliła nieogarnięty widnokrąg dworów i dworków, obejmując nim cały kraj, aż po najdalsze zakątki jego kresów. Poprzez piastowanie urzędów ziemskich i królewskich, a także zaszczyt służby rycerskiej, stała się brać kontuszowa uosobieniem Polaka, solą tej ziemi.

W okresach szczególnie doniosłych – w dobie Złotego Wieku obu Zygmuntów i Stanisławowskiego Oświecenia – rola dworów bywała dominująca. Odzwierciedlał to Sejm i Senat dawnej Rzeczypospolitej, który miewał chwile upadku, lecz potrafił także uchwalać unie między sąsiadującymi narodami, zatwierdzać artykuły Ustawy Zasadniczej, upamiętnionej przez pokolenia świętem Konstytucji 3 Maja.

Z dworów i dworków wywodziła się młódź przesławnej Szkoły Rycerskiej, która nie szczędziła ofiar w obronie Konstytucji, w Insurekcji Kościuszkowskiej, pod sztandarami Legii Polsko-Włoskich, w szeregach Wielkiej Armii – „Bóg jest z Napoleonem, Napoleon z nami". To właśnie wiek XIX, ów bohaterski epilog rycerskiej posługi szlachty, pobrał od niej szczególnie obfitą daninę krwi. Powstanie Styczniowe, utrwalone na kartonikach wyblakłych fotografii, a nade wszystko w romantycznych wizjach Artura Grottgera, to wstrząsający rozdział sagi dworu polskiego, przecież nie ostatni. Przyjdzie jeszcze rok 1914 z ułanami Beliny, 1920 z pożogą dworów na wschodnich rubieżach, a wreszcie lata wojny ostatniej z dramatycznym finałem wielowiekowych dziejów.

Pomimo tego radość życia nigdzie nie objawiała się takimi barwami tęczy jak pod dachem dworu, nigdzie przywiązanie do rodzinnego domu i tradycji nie było tak silne, nigdzie też nie traktowano miłości Ojczyzny z taką determinacją. To, co wyróżniało

These dwellings were meant to disappear, sentenced to a slow death: the haunts and centres of the nobility culture. The large number of noble families, so characteristic of the multi-national Polish Commonwealth created the boundless landscape of noble mansions and manor houses, which covered the whole country, extending to the farthest parts of its borderlands. By owning land and holding royal posts, and by the privilege of knightly service, the nobles become the soul of Poland, the salt of its soil.

In certain significant periods – the Golden Age of Zygmunt I and Zygmunt II August and the Enlightenment under King Stanisław August – the role of these families was often a decisive one, since they held the highest church posts. This was reflected in the Seym and Senate of the old Polish Commonwealth which, although prone to moments of weakness, were nevertheless able to pass treaties of union with neighbouring countries as well as articles of the Constitution, which has been commemorated by later generations in the annual celebration of the Constitution of May 3, 1791.

The mansions and manor houses were the abodes of young people who belonged to the famous Knight's School and who sacrificed their lives, defending the Constitution, during the Kościuszko Insurrection, fighting under Polish-Italian Legion banners, and in Napoleon Grande Armee – "God is with Napoleon, Napoleon is with us.". It was the 19th century – the heroic epilogue of the nobility's knightly service – that took an immense blood tribute from them. The January 1863 Insurrection, recorded in faded photographs and in Artur Grottger's romantic paintings, was the horrifying chapter in the saga of the polish mansion, it was not the last one. It was followed by the year 1914 with Belina's uhlans, and year 1920 with the ravaging of the manors on eastern borderlands of Poland, and finally by the Second World War, the dramatic finale of the long-standing history of Polish manors.

dwór spośród innych siedzib, to owa wierność i niezłomność serc.

Rozsiadły się tedy dwory w pejzażu polskim jak kamienie polne, może nawet bardziej głazom i dębom poprzez swój wiek sędziwy i upór w trwaniu podobne. Widzimy tu dworki zaścianków – jedynie parą pobielanych kolumn o klejnocie szlacheckim świadczące, okazałe dwory „według nieba i obyczaju polskiego" szeroko narożnymi alkierzami rozpoztarte, to znów klasycznym porządkiem Palladia pałacom równe. Wszystkie i wszędzie były źrenicą polskiego krajobrazu, punktem historycznego odniesienia, celem wędrowca i schronieniem konfederata.

Hojnie odwdzięczał się dwór polski za okazywane mu przywiązanie, stając się inspiracją wielu arcydzieł prozy i poezji, literatury pamiętnikarskiej i wspomnieniowej. Odrzucając pokusę ich przytoczenia, trudno choćby nie wspomnieć o „Historii szlacheckiej z roku 1811 i 1812, we dwunastu księgach, wierszem" na paryskim bruku w 1834 roku spisanej: „Śród takich pól, przed laty, nad brzegiem ruczaju...". Niepodobna do tych strof nie powracać.

To, co w poezji, muzyce... było dziełem wyobraźni, zostało utrwalone na płótnach malarzy, kartonach ilustratorów i rysowników. Jakaż to plejada talentów i niewyczerpane źródło informacji: Daniel Chodowiecki, Jan Piotr Norblin, Aleksander Orłowski, Juliusz Kossak, Elwiro Andriolli, Artur Grottger, Józef Brandt... chociaż najsympatyczniejsze były baraszkujące niedźwiadki w „Zaciszu litewskim" Henryka Weyssenhoffa, malowane przed jego rodzinnym dworem w Russakowiczach.

Przekraczając próg dworu wchodziło się w inny, rządzący się własnymi prawami, świat. Kształtowała go przeszłość, nawarstwiająca się jak słoje drzewa – rok po roku, pokolenie po pokoleniu. Wszystko

In spite of that, the manors had been the place where the joy of life revealed itself in incomparable rainbow colours, where attachment to one's family house and its tradition was the strongest, and the love for homeland was treated most seriously and with the greatest determination. Mansions marked the Polish landscape like field-stones or rather like rocks and oaks, since they were so old and enduring in their existence. There were mansions in yeoman settlements which proclaimed their noble character with only a couple of white-washed columns, as well as large houses, which according "Heaven and Polish custom", spread out into corner alcoves, or those resembling the classic Palladian model. All of them were the treasures of the Polish landscape, a point of historical reference, the destination for a wanderer and the shelter for a confederate.

Polish manors paid back their gratitude for people's attachment by becoming an inspiration for numerous prose and poetic masterpieces, as well as numerous diaries and memoirs. While resisting the desire to quote them, it is difficult not to mention "A History of the Gentry from 1811 and 1812, in twelve books, written in poetic form", which was written in 1834 on the streets of Paris: "... Among such fields, at the stream some years ago...". It is impossible not to return to these verses.

Everything that was the work of the imagination in poetry and prose was recorded in paintings, illustrations and drawings. What a multitude of talents and an immense source of information: Daniel Chodowiecki, Jan Piotr Norblin, Aleksander Orłowski, Juliusz Kossak, Elwiro Andriolli, Artur Grottger, Józef Brandt... even though the most likable were playing little bears from Henryk Weyssenhoff's painting „Lithuenian Seclusion", which was painted in front of his mansion in Russakowicze.

tu było dostojne i hierarchiczne, nienaruszalne i święte. Rytm tego życia wyznaczała praca na roli: siewy, sianokosy, żniwa, wyręby... ale też i kalendarz myśliwego: okresy rui, wylęgu, ochrony i polowań. Już w sieni witały przybysza lisie i wilcze burki, myśliwskie smycze i harapy... – „Tobie zając i sarna, a mnie soból i panna...".

Dwór bywał najczęściej dwutraktowy, łącząc na przestrzał podwórze od strony zajazdu z ogrodem. W przestronnej jadalni wisiały portrety antenatów, a kiedy brakowało już miejsca, pojawiały się w całym domu. Ci, co odeszli, byli tu bowiem najważniejsi. I trofea wojenne przez nich zdobyte – najcenniejsze z królem Janem w potrzebie wiedeńskiej. Nie było chyba dworu w Koronie, który nie uczestniczyłby w tej wyprawie.

Honorowe miejsce w dworskiej zbrojowni zajmowały szable, rozwieszone wokół husarskiego kirysu lub kolczugi, pod konfederackim ryngrafem, świadczące o pozycji rodu, o jego rycerskiej przeszłości. Obok strojnych karabel prezentowały się dumnie pałasze husarskie i szable Kawalerii Narodowej. Na ich głowniach można było odczytać wyryte sentencje: „Broń honoru mojego by mi nie był wzięty", „Krzyż na czoło, kord na wroga, tnij a śmiało w imię Boga", *Si Deus nobiscum, quis contra nos* (jeśli Bóg z nami, kto przeciw nam), *Amor Patriae nostra lex* (miłość Ojczyzny naszym prawem), *Dulce et decorum est pro Patria mori* (słodko i zaszczytnie jest umrzeć za ojczyznę), *Pro fide, rege et lege* (za wiarę, króla i prawo). I wreszcie szable upamiętniające Konstytucję 3 Maja: „Naród z Królem, Król z narodem", otaczane szczególną atencją.

Te inskrypcje mówią o swoich autorach właściwie wszystko. Program ideowy szlachty sprowadzał się bowiem do kilku pojęć: Boga, honoru, wolności stanu rycerskiego i ojczyzny – pojmowanych jako absoluty niezmienne, ponadczasowe i uniwersalne. Król bywał utożsamiany z pojęciem ojczyzny, jako

Entering the manor, one entered a different world, governed by its own rules. This world consisted of the past, built up like the rings of the tree's trunk – year after year, generation after generation. Everything was dignified and hierarchic, inviolable and sacred. The rhythm of life was defined by field work: sowing, haymaking, harvest time and felling...., but also by hunter's calendar: heat time, breeding, protection and hunt. In the entrance hall one could see fox and wolf pelts, hunter's leashes and crops – "A hare and deer for, and a sable and maiden for me...".

Manors were usually two-tract and linked directly the drive yard and the garden. Portraits hung in the spacious dinning room, and if there was no more room for them, they hung in the rest of the house. Those who had passed away were most important persons, as were the trophies collected by them – the most valuable ones were those gained at the battle of Vienna by Polish armies led by King Jan III. There was probably no manor house in the whole Crown (The Polish part of the Commonwealth as opposed to the lands of the Grand Duchy of Lithuania) whose inhabitants had not participated in this battle.

The position of honour in the manor armoury was held by the sabres. They hung around the cuirasses of the Polish hussars, under confederate gorget and were the proof of the family's position on its knightly past. Along with the ornamented curved swords there were hussar broadswords and the sabres of the Cavalry of the Nation. On the pommels, glittering with reflection, one could read the inscriptions: "Defend my honour so that it is not taken from me"; "Cross on the forehead, a sword for an enemy, cut bravely in the name of God"; *Si Deus nobiscum, quis contra nos* (If God is on our side, who is against us?); *Amor Patriae nostra lex* (Our Law is Love of Homeland); *Dulce et decorum est pro Partia mori* (It is sweet and noble

symbol jej suwerenności. Najwyższym prawem była wola szlachty, „dobro powszechności". Bohaterowie wskazywani jako wzór do naśladowania to: król Jan III, wielcy hetmani, Tadeusz Reytan, Tadeusz Kościuszko (ten, co „z oczyma podniesionymi w niebo, miecz oburącz trzyma"), książę Józef Poniatowski – rycerz bez skazy... obecni na ścianach dworów w zdumiewającej różnorodności konterfektów i rycin. W domach przepojonych duchem francuskiego Oświecenia wisiały także portrety króla Stanisława Augusta w licznych replikach i powtórzeniach dzieł Bacciarellego i pani Vigée Lebrun. Do ulubionych postaci należeli także: Napoleon, Adam Mickiewicz, Emilia Plater... Dwór wypełniony był nie tylko zapachem suszonych ziół, swieżych kwiatów, starego drewna i miodu, lecz także dźwiękami fortepianu:

Przy kominku z lulką stoję, puszczam w kłębach dym,
a wspomnienia wszystkie moje lecą razem z nim...

Obok repertuaru patriotycznego („Bywaj dziewczę zdrowe, Ojczyzna mnie woła, idę za kraj walczyć wśród rodaków grona...") najchętniej śpiewano dumki, zwłaszcza na Podolu, Wołyniu i Ukrainie. Niepojętą była dusza tego ludu. Niby od stuleci wspólnotą tej samej ziemi bliska, a zarazem jakże daleka.

Wiele wątków zawierała kultura dworu polskiego, ale szczególną rolę odgrywała w niej książka. Nie było dworu, który nie miałby zbioru ksiąg opatrzonych często ekslibrisem lub pieczęcią herbową z nazwą rodowej siedziby. W okresach zaborów i zniewolenia były te biblioteki źródłem moralnej siły, przyczyniając się do zachowania intelektualnej i duchowej suwerenności. I właśnie dlatego zostały rzucone przez wrogie ręce na stos, płonąc tym intensywniejszym ogniem, im więcej kryły wzruszeń i zasuszonych kwiatów.

to die for the fatherland); *Pro fide, rege et lege* (For the Faith, the King, and the Law"). And the sabres commemorating the Constitution of May 3, 1791: "The Nation with the King, the King with the Nation", which were subject to particular deference.

These invocations tell us practically everything about their authors, since the ideological program of the nobility comprised only a few notions: God, Honour, Liberty of the Knightly Class and of the Fatherland; they were understood as invariable, timeless and universal absolutes. The King and the Law were included in the notion of the fatherland, whose leaders were King Jan III, Tadeusz Reytan, and Tadeusz Kościuszko (Who "holds a sword with both hands and turns his eyes to Heaven"), Prince Józef Poniatowski they were present on the mansion walls in a variety of portraits and drawings.

In theses houses, whose inhabitants were influenced by the spirit of the French Enlighment, there also hung portraits of the last Polish King – Stanisław August – in numerous replicas and repetitions of the works by Bacciarelli and Madame Vigée Lebrun. They were fond of Napoleon, Adam Mickiewicz, Emilia Plater also. The manor was impregnated not only with scents of dried herbs, fresh flowers, old wood and honey but twith sounds of royal piano also:

I stay by the fireside with my pipe, making wreaths of smoke,
and all my memories are flying along with it...

Besides of the patriotic repertory ("Bye, bye the dear darling, I am called by Homeland, to fight among compatriots for it...) there were dumka's most popular to sing, specially in Podole, Wołyń, Ukraina regions. The spirit of these people was unintelligible. It seemed that after common histrory of ages they had community

Nie była zresztą książka we dworze osamotniona. Otaczały ją makaty buczackie, pasy kontuszowe, portrety trumienne, szkła urzecko-nalibockie z herbami i okolicznościowymi napisami, ceramika z Korca, Baranówki, Tomaszowa, oraz tyle jeszcze innych przedmiotów nieodzownych w ziemiańskim życiu, wykonanych we własnych manufakturach, wedle własnych upodobań, potrzeb i gustów. A formowały się one niezwyczajnie: na Dzikich Polach, wśród tabunów i namiotów Emira, to znów pod krużgankami sławnych Uniwersytetów. Będąc przedmurzem chrześcijańskiej Europy sami ulegali Sarmaci urokom Orientu, przepychowi Bachczysaraju. Nikogo więc nie dziwił wizerunek włoskiej Madonny na tle osmańskiego kobierca, czy porcelana Imari w sąsiedztwie francuskiej sekretery.

Roman Aftanazy w swoich pomnikowych *Materiałach do dziejów rezydencji* zgromadził tysiące fotografii ukazujących jak nieoczekiwane i nieszablonowe były wnętrza dworów, jak tradycyjne a równocześnie uzależnione od bieżących wydarzeń. Wartości artystyczne nie odgrywały tu najważniejszej roli. Liczył się nade wszystko etos rycerski, splendory i zasługi rodu. Byli wielcy miłośnicy sztuki i kolekcjonerzy, lecz nie oni decydowali o charakterze polskiego domu. Kształtowały się wnętrza siedzib ziemiańskich w sposób naturalny, żeby nie powiedzieć przypadkowy. Każdy obraz i sprzęt przypominał drogą osobę, kogoś bliskiego. Przewieszenie, przestawienie tych przedmiotów byłoby równoznaczne z uchybieniem ich pamięci. Pomimo to, zdarzały się gruntowne przebudowy, kiedy nie tylko zmieniano wystrój wnętrz, lecz także architektoniczny kostium całej budowli.

Trwały więc tak, niewzruszone, tworząc swoiste sanktuaria, ale nie tyle rzeczy, co za ich pośrednictwem – osób. Bo każdy przedmiot miał tutaj swoje osobowe odniesienie i uzasadnienie. Niestety przeważnie tylko w ustnej tradycji, bowiem kiedy przy najrozmaitszych okazjach sporządzano

feelings, but there you could be surprised by opposite as well.

Polish manor culture contained many invaluable traits, but a special role was played by books. In all Polish manors, there were collections of books, usually marked by unique bookplate, most often a stamp with the coat-of-arms and name of the family house. During the partitions, these libraries were the source of moral strength and they helped to maintain intellectual and spiritual sovereignty. And it was precisely because of this that they were burnt by enemies; the more emotions, tears and dried flowers they contained the more brightly they burned.

However, books were not lonely in the manors. They were surrounded by other works of art: Buczacz tapestries, robe sashes of the ancient Polish nobles, coffin portraits, Urzecz-Naliboki glass with coats-of-arms, pottery from Korzec, Baranówka and Tomaszów, as well as many other objects indispensable to gentry life, produced in their own manufactures according to their liking and taste.

Their taste about the interiors reflect the most unusual influences: rough plains, herds of wild horses and tents of the East, the cloistered walkways of famous universities. Located in the bulwark of Christian Europe, they reveal the Sarmatian weakness for charm of the Orient as well as the splendour of the Bachczysaraj. For them the presence of an Italian Madonna next to an Ottoman carpet, or a French secretary next to a Imari ware, was completely natural.

In his monumental *"Materials on the History of Residences"*, Roman Aftanazy collected thousands of photographs, which showed how unexpected and original manor interiors were, how traditional, while at the same time influenced by current

inwentarze skrupulatnie wymieniając wszystkie klejnoty, broń, tkaniny, srebra, obrazy, meble..., na ogół pomijano ich proweniencję milczeniem. Pomimo to są te rejestry niezastąpionym źródłem dla dziejów kultury dworskiej.

Epoka ziemiańskich siedzib bezpowrotnie przeminęła. Odeszła w przeszłość z poszumem husarskich skrzydeł i dźwiękiem ułańskiej trąbki, ze śpiewem powracających z pól żeńców, z plonem niesionym „w gospodarza dom", z tętentem czwórki na drewnianym moście, z dzwonkami bałagulskich zaprzęgów... Obraz tętniącego życiem dworu oddala się coraz bardziej, rozpływając się w pomroce gęstniejącego zmierzchu, to znów jarząc się promieniami zachodzącego słońca... Odwieczny dom, jak tonący okręt na wzburzonej fali, rozbłyska ostatnimi snopami świateł, pogłosem tańczących i złowróżbnych basów...

Żegnaj, dworze polski! Arko przymierza pomiędzy dawnymi a nowymi laty, gniazdo karmiące miłością Ojczyzny od powicia, forteco strzegąca praw dawnych i obyczajów, skarbnico rodzinnych pamiątek i narodowych relikwii, świątynio osobliwa. Byłeś czarą pierwszej miłości, źródłem tęsknoty i wzruszenia, echem Bogurodzicy, szczęku broni i wiwatów zwycięstwa. Kiedy Ciebie zabrakło, to tak, jakby duszę zabrano, pozostawiając bezbronne, bez pamięci ciało. Znaleźli się jednak entuzjaści, którzy w ruiny i zgliszcza tchnęli nowe życie. W starych murach ziemiańskich siedzib ponownie zabrzmiały dziecięce głosy, popłynęły tony fortepianu... Wiejskie domostwa, pozornie te same, a jednak już inne, nadal emanują aurą intelektualnych i artystycznych pasji, promieniują przykładem pracy bezinteresownej, podejmowanej dla powszechnego dobra, na pożytek nasz wspólny. Muzyka Krzysztofa Pendereckiego, malarstwo Andrzeja Strumiłły, Aleksandry i Andrzeja Novak-Zemplińskich, Marka Kwiatkowskiego, teatr Wojciecha Siemiona, kreacje Beaty Tyszkiewicz,

events. Artistic value was not the most important factor. Major attention was attached to knightly ethos, to the splendours and merits of a given family. There were art-lovers and collectors, but they did not play a decisive role in the final product. The interiors of noble manor houses were shaped in a natural, or even incidental way. Every picture or object recalled someone dear and beloved. Rearranging these objects would mean offending their memory.

And so they lasted, invariable, creating peculiar sanctuaries, not of objects but persons, since every object had its personal point of reference and justification. Unfortunately this was preserved only in oral tradition, since during various inventories, when all jewels, arms, tapestry, silver, pictures and furniture were scrupulously registered, their provenance was hidden with discrete silence. In spite of this, such registers are an invaluable source of information about the history of manor culture.

The epoch of noble manor houses is gone forever. It went into the past with the rustle of hussar wings and the sound of the uhlan trumpet singing of reapers coming back from the fields, with the harvest brought into the master's house, with the hoofbeats of a four-horse team on a wooden bridge, with the jingle bells of Bałaguła horse-drawn carriages. The image of lively manor houses is becoming more and more remote, fading in the thickening dusk and glittering with the rays of the setting sun. These centuries – old houses – like a ship sinking in stormy waves – shine with the last shaft of light, music and the sound of those dancing...

Farewell, Polish manors, the Ark of the Convenant between the old times and new, the nest which from birth fed people with love for their homeland, the fortress cherishing old rules and customs, the treasury of family souvenirs, the

fotografia Mirosława Wiśniewskiego, kolekcjonersko–muzealny program Tułowic, Suchej, Petrykoz... to początek drogi, na której spotykamy zarówno egzystujące od dawna dwory Lucjana Rydla i Włodzimierza Tetmajera w Bronowicach, Józefa Chełmońskiego w Kuklówce, Henryka Sienkiewicza w Oblęgorku, jak i restaurowane współcześnie – Cypriana Kamila Norwida w Laskowie Głuchach czy Władysława Reymonta w Wobórce.

A przecież trwają jeszcze weterani czasów minionych: Olsza Potockich, Radachówka Szlenkierów, Glanów i Tarnawa Novaków... niezmiennie w rękach tych samych rodzin.

Odrębnym choć pokrewnym zjawiskiem były okazałe siedziby wielkich rodów, które poprzez blask magnackich splendorów potęgowały glorie ich założycieli, podnosiły prestiż, zjednywały głosy szlacheckiej braci. Pracę na roli powierzano plenipotentom, poświęcając czas na działalność polityczną i wojskową, „dyplomatykę i łowy". Nie znaczy to jednak, że lekceważono sprawy majątkowe. Przeciwnie, poświęcano im wiele uwagi, zabiegając o królewskie nadania i zawierając korzystne małżeństwa. Działalnością gospodarczą zasłynęli zwłaszcza: wojewoda i generał ziem ruskich August Czartoryski (1697-1782), jego córka Izabella Lubomirska (1736-1816) – *La Princesse Marechale*, pani na Łańcucie, Wilanowie, Brzeżanach, Przeworsku i Krzeszowicach, jedna z najbogatszych kobiet w Europie. Dorównywała jej zamożnością i talentami wojewodzina bracławska Anna z Sapiechów Jabłonowska (1728-1800) – pani na Siemiatyczach i Kocku, właścicielka 11 miast i 107 wsi, autorka wielu pism i prac dotyczących ziemiańskiej ekonomii.

Kiedy dwory i dworki hołdowały miejscowym i rodzinnym tradycjom, wywodzącym się z ducha sarmatyzmu, to zamki i pałace miały charakter na wskroś europejski, gdzie kostium francuski

temple of national relics.... You were the witness of first love, the object of longing and emotions, the echo of arms' clang and the cheers of victory. When you disappeared, Poland lost its most precious possession – the witness of its historical identity and position. It was like taking away the soul and leaving the helpless, mute body. However, there appeared new enthusiasts, who brought new life to the ruins and debris. Children's voices and piano tunes once again sounded in the old walls of nobility houses. Country residences, apparently the same but somehow different, still amanate with intellectual and artistic passions, providing an example of unselfish work undertaken for the general good to benefit all of us. Krzysztof Penderecki's music; Andrzej Strumiłło, Andrzej and Aleksandra Novak-Zempliński; Marek Kwiatkowski's paintings, Wojciech Siemion's theatre; Beata Tyszkiewicz's acting, Mirosław Wiśniewski's photography; the collector-museum program of Tułowice, Sucha, Petrykozy – all this is the beginning of the road on which we find both Lucjan Rydel's and Włodzimierz Tetmajer's houses in Bronowice, Józef Chełmoński's manor house in Kuklówka, Henryk Sienkiewicz's house in Oblęgorek, the recently restored manor house of Cyprian Kamil Norwid in Głuchy, and Władysław Reymont's mansion in Wobórka.

But there still persist veterans of past ages: Potocki's Olsza, Szlenkier's Radachówka, Novak's Glanów and Tarnawa... constantly in the hands of the same families.

The different, but with the bit of similarity were castles and houses of magnates' families which by the lordly splendours magnified the glory of their founders and owners and their prestige. These were also important in collecting votes of the nobles brotherhood. The maintenance of the property was in the hands of the hired

współistniał z wpływami Italii, gdzie docierały upodobania i wykwintny gust angielski. Toteż niewiele dzieliło te elitarne rezydencje od podobnych kreacji zachodnioeuropejskich architektów i stylistów, od wielkiego Palladia począwszy.

Nie dotrwały do naszych dni budowle najwspanialsze, powalone szwedzkim potopem, pożogą osmańskich i tatarskich zagonów. O randze tych siedzib świadczą dotąd mury Krasiczyna i Baranowa, fascynujące ruiny zamku „Krzyżtopór" Ossolińskich w Ujeździe, o tylu komnatach, ile jest dni w roku.

I chociaż cechą znamienną dawnych Polaków było rozmiłowanie w strojach, klejnotach, rzędach końskich i broni (orszak poselski Jerzego Ossolińskiego gubi w Rzymie złote podkowy), to jednak wzorem królewskiego dworu i Akademii Krakowskiej, stawały się siedziby magnackie przybytkami sztuki i artystycznego mecenatu. Tak było w Nieświeżu Radziwiłłów, Olesku i Żółkwi Sobieskich, Ossolinie Ossolińskich, Łańcucie Lubomirskich, Krystynopolu i Tulczynie Potockich, Białymstoku Branickich, w Sieniawie i Puławach Czartoryskich...

Tych siedzib już nie ma, powstały za to „Muzea Wnętrz Zabytkowych" i „Zespoły pałacowo-ogrodowe": w Wilanowie, Łańcucie, Nieborowie, Gołuchowie, Rogalinie, Kórniku, Pszczynie, Kozłówce... Inny jest już jednak nastrój i klimat tych sal: chłodny i racjonalny, to znów zbyt teatralny. Ale nie może być inaczej, skoro wyproszono z nich mieszkańców: tych, którzy co tu się rodzili i umierali, tych, którzy tu wbrew przeciwnościom losu, pokoleniami trwali.

„Muzea są potrzebne, a nawet niezbędne dla zaspokojenia potrzeb kulturalnych ogółu. Są to jednak zielniki, w których przechowuje się rośliny już martwe" – pisał w 1964 roku Edward Raczyński. Może więc właśnie dlatego bardziej od rozmieszczonych ręką kustosza przedmiotów przemawiają do mnie odwieczne dęby w Rogalinie, rysowane przez

plenipotentiary clerks, while the owners were busy with the political and military activities called "diplomatic and hunt". It does not mean that matters of property was not important, in contrary such matters were in centre of activities such as negotiations marriages or scramble for o king's grants. Specially in such "economical" activities were very well known and successful Voivode and General of Russian Land August Czartoryski (1697-1782), his daughter Izabella Lubomirski (1736-1816) – *La Princesse Marechale*, The Lady on Łańcut, Wilanów, Brzeżany, Przeworsk and Krzeszowice. She was the one of the richest woman in Europe. Equally talented and rich was Voivode of Bracław, Anna from Sapieha Jabłonowski (1728-1800). Lady on Siemiatycze and Kock, she owned 11 towns and 107 villages, and was the author of a lot of articles and books concerning the agricultural economy.

While manors and country houses based on local and family traditions and Sarmat's spirit, the castles and palaces had the pan european character where French costume was, in perfect coexistence with Italian influences, where English taste was found also. Because of that there were not differences between these residence of elite and was similar of the western Europe creations, beginning of great Palladia.

The most beautiful buildings did not last until now they were distroyed during the Swedish occupation, Osman's battles and Tatar's wars. The evidence of castles rank is still in walls of Krasiczyn and Baranów castles, as well as in fascinating ruins of the Castle "Krzyżtopór" in Ujazd, owned by Ossoliński family, where the number of the rooms was equal to number of days in the year.

In spite of the characteristic for the old Poles was love for cloths, precious jewellery and horses coaches and armour (the Ossolińki's suite loose the golden horsehoofs during its entrance to Rome)

Leona Wyczółkowskiego, obecne w wierszach Edwarda Raczyńskiego:

Daleki szmer przepłynął i usnął wśród liści,
a na czerwonym hełmie do szczytu przyrosły
rycerz śnieżny, jak chramów strażnicy wieczyści,
powieści słucha, którą mu szmery przyniosły.

Wymazanie Rzeczypospolitej Obojga Narodów z mapy Europy zwróciło uwagę magnackiej elity na pomniki i pamiątki narodowej kultury, które za przykładem króla Stanisława Augusta zaczęli gromadzić w myśl puławskiej dewizy: „Przeszłość przyszłości". Właśnie w tych wyludnionych dziś domach powstał zaczyn polskiego muzealnictwa. Wiekopomnym zasługom Izabelli z Flemingów Czartoryskiej (1746-1835) zawdzięczamy powstanie sanktuarium w Puławach: Świątyni Sybilli i Domku Gotyckiego. Równie świetne przybytki „krajowych starożytności" stworzyli: Helena z Przeździeckich Radziwiłłowa w Nieborowie i Arkadii, Stanisław Kostka Potocki w Wilanowie, Jan i Izabella z Czartoryskich Działyńscy w Gołuchowie, Tytus i Jan Działyńscy w Kórniku, Edward Raczyński w Rogalinie, Jan Feliks i Waleria ze Stroynowskich Tarnowscy w Dzikowie...

Pomimo muzealnych programów nie były te rezydencje zielnikami zasuszonych kwiatów, lecz żywymi kolekcjami, kształtowanymi przez indywidualne pasje i zainteresowania swoich twórców, przepojone ideami stanisławowskiego Oświecenia. Bo cień zmarłego na wygnaniu króla towarzyszył tym wszystkim dokonaniom. Wyzuty z ojczyzny, zwierzał się Stanisław August umiłowanemu Bacciarellemu w liście: „Najbardziej ufam temu żniwu, które choć po mojej śmierci, inszy zbierać będzie, z mego jednak zasiewu".

Przyjaźni, ale i rywalizacji króla Stasia z Sybillą z Puław i Westalką z Arkadii zawdzięczamy przeżycia towarzyszące nam zarówno w Zamku

but as well as the King's suite and Academy of Cracow, the Castles became the places of Art patronage. That was in Radziwiłł's Nieśwież, Sobieski's Olesko and Żółkiew, Ossoliński's Ossolin, Lubomirski's Łańcut, Potocki's Krystynopol and Tulczyn, Brannicki's Białystok, Czartoryski's Sieniawa and Puławy...

These dwellings are not existing any more, on their places are opened the "Museum of Castle Interiors" or "Palace with Park Complex" e.g. in Wilanów, Łańcut, Nieborów, Gołuchów, Rogalin, Kórnik, Pszczyna and Kozłówka... But the climate of these castles is not same, it is icy and rational or too theatrical. It could not be other way, as their habitants were tuned out, these who lived there, were born there and died there. These who against the bad fate stayed still there through generations.

"Museums are very important , even necessary for the general cultural needs of the nation, but they are like herbariums in which you could find the dried flowers only" wrote Edward Raczyński in 1964. It is why I am deeply touched by eternity of the oaks in Rogalin drawn by Leon Wyczółkowski and present in poems of Edward Raczyński.

The whisper has flown and fall asleep between leaves,
but on a red helmet sticked to the mountain
the Snow Knight, the same as the old houses guards,
listen stories, which were brought by whispers.

When the Polish Commonwealth (Poland Kingdom of Two Nations) rubbed out of Europe's maps the magnate's elite turn on its concern on monuments and souvenirs of polish national culture. They gathered those, as the King Stanisław August did, as was in the sentence written in Sanctuary of Puławy: "Past for Future". Thanks to extraordinary efforts of Izabella Czartoryski (1746-1835) emerged the Sanctuary in Puławy: Sybill's Temple and Gothic House. The collections

Królewskim, jak i w salach Łazienek, Nieborowa, Gołuchowa...

W dworkach i dworach, pałacach i zamkach rozrzuconych na rozległych obszarach dawnej Rzeczypospolitej: Korony, Litwy i Rusi tkwił *genius loci* tych narodów, które późniejsze losy rozdzieliły, tak ciężko przy tym doświadczając. Ponad ruinami opustoszałych gniazd snuje się dziś żałobne memento, podzwonne wspólnej wielkości i chwały, nie pozbawione przecież iskierek nadziei.

Bo oto polska ziemia wbrew zakusom losu rodzi nadal: zabliźnia rany, spowija się jak niegdyś w białą szatę wiejskich domostw. Bo czyż jest drzewo, które się gniazda wyrzeknie? Czyż jest rzeka, która strumienia nie przygarnie? Odradzają się dwory w krajobrazie polskim, przywracając ziemi rodzinnej jej naturalne, własne oblicze.

Stanisław Ledóchowski

of glamorous pieces of art were created by Helena from Przeździecki family Radziwiłł in Nieborów and Arkadia, Kostek Potocki in Wilanów, Jan and Izabella from Czartoryski family Działyński in Gołuchów, Tytus and Jan Działyński in Kórnik, Edward Raczyński in Rogalin, Jan Feliks and Waleria from Stroynowski family Tarnowski in Dzików...

Besides museum programs these residences were not "herbariums of dried flowers" but alive collections created according to individual passions and interests of their creators, they were full of Polish Enlightenment ideas. It is clear for myself that the soul of the King who died outside his country, was active in all these achievements. The King, deprived of fatherland and his collection of art, wrote to Bacciarelli: "I trust the most in the harvest, which after my death others will reap, but it will be from my sowing." Thanks to friendship but also to the competition between King Staś and Sybilla from Puławy and Vestal from Arkadia we awe the feelings being along with us in King's castle as well as in the Rooms of Łazienki, Nieborów, Gołuchów...

In manors, country houses, palaces and castles located throughout the Polish Commonwealth lands: Crown, Grand Duchy of Lithuania was present the *genius loci* of these Nations, which were parted by bad fate later on, and were so badly experienced. Over the ruins of empty nests is flying the funeral memento, the memory of the Common Great Glory and History but there are flickers of hope still.

And thus, against all odds, this land still gives birth; it heals the wounds and is covered – as in the past – with the white walls of country manor houses. And this is natural. Is there a tree which would give up its nest? Is there a river which would not shelter streams? Manor houses are reappearing on the Polish landscape and are bringing back the natural character of their homeland.

Stanisław Ledóchowski

Mała Wieś

„Anno Dni 1786 (D.3.Junij). Wprowadzenie do pałacu" – to napis przy wejściu na klatkę schodową pięknego, klasycystycznego pałacu w Małej Wsi koło Grójca. Rezydencja została wzniesiona dla Bazylego Walickiego i jego żony Róży z Nieborskich, według projektu Hilarego Szpilowskiego.

Założony na planie prostokąta, z czterokolumnowym doryckim portykiem w części centralnej i herbem Łada w tympanonie, pałac ma dwutraktowy układ wnętrz. Parter mieści część mieszkalną, pierwsze piętro zaś sale reprezentacyjne. Spośród nich na specjalną uwagę zasługuje Sala Warszawska z polichromowanym przedstawieniem panoramy Warszawy. Umieszczono tu także widok Neapolu z Wezuwiuszem, będący zapewne nostalgicznym wspomnieniem z podróży do Włoch. Najpiękniejsza jednak pod względem dekoracji jest Sala Pompejańska ze scenami zaczerpniętymi z mitologii oraz licznymi groteskami.

Pałac w Małej Wsi należy do nielicznych polskich siedzib, które zachowały oryginalny wystrój wnętrz. Park, którym jest otoczony, w pierwotnej wersji miał charakter szpalerowych ogrodów francuskich. W XIX wieku przekształcono go na modłę malowniczych ogrodów angielskich. W pobliżu pałacu znajduje się głaz z tablicą, której tekst informuje: „Król Stanisław August odwiedzając Bazylego Walickiego odpoczywał na tym kamieniu w d. 20 i 21 lipca 1787 r.".

W wiekach XIX i XX pałac znajdował się kolejno w posiadaniu Rzewuskich, Zamoyskich, Lubomirskich i Morawskich. Obecnie przeznaczony jest na potrzeby Urzędu Rady Ministrów.

"Anno Dni 1786 (D.3.Junij) Removal into the palace" – that is the inscription at the staircase entry of the splendid classicist a Palace at Mała Wieś near Grójec. The residence was built for Bazyli Walicki and his wife Róża nee Nieborski, on a design of Hilary Szpilowski. The Palace was designed in the form of a rectangular with a Dorian square portico in central part and coat-of-arms Łada in the tympanum.

The arrangement of rooms in two-tiered in the building, with living quarters situated on the first floor and presentable halls on the ground one. There is a Warsaw Room and a Room with paintings depict a view of Naples with Vesuvius. The interior with most beautiful decorations is the Pompeian Room with mitological scenes and grotesque decorations.

The Palace of Mała Wieś belongs to these not very numerous, Polish residences which kept on original interior decorations until now. The park enclosing the Palace designed as French espalier garden, afterwards was rearranged into English type garden. The curiosity of the garden is a boulder with board informing that: "King Stanisław August, while was visiting Bazyli Walicki rested on this stone on July 20th and 21st, 1787."

In 19 and 20 centuries the residence belonged to Rzewuskis, Zamoyskis, Lubomirskis and Morawskis. At the present the Palace is used as the residence of Government Cabinet.

Sala Pompejańska
The Pompeian Room

Widok od strony podjazdu na elewację frontową
← The front façade – view from the driveway

Sala Pompejańska. Fragment
The Pompeian Room. Fragment

Salon Zielony
The Green Parlour

Sala Warszawska
The Warsaw Room

Olsza

Olsza była wsią podkrakowską. Po drugiej wojnie światowej została wchłonięta przez miasto. Dwór w Olszy należy do tych nielicznych siedzib ziemiańskich, które przez pół wieku nieprzyjaznego im ustroju dzięki heroicznej postawie właścicieli pozostały w rękach jednej rodziny. To rodzinne gniazdo Potockich jest dziś miejscem, w którym przetrwały dawne obyczaje i skarb najcenniejszy – spuścizna wielu pokoleń.

Nie zachowały się dokumenty mówiące o budowniczym tego domu. Wzniesiono go zapewne na przełomie XVIII i XIX wieku. Olsza przeszła w ręce Potockich w 1869 r., kiedy to Anna Zakaszewska herbu Rawicz wyszła za mąż za Antoniego Potockiego, wnosząc ten skromny, lecz piękny dwór jako wiano.

Dom ten – pełen pamiątek rodzinnych – posiadał w swoich zbiorach rzecz niezwykłą: namiot turecki, który do roku 1921 wypełniał jeden z salonów. 12 września 1683 r. zdobył go w czasie słynnej odsieczy wiedeńskiej jeden z Potockich. Zdobycz stała się częścią wielkiego trofeum króla Jana III. Dziś ten unikatowy wieloboczny namiot znajduje się na Wawelu. Ofiarowany do zbiorów wawelskich przez Antoniego Potockiego z Olszy i Artura Potockiego z Krzeszowic stał się wyrazem hołdu Pilawitów dla wiekopomnego czynu przodków.

Olsza was formerly a village near Cracow. It became the part of Cracow after Second World War. Thanks to the heroic, everyday struggle of its owners during last fifty years, this manor is still is in the hands of the family. This family nest of Potocki's family is the place where old customs and most important – memories of many generations are still alive.

There were not found the documents about the designer of the mansion but it is revealed that it could been built in the second half of the 18th century. Beautiful but simple manor was acquired by the Potocki family in 1869 as Anna Zakaszewski coat-of-arms Rawicz, dowry when she married Antoni Potocki.

The manor full of memories had something extraordinary – Turkish Tent, which was exposed in one of the rooms. That tent was conquered on 12 September of 1683 during the famous battle of Vienna by one of the Potocki's ancestors. Today this unique tent you can find in Wawel Castle exposition. It was the donation Antoni Potocki from Olsza and Artur Potocki from Krzeszowice for Wawel Castle Collections, as tribute to their ancestors.

Wielki salon z kasetonowym stropem
The grand salon with a coffered ceiling

Wnętrze piętrowej biblioteki z biurkiem Anny z Działyńskich Potockiej
The library with the desk of Anna Potocki nee Działyński

Pamiątki rodzinne
The family's remembrances

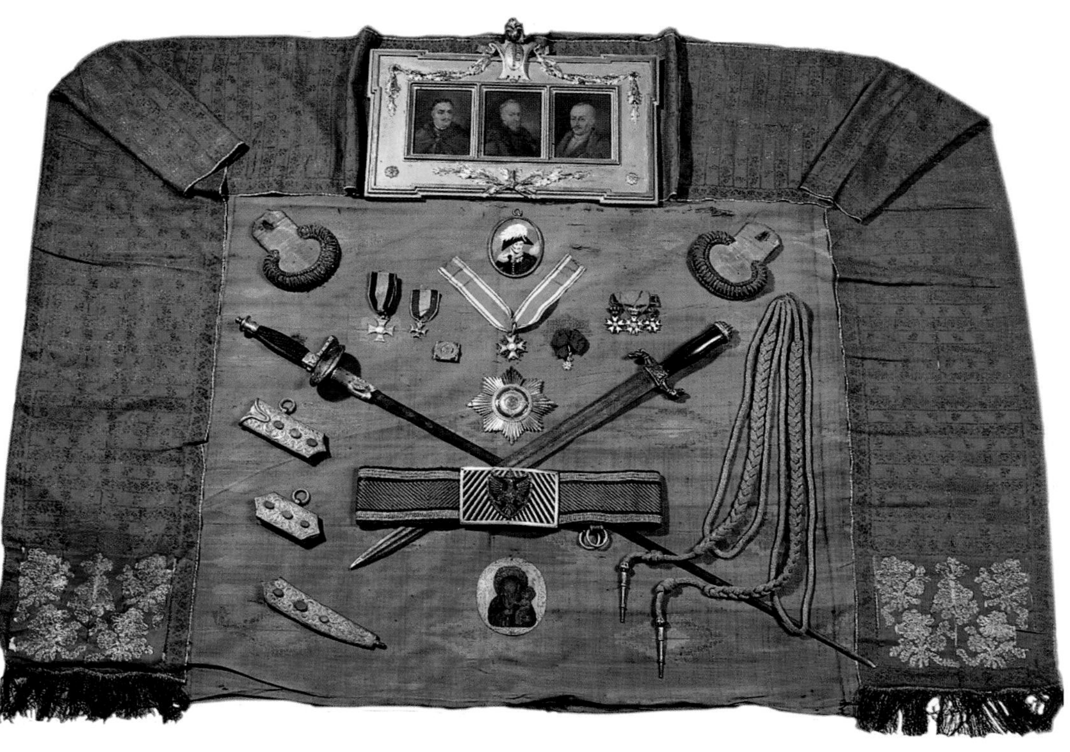

Ożarów

Dwór w Ożarowie, zbudowany przez Władysława Bartochowskiego w połowie XVIII wieku, reprezentuje tradycyjny model parterowego, ściśle osiowego i symetrycznego domu, jaki ukształtował się w Rzeczypospolitej jeszcze w XVII wieku. Masywny, niezbyt duży dworek zbudowano z drewna modrzewiowego, na ceglano-kamiennej podmurówce. We wszystkich pomieszczeniach zastosowano drewniane stropy z potężnymi belkami. Na centralnej belce w dawnej sali jadalnej wykonano widoczny do dziś napis wskazujący na fundatora i czas ukończenia budowli: „LR 30 AUGUST ANNO 1757".

Fundator domu, Władysław Bartochowski herbu Rola, skarbnik i łowczy sieradzki, kasztelan wieluński, pochodził z rodu średnio zamożnej szlachty, której przedstawiciele – światli i wykształceni – piastowali ważne funkcje w życiu publicznym. Brat Władysława, Franciszek, był rektorem oo. jezuitów w Bydgoszczy, stryj Wojciech – przeorem oo. dominikanów w Poznaniu, zaś dziad Jan „słynął z biegłości w prawie polskim". W rękach rodziny Bartochowskich majątek pozostał do 1821 r.

W roku 1831 dobra przeszły w ręce Ignacego Bąkowskiego, wnuka Wojciecha Bartochowskiego. W 1847 r. przejął on również dobra skolińskie po zmarłych bezpotomnie Stanisławie i Kazimierzu Bartochowskich. Niestety w latach osiemdziesiątych XIX wieku dominium ożarowskie zostało sprzedane. Kupił je Wiktor Maręż, a następnie Niemiec Henryk Meske. Zdarzenia te zamknęły blisko 130-letni okres, w którym dwór ożarowski był typowo polskim gniazdem rodzinnym Bartochowskich i Bąkowskich, pielęgnowanym przez pokolenia.

Obecnie w Ożarowie mieści się Muzeum Wnętrz Dworskich.

The Ożarów manor located near Wieluń was built by Władysław Bartochowski in middle of 18th century. It represents a model of traditional, one story, strictly axial and symmetric house, like was fashioned in 17th century in Poland. This massive, not very big manor house, was built from larchwood boards located on the bricks' made foundation. In the interior were wooden beam framed roofs. On the central beam in the old dining room until today one can see inscription about founder and time where the construction was completed: "LR 30 AUGUST ANNO 1757".

The manor founder Władysław Bartochowski, coat-of-arms Rola, was Master of Treasury and Master of Hunt in Sieradz District, the Governor of Wieluń (1760). His family was not very rich but its representatives were highly educated and played important role in public life. Franciszek the Władysław's brother was the rector of the Jesuit Convent in Bydgoszcz. The brother of his father, Wojciech was the Rector of Dominican Friars in Poznań and his grandfather Jan was famous of his knowledge of Polish Law.

The property was in hands of Bartochowski's family until 1821, in 1831 the grandson of the Wojciech Bartochowski, Ignacy Bąkowski took it over. In 1847 he took over property of Skolinów after unchildness death of Stanisław and Kazimierz Bartochowski. Unfortunately in 80's of the 19th century property of Ożarów was sold. It was purchased by Wiktor Maręż, and than Henryk Meske, the German. These events closed nearly 130 years period during Ożarów Manor was typically polish family nest of Bartochowski and Bąkowski families, established and cared by generations.

Nowadays in Ożarów manor is opened Museum of the Mansion Interiors.

Brama (XVIII w.) prowadząca do dworu
XVIII c. gate leading to the manor

Drewniany dwór alkierzowy
The alcove wooden manor house

Salonik myśliwski
The hunting parlour

Amfilada z widokiem na szafę z bronią myśliwską
Interior with a view of a cabinet with hunting weapons

Widok dworu od strony podjazdu
View of the manor house from the driveway

Brama
The gate

Kozłówka

Kozłówka koło Lubartowa, którą w 1735 r. wniosła Tekla Pepłowska jako wiano do związku ze starostą sztumskim Michałem Bielińskim, stała się na przestrzeni kilku lat jedną z ciekawszych późnobarokowych rezydencji. Zaprojektowana prawdopodobnie przez włoskiego architekta Józefa Fontanę, składała się z pałacu właściwego, oficyny kuchennej, dwóch kordegard oraz budynków stajni i wozowni. Druga oficyna, została zbudowana znacznie później. Na tyłach pałacu rozciąga się pięknie utrzymany park w stylu ogrodów francuskich.

W 1799 r. Kozłówka została sprzedana ordynatowi Aleksandrowi Zamoyskiemu, po którego rychłej śmierci stała się – od 1800r. – własnością jego siostry księżnej Anny z Zamoyskich Sapieżyny. W roku 1846 przeszła w ręce hrabiego Jana Zamoyskiego, a w 1870 r. została przekazana jego starszemu synowi Konstantemu. Odtąd zaczął się prawdziwy rozwój rezydencji. Prace nad przebudową pałacu trwały do 1914 r.. W ich wyniku stał się on jedną z najbardziej okazałych siedzib na terytorium Rzeczypospolitej.

Po śmierci Konstantego w 1923 r. ordynacja przeszła na jego stryjecznego brata Adama, a po 1940 r. na syna Aleksandra, który stał się ostatnim ordynatem Kozłówki.

Obecnie w pałacu znajduje się Muzeum Zamoyskich, którego dodatkową ciekawostką jest ekspozycja sztuki socrealistycznej.

An estate Kozłówka located near Lubartów was taken up by Michał Bieliński a governor of Sztum as his wife dowry, it became one of the most interesting residences of late Baroque style. The Palace was designed by Italian architect Józef Fontana, it consisted of the Palace proper, a perpendicular kitchen annex from south, two guardhouses, stables and a coach-house. Another perpendicular out house, was built much later.

In 1799 Kozłówka was bought by heir-in-tail Aleksander Zamoyski, and after his death it came into possession of his sister, Princess Anna Sapieżyna nee Zamoyski. Then, Count Jan Zamoyski took it over in 1846, but in 1870 it was handed to his elder son Konstanty. From this time started the true development of the residence. The reconstruction works of the Palace continued until 1914, following which the Kozłówka Palace became one of the most magnificent residences in Renewed Poland.

After death of Konstanty in 1923 the estate-in-tail came into possession of his brother-german Adam and after 1940 into his son Aleksander who was the last heir-in-tail of Kozłówka and that was the end of the history of Kozłówka Palace as lordly estate-in-tail.

At present in the Palace is situated „Museum of the Zamoyski's in Kozłówka. The curiosity of it is an exhibition of the social-realism works-of-art, which can be seen in the perpendicular.

Salon Biały na pierwszym piętrze
The White Room on the first floor

Widok pałacu od strony podjazdu
← The Palace – view from the driveway

Salon Czerwony
The Red Drawing Room

Klatka schodowa. W głębi portret „Król August II Mocny na koniu" – kopia według Luisa de Silvestre
The Stairway. In the distance the portrait of "King August II the Strong on horseback" – replica by Luis de Silvestre

Salon Niebieski
The Blue Room

Jadalnia
The Dinning Room

Koszuty

Historia dworu w Koszutach w powiecie średzkim sięga wieku XVI; wówczas to wzniesiono tu drewniany dom, z którego zapewne pochodzi belka z datą 1567, odnaleziona podczas remontu.

Zachowany do dziś dwór swój obecny kształt zawdzięcza przebudowie dokonanej w końcu XVIII wieku przez ówczesnego właściciela Józefa Zabłockiego. Na miejscu wcześniejszej budowli, wykorzystując jej fragmenty, wzniesiono wtedy nową, o charakterystycznych dla ówczesnych siedzib formach. Duży, rozłożysty dom z narożnymi alkierzami przykryty został mansardowym dachem. Front ozdobiono barokowym wolutowym szczytem.

Kolejna przebudowa, tym razem ostateczna, nastąpiła w 1902 r. Ostatnimi właścicielami dóbr (od roku 1850 do 1941) była rodzina Rekowskich. W czasie II wojny światowej majątkiem zarządzała niemiecka rodzina Kottke.

Po II wojnie światowej dwór podzielił losy wielu ziemiańskich siedzib w Polsce. Majątek został rozparcelowany, a we dworze zamieszkali dzicy lokatorzy. Na szczęście zadecydowano, aby w tym wspaniałym zabytku utworzyć Muzeum Wnętrz Dworskich. Wnętrza zaaranżowano tak, by ich wyposażenie i dobór sprzętów oddawały charakter wnętrz niewielkich dziewiętnastowiecznych siedzib ziemiańskich z terenu Wielkopolski.

The history of Koszuty manor located in Sieradz District, dates back to the 16th century, when a wooden house was first built; a board with the date 1567, found during redecoration in 1902, probably came from this original building.

The existing house's shape is due to reconstruction at the end of the 18th century. At that time a new house was built in a form characteristic for noble houses. The big house with corner alcoves was covered with a high mansard-type roof and the front exposure was decorated with Baroque-style, volute top.

The final reconstruction of the house was undertaken in 1902. The last owners of the property were from Rekowski's family (from 1850-1941 year). During the Second World War the property was administered by a German family called Kottke.

After the war, the manor shared the fate of many Polish noble houses. The property was parcelled out and the house was occupied by illegal tenants. luckily, it was decided to open up in this glorious monument the Museum of the Mansion Interiors. The mansion interior was designed in such a way that its furnishings and the choice of household objects reflect the character of the interiors of 19th century noble houses from this region.

Dwór z lotu ptaka
Bird's-eye view of the manor

Dwór alkierzowy od strony parku
View of the alcove manor from the park

Jadalnia. Fragment
The dinning-room. Fragment

Wnętrze jadalni
The dining room

Maćkowa Ruda

Dom zacząłem budować przed dziesięcioma laty na starym siedlisku Jakubowskich. To miejsce, Czarną Hańczą przepasane, wybrali sobie niegdyś łowcy reniferów. Ciągłość bytowania na nim człowieka poświadczają wióry krzemienne, ceramika średniowieczna i żelazo z rud bagiennych. Zastałem tu chałupę podlaską, szerokofrontową, asymetryczną, ze śladami dwóch ganków, o dachu naczółkowym krytym gontem. Uratowałem z niej to, co uratować się dało: dwa piece z ubiegłego wieku, strop w saloniku, drzwi główne z grecka kanelowane, pamiętające sławny rok 1920. Zachowałem atmosferę domu, swobodną asymetrię, dach naczółkowy, niskie sufity, stare podziały okien w ganku. Reszta musiała być pospieszną improwizacją.

Pomagał mi niejasny zapis z czasów mojej wczesnej młodości spędzonej na Ziemi Wileńskiej i Nowogródzkiej, gdzie obyczaje były zaściankowe, byt prosty, pracą i codzienną walką nieustanną wypełniony.

Pod dachem domu zebrałem okruchy materii przeróżnej z dalekich wędrówek: trochę kamieni z Himalajów, Gobi, Ziemi Świętej; trochę sztuki, kilka zasuszonych roślin; dzienniki, fotografie, negatywy i szkice; przypadkowy, ale pożyteczny na wsi księgozbiór; dyplomy zbędne i odznaczenia kurzem okryte; szpargały bibliograficzne; trochę rodzinnych relikwii: listy Ojca umierającego na katordze, fotografie Mamy z lat pierwszej wojny światowej – w białej koronkowej sukience – wykonane w Moskwie, rysunki naszych dzieci, wiersze do Danusi, broń pięknie grawerowaną przez syna, nagrania muzyki, którą Norwid umieściłby „pomiędzy Azją a niebem...".

Na wzgórzach jałowych posadziłem trzydzieści pięć tysięcy drzew...

Andrzej Strumiłło

I began to build my house ten years ago on the old site belonging to the Jakubowski family. This place surrounded by the Czarna Hańcza River, had once been a favourite of the reindeer hunters. The continuity of man's existence is confirmed by flint chips, medieval ceramics and iron from marsh ores. I found there a typical Podlesie cottage with a wide front, asymmetric, with the remains of two porches, and a shingle roof. Rescued what I could: two stoves from the 19th century in the sitting room and the main door fluted in Greek fashion remmebering the famous 1920 year. I preserved the atmosphere of the house, its free asymmetry, low ceilings and old porch windows. The rest had to be quick improvisation.

Faded memories from my youth, spent in Vilnius and Nowogródek, helped me in my work. The customs of this land were yeomen's customs; everyday life was simple, filled with work and continuous struggle.

Under this roof I have gathered the various pieces from my far travels: stones from the Himalayas, the Gobi Desert and the Holy Land; pieces of art, dried plants; journals, photos, negatives and sketches; a random but useful collection of books; useless diplomas and awards covered with dust; bibliographical scraps of paper, several family relics; the letters written by my father while dying in penal colony; photos of my mother in a white lace dress taken in Moscow during the First World War; our children's drawings; my poems for Danusia; beautifully engraved arms, the work of my son; and musical recordings, which Norwid would have placed "between Asia and heaven".

On the barren hills I have planted thirty-five thousand trees...

Andrzej Strumiłło

Dwór w Maćkowej Rudzie od strony ogrodu. Na pierwszym planie magiczny krąg związany z tradycją Jadźwingów
The manor in Maćkowa Ruda from the garden. The magic circle connected with the old tribe culture

Danuta i Andrzej Strumiłłowie
Danuta and Andrzej Strumiłło

Wnętrze werandy
The porch

Salonik z biedermeierowską sekreterą i kolekcją ikon
The parlour with a Biedermeier escritoire and a collection of icons

Wnętrze kuchni
The kitchen

Biblioteka
The library

Zbiory sztuki Dalekiego Wschodu
Collection of Far Eastern Art

Andrzej Strumiłło

Nieborów

Wczesne dzieje Nieborowa wiążą się z rodem Nieborowskich herbu Prawdzic. Gdy w 1690–1696 kardynał Radziejowski nabywał sukcesywnie od członków rodziny Nieborowskich rozdrobnione w owym czasie części dóbr, jeszcze przed oficjalną intromisją przystąpił do budowy okazałej rezydencji w Nieborowie, według projektu Tylmana z Gameren. Projektując nowy pałac architekt wykorzystał mury dawnego renesansowego dworu. W 1697 r. Kardynał Radziejowski przekazał nie dokończoną jeszcze rezydencję zaprzyjaźnionej z nim Konstancji z Niszczyckich-Prawdziców Towiańskiej. W 1723 r. pałac został sprzedany Aleksandrowi Jakubowi Lubomirskiemu, a w 1736 r. majątek objęli Stanisław i Jan Łochowscy. W 1766 r. właścicielem dóbr został książę Michał Kazimierz Ogiński, który z właściwą sobie energią przystąpił do urządzania wnętrz pałacowych i otoczenia, aby powstało „miejsce ozdoby i zabawy [...]" i aby pałac „niemal królewskim jaśniał przepychem".

Michał Kazimierz Ogiński, jeden z przywódców konfederacji barskiej, musiał opuścić kraj i na emigracji w Paryżu odstąpił pałac i dobra za 400 000 czerwonych złotych Michałowi Hieronimowi Radziwiłłowi. Ten zaś pieniądze na kupno Nieborowa uzyskał od sejmu rozbiorowego w 1773 r. jako nagrodę za złożenie podpisu pod uchwałą sejmową zatwierdzającą pierwszy rozbiór Polski. Majątek Michała Hieronima w tym czasie gwałtownie się powiększał. Jego pazerność i bezwzględność była wyjątkowa. Planowana przez Radziwiłła radykalna przebudowa pałacu nie doszła do skutku, dokonano jedynie modernizacji pałacu.

Jedną z najgłośniejszych kobiet epoki stanisławowskiej była Helena z Przeździeckich Radziwiłłowa – żona Michała Hieronima, zaprzyjaźniona z Katarzyną II i Aleksandrem I carami Rosji. To ona stworzyła Arkadię – słynny ogród sentymentalno-romantyczny, gdzie zgromadziła kolekcję

The origins of Nieborów are closely tied with Nieborowski Family, coat-of-arms Prawdzic. Between 1690 and 1696 Cardinal Michał Stefan Radziejowski purchase small parts of Nieborów property, and before official intromission he began to build big residence in Nieborów based on design by Tylman van Gameren. The architect made project on foundation and walls of the old Renaissance house. In 1697 Cardinal Radziejowski bequeathed the unfinished residence to Konstancja Towiański nee Niszczycki-Prawdzic the friend of him. The palace was sold to Stanisław and Jakub Lubomirski in 1723. In the years 1736–1766, the property belonged to Łochowski family. In 1766 Prince Michał Kazimierz Ogiński became the owner of the estate. He with characteristic for him energy, started the redevelopment of interiors and surroundings, with idea of creating "the place of beauty and joy (...)" and that Palace "had the glory equal to king's one".

He gave the estate and the palace to Michał Hieronim Radziwiłł for 400 000 red zlotys which money got as award from Seym in 1773 for signing partition treaty for the first partition of Poland. His wealth was growing rapidly as his ruthlessness and greediness was extraordinary. Planned by him reconstruction of Nieborów was not realised, there was done modernisation only.

One of the well known women of this epoch was Helena nee Przeździecki, wife of Michał Hieronim Radziwiłł. She was friend of Catherine II and Alexander I, czars of Russia. Her work was Arkadia – the famous sentimental park, where was placed a collection of ancient sculpture. The objects to her collections she purchased from count Guriew's or King's ones. The famous "Head of Niobe" she brought from Petersburg. Her husband's taste, was exquisite, but his collections, first of all, were the capital investment. His paintings collection consisted from 600 pieces, drawings more than ten

rzeźb antycznych. Była słynną kolekcjonerką. Obiekty do swoich zbiorów kupowała z kolekcji hrabiego Guriewa, zbiorów królewskich, czy w formie darów otrzymywała od carycy Katarzyny. Słynną Głowę Niobe przywiozła z Petersburga. Również jej mąż odznaczał się wyrobionym gustem choć jego zbiory stanowiły intratną lokatę kapitału. Kolekcja jego obrazów liczyła około 600 pozycji, kolekcja rycin kilkanaście tysięcy, a biblioteka nieborowska w 1831 r. zawierała ponad 6 000 rzadkich i cennych dzieł.

Radziwiłłowie kierując się nie patriotyzmem a bieżącymi interesami rodu zapraszali do swojej wiejskiej rezydencji znakomitych gości Stąd wizyty w Nieborowie króla pruskiego Fryderyka Wilhelma II, cara Aleksandra I, wielkiego księcia Konstantego. Ich syn Antoni został mężem Luizy Hohenzollern bratanicy króla pruskiego.

Młode pokolenie Radziwiłłów, które wzrastało w artystycznej atmosferze domu wyznawało już inne poglądy. Antoni przyjaźnił się z Beethovenem i Chopinem, Michał Gedeon brał czynny udział w powstaniu kościuszkowskim, siostry Krystyna i Aniela podczas insurekcji w Warszawie występowały w roli kwestarek.

Z chwilą śmierci Michała Gedeona Radziwiłła zakończył się złoty wiek Nieborowa. Następny okres świetności przypada na wiek XX. W 1906 r. właścicielem dóbr nieborowskich zostaje Janusz Radziwiłł pochodzący z linii ołycko-antonińskiej, prawnuk namiestnika Wielkiego Księstwa Poznańskiego Antoniego Radziwiłła. Nowy właściciel zamierzał powiększyć rezydencję, ale I wojna światowa przeszkodziła mu. Po wojnie Janusz Radziwiłł stał się jednym z największych posiadaczy ziemskich w odrodzonej Polsce. Wszystkie jego dobra – ordynacja nieświeska (33 000 ha), klucz szpanowski (6 600 ha) i klucz nieborowski (3 900 ha), znalazły się w granicach II Rzeczypospolitej. Mógł on zatem po-

thousand. Nieborów's library had more than 6 000 rare and precious volumes in 1831.

Radziwiłłs were led not by patriotism but the contemporary gains for the family. They invited the extraordinary guests to their, estate. There were paid visits by Fryderyk Wilhelm, King of Prussia, Aleksander I – czar of the Russia, Great Prince Konstanty in Nieborów. Their son Antoni married Luiza Hohenzollern a niece of King of Prussia.

The young generation of the Radziwiłł's family, who grown up in artistic atmosphere of this house had different political views. Antoni was the friend of Beethoven, Chopin and Michał Gedeon took active part in Kościuszko Insurrection, Krystyna and Aniela their sisters were collecting contributions during Insurrection in Warsaw.

The death of Michał Gedeon Radziwiłł finished the Golden Age of Nieborów estate. The next prosperity period was in 20 century. In 1906 Janusz Radziwiłł took over Nieborów Estate, he was great grandson of Governor of Great Duchy of Poznań – Antoni Radziwiłł who was from Ołycka -Antonin line of Radziwiłł's family. The new owner intended to enlarge the resistance, but these plans were interrupted by The First World War. Janusz Radziwiłł, became after the War one of the richest estate owners in Renewed Poland. His all properties: Nieśwież in-tail-out estate (33 000 hectares), Szpanów in-tail-out estate (6 600 hectares), and Nieborów in-tail-out estate (3 900 hectares), were inside the borders of Poland. He could realise his plans of rebuilding of the residence now. In 1922 he started to enlarge the palace on the base of Romuald Gutt's project. In the same time were completed the interiors. Nieborów during interwar period had the character of the residence were Radziwiłłs working and resting because it was near Warsaw.

wrócić do planów rozbudowy rezydencji. W 1922 r. przystąpił do powiększenia pałacu według pomysłu Romualda Gutta. Przy okazji rozbudowy i modernizacji uzupełniono także wyposażenie wnętrz. Nieborów w dwudziestoleciu międzywojennym nabrał charakteru podwarszawskiej rezydencji służącej Radziwiłłom do pracy i wypoczynku. W chwili wybuchu wojny światowej Janusz Radziwiłł był w Ołyce, gdzie został aresztowany przez Rosjan, a następnie z całą rodziną wywieziony w głąb Związku Radzieckiego. Po interwencji włoskiego domu królewskiego u Stalina Radziwiłłów zwolniono i cały okres okupacji spędzili oni w Warszawie i Nieborowie. Książę Janusz działał w konspiracyjnym Komitecie Porozumiewawczym Stronnictw Politycznych, kierował pracą Rady Głównej Opiekuńczej. Jego syn Edmund ps. „Kazimierz" był członkiem AK w okręgu łowickim, odbierał zrzuty broni i „cichociemnych" w lasach bolimowskich, zaś jego żona Elżbieta prowadziła w Nieborowie schronisko dla dziewcząt z więzionych przez hitlerowców rodzin, które wspomagane przez franciszkankę matkę Matyldę Getter, stało się jednym z punktów, gdzie ukrywano dzieci żydowskie. Na początku lutego 1945 r. Książę Radziwiłł wraz z całą rodziną został deportowany wraz z całą rodziną przez NKWD do obozu w Krasnogorsku pod Moskwą i tam internowany.

Po wojnie majątek znacjonalizowano, w pałacu zaś powstał oddział Muzeum Narodowego.

At the time of break out of the Second World War, Radziwiłł was in Ołyka where he was arrested by Russians and afterwards together with the whole family was taken up in Russia. After the Italian Kings' House intervened in Stalin's Radziwiłł and his family were freed and they spent period of the Nazi Occupation in Warsaw and Nieborów. Prince Janusz was active in Underground Committee of Political Parties, he was the Head of Main Protection Council. His son Edmund (ps. "Kazimierz") was the member of AK (Polish Underground Organisation fighting against Nazi Occupation 1939-1945) in district of Łowicz, he received drop of arms and paratroops of partisans in Bolimów Forest, his wife Elżbieta organised a refuge house for girls from families arrested by Germans, Mother Matylda Getler helped also, and it became one of the sites where Jewish children were hidden. At first days of February of 1945, Prince Radziwiłł and his family was deported by NKWD in Krasnogorsk Camp near Moscow and interned.

After the Second World War the state was taken over by State, and in the Palace was organised subsidiary of National Museum.

Widok pałacu od strony ogrodu
The Palace – view from the garden

Salon Czerwony; na ścianie portret Anny Orzelskiej, naturalnej córki króla Augusta II Mocnego, przypisywany Antoine'owi Pesne
The Red Drawing Room, on the wall portrait of Anna Orzelski, daughter of King August II the Strong, believed to be painted by Antoine Pesne

Sypialnia Księcia Wojewody
Prince Voivode's Bedroom

Herb rodu Radziwiłłów „Trąby"
"Trąby" (Horns) – the Radziwiłł's coat of arms

Biblioteka
The Library

Sień; słynna głowa Niobe – rzymska kopia rzeźby attyckiej
The Entrance Hall. The famous bust of Niobe – a Roman replica of the Attic sculpture

Główna klatka schodowa; ściany i plafon wyłożone są płytkami ceramicznymi z manufaktury w Herlingen (Holandia)
The Vestibule. Walls and the ceiling are lined with ceramic titles manufactured in Herlingen (Holland)

Arkadia. Świątynia Diany
The Temple of Diana

Arkadia. Akwedukt
Arkadia. Aqueduct

Tubądzin

Pierwsza wzmianka o wsi Tubądzin, położonej niedaleko Kalisza pochodzi z 1392 r. W XVI wieku wieś należała do rodziny Rudnickich, w XVII wieku stanowiła kolejno własność: Radońskich, Krzyżanowskich oraz Joanny Iwańskiej. W XVII wieku przeszła w ręce rodu Wężyków i pozostała w nich aż do roku 1760, kiedy to Tubądzin znalazł się w posiadaniu Zbijewskich, którzy przed 1796 r. wybudowali istniejący do dzisiaj dwór. Jego fundatorem był kasztelan sieradzki Maciej Zbijewski.

W 1891 r. Kazimierz Walewski z Inczewa kupił Tubądzin dla swojego syna Kazimierza Stanisława. Za sprawą nowego właściciela wzrosło znaczenie tego miejsca dla kultury dworskiej. Pasją życia Kazimierza Stanisława było bowiem tworzenie muzeum rodu Walewskich. Gromadził rozproszone zbiory rodzinne, srebra, obrazy, pamiątki narodowe, tkaniny, kompletował księgozbiór, czyniąc poszukiwania na obszarze dawnej Rzeczypospolitej. Powstała galeria portretów składająca się z przeszło stu płócien z XVII-XIX wieku, biblioteka licząca według katalogu kilka tysięcy woluminów, w tym również starodruki z XVI-XVIII wieku. Pod koniec dwudziestolecia międzywojennego archiwum składało się z 4 685 oryginalnych dokumentów i 5 443 wyciągów z akt.

Niestety wybuch II wojny światowej przerwał gromadzenie zbiorów. W czasie okupacji mieścił się we dworze ośrodek dla młodzieży Hitlerjugend. Zbiory Kazimierza Stanisława uległy zniszczeniu i rozproszeniu. Po wojnie część z nich powróciła do odrestaurowanego dworu, w którym w 1984 r. zostało otwarte Muzeum Wnętrz Dworskich.

First mentioned in 1392, this town became the property of Rudnicki family in the 16th century, Then it was owned by Radoński family, then Krzyżanowski family, and Joanna Iwański. During the 17th century Tubądzin fell successively into the hands of Wężyk family until 1760, when it became property of Zbijewski family due to marriage. The house was most built before 1796. It was found by Governor of Sieradz, Maciej Zbijewski.

In 1891 Kazimierz Walewski of Inczew acquired Tubądzin for his son Kazimierza Stanisława. The new owner was the personality among the other owners of manor. The young owner's great passion was to create a family museum at Tubądzin. He gathered the far-flung family collections of silver, paintings, patriotic souvenirs, furniture, textiles and books making researches on the Polish Commonwealth Land. There was created collection of the portraits containing more than one hundred pictures of 17-19th centuries, library containing few thousands of volumes according to the catalogue, there were also old prints from 16th till 18th centuries. The archives consisted of 4 685 originals and 5 443 copies of originals in the end of 1920's.

During the Nazi Occupation the manor house served as a centre for the Hitlerjugend youth group. The precious collection was destroyed and dispersed. After the war, the collections rescued from Tubądzin returned to the restored manor house, which in 1984 was opened as a "Museum of Manor Interiors".

Zwarta bryła dworu nawiązuje do tradycji architektury obronnej
The compact body of the manor house reveals the tradition of defence architecture

Salon nawiązujący do epoki baroku
The parlour reminiscent of the Baroque epoch

Portret Marii Walewskiej
A portrait of Maria Walewski

Glanów

Rozłożyste,otoczone zielenią małe i średnie dwory ziemiańskie aż do wybuchu drugiej wojny światowej tworzyły polski krajobraz. Barokową, a potem klasycystyczną siedzibę szlachecką ze słynnym gankiem wspartym na kolumienkach literatura romantyczna uczyniła symbolem polskiego gniazda rodzinnego.

Dwór w podkrakowskim Glanowie zbudowano w 1786 r. z kamienia wapiennego. W czasie powstania 1863 r. znalazł się na trasie przemarszu Oddziału Langiewicza i 15 sierpnia tegoż roku, w czasie słynnej obrony, uległ częściowemu spaleniu. Poległ jego właściciel Leon Rutkowski, powstaniec 1831 i 1863 r. Majątek przejął jego zięć Konstanty Novak, żołnierz powstania styczniowego. Pochodził on z rodziny przybyłej do Polski w połowie XVIII wieku z Komitatu Zemplińskiego na Słowacji.

Dziś dwór w Glanowie pozostaje w rękach rodziny Novaków i jest przykładem dbałości o rodową siedzibę wbrew wszelkim przeciwnościom losu. Tonący w kwiatach i starannie utrzymany, pobudza do refleksji nad smutnym losem tylu innych dworów, odebranych prawowitym właścicielom i bezmyślnie zniszczonych.

Low, located in parks, small and medium size polish noble manors were part of polish picturesque landscape. Baroque and classic polish manor was created by romantic literature as so called "Polish Manor". The famous porch on columns, our poets and writers treated as synonymous of polish family site.

Glanów manor was built of limestone in 1786. It was on the route of Langiewicz division during 1863 Uprising and on 15 August there took place well known defence, when it was destroyed and partly burnt. There was killed the owner Leon Rutkowski, the insurgent from 1831 and 1863 Uprisings. The manor was taken over by his brother-in-law, Konstanty Novak, also an insurgent of the January Uprising. His family came to Poland in the middle of the 18th century from Komitat Zempliński in Slovakia.

Glanów still belongs to the Novak family and is an example of loving care for a family house in spite of adverse turns of fortune. Surrounded with flowers and well maintained, the manor makes one think about the sad fate of so many mansions taken from their legal owners and recklessly destroyed.

Dwór od strony podjazdu
View of the manor from the driveway

Dwór od strony ogrodu, pielęgnowanego od stuleci
View of the manor from the garden, cultivated for centuries

Salon
The drawing room

Nad biurkiem w stylu Ludwika Filipa obraz Vlastimila Hoffmana „Powstaniec 1863 r.”
A painting by the Vlastimil Hoffman ″An Insurgent from 1863″ over a Louis Philip desk

Wilanów

Pałac w Wilanowie jest jednym z najpiękniejszych przykładów budowli barokowych w Polsce. Zbudowany w drugiej połowie XVII wieku na życzenie Jana III króla Polski, początkowo jako dwór szlachecki, przekształcony został potem w letnią rezydencję królewską o wspaniałym założeniu przestrzennym. Projektowana i budowana etapami pod kierunkiem Augustyna Locci w latach 1677–1696, łączy ona w sobie elementy staropolskiego barokowego dworu, francuskiego pałacu z czasów Ludwika XIV i włoskiej willi ogrodowej. Od początku swego istnienia rezydencja była rozbudowywana, powiększana i ozdabiana przez kolejnych właścicieli aż do połowy XIX wieku.

Po śmierci króla Wilanów odziedziczył jego syn Konstanty Sobieski. W 1720 r. sprzedał on pałac Elżbiecie Sieniawskiej. W 1729 r. właścicielką została jej córka Maria Zofia *primo voto* Denhoff *secundo voto* Czartoryska. W 1730 r. w zamian za udostępnienie słynnego Pałacu Błękitnego w Warszawie oddała w dożywocie pałac w Wilanowie królowi Augustowi II Mocnemu.

W XVIII wieku Wilanów należał do rodziny Czartoryskich i Lubomirskich. Wtedy to, w latach 1784–1791, zgodnie z panującą modą urządzono w dawnym folwarku park angielsko-chiński według projektu Szymona Bogumiła Zuga.

W 1799 r. Księżna Izabella z Czartoryskich Lubomirska przekazała Wilanów swojej córce Aleksandrze. Kolekcjonerska pasja męża Aleksandry – Stanisława Kostki Potockiego sprawiła, że w pałacu znalazło się wiele cennych dzieł z dziedziny malarstwa, sztuki zdobniczej, sztuki dalekiego wschodu i świata starożytnego. On też w 1805 r. utworzył jedno z pierwszych muzeów, udostępniając publiczności zgromadzoną przez siebie kolekcję. Po śmierci Stanisława Kostki Potockiego w 1821 r. prace w obrębie pałacu kontynuowała jego żona, następnie syn Aleksander i wnuk August Potocki.

The Wilanów Palace is the one of the most beautiful examples of baroque buildings in Poland. It was built in second half of 17th century on the wish of Jan III, King of Polish Kingdom, firstly as a noble manor, later on it was turned to a residence with the gorgeous spatial area design. There was constructed summer's residence, built stage by stage, according to design of August Locci in years 1677-1696. It combined elements of the old Polish manor, French Palace of Louis' XIV epoch and Italian garden villa. From the beginning until half of 19th century, the Palace was enlarged, reconstructed and decorated by succeeding owners.

After death of the King Jan III, Wilanów estate was inherited by his son Konstanty Sobieski, who sold in 1720 king's residence to Elżbieta Sieniawski. In 1729 her daughter Maria Zofia *primo voto* Denhoff, *secundo voto* Czartoryski became the owner. In 1730 she gave the Palace away to King August II Strong for lifetime in return for famous the Blue Palace in Warsaw.

In 18th century the Wilanów estate belonged to Czartoryski and Lubomirski families. During that time in years 1784-1791 according to the fashion, there was arranged in old farm an English-Chinese style park, on the design by Szymon Bogumił Zug.

In 1799 it became the property of Aleksandra and Stanisław Kostka Potocki, as a dowry of Aleksandra Kostka Potocki nee Lubomirski. Stanisław Kostka Potocki had the collecting passion, as the result in the Palace were gathered many precious paintings, works of Decorating Art, Art of Far East and Ancient World. In 1805 he organised a museum with his collections, one of the first which were open to the public. After death of Stanisław Kostka Potocki in 1821, the decoration works were carried on by wife, then

W 1892 r. Wilanów na mocy testamentu Aleksandry Augustowej Potockiej przekazany został kuzynowi Ksaweremu Branickiemu. Po nim pałac odziedziczył jego syn Adam.

W okresie okupacji hitlerowskiej znaczna część zbiorów została zrabowana, a następnie wywieziona z Polski.

W 1945 r. dawnych właścicieli wywieziono w głąb Związku Radzieckiego i tam internowano. Po wojnie pałac stał się oddziałem Muzeum Narodowego w Warszawie. Znajduje się tam stała wystawa wnętrz z XVII, XVIII i XIX wieku, urządzona na podstawie zachowanych inwentarzy, rycin i pisemnych relacji dawnych podróżników.

by his son Aleksander and grandson August Potocki. In 1892 due to last will of Aleksandra Potocki, the property was handed to her cousin Ksawery Branicki. After him the Palace was inherited by his son Adam.

During the Nazi Occupation, most of collections of Wilanów was robbed and taken away from Poland.

The last owners were interned deep inside the Russia. After the war the Palace with the estate was nationalised and old King's residence was turned into the subdivision of National Museum in Warsaw. Today the Museum in Wilanów, has the permanent exposition of the interiors of 17th, 18th and 19th centuries, organised according to the old inventors, drawings and reports of travellers.

Ogród barokowy; taras górny
The Baroque garden; the upper terrace

Wielka sień pałacowa
Grand Vestibule in the palace

Elewacja frontowa pałacu
← The front façade of the Palace

Wnętrze północnej galerii
The Northern Gallery

Antykamera króla Jana III
The King John III's Antechamber

Wielka Sala Karmazynowa, XIX w.
The 19th c. Grand Crimson Chamber

Lusławice

Jest to piękna miejscowość, położona w pagórkowatej okolicy na prawym brzegu Dunajca, nie opodal ruin zamku w Melsztynie. Dzieje jej opromienione są przez trzy nazwiska o wielkim znaczeniu dla kultury polskiej. Tu, w gościnie u Achacego Taszyckiego, spędził ostatnie lata swego życia Faust Socyn, ideowy przywódca Braci Polskich. Okrzyknięty heretykiem i zagrożony spaleniem na stosie, ukrył się w Lusławicach, gdzie zmarł w 1604 r.

Na początku XX wieku częstym gościem we dworze był Jacek Malczewski. Tu powstały m.in. dwa jego słynne obrazy: „Przekazanie palety" i „Pusty dwór". Wreszcie – obecnymi właścicielami Lusławic są Elżbieta i Krzysztof Pendereccy, którzy uczynili z dworu prawdziwy przybytek sztuki i tradycji polskiej.

Klasycystyczny dwór wybudowano na początku XIX wieku. Murowany, prostokątny, parterowy, z czterokolumnowym portykiem od frontu, spełnia nasze wyobrażenie o polskim dworze. W pobliżu znajduje się lamus, siedemnastowieczny budynek dawnego zboru ariańskiego. Miejsce, w którym został wzniesiony, było kiedyś wyspą i arianie dopływali tam łódką.

Obecnie Lusławice to nie tylko rezydencja rodziny Pendereckich. Dwór pełni też funkcję publiczną. W 1980 r. odbył się w nim Pierwszy Festiwal Muzyki Kameralnej, w 1983 – Festiwal Pieśni Romantycznej, a w dwa lata później, przy okazji trwającego wówczas w Krakowie Festiwalu Muzyki Krzysztofa Pendereckiego, urządzono tu jeden z koncertów.

This is the beautiful place on the right side of the Dunajec River, it is located in a hilly area and overlooking the ruins of Melsztyn castle. The names of three people significant for Polish culture are associated with this place. Faust Socyn, Arian Brotherhood, spent the last years of his life as Achacy Taszycki's guest. He was announced as heretic and was in danger of suffering at the stake he hidden himself in Lusławice, until he died here in 1604 year.

Jacek Malczewski was the frequently visited as guest on the beginning of the XX century. There were painted his famous pictures: "Handling over the Palette" and "An Empty Manor". At last – the present owners are Elżbieta and Krzysztof Penderecki, who made from it extraordinary place full of Art and Polish Tradition.

The classicist manor house was built at the beginning of the 19th century. It is made of brick, a rectangular one-story building with a four column squat portico at the front, in keeping with our image of the Polish Manor House. Not far from here is an old lumber room, dating to 17th century, formerly a prayer house of Arians. The place, was the island years ago, and Arians got there on the boats.

Lusławice nowadays, is not only the Penderecki family residence. The manor undertakes the public function too. In 1980 it hosted the first Festival of Chamber Music and in 1983 year Festival of Romantic Songs, and two years later one of the concerts of Krzysztof Penderecki's Cracow Music Festival.

Elżbieta i Krzysztof Pendereccy
Elżbieta and Krzysztof Penderecki

Widok dworu od strony zajazdu
← View of manor house from the driveway

Fragment ogrodu
A fragment of the garden

Salon. Fragment
A drawing room. Fragment

Wnętrze biblioteki
← The library

Petrykozy

Dwór w Petrykozach niedaleko Warszawy wybudowany został w pierwszej połowie XIX wieku, kiedy majątek należał do rodziny Janaschów. Z inwentarza dóbr i zabudowań dworskich z 1825 r., sporządzonego przy okazji zakupu Petrykoz przez Mikołaja Grabowskiego wiadomo, że dwór był „drewniany, w sposób hollenderski stawiany, gontami pokryty, kominów murowanych nad dach wyprowadzonych dwa". W roku 1862 majątek kupiła Ludwika z Kwasebartów Ströhmer, w 1913 r. właścicielami Petrykoz zostali Piotr i Maria Bagniewscy. W 1917 r. dobra kupił hrabia Edward Broel-Plater. W rękach tej rodziny Petrykozy pozostawały do 1945 r.

Po drugiej wojnie światowej dwór został zrujnowany i zapewne uległby zagładzie, gdyby nie trafił tu znany aktor Wojciech Siemion. Kiedy Jadwiga i Wojciech Siemionowie obejmowali Petrykozy w 1969 r., była to porośnięta brzozami ruina bez dachu i stropów. To, czego dokonali ratując od zagłady jeden z najbardziej malowniczych dworów mazowieckich, pozostanie ich trwałą zasługą.

Kiedy tylko życie powróciło w ściany tego domu, stał się on teatrem poezji. Wieczory poetyckie tu organizowane były poświęcone nie tylko poezji młodych twórców i debiutom, lecz przede wszystkim twórczości tych największych, których Wojciech Siemion miał szczęście znać osobiście: Leopolda Staffa, Juliana Tuwima, Władysława Broniewskiego, Kazimierza Wierzyńskiego, Konstantego Ildefonsa Gałczyńskiego, Jarosława Iwaszkiewicza, Stanisława Balińskiego, Mirona Białoszewskiego...

Petrykozy mansion is situated near Warsaw, it was built at the beginning of the 19th century, when the property belonged to the Janash family. In 1825, by compulsory expropriation, the Petrykozy was taken over by Mikołaj Grabowski. At that time, the bailiff made a detailed inventory of the stock and mansion buildings. It is known that Petrykozy mansion was "a wooden building, built in the Dutch style, with a shingle roof and two brick chimneys higher than the roof". In 1862 the property was bought by Ludwika from Kwasebart family Ströhmer, then in 1913 Piotr and Maria Bagniewski become the owners. and in 1917, they sold it to Count Edward Broel-Plater. In the hands of this family the manor was until 1945.

After the Second World War, the manor was devastated and would have been lost if the famous actor Wojciech Siemion had not purchased it. Where Jadwiga and Wojciech Siemion took over Petrykozy in 1969 it was ruin without roof and ceilings with birches growing on it.Their efforts to rescue one of the most picturesque manors of the Mazowsze will be their lasting contribution to the history of polish manors.

Where the life came back to this manor, it became the theatre of the poetry not only young poets or opening's, but there were organised evenings of poetry, also of these great poets, whose Wojciech Siemion was lucky to know personally: Leopold Staff, Julian Tuwim, Władysław Broniewski, Kazimierz Wierzyński, Konstanty Ildefons Gałczyński, Jarosław Iwaszkiewicz, Stanisław Baliński, Miron Białoszewski...

Wjazd do dworu
The park driveway

Wiosna w Petrykozach
← Spring in Petrykozy

Jadwiga i Wojciech Siemionowie
Jadwiga and Wojciech Siemion

Dworska sień
The manor hallway

Nad salonikiem w stylu Ludwika Filipa autoportret Jacka Malczewskiego
A self-portrait by Jacek Malczewski in the Louis Philip parlour

Kolekcja sztuki ludowej
The collection of Folk Art

Wśród świątków, diabłów i aniołów
Amid holy figurines, devils and angels

„Moje przyjaźnie malarskie" – galeria na poddaszu
The gallery in the attic

Kolekcja sztuki współczesnej. Fragment
Collection of Modern Art. Fragment

Teatr domowy
The home theatre

Zimowy zmierzch
The Winter twilight

Łańcut

Pierwsza wiarygodna informacja o Łańcucie występuje w bulli papieża Grzegorza XI z 28 I 1378 r. W tym czasie właścicielami są Jadwiga (matka chrzestna króla Władysława Jagiełły) i Otton Pileccy. Ich córka Jadwiga w 1417 r., mimo licznych protestów możnowładców polskich, poślubia Jagiełłę. To małżeństwo wywołuje wielki skandal, jako że Jadwiga w tym czasie była już trzykrotną wdową. Mimo panującego z tego powodu oburzenia, zostaje ona w listopadzie 1417 roku koronowana w katedrze krakowskiej.

Kolejną barwną postacią Łańcuta był od 1586 r. Stanisław Stadnicki, słynny „diabeł łańcucki". Napadał on na dwory, kupców, wszczynał prawdziwe wojny z sąsiadami. Dopiero Łukaszowi Opalińskiemu staroście leżajskiemu, udało się położyć kres tym rozbojom. „Persa Tatarzyn [...] głowę uciąwszy wziął, w kaftan ze dwiema tysięcy czerwonych zewlókszy wdział na się".

Kolejną rodziną, która władała Łańcutem byli Lubomirscy. Stanisław Lubomirski, w 1647 r. otrzymał z rąk cesarza Ferdynanda tytuł księcia Świętego Cesarstwa Rzymskiego. On to właśnie uczynił z dawnego zamku silną twierdzę, rozbudowując go, upiększając i bogato wyposażając. Do dziś zachowały się w Salce pod Zodiakiem i w Salce pod Stropem elementy wystroju z czasów Stanisława Lubomirskiego. Ciekawą postacią był jeden z późniejszych właścicieli, Stanisław Herakliusz Lubomirski znany pisarz polityczny, poeta, prozaik i dramatopisarz. Jego drugi syn, Teodor Konstanty, z powodu brutalnego, wybuchowego usposobienia zwany był „księciem piekielnych ciemności". On to, w 1724 r. ku oburzeniu magnaterii, poślubił byłą żonę krakowskiego kupca Jana Kristicza – Elżbietę, pochodzącą ze szkockiej rodziny de Culler-Cuming.

Prawdziwy rozkwit Łańcut zawdzięczał jednak Stanisławowi Lubomirskiemu i jego żonie Elżbiecie z Czartoryskich. Oni to uczynili z Łańcuta swoją

The first information about the Castle in Łańcut was found in the papal edict of the Pope Gregory XI edited 28.01.1378. In that time the Castle was owned by Jadwiga (Godmother of King Władysław Jagiełło) and Otton Pilecki. Jadwiga, their daughter, was married in 1417, by King Jagiełło, against the will of the polish magnates, as it was her fourth marriage. But despite their indignation she was crowned in the Cracow Cathedral in 1417.

The next extraordinary person connected with history of the Castle in Łańcut was famous "Devil of Łańcut", Stanisław Stadnicki. He robbed manors, merchants, and made real wars with his neighbours. The war with Łukasz Opaliński was the last one. The threaten Governor of Leżajsk attacked him in The Castle and his servant "the Persian-Tartar cut his head off, and took his jacket off, with two thousand red polish zlotys and wore it on".

Members of Lubomirski family were the next owners. Stanisław Lubomirski in 1647 was honoured by Emperor Ferdynand with the title of Prince of the Holy Roman Empire. He constructed a new Castle, rebuilt it and furnished. In the "Room Under the Zodiac" and in the "Room Under the Ceiling" the elements of that time can be seen until today. Prince Stanisław Lubomirski, one of the later owners, was also very interesting person and well known poet, prosaist and comedist. His second son, Teodor Konstanty, had very difficult personality, was ease to fly into passion, and brutal as well. Because of that he was called "The· Prince of the Darkness of the Hell". He, against the indignation of magnates, married Elżbieta the last wife of the Cracow merchant Jan Kristicz. She descended from Scottish family de Culler-Cuming.

główną rezydencję. Rozpoczęła się druga a zarazem największa przebudowa zamku. Założono nowe ogrody, park zewnętrzny w modnym wówczas stylu angielskim, stworzono zachowane do dziś apartamenty: Brennowski, Chiński, Turecki, Pokój pod Widokami, Pokój Pompejański, Salę Kolumnową. Podróż księżnej marszałkowej do Anglii i Francji zaowocowała kolejnymi zmianami. Zamek uległ znacznym przeobrażeniom. Księżna, będąc wspaniałym mecenasem i znawcą sztuki, zatrudniała wielu znanych architektów, dekoratorów, malarzy i ogrodników. Wszystkie te prace, zmierzające do przekształcenia Łańcuta we wspaniałą rezydencję rodową, nie przeszkodziły księżnej w prowadzeniu ożywionego życia towarzyskiego i działalności politycznej. W czasie konfederacji targowickiej zamek był bezpieczną przystanią dla zwolenników konstytucji majowej. Na zaproszenie księżnej przebywał tutaj Tadeusz Kościuszko. Łańcut był także schronieniem dla emigrantów francuskich: Ludwika hrabiego Prowansji (późniejszego króla francuskiego Ludwika XVIII), księcia Ludwika Antoniego de Bourbon z żoną Marią Teresą (córką Ludwika XVI).

Po śmierci księżnej nowymi właścicielami zostali Alfred Potocki i Julia z Lubomirskich. To właśnie Alfredowi udało się utworzyć ordynację, aby zabezpieczyć dobra przed rozdrobnieniem. Od 2 marca 1830 r. dobra rodowe obwarowane były zasadą niepodzielności, niezbywalności i nieobciążalności. Dziedziczone mogły być tylko przez najstarszego syna.

Kolejny właściciel Łańcuta, Alfred II Potocki, cieszył się ogromnym zaufaniem cesarza Franciszka Józefa. Syn Alfreda II – Roman – dzięki kolejnym małżeństwom z Izabellą z Potockich, a po jej śmierci z Elżbietą Radziwiłłówną pochodzącą z berlińskiej linii Radziwiłłów, stał się najbogatszym ziemianinem w całej Galicji. Jesienią 1889 r. rozpoczęto w Łańcucie zakrojone na szeroką skalę prace bu-

The Castle in Łańcut went through the great period of glamour, thanks to the Prince Stanisław Lubomirski and his wife Princess Elżbieta Czartoryski. They made their main residence in Łańcut. The biggest efforts on reconstruction of the Castle were made then. There was established new park's design, the external park in very modern English style. There were built Brenna's, Chinese, Turkish, Apartments, Room Under View, Pompeian Room, Column Room which can be seen until today. As the result of the journey of the Princess to England and France were next changes, the Castle was rearranged. Princess was patronising art, she employed well known architects, decorators, painters and gardeners. All these works aiming to change the Castle of Łańcut in splendid family residence were not interfering with very active society life and political activities of Princess. During Targowica's confederation the Castle was the safe shelter for followers of 3rd May Constitution. There Tadeusz Kościuszko, was invited by Princess. Łańcut Castle was shelter for French emigrants also: Louis, Count of the Provancia (later French King Louis XVIII), Prince Louis Antony de Burbon and his wife Marie Theresa (daughter of Louis XVI).

The new owners of The Castle in Łańcut were Alfred Potocki married to Julia Lubomirski after death of Princess Elżbieta . That was Alfred who established an estate-in-tail to protect Łańcut estate against partition. From 2nd March 1830 Łańcut was estate in-tail-out. The property was inherited in whole by the elder son only. The next owner of the Castle in Łańcut Alfred II Potocki was granted a big trust by Francis Joseph Emperor who was using his first name to call him – in that way Emperor was treating members of his own family and count Taaffe (the Emperor's friend from childhood) only. On spring 1883 Alfred was accompanying Prince Rudolf in his journey through the Galicia. It was undertaken to fulfil the

dowlane. Na ten cel nie szczędzono kosztów. Złośliwi twierdzili, że pieniądze na przebudowę zamku pochodziły z ogromnych wygranych w karty, Roman był bowiem namiętnym hazardzistą, obdarzonym przy tym nieprawdopodobnym szczęściem. Gdy liczba ogranych przez niego w bakarata arystokratów austriackich stała się zbyt duża, Cesarz Franciszek Józef zabronił mu dalszej gry.

Ostatnim ordynatem był Alfred III Potocki. Gdy w 1921 r. otrzymał nieoczekiwany spadek po Mikołaju Potockim z Paryża, stał się najbogatszym człowiekiem w Polsce. Rezydencja łańcucka wzbogaciła się wówczas m.in. o ponad dwadzieścia bardzo cennych obrazów, wspaniałe gobeliny, wielki księgozbiór.

W roku 1925 zamek wraz z wyposażeniem został wpisany na państwową listę zabytków.

Łańcut odwiedzali coraz to liczniejsi goście. Zamek stał się miejscem towarzyskich spotkań głów koronowanych, arystokracji polskiej i zagranicznej oraz polityków. Odbywały się tutaj wystawne obiady, huczne bale oraz polowania *par force.*

W czasie II wojny światowej w zamku stacjonowały sztaby wojsk niemieckich. Gdy Rosjanie zaczęli zbliżać się do Łańcuta, Potocki zdecydował się opuścić siedzibę rodową i udał się do Wiednia zabierając ze sobą część zbiorów. Po wyjeździe ostatnich właścicieli zamkiem i pozostałymi zbiorami opiekowali się dawni służący Potockich. W 1945 r. w zamku stworzono Państwowy Ośrodek Muzealny.

Dziś jest to najwspanialsza rezydencja magnacka – muzeum.

wish of the Emperor, who wanted him to became more familiar with polish magnate's class.

Alfred's II son, Roman due to marriages with Izabella Potocki, and after her death Elżbieta Radziwiłł (from Berlin's line of the family), he became the richest magnate in the whole Galicia. On autumn 1889 started the next redecoration of Łańcut Castle. The costs were not important. The malicious people were saying that money was from the sum he won playing cards, Roman was the gambler, with incredible luck. When number of Austrian aristocrats he bid in baccarat was to big, the Emperor Francis Joseph forbid him to play anymore.

The last heir-in-tail was Alfred III Potocki. When in 1921 he got the heritage after Mikołaj Potocki he became the richest man in Poland. The Łańcut residence got in that time more than twenty very precious paintings, beautiful tapestries, and big library.

In 1925 whole Castle with interior furniture was written up to the State list of monuments.

Łańcut was visited by numerous guests. The Castle became the place of social meetings of Kings, Polish and Foreign aristocrats and politics. There were organised splendid balls and hunts *par force.*

During the Second World War there were staying German Headquarters. Where Russians were getting close to Łańcut, Alfred Potocki decided to go to Vienna, he took part of Castle's collections with him. After the last owners left the Castle the servants of Potocki's family took care about collection of art. In 1945 in the Castle was opened Museum Centre of the State.

Today it is the most beautiful magnate's residence – Museum in Poland.

Sala pod Stropem; w głebi szafa kredensowa z początku XVIII wieku
The Hall Under Ceiling, cupboard early 18th c.

Rezydencja od frontu
← The Castle. View from the entrance

Jadalnia nad Bramą
The Dining Room Over Gates

Apartament Chiński. Salonik Pompejański i Sypialnia Chińska zaprojektowane około 1800 r.
The Chinese Suite. Pompeian Salon and Chinese Bedroom, c 1800

Biblioteka
The Library

Salon Zielony; meble rokokowe – Francja, 1750-1765
The Green Salon, rococo furniture, France 1750-65

Wielka Jadalnia
Grand Dinning Room

Łazienka Apartamentu Paradnego
The State Suit. The Bathroom

Toaletka, Wiedeń ok. 1900 r.
Dressing – table, Vienna c. 1900

Powozownia. Mała Szorownia, uprząż i akcesoria powozowe
Small Harness-house. Harness and coach accessories

Powozownia. Hala zaprzęgowa
The Coach house, Teamhorse Hall

Powozownia. Hala zaprzęgowa
The Coach house, Teamhorse Hall

Tułowice

Tułowice wraz z pobliskim Brochowem stanowiły niegdyś dobra książąt mazowieckich. Dwór zbudowano około 1800 roku dla Franciszki Lasockiej. Zaprojektował go najprawdopodobniej architekt Hilary Szpilowski. Od roku 1822 Tułowice należały do rodziny Linowskich, po 1853 do Orsettich, od 1857 do Górskich, potem Bolechowskich. W końcu XIX wieku władali majątkiem Górscy a następnie Domaszewscy. Ostatnim właścicielem dóbr przed parcelacją był Wacław Antecki.

Dwór, jeden z najwspanialszych w Polsce, jest parterowy, z piętrową częścią środkową, podpiwniczony i wzniesiony na planie wydłużonego prostokąta. Swoje piękno zawdzięcza znakomitym proporcjom i wspaniałej klasycystycznej architekturze.

Po 1945 r. dwór został całkowicie zdewastowany. Przez wiele lat był ruiną, jego mury rozsypywały się, poprzez oczodoły okien i zarwane stropy prześwitywał błękit nieba, ale też spływały strugi deszczu tworząc kałuże w wyrwach po wzorzystych posadzkach.

W 1980 r. ruinę kupił znany malarz Andrzej Novak-Zempliński, który z czasem uczynił z niej najpiękniejszy polski dwór. Tułowice są miejscem, gdzie udało się wskrzesić ideę polskiej siedziby ziemiańskiej.

Tułowice together with located nearby Brochów were parts of the property of Prince of Mazowsze. The mansion was built about 1800 for Franciszka Lasocki. It is not certain, but probably it was designed by Hilary Szpilowski. From 1822 Tułowice belonged to Linowski family, after 1853 it belonged to the Orsetti family then from 1857 it was owned by the Górski family, and then by the Bolechowski family. At the end of the 19th century it was again owned by the Górski family and then by Domaszewski family. The last owner of the property before parcelling was Wacław Antecki.

The manor, one of the most beautiful in Poland, is one-story building with a two-story middle part, it has cellars and was erected on the plan of an extended rectangle. The beauty of Tułowice is mostly the result of its splendid proportions and the moderation of its classicist architecture.

After 1945 year the mansion was completely destroyed. For many years it laid in ruins, through the empty windows and broken roof was seen the sky, or haevy rains where floating on parquet floors leaving there puddles.

The ruin was bought by famous painter Andrzej Novak-Zempliński in 1980 year, who, as time passed, made from Tułowice mansion the most beautiful Polish manor. Tułowice is the place where the idea of Polish Noble House after ages is alive again.

Wnętrze biblioteki
The interior of the library

Fasada ogrodowa z kolumnowym portykiem
← The garden façade with a column portico

Fragment salonu z kolumnowym piecem (XIX w.)
A fragment of the parlour with a columnar stove (XIX c.)

Panoplium. Na tle orientalnego kobierca m.in. karabela polska z XIX w.
An arrangement with an Oriental carpet and a Polish curved sword from the XIX c.

Salon z fortepianem firmy Julius Mager (Wiedeń?) – połowa XIX w.
The parlour with a grand piano by Julius Mager (Vienna?), mid XIX c.

PRZEBUDZENIE WIOSNY

Pszczyna

Kiedy w XI lub XII wieku książęta piastowscy wznosili zamek w Pszczynie, pełnił on funkcję siedziby myśliwskiej. Wiadomo, że w 1433 r. miasto i gotycki zamek obroniły się przed najazdem husytów. W tym czasie był on własnością księżnej Heleny Korybutówny, wdowy po księciu Janie II raciborskim. Zamek składał się z dwóch wolno stojących budynków połączonych ze sobą potężnymi murami. Od południa wzniesiono wieże a całość otoczono wałem ziemnym i fosą.

Zamek pszczyński na przestrzeni wieków przechodził w ręce wielu właścicieli. W 1517 r. książę Kazimierz II cieszyński sprzedał miasto wraz z zamkiem i dobrami magnatowi węgierskiemu Aleksemu Turzo, następnie w 1548 r. włości przeszły na własność biskupa wrocławskiego Baltazara Promnitza. W drugiej połowie XVI wieku przebudowano zamek nadając mu charakter renesansowy. Pożar, który wybuchł w 1679 r. strawił budowlę prawie doszczętnie. Odbudowano ją w latach 1680–1689 pod kierunkiem Concilio Miliusa. Potem nastąpiły kolejne przebudowy i zniszczenia. W 1738 r. odbudowano zamek według projektu Christiana Jähne z Żar. Zniesiono wówczas mury kurtynowe oraz renesansowe krużganki otaczające dziedziniec wewnętrzny, a wybudowano skrzydło północne. Powstała w ten sposób nowa siedziba na planie podkowy. Elewacje otrzymały późnobarokowy wystrój; budynek nakryto łamanym dachem.

W 1765 r. książę Fryderyk-Erdmann von Anhalt-Coethen przejął państwo pszczyńskie. Zamek stracił cechy obronności i stał się pałacem. Po wygaśnięciu linii von Anhalt-Coethen dobra pszczyńskie przejęła w 1846 r. rodzina Hochbergów, hrabiów Świętego Państwa Rzymskiego, która otrzymała w 1850 r. pruski tytuł księcia pszczyńskiego *(Fürst von Pless)*. W jej posiadaniu Pszczyna pozostawała do chwili nacjonalizacji w 1945 r.

When in 11 or 12 century Pszczyna Castle was built by Piast Princes it functioned as hunting lodge. It is known, that in 1433 town and gothic Castle belonging to Princess Helena Korybut repelled a Hussite invasion. At that time the Castle consisted of detached houses connected by strong walls. On the south side there were towers, and the Castle was surrounded by earth ramparts and a moat.

The Castle of Pszczyna often changed hands. In 1517 Prince Kazimierz II of Cieszyn sold town together with the Castle and the estate to a Hungarian magnate Alex Turzo. In 1548 it became a property of Bishop of Wrocław Baltazar Promnitz. In the second half of 16th century it was rebuilt in the Renaissance style. The fire in 1679 destroyed the Castle completely. It was rebuilt in 1680-1689 under the direction of Concilio Milius, in 1738 after the fire the Castle was reconstructed according to a design by Chrystron Jähne of Żary. The curtains walls and the Renaissance gardens surrounding the inner yard were pulled down. the northern wing was built forming horseshoe shape. The facades were decorated in late Baroque style, house was covered with a broken-line roof.

The next owner of Pszczyna, Prince Fryderyk -Erdmann von Anhalt-Coethen took over Pszczyna State in 1765. The Castle lost its defensive character and became the palace. After the line of Princes Anhalt-Coethen died off, the Pszczyna estate was taken over in 1846 by Hochberg family, Counts of the Holy Roman Empire, which received the Prussian title of Pszczyna Prince *(Fürst von Pless)* in 1850. The Pszczyna was owned by them till 1945 when it was nationalised.

Hochberg family introduced many changes in the Castle appearance. There were added sight-seeing terraces, on the first floor, and

Hochbergowie wnieśli wiele zmian w wyglądzie zamku. Na wysokości I piętra zostały dobudowane tarasy widokowe, a architekt Hipolit Aleksander Destailleur nadał budowli cechy późnego francuskiego renesansu. Elewację oblicowano żółtą cegłą, a całość przykryto wysokimi mansardowymi dachami. Rozbudowano również ku południowi skrzydło środkowe i umieszczono w nim dodatkowo paradne schody i dwukondygnacyjną Salę Lustrzaną – ozdobę pałacu. Reprezentacyjne wnętrza I piętra ozdobiono boazeriami i sztukateriami w stylu regencji, rokoka i klasycyzmu.

Zamek przetrwał II wojnę światową i dopiero w 1945 r. nastąpiła dewastacja rezydencji, kiedy to znajdował się w niej szpital przyfrontowy Armii Czerwonej.

9 maja 1946 r. otwarto w zamku pszczyńskim Muzeum Wnętrz i czynione są wszelkie zabiegi, aby przywrócić charakter wielkiej rezydencji magnata śląskiego.

architect Hipolit-Aleksander Destailleur had given to the Castle late French Renaissance apparel. The façades were lined with yellow bricks, the whole was covered with a mansard roof. The middle wing was extended in south direction and there was situated the splendid staircase and two story's high Room of Mirrors – the pride of the Castle. Presentable interiors of the first floor were wainscoted decorated with stucco works in Regency, Rococo and Classicist spirit.

The Castle came intact from the Second World War, but the year 1945 brought destruction to it, as a field hospital of Red Army was established there.

A museum of interiors was opened in the Pszczyna Castle and are made all efforts to return the character of the Grand residence of a Silesian magnate.

Widok zamku od strony ogrodu
The Castle – view from the garden

Paradna klatka schodowa
The Grand Stairway

Salon księżnej Daisy
Countess Daisy's Parlour

Apartamenty cesarskie. Zbrojownia
The Emperor's apartments. The Armoury

Apartamenty Pana Domu. Gabinet Księcia
The Count's apartments. The Cabinet

Sala Lustrzana
The Room of Mirrors

PETROF

GEORGIA *continued*

GAU Atlanta University, Atlanta.
GAuA Augusta College, Augusta.
GColuC Columbus College, Columbus.
GCuA Andrews College, Cuthbert.
GDC Columbia Theological Seminary, Decatur.
GDS Agnes Scott College, Decatur.
GDecA* Agnes Scott College, Decatur.
GDecCT* Columbia Theological Seminary, Decatur.
GDoS South Georgia College, Douglas.
GEU Emory University, Atlanta.
GHi Georgia Historical Society, Savannah.
GMM Mercer University, Macon.
GMW Wesleyan College, Macon.
GMiW Woman's College of Georgia, Milledgeville.
GMilvC* Woman's College of Georgia, Milledgeville.
GOgU Oglethorpe University, Oglethorpe University.
GSDe* University of Georgia, DeRenne Library.
GU University of Georgia, Athens.
GU-De — DeRenne Georgia Library.
GU-Ex — Georgia State College of Business Administration Library, Atlanta.

HAWAII

HU University of Hawaii, Honolulu.
HU-EWC Center for Cultural and Technical Interchange between East and West, Honolulu.

ILLINOIS

I Illinois State Library, Springfield.
IC Chicago Public Library.
ICA Art Institute of Chicago, Chicago.
ICF Chicago Natural History Museum, Chicago.
ICF-A — Edward E. Ayer Ornithological Library.
ICHi Chicago Historical Society, Chicago.
ICIP Institute for Psychoanalysis, Chicago.
ICJ John Crerar Library, Chicago.
ICMILC* Center for Research Libraries, Chicago.
ICMcC McCormick Theological Seminary, Chicago.
ICN Newberry Library, Chicago.
ICRL Center for Research Libraries, Chicago.
ICU University of Chicago, Chicago.
ICarbS Southern Illinois University, Carbondale.
IEG Garrett Theological Seminary, Evanston.
IEN Northwestern University, Evanston.
IEdS Southern Illinois University, Edwardsville.
IGK Knox College, Galesburg.
IHi Illinois State Historical Library, Springfield.
ILS St. Procopius College, Lisle.
IMunS Saint Mary of the Lake Seminary, Mundelein.
INS Illinois State University, Normal.
IRA Augustana College Library, Rock Island.
IRivfR Rosary College, River Forest.
IU University of Illinois, Urbana.
IU-M — Medical Sciences Library, Chicago.
IU-U — Chicago Undergraduate Division, Chicago.

IOWA

IaAS Iowa State University of Science and Technology, Ames.
IaDL Luther College, Decorah.
IaDuC Loras College, Dubuque.
IaDuU University of Dubuque, Dubuque.
IaDuU-S — Theological Seminary Library.
IaDuW Wartburg Theological Seminary, Dubuque.
IaU University of Iowa, Iowa City.

IDAHO

IdB Boise Public Library.
IdPI Idaho State University, Pocatello.
IdPS* Idaho State University, Pocatello.
IdU University of Idaho, Moscow.

INDIANA

In Indiana State Library, Indianapolis.
InAndC Anderson College, Anderson.
InCollS* St. Joseph's College, Rensselaer.
InGo Goshen College Biblical Seminary Library, Goshen.
InHi Indiana Historical Society, Indianapolis.
InIB Butler University, Indianapolis.

INDIANA *continued*

InLP Purdue University, Lafayette.
InNd University of Notre Dame, Notre Dame.
InOlH* St. Leonard College Library, Dayton, Ohio.
InRE Earlham College, Richmond.
InRenS St. Joseph's College, Rensselaer.
InStme St. Meinrad's College & Seminary, St. Meinrad.
InU Indiana University, Bloomington.

KANSAS

K Kansas State Library, Topeka.
KAS St. Benedict's College, Atchison.
KAStB* St. Benedict's College, Atchison.
KHi Kansas State Historical Society, Topeka.
KKcB Central Baptist Theological Seminary, Kansas City.
KMK Kansas State University, Manhattan.
KStMC* St. Louis University, School of Divinity Library, St. Louis, Mo.
KU University of Kansas, Lawrence.
KU-M — Medical Center Library, Kansas City.
KWiU Wichita State University, Wichita.

KENTUCKY

Ky-LE Library Extension Division, Frankfort.
KyBgW Western Kentucky State College, Bowling Green
KyHi Kentucky Historical Society, Frankfort.
KyLo Louisville Free Public Library.
KyLoS Southern Baptist Theological Seminary, Louisville.
KyLoU University of Louisville, Louisville.
KyLx Lexington Public Library.
KyLxCB Lexington Theological Seminary, Lexington. (Formerly College of the Bible)
KyLxT Transylvania College, Lexington.
KyMoreT Morehead State College, Morehead.
KyU University of Kentucky, Lexington.
KyWA Asbury College Library, Wilmore.
KyWAT Asbury Theological Seminary, Wilmore.

LOUISIANA

L Louisiana State Library, Baton Rouge.
L-M Louisiana State Museum Library, New Orleans.
LCA Not a library symbol.
LCS Not a library symbol.
LHi Louisiana History Society, New Orleans.
LNHT Tulane University Library, New Orleans.
LNT-MA Tulane University, Latin American Library, New Orleans.
LU Louisiana State University, Baton Rouge.
LU-M — Medical Center Library, New Orleans.
LU-NO — Louisiana State University in New Orleans.

MASSACHUSETTS

M Massachusetts State Library, Boston.
MA Amherst College, Amherst.
MB Boston Public Library.
MBAt Boston Athenaeum, Boston.
MBBC* Boston College, Chestnut Hill.
MBCo Countway Library of Medicine. (Harvard-Boston Medical Libraries)
MBH Massachusetts Horticultural Society, Boston.
MBHo* Massachusetts Horticultural Society, Boston.
MBM* Countway Library of Medicine (Harvard-Boston Medical Libraries).
MBMu Museum of Fine Arts, Boston.
MBU Boston University.
MBdAF U.S. Air Force Cambridge Research Center, Bedford.
MBrZ Zion Research Library, Brookline.
MBrigStJ* St. John's Seminary, Brighton.
MBtS St. John's Seminary Library, Brighton.
MCM Massachusetts Institute of Technology, Cambridge.
MCR Radcliffe College, Cambridge.
MCSA Smithsonian Institution, Astrophysical Observatory, Cambridge.
MChB Boston College, Chestnut Hill.
MH Harvard University, Cambridge.
MH-A — Arnold Arboretum.
MH-AH — Andover-Harvard Theological Library.
MH-BA — Graduate School of Business Administration Library.
MH-FA — Fine Arts Library. (Formerly Fogg Art Museum)
MH-G — Gray Herbarium Library.
MH-HY — Harvard-Yenching Institute. (Chinese-Japanese Library)

MASSACHUSETTS *continued*

MH-L — Law School Library.
MH-P — Peabody Museum Library.
MH-PR — Physics Research Library.
MHi Massachusetts Historical Society, Boston.
MMeT Tufts University, Medford.
MNF Forbes Library, Northampton.
MNS Smith College, Northampton.
MNoeS Stonehill College Library, North Easton.
MNtcA Andover Newton Theological School, Newton Center.
MSaE Essex Institute, Salem.
MShM Mount Holyoke College, South Hadley.
MU University of Massachusetts, Amherst.
MWA American Antiquarian Society, Worcester.
MWAC Assumption College, Worcester.
MWC Clark University, Worcester.
MWH College of the Holy Cross, Worcester.
MWalB Brandeis University, Waltham.
MWelC Wellesley College, Wellesley.
MWhB Marine Biological Laboratory, Woods Hole
MWiW Williams College, Williamstown.
MWiW-C — Chapin Library.

MARYLAND

MdAN U.S. Naval Academy, Annapolis.
MdBE Enoch Pratt Free Library, Baltimore.
MdBG Goucher College, Baltimore.
MdBJ Johns Hopkins University, Baltimore.
MdBJ-G — John Work Garrett Library.
MdBP Peabody Institute, Baltimore.
MdBWA Walters Art Gallery, Baltimore.
MdU University of Maryland, College Park.
MdW Woodstock College, Woodstock.

MAINE

MeB Bowdoin College, Brunswick.
MeBa Bangor Public Library.
MeU University of Maine, Orono.
MeWC Colby College, Waterville.
MeWaC* Colby College, Waterville.

MICHIGAN

Mi Michigan State Library, Lansing.
MiAC Alma College, Alma.
MiD Detroit Public Library.
MiD-B — Burton Historical Collection.
MiDA Detroit Institute of Arts, Detroit.
MiDU University of Detroit, Detroit.
MiDW Wayne State University, Detroit.
MiEM Michigan State University, East Lansing.
MiEalC* Michigan State University, East Lansing.
MiGr Grand Rapids Public Library.
MiH* Michigan College of Mining and Technology, Houghton.
MiHM Michigan College of Mining and Technology, Houghton.
MiU University of Michigan, Ann Arbor.
MiU-C — William L. Clements Library.

MINNESOTA

MnCS St. John's University, Collegeville.
MnH* Minnesota Historical Society, St. Paul.
MnHi Minnesota Historical Society, St. Paul.
MnRM Mayo Clinic and Foundation Library, Rochester.
MnSJ James Jerome Hill Reference Library, St. Paul.
MnSSC College of St. Catherine, St. Paul.
MnU University of Minnesota, Minneapolis.

MISSOURI

MoHi Missouri State Historical Society, Columbia
MoK Kansas City Public Library.
MoKL Linda Hall Library, Kansas City
MoKU University of Missouri at Kansas City, Kansas City.
MoS St. Louis Public Library.
MoSB Missouri Botanical Garden, St. Louis.
MoSC* Concordia Seminary Library, St. Louis.
MoSCS Concordia Seminary Library, St. Louis.
MoSM Mercantile Library Association, St. Louis.
MoSU St. Louis University, St. Louis.
MoSU-D — School of Divinity Library, St. Louis.
MoSW Washington University, St. Louis.
MoU University of Missouri, Columbia.

The National Union Catalog

Pre-1956 Imprints

The National Union Catalog

Pre-1956 Imprints

A cumulative author list representing Library of Congress printed cards and titles reported by other American libraries. Compiled and edited with the cooperation of the Library of Congress and the National Union Catalog Subcommittee of the Resources Committee of the Resources and Technical Services Division, American Library Association

Volume 403

MUSCULUS, WOLFGANG (V) -
MYRIBĒLĒS, STRATĒS (K)

Mansell 1975

Mansell Information/Publishing Limited
3 Bloomsbury Place, London WC1

The American Library Association
50 East Huron Street, Chicago, Illinois 60611

The paper on which this catalog has been printed is supplied by P. F. Bingham Limited and has been specially manufactured by the Guard Bridge Paper Company Limited of Fife, Scotland. Based on requirements established by the late William J. Barrow for a permanent/durable book paper it is laboratory certified to meet or exceed the following values:

Substance 89 gsm
pH cold extract 9·4
Fold endurance (MIT ½kg. tension) 1200
Tear resistance (Elmendorf) 73 (or 67 × 3)
Opacity 90·3%

Library of Congress Card Number: 67–30001
ISBN: 0 7201 0496 3

Printed by Balding & Mansell Limited, London and Wisbech, England
Bound by Bemrose & Sons Limited, Derby, England

American Library Association

Resources and Technical Services Division

RESOURCES COMMITTEE

SUBCOMMITTEE ON THE NATIONAL UNION CATALOG

Chairman GORDON R. WILLIAMS
Director CENTER FOR RESEARCH LIBRARIES
5721 Cottage Grove Avenue, Chicago, Illinois 60637

Members

DOUGLAS W. BRYANT *University Librarian*
Widener Library, Harvard University
Cambridge, Massachusetts 02138

VERNER W. CLAPP 1901-1972 *formerly*
Consultant Council on Library Resources, Inc.

JOHN W. CRONIN *formerly*
Director Processing Department
Library of Congress
2129 32nd Place, S.E.
Washington, D.C. 20020

CHARLES W. DAVID *formerly*
Director of Library Development
Marine Historical Association
854 Radnor Road
St. Davids, Pennsylvania 19087

WILLIAM S. DIX *University Librarian*
Princeton University
Princeton, New Jersey 08540

RALPH E. ELLSWORTH *formerly*
Director University of Colorado Libraries
Boulder, Colorado 80302

HERMAN H. FUSSLER *Professor*
Graduate Library School
University of Chicago
Chicago, Illinois 60637

WARREN J. HAAS *Vice President*
for Libraries and Information Services
Columbia University
New York City, New York 10027

RUTHERFORD D. ROGERS *University Librarian*
Yale University
New Haven, Connecticut 06520

GEORGE A. SCHWEGMANN, JR. *formerly*
Chief Union Catalog Division
3534 Porter Street, N.W.
Washington, D.C. 20016

FREDERICK H. WAGMAN *Director*
University of Michigan Libraries
Ann Arbor, Michigan 48104

WILLIAM J. WELSH *Director*
Processing Department
Library of Congress
Washington, D.C. 20540

Publisher's Note

Because of the large number of sources from which the information in the National Union Catalog has been collected over a long period of time an understanding of its scope and an acquaintance with its methods is necessary for the best use to be made of it. Users are therefore earnestly advised to make themselves familiar with the introductory matter in Volume 1. This fully defines the scope of the Catalog and sets out the basis on which the material reported to the National Union Catalog has been edited for publication in book form.

National Union Catalog Designation

Each main entry in the Catalog has been ascribed a unique identifying designation. This alphanumeric combination appears uniformly after the last line of the entry itself and consists of:

1 The letter N, signifying National Union Catalog.
2 The initial letter under which the entry is filed.
3 A number representing the position of the entry within the sequence under its initial letter.

This National Union Catalog designator is sufficient both to identify any main entry in the Catalog and to establish its position within the sequence of volumes. It is, however, recommended that when referring to titles by the National Union Catalog designation a checking element, such as the key word or initials of the title, be added.

Reported Locations

Alphabetic symbols which represent libraries in the United States and Canada follow the National Union Catalog designation. These groups of letters signify which libraries have reported holding copies of the work. The first library so represented usually is the one that provided the catalog information.

Printed on the end sheets of each volume is a list of most frequently used symbols, each followed by the full name of the library. *List of Symbols*, containing a comprehensive list of symbols used, is published as a separate volume with the Catalog. The Library of Congress has also issued *Symbols Used in the National Union Catalog of the Library of Congress*. In cases where a symbol is not identified in these lists the National Union Catalog Division of the Library of Congress will, on enquiry, attempt to identify the library concerned.

Other Developments

Under the terms of their agreement with the American Library Association, the publishers have undertaken to apply, as far as is practicable, new developments in library science and techniques which may have the effect of further enhancing the value of the Catalog. To this end, the publishers will be pleased to receive suggestions and enquiries relating to technical and production aspects of the Catalog and will be glad to consider proposals calculated to improve its utility and amenity. Mansell Information/Publishing Limited will be pleased also to advise libraries on possible applications of the methods and techniques developed for this and similar projects to their own requirements.

J.C.
London, *August 1968*

VOLUME 403

[Musculus, Wolfgang] 1497-1563.
Vermanung an den Teütschen vnnd Euangelischer Kriegssmañ. Durch W.M. M.D.XLVI. [n.p.,1546]
[11]p. 20cm.

NM 0904588 CtY

[Musculus, Wolfgang] 1497-1563.
Zg17 M43 657
Vier lehrreiche Colloquia, oder Gespräche, darinn ... gehandelt wird: ob ein Christ ... sich falschen Gottesdiensts ... könne theilhafftig machen ... Naumburg, zu finden bey Martin Müllern, 1657.
14p.ℓ.,234p. 14cm. [Bound with [Matthiae, Johannes] ed.: Ramus olivae Septentrionalis primus ... 1657]

NM 0904589 CtY

FILM 4733 PT Reel 104
[Musculus, Wolfgang] 1497-1563.
Vier lehrreiche Colloquia, oder Gespräche, darinn...gehandelt wird: ob ein Christ...sich falschen Gottesdiensts...könne theilhafftig machen ...Naumburg, zu finden bey Martin Müllern, 1657.
14p.ℓ.,234p. 14cm. [Bound with Matthiae, Johannes ed.: Ramus olivae Septentrionalis primus...1657]
(German Baroque Literature, No.474, reel No. 104 Research Publications, Inc.)
Microfilm.

NM 0904590 CU

Musculus, Wolfgang, 1497-1563.
Nebelsieck, Heinrich, 1861- ed.
Vier reformationsbriefe aus dem Arolser archiv. Mitgeteilt von superintendent Nebelsieck.
(In Archiv für reformationsgeschichte ... Leipzig, 1923. 23cm. nr. 77/78. xx. jahrg., p. [38]-48)

Musculus, Wolfgang, 1497-1563.
Roth, Friedrich, 1854- ed.
Zur geschichte des reichstages zu Regensburg im jahre 1541. Die korrespondenz der Augsburger gesandten Wolfgang Rehlinger, Simprecht Hoser und dr. Konrad Hel mit dem Rathe, den Geheimen und dem bürgermeister Georg Herwart nebst briefen von dr. Gereon Sailer und Wolfgang Musculus an den letzteren. Von professor dr. F. Roth ...
(In Archiv für reformationsgeschichte ... Berlin, Leipzig, 1905-07. 23½cm. nr. 7. 2. jahrg., p. [250]-307; nr. 9. 3. jahrg., p. [18]-64; nr. 13. 4. jahrg., p. [65]-98; nr. 15. 4. jahrg., p. [221]-304)

Me45 M972 Z7 542
Musculus, Wolfgang, 1497-1563
Zwo Predigt / von der bepstischen Messe / zu Regensburg auff dem Reichstag / im Jar. 1541. am ersten vnd andern Tage des Brachmonats gethan. Durch Wolffgangum Musculum ... Wittemberg.[Gedruckt durch Veit Creutzer] 1542.
[66]p. 20cm.
Signatures: A-G^{4}H^{2}I^4(I$_4$ blank)

NM 0904593 CtY

Musculus, Wolfgang, 1910-
Die Änderung des Namens natürlicher Personen. Wismar, 1940.
70 p. 21 cm.
Inaug.-Diss.—Halle.
Vita.
Bibliography: p. 4-6.

1. Names, Personal—Germany—Law.

50-43062

NM 0904594 DLC NIC

Muscutt, Edward.
The history and power of ecclesiastical courts. London, J. Snow, 1845.
52 p. 20 cm.

1. Ecclesiastical courts—Gt. Brit.

55-51247 ‡

NM 0904595 DLC CU PU-L

Muscutt, Edward.
The history of church laws in England, from A. D. 602, to A. D. 1850. London: C. Gilpin, 1851. iv, 253 p. 8°.

1. Canon and Ecclesiastical law, Gt. Br.: England, 602-1850. 2. Church of England.—Government and discipline.
N. Y. P. L. March 19, 1913.

NM 0904596 NN DNC MiU-L PPL PU-L PU PPPD MH MB

Muse, Amy.
Beaufort by the sea, history by Amy Muse. Beaufort, N.C., Wesleyan Service Guild, Ann Street Methodist Church [1953]
38 p. illus. map, O.

NM 0904597 NcU

Muse, Amy.
The story of the Methodists in the port of Beaufort, by Amy Muse. New Bern, Owen G. Dunn co., printers, 1941.
72, [3] p. 23cm.

NM 0904598 NcD NcU

Muse, Archie Davis, 1890-
The spirit world; demonology, by Evangelist A. D. Muse ... Cynthiana, Ky., The Hobson book press, 1944.
3 p. l., ix-x p., 2 l., 97 p. 21½cm.
Reproduced from type-written copy.

1. Devil. I. Title.
44-35142
Library of Congress BT980.M8
[2] 235

NM 0904599 DLC

Muse, Archie Davis, 1890-
Viewing life's sunset from Pikes Peak. Life story of T.T. Martin. Louisville, Ky., A.D. Muse[194?]

NM 0904600 MsU

Muse, Benjamin.
The memoirs of a swine in the land of kultur; or, How it felt to be a prisoner of war, by Ben Muse, 36926 lance-corporal, 11th King's royal rifles. [Durham, N. C., The Seeman printery, ©1919]
46, [1] p. 2 port. groups (incl. front.) 23cm.

1. European war, 1914- —Prisoners and prisons, German. 2. European war, 1914- —Personal narratives. I. Title.
19-12086
Library of Congress D627.G3M8

NM 0904601 DLC NcD

Muse, Benjamin.
Memoirs of a swine in the land of kultur; or How it felt to be a prisoner of war.
(In Trinity alumni register. April, July, Oct. 1919. Jan. 1920. v.5-6.)

NM 0904602 NcU

Muse (Charles E.)
Town councils. 8 pp. *Accrington, [Eng.]: "Star" office,* 1894. 12°. ("Star" pamphlets, no. 1.)

NM 0904603 NN

SPEC COLL PN 2286 M8
Muse, Clarence.
The dilemma of the Negro actor.
Los Angeles [1934]
26ℓ. 21cm.

1.Negro actors. I.Title. LC

NM 0904604 CLSU

Muse, Clarence.
Way down South, by Clarence Muse and David Arlen; wood cuts by Blanding Sloan. Hollywood, Calif., D. G. Fischer [©1932]
145, [1] p., 1 l. incl. illus., plates (2 col.) col. plates. 27cm.
"The first edition ... consists of one thousand copies, signed by the authors and numbered 1 to 1000." This copy neither numbered nor signed.
Story of a negro vaudeville troupe.

1. Negroes—Soc. life & cust. I. Arlen, David, joint author. II. Title.
32-17254
Library of Congress E185.86.M96
——— Copy 2.
Copyright A 52891 325.26

NM 0904605 DLC PSt NcD CU-A IEN PP CU

Muse, Dan Thomas, *Bp.*, 1882-
The Song of songs. *Franklin Springs, Ga., Pentecostal Holiness Pub. House [1947]
231 p. 21 cm.

1. Bible. O. T. Song of Solomon—Commentaries.
BS1485.M8 223.9 48-15929*

NM 0904606 DLC

Muse, Henry Kirke White, 1840?-1858.
Muse, James H.
Correspondence with my son, Henry Kirk White Muse. Embracing some brief memorials of his character, and essays from his pen, while a student at Princeton college, New Jersey. By his father, J. H. Muse ... New-York, J. A. Gray, printer, 1858.

MUSE, J[ames]H.
Argument in the supreme court of Lousiana, upon the liability of debtors to pay the unpaid prive of slaves. Revised ed. [New Orleans 186-.]

pp.22

NM 0904608 MH

Muse, James H.
Correspondence with my son, Henry Kirk White Muse. Embracing some brief memorials of his character, and essays from his pen, while a student at Princeton college, New Jersey. By his father, J. H. Muse ... New-York, J. A. Gray, printer, 1858.
xx, [5]-333 p. front. (port.) 18½cm.

1. Muse, Henry Kirke White, 1840?-1858.
4-12470 Revised
Library of Congress CT275.M83A3

NM 0904609 DLC NcD NjP NjR

La 342.763 L93 1879Z
Muse, James H
...A review of the constitution submitted to the people of Louisiana, in connection with the constitutions of 1852 and 1868. By J.H. Muse... New Orleans, F.F. Hansell, 1879.
cover-title, 35p. 21cm.

1. Louisiana. Constitution, 1879. 2. Louisiana. Constitution, 1852. 3. Louisiana. Constitution, 1868.

NM 0904610 LU LNHT CtY NcD TxU

VOLUME 403

QE747 .T3M8 MUSE, JAMES M
Prehistoric history of Collin county. McKinney, Texas, n.pub. [c1923] 2+71p.
Contains also History of McKinney and Collin county, by W.B. Wilson.

NM 0904611 InU

Muse, John C., plaintiff.
John C. Muse and A.H. Muse vs. London Assurance Co. Brief of John W. Hinsdale
see under Hinsdale, John Wetmore, 1843-1921.

Muse, Joseph A.
Tales of Texas and Texas Joe; twice told yarns, with the flavor of the Lone star state added. Experiences of travel and humorous sketches of Texas life and people as seen by that unique and original character—Texas Joe, J. A. Muse of Texas. [Houston, Tex., Minor printing co.] c1919.
[49] p. front., plates, port. 19cm.
I. Title.
Library of Congress PN6161.M9 20-5252

NM 0904613 DLC TxU

Muse, Joseph Ennals
An address delivered at their tent, before the Dorchester Agricultural Society, and a large assemblage of the citizens of Dorchester ... at the fourth exhibition and fair, held in Cambridge, November 2, 1837. Baltimore, J. D. Toy, 1837.
29 p. 22 cm.
1. Agriculture - Maryland. I. Dorchester (Md.) Agricultural Society.

NM 0904614 MdBP

Muse, Joseph E.
Address to the Agricultural society, of New-Castle County, at the tenth annual meeting, assembled at Wilmington, Del., on Sept. 18th, 1845 ... by Joseph E. Muse ... Wilmington, Del., Evans & Vernon, printers, 1845.
17 p. 22cm.
Published by order of the society.
1. Agriculture—Addresses, essays, lectures.
Library of Congress S523.M98 12-11479

NM 0904615 DLC DNAL

Muse, Joseph Ennals
An address upon the dominant errors of the agriculture of Maryland, delivered ... before the Dorchester agricultural society ... at the third exhibition and fair, held in Cambridge, Oct. 29, 1827. By Joseph E. Muse ... Baltimore, Printed by J. D. Toy, 1828.
iv, [5]-25 p. 22cm.
1. Agriculture — Addresses, essays, lectures. I. Dorchester (Md.) agricultural society.
U. S. Dept. of agr. Library for Library of Congress 30.4M97 [a40b1] Agr 18—59

NM 0904616 DNAL CtY PPL NN

Muse, Marianne, 1897- joint author.
Johnson, Lillian Harriet.
... Cash contribution to the family income made by Vermont farm homemakers, by Lillian H. Johnson and Marianne Muse. Burlington, Vt., Free press printing co., 1933.

Muse, Marianne, 1897-
... Comparative study of data on farm household expenditures obtained by household accounts and by a survey. By Marianne Muse and Charlotte Pierpont Brooks. Burlington, Free press printing co., 1929.
32 p. incl. tables, diagrs. 23cm. (Vermont. Agricultural experiment station, Burlington. Bulletin no. 294, June 1929)
At head of title: University of Vermont and State agricultural college.
1. Domestic economy—Accounting. 2. Cost and standard of living. 3. Farm life. I. Brooks, Mrs. Charlotte (Pierpont) joint author. II. Title.
Title from Vermont Univ. [S121.E3 no. 294] Printed by L. C. A 30-833

NM 0904618 VtU

Muse, Marianne, 1897-
Diets of Vermont farm families. Burlington, U. of Vt., 1953.
32 p. illus. 23 cm. (Vermont. Agricultural Experiment Station, Burlington. Bulletin 573)
Literature cited: p. 32.

NM 0904619 PPD

Muse, Marianne, 1897-
... Farm families of two Vermont counties, their incomes and expenditures, by Marianne Muse. Burlington, Vt., Free press printing co. [1942]
cover-title, 48 p. incl. tables. 23cm. (Vermont. Agricultural experiment station. Bulletin no. 490. June, 1942)
At head of title: University of Vermont and State agricultural college.
"Literature cited": p. 48.
1. Cost and standard of living. I. Title.
Vermont. Univ. Library for Library of Congress [S121.E3 no. 490] [2] (630.72) A 43-371

NM 0904620 VtU PPD

Muse, Marianne, 1897-
... Food consumption of fifty Vermont farm households by Marianne Muse and Isabelle Gillum. Burlington, Vt., Free press printing co., 1931.
30 p., incl. tables (1 fold.) 23cm. (Vermont. Agricultural experiment station, Burlington. Bulletin no. 327, April, 1931)
At head of title: University of Vermont and State agricultural college.
Literature cited: p. 27.
1. Cost and standard of living. 2. Diet. I. Gillum, Isabelle, joint author. II. Title.
Title from Vermont Univ. Library of Congress [S121.E3 no. 327] [2] A 31-1076

NM 0904621 VtU

Muse, Marianne, 1897-
... Incomes and expenditures of 299 Vermont village families, by Marianne Muse and Margaret E. Openshaw. Burlington, Vt., Free press printing co. [1939]
46 p. incl. tables. 23cm. (Vermont. Agricultural experiment station, Burlington. Bulletin 450, July, 1939)
At head of title: University of Vermont and State agricultural college.
1. Domestic economy—Accounting. 2. Cost and standard of living. I. Openshaw, Margaret Mary Eliza, joint author.
Vermont. Univ. Library for Library of Congress [S121.E3 no. 450] [3] (630.72) A 40-922

NM 0904622 VtU PPD

Muse, Marianne, 1897-
... Kitchen equipment and arrangement, by Marianne Muse. Burlington, Vt., Free press printing co., 1934.
59 p. incl. illus., plans, tables. 23cm. (Vermont. Agricultural experiment station, Burlington. Bulletin no. 375, May 1934)
At head of title: University of Vermont and State agricultural college.
"Literature cited": p. 28.
1. Kitchens. I. Title.
Title from Vermont Univ. Library of Congress [S121.E3 no. 375] A 34-2878

NM 0904623 VtU PP PPD

Muse, Marianne, 1897-
... The relative economy of household production and of purchase of white bread, by Marianne Muse and Margaret L. Liston. Burlington, Vt., Free press printing co., 1935.
30 p. incl. tables, diagrs. 23cm. (Vermont. Agricultural experiment station, Burlington. Bulletin no. 392, June 1935)
At head of title: University of Vermont and State agricultural college.
"The writers gratefully acknowledge indebtedness to the station chemists, Messrs. C. H. Jones and L. S. Walker, and to others who have helped in making this study."—p. 9.
"Literature cited": p. 39.
1. Bread. 2. Cost and standard of living. I. Liston, Margaret Isabel, 1904- joint author. II. Title.
Title from Vermont Univ. Library of Congress [S121.E3 no. 392] [3] A 36-190

NM 0904624 VtU

Muse, Marianne, 1897-
Saving time and steps in bedmaking. Burlington, U. of Vt., 1949.
55 p. illus. 21.5 cm. (Vermont. Agricultural Experiment Station, Burlington. Bulletin 551)

NM 0904625 PPD

Muse, Marianne, 1897-
... The standard of living on specific owner-operated Vermont farms, by Marianne Muse. Burlington, Vt., Free press printing co., 1932.
54 p. incl. tables (1 fold.) 23cm. (Vermont. Agricultural experiment station, Burlington. Bulletin no. 340, June 1932)
At head of title: University of Vermont and State agricultural college.
"Literature cited": p. 54.
1. Cost and standard of living. 2. Farm life.
Title from Vermont Univ. Library of Congress [S121.E3 no. 340] A 33-458

NM 0904626 VtU

Muse, Maude Blanche, 1879-
Guiding learning experience; principles of progressive education applied to nursing education. New York, Macmillan, 1950.
xv, 617 p. illus. 22 cm. (Macmillan nursing education monographs)
Includes bibliographies.
1. Nurses and nursing—Study and teaching. I. Title.
RT71.M8 610.7307 50-3131

WaSpG PU-Med-TS TxU NcU ICU Vi
NM 0904627 DLC MtBC DNLM IdPI OrMonO WaS OrU-M

Muse, Maude Blanche, 1879-
... Habits and skills, by Maude B. Muse ...
[Reprinted from American journal of nursing]
4 p. 23 cm.
Bibliography: p. 4.

NM 0904628 CaBVaU

Muse, Maude Blanche, 1879-
An introduction to efficient study habits according to the laws and principles governing economical learning, by Maude Blanche Muse ... Philadelphia and London, W. B. Saunders company, 1929.
2 p. l., 11-110 p. illus., diagr. 20½cm.
"Annotated bibliography": p. 104-106.
1. Study, Method of. 2. Psychology, Physiological.
Library of Congress LB2395.M8 29—14136

PPT
OrMonO CaBVaU NcD MiU OCl OCU ViU PPJ PU ICRL MB
NM 0904629 DLC MtBC PPPL DHEW CaBVaU OrU OrCS

Muse, Maude Blanche, 1879-
An introduction to efficient study habits according to the laws and principles governing economical learning, by Maude Blanche Muse ... Philadelphia and London, W. B. Saunders company, 1930.
2 p.l., 11-110 p. illus., diagr. 20½cm.
"Annotated bibliography": p. 104-106.
"Reprinted September, 1930."
1. Study, Method of. 2. Psychology, Physiological.

NM 0904630 ViU PU-Med-TS MiDP

VOLUME 403

Muse, Maude Blanche, 1879-
Materia médica, farmacología, terapéutica. [n.p., 19--]
91l. 33cm.
Caption title.
TxU copy imperfect: all after leaf 91 wanting.
1. Materia medica. 2. Pharmacology. 3. Therapeutics. Sp.: Lucuix Collection.

NM 0904631 TxU

Muse, Maude Blanche, 1879-
Materia medica, pharmacology and therapeutics, by Maude B. Muse ... Philadelphia and London, W. B. Saunders company, 1933.
2 p. l., 11-627 p. illus. (part col.) col. plates, diagrs. 20½cm.
Bibliography at end of each chapter.
1. Materia medica. 2. Pharmacology. 3. Therapeutics. I. Title.
Library of Congress RM125.M8 33-19062
——— Copy 2.
Copyright A 63571 [a40d1] 615.1

ICJ
NM 0904632 DLC ICRL WaE PPT-P PPJ NcD OCl PPC

Muse, Maude Blanche, 1879-
Materia medica, pharmacology and therapeutics, by Maude B. Muse ... Philadelphia and London, W. B. Saunders company, 1934.
2 p.l., 11-627 p. illus. (part col.) col. plates, diagrs. 20cm.
Bibliography at end of each chapter.
"Reprinted May, 1934."
1. Materia medica. 2. Pharmacology. 3. Therapeutics. I. Title.

NM 0904633 NcD

Muse, Maude Blanche, 1879-
Materia medica, pharmacology and therapeutics, by Maude B. Muse ... 2d ed., reset ... Philadelphia and London, W. B. Saunders company, 1936.
634 p. illus. (part col.) col. plates, diagrs. 20½cm.
Bibliography at end of each chapter.
1. Materia medica. 2. Pharmacology. 3. Therapeutics.
Library of Congress RM125.M8 1936 36-18173
Copyright A 97297 [3] 615.1

NcD OU ICRL
NM 0904634 DLC IdU-SB DNLM PPJ PU-Penn PPC OClW

Muse, Maude Blanche, 1879-
Materia medica, pharmacology and therapeutics, by Maude B. Muse ... 3d ed., rev. ... Philadelphia and London, W. B. Saunders company, 1940.
xvi, 622 p. illus., col. plates, diagrs. 20½cm.
Bibliography at end of each chapter.
1. Materia medica. 2. Pharmacology. 3. Therapeutics. 40-11573
Library of Congress RM125.M8 1940
——— Copy 2.
Copyright [2] 615.1

NM 0904635 DLC ICRL PPJ PPT OrU-M Or PPC PU

Muse, Maude Blanche, 1879-
Pharmacology and therapeutics, by Maude B. Muse ... 4th ed., rev. ... Philadelphia and London, W. B. Saunders company, 1944.
xiv, 633 p. illus. (part col.) col. plates, diagrs. 20½ cm.
First three editions published under title: Materia medica, pharmacology and therapeutics.
Bibliography at end of each chapter.
1. Pharmacology. 2. Therapeutics.
RM125.M8 1944 615.1 S G 44-94
U. S. National Library of Medicine for Library of Congress [a57g1]†

TxU WaT DLC
NM 0904636 DNLM PPJ PPC OU PSt DNLM ViU PU- Penn

Muse, Maude Blanche, 1879-
Psychology for nurses, by Maude B. Muse ... 5th ed. Philadelphia, London, W. B. Saunders company, 1945.
xx, 467 p. illus. (part col.) diagrs. 20½cm.
First and second editions have title: A text-book of psychology for nurses; third and fourth: A textbook of psychology.
Bibliography at end of most of the chapters.
1. Psychology. 2. Nurses and nursing. I. Title.
Library of Congress BF131.M95 1945 45-4356
[6] 150

OU PPJ PPC DNLM
NM 0904637 DLC OrU-M Wa CaBVaU ICU PU-Penn OCl

Muse, Maude Blanche, 1879-
A study outline designed to assist students of nursing who are taking an introductory course in educational psychology, by Maude B. Muse... Philadelphia and London, W.B. Saunders company, 1928.
140 p. illus. (part. col.) diagrs. 28½ cm
Contains bibliographies.

NM 0904638 DHEW ICRL PPC

Muse, Maude Blanche, 1879-
A study outline designed to assist students of nursing who are taking an introductory course in educational psychology, by Maude B. Muse ... 2d ed., rev. Philadelphia and London, W. B. Saunders company, 1930.
166 p. illus. (part col.) diagrs. 28½cm.
Contains bibliographies.
1. Educational psychology — Outlines, syllabi, etc. 2. Nurses and nursing.
Library of Congress LB1051.M82 1930 30-15774
Copyright A 24426 [3] (150.2) 370.15

NM 0904639 DLC PPJ OrU-M ICJ NcD PU-Penn PPC

Muse, Maude Blanche, 1879-
A textbook of psychology, by Maude B. Muse ... 3d ed., rev. and entirely reset. Philadelphia and London, W. B. Saunders company, 1934.
2 p. l., 469 p. illus., col. plates, diagrs. 20cm.
Bibliographies at end of most of the chapters.
1. Psychology. 2. Nurses and nursing. I. Title. 34-15612
Library of Congress BF131.M95 1934
——— Copy 2.
Copyright A 72672 [a37d1] [159.9] 150

OCU DNLM
NM 0904640 DLC OrU-M PPC PPJ PU-Penn PV OCl OU

Muse, Maude Blanche, 1879-
A textbook of psychology, by Maude B. Muse ... 4th ed., rev. and entirely reset. Philadelphia and London, W. B. Saunders company, 1939.
2 p. l., 484 p. illus., plates (part col.) diagrs. 20½cm.
Bibliographies at end of most of the chapters.
1. Psychology. 2. Nurses and nursing. I. Title. 39-14690
Library of Congress BF131.M95 1939
——— Copy 2.
Copyright A 129509 [2] [159.9] 150

PP NcD PPJ
NM 0904641 DLC ICRL WaS ViU MiDP PPWM OCl OU PPC

Muse, Maude Blanche, 1879-
A text-book of psychology for nurses, by Maude B. Muse ... Philadelphia and London, W. B. Saunders company [c1925]
351 p. illus., col. pl., diagrs. 20½cm.
Contains bibliographies.
1. Psychology. 2. Nurses and nursing. I. Title.
Library of Congress BF131.M95 25-2448

PU MiU OCl OClW ViU
NM 0904642 DLC PPJ DNLM ICJ CaBVaU OrCS ICRL NcD

Muse, Maude Blanche, 1879-
A text-book of psychology for nurses, by Maude B. Muse ... 2d ed., rev. Philadelphia and London, W. B. Saunders company, 1930.
2 p. l., 416 p. illus., col. plates, diagrs. 20½cm.
Bibliographies at end of most of the chapters.
1. Psychology. 2. Nurses and nursing. I. Title.
Library of Congress BF131.M95 1930 30-5271

MB PPT PPJ PPC PP
NM 0904643 DLC OrU-M OrU-D MiU OCl OClW PU ICRL

Muse, Paul Forest.
The contribution of commercial education to the general objectives of education ... by Paul F. Muse ... [Columbus, Ohio] The Ohio state university, 1937.
209 numb. l.

NM 0904644 OU

LB1643
M8
Muse, Paul Forest.
A study of the business activities, interests, and understandings of secondary school pupils and adults as a basis for determining subject matter content and grade placement of basic business education in the secondary school. [Columbus? Ohio, 1946.
210, [183] l. 28cm.
Thesis - Ohio State University.
Xerox copy of typescript.
1. Business education. I. Title.

NM 0904645 GU

Muse, Paul Forest.
Wartime problems and adaptations of business education in Ohio schools ... by Paul F. Muse and Howard E. Wheland. Columbus, Ohio, State department of education [c1943]
41 p. 23 cm. (Business education bulletin, no. 1.)

NM 0904646 NcGU OOxM

FILM
B
D7378m
Muse, Raymond.
William Douglass, man of the American Enlightenment, 1691-1752. [Stanford, Calif.] 1948.
278l.
Thesis--Stanford University.
"List of printed works referred to in Douglass's Summary": leaves 273-278.
Bibliography: leaves 252-260.
Microfilm (negative) Stanford, Calif., Stanford University Photographic Dept., 1971.
1 reel. 35mm

NM 0904647 IU CSt

Muse, Vance, pub.
JK2679
.A1S8
State lawmakers directory (and members of the national Congress) 1st- biennial ed.; 1937-38- Houston, Tex., V. Muse [etc.]

Muse, Will D.
The hills o' hope [by] Will D. Muse. [1st ed.] [Memphis, Will D. Muse publishing company, c1916]
[62] p. front. (mounted port.) 24cm. $0.75
Poems.
I. Title.
Library of Congress PS3525.U87H5 1916 17-4810

NM 0904649 DLC ViU

VOLUME 403

Muse, Will D.
The hills o' hope, by Will D. Muse. Kansas City, Mo., Burton publishing company [°1920]
[62] p. 23½cm.
Poems.

I. Title.

Library of Congress PS3525.U87H5 1920 21-17571

NM 0904650 DLC

Muse, Will D.
The house of love, by Will D. Muse. Boston, The Cornhill company [°1920]
6 p. l., 92 p. 20cm.
Poems.

I. Title.

Library of Congress PS3525.U87H7 1920 20-7453

NM 0904651 DLC

Musė, William Taylor, 1906- ed.
Virginia annotations to the Restatement of the law of torts, as adopted and promulgated by the American Law Institute; prepared under the auspices of the Virginia State Bar Association. St. Paul, American Law Institute, 1944.
2 v. in 1 (280 p.) 24 cm.

1. Torts—Virginia. 2. Annotations and citations (Law)—Virginia. I. American Law Institute. Restatement of the law of torts. II. Title.

347.5 44-9207 rev*

NM 0904652 DLC WaU-L ViU-L GU-L NBuU-L PU-L NcD-L

The Muse. v.1, no.1- Spring 1935-
Baton Rouge «Franklin Press» 1935-
v. 19 cm.

Editor: 1935- Oliver W. Evans.

1. Poetry--Period. 2. Poetry, Modern--Period. I. Evans, Oliver Wendell, 1915-

NM 0904653 LU

Die Muse. Leipzig, J.C. Müller, 1776.
2 v. in 1. fold. plates (music) 17 cm.
Each vol. has engraved t.p.
A weekly sheet, containing poems and songs with the airs, Oct. 7, 1775-August 31, 1776; edited by W.G. Backer, author of part of the poems. Cf. Kaiser.
1. German poetry - Collections. I. Becker, Wilhelm Gottlieb, 1753-1813, ed.

NM 0904654 CSt

C378
S14P
The Muse. v.«1»-26, 1899-1924. Raleigh, St. Mary's School.
26 v. illus., ports. 27cm. annual.
Vol.«1» appeared as a special un-numbered issue of the literary magazine.
Superseded 1925 by Stage coach.

NM 0904655 NcU

The **Muse**; a little book of art & letters. v. 1, v. 2, no. 1-2; June 1900-Sept. 1902. Oakland, Cal., The Lotos club [1900-02]
2 v. in 1. illus., plates (partly col.) 24cm (v. 2, no. 2: 30cm) quarterly.
A. H. Shirk, editor.
Vol. 2, no. 2 has title: The Muse: a magazine of art & letters.
Publication suspended from Sept. 1901 to June 1902 inclusive; ceased with Sept. 1902.

I. Shirk, Adam Hull, ed. II. Lotos club, Oakland, Cal.

Library of Congress AP2.M86 6-34980

NM 0904656 DLC CU-B CLSU

The **Muse**, devoted to the modern arts; a consolidation of the Philharmonic, Werner's magazine of expression and literature, Music and Four o'clock ... v. 1-3; Jan. 1901-June 1903. Chicago, The Philharmonic co. [etc.] 1901-03.
3 v. illus., plates (part col.) ports. 27cm. quarterly, 1901; bimonthly, 1902; monthly, 1903.
Title varies: 1901-Jan. 1903, The Philharmonic; a magazine devoted to music, art, drama.
Feb.-Mar. 1903, The Philharmonic, devoted to the modern arts.
Apr.-June 1903, The Muse, devoted to the modern arts.
Charles E. Nixon, editor.
Merged into the Rostrum.

1. Music—Period. I. Nixon, Charles Elston, 1860- ed.

Library of Congress ML1.P54 5-7982 Revised

NM 0904657 DLC MiU CoU MB OO

Die MUSE; Monatsschrift für Freunde der Poesie und der mit ihr verschwisterten Künste. Jahrg. 1821-22. Leipzig, G. J. Göschen. 8 v. illus. 19cm.

Edited by F. Kind.
Reprint edition published in 1971 by Kraus reprint, Nendeln.

1. Periodicals--Germany. I. Kind, Friedrich, 1768-1843, ed.

NM 0904658 NN GU NIC

La muse à Bibi
see under [Gill, André] 1840-1885.

R 705
M8
La muse à l'officine; propos de confrère par le Dr Jean Valincourt. Illustrations de Joseph Hémard. Paris, Édité par les Laboratoires Trouette-Perret [1931]
65 p. illus. 19 cm.

NM 0904660 OU

---

*fEC7
A100
734m
The muse an advocate for injur'd merit. In an epistle to the Right Honourable Sir Robert Walpole ...
London:Printed for J.Roberts,at the Oxford-Arms,in Warwick-lane.MDCCXXXIV.
f°. 16p. 36cm.
In verse.

NM 0904661 MH GASC CSmH

Muse & mirror.
v.
Seattle: The Argus, 192 8°.
no.
Triennial.

1. Poetry—Per. and soc. publ.
N. Y. P. L. August 15, 1929

NM 0904662 NN CaBViP Wa WaS OrU

Muse anthology of modern poetry. Poe memorial ed. New York, C. Straub [°1938]
866 (i. e. 933) p. incl. illus., 5 mounted facsim. (3 fold.) front. (mounted port.) 28½ cm.
Includes 67 unnumbered pages.
"First printing April, 1938."
"De luxe edition, three thousand copies. Number 722." Initialed by the publisher.
A "tribute of some of the leading poets and essay-writers of England and America to the memory of Edgar Allan Poe."—Foreword, p. 16.
"Compilation: Devora Lovell ... Editors: Dorothy Kissling, Arthur H. Nethercot."

CONTENTS.—book 1. Poe, commentary studies, essays and poetic tributes.—book 2. The poetic principle, by E. A. Poe. Poems by E. A. Poe.—book 3. Lyrics by contemporary poets.—book 4. Sonnets by contemporary poets.—book 5. Quatrains by contemporary poets.—book 6. Vers libre by contemporary poets.—book 7. Addenda.

1. Poe, Edgar Allan, 1809-1849. 2. English poetry—20th cent. 3. American poetry—20th cent. I. Poe, Edgar Allan, 1809-1849. II. Lovell, Devora, comp. III. Kissling, Dorothy, ed. IV. Nethercot, Arthur Hobart, 1895- joint ed.

PS2635.M8 1938 928.1 38-16968

MoU CaBViP
NM 0904664 DLC WaSp ViU NcD PU TU OU PPCCH WaU

MUSE;anthology of modern poetry. Poe memorial ed. New York,Saravan House,[1939].
28 cm. pp.866,(53). Ports.,facsimile plates and other illustr.
"De luxe edition,3000 copies."
Contents:- i.Poe:commentary,studies,essays and poetic tributes.- ii.The poetic principle: Edgar A.Poe.- Poems:Edgar A.Poe.- iii.Lyrics: contemporary poets.- iv.Sonnets:contemporary poets.- v.Quatrains:contemporary poets.- In lighter vein.- vi.Vers libre:contemporary poets. vii.Addenda.

NM 0904665 MH

PS991
.A6M8
The Muse, as I have found her; including sundry occasional poems, and a tale entitled The rebel: by himself. New Orleans, Clark & Hofeline, 1878.
247 p. 22 cm.

Contents.-Stolen hours.-The Rebel; a Carolina tale.

I. Title: Stolen hours. II. The Rebel.

NM 0904666 T NNC ViU ICN

---

*FC5
A100
582m
La mvse chrestienne, ov Recueil des poesies chrestiennes tirees des principaux poëtes françois. Auec vn discours de l'influence des astres, du destin ou fatalité, de l'interpretation des fables & pluralité des dieux introduits par les poetes contenu en l'auantpropos de l'auteur de ce recueil.
A Paris,Chez Geruais Malot,rue Sainct Iacques à l'enseigne de l'Aigle d'or.1582. Auec priuilege du roy.
36p.ℓ.,328(i.e.342)numb.ℓ.,[13]p. 13.5cm.

*FC5
A100
582m
Publisher's device on t.-p.
Numerous errors in foliation incl. 121-122 omitted & 179-182,314-323,323-324 repeated.
Errata: p.[12-13] at end.
Dedication signed: I.C.T.
Includes poems by Ronsard, Baïf, Du Bellay, Belleau, Jodelle and Desportes.
Contains the booklabel of E.L.N. Viollet-Le-Duc, a ms. table in the hand of Prosper Blanchemain, and the bookplate of Paul Éluard.

NM 0904668 MH DFo MiDW

Hfc9
M97
La muse coutançaise au XVIIe siècle, recueil de poésies françaises et latines dédiées à Jacques de Costentin.
Coutances, Salettes, 1874.
viii, 27p. 20cm.

1. Costentin, Jacque· d. 1664.

NM 0904669 CtY

La muse dauphine
see under Subligny, Adrien Thomas Perdou de, 1640?-1679.

La muse de cavalier
see under [Cutts, John Cutts] baron, 1661-1707.

La muse de l'atelier; recueil de chansons nouvelles des meilleurs auteurs: Alexis Dalès [and others] Paris, Roger, 1860.

NM 0904672 MH

La Muse de la cour
see Subligny, Adrien Thomas Perdou de, 1640?-1679.
La mvse davphine ...

VOLUME 403

*FC6 L9297 W660m v.25

La mvse de la covr a Son Altesse monseignevr le dvc de Lorraine svr l'arrivee de Levrs Maiestez, & sur la belle bourgeoisie qui doit paroistre à la magnifique entrée de la nouuelle reyne dans la ville de Paris.
A Paris, Chez Alexandre Lesselin, ruë vieille Draperie, proche sainte Croix de la cité, à l'enseigne de l'Imprimerie. Ce 27. iuillet 1660
8p. 22.5cm., in case 25cm.
Caption title; imprint on p.8.
Portrait of Charles IV, duc de Lorraine, inserted.
Lettered on case: Mariage de Louis XIV et Marie Thérèse. 1660

NM 0904674 MH

La muse en bells humeur; contenant la magnifique entree de leurs maiestez dans ... Par., n.d.

NM 0904675 PBm

La muse folastre.
Le premier [-le troisieme] livre de La mvse folastre; recherchee des plus beaux esprits de ce temps; de nouueau reu., corrigé & augm. 3v. in 1. Rouen, C. Le Vilain, 1605.

NM 0904676 OCl

La muse folastre.
Le premier [-le troisième] livre de La muse folastre recherchée des plus beaux esprits de ce temps, de nouveau rev., cor. et augm. 3v. in 1. Lyon, B. Ancelin, 1611.

NM 0904677 NjP PBm MnU

La muse folastre
Le premier [-le troisieme] livre de La mvse folastre; recherchee des plus beaux esprits de ce temps; de nouueau reu., corrigé & augm. 3v. in 1. Rouen, C. Le Vilain. 1615.

Contains the book-plate of Charles Nodier.

NM 0904678 OCl

La muse folastre
Le premier [-le troisieme] livre de La mvse folastre; recherchee des plus beaux espirts (!) de ce temps; de nouueau reueu, corrigé & augm. 3v. in 1. Jene, De l'imprimerie de J. Beitmann, 1697.

Bound by Trautz-Bauzonnet.

NM 0904679 OCl

La muse folastre
Recveil des trois livres de la Muse folastre, recherchée des plus beaux espris de ce temps; de nouueau reueuß, cor. & augm. 2v. in 1. Paris, I. Fvzy, 1607.

Bound by Chambolle-Duru.

NM 0904680 OCl

---

*FC5 R6697 A600mc

La mvse folastre. Recherchee des plus beaux esprits de ce temps. De nouueau reueu corrigé & augmenté,
A Tovrs, Par Sebastien Molin, imprimeur & libraire, demeurant à la grand-rue. 1600.
99 numb. ℓ. 13cm.
Title within ornamental border.
Leaves 31,47,75 misnumbered 13,32,74.
Third edition of the first book of this collection, containing several pieces first included in the 2d ed. (Rouen, par Claude

Continued in next column

Continued from preceding column

*FC5 R6697 A600mc

Morel, 1600).
Includes verses by Béroalde de Verville and Du Bellay; also "Folastries de P. de Ronsard, non imprimees en ses oeuvres" and 2 sonnets by Ronsard (ℓ.55 verso - 76).
The pieces by Ronsard were first published in his Liuret de folastries, a Ianot parisien (1553).
For a description of the editions of this work, see F. Lachèvre: Les recueils collectifs de poésies libres et satiriques, 1600-1626 (1914) p.3-7, 529; Suppl. (1922) p.5-7.
The Bridgewater - Col. Thomas Stanley copy.

NM 0904683 MH

Y 7684 .607

...La MUSE folastre, recherchée des plus beaux esprits de ce temps. De nouveau rev., corr. et augm. Lyon, B. Ancelin, 1611[Bruxelles, A. Mertens et fils, 1864]
3v. in 1. 16cm. (Raretés bibliographiques)

Poems; some signed.
Barbier attributes the editorship to Paul de L'Ecluse.
"Note bibliographique": v.3, p.[97]-100.

NM 0904684 ICN MiEM

---

*FP8 M9725

La Muse française. t.1-2 (no.1-12); juillet 1823-15 juin 1824.
Paris, Ambroise Tardieu, éditeur, rue du Battoir-Saint-André, nº 12. 1823-24.
2v. 22cm. monthly.
No.1-8(?) published by Auguste Boulland et cie., remaining nos. by Tardier.
Errata: v.1, p.[453]; v.2, p.[388]; wrappers of no.3,8-9.
Official organ of the early French romanticists; includes pieces by Guiraud, Soumet, Hugo, de Vigny, Nodier, Desbordes-Valmore

*FP8 M9725

and others.
No more published.
Half blue morocco and marbled boards; original printed blue wrappers to each no. bound at end of volume.

NM 0904686 MH NcU

... La Muse française, 1823-1924. Édition critique, pub. par Jules Marsan. Paris, É. Cornély et cie, 1907-09.
2 v. 19cm. (Société des textes français modernes. [1. série])
"La Muse française fut l'organe officiel du premier groupement romantique. Éditée d'abord par Boulland, puis par son successeur Ambroise Tardieu, elle parut mensuellement de juillet 1823 à juin 1824; après quoi, elle s'éteignit, n'ayant plus de raison d'être ... Chaque livraison comporte trois parties,—Poésie, Critique littéraire, Mœurs ..."
Its founders were A. Soumet, A. Guiraud, Victor Hugo, Alfred de Vigny, Saint-Valry, Desjardins, and Émile Deschamps; other contributors were Ch. Nodier, Jules Lefevre, Belmontet, Pichald, Chênedollé, Saint-Prosper, Briffaut, Baour-Lormian, Ancelot, Gaspard de Pons, Comte Théobald Wash, Mmes. Sophie Gay, Delphine Gay, Desbordes-Valmore, Amable Tastu, Hortense Céré-Barbé, Dufrénoy, etc.
Bibliographical foot-notes in "Introduction."
CONTENTS.—t. I. July-December 1823.—t. II. January-June 1924.
[a42b1]
1. French literature—Hist. & crit.—Period. I. Marsan, Jules, 1867-1939, ed. II. Société des textes français modernes, Paris.
Library of Congress PQ1137.M8 9—7334

PHC PP OCU OClW OU NcD TNJ NjP ViU
NM 0904687 DLC IaU CaBVaU PSt RWoU CU PU PSC PBm

La Muse française. 1.-19. année, no 1; 10 mars 1922-jan./mars 1940. Paris, Garnier.
19 v. 21 cm.

Ten no. a year, 1922-31, 1936-38; quarterly, 1932-35.
Publication suspended Aug.-Dec. 1939.
Issues for 1922-27 called "1.-6. série."
Edited by A. P. Garnier.
No more published?

1. French poetry—Hist. & crit.—Period. I. Garnier, Auguste Pierre, 1885- ed.

PQ400.M8 30-22099 rev 2*

MNS CU MoSW
NM 0904688 DLC CaBVaU IU WU ICN NcD MiU OU NcGU

La Muse Française.
Muse française, numéro consacré à Baudelaire

NM 0904689 OrU

PQ1677 LaMuse française.
.M9 P. Ronsard. Paris, Garnier frères [1921]
cover-title, p. [73]-272. 20cm.
Binder's title.
Special no. (3. sér., no. 2, 10 fév. 1924) issued in celebration of fourth centenary of Ronsard.

1. Ronsard, Pierre de, 1524-1585—Anniversaries, etc.

NM 0904690 ICU MeB

PQ 1677 .M98

La Muse française,
Ronsard et la Pléiade (1524-1924) Numéro spécial de La Muse française, revue de la poésie ... Paris, Garnier frères [1924]
203 p. 20½cm.
"Édition de luxe limitée à trois cents exemplaires tirés et numérotés sur papier pur fil. Nº 136."
"Cette livraison volumineuse, presque tout entière dédiée à Ronsard, contient une série d'articles où le chef de la Pléiade est étudié de points de vue différents ... Il contient aussi ... un ensemble de poèmes."--Pour Ronsard, p.6.
1. Ronsard, Pierre de. 1524-1585--Anniversaries, etc. 2. Pléiade.

NM 0904691 MiU CaBVaU NIC TXU

PQ1904.5 M8

La muse française.
[Le trois centième anniversaire de la naissance de Racine] Paris, Garnier, 1939.
[289]-447 p. 20 cm. (Collection des classiques Garnier)

Special number of La muse française, no. 7.
Supplied title.

NM 0904692 MeB NjR OrU

La Muse guerrière
see under Trellon, Claude de, 16th cent.

Y 1847 .181 v.1

The muse in a fright; or, Britannia's lamentation: a rhapsody, containing a succinct account of the rise and progress of British liberty, and the establishment of the press... Lond. n.d. Q. (in [Collection of eighteenth century poetry] 1753-77. [v.1, no.12])

Some pages slightly mutilated.
In verse.

NM 0904694 ICN

The Muse in a moral humour: being a collection of agreeable and instructive tales, fables, pastorals, etc. By several hands. London, Printed for F.Noble and J.Noble, 1757-58.
2 v. 16½ cm.

NM 0904695 NjP CtY DLC IU NNC InU FU NRU

The muse in arms
see under Osborn, Edward Bolland, 1867-1938.

The muse in distress: a poem. Occasion'd by the present state of poetry; humbly address'd to the Right Honourable Sir William Yonge, bart. and knight of the Bath, &c. ... London, T. Cooper, 1733.
16 p. 35½cm.
[Poetical pamphlets, v. 9, no. 24]

1. Yonge, Sir William, bart., d. 1755.

28-8690

Library of Congress PR1171.Z5 vol. 9

NM 0904697 DLC MH IU CtY TxU

VOLUME 403

FILM
x821
M972

The muse in distress: a poem. Occasion'd by the present state of poetry; humbly address'd to the Right Honourable Sir William Yonge, bart. and knight of the Bath, &c. London, Printed for T. Cooper, 1733.

Microfilm copy made by the Library of Congress in 1952. Negative.
Collation of the original: 16p.

NM 0904698 IU InU

Ib68
p744m

The muse in good humour: or, A collection of comic tales, &c. by Dryden, Congreve, Gay, Sedley, Cobb, and other eminent poets. Together with some originals. Viz. [list of 29 items] Part second and last. London: Printed for J.Noble, at Dryden's Head, in St.Martin's court, near Leicester fields.1744.
2p.ℓ.,144[i.e.146]p. 19½cm.
Signatures: 2ℓ. unsigned, B-C[6], 1ℓ. unsigned, D-N[6].

NM 0904699 CtY

Tr.R. The muse in good humour; or, A collection of comic tales. By the most eminent poets ... London, Printed for J. Noble, 1745.
2 v. in 1. front. 17cm.
Title in red and black.
Each part has special t.-p.
Contents.-pt.1. From Chaucer, Prior, Swift, La Fontaine, Dr. King, etc. 4th ed.-pt.2. From Dryden, Congreve, Gay, Sedley, Cobb, etc. 2d ed.

NM 0904700 NcD OU PV PPRCl CtY

---

*EC7
A100
746m2

The muse in good humour: or, A collection of comic tales. By the most eminent poets. In two parts.
London:Printed for F.and J.Noble,at Otway's Head in St.Martin's court,near Leicester fields. MDCCXLVI.
12°. 6p.ℓ.,312p. 16.5cm.
Not to be confused with other collections of this title: in the present collection the first poem is "The country squire and his man John."
Part 2 (p.[149]-312) has imprint: London: Printed for F. and J. Noble, at Dryden's Head in St. Martin's court, near Leicester fields. 1746.

NM 0904701 MH CLU-C DFo

Ib68
p745mf

The muse in good humour: or, A collection of comic tales. By the most eminent poets. The sixth edition. London:Printed for F.Noble, at Otway's Head,and J.Noble,at Dryden's Head,both in St.Martin's court,near Leicester-fields.1751.
1p.ℓ.,329,[3]p. front.(port.) 17½cm.
Signatures: 1ℓ. unsigned, B-O[12], P[10].

NM 0904702 CtY ICN

PR 1171
.M98

THE MUSE IN GOOD HUMOUR: A COLLECTION OF COMIC tales. By the most eminent poets. 7th ed. London, Printed for F. Noble, 1766.
2 v.

1. English poetry--Coll. 2. English poetry--18th cent.

NM 0904703 InU

The MUSE in good humour,a collection of comic tales by several hands. 8th ed. London,printed for F.Noble,1785.

2 vol. nar.12°.

NM 0904704 MH NjP

Vg16
362m

The muse in good humour; or, Momus's banquet: a collection of choice songs, including the modern. London,Printed for W.Lane[1790?]
144,[10]p. front. 17cm.
Words only.

1. Songs, English. 2. English ballads and songs.

NM 0904705 CtY

A muse in livery.
See under
Dodsley, Robert, 1703-1764.

PR3291
.M938
1745
Rare bk
room

The muse in masquerade:or,A collection of riddles,serious and comic. With a compleat key to the whole. London,Printed for J.Noble,1745.
viii,148 p. 16½cm.
In verse.

1.Riddles.

NM 0904707 ICU CtY NNC

Y
185
.M 97

The muse in miniature, a series of moral miscellanies, humbly attempted by the trifler... London,1771

In verse.

NM 0904708 ICN PU

La mvse infortvnee
see under [Garnier, Claude] ca. 1583-ca.1633.

La Muse lyrique ... recueil d'airs avec accompagnement de guitarre; par mr. Patouart fils ... Paris, Baillon [17
v. 22½ cm.
For voice and guitar.

1. Songs with guitar—To 1800. 2. Songs, French—To 1800. I. Patouart, ——, fl. 1770-1783, ed.

M1730.M955 47-42413

NM 0904710 DLC NN

The Muse, McMaster University
see McMaster University muse.

Le mvse napoletane; egroche di Gian Alesio Abbattvtis [pseud.]
See under
Basile, Giovanni Battista, 1575(ca.)-1632.

The Muse of Cumberland
see
Blamire, Susanna, 1747-1794.

The muse of Hesperia
see under [Peirce, Thomas] 1786-1850.

The muse of monarchy; poems by kings and queens of England. London, E. Grant [1937]
vii p., 1 l., 50 p. 22cm.
"First edition, March 1937."
"Sources": p. [47]-50.

1. English poetry (Collections)

38-31801

Library of Congress PR1178.R7M8
[2] 821.0822

NM 0904715 DLC NN PP

The Muse of New-market: or, Mirth and drollery, being three farces acted before the King and court at New-market;
Viz. { The merry milkmaid of Islington, or The rambling gallants defeated. Love lost in the dark, or The drunken couple. The politick whore, or The conceited cuckhold ...
London: Printed for Dan. Browne at the Black Swan and Bible without Temple-Bar [etc.] 1680.
2 p. l., 61, [1] p., 1 l. 20½cm.
[Longe, F. Collection of plays. v. 209, no. 1]
Each play has special t.-p.
Three drolls based on Thomas Nabbes' Tottenham court; Massinger's Guardian, and Davenport's City night-cap. cf. A. Nicoll, Hist. of restoration drama, p. 350, etc.
1. Drolls. I. Title: The merry milkmaid of Islington. II. Title: Love lost in the dark. III. Title: The politick whore.
Library of Congress PR1241.L6 vol. 209 26-1013

NM 0904716 DLC MB DFo CSmH MH

Film
P-555

The muse of new-market; or, Mirth and drollery, being three farces... viz: The merry milkmaid of Islington; or, The rambling gallants defeated; Love lost in the dark; or, The drunken couple; The politick whore; or, The conceited cuckold. London, D. Browne, D. Major, and J. Vade, 1680.
Microfilm copy from MB.
Woodward & McManaway No. 856.
I. Title: Mirth and drollery. II. Title: The merry milkmaid of Islington. III. Title: Love lost in the dark. IV. Title: The politick whore.

NM 0904717 ViU

The Muse of 1941–
New York city, Horizon house, 1941–
v. fronts. (ports.) illus. 23½-25cm.
Editors: 1941, C. K. Gabriel.—1942– Ann A. Kurdt.

1. American poetry—20th cent. 2. American poetry—Year-books. I. Gabriel, Charles K., ed. II. Kurdt, Ann A., ed.

42-23611 Revised

Library of Congress PS614.M8
[r42f3] 811.50822

NM 0904718 DLC NBuU NN

La muse pariétaire et la muse foraine
see under [Nisard, Charles] 1808-1889.

La MUSE populaire; recueil de romances, chansons, chansonnettes et chansons comiques. Montreal, Beauchemin & Valois, 1884.

2 p.l., 160 p.

NM 0904720 CaBVaU

M
1730
.M98
1893

La muse populaire; recueil de romances,chansons,chansonnettes et chansons comiques. Montréal, C.O.Beauchemin & fils, 1893.
2 p.ℓ.,320,160 p. 15½cm.
Unaccompanied melodies.

1.Songs,French.

NM 0904721 MiU

VOLUME 403

26245.67
La muse populaire; recueil de romances, chansons, chansonnettes et chansons comiques. Montréal, Beauchemin, 1908.
pp. (2), 320, 160.

Songs–French

NM 0904722 MH

---

fMusic MU842 1921
La muse populaire; recueil de romances, chansons, chansonnettes et chansons comiques. Montréal, Librairie Beauchemin, 1921.
320, 160 p. 16 cm.

Unaccompanied melodies.

1. French-Canadian ballads and songs.

NM 0904723 RPB

---

*fFC6 A100 660m
... La mvse royale a Son Altesse madame la princesse Palatine, surjntendante de la maison de la reyne.
[Paris, 1660]

[3]p. 34.5cm.
Caption title.
At head of title: Du 14 iuin 1660.

NM 0904724 MH

Muse (Rugged and strong is the old Gladding house ...) [poem]
see Henry Coggerhal b. 1827.
The Gladding book ...

Le mvse siciliane
see [Galeano, Giuseppe], 1605-1675, ed.

Musea; bulletins trimestriels réunis de la Société des amis de l'Institut océanographique du Havre et de l'Association des conservateurs des collections publiques de France. [1.]– année; mai 1918–
Le Havre [1918–
v. illus. 24cm.
Bimonthly, 1918–20; 2 numbers, 1921; quarterly, 1922–
Title varies: May? 1918–July 1920, Musea; revue de l'Association des muséums de province.
Sept./Nov. 1920, Musea; revue de l'Association des conservateurs des collections publiques de France.

June–Sept. 1921, Musea, revue de la Société des amis de l'Institut océanographique du Havre.
1922– Musea; bulletins trimestriels ..
Editor: May? 1918– Adrien Loir.

1. Museums—France. 2. Fisheries—France. 3. Havre. Institut océanographique. I. Loir, Adrien, 1862– ed. II. Association des muséums de province. III. Association générale des conservateurs des collections publiques de France. IV. Société des amis de l'Institut océanographique du Havre.
26-3530
Library of Congress AM46.A2

NM 0904728 DLC NN

Museálna Slovenská Spoločnost.
Časopis Museálnejslovenskej Spolecnost...
see under title

MUSEÁLNA SLOVENSKÁ SPOLOČNOST.
Sborník.
Turčiansky Sv. Martin. v. illus. 25cm.

1. Societies, Learned--Slovakia.

NM 0904730 NN MH NcU

Museálna Slovenská Spoločnost'
see also Turčiansky sv. Martin, Slovakia. Slovenské Národné Múseum.

Musealverein für Krain
see
Muzejsko društvo za Slovenijo, *Ljubljana.*

Musealverein Wels.
Jahrbuch. 1954–
[Wels, Im Kommissionsverlag bei Verlag Welsermühl]
v. illus. 24 cm.

1. Wels, Austria—Hist.—Societies, etc.

DB879.W4M8 56-21299

NM 0904733 DLC

[**Musebeck shoe company**, *Danville, Ill.*]
Your patient and his feet; common foot ailments and their correction. [Danville, Ill., ©1941]
cover-title, 16 p. illus. 23cm.
Bibliography: p. 16.

1. Foot—Abnormities and deformities. I. Title.
41-10691
Library of Congress RD781.M85
[2] 617.58

NM 0904734 DLC ICJ

AP 1 M966
Musée; revue d'art mensuelle. Directeur: Arthur Sambon. v. 1-6, 1904-09. Paris, C. et E. Canessa.
6 v. illus. 28 cm. SEE SERIAL RECORD
Subtitle varies slightly: v.1-2, revue d'art antique.
Ceased publication.

1. Art - Period. I. Sambon, Arthur, 1867-

NM 0904735 DSI PSt

Musée Adam Mickiewicz, Paris
see
Paris. Muzeum Adama Mickiewicza.

Musée administratif international, Brussels
see Brussels. Musée international. Musée administratif.

Musée Adrien Dubouché
see Limoges. Musée national Adrien Dubouché.

Musée Alaoui, *Le Bardo, Tunisia*
see
Le Bardo, Tunisia. al-Matḥaf al-'Alawī.

Musée ancien, Brussels
see Brussels. Musées royaux des beaux arts de Belgique. Musée ancien.

Musée Arbaud, Aix, France
see Académie des sciences, agriculture, arts et belles-lettres d'Aix. Musée Arbaud.

Musée archéologique, Dijon
see Commission des antiquités du Département de la Côte-d'Or, Dijon.

Musée archéologique, *Posen*
see
Posen. Muzeum Archeologiczne.

Musée archéologique, Rennes
see Rennes. Musée d'archéologie et de céramique.

Musée archéologique, *Skopje*
see
Skopje, Yugoslavia. Arheološki muzej.

Musée archéologique, *Split*
see Split, Yugoslavia. Arheološki muzej.

Musée archéologique, Vannes
see Société polymathique du Morbihan, Vannes. Musée archéologique.

Musée archéologique, *Zagreb*
see
Zagreb. Arheološki muzej.

913.3 M52
[Le Musée archéologique, Recueil illustré de monuments de l'antiquité du moyen age, et de la renaissance. Pub. sous la direction de A. de Caix de Saint-Aymour. t.1... Paris, n.pub., 1876]
104 p. front., illus., pl., ports.
28½ cm. (In Mélanges d'archéologie)
T.-p. lacking. Title & imprint obtained from British museum catalog, which lists also t.2, no.1-5.

NM 0904749 MiU

Musée archéologique de la ville de Gand
see Ghent. Musée d'archéologie.

Musée archéologique et bibliothèque, Arlon, Belgium
see Institut archéologique du Luxembourg, Arlon, Belgium. Musée.

Musée archéologique et épigraphique, Nimes
see Nimes. Musée archéologique et musée lapidaire.

VOLUME 403

Musée archéologique et musée lapidaire, Nîmes
see Nîmes. Musée archéologique et musée lapidaire.

Musée archeologique liégeois
see Liege. Musée Archéologique.

Musée archéologique national, *Athens*
see
Athens. Ethnikon Archaiologikon Mouseion.

Musée archéologique Saint-Jean, *Angers, France*
see
Angers, France. Musée archéologique Saint-Jean.

Musée Ariana
see Geneva. Musée Ariana.

705
M986

Le Musée artistique et littéraire. t.1-6; 1879-81. Paris, Librairie de l'art.
6 v. in 2. illus. 31cm. weekly.

1. Art - Period.

NM 0904758 FU

Musée-atelier d'État du sculpteur A. S. Goloubkina, *Moscow*
see
Moscow. Gosudarstvennyĭ muzeĭ-masterskaia imeni A. S. Golubkinoĭ.

Le musée-atlas universel historique et géographique, donnant les divisions et modifications territoriales des diverses nations aux principales époques de leur histoire, notices indiquant tous les faits importants, leur date et les lieux où ils se sont passés; [sous la direction de A.Houzé] Paris. [cir.1850]
101 maps and 100 plates

NM 0904760 MH

Musée basque et de Bayonne
see Bayonne. Musée basque et de Bayonne.

Le **Musée** belge. Revue de philologie classique ... **1.–34. année** (t. 1–34); jan. 1897–1930/32. Louvain, C. Peeters; [etc., etc.] 1897–[1920]; Liége, Imprimerie Vaillant-Carmanne; [etc., etc., 1921–32]
29 v. in 22. illus., plates, port., map. 24–25cm. quarterly (irregular)
Vol. 18 consists of three no., no. 1–2, issued Jan. and Apr. 1914 respectively, no. 3/4 (covering July/Oct. 1914) published in Sept. 1920; v. 19/24 consists of 4 no. issued in 1920; v. 25 begins with Jan. 1921.
Editors: Jan. 1897–June 1929, J. P. Waltzing (with P. Willems, 1897; F. Collard, 1898–1927; E. Remy, 1928–29).—July 1929–1932, E. Remy.
The supplement "Bulletin bibliographique et pédagogique du Musée belge" was issued from Jan. 1897 to 1930.
No more published.
1. Classical philology—Period. I. Waltzing, Jean Pierre, 1857–1929, ed. II. Willems, Pierre Gaspard Hubert, 1840–1898, ed. III. Collard, François Louis Ghislain, 1852–1927, ed. IV. Remy, Edmond, 1860– ed.

Library of Congress PA2.M8 14—5701

CaBVaU
NM 0904762 DLC FU NIC TxU MoSW MnU NjP PBm CU IU

Le MUSÉE belge; revue de philologie classique. 1-34. année; 1897-1930/32. Louvain [etc.] 34 v. illus. 25cm.
microfilm.
Lacking: v. 34, 1930/32.
Vols. 18-19/24, 1914-20, on film in *ZAN-1015. Negative.
Quarterly (irregular).
Année 1-34 also called tome 1-34.
Vol. 18 consists of 3 no., no. 1-2 issued Jan.-Apr. 1914, no. 3/4 (covering July/Oct. 1914) published Sept. 1920; v. 19/24 consists of 4 no. issued in 1920; v. 25 begins with Jan. 1921.
The supplement: Bulletin bibliographique et pédagogique du Musée belge, was issued 1897-1930, and has been cataloged separately. (See entry under that title).

INDEXES:
Vols. 1-18, 1897-1914. 1 v. (Issued as sér. 1, v. 23 of Collection de tables de revues belges. Includes index to Bulletin bibliographique et pédagogique du Musée belge, 1897-1914.)

1. Classical studies--Per. and soc. publ. I. Bulletin bibliographique et pédagogique du Musée belge. (Indexes)

NM 0904765 NN

Le Musée belge. Revue de philologie classique. (*Indexes*)
... Tables du Musée belge. Revue de philologie classique, et du Bulletin bibliographique et pédagogique du Musée belge (1897–1914) Bruxelles, G. van Oest & cie, 1920.
cover-title, 2 p. l., 181 p. 27cm. (Collection de tables de revues belges, publiée par l'Association des conservateurs des archives, des bibliothèques et des musées de Belgique. [1. sér.] 23)
At head of title: ... Marcel Hoc ...

1. Classical philology—Bibl. I. Hoc, Marcel, 1890– II. Bulletin bibliographique et pédagogique du Musée belge. (Indexes)

Library of Congress PA2.M8 Tables 14-5701 x1
——— Copy 2. AI 7.C6 no. 23
[2]

NM 0904766 DLC PPAmP NN MiU

Le Musée belge. Revue de philologie classique. Supplement.
Bulletin bibliographique et pédagogique du Musée belge. Revue de philologie classique ... 1.–34. année (t. 1–34); jan. 1897–1930. Louvain, C. Peeters; [etc., etc.] 1897–[1920]; Liége, Imprimerie Vaillant-Carmanne; [etc., etc., 1921–30]

Musée Bernadotte, Pau
see Pau, France. Musée Bernadotte.

Musée bernois, *Bern*
see **Bern. Naturhistorisches Museum.**

Musée bibliographique et archéologique Paul Arbaud
see Académie des sciences, agriculture, arts et belles-lettres d'Aix. Musée Arbaud.

Musée Blanchard de la Brosse, *Saigon*
see
Saigon. Musée Blanchard de la Brosse.

Musée Bonnat, *Bayonne*
see
Bayonne. Musée Bonnat.

Musée botanique de Leide
see under Suringar, Willem Frederik Reinier, 1832-1898.

Musée Boucher-de-Perthes, Abbeville, France
see Abbeville, France. Musée Boucher-de-Perthes. [Supplement]

Musée breton de Quimper
see Quimper, France. Musée breton.

Musée byzantin, *Athens*
see
Athens. Byzantinon Mouseion.

Musée Calvet, *Avignon*
see
Avignon. Musée Calvet.

Musée Calvin, Noyon, France
see
Noyon, France. Musée Calvin.

Musée cambodgien, Paris.
see Paris. Musée indo-chinois du Trocadéro.

Musée Campana, Paris
see
Paris. Musée national du Louvre.

Le Musée Campana...
see under [Noé, Amédée, comte de] 1819-1879.

Musée cantonal d'art et d'histoire, Fribourg
see Fribourg. Musée d'art et d'histoire.

Musée cantonal vaudois, *Lausanne*
see **Lausanne. Musée cantonal vaudois.**

Musée Carnavalet, Paris
see Paris. Musée Carnavalet.

Musée catholique canadien, *Montreal*
see
Montreal. Musée catholique canadien.

Musée central des arts, Paris
see Paris. Musée national du Louvre.

VOLUME 403

Musée céramique, *Sèvres*
see
Sèvres. Manufacture nationale de porcelaine. ***Musée céramique.***

MUSÉE CERNUSCHI, Paris.
See PARIS. Musée Cernuschi.

Musée chrétien, *Esztergom, Hungary*
see
Esztergom, Hungary. Keresztény Múzeum.

Musée Cognacq-Jay.
Collections léguées à la ville de Paris par Ernest Cognacq. Catalogue, par Édouard Jonas, conservateur du Musée. Paris, 1930.
204 p. plates (incl. ports.) 19 cm.
On cover: Musée Cognacq-Jay.

1. Art—Paris—Catalogs. I. Cognacq, Ernest, 1839-1928. II. Jonas, Édouard. III. Title.

N2050.C6A53 70-250671

NM 0904790 DLC

Musée colonial, *Marseille*
see
Marseille. Musée colonial.

Spec. AP 103 M83

Musée comique. Toutes sortes de choses en image. no. 1-20; [jan. 1851] Paris.
20 nos. in 1 v. (chiefly illus.) 31.7 cm.
"Faisant suite à la Revue comique."

1. French periodicals. 2. Satire, French - Periodicals. 3. Caricatures and cartoons - France - Periodicals.

NM 0904792 CtU

Musée commercial, Brussels
see Belgium. Office du commerce exterieur.

Musée commercial et d'art appliqué à l'industrie, *Tourcoing*
see **Tourcoing, France. Chambre de commerce.** ***Musée des tissus d'art.***

Musée communal, *Bruges*
see
Bruges. Stedelijk Museum van Schone Kunsten.

Musée communal, *Verviers*
see
Verviers. Musée communal.

Musée Condé
see Chantilly. Musée Condé.

Musée, Conservatoire national de musique et de déclamation, Paris.
see
Paris. Conservatoire national de musique et de déclamation. Musée.

Musée copte, *Cairo*
see
Cairo. al-Matḥaf al-Qibṭī.

GROSVENOR LIBRARY NK4704 M9

[Musée cosmopolite. Paris, Ancienne Mon Aubert, 1860?]
11 vols. col. plates. 28x22½cm.

Contents: v.1-Algérie (et colonies françaises): E.F.Camino, d'Hastrel, Compte Calix; v.2-Allemagne, Turquie, Egypte, Grèce: A.Belin, Karl Girardet, M. Bouquet; v.3-Amérique: d'Hastrel; v.4-Allemagne, Suisse et Tyrol: H.Sharles, Karl Girardet, A.Leleux; v.5-Espagne et Portugal H.Sharles, Hénry Valentin, J.B.Laurens, Ph. Blanchard, A.Belin; v.6-France: Compte Calix, Alophe, Laurens, Maurice; v.7-Italie, Piemont: Compte Calix, Maurice, Pingret, Lafon; v.8-Russie: C. Comba; v.9-Suède, Norwège, et Danemark: Elchanon Verveer; v.10-Suisse: Girardet, A.Belin, A.Leleux; v.11-Turquie, Egypte, Grèce: Karl Girardet, J.B.Laurens, L.Garin.
A series of atlases of colored plates issued by Aubert (ca.1850-1860) illustrative of the costumes of the leading nations.

NM 0904801 NBuG PPF

[**Musée** cosmopolite. Allemagne] [Paris: Ancienne M^on Aubert, 1860?] 29 col'd pl. 27cm.

One of a series of atlases of colored plates issued by Aubert (ca. 1850-1860) illustrative of the costumes of the leading nations.
Plates 1-3, 5-7, 10-11, 14-15, 17, 23 have inscription "Musée cosmopolite"; plates 18-22, 25-29 have inscription "Musee de costumes."
Line engravings, colored, after Sharles and others.

990944A. 1. Costume, German. I. Aubert et compagnie, Paris. II. Title: Musée de costumes.
N. Y. P. L. October 28, 1940

NM 0904802 NN

[**Musée** cosmopolite. Paris, Ancienne M^on Aubert, 1860?]
27 col. pl. 28 x 22½cm.

The plates have superscription "Amérique", and are consecutively numbered 1-27.
Plates 1-5 have inscription "Musée cosmopolite" ... Plates 6-27 have inscription "Musée de costumes" ...
On cover: Costumes. Amérique.
One of a series of atlases of colored plates issued by Aubert (ca. 1850-1860) illustrative of the costumes of the leading nations: France, Germany, Spain, etc.

CONTENTS.—Amérique (suivant d'Hastrel et les autres)

1. Costume—South America. 2. Costume—Mexico.

Library of Congress GT675.M8 7-5223

NM 0904803 DLC

[**Musée** cosmopolite. Espagne et Portugal] [Paris, Ancienne Mon. Aubert, 1860?] 37 col. pl. 27cm.

One of a series of atlases of colored plates issued by Aubert (ca. 1850-1860) illustrative of the costumes of the leading nations.
Some plates have inscription "Musée cosmopolite", some "Musée de costumes".
Line engravings, colored, after Valentin and others.

1. Costume, Spanish. 2. Costume, Portuguese. I. Aubert et compagnie, Paris. II. Title: Musée de costumes.

NM 0904804 NN

[**Musée** cosmopolite. France] [Paris: Ancienne M^on Aubert, 1860?] 100 col'd pl. 27cm.

Imperfect: plate 89 wanting.
One of a series of atlases of colored plates issued by Aubert (ca. 1850-1860) illustrative of the costumes of the leading nations.
Plates 1-15 have inscription "Musée cosmopolite"; plates 16-27, 29-88, 90-100 have inscription "Musée de costumes".
Line engravings, colored, after drawings by C. Maurice and others.

72057B. 1. Costume, French. I. Aubert et compagnie, Paris. II. Title: Musée de costumes.
N. Y. P. L. October 28, 1940

NM 0904805 NN

R GT850 M9

[Musée cosmopolite] France. [Paris, 1850-63]
100 col. pl. 28cm.

Binder's title: Musée de costumes modernes: France
Series of plates comprising the section on France published in the Musée cosmopolite which, in eleven parts, illustrated national costumes of different countries.

1. Costume - France. I. Musée cosmopolite.

NM 0904806 GU

[**Musée** cosmopolite. Italie (Sardaigne, Piémont &c.)] [Paris, Ancienne Mon. Aubert, 1860?] 42 col. pl. 27cm.

One of a series of atlases of colored plates issued by Aubert (ca. 1850-1860) illustrative of the costumes of the leading nations.
Some plates have inscription "Musée cosmopolite", some "Musée de costumes".
Line engravings, colored, after Compte-Calix and others.

1. Costume, Italian. I. Aubert et compagnie, Paris. II. Title: Musée de costumes.

NM 0904807 NN

[**Musée** cosmopolite. Russie] [Paris, Ancienne Mon. Aubert, 1860?] 38 col. pl. 27cm.

One of a series of atlases of colored plates issued by Aubert (ca. 1850-1860) illustrative of the costumes of the leading nations.
Some plates have inscription "Musée cosmopolite", some "Musée de costumes".
Line engravings, colored, after Comba and others.

1. Costume, Russian. I. Aubert et compagnie, Paris. II. Title: Musée de costumes.

NM 0904808 NN

[**Musée** cosmopolite. Suède, Norwège et Danemark] [Paris, Ancienne Mon. Aubert, 1860?] 30 col. pl. 27cm.

One of a series of atlases of colored plates issued by Aubert (ca. 1850-1860) illustrative of the costumes of the leading nations.
Some plates have inscription "Musée cosmopolite", some "Musée de costumes".
Line engravings, colored, after Verveer and others.

1. Costume, Swedish. 2. Costume, Norwegian. 3. Costume, Danish. I. Aubert et compagnie, Paris. II. Title: Musée de costumes.

NM 0904809 NN

[**Musée** cosmopolite. Suisse & Tyrol] [Paris, Aubert et cie, 1860?] 26 col. pl. 27cm.

One of a series of atlases of colored plates issued by Aubert (ca. 1850-1860) illustrative of the costumes of the leading nations.
Some plates have inscription "Musée cosmopolite", some "Musée de costumes".
Line engravings, colored, after Sharles and others.

1. Costume, Swiss. 2. Costume, Tyrolese. I. Aubert et compagnie, Paris. II. Title: Musée de costumes.

NM 0904810 NN

[**Musée** cosmopolite. Turquie, Egypte, &c.] [Paris, Ancienne Mon. Aubert, 1860?] 61 col. pl. 27cm.

One of a series of atlases of colored plates issued by Aubert (ca. 1850-1860) illustrative of the costumes of the leading nations.
Some plates have inscription "Musée cosmopolite", some "Musée de costumes".
Line engravings, colored, after Girardet and others.

1. Costume, Turkish. 2. Costume, Egyptian. 3. Costume, Greek. I. Aubert et compagnie, Paris. II. Title: Musée de costumes.

NM 0904811 NN

VOLUME 403

Le musée criminel
see under [Vonoven, Henri] 1865-

Musée Curtius, *Liége*
see
Liége. Musée archéologique.

Musée Czartoryski, *Gołuchów, Poland*
see Gołuchów, Poland. Muzeum Ordynacji Książąt Czartoryskich.

Musée d'Adalia
see
Antalya, Turkey (City) Müze.

Musée d'Amsterdam
see Amsterdam. Rijks-museum.

Musée d'anatomie pathologique et normale, *Paris*
see
Paris. Musée d'anatomie pathologique et normale.

MUSÉE D'ANTHROPOLOGIE PRÉHISTORIQUE, Monaco.
Bulletin. no. 1- ; 1954-
[Monaco] no. illus. 23-26cm.

Annual.
Title varies: 1954, Publications.

1. Anthropology--Per. and soc. publ. 2. Caves--Per. and soc. publ. 3. Man, Prehistoric--Per. and soc. publ. I. Musée d'anthropologie préhistorique, Monaco. Publications.

NM 0904818 NN

Musée d'antiquités, *Antwerp*
see Antwerp. Musée d'antiquités.

Musée d'antiquités de Stamboul, Constantinople
see Istanbul. Arkeologi Müzeleru.

Musée d'antiquités des Pays-Bas, *Leyden*
see
Leyden. Rijksmuseum van oudheden.

Musée d'Anvers
see Antwerp. Musée royal des beaux-arts.

Le Musée d'Aquitaine; recueil uniquement consacré aux sciences, à la litterature et aux arts. t. 1-3; jan. 1823-24. Bordeaux [Impr. de A. Brossier] 1823-24.

3 v. plates, ports., plans. 20cm. monthly.

Vol. 1, 2 have engr. title-pages.
P. Lacour, F. V. Jouannet, J. B. de Saincric and Bourges, editors.

1. Aquitaine. 2. Art—Aquitaine. I. Lacour, Pierre, 1778-1859, ed. II. Jouannet, François Vatar, 1765-1845, joint ed. III. Saincric, J. B. de, 1780-1845, joint ed. IV. Bourges, ———, joint ed.

9-23985†

Library of Congress N7510.M8

NM 0904823 DLC

Musée d'archéologie, Ghent
see Ghent. Musée d'archéologie.

Musée d'archéologie et de céramique, Rennes
see Rennes. Musée archéologique et de céramique.

Musée d'archéologie orientale, *Istanbul*
see
Istanbul. Arkeoloji Müzeleri. *Eski Şark Eserleri Müzesi.*

Musée d'armes et d'objets anciens, Bordeaux
see Bordeaux. Musée d'armes et d'objets anciens.

8071.170
Le musée d'art: galerie des chefs-d'œuvre et précis de l'histoire de l'art depuis les origines jusqu'au XIXe siècle . . .
— Paris. Larousse. [1902.] (3), 267, (1) pp. Illus. Portraits Plates. 31½ cm., in 4s.
A collection of articles by various authors.
"Publié sous la direction de m. Eugène Müntz.

K3825 — T.r. — Fine arts. Hist.

NM 0904828 MB MiDA NjP CSmH

Le musée d'art; galerie des chefs-d'œuvre et précis de l'histoire de l'art ... Paris, Larousse [1902-07]

2 v. illus., plates. 32cm.

CONTENTS.—[t. 1] Depuis les origines jusqu'au XIXe siècle. Publié sous la direction de E. Müntz, avec le concours de J. Bainville, E. Bertaux, C. Diehl [et d'autres]—[t. 2] Au XIXe siècle en France et à l'étranger. Publié sous la direction de P. L. Moreau, avec le concours de E. Avenard, A. Benois, V. Champier [et d'autres]

1. Art—Hist. I. Müntz, Eugène, 1845-1902, ed. II. Moreau, Pierre Louis, ed.

13-1634

Library of Congress N5300.M87

NM 0904829 OKentU PHC WU MeB PPPM DLC PP MB CtY MiDA OO MiU PSt RWoU PHC

Musée d'art de la R. P. R., *Bucharest*
see
Bucharest. Muzeul de Artă al Republicii Populare Romîne.

Musée d'art de Plauen
see Plauen i. V. Sächsische kunstschule für textilindustrie.

Musée d'art de São Paulo Assis Chateaubriand
see
São Paulo, Brazil (City). Museu de Arte.

Musée d'art et d'histoire de Genève
see Geneva. Musée d'art et d'histoire.

Musée d'art et d'industrie, Lyon
see Lyons. Musée d'art et d'industrie.

Musée d'art et d'industrie de Moscow
see Moscow. Khudozhestvenno-promyshlennyi muzei Imperatora Aleksandra II.

Musée d'art français de New York
see New York (City) Museum of French Art, French Institute in the United States.

Musée d'art juif, *Paris*
see Paris. Musée d'art juif.

Musée d'art moderne, *Paris*
see Paris. Musée national d'art moderne.

Musée d'art moderne de la ville de Paris
see
Paris. Musée d'art moderne de la ville de Paris.

Musée d'art moderne occidental de Moscou
see Moscow. Gosudarstvennyĭ muzeĭ novogo zapadnovo iskusstva.

Musée d'art populaire de la R. P. R., *Bucharest*
see
Bucharest. Muzeul de Artă Populară al R. P. R.

Musée Dauphinois.
... Catalogue des inscriptions romaines ... pub. sous les auspices de la municipalité de Grenoble. Grenoble, Imprimerie Allier, père et fils, 1927.
1 p.l., [19]-63 p. 4 pl. 25cm.
At head of title: Ville de Grenoble. Musée dauphinois.
"Extrait du Bulletin de la Société dauphinoise d'ethnologie et d'anthropologie. Tome vingt-quatrième [1924]"
Preface signed: S.Chabert.

1.Inscriptions,Latin--Isère,France (Dept.) 2.Isère, France (Dept.)--Antiquities,Roman. I.Chabert,Samuel, 1868-1924.

NM 0904842 MiU

Musee d'économie sociale, Paris
see Association du Musée d'économie sociale, Paris.

Musée d'état d'art russe, *Kiev*
see
Kiev. Derzhavnyĭ muzeĭ rosiis'koho mystetstva.

VOLUME 403

Musée d'ethnographie, *Krakow*
see **Krakow. Muzeum Etnograficzne.**

Musée d'histoire de l'art, Belgrade
see Belgrad. Narodni muzej.

Musée d'histoire naturelle, Angers, France
see Angers, France. Musée d'historie naturelle.

Musée d'histoire naturelle, *Bern*
see **Bern. Naturhistorisches Museum.**

Musée d'histoire naturelle, *Elbeuf, France*
see
Elbeuf, France. Musée d'histoire naturelle.

Musée d'histoire naturelle, Genève
see Geneva. Musée d'histoire naturelle.

Musée d'histoire naturelle, Paris
see Paris. Muséum national d'histoire naturelle.

Musée d'histoire naturelle de Fribourg
see Fribourg. Musée d'histoire naturelle.

Musée d'histoire naturelle de Marseille
see Marseille. Musée d'histoire naturelle.

Musée d'Histoire Naturelle de Toulouse
see Toulouse. Musée d'histoire naturelle.

Musée d'horlogerie de Genève
see **Geneva. Musée d'art et d'histoire.** *Musée d'horlogerie.*

Musée Dantan
see under [Huart, Louis] 1813-1865.

Musée de Bagdad
see
Bagdad. al-Mathaf al-'Irāqī.

Musée de Bagnères de Bigorre
see Bagnères de Bigorre. Musée.

N25
A73
v. 22

Le Musée de Bâle; de Holbein à Picasso. Préf. de Georg Schmidt. [Traduction de Maurice Muller-Strauss. Paris, 1952]
1 v. (unpaged) plates, ports. (part mounted col.) (Art et style, 22)

Text also in German and English.

1. Basel (City) Universität. Kunstsammlung. I. Schmidt, Georg, 1896-

NM 0904859 CU PPT MH

---

*8070.268

Musée de Berlin, Le. 36 planches en couleurs accompagnées de notices inédites. / Textes par divers collaborateurs. Préface de Auguste Marguillier.
— Paris. Laurens. 1912. x, (72) pp. (36) colored plates. 35½ cm., in 2s.

K2123 — Marguillier, Auguste, pref. . — Koenigliche Museen, Berlin. — Paintings. Colls.

NM 0904860 MB

D
503
B65
M9

Musée de Blérancourt.
(In Bulletin des Musées de France. 10ᵉ année--nº 9. Novembre 1938. 27½ cm. p.[146]-150. illus.)
Caption title.
Detached copy.
In envelope with various pieces relating to the museum and the Lafayette escadrille (accompanied by typed list): 5 photographs, newspaper clipping, translation of the broadcast of m. Andrée Girodie, official program, and poster.

CONTENTS.--Inauguration des salles de souvenirs des volontaires américains par m. Jean Zay, ministre de l'éducation nationale [signed] André Girode. --Discours prononce par m. le ministre de l'éducation nationale.

NM 0904862 MiU

Musée de Bordeaux [**société d'amateurs des lettres et des beaux-arts**]
Recueil des ouvrages du Musée de Bordeaux, dédié à la Reine. Année 1787. Bordeaux, De l'imprimerie de M. Racle [1787]
428 p., 1 l. facsims. 24cm.
No more published.
"Théorie des vents, par mr. le chevalier de La Coudraye": p. 62-96.
"Relation de deux voyages aériens, faits à Bordeaux, les 16 juin et 26 juillet 1784, par mm. Darbelet, Desgranges et Chalifour, de Bordeaux": p. 112-153.
"La navigation aérienne. Ode [par mr. l'abbé Hollier]": p. 210-214.
"Vers aux voyageurs aériens de Bordeaux [par mr. D * * * associé]": p. 215-216.
"Liste ... de messieurs les associés du musée, 22 mars 1787": p. [393]-425.
I. Title.

34-4009

Library of Congress AS162.B82 064

NM 0904863 DLC CaBVaU CSmH

Musée de Bordeaux [société d'amateurs des lettres et des beaux-arts]
see also Société philomathique de Bordeaux.

Musée de Boulaq
see Cairo. al-Mathaf al-Misri.

Musée de Brazza, Algiers.
See
Algiers (City). Musée Sarvorgnan de Brazza.

Musée de Bridgeston, *Tokyo*
see
Burijisuton Bijutsukan, *Tokyo.*

Musée de Brousse
see
Bursa, Turkey (City) Asarı Atika Müzesi.

Musée de Chambéry
see Chambéry, France. Musée.

Musée de Cluny, *Paris*
see **Paris. Musée des Thermes et de l'Hôtel de Cluny.**

Musée de costumes
see Musée cosmopolite.

Musée de géographie et d'ethnographie, *Cairo*
see
al-Jam'īyah al-Jughrāfīyah al-Misrīyah. *al-Mathaf.*

Musée de géographie et d'éthnographie de la Société khédiviale de géographie, Cairo
see al-Jam'īyah al-Jughrāfīyah al-Misrīyah. al-Mathaf.

Musée de Géorgie, *Tiflis*
see **Tiflis. Muzeĭ Gruzii.**

Musée de Gizeh
see Cairo. Al-Mathaf-al-Misri.

Musee de Grenoble.
see
Grenoble. Musée de peinture et de sculpture.

N25
A73
v. 37

Le Musée de Grenoble. Préf. par Jean Leymarie. [Paris, 1955]
1 v. (unpaged) plates (part col.) ports. (Art et style, 37)

1. Grenoble (City) Musée de peinture et de sculpture. I. Leymarie, Jean.

NM 0904877 CU CtY NNC NjP PSC MiDA

Musée de Guelma
see Guelma, Algeria. Musée.

Musée de l'Académie de Bruges
see Bruges. Academie royale de peinture, sculpture et architecture.

Musée de l'ancien évêché, *Limoges*
see **Limoges. Musée municipal.**

VOLUME 403

Musée de l'Annonciade, Saint Tropez, France
see Saint Tropez, France. Musée de l'Annonciade.

Musée de l'armée, Paris
see Paris. Musée de l'armée.

Musée de l'art arabe, Cairo
see Cairo. Mathaf al-Fann al-Islani

Musée de l'art occidental moderne, *Moscow*
see
Moscow. Gosudarstvennyĭ muzeĭ novogo zapadnogo Iskusstva.

Musée de l'artillerie, Paris
see Paris. Musée de l'artillerie.

Musée de l'Ermitage, *Leningrad*
see
Leningrad. Ermitazh.

Musée de l'Etat, Amsterdam
see Amsterdam. Rijks-museum.

Museé de l'homme, *Paris*
see
Paris. Musée de l'homme.

Musée de l'Ile-de-France, *Sceaux, France (Seine)*
see **Sceaux, France (Seine) Musée de l'Ile-de-France.**

Musée de l'industrie de Belgique, Brussels
see Brussels. Musée de l'industrie.

Musée de l'Œuvre Notre-Dame, *Strasbourg*
see **Strasbourg. Musée de l'Œuvre Notre-Dame.**

Musée de l'Orangerie, *Paris*
see
Paris. Musée de l' Orangerie.

Musée de la caricature, ou Recueil des caricatures les plus remarquables publiées en France depuis le quatorzième siècle jusqu'à nos jours ... calquées et gravées à l'eau forte sur les épreuves originales du temps ... par E. Jaime, avec un texte historique et descriptif par MM. Brazier [et al.] Paris, Delloye, 1838.
2 v. plates (part col.) 31 cm.
Issued in 80 parts; original covers, bound in, have title: Musée de la caricature en France, ou Histoire pittoresque de la satire, de la malice et de la gaîté françaises ...; and are dated irregularly, 1834-37.
Prospectus at end of v. 2.
1. French wit and humor, Pictorial. I. Jaime, E. II. Brazier, Nicolas, 1783-1838.
NC1490.M8 Rosenwald Coll. 67-59031

NM 0904893 DLC

Musée de la coopération franco-américaine, *Blérancourt, France*
see
Blérancourt, France. Musée national de la coopération franco-américaine.

Musée de la guerre, Paris.
see Vincennes, France. Bibliothèque de documentation internationale contemporaine et musée de la grande guerre.

Le Musée de la guerre
see Le Musée et l'encyclopédie de la guerre.

Musée de la langue roumaine, *Cluj, Transylvania*
see **Cluj, Transylvania. Universitatea.** *Muzeul Limbei Române.*

Musée de la parole, *Paris*
see **Paris. Université.** *Musée de la parole.*

Musée de la Porte de Hal, Brussels
see Brussels. Musées royaux d'Art et d'Histoire.

Musée de la République Populaire de Bosnie et Herzégovine, *Sarajevo*
see
Sarajevo. Zemaljski muzej.

944.04
M986
Musée de la Révolution; histoire chronologique de la Révolution française, collection de sujets dessinés par Raffet, et gravés sur acier par Frillay, destinée à servir de complément et d'illustration toutes les histoires de la Révolution (Thiers, Montgaillard, Migney, Lacretelle, etc.) Paris, Perrotin, 1834.
unpaged. illus., 42 plates. 23cm.
1. France. Hist. Revolution. I. Raffet, Denis Auguste Marie, 1804-1860, illus. II. Frillay, Jean Jacques, b. 1797, engr.

NM 0904901 IEN

Musée de la révolution française: histoire chronologique de la révolution française; collection de sujets ... destinée à servir de complément et d'illustration, à toutes les histoires de la révolution ... Bruxelles, Wahlen, 1844.
122 p. front. illus., plates, ports. 26 cm.
1. France. Hist. - Revolution, 1789-1799.

NM 0904902 NjP

Musée de la Slavonie à Osijek
see
Osijek, Yugoslavia. Muzej Slavonije.

Musée de la Société archéologique d'Athènes
see Archaiologikē Hetaireia.

Musée de la terre, Warsaw
see Warsaw. Muzeum ziemi.

Musée de la vie wallonne, *Liège*
see
Liège. Musée de la vie wallonne.

Musée de la ville de Beograd
see
Belgrad. Muzej grada.

Musée de la ville de Lyon
see
Lyons. Musée des beaux-arts.

Musée de la voiture et du tourisme, *Compiègne*
see **Compiègne. Musée de la voiture et du tourisme.**

Musée de Lavra, *Kiev*
see
Kiev. Derzhavnyĭ kul'turno-istorychnyĭ zapovidnyk "Vseukraïns'kyĭ muzeĭnyĭ horodok." *Lavrs'kyĭ muzeĭ kul'tiv i pobutu.*

Musée de Lille
see Lille. Musée des beaux-arts.

Musée de Lyon
see Lyons. Musée des beaux-arts.

Musée de Malmaison
see
Rueil-Malmaison, France. Musée du Château de Malmaison.

Musée de Mariemont, *Morlanwelz, Belgium*
see **Morlanwelz, Belgium. Musée de Mariemont.**

Musée de Montpellier.
see
Montpellier, France. Musée Fabre.

Musée de monuments khmers, Paris
see Paris. Musée indo-chinois du Trocadéro.

VOLUME 403

Musée de Moravie
see
Brünn. Moravské muzeum.

Musée de moulages, Lyons
see Lyons. Université. Musée de moulages.

Musée de Nancy.
see
Nancy. Musée.

Musée de Narbonne
see Narbonne. Musée archéologique et des beaux-arts.

Musée de Nimes
see Nimes. Musée archéologique et musée lapidaire.

Musée de peinture, Lille
see Lille. Musée des Beaux-arts.

Musée de peinture et d'archeologie, Reims
see
Reims. Musée de peinture et d'archeologie.

Musée de peinture et de sculpture
see under Reveil, Etienne Achille, 1800-

Musée de peinture et de sculpture, Bagnères de Bigorre
see Bagnères de Bigorre. Musée.

Musée de peinture et de sculpture, *Bordeaux*
see Bordeaux. Musée des beaux-arts.

Musée de peinture et de sculpture, Grenoble
see Grenoble. Musée de peinture et de sculpture.

Musée de peinture et de sculpture et galerie David, *Angers, France*
see Angers, France. Musée de peinture et de sculpture et galerie David.

Musée de peinture et sculpture, *Constantinople*
see
Istanbul. Resim ve Heykel Müzesi.

Musée de peinture moderne, Brussels
see Brussels. Musées royaux des beaux-arts de Belgique. Musée moderne.

Musée de Pékin
see
Ku kung po wu yüan, *Peking*.

Musée de Penmarc'h
see Penmarch, France. Musée préhistorique.

Musée de Picardie, *Amiens*
see
Amiens. Musée de Picardie.

Musée de plein air, *Oslo*
see
Oslo. Norsk folkemuseum. *Friluftsmuseet.*

Le Musée de poche;/collection dirigée par Jean-Clarence Lambert.

[Paris, G. Fall, 19
v. 19cm.

NM 0904935 00

Le Musée de poche; collection dirigée par Jean-Clarence Lambert. [Paris, G. Fall, 19]
v. 19 cm.

NM 0904936 00

Musée de Raxa, Majorca.
Courte notice historique et critique suivie d'un catalogue concernant les restes archéologiques, statues, hauts et bas-reliefs qui constituent le Musée de Raxa
see under title

Musée de Ravestein. Notice
see under Meester de Ravestein, Emile Jean Louis Emmanuel Glusbain de, b. 1812.

Musée de Rouen.
see
Rouen. Musée.

Musée de Saigon
see
Saigon. Musée Blanchard de la Brosse.

Musée de Saint-Germain-en-Laye
see Musée des antiquités nationales.

Musée de San Martino à l'ile d'Elbe.
Catalogue. Florence, 1860.

NM 0904942 NjP

Musée de Sculpture antique et moderne, ou description historique et graphique du Louvre et de toutes ses parties, des statues, bustes, ... Par. 1841-53.
6 v. 8vo.

NM 0904943 NN

Musée de sculpture comparée, *Paris*
see
Paris. Musée national des monuments français.

Musée de sculpture comparée du Palais du Trocadéro
see Paris. Musée national des monumen français.

Musée de Tessé, *Le Mans*
see
Le Mans. Musée de Tessé.

Musée de Topkapu Saray, *Istanbul*
see
Istanbul. Topkapı Sarayı Müzesi.

Musée de Tourane
see
Tourane, Indo-China. Musée de Tourane.

Musée de Troyes
see
Troyes, France. Musée.

Musée de Versailles.
see
Versailles. Musée national.

Musée de Zikawei, *Shanghai*
see Shanghai. Université L'Aurore. *Musée Heude.*

Musée departemental des antiquités de Rouen
see
Rouen. Musée departemental des antiquités.

Musée des antiquités, *Istanbul*
see
Istanbul. Arkeoloji Müzeleri.

VOLUME 403

Musée des antiquités égyptiennes, *Cairo*
see
Cairo. al-Mathaf al-Misrī.

DC31
S26
Musée des antiquités nationales.
... Album des moulages et modèles en vente au Musée des antiquités nationales a Saint-Germain-en-Laye. [t.] 1-
Paris, Librairie centrale d'art et d'architectur[e] [19
__vols. illus., plates. 27½cm.
At head of title: Archives des musées nationaux et de l'Ecole du Louvre. Salomon Reinach, conservateur.
Contents.-[t.] I. Ages de la pierre-époques celtiques.

NM 0904955 NBuG

N2165
.A3
Musée des antiquités nationales.
... Album des moulages et modèles en vente au **Musée des** antiquités nationales à Saint-Germain-en-Laye. I. **Ages de la** pierre—époques celtiques. Avec 28 planches en phototypie ... Paris, C. Eggimann [1909]
47, [1] p. illus., XXVIII pl. 28cm. (Archives des Musées nationaux et de l'École du Louvre)
At head of title: Salomon Reinach ...
No more published?
1. France—Antiq. 2. Art objects—Catalogs.

NM 0904956 ICU

Musée des antiquités nationales.
Antiquités nationales. Description raisonnée du Musée de Saint-Germain-en-Laye. Par Salomon Reinach, attaché des musées nationaux. Paris, Firmin-Didot [1889-94]
2 v. illus. 25 cm.
L. C. set imperfect: v. 2 wanting.
CONTENTS.—1. Époque des alluvions et des cavernes.—[2] Bronzes figurés de la Gaule romaine.
1. France—Antiquities. 2. Man, Prehistoric. I. Reinach, Salomon, 1858-1932.
DC31.M88 7-36812

NM 0904957 DLC CU NjP CtY ICJ MH RPB

DC63
.S2
(Cl)
Musée des antiquités nationales.
... Bronzes figurés de la Gaule romaine, par Salomon Reinach ... Ouvrage accompagné d'une héliogravure et de 600 dessins par J. Devillard et S. Reinach. Paris, Firmin-Didot et c[ie] [1894]
xv, [1], 384 p. front., illus. 24½cm. (Antiquités nationales. Description raisonnée du Musée de Saint-Germain-en-Laye)
1. Gaul—Antiq. 2. Bronzes—Gaul.

NM 0904958 ICU MiDA MdBWA

Musée des antiquités nationales.
Catalogue illustré du Musée des antiquités nationales au château de Saint-Germain-en Laye, par Salomon Reinach ... Paris, E. Leroux, 1917-21.
2 v. illus., pl. 24 cm.
Vol. 2 has imprint: Paris, Musées nationaux, 1921.
Bibliography: v. 1, p. [3]-4; v. 2, p. [3]
1. France—Antiq.—Catalogs. I. Reinach, Salomon, 1858-1932.
DC31.M9 19-16284 rev 2

NM 0904959 DLC MB NN MH

Musée des antiquités nationales.
Catalogue illustré du Musée des antiquités nationales au château de Saint-Germain-en-Laye, par Salomon Reinach, conservateur des musées nationeaux. Tome I, avec 1 planche et 286 gravures. 2. éd., rev. et cor. Paris, Musées nationaux, 1926.
292 p. illus. 24 cm.
No more published.
Bibliography: p. [3]-4.
1. France—Antiquities—Catalogs. I. Reinach, Salomon, 1858-1932.
DC31.M9 1926 28-4290

NM 0904960 DLC CtY DDO

Musée des antiquités nationales.
Catalogue sommaire du Musée des antiquites nationales au château de Saint-Germain-en-Laye, par Salomon Reinach. Paris, n.d.
223 p.

NM 0904961 PP

Musée des antiquités nationales.
Catalogue sommaire du Musée des antiquités nationales au château de Saint-Germain-en-Laye, par Salomon Reinach ... 2. éd., rev. et augm. Paris, Librairies-imprimeries réunies [1895]
255 p. front., pl. 17½ cm.
Appendice bibliographique": p. [205]-220.
On cover: Musée de Saint-Germain-en-Laye. Antiquités nationales; catalogue.
1. France—Antiq.—Catalogs. 2. France—Antiq.—Bibl. I. Reinach, Salomon, 1858-1932.
DC31.M92 1895 21-14246 rev

NM 0904962 DLC NN MH

Musée des antiquités nationales.
Catalogue sommaire du Musée des antiquités nationales au château de Saint-Germain-en-Laye, par Salomon Reinach ... 3. éd., rev. et augm. Paris, Librairies-imprimeries réunies [1906]
258 p. front., pl. 17½ cm.
On cover: Musée de Saint-Germain-en-Laye. Antiquités nationales; catalogue ... 4. éd.
"Appendice bibliographique": p. [205]-221.
1. France—Antiq.—Catalogs. 2. France—Antiq.—Bibl. I. Reinach, Salomon, 1858-1932.
DC31.M92 1906 14-9006 rev

NM 0904963 DLC NcD NN

Musée des antiquités nationales.
... La céramique ...
see under Mayard, Henry Alexander, b. 1814.

Musée des antiquités nationales.
La colonne Trajane au Musée de Saint Germain
see under Reinach, Salomon, 1858-1932.

Musée des antiquités nationales.
Guide illustré du Musée de Saint-Germain, par Salomon Reinach ... 4. éd., rev. et cor. Avec 370 gravures dans le texte. [Paris, Musées nationaux, 1931.
136 p. illus. 18½cm.
1. Art - Saint-Germain-en-Laye - Catalogs. 2. France - Antiquities. I. Reinach, Salomon, 1858-1932. (jt. au.)

NM 0904966 NNC

Musée des antiquités nationales.
Guide illustré du Musée de Saint-Germain par Salomon Reinach; troisième édition revue et corrigée; avec 370 gravures dans le texte. Saint-Germain-en-Laye, 1922.
135 p. incl. illus.
1. Reinach, Salomon, 1858-1932.

NM 0904967 MiDA IU

Musée des antiquités nationales.
Guide illustré du Musée de Saint-Germain, par Salomon Reinach ... Avec 87 gravures dans le texte ... Paris, Librairies-imprimeries réunies [1899]
110 p. incl. illus., pl. 17½ cm.
1. France—Antiq. 2. Art—Saint-Germain-en-Laye—Catalogs. I. Reinach, Salomon, 1858-1932.
DC31.M93 1901 21-14241 rev

NM 0904968 DLC NN

Musée des antiquités nationales.
Guide illustré du Musée de Saint-Germain, par Salomon Reinach ... avec 370 gravures dans le texte. Paris, Librairies-imprimeries réunies [1907?]
135 p. illus. 18 cm.
1. France—Antiquities. 2. Art—Saint-Germain-en-Laye—Catalogs. I. Reinach, Salomon, 1858-1932.
DC31.M93 1907 13-3917

NM 0904969 DLC PU-Mu

Musée des antiquités nationales.
Guide illustré du Musée des antiquités nationales au château de Saint-Germain-en-Laye, par Raymond Lantier. Paris, Musées nationaux, 1948.
178 p. illus. 18 cm.
1. France—Antiquities. I. Lantier, Raymond, 1886-
DC63.M85 A 50-1794
Harvard Univ. Library for Library of Congress [r70b2]† rev

NM 0904970 MH DLC OCU

Musée des antiquités nationales.
La musique au Musée de Saint-Germain en Laye
see under Daubresse, Mathilde.

Musée des antiquités nationales.
La verrerie, par R. Lantier, conservateur-adjoint des musées nationaux. [Paris] Éditions A. Morancé [1929]
15 p. 36 plates (part col.) 23 cm. (Documents d'art)
Bibliography: p. [6]
1. Glassware, Ancient—Catalogs. 2. Glassware—France—Catalogs. I. Lantier, Raymond, 1886- (Series)
NK5107.M8 748 30-22631

NM 0904972 DLC OClMA NjP PP CLSU MiDA DDO NCorniC

Musée des antiquités nationales de Stockholm
see
Stockholm. Statens historiska museum och myntkabinett

Musée des archives, *Paris*
see
France. *Archives nationales. Musée.*

... **Musée** des archives départementales, recueil de facsimile héliographiques de documents tirés des archives des préfectures, mairies et hospices. Paris, Imprimerie nationale, 1878.
3 p. l., lxi p., 1 l., 488 p., 1 l. 32½cm. *and* atlas of 3 p. l., 4 p., 170 (*i. e.* 171) facsim. on LX (*i. e.* 61) double pl.
At head of title: Ministère de l'intérieur.
Title vignettes.
"Recueil ... formé, en vue de l'Exposition universelle de 1878, par ordre de M. de Marcère, ministre de l'intérieur ... sur la proposition de M. Frédéric Normand, et d'après l'avis de la Commission des archives départementales, communales, et hospitalières."
"L'ensemble de la publication ... dirigé, sous le contrôle de MM. de Wailly, Delisle et Quicherat, par M. G. Desjardins."
1. Manuscripts—Facsimiles. 2. Archives—France. I. France. Ministère de l'intérieur. II. France. Archives départementales, communales et hospitalières. III. Desjardins, Gustave Adolphe, 1834-
Library of Congress Z113.M986 1-19681

NM 0904975 DLC CtY NjR OCU MB MH

Musée des armes rares anciennes et orientales de Sa majesté l'Empereur de toutes les Russiens. St. Petersbourg [n.d.]
f.

NM 0904976 NN

VOLUME 403

Musée des arts appliqués, *Prague*
see **Prague. Umĕleckoprůmyslové museum.**

Musée des arts décoratifs, *Nantes*
see
Nantes. Musée des arts décoratifs.

Musée des arts décoratifs, *Paris*
see
Paris. Musée des arts décoratifs.

Musée des arts décoratifs, *Zagreb*
see
Zagreb. Muzej za umjetnost i obrt.

Musée des arts décoratifs de Prague
see
Prague. Umĕleckoprůmyslové muzeum.

Musée des arts et des traditions populaires.
Musée des arts et thaditions [i. e. traditions] populaires (Palais Azem-Damas), par Chafic Imam. Traduction française de Gabriel Saadé. [Damas] Direction générale et des musées [1954?]
73 p. illus. 25 cm.

1. Musée des arts et des traditions populaires. I. Imam, Chafic.
NK490.D35M8714 1954 74-154213
MARC

NM 0904982 DLC

Musée des arts et métiers de Fribourg
see **Fribourg. Musée des arts et métiers.**

Musée des arts et traditions populaires, *Paris*
see
Paris. Musée national des arts et traditions populaires.

Musée des arts turcs et islamiques, *Istanbul*
see
Istanbul. Türk ve islâm eserleri müzesi.

Musée des Augustins, Freiburg i.B.
see **Freiburg i. B. Vereinigte Sammlungen der Stadt. Augustinermuseum.**

Musée des Augustins, *Toulouse*
see
Toulouse. Musée des Augustins.

Musée des beaux-arts. Paris: Calmann Lévy [1885] viii, 9–159 p. incl. plates. 45cm.
Pages 9–159 are plates.
Preface signed: Robert Vallier.

1. Paintings—Reproductions. I. Vallier, Robert.
N. Y. P. L. April 30, 1941

NM 0904988 NN

Musée des beaux arts, *Angers, France*
see **Angers, France. Musée de peinture et de sculpture et galerie David.**

Musée des beaux-arts, *Besançon, France*
see **Besançon, France. Musée des beaux-arts.**

Musée des beaux-arts, *Bordeaux*
see **Bordeaux. Musée des beaux-arts.**

Musée des beaux-arts, *Bruges*
see
Bruges. Stedelijk Museum van Schone Kunsten.

Musée des beaux-arts, *Ghent*
see
Ghent. Musée des beaux-arts.

Musée des beaux-arts, *Ixelles*
see
Ixelles. Musée des beaux-arts.

Musée des beaux arts, *Le Mans*
see
Le Mans. Musée de Tessé.

Musée des beaux-arts, Lille
see
Lille. Musée des beaux-arts.

Musée des beaux-arts, *Lyons*
see
Lyons. Musée des beaux-arts.

Musée des beaux-arts, *Pau, France*
see
Pau, France. Musée des beaux-arts.

Musée des beaux-arts, *Reims*
see **Reims. Musée des beaux-arts.**

Musée des beaux-arts, Rennes
see
Rennes. Musée des beaux-arts.

Musée des beaux-arts d'Istanbul
see
Istanbul. Resim ve Heykel Müzesi.

Musée des beaux-arts de Gand
see **Ghent. Musée des beaux-arts.**

Musée des beaux-arts de la ville de Gand
see **Ghent. Musée des beaux-arts.**

Musée des beaux-arts Pouchkine
see
Moscow. Gosudarstvennyĭ muzeĭ izobrazitel'nykh iskusstv.

Musée des colonies, Paris
see
Paris, Musée des colonies.

Musée des deux-mondes; reproductions en couleurs de tableaux, aquarelles & pastels des meilleurs artistes ... sous la direction de M. Bachelin-Deflorenne ... [t. 1]– ; 1. mai, 1873–
Paris, Bachelin-Deflorenne [1873–
v. illus., plates (part col.) 39½cm. semimonthly.
Editor: May 1, 1874– E. Montrosier.

1. Art—Period. 2. Paintings. I. Bachelin, Antoine, called Bachelin-Deflorenne, 1835– ed. II. Montrosier, Eugène, 1839– ed.
Library of Congress N2.M8 CA 9—6290 Unrev'd

NM 0905006 DLC

Musée des écoles étrangères contemporaines, *Paris*
see
Paris. Musée du jeu de paume.
Paris. Musée national d'art moderne.

... Le musée des erreurs
see under **[Sailland, Maurice Edmond] 1873-**

La musée des enluminures
see under **Mont, Karel Marie Polydoor de, 1857-1931.**

Musée des familles. Lectures du soir. 1.– v.; oct. 1833–
Paris, 1833–
v. illus., plates. 26½cm. monthly.

11-12612
Library of Congress AP20.M92

NM 0905010 DLC MH NYSL

VOLUME 403

Musée des Gobelins.
Exposition des tapisseries et tissus du Musée arabe du Caire (du VIIe au XVIIe siècle)
see under Cairo. Mathaf al-Fann al-Islāmī. [supplement]

Musée des Gobelins.
Le Mvsée des Gobelins, 1938; notices critiques par Juliette Niclausse ... Avant-propos de Guillaume Janneau ... Paris, Éditions des bibliothèqves nationales de France [1938]
3 p. l., [9]-75, [3] p. incl. illus., pl., facsim. XL pl. 27 cm.
Illustrated cover.
Each item of this catalogue is followed by descriptive note and usually by "Bibliographie."

1. Gobelin tapestry. I. Niclausse, Juliette.
A C 39-21
New York. Public Libr. for Library of Congress rev [r71c2]

NM 0905012 NN NBuG MdBWA

Musée des Gobelins.
Le Musée des Gobelins, 1939; de la tapisserie décor à la tapisserie peinture. [Exposition] Notices critiques par Juliette Niclausse. Avant-propos de Guillaume Janneau. Paris, Éditions des bibliothèques nationales de France [1939]
61 p. illus. 27 cm. (Collection du Musée des Gobelins, t. 2)
Includes bibliographical references.

1. Gobelin tapestry—Exhibitions. I. Niclausse, Juliette. II. Series: Musée des Gobelins. Collection, t. 2.
NK3049.G7M8 74-857158

NM 0905013 DLC PPPM NBuG MdBWA DDO

Musée des Gobelins
see also Paris. Manufacture nationale de tapisseries des Gobelins.

---

*pFC9 D8262 Z899m2 (A)
Musée des horreurs. [1.]-3. année (no.1-52); [1899?]-9 mai 1901.
Paris,58 rue Dulong.[1899?]-1901.
52 col.plates. 65x50cm.,in file-box.
Nos.1-51 each consist of one numbered colored caricature with title and imprint but no printed text; no.52 has colored caricature with title "30 ans après!...." on one side and [4]p. of printed text set up on the other.
Nos. 12-14 are dated "janvier 1900"; 16 "28 janvier 1900"; 17 & 18 "février 1900";

*pFC9 D8262 Z899m2 (A)
22 "mars 1900"; 26 "15 avril 1900".
Weekly (?) to no.51; no.52 probably appeared several months after no.51.
Imprint varies; some plates add "Hayard, éditeur, 24, rue St. Joseph".
The caricatures are signed by V. Lenepveu, who is also listed as editor on no.52.
No more published?
No.9 exists in 2 versions; in this copy the numbers in "25 Fr." at lower left

corner measure 11mm. in height, and the flourish of the signature is 95mm. long.
Unbound plates, as issued; in file-box with Musée des patriotes.
*pFC9 D8262 Z899m2 (B)
Another copy. 65x50cm.,in file-box.
In no.9 of this copy, the numbers in "25 Fr." at lower left corner measure 8mm. in height, and the flourish of the signature is 89mm. long.
Imperfect: nos. 9,12,14,20,24 torn at edges,

*pFC9 D8262 Z899m2 (B)
affecting printing; nos. 31-32 & 52 wanting.
Unbound plates, as issued; in file-box.

NM 0905018 MH

Musée des horreurs. Supplement
see Musée des patriotes.

Musée des hospices civils, Lyon
see Lyons. Musée des hospices civils.

Musée des monuments français, *Paris*
see
Paris. Musée national des monuments français.

Musée des moulages, Paris
see Paris. Musée national des monuments français.

N25 A73 v.24
Le Musée des Offices [Florence]. Préf. par Roberto Salvani. [Traduit de l'italien par Juliette Bertrand. Paris, 1952]
1 v. (unpaged) plates, ports.(part mounted col.) (Art et style, 24)
Text also in Italian.

1. Florence, Italy. Galleria degli Uffizi. I. Salvini, Roberto, 1912-

NM 0905023 CU NN PPT

---

*pFC9 D8262 Z899m2 (A)
Musée des patriotes (Supplément du "Musée des horreurs"). no.1-5; [1899?]-1900.
Paris,58 rue Dulong[1899?]-1900.
5 col.plates. 64x50cm.,in file-box.
Nos. 1-5 each consist of one numbered colored port. with title and imprint but no printed text.
Only no.1 includes '(Supplément du "Musée des horreurs")' in title.
No.4 is dated "Janvier 1900".
The ports. are signed "V. Lenepveu".

Unbound plates, as issued; in file-box with Musée des horreurs.
Imperfect: nos. 1 & 4 torn at edges, affecting printing.

NM 0905025 MH

Musée des Petits Augustins, Paris
see Paris. Musée national des monuments français.

Musée des Ponchettes, *Nice*
see
Nice. Musée des Ponchettes.

Musée des protestans celebres
see under Doin, Guillaume Tell, 1794-1845.

Le Musée des souverains. Album en couleurs; reproduction des aquarelles de C. Léandre, Jean Veber, & Cadel. Paris, F. Juven [1900?]
cover-title, 1 p. l., 13 col. pl. 35½ x 28cm.

1. Caricatures and cartoons. 2. Kings and rulers. I. Léandre, Charles Lucien, 1862- II. Veber, Jean. III. Cadel, E.
1-F-1808
Library of Congress NC1497.M8

NM 0905029 DLC

---

*TR 16.8 M972
Musée des souverains; reproductions photographiques de croquis dessinés d'après nature à l'Assemblée nationale. Paris, Braun, 1873.
1 v.(unpaged, of mounted illus.)

1. France - Pol. & govt. - Caricatures and cartoons. 2. Caricatures and cartoons.

NM 0905030 CLU

Musée des théâtres.
[Année 1

Paris: LeFuel [1819 12cm.
v. col'd ports.
Année 1 issued in case.
Année 1 , half-title: Le Musée des théâtres, dédié aux dames. Première année. (On verso: De l'Imprimerie de Firmin Didot...)
Année 1 , full imprint: A Paris, Chez Le Fuel, éditeur, libraire...et chez les marchands de nouveautés.

1. Stage—France—Paris.
N. Y. P. L. January 14, 1943

NM 0905031 NN CaOTP FTaSU MH CSmH

Musée des Thermes, *Paris*
see Paris. Musée des Thermes et de l'Hôtel de Cluny.

Musée des tissus d'art, *Tourcoing*
see Tourcoing, France. Chambre de commerce. *Musée des tissus d'art.*

Musée des Unterlinden, Colmar
see
Colmar. Musée des Unterlinden.

Musée Dobrée, *Nantes*
see
Nantes. Musée Dobrée.

Musée du Bardo
see
Le Bardo, Tunisia. al-Mathaf al-'Alawī.

Musée du Berry, *Bourges*
see
Bourges. Musée du Berry.

VOLUME 403

Musée du Boulac
see Cairo. al-Mathaf al-Misri.

Musée du Caire
see
Cairo. al-Mathaf al-Miṣrī.

Musée du chasseur; ou, Collection de toutes les espèces de gibier de poil ou de plume qu'on chasse au fusil... dirigé par un chasseur naturaliste et lithographie d'après nature par Victor Adam. Par., Robin, 1838.
224 p.

NM 0905040 PPF

Musée du Château de Malmaison, *Rueil-Malmaison, France*
see
Rueil-Malmaison, France. Musée du Château de Malmaison.

Musée du cinéma, *Paris*
see
Paris. Musée du cinéma.

Musée du Congo belge, *Tervuren, Belgium*
see
Tervuren, Belgium. Musée royal de l'Afrique centrale.

Le Musée du Congo belge à Tervueren. Bruxelles, Des presses de A. Lesigne, 1910.
cover-title, 80 p. 3 pl., 2 port., 4 fold. maps, plan. 22½cm.
CONTENTS.—Notice sur le Congo belge.—Dates des principaux événements de l'histoire du Congo belge, 1876–1910.—Le Musée du Congo belge à Tervueren.

1. Brussels. Musée du Congo. 2. Kongo, Belgian.

13-25224

Library of Congress HC591.K7M8

NM 0905044 DLC FU

Musée du conservatoire national de musique
see Paris. Conservatoire national de musique et déclamation. Musée.

Musée du désert, Anduze
see Anduze. Musée du désert.

GRAPHIC ARTS
Z1
M972
Musée du Livre, Brussels.
Bulletin mensuel.
Dec. 1922-
Brussels, Impr. J. E. Goossens, 1922-

Dec. 1922- called no. 1- ; oct. 1925 called année 4, no. 1.

NM 0905047 NNC

Musée du Livre, Brussels.
L'enseignement professionel en Belgique
see under title

*
Z232
.B71B78 Musée du livre, Brussels.
1936
Exposition de livres composés, gravés et imprimés par Pierre Bouchet. [Bruxelles, Imprim. H. Wellens, W. Godenne & Cie.] 1936.
15, [1] p. 19cm.

1. Bouchet, Pierre—Bibl. 2. Printing—Exhibitions. I. Title.

NM 0905049 ViU

Musée du livre, Brussels.
Exposition du livre et de la gravure polonaise, nov.-déc.1925; catalogue. [Bruxelles, Imp. J.E.Gossens, S.A., 1925.]

pp.39.
Organised by the museum with the aid of three Polish societies.
The preface, signed by Jean Muszkowski, is a history of printing in Poland.

NM 0905050 MH

Musée du livre, *Brussels.* 655.07 R404
Exposition internationale du livre, Leipzig, 1914. Section belge, organisée par le Musée du livre et des associations affiliées. [Bruxelles, Impr. J.-E. Goosens, 1914.]
48 p. 25×11½cm.

104680

NM 0905051 ICJ

Z350
B7
Musée du livre, Brussels.
Histoire du livre et de l'imprimerie en Belgique des origines à nos jours ... Bruxelles, Musée du livre, 1923-[34]
6 v. in 1. illus., ports., facsims. (Its Collection des publications)

"Tables des matières des ouvrages cités et des noms cités": 23 p. inserted.

1. Printing - Hist. - Belgium. 2. Book industries and trade - Belgium.

NM 0905052 CU MH CtY ICN

Musée du livre, Brussels.
... Liste sommaire d'oeuvres littéraires des auteurs belges d'expression française
see under International federation for documentation.

*
Z2171
.B85 Musée du livre, Brussels.
1924
Le livre classique et le beau livre de prix; exposition du livre scolaire au Musée du Livre, 13 Sept.-7 Oct. 1924. [Bruxelles, J.-E. Goossens, 1924?]
80 p. illus., plates, ports. facsims. 20cm.

1. French literature—Bibl. 2. Flemish literature—Bibl. 3. German literature—Bibl. I. Title. II. Title: Exposition du livre scolaire.

NM 0905054 ViU

L655.054
Musée du livre, *Brussels.* M97
Le Musée du livre. ... Fascicules 1-27/28, 1907-1913. [Bruxelles, Maison du livre, 1907-1913.]
28 pts. in 4 vol. illus. (part col.), 305 plates (part col.), ports. 30cm.
Pt. 1 has subtitle: Son programme, son organization, ses premières réalisations.
Wanting: plates 33, 36, 43, 44, 48, 52, 55, 56, 68, 97, 102, 142, 171, 178, 193, 195, 217, 238, 241, 250, 285.

NM 0905055 ICJ MB MnU

Q.59
.123 Musée du livre, Brussels.
v.22
-32
Le Musée du Livre. Recueil de planches d'art, 1922, 1923, 1924/25-1932/33. Bruxelles, Maison du Livre, 1922-33.
11 nos. plates (part col.) 30cm.
Plates in folders, with covering letter-press.
Some numbers have sub-title: Notre portfeuille de planches d'art.
Previously formed part of the Musee's Fascicules.
1. Printing—Period. 2. Periodicals, French. 3. Illustration of books—Belgium.

NM 0905056 MB

q759.9493 Musée du livre, Brussels.
B839n
Notre portefeuille de 28 planches d'art, 1925-1926. Bruxelles, Maison du livre [1926?]
[4]p., 28 plates(part col.) in portfolio. 30cm.

Imperfect: plates 6 and 11 wanting.
Plates accompanied by guard sheets with descriptive letter-press.

1. Art, Belgian.

NM 0905057 IU

T655.05 Musée du livre, Brussels.
B912p
[Publications] 1re sér., 1907-1918 [Recueils] fasc.1-46; 2e sér., 1919-22, 3 nos. Brussels, 1917-22.
v. illus. plates (part col.) 29cm.

Superseded by Its: Bulletin.

NM 0905058 NcU MnU

T655.05
B912r Musée du livre, Brussels.
Recueil des planches d'art, fasc.1-24, 1923-1948. Brussels, 1923-48.
24pts. in 5 portfolios.

Holdings: v.1-24, 1923-47.

NM 0905059 NcU

VOLUME 403

Musée du livre, *Brussels.*
.... Sept études publiées à l'occasion du quatrième centenaire du célèbre imprimeur anversois Christophe Plantin. Editées par le Musée du livre, Bruxelles. Anvers, J.-E. Buschmann; Bruxelles, J.-E. Goossens, [1920?].
123, [2] p. illus., plates (part col.), ports. (part mounted). 31cm.
At head of title: 1520-1920.
The illustrations are facsimile reproductions.
On cover: MDXX-MCMXX. Christophori Plantini, architypographi memoriam celebrat Belgium.
Contents.—Sabbe, M. Comment l'Hôtel Plantin-Moretus devint musée public.—Moretus, H. L'édition plantinienne des Annales de Baronius.—
Sabbe, M. Quelques rimes de Plantin.—Mongredien, G. Le sonnet de Plantin, curieuses imitations.—Rudbeck, J. *baron.* Christophe Plantin, relieur.—Backer, H. de. Marie de Médicis dans les Pays-Bas et sa visite à l'imprimerie Plantin-Moretus.—Delen, A. J. J. Les artistes collaborateurs de Christophe Plantin.

ICN
NM 0905061 ICJ NN IaU NNC CoU CU MnU NjP ViU MB

---

*Q.59 .123 v.33 Musée du Livre. Conseil général.
Rapport du Conseil général du Musée du Livre sur les quinze années écoulées depuis sa fondation, 1906-1921. [Bruxelles, 1921?]
15 p. 30cm.

1. Printing—Societies. 2. Printing—History—Societies.

NM 0905062 MB

Musée du Louvre, Paris
see
Paris. Musée national du Louvre.

Musée du Luxembourg, Paris.
see
Paris. Musée national du Luxembourg.

BR 1720 .J7 M9 LE MUSÉE DU MANS. Paris, H. Du Moulin, 1862-63.
5 v. in 1.

Contents: 1. Origines des Cénomans. 2. Mission de Saint Julien. 3. Gestes de Saint Julien. 4. Les Églises de Saint Julien.

1. Julian, Saint, Bp. of Le Mans, 1st cent. 2. Cenomani. 3. Le Mans—Church history. Folk-lore cds.

NM 0905065 InU

Musée du midi; recueil litteraire et religieux des departements Meridionaux. n.t.p. [Bordeaux, Bagot]

YA 2334

NM 0905066 DLC

Musée du Mont St. Michel
see
Mont St. Michel, France. Musée.

Musée du mouvement révolutionnaire de Bulgarie, *Sofia.*
see
Sofia. Muzeĭ na revolûtsionnoto dvizhenie v Bŭlgariâ.

Musée du Palais des arts, *Lyons*
see
Lyons. Musée des beaux-arts.

Musée du pays de la Sarre, *Saarbrücken*
see **Saarbrücken. Saarlandmuseum.**

Musée du prince Paul, Belgrad
see
Belgrad. Muzej kneza Pavla.

Musée du Québec
see
Quebec (City) Musée de la province de Québec.

N25 A73 v.13 Le Musée du Vatican. [Pinacothèque vaticane, Chapelle Sixtine, Loges de Raphaël] Préf. de Mgr Ennio Francia. [Paris, 1949]
1 v. (unpaged) plates (part mounted col.) (Art et style, 13)

1. Vatican. Museo Vaticano. I. Francia, Ennio, 1905-

NM 0905073 CU

Musée du Vieux logis, Nice, France
see Nice. Musée du Vieux logis.

Musée Dupuytren
see Paris. Université. Faculté de médecine. Musée Dupuytren.

Musée entomologique illustré
see under Rothschild, Jules.

Musée épigraphique, *Athens*
see
Athens. Epigraphikon Mouseion.

Le Musée et l'encyclopédie de la guerre; recueil mensuel, illustré de documents et pièces rares, publié avec le concours des amateurs, collectionneurs, chercheurs, historiens, archivistes, bibliothécaires ... 1.-3. année; fév. 1916-jan./fév. 1920. Paris, Colbert [etc., 1916-20]
8 v. illus., pl. 25-26½cm.
Published monthly, Feb. 1916-June 1918 (3. année, no. 17); 3. année, no. 18/19, 20/21, 22/23 dated July/Aug. 1918, July/Aug. 1919 and Jan./Feb. 1920 respectively.
Title varies: Feb. 1916-Jan. 1917, Le Musée de la guerre ... (Feb.-Dec. 1916 called "1. année, no. 1-11"; Jan. 1917, "2. année, no. 12")

Continued in next column

Continued from preceding column

Feb. 1917-Feb. 1920, Le Musée et l'encyclopédie de la guerre ... (caption title adds "publié sous la direction de M. John Grand-Carteret") Feb.-Dec. 1917 called on covers "2. année, nouvelle série, no. 1-11" and Jan. 1918-Jan./Feb. 1920, "3. année, nouvelle série, no. 12-22/23". A t.-p. issued with these volumes, however, calls Feb. 1917-Feb. 1918 "t. 1". Paging is continued through no. 1-12 and through no. 13-22/23.
No more published.

1. European war, 1914-1918—Bibl.—Period. I. Grand-Carteret, John, 1850-1927, ed.

28-21616 Revised
Library of Congress Z6207.E8M9
[2] 016.9403

NM 0905079 DLC

Musée ethnographique, *Cairo*
see
al-Jam'iyah al-Jughrāfīyah al-Miṣrīyah. *al-Mathaf.*

Musée ethnographique *(1919-1934)* *Zagreb*
see
Zagreb. Hrvatski narodni muzej. *Etnografski odjel.*

Musée ethnographique de Belgrad
see Belgrad. Etnografski muzej.

Musee ethnographique de Neuchatel.
see
Neuchatel. Musée ethnographique.

Musée ethnographique de Suède, Stockholm
See
Stockholm. Statens etnografiska museum.

Musée ethnographique national de Sofia
see **Sofia. Naroden etnografski muzeĭ.**

Musée ethnographique royal, *Ljubljana*
see
Ljubljana. Etnografski muzej.

Musée Fabre, *Montpellier, France*
see
Montpellier, France. Musée Fabre.

Musée Fabre de la ville de Montpellier
see
Montpellier, France. Musée Fabre.

VOLUME 403

Le Musée Fol. Etudes d'art et d'archéologie...
see under [Fol, Walther] 1852-1890.

X Per M986F Musée français; choix de littérature, tiré des meilleurs auteurs tant anciens que modernes. 1.-5. année; 1836-40. Bielefeld, Velhagen & Klasing.
5 v. in 23 cm. weekly.

Edited by O. L. B. Wolff and C. Schütz.
Superseded by Nouveau musée français.

1. French literature. 19th cent. I. Wolff, Oskar Ludwig Bernhard, 1799-1851, ed. II. Schütz, C., ed.

NM 0905090 NcD

Musée Français; fifty of the finest examples of the old masters from this famous collection, reproduced in permanent Woodbury type with descriptive letter press. London, Bickers, 1876.

NM 0905091 OClUr

Musée français. Recueil des plus beaux tableaux, statutes ...
see under Robillard-Péronville,

Musée Frison, Leeuwarden
see Fries Genootschap van Geschied- Oudheid- en Talkunde te Leeuwarden. Museum.

Le Musée galant du dix-huitième siècle; facsimilés d'estampes originales en noir et en couleurs. Paris, G. Charpentier & E. Fasquelle ⌊18—⌋
1 v. of illus. (part col.) 28 x 35 cm.
In portfolio: issued in 10 parts.
Captions in French, English, German, Spanish, and Italian.

1. Love in art. 2. Paintings, French. 3. Drawings, French. 4. Engravings, French.
N8220.M8 57-37754

NM 0905094 DLC TxU PP NN OU CtY

Musée Galliera, *Paris*
see
Paris. Musée Galliera.

Musée géologique, Lausanne
see Lausanne. Université. Musée géologique.

Musée Georges Ráth, *Budapest*
see
Budapest. Országos Ráth György múzeum.

Musée Goya, *Castres, France*
see
Castres, France. Musée Goya.

... Le musée Grévin, poème
see under [Aragon, Louis] 1897-

Musée Groeninge, *Bruges*
see
Bruges. Stedelijk Museum van Schone Kunsten.

Musée Guimet, *Paris*
see
Paris. Musée Guimet.

Musée Gustave Moreau, Paris.
SEE
Paris. Musée Gustave Moreau.

Musée Gutenberg suisse, *Bern*
see
Bern. Schweizerisches Gutenbergmuseum.

Musée du jeu de paume, *Paris*
see
Paris. Musée du jeu de paume.

Musée Hallwyl, *Stockholm*
see
Stockholm. Hallwylska museet.

Musée helvétique d'histoire naturelle, *Bern*
see Bern. Naturhistorisches Museum.

Musée Henri de Toulouse-Lautrec, *Albi, France*
see Albi, France. Musée.

Musée Heude, *Université L'Aurore, Shanghai*
see Shanghai. Université L'Aurore. *Musée Heude.*

Musée historique de la Réformation
see Geneva. Musée historique de la Réformation.

Musée historique de Nyon
see Nyon, Switzerland. Musée historique.

Musée historique des tissus, Lyons
see Lyons. Musée historique des tissus.

Musée historique lorrain, *Nancy*
see Nancy. Musée historique lorrain.

Musée Hoang-ho-Pai-ho, *Tientsin*
see Tientsin. Musée Hoang-ho-Pai-ho.

Le Musée-homme, ou Le jardin des bêtes
see under [Faustin]

Musée hongrois des arts decoratifs, Budapest
see
Budapest. Orszagos magyar iparmuveszeti-muzeum.

Musée hongrois Ráth, *Budapest*
see
Budapest. Országos Ráth György múzeum.

Musée impérial de l'Ermitage, *Leningrad*
see
Leningrad. Ėrmitazh.

Musée imperial de Versailles.
see
Versailles. Musée national.

Musée imperial des monumens français, Paris
see Paris. Musée national des monumens français.

Musée imperial du Louvre.
see
Paris. Musée national du Louvre.

Musée imperial du Luxembourg, Paris.
see
Paris. Musée national du Luxembourg.

Musée impérial ottoman, *Istanbul*
see
Istanbul. Arkeoloji Müzeleri.

VOLUME 403

Musée, Le, indien de Catlin... n. t.-p. [Paris, 1845?] 1 l. 8°.

Repr.: Le constitutionnel.

1. Indians (North American). 2. Catlin, George.
N. Y. P. L. March 27, 1912.

NM 0905123 NN

Musée indo-chinois du Trocadéro, Paris
see Paris. Musée indo-chinois du Trocadéro.

Musée instrumental du Conservatoire, Brussels
see Brussels. Conservatoire royal de musique. Musée instrumental.

Musée international, Brussels
see Brussels. Musée international.

Musée international de céramique de Faenza.
See
Faenza, Italy. Museo internazionale delle ceramiche.

Musée international de la guerre et de la paix, Lucerne
see Lucerne. Internationales kriegs- und friedensmuseum.

Musée international de la presse, *Brussels*
see
Brussels. Musée international de la presse.

Musée international de la route, Brussels
see
Brussels. Musée international. Musée de la route.

Musée Jacquemart-André, Paris
see
Paris. Musée Jacquemart-André.

Musée Jean Calvin, Noyon, France
see
Noyon, France. Musée Jean Calvin.

Musée Jenisch, *Vevey, Switzerland*
see
Vevey, Switzerland. Musée Jenisch.

Musée Jules-Chéret, Nice, France
See
Nice, France. Musée Jules-Chéret.

Musée Khai-Dinh, Hanoi
see Hanoi. Musée Khai-Dinh.

Musée khmer de Compiègne
see Compiègne. Musée du château.

Musée Kraus, Florence
see Florence. Musée Kraus.

Musée Kums à Anvers
see under Kums, Edouard Pierre Rombaut 1811-1891.

Musée-laboratoire Hoang-ho-Pai-ho, *Tientsin*
see **Tientsin. Musée Hoang-ho-Pai-ho.**

Musée lapidaire, Nimes
see Nimes. Musée archéologique et musée lapidaire.

Musee lapidaire de la porte du Croux, Nevers, France
see Nevers, France. Musee lapidaire de la porte du Croux.

Musée Lapidaire; l'histoire de Béziers, racontée par ses pierres
see Darde, J
... L'Histoire de Béziers racontée par ses pierres.

Musée Lavigerie, *Tunis*
see
Tunis. Musée Lavigerie.

Musée Lavigerie de Saint-Louis de Carthage
see under Tunis (City) Musée Lavigerie.

Musée Lavigerie de Saint Louis de Carthage, collection des Pères Blancs formée par le R. P. Delattre. Supplément I
see under Boulanger, A

Musée Le Secq des Tournelles, Rouen.
see
Rouen. Musée Le Secq des Tournelles.

Musée Leopold II, Elisabethville
see Elisabethville, Congo. Musée Leopold II.

... Musée littéraire; choix de littérature contemporaine, française et étrangère ... Paris, Au Bureau du journal Le Siècle, 1847-
v. 30½cm.

NM 0905148 CtY

Musée lorrain, *Nancy*
see **Nancy. Musée historique lorrain.**

Musée Louis Finot, *Hanoi*
see
Hanoi. Musée Louis Finot.

Musée Magnin.
Jda61 Musée Magnin; peintures et dessins de l'École française. Dijon, Impr. Jobard, 1938.
938D 243 p. port. 23 cm.

1. Paintings, French - Catalogs.

NM 0905151 CtY NjP

Musée Marmottan, Paris
see Paris. Musée Marmottan.

Musée Marcello, Fribourg
see Fribourg. Musée d'art et d'histoire.

Musée Masséna, *Nice*
see
Nice. Musée Masséna.

Musée Mathias Berson, *Warsaw*
see
Warsaw. Muzeum imienia Mathiasa Bersohna.

VOLUME 403

Musée Mayer van den Bergh
see
Antwerp. Musée Mayer van den Bergh.

Le musée metropolitain de New York
See
[New York. Metropolitan museum of art]

Musée militaire de l'armée populaire Yougoslave, *Belgrad*
see
Belgrad. Vojni muzej Jugoslovenske narodne armije.

Musée Millet, Barbizon
see under Millet, Jean François, 1814-1875.

Musée minéralogique A. E. Fersman
see
Akademiia nauk, SSSR. Mineralogicheskiĭ muzeĭ.

Musée moderne, Brussels
see Brussels. Musées royaux des beaux-arts de Belgique. Musée moderne.

Musée monétaire et des médailles
see **France.** *Administration des monnaies et médailles.*

Musée municipal de Boulogne-sur-Mer
see Boulogne-sur-Mer. Musées municipaux.

Musée musical des clavecinistes. Wien

Vol.5 (1820?): Hummel, J.N. Grosse Sonate für das Piano-Forte, op.81

NM 0905164 MH

Musée Napoléon, *Paris*
see
Paris. Musée national du Louvre.

Musée national, *Athens*
see
Athens. Ethnikon Archaiologikon Mouseion.

Musée National, *Bangkok*
see **Bangkok, Thailand. National Museum.**

Musée national, *Belgrad*
see
Belgrad. Narodni muzej.

Musée national, *Krakow*
see
Krakow. Muzeum Narodowe.

Musée national, *Port-au-Prince, Haiti*
see
Port-au-Prince, Haiti. Musée national.

Musée national, *Posen*
see
Posen. Muzeum Narodowe.

Musée national, Stockholm
see
Stockholm. Nationalmuseum

Musée national Adrien Dubauché, Limoges
see Limoges. Musée national Adrien Dubouché.

Musée national arabe, Cairo
see Cairo. Mathaf al-Fann al-Islami.

Musée national bulgare, *Sofia*
see
Sofia. Naroden arkheologicheski muzeĭ.

Musée national d'Alep
see
Aleppo. al-Mathaf.

Musée national d'Amsterdam
see Amsterdam. Rijks-museum. Nederlandsch museum voor geschiedenis en kunst.

Musée national d'art moderne, *Paris*
see **Paris. Musée national d'art moderne.**

Musée national d'histoire
see
Moscow. Gosudarstvennyĭ istoricheskiĭ muzeĭ.

Musée national d'histoire des sciences exactes et naturelles, *Leyden*
see
Leyden. Rijksmuseum voor de Geschiedenis der Natuurwetenschappen.

Musée national de céramique, *Sèvres*
see
Sèvres. Manufacture nationale de porcelaine. *Musée céramique.*

Musée national de la coopération franco-américaine, *Blérancourt, France*
see
Blérancourt, France. Musée national de la coopération franco-américaine.

Musée national de Naples.
see
Naples. Museo nazionale.

Musée national de Varsovie
see
Warsaw. Muzeum Narodowe.

Musée national de Soares dos Reis
see
Oporto, Portugal. Museu Nacional de Soares dos Reis.

Musée national de Versailles
see
Versailles. Musée national.

Musée national des antiquités, Bucharest.
See
Bucharest. Muzeul național de antichități.

Musée national des arts décoratifs, *Paris*
see
Paris. Musée des arts décoratifs.

Musée national des beaux-arts Pouchkine
see
Moscow. Gosudarstvennyĭ muzeĭ izobrazitel'nykh iskusstv.

VOLUME 403

Musée national des écoles étrangères contemporaines, *Paris*
see
Paris. Musée du jeu de paume.

Musée national des Granges de Port Royal
see
Port-Royal des Champs. Musée national des Granges.

Musée national des monuments français, *Paris*
see
Paris. Musée national des monuments français.

Musée national du Louvre
see
Paris. Musée national du Louvre.

Musée national du Luxembourg, Paris
see
Paris. Musée national du Luxembourg.

Musée national du Palais de Compiègne
see **Compiègne. Musée du château.**

Musée national estonien, *Tartu*
see
Tartu. Eesti rahva muuseum.

Musée national historique, Blérancourt
see **Blérancourt, France. Musée national de la Cooperation franco-américaine.**

Musée national historique de Blérancourt
see
Blérancourt, France. Musée national de la coopération franco-américaine.

Musée national hongrois, Budapest
see
Budapest. Magyar nemzeti muzeum.

Musée national polonais, *Rapperswil*
see
Rapperswil, Switzerland. Muzeum narodowe polskie.

Musée national préhistorique de Porz-Carnen-Penmarc'h
see **Penmarch, France. Musée préhistorique.**

Musée national russe, *Leningrad*
see
Leningrad. Gosudarstvennyĭ russkiĭ muzeĭ.

Musée national Stéphane Gsell, *Algiers*
see
Algiers (City) Musée Stéphane Gsell.

Musée national suisse, *Zürich*
see
Zürich. Schweizerisches Landesmuseum.

Musée national syrien, *Damascus*
see
Damascus. Mathaf Dimashq.

Musée neuchâtelois; recueil d'histoire nationale et d'archéologie. Organe de la Société d'histoire du canton de Neuchâtel. [1.]– année. Neuchâtel, 1864–
v. in illus., plates (part col.) ports., maps, plans, facsims. 27½cm.
"Naturalisation des réfugiés français à Neuchâtel de la révocation de l'édit de Nantes à la révolution française, 1685–1794," with list of the refugees: v. 37, p. [197]–285.
——— Table décennale du Musée neuchâtelois. Répertoire chronologique des articles et documents publiés pendant les 10 premières années, 1864–1873, par Albert Henry ... Neuchâtel, H. Wolfrath et Metzner, 1874.
23 p. 27½cm. [*With* Musée neuchâtelois. 10. année]

——— ... Table des matières des années 1889–1903, faisant suite à la table des années 1864–1888 et comprenant par ordre alphabétique une table des auteurs et une table des planches. Neuchâtel, Impr. Wolfrath & Sperlé, 1903.
12 p. 27½cm. [*With* Musée neuchâtelois. XI. année]
Signed: W. Wavre.

1. Neuchâtel—Hist.—Period. 2. Huguenots in Switzerland. 3. French in Switzerland. I. Société d'histoire et d'archéologie du canton de Neuchâtel. II. Henry, Albert, comp. III. Wavre, Will., comp.

19—6059-61
Library of Congress DQ521.M8

NM 0905207 DLC MiU MoU NIC MH MB CU

Musée Nordique de Stockholm
see **Stockholm. Nordiska Museet.**

Musée numismatique, Athens
see
Athens. Ethnikon Nomismatikon Mouseion.

Musée océanographique, Monaco
see **Institut océanographique. Musée océanographique, Monaco.**

AP103 Musée; ou Magasin comique de Philipon, contenant
f.M88 800 dessins par MM. Cham de N..., -Eustache
Rare Bk [et als] textes par MM. Cham de N ... et Ch. Philipon. v.1-2 (no.1-48) Paris, Chez Aubert [1842-43]
2 v. in 1.
Half title: Musée Philiopn.
No more published?
1. Caricature--Period. 2. French wit and humor--Period. 3. Periodicals (French) I. Philipon, Charles, 1800-1862. II. Title: Musée Philipon.

NM 0905211 ICU NjP

Musée; ou Magasin comique de Philipon. [v.] 1–2. Paris, Aubert [1850?] 2 v. 35cm.
Title also appears as Musée Philipon; album de tout le monde.
Superseded by La Lanterne magique.
Edited by Charles Philipon.

1. Caricature and comic art—Per. and soc. publ., French. I. Philipon. Charles, 1800–62. II. Title: Musée Philipon; album de tout le monde. III. Title: Magasin comique de Philipon.

NM 0905212 NN CSt

Musée paléographique, *Paris*
see
France. *Archives nationales. Musée.*

Musée Paul Dupuy, Toulouse, France.
See
Toulouse, France. Musée Paul Dupuy.

Musée Paul E. Magloire, *Cap-Haïtien, Haiti*
see
Cap-Haïtien, Haiti. Musée Paul E. Magloire.

Musée pédagogique, *Paris*
see
Paris. Musée pédagogique.

Musée pédagogique de Fribourg
see **Fribourg. Musée pédagogique.**

Musée pédagogique et bibliothèque centrale de l'enseignement primaire, Paris.
see
Paris. Musée pédagogique. Bibliothèque, office et musée de l'enseignement public.

Musée Philipon
see **Musée; ou Magasin comique de Philipon.**

Musée Pincé, *Angers, France*
see **Angers, France. Musée Pincé.**

VOLUME 403

Musée pittoresque et historique de l'Alsace
see under Levrault, Louis.

Musée Plantin-Moretus, Antwerp
see Antwerp. Musée Plantin-Moretus.

Musée polonais, Polnisches Museum, Rapperswil, Lac de Zurich. ⌈Zürich: Art. Institut Orell Füssli, 19—?⌉ folder (4 l.). illus. (incl. map.) 12°.

Text in French, German and English.

1. Museums, Switzerland: Rapperswil.
N. Y. P. L. August 12, 1919.

NM 0905223 NN

Musée populaire et folklorique de Norvège, *Oslo*
see
Oslo. Norsk folkemuseum.

Musée postal de France, *Paris*
see Paris. Musée postal de France.

Musée Pouchkine d'Alexandre Oneguine, Paris
see Akademiia nauk S. S. S. R. Pushkinskii dom.

Musée pour rire. Dessins par tous les caricaturistes de Paris: texte par mm. Maurice Alhoy, Louis Huart et Ch. Philipon. t. ⌈1⌉-3 (no. 1-150); ⌈1839-40⌉ Paris, Aubert ⌈1839⌉-40.

3 v. in 2. illus. 27½-28½cm.

No more published?

1. Caricature—Period. I. Alhoy, Philadelphe Maurice, 1802-1856, ed. II. Huart, Louis, 1813-1865, ed. III. Philipon, Charles, 1800-1862, ed.

11—22932

Library of Congress PQ1295.M7

NM 0905227 DLC IaU NcD NN

Musée préhistorique de Penmarc'h
see Penmarch, France. Musée préhistorique.

Musée provincial de Liége
see
Liége. Musée archéologique.

Musée pyrénéen, *Lourdes*
see
Lourdes. Musée pyrénéen.

Musée pyrénéen du Chateau-Fort, Lourdes, France
see Lourdes, Musée pyrénéen.

Musée Rath
see Geneva. Musée Rath.

Musée Ravestein, Brussels
see Brussels. Musées royaux d'art et d'histoire.

Musée Réattu, Arles, France.
See
Arles, France. Musée Réattu.

Musée régional, *Tuzla*
see
Tuzla, Yugoslavia (City) Zavičajni muzej.

Musée Rodin, *Paris*
see
Paris. Musée Rodin.

Musée roi Saint Étienne, *Székesfehérvár, Hungary*
see
Székesfehérvár, Hungary (City) István Király Múzeum.

Musée romantique, Madrid
see Madrid. Museo Romantico.

Le Musée romantique...publié à l'occasion du centenaire du romantisme...
Album

Paris: Éditions du Trianon, 192 f°.
v. illus., ports.

Editor : 192 E. Herriot.

1. No subject.
N. Y. P. L. May 31, 1928

NM 0905239 NN DLC

Musee royal, Paris.
see Paris. Musée national du Louvre.

Le musée royal
see under Laurent, Henri, 1779-1884.

Musée royal d'antiquités et d'armures, Brussels
see Brussels. Musées royaux d'art et d'histoire.

Musée royal d'armes, d'armures et d'ethnographie, Brussels
see Brussels. Musées royaux d'art et d'histoire.

Musée royal d'ethnographie, *Ljubljana*
see
Ljubljana. Etnografski muzej.

Musée royal d'ethnographie de Leyde
see Leyden. Rijksmuseum voor Volkenkunde.

Musée royal d'histoire naturelle de Belgique
see Brussels. Institut royal des sciences naturelles de Belgique.

Musée royal danois de l'Arsenal
see
Copenhagen. Tøjhusmuseet.

Musée royal de Belgique, Bruxelles
see Brussels. Musées royaux des beaux-arts de Belgique.

Musée royal de l'Afrique centrale, *Tervuren, Belgium*
see
Tervuren, Belgium. Musée royal de l'Afrique centrale.

Musée Royal de la Haye
see Hague. Kabinet van schilderijen.

Musée royal de Luxembourg
see
Paris. Musée national du Luxembourg.

Musée royal de Naples, peintures, bronzes et statues erotiques du cabinet secret
see under Famin, Stainslas Marie Cesar, 1799-1853.

Musée royal de peinture moderne, Brussels
see Brussels. Musées royaux des beaux-arts de Belgique. Musée moderne.

VOLUME 403

Musée royal des beaux-arts, Antwerp.
see
Antwerp. Musée royal des beaux-arts.

Musée royal des beaux-arts à Anvers
see
Antwerp. Musée royal des beaux-arts.

Musée royal des beaux-arts de Belgique, *Brussels*
see
Brussels. Musées royaux des beaux-arts de Belgique.

Musée royal des monumens français
see Paris. Musée national des monumens français.

MUSÉE ROYAL DES PAYS-BAS, Amsterdam.
See AMSTERDAM. Rijks-museum.

Musée royal du Congo belge, *Tervuren, Belgium*
see
Tervuren, Belgium. Musée royal de l'Afrique centrale.

Musée royal du Luxembourg
see
Paris. Musée national du Luxembourg.

Le musée Saint Jean Berchmans, à Louvain: l'exposition, l'iconographie, la bibliographie. Louvain, 1922.
153 p. front. illus.

NM 0905261 OClJC CoDR

Musée Savorgnan de Brazza, Algiers
see Algiers (City) Musée Sarvorgnan de Brazza.

570.944 0400
41878 Musée scolaire Deyrolle. Histoire naturelle de la France. ... . Paris, É. Deyrolle, [1885-].
Vol. 2-. illus., plates (partly col.) 19cm.
Vol. 3, 8, 12, 16-19, 24-25, title reads: Histoire naturelle de la France.
Vol. 20-21, published by P. Dupont as "Suite à la Nouvelle flore de MM. G. Bonnier et de Layens.—III-IV," are connected with the Deyrolle work by cover-title only.

NM 0905263 ICJ DLC

Musée social, *Paris.*
Annales. jan. 1902-juil. 1914. Paris, Librarie A. Rousseau [etc.]
13 v. 25 cm. monthly.
Vols. for 1902-08 called v. 7-13 continuing the numbering of the museum's untitled monthly bulletin published 1899-1901; 1909-14 called v. 16-21.
Supersedes the museum's untitled monthly bulletin.

1. Social sciences—Period.

H3.M814 64-44732

NM 0905264 DLC

Musée social, Paris. Annales. Supplement.

H3 .M815 **Musée social,** *Paris.*
Mémoires et documents. jan. 1902-nov./déc. 1921. Paris.

Musée social, Paris.
Annuaires do Musée social; guides et documents.
19

Paris [19 22cm.
no.

1. Social problems. 2. Working class.
N. Y. P. L. July 15, 1935

NM 0905266 NN

Musée social, *Paris.*
Cahiers. 1943-nov./déc. 1963. Paris.
8 v. 25 cm.
Irregular, 1943-45; 6 no. a year, 1946-63.
Supersedes the museum's Revue mensuelle; superseded by Vie sociale.

1. Social sciences—Period.

H3.M817 50-20814 rev

NM 0905267 DLC MdBJ CU

Musée social, Paris.
Chronique du Musée social; pub. monthly.
Par., 1899-1901.
v

NM 0905268 Nh

Musée social, *Paris.*
Circulaire: Série A. no 1-24; 1896-déc. 1898. [Paris]
24 no. in 1 v. 28 cm. irregular.
Superseded by an untitled monthly bulletin issued by the museum 1899-1901 and indexed in that publication's index 1896-1900.
L. C. set incomplete: no. 1-4 wanting.

1. Social sciences—Period.

H3.M8 25-4818 rev*

NM 0905269 DLC MiD OrU MiU PP OU DL ICJ MH MB NjP CU

Musée social, *Paris.*
Circulaire: Série B. no 1-20; 25 juin 1896-25 oct. 1898. [Paris]
20 no. in 1 v. 28 cm. irregular.
Superseded by an untitled monthly bulletin issued by the museum 1899-1901 and indexed in that publication's index 1896-1900.

1. Social sciences—Period.

H3.M812 64-44734

NM 0905270 DLC

Musée social, *Paris.*
Le concours entre les syndicats agricoles au Musée social. Journée du dimanche 31 octobre 1897. I.—Distribution solennelle des prix et des médailles. II.—Banquet de 250 couverts. III.—Adresse à M. le comte de Chambrun. Paris, Calmann Lévy, 1897.
3 p. l., [3]-124 p. 30cm.

1. Agricultural societies—France. 2. Agriculture—Economic aspects. I. Title. II. Title: Syndicats agricoles.

18-18643

Library of Congress HD1486.F8M8

NM 0905271 DLC ICRL

HC276 .M92 **Musée social,** *Paris.*
... Le développement économique de la France: L'agriculture; l'industrie métallurgique; les industries textiles; trois conférences. Paris, A. Rousseau, 1912.
[3], 156, [3] p. incl. tables. 24½cm. (Bibliothèque du Musée social)
The lectures were given by A. Fontgalland, T. Laurent and L. Guérin.

1. France—Econ. condit. 2. Agriculture—France. 3. Mining industry and finance—France. 4. Textile industry and fabrics—France.

NM 0905272 ICU IU

Musée social, Paris.
L'effort social des grands réseaux de chemins de fer en faveur de leur personnel. Paris: Le Musée social [1936] 132 p. 22½cm.

1. Railways—Officials and employees—France. 2. Industrial betterment—France.
N. Y. P. L. June 4, 1940

NM 0905273 NN

Musée social, *Paris.*
... Fête pour le concours sur les associations ouvrières et patronales le dimanche 19 juin 1898, présidence de M. Ribot ... Paris, Calmann Lévy, 1898.
94 p., 1 l. 29cm.
At head of title: Le Musée social.

1. Trade-unions—France. 2. Employers' associations—France. 3. Labor and laboring classes—France. I. Title. II. Title: Concours sur les associations ouvrières et patronales.

18-18642

Library of Congress HD6681.M8

NM 0905274 DLC

Musée social, *Paris.*
... Guide pratique des lois familiales ... Paris [1946]
158 p. 21cm. (*Its* Guides et documents)

1. Family allowances—France. I. Title.

A 47-2221

U. S. Army medical library for Library of Congress [HV700.F7M986g 1946] [2]

NM 0905275 DNLM ICU

Musée Social, Paris
Guide pratique des lois familiales. 2 éd.
Paris [1947]
176 p. (Its Guides et documents)

In pocket: Modifications à la legislation intervenues depuis l'impression du Guide pratique ... 4 mars 1948. 1 l.

NM 0905276 MiD

Musée social, Paris.

Guide pratique du logement.
Paris, Musée social.

VOLUME 403

Musée social, Paris.
[Liste de publications.]
= [Paris, 1900.] (4) pp. 4°.
*9016.306

*D5916 — Indexes to periodicals.

NM 0905278 MB

330.6 Musée social, Paris.
MU2m [Membres] [Paris, 19- ?]
[12]p.

NM 0905279 IU

Musée social, *Paris.*
Mémoires et documents. jan. 1902–nov./déc. 1921. Paris.
17 v. illus. 25 cm. irregular.
Publication suspended Aug. 1914–1917.
Superseded by the museum's Revue mensuelle.
Vols. for 1902–14 issued as a supplement to the museum's Annales.

1. Social sciences—Period. I. Musée social, Paris. Annales. Supplement.

H3.M815 64–44731

NM 0905280 DLC MoU

Musée social, *Paris.*
Musée social; [bulletin mensuel] 4.–6. année; jan. 1899–déc. 1901. Paris, A. Rousseau.
3 v. 28 cm.
Supersedes the museum's Circulaire: Série A and its Circulaire: Série B and called v. 4–6 in continuation of these vols.; superseded by its Annales.
A subject index for 1896–1900, bound in v. 5, 1900, includes also indexes to the museum's Circulaire: Série A and its Circulaire: Série B.

1. Social sciences—Period.

H3.M813 64–44733

NM 0905281 DLC ICJ

Musée Social, Paris.
Le Musée Social: fête du travail, dimanche 3 Mai, 1896. Paris, C. Lévy, 1896.
56p.

NM 0905282 ICRL

330.6 Musée social, Paris.
MU2mu Le Musée social. Fondation de Chambrun. Paris, A. Rousseau, 1904.
108p. 18cm. (Bibliothèque du Musée social)

"Liste des publications du Musée social": p.[81]-96.

1. Economics--Societies.

NM 0905283 IU MH

Musée Social, Paris.
... Le Musée social. (Foundation de Chambrun) ... Paris, A. Rousseau, 1906.
xxxi, 163, [1] p. 18.5 cm. (Bibliothèque du Musée social)
Preface signed: Emile Cheysson.
"Liste des publications du Musée social": p. 91-103.
I. Chesson, Émile i-e. Jean Jacques Emile, 1836-1910.

NM 0905284 CU

Musée social, *Paris.* 331.06465 Q800
.... Le Musée social. Fondation de Chambrun. .... Paris, A. Rousseau, 1908.
106, [2] p. 18½cm. (Bibliothèque du Musée social.)

NM 0905285 ICJ NjP ICRL MH DL

Musée social, *Paris.*
Le Musée social. Inauguration, 25 mars 1895. Paris, C. Lévy, 1895.
2 p. l., xi, 64 p. 30½cm.

Library of Congress H64.M8A4 7–3595†

NM 0905286 DLC PU Nh

Musée social, *Paris.*
... Le Musée social, organisation et services ... Paris, A. Rousseau, 1900.
65 p., 1 l., [4] p. 19cm.
At head of title: Bibliothèque du Musée social.
"Publications du Musée social": 4 p. at end.

Library of Congress H64.M8A5 1900 18–18300

NM 0905287 DLC NN MdBP

Musée social, Paris. 3569a.216
Le Musée social. Société reconnue d'utilité publique. Fête du travail, mai 1896.
Paris. Siège social. [1896.] 73, (1) pp. 16°.

NM 0905288 MB

Musée Social, Paris.
Le Musée social ... Statuts, organisation, services 1896. Paris, Siège Social, 1896.

NM 0905289 ICRL

Musée social, *Paris.*
Le Musée social ... Statuts—organisation—services. 1897. Paris [F. Didot & cie, 1897]
96 p. 16cm.

Library of Congress H64.M8A5 F—2318

NM 0905290 DLC ICRL ICJ CtY DL

Musée social, *Paris.*
Le Musée social ... Statuts—organisation—services. 1898. Paris [1898]
136 p. 16cm.

Library of Congress H64.M8A5 1918 18–18301

NM 0905291 DLC ICJ ICRL

Musée social, Paris.
L'oeuvre sociale de la France au Maroc
see under Morocco. Direction des affaires indigènes.

Musée Social, Paris.
Obsèques du Comte de Chambrun, fondateur du Musée Social, 1821-1899. Paris [A. Rousseau] 1899.
54p. illus.

NM 0905293 ICRL

Musée social, *Paris.*
... Publications [1896–1902] [Paris, 1903?]
8 p. 27 x 21½cm.
Caption title.
At head of title: Musée social.

1. Musée social, Paris—Bibl. 2. Labor and laboring classes—Bibl.

CA 22–354 Unrev'd

Library of Congress Z7164.L1M9

NM 0905294 DLC

Musée social, Paris.
...Les retraites ouvrières devant le parlement... [Paris, 1906.] p. 130–164. 8°.
Caption-title.
Conférence donnée...par M. Jules Siegfried, p. [129–]143.

1. Pensions—France, 1906. 2. Siegfried, Jules, 1837–1922.
N. Y. P. L. January 20, 1926

NM 0905295 NN

Musée social, *Paris.*
Revue mensuelle. 29.–46. année, no 8; jan. 1922–août 1939. Paris.
18 v. 25 cm.
Supersedes the museum's Mémoires et documents and called "nouvelle série," v. 29–46 in continuation of all of its earlier serial publications.
Superseded in 1943 by its Cahiers.
L. C. set incomplete: July 1937 wanting.

1. Social sciences—Period.

H3.M816 64–58592

NM 0905296 DLC MoU

Musée Social, Paris.
Une semaine coopérative 25 Octobre-1er Novembre, 1896. Paris, C. Lévy, 1896.
132p.

NM 0905297 ICRL

Musée social, Paris.
Statuts, organisation, services
see its Le Musée social ... Statuts-organisation-services.

Musée social, *Paris*
see also
Centre d'études, de documentation, d'information et d'action sociales.

Musée social, *Paris. Section des associations.*
... Le droit d'association des fonctionnaires; rapports & documents. Paris, A. Rousseau, 1912.
viii, 418 p. 25½cm. (Bibliothèque du Musée social. Travaux de la Section des associations)

1. Civil service. 2. Trade-unions. I. Title.

12-27884

Library of Congress HD8013.F6M8

NM 0905300 DLC

VOLUME 403

Musée social, *Paris. Section des études économiques.*
... La marine marchande et le commerce d'exportation; enquête de la Section des études économiques du Musée social. Paris, A. Challamel, 1916.
91 p., 1 l. 25½cm. (Bibliothèque du Musée social)

I. Merchant marine—France. I. Title.

Library of Congress HE833.M8 22-42

NM 0905301 DLC IU ICJ

Musée Stendhal, *Grenoble*
see
Grenoble. Musée Stendhal.

Musée Stéphane Gsell, *Algiers*
see
Algiers (City) Musée Stéphane Gsell.

Musée Teyler, Haarlem.
see
Teyler's stichting, Haarlem. Museum.

Musée Thomas Dobrée
see
Nantes. Musée Dobrée.

Musée Thorwaldsen
see Copenhagen. Thorwaldsens Museum.

Musée Van Stolk, Haarlem
see Haarlem. Musée Van Stolk.

N7380 Le Musée vivant.
M87 1848 [i.e. Dix huit cent quarante-huit] abolition de l'esclavage - 1948 évidence de la culture nègre. [Numéro special consacré aux problèmes culturels de l'Afrique noire établi par Madeleine Rousseau et Anta Diop. Paris, 1948]
98,[6] p. (p.[100-104] advertisements) illus.,map.

Numéro special [du Musée vivant, revue de l'A P A M] novembre 1948."

NM 0905308 CU IEN

Musée Vrolik
see Amsterdam. Universiteit. Anatomish instituut en Museum Vrolik.

Musée Wicar, Lille
see Lille. Musée des beaux-arts. Musée Wicar.

Musée Wiertz, *Brussels*
see
Brussels. Musées royaux des beaux-arts de Belgique. *Musée Wiertz.*

Musée zoologique de l'Université de Moscou
see
Moscow. Universitet. *Zoologicheskiĭ muzeĭ.*

Museen. [List of all Austrian museums and their heads. Pub. after 1945]
179-277 p. 19cm.

Section from a yearbook.

NM 0905313 NNC

Museen für Tierkunde und Völkerkunde zu Dresden
see Dresden. Staatliche Museen für Tierkunde und Völkerkunde.

Museen zu Berlin
see
Berlin. K. Museen.

A708 ...MUSÉES, par le vicomte d'Abernon,
M973 F.Alvarez de Sotomayor, Jean Babelon [et des autres]... avec les opinions de André Honnorat, Henry de Jouvenel, Raymond Koechlin [et des autres]... recueillies par Pierre Berthelot, G.Brunon Guardia [et] Georges Hilaire.
Paris [1931?]
393p. illus.(plan) LXIV pl.on 22l. 19½cm.
(Cahiers de la république des lettres, des sciences et des arts. XIII)

NM 0905316 PU PPPM NBuG MH NN

Les musées d'Europe
see under Geffroy, Gustave, 1855-

Musées. Brésil. Rio de Janeiro [Paris, 1937]
see under [Paris. Exposition internationale, 1937. Service de publicité]

Musées d'histoire naturelle, Lausanne
see Lausanne. Université. Musées d'histoire naturelle.

Musées de Berlin
see Berlin. Staatliche Museen.

Musées de France. jan. 1929-
[Paris]
v. in illus. 25-28 cm.

Monthly, 1929-31; 10 no. a year, 1932-
Publication suspended 1939-Feb. 1946.
Issues for 1929-47 called v. 1-12.
Title varies: 1929-47, Bulletin des musées de France.
Issued 1929-38 by Direction des musées nationaux.

1. Art—Period. 2. Art—France. 3. Art—France—Galleries and museums. I. France. Direction des musées nationaux.

N2.B94 38-3858 rev*‡

OC1MA IU MiU DSI
NM 0905321 DLC CtY MdBWA MoU ICU PPPM NIC OU CaBVa

Les **Musées** de France ... Bulletin publié ... sous la direction de Paul Vitry ... 1906-14. Paris, D.-A. Longuet [etc., 1906-14]
9 v. illus., plates, ports. 27½ x 23cm.

Monthly (except Aug.-Sept.) 1906-07; bimonthly, 1908-14.
Title and imprint vary: 1906-07 (1.-2. année) Musées et monuments de France; revue mensuelle d'art ancien et moderne ... Paris, H. Laurens.
1908-10, Bulletin des Musées de France ... Paris, Librairie centrale d'art et d'architecture.
1911-14, Les Musées de France ... Paris, D.-A. Longuet.
At head of title: 1908-10, Archives des musées nationaux et de l'École du Louvre.

"Sous le patronage de la Société des amis du Louvre", 1906-07; "sous le patronage de la Direction des musées nationaux et de la Société des amis du Louvre", 1908-10; "bulletin publié sous le patronage de la Direction des musées nationaux avec le concours de la Société des amis du Louvre", 1911-14, "et de l'Union centrale des arts décoratifs", 1912-14.
No more published.

1. Art—Period. 2. Art—France. 3. Art—France—Galleries and museums. I. Vitry, Paul, 1872- ed. II. Société des amis du Louvre, Paris. III. Paris. École du Louvre. IV. Union centrale des arts décoratifs, Paris.

Library of Congress N2.M9 13-11463 Revised

NM 0905323 DLC PP PPPM MiU CtY MoU OC1MA MB

Musées de France; collection de reproductions de dessins...
[no.] 1
Paris: A. Barry, imprimeur-éditeur, 1939 24½cm.
no.

Each number, comprising introduction, catalogue and loose plates, is issued in a box.
A companion series to Musée du Louvre; collection de reproductions de dessins. (See entry under: Paris. Musée national du Louvre. Collection de reproductions de dessins.)
Title on list pasted inside box, no. 1 : Musées français.
Editor : no. 1 , Gabriel Rouchès.

1. Drawings—Reproductions. I. Rouchès, Gabriel, 1879- , ed. II. Title: Musées français. III. Title: Collection de reproductions de dessins [des musées de France]
N. Y. P. L. December 24, 1941

NM 0905324 NN

LES MUSÉES DE FRANCE.
Cahiers.
Paris.
(Éditions de la Photothèque)

Title also as: Cahiers des Musées de France.
1. Art--Collections--France. I. Title: Cahiers des Musées de France. II. Photothèque, Paris.

NM 0905325 NN

Musées de France.
Numéro spécial consacré à la Société des amis du Louvre. Supplément. [Paris] 1950.
32 p. illus. 24 cm.

1. Art—Addresses, essays, lectures. 2. Société des amis du Louvre, Paris.

N7443.M88 52-44108

NM 0905326 DLC

Musées de France; repertoire des musées français des beaux-arts
see under International museum office.

VOLUME 403

Les **Musées** de Genève. 1.–
année; mai 1944–
Genève, Service des musées et collections.
v. in illus. 50 cm. 10 no. a year.

1. Museums—Switzerland—Geneva. I. Geneva. Service des musées et collections.

AM68.G4M8 62–25989

NM 0905328 DLC NN MiU

Musées de la Hollande.
See under
Thoré, Theophile Etienne Joseph, 1807–1869.

Musées de la ville de Liège. Photos de A. C. L., J. Cayet et Ch. Dessart. Ouvrage publié sous les auspices de la ville de Liège. Bruxelles, C. Dessart [1952]
unpaged (chiefly illus.) 28 cm. (Images de Belgique)

1. Art—Liége—Galleries and museums. I. Liége.

N6971.L4M8 53–36581 ‡

NM 0905330 DLC

---

*8070.269
Musées de Londres, Les. National Gallery — Collection Richard Wallace — Galerie nationale d'art britannique, 36 planches en couleurs accompagnées de notices inédites. Textes par divers collaborateurs. Préface de Gabriel Mourey.
— Pars. Laurens. 1912. x, (71) pp. (36) colored plates. 35½ cm., in 2s.

K2122 — Mourey, Gabriel, pref. 1865–. — London, Gall. — Paintings, Colls.

NM 0905331 MB

Les Musées de Paris, présentés par leurs conservateurs. Angers, Éditions art et tourisme [194–?]
28 p. illus. 28 cm. (Le Guide par l'image)
Cover title.

1. Paris—Museums—Directories.
AM48.P3M85 069'.025'4436 74–191265 MARC

NM 0905332 DLC NN

---

*8070.239
Les musées de Saint-Pétersbourg. Galerie de l'Ermitage. Académie des beaux-arts. Trente-six planches en couleurs accompagnées de notices inédites. Textes par divers collaborateurs. Préface de Louis Réau.
Paris. Laurens. 1912. x pp. 36 ff. (36) colored plates. 36 cm.

L7335 — Double main card. — Hermitage, St. Petersburg. (M1) — Imperial Academy of Arts, St. Petersburg. (M2) — Réau, Louis, pref., 1881–. (1) — Paintings. Colls. (1)

NM 0905333 MB

Musées des antiquités, Constantinople
see Istanbul. Arkeoloji Müzeleri.

Musées et collections archéologiques de l'Algérie et de la Tunisie.
see under
France. Commission de l'Afrique du Nord.

Musées et Collections de Barcelone
see under Engel, Arthur.

N 2010 M8
Musées et collections publiques de France et de la communauté.
No. 1– 19 –
Paris.
v. illus. 24 cm. quarterly.
Title varies: 19 – Musées et collections publiques de France.
Organ of Association générale des conservateurs des collections publiques de France et de la communauté (called earlier: Association générale des conservateurs des collections publiques de France et de l'Union française.
Vols. for 1955– called also New series, no. 1–

NM 0905338 OU NN IU DLC

Musées et monuments. [Paris] UNESCO [19
v. 22 cm.

NM 0905339 OO DLC

Musées et monuments... Informations mensuelles
see under International museum office. [Supplement]

Musées et monuments de France
see
Les Musées de France.

Musées, Les, et palais nationaux. Mobilier d'art conservé au Louvre, Garde-Meubles, Versailles, Élysée, Fontainebleau, etc., des époques gothique, renaissance, Louis XIII, Louis XIV, Louis XV et Louis XVI. Partie 1. Sièges, fauteuils, canapés, écrans, consoles, etc. Partie 2. Meubles sculptés et d'ébénisterie. Partie 3. Bronzes, appliqués, flambeaux, cartels, vases, chenets, pendules, lustres, etc. Partie 4. Tapisseries, étoffes. [Nouv. série: Tapisseries histor. 1, 2. Photographs.]
Paris. Garnier [etc. 1891, 1903]. 7 v. Silver prints, 11 × 8½ inches, mounted on cards, 14 × 11 inches, in portfolios.
Titles in English on the back of each volume, as follows:
Contents.—1. Chairs, sofas, screens. 2. Tables, cabinets, desks. 3. Clocks, vases, andirons. 4. Candelabra, sconces, lanterns. 5. Textiles, tapestries. 6, 7. Tapestries.
This card was printed at the Boston Public Library, April 22, 1914.
K1823 — Furniture. — France. Fine arts. — Photographs. Colls.

NM 0905342 MB MiGr

Musées municipaux de Boulogne-sur-Mer
see Boulogne-sur-Mer. Musées municipaux.

Musées royaux d'art et d'Histoire, Brussels
see
Brussels. Musées royaux d'art et d'histoire.

Musées royaux de peinture et de sculpture de Belgique, *Brussels*
see
Brussels. Musées royaux des beaux-arts de Belgique.

Musees royaux des arts decoratifs et industriels Brussels
see Brussels. Musées royaux d'Art et d'Historie.

Musées royaux des beaux-arts de Belgique, *Brussels*
see
Brussels. Musées royaux des beaux-arts de Belgique.

Musées royaux du cinquatenaire, à Bruxelles
see Brussels. Musées royaux d'art et d'histoire.

... Les **Musées** scientifiques. Scientific museums. Informations mensuelles. Monthly information.
[Paris] League of nations, International institute of intellectual cooperation [1933–
v. 23 x 18cm.
Cover-title.
At head of title: Société des nations. Institut international de coopération intellectuelle.
The following numbers are combined in one issue: 6/7; 8/9
1. Museums—Period. I. League of nations. II. International institute of intellectual co-operation. III. Title: Scientific museums.
(L. of N. author file Brv; topic file C: Museums)
ca 34–663 Unrev'd
Library of Congress AM1.M57
[2] 069.05

NM 0905349 DLC MiU NNC MH NN

Musées suisses.
Genève, Switzerland.
Bimonthly.
Title also in German: Schweizer Museen.
Num. 1 (1948) –

NM 0905350 NN GU

Musehold, Albert, 1854–
Allgemeine akustik und mechanik des menschlichen stimmorgans, von dr. Albert Musehold ... Mit 19 photographien des menschlichen kehlkopfes auf 6 tafeln und 53 abbildungen im text. Berlin, J. Springer, 1913.
vii, 134 p. illus., VI pl., diagrs. 22cm. M. 10
Each plate mounted and folded upon leaf containing descriptive letterpress.

1. Voice.

Library of Congress QP306.M9 13–3289

NM 0905351 DLC PPC CtY DNLM ICRL ICJ NN CU

Musehold, Albert, 1854–
Experimentelle Untersuchungen über das Sehcentrum bei Tauben... [Von] Albert Musehold... Berlin: G. Schade, 1878. 30 p. 12°.
Dissertation, Berlin, 1878.
Lebenslauf.

1. Pigeons. 2. Brain.—Localization of functions.
N. Y. P. L. July 2, 1924

NM 0905352 NN PPC DNLM

VOLUME 403

Musehold, Carl, 1853-
Ein fall von echinococcus der gallenblase und der leber.
Inaug. diss. Berlin, 1876

NM 0905353 ICRL DNLM

Musehold (Gerhard) [1888-].
*Ueber Oesophagus-Carcinome mit Berücksichtigung eines besonderen Falles. 15 pp. 8°. Berlin, 1919.
[Full name Gerhard Karl Martin Musehold]

NM 0905354 DNLM CtY

UH 215 GG4 M9s 1927
MUSEHOLD, Paul, ed.
Streiflichter aus dem Wirken des Sanitätskorps im Weltkriege; unter Benutzung der Akten des Reichsarchivs. Oldenburg i. O., Stalling, 1927.
268 p. illus., ports. (Erinnerungsblätter deutscher Regimenter. Der Schriftenfolge, 196. Bd)
1. European War - 1914-1918 - Medical & sanit. affairs 2. Germany. Heer - Sanitary affairs Series

NM 0905355 DNLM

Musehold (Paul) [1861-]. *Die Bleivergiftung eine Ursache chronischer Nierenerkrankung. 28 pp. 8°. Berlin. O. Francke, [1883].

NM 0905356 DNLM

Musehold, Paul, 1861- 614.49 Q100
Die Pest und ihre Bekämpfung von Dr. P. Musehold, ... Berlin, A. Hirschwald, 1901.
x, 305, [1] p. IV pl. 21½cm. (Added t.-p.: Bibliothek v. Coler. Band 8.)

NM 0905357 ICJ ICRL DNLM MB MiU PPC

W 4 B61 1939
Musehold, Walter, 1914-
Beitrag zum Wirkungsmechanismus des Azetylcholins. Berlin, Ebering, 1939.
19 p. illus.
Inaug.-Diss. - Berlin.
Bibliography: p. 19.

NM 0905358 DNLM

Musei e gallerie pontifice
see under Vatican. Museo vaticano.

Musei e monumenti

Novara, Istituto geografico de Agostini, 19
v. 28cm.

NM 0905360 OO FMU DLC

Musei Kircheriani inscriptiones ethnicae et christianae in sacras, historicas, honorarias, et funebres distributae, commentariis subjectis
see under [Brunati, Giuseppe]

Musei Kirkeriani in Romano Soc. Jesu Collegio aerea
see under Rome (City) Museo Kircheriano

Mvsei Thevpoli antiqva nvmismata...
see under [Tiepolo, Lorenzo] d. 1742.

Musei preistorico etnografico e Kircheriano, Rome
see
√Rome. Museo Kircheriano.
√Rome. Museo preistorico etnografico.

AP 54 .M95
Museion; miesięcznik poświęcony literaturze i sztuce. r.1-
1911-
Kraków.
v. illus.

NM 0905365 MiU PSt CU

Museion; veroeffentlichungen aus der Nationalbibliothek in Wien. Abhandlungen Wein [etc.(1920-
[Analyzed]

NM 0905366 DLC

792.08 M986
Museion; Veröffentlichungen der Österreichischen Nationalbibliothek in Wien. n. F. 1. Reihe: Veröffentlichungen der Theatersammlung. 1.-Bd.
Wien, G. Prachner, 1947-
v. 25 cm.
Called new series in continuation of an earlier series with same title.-cf. Union list of serials.

DLC
NM 0905367 NcD KU CtY CLU NN IU CU OCl MiU KyU

AM 101 .R184
MUSEJNÍ SPOLEK MĚSTA RAKOVNÍKA
Věstník. roč. 1-
1912-
V Rakovníce
v. in illus.
Index for v. 1-26, 1912-1937, with v.26.
1. Rakovník, Czechoslovak Republic (Region)--Antiq. 2. Rakovník, Czechoslovak Republic (Region)--Hist. I. Title: Věstník musejního spolku města Rakovní ka.

NM 0905368 InU

DB541 .V53
Musejní spolek v Brně.
Vlastivědný věstník moravský.
V Brně.

Muselier, Émile Henri Désiré, 1882-
Conférence du vice-amiral Muselier, commandant, les forces navales et âeriennes françaises libres, Central hall, Westminster, London...1er mai, 1941. [London, 1941] 11 p. 18cm.
Cover-title.
1. Navy, French, 1941.
N. Y. P. L. September 15, 1942

NM 0905370 NN

Muselier, Émile Henri Désiré, 1882-
De Gaulle contre le Gaullisme. Paris, Éditions du chêne [1946]
398 p. 19 cm.
1. *Gaulle, Charles de, 1890- 2. France combattante. 3. World War, 1939-1945—Personal narratives, French. I. Title.
DC373.G3M8 944.08 47-27697*

OU
NM 0905371 DLC CaBVaU NNC GU NcD ICU CLU CtY TxU

Muselier, Émile Henri Désiré, 1882-

L'Entente en action. Collaborateurs: vice-amiral Muselier, général Petit, général Valin, etc., etc. ... [London, The Franco-British publishing co., ltd., 1941]

Muselier, Émile Henri Désiré, 1882-
Ma position devant le Parti radical, le Rassemblement des gauches républicaines et l'Union gaulliste; conférence prononcée le vendredi 8 novembre 1946 au Théâtre Marigny sous les auspices des Conférences des ambassadeurs. Paris, Éditions du Mail [1946]
30 p. 19 cm. (Grands discours français et internationaux, 20)
1. France—Pol. & govt.—1945- (Series)
DC397.M8 48-25637*

NM 0905373 DLC MH

Muselier, Émile Henri Désiré, 1882-
... Marine et résistance. Paris, Flammarion [1945]
154 p., 2 l. 19 cm.
At head of title: Amiral Muselier.
"J'ai voulu fixer, pour les historiens de l'avenir, certains faits importants ainsi que les conditions dans lesquelles s'est formé ... le mouvement de la France combattante ... J'ai résumé mon action en France à l'époque de l'armistice de juin 1940, puis en Angleterre comme chef des F. N. F. L. (Forces navales françaises libres) et F. A. F. L. (Forces aériennes françaises libres)."—Note de l'auteur.
1. France. Marine. 2. World war, 1939-1945 — Naval operations, French. I. Title.
D779.F7M8 A F 47-5954
Hoover library, Stanford univ. for Library of Congress [2]†

NM 0905374 CSt-H CSt NN IU NIC NN MiU DLC

Muselier, Maurice, 1907-
... Législation et jurisprudence médico-pharmaceutique des substances vénéneuses ... Lyon, 1934.
Thèse - Univ. de Marseille.
"Bibliographie": p. [379]-381.

NM 0905375 CtY

616.52 M986e
Muselier, Paul.
Étude sur la valeur séméiologique de l'ecthyma (accompagnée d'observations recueillies à l'hôpital Saint Louis.) Rapports de l'ecthyma avec la syphilis ... Paris, J.-B. Baillière et fils, 1876.
125p.
Bibliographical foot-notes.
1. Ecthyma.

NM 0905376 IU-M PU DNLM

VOLUME 403

Musella, Francesco.
...Nozioni di radiotelegrafia e radiotelefonia. Milano: Albrighi, Segati & C., 1926. viii, 132 p. incl. diagrs., tables. illus. 8°.

1. Radio, 1926.
N. Y. P. L. February 4, 1928

NM 0905377 NN

Micro-film QC 66 (Met)
Musella, Francesco.
...Temperatura in quota dai sondaggi con palloni-sonda a Vigna di Valle.
(In Italy. Ministero dell'aeronautica. Rivista di meteorologia aeronautica. Roma, 1938. Anno II, p.1-22)
With Ferrajolo, Luigi. ...Saggio di climatologia aeronautica dell'isola di Rodi. [1937]
Negative; original in U.S. Weather bureau.

NM 0905378 ICU

Musella, Mario.
Il cancro. [1. ed.] [Verona] A. Mondadori, 1951.
155 p. (Biblioteca moderna Mondadori, 264)

NM 0905379 ICJ DNLM WaS DLC-P4

Musella, Mario
Il disegno nella scuola e nell'arte. Napoli, Majella, 1951
87 p. illus.

NM 0905380 MH NN

BF 21 M986f 1931
MUSELLA, Mario
Frammenti di scienza. 2. ed. Napoli, Idelson, 1931.
205 p.
1. Medicine-Addresses 2. Psychology-Addresses

NM 0905381 DNLM MiD

WB 130 M986i 1947
MUSELLA, Mario
In lotta per la salute. Napoli, Edizioni scientifiche italiane, 1947.
ix, 290 p. illus., ports.
1. Medicine - Popular works

NM 0905382 DNLM ICJ

W 9 M986m 1937
MUSELLA, Mario
Mali di moda e rimedi di attualità. Milano, Hoepli, 1937.
189 p. illus., ports.
1. Medicine - Addresses

NM 0905383 DNLM

Musella, Mario.
Salute e dollari. Roma, G. Casini [1955]
152 p. illus. 21 cm. (La Nave d'Ulisse, 14)

1. Medicine—Addresses, essays, lectures. I. Title.
RC60.M8 58-24509 ‡

NM 0905384 DLC DNLM NNC

Musella, Mario
... Salute 1900". La vita umana s'allunga? ... Milano, U. Hoepli, 1939.
298 p. plates.

Italian.

NM 0905385 OCl

Musella, Vincenzo. 2795.87
Dante e la sua trilogia. Prefazione di Gaspare di Martino. — Milano. Albrighi, Segati & c. [1923.] 136, (1) pp. Portraits. Plates. 21½ cm., in 8s.
Nota bibliografica, p. (136).

N2347 — Dante Alighieri. La divina commedia. Crit. — Dante Alighieri. Biog. and crit. — Martino, Gaspare di, pref.

NM 0905386 MB CtY OClJC MH IU MiU PPT

PA6280 M86
Musella, Vincenzo
Le Filippiche di Cicerone. Milano, Società Editrice Dante Alighieri [1926]
127 p.

1. Cicero, Marcus Tullius. / Orationes. Philippicae.

NM 0905387 CU

Muselli,
Ameliorations à apporter à la procédure de la réhabilitation judiciaire. Toulouse, Lagarde & Sebille, 1907.
4 p. 8°. (Congrès national du patronage des libérés (VII) Toulouse, 1907. [Compte-rendu] Sec. 1, ques. 2)

NM 0905388 NN

CC160 f.M95
MUSELLI, GIACOPO, marchése, 1697-1768.
Antiquitatis reliquiae a marchione Jacobo Musellio collectae, tabulis incisae et brevibus explicationibus illustratae. Veronae [apud A.Carattonium] 1756.
[6], 60 p. CLXXXVI pl., port. 32cm.
Engr.t.-p.; head and tail pieces, initials.

1. Archaeological museums and collections.

NM 0905389 ICU NNC NNU-W

---

f CJ 231 .M91 (Rare)
Muselli, Giacopo, marchese, 1697-1768.
Nvmismata antiqva a Iacobo Mvsellio collecta et edita. Veronae, 1751-60.
5 v. plates.
Vols. 3-4 have colophon imprint: Veronae, Apud Augustinum Carattonium.
Contents.--[v.1-3]. Nvmismata antiqva. 1751.--[v.4] Antiquitatis reliquiae a marchione Jacobo Musellio collectae tabulis incisae et brevibus explicationibus illustratae. 1756.--[v.5] Numismata antiqua a marchione Jacobo Musellio recens adquisita aliis ab eodem iam editis addenda. 1760.
1. Numismatics, Ancient. 2. Numismatics--Rome. 3. Archaeological museums and collections. I. Muselli, Giacopo, marchese, 1697-1768.

Antiquitatis reliquiae... II. Title: Nvmismata antiqva. III. Title: Antiquitatis reliquiae.

NM 0905391 ICU

Znl7 015
Muselli, Giacopo, marchése, 1697-1768.
Nvmismata antiqva a Iacobo Mvsellio collecta et edita. Veronae [apud A.Carattonium] 1752.
4pts.in 1v. fronts., illus., plates. 37½cm.
Title pages and plates engr.; general t.-p. wanting?
Head and tail pieces.
Colophon dated 1750.

NM 0905392 CtY

CJ231 f.M9 (Art)
Muselli, Giacopo, *marchése*, 1697-1768.
Nvmismata antiqva a Iacobo Mvsellio collecta et edita. Veronæ [apud A. Carattonium] 1752.
3 v. fronts., illus., plates. 37½cm.
Title pages and plates engr.; general t.-p. wanting?
Head and tail pieces.
Colophon dated 1750.

1. Numismatics, Ancient. 2. Numismatics—Rome.

NM 0905393 ICU ViU OClWHi MnSS

Muselli, J. M.
Climatologie de la Corse et d'Ajaccio. 1892.

NM 0905394 DAS

Muselli, J M
La Corse et Christophe Colom, par le docteur J. M. Muselli...Bordeaux, Imp. A. Bellier et cie, 1892.
vii, 39 p. 19. 4 cm.

NM 0905395 MiU-C

Muselli (J.-M.) *De la fistule gastrique; étude pathologique, physiologique et chirurgicale. 164 pp., 1 l. 4°. *Bordeaux*, 1881. 3. s., No. 6.

NM 0905396 DNLM

Muselli (Maurice-Jean-Joseph) [1889-].
*Troubles mentaux en rapport avec les migraines, névralgies faciales et céphalées. 92 pp. 8°. Bordeaux, 1914. No. 115.

NM 0905397 DNLM CtY

Muselli, Vincent, 1879-1956
La barque allait. Paris, 1954
[63] p.

NM 0905398 MH

Muselli, Vincent.
Les convives; ode. Paris, Gaudin, imprimeur, 1947.
12 p.

NM 0905399 MH

PQ2625 Mu77D6
Muselli, Vincent
Les douze pas des muses. Paris, P. Gaudin [1952]
29 p.

NM 0905400 MH CU NjP

VOLUME 403

Muselli, Vincent, 1879-1956.
... L'étrange interview ...
[Paris?]Aux Éditions de La belle page,1931.
2p.ℓ.,20,[1]p.,1ℓ. 16.5cm. (Collection "Rara avis", 6)
"C'est la sixième plaquette de la collection "Rara avis". Elle n'a été tirée qu'à 96 exemplaires en tout, les 8 premiers, numérotés de 1 à 8, sur papier de Chine à la forme, les 80 suivants, numérotés de 9 à 88, sur vélin pur fil des papeteries Lafuma, et huit autres h. c. ... [signed in ms.] H. C. pour Mr Clément-Janin."

Fiction.
Original printed white wrappers preserved; bound in half red morocco and marbled boards.

NM 0905402 MH

Muselli, Vincent, 1879-
Hommage à Vincent Muselli
see under title

Muselli, Vincent, 1879-1956
Léon Bloy, ou Celui qui exagère. Avant-propos de Joseph Bollery. [La Rochelle] Édition des Cahiers Léon Bloy, 1931
16 p.

NM 0905404 MH

Muselli, Vincent.
... Les masques; sonnets héroi-comiques. Paris, 1919.
14 unnumbered leaves. 20 cm.
No. 88.

NM 0905405 CtY

Muselli, Vincent.
Moscou; ode par Vincent Muselli. [Argenteuil, Sur les presses de R. Coulouma, 1929] 2 l. 23cm.
"220 exemplaires numérotés...non mis dans le commerce." This copy not numbered.
"Achevé d'imprimer le 26 décembre."
"Écrite en 1920."
Author's autographed presentation copy to Pierre Pascal.

548700B. 1. Russia—Hist.—Year of revolution, 1917–1918—Poetry. I. Title.
N. Y. P. L. December 15, 1950

NM 0905406 NN

Muselli, Vincent.
Poëmes. Paris, J.-Renard, 1943.
282 p. 24 cm.

PQ2625.U77 1943 841.91 49-33443*

NM 0905407 DLC IU

Muselli, Vincent.
...Les sonnets à Philis. Paris, J. E. Pouterman, 1930. 14 l. 23cm.
430 copies printed at the Curwen press, Plaistow, London. "Exemplaire No. Hc."
Author's autographed presentation copy to Pierre Pascal.

556060B. 1. Sonnets, French.
N. Y. P. L. December 4, 1950

NM 0905408 NN ICN

Muselli, Vincent, 1879-1956.
... Les sonnets moraux.
[Paris]Editions du Trident,MCMXXXIV.
cover-title,13ℓ. 28cm.
Number 91 of 100 copies on velin teinté, numbered 1 to 100 and reserved for the author's friends.
Printed on one side of leaf only.
Contents: Le Golgotha.--Orphée.--Phaëton.--Le dernier jour.--Le lit.--Les banlieues.--Les aventuriers.--Naissance.--Connaître.--Sursum.

Original printed white wrappers preserved; bound in half red morocco and marbled boards.

NM 0905410 MH

Muselli, Vincent.
...Les strophes de contre-fortune. Paris, J. E. Pouterman, 1931. 23 l. 19cm.
No. 9 of 175 copies printed.
"L'édition originale."

NM 0905411 NN MH

MUSELLI, Vincent.
Les travaux et les jeux. Paris,J.Bergue,1914.
22 cm. ff.(51).
Printed on one side of leaf only.

NM 0905412 MH CtY NjP

Muselli, Vincent, 1879-1956
Les travaux et les jeux, accompagnés de lithographies de André Derain. Paris, J. E. Pouterman, 1929.
1 v. (unpaged) plates. 29 cm.
"Il a été tiré de cet ouvrage 12 exemplaires sur papier du Japon, numérotés de 1 à 12, contenant une suite des lithographies sur papier du Japon blanc; 88 exemplaires sur papier de Hollande Van Gelder Zonen, numérotés de 13 à 100; et 11 exemplaires sur différents papiers, non mis dans le commerce ... Exemplaire no 78."
Poems.
I. Derain, André, 1880- illus. II. Title.
PQ2625.U77T7 Rosenwald Coll. 49-33210*

NM 0905413 DLC MH NN InNd

Muselwhite, Katherine.
The principles and practice of interior decoration, a text giving fundamental laws, historic backgrounds, and colors with numerous color schemes, designed for homemaker and professional, by Katherine Muselwhite; drawings by Albert J. Burnett. Los Angeles, New York [etc.] Suttonhouse, ltd., 1936.
xv, 452 p. illus., plates. 26½cm.
"Sources and references": p. 428-434.
1. House decoration. 2. Furniture. I. Title.
[Full name: Katherine Roma Muselwhite]
36-25225
Library of Congress NK2110.M85
——— Copy 2.
Copyright A 100022 [2] 747

MB NN
NM 0905414 DLC WaS WaSp OrCS OCl OClh NcD OrU

Musen denshin kankei hōrei shū.
無線電信關係法令集 [澁谷町(東京府) 安中電機製作所 大正8 i.e. 1919]
1, 5, 104, 464 p. 23 cm.
L. C. copy imperfect: t. p. wanting; title from cover; caption title: 現行通信法規
Previously issued in 2 pts.

1. Telemommucation—Law and legislation—Japan. 2. Telegraph, Wireless—Laws and regulations. I. Annaka Denki Seisakujo. II. Title: Genkō tsūshin hōki.

72-806653

NM 0905415 DLC

Musen, Jeremiah, tr.
Sefer ha-tapuah
see under Aristoteles. Spurious and doubtful works.

There are no cards for numbers
NM 0905417 to NM 0906000

Musenalmanach.
Titles beginning Musenalmanach with subtitles auf das jahr; für das jahr, etc. are interfiled by place of publication.

Musen=Almanach.
[Berlin] Verein "Berliner Presse"
v. 18 cm.

NM 0906002 TU PPT NjP InU

Musenalmanach auf das jahr 1806. Herausgegeben von L. A. von Chamisso und K. A. Varnhagen. Dritter jahrgang. Herausgegeben von professor dr. Ludwig Geiger. Berlin, Gebrüder Paetel, 1889.
2 p. l., xxvi, [2], 122 p. 21cm. (Added t.-p.: Berliner neudrucke, 2. ser., 1. bd.)
"Der almanach ist das gemeinsame werk dreier freunde ... Varnhagen ... Chamisso ... Wilhelm Neumann": Einleitung, p. ii.
I. Chamisso, Adelbert von, 1781–1838. II. Varnhagen von Ense, Karl August Ludwig Philipp, 1785–1858. III. Neumann, Friedrich Wilhelm, 1784–1834. IV. Geiger, Ludwig, 1848–1919, ed.
1–22830
Library of Congress PT1131.B4 2d ser., vol. 1
[a32b1]

NM 0906003 DLC WaU CU OClW

Musenalmanach für das jahr 1826. Hrsg. von Julius Curtius ... Berlin, Vereinsbuchhandlung, 1825.
[4], 180 p. 15½cm.

1. German poetry—Collections. 2. Gift-books (Annuals, etc.)

NM 0906004 ICU

Musenalmanach. Breslau, 1830.

NM 0906005 NjP PBm

Musenalmanach für 1882. Eine sammlung von originalpoesieen, hrsg. von Alfred Heinze und Paul Heinze. Dresden-Striesen, P. Heinze [1882?]
[4], 266, [4] p. front. (port.) 16cm.
No more published.

1. German poetry—Collections. 2. Gift-books (Annuals, etc.)

NM 0906006 ICU

Musen Almanach. [Göttingen]
177

Göttingen: J. C. Dieterich [etc., etc., 177 -1804] 10-11cm.
v. fronts. (incl. ports.), plates.
Includes music.

1. Annuals, Literary—German. I. Buerger, Gottfried August, 1747-1794, ed. II. Goeckingk, Leopold Friedrich Guenther von, 1748-1828, ed. III. Reinhard, Karl von, 1769-1840, ed. IV. Voss, Johann Heinrich, 1751-1826, ed. V. Poetische Blumenlese. [Göttingen]
N. Y. P. L. Revised June 18, 1936

Engraved t.-p., 177 -1801.
The collection of poems is preceded in the volumes for 177 1804 by a special t.-p. which reads: Poetische Blumenlese...
1777- have only the special t.-p.: Poetische Blumenlese.
1788, 1796, binder's title reads: Bürgers Musenalm.
Editors: 1775, J. H. Voss; 1776-78, L. F. G. von Goeckingk; 1779-94, G. A. Buerger; 1795-1805, K. von Reinhard. *(cf. Meyer's Konversations Lexikon, v. 14, p. 299.)*

Published in Göttingen by J. C. Dieterich from 1775 to 1800, by the Dieterichische Buchhandlung in 1801, and by H. Dieterich in 1802; published in Göttingen and Münster by Peter Waldeck in 1804.

In 1803 a quarrel between the publisher, Dieterich, and the editor, Reinhard, caused the latter to publish his Musen Almanach in Leipzig. An almanac for 1803, however, was published in Göttingen by Dieterich and was edited by Sophie Mereau. (For latter title see entry on separate card)

NM 0906009 NN IU InU PU NjP CU-W DLC

VOLUME 403

Musenalmanach für das jahr 1770-[1804]....
Göttingen
see also Göttinger Musenalmanach auf
1770-1772.

Musen-almanach für das jahr 1803. Göttingen, H. Dieterich [1802?]

16 p. l., 200, [4] p. front. 10½cm.

The collection of poems following the calendar is preceded by special t.-p.: Poetische blumenlese ...
A continuation of the Musen-almanach published in Göttingen by J. C. Dieterich from 1770 to 1800 and by H. Dieterich from 1801 to 1802. A quarrel between the publisher and K. Reinhard, the editor of the volumes for 1795-1802, caused the latter to publish his Musen-almanach in Leipzig and later in Münster. The present almanach, the last of the series published in Göttingen, was edited by Sophie Mereau.

I. Mereau, Frau Sophie (Schubert) 1773?-1806, ed.

6-15275

Library of Congress PT1169.D70M81

NM 0906011 DLC NN

PT19 .M964 Rare bk room
Musen-almanach für das jahr....
Hrsg. von Bernhard Vermehren... Jena,
v. 12½cm.

NM 0906012 ICU

Musenalmanach für 1776-1800 ... Lauenburg, Gedr. bey Berenberg; [etc., etc., 1776-1800]
24 v. plates, port. 10-13½cm.
Engr. t.-p., 1776-94.
No volume issued for 1799.
Title-page of v. 1 reads: Musenalmanach für das jahr 1776 von den verfassern des bish. Götting. Musenalm.
The collection of poems is preceded, in the vols. for 1776, 1778-81, by a special t.-p. which reads, 1776, 1778-79: Poetische blumenlese; 1780-81: Musen-almanach oder Poetische blumenlese. An added t.-p. for 1776 reads: Poetische blumenlese ... Von den verfassern der bisherigen Göttinger blumenlese, nebst einem anhange die freymaurerey betreffend ...
J. H. Voss, editor (with L. F. G. von Goeckingk, 1780-88)
Imprint varies: 1776, Lauenburg, Gedr. bey Berenberg.—1777-79, Hamburg, L. E. Bohn.—1780-98, Hamburg, C. E. Bohn.—1800, Neustrelitz, F. Albanus.
I. Voss, Johann Heinrich, 1751-1826, ed. II. Goeckingk, Leopold Friedrich Günther von, 1745-1828, ed.
11-12615

NM 0906013 DLC ICN PU MH TxU CSt CU-W CaBVaU

Musenalmanach für 1776-1800 ... Lauenburg, gedr. bey Berenberg; [etc., etc., 1776-1800]

24 v. plates, port. 10-13½ cm.

Engraved t.-p., 1776-94.
No volume issued for 1799.
Title-page of v. 1 reads: Musenalmanach für das jahr 1776 von den verfassern des bish. Götting. Musenalm.
The collection of poems is preceded, in the volumes for 1776, 1778-81, by a special t.-p. which reads, 1776, 1778-79: Poetische blumenlese; 1780-81: Musen-almanach oder Poetische blumenlese. An added t.-p. for 1776 reads: Poetische blumenlese ... Von den verfassern der bisherigen Göttinger blumenlese, nebst einem anhange die freymaurerey betreffend ...
Microfilm. New Haven, Conn., Research publications [n.d.] 1 reel. 35cm.

NM 0906014 OrPS

PT19 .M909 Rare bk room
Musenalmanach auf das jahr 1804-06. Hrsg. von L. A. v. Chamisso und K. A. Varnhagen. [1.]-3. jahrg. Leipzig, Bei C. G. Schmidt; [etc., etc.] 1804-06.
3 v. 14½cm. (v. 1: 10cm.)
Vol. 2-3 were published in Berlin by H. Frölich.

1. German poetry—Collections. 2. Gift-books (Annuals, etc.)

NM 0906015 ICU InU CU-W NjP MB

Musenalmanach für ... 1830-32. Hrsg. von Amadeus Wendt. [1.]-3. jahrg. Leipzig, Weidmann'sche buchhandlung [1830-32]
3 v. ports. 15-17cm.
Continued as Deutscher musenalmanach (ed. by A. v. Chamisso and G. Schwab. 4.-10. jahrgang, 1833-1839)

I. Wendt, Amadeus, 1783-1836, ed.

5-41107

NM 0906016 DLC IU NjP

PT19 .M953 Rare bk room
Musenalmanach. 1843. Mit beiträgen von 150 deutschen dichtern. Hrsg. von Friedrich Steinmann ... Leipzig, F. Fleischer, 1843.
xvi, 480, [2] p. front., ports. 18½cm.

1. German poetry—Collections. 2. Gift-books (Annuals, etc.)

NM 0906017 ICU

Musenalmanach.
Marburg an der Lahn [etc.]
v. illus., ports. 19-24 cm.
Began publication in 1914 under title: Schlesischer Musenalmanach?
Vols. for 1936- numbered v. 1-
Title varies: 1936- Ostdeutscher Musenalmanach.
Founded and 1914- edited by W. Wirbitzky.

1. Almanacs, German. I. Wirbitzky, Wilhelm, 1885- ed. II. Title: Ostdeutscher Musenalmanach.

AY854.M8 49-56603 rev*

NM 0906018 DLC IU MH

Spec.
PT 1169 .D96 M8
MUSEN-ALMANACH FÜR DAS JAHR 1796.
Herausgegeben von Schiller. Neustrelitz, Michaelis [1796]
13 p.l., 260, [4] p. Front. (port.) fold plates (music scores)

I. Schiller, Johann Christoph Friedrich Von, 1759-1805.

NM 0906019 InU

PT19 .M95 Rare bk room
Musenalmanach für das jahr 1807-1808; hrsg. von Leo, freiherrn von Seckendorf. Regensburg, In der Montag- und weissischen buchhandlung [1806-07]
2 v. in 1. 16½cm.

1. German poetry—Collections.

NM 0906020 ICU MB MH

Musen-almanach.

Tübingen, Cotta [17
v. 15½cm.
On spine, 17 : Schiller's musen almanach.
Edited by J. C. F. von Schiller.
Includes musical settings (for solo voice with piano accompaniment) of some of the poems.

I. Schiller, Johann Christoph Friedrich von, 1759-1805, ed.

44-17678

Library of Congress PT1169.D96M8
[2] 831.082

NM 0906021 DLC CaBVaU MB CU IU NNC MiU NN

Film 438
Musen-Almanach.
Tübingen, Cotta [17
5 v. in 1 reel
Microfilm

NM 0906022 MtBC

PM 5169 .E2 M8
Musen-Almanach für das Jahr 1802. Hrsg. von A. W. Schlegel und L. Tieck.
Tübingen, Cotta, 1802.
vi, 293, [1] p. 16½cm.

No more published.
DLC: PT1169.E02M8

I. Schlegel, August Wilhelm von, 1767-1845, ed. II. Tieck, Johann Ludwig, 1773-1853, joint ed.

NM 0906023 ICN DLC MdBJ ICU NN MH PBm CtY MB CU NjP PHC

PT19 .M955 Rare bk room
Musenalmanach für das jahr MDCCCV-
Wien[1805?-
v. fronts. 17½cm.

Editors:1805, Karl Streckfuss, G.F. Treitschke.

NM 0906024 ICU CaBVaU

830.81 M9734
Musen-Almanach; hrsg. von Joh. Erichson.
Wien, C. Gerold, 1814.
285p. 14cm.

Includes music.

NM 0906025 IU

PT19 .M974 Rare bk room
Musenalmanach aus Rheinland und Westphalen...
1821- Hrsg. von Friedrich Rassmann.
Hamm[1821?-
v. 23½cm.

Vols.1-2 have title: Rheinisch-westfälischer musenalmanach.

NM 0906026 ICU

PT 1136 .M986
MUSENALMANACH BERLINER STUDENTEN. [HRSG. VON Gottlieb Fritz, Rudolf Kassner und Emil Schering] Berlin, Schuster & Loeffler, 1896.
196 p.

1. German literature--19th cent.--Coll.

NM 0906027 InU MH

Musenalmanach junger germanen. Leipzig, n.d.

NM 0906028 NjP

Musenalmanach; Lyrik, Prosa, Lebens- und Schaffensberichte deutschsprachiger Schriftsteller und Schriftstellerinnen
see Musenalmanach. [Marberg an der Lahn]

Lilly AY 859 .M986 1784
MUSENALMANACH ODER POETISCHE BLUMENLESE FÜR das Jahr 1784. Leipzig, Schwickert [1784]
233,[1]p. front.,fold.music. 16mo (10.4 cm)

Cf. Köhring, Bibliographie der Almanache, p. 87, no. 608.
In soft green boards.

NM 0906030 InU

[Musenga, Filippo.]
[Iconografia, o sia Descrizione in figura dell' apparizion della croce a Costantino il Grande, e delle croci ed abiti dell' Angelico, Sagro, e Militar Ordine Costantiniano di S. Giorgio. Napoli, per V. Flauto, 1766.
f°. pp. 114 +. 27 plates.

Constantinus I, Roman emperor|Constantinian Order of St. George||Title°|Alt. title

NM 0906031 MH

VOLUME 403

Musenga, Filippo.
La vita di Constantino il Grande, coll' aggiunta ne' susseguenti tomi di Critiche dissertazioni, *etc.* Napoli, V. Flauto, 1769-70.
3 vol. f°. Plates.
Vol. 2 and 3 have individual title-pages only, 2: Dissertazioni critiche su i passi più controversi, che s'incontrano nella vita di Costantino il Grande, 3: Regole e statuti del Sacro Angelico Ordine Costantino di S. Giorgio.

Constantinus I, Roman emperor|Constantinian Order of St. George

NM 0906032 MH NjP CL IU

Musenhold, Gottlieb, pseud.
see Goetten, Gabriel Wilhelm, 1708-1781.

Musenides, Takis.
Aischylos und sein theater, von Takis Musenides ... Mit 82 abbildungen. Berlin, O. Elsner, 1937.
156 p. front. (port.) plates. 23cm. (*Added t.-p.:* Die bühnenkunst der antike. 1)
"Literaturverzeichnis": p. 149-150.

1. Aeschylus. 2. Theater—Greece. I. Title.
40-1375
Library of Congress PA3829.M8
(2) 882.1

NM 0906034 DLC CU NIC CtY MH OCU NN

Musenklaenge aus dem Süden ...
see under Melchers, Franz.

4e MUSENKLANGE aus Deutschlands leierkasten. aufl. Leipz.,[1855].

NM 0906036 MH

Musenklänge aus Deutschlands Leierkasten. Mit feinen Holzschnitten. Fünfte Auflage. Leipzig, Bernhard Schlicke (n.d.)
190 p. illus. 14 cm.

NM 0906037 TU IU MiU

PT 1204 M8 1900a
Musenklänge aus Deutschlands Leierkasten. Mit feinen holzschnitten. 8. Aufl. Leipzig, B. Schlicke [19--?]
188 p. illus. 15cm.

1. German ballads and songs.

NM 0906038 CoFS

P PT1204 M82
Musenklänge aus Deutschlands leierkasten. Mit feinen holzschnitten. 13. Aufl. Leipzig, B. Shlicke [18--]
190 p. illus. 14cm.

1. German ballads and songs.

NM 0906039 GU

Musenklänge aus Deutschlands leierkasten. Mit feinen holzschnitten ... 16. aufl. Reutlingen, Enszlin und Laiblin [1884]
191, [1] p. illus. 14½cm.

1. German ballads and songs.
22-6579
Library of Congress PT1204.M8

NM 0906040 DLC FU OCl

830.81 M97 1920
Musenklänge aus Deutschlands leierkasten. Mit feinen holzschnitten ... 18. aufl. Reutlingen, Enszlin und Laiblin [1920]
191, [1]p. illus. 15cm.

1. German ballads and songs.

NM 0906041 IU

Musenklänge aus Deutschlands leierkasten. Mit seinen holzschnitten ... Neue, verb. aufl. Bern-Bümpliz, A. Züst [193-?]
192 p. illus. 14 cm.
1. German ballads and songs.

NM 0906042 CU

831.04 M986
Musenklänge aus Deutschlands Leierkasten. Neu hrsg. von Adolf Thimme. Meersburg am Bodensee, F. W. Hendel, 1936.
2v. in 1. illus. 14cm.

Contents.- 1. T. Faksimiledruck der Ausgabe von 1849.- 2. T. Lieder aus späteren Ausgaben. Die Entstehung der Musenklänge. Verzeichnis der Dichter und Künstler.

1. German ballads and songs. I. Thimme, Adolf, 1857- ed.

NM 0906043 IEN InU

PT1204 M8 1945
Musenklänge aus Deutschlands Leierkasten. Mit feinen Holzschnitten. Neue, verb. Aufl. Bern-Bümpliz, A Züst [1945?]
192p. illus. 14cm.

1.German ballads and songs.

NM 0906044 IaU

069.05 MUSO
El Museo. v.1, no.1-10, Apr.-Dec.1919; n.s., v.1-2, no.2, July 1951-May 1958. San Diego, Calif., San Diego Museum Association. 3v. illus. 21-28cm.

Frequency varies.
Publication suspended 1920-June 1951.
Issued by the Museum of Man (called, 1919— San Diego Museum)

NM 0906045 IU NIC PU-Mu

L972.86 (069) M986
Museo; boletín informativo del Museo Nacional de Costa Rica. v. 1 no. 1 ; mayo 1954- San José, Costa Rica.
no. in v. 28 cm.
Indexed in Index to Latin American periodicals.

I. San José, Costa Rica. Museo Nacional de Costa Rica.

NM 0906046 LNHT

El Museo; periódico semanal literario. año 1 (núm. 1-12); 17 nov. 1869-19 enero 1870. Santiago [de Chile]
12 nos. 32 cm. weekly.
No. 1-2 in facsimile.

1. Chilean periodicals.

NM 0906047 CtU

MUSEO AGRARIO, Rome.
See ROME (City) Museo Agrario.

Museo agricola, Buenos Aires
see Sociedad rural Argentina, Buenos Aires.

Museo all isolino.
see
Varese, Lake. Museo Ponti.

El Museo americano. Libro de todo el mundo. t. 1; abril 1835-marzo 1836. Buenos Ayres, Impr. del Comercio y litografia del estado [1835-36]
2 p. l., 416 p. illus. 27½cm. weekly.
No more published.

22-16098
Library of Congress AP63.M83

NM 0906051 DLC

Museo antiquario leidensi
see
Leyden. Rijksmuseum van oudheden.

Museo Antropológico Montané, Havana
see Havana. Universidad. Museo Antropológico Montané.

Museo archeologico, *Aquileia*
see
Aquileia. Museo archeologico.

Museo archeologico, *Cagliari*
see
Cagliari. Museo nazionale.

Museo archeologico, *Ferrara*
see
Ferrara. Museo archeologico nazionale di Spina.

Museo archeologico, Milan
see Milan.Museo archeologico. [supplement]

VOLUME 403

Museo archeologico, *Rhodes (City)*
see
Rhodes (City) Museo archeologico.

Museo archeologico, Venice.
see
Venice. Museo archeologico.

Museo archeologico nazionale di Spina, *Ferrara*
see
Ferrara. Museo archeologico nazionale di Spina.

Museo, archivo y biblioteca Bertoni, *San Lorenzo, Paraguay*
see
San Lorenzo, Paraguay. Museo, archivo y biblioteca Bertoni.

Museo Argentino de Ciencias Naturales Bernardino Rivadavia
see
Buenos Aires. Museo Argentino de Ciencias Naturales Bernardino Rivadavia.

Museo Armeria ... Barcelona, 1896
see under Estruch y Cumella, José.

Museo Arqueológico, Guatemala
see Guatemala (City) Museo Nacional. Sección Arqueología.

Museo Arqueológico, Madrid.
see
Madrid. Museo Arqueológico nacional.

Museo Arqueológico, *Santa Cruz de Tenerife*
see
Santa Cruz de Tenerife (City) Museo Arqueológico.

Museo arqueológico, *Serena, Chile*
see La Serena, Chile. Museo Arqueológico.

Museo arqueológico de Colombia, *Bogotá*
see
Bogotá. Museo arqueológico de Colombia.

Museo arqueológico de La Serena.
See
La Serena, Chile. Museo arqueológico.

Museo arqueológico e histórico de Yucatán, *Merida, Mexico*
see
Merida, Mexico. Museo arqueológico e histórico de Yucatán.

Museo arqueológico histórico y etnográfico de Campeche
see
Campeche, Mexico (City) Museo arqueólogico histórico y etnográfico.

Museo Arqueológico Nacional, Madrid
see
Madrid. Museo Arqueológico Nacional.

Museo Arqueológico provincial, Barcelona
see Barcelona. Museo Arqueológico.

Museo Arqueológico Provincial de Orense
see Orense, Spain. Museo Arqueológico Provincial.

Museo arqueologica provincial de Sevilla
see Seville. Museo Arqueologico Provincial.

Museo arqueologico provincial de Tarragona
see Tarragona, Spain. Museo arqueologico provincial.

Museo Arqueológico "Rafael Larco Herrera", Lima
see Lima. Museo de Arqueologia Peruana.

Museo Arqueológico Regional Inca Huasi
see La Rioja, Argentine Republic (Province) Museo Arqueológico Regional "Inca Huasi".

Museo artistico ed archeologico, *Milan*
see Milan. Museo artistico ed archeologico, *Castello sforzesco.*

Museo artistico y arqueológico, Quito
see Quito. Museo único.

Museo astronomico e copernicano, *Rome*
see
Rome (City) Università. *Osservatorio. Museo astronomico.*

Museo atestino
see
Este. Museo nazionale atestino.

Museo-Balaguer. Villaneuva y Geltru. Biblioteca.
see
Villanueva y Geltru. Biblioteca-museo-Balaguer.

A83 M97 Museo Balear de historia y literatura, ciencias y artes. t.1-5, 1875-77; 2. ser. t. 1-5, 1884-88. Palma de Mallorca.
10 v. in 8. 22 cm.

Supersedes Revista Balear.
Tomo 1 also numbered 4 of Revista Balear.

1. Periodicals - Majorca (Island).

NM 0906084 CtY

Museo Barracco, Rome.
see
Rome (City) Museo di scultura antica

Museo biblioteca de ultramar en Madrid
see
Madrid. Museo biblioteca de ultramar.

Museo Bicknell, *Bordighera*
see
Istituto internazionale di studi liguri.

Museo Bolivariano, Lima.
see Lima. Museo Bolivariano.

Museo Bolivariano de Magdalena Vieja
see
Lima. Museo Bolivariano.

Museo Bolivariano del Peru
see Lima. Museo Bolivariano.

Museo Boliviano, *Caracas*
see
Caracas. Museo Bolivariano.

Museo borbonico, *Naples*
see
Naples. Museo nazionale.

VOLUME 403

Museo Borgiano, Rome
see
Rome (City) Museo Borgiano.

Museo Botánico, *Córdoba, Argentine Republic*
see
Córdoba, Argentine Republic. Universidad Nacional. *Museo Botánico.*

Museo Botánico, Havana
see Havana. Instituto de Segunda Enseñanza. Museo Botánico.

Museo Botánico del Instituto de Segunda Enseñanza, Havana
see Havana. Instituto de Segunda Enseñanza. Museo Botánico.

Museo Bozziano, Verona
see
Verona. Museo Bozziano

Museo bresciano illustrato
see under Ateneo di Brescia.

Museo Buonarroti, *Florence*
see
Florence. Galleria Buonarroti.

El Museo Campestre. Semanario dedicado a la Volateria, Caza, Pesca, Agricultura. Valencia, Imprenta á C. de Victorino Leon.
Tomo I. Año I. 20 de Enero á 4 de Mayo de 1867. Núm. 1-16.

NM 0906100 NNH

El **Museo** Canario.
Las Palmas de Gran Canaria.
v. illus., ports., maps. 24 cm. quarterly.
"Revista publicada por la sociedad del mismo nombre."

1. Canary Islands. I. Museo Canario.

DP302.C36M8 49-55441*

NM 0906101 DLC TxU NN NNC

Museo Canario.
Exposicion de artistas de la Provincia de Gran Canario, Islas Canarias, pintura, escultura, dibujo. Madrid, 1944.
27p. plates. 25cm.

At head of title: Museo Nacional de Arte Moderno.

1. Art, Spanish. 2. Art--Canary Islands. I. Madrid. Museo Nacional de Arte Moderno.

NM 0906102 IU NN

DP302
.C45G7

Museo Canario.

Gran Canaria a mediados del siglo XIX, segun un manuscrito contemporáneo (con dibujos): 1851, La capital y los pueblos. 1852, Las fiestas de puertos francos. 1853, El carnaval. [Editado por el Excmo. Ayuntamiento de Las Palmas con la colaboración del Museo Canario, para conmemorar el 467 aniversario de la incorporación de la Isla a la Corona de Castilla] Las Palmas, 1950.

Museo Canario.
Hemeroteca; índice cronológico de la exposición inaugural de la primera hemeroteca creada en Canarias, que se verificará en el Museo Canario, Dr. Chil, 33, los días 27 de diciembre de 1947 a 4 de enero de 1948. Las Palmas, 1947.
24 p. port., facsims. 17 cm.
Cover title.

1. Spanish periodicals—Canary Islands—Bibl. I. Title.

Z6956.S7M88 53-19195

NM 0906104 DLC

Museo Capitolino, Rome
see Rome (City) Museo Capitolino.

Museo Carlos de la Torre y Huerta, *Havana*
see
Havana. Museo Carlos de la Torre y Huerta.

Museo Castromediano, *Lecce, Italy*
see
Lecce, Italy. Museo provinciale Castromediano.

Museo Charcas, *Sucre, Bolivia*
see
Sucre, Bolivia (City) Universidad Mayor de San Francisco Xavier. *Museo Colonial "Charcas."*

Museo Científico, Agrícola e Industrial de El Salvador
see **San Salvador. Museo Nacional "David J. Guzmán."**

Museo civico, Agrigento, Italy
see Agrigento, Italy. Museo civico. [supplement]

Museo civico, Pisa
see
Pisa. Museo civico.

Museo civico, Verona.
see
Verona. Museo civico.

Museo civico Ala Ponzone di Cremona
see
Cremona. Museo civico.

Museo civico Correr, *Venice*
see
Venice. Museo civico Correr.

Museo civico d'archeologia ligure, *Genoa*
see
Genoa. Museo civico d'archeologia ligure.

Museo civico di Bassano
see Bassano del Grappa, Italy. Museo civico.

Museo civico di Bassano del Grappa
see
Bassano del Grappa, Italy. Museo civico.

Museo civico di belle arti, Turin
see Turin. Museo civico.

Museo civico di Livorno
see
Museo civico Giovanni Fattori.

Museo civico di Padova.
see
Padua. Museo civico.

Museo civico di Pisa
see Pisa. Museo civico.

Museo civico di Rovereto
see
Rovereto. Museo civico.

Museo civico di storia e d'arte, Genoa
see Genoa. Palazzo Bianco. Museo civico di storia e d'arte.

Museo civico di storia ed arte e orto lapidario, *Trieste*
see
Trieste. Museo civico di storia ed arte e orto lapidario.

Museo civico di storia naturale di Genova
see Genoa. Museo civico di storia naturale Giacomo Doria.

VOLUME 403

Museo civico di storia naturale di Trieste.
see
Trieste. Museo civico di storia naturale.

Museo civico di storia naturale Giacomo Doria, *Genoa*
see
Genoa. Museo civico di storia naturale Giacomo Doria.

Museo civico di storia naturale in Milano
see
Milan. Museo civico di storia naturale.

Museo civico di Torino
see
Turin. Museo civico.

MUSEO CIVICO DI VERONA.
See VERONA - Museo civico.

Museo civico Giovanni Fattori
see Leghorn. Museo civico "Giovanni Fattori".

Museo civico storico "G. Garibaldi"
see Como, Italy. Museo del risorgimento "G. Garibaldi".

Museo Colonial "Charcas," *Sucre, Bolivia*
see
Sucre, Bolivia (City) Universidad Mayor de San Francisco Xavier. *Museo Colonial "Charcas."*

Museo colonial e histórico de la provincia de Buenos Aires, Luján, Argentine Republic
see
Luján, Argentine Republic (Buenos Aires) Museo colonial e histórico de la provincia de Buenos Aires.

Museo colonial histórico y de bellas artes ...
see under Amador, Fernán Félix de.

UB435 .I 8A54

Museo coloniale.

Italy. Ministero dell'Africa italiana. Ufficio studi e propaganda.
Le medaglie d'oro al valore militare nelle guerre coloniali (1887–1929) A cura del Museo coloniale. ₍Roma₎ Ministero delle colonie, Ufficio studi e propaganda ₍1933₎

El Museo comercial de Trieste.
see
Trieste. Museo commerciale.

Museo comercial de Venezuala, Caracas
see
Caracas. Museo comercial de Venezuela.

Museo comercial é industrial del Perú, Lima
see Lima. Museo comercial é industrial del Perú.

Museo commerciale di Trieste
see Trieste. Museo commerciale.

Museo Commerciale e Coloniale di Napoli
see Naples. Museo Commerciale e Coloniale.

Museo comunale, *Prato*
see
Prato. Museo comunale.

Museo Cristiano Lateranense.
Die Altchristlichen Bildwerke im Christlichen Museum des Laterans ...
see under Ficker, Johannes, 1861-1944, ed.

GN2 .A297

Museo Cristiano Lateranense.

Annali lateranensi; pubblicazione del Pontificio museo missionario etnologico. v. 1– 1937– Città del Vaticano, Tipografia poliglotta vaticana, 1937–

Museo Cristiano Lateranense.
Die antiken bildwerke des Lateranensischen museums
see under Benndorf, Otto.

N2930 A5 1948 Art

Museo Cristiano Lateranense.
Guida breve ai musei del Laterano. Città del Vaticano, 1948.
80p. illus. 17cm. (Monumenti musei e gallerie pontificie)

1.Art. Rome. Catalogs.

NM 0906146 IaU

Museo cristiano lateranense.
Guida del Museo cristiano lateranense, comp. da Orazio Marucchi ... Roma, Tipografia Vaticana, 1898.
viii, 208 p. 6 fold. pl. 18 cm.

I. Marucchi, Orazio, 1852–1931, comp.

N2930.A5 1898 10–13515

NM 0906147 DLC NIC MH

Museo Cristiano Lateranense.
...Guida del Museo lateranense profano e cristiano. Roma: Tip. poliglotta vaticana, 1922. 224 p. illus. (incl. facsims., plans.) 18cm. (Musei e gallerie pontificie. 4.)

Illustrated t.-p.

745272A. 1. Art, Classical—Collections—Italy—Rome.

NM 0906148 NN MWelC NBuG

Museo cristiano lateranense.
Imonumenti del Museo cristiano Pio-Lateranense riprodotti in atlante di XCVI tavole, contesto illustrativo di Orazio Marucchi ... contributo allo studio degli antichi cimiteri cristiani di Roma. Milano, U. Hoepli, 1910.
xi, 76 p. illus., XCVI (i. e. 98) pl. 54 cm.
"Esemplare n. 114."
Bibliographical foot-notes.

1. Sarcophagi, Early Christian—Catalogs. 2. Inscriptions, Latin—Rome (City) 3. Inscriptions, Greek—Rome (City) I. Marucchi, Orazio, 1852–1931. II. Title.

NB1810.M37 10–34193

NM 0906149 DLC NNC MB WU PPPD

Museo Cristiano Lateranense.
Monumenti del Museo Lateranense ...
see under Museo profano lateranense.

Museo Cristiano Lateranense.

Vatican.
I mosaici antichi conservati nei palazzi pontifici del Vaticano e del Laterano, con introduzione del dottor Bartolomeo Nogara ... Milano, U. Hoepli, 1910.

Museo cristiano pio-lateranense
see
Museo cristiano lateranense.

Museo Cubano "Gundlach," Havana
see Havana. Instituto de Segunda Enseñanza. Museo Cubano Gundlach.

Museo d'arte occidentale di Mosca.
See
Moscow (City). Gosudarstvennyĭ muzeĭ novovo zapadnovo iskusstva.

Museo d'etnografia, *Ljubljana*
see
Ljubljana. Etnografski muzej.

VOLUME 403

El Museo de Ambas Américas. Floris ut apes in saltibus omnia libant Lucret. Tomo primero. Valparaiso, Imprenta de M. Rivadeneyra, 1842.
3 vols.

NM 0906156 NNH IaU NcU

Museo de América, *Madrid*
see
Madrid. Museo de América.

Museo de Antigüedades de la Biblioteca Nacional de Madrid
see
Madrid. Museo Arqueológico Nacional.

Museo de antiguedades peruanas precolombianas perteneciente al D. D. José Lucas Caparó Muñuz
see Cuzco, Peru. Museo Caparó Muñiz.

Museo de Arqueología, *Lima*
see
Lima. Universidad de San Marcos. ***Museo de Arqueología.***

Museo de arqueología de la Universidad mayor de San Marcos
see Lima. Universidad de San Marcos. Museo de arqueología.

Museo de Arqueología "Rafael Larco Herrera," *Chiclín, Peru*
see **Chiclín, Peru. Museo de Arqueología "Rafael Larco Herrera."**

Museo de Arte Colonial, *Bogotá*
see **Bogotá. Museo de Arte Colonial.**

Museo de Arte Colonial, Quito
see Quito. Museo de Arte Colonial.

Museo de Arte Contemporáneo, *Madrid*
see
Madrid. Museo de Arte Contemporáneo.

Museo de Arte de Cataluña.
Frontales románicos. Barcelona, Junta de Museos, 1944.
[20] p., 30 plates (part col.) 22 x 29 cm.
At head of title: Ayuntamiento de Barcelona. Museo de Bellas Artes. Sección de Arte Antiguo (Palacio Nacional de Montjuich).
Bibliography: p. [20]

1. Altarpieces, Romanesque—Catalonia. 2. Altarpieces—Catalonia. I. Title.
ND809.C2B3 55-51500

NM 0906166 DLC CU MnCS NN MH NNU-W CU NjP

Museo de arte decorativo y arqueologico y de bellas artes antiguas y modernos, Barcelona
see
Barcelona. Museo de arte decorativo y arqueologico y de bellas artes antiguas y modernas.

Museo de Arte del Siglo XIX, *Madrid*
see
Madrid. Museo de Arte del Siglo XIX.

Museo de Arte Moderno, *Madrid*
see **Madrid. Museo Nacional de Arte Moderno.**

Museo de Arte Popular Americano. Sección Boliviana.
Catálogo de la Sección boliviana, Museo de arte popular. Santiago de Chile, Universidad de Chile [1945]
2p.ℓ.,7-50p. illus. 19cm.

Half-title: Folklore americano.

1. Art, Bolivian.

NM 0906170 TxU

Museo de Arte Popular Americano. Sección Chilena.
Museo de Arte Popular, Universidad de Chile, Sección Chilena [por Tomás Lago. Fotografías de Antonio Quintana. Santiago de Chile, Emp. Ed. Zig-Zag, 1945]
[8] p. illus. 26 cm.
Caption title.

1. Museo de Arte Popular Americano. Sección Chilena. I. Lago, Tomás, 1903- II. Title.
NK470.C5S23 72-201102

NM 0906171 DLC

Museo de Arte Religioso, Mexico.
Museo de Arte Religioso; guía oficial del Instituto Nacional de Antropología e Historia. [México, 1954]
40 p. illus. 20 cm.

1. Museo de Arte Religioso, Mexico. I. Mexico. Instituto Nacional de Antropología e Historia.
N7823.M6M485 74-207799

NM 0906172 DLC WU IaU CoU NcD

Museo de Arte Religioso, Mexico.
Museum of religious art: official guide. [Mexico, 195-?]
32 p. illus.

NM 0906173 LU IU

Museo de Artes Decorativas, *Madrid*
see **Madrid. Museo Nacional de Artes Decorativas.**

Museo de Artillería, *Madrid*
see
Madrid. Museo de Artillería.

Museo de Bellas Artes, *Barcelona*
see
Museo de Arte de Cataluña.

Museo de Bellas Artes, *Caracas*
see
Caracas. Museo de Bellas Artes.

Museo de Bellas Artes, *La Plata*
see **La Plata. Museo Provincial de Bellas Artes.**

Museo de Bellas Artes, Santiago de Chile
see Santiago de Chile. Museo de Bellas Artes.

Museo de Bellas Artes, *Valencia*
see
Valencia (City) Museo Provincial de Bellas Artes.

Museo de Bellas Artes de Cádiz
see
Cadiz. Museo de Bellas Artes.

Museo de Bellas Artes de Sevilla
see
Seville. Museo Provincial de Bellas Artes.

Museo de Bogota.
see
Bogota. Museo nacional.

Museo de Ciencias Naturales, *Caracas*
see **Caracas. Museo de Ciencias Naturales.**

Museo de ciencias naturales, *Madrid*
see
Madrid. Museo nacional de ciencias naturales.

Museo de Concepción
see
Concepción, Chile (City) Museo de Concepción.

PQ8176 C8M8 Museo de cuadros de costumbres. Bogotá, F. Mantilla, 1866.
2 v.

Vol. 1, Biblioteca de "El Mosaico".
Vol. 2 has title: Museo de cuadros de costumbres i variedades.
Running title, vol. 2: Cuadros de costumbres.
Edited by J. M. Vergara y Vergara. cf. Leavitt, S. E. A tentative bibliography of Colombian literature.

1. Colombian literature (Collections) 2. Colombia - Soc. life & cust. I. Vergara y Vergara, José María, 1831-1872, ed. II. Title: Cuadros de costumbres.

NM 0906187 CU NBuU MH CU-B OCU

VOLUME 403

Museo de escuelas extranjeras contemporaneas (Jeu de paume de Tuileries) *Paris*
see
Paris. Musée du jeu de paume.

Museo de etnologia y antropologia de Chile
see Santiago de Chile. Museo de etnologia y antropologia de Chile.

El Museo de familias; ó, Revista universal. t.I-V. Barcelona, A. Bergues y ca., 1838-41.
5v. illus. 24.5cm.

Illustrated title-pages.
Vol.1-2 have no sub-title.

NM 0906190 KU

Museo de farmacología, Buenos Aires
see Buenos Aires. Universidad nacional. Instituto de botánica y farmacología.

Museo de Gundlach, Havana
see Havana. Instituto de Segunda Ensenanza. Museo Cubano Gundlach.

Museo de Historia de la Ciudad de Quito
see Quito. Museo de Arte e Historia.

Museo de Historia Guerrera del Fuerte de Loreto, *Puebla, Mexico*
see **Puebla, Mexico (City) Museo de Historia Guerrera del Fuerte de Loreto.**

Museo de historia nacional, Lima
see
Lima. Museo de historia nacional.

Museo de Historia Natural, Havana
see Havana. Instituto Nacional de Investigaciones Científicas y Museo de Historia Natural.

Museo de historia natural, Valparaiso
see Valparaiso (City) Museo de historia natural.

Museo de Historia Natural, *Popayán, Colombia*
see
Cauca, Colombia (Dept.) Universidad. *Museo de Historia Natural.*

Museo de Historiá Natural de Montevideo
see Montevideo. Museo de historia natural.

Museo de Historia Natural del Colegio de La Salle, Havana
see Havana. Colegio de La Salle. Museo de Historia Natural.

Museo de Historia Natural Gerardo Machado, Havana
see Havana. Instituto Nacional de Investigaciones Científicas y Museo de Historia Natural.

Museo de historia natural "Javier Prado," *Lima*
see
Lima. Universidad de San Marcos. *Museo de historia natural "Javier Prado."*

Museo de Historia Natural La Salle, *Caracas*
see **Caracas. Museo de Historia Natural La Salle.**

Museo de Historia Natural y Jardín Botánico-Zoológico, *Asunción*
see
Asunción. Museo de Historia Natural y Jardín Botánico-Zoológico.

Museo de Historia y Bellas Artes, Guatemala
see Guatemala (City) Museo Nacional. Sección de Historia y Bellas Artes.

Museo de Industrias y Artes Populares, *Barcelona*
see **Barcelona. Museo de Industrias y Artes Populares.**

Museo de ingenieros, *Madrid*
see
Spain. *Ejército. Cuerpo de ingenieros. Museo.*

Museo de la Ciudad, Mexico
see Mexico (City) Museo de la Ciudad.

Museo de la Cultura Peruana, *Lima*
see **Lima. Museo de la Cultura Peruana.**

T4
.M8

... El Museo de la industria; revista mensual de las artes industriales. t.1- oct. 1869-
Madrid, Imprenta y estereotipia de M. Rivadeneyra, 1870-
v. illus. 33cm.

Editor: Oct. 1870- Eduardo de Mariátegui.

NM 0906210 DLC

Museo de la Patagonia, *San Carlos de Bariloche, Argentine Republic*
see
San Carlos de Bariloche, Argentine Republic. Museo de Nahuel Huapí.

Museo de La Plata
see
La Plata. Universidad nacional. *Museo.*

Museo de las familias.
[Madrid]
v. illus. 28 cm. 3 no. a month.

Published 1843-71. Cf. Union list of serials.
Bound with v. 10: Arago, J. E. V. Recuerdos de un ciego; viaje al rededor del mundo. Madrid, 1851.

AP60.M86 59-59394 ‡

NM 0906213 DLC KU TxU OU

Museo de los Impresionistas, *Paris*
see
Paris. Musée du jeu de paume.

Museo de Mineralogía y Geología
see
Córdoba, Argentine Republic. Universidad Nacional. *Museo de Mineralogía y Geología.*

Museo de Motivos Populares Argentinos José Hernández, *Buenos Aires*
see **Buenos Aires. Museo de Motivos Populares Argentinos José Hernández.**

Museo de Nahuel Huapí, *San Carlos de Bariloche, Argentine Republic*
see
San Carlos de Bariloche, Argentine Republic. Museo de Nahuel Huapí.

Museo de Pinturas de Sevilla
see
Seville. Museo Provincial de Bellas Artes.

Museo de Pontevedra
see
Pontevedra, Spain. Museo.

El **Museo** de Pontevedra. [Periodical] [Tomo]

Pontevedra [España] 194 v. illus. 22cm. (Publicaciones del Museo de Pontevedra.)

Four nos. a year.
Numbered continuously.

1. No subject. I. Pontevedra, Spain (City). Museo.
N. Y. P. L. January 21, 1946

NM 0906220 NN

VOLUME 403

Museo de Prehistoria, *Valencia*
see
Valencia (City) Museo de Prehistoria.

Museo de productos Argentinos
see Buenos Aires. Museo de productos Argentinos.

Museo de Reproducciones Artisticas, Madrid.
see Madrid. Museo de Reproducciones Artisticas.

Museo de Reproducciones Pictóricas, Lima
see Lima. Universidad de San Marcos. Museo de Reproducciones Pictoricas.

Museo de San Carlos, *Mexico*
see
Mexico (City) Museo Nacional de Artes Plásticas.

Museo de Tacubaya
see
Tacubaya. Museo.

Museo degli argenti, *Florence*
see
Florence. Museo degli argenti.

... Il Museo degli Ospedali civili di Genova ...
see under Genoa. Amministrazione degli ospedali civili.

Museo del Atlántico, *Barranquilla, Colombia*
see **Barranquilla, Colombia. Universidad del Atlántico.**

Museo del Bargello, *Florence*
see
Florence. Museo nazionale.

Museo del "Cau Ferrat," *Sitges, Spain*
see **Sitges, Spain. Museo del "Cau Ferrat."**

Museo del Ejército, *Madrid*
see
Madrid. Museo del Ejército.

Museo del Greco, Madrid
see Madrid. Museo del Greco.

Museo dell'Impero romano, *Rome*
see
Rome (City) Museo della civiltà romana.

Museo del juego de pelota, *Paris*
see
Paris. Musée du jeu de paume.

Museo del libro, *Turin*
see
Turin. Museo nazionale del libro.

Museo del Louvre, *Paris*
see
Paris. Musée national du Louvre.

Museo del Montino. Great sale of illustrated and standard books. Catalogue
see under Delmonte y Aponte, Domingo, 1804-1853.

Museo del Oro, *Bogotá*
see
Banco de la República, *Bogotá. Museo del Oro.*

Museo del Prado
see **Madrid. Museo Nacional de Pintura y Escultura.**

Museo del Pueblo Español, Madrid
see Madrid. Museo del Pueblo Español

Museo del Risorgimento, Trent.
see Trent. Museo trentino del Risorgimento.

Museo del Risorgimento e raccolte storiche del comune di Milano.
For works by this body issued under its earlier name see
Milan. Raccolte storiche.

Museo del Risorgimento "G. Garibaldi, Como, Italy
see Como, Italy. Museo del Risorgimento "G. Garibaldi."

Museo del Risorgimento nazionale, *Milan*
see **Milan. Raccolte storiche.**

Museo del Sannio
see Benevento, Italy. Museo del Sannio.

Museo dell' Alto Adige, *Bolzano*
see
Bolzano (City) Museo dell' Alto Adige.

Museo dell'Estuario
see
Museo provinciale di Torcello.

Museo dell'Opera del duomo, *Siena*
see **Siena. Duomo. *Museo.***

Museo della civiltà romana, *Rome*
see
Rome (City) Museo della civiltà romana.

Il Museo della civiltà romana [title]
see under [Colini, Antonio Maria]

Museo della Reale Accademia di Mantova [title]
see under Accademia Virgiliana di scienze, lettere ed arti, Mantua.

Museo della Reale accademia di Mantova, descritto e illustrato
see under Labus, Giovanni, 1775-1853.

Museo delle ceramiche, Faenza
see Faenza. Museo internazionale delle ceramiche.

Museo delle terme, Rome.
see
Rome (City(Museo nazionale romano.

Museo di anatomia comparata della R. Universita di Torino.
see
Turin. Universita. Museo di anatomia comparata.

Museo di antichità, *Cagliari*
see
Cagliari. Museo nazionale.

VOLUME 403

Museo di antichità, *Parma*
see
Parma. Museo nazionale di antichità.

Museo di antichità, *Split*
see **Split, Yugoslavia. Arheološki muzej.**

Museo di antichita, Turin
see Turin. Museo di antichita.

Museo di Palazzo ducale, *Urbino*
see
Urbino. Galleria nazionale delle Marche.

Museo di Palazzo Venezia, *Rome*
see
Rome (City) Museo di Palazzo Venezia.

Museo di Pisa

see

Museo nazionale di San Matteo.

Museo di S. Martino, *Naples*
see **Naples. Museo nazionale di S. Martino.**

Museo di san Marco, *Florence*
see
Florence. Museo di san Marco.

Museo di San Matteo
see
Museo nazionale di San Matteo.

Museo di scultura antica, Rome

see

Rome (City) Museo di scultura antica.

Museo di Spina, *Ferrara*
see
Ferrara. Museo archeologico nazionale di Spina.

Museo di storia della scienza, *Florence*
see
Florence. Museo di storia della scienza.

Museo di storia e d'arte, Genoa.
see Genoa. Palazzo Bianco. Museo civico di storia e d'arte.

Museo di storia naturale della Venezia Tridentina, *Trent*
see
Trent. Museo di storia naturale della Venezia Tridentina.

Museo di Villa Giulia

see

Rome (City) Museo nazionale di Villa Giula

Museo di zoologia della R. Universita di Torino
see Turin. Universita. Museo di zoologia.

Museo diocesano, Bressanone, Italy.

See

Bressanone. Museo diocesano.

Museo Diocesano de Barcelona
see
Barcelona. Museo Diocesano.

Museo donizettiano.
For works by this body issued under its earlier name see
Bergamo. Museo donizettiano ed archivio musicale dell'Istituto G. Donizetti.

808.82 M972 Museo dramático ilustrado. t.1-2 (no.1-84)
Barcelona, Vidal, 1863-64.
2v. illus. 29cm.

"Colección de comedias escogidas escritas por los principales autores antiguos y modernos, nacionales y estranjeros."
Individual issues are undated.

NM 0906277 IU NcU

Museo du Cinquantenaire, Brussels
see Brussels. Musées royaux d'art et d'histoire.

Museo ed erbario coloniale, Florence
see Florence. Università. Museo ed erbario coloniale.

Museo educacional de Mendoza
see Mendoza, Argentine Republic (City) Museo educacional de Mendoza.

Museo Egiziano
see Turin. Museo di antichita.

Museo entomologico "Pietro Rossi", Duino
see Duino, Italy. Museo entomologico "Pietro Rossi".

Museo epigrafico cristiano pio-lateranense
see
Museo cristiano lateranense.

Museo Ernesto Laroche, *Montevideo*
see
Montevideo. Museo y Archivo Ernesto Laroche.

Museo español de antigüedades, bajo la dirección del doctor Don Juan de Dios de la Rada y Delgado con la colaboración de los primeros escritores y artistas de España. Madrid, T. Fortanet, 1872-1882.
11 v. illus., plates (part col.) 46cm.

Edited by José Gil Dorregaray.
Title-page and index of v. 11 lacking.
Includes bibliographies.

NM 0906285 NNC CU

Museo Español de Arte Contemporáneo.

The Museo de Arte Contemporáneo was founded in 1951 when the Museo Nacional de Arte Moderno was divided into the Museo de Arte del Siglo XIX and Museo de Arte Contemporéneo. The name was changed in 1953? to Museo Nacional de Arte Contemporáneo and again in 1969? to Museo Español de Arte Contemporáneo.
Works by these bodies are found under the following headings according to the name used at the time of publication:

Madrid. Museo Nacional de Arte Moderno.
Madrid. Museo de Arte del Siglo XIX.
Madrid. Museo de Arte Contemporáneo.

Museo etnografico, Buenos Aires
see Buenos Aires. Universidad nacional. Museo. Etnográfico.

Museo etnografico Pitrè, *Palermo*
see **Palermo. Museo etnografico Pitrè.**

Museo etnografico-preistorico, Rome
see Rome (City) Museo preistorico etnografico.

Museo etnológico, *Madrid*
see
Madrid. Museo etnológico.

Museo etrusco, Rome
see Vatican. Museo Vaticano. Museo etrusco Gregoriano.

Museo. Etrusco e Roman, Perugia
see Perugia. Museo Etrusco e Romano.

Museo Etrusco Gregoriano
see Vatican. Museo Vaticano. Museo etrusco Gregoriano.

VOLUME 403

Museo Ferrucciano.
Catalogo. [Firenze, Tipografia classica] 1931.
46 p. 24 cm.
1. Ferrucci, Francesco, 1489-1530.

NM 0906294 CSt

Museo fiorentino
see
Museum florentinum.

Museo Folklórico Provincial, *Tucumán, Argentine Republic*
see **Tucumán, Argentine Republic. Museo Folklórico Provincial.**

Museo Giovanni Antonio Sanna, *Sassari, Sardinia*
see
Sassari, Sardinia. Museo G. A. Sanna.

Museo Gregoriano etrusco, Rome
see Vatica. Museo Vaticano. Museo etrusco gregoriano.

Museo gregoriano lateranense
see
Museo profano lateranense.

El **Museo** guatemalteco. Periodico literario y de variedades. t. 1, t. 2, no. 1–16; 31 oct. 1856–17 feb. 1859. [Guatemala] 1856–59.
1 v. and 16 no. in 1 v. 23cm.
Weekly, Oct. 1856–Oct. 1857; irregularly, Mar. 1858–Feb. 1859.
Publication suspended from Oct. 10, 1857 to Mar. 1, 1858, inclusive.
L. Luna, editor.
No more published.

I. Luna, Luciano, ed.

13-25558

Library of Congress AP63.M85

NM 0906300 DLC

Museo Guatemalteco.
Compendio de la historia de la cuidad de Guatemala
see under Juarros, Domingo, 1752-1820.

Law El Museo guatemalteco.

Guatemala (*Capitanía general*) *Laws, statutes, etc.* (*Indexes*)
Prontuario de todas las reales cédulas, cartas acordadas y órdenes comunicadas a la Audiencia del antiguo reino de Guatemala, desde el año de 1600 hasta 1818, formado por el sr. lic. don Miguel Larreinaga, y continuado por los sres. lic.dos d. Felipe Neri y d. Rafael del Barrio; con un suplemento que contiene algunos decretos emitidos por las Córtes de España en 1813, 14, 20 y 21. Ed. del Museo guatemalteco. Guatemala, Impr. de Luna, 1857.

Museo Gundlach, Havana
see Havana. Instituto de Segunda Enseñanza. Museo Cubano Gundlach.

Museo histórico. año 1– (no. 1–); mayo 24, 1949–
Quito.
v. illus., ports. 26 cm. quarterly (irregular)
Organ of the Museo de Historia de la Ciudad de Quito.

1. Quito—Hist.—Period. I. Quito. Museo de Historia.

F3781.M8 986 51-34680

NM 0906304 DLC LNHT IU InU NIC NNC NcU KU

918.205 El "Museo histórico," publicacion trimestral
MU ilustrada y descriptiva. t.1-
1892-
Buenos Aires.
v. plates(part col.) 27cm.

Ceased with v.4, no.1, 1898. Cf. Union list of serials. 1965.

NM 0906305 IU

Museo histórico, *Cartagena, Colombia*
see
Cartagena, Colombia. Museo histórico.

Museo historico del Santa Lucia, Santiago de Chile
see
Santiago de Chile. Museo historico del Santa Lucia.

Museo historico nacional, Buenos Aires.
see
Buenos Aires. Museo historico nacional.

Museo historico nacional, Montevideo
see Montevideo. Museo Histórico Nacional.

Museo histórico nacional de Chile, *Santiago de Chile*
see
Santiago de Chile. Museo histórico nacional de Chile.

Museo histórico Sarmiento, *Buenos Aires*
see
Buenos Aires. Museo histórico Sarmiento.

Museo imperiale di fisica e storia naturale, Florence.
see
Florence. Museo di fisica e storia naturale.

Museo Inca Huasi
see La Rioja, Argentine Republic (Province) Museo Arqueológico Regional Inca Huasi.

Museo industrial, *Santiago de Chile*
see
Santiago de Chile. Museo industrial.

Museo industriale italiano
see Turin. Museo industriale italiano.

Museo intelectual ...
see under Elguero, Francisco, 1856-1925.

Museo internazionale delle ceramiche, Faenza
see Faenza. Museo internazionale delle ceramiche.

Museo internazionale delle ceramiche in Faenza
see Faenza. Museo internazionale delle ceramiche.

Museo internazionale delle Faenze
see Faenza. Museo internazionale delle ceramiche.

Museo italiano di antichità classica ... v. 1, 1884–
Firenze [etc.] E. Loescher, 1884–
v. 32cm.
Editor: 1884– Domenico Comparetti.

1. Classical antiquities. 2. Italy—Antiq. I. Comparetti, Domenico Pietro Antonio, 1835– ed.

11-3016

Library of Congress DE2.M8

NM 0906320 DLC NcD NIC MH OClW

Museo José Martí, Havana
see Havana. Museo Nacional "José Martí."

Museo Kircheriano, Rome
see Rome (City) Museo Kircheriano.

Museo lapidario, *Aquileia*
see **Aquileia. Museo archeologico.**

Museo lapidario, Modena.
see
Modena. Museo lapidario.

VOLUME 403

Museo Lateranese. Lateran, Rome (City)
see Museo Cristiano Lateranense.

Museo Latino Nacional, Lima.
Método analítico que debera rigorosamente observarse en el ecsamen de los alumnos del Museo Latino Nacional, y que igualmente comprende los principales elementos de la gramática castellana y latina, y un sucinto compendio de la retórica. Lima, Impr. de F. Moreno, 1837.
12 p. 19 cm.
1. Examinations. Peru. Questions. I. Title.

NM 0906326 NcD

Museo Lázaro Galdiano, *Madrid*
see
Madrid. Museo Lázaro Galdiano.

Museo libico di storia naturale, *Tripoli*
see **Tripoli. Museo libico di storia naturale.**

G868.805
M972 Museo literario. año 1- (no.1-); enero 1, 1871-
Bogotá.
v. 28cm. weekly.
"Periódico semanal, dedicado al bello sexo."
Ceased publication with año 1, no.48, dic. 4, 1871. Cf. John E. Englekirk's La literatura y la revista literaria.

NM 0906329 TxU

Museo literario, periodico semanal de literatura en general. Teatro y modas. [t. 1] enero 20-[mayo?] 1859. Buenos Aires, 1859.
192 p. 29½cm.
Caption title.
No more published?

22-16097

Library of Congress AP63.M86

NM 0906330 DLC

Museo Ludovisi, Rome
see Rome. Villa Ludovisi.

Museo Luigi Pigorini, Rome.
See
Rome (City). Museo preistorico ed etnografico "Luigi Pigorini."

E **Museo Lundii.** En samling af afhandlinger om de i det indre Brasiliens kalkstenshuler af professor dr. Peter Vilhelm Lund udgravede og i den Lundske palæontologiske afdeling af Kjøbenhavns universitets Zoologiske museum opbevarede dyre- og menneskeknogler ... Kjøbenhavn, 18
v. plates. 30cm.
"Indeholdende afhandlinger af" H. Winge.
Vol. "Paa Carlsbergfondets bekostning udgivet af" dr. Chr. Fr. Lütken; v. 3 af Hector F. E. Jungersen.
Each vol. in 2 parts, separately paged.
1. Paleontology—Brazil. I. Lund, Peter Wilhelm, 1801-1880. II. Winge, Herluf i. e. Adolph Herluf, 1857- III. Lütken, Christian Frederik, 1827-1901. IV. Jungersen, Hector Frederik Estrup, 1854- V. Carlsbergfondet, Copenhagen.

CA 10—297 Unrev'd

Library of Congress QE752.B8L8

NM 0906333 DLC CtY

Museo Massó, *Bueu, Spain*
see **Bueu, Spain. Museo Massó.**

... Il **Museo** merciologico all' Esposizione italo-americana a Genova. Torino, L. Roux e c., 1892.
11 p. 20½cm.
At head of title: Esposizione di Genova.

4-32418

NM 0906335 DLC

El **Museo** mexicano, ó Miscelanea pintoresca de amenidades curiosas é instructivas ... t. 1-4 [1843-44] México, I. Cumplido, 1843-44.
4 v. illus., plates (part col.) ports., map, plans. 27cm. weekly.
L. C. set incomplete: v. 5 wanting.

22-16109

Library of Congress AP63.M865

NM 0906336 DLC DPU ICN NNC

056
MUM El Museo mexicano, ó Miscelanea pintoresca de amenidades curiosas é instructivas. t.1-4, 1843-44; 2. época, t.1, [1845] México, I. Cumplido.
5v. illus., plates(part col.) ports., map, plans. 28cm. weekly.
Vol. for 1845 lacks alternative title.

NM 0906337 IU IaU OU MH-P

Museo michoacano.
see Morelia, Mexico. Museo michoacano.

Museo militar ...
see under Barado y Font, Francisco, 1853-1922.

Museo Militar de Artillería, *Madrid*
see
Madrid. Museo de Artillería.

Museo Mineralógico, Lima
see Lima. Universidad Nacional de Ingeniería. Museo Mineralógico.

... Museo mineralogico Borromeo
see under [Borromeo, Giberto]

Museo Mitre
see Buenos Aires. Museo Mitre.

Museo Montané, Havana
see Havana. Universidad. Museo Antropológico Montané.

Museo moscardo
see Moscardo, Lodovico, conte.

F
2791
C5
M886
LAC Museo Municipal Colonia.
El Museo Municipal de Colonia. [Colonia del Sacramento, El Ideal, 1951?]
[16]p. illus. 20cm.
1. Colonia, Uruguay (City). I. Title.
Sp.: Lucuix Collection

NM 0906346 TxU

Museo municipal de bellas artes, *Santa Fé, Argentine republic*
see
Santa Fé, Argentine republic (City) Museo municipal de bellas artes.

Museo Municipal do Porto
see Oporto, Portugal. Museu municipal.

... El Museo nacional; organo oficial del instituto del mismo nombre ... t. 1- , 1909-
Caracas, Impr. Bolivar, 1909-
v. 24 cm.
Director general: C. F. Witzke.
At head of title: Estados Unidos de Venezuela.
Library has: año 1, t. 1, num. 1, 5 de julio, 1909.

NM 0906349 MH-P

Museo Nacional, Guatemala
see Guatemala (City) Museo Nacional.

Museo Nacional, Havana
see Havana. Museo Nacional.

Museo nacional, *Lima*
see
Lima. Museo nacional.

Museo nacional, comercial, agricola e industrial de el Salvador
see San Salvador. Museo nacional "David J. Guzman."

Museo Nacional "David J. Guzmán"
see **San Salvador. Museo Nacional "David J. Guzmán."**

Museo Nacional de Antropología, *Guatemala*
see **Guatemala (City) Museo Nacional de Antropología.**

VOLUME 403

Museo Nacional de Antropología, *Mexico*
see **Mexico (City) Museo Nacional de Antropológia.**

Museo Nacional de Arqueología, Historia y Etnografía, *Mexico*
see
Mexico (City) Museo Nacional de Arqueología, Historia y Etnografía.

Museo Nacional de Arte Contemporáneo.

The Museo de Arte Contemporáneo was founded in 1951 when the Museo Nacional de Arte Moderno was divided into the Museo de Arte del Siglo XIX and Museo de Arte Contemporáneo. The name was changed in 1953? to Museo Nacional de Arte Contemporáneo and again in 1969? to Museo Español de Arte Contemporáneo.
Works by these bodies are found under the following headings according to the name used at the time of publication:

Madrid. Museo Nacional de Arte Moderno.
Madrid. Museo de Arte del Siglo XIX.
Madrid. Museo de Arte Contemporáneo.

Museo nacional de arte decorativo, *Buenos Aires*
see
Buenos Aires. Museo nacional de arte decorativo.

Museo Nacional de Arte Moderno, *Madrid*
see **Madrid. Museo Nacional de Arte Moderno.**

Museo Nacional de Artes.

The Museo Nacional was established in 1931 by the merger of the Museo de Arqueología Peruana (founded as Museo Arqueológico "Víctor Larco Herrera"; renamed in 1924) the Museo de Historia Nacional (founded in 1905), and Museo Bolivariano (founded in 1921). The Museo Nacional was superseded in 1945 by the Museo Historico-Militar del Perú (founded in 1925 as Museo del Real Felipe; renamed in 1945), the Museo Nacional de Antropología y Arqueología, the Museo Nacional de Historia, and the Museo Nacional de Artes.
Works by the Museo Arqueológico "Víctor Larco Herrera" and the Museo de Arqueología Peruana are found under

Lima. Museo de Arqueología Peruana.

Works by the Museo del Real Felipe and the Museo Histórico-Militar del Perú are found under

Callao. Museo Histórico-Militar del Perú.

Works by the other bodies are found under the following headings according to the name used at the time of publication:

Lima. Museo Bolivariano.
Lima. Museo de Historia Nacional.
Lima. Museo Nacional.
Lima. Museo Nacional de Antropología y Arqueología.

Museo Nacional de Artes Decorativas, *Madrid*
see **Madrid. Museo Nacional de Artes Decorativas.**

Museo Nacional de Artes e Industrias Populares, Mexico
see Mexico(City) Museo Nacional de Artes e Industrias Populares.

Museo Nacional de Artes Industriales, Madrid
see Madrid. Museo nacional de Artes Industriales.

Museo Nacional de Artes Plásticas, *Mexico*
see **Mexico (City) Museo Nacional de Artes Plásticas.**

Museo Nacional de Artillería, Mexico
see Mexico (City) Museo Nacional de Artillería.

Museo nacional de bellas artes, Buenos Aires
see Buenos Aires. Museo nacional de bellas artes.

Museo Nacional de Bellas Artes, *Caracas*
see
Caracas. Museo de Bellas Artes.

Museo nacional de Bolivia
see La Paz, Bolivia. Museo nacional.

Museo nacional de Buenos Aires
see Buenos Aires. Museo argentino de ciencias naturales Bernardino Rivadavia.

Museo Nacional de Chile
see
Santiago de Chile. Museo Nacional de Historia Natural.

Museo nacional de ciencias naturales, *Madrid*
see
Madrid. Museo nacional de ciencias naturales.

Museo nacional de ciencias naturales de "La Aurora," *Guatemala*
see
Guatemala (City) Museo nacional de ciencias naturales de "La Aurora."

Museo Nacional de Costa Rica
see
San José, Costa Rica. Museo Nacional de Costa Rica.

Museo Nacional de Cuba, Havana
see Havana. Museo Nacional.

Museo Nacional de Escultura, Valladolid
see
Valladolid. Museo Nacional de Escultura.

Museo Nacional de Guatemala
see Guatemala (City) Museo Nacional.

Museo nacional de historia, *Mexico*
see
Mexico (City) Museo nacional de historia.

Museo Nacional de Historia (Peru)

The Museo Nacional was established in 1901 by the merger of the Museo de Arqueología Peruana (founded as Museo Arqueológico "Víctor Larso Herrera"; renamed in 1924) the Museo de Historia Nacional (founded in 1905), and the Museo Bolivariano (founded in 1921). The Museo Nacional was superseded in 1945 by the Museo Historico-Militar del Perú (founded in 1925 as Museo del Real Felipe; renamed in 1945), the Museo Nacional de Antropología y Arqueología, the Museo Nacional de Historia, and the Museo Nacional de Artes.
Works by the Museo Arqueológico "Víctor Larco Herrera" and the Museo de Arqueología Peruana are found under

Lima. Museo de Arqueología Peruana.

Works by the Museo del Real Felipe and the Museo Histórico-Militar del Perú are found under

Callao. Museo Histórico-Militar del Perú.

Works by the other bodies are found under the following headings according to the name used at the time of publication:

Lima. Museo Bolivariano.
Lima. Museo de Historia Nacional.
Lima. Museo Nacional.
Lima. Museo Nacional de Antropología y Arqueología.

Museo nacional de historia natural, Buenos Aires
see Buenos Aires. Museo argentino de ciencias naturales Bernardino Rivadavia.

Museo Nacional de Historia Natural, Guatemala
see Guatemala (City) Museo Nacional de Historia Natural.

Museo Nacional de Historia Natural, *Mexico*
see
Mexico (City) Museo Nacional de Historia Natural

Museo Nacional de Historia Natural, *Santiago de Chile*
see
Santiago de Chile. Museo Nacional de Historia Natural.

Museo Nacional de México
see
Mexico (City) Museo Nacional.

Museo nacional de Montevideo
see Montevideo. Museo nacional.

Museo Nacional de Nicaragua
see Nicaragua. Museo nacional, Managua.

Museo nacional de pintura y escultura, *Madrid*
see
Madrid. Museo nacional de pintura y escultura.

Museo Nacional "José Martí," *Havana*
see
Havana. Museo Nacional "José Martí."

VOLUME 403

Museo nacional Tihuanacu, *La Paz*
see
La Paz, Bolivia. Museo nacional.

Museo Nahuel Huapí, *San Carlos de Bariloche, Argentine Republic*
see
San Carlos de Bariloche, Argentine Republic. Museo de Nahuel Huapí.

Museo napoleonico, Rome.
See
Rome (City). Museo napoleonico.

Museo Naval, Buenos Aires
see Buenos Aires. Museo naval.

Museo naval, *Madrid*
see
Madrid. Museo naval.

Museo nazionale, *Cagliari*
see
Cagliari. Museo nazionale.

Museo nazionale, *Florence*
see
Florence. Museo nazionale.

Museo nazionale, Palermo
see Palermo. Museo nazionale.

Museo nazionale, *Ravenna*
see
Ravenna. Museo nazionale.

Museo nazionale, Trent
see Trent. Museo nazionale.

Museo nazionale, *Warsaw*
see
Warsaw. Muzeum Narodowe.

Museo nazionale atestino
see
Este. Museo nazionale atestino.

Museo nazionale del libro, *Turin*
see
Turin. Museo nazionale del libro.

Museo nazionale della scienza e della tecnica, *Milan*
see **Milan. Museo nazionale della scienza e della tecnica.**

Museo nazionale di antichità, *Parma*
see
Parma. Museo nazionale di antichità.

Museo nazionale di S. Martino, *Naples*
see **Naples. Museo nazionale di S. Martino.**

Museo nazionale di San Matteo.
Mostra della scultura pisana, luglio–nov., 1946. [2 ed. Pisa, 1946]
xxiii, 83 p. 22 plates. 18 cm.
"Questo catalogo è stato redatto a cura di ... Riccardo Barsotti [et al.]"

1. Sculpture—Pisa. 2. Sculpture, Italian—Exhibitions. I. Barsotti, Riccardo.

A 49-5994

Harvard Univ. Library
for Library of Congress [r70b2] rev

NM 0906407 MH ScU MiDA IU

Museo Nazionale di San Matteo.
Pittura del due e trecento nel museo di Pisa [di] Giorgio Vigni. [Palermo] Palumbo [1950] 130 p. 38 plates. 23cm.

"Catalogo," p. [31]-113.
Bibliography, p. [115]-117.

I. Vigni, Giorgio.

NM 0906408 NN DDO NNC

Museo nazionale di San Matteo
see also its earlier name Pisa. Museo civico.

Museo nazionale di Villa Giulia, *Rome*
see
Rome (City) Museo nazionale di Villa Giulia.

Museo nazionale "G. A. Sanna," *Sassari, Sardinia*
see
Sassari, Sardinia. Museo G. A. Sanna.

Museo nazionale preistorico-etnografico Luigi Pigorini, *Rome*
see
Rome (City) Museo preistorico-etnografico "Luigi Pigorini."

Museo nazionale romano, Rome
see Rome (City) Museo nazionale romano.

Museo nazionale tarquiniense, *Tarquinia*
see
Tarquinia, Italy. Museo nazionale tarquiniense.

Museo numismatico e medagliere di Brera, *Milan*
see
Milan. Medagliere milanese.

Museo Orlandini, Lima
see Lima. Museo Orlandini.

Museo patrio di archeologica, Milan.
see
Milan. Museo storico-artistico.

Museo pedagogico, Montevideo
see Montevideo. Museo y biblioteca pedagogicos.

Museo Pedagógico de Instrucción Primaria, Madrid
see Madrid. Museo Pedagógico nacional.

Museo Piersanti, Matelica, Italy
see Matelica, Italy. Museo Piersanti.

Museo Pigorini, *Rome*
see **Rome (City) Museo preistorico-etnografico "Luigi Pigorini."**

Museo pintoresco de historia natural
see Los tres reinos de la naturaleza. Museo pintoresco de historia natural.

Museo pisano
see
Pisa. Museo civico.

Museo Pitrè, *Palermo*
see **Palermo. Museo etnografico Pitrè.**

VOLUME 403

Museo Poey, *Havana*
see
Havana. Universidad. *Museo Poey.*

Museo Poldi-Pezzoli, *Milan*
see
Milan. Museo Poldi-Pezzoli.

Museo Ponti
see Varese, Lake. Museo Ponto.

El Museo popular. Periodico de ciencias, literatura y artes.
Mejico,

AP63
.M87

NM 0906428 DLC

Museo Popular de Ciencias Naturales "Carlos Ameghino," *Mercedes, Argentine Republic*
see **Mercedes, Argentine Republic (Buenos Aires) Museo Popular de Ciencias Naturales "Carlos Ameghino."**

Museo preistorico etnografico e Kircheriano, *Rome*
see **Rome (City) Museo Kircheriano; Rome (City) Museo preistorico-etnografico "Luigi Pigorini."**

Museo profano lateranense.
Monumenti del Museo lateranense descritti ed illustrati da Raffaele Garrucci ... e pub. per ordine della santità di nostro signore papa Pio IX. Roma, Tip. della S. C. de propaganda fide, 1861.
5 p. l., 120, [2] p., 1 l. LI pl. 67 cm.
In portfolio.

1. Sculpture, Greek—Catalogs. 2. Sculpture, Roman—Catalogs. 3. Sculpture—Rome (City)—Catalogs. I. Garrucci, Raffaele, 1812–1885.

NB87.R64M8 10–8862

NM 0906431 DLC NN DDO

Museo provincial de antiguedades, Barcelona
see Barcelona. Museo provincial de antiguedades.

Museo provincial de bellas artes, Malaga, Spain
see Malaga, Spain (City) Museo provincial de bellas artes.

Museo provincial de bellas artes, Parana, Argentine republic
see Paraná, Argentine republic. Museo provincial de bellas artes.

Museo Provincial de Bellas Artes, *Seville*
see
Seville. Museo Provincial de Bellas Artes.

Museo Provincial de Bellas Artes, *Valencia*
see
Valencia (City) Museo Provincial de Bellas Artes.

Museo Provincial de Bellas Artes de San Carlos, *Valencia*
see
Valencia (City) Museo Provincial de Bellas Artes.

Museo Provincial de Bellas Artes Rosa Galisteo de Rodriguez
see Santa Fe, Argentine Republic (City) Museo Provincial de Bellas Artes Rosa Galisteo.

Museo Provincial de Pinturas, *Valencia*
see
Valencia (City) Museo Provincial de Bellas Artes.

Museo Provincial de Sevilla
see
Seville. Museo Provincial de Bellas Artes.

Museo Provincial Textil Biosca.
Las colecciones del Museo textil Biosca; breve historia del tejido artístico através de una visita al museo [por] F. Torrella Niubó. Prólogo del D. Daniel Blanxart; epílogo de José Gudiol. Tarrasa, 1949.
88 p. plates. 21cm.

1. Textile fabrics--Collections--Spain--Tarrasa. I. Torrella Niubó, F.

NM 0906441 NN

Museo provinciale campano, *Capua*
see
Capua. Museo provinciale campano.

Museo provinciale Castromediano, *Lecce, Italy*
see
Lecce, Italy. Museo provinciale Castromediano.

Museo provinciale di Torcello.
Il Museo provinciale di Torcello. Venezia, Stamperia Zanetti, 1930.
56 p. 28 plates. 17½ cm.
At head of title: Edito a cura dell'amministrazione provinciale di Venezia. Adolfo Callegari.

I. Callegari, Adolfo, 1882–

A 32–125

New York. Public Libr. for Library of Congress rev [r72c2]

NM 0906444 NN NNC

Museo provinciale Sigismondo Castromediano, *Lecce, Italy*
see
Lecce, Italy. Museo provinciale Castromediano.

Museo publico de Buenos Aires
see Buenos Aires. Museo argentino de ciencias naturales Bernardino Rivadavia.

Museo reale borbonico. Naples
see Naples. Museo nazionale.

Museo Regional de Ica
see **Ica, Peru (City) Museo Regional.**

Museo Regional Inca Huasi
see La Rioja, Argentine Republic (Province) Museo Arqueológico Regional Inca Huasi.

Museo Romántico, Madrid
see Madrid. Museo Romántico.

Museo Rosa Galistes de Rodriguez, Santa Fe
see Santa Fe, Argentine Republic (City) Museo Provincial de Bellas Artes Rosa Galistes de Rodriguez.

Museo Salzillo
see Murcia, Spain (City) Museo Salzillo.

Museo scientifico, letterario ed artistico; ovvero, Scelta raccolta di utili e svariate nozioni in fatto di scienze, lettere ed arti belle ... anno 1 ; 5 gen. 1839–
Torino, A. Fontana, 1839–
v. illus. 30cm. weekly.
With v. 1 is bound one number of 4 pages, including "Ragione dell' opera", dated Dec. 15, 1838, "Elenco de' signori collaboratori", etc.
Editors: v. 1 Luigi Cicconi.—v. P. A. Fiorentino.

I. Cicconi, Luigi, 1807–1857, ed. II. Fiorentino, Pier Angelo, 1809–1864, ed.

34–4947

Library of Congress AP37.M8 055

NM 0906453 DLC NN NIC

Museo social, Barcelona
see
Barcelona. Museu social.

Museo social argentino, *Buenos Aires.*
... El aislamiento pacífico de América; documentación relativa a la campaña del "Museo social argentino," por la neutralización del tráfico marítimo interamericano. Buenos Aires, Est. gráfico "Oceana," 1916.
248 p., 1 l. 22cm.
At head of title: Publicacion del Museo social argentino ...

1. America—Comm. 2. War, Maritime (International law) 3. European war, 1914– —Economic aspects—America.

Library of Congress JX5316.M8 16—22508

NM 0906455 DLC TU NIC WHi NjP CU PPT PU NcU OClW OU TxU OrU ICJ IU

VOLUME 403

Museo social argentino, Buenos Aires.

Frers, Emilio, 1854-1933.
... American ideals. Speeches of the president of the "Museo social argentino" Dr. Emilio Frers and of Col. Theodore Roosevelt at the banquet given in the Colón theatre, Buenos Aires, November 12, 1913. Buenos Aires [Est. gráfico Oceana] 1914.

Museo social argentino, *Buenos Aires.*
... Annual report ... Buenos Aires [Imp. Albion, 1913–
v. 22½cm.
At head of title: "Argentine social museum" (Museo social argentino)
First report, 1912-1913, includes part of the statutes.
Translation.

CA 15-771 Unrev'd
Library of Congress HC171.M8

NM 0906457 DLC TxU OU CU

Museo social argentino, *Buenos Aires. Centro de estudios cooperativos.*
... Anuario de la cooperación; obra del esfuerzo solidario y constructivo de los cooperadores y organizaciones cooperativas del país. [1.]– Buenos Aires, 1933–
v. plates. 20cm.
At head of title: Museo social argentino, Centro de estudios cooperativos, República argentina.

1. Cooperation—Argentine republic. I. Title.

Library of Congress HD3467.M8 34-22676
[2] 334.0982

NM 0906458 DLC

Museo social argentino, Buenos Aires.

[Nelson, Ernesto] 1873–
... Argentine republic, its ressources [!] and production ... Buenos Aires, Imprenta Kidd, 1931.

Museo Social Argentino, *Buenos Aires.*
Boletín. año 1–
enero/feb. 1912–
Buenos Aires.
v. in illus. 27 cm.
Frequency varies.
Publication suspended 1927, 1949-58?
Vols. 1-9 called also no. 1-96; v. 10-14 called also 2. época, no. 1-54; v. 15-36 called also no. 55-318; v. 37– called also no.
Title varies: 1948, Revista.
INDEXES:
Vols. 1-15, 1912-26. 1 v.
1. Social sciences—Period.

H19.M83 305 19-20065 rev 3*

NM 0906460 CU MoSW ICJ DLC IU NN DNAL ICU ICRL NNC NcU DL OU

Museo Social Argentino, *Buenos Aires.*
Boletín bibliográfico; repertorio bibliográfico de trabajos referentes a cuestiones sociales y económicas (obras y artículos) t. 1-4; 1915-18. Buenos Aires.
4 v. in 2. 26 cm. monthly (irregular)
Supplement to the society's Boletín (later Revista)

1. Social sciences—Bibl.—Period. I. Museo Social Argentino, Buenos Aires. Revista. Supplement.

Z7163.M93 016.3 49-54460*

NM 0906461 DLC CU TxU

Museo social argentino, *Buenos Aires.*
Boletín bibliográfico mensual
see its
Boletín.

HF 3216 .M8
Museo social argentino. Buenos Aires.
El comercio marítimo de América y la solidaridad continental.[Buenos Aires, 1914]
1 p.l.,[3] p. 30 cm.
Nota del "Museo social argentino" al señor Ministro de relaciones exteriores y Contestación del señor Ministro.

NM 0906463 DPU

Museo social argentino, Buenos Aires.
...Congreso de la mutualidad que se celebrará en la ciudad de Buenos Aires
see under Congreso de la mutualidad, Buenos Aires, 1918.

Museo social argentino, Buenos Aires.

Congreso de la población.
Congreso de la población. 1.– 1940–
Buenos Aires, Museo social argentino, 1941–

Museo social argentino, Buenos Aires.

International congress of social economy. *1st, Buenos Aires,* 1924.
... Congreso internacional de economia social, Buenos Aires, octubre de 1924. [Buenos Aires, 1924]

Museo social argentino. Buenos Aires.
... "Cuentos sociales" para chicos y grandes
see under Girard, Susana.

Museo social argentino, *Buenos Aires.*
... Debates libres realizados en la sede del museo los días 5 y 27 de octubre de 1938 ... Buenos Aires [Imp. Oceana] 1938.
55 p., 2 l. 23½cm.
At head of title: Museo social argentino.
On cover: Museo social argentino (Comisión de la juventud) Debates realizados con motivo de la nueva ley de enseñanza a dictarse.

1. Education—Argentine republic.

41-439
Library of Congress LA543.7.M8
[2] 370.982

NM 0906468 DLC NcU

CT99 .V242M8
Museo social argentino, Buenos Aires.
Emile Vandervelde. Buenos Aires, Museo social argentino, 1928.
30 p. incl. port. 17½cm. [Its Publication, no. 49]

Half title: Emile Vandervelde, su visita a la Argentina.
"Bibliografía": p. 27-30, signed Pedro B. Franco.

NM 0906469 DLC CU DL

Museo social argentino, *Buenos Aires.*
... Estatutos ... Buenos Aires, Est. tip. J. Carbone, 1912.
15 p. 17cm.
At head of title: Museo social argentino, instituto de información, estudio y acción sociales.

18-8524
Library of Congress H64.M85A6

NM 0906470 DLC DPU

Museo social Argentino, Buenos Aires.
La función social Buenos Aires, 1929
see under Amadeo, Tomas, 1880-

Museo social argentino, Buenos Aires.
Ideales americanos
see under [Frers, Emilio] 1854-1933.
[in supplement]

Museo social argentino, *Buenos Aires.*
... La inmigración después de la guerra; encuesta realizada por el Museo social argentino. 1919 ... Buenos Aires, Local social y biblioteca [1919]
cover-title, xvii, 186 p., 1 l., 2 p. 26cm. (Boletín mensual: año VIII—t. VIII)

1. Argentine Republic—Emig. & immig. 2. European war, 1914—Influence and results. I. Title.

Library of Congress HC171.M83 t. VIII 20-8077
——— 2d set. JV7442.M8

NM 0906473 DLC

Museo social argentino, *Buenos Aires.*
International congress of social economy, organized by the Museo social argentino under the patronage of the national superior government and to be held in the city of Buenos Aires during the month of September, 1924. Antecedents. Program. Regulation. [Buenos Aires, Secretary's office, 1924]
22 p. 18cm.
On cover: Museo social argentino.

I. International congress of social economy. 1st, Buenos Aires, 1924.

CA 28-360 Unrev'd
Library of Congress H21.I 6 1924 g

NM 0906474 DLC

Museo social argentino, Buenos Aires.
... L'isolement pacifique de l'Amérique et la neutralité du cabotage inter-américain. Communication présentée à l'International law association par le Musée social argentin. Mémoire et documents à l'appui. Buenos Aires, L. J. Rosso y cía., 1922.
1. American republics - Comm.

NM 0906475 CtY

Museo social argentino. Buenos Aires.
... Memoria correspondiente a
Buenos Aires, 19
v. 16-24 cm.

NM 0906476 DPU

Museo social argentino, *Buenos Aires.*
Memoria y balance.
Buenos Aires,
v. 25½cm.

CA 16-512 Unrev'd
Library of Congress H64.M85A4

NM 0906477 DLC

Museo social argentino, *Buenos Aires.*
... Pro infancia desvalida, escuesta [!] y conclusiones. Buenos Aires, 1930.
4 p. l., v, 55 p. 18cm.
At head of title: Universidad de Buenos Aires. Museo social argentino.

1. Children—Charities, protection, etc.—Argentine republic.

Library of Congress HV747.A6M8 32-7997
——— Copy 2. [2] 362.70982

NM 0906478 DLC ICJ CtY DSI MH DL

VOLUME 403

Museo social argentino, *Buenos Aires.*
... Pro infancia desvalida, escuesta [i.e. encuesta] y conclusiones. Buenos Aires, 1930.
[8], v, 55 p. 17½cm.
At head of title: Universidad de Buenos Aires. Museo social argentino.
Dr. Carlos de Arenaza, chairman; the report is presented by a subcommittee of the Comisión de la infancia, signed: Justa Roque de Padilla and others.
Issued also in Boletín del Museo social argentino, v. 19, July/Sept. 1931, p. 280-318.

NM 0906479 ICJ

Museo Social Argentino, *Buenos Aires.*
Revista
see its
Boletín.

Museo social argentino, Buenos Aires.
Statistiques preparées par le Musée Social. [Buenos Aires, 1912?] 58 pl. 4°.
Statistical charts and tables.

1. Argentine Republic.—Statistics. 2. Economics.—Statistics, Argentine Republic.
N. Y. P. L. May 27, 1918.

NM 0906481 NN

Museo Social Argentino, Buenos Aires.
... Tablas compendiadas de la clasificación bibliográfica decimal
see under Franco, Pedro B.

Museo social argentino, *Buenos Aires.*
... Teodoro Roosevelt, ex-presidente de los Estados Unidos de Norte América ... Buenos Aires, Imprenta "French," 1913.
20 p. incl. port. 19cm.
At head of title: Museo social argentino.

1. Roosevelt, Theodore, pres. U. S., 1858-

18-4647

Library of Congress E757.M98

NM 0906483 DLC

Museo social argentino, Buenos Aires.
Teodoro Roosevelt; huesped del Museo social Argentina: discursos y conferencias. Buenos Aires, Coni hermanos, 1914.
52 p. 26 cm.

NM 0906484 MH

Museo social argentino, Buenos Aires.

Roosevelt, Theodore, *pres. U. S.*, 1858-
... Verdades y verdades à medias, segunda conferencia en el teatro Colón el lunes 10 de noviembre de 1913, par Theodore Roosevelt. Buenos Aires, Coni hermanos, 1913.

Museo social argentino, *Buenos Aires. Centro de estudios administrativos.*
... Centro de estudios administrativos, 1934-1937. Buenos Aires, 1937.
186 p., 2 l. 23cm.
At head of title: Museo social argentino.

1. Argentine republic—Pol. & govt.

41-13182 Revised

Library of Congress JL2081.M8
[r43c2] 354.82

NM 0906486 DLC NN

HD45 .C65 1938
Museo social argentino, Buenos Aires. Centro de estudios administrativos.
Congreso argentino de racionalización administrativa. *1st, Buenos Aires,* 1938.
... Primer Congreso argentino de racionalización administrativa (pública y privada) organizado por el Centro de estudios administrativos y reunido en la ciudad de Buenos Aires durante los días 27 al 30 de setiembre de 1938 ... Buenos Aires [1938?]

Museo Social Argentino, Buenos Aires. Centro de Estudios Bibliotecológicos.
Bibliotecología
see under title

Museo social argentino. Centro de estudios cooperativos.
... Contabilidad y administracion de las sociedades cooperativas
see under Moirano, Armando A.

HD2951 .G3
Museo Social Argentino, Buenos Aires. Centro de Estudios Co-operativos.
Gaceta cooperativa. año 1-5 (no. 1-26); nov. 1940-jul./dic. 1945. Buenos Aires.

Museo social argentino, Buenos Aires. Centro de estudios cooperativos.
Congreso de la cooperación. *3d, Buenos Aires,* 1936.
... Tercer Congreso de la cooperación. Antecedentes—debates—conclusiones. Buenos Aires [En los talleres gráficos Damiano] 1937.

Museo social argentino, Buenos Aires. Comision de la infancia.
Pro infancia desvalida ...
see under Museo social argentino, Buenos Aires.

Museo Social Argentino, Buenos Aires. Congreso Argentino de la Cooperación
see Congreso de la Cooperación.

Museo Social Argentino, *Buenos Aires. Escuela de Servicio Social.*
Memoria. Curso de bibliotecología.
Buenos Aires.
v. 27 cm.

Z669.5.M8 57-16568 ‡

NM 0906494 DLC NNC

020.711 M986p
Museo social argentino, Buenos Aires--Escuela de servicio social.
... Programa y reglamento del curso de bibliotecología. Buenos Aires, Museo social argentino, 1946.
cover-title, 35p.

1. Library science.

NM 0906495 IU DPU NNC

HV4 .S4
Museo social argentino, Buenos Aires. Escuela de servicio social.
Servicio social.
[Buenos Aires, 19

Museo Social Argentino, *Buenos Aires. Instituto Cultural Argentino-Boliviano.*
Boletin. año 1- (no. 1-); nov. 1942-
Buenos Aires.
v. in 27 cm. quarterly (irregular)

1. Argentine Republic—Relations (general) with Bolivia. 2. Bolivia—Relations (general) with the Argentine Republic.

F2833.5.B6M8 49-30896*

NM 0906497 DLC

Museo social argentino, *Buenos Aires. Instituto cultural argentino-boliviano.*
Homenaje a Bolivia, 1825-6 de agosto-1941; discursos pronunciados en los actos que con motivo del 116° aniversario de la independencia auspiciaron el Instituto cultural argentino-boliviano y la Asociación boliviana de Buenos Aires. [Buenos Aires, Talleres gráficos J. Belmonte] 1941.
50 p., 3 l. 22½cm.

1. Bolivia—Relations (general) with Argentine republic. 2. Argentine republic—Relations (general) with Bolivia. I. Asociación boliviana de Buenos Aires. II. Title.

43-32066

Library of Congress F3309.M8

NM 0906498 DLC TxU

Museo social argentino. Instituto cultural argentino-paraguayo.
Fundacion de la ciudad de Buenos Aires; homenaje del Instituto cultural argentino-paraguayo. Actos diversos. Buenos Aires, 1941. 21 p. pl. 19½cm.
Cover-title.

1. Buenos Aires—Hist. I. Title.
N. Y. P. L. December 8, 1942

NM 0906499 NN DPU NNC

Museo social argentino. Instituto cultural argentino-uruguayo.
...Estatutos. Buenos Aires, 1937. 8 p. 15cm.

1. Argentine Republic—Cultural relations—Uruguay. 2. Uruguay—Cultural relations—Argentine Republic.
N. Y. P. L. October 21, 1943

NM 0906500 NN

Museo social argentino, *Buenos Aires. Instituto cultural argentino-uruguayo.*
... Exposición Juan Manuel Blanes, octubre-noviembre, 1941, Museo nacional de bellas artes, Buenos Aires, República argentina. [Buenos Aires, Talleres gráficos de G. Kraft ltda., 1941]
3 p. l., 9-55 p., 4 l. incl. port. 39 pl. on 20 l. 26cm.
At head of title: Instituto cultural argentino-uruguayo.
"La biografía, bibliografía, puesta en índice y referencias históricas ... estuvieron a cargo del señor Augusto da Rocha."—3d prelim. leaf.
"Bibliografía": 3d leaf at end.
1. Blanes, Juan Manuel, 1830-1901. I. Buenos Aires. Museo nacional de bellas artes. II. Rocha, Augusto da.

42-47384

Library of Congress ND429.B6M8
[2] 759.989

NM 0906501 DLC TxU NN NNC NIC LNHT

G759.9891 B594Ym
Museo Social Argentino, Buenos Aires. Instituto Cultural Argentino-Uruguayo.
Homenaje a Juan Manuel Blanes; discursos y conferencias. Buenos Aires, 1942.
75p. port. 27cm.

1. Blanes, Juan Manuel, 1830-1901. I. Title.

NM 0906502 TxU WU

VOLUME 403

G341.782 In7a Museo Social Argentino, Buenos Aires. Instituto Cultural Argentino-Venezolano.
Acto inaugural del Instituto Cultural Argentino-Venezolano, fundado el 5 de julio de 1940. Buenos Aires, 1940.
23p. 23cm.
CONTENTS.--Conferencia: "Algunos aspectos de Venezuela", por S. Monsegur, presidente del Instituto.--Discurso de J.R. Gabaldón, enviado extraordinario y ministro plenipotenciario de Venezuela en la República Argentina, 6 de septiembre de 1940.

NM 0906503 TxU

G917.286 In7i Museo Social Argentino, Buenos Aires. Instituto Cultural Costarriciense - Argentino.
Instituto Cultural Costarricense-Argentino; instalación, estatutos, autoridades, plan de acción. San José, Costa Rica [Impr. La Tribuna] 1940.
15p. illus., ports. 19cm.

1. Argentine Republic - Relations (general) - Costa Rica. 2. Costa Rica - Relations (general - Argentine Republic.

NM 0906504 TxU

Museo social argentino. Instituto de información, estudio y acción sociales.
Instituto de información, estudio y acción sociales... Buenos Aires, Gran campaña social [1938?] 47 p. illus. 20cm.

1. Social sciences—Exhibitions and museums—Argentine Republic—Buenos Aires.
N. Y. P. L. November 15, 1945

NM 0906505 NN

Museo social argentino, Buenos Aires. Instituto de orientación profesional.

Silva, Delia María.
¡Cómo debo elegir mi profesión? Por la profesora Delia María Silva ... [Buenos Aires, Imp. Oceana, 1937]

Museo social argentino, Buenos Aires. Instituto de orientación professional.
...Guia de estudios superiores de la República Argentina. 4. ed. rev. y ampl. ... Buenos Aires: Talleres gráficos de la Penitenciaría nacional, 1936. 288 p. 23cm.
Cover-title.

210319B. 1. Education—Direct.—Argentine Republic. 2. Occupations—Choice—Argentine Republic.
N. Y. P. L. March 10, 1943

NM 0906507 NN MH

Museo social argentino, *Buenos Aires. Instituto de orientación profesional.*
... Guía de estudios superiores de la República argentina. 5. ed., rev. y ampliada. Publicada bajo los auspicios del Ministerio de justicia e instrucción pública ... Buenos Aires [Talleres gráficos de la Penitenciaría nacional de Buenos Aires] 1943.
cover-title, 376 p., 3 l. incl. illus., tables, diagr. 23cm.

1. Universities and colleges—Argentine republic. 2. Professions. I. Title.
Illinois. Univ. Library for Library of Congress A 44-4244 LA548.M8 1943 [3] 378.82

NM 0906508 IU PU DPU NcU CtY DLC

Museo social argentino, *Buenos Aires. Instituto de orientación profesional.*
... Instituto de orientación profesional, sus fines y su organización. Buenos Aires, 1938.
19 p. illus. 23cm.
At head of title: Museo social argentino.

Library of Congress HF5381.A1M832 41-38497

NM 0906509 DLC NN DPU

Museo Social Argentino, Buenos Aires. Instituto de Orientación Profesional.
... La orientación profesional en los niños cardíacos
see under Macera, José María.

Museo social argentino, Buenos Aires. Instituto de orientación profesional.
La psicotecnica en la organización científica del personal
see under Fingermann, Gregorio.

HF ?am Museo social argentino, Buenos Aires. Instituto de orientacion profesional.
... Que es la psicotecnica? ... Buenos Aires [n. d.]
cover-title, [8] p. 15 x 23 cm.
At head of title: Museo social argentino, Instituto de orientación profesional. Departamento de psicotécnica industrial.

NM 0906512 DPU

Museo social argentino, Buenos Aires. Laboratorio de economía y legislación rural y minera.
Conferencia nacional para uniformar los métodos de cálculo de los costos de producción en agricultura, *Buenos Aires,* 1936.
... Programa, antecedentes, versión estenotípica, anexos. Buenos Aires, [Imp. Oceana] 1938.

Museo social uruguayo, Montevido.
Anales... no. 1-3 Montevideo, 1940-44.
3 nos. illus. 22-24cm.

Irregular.
No. 1 called año 1, no. 1
Ceased publication?

1. Social sciences—Per. and soc. publ.

NM 0906514 NN DNAL

Museo social uruguayo, Montevido.
...Iniciación, año MCMXXXIX. Montevideo [1939] 8 p. 23cm.

1. Social sciences—Exhibitions and museums—Uruguay—Montevideo.
N. Y. P. L. November 15, 1945

NM 0906515 NN

HD2953 .C65 Museo social uruguayo, Montevideo. Comisión de cooperación.
Congreso nacional de la cooperación *(Uruguay)*
... Congreso nacional de la cooperación. Antecedentes-debates-conclusiones.

Montevideo, 19

Museo social uruguayo. Montevideo. Comisión de cooperación.
... cooperativismo; labor de la Comisión especial de cooperación de institución especial de cooperación de esta institución: Proyecto de ley. Ley n°. 10.008 sobre cooperativas agropecuarios y conferencia. Montevideo, Secretaría del Museo social uruguayo, 1941.
41 p. 23 cm. (Its: Anales, n°. 2)

NM 0906517 DPU

Museo social uruguayo, *Montevideo. Instituto de investigaciones, informes y acción sociales. Comisión de cooperación*
see
Museo social uruguayo, *Montevideo. Comisión de cooperación.*

Museo Stibbert, Florence
see Florence. Museo Stibbert.

Museo storico dei carabinieri reali, *Rome*
see **Rome. Museo storico dei carabinieri reali.**

Museo storico del risorgimento Umbro, Perugia
see Perugia. Museo storico del risorgimento Umbro.

Museo storico italiano della guerra, *Rovereto*
see
Rovereto. Museo storico italiano della guerra.

Museo teatrale alla Scala, *Milan*
see
Milan. Museo teatrale alla Scala.

Museo Tecnológico Industrial, Mexico
see Mexico (City) Museo Tecnológico Industrial.

Museo Textil Biosca
see
Museo Provincial Textil Biosca.

Museo torcellano
see
Museo provinciale di Torcello.

Museo Torlonia, Rome
see Torlonia, originally Borghese, Giulio Giacomo Pio Mario Ignazio Baldassare Ruggiero, principe di Fucino, 1847-1914.

VOLUME 403

Museo trentino del Risorgimento, *Trent*
see **Trent. Museo trentino del Risorgimento.**

Museo trentino del risorgimento e della lotta per la libertà.
See
Trent. Museo trentino del Risorgimento.

Museo único, *Quito*
see
Quito. Museo único.

AI17 .M8

El Museo universal. (Indexes)
El Museo universal, Madrid, 1857-1869. [Index, por Elena Páez Ríos. Madrid, Instituto "Miguel de Cervantes" del Consejo Superior de Investigaciones Científicas, 1952.
xii,637 p. illus.,ports. 25cm. (Colección de índices de publicaciones periódicas, 14)
The periodical continued under the title: Ilustración española y americana.
I.Páez Ríos, Elena, comp. II.Ser.

NM 0906531 MiDW NIC AU MiEM NcD PU MH FU

Museo universal, jornal das familias brazileiras. v. 1-7; julho 8, 1837-junho 28, 1844. Rio de Janeiro, J. Villenueve.
7 v. illus. 28 cm. weekly.

AP66.M8 58-51420

NM 0906532 DLC

Museo universal de ciencias y artes. año 1-
Londres [etc.] R. Ackermann [18
v. illus., plates (part fold.) diagrs. 22½cm. quarterly.
Edited by J. J. de Mora.
Ceased publication with v. 2 (1826) *cf.* Union list of serials.

I. Mora, José Joaquín de, 1783-1864, ed.

45-40479

Library of Congress AP64.M8

NM 0906533 DLC CU-B NNH NN

Museo vaticano
see
Vatican. *Museo vaticano.*

Museo vetrario
see Murano. Museo vetrario.

Museo Victor Larco Herrera, Lima
see Lima. Museo de Arqueología Peruana.

N 910 B85 A6 LAC

Museo Victoria Aguirre.
Colecciones de arte. Texto y clasificación por Antonio Pérez-Valiente de Moctezuma. Buenos Aires, Nordiska Kompaniet [1927]
299p. illus. 25cm.

I. Pérez Valiente de Moctezuma, Antonio, 1895- Sp.: Lucuix Collection.

NM 0906537 TxU

Museo volpiano; baccanale d'un Accademico Intrepido
see under [Baruffaldi, Girolamo, 1675-1755.]

Museo Vucetich
see
La Plata. Universidad nacional. Facultad de ciencias jurídicas y sociales. Museo Vucetich.

Museo y Archivo Ernesto Laroche
see
Montevideo. Museo y Archivo Ernesto Laroche.

Museo y biblioteca de la casa del Acuerdo de San Nicolás, *San Nicolás, Argentine republic*
see
San Nicolás, Argentine republic. Museo y biblioteca de la casa del Acuerdo de San Nicolás.

Museo y Biblioteca de Malacología, Havana
see Havana. Museo y Biblioteca de Malacología.

Museo y Biblioteca de Zoología de la Habana
see Havana. Museo y Biblioteca de Zoología.

Museo y biblioteca pedagógicos, *Montevideo*
see
Montevideo. Museo y biblioteca pedagógicos.

Museo Zoológico Cubano, Havana
see Havana. Instituto de Segunda Enseñanza. Museo Cubano Gundlach.

Museographia oder Anleitung zum rechten begriff ..
see under [Jencquel, Kaspar Friedrich] fl. 1727.

The **Museologist.**
v. 1
[New York,] 1920-21. 12°.
v. illus. (incl. ports.)
Monthly (irregular).
Published by the American Museum of Natural History, New York.
Ceased publication.

1. Museums—Per. and soc. publ. I. American Museum of Natural History, New York.
N. Y. P. L. April 28, 1930

NM 0906547 NN PU-Mu

AM 1 M94

The Museologist. no. 1- 1935-
Rochester, N. Y., Northeast Regional Museum Conference.
v. illus. 29 cm. quarterly.
"Official publication, Northeast Conference of Museums, A. A. M."
1. Museums - Period. I. Northeast Regional Museums Conference.

OrU
NM 0906548 OU OCIMA LU NbHi ICF NN MiU N CU NRU

DS1 .M9

Le Muséon; revue d'études orientales. 1.- 1882-
Louvain.
v.
Suspended Apr. 1916-20.
Vols. 19-32 called also n.s., v.1-15; v.33 called also s.3, v.1; v.34 called also s.4, v.1.
Subtitle varies.
1.Oriental studies - Period.

DCU
GU OU ICN MB DLC MH-AH ICRL NIC CtY MH PPAmP CtHC
NM 0906549 NcU PU-Mu IEG OU KMK TxDaM TxU OCU

MUSEOSCIENZA.
Milano. v. illus. 25cm.

Bimonthly.
Published by the Museo nazionale della scienza e della tecnica "Leonardo da Vinci," Milano.
1. Science--Museums--Per. and soc. publ. 2. Industrial arts--Museums--Per. and soc. publ. I. Milan (City). Museo nazionale della scienza e della tecnica.

NM 0906550 NN

Muser, Emil.
Krankenversicherungsgesetz (und hilfskassengesetz) mit den vollzugs- und ausführungsbestimmungen für das grossherzogtum Baden, nebst zusätzen und verweisungen von oberrechnungsrat Emil Muser ... Karlsruhe, Druck und verlag der G. Braun'schen hofbuchdr., 1903.
vi p., 1 l., 622 p. 18½cm.

1. Insurance, Health — Germany. 2. Insurance, Health — Baden. I. Germany. Laws, statutes, etc. II. Baden. Laws, statutes, etc. III. Title.

30-8728

Library of Congress HD7102.G3M8

NM 0906551 DLC

PG1826 .S64

Muser, Erna.
Slovensko berilo. [6., neizpremenjena izd. Pripravila Erna Muser s sodelovanjem Marije Jamarjeve in Rozke Štefanove.] Ljubljana [Državna založba Slovenije] 19

Hsk55 M973 V7

Muser, Erna
Vstal bo vihar. [Ljubljana?] "Naša Žena", 1946.
135 p. illus. 20 cm.
Poems.

NM 0906553 CtY NNC

VOLUME 403

Muser, Gerhard, 1891-
Statistische untersuchung uber die zeitungen Deutschlands, 1885-1914. Leipzig, 1918.
Inaug.-diss. - Leipzig.
Bibl.

NM 0906554 ICRL MH IU PU CtY

Muser, Gerhard, 1891-
... Statistische untersuchung über die zeitungen Deutschlands 1885–1914, von Gerhard Muser. Leipzig, E. Reinicke, 1918.
2 p. l., 173 p. 23½cm. (Abhandlungen aus dem Institut für zeitungskunde an der Universität Leipzig, hrsg. von Karl Bücher. bd. 1, hft. 1)
"Literatur": verso of 2d prelim. leaf.

1. German newspapers. I. Title.

Library of Congress PN5207.M8 21-12218

NM 0906555 DLC NcU WU NN

Muser, Josef, 1874-
Die auferstehung Jesu und ihre neuesten kritiker. ~~n.d.~~ Kösel [1911]
~~Muenchen, Ludwig-Maximilians-Univ. Theol. D. Diss. 1909.~~ 1910.
Inaugural dissertation, Munich, 1910

NM 0906556 PU

Muser, Josef, 1874-
Die Auferstehung Jesu und ihre neuesten Kritiker. Eine apologetische Studie. mit einem Anhange: Die Auferstehungsberichte in deutscher Übersetzung. Paderborn: F. Schöningh, 1914. iv p., 1 l., 131 p. 2. ed. 8°.

1. Jesus Christ.—Resurrection.
N. Y. P. L. April 16, 1914.

NM 0906557 NN

Oqk41 Muser, Oskar, 1850-
1 Das Frauenstimmrecht vor dem badischen Landtag. Zwei Reden ... Karlsruhe, 1918.
1918 Pamphlet.

NM 0906558 CtY

J 27 335.5 P 101
MUSER, OSCAR, 1850-
Die sociale Frage und die nächstliegenden socialen Aufgaben der Gesellschaft. Zusammengefasste Reden des Landtagsabgeordneten. Frankfurt a.M., C.Koenitzer, 1891.
viii, 175p. 24cm.

NM 0906559 ICN ICJ NN

4K Ger. - 570
Muser, Oskar, 1850-
Sozialistengesetz und Rechtspflege (Theorie und Praxis) eine mit aktenmässigen Beispielen belegte Studie für Laien und Juristen. 4. verm. Aufl. [
79 p.

NM 0906560 DLC-P4

Muser, Oskar, 1850-
Die Stellung der Frau zum Staat und im Staat. Frauenstimmrecht. Karlsruhe: G. Braun [1913]. 1 p.l., 48 p. 8°.

1. Woman.—Suffrage.
N. Y. P. L. August 6, 1913.

NM 0906561 NN CtY

Muser, Oskar, 1850-
Der Ultramontanismus und das Zentrum; eine Studie. Lahr i.B., M.Schauenburg, 1907.
176 p. 23 cm.

NM 0906562 MH CSt-H

QP913 S1M9
Muser, Peter, 1927-
Versuche über die einwirkung von kupfersulfat auf süsswasserschnecken und -muscheln (Limnaea stagnalis, Limnaea palustris, Planorbis corneus, Anodonta cygnea) München, 1954.
40 p. diagrs., tables. 21 cm.
Inaug.-diss. - Ludwig Maximilian-Universität, München.
Lebenslauf.
At head of title: Aus dem Zoologisch-Parasitologischen Institut der Tierärztlichen Fakultät der Universität München ...
Bibliography: p. 35-39.

1. Sulphates - Physiological effect. 2. Snails - Ecology. 3. Mussels - Ecology. I. Title.

NM 0906564 DI

Muser, Willy.
... Die rationalisierungsbestrebungen bei der deutschen reichspost, von dr. Willy Muser. Mit 19 anlagen. Rostock, C. Hinstorff, 1930.
viii, 188 p. diagr. 22½cm. (Hamburger wirtschafts- und sozialwissenschaftliche schriften ... hft. 16)
"Quellen- und literaturverzeichnis": p. 185–188.

1. Postal service—Germany. I. Title.

Library of Congress HE6995.M8 33-4213
[2] 383.4943

NM 0906565 DLC CU NN

Museros y Rovira, Tomás.
Tratado de tasacion de tierras y demas objetos del campo ... Por d. Tomás Museros y Rovira ... 2. ed., corr. y notablemente aumentada en su parte legislativa. Madrid, Libreria de Cuesta, 1877.
375 p. 21½cm.

1. Land—Taxation—Spain.

Library of Congress HJ4374.M8 1877 44-53123

NM 0906566 DLC

Muses, Charles Arthur, 1919-
Dionysius Andreas Freher: an inquiry into the work of a fundamental contributor to the philosophic tradition of Jacob Boehme. Ann Arbor, University Microfilms, 1951.
([University Microfilms, Ann Arbor, Mich.] Publication no. 2844)
Microfilm copy of typescript. Positive.
Collation of the original: xiii, 252 l. port., facsims.
Thesis—Columbia University.
Abstracted in Microfilm abstracts, v. 11 (1951) no. 4, p. 1072–1073.
Bibliography: leaves 243–252.
1. Böhme, Jakob, 1575–1624. 2. Freher, Dionysius Andreas, 1649–1728.
Microfilm AC–1 no. 2844 Mic A 51–581

Michigan. Univ. Libr. for Library of Congress [1]†

NM 0906567 MiU DLC NNC

Muses, Charles Arthur, 1919-
East-West fire; Schopenhauer's optimism and the Lankavatara sutra; an excursion toward the common ground between oriental and Western religion. London, J. M. Watkins; Indian Hills, Colo., Falcon's Wing Press, 1955.
67 p. 19 cm.
Errata leaf inserted.
Bibliography: p. 64–67.

1. Schopenhauer, Arthur, 1788–1860. Die Welt als Wille und Vorstellung. 2. Laṅkāvatāra-sūtra. 3. Philosophy, Comparative. 4. Buddha and Buddhism. I. Title.

B3139.M8 193.7 56—13751

NM 0906568 DLC MiU GU OO CtY IU NN MB NcD ICU

Muses, Charles Arthur, 1919-
An evaluation of relativity theory after a half-century. New York, S. Weiser, 1953.
48 p. 23 cm.

1. Relativity (Physics) I. Title.

QC6.M93 530.1 53-4302 ‡

NM 0906569 DLC NcD AU PSt NN TxU NcRS OrCS

Muses, Charles Arthur, 1919-
Illumination on Jacob Boehme; the work of Dionysius Andreas Freher. New York, King's Crown Press, 1951.
xvii, 201 p. illus., port. 21 cm.
Bibliography: p. [193]–201.

1. Böhme, Jakob, 1575–1624. 2. Freher, Dionysius Andreas, 1649–1728. I. Title.
BV5095.B7M8 189.5 51–13566 rev

NM 0906570 DLC CU-I NN TxU NcU TU AAP Or MB

The muses: Journal of the Brotherhood of poets
see under Brotherhood of Poets.

Bon. Coll. No.11425
The MUSES. A new song book. Newcastle upon Tyne, J.Marshall [18—?]
24p. 16cm.
In box.

NM 0906572 ICN NIC

The muses' address to D. Garrick, esq; with Harlequin's remonstrance, in answer to the said address. London, W. Nicholls, 1761. 23 p. 19cm.
Signed: Lacquey, slave, and creature, Harlequin.
This pamphlet was written or prompted by Garrick himself.—cf. Fitzgerald, Percy. Life of David Garrick. London, 1868. v. 2, p. 15.

169985B. 1. Garrick, David, 1717–1779. 2. Pantomimes—Gt. Br.
N. Y. P. L. March 27, 1944

NM 0906573 NN DFo

821 M97
The muse's address to the Honourable House of commons, in behalf of insolvent prisoners for debt. n.p. [17-]
4p.
In verse.

NM 0906574 IU

*EC75 W1654 Zz797p13
The muses and graces on a visit to Grosvenor square. Being a collection of original songs sung by the maskers, at Mrs. Crewe's elegant ball, Tuesday, March 21, 1775. London:Printed for J.Bew,in Pater-noster row. MDCCLXXV.
4°. 1p.ℓ., 11p. 25.5cm.
Without the music.
Horace Walpole's copy, with his ms. identification of the authors and his notes.

*EC75 W1654 Zz797p13
No.27 in a volume with Walpole's arms on covers, his ms. table of contents inside front cover, and labeled on spine: Poems. Geo. 3. Vol. 13.

NM 0906576 MH CtY DFo

VOLUME 403

Wk
A100
743m

The MUSES at Dettingen. Containing many curious poems, songs, epigrams, &c. that have been written since that battle. Being a proper sequel to, and of the same size as the New ministry in three parts.
London:Printed for W.Weaver,near St.Paul's. 1743. 2p.ℓ.,36p. 17½cm.

NM 0906577 TxU

Les Muses, ballet ...
see under [Campra, André, 1660-1744.

Muse's banquet, consisting of a select collection of pieces in the different species of poetical composition. 5th ed. en. Dublin, Burton, 1779.

NM 0906579 PNt CtY

Muse's banquet...a select collection...in the different species of poetical composition.
Dublin, Burton, 1879.

NM 0906580 PHatU

The **Muses** banquet; or, A present from Parnassus, being a collection of such English and Scots songs as are well worth preserving. Reading, Printed by C. Micklewright for T. Carnan, 1752.

2 v. front. 13 cm.

Without the music; some of the tunes indicated by title.

1. English ballads and songs. 2. Scottish ballads and songs. I. Title. II. Title: A present from Parnassus.

M1738.M74 66-47721/M

NM 0906581 DLC IU

[The Muses banquet, of vocal repository for the year 1792. Being the ... newest collection of songs, duets, trios, etc. lately sung at the Anacreontic Society, Theatres Royal, etc. London, W. Cavill [1792]
96 p. 16 cm.
Imperfect: t.p. and p. 1s. missing.
Caption title.
Title and imprint from British Museum Catalogue (folio ed.) v. 167, col. 562.
Title on spine: Bagatelles.
With this is bound: [Mills, Andrew Hervey] Bagatelles, London, Walkingame [etc.] 1767.

NM 0906582 NcU

The muse's blossoms: or, Juvenile poems ...
see under Leighton, Francis.

Wing
Film
Z
311
.P 612

Les MUSES bourgeoises, ou Receuil de vers faites à l'occasion du mariage de Mr P. avec Mlle Ch. célèbre le 28 septembre 1786. [n.p.,]De l'imprimerie de Hymen,1768.

Film copy, negative.
Collation of the original: 38p.

NM 0906584 ICN

Ib55
te805s

The Muses bower; a collection of new and popular songs ... London,Printed and sold by T.Batchelar[ca.1820?]
[8]p. 18cm.
No.[38] in a collection of songsters lettered on spine: Song books.

NM 0906585 CtY

The **Muses'** bower, embellished with the beauties of English poetry ... London, Printed for W. Plant Piercy, by J. M'Creery, 1809.

4 v. in 2. 16¼cm.

Title vignette.

1. English poetry (Collections)

Library of Congress PR1173.M8 12—2014

NM 0906586 DLC PPL CtY MH InU

---

*EC75
A100
754m3

The muses choice: or, The merry fellow. Being a collection of wit and humour, diversified with an uncommon variety of merry tales; pointed satires; pastoral eclogues; humourous descriptions, comic characters in high and low life ... Extracted, partly, from the works of the most celebrated authors, such as Congreve, Pope, Swift, Gay, Prior, &c. and, partly, from originals, taken from private manuscripts ...
London:Printed for R.Whitworth,at the Feathers, in the Poultry;J.Warcus,at the Indian-Queen,

*EC75
A100
754m3

opposite the Mansion-house;R.Richards,next Barnard's-Inn,Holborn;W.Mynors,at the corner of Chancery-lane,Holborn;and W.Heard,at the Philobiblian's-library,Piccadilly,1754. <Price one shilling and six-pence stitch'd.>
12°. 2p.ℓ.,140p. 16.5cm.

NM 0906588 MH PU NjP OU

The **Muses** choice: or, The merry fellow. Being a collection of wit and humour, diversified with an uncommon variety of merry tales; pointed satires; pastoral eclogues; humourous descriptions, comic characters ... songs, English, Welch, Scots and Irish; rebusses on drinking glasses, &c., epigrams ... epitaphs ... &c. ... Extracted, partly, from the works of the most celebrated authors, such as Congreve, Pope, Swift, Gay, Prior, &c., and, partly, from originals, taken from private manuscripts ... 3d ed. London, Printed for J. Warcus, 1759.
144 p. 16cm.
Imperfect: p. 41-44 wanting.
1. English poetry—18th cent. 2. Facetiae.

Library of Congress PR1215.M75 17-25902

NM 0906589 DLC CtY

Les **muses**, collection d'estampes gravées en couleur; avec l'explication des figures, suivie d'un coup-d'œil rapide sur les beaux arts. A Paris: De l'imprimerie de Monsieur. Chez le sieur Gamble, anglois, inventeur de l'impression des estampes en couleur, et marchand d'estampes... [et chez] Didot le jeune, imprimeur de Monsieur, 1789. 2 p.l., 210 p., 1 l. col'd front., col'd plates. 51½cm. (f°.)

Half-title: Le génie des beaux arts, fécondé par les muses.
Plates have captions in French and English.

Illustrations: 13 stipple engravings in color: frontispiece, Apollon et les muses, engraved by Phelippeaux after Girard. Calliope, by Phelippeaux after Lagrenée le jeune. Clio, by Julien after Lagrenée le jeune. Erato, by Ruotte after Lagrenée le jeune. Melpomène, by Phelippeaux after Caresme. Thalia, by Ruotte after Lagrenée le jeune. Euterpe, by Couet after Lagrenée le jeune. Polymnie, by Phelippeaux after Lagrenée le jeune. Terpsichore, by Ruotte after Lagrenée le jeune. Uranie, by Partout l'aîné after Caresme. Le génie de la peinture, by Phelippeaux after Angelica Kauffmann. Le génie de la sculpture, by Phelippeaux after Angelica Kauffmann. Le génie de l'architecture, by Sandoz after Angelica Kauffmann.
Binding, contemporary, of full tree calf, gilt.

1. Color prints, French. 2. The Muses. 3. Art.
N. Y. P. L. January 10, 1938

NM 0906591 NN

---

*pEB65
B100
660m

The Muses congratulatory address to his Excellency the Lord General Monck.
[London,1660]
broadside. 36x27.5cm.
Signed: T. B.
In verse.
Dated in contemporary ms.: Aprill 5 1660.

NM 0906592 MH

Les muses de la Novvelle France
see under [Lescarbot, Marc] 1590-ca. 1630.

The Muses delight. An accurate collection of English and Italian songs, cantatas and duetts, set to music for the harpsichord, violin, German-flute, &c. With instructions for the voice, violin, harpsichord or spinnet, German-flute, common-flute, hautboy, French-horn, bassoon and bass-violin: also, a compleat musical dictionary, and several hundred English, Irish and Scots songs, without the music. Liverpool, Printed, published and sold by John Sadler, in Harrington-Street,1754.
4p.ℓ.,323,[5]p. illus.(incl.music) 1 fold. table. 24cm.
12 blank leaves inserted between p.[232]-[233].

NM 0906594 CtY DFo MH

The Muse's delight. An accurate collection of English and Italian songs, cantatas and duetts ... with instructions for the voice, violin, harpsichord or spinnet, German-flute, common-flute, hautboy, French-horn, bassoon and bass-violin: also a compleat musical dictionary, and several hundred English, Irish and Scots songs, without the music. Liverpool, J. Sadler, 1754.
Microfilm copy (negative) made in 1960 by the British Museum, Photographic Service, London.
Collation of original as determined from the film: 323 p. illus., diagrs.
Among the 45 composers named are Oswald,

Holcomb, Corfe, Orme, Broderip, Festing, Handel, Pasquali, Weidemann, St. Germain, Baildon, Purcell, Terradellas, Galliard and DeFesch.

NM 0906596 IU

780
M973

The MUSES delight. An accurate collection of English and Italian songs,cantatas and duetts, set to music for the harpsichord,violin,German-flute,&c. With instructions for the voice,violin, harpsichord or spinnet,German-flute,common-flute, hautboy,French-horn,bassoon and bass-violin: also, a compleat musical dictionary,and several hundred English,Irish,and Scots songs,without the music. Liverpool,J.Sadler,1754-56.
2v.in 1. fronts.,illus.(incl.music) 23cm.

Titles in red and black.
Paged continuously.
v.2 has title: Apollo's cabinet: or, The muses delight...

NM 0906598 PU

Film
8697

The muses delight. An accurate collection of English and Italian songs, cantatas and duetts, set to music for the harpsichord, violin, German-flute, &c. With instructions for the voice, violin, harpsichord or spinnet, German-flute, common-flute, hautboy, French horn, bassoon and bass violin: also a complete musical dictionary and several hundred English, Irish and Scots songs without the music. Liverpool, John Sadler... 1774.

Microfilm copy (negative) made in 1963 of the original (E.872) in the Brit.Museum.
Collation of the original as determined from film: 323p.
On reel with: The sprightly companion, London, 1695.

1. Vocal music - To 1800. 2. Instrumental music - To 1800. 3. Music - Instruction and study - To 1800.

NM 0906600 IaU

VOLUME 403

The Muses' delight. An accurate collection of English and Italian songs
see also Apollo's cabinet.

The Muses' delight, or, the London polite songster. London, 1766.

NM 0906602 WU

[The muses delight] The compleat tutor; or familiar instructions for the voice, violin, harpsichord ...
see The compleat tutor; or familiar instructions for the voice ...

...Les muses du foyer de l'opéra; choix des poésies libres, galantes, satyriques et autres, les plus agréables qui ont circulé depuis quelques années dans les sociétés galantes de Paris... Bruxelles: H. Kistemaeckers, 1883. iv, 7–236 p. illus. 23cm.

At head of title: Étrennes aux joyeux.
"Sur l'édition du caffé du Caveau (1783)."
"Illustrations d'Amédée Lynen."

YA 4065

J. S. BILLINGS MEM. COLL.
621529A. 1. Poetry, French—Collections. I. Lynen, Amédée, illustrator.
N. Y. P. L. August 26, 1933

NM 0906604 NN MnU NIC PLatS MH MB OU CaBVaU DLC

BQ 461 M 8

LES MUSES en belle humeur, ou Chansons et autres poésies joyeuses. Ville franche, 1742.

xiv, 260 p. 24 cm.

1. Erotic literature. I. Title: Chansons et autres poésies joyeuses.

NM 0906605 CaBVaU

Muses et âmes; anthologie nationale des poètes vivants. Tome 1

Autun, 1932 25½cm.
v.

Editor : 1932 J. Deloulme.

1. Poetry, French—Collections. I. Deloulme, Jean, editor.
N. Y. P. L. June 12, 1934

NM 0906606 NN

The muses farewel to popery and slavery, or, A collection of miscellany poems, satyrs, songs, &c., made by the most eminent wits of the nation, as the shams, intreagues, and plots of priests and Jesuits gave occasion ... London, Printed for N. R. H. F. and J. K., 1689.
3 p. l., 144 p. 19cm.
—— A supplement to the Collection of miscellany poems against popery & slavery ... London, 1689.
2 p. l., 95 p. 19cm. [With The muses farewel to popery and slavery. London, 1689]
1. Catholic church.

1-5530-1

Library of Congress PR1213.M8

TxU CLU-C IU CSmH
NM 0906607 DLC MiU CSmH NNUT-Mc CtY InU NjP OU

Muses farewel to popery & slavery, or, A collection of miscellany poems, satyrs, songs, &c. made by the most eminent wits of the nation, as the shams, intreagues, and plots of priests and Jesuits gave occasion. The second edition, with large additions, most of them never before printed ... London: Printed for S. Burgess, and are to be sold by the booksellers of London and Westminster, 1690.
4 p.l.,224 p. 17cm.

WILLIAM ANDREWS CLARK MEMORIAL LIBRARY

Signatures: [A]⁴, B-P⁸.

Pages 122-123, 126-127, 138-139, 192 incorrectly numbered 200-201, 204-205, 139, 138, 92, respectively.
Published later, 1697, under title: Poems on affairs of state, the second part.
Bound in old calf.
Cf. Case, A.E. A bibliography of English poetical miscellanies, 1521-1750. Oxford, 1935, p.133, no.191(1)(b)

WILLIAM ANDREWS CLARK MEMORIAL LIBRARY

___A supplement to The muses farewel to popery & slavery, or, A collection of miscellany poems, satyrs, songs, &c. made by the most eminent wits of the nation, as the shams, intreagues, and plots of priests and Jesuits gave occasion ... London: Printed in the year, 1690.
2 p.l.,20 p. 17cm. [With The Muses farewel to popery & slavery ... London, 1690]
Second edition.

Signatures: A⁸, B⁴(B2 incorrectly signed B3)
Cf. Case, A.E. A bibliography of English poetical miscellanies, 1521-1750. Oxford, 1935, p.133-134, no.191(2)(c)

NM 0906611 CLU-C MH NjP IU TxU PU MB ICN MdBP ICU

FILM FP 1179

The Muses fire-works upon the fifth of November: Or,The Protestants remembrancer of the bloody designs of the Papists in the never-to-be-forgotten Powder-Plot,&c. London, Printed for W.Miller [1640?]
Broadside.
In verse.
Short-title catalogue no.18315 (carton 1179)

1.Gunpowder Plot,1605--Poetry.

NM 0906612 MiU ViU NNC

Lmd53 717m

The muses fountain clear: or, The dutiful Oxonian's defence of his mother's loyalty to His Present Majesty King George. Wherein is fully demonstrated that the University of Oxford in general, and her most noted members, viz. the Bishop of Rochester, the Bishop of Bristol, and Dr. Sacheverell, have, by their most free and sacred acts, constantly promoted and maintain'd the revolution and Protestant succession. London,Printed & sold by J. Roberts,1717.
2p.l.,36p. 18½cm.

NM 0906613 CtY ICN CSmH MnU InU MH

Les muses françoise
see under [Duduit de Mafzieres, chevalier]

Les Muses Gaillardes
see under [Du Brueil, Anthoine]

Les MUSES galantes;ballet. n.p.,n.d.

nar.24°. pp.(45).
Without title-page. Caption title.
From "Théâtre & poésie",pp.(4),[197]-237.

NM 0906616 MH

---

*EC75 A100 757m2

The muses holiday: or, The polite songster. Being an elegant collection of the most favourite new songs, sung at the theatres, gardens, and all publick places of diversion; several of which are not to be found in any collection yet published. With an alphabetical contents, for the readier finding out each song ...
London:Printed and sold by W.Reeve,in Fleet-street;and by the booksellers in town and country.[1757] None of the songs in this collection are in the Wreath.

*EC75 A100 757m2

12°. 5p.l.,[25]-208p. front. 16cm.
Without the music.
Imperfect: p.107-108 wanting.

NM 0906618 MH DLC IU

Les muses illustres
see under Colletet, Francois, 1628-1680, comp.

Les mvses incognves; or La Seille avx Bovrriers plaine de desirs et imaginations d'amovr. Recueil de poésies satyriques de Béroalde de Verville, De Guy de Tours [et al.] ... Paris, Jules Gay, 1862.
ix, 107 p. 16 cm.

NM 0906620 NcD

The Muses Joy For the Recovery of that weeping Vine, Henretta Maria
see under [Crouch, John] fl. 1660-1681.

Les muses joyeuses, étrenne pour la présente année. 64p. Paris, Au Temple du gout [1810]

A chap-book.

NM 0906622 OCl

The muses library; or, A series of English poetry
see under [Cooper, Elizabeth] fl. 1737, ed.

The muses looking-glasse.
See under
[Randolph, Thomas, 1605-1636.

Ib55 te805s

The Muses magazine, being a choice collection of songs, sung at Vauxhall, Ranelah [sic], the theatres ... [London?],Printed and sold by J.Evans and son[ca.1820?]
[8]p. 18cm.
No.[39] in a collection of songsters lettered on spine: Song books.

NM 0906625 CtY

The Muses Mercury: or, The monthly miscellany. Consisting of poems, prologues, songs, sonnets, translations, and other curious pieces, never before printed. By the Earl of Roscommon, Mr. Dryden, Dr. G—th, N. Tate, esquire, Mr. Dennis, Dr. N—n, Capt. Steel, Mr. Manning, &c. To which is added, An account of the stage, of the new opera's and plays that have been acted, or are to be acted this season; and of the new books relating to poetry, criticism, &c., lately publish'd ... v. 1– Jan. 1707–
London, Printed by J. H. for Andrew Bell, 1707–
v. 22½cm.

Continued in next column

VOLUME 403

Continued from preceding column

Subtitle varies slightly.
Dedication (v. 1) signed: J. O. [i. e. John Oldmixon]
The first number, dated January, 1707, did not appear until the middle of February, 1707; the twelfth number, dated December, 1707, was not published until 1708. cf. v. 1, p. [266]-267.
Contemporary binding, red leather gilt.

1. English poetry—18th cent. 2. English literature—18th cent. I. Oldmixon, John, 1673-1742, ed.

17-25901

Library of Congress PR1215.M77

NM 0906627 DLC CtY DFo

Muses mercury, or The monthly miscellany. London
v.1-2 no.1 (Jan.1707-Jan.1708)
No more published
Microfilm, negative copy

NM 0906628 MH

---

*EC75 G7948 A778m
The muse's mirrour. Being a collection of poems, by Mr. Gray, Churchill, Colman [& 36 others] ...
London:Printed for Robert Baldwin,Paternoster row.M,DCC,LXXVIII.
8°. 2v. 19.5cm.
Contemporary blue-gray wrappers preserved; bound in red morocco.

NM 0906629 MH CSmH MdBG MiU ICU CtY PPL IEN

PR1195 .M9
The Muse's mirrour:being a collection of poems, written by the following authors:Mr.Pope,Mr. Swift,Mr.Churchill[and others]... 2d ed. London,Sold by J.Debrett[etc.]1783.
2 v. 17½cm.

NM 0906630 ICU CtY

The Muses Mistresse
see under Cotgrave, John, fl. 1655. [supplement]

The muses of Ville Marè ...
--see under [Lockhart, Arthur John] 1850-1926.

Coll MU8432 Harris Small Books
The Muses offering. Containing the most popular comic, sentimental, Scottish, Irish, and national songs & ballads as sung at theatres, concerts, festivals, &c. Philadelphia, Printed and published by T. & G. Town, 1848.
128 p. 8 cm.

At head of title: Towns' stereotype edition Without music..

1. Songsters.

NM 0906633 RPB

---

x821.08 M973
The Muse's pocket companion. A collection of poems. By Lord Carlisle [and others] London, Printed for J. Milliken, Carlisle, 1782.
301p. 18cm.

Title and contents of later editions varies somewhat. Cf. Cambridge bibl. of Engl. lit.

NM 0906634 IU CtY MH

PR1171 .M94
The Muse's pocket companion. A collection of poems. By Lord Carlisle, Lord Lyttleton [and others] Carlisle, Printed by J. Milliken, 1785.
[1], 289 p. 18cm.

1. English poetry—Collections.

NM 0906635 ICU MiU InU CtY DFo OrU DLC NIC

The muse's pocket companion. A collection of poems. Dublin: Printed by William Colles, 1787.
286 p. 17cm.

1. Poetry—Collections.

NM 0906636 NN CtY NBuG ICN WU

821.608 M986
The Muses pocket companion; a collection of poems by the most eminent modern authors. Dublin, Printed by J. Milliken [1800?]
336 p. 18 cm.
PR1215.M8

1. English poetry. 18th century.

NM 0906637 NcD DLC InU IU DFo

Les Mvses R'alliees
see under Despinelle, sieur.

The muses recreation.
See
[Mennes, Sir John, 1599-1671.
Musarum deliciae.

---

*EC75 G5745D 1770h (B)
The muse's recreation, in four poems, viz. The farewell to summer, a pastoral elegy. The queen's arrival, a pastoral. Silence, a poem. Devotion, a rhapsody.
London:Printed for Joseph Johnson,at Mead's Head,opposite the monument.M,DCC,LXII.
28p. 25.5cm.
Title vignette, engr., signed: S. Wale inv. C. Grignion sc.
Imperfect: half-title wanting.
No.5 in a volume labeled on spine: Select poems.

NM 0906640 MH ICU

The muses sacrifice
see under [Davies, John] 1565-1618.

The muse's vagaries
see under Gundy, Sir Solomon, pseud.

The Muses Welcome to The High and Mighty Prince Iames by The Grace of God King of Great Britaine, France and Ireland...
See under
[Adamson, John, d. 1653, ed.

Muset, Colin, *13th cent.*
... Les chansons de Colin Muset, editées par Joseph Bédier, avec la transcription des mélodies par Jean Beck. Paris, H. Champion, 1912.
xiii, 44 p. 19 cm. (Les classiques français du moyen âge, publiés sous la direction de Mario Roques. [7])

I. *Bédier, Joseph, 1864-1938, ed. II. Beck, Jean Baptiste, 1881-

PQ1496.M95 1912 12—16413

NM 0906644 MU CU TxU CU-S KyU CaBVaU OrU OrPR MtU WaElN DLC NcU MiU OCl OCU PBm PU TU OKentU

PQ1496 .M98 1938
Muset, Colin, 13th cent.
Les chansons. Éditées par Joseph Bédier. 2.éd., corr.et complétée. Paris, H.Champion, 1938.
xlii,73p. 19cm. (Les classiques français du Moyen Age, 7)

I. Bédier, Joseph, 1864- ed.

NM 0906645 KyLoU MsSM FU OCU PSC MH NRU NBuU FTaSU NIC ViU GU RPB MtU NN

Muset, Colin, 13th cent.
...En mai; chanson de Colin Muset... Harmonisation de Paul Berthier. Saint-Leu-la-Forêt (Seine et Oise): Procure de musique [1935] Publ. pl. no. P. 4599 M. 1 l. 28cm. (Répertoire de la manécanterie des Petits chanteurs à la croix de bois. no. 10.)
Five-part music in open score. French words.

CARNEGIE CORP. OF NEW YORK.
1. Choral music, Secular—Mixed —5 pt—To 1600. I. Berthier, Paul, arr.
N. Y. P. L. April 14, 1938

NM 0906646 NN

Muset, José, 1890- *ed.*
Early Spanish organ music, collected, transcribed and edited by Joseph Muset. New York, G. Schirmer [1948]
92 p. 31 cm.
"Assembled from manuscripts found in various Spanish churches."

1. Organ music—To 1800. I. Title.

M7.M96E3 48-1016

NM 0906647 DLC OO NcGU AAP OrU OrP ICU NcU

Muset, José, 1890-
Fourteen organ works from the litany of Loreto, by Rev. Joseph Muset ... Melbourne, The Advocate press [1945]
ix, [11]-134 p. 31cm.

1. Organ music.

Library of Congress M14.3.M983F6 45-18600

NM 0906648 DLC

Muset, José, 1890-
[Litany for organ]
[Litany for organ. 1931-43]
48 items. 32 cm.
Holographs, in ink, of 1st draft.
Published Boston, McLaughlin & Reilly [1947-
Gift of the composer, Apr. 11, 1947.

1. Organ music. I. Title.

ML96.M988 M 59-384
——— Copy 2. Composer's final copy. ML96.M988

NM 0906649 DLC

VOLUME 403

Muset, José, 1890–
[Litany for organ]
... Organ works from the Litany for organ. Biographical, historical and analytical notes by Theodore Marier, English and French titles and texts, French translations by Joseph Portelance. Boston, McLaughlin & Reilly [1947–
v. 30 cm.
Vol. 1 contains 15 selections; v. 2, 9 selections; v. 3, 11 selections.
1. Organ music. I. Marier, Theodore N., 1912– II. Title: Litany for organ.
M14.3.M983L5 M 56-977

NM 0906650 DLC NN

q944.05 N16Wmu
Musesti, Piero.
Gesta di Napoleone I., imperator de'francesi e re d'Italia, scritte in lingua latina dal prete Piero Musesti e rese in italiano per Giovammaria Ferrari. Brescia, Dalla Tipografia dipartimentale, 1805.
52p.
Latin text and Italian translation on opposite pages.
1. Napoléon I, emperor of the French, 1769-1821. I. Ferrari, Giovanni Maria.

NM 0906651 IU

QA821 .R6
Musette, L., joint author.
Robert, E *civil engineer.*
Théorie générale et méthode effective pour le calcul des systèmes hyperstatiques, avec de nombreuses applications numériques, par E. Robert et L. Musette. Préf. de Louis Baes. Liége, Desoer, 1945.

La Musette; journal des poilus. no. [1]– 25 jan. 1918–
[Toulouse, Imprimerie ouvrière] 1918–
v. illus. 33cm. monthly (irregular)
1. European war, 1914-1918—Period.
24-20212
Library of Congress D501.M8

NM 0906653 DLC

Musette de Nina, pour la harpe. Philadelphia, published by G. E. Blake [between 1810 and 1814]
[2] p. 32 cm.
Caption title.
Variations on the Allegretto in the overture to Nina, by Dalayrac.
1. Variations (Harp) I. Dalayrac, Nicolas, 1753-1809. Nina. Overture.
M1.A1M 79-236812

NM 0906654 DLC

Musette de Nina; pour la harpe ou forte piano. Philadelphia. Publish'd & sold at G. Willig's music store. [n. d.]
4 p. 34 cm.
Caption title.
Variations on the Allegretto in the overture to Nina, by Dalayrac.
1. Variations (Harp) I. Dalayrac, Nicolas, 1753-1809. Nina. Overture.
M1.A13M M 54-1474

NM 0906655 DLC ICN

Musette de Nina, with variations for the harp or piano forte. Baltimore, J. Cole [1826?] Pl. no. 225.
[3] p. 33 cm.
Caption title.
Variations on the Allegretto in the overture to Nina, by Dalayrac.
1. Variations (Harp) I. Dalayrac, Nicolas, 1753-1809. Nina. Overture.
M1.A13M M 60-1559

NM 0906656 DLC ViU

W.C.L. M780.88 M987 no.15
Musette de Nina, variations for the harp or piano. Baltimore, Published by F. D. Benteen [ca. 1850] Pl. no. 597.
3 p. 34 cm.
Caption title.
Variations on the Allegretto in the overture to Nina, by Dalyrac.
[No. 15] in a volume of music, ca. 1845-60 with binder's title: Music.
1. Variations (Harp) I. Dalayrac, Nicolas, 1753-1809. Nina. Overture.

NM 0906657 NcD ViU

Musettes
Year book.

NM 0906658 OrP

PQ4829 U783 D8
Musetti, Angelo
Dunque, non è poesia? Torino, Società Editrice Internazionale [1954]
132p. 19cm.

NM 0906659 RPB

Musetti, Angelo
Ritaj de tempo; sonetti romaneschi. Genova, Prem.Tip. Serafino, 1907
55 p port.

NM 0906660 MH

BX4705 .S23M9
Musetti, Giuseppe.
Fra' Salimbene da Parma. [Noceto, Parma, Grafica nocetana di A. Castelli, 1953]
142 p.
1. Salimbene, Ognibene di Guido di Adamo, Brother, b.1221.

NM 0906661 ICU NN RPB

Musettini, Francesco.
Honori e memoriae Dantis Aligherii anno a nativitate ejus sexcentesimo: specimen epigraficum Massa-Carrara, Frediaui, 1865.
16 p.

NM 0906662 NIC

700 M97
Museu. no.1, set.1934. Gaia, Portugal. Edições Pátria.
1no. illus., facsims. 26cm.
No more published?

NM 0906663 IU MH

Museu; revista de arte, arqueologia, tradições. v. 1– (no. 1–); junho 1942–
[Porto]
v. in illus., ports. 26 cm.
"Publicação do Círculo Dr. José de Figueiredo."
1. Art—Period. 2. Archaeology—Period. I. Círculo Dr. José de Figueiredo, Oporto, Portugal.
N7.M77 50-40693

NM 0906664 DLC NN KU NNC

Museu Archeológico, *Beja, Portugal*
see
Beja, Portugal (City) Museu Regional.

Museu arqueológico e histórico de Yucatán
see
Merida, Mexico. Museo arqueológico e histórico de Yucatán.

Museu-biblioteca do conde de Castro Guimarais, *Cascais, Portugal*
see
Cascais, Portugal. Museu-biblioteca do conde de Castro Guimaraes.

Museu Bocage
see
Lisbon. Museu Nacional de Lisboa. Museu Bocage.

Museu comercial do Brasil, *Yokohama*
see
Yokohama. Museu comercial do Brasil.

Museu coronel David Carneiro, *Curitiba*
see
Curitiba. Museu coronel David Carneiro.

Museu da Bahia
see
Salvador, Brazil. Museu do Estado.

Museu da Inconfidencia, *Ouro Preto, Brazil*
see
Ouro Preto, Brazil. Museu da Inconfidencia.

Museu das Janelas verdas, Lisbon
see Lisbon. Museu National de Arte Antiga.

Museu das Janelas verdes ...
see under [Costa Ramalho, M]

VOLUME 403

Museu de Alberto Sampaio, *Guimarães, Portugal*
see
Guimarães, Portugal. Museu de Alberto Sampaio.

Museu de Angola, *Luanda*
see
Luanda. Museu de Angola.

Museu de Arte de São Paulo
see
São Paulo, Brazil (City) Museu de Arte.

Museu de Arte Moderna de São Paulo
see **São Paulo, Brazil (City) Museu de Arte Moderna.**

Museu de ciències naturals, *Barcelona*
see
Barcelona. Museu de ciències naturals.

Museu do Caramulo
see Caramulo, Portugal. Museu.

Museu do Dundo
see
Dondo, Angola. Museu.

Museu do Estado da Bahia
see
Salvador, Brazil. Museu do Estado.

Museu Dr. Alvaro de Castro, *Lourenço Marquez*
see **Lourenço Marquez (City) Museu Dr. Alvaro de Castro.**

Museu dos Coches, *Lisbon*
see **Lisbon. Museu dos Coches.**

Museu e arquivo histórico do Rio Grande do Sul, Porto Alegre, Brazil
see Porto Alegre, Brazil. Museu e Arquivo Historico do Rio Grande do Sul.

Museu e laboratorio mineralogico e geologico, Lisbon
see Lisbon. Universidade. Museu e laboratorio mineralogico e geologico.

Museu e Laboratório Zoológico e Antropológico
see
Lisbon. Museu Nacional de Lisboa. Museu Bocage.

Museu escolar nacional Rio de Janeiro. Bibliotheca
see Rio de Janeiro. Museu escolar nacional. Bibliotheca.

Museu Etnologico do Dr. Leite de Vasconcellos
see
Lisbon. Museu Etnologico do Dr. Leite de Vasconcellos.

Museu ethnologico portugues, Lisbon.
see Lisbon. Museu ethnologico do Dr. Leite de Vasconcellos.

Museu folclórico, São Paulo, Brazil.
See
São Paulo, Brazil (City). Discoteca pública municipal. Museu folclórico.

Museu Goeldi de Historia Natural e Ethnographia
see
Belém, Brazil. Museu Paraense Emilio Goeldi.

Museu Historico Bibliografico Privativo da Assembleia Nacional, *Lisbon*
see
Portugal. *Assembleia Nacional. Museu Historico Bibliografico.*

Museu instrumental, Lisbon.
see
Lisbon. Museu instrumental.

Museu Julio de Castilhos, *Porto Alegre*
see **Porto Alegre, Brazil. Museu e Arquivo Historico do Rio Grande do Sul.**

MUSEU LITERARIO,UTIL,E DIVERTIDO

no. 1-13 1833

NM 0906696 InU

Museu Martorell, *Barcelona*
see
Barcelona. Museu de ciències naturals.

Museu nacional das bellas artes, Lisbon.
see
Lisbon. Museu nacional das bellas artes.

Museu nacional de arte antiga, Lisbon
see Lisbon. Museu National de Arte Antiga.

Museu Nacional de Arte Contemporanea, *Lisbon*
see **Lisbon. Museu Nacional de Arte Contemporanea.**

Museu nacional de arte contemporânea e numismática, Lisbon
see Lisbon. Museu nacional de arte contemporânea e numismática.

Museu nacional de belas artes, *Rio de Janeiro*
see
Rio de Janeiro. Museu nacional de belas artes.

Museu nacional de Lisboa.
see.
Lisbon. Museu nacional de Lisboa.

Museu nacional de Soares dos Reis, *Oporto, Portugal*
see
Oporto, Portugal. Museu nacional de Soares dos Reis.

Museu nacional do Rio de Janeiro
see
Rio de Janeiro. Museu nacional.

Museu nacional dos coches, Lisbon
see Lisbon. Museu dos coches.

Museu paranaense, *Curitiba*
see
Curitiba. Museu paranaense.

Museu Paraense de Historia Natural e Ethnographia
see
Belém, Brazil. Museu Paraense Emilio Goeldi.

Museu Paraense Emilio Goeldi
see Belém, Brazil. Museu Paraense Emilio Goeldi.

VOLUME 403

Museu paulista, Sao Paulo, Brazil
see Sao Paulo, Brazil (City) Museu Paulista.

O **Museu** portuense. Jornal de historia, artes, sciencias, industriaes e bellas letras. Publicado debaixo dos auspicios da Sociedade da typographia commercial portuense. no. 1–12; 1 agosto 1838–15 jan. 1839. Porto, Typographia commercial portuense, 1839.

2 p. l., 192 p. illus., diagrs. 28½cm. semimonthly.

No more published.

1. Sociedade da typographia commercial portuense.

32-31986

Library of Congress AP65.M8 056.9

NM 0906711 DLC ICU NN

Museu Regional, *Beja, Portugal*
see
Beja, Portugal (City) Museu Regional.

MUSEU REPUBLICANO CONVENCÃO DO ITÚ.
Solennisação do cincoentenario da Convenção de Itú realisada a 18 de abril de 1873 com a installação do Museu republicano Convenção de Itú pelo governo do estado de São Paulo a 18 de abril de 1923. [S.Paulo, etc., Companhia melhoramentos de S.Paulo, 1923.

Ports., plates and other illustr.
"Publicação determinada pelo Dr. Alarico Silveira, secretario do interior do estado de São Paulo."

NM 0906713 MH

Museu Santacana, *Martorell*
see
Martorell, Spain. Museu Santacana.

Museu social, Barcelona.
see
Barcelona. Museu social.

Museu zoologico da Universidade de Coimbra.
see
Coimbra. Universidade. Museu zoologico.

Museul de Antichităţi, *Bucharest*
see
Bucharest. Muzeul Naţional de Antichităţi.

Museul de artă religioasă, Bucharest.
See
Bucharest. Museul de artă religioasă.

There are no cards for numbers
NM 0906719 to NM 0908000

The **Museum;** ed. by John Cotton Dana. v. 1, no. 1; May 1917. New York, The Rider press [1917]

cover-title, 42 p. illus. 27cm.

Published for the Newark museum association, Newark, N. J.
No more published.

1. Museums—Period. I. Dana, John Cotton, 1856– ed. II. Newark museum association, Newark, N. J.

Library of Congress AM1.M8 18-19409

NM 0908001 DLC WaS OU NN

The **Museum.** v. 1– Mar. 1925–
[Newark, N. J., 1925–
v. illus. 27½cm. monthly (irregular)

"A journal prepared by the staff of the museum of Newark, N. J."
Title of individual numbers: The Museum; science, art, industry.
Running title: Newark museum association. Its monthly bulletin.
Editors: Mar. 1925–June 1929, J. C. Dana.—Oct. (?) 1929– Beatrice Winser.
"Continuing one volume of the Library and the museum therein, July, 1918–March, 1925."
"Museum publications [Jan. 1929]": v. 2, p. 28–32.

1. Museums—Period. I. Dana, John Cotton, 1856–1929, ed. II. Winser, Beatrice, ed. III. Newark museum association, Newark, N. J.

31-9576

Library of Congress AM1.M6
[2] 069.05

Or OrLgE ICU NN PU-Mu OrU I NRU NcU NBuG
NM 0908002 DLC P PHi CSt DSI GU PBL PPPM MiU OU

N625 .A1 M8
The Museum. New series. v.1– 1949–
Newark, N.J., Newark Museum Association.
v.

Supersedes the same title published by the Association, May 1917-

1. Art - Period. I. Newark Museum Association, Newark, N.J.

NSyU PBL GU
NM 0908003 PSt DSI NcU NRU I MiU OU WaU DSI-F MA

The Museum (Newark)
Bridal gowns in the Museum's collection ...
see under White, Margaret E

The **Museum.** A journal devoted to research in natural science. v. 1–5, v. 6, no. 1–5; Nov. 1894–Mar. 1900. [Albion, N. Y., W. F. Webb, etc., 1894–1900]

6 v. illus. 25cm. monthly.

Title-pages of v. 3–5 read: The Museum. A monthly science journal; cover-title: The Museum. A journal devoted to research in natural science.
W. F. Webb, editor.
Merged into the Naturalist, farm and fanciers' review, Blencoe, Ia.

1. Natural history—Period I. Webb, Walter F., ed.

10-3405

Library of Congress QH1.M95

TxDaM
NM 0908005 DLC N OrU NIC PPAN PU MiU ICJ MnU

A88 +M971
The Museum; a journal of literature, science, and education. no.1; Mar.24,1838. London [W.Morgan]
16p. 27cm. weekly.

No more published?

NM 0908006 CtY

The **Museum.** A miscellaneous repository of instruction and amusement in prose and verse. v. 1, no. 1–25; Feb. 19–Oct. 22, 1825. Hartford, G. W. Kappel, 1825.

2 p. l., 200 p. 24½cm.

Biweekly, Feb. 19–July 23, 1825; weekly, July 30–Oct. 22, 1825.
No more published?

9-19689

Library of Congress AP2.M88

NM 0908007 DLC PPL MB

The **Museum,** a quarterly magazine of education, literature, and science. v. 1–3; Apr. 1861–Jan. 1864. Edinburgh, J. Gordon; [etc., etc.] 1862–64.

3 v. 23cm.

1. Education—Period.

8-15403

L16.M8

NM 0908008 DLC DHEW

Museum; a quarterly review. v. 1– July 1948–
[Paris] UNESCO.

v. in illus., ports. 31 cm. (UNESCO publication, 187, 244, 358, 405, 534, 554,

English and French.
Supersedes Mouseion.

1. Museums—Period. I. United Nations Educational, Scientific and Cultural Organization. (Series: United Nations Educational, Scientific and Cultural Organization. UNESCO publication, 187, etc.)

AM1.M63 069.05 51—4325

OrCS CaBViP
MB OrU WaS LU TU NMScS FTaSU ICU NNC OrP CaBVa
MtU PU-Mu CaOTU CaBVaU CU-S ViBlbV NcD OU NN TxU
DSI MoSW AAP NcRS AzTeS DAU MoSR MiU UU MH-Z OC
NM 0908009 DLC NbHi MBU OkS OCU OO PSt KMK MH MiU

Museum *(Paris)*
The care of paintings. [Paris, 1951]

161 p. illus. 31 cm. (UNESCO publication 778)

Issued as a special number of Museum; a quarterly review.
English and French.

1. Paintings—Conservation and restoration. I. Title. (Series: United Nations Educational, Scientific and Cultural Organization. UNESCO publication 778)

ND1640.M88 1951 751.6 52—4109

WaT
PPD CtY PPT RPB OU MWiCA OO OCl PP NNC NIC OrP WaS
NM 0908011 DLC PSt PU ViU TxU OkS IaU OOxM NcD

ND1640 .M88 1951a
Museum *(Paris)*
The care of paintings. Le traitement des peintures. [Paris, UNESCO, 1951?]

161 p. illus. 31 cm.

"The articles published here first appeared in Museum, volumes III, nos. 2, 3, 1950; IV, no. 1, 1951."

1. Paintings—Conservation and restoration. I. Title.

ND1640.M88 1951a 751.6 55–1695

NM 0908012 DLC

Museum *(Paris)*
Monuments et sites d'art et d'histoire et fouilles archéologiques; problèmes actuels. Monuments and sites of history and art and archaeological excavations; problems of today. [Paris, UNESCO, 1950]

99 p. illus., diagrs. 31 cm. (Musées et monuments, 1)
United Nations Educational, Scientific and Cultural Organization. Publications, 729.
Cover title: Sites & monuments.
"Les articles réunis ici ont d'abord paru dans Museum, volume III, no I, 1950."

IU CU
NM 0908013 OkS ViU PSt MiD NNC NBuG MiU RPB NcGU

Museum *(Paris)*
Monuments et sites d'art et d'histoire et fouilles archéologiques; problèmes actuels. Monuments and sites of history and art and archaeological excavations; problems of today. [Paris, UNESCO, 1953]

99 p. illus., diagrs. 31 cm. (Musées et monuments, 1)
United Nations Educational, Scientific and Cultural Organization. Publications, 729.
Cover title: Sites & monuments.
"Les articles réunis ici ont d'abord paru dans Museum, volume III, no I, 1950."

1. Monuments—Preservation. 2. Architecture—Conservation and restoration. I. Title. II. Title: Monuments and sites of history and art and archaeological excavations. III. Title: Sites & monuments. (Series. Series: United Nations Educational, Scientific and Cultural Organization. UNESCO publication 729)

N8850.M8 55—32851

NM 0908014 DLC ICU MH OU

VOLUME 403

The **Museum.** An illustrated monthly journal, for collectors of all classes and young naturalists. v. 1 (no. 1-4); May-Aug. 1885. Philadelphia, Pa., W. F. Fell & co., printers ⌈1885⌉
1 v. illus. 25½cm.
Edited by E. A. Barber.
No more published.

1. Collectors and collecting—Period. I. Barber, Edwin Atlee, 1851-1916, ed.
35-29797
Library of Congress AM201.M8
574.05

NM 0908015 DLC MH PP PPAN PU NjR

Museum; Blätter für Literatur, Kunst und Tages-geschichte. New York, 186
v. annually.

NM 0908016 ICRL

MUSEUM; časopis slovanských bohoslovců. Brno. 1, N 1866?
Supersedes Concordia, 1861-1866? (originally Jaro)
v.
According to a note in v.70, p.11, suspended publication for three years during World War I, during which time one annual was issued.

NM 0908017 ILS

Das **Museum;** eine anleitung zum genuss der werke bildender kunst, von Wilhelm Spemann, mit beiträgen von Wilhelm Bode ⌈u. a.⌉ ... hrsg. von Richard Graul und Richard Stettiner. 1.-11. jahrg.; ⌈1896-1911⌉ Berlin und Stuttgart, W. Spemann ⌈1896-1911⌉
11 v. illus., plates. 36 x 28½cm.
No more published.

1. Art—Period. 2. Paintings. 3. Sculpture. 4. Artists. I. Spemann, Wilhelm, 1844-1910. II. Graul, Richard, 1862- ed. III. Stettiner, Richard, 1865- ed.
5-42071 Revised
Library of Congress N7511.M7

NM 0908018 DLC PP MH ICA

Museum. Eine Monatschrift für Wissenschaft, Kunst und Literature. Chicago. v. 1, no. 1-6, Ja-Je 1863//?
v.

NM 0908019 ICHi

Museum; kunsthistoriske studier. 1.-
København, Gyldendalske boghandel, 1948-
v. illus. 30 cm.
Editor: v. 1- C. Elling.

1. Art—Period. I. Elling, Christian, 1901- ed.
N8.M8 705 51-17540

NM 0908020 DLC MH CaBVaU NNMM

Museum. Maandblad voor philologie en geschiedenis ... 1.- jaarg.; Maart 1893-
Groningen, J. B. Wolters; ⌈etc., etc.⌉ 1894-
v. in 30cm.
Editors: 1893-1904, P. J. Blok, J. S. Speyer, Barend Symons.—1905- P. J. Blok, J. J. Salverda de Grave, A. Kluyver, J. S. Speyer.
Published in Leiden 1902-
Publication suspended Mar.-Sept. 1902.

1. Bibliography—Period. 2. Books — Reviews. 3. Dutch literature — Bibl.—Period. I. Blok, Petrus Johannes, 1855- ed. II. Speyer, Jacob Samuel, ed. III. Symons, Barend, ed. IV. Salverda de Grave, J. J., ed. V. Kluyver, Albert, ed.
11-3826
Library of Congress Z1007.M95

NM 0908021 DLC NcU NcD OCU CU

Mvsevm; revista mensual de arte español antiguõ y moderno y de la vida artística contemporánea. v. 1-
⌈1911-
Barcelona, Establecimiento gráfico Thomas ⌈etc., 1911-
v. illus., plates (part col., part fold., part mounted) 30½cm.
Monthly, 1911-13 (v. 1-3); irregular, 1914- (v. 4-)
Vol. 4 covers the years 1914-15; v. 5, 1916-17; v. 6, 1918-20.

1. Art—Period. 2. Art—Spain.
35-16996
Library of Congress N7.M8 705

NM 0908022 DLC NIC IU PBm OO NN

Museum; Tidsskrift for Historie og Geografi. Aarg. 1890-96. Kjøbenhavn, Gyldendal.
7 v. in 13. illus. 24 cm.
Ed. by Carl Bruun, A. Hovgaard and P. F. Rist.
Index for 1890-95 with 1896, pt. 2.

1. Denmark—Hist.—Period. 2. Geography—Period. I. Bruun, Carl Alfred, 1846-1899, ed.
DL101.M8 48-36067*

NM 0908023 DLC MiU ViU NcU MH NN IaU NIC

Museum Ägyptischer Altertümer, *Cairo*
see
Cairo. al-Matḥaf al-Miṣrī.

Museum Africanum; or, Select antiquities...
see under Hulbert, Charles, 1778-1857.

PT 1169 D85 M8 Spec. Coll.

Museum Almanach für 1785-1793. Hrsg. von Voss und Goeking[k] Hamburg, bey Carl Ernst Bohn [1784-92]
9v. music(part fold.) 10 1/2x7cm.
Engraved title pages.
Editors: 1785-1788, Voss und Goekingk; 1789-1793, Joh. Hein. Voss, or I.H. Voss, etc.
No more published?

1. Germany poetry - 18th century I. Voss, Johann Heinrich, 1751-1826, ed. II. Goekingk, Hans Kaspar, ed.

NM 0908026 MU

Museum Aloise Jiráska na Bílé hoře
see
Muzeum Aloise Jiráska na Bílé hoře.

Museum am Alten Garten, *Schwerin*
see **Schwerin. Mecklinburgisches Landesmuseum.**

Museum am Ostwall, *Dortmund*
see
Dortmund. Museum am Ostwall.

Museum anatomicum Holmiensi, quod auspiciis augustissimi regis Oscaris primi ediderunt professores regiæ Scholæ medico-chirurgicæ Caroliuensis. Sectio pathologica. Fasciculis I: s, continens casus. x cum xii tabulis. fol. *Holmiæ, ex off. Norstedtiana,* 1855.

NM 0908030 DNLM PPC

Museum and Art Gallery, Birmingham, Eng.
see
Birmingham, Eng. Museum and Art Gallery.

Museum and art gallery, Nottingham castle
see Nottingham, Eng. Museum and art gallery.

Museum and Art Gallery of Western Australia, Perth
see Western Australia. Museum and Art Gallery.

Museum and art notes. v. 1- Feb. 1926-
Vancouver, B. C. ⌈1926-
v. illus., plates. 23cm. quarterly.
Vols. 1-3 have title: Museum notes.
"Issued by the Art, historical and scientific association of Vancouver, B. C. in the interests of the city museum and art gallery."

1. Museums—Period. I. Art, historical and scientific association, Vancouver, B. C.
32-5709
Library of Congress AM101.V34
⌈2⌉ 069.71

NM 0908034 DLC CaBVa DS NN CaBViPA DNAL

Museum and art notes.
Index to the illustrations of natural history species which have appeared in "Museum and art notes" from vol. 1, part 1, February 1926 to May 1933
see under Art, Historical and Scientific Association, Vancouver, B.C.

The **Museum** and English journal of education.
London ⌈etc.⌉, 18 8°.
v.
Monthly.
Absorbed the English journal of education, Feb., 1864.

1. Education.—Per. and soc. publ., Gt. Br.
N. Y. P. L. March 11, 1921.

NM 0908036 NN

Museum and European and Oriental Art Gallery, *Baroda*
see
Baroda State Museum and Picture Gallery.

Museum and field technique in zoology.
[Washington, etc., 1881-1935]
19 v. in 1. illus., plates. 23 cm.
Binder's title.
Reprints and abstracts from various scientific publications.
1. Zoological specimens. Collection and preservation.

NM 0908038 CU

Museum and Gallery of Art of the New York Historical Society
see
New York Historical Society. Museum and Gallery of Art.

AP 2 .A2 M96

The Museum and independent corrector. v.1-
Apr.16,1824-
Ithaca, N.Y.
Photocopy (negative)

NM 0908040 MiU

Museum & laboratory fittings. 1905. v. p.

NM 0908041 PU-BZ

VOLUME 403

Museum and library, Canterbury, Eng.
see
Beaney institute and royal museum, Canterbury, Eng.

PZ262
f.M96
185-

A museum and panorama for instruction and amusement of our young friends ... Philadelphia, J. Weik ⌊185-?⌋
v. col. plates. 34cm.

NM 0908043 ICU DLC

Museum Antiker Kleinkunst, *Munich*
see Munich. Museum Antiker Kleinkunst.

Museum antiquitatis studiorum. Opera Friderici Augusti Wolfii et Philippi Buttmanni. Vol.I. Berolini, in Libraria scholae real, 1808-⌊1811⌋
2 p.l., ⌊3⌋-254 p., 1 l., ⌊255⌋-476 p. 20½cm.
Issued in two fascicules; no more published.
CONTENTS.—G. L. Spaldingii De oratione Marcelliana disputatio.—Godofredi Hermanni Dissertatio de ellipsi et pleonasmo in graeca lingua.—Epimetron de rarioribus quibusdam verborum formis. Scripsit Ph. Buttmannus.—Bibliographica nonnullà de Vincentii Bellovacensis speculorum editionibus antiquioribus.—Apollonii Dyscoli ... De pronomie liber. Primum edidit Emanuel Bekkerus.—Variae lectiones ad Apollonii librum de pronomine.
1. Classical philology—Collections. I. Wolf, Friedrich August, 1759-1824, comp. II. Buttmann, Philipp Karl, 1764-1829, joint comp.

NM 0908045 ViU NIC MB ICU MH IEN PU PBm

Museum Arangianum: Moluscos. Las especies de la isla de Cuba están excluidas. ⌊Habana, 1868⌋
20 p. 26 cm.
Caption-title.
Attributed to Rafael Arango y Molina.

NM 0908046 PPAN MH-Z

Museum Archeologicum Posnaniense
see
Posen. Muzeum Archeologiczne.

Museum art school, Portland, Ore.
see
Portland Art Association, Portland, Or. Art School.

Museum Association of the Los Angeles County Museum
Quarterly.
see under Los Angeles County, Calif. Museum, Los Angeles.

Museum barcinonensis scientiarum naturalium, *Barcelona*
see
Barcelona. Museu de ciències naturals.

Museum Bellerive
see
Zürich. Kunstgewerbemuseum.

Museum-Boijmans, Rotterdam
see Rotterdam. Museum Boymans-Van Beuningen.

Museum Book Store, London.
A catalogue of Americana, mainly dealing with the American Revolution; and, English literature, from the libraries of a nobleman, and a descendant of David Hartley, Franklin's friend. London: The Museum Book Store, 1925. 92 p. 8°.
"The items described in this catalogue now form a part of the collection of the Henry E. Huntington Library and Art Gallery."
1. United States—Hist.—Revolution—Bibl. 2. United States—Hist., Colonial—Bibl. 3. Bibliography, English. 4. Hartley, David, 1732-1813. 5. Henry E. Huntington Library and Art Gallery, San Marino, Cal.
N. Y. P. L. April 23, 1929

NM 0908053 NN CtY RPJCB MiU-C MB ICU MH CSmH

Museum book store, London.
A catalogue of books, pamphlets, maps, portraits, wedgeood plaques, glass, pictures, bronze medallions, &c., relating to Penna... Lond., Museum book store, 1911.
30 p.

NM 0908054 NRCR

Museum book store, London.
⌊Henry E. Huntington library and art gallery, *San Marino, Calif.*⌋
A catalogue of maps of America from the sixteenth to the nineteenth centuries. London, The Museum book store, 1924.

Museum Book Store, London.
...Catalogue of rare books, pamphlets and prints relating to the history, antiquities, languages, customs, religion, wars, folk lore, literature, and the origin of the Indians of America (arranged under tribes and localities)...on sale at the Museum Book Store ... London, 1908. 56 p. 22cm.
Cover-title.
At head of title: No. 21.
735105A. 1. Indians, N. A.—Bibl.
N. Y. P. L. November 2, 1934

NM 0908056 NN

Museum book store, London.
⌊Henry E. Huntington library and art gallery, *San Marino, Calif.*⌋
A catalogue of rare maps of America from the sixteenth to nineteenth centuries. London, The Museum book store, 1927.

Museum book store, London.
A century of conflict in America; catalogue of a collection of tracts and manuscripts from Walker's expedition against Quebec in 1711 to the war of 1812
see under [Henry E. Huntington library and art gallery, San Marino, Calif.]

Museum book store, London.
... Economic classics prior to 1800 ... London, Museum book store, 1928.
113 p.
Cover-title.
At head of title: no. 109.

NM 0908059 OO

[Museum book store, London]
The manorial archives of the Cornwallis family, 1307-1795. [London,1929]
69 numb.ℓ. 33x20½cm.
Caption title.
Typescript.
Contains a general description of the collection a history of the Cornwallis family, and an inventory of the contents of the manuscripts, which are stated to include over court rolls of twenty-three manors in Suffolk and Norfolk,

with other manorial records, household books, wages books, documents of historical interest, autographs,deeds,etc. Included are two letters from Bertha H.Putnam to Professor Notestein,dated July, 1929, stating that she has examined the manuscripts at the Museum book store and considers them important for the economic history of England and the Tudor period.

NM 0908061 CtY

Museum book store, *London*.
... Political economy; rare books and pamphlets of great value for the study of social and political science ... London, The Museum book store, 1930.
194 p. 21½cm.
Cover-title.
Catalogue no. 116. Classified.
3183 items, priced.
1. Economics—Bibl.—Catalogs. 2. Political science—Bibl.—Catalogs. I. Title.
34-15996
Library of Congress Z7166.Z9M9
⌊3⌋ 016.3

NM 0908062 DLC

016.05
M972

MUSEUM BOOK STORE, London.
Radiology; the library of a leading British authority on the subject of radiology, roentgenology, and kindred sciences, comprising a unique collection of journals and periodical publications published in various parts of the world, each in the language of its origin... London, The Museum book store, ltd. ⌊1941?⌋
12 p. 20cm.
Caption title
1.X-rays. Periodicals. Bibliography. 2. Catalogs, Booksellers' of Gt. Brit.

NM 0908064 MnU NN

Museum book store, London.
⌊Sale catalogues. London, 1913-17⌋
6 nos. in 1 v.
Catalogues nos. 50, 55, 60, 63, 67, 68- all pertaining to Americana.

NM 0908065 MiU-C

⌊Museum book store, *London*⌋
Whistler and his circle, Anna Matilda Whistler, William Whistler, Dante Gabriel Rossetti, Frederick Sandys, William M. Rossetti, Thomas Jeckyll: letters and documents. London ⌊Museum book store⌋ L. Kashnor, 1927.
xv, 40 p. front. (facsim.) 25cm.
"The whole of the correspondence is with James Anderson Rose." "Only 250 copies printed and not for sale." This copy not numbered.
1. Whistler, James Abbott McNeil, 1834-1903—Bibl. I. Title.
34-30432
Library of Congress Z8969.5.M89 012

NM 0908066 DLC

The Museum books
see under Rolt-Wheeler, Francis William, 1876-1960.

Museum botanicum lugduno-batavum
see Leyden. Rijksherbarium.

Museum Boymans, Rotterdam
see Rotterdam. Museum Boymans-Van Beuningen.

N
2483
.M97

Museum Bredius.
Musée Bredius; guide avec catalogue abrégé des peintures et dessins. Par G. Knuttel. Traduit par I.de Peterson. ⌊Hague⌋ 1928.
37,11 p. illus.
1.Paintings--The Hague--Catalogs. 2.Art --The Hague--Galleries and Museums. I.Knuttle,Gerhardus,1889- II.Title.

NM 0908070 MiU MH

VOLUME 403

Museum brittanicum
see under Rymsdyk, Jan van, fl. 1767-1778.

Museum Calonnianum
see under Calonne, Charles Alexandre de, 1734-1802.

Museum Calvet.
see
Avignon. Musee Calvet.

Museum Carlsonianum
see under Sparrman, Anders, 1748-1820.

Museum Carolino-Augusteum in Salzburg
see Salzburg. Museum Carolino Augusteum.

Museum caucasicum, *Tiflis*
see
Tiflis. Kavkazskiĭ muzeĭ i Tiflisskaiā publichnaiā biblioteka.

Museum central des arts, Paris.
see
Paris. Musee national du Louvre.

Museum Československé armády, *Prague*
see
Prague. Museum Československé armády.

Museum civitatis Bratislavensis
see
Bratislava. Múzeum mesta.

Museum color prints
see under Brown-Robertson Company, Inc., New York.

Museum Combonianum. N. 1-
Verona, Missioni Africane, 1948-

"Collana di studi Africani dei Missionari Comboniani".

NM 0908081 CtY MH FU NcD

Museum Cortonense in quo vetera monumenta...
see under Cortona. Museo cortonese.

Museum criticum; or, Cambridge classical researches; v. 1-2. Cambridge, 1814-1826.
2 v. 23 cm.

NM 0908083 CU NcGU NcU MNS

Museum criticum; or, Cambridge classical researches. v. 1-2. Cambridge, J. Murray; [etc., etc.] 1826.

2 v. 22cm.

The original issue of v. 1 (May 1813 to Oct. 1814) has imprint date 1814.
J. H. Monk, C. J. Blomfield, editors.
No more published.

1. Classical philology—Period. I. Monk, James Henry, bp. of Gloucester and Bristol, 1784-1856, ed. II. Blomfield, Charles James, bp. of London, 1786-1857, ed.

Library of Congress PA1.M8 11-22929

OO IU ViU MB NN MdBP NjNbS
NM 0908084 DLC NcD KyU T NcU AU MH MiU OClW OCU

Mvsevm criticvm vratislaviense. Opera Franc. Passow et Car. Schneider. Typis absolutum a. 1820, evulgari coeptum a. 1825. Pars I. Vratislaviæ, apvd W.A..Eclaevfervm, 1825.

xvi, 328 p. 20½cm.
No more published?
CONTENTS.—I. Anonymi de tropis. E Codice rehdigerano.—II. Variae lectiones ex Epitome Dionysii Halicarn. de compositione verborum. E Codice rehdigerano.—III. Variae lectiones in Iliadis librum primum et Eustathii in eundem librum commentarios. E Codice redigerano.—IV. Variae lectiones in libros rhetoricorum ad Herennium, e quinque codd. mss.
1. Classical literature—Criticism, Textual. 2. Manuscripts, Latin. I. Passow, Franz Ludwig Carl Friedrich, 1786-1833, ed. II. Schneider, Karl Ernst Christoph, 1786-1856, joint ed.

NM 0908085 ViU IEN PBm OCX

Muséum d'histoire naturelle, *Elbeuf, France*
see
Elbeuf, France. Musée d'histoire naturelle.

Museum d'histoire naturelle, Marseille
see
Marseille. Musée d'histoire naturelle.

Muséum d'histoire naturelle, *Paris*
see
Paris. Muséum national d'histoire naturelle.

Le muséum d'histoire naturelle ... Paris, 1854.
see under Cap, Paul Antoine Gratacap, called, 1788-1877.

Muséum d'histoire naturelle de Belgrade
see
Belgrad. Prirodnjački muzej.

Muséum d'histoire naturelle de Lyon
see **Lyons. Muséum d'histoire naturelle.**

Museum d'histoire naturelle des Pas-Bas, Leyden
see Leyden. Rijksmuseum van natuurlijke historie.

Museum d'histoire naturelle du Havre
see Havre. Museum d'histoire naturelle.

Muséum d'histoire naturelle du pays serbe, *Belgrad*
see
Belgrad. Prirodnjački muzej.

Museum d'histoire naturelle et d'ethnographie du Havre
see Havre. Museum d'histoire naturelle.

Museum d'instruction publique, Bordeaux
see Bordeaux. Muséum d'instruction publique.

Museum Darwinianum, *Moscow*
see
Moscow. Gosudarstvennyĭ Darwinovskiĭ muzeĭ.

Museum de Géorgie, Tiflis
see Tiflis. Muzeĭ Gruziĭ.

Muséum de la nouvelle architecture française ... Les ouvrages d'architecture les plus distingués, dans les édifices publics et privés ... Ouvrage périodique et critique ... Prospectus. [Paris, Firmin Didot, 1795]
7 p. 44cm.

Text signed: Paris, ce 23 nivose, an 3 de la républ. David Vogel, de Zurich, architecte.

NM 0908099 NNC-A

Muséum de la République, Paris
see Paris. Musée national du Louvre.

Museum der alterthums-wissenschaft. Hrsg. von Friedrich August Wolf und Philipp Buttmann ... Berlin, Realschulbuchhandlung, 1807-10.

2 v. plates (part fold.) fold. facsim. 21cm.
Issued in six parts.

1. Classical philology—Period. 2. Classical antiquities. I. Buttmann, Philipp Karl, 1764-1829, ed. II. Wolf, Friedrich August, 1759-1824, joint ed.

Library of Congress PA3.M7 15-25278

ICRL
NM 0908101 DLC NIC PBm IU RPB CtY NjP ViU MH MA

Museum der Bayerischen Ostmark, *Ratisbon*
see
Ratisbon. Museum.

Museum der Bildenden Künste, *Budapest*
see
Budapest. Szépművészeti Múzeum.

Museum der Bildenden Künste, *Leipzig*
see
Leipzig. Museum der Bildenden Künste.

Museum der bildenden kuenste zu Stuttgart
see Stuttgart. Staatsgaleria.

VOLUME 403

Museum der deutschen Klassiker... Hrsg. von Radde und Paulsen. Bd. 1–5. New-York: W. Radde, 1838–1840. 5 v. in 4. 24°.

Bd. 1 only has general t.-p. Each work has separate t.-p. and pagination. The volumes have not been bound in accordance with printed list in v. 1.
Contents: Bd. 1. Weisflog, C. Die Fichtelberger. Die Fahrten des Forstrathes von Elben und seines getreuen Jakobus. Körner, T. Zriny. Spindler, C. Aus dem Leben eines Glücklichen. Zschokke, H. Das Abenteuer der Neujahrs-Nacht. Der zerbrochene Krug. Hoffmann, E. T. W. Cardillac, Juwelier und Räuber. Lyser, J. Guiletta. Stolle, F. Der Wunderdoktor. Bd. 2. Goethe. Faust. Bd. 3. Schreiber, A. Die Rache. [Wilhelmi, H.] Der Rächer. Schreiber, A. Das Portrait. Hauff, W. Die Bettlerin vom Pont des Arts. Jud Süss. Schiller, F. v. Die Glocke. Tieck, L. Das Zauberschloss. Pietro von Abano. Bd. 4. Zschokke, H. Der todte Gast. Hoffmann, E. T. W. Spieler-Glück. Schiller, F. v. Capuciner. Bd. 5. Hoffmann, E. T. W. Signor Formica. Richter, J. P. Schönes und Gediegenes aus seinen verschiedenen Schriften und Aufsätzen. Hoffmann, E. T. W. Die Räuber. Tieck, L. Die Klausenburg.

1. German literature.—Collections.
N. Y. P. L. August 25, 1924

NM 0908107 NN PPG

Museum der deutschen klassiker ... Hrsg. von Wilhelm Radde. New York [W. Radde] 1841.
3 p. l., [5]-288 p. 19cm.
"Die Fichtelberger" has special t.-p.
Contents.—Die Fichtelberger. Erzählung von C. Weisflog.—Die fahrten des forstrathes von Elben und seines getreuen Jakobus, von C. Weisflog.—Zriny. Ein trauerspiel in fünf aufzügen, von Theodor Körner.—Aus dem leben eines glücklichen, von C. Spindler.—Das abenteuer der neujahrs-nacht, von Heinrich Zschokke.—Der zerbrochene krug, von Heinrich Zschokke.—[Erhebung und Beruhigung, zwei gedichte von L. Bechstein]
1. German literature (Collections) I. Radde, Wilhelm, comp. II. Weisflog, Carl, 1770–1828. III. Körner, Theodor i. e. Karl Theodor, 1791–1813. IV. Spindler, Karl, 1796–1855. V. Zschokke, Heinrich i. e. Johann Heinrich Daniel, 1771–1848. VI. Bechstein, Ludwig, 1801–1860.

15–24996

Library of Congress PT1155.R3

NM 0908108 DLC IEN MtU CU

Ya 768bs

Museum der elenden Scribenten. Frankfurt und Leipzig, 1769.
80p. 17cm.
"Vorbericht" signed: Die Verfasser der Bibliothek der elenden Scribenten.
Apparently a sort of a supplement to the Bibliothek der elenden Scribenten, Frankfurt und Leipzig, 1768-71.
Attack on Wichmann's magazine "Antikritikus", and on Klotz and others.

I. Title: Elende Scribenten. II. Title: Scribenten, Elende. III. Bibliothek der elenden Scribenten.

NM 0908109 CtY CU

Museum der Gegenwart; Zeitschrift der deutschen Museen für neuere Kunst. Jahrg. 1-3; 2. Vierteljahr 1930-1. Vierteljahr 1933. Berlin, E. Rathenau.
3 v. illus., ports. 24 cm. quarterly.
Edited by L. Justi and others.

1. Art—Germany—Period. 2. Art—Germany—Galleries and museums. 3. Art, Modern—20th cent.—Period. I. Justi, Ludwig, 1876– ed.

N3.M95 56-54445

NM 0908110 DLC MiU IU IaU CoU TxU

A32 M972

Museum der Geschichte, Natur und Kunst, oder Unterhaltungsblatt zur Bildung und Belehrung für jeden Stand und jedes Alter. 1.- Jahr. 8. Nov. 1829-
Mülhausen, J. Risler.
illus. 25 cm. biweekly.

1829- individual issues have title: Museum der Geschichte, Natur und Kunst.

NM 0908111 CtY

Museum der gypsabgüsse, Dresden
see Dresden. Skulpturensammlung.

W 1 MU968

MUSEUM der Heilkunde. Bd. 1-4; 1792-97. Zürich.
4 v. illus.
Supersedes Annalen der Staatsarzneykunde.
Issued by the Helvetische Gesellschaft Correspondirender Aerzte und Wundärzte.
I. Helvetische Gesellschaft Correspondirender Aerzte und Wundärzte

NM 0908113 DNLM PPC ICJ

Museum der Kriegsmarine, Berlin
see Berlin. Universität. Institut für Meereskunde. Museum.

Museum der Naturgeschichte Helvetiens, Bern
see Bern. Naturhistorisches Museum.

Beinecke Library E161 M87

Museum der neuesten und interessantesten Reisebeschreibungen für gebildete Leser. Vollständig nach den Originalausgaben, mit Karten und Kupfern ... Wien, Bey Kaulfuss und Krammer, Buchhändlern, 1825-27.
19 v. in 15. fronts. (v. 3-5, 11-13, 17), plates (part col., part fold.), maps (part fold.), plans, tables (part fold.) 21 cm.
Each volume has also individual t.-p.
Original wrappers bound in v. 2 and 18-19.
Contents. - 1-3Bd. Entdeckungsreise in die Südsee und nach der Berings-Strasse zur Erforschung einer nordöstlichen Durchfahrt [von] Otto von Kotzebue. 3 v. - 4-5.Bd. Thomas Garnett's Reise durch die schottischen Hochlande und einen Theil der Hebriden, aus dem Englischen übersetzt von Ludwig Theoboul Kosegarten. 2 v. in 1. - 6.Bd. Moritz von Kotzebue's Reise nach Persien mit der Russisch-kaiserlichen Gesandtschaft im Jahre 1817. Reise in Canada und einem Theile der Vereinigten Staaten von Nord-Amerika im Jahre 1823, nach dem Englischen des Herrn Eduard Allen Talbot. 2v. in 1. - 7-9.Bd. Reise nach Brasilien in den Jahren 1815 bis 1817, von Maximilian, Prinz zu Wied-Neuwied. 3 v. in 2. - 10.Bd. Fussreise durch Russland und die Sibirische Tartarey, und von der Chinesischen Gränze nach dem Eismeere und nach Kamtschatka, von John Dundas Cochrane. - 11-13.Bd. Reise nach China durch Mongoley in den Jahren 1820 und 1821 von Georg Timkowski, aus dem Russischen übersetzt von J.A.E. Schmidt. 3 v. in 2. - 14-15.Bd. Mission der Englisch-Afrikanischen Compagnie von Cape Coast Castle nach Ashantee, von T. Edward Bowdich. Entdeckungsreise nach den nördlichen Polargegenden im Jahre 1818, in dem königl. Schiffe Alexander unter dem Befehle des Lieutenant und Commandeur W.E. Parry 2 v. in 1. - 16.Bd. Reise von Paris durch das südliche Frankreich bis Chamouny, von Johanna Schopenhauer. - 17.Bd. Reise um die Erde, gemacht von A.J. von Krusenstern und G.H. von Langsdorff; nebst Golownin's Gefangenschaft in Japan und Samuel Hearne's Reise von dem Hudsonsbusen bis zum nördlichen Polmeere, von Dr. Wilhelm Harnisch. - 18-19.Bd. Reise in die Äquinoctial-Gegenden des neuen Continents in den Jahren 1799, 1800, 1801, 1802, 1803 und 1804, verfasst von A. von Humboldt and A. Bonpland. 2 v.

1. Voyages and travels - 1800-1850.

NM 0908121 CtY MiU DLC

Museum der Schönen Künste, Ghent
see Ghent. Musée des beaux-arts.

Museum der Staatstheater, Berlin
see
Berlin. Preussische staatstheater. Museum.

Museum der Vaterländischen Naturgeschichte, Bern
see Bern. Naturhistorisches Museum.

MUSEUM der voornamste uitvindingen en nuttige ontdekkingen in de wetenschappen en handwerken. [Afbeeldingen van Diterich] Amsterdam, E. Maaskamp [ca. 1810] 2 v. plates. 14cm.

Deel 1-2 (A-pruiken)
Aquatints by Friedrich Christoph Dietrich.

1. Encyclopedias, Dutch.

NM 0908125 NN NNC

Museum der Weltgeschichte; die staatliche, wirtschaftliche, soziale, geistige und kulturelle Entwicklung der Völker in Einzeldarstellungen.

Wildpark-Potsdam, Akademische Verlagsgesellschaft Athenaion, 19
v. 27cm.

NM 0908126 OO DLC

Museum des enfans; ou, Mélange intéressant d'animaux, plantes, fleurs, fruits ... Дѣтскій музеумъ; или, Собраніе изображеній животныхъ, растеній, цвѣтовъ, плодовъ ... Санктпетербургъ, Въ Тип. Ив. Глазунова, 18
v illus. 26 cm.
French, Russian, and German in parallel columns.

1. Natural history—Pictorial works. I. Title: Dfetskiĭ muzeum.

QH46.M8 58-53540 ‡

NM 0908127 DLC

Museum des königreiches Böhmen, Prague
see Prague. Národní muzeum.

Museum des Kunsthandwerks (Grassimuseum)
Kunsthandwerk im Grassimuseum. Leipzig, 19
v. illus. 21 cm. GDR***
CONTENTS:
Nr. 17. Zinn.

1. Art industries and trade—Leipzig. 2. Museum des Kunsthandwerks (Grassimuseum) I. Title.

NK480.L43A54 74-338535

NM 0908129 DLC

Museum des Kunsthandwerks (Grassimuseum)
see also Leipzig. Grassi-Museum.

Museum des Landes Glarus.
Der Freulerpalast in Näfels
see under Leuzinger, Hans.

Museum des Nationalen Schrifttums, Prague
see
Prague. Památnik národního pisemnictví na Strahové.

Museum des neuesten und wissenswürdigsten aus dem gebiete der naturwissenschaft, der künste, der fabriken, der manufakturen, der technischen gewerbe, der landwirthschaft, der produkten-, waaren- und handelskunde, und der bürgerlichen haushaltung ... Hrsg. von Sigismund Friedrich Hermbstädt ... v. 1-
Jan. 1814-
Berlin, C. F. Amelang, 1814-18
v. plates, diagrs. 19½-21cm. monthly.
Supersedes Bulletin des neuesten und wissenwürdigsten aus der naturwissenschaft.
1. Technology—Period. 2. Industrial arts—Period. I. Hermbstädt, Sigismund Friedrich, 1760-1833, ed.

CA 11-3176 Unrev'd

Library of Congress T3.M7

NM 0908132 DLC PPAN ICJ

VOLUME 403

Museum des oberhessischen geschichtsvereins zu Giessen
see
Giessen. Oberhessisches museum und Gailsche sammlung.

Museum des Saechsischen altertumsverein, Dresden
see Saechsischer altertumsverein, Dresden. Museum.

Muséum des sciences naturelles de Lyon
see Lyons. Muséum d'histoire naturelle.

Museum des Wundervollen oder Magazin des ausserordentlichen in der Natur der Kunst und im Menschenleben. Leipzig.
v.

Published from 1803 to 1811.

NM 0908136 PPAN

Museum deutscher gelehrten und kuenstler. In kupfern und schriftlichen abrissen. Breslau, A. Schall, 1800–01.

2 v. in 1. ports. (incl. fronts.) 18½ᶜᵐ.

Engraved t.-p. Each biography has special t.-p., and most have separate paging.
Vol. 2 has added special t.-p.: Museum berühmter tonkünstler. In kupfern und schriftlichen abrissen vom professor C. A. Siebigke. Oder, Museum deutscher gelehrten und künstler. 2. bd.
Vol. [1] by G. G. Fülleborn; v. 2, by Professor C. A. Siebigke [*i. e.* Ludwig Anton Leopold Siebigk]
Includes bibliographies.

CONTENTS.—1. bd. Immanuel Kant. Christian Garve. Johann Gottfried Herder. Friedrich Schiller. Jean Paul Friedrich Richter. Christoph Martin Wieland.—2. bd. Johann Sebastian Bach. Joseph Haydn. Wolfgang Gottlieb Mozart. Johann Rudolph Zumsteeg. Muzio Clementi. Friedrich Wilhelm Rust.

1. Germany—Biog. 2. Authors, German. 3. Musicians. 4. Musicians, German. I. Fülleborn, Georg Gustav, 1769–1803. II. Siebigk, Ludwig Anton Leopold, 1775–1807. III. Title: Museum berühmter tonkünstler.
46-31939

Library of Congress CT1054.M8
——— Copy 2. ML390.M95

NM 0908138 DLC WU IU

FILM AA198 ML Music Library

Museum deutscher Gelehrten und Kuenstler. In Kupfern und schriftlichen Abrissen. Breslau, A. Schall, 1800-01.
2 v. in 1. ports. (incl. fronts.) On film (Negative)

Microfilm. Original in the University of Wisconsin Library.
Engraved t.p. Each biography has special t.p., and most have separate paging.
Vol. 2 has added special t.p.: Museum berühmter Tonkünstler. In Kupfern und schriftlichen Abrissen vom Professor C.A. Siebigke. Oder, Museum deutscher Gelehrten und Künstler. 2. Bd.
Vol. [1] by G.G. Fülleborn; v. 2, by Professor C.A. Siebigke [i.e. Ludwig Anton Leopold Siebigk]

Includes bibliographies.

Contents.- 1. Bd. Immanuel Kant. Christian Garve. Johann Gottfried Herder. Friedrich Schiller. Jean Paul Friedrich Richter. Christoph Martin Wieland.- 2. Bd. Johann Sebastian Bach. Joseph Haydn. Wolfgang Gottlieb Mozart. Johann Rudolph Zumsteeg. Muzio Clementi. Friedrich Wilhelm Rust.

1. Musicians. 2. Composers, German. I. Siebigk, Ludwig Anton Leopold, 1775-1807. II. Title: Museum berühmter Tonkünstler.

NM 0908140 CU

Museum diluvianum quod possidet ...
see under Scheuchzer, Johann Jacob, 1672-1733.

Museum Disneianum...
see under Disney, John, 1779-1857.

F 486 M9

Museum echoes. v. 1-34; 1928-61. Columbus.
34 v. illus., ports., maps, facsims. 23-31 cm. monthly.

Combined with Ohio local history news to form Echoes.
Published by the Ohio Historical Society (1928-Apr. 1954 under its earlier name: Ohio State Archaeological and Historical Society)

Editors: 1928-Mar. 1934, C. B. Galbreath. - Apr. 1934-July 1946, H. Lindley. - Aug. 1946-Dec. 1961, J. H. Rodabaugh.
Includes lists of publications, announcements of annual meetings, calendar of events, etc.

1. Ohio - Hist. - Period. 2. Ohio - Hist. - Societies, etc. 3. Periodicals (Titles) I. Galbreath, Charles Burleigh, 1858-1934, ed. II. Lindley, Harlow, 1875-1959, ed. III. Rodabaugh, James Howard, 1910- ed. IV. Ohio Historical Society. V. Ohio Historical Society. Museum.

NN IEN
OO OAkU PU-Mu MiD NcD CtY IU OrU NbHi ICRL DLC MWA
NM 0908144 Vi PCarlD CU P PHi OY MoS OClMN T GEU

Museum epigraphicum
see under Strazzulla, Vincenzo, 1870-

---

f709.38 M986

Museum eroticum Neapolitanum; ein Beitrag zum Geschlechtsleben der Römer. [n.p., n.d.]
1v.(unpaged) plates. 29cm.

1.Art, Roman. 2.Sex in art. IC

NM 0908146 CLSU

Muséum ethnographique des missions scientifiques, Paris
see Paris. Muséum ethnographique des missions scientifiques.

N 405 .M8

Museum exhibition catalogs. v. 1-
Publisher varies. 19 -

1. Art-Museum and galleries-Collections. 2. Art-Collections.

NM 0908148 DAU

Museum extension project. *Kansas*
see
Museum project. *Kansas.*

---

q391 M97c

Museum extension project--Pennsylvania.
Ceremonial costumes. Pittsburgh, Pa.[194-?]
41 col.pl.

In portfolio.
Title in manuscript on cover.
Plates numbered: 4, 6-44.

1. Costume. 2. Clergy--Costume. I. Title.

NM 0908150 IU

Museum extension project. Pennsylvania.
Costumes for characters in famous stories.
N.p.n.d.

NM 0908151 PP

GT 513 M8

Museum Extension Project. Pennsylvania.
[Costumes of the world. n.p., n.d.]
114 col.plates. 28cm.

Binders title.
"Colored illustrations of costume from Prehistoric man to the Gay nineties."

√1.Costume.√I.Title.

NM 0908152 CLSU

---

391 M97c

Museum extension project. Pennsylvania.
Costumes of the world; 100 hand colored plates from ancient Egypt to the gay nineties. Pittsburgh, Museum Extension Project, Works Progress Administration [19 ?]
cover-title, col. plates. 30cm.

1. Costume.

NM 0908153 LU

Museum Extension Project. Pennsylvania.
Costumes representing various territories of Sweden. Stockholm, Lagerstrom, 1933.
4 p. illus.

NM 0908154 PPAmSwM

---

q746 M97d

Museum extension project--Pennsylvania.
[Designs for quilt blocks] South Langhorne, Pa.[194-?]
15 col.pl.

In portfolio.
Pl.11-12, 23 have imprint: Croydon, Pa.
Plates numbered: 1, 3-4, 7, 11-12, 15-16, 18-19, 21, 23, 28-30.

1. Coverlets. 2. Design, Decorative.

NM 0908155 IU

247.7 M98e

[Museum extension project. Pennsylvania]
Ecclesiastical costumes...
[Pittsburgh? The Project? 1943?]
44 col.plates. Q.

In portfolio.
Typed t.-p.; title from label mounted on portfolio.

NM 0908156 IaU WaS

Museum extension project. Pennsylvania.
European folk festival costumes.
n.p. n. d.

NM 0908157 PP

---

q398.2 M97h

Museum extension project--Pennsylvania.
Fairy tales & literary works. [Pittsburgh? 194-?]
25 col.pl.
In portfolio.
Title from label mounted on portfolio.
Contents.- The frog prince. 5 pl.- Ivanhoe. 5 pl.- The ring of the Nibelung. 5.pl.- Robin Hood. 5 pl.- Through the looking glass. 5 pl.

1. Fairy tales--Illustrations. 2. Legends--Illustrations

NM 0908158 IU

---

q929.9 M97f

Museum extension project--Pennsylvania.
Flags of our allies. [Pittsburgh? 194-?]
41 col.pl.

In portfolio.
Title from label mounted on portfolio.
Plates numbered: 3, 5, 8, 10, 12, 18-19, 22, 24, 26, 28, 31, 33-34, 37, 52-53, 56, 60, 62-63, 71, 77, 79, 81, 84, 86, 89, 91-92, 94, 101, 103, 108, 110, 113, 114, 116-118, 123.

1. Flags. I. Title.

NM 0908159 IU

VOLUME 403

q391 Museum extension project--Pennsylvania.
M97f Folk festival costumes. [Pittsburgh? 194-?]
10 col.pl.

In portfolio.
Title from label mounted on portfolio.
Plates numbered: 3-5, 5B, 6, 14a, 16, 35-36, 41.

1. Costume. I. Title.

NM 0908160 IU

---

f391 Museum extension project--Pennsylvania.
M97fo [Folk festival costumes of Sweden. Pittsburgh? 194-?]
10 col.pl.

In portfolio.
Pl.11 is of octavo size.
Plates numbered: 1-9, 11.

1. Costume--Sweden. I. Title.

NM 0908161 IU

Museum extension project. Pennsylvania.
The founding of Pennsylvania; historic background for a pageant with prologue, main scene and epilogue. Prepared by Philadelphia Museum extension project of the Works progress administration of Penna... [Phila., 1938?]
8 p.

NM 0908162 PP

Museum extension project, Pennsylvania.
A handbook of military uniforms of the Revolutionary period. [Harrisburg?] WPA State wide museum ext. proj., Pa. [194-?]
1 v. 29cm.

Cover-title.
Includes bibliographical references.
1. U. S. - Army - Uniforms.

NM 0908163 NNC

---

f355.14 Museum extension project--Pennsylvania.
M97m A hand book of military uniforms of the Revolutionary period. Willow Grove, WPA state wide Museum extension project, Pennsylvania [194-?]
cover-title, 34ℓ. 28 col.pl.

In portfolio.

1. U.S.--Army--Uniforms. I. Title.

NM 0908164 IU IaU MiD TxU PP

MUSEUM extension project. Pennsylvania.
[Historic costume plates] Museum extension project, WPA, Pittsburgh, Pa.
Author? n.d. 114 col.pl.

No title-page or text.
Period covered: 35000 B.C. to 1900 A.D.
Many plates lacking.

NM 0908165 WaS

---

q391 Museum extension project--Pennsylvania.
M97h Historical costumes. Pittsburgh, Pa. [194-?]
40 col.pl.

In portfolio.
Title from label mounted on portfolio.
Plates numbered: 1-10, 15, 17, 20-22, 24, 26-27, 29, 34-35, 37-38, 43, 46, 48, 52, 54 ,62, 72, 81-82, 85, 95, 99, 101, 104, 112, 114.

1. Costume.

NM 0908166 IU

---

q391 Museum extension project--Pennsylvania.
M97hi The history of Indian costume. Pittsburgh, Pa. [194-?]
13 col.pl.

In portfolio.
Title from label mounted on portfolio.

1. Indians of North America--Costume and adornment.

NM 0908167 IU

Museum extension project. Pennsylvania.
Military uniforms. n. p. n. d.

NM 0908168 PP

Museum extension project. Pennsylvania.
Military uniforms of the revolutionary period
see its A handbook of the revolutionary period.

D621 Museum extension project, Pennsylvania.
M97 Models for national defense training courses ... Harrisburg, Penna., Museum extension project, Work projects administration [1941?]
[6] p. illus. 25cm.

NM 0908170 NNC

---

*8180
.04-105 Museum Extension Project. Pennsylvania.
Pennsylvania wrought iron.
[Pittsburgh?] Museum Extension Project, WPA, Penna. [1937?]
95 (i. e. 61) plates (part col.) 28 x 35cm.
Running title.
Plates no. 2-27, 29, 32-34, 71, 79, 84 and 91 are lacking.

1. Ironwork—Pennsylvania. I. Title.

NM 0908171 MB

Museum extension project. Pennsylvania.
Puppeteers' handbook. [Pittsburgh] Museum extension project, Works progress administration, district 15 [193-]
cover-title, 1 p. l., 28, 23, 10, 29 numb. l. illus. 29cm.
Reproduced from type-written copy.

1. Puppet-plays. I. Title.

42-31181

Library of Congress PN1972.M83

NM 0908172 DLC

MUSEUM extension project. Pennsylvania.
Quilts, pieced and appliqued. State wide museum project, Work projects administration, District 2, Pennsylvania.
Author. n.d. [29]p. 20 col.pl.

Scattered plate nos. from 3-30; others published? Text describes scattered nos. from 2-29. Together designs 2-30 are covered.

NM 0908173 WaS

Museum extension project. Pennsylvania.
State-wide museum extension project catalog... Harrisburg, 1938-

1938 ed. issued under title:
...Catalog - visual education material for distribution...

NM 0908174 PP

Museum extension project. Pennsylvania.
Swedish costumes.
n. p. n. d.

NM 0908175 PP

647.94 Museum extension project--Pennsylvania.
M97t Tavern signs; historical background. Sign boards from colonial inns and taverns. Willow Grove, Pennsylvania state wide Museum extension project, Work projects administration [194-?]
cover-title, 37ℓ. 31 col.pl.

Includes references.

1. Hotels, taverns, etc.--U.S. 2. Signs and sign boards. I. Title.

NM 0908176 IU OO MnU WaS TxU PP MiD

Museum Ferdinandeum, Innsbruck.
see
Innsbruck. Ferdinandeum.

Mvsevm florentinvm exhibens insigniora vetvstatis monvmenta qvae Florentiae svnt ... Florentiae, ex typographia Michaelis Nestenvs et Francisci Moücke, 1731–66.

12 v. plates, ports. 47 x 35½cm.

Title in red and black.
Imprint varies: v. 2–6, Florentiae, ex typographia Francisci Moücke; v. 7–12, Firenze, Nella stamperia Moückiana.

CONTENTS.—[I–II] Gori, A. F. Gemmae antiqvae. 1731–32.—[III] Gori, A. F. Statvae antiqvae. 1734.—[IV–VI] Gori, A. F. Antiqva nvmismata. 1740–42.—[VII–X] Moücke, F. Serie di ritratti degli excellenti pittori. 1752–62.—[XI–XII] Marrini, O. Serie di ritratti di celebri pittori. 1765–66.

4—32653

Library of Congress N2571.G6

ICN
NM 0908178 DLC NcD DeU NPV PBL MiU ViU NN IEN

Museum Fodor, Amsterdam
see
Amsterdam. Museum Fodor.

Museum för nordiska fornsaker, *Uppsala*
see **Uppsala. Universitet.** *Museum för nordiska fornsaker.*

Museum Folkwang, *Essen*
see
Essen. Museum Folkwang.

Museum for morende og belærende Underholdning af ethnografisk og bellettristisk Indhold.
Aargang 1-

Kjøbenhavn: C. Steen & Søn, 1857- 12°.
v. plates.

Editor : April, 1858 - L S. Borring.

1. Periodicals—Denmark.
N. Y. P. L. August 19, 1927

NM 0908182 NN

Museum for the arts of decoration, Cooper union, New York.
see
Cooper union for the advancement of science and art, New York. Museum for the arts of decoration.

VOLUME 403

Museum for young gentlemen and ladies.
Salisbury, n.d. t.p.w.
136p. il. 18°

NM 0908184 MWA

A museum for young gentlemen and ladies: or, A private tutor for little masters and misses. Containing a variety of useful subjects, ... all in a plain familiar way for youth of both sexes. Interspersed with letters, tales, and fables for amusement and instruction, and illustrated with cutts. (Being a second volume to the Pretty book for children.) London: Printed for J. Hodges; J. Newbery; and B. Collins, Salisbury [1750]. Pp. vi, 226. 10.7x8cm.

NM 0908185 CaOTP CtY

421
1763nk

A museum for young gentlemen and ladies: or, A private tutor for little masters and misses. Containing a variety of useful subjects ... The 10th ed. London:Printed for T.Carnan [etc.,etc.]1782.
vi,186p. illus. 14cm.

NM 0908186 CtY

A museum for young gentlemen and ladies; or private tudor and pocket library.
Dublin, 1790.

AG104
.M8

NM 0908187 DLC

Mu[seum] f[or] young gentlemen and ladies; or, A private tutor for little masters and misses. Containing a variety of useful subjects; and, in particular, I. Directions for reading with elegance and propriety. II. The ancient and present state of Great Britain; with a compendious history of England. III. An account of the solar system. IV. Historical and geographical description of the several countries in the world; with the manners, customs, and habits of the people. V. Tables of weights and measures. VI. The seven wonders of the world. VII. Prospect and description of the burning mountains. VIII. Dying words and behaviour of great men, when just quitting the stage of life; with many other useful particulars, all in a plain familiar way for youth of both sexes. With letters, tales, and fables, for amusement and instruction; illustrated with cuts. The twelfth edition. London: Printed for F. Power and co.; and B.C. Collins, in Salisbury, 1790. Pp. vi, 186. 12.1x8.2cm.

NM 0908190 CaOTP

A museum for young gentlemen and ladies; or, A private tutor for little masters and misses. Containing a variety of useful subjects ... With letters, tales, and fables, for amusement and instruction. Illustrated with cuts. 16th ed., with considerable additions and alterations. London, Darton and Harvey [180-] vi, 192 p. illus. 14cm.

NM 0908191 NNC

A MUSEUM for young gentlemen and ladies,or A private tutor for little masters and misses. 17th ed.,with additions and alterations. London printed for Darton and Harvey,etc.,etc.,[1806].

31 x 9 cm. Illustr.
Half-title:A museum for young gentlemen and ladies. Printed by B.C.Collins,1806.

NM 0908192 MH

MUSEUM for young people. Concord,N.H., R.Merrill,1852.

4 pts. sm.4°. Illustr.
Each part is separately paged and has special half-title.

NM 0908193 MH

Coll
MU8454
Harris Collection

Museum for young people. Concord, N. H., Merriam & Merrill, 1854
4 v. in 1. illus. 19 cm.

Contents.--The bijou gift.--Panorama of the east.--Gems of poetry for girls and boys.--Juvenile casket; moral and interesting tales.

1. Children's poetry.

NM 0908194 RPB

Museum for young people. Concord, N. H., Merriam & Merrill, 1855.
24 p. illus.

Running title: The bijou gift.

NM 0908195 NNC

Museum Francisceum
see
Brünn. Moravské muzeum.

Museum Francisco-Carolinum
see
Linz, Austria. Oberösterreichisches Landesmuseum.

Museum Frey, *Munich*
see
Munich. Museum G. Frey.

Museum Fridericianum.
Die antiken Skulpturen und Bronzen des Königl. Museum Fridericianum in Cassel. Im Auftrage der Museumsdirektion hrsg. von Margarete Bieber. Marburg, N. G. Elwertsche Verlagsbuchhandlung, 1915.
viii, 116 p. illus., 59 plates. 32 cm.
Bibliography: p. viii.

1. Sculpture, Ancient. 2. Sculpture—Kassel—Catalogs. 3. Bronzes, Ancient. 4. Bronzes—Kassel—Catalogs. 5. Classical antiquities—Catalogs. I. Bieber, Margarete, 1879- ed. II. Title.

NB71.M8 30-25753 rev

NM 0908199 CSt MiU ViU NN DLC MWiCA MdBWA NjP MH IU ICU NcD MeB

Museum Fridericianum.
Führer durch die historischen und kunstsammlungen
see under Kassel. Hessisches Landesmuseum.

Museum Fridericianum
see also
Kassel. Hessiches Landesmuseum.

Museum für abgüsse klassischer bildwerke, *Munich*
see
Munich. Museum für abgüsse klassischer bildwerke.

Museum für altdeutsche Literatur und Kunst. Herausgegeben von F. H. v. d. Hagen, B. J. Docen, und J. G. Büsching [und B. Hundeshagen].
Berlin. Unger. 1809, 11. 2 v. Plates. 19½ cm., in 8s.
No more of this was published.

L82 — Periodicals. German. — Ger[man]y. Lit. Crit. Periodicals. — Hagen, Friedrich Heinrich von der, ed., 1780-1856.

NM 0908203 MB CU InU MA CtY MH CU-W NcU NcD

AW
1
R2676

MUSEUM für altdeutsche Literatur und Kunst. Bd. 1-2; 1809-11.
Berlin.
2 v.
Superseded by Sammlung für altdeutsche Literatur und Kunst.
Microfilm (negative) 1 reel. 35 mm.

NM 0908204 CaBVaU

Museum für Angewandte Kunst, *Belgrad*
see
Belgrad. Muzej primenjene umetnosti.

Museum für Arbeit-Wohlfahrtseinrichtungen, Munich
see Munich. Arbeiter-Museum.

Museum für biblische und orientalische litteratur
see under Arnoldi, Albert Jakob, 1750-1835.

Museum für das Fürstentum Lüneburg.
C.C.Schirm, ein Maler der Lüneburger Heide. [Ausstellung] April-Mai 1954. Lüneburg, 1954.

8 p.

NM 0908208 MH-FA

Museum für das Fürstentum Lüneburg.
Einführung in die Betrachtung der Ebstorfer Weltkarte. Lüneburg, 1954.
11 p. 21 cm.
Bibliography: p. 10.

1. Ebstorfer Weltkarte. 2. Gervasius, of Tilbury.

GA304.E4G4 61-21815

NM 0908209 DLC KU MH

Museum für das Fürstentum Lüneburg.
Ernst Barlach: Skulpturen und Zeichnungen aus dem Besitz von H.F.Reemtsma. Ausstellung im Museum für das Fürstentum Lüneburg, 21.Februar bis 15.März, 1953. [Lüneburg, Peters, 1953]

7 p.

NM 0908210 MH

Museum für das Fürstentum Lüneburg.
Malerei, Graphik, Plastik; Ausstellung der Nordostdeutschen Künstlereinung e.V., 23 Mai bis 20 Juni 1954. Lüneburg, 1954.

12 p.

NM 0908211 MH-FA

VOLUME 403

Museum für das Fürstentum Lüneburg.
Professor Wilhelm Schulz und der Simplicissimus; Gedächtnisausstellung im Museum für das Fürstentum Lüneburg, 14.Dez.1952, bis 18.Jan.1953. [Lüneburg, 1953?]
8 p.

NM 0908212 MH

PA9 .M9 MUSEUM für die griechische und römische litteratur; hrsg.von Carl Philipp Conz... 1.-3.stück. Zürich und Leipzig,Bey Ziegler und söhnen,1794-95.
3 v.in 1. 23cm.
Cover-title.
No more published?

1.Classical philology--Period.

NM 0908213 ICU

Museum für die israelitische Jugend. Ein lesebuch für schule und haus. In verbindung mit mehreren gelehrten herausgegeben von K. Klein. Bandchen 1- Stuttgart, Pieger, 1855- 2d ed.
v.

NM 0908214 OCH

Museum für Dithmarscher Vorgeschichte, Heide.
Verzeichnis der Wildpflanzen
see under
Alpen, Christian.

Museum fuer Gewerbe und Landwirtschaft, Warsaw
see
Warsaw. Muzeum przemysłu i rolnictwa

Museum für Griechische, Römische und Byzantinische Altertümer, *Istanbul*
see
Istanbul. Arkeoloji Müzeleri. *Klasik Eserler Müzesi.*

Museum für hamburgische geschichte
see
Hamburg. Museum für hamburgische geschichte.

Museum für Handel und Industrie, Cologne
see Cologne. Museum für Handel und Industrie. [Supplement.]

Museum für Künstler und für Kunstliebhaber
see under Meusel, Johann Georg, 1745-1820, ed.

Museum fuer kunst und gewerbe, Hamburg.
see
Hamburg. Museum fuer kunst und gewerbe.

Museum für Kunst und Gewerbe, *Zagreb*
see
Zagreb. Muzej za umjetnost i obrt.

Museum für Kunst- und Kulturgeschichte, Dortmund, Germany
see Dortmund. Museum am Ostwall.

MUSEUM FÜR KUNST- UND KULTURGESCHICHTE ZU LÜBECK
See LÜBECK - Museum für kunst- und kulturgeschichte.

Museum für kunst und wissenschaft, Hanover
see Hanover. Landesmuseum.

Museum für Kunsthandwerk, *Frankfurt am Main*
see
Frankfurt am Main. Museum für Kunsthandwerk.

Museum für Länder- und Völkerkunde, *Stuttgart*
see Stuttgart. Museum für Länder- und Völkerkunde.

Museum für Länderkunde, Leipzig
see
Leipzig. Deutsches Institut für Länderkunde.

Museum für Meereskunde, *Berlin*
see Berlin. Universität. *Institut für Meereskunde. Museum.*

Museum für Mineralogie und Geologie, Dresden.
See
Dresden. Staatliches Museum für Mineralogie und Geologie.

Museum für moderne kunst des westens, *Moscow*
see
Moscow. Gosudarstvennyĭ muzeĭ novogo zapadnogo iskusstva.

Museum für natur- und heimatkunde zu Magdeburg
see
Magdeburg. Museum für natur- und heimatkunde.

Museum für Natur-, Völker- und Handelskunde in Bremen
see
Bremen. Überseemuseum.

Museum für Naturkunde, *Berlin*
see Berlin. Universität. *Museum für Naturkunde.*

Museum für Naturkunde, Münster
see
Münster. Museum für Naturkunde.

Museum fuer Oberoesterreich und Salzburg
see Linz, Austria. Oberösterreichisches Landesmuseum.

Museum für Österreichische Volkskunde, *Vienna*
see Vienna. Museum für Volkskunde.

MUSEUM für Orgel-Spieler; Sammlung gediegener und effectvoller Orgel-Compositionen älterer und neuerer Zeit. Prag, M. Berra [181-?] 2 v. in 1. Pl. no. M:B:550a-551a. illus. 31cm.
Lief. 1, Bd. 1-2.

1. Organ--Collections.

NM 0908238 NN

Museum für Orgelspieler. Sammlung gediegener und effectvoller Orgel-compositionen älterer und neuerer Zeit.
= Prag. Berra. [1840?] 3 v. F°.

G536 — Organ. Music. Colls.

NM 0908239 MB

Museum für ostasiatische kunst, *Cologne*
see
Cologne. Museum für ostasiatische kunst.

Museum für philologie ... 1.-41. bd. Frankfurt am Main, 1842-1886
see
Rheinisches museum für philologie.

Period. 1264.5 2cops. MUSEUM fuer Religionswissenschaft in ihrem ganzen Umfange. Hrsg. von Heinrich Philipp Konrad Henke. Magdeburg, bey Georg Christian Keil 1804-1806.
3v. 19cm.

Vol. 1, cop. 2 has separate title-pages for each of three parts and imprint date 1803.

NM 0908242 MH-AH

Museum für Siebenbürgische Volkskunde, *Cluj*
see
Cluj, Transylvania. Muzeul Etnografic al Transilvaniei.

Museum für türkische und islamische kunst, *Istanbul*
see
Istanbul. Türk ve islâm eserleri müzesi.

Museum fuer unfallverhuetung im bergbau, Maehrisch Ostrau
see
Maehrisch Ostrau. Museum fuer unfallverhuetung im bergbau.

VOLUME 403

Museum für Ur- und Frühgeschichte Thüringens, *Weimar*
see
Weimar. Museum für Ur- und Frühgeschichte Thüringens.

Museum für Urgeschichte, Weimar.
See
Weimar, Germany. Museum für Ur- und Frühgeschichte Thüringens.

Museum für vaterlandischen sagen, marchen und legenden, ein unterhaltendes hausbuch fur jedermann. Dresden, J. Breyer [18-]
[2], 96, 17-24, [8] p. col. plates.

NM 0908248 OCl

Museum für Völkerkunde und Sammlung Vorgeschichtlicher Altertümer, *Hamburg*
see **Hamburg. Museum für Völkerkunde und Vorgeschichte.**

Museum für Völkerkunde zu Berlin
see Berlin. Museen. Museum für Völkerkunde.

Museum für Volkskunde, *Vienna*
see **Vienna. Museum für Volkskunde.**

Museum für Vor- und Frühgeschichte, *Münster*
see **Münster. Museum für Vor- und Frühgeschichte.**

Museum G. Frey, *Munich*
see
Munich. Museum G. Frey.

Museum G. M. Kam, Nimwegen, Netherlands
see Nijmegen, Netherlands. Rijksmuseum G. M. Kam.

---

*BROADSIDE 1931 .M7
Museum gets Jefferson's music books. [New York, 1931]
broadside. (photocopy) 29 x 22cm.

Photostat copy from Music Trade News, August, 1931, p. 18.

1. Jefferson, Thomas, Pres. U. S., 1743-1826—Music libraries.

NM 0908255 ViU

Museum Godeffroy, Hamburg
see Hamburg. Museum Godeffroy.

Museun Gottwaldianum
see under [Gottwald, Christoph] 1636-1700.

The **Museum** graphic. v. 1; Sept./Oct. 1926–May/June 1928. Los Angeles, Calif., The Patrons association of Los Angeles museum, 1927.

1 p. l., ii, 260 p. incl. illus., double plan. 23½cm. bimonthly (except July–Aug.)

Supersedes the Museum bulletin.
The numbers for Sept./Oct. 1927–May/June 1928 are called v. 1, supplement no. 1–5.
W. A. Bryan, editor.
No more published?

1. Museums—Period. I. Bryan, William Alanson, 1875–1942, ed. II. Los Angeles county museum, Los Angeles.

33-22489 Revised

Library of Congress AM101.L72243
[r43b2] 069.0979494

NM 0908258 DLC WaS AzTeS

---

069 Sa23m
Museum graphic. v.1-
Spring 1949-
St. Joseph, Mo., St. Joseph Museum.
v. illus. 29cm. quarterly.

I. St. Joseph, Mo. Museum.

NM 0908259 KU MoSR NN MnHi

Museum Greene Smith, Peterboro, N.Y.
see Greene Smith Museum, Peterboro, N.Y.

Museum guide leaflet. no. 1–
Albany, New York State Museum [1951–
v. illus. 22 cm.

I. New York. State Museum, Albany.

AM101.N54 069.09747 A 52-9172 ‡
New York. State Libr. for Library of Congress [2]†

NM 0908261 NN DLC

Museum haganum historico-philologico theologicum
see under Barkey, Nicolaas, 1709-1788, ed.

Museum Hédervárianum.
Descrizione delle medaglie ispane appartenenti alla Lvsitania ...
see under [Viczay von Loos und Hédervár, Michael] graf, 1756-1831.

Museum Hédervárianum.
Descrizione di molte medaglie antiche greche ...
see under [Viczay von Loos und Hédérvár, Michael] graf, 1756-1831.

Museum Hédervárianum.
In catalogi Mvsei Hédervári, partem primam, Nvmos graecos amplectentem castigationes
see under [Viczay von Loos und Hédervár, Michael] graf, 1756-1831.

Museum Heinaanum
see under Cabanis, Jean Louis, 1816-1906.

Z 059.494 M972
Museum helveticum; ad juvandas Literas in publicos usus apertum. [v.1-7] pt.1-28. Turici, C. Orellii, 1746-53.
28nos. in 7v. illus. 19cm.

Imprint varies: pt.1-5, Tiguri, C. Orellii.
No more published. Cf. Union list of serials.

NM 0908267 TxU NcD MH ICN

Museum helveticum; schweizerische Zeitschrift für klassische Altertumswissenschaft ...

Basel, B. Schwabe.

v. in 25 cm. 4 nos. a year.

Began publication with Jan. 1944 issue. cf. Das Schweizer Buch. 1944.
Articles in German or French.

1. Classical philology—Period.

PA3.M73 49-25480*

NIC LU OClW TU
CoU PBm MdBJ TNJ CtY NNC PSt PU NN TxU NcD ViU OCU
NM 0908268 DLC KU FU OrU CaBVaU GEU FTaSU MNS GU

Museum Helveticum (Basel)
Festgabe für Arnold von Salis zu seinem siebzigsten Geburtstag
see under title

Museum Helveticum (Basel)
L'originalité de l'Egypte...
see under title

Museum "Het Prinsenhof" te Delft
see
Delft. Stedelijk Museum "Het Prinsenhof."

C 09 .608
MUSEUM historico-philologico-theologicum.
Amstelodami, Apud A. Schoonenburg, 1728-32.
2v. 17cm.

Theodor Hase and Nicolas Nonnen, editors.
Supersedes Bibliotheca historico-philologico-theologica.

NM 0908272 ICN

BR45 .M94
Museum historico-philologico-theologicum...
Bremae, sumptibus H. Jaegeri, 1728-32.
2 v. front.(port.) 16½cm.
Theodor Hase and Nicolas Nonnen, editors.
Supersedes Bibliotheca historico-philologico-theologica.

1. Theology--Collections.

NM 0908273 ICU NNUT MBAt OC NjR NjPT

MUSEUM HOHENLEUBEN-REICHENFELS.
Jahrbuch.
Hohenleuben [Germany] no. illus. 21cm.

"Herausgegeber: Rat des Kreises Zeulenroda. Abteilung Kultur."
Began publication in 1951.

I. Zeulenroda, Germany (Kreis). Rat.

NM 0908274 NN

Museum italicum ...
see under Mabillon, Jean, 1632-1707.

Museum Jana Amose Komenského, *Uherský Brod*
see
Uherský Brod, Czechoslovak Republic (City) Museum Jana Amose Komenského.

Museum journaal voor moderne kunst
see Museumjournaal.

VOLUME 403

Museum journal. Philadelphia, 1910-
see under Pennsylvania. University.
University museum.

Museum Journal of the Royal College of Surgeons of England. Part 1. 70 pp. 8°. London, Taylor & Francis, 1892.

NM 0908279 DNLM

PM 5136
.M 8
Museum komischer Vorträge für das Haus - und die ganze Welt. Sammlung der besten, kernigsten Vorträge - Poesie und Prosa - welche in den letzten zehn Jahren überhaupt bekannt geworden sind. Hrsg. von der Redaction des Komikers ... [1.-12?] Thl. Berlin, Verlag von Otto Janke [18
v. in 13½cm.
Vol. 2 has sub-title: Eine Gesammtausgabe des Bewährtesten ... der komischen Vorträge in Poesie und Prosa, von F. E. Moll ...

NM 0908280 MdBJ

PT 1358
.M986
MUSEUM KOMISCHER VORTRÄGE FÜR HAUS UND DIE GANZE Welt; Sammlung der besten,kernigsten Vorträge - Poesie und Prosa - welche in den letzten zehn Jahren überhaupt bekannt geworden sind. Hrsg. von der Redaction des Komikers. 9. verb. und verm. Aufl. Berlin, O. Janke, c1859-
v.
Some vols. also have special title.
Attributed to F. E. Moll - Cf. BM
Edition varies.
1. German wit and humor. I. Moll, F E
ed.

NM 0908281 InU

Museum Království českého, Prague
see Prague. Národní muzeum.

Museum lessianum. Section ascétique et mystique. no. 1- Louvain, Éditions du Museum Lessianum, 1923-
v. 19 cm.

NM 0908283 NcD DLC GEU PHC

Museum lessianum. Section historique. no. 1- ; 1940- Louvain, 1940-
v.

NM 0908284 CtNlC DLC GEU ICN OU MdBJ

Museum Lessianum. Section missiologique. no.1- Bruges [etc.] 1924-

NM 0908285 FU DLC AzU TxDaM

Museum Lessianum. Section missiologique. Obstacles a l'apostolat ...
see under Semaine de missiologie. 7th, Louvain, 1929.

106
M986
Museum Lessianum. Section philosophique. v.1- 1923-
Louvain
v. 23cm.

NM 0908287 TxDaM MBU GEU MiU CtNlC PHC DLC

282.06
M986
Museum Lessianum. Section théologique. no.1- 1922-
Louvain
v. 23cm.

NM 0908288 TxDaM CtY DLC

Museum Ludwig Salvator in Ober-Blasewitz bei Dresden.
see
Dresden. Museum Ludwig Salvator.

Museum Macedonicum Scientiarum Naturalium, *Skopje*
see
Skopje, Yugoslavia. Prirodonaučen muzej.

Museum Mayer van den Bergh
see
Antwerp. Musée Mayer van den Bergh.

Museum Mediolanense
see Milan. Museo civico di storia naturale.

Museum Meermanno-Westreenianum, *Hague*
see Hague. Museum Meermanno-Westreenianum.

Museum města Brna
see
Brünn. Městské museum.

Museum Moraviae Brunense
see
Brunn. Moravské muzeum.

Museum Münterianum. [1836-39]
see under [Münter, Friedrich Christian Carl Hinrich, Bp.] 1761-1830.

Museum museorum ...
see under Valentini, Michael Bernhard, 1657-1729.

Muséum national d'histoire naturelle, *Paris*
see
Paris. Muséum national d'histoire naturelle.

Museum Nationale, Prague
see Prague. Národní muzeum.

Museum nationale hungaricum
see
Budapest. Magyar nemzeti muzeum.

Museum Nationale Labacense
see
Ljubljana. Narodni muzej.

Museum neocomense.
see
Neuchâtel. Museo d'histoire naturelle.

Museum news. v.1-8; Apr. 1905-May 1913. Brooklyn, Central Museum [and] Children's Museum, Brooklyn Institute of Arts and Sciences.
8v. in 3. monthly except June-Sept.
Supersedes Children's Museum news.
Superseded by Children's Museum news and Brooklyn Museum quarterly.

NM 0908303 ICRL

W1
MU968S
Museum news. v. 1-7, no.3; 1940-Mar. 1946. Cleveland, Cleveland Health Museum.
7 v. in illus.
Continued by Cleveland Health Museum News.
1. Health Education - period. I. Cleveland Health Museum.

NM 0908304 DNLM OClWHi

Museum news, published by Norfolk museum of arts and sciences, v.1,no.1-
Norfolk, Va., 1933-
v. 30 cm. quarterly.

NM 0908305 DSI

The MUSEUM news. [Published by the Oregon museum foundation, inc.] v. 1, no. 1-5; Oct. 1946- Sept. 1947
Portland, Ore. v. illus. 28cm.
Published also by the Ore. Museum of Sci. & Industry
Bimonthly (slightly irregular)
Ceased publication with v. 1, no. 6, Mar. 1948?
1. Museums--U.S.--Ore.--Portland. I. Oregon museum foundation.

NM 0908306 NN DLC NbHi

Museum news. Toledo
see under Toledo. Museum of Art.

Museum news. Vermillion, S.D.
see under South Dakota. University.
South Dakota Museum.

The Museum news, published by the American association of museums. v. 1- Jan. 1, 1924-
[Washington, D. C., 1924; New York city, 1924-
v. illus. 27½cm. semimonthly.
Caption title.
Editors: Jan. 1-Oct. 1, 1924, L. V. Coleman.—Oct. 15, 1924- Mary B. Hartt.
1. Museums—Period. I. Coleman, Laurence Vail, 1893- ed. II. Hartt, Mary Bronson, 1873- ed. III. American association of museums.
Library of Congress AM1.A55 26—18042

ArU FTaSU MoSW OU KPT CoD OC TxU MH-P MBU KMK DSI RPB WaS CaOOM TNJ MtU DNLM PU-Mu AzTeS NhD PPCS CSt LNHT IParkA KyLoU OkU UU WaU OkS NbHi FU I Or MdBWA OClMA MWA ICJ NN MB OrU OrPR CaBVaU CaBViP
NM 0908309 DLC OrP MiU PP PPAN PPPM PPWa PU-Mu

Museum news; bulletin of the Stamford Museum of Natural History. Stamford, Conn., 193
v.

NM 0908311 NbHi

VOLUME 403

Museum news letter. [Pub. by the **American association** of museums] v. 1; June 1917-May 1918. [**Providence**, 1917-18]
9 no. in 1 v. 23cm.
Monthly, Oct.-June.
United with the Association's Proceedings to form Museum work.

1. Museums—Period. I. American association of museums.

Library of Congress AM1.A52 20-12507

NM 0908312 DLC PU-Mu

AM1 .A54 Museum news letter; issued to members of the American association of museums.Aug. 15, 1923- [Washington, D.C., 1923-]
v. 28 cm.
Autographed from type-written copy.

NM 0908313 DLC

Museum notes. Buffalo
see under Buffalo Historical Society.

Museum Notes. Minneapolis, Minn., Science Museum, Minneapolis Public Library, 194
v.

NM 0908315 NbHi DLC

Museum notes from New York State
see under New York (State) State Science Service.

Museum notes, Museum of Northern Arizona
see **Plateau.**

Museum notes. Rhode Island School of Design
see under Rhode Island School of Design, Providence. Museum of Art.

Museum Odescalchum, sive, Thesaurus antiquarum...
see under Bartoli, Pietro Santi, 1635-1700.

Museum Österreichischer Kultur, *Vienna*
see
Vienna. Kunsthistorisches Museum. *Museum Österreichischer Kultur.*

Museum of Agriculture and Natural History, Jerusalem
see Jerusalem. Museum of Agriculture and Natural History of the Zionist **Organisation.**

Museum of American archaeology, Philadelphia
see
Pennsylvania. University. University museum.

Museum of American Art, New York
see Whitney Museum of American Art, New York.

Museum of anatomy, New York
see
New York, (City) Museum of anatomy.

Museum of animated nature. [n.p., 1843-
v. col. front., illus.(incl. music) 25½cm.
Title from spine; also running title.
Imperfect: v. I, title-page through p. 8 wanting and p. 399-400 slightly mutilated.

1. Zoology. I. Title: Animated nature.

NM 0908325 ViU

Museum of Antiquities, *Istanbul*
see
Istanbul. Arekoloji Müzeleri.

Museum of Antiquities, *Peking*
see
Ku wu ch'ên lieh so, *Peking.*

Museum of antiquities, *University of Sydney*
see
Sydney. University. *Nicholson museum of antiquities.*

Museum of Applied Arts, Belgrad
see
Belgrad. Muzej primenjene umetnosti.

Museum of Applied Arts, *Zagreb*
see
Zagreb. Muzej za umjetnost i obrt.

Museum of Applied Arts and Sciences, *Sydney*
see **Sydney. Museum of Applied Arts and Sciences.**

Museum of Archaeology, *Istanbul*
see
Istanbul. Arkeoloji Müzeleri.

Museum of archeology, *Leyden*
see
Leyden. Rijksmuseum van oudheden.

Musem of archaeology, Sarnath, India
see Sarnath, India. Museum of archaeology.

Museum of Art, Baltimore.
See
Baltimore, Museum of Art.

Museum of Art, *Los Angeles*
see
Los Angeles Co., Calif. Museum of Art, ***Los Angeles.***

Museum of Art, *San Francisco*
see **San Francisco. Museum of Art.**

Museum of art, Toledo, O.
see
Toledo, O. Museum of art.

Museum of art and antiquities in the University of Michigan
see
Michigan. University. Gallery of art and archaeology.

Museum of art and Industry, Moscow
SEE
Moscow. Khudozhestvenno-promyshlennyĭ muzeĭ Imperatora Aleksandra II.

ND614 .M8 (SA) Museum of Art, Science, and Industry, Bridgeport.
The Samuel H. Kress study collection. Bridgeport, Conn. [195-?]
[6] l. illus. 23 cm.
Collection given to the Museum by the Samuel H. Kress Foundation.
1. Paintings, Italian - Catalogs. 2. Paintings - Bridgeport, Conn. - Catalogs. I. Samuel H. Kress Foundation. II. T.

NM 0908341 NjP

Museum of Arts and Science,, Evansville, Ind.
see Evansville, Ind. Museum of Arts and Science.

Museum of Belshazzar's sister
see under Pennsylvania. University. University Museum.

The museum of birds... Providence C. Shepard, n. d.
13 l. illus. (col.)
Printed on one side of paper only.

NM 0908344 MiD-B

Is94 tl v.2(2 The museum of birds. New York:Kiggins & Kellogg[ca.1835]
8p. illus. 8cm. ([Kiggins and Kellogg, publishers, New York. Redfield's toy books] 1st ser., no.10)

NM 0908345 CtY ICU

Museum of Central Asian antiquities, Delhi
see Delhi. Central Asian antiquities museum.

VOLUME 403

The **Museum** of classical antiquities: a quarterly journal of architecture and the sister branches of classic art. v. 1–2; ⌐Jan.⌐ 1851–May 1853. London, J. W. Parker and son ⌐etc.⌐ 1851–53.
2 v. in 1. illus., plates (part fold.) maps (part fold.) plans. 26cm.
Quarterly, v. 1, no. 1–4 (Jan.–Oct. 1851); v. 2, no. 5–7 (Mar.–Sept. 1852) Vol. 2, no. 8 is dated Apr. 1853, and no. 8, suppl., May 1853.
Vol. 2 has title: The Museum of classical antiquities: a quarterly journal of ancient art.
Vol. 2 has imprint: London, T. Richards, printer, 1852–53.
Edited by Edward Falkener.
No more published.
1. Classical antiquities—Period. 2. Archaeology—Period. I. Falkener, Edward, 1814–1906, ed.
34–24618
Library of Congress DE1.M8 913.3

NM 0908347 DLC T IC OO ICU

---

ar W 41021 Museum of classical antiquities; a series of papers on ancient art. Edited by Edward Falkener. London, Trübner, 1855.
2 v. in 1. illus. 25cm.

1. Falkener, Edward, 1814–1906, ed.

NM 0908348 NIC ScU NjP MBAt PPGi PP

The museum of classical antiquities: being a series of essays on ancient art. Edited by Edward Falkener. New ed. ... London, Longman, Green, Longman, Roberts, 1860.
2 v. in 1. illus., plates (part fold. 1 col.) maps (1 fold.) plans, fold. table. 25cm.
For a continuation of this work see Belli, Onario. A description of some important theatres and other remains in Crete ...

1. Classical antiquities—Collections.

NM 0908350 MB MH

Museum of comparative oology, *Santa Barbara, Calif.*
see
Santa Barbara, Calif. Museum of natural history.

Museum of comparative zoölogy at Harvard college
see
Harvard university. *Museum of comparative zoölogy.*

Museum of Contemporary Events in Russia, *Paris*
see **Paris. Muzeĭ sovremennykh sobytiĭ v Rossii.**

Museum of costume art, *New York*
see
New York (City) Museum of costume art.

Museum of Decorative Art, *Copenhagen*
see
Copenhagen. Danske kunstindustrimuseum.

Museum of Eastern Asiatic Arts, *Budapest*
see
Budapest. Hopp Ferenc Keletázsiai Művészeti Múzeum.

Museum of economic geology, *London*
see
London. Museum of practical geology.

Museum of Egyptian antiquities, Cairo
see **Cairo. al-Mathaf al-Misri.**

Museum of entertainment Jan. 12, 1828-
see
The Olio; or, Museum of entertainment.

Ib50 t780 The museum of entertainment; or, Magazine of wit. London, Printed for A.Hamilton[178-?]
1p.ℓ.,204p. 16½cm.
A collection of anecdotes, anonymous poetry, epitaphs, songs and ballads without music.

NM 0908360 CtY

Museum of Far Eastern antiquities
see Stockholm. Ostasiatiska samlingarna.

Museum of fine arts, Boston.
see
Boston. Museum of fine arts.

Museum of Fine Arts, Ghent
see Ghent. Musée des beaux-arts.

Museum of fine arts, Springfield, Mass.
see Springfield, Mass. Museum of fine arts.

Museum of fine arts, Syracuse, N.Y.
see
Syracuse, N.Y. Museum of fine arts.

Museum of Fisheries and Shipping, *Hull, Eng.*
see **Hull, Eng. Museum of Fisheries and Shipping.**

Museum of foreign animals; or, History of beasts ... New Haven, S. Babcock ⌐1828?⌐
16 p. illus. 11cm.
Title vignette.

1. Animals, Legends and stories of.
21–3870
Library of Congress PZ6.M972

NM 0908367 DLC NN

Museum of foreign animals; or History of **beasts** ... **New** Haven, S. Babcock ⌐1840⌐
16 p. illus. 11cm.
Illustrated t.-p. and lining-papers.
Cover dated 1840.

1. Animals, Legends and stories of.
38–12765
Library of Congress PZ6.M972 1840

NM 0908368 DLC MHi CtY NNC

PZ 6 .M985 Museum of foreign animals; or, History of beasts ... New York, S.Babcock, 1842.
16 p. illus. 11 cm.

1.Zoology--Juvenile literature.

NM 0908369 MiU DLC CtY

The **Museum** of foreign literature and science. v. 1–7; **July** 1822–Dec. 1825. Philadelphia, E. Littell ⌐etc.⌐
3 reels. (American periodical series: 1800–1825. 146–148)
Microfilm copy, made in 1950 by University Microfilms, Ann Arbor, Mich. Positive.
Collation of the original: 45 v. illus.
Monthly.
Supersedes the Saturday magazine.
United with the American eclectic in Jan. 1843 to form the Eclectic museum.
Editors: July 1822–June 1823, R. Walsh.—July 1823–Dec. 1825, E. Littell.
I. Walsh, Robert, 1784–1859, ed. II. Littell, Eliakim, 1797–1870, ed. (Series: American periodical series: 1800–1850. 146–148)
Microfilm 01104 no. 146–148 AP Mic 56–4959

NM 0908370 DLC NN ICRL MiU

The **Museum** of foreign literature, science, and art. v. 1–45; July 1822–Dec. 1842. Philadelphia, E. Littell; ⌐etc., etc., 1822–42⌐
45 v. plates, ports., facsims. 22½–24 cm. monthly.
Vols. 29–45 are called also "new ser., v. 1–17."
Mar.–Sept. 1837 in one no.: June–Nov. 1842 in one no.
From July 1822, to December 1832, title reads: The Museum of foreign literature and science.
Editors: July 1822–June 1823, Robert Walsh.—July 1823–Dec. 1834, Eliakim Littell.—Jan.–Dec. 1835, J. J. Smith.—Jan. 1836–Dec. 1842, Eliakim Littell.
Supersedes the Saturday magazine.
United with the American eclectic in January 1843, to form the Eclectic museum.
I. Walsh, Robert, 1784–1859, ed. II. Littell, Eliakim, 1797–1870, ed. III. Smith, John Jay, 1798–1881, ed.
AP2.M89 16-14426

GEU OrU CaBVaU NjP DSI FTaSU CtH Nc Nh MNS P AAP PP PNt PU PHi OCl OOxM MeP NNC NWM PPL MB PPT KyU
NM 0908371 DLC IU NcD NIC PWcHi PPF PP-W PPAmP

FILM 833–835 The Museum of foreign literature, science, and art. v. 1–45; July 1822–Dec. 1842. Philadelphia.
45 v. monthly.
Microfilm reproduction; positive.
University Microfilms. American periodical series, 1800–1825. (reels 146–148, no. 449)
Vols. 29–45 are called also "new ser., v. 1–17."
Mar.–Sept. 1837 in one no.; June–Nov. 1842 in one no.
From July 1822, to December 1832, title reads: The Museum of foreign literature and science.
Editors: July 1822–June 1823, Robert Walsh.—July 1823–Dec. 1834, Eliakim Littell.—Jan.–Dec. 1835, J.J. Smith.—Jan. 1836–Dec. 1842, Eliakim Littell.
Supersedes the Saturday magazine.
United with the American eclectic in January 1843, to form the Eclectic museum.

NM 0908372 ViU

Museum of French-American Cooperation, *Blérancourt, France*
see
Blérancourt, France. Musée national de la coopération franco-américaine.

Museum of French Art, French Institute in the United States, New York
see New York (City) Museum of French Art, French Institute in the United States.

Museum of general and local archaeology and of ethnology, Cambridge, Eng.
see
Cambridge. University. Museum of archaeology and of ethnology.

Museum of Geological survey of Alabama
see Alabama. Geological survey. Museum.

Museum of Historical Arms, Miami Beach, Fla.
Catalog. ⌐Author⌐

1.Firearms - Catalogs. 2.Arms and armor - Catalogs.

NM 0908377 OrP

VOLUME 403

The museum of history, or narratives of the most remarkable and interesting events ...
see under Watts, Joshua, comp.

Museum of history, science and art, Los Angeles
see Los Angeles Co., Calif. Museum, Los Angeles.

Museum of hygiene.
see
U.S. Museum of hygiene.

Museum of Industrial Art, Prague
see **Prague. Uměleckoprůmyslové muzeum.**

Museum of Irish Art, New York
see New York (City) Museum of Irish Art.

Museum of Irish industry, *Dublin*
see
Dublin. Museum of Irish industry.

Museum of Islamic Art, *Cairo*
see
Cairo. Matḥaf al-Fann al-Islāmī.

Museum of Jewish antiquities, *Jerusalem*
see
Jerusalem. Hebrew university. ***Museum of Jewish antiquities.***

Museum of Leathercraft, London
see London. Museum of Leathercraft.

---

*5361.5
Museum of literature. Being a selection of choice articles from th English reviews and magazines.
= Boston. Crosby & Nichols. 1850. iv, 572 pp. Portrait. 8°.
A reprint of The Daguerreotype, vol. 3, with a different title-page [*5361.50]

F1209 — English literature. Coll.

NM 0908387 MB

Museum of Living Art, New York University
see New York University. Gallery of Living Art.

Museum of man. San Diego, Calif.
see San Diego, Calif. Museum of Man.

Museum of mankind
see under [Shippard, Capt.]

ND1170 MUSEUM OF MASTERPIECES. Paris, Editions du Chêne,
.M9 1950.
3 v. in 1. col. plates.

Notes to each volume in French and English.

Contents: [v.1] The Italian Renaissance. [v.2] Spanish Paintings. [v.3] French Paintings of the XVIII th Century.

NM 0908391 InU PV

Museum of Masterpieces.
French primitives of the XVth century
see French primitives of the XVth century.

Museum of Modern Art, *Boston*
see **Boston. Institute of Contemporary Art.**

Museum of Modern Art, *New York*
see
New York (City). Museum of Modern Art.

Museum of modern art gallery, *Washington, D. C.*
see
Washington, D. C. Museum of modern art gallery.

Museum of modern western art, *Moscow*
see
Moscow. Gosudarstvennyĭ muzeĭ novogo zapadnogo iskusstva.

Museum of National History at Frederiksborg Castle, *Hillerød, Denmark*
see
Hillerød, Denmark. Nationalhistoriske museum paa Frederiksborg slot.

Museum of Natural History, *Aarhus*
see **Aarhus, Denmark. Naturhistorisk museum.**

Museum of Natural History, *Los Angeles*
see
Los Angeles Co., Calif. Museum of Natural History, ***Los Angeles.***

Museum of natural history, New York.
See
American museum of natural history, New York.

Museum of Natural History, *Reykjavik*
see
Reykjavik. Náttúrugripasafnið.

Museum of natural history, Santa Barbara, Calif.
see
Santa Barbara, Calif. Museum of natural history.

Museum of natural history, Springfield, Mass.
see
Springfield, Mass. Museum of natural history.

The museum of natural history, being a popular account ...
see under Richardson, Sir John, 1787-1865.

Museum of natural resources of Georgia, *Atlanta*
see
Georgia. Museum of natural resources, *Atlanta.*

Museum of Navaho Ceremonial Art.
Bulletin. no. 1-
Santa Fe, N. M., 1938-
no. in v. 18 cm.

1. Navaho Indians—Religion and mythology.

E99.N3M85 **64-35284**

NM 0908406 ICU MiU TxFTC TxU DLC NcD CU-B KU C AzU FU NN CLSU CoD

Museum of Navaho Ceremonial Art.
Hail chant. [Santa Fé, N.M., n.d.]

1 mounted col.pl. 42cm.

In portfolio.
An example of sandpainting purchased from the Museum of Navajo ceremonial art.

1. Navaho Indians--Art. I. Title.

NM 0908407 MoU

Museum of Navaho Ceremonial Art.
Navajo creation myth
see under Klah, Hasteen, 1867-1937.

Museum of Navaho Ceremonial Art.

... Navajo religion series, v. 1-
Santa Fe, N. M., Museum of Navajo ceremonial art, 1942-

Museum of Navaho Ceremonial Art.
Texts of the Navajo creation chants
see under Hoijer, Harry, 1904- ed. and tr.

Museum of New Mexico, Santo Fe, N.M.
see
Santa Fe, N.M. Museum of New Mexico.

Museum of Nigerian Antiquities, Traditional Art and Ethnography, *Lagos*
see
Lagos (City) Museum of Nigerian Antiquities, Traditional Art and Ethnography.

VOLUME 403

Museum of Non-objective Paintings, *New York*
see
Solomon R. Guggenheim Museum, *New York.*

Museum of Northern Arizona, Flagstaff, Arizona
see
Flagstaff, Ariz. Museum of Northern Arizona.

Museum of Northern British Columbia, Prince Rupert.
The Cunningham collection of carved nephrite totems on exhibit at the Prince Rupert Museum, B.C. ₍Prince Rupert, 193-?₎
2 l. 28 cm.

Caption title.
Mimeographed.

NM 0908415 CaBViPA

Museum of Oriental Antiquities, *Istanbul*
see
Istanbul. Arkeoloji Müzeleri. *Eski Şark Eserleri Müzesi.*

Museum of Oriental Ethnology, *Peking*
see
Fu jên ta hsüeh, *Peking. Jên lei hsüeh po wu kuan.*

Museum of painting and sculpture
see under Rêveil, Étienne Achille, 1800-1851.

FILM 4274 PR v.2 reel M27
The museum of perilous adventures and daring exploits: Being a record of thrilling narratives, heroic achievements ... found in history ... New York, G. & F. Bill, 1858.
504 p. illus. (Wright American fiction, v.II, 1851-1875, no. 1768, Research Publications Microfilm, Reel M-27)

NM 0908419 CU

---

908 M972
The museum of perilous adventures and daring exploits; being a record of thrilling narratives, heroic achievements and hazardous enterprises... Springfield, Mass., Bill, Nichols & Co. ₍c1859₎
504p. illus.

1. Adventure and adventurers.

NM 0908420 PP

The museum of perilous adventures and daring exploits, being a record of thrilling narratives, heroic achievements, and hazardous enterprises ... Chicago, O. F. Gibbs, 1863.
504 p. illus. 20 cm.

1. Adventure and adventurers.

G525.M94 1863 50-41952

NM 0908421 DLC

---

910 M986
The museum of perilous adventures and daring exploits ... prepared from authentic documents ... N.Y.,G.Bill,1865.
504p. plates(part col.) 19cm.

1.Adventure and adventurers.

NM 0908422 N NNC

The museum of perilous adventures and daring exploits; being a record of thrilling narratives, heroic achievements and hazardous enterprises, interspersed with numerous accounts of the most singular and enertaining facts, found in history; and embracing a most curious and interesting variety of valuable reading for all classes, prepared from authentic documents, and embellished with numerous and diversified colored engravings. Springfield,Mass.,Gurdon Bill;Chicago,Ill.,O.F. Gibbs,1865.
504p.,front.(col.)plates(part.col.)

NM 0908423 OCl ICN

Museum of practical geology, London
SEE
London. Museum of practical geology

Museum of Religious Art, Mexico
see Mexico (City) Museo de Art Religiosc

The museum of remarkable and interesting events
see under Watts, Joshua, comp.

Museum of Safety and Sanitation, New York
see
American Museum of Safety, New York.

Museum of St. Sophia, *Istanbul*
see
Istanbul. Ayasofya Müzesi.

Museum of Science, *Halifax, N. S.*
see Nova Scotia. Museum of Science, *Halifax.*

Museum of science and art, Edinburgh.
see
Edinburgh. Royal Scottish museum.

Museum of science and art. London, 1854-
see under Lardner, Dionysius, 1793-1859, ed.

Museum of science and arts, *Yonkers, N. Y.*
see
Hudson river museum at Yonkers, *Yonkers, N. Y.*

Museum of Science and Industry, *Chicago*
see Chicago. Museum of Science and Industry.

Museum of science and industry, New York.
See: New York (city). Museum of science and industry.

Museum of Technology and Applied Science, *Sydney*
see Sydney. Museum of Applied Arts and Sciences.

Museum of the American Circus, *Sarasota, Fla.*
see
Florida. Museum of the American Circus, *Sarasota.*

Museum of the American Indian, Hey foudation, New York.
see
New York (City) Museum of the American Indian, Heye foundation.

Museum of the Ancient Orient, *Istanbul*
see
Istanbul. Arkeoloji Müzeleri. *Eski Şark Eserleri Müzesi.*

Museum of the Antiquarian and numismatic society of Montreal
see Montreal. Chateau de Ramezay.

Museum of the Brooklyn institute of arts and sciences.
see
Brooklyn institute of arts and sciences. Museum.

Museum of the Cherokee Indian, Cherokee, N.C.
See
Cherokee, N.C. Museum of the Cherokee Indian.

Museum of the city of New York.
see
New York (City) Museum of the city of New York.

Museum of the History of Science, *Oxford*
see
Oxford. University. *Museum of the History of Science.*

Museum of the Illinois state natural history society
see Illinois state laboratory of natural history, Urbana.

Museum of the Peaceful Arts, New York
see New York (City) Museum of Science and Industry.

Museum of the Plains Indian, *Browning, Mont.*
see
U. S. *Museum of the Plains Indian, Browning, Mont.*

Museum of the Roumanian Language, *Cluj, Transylvania*
see Cluj, Transylvania. Universitatea. *Muzeul Limbei Române.*

Museum of the Royal Society
see Royal Society of London. Museum.

VOLUME 403

Museum of the Yorkshire philosophical society, York, Eng.
see
Yorkshire philosophical society, York, Eng. Museum.

Museum of Theatre Art, *Belgrad*
see
Belgrad. Muzej pozorišne umetnosti NR Srbije.

The Museum of Transport. Inc., St. Louis
... Pictorial booklet describing character and scope of the museum of transport. St. Louis [1951?]

NM 0908451 OFH

PN502 .M8 Museum; of, Verzameling van stukken ter bevordering van fraaije kunsten en wetenschappen, door Matthijs Siegenbeek. 1. deel Haarlem, A. Loosjes, P. z., 1812- v. 22cm.

I. Siegenbeek, Matthijs, 1774-1854.

NM 0908452 DLC

The MUSEUM of wit;being a choice collection of poetical pieces,selected from various authors London,Crosby and Letterman,1801.

pp.96. Front.

NM 0908453 MH

Museum of zoology, *Dundee, Scot.*
see
Dundee, Scot. University college. *Museum of zoology.*

Museum okresu hlineckého, Hlinsko
see Hlinsko, Czechoslovak Republic. Museum okresu hlineckého.

The museum; or, Man as he is: being a chrono, demono, mytho, patho, theo, deo, and several other o, logical dissertation on the dignity of human nature; calculated to exhibit to its admirers a few of the various and curious materials of which it is composed. By a lord of the creation ... London, W. Hughes, 1814.
xvi, 116 p. 19cm.
A treatise on adultery.

1. Adultery. I. A lord of the creation. 15-18483

Library of Congress HQ806.M7

NM 0908456 DLC NjP

The Museum; or, Record of literature, fine arts, science ... London, 1822-23
see
The Literary museum, and register of arts, sciences, and general literature ...

The Museum: or, The literary and historical register. v. 1-3; Mar. 29, 1746-Sept. 12, 1747. London, Printed for R. Dodsley, 1746-47.
3 v. 22½cm. biweekly.
No more published.

Library of Congress AP3.M9 9-19690

NM 0908458 NN NcD CaOTU FTaSU DLC WU WaU PBL PPL PHi InU CtY IaU PSt

Micro-film 5044 reel 29 The Museum: or, the literary and historical register. v. 1-3; Mar. 29, 1746-Sept. 12, 1747. London, Printed for R. Dodsley.
3 v. 23 cm. semimonthly.
Microfilm. Ann Arbor, Mich., University Microfilms, 1968. 1 reel. 35 mm. (Early British Periodicals, reel 29)

NM 0908459 OCU

Museum Oxoniense
see Oxford, University. Ashmolean museum.

Museum Plantin-Moretus
see Antwerp. Musée Plantin-Moretus.

Museum Plossianum zoologicum oder Verzeichniss der in der Plossischen Sammlung zu Leipzig befindlichen ausgestopften Säugethiere Vögeln. Leipzig, 1830.

NM 0908462 PPAN

Museum Poesjkin
see
Moscow. Gosudarstvennyĭ muzeĭ izobrazitel'-nykh iskusstv.

Museum Polonicum Historiae Naturalis, *Warsaw*
see
Warsaw. Państwowe Muzeum Zoologiczne.

Museum press, New York.

France, Anatole, 1844-1924.
Amycus et Célestin, par Anatole France. [New York, Printed at the Museum press] 1916.

Museum Press, New York.
Printing types used by the Museum Press
see under New York (City) Metropolitan Museum of Art.

Museum Princessehof, Leeuwarden
see Leeuwarden. Verzameling van chineesche en indonesische kunst.

Museum project. *Kansas.*
... Catalogue ...

[Topeka, 19
v. plates, tables. 26cm.
Reproduced from type-written copy.

1. Museums—Kansas. 42-43582

Library of Congress AM12.K2M8 [2] 069.09781

NM 0908468 DLC

Museum project. Pennsylvania
see Museum Extension Project. Pennsylvania.

Museum Pusat.

The Museum of Lembaga Kebudajaan Indonesia (called Bataviaasch Genootschap van Kunsten en Wetenschappen until 1950) was founded in 1778. Its name was changed in 1962 to Museum Pusat.
Works by this body published before the change of name in 1962 are found under

Lembaga Kebudajaan Indonesia. Museum.

Museum Pusat. Library
see
Museum Pusat. Perpustakaan.

Museum Pusat. Perpustakaan.

For earlier works by this body issued when it was part of Lembaga Kebudajaan Indonesia
see

Lembaga Kebudajaan Indonesia. Perpustakaan.

Museum Regium, *Copenhagen*
see Copenhagen. Kunstkammeret.

Museum regium Florentinum.
see
Florence. R. Museo di fisica e storia naturale.

Museum reports. Miscellaneous. [New York, etc., 1906-28]
17 v. in 1. illus., plates. 24 cm.
Binder's title.
1. Museums.

NM 0908475 CU

Museum Rerum Naturalium Islandiae
see
Reykjavík. Náttúrugripasafnið.

The Museum review; published monthly by the State historical society of North Dakota. v. 1-2, no. 6; Jan. 1946-June, 1947. Bismarck, N.D. 2 v. in 1. illus.,maps(part fold.) 23cm.

Monthly.
Published at the State historical museum, Bismarck, North Dakota.

1. North Dakota—Hist.—Per. and soc. publ.
I. North Dakota state historical society

NM 0908478 NN MtU PHi DLC

Museum Rietberg, *Zürich*
see Zürich. Museum Rietberg.

VOLUME 403

*A
1764
.M874
Museum rusticum et commerciale; or, Select papers on agriculture, commerce, arts, and manufactures. Drawn from experience, and communicated by gentlemen engaged in these pursuits. Rev. and digested by several members of the Society for the Encouragement of Arts, Manufactures, and Commerce. London, Printed for R. Davis ⌜etc.⌝ 1764–66.
6 v. illus., plates (part fold.) tables (part fold.) 21cm.
Vols. 1–2, 1764; v. 3–5, 1765; v. 6, 1766.
Armorial bookplate of John Ward.
1. Agriculture. 2. Commerce. 3. Manufactures. I. Royal Society of Arts, London.

NM 0908480 ViU MU DLC-P4 MiU-C DeU NPV

Museum rusticum et commerciale: or, Select papers on agriculture, commerce, arts, and manufactures. Drawn from experience, and communicated by gentlemen engaged in these pursuits. Rev. and digested by several members of the Society for the encouragement of arts, manufactures, and commerce. The 3d ed., cor. ... London, Printed for R. Davis ⌜etc.⌝ 1764–66.
6 v. front. (v. 1) illus., plates (part fold.) tables (part fold.) 21cm.
Vol. 1, 1766; v. 2, 1764; v. 3–5, 1765; v. 6, 1766.
1. Agriculture. I. Royal society of arts, London.
Agr 11—772
U. S. Dept. of agr. Library for Library of Congress 30M98 ⌜a40d1⌝

MH-BA
NM 0908481 DNAL PPAmP NNC NjR CU-A PPL PU-V MiU-C

S509
M83
Museum rusticum et commerciale; oder, Auserlesene Schriften den Ackerbau, die Handlung, die Künste und Manufacturen betreffend aus der Erfahrung genommen, und von verschiedenen in diesen Verrichtungen ... von einigen Mitgliedern der Gesellschaft zur Aufmunterung der Künste, Manufacturen und Handlung aber durchgesehen und herausgegeben. Aus dem Englischen übersetzet und mit einigen Anmerkungen begleitet ... Leipzig, J.F. Junius, 1764-69.
10 v. in 6. fold.plates,fold.tables.

NM 0908482 CU

Museum rusticum.

Select essays on husbandry. Extracted from the **Museum** rusticum and foreign essays on agriculture, containing a variety of experiments, all of which have been found to succeed in Scotland. Edinburgh, Printed for J. Balfour, 1767.

Museum S: ae R: ae M: tis Adolphi Friderici regis Svecorum
see under Linné, Carl von, 1707-1778.

Museum Sanabudaja, Jogjakarta, Indonesia
see Jogjakarta, Indonesia (City) Museum Sanabudaja.

Museum Saraievoensis
see
Sarajevo. Zemaljski muzej.

Museum schlesischer altertuemer, Verein fuer das
see
Schlesischer altertumsverein, Breslau.

Museum schlesischer altertuemer zu Breslau
see Breslau. Schlesisches museum für Kunstgewerbe und Altertümer.

Museum Senckenbergianum
see under Senckenbergische Naturforschende Gesellschaft, Frankfurt am Main.

Museum Serbiae meridionalis, *Skoplje*
see
Skoplje, Yugoslavia. Muzej južne Srbije.

Museum service ... v. 1- Apr. 1926-
Rochester, N. Y. ⌜1926⌝-
v. illus. 22½cm.
Monthly, except July and Aug. (1940- except Aug. and Sept.)
Publication suspended during 1932 and 1933.
Bulletin of Rochester museum of arts and sciences (called 1926-29, Rochester municipal museum)
1. Museums—Period. I. Rochester, N. Y. Museum of arts and sciences.
Library of Congress AM101.R59544 41-25963

NM 0908491 DLC OrU KU WHi MdBWA NcGU DSI NN NbHi

Museum Silesiae, *Opava*
see
Opava, Czechoslovak Republic. Slezské museum.

Museum Śląskie, *Breslau*
see
Breslau. Muzeum Śląskie.

Museum statue antiquorum. Collection de statues des divers museum de Rome, Naples, Florence, &c. à l'usage des peintres, sculpteurs, architectes et amateurs des beaux arts. ⌜n. p., 1795?⌝
2 p. l., 56 pl. 26 x 21½cm.
Caption title.
Engraved throughout.
Two plates signed: Gatine fecit 1795.
1. Sculpture, Ancient. I. Gatine, Georges Jacques, b. ca. 1773.
11—11352
Library of Congress NB86.M9

NM 0908494 DLC

Museum Steen, *Antwerp*
see **Antwerp. Musée d'antiquités.**

Museum Stephani Regis, *Székesfehérvár, Hungary*
see
Székesfehérvár, Hungary (City) István Király Múzeum.

Museum süd-Serbiens, *Skoplje*
see
Skoplje, Yugoslavia. Muzej južne Srbije.

Museum talk about animals which have no bones
see under Higgins, Henry Hugh, 1814-1893.

Museum te Rotterdam gesticht door Mr. F. J. O. Boymans
see Rotterdam. Museum Boymans-Van Beuningen.

069
M972
Museum trends, by nine outstanding museum directors. ⌜Springfield, Mass.⌝ Art in America, 1946.
p.175-243. illus. 28cm. (Art in America, v.34, no.4, October 1946)
Cover title.
1. Museums.

NM 0908500 OrU

Museum Umlauff, Hamburg
see Hamburg. Museum Umlauff.

Museum und öffentlichkeit; studien aus den Kölner kunstsammlungen. Köln. 1926-1933.
v.

NM 0908502 MNS DLC

Museum V. I. Lenina, *Prague*
see
Prague. Museum V. I. Lenina.

Museum V. I. Lenina v Praze. ⌜Hlavní statě napsali Barbora Kokešová a Vladimír Piša. Redigoval František Lion. ⌜V Praze⌝ Čedok ⌜1953⌝
32 p. illus. 21 cm.
1. Prague. Museum V. I. Lenina. I. Kokešová, Barbora. II. Lion, František, ed.
DK254.L4M92 59-49250 ‡

NM 0908504 DLC

Museum van Belgisch Congo
see Tervueren, Belgium. Musée royal de l'Afrique centrale.

Museum van het Boek
see
Hague. Museum Meermanno-Westreenianum.

Museum van kantwerken, Bruges.
see
Bruges. Musée de dentelles.

Museum van Kunstnijverheid, Haarlem
see Haarlem. Museum van Kunstnijverheid.

Museum van kunstnijverheid, Utrecht
see
Utrecht, Museum van kunstnijverheid.

Museum van oudheden, Groningen.
see
Groningen. Museum van oudheden voor provincie en stad Groningen.

VOLUME 403

Museum van oudheden, *Leyden*
see
Leyden. Rijksmuseum van oudheden.

Museum van oudheden, Rotterdam
see
Rotterdam. Museum van oudheden.

Museum van schoone kunsten, *Antwerp*
see
Antwerp. Musée royal des beaux-arts.

Museum vaterlaendischer altertuemer, Berlin
see
Berlin. Museen. Museum fuer voelkerkunde. Vorgeschichtliche abteilung und sammlung fuer deutsche volkskunde.

Museum Vaterländischer Altertümer, *Kiel*
see
Schleswig (City) Schleswig-Holsteinisches Landesmuseum für Vor- und Frühgeschichte in Schleswig.

Museum vaterlaendischer kunst- und altertumsdenkmaeler, Stuttgart
see
Stuttgart, Staatssammlung vaterlaendischer kunst- und altertumsdenkmale.

Museum veronense hoc est Antiquarum inscriptionum atque anaglyphorum collectio cui taurinensis adiungitur et vindobonensis
see under [Maffei, Francesco Scipione marchese] 1675-1755.

Museum virorum Lucernatum fama et meritis illustrium; quorum imagines ad vivum depictae visuntur. Inscriptiones adjecit Collector Musei. Lucernae, Typ. J.F.J.Wyssing, 1777

92 p.

NM 0908518 MH

Museum von meisterwerken der naturwissenschaft und technik, Munich.
see
Munich. Deutsches museum von meisterwerken der naturwissenschaft und technik.

Museum voor Land- en Volkenkunde, *Rotterdam*
see
Rotterdam. Museum voor Land- en Volkenkunde.

Museum voor Schone Kunsten, *Ghent*
see
Ghent. Musée des beaux-arts.

Museum voor Technische en Handelsbotanie.
Compilation of herbs, plants, crops supposed to be effective in various complaints and illnesses
see under Couvee,

Museum voor Technische en Handelsbotanie.
De nuttige planten van Nederlandsch-Indië, tevens synthetische catalogus der verzamelingen van het Museum voor Technische- en Handelsbotanie te Buitenzorg, door K. Heyne. Batavia, Gedrukt bij Ruygrok & Co., 1913-17.
4 v. 24 cm.
Bibliography: v. 1, p. [iii]-v.

1. Botany—Indonesia. 2. Botany, Economic—Indonesia. I. Heyne, K.

QK367.M87 1913 14-9202

NM 0908523 DLC ICU MH-A MiU PPAN NN FMU MtU

SB 108 .75 B73 1922
Museum voor Technische en Handelsbotanie.
De nuttige planten van Nederlandsch-Indië; tevens synthetische catalogus der verzamelingen van het Museum voor Economische Botanie te Buitenzorg, door K. Heyne. Deel I, herdruk. Batavia, Gedrukt bij Ruygrok & Co., 1922.
[4], 570, [2], lxxx p. tables. 24 cm.

1. Botany, Economic. 2. Botany - Dutch East Indies. I. Heyne, K

NM 0908524 ICF MH-A

Museum voor Technische en Handelsbotanie.
De nuttige planten van Nederlandsch-Indië, door K. Heyne ... 2. herziene en vermeerderde druk. Uitgave van het Department van Landbouw, Nijverheid & Handel in Nederlandsch-Indië. [Batavia, Gedrukt bij Ruygrok & Co., 1927]
3 v. 27½ cm.
Paged continuously.
"Literatuur-opgave": p. [27]-29.
1. Botany, Economic—Indonesia. [2. East Indies (Dutch)—Botany] I. Dutch East Indies. Department van Landbouw, Nijverheid en Handel. II. Heyne, K.

Agr 29-754

U. S. Nat'l Agr. Libr. for Library of Congress rev 2 460.21B862 [r72d2]

NM 0908525 DNAL IaAS CtY MiU MH-A

QK 367 .B93 1950
Museum voor technische en handelsbotanie.
De nuttige planten van Indonesië, door K. Heyne. 3. druk. 's-Gravenhage, W. van Hoeve, 1950.
2 v. (1660, ccxli p.) tables. 25 cm.
Bibliography: p. [27]-29.

1. Botany, Economic. 2. Botany--Dutch East Indies. I. Heyne, K

NM 0908526 MiU NIC DNAL CtY CU OU

Museum Vorgeschichtlicher Altertümer, *Kiel*
see
Schleswig (City) Schleswig-Holsteinisches Landesmuseum für Vor- und Frühgeschichte in Schleswig.

Museum Vrolik
see Amsterdam. Universiteit. Anatomisch instituut en Museum Vrolik.

Museum Wallraf-Richartz zu Coeln
see Cologne. Wallraf-Richartz-Museum.

Museum work, including the proceedings of the American association of museums. v. 1-8, no. 5; June 1918-Apr. 1926. [Providence, etc.] American association of museums [1918-26]
8 v. in 5. illus., plates (part col.) ports., plans. 25cm.
Monthly (Nov.-June) June 1918-May 1921; bimonthly, July 1921-Apr. 1926.
Title varies.
Combines the two earlier publications of the association: Proceedings, of which 11 vols. were published 1907-17, and Museum news letter, of which 1 vol. was published, June 1917-May 1918.

Superseded by: Publications of the American association of museums, New series.
List of members in v. 3, 4 and 8.
Directory of museums of the United States and of its possessions, is given in v. 5, no. 6, Mar./Apr. 1923, p. [101]-120 and in v. 8, no. 5, Mar./Apr. 1926, p. [129]-155.

1. Museums—Period. 2. Museums—U. S. I. American association of museums.

20-3657 Revised

Library of Congress AM1.A53

NM 0908531 MB MWA PP PU PPPM MWH PU-Mu PPAN CaOTRM DLC NcD OFH PPWI PPWa WaS NbHi OU ICJ

Museum Wormianum
see under Worm, Ole, 1588-1654.

Museum Worsleyanum
see under Worsley, Sir Richard, bart., 1751-1805.

Museum Zoologicum Polonicum, *Warsaw*
see
Warsaw. Państwowe Muzeum Zoologiczne.

Museum zu Allerheiligen, *Schaffhausen*
see **Schaffhausen. Museum zu Allerheiligen.**

Das Museum zu Lübeck; Festschrift zur Erinnerung an das 100jährige Bestehen der Sammlungen der Gesellschaft zur Beförderung gemeinnütziger Thätigkeit, 1800-1900
see under Lübeck. Museum.

Museum zur Belehrung und Unterhaltung für die israelitische Jugend...
Lief. 1-

Brieg, 1840 16°.
no.

Editor : 1840 , K. Klein.

1. Juvenile literature—Per. and soc. publ., Jewish. SCHIFF COLLECTION.
N. Y. P. L. October 28, 1929

NM 0908537 NN

Museum zur Belehrung und Unterhaltung für Israeliten...
Bändchen 1

Breslau, 1843 17cm.
v.

Editor : Bändchen 1 Karl Klein.

1. Periodicals, Jewish, in German. I. Klein, Karl, ed.
N. Y. P. L. September 9, 1940

NM 0908538 NN OCH

DJ1 .O86
De Museumdag.

Nederlandse Oudheidkundige Bond.
Bulletin & Nieuws-bulletin. 2. ser., jaarg. 1-13, 1908-20; 3. ser., jaarg. 1-11, 1921-31; 4. ser., jaarg. 1-1932- 6. ser., jaarg. 1- 1948-
Leiden [etc.]

VOLUME 403

De Museumdag.
Richtlijnen en wenken voor het administratief beheer van museumverzamelingen. 's-Gravenhage, 1950–
v. illus. 24 cm.
CONTENTS.—deel 1. De grondslagen van het administratief beheer.

1. Museum registration methods. I. Title.

AM139.M8 58-33344 ‡

NM 0908540 DLC MH

Museum-gesellschaft in Zürich.
Denkschrift der Museumsgesellschaft in Zürich. Zur feier des 24. junis 1840. ⌜Zürich⌝ Zürcher & Furrer, ⌜1840⌝
iv, 40 p. facsims. 32 cm.

1. Printing - History - Zürich. 2. Printing - Hist. - Celebrations of invention.

NM 0908541 NNC MU

Museum-Gesellschaft in Zürich.
... Jahresbericht der Museumsgesellschaft, Zürich. .... Zürich, 18--
v. 23½cm.
Report year ends March 1st.
Began publication in 1834.

NM 0908542 ICJ PBm

Museum-Gesellschaft in Zürich.
Statuten der Museum-Gesellschaft in Zürich. Zürich, J.Herzog, 1878.
8 p. 18 cm.
Cover title.
"Reglement für die Benutzung der Leseräume" (14) p. laid in.

NM 0908543 MH

Museum-gesellschaft in Zürich. *Bibliothek.*
Bibliothek-katalog der Museumsgesellschaft Zürich. 10. aufl. Zürich, Buchdruckerei J. Rüegg söhne, 1930.
2 v. 25cm.
Arranged (1) by language (2) by subject, and under subjects, alphabetically by author, each volume with index.
CONTENTS.—⌜1. bd.⌝ Bücher in deutscher sprache.—⌜2. bd.⌝ Bücher in französischer, englischer, italienischer, spanischer sprache, und in andern sprachen.

Library of Congress Z949.Z954 1930 33-4781
⌜2⌝ 017.1

NM 0908544 DLC

Museum-gesellschaft in Zürich. *Bibliothek.*
Katalog der bibliothek der Museum-gesellschaft in Zürich. 6. aufl., august 1880 ... Zürich, Druck von J. Herzog, 1880.
3 p. l., ⌜3⌝–374 p. 20cm.

Library of Congress Z949.Z954 '80 6-14069†

NM 0908545 DLC

Museum-Gesellschaft in Zürich. Bibliothek.
Katalog der Bibliothek der Museumsgesellschaft, Zürich. Achte Auflage. Zürich, Zürcher & Furrer, 1902.
xi, 715 p. 23½cm.
——— ... Ergänzung .... Enthaltend die [neuen] Erwerbungen .... Zürich, 1903–.
Continued from no. 1, [1902]/3. 23cm.

NM 0908546 ICJ

MUSEUMJOURNAAL. ser. 1- ;Juli, 1955-
Amsterdam [etc.] v. illus.(part col.) 28cm.

Eight numbers a year, July, 1955-Feb. 1957, ten numbers a year (some issues combined), May, 1957-1967; bimonthly, 1968-
Publication suspended July-Dec. 1965.
Organ of various institutions: the Stedelijk museum, Amsterdam, the Rijksmuseum Kröller Müller, the Stedelijk van Abbe-museum, and others.
Summaries in English (July, 1955-1965, in French).
Title varies: June, 1961-June, 1965, Museum journaal voor moderne kunst (title also as MJ, June, 1961-1967).
Index for v. 1-6, July, 1955-May, 1961, with v.6.

1. Art--Per. and soc. publ.--Netherlands. 2. Art, Modern--Per. and soc. publ. I. Eindhoven, Netherlands. Stedelijk van Abbe-museum. II. Otterlo, Netherlands. Rijksmuseum Kröller-Müller. III. Amsterdam. Stedelijk museum. IV. Title: Museumjournaal voor moderne kunst.

NM 0908548 NN

Museums; a magazine popularizing museums vol. no 1-4; Apr.-July 1930. ⌜Washington, D. C., R. C. Smith, 1930⌝
24, 24, 16, 16 p. illus. (incl. port., maps) 28½cm. monthly.
Edited by R. C. Smith.
Includes section "Book reviews".
No more published.

1. Museums—Period. 2. Museums—U. S. I. Smith, Ralph Clifton, 1898- ed.

Library of Congress AM1.M64 31-32307
⌜2⌝ 069.05

NM 0908549 DLC OFH ICU PU-Mu MiU DSI

Museums and galleries in Great Britain and **Ireland.**
⌜London, Index Publishers⌝
v. illus. 28 cm. annual.
Began publication with 1955 vol. Cf. New serial titles, 1963.
Title varies slightly.

1. Art—Gt. Brit.—Galleries and museums—Direct. 2. Museums—Gt. Brit.—Direct.

N1020.M82 58-46943 rev

NNC NN NjN WU MiD PSC PPPM OrU CaBVa CaBVaU WaS
NM 0908550 DLC UU KU NBuU MiU MH OU IU TxU MoSW

NA 203
M8
MUSEUMS and monuments. 1-
1950- Paris, UNESCO.
v. illus. 31 cm.
Issues for 1950- are reprints of articles first published in Museum.
Each issue has also a distinctive title.

1. Monuments - History. 2. Architecture - History. 3. Architecture - Pictorial works. I. United Nations Educational, Scientific and Cultural Organization. II. Museum.

NM 0908551 CaBVaU DCU ICarbS IU DI DLC MB NN

Museums and young people

see under

Cart, Germaine.

AM 1
M67
1903
Museums Association.
... Aberdeen meeting, 1903. [Sheffield, 1903]
2 l. 23 cm. S.
Caption title.

NM 0908553 DLC

Museums Association.
Annual report of proceedings
see its Report of proceedings ...

Museums association.

Sinclair, Sutherland.
... The Australian museum, by S. Sinclair ... Glasgow and Edinburgh, W. Hodge & co., 1900.

Museums association. FOR OTHER EDITIONS SEE MAIN ENTRY

Directory of museums and art galleries in **Australia & New** Zealand. Compiled by S. F. Markham ... and **H. C. Richards** ... London, The Museums association, 1934.

AM85
.A1D5
Museums association.

Directory of museums and art galleries in **British Africa** and in Malta, Cyprus, and Gibraltar. **Compiled by the Museums association. London, The Museums association, 1933.**

Museums association.

Directory of museums and art galleries in **Canada, New**foundland, Bermuda, the British West Indies, British Guiana, and the Falkland islands. Compiled by Sir Henry A. Miers ... and Mr. S. F. Markham ... London, The Museums association ⌜1932⌝

Museums association FOR OTHER EDITIONS SEE MAIN ENTRY

Directory of museums and art galleries in the British isles. Compiled by the Museums association. South Kensington, The Museums association, 1931.

Museums association.

Directory of museums in Ceylon, **British Malaya, Hong** Kong, Sarawak, British North Borneo, Fiji, **the West Indies,** British Guiana. Compiled and published by **the Museums** association. London, 1934.

Museums association.

Directory of museums in Great Britain & Ireland; together with a section on Indian and colonial **museums.** Comp. by E. Howarth ... and H. M. Platnauer ... ⌜London?⌝ The Museums association, 1911.

Museums association.
The educational value of museums & the formation of local war museums. Report of proceedings at a conference of representatives of provincial museums in Britain to discuss the relation of museum to education, and the formation of local war museums, held in the town hall, Sheffield, 16th & 17th Oct., 1917, under the presidency of Alderman W. H. Brittain ... Ed. by E. Howarth ... London, W. Wesley & son, 1918.
vii, 103 p. 21½cm.

Papers read at the conference: The co-ordination of museums with direct general education. By E. Howarth.—Scheme for scholars visiting the Salford museums. By Ben. H. Mullen.—Report on school picture collections in Aberdeen. By Robert F. Martin.—The workshop and the school. By Henry Cadness.—War museums. By H. Bolton.—Village war museums. By Robert P. Martin.

1. Museums ⌜and education⌝ 2. Military museums. ⌜2. War museums⌝ 3. ⌜War⌝ museums—Gt. Brit. I. Howarth, Elijah, 1853- ed.

S G19-87

Library, U. S. Surgeon-General's Office

NM 0908563 DNLM IU OO ICJ ICRL

The Museums association

Exhibition of museum specimens specially prepared for circulation to rural areas ... London, The Association,1931.
19p.illus.D.
Sponsored by the Museums Association and the Carnegie United Kingdom trust.

NM 0908564 CaBViP

VOLUME 403

Museums association.

North, Frederick John.
Geology in the museum, by F. J. North ... C. F. Davidson ... and Lieut. W. E. Swinton ... [Oxford] Pub. for the Museums association by the Oxford university press, 1941.

Museums Association.
AM111 .H23 Or
Handbook for museum curators. London, Museums Association, 1954-
pts. in v. illus.
Includes bibliographies.
Contents:
Part B: Museum technique.
Part E: Natural and applied sciences.

1. Museum techniques--Handbooks, manuals, etc.

NM 0908566 ICU CaBViP IdU NN OO NIC

Museums association.
Museums and art galleries, a national service; a post-war policy submitted by the Council of the Museums association ... London ... [London] 1945.
15 p. 25cm.
"Reprinted from the Museums journal, June 1945, vol. 45, pp. 33-45."

1. Museums—Gt. Brit. 2. Art—Gt. Brit.—Galleries and museums.
46-2273
Library of Congress AM41.M8
[3] 069

NM 0908567 DLC

Museums Association.
The Museums association Belfast conference, 1938
see under Belfast. Museum and Art Gallery.

Museums association.

The Museums journal; the organ of the Museums association ... v. 1-
July 1901-
London, Dulau and co., ltd., 1902-

Museums association.

Markham, Sydney Frank, 1897-
The museums of India, by S. F. Markham ... and H. Hargreaves ... London, The Museums association, 1936.

Museums association.
... Report of proceedings, with the papers read at the 1st-11th annual general meeting ... 1890-1900. [Sheffield, etc.] 1890-1900.
11 v. illus., plates, plans. 21½cm.
Vols. for 1893-94 have imprint, York and Sheffield; for 1895-1900, London, Dulau and co.
Editors: 1890-96, H. M. Platnauer and E. Howarth.—1897, James Paton.—1898, Herbert Bolton.—1899-1900, E. Howarth.
Report of the first meeting includes a short account of the formation of the Association.
Superseded by the Museums journal.
1. Museums—Societies. 2. Museums—Gt. Brit. I. Platnauer, Henry M., ed. II. Howarth, Elijah, 1853- ed. III. Paton, James, 1843- ed. IV. Bolton, Herbert, 1863- ed.
8-21463
Library of Congress AM1.M69

NM 0908571 DLC PPWI MiU OClMA ICRL ICJ

Museums association.

Markham, Sydney Frank, 1897-
A report on the museums & art galleries of Australia, by S. F. Markham ... and prof. H. C. Richards ... to the Carnegie corporation of New York ... London, The Museums association, 1933.

Museums association.

Miers, *Sir* Henry Alexander, 1858-
... A report on the museums and art galleries of British Africa, by Sir Henry A. Miers ... and S. F. Markham ... together with a report on the museums of Malta, Cyprus and Gibraltar by Alderman Chas. Squire and D. W. Herdman to the Carnegie corporation of New York. Which is accompanied by a Directory of the museums and art galleries of British Africa and the British Mediterranean. Edinburgh, Printed by T. and A. Constable ltd., 1932.

Museums association.

Miers, *Sir* Henry Alexander, 1858-
A report on the museums of Canada by Sir Henry A. Miers ... and S. F. Markham ... to the Carnegie corporation of New York. To which is appended a Directory of the museums of Canada, and other parts of the British empire on the American continent. Edinburgh, Printed by T. and A. Constable ltd., 1932.

Museums association.
Reports on the museums of Ceylon, British Malaya, the West Indies, etc. ... London, The Museums association, 1933.
58 p. pl. 28cm.
On cover: ... Reports on the museums of Ceylon, British Malaya, the West Indies, etc. to the Carnegie corporation of New York.
"A directory of these museums is published separately."
Introduction signed: Henry A. Miers, S. F. Markham.
1. Museums—Ceylon. 2. Museums—Malay states, Federated. 3. Museums—Straits settlements. 4. Museums—West Indies, British. 5. Museums—Bermuda. 6. Museums—British Guiana. I. Miers, Sir Henry Alexander, 1858- II. Markham, Sydney Frank, 1897- III. Carnegie corporation of New York.
34-14984
Library of Congress AM1.M73
——— Copy 2. [3] 069.0942

NM 0908575 DLC DSI NN OU

AM 1 .M67 1905
Museums Association.
Worcester meeting, 1905. [Sheffield, 1905]
2 l. 26.5 cm. S.

NM 0908576 DLC

Museums association. Empire grants committee.
...Annual report of the Empire grants committee of the Museums association.
[no.] 1-[3] (1934/35-36/37)
[London, 1935-37] 3 nos. illus., plates. 23½-25½cm.
1936/37, reprinted from the May 1937 issue of the Museums journal, has title: Final annual report of the Empire grants committee.

NM 0908577 NN

AM 73 A2 M8
Museums Association of India.
Annual seminar.
[New Delhi]
v. 27 cm.

1. Museums—India.
AM73.A2M8 S A 68-1196

NM 0908578 DLC NSyU

AM1 .M695
Museums Association of India.

Journal of Indian museums. v. 1-
July 1945-
Bombay, Museums Association of India.

AM79 .P3M8
Museums Association of Pakistan.

Museums journal of Pakistan.

[Karachi, etc.]

Mu915.2 M973
MUSEUMS, botanical gardens & zoos in Japan.
[Tokyo, Japan travel bureau, 1947]
48p. illus. 18cm.

NM 0908581 PU PU-Mu

N510 A91 N45 1951
Museums Council of New Jersey.
New Jersey museums and historic house museums. [Prepared by The Museums Council of New Jersey. Trenton?, Department of Conservation and Economic Development of New Jersey] 1951.
14 p. illus., map 21.5cm.

Cover title.

NM 0908582 MWiCA

MUSEUMS COUNCIL OF NEW YORK CITY.
Comparative attendance. 1938/39-1942/43, 1949/50-1950/51, 1952/53-date.
New York. no. 29-36cm.

1938/39-1939/40 published under the council's earlier name: International museums council.

1. Museums — U. S. — N. Y. — New York.

NM 0908583 NN

917.471 M986M
Museums Council of New York City.
Museums of New York City, including historic houses, botanical and zoological gardens. [New York, 1954?
62p. illus. 23cm.

1. New York (City) - Galleries and museums 2. New York (City) - Historic houses, etc. 3. Botanical gardens - U. S. 4. Zoological gardens - U. S. I. Title.

NM 0908584 NBC OCl OClMA NN NBC Wa

The Museums directory. [London, 1902.]
viii, [9]-320 p. 20 leaves. 23cm.
Running title. No t.-p.
The 20 leaves contain addenda to the original directory.
Published as supplement to The Museums journal.
Prepared by H. M. Platnauer.

NM 0908585 ICJ ICRL

AM 1 .M7 v. 2-5
The Museums directory. [London, 1903-06]
320 p., 31 l. 22 cm. [With The Museums journal. London, 1903-06. v. 2-5]
n.t.-p.

NM 0908586 DLC

Museums Georgiens
see
Tiflis. Muzeĭ Gruzii

The museums in the park. Should they be opened on Sunday?
see under Jesup, Morris Ketchum.

The museums in the park. Why they should be open on Sunday
see under Putnam, Samuel Porter, 1838-1896.

The Museums journal. Peshawar
see
Museums journal of Pakistan.

VOLUME 403

The **Museums** journal; the organ of the **Museums association** ... v. 1-
July 1901-
London, Dulau and co., ltd., 1902-
v. illus., plates, ports., plans, tab. 22cm. monthly.
Supersedes the association's Report of proceedings, published 1890-1900.
Editors: July 1901-July 1909, E. Howarth.—Aug. 1909-June 1914, F. R. Rowley.—July 1914- W. R. Butterfield.
"Indexes to papers read before the Museums association, 1890-1909. Comp. by Charles Madeley": v. 9, p. 427-452.

The "Museums directory" was issued with v. 2-5, in a form to allow it to be taken out and bound separately. In the Library of Congress set the directory is bound with the volumes as originally issued. The directory was reissued in 1911 in separate, enlarged form.

1. Museums—Societies. 2. Museums—Period. 3. Museums—Gt. Brit. I. Museums association. II. Howarth, Elijah, 1853- ed. III. Rowley, F. R., ed. IV. Butterfield, W. Ruskin, ed. V. Madeley, Charles, 1849-1920, comp.
8-83
Library of Congress AM1.M7

TxU MoSR KyU OkU PPF AzTeS GU AAP ViBlbV FU IU
PPAN PPWI NjP N NbHi INS PU-Mu MdBWA DSI MoU PV OU
NM 0908592 DLC WaS OrU ICJ CaBVaU NcGU OCl PPPM

Museums journal of Pakistan.
[Karachi, etc.]
v. illus. (part col.) ports. 25 cm.
Began publication in Apr. 1950. Cf. New serial titles, 1950-60.
Organ of the Museums Association of Pakistan.
Title varies: The Museums journal.

1. Museums—Pakistan—Period. I. Museums Association of Pakistan.
AM79.P3M8 S A 63-480

NM 0908593 DLC MH-P WU MiU NN TxU NSyU

Museums of the Peaceful Arts, New York
see New York (City) Museum of Science and Industry.

AM101 .A4843
Museums- og historielaget for Haugesund og bygdene.
Haugesund, Norway. Museet.
Arshefte.
Haugesund, Museums- og historielaget for Haugesund og bygdene.

Museums-bücher unter mitwirkung zahlreicher kollegen hrsg. von ... Albert Schramm... Tübingen, 1935.
cover-title, 48 p. 18½ cm.

I. Schramm, Albert, ed.
II. Title: Die Tübinger sammlungen.
1. Tübingen-Galleries and museums.

NM 0908596 DSI

MUSEUMSBÜCHEREI Quedlinburg.
Quedlinburg [Germany] v. illus. 21cm.

Issued by the Museum in Quedlinburg.

1. Quedlinburg, Germany--Hist. I. Quedlinburg, Ger. Schlossmuseum.

NM 0908597 NN

Museumsfører for Storkøbenhavn
see under
Politiken, Copenhagen.

Museums-gesellschaft, Frankfurt am Main.

Frankfurt am Main. Frankfurter museum.
Sammlung einiger in dem Frankfurter museum vorgetragenen arbeiten. Erster theil. Frankfurt am Main, P. W. Eichenberg, 1810.

Museumsgesellschaft, Magdeburg.

Greischel, Walther.
Der Magdeburger dom, von Walther Greischel. Berlin, Zürich, Atlantis-verlag [°1939]

Museumsgesellschaft St. Gallen.
Weberhaus und Rösslitor; festschrift der Museumsgesellschaft St. Gallen, von prof. dr. O. Seiler ... St. Gallen, Zollikofer, 1914.
63 p. plates, tables. 22 cm.

Presentation copy with inscription of author.
Bibliography: p. 63.

1. St. Gall. Weberhaus. 2. St. Gall. Rösslitor. I. Seiler, Otto, 1873- II. Title: Weberhaus und Rösslitor.

NM 0908601 NNC

Museums-Gesellschaft, Stuttgart.
Geschichte der Museums-Gesellschaft in Stuttgart
see under Lotter, Carl, 1842-

4AM 22
Museumsgesellschaft, Teplitz-Schönau.
Führer durch die Schausammlungen des Teplitzer Museums. Teplitz, Im Selbstverlag der Museumsgesellschaft, 1926.
51 p.

NM 0908603 DLC-P4

Museumsgesellschaft in Zürich
see Museum-Gesellschaft in Zürich.

Museumsinteressen in der provinz Sachsen und in Anhalt, Verband zur förderung der
see Verband zur förderung der museumsinteressen in der provinz Sachsen und in Anhalt, Merseburg.

Museumskunde; vierteljahrsschrift für verwaltung und technik privater und öffentlicher sammlungen. bd. 1-17, 1905-24; neue folge, bd. 1-
1929-
Berlin, Verlag Walter de Gruyter & co.; [etc., etc.] 1905-
v. in illus., plates, plans. 28½cm.
Official organ of the Deutscher museumbund, 1929-
Subtitle varies slightly.
Editors: 1905-24, Karl Koetschau.—1929- K. H. Jacob-Friesen.
Publication suspended from 1925-28, inclusive and with new ser., v. 11 (1939)
1. Museums—Period. I. Koetschau, Karl Theodor, 1868- ed. II. Jacob-Friesen, Karl Hermann, 1886- ed. III. Deutscher museumsbund.
Library of Congress AM1.M8 31-16426 Revised

MB NcD NcU IU ICRL KyU WaU
NM 0908606 DLC OCIMA NN ICU ICJ PPPM DNLM NjP ICN

Museumsverband für Kurhessen und Waldeck.
Heimat-Museen. [2. geänderte Aufl.] Kassel, F. Lometsch [1953] 63 p. (p. 33-63 illus.) map. 22cm.

1. Art—Collections—Germany—Waldeck 2. Art—Collections—Germany—Hesse-Kassel.

NM 0908607 NN MiDA

Museumsverband für Kurhessen und Waldeck
Das Land Waldeck Wanderausstellung. Mit Unterstützung des Institute für Geschichtliche Landeskunde von Hessen und Nassau an der Universität Marburg (Lahn) [Kassel] 1929

NM 0908608 MH

Museumsverein, Aachen
see Museumsverein Aachen.

Museumsverein, Hamburg.
Gesammtregister über die Veröffentlichungen des Vereins für Hamburgische Geschichte und des Museumsvereins in Hamburg, 1839 bis 1899
see under Kowalewski, Gustav, 1858-

Museums-verein, *Hildesheim*
see
Verein für kunde der natur und der kunst im fürstentum Hildesheim und in der stadt Goslar, *Hildesheim.*

Museumsverein, Munich
see Bayerischer Verein der Kunstfreunde (Museumsverein) Munich.

ND661 .M96
MUSEUMSVEREIN AACHEN.
Ausstellung altniederländischer und altdeutscher Gemälde aus Aachener Privatbesitz. 1. Mai bis 2. Juni 1929. Städtisches Suermondt-Museum. [Aix-la-Chapelle, 1929]
27 p. plates.

1. Paintings, Flemish--Exhibitions.

NM 0908613 ICU

Museumsverein Aachen.
Festschrift aus Anlass des fünfzigjährigen Bestehens des Museumsvereins und des Suermondt-Museums im Auftrage des Vorstandes hrsg. von Felix Kuetgens. Aachen, 1928.
136 p. illus. (Aachener Kunstblätter, 14)

NM 0908614 MH

Museumsverein für das Fürstentum Lüneburg.

Freundesworte zu einer Kollektiv-Ausstellung des Werkes von Erwin Vollmer, 30. April bis 30. Mai 1955. [Lüneburg, 1955]

11 p.
At head of title: Museumsverein für das Fürstentum Lüneburg.

NM 0908615 MH-FA

Museumsverein für das Fürstentum Lüneburg.
Jahresberichte. 1878-1901. Lüneburg.
24 v. in 1. illus. 22 cm.
Some no. in combined issues.
Title varies slightly.
No more published?

1. Lüneburg.

DD491.H34A2 6-18411 rev*

NM 0908616 DLC

DD901 .L93L8
Museumsverein für das Fürstentum Lüneberg.

Lüneburger Blätter. Heft 1-
Lüneburg, 1950-

VOLUME 403

Museumsverein für das Fürstentum Lüneburg.

Lüneburger Museumsblätter. Bd. 1- (Heft 1-)
Lüneburg, 1904-

Museumsverein für das Fürstentum Lüneburg
see also
Museum für das Fürstentum Lüneburg.

Museumsverein für Northeim und Umgegend.
Heimatblätter
see Heimatblätter (Northeim)

Museumsverein zu Aachen
see Museumsverein Aachen.

Museux, Ernest, ed.
Almanach Eugène Pottier
see under title

Musewald, Dora Schmidt-
see **Schmidt-Musewald, Dora.**

Musfeld, Karl Albert Wilhelm
see
Musfeld, Wilhelm, 1903-

Musfeld, Wilhelm, 1903-
Versuche über die aufnahme von zucker durch hefezellen ... von Wilhelm Musfeld ... Bern, Buchdruckerei Büchler & co., 1942.
1 p. l., [583]-620 p., 1 l. diagrs. 23cm.
Inaug.-diss.—Basel.
"Separatabdruck aus: 'Berichte der Schweizerischen botanischen gesellschaft' 1942, band 52."
Lebenslauf.
"Literaturverzeichnis": p. 618-620.
1. Yeast. 2. Sugar. 3. Plants—Metabolism.
[*Full name:* Karl Albert Wilhelm Musfeld]
46-38662
Library of Congress QK881.M8
[2] 581.13

NM 0908625 DLC CtY

Musgo, Arturo Miles de
see Miles de Musgo, Arturo.

Musgrave,
Catalogue of the Musgrave collection of modern paintings with additions from the estate of the Late E. H. Smith ... on... exhibition March 30th... [etc. 1891] in the Fifth Av. Art Galleries...
New York. New York. [1891]
32 p., 1 l. 12°.

NM 0908627 NN

MUSGRAVE, Mrs.
"Divided", a romantic drama in three acts.
[London? n.d.]
30, 20, 23 l. 26cm.
Typewritten copy.

NM 0908628 ICN

Musgrave, Mrs.
see also Musgrave, Mrs. H

Musgrave (A.) History of a singular case of tendency to plethora, more particularly during the periods of gestation and the puerperal state; illustrating the signal advantage to be derived from a decided and reiterated use of the lancet in cases of this description. 21 pp. 12°. [*London, J. Mouer.* 1824.]

NM 0908630 DNLM

Musgrave, Agnes, fl. 1796-1808.
Cicely; or, The rose of Raby. An historic novel. London, printed for W. Lane at the Minerva Pr., 1795.
4 v. front. 19 cm.
Running title: Cicely of Raby.
I. T.

NM 0908631 NjP CtY

[Musgrave, Agnes]
Cicely; or, The rose of Raby. An historic novel. 2d ed. London, Printed for W. Lane, 1796.
4 v. illus. 18cm.
I. Title. II. Title: The rose of Raby

NM 0908632 WU

Musgrave, Agnes, fl. 1796-1808.
Cicely; or, The rose of Raby. An historic novel. By Agnes Musgrave ... Fourth edition. London: Printed for A. K. Newman and co., 1831.
4 v. 20cm.
"Printed by J. Darling."
Bookseller's label: J. Seacome, Chester.
Autograph signed Frances Price, 1832.
I. Title. II. Title: The rose of Raby.

NM 0908633 ViU

Musgrave, Agnes
Cicely, or the Rose of Raby. 1874.

NM 0908634 InU

Musgrave, Agnes
The confession. A novel ... By Agnes Musgrave ... London:Printed at the Apollo Press,by G.Cawthorn,British library,Strand, bookseller and printer to Her Royal Highness the Princess of Wales.1801.
5v. 17cm.

NM 0908635 CtY N ViU FU

[**Musgrave, Agnes**] **fl. 1796-1808.**
Edmund of the forest. An historical novel ... By the author of Cicely, or The rose of Raby ... London: Printed for William Lane, at the Minerva-press, 1797.
4 v. 18cm.

NM 0908636 ViU

Musgrave, Agnes, fl. 1796-1808.
The solemn injunction. A novel ... By Agnes Musgrave ... London: Printed at the Minerva-press, for William Lane, 1798.
4 v. front. 18cm.
Imperfect: frontispiece wanting.

NM 0908637 ViU

Musgrave, Albert W
Wavefront charts and raypath plotters. Golden, Colo., 1952.
60 p. illus., diagrs. (5 fold. in pocket) 23 cm. (Quarterly of the Colorado School of Mines, vol. 47, no. 4)
Bibliography: p. [59]-60.
"Originally written as a thesis ... Colorado School of Mines."
1. Geophysics. 2. Prospecting—Geophysical methods. I. Title. (Series: Colorado. School of Mines, Golden. Quarterly, vol. 47, no. 4)
TN210.C68 vol. 47, no. 4 622.1 53-62270

NM 0908638 DLC MoU MU TxU PSt

Musgrave, Alice
see her pseud. Laker, Jane

Musgrave, Anna.
The last year at school, or old Molly's first fortune teller. With a history of Mr. Parent's montre d'or. Philadelphia, S. Higgins, 1852.
108 p. 1 pl. 16°.

NM 0908640 DLC

[**Musgrave, Sir Anthony**] **1828-1888.**
Economic fallacies; free trade v. protection. Adelaide [Australia] W. C. Cox, 1875.
42 p. 21 cm.
1. Free trade and protection. Protection. I. Title.

NM 0908641 NcD

Musgrave, Sir Anthony, 1828-1888.
Economic fallacies; the functions of money. [n. p., 1885?]
36 p. 22 cm.
Caption title.
1. Money. I. Title.

NM 0908642 NcD

MUSGRAVE, Sir ANTHONY, 1828-1888.
Fishes and fishing. To which is added The fishes of Jamaica, by Richard Hill. Kingston, Jamaica, Govt. print. and stationery establishment [1881?] p[121]-137
46.
"Extracted from the Handbook of Jamaica for 1881."
Film reproduction. Negative.
1. Fish--Jamaica. I. Hill, Richard, 1795-1872.

NM 0908643 NN

[**Musgrave,** Sir **Anthony**] 1828-1888
... The functions of money. Bimetallism. [London, 1886]
[23] p., 1 l. 25cm.
Detached from Westminster review, Oct., 1886, p. 424-447. The remainder of the paragraph supplied in manuscript.
Signed: A. Musgrave.
1. Bimetallism.
CA 8—243 Unrev'd
Library of Congress HG942.M9

NM 0908644 DLC NcD MdBP

VOLUME 403

Tr.R. Musgrave, Sir Anthony, 1828-1888.

Jamaica: now, and fifteen years since; a paper read before the Royal Colonial Institute on April 20, 1880. London, Unwin Bros., printers, 1880.
29 p. 22 cm.

1. Jamaica. Economic conditions. 2. Jamaica. Social conditions.

NM 0908645 NcD

Tr.R. [Musgrave, Sir Anthony] 1828-1888.

Money, a function. Adelaide [Australia] W. C. Cox, 1874.
23 p. 21 cm.

Signed: A. H.

1. Money. I. M., A. II. Title.

NM 0908646 NcD

Tr.R. [Musgrave, Sir Anthony] 1828-1888.

A plea for some facts. Adelaide [Australia] W. C. Cox, 1874.
28 p. 21 cm.

Signed: A. H.

1. Economics. I. M., A. II. Title.

NM 0908647 NcD

Tr.R. [Musgrave, Sir Anthony] 1828-1888.

A review of Mr. Mill's fundamental propositions respecting capital. Adelaide [Australia] W. C. Cox, 1874.
39 p. 21 cm.

Signed: A. H.

1. Mill, John Stuart, 1806-1873. 2. Capital. I. M., A. II. Title.

NM 0908648 NcD

Tr.R. [Musgrave, Sir Anthony] 1828-1888.

Some thoughts on value. Adelaide [Australia] W. C. Cox, 1874.
29 p. 21 cm.

1. Value. I. Title.

NM 0908649 NcD

Tr.R. Musgrave, Sir Anthony, 1828-1888.

Studies in political economy. Adelaide [Australia] W. C. Cox, 1874.
1 v. (various pagings) 21 cm.

Author's proof, with his corrections made for the 1875 London ed.
Some of the chapters originally issued separately.
Contents.-A plea for some facts.-Money, a function.-A review of Mr. Mill's fundamental propositions respecting capital.-Some thoughts on value.-On international trade.-On foreign exchanges and distribution of the precious metals.

1. Economics. I. Title.

NM 0908651 NcD

Musgrave, Sir Anthony, 1828-1888.
Studies in political economy. By Anthony Musgrave ... Adelaide, W. C. Cox, 1874-[86]
8 v. in 1. 20½cm.

Contents.--A plea for some facts.--Some thoughts on value.--A review of Mr. Mill's fundamental propositions respecting capital.--Money - a function.--The functions of money: bimetallism. 1886.--On foreign exchanges and distribution of the precious metals.--On international trade. --Economic fallacies. Free trade v. protection. 1875.
n subject

NM 0908652 NNC

Musgrave, Anthony, 1828-1888.
Studies in political economy, by Anthony Musgrave ... London, H. S. King & co., 1875.
viii p., 1 l., 185 p. 19½cm.

1. Economics.

5—16044

Library of Congress HB171.7.M98

NM 0908653 DLC PPL PU NjP ICJ MH

Tr.R. [Musgrave, Sir Anthony] 1828-1888.

What is capital? Adelaide [Australia] Printed by W. C. Cox, Govt. Printer, 1874.
15 p. 21 cm.

Signed: A. M.

1. Capital. I. M., A. II. Title.

NM 0908654 NcD

Musgrave, Anthony, 1849-1912.
The functions of money
see under Musgrave, Sir Anthony, 1828-1888.

Musgrave, Anthony, 1849-1912.
Studies in political economy
see under Musgrave, Sir Anthony, 1828-1888.

Musgrave, Anthony, 1895–
... Bibliography of Australian entomology, 1775–1930, with biographical notes on authors and collectors, by Anthony Musgrave ... Sydney, The Society, 1932.
viii, 380 p. 24½ x 19cm.
At head of title: Royal zoological society of New South Wales.
Alphabetically arranged, with subject index.

1. Insects—Australia—Bibl. 2. Entomologists—Bio-bibl. I. Royal zoological society of New South Wales.

33-21023

Library of Congress Z5859.A93M9

016.59570994

NM 0908657 DLC MiU PPAN WaU

R
016.5957
M97b

Musgrave, Anthony, 1895–
... Bibliography of Australian entomology, 1775–1930, with biographical notes on authors and collectors, by Anthony Musgrave ... Sydney, The Society, 1932.
viii, 380 p. 24½ x 19 cm.
At head of title: Royal zoological society of New South Wales.
Alphabetically arranged, with subject index.

1. Insects—Australia—Bibl. 2. Entomologists—Bio-bibl. I. Royal zoological society of New South Wales.

Z5859.A93M9 016.59570994 33—21023

NM 0908658 DLC CaBVaU IdU CtY ICU IaU FTaSU CU LU ICarbS

Musgrave, Anthony, 1895-
Dr. James Stuart: artist naturalist. Sydney, 1955.
p. 120-131. plates. 25cm. (Australian zoologist, vol. 12, pt. 2)

NM 0908659 NNM

Musgrave, B. E., joint author.

Moon, Joseph Worley, 1891–
... Soil survey of Branch county, Michigan. By J. W. Moon ... and Robert Wildermuth ... and J. O. Veatch, C. H. Wonser, B. E. Musgrave, and J. A. Porter ... Washington [U. S. Govt. print. off., 1932]

Musgrave, B. E., joint author.

Deeter, Earl Bruce.
... Soil survey of St. Clair county, Michigan. By E. B. Deeter ... and H. W. Fulton, B. E. Musgrave, and L. C. Kapp ... Washington [U. S. Govt. print. off., 1934]

Microfilm
S
544
.3
M5
M98

Musgrave, Bohn Edward.
Extension program planning, organization and process. [E. Lansing, Mich.] Michigan State College of Agriculture and Applied Science, 1954.

Microfilm copy (negative) of typescript. Filmed by Cornell University Photo Science Studios.
Collation of the original: 154 l. maps, diagrs, tables.
Thesis - Michigan State University.
Bibliography: leaves 137-140.

NM 0908662 NIC

Musgrave, Burnthorn.
A view of baptism, from the Greek testament, in the light of the Gospel. Halifax, N.S., Nova Scotia printing co., 1889.

20 p. 20 cm.

NM 0908663 MH

HS2330
.A47M8

Musgrave, C
The American league of naturalized citizens; a proposal by Dr. C. Musgrave. Boston, Meador publishing company, 1938.
23 p. 20cm.

NM 0908664 DLC

Musgrave, C. T.
Some cultivated gentians. 1932.
illus.
By C. T. Musgrave, C. V. B. Marquand and F. W. Millard.

NM 0908665 PPHor

Musgrave, Charles, Archdeacon of Craven.
On the excellency of the liturgy. A sermon... Leeds, [n.d.]

17
1063

NM 0908666 DLC

Musgrave, Charles Edwin, 1861- , joint ed.
Williams, C[harles] Willoughby, 1859- ed.
The factory and workshop act, 1901: its general effect and parliamentary history, with notes and other information (including the full text of the act) for the guidance of employers of labour and others. By C. Willoughby Williams ... and Charles E. Musgrave ... London, E. Wilson [etc.] 1902.

VOLUME 403

Musgrave, Charles Edwin, 1861–
The London chamber of commerce from 1881 to 1914, a retrospective appreciation, by Charles E. Musgrave ... London, E. Wilson, 1914.
viii, 93, [1] p., 1 l. plates (1 fold.) 22cm.

1. London. Chamber of commerce—Hist.

15-2901

Library of Congress HF302.M8

NM 0908668 DLC WaS NjP ICJ NN

Musgrave, Charles Edwin, 1861- ed.
London. Chamber of commerce.
Trade & the war; trade maps, charts and statistics, issued by the Statistical and information department of the London chamber of commerce (incorporated). Ed. by Charles E. Musgrave, secretary London chamber of commerce. Maps by George R. Gill ... London, The London chamber of commerce [etc., 1914]

---

*EC M9725 621mb
Musgrave, Christopher, fl.1621.
Motives and reasons for dissevering from the church of Rome and her doctrine. By Chr. Musgrave, after he had lived a Carthusian monk for twenty years. Wherein, after the declaration of his conversion, he openeth divers absurdities practised in that church, being not matters of report, but such things whereof he was an eye and ear witness.
London, Printed for John Harefinch in Mountague-court in Little-Britain. 1688.
3p.l.,33p. 21cm.
Originally published (1621) with title: Mvsgraves motives, and reasons, for his secession.

NM 0908670 MH MnU CLU-C

Case C 64 .6084
MUSGRAVE, CHRISTOPHER.
Musgraves motives and reasons for his secession...from the Church of Rome and her doctrine, after that hee had for 20 yeeres liued a Carthusian monke. Wherein...hee openeth diuers absurdities practised in that Church... London, Imprinted by F.K. for R. Moore, 1621.
[44]p. 18cm.

Dedication signed: Christopher Musgrame.
Signatures: A-F4 (A 1 and F 4, blanks? wanting)
STC 18316.

NM 0908671 ICN CSmH CtY

FILM
Musgrave, Christopher.
Mvsgraves motives, and reasons, for his secession and dissevering from the Chvrch of Rome and her doctrine, after that hee had for 20. yeeres liued a Carthusian monke, returning at Easter last into England. Wherein, after the declaration of his conuersion, hee openeth diuers absurdities practised in that church, being not matters of report, but such things whereof he hath beene an eye and eare witnesse. London, Printed by F.K[ingston] for R.Moore, 1621.

Short-title catalogue no.18316 (carton 1029)

1. Carthusians. 2. Catholic Church--Doctrinal and controversial works.

NM 0908673 MiU DFo

MUSGRAVE, CLIFFORD.
The crown, the ship and the queen of watering places. Brighton, Old ship hotel, 1953. 47 p. illus. (part mount.), port. 25cm.

Bibliography, p. [48]

1. Hotels--Gt.Br.--Eng.--Brighton. 2. Brighton, Eng.--Hotels. I. Brighton, Eng. Old ship hotel.

NM 0908674 NN

Musgrave, Clifford.
The Royal pavilion. Brighton, County borough of Brighton, Pavilion and library committee, 1948.
39 p. plates. 21cm.

1. Brighton, Eng. Pavilion. 2. Classic revival - England.

NM 0908675 NNC

Musgrave, Clifford.
The Royal pavilion, by Clifford Musgrave.
Brighton, Pavilion and Library committee, 1951.
38 p. [4] illus. 21 cm.

NM 0908676 PPPM

Musgrave, Clifford.
Royal Pavilion; a study in the romantic. Brighton [Eng.] Bredon & Heginbothom, 1951.
141 p. illus. 22 cm.

1. Brighton, Eng. Pavilion.

NA7746.B8M88 728.991 53-20289 ‡

CaBVa OrU MiU
NM 0908677 DLC CaBVaU CU NN MH NIC MiD MiDA FU

Musgrave, Curt Abel-
see
Abel-Musgrave, Curt.

Musgrave, Ernest Illingworth.
Aynhoe Park; an illustrated survey of the Northamptonshire home of the Cartwright family. Derby, Designed and produced by English Life Publications [1953]
unpaged. illus. 14 x 22 cm.

1. Aynhoe Park.

DA690.A99M8 942.55 54-43945 ‡

NM 0908679 DLC DNGA

[Musgrave, Ernest Illingworth]
Blair castle. An illus.survey of the historic Scottish home of the Dukes of Atholl. Comp.under the supervision of Lord James Stewart Murray, now 9th Duke of Atholl. General ed.Edgar Osborne. Derby, Pilgrim pr.[1955]
1v.(chiefly illus.)map.

NM 0908680 CaBVaU

Musgrave, Ernest Illingworth.
Chirk Castle
see under title

Musgrave, Ernest Illingworth.
Dunster castle; an illustrated survey of the historic Somerset home of the Luttrell family. Derby, English life publications [1955] 30 p. illus., col. maps (on p. [2-3] of cover) 15 x 22cm.

1. Castles—Gt. Br.—Eng.— Dunster. I. Title.

NM 0908682 NN

Musgrave, Ernest Illingworth.
Harewood House; an illustrated survey
see under English Life Publications, ltd., Derby, Eng.

Musgrave, Ernest Illingworth.
Hopetoun house, West Lothian; an illustrated survey of Scotland's most famous Adam mansion, the historic home of the Hopes, Earls of Hopetoun, and Marquesses of Linlithgow. Derby [Eng.] Pilgrim press [1955] [32] p. illus.,ports., 2 col. maps. 15x22cm.

1. Hopetoun house, Linlithgowshire, Scot.

NM 0908684 NN

NA7625 .N48E5
Musgrave, Ernest Illingworth.
English Life Publications, ltd., *Derby, Eng.*
Newby Hall; an illustrated survey of the Yorkshire home of the Compton family. [Text by E. I. Musgrave] Derby English Life Publications [1952]

Musgrave, Ernest Illingworth.
Serlby hall; an illustrated survey of the Nottinghamshire residence of the Viscounts Galway, the historic home of the Monckton family. Derby, English life publications [1954] 30 p. illus. 14 x 22cm.

Maps, p. [2]-[3] of cover.

1. Serlby hall, Nottinghamshire, Eng.

NM 0908686 NN

NA971 L484.46 T45 M8
Musgrave, Ernest Illingworth
Temple Newsam House, Leeds... [by] Ernest I. Musgrave. Leeds, E.J. Arnold [195-?]
[32] p. col. front., 25 illus., 3 col. plates. 14 x 21.5cm.
The Temple Newsam estate belonged to the Knights Templar and later passed to the D'Arcy family who retained it until 1537. The house, which was the birthplace of Lord Darnley and a centre of English and Scottish intrigue during the reign of Elizabeth I, was later acquired by Sir Arthur Ingram, whose descendants became Viscounts Irwin. It was eventually inherited by the late Lord Halifax who sold it to Leeds Corporation in 1922.

NM 0908687 MWiCA

PS 8475 U85G3
Musgrave, Fanny Wood
Gabrielle Amethyst. Toronto, W. Briggs, 1908.
246 p.

NM 0908688 CaOTU MH TxU

Musgrave, Florence.
Catherine's bells; illustrated by Zhenya Gay. New York, Ariel Books [1954]
248 p. illus. 22 cm.

I. Title.
Full name: Sarah Florence Musgrave.

PZ7.M968Cat 54-5205 ‡

NM 0908689 DLC WaSp OrLgE OrP Or WaS PP OCl

Musgrave, Florence.
Dogs in the family; illustrated by Robert Henneberger. Boston, Houghton Mifflin, 1952.
245 p. illus. 22 cm.

I. Title.

PZ7.M968Do 52-6897 ‡

NM 0908690 DLC WaSp WaS Or PP

Musgrave, Florence.
Mary Lizzie. Illustrated by Robert Candy. Boston, Houghton Mifflin, 1950.
187 p. illus. 22 cm.

I. Title.
Full name: Sarah Florence Musgrave.

PZ7.M968Mar 50-9375

NM 0908691 DLC OrP Or OrU WaS WaSp OrAshS OrPS FU

VOLUME 403

Musgrave, Florence.
Oh Sarah; illustrated by Robert Candy. [1st ed.] New York, Ariel Books [1953]
247 p. illus. 21 cm.

I. Title.

PZ7.M968Oh 52-12379 ‡

NM 0908692 DLC Or OrP WaSp OrLgE OEac OOxM OCl PP

Musgrave, Florence.
Stars over the tent; illustrated by Robert Candy. Boston, Houghton Mifflin Co., 1953.
214 p. illus. 22 cm.

I. Title.
Full name: Sarah Florence Musgrave.

PZ7.M968St 53-6206 ‡

NM 0908693 DLC OrLgE WaSp OrP Or OCl PP OOxM WaS

Musgrave, Florence.
Trailer tribe; illustrated by Genevieve Vaughan-Jackson. New York, Ariel Books, 1955.
244 p. illus. 22 cm.

I. Title.

PZ7.M968Tr 55-5564 ‡

NM 0908694 DLC Or WaSp OCl

Musgrave, Frank.
L'Africaine, or The queen of the Cannibal Islands
For libretti see under Burnand, Sir Francis Cowley, 1836-1917.

Musgrave, Frank.
A grand new and original burlesque entitled Der freischütz
For libretti see under Burnand, Sir Francis Cowley, 1836-1917.

Musgrave, G W
Sermons preached at Perth ... 1705-& 1706. [n.d.]
Manuscript.

NM 0908697 NjP

Musgrave, George, 1855-1932, tr.

Dante Alighieri, 1265-1321.
Dante's Divine comedy, consisting of the Inferno—Purgatorio & Paradiso; a version in the nine-line metre of Spenser by George Musgrave ... The Inferno or Hell. London, S. Sonnenschein & co., 1893.

Musgrave, George, 1855- tr.

Dante Alighieri, 1265-1321.
The Divine comedy of Dante. A version in the nine-line metre of Spenser, by George Musgrave ... The Inferno, or Hell. New York, Macmillan and co., 1893.

Musgrave, George, 1855-1932, tr.

Dante Alighieri, 1265-1321.
Dante's Inferno; a version in the Spenserian stanza, by George Musgrave, with forty-four illustrations by John D. Batten. London, Oxford university press, H. Milford, 1933.

Musgrave, George Clarke.
Cuba, the land of opportunity, by George Clarke Musgrave ... London, Simpkin, Marshall, Hamilton, Kent & co. ltd., 1919.
103, [1] p., 1 l. incl. front. 17½ x 10cm.

1. Cuba—Descr. & trav. 2. Cuba—Econ. condit. I. Title.

Library of Congress F1765.M98 20-23896

NM 0908701 DLC ICJ NN

Musgrave, George Clarke.
In South Africa with Buller, by George Clarke Musgrave ... Illustrated from sketches by René Bull, Maud, R. Caton Woodville, and other war artists. Boston, Little, Brown and company, 1900.
xviii, 364 p. incl. front. plates, fold. map, facsim. 21cm.

1. South African war, 1899-1902. I. Title.
0-4220

Library of Congress DT930.M98

MdBP PPPSB
NM 0908702 DLC WaTC DN IEN ViU PPL PU CU OCl DNW

Musgrave, George Clarke
To Kumassi with Scott; a description of a journey from Liverpool to Kumassi with the Ashanti Expedition, 1895-6. With illus.from sketches by H.C.Seppings Wright, and others. London, Wightman, 1896
vi, 216 p. illus.

1. Scott, Francis Cunninghame. 2. Kumasi, Ghana-Descr.

NM 0908703 MH MB DNW NcD InU IEN ICRL CSt ICRL

Musgrave, George Clarke.
Under four flags for France, by George Clarke Musgrave ... New York, London, D. Appleton and company, 1918.
vii, [1] p., 3 l., 363, 1 p. front., illus. (maps) plates, ports. 21cm. $2.00

1. European war, 1914-1918—Campaigns—Western. 2. European war, 1914-1918—Personal narratives. I. Title.
18-3816
Library of Congress D544.M8

OCl OCU PPL DN NN MB NjP
NM 0908704 DLC WaS MtU Or NcD IaU ViU NcC PP NcU

Musgrave, George Clarke.
Under three flags in Cuba; a personal account of the Cuban insurrection and Spanish-American war, by George Clarke Musgrave ... Boston, Little, Brown and company, 1899.
xv, 365 p. front., illus. (facsims.) plates, ports. 20cm.

1. U. S.—Hist.—War of 1898—Personal narratives. 2. Cuba—Hist.—Revolution, 1895-1899. I. Title.
0-171 Revised
Library of Congress F1786.M98

MB
NM 0908705 DLC LU NNC CU OKentU OClWHi DN MH-L CU

Musgrave, George McCoy.
Competitive debate, rules and strategy [by] George McCoy Musgrave. New York, The H. W. Wilson company, 1945.
147 p. 20cm.
Bibliography: p. [136]-142.

1. Debates and debating. I. Title.
45-8989
Library of Congress * PN4181.M8
[20] 808.5

WaS Wa WaSp WaT
PPT OCl OClJC OU ViU ICJ CoU PPPD PPGi PP ICRL Or
NM 0908706 DLC CaBVa MtBuM IdU KEmT LU NcGU PWcS

Musgrave, George McCoy.
Competitive debate, rules and techniques [by] George McCoy Musgrave. Rev. ed. New York, The H. W. Wilson company, 1946.
151 p. 20cm.
"First edition: Competitive debate: rules and strategy. 1945. Published March 1945."
Bibliography: p. [138]-145.

1. Debates and debating. I. Title.

PN4181.M8 1946 808.5 47-1909

PV CoU
NM 0908707 DLC WaWW IdPI WaT Or CaBVaU OrAshS PP

Musgrave, George McCoy
Competitive debate, rules and techniques. Rev.ed. NY, Wilson [1948]

151 p.
Title of 1st ed.: Competitive debate; rules and strategy

NM 0908708 MH

Musgrave, George McCoy.
Geneology [sic] of Caver, Conner, McCoy, and Musgrave families, with information regarding the following families: Bufkin, Caldwell, Cartwright, Copeland, Crawford, Dickey, Edwards, Fahs, Freeman, Hartzog, Johnson, Kline, Laubach, McDonald, McWilliams, Mosley, Pace, Rouse, Rawls, Shumate, Smith, Wallace, White, Whitman, Woodrow. Toledo, Ohio, 1950.
48 l. geneal. table. 28 cm.

1. U. S.—Geneal.

CS69.M8 52-31763

NM 0908709 DLC

Musgrave, George Musgrave, 1798-1883.
The Book of the Psalms of David, in English blank verse: being a new poetical arrangement of the sweet songs of Israel... London, 1833
see under Bible. O. T. Psalms. English. Paraphrases. 1833. Musgrave.

Musgrave, G[eorge] M[usgrave] 1798-1883.
By-roads and battle-fields in Picardy: with incidents and gatherings by the way between Ambleteuse and Ham; including Agincourt and Crécy. By G. M. Musgrave. With illustrations. London. Bell and Daldy, 1861.
xi, 326 p. front., illus., plates. 25½cm.

1. Picardy—Descr. & trav.

Library of Congress DC611.P588M9 4-25957

NM 0908711 DLC MdBP NjP

[Musgrave, George Musgrave] 1798-1883.
Cc5.5 65
Cautions for the first tour, on the annoyances, short comings, indecencies,and impositions incidental to foreign travel ... By Viator Verax ... 2d ed. London,W.Ridgway,1863.
61p. 21cm. [U.S. Civil war pamphlets, v.65]

I.Title. x.Verax, Viator, pseud.

NM 0908712 CtY

[MUSGRAVE,Rev. George Musgrave.]
Cautions for the first tour on the annoyances, short comin s,indecencies,and impositions incidental to foreign travel. By Viator Verax [pseud Travel. 5th ed. L.,1863.

pp.61.

NM 0908713 MH

Musgrave, George Musgrave, 1798-1883.
Costumes and boots &c., &c., &c. A Hudibrastic poem for the days we live in ... [Hitchin, Herts, Paternoster & Hales] 1879.
[7] p. 21.5 cm.

NM 0908714 CtY

Musgrave, George Musgrave, 1798-1883.
Nine and two: or School hours: a book of plain and simple instruction, written partly for the poorer classes in the agricultural districts, and for that description of teaching afforded to the children of farm labourers in Sunday schools; and partly for the rising generation in all ranks of society, between the age of eight and sixteen years: to open their understanding, to ground and settle their faith, and to improve their general behavior and deportment in the duties and courtesies of every-day life ... London,J.G.& F. Rivington[etc.,etc.]1843.
xx,196,23p. 23cm

NM 0908715 CtY

VOLUME 403

Musgrave, George Musgrave, 1798–1883.
Nooks and corners in old France. By the Rev. George Musgrave ... London, Hurst and Blackett, 1867.
2 v. fronts., plates. 20cm.
Title vignette.

1. France—Descr. & trav. 2. Paris—Descr. I. Title.

Library of Congress DC27.M98 3—31175

NM 0908716 DLC WaS PPFr PPL NjP

Musgrave, George Musgrave, 1798–1883.
The parson, pen, and pencil: or, Reminiscences and illustrations of an excursion to Paris, Tours, and Rouen, in the summer of 1847; with a few memoranda on French farming. By G. M. Musgrave ... London, R. Bentley, 1848.
3 v. illus. 20½cm.

1. Paris—Descr. 2. Rouen—Descr. 3. Tours—Descr. I. Title.

1–21213

Library of Congress DC27.M984

NM 0908717 DLC PPL PPULC NjP NN

Musgrave, George M[usgrave] 1798–1883.
A pilgrimage into Dauphiné; comprising a visit to the monastery of the Grande Chartreuse; with anecdotes, incidents, and sketches from twenty departments of France. By the Rev. George M. Musgrave ... London, Hurst and Blackett, 1857.
2 v. fronts., illus. 20cm.

1. Dauphiné—Descr. & trav.

4–26263

Library of Congress DC611.D248M9

NM 0908718 DLC PSC PHC MB

Musgrave, George [Musgrave] 1798–1883.
A ramble into Brittany, by the Rev. George Musgrave ... London, Hurst and Blackett, 1870.
2 v. fronts., facsim. 20cm.
Title in red and black with line border and vignette.

1. Brittany—Descr. & trav.

Library of Congress DC611.B48M9 4–25964

NM 0908719 DLC NIC PPFr CtY OClW MB

Musgrave, George M[usgrave] 1798–1883.
A ramble through Normandy; or, Scenes, characters, and incidents in a sketching excursion through Calvados. By George M. Musgrave ... London, D. Bogue, 1855.
vii p., 1 l., 565 p., 1 l. front., illus., plates. 20cm.
Title vignette.

1. Calvados, France (Dept.)—Descr. & trav.

4–26399†

Library of Congress DC611.N848M9

NM 0908720 DLC PPL CtY NcU MB

Musgrave, George [Musgrave] 1798–1883.
Ten days in a French parsonage in the summer of 1863. By George Musgrave ... London, S. Low, son, and Marston, 1864.
2 v. front. 20cm.

Subject entries: France—Descr. & trav.

3–31174

Library of Congress, no. DC27.M987.

NM 0908721 DLC OCl

S594
.F85

Musgrave, George Wallace, 1891– joint author.

Free, George Russell, 1905–
... Relative infiltration and related physical characteristics of certain soils. By G. R. Free ... G. M. Browning ... and G. W. Musgrave ... Washington, D. C., United States Dept. of agriculture [1940]

Musgrave, George Wallace, 1891–
... Soil and water conservation investigations at the Soil conservation experiment station, Missouri valley loess region, Clarinda, Iowa. Progress report 1931–35. By G. W. Musgrave ... and R. A. Norton ... Washington [U. S. Govt. print. off., 1937]
cover-title, 182 p. illus., 3 maps (2 fold.) tables, diagrs. (1 fold.) 23 cm. (U. S. Dept. of agriculture. Technical bulletin no. 558)
Contribution from Soil conservation service.
The United States Department of agriculture, Soil conservation service, in cooperation with the Iowa Agricultural experiment station.
"Literature cited": p. 134.

1. [Soil conservation] 2. Erosion. [2. Soil erosion—Prevention and control—Missouri valley] 3. Water—Conservation. I. U. S. Soil conservation experiment station, Clarinda, Iowa. II. Norton, Robert Arthur, 1903– joint author. III. Title.

Agr 37—134

U. S. Dept. of Agr. Libr. for Library of Congress 1Ag84Te no. 558 [S21.A72 no. 558]
[a50k1]

NM 0908724 DNAL WaWW CaBVaU OCl

Musgrave, George Washington, 1804-1882.
A brief exposition and vindication of the doctrine of the divine decrees, as taught in the Assembly's larger catechism. By Rev. G. W. Musgrave, bishop of the Third Presbyterian church of Baltimore; being the substance of two lectures, recently delivered in said church; and published at the request of the congregation ... Baltimore: Woods and Crane, printers. 1842.
40 p. 21cm.

A defense of Presbyterian doctrine against misstatements in tracts published by the Methodist Episcopal church.
Bound with his A vindication of religious liberty. Baltimore, 1834.

NM 0908726 MiU-C NcD

Musgrave, George Washington, 1804-1882.
A brief exposition and vindication of the doctrine of the divine decrees, as taught in the Assembly's Larger catechism. By the Rev. G.W. Musgrave, D.D. ... Philadelphia, Presbyterian board of publication [c1842]
40 p. 20 cm. (Added t.-p.: A series of tracts on the doctrines, order, and polity of the Presbyterian church in the United States of America... v. 3 [no. 9])
Double pagination.

1. Presbyterian church in the U.S.A. - Catechisms and creeds.

NM 0908728 CU DLC NjP PPPrHi

Musgrave, George Washington, 1804-1882.
A discourse concerning certain evils connected with the late presidential canvass. By Rev. G. W. Musgrave, pastor of the Third Presbyterian church in Baltimore. Baltimore: John T. Hanzsche, printer. No. 30 Market street, between Frederick and Harrison sts. 1840.
23 p. 20.5cm.
VA 9019.
Bound with his A vindication of religious liberty, Baltimore, 1834.

NM 0908729 MiU PHi NjP PPPrHi DLC

Musgrave, George Washington, 1804-1882.
Discussion of changes ... by ... Gen. assembly in ... Book of discipline. n.p. [186-]

NM 0908730 NjP

BX
8388
.M98

Musgrave, George Washington, 1804-1882.
The polity of the Methodist Episcopal church in the United States: being an exposure of the spurious origin of Methodist episcopacy:-- The tyrannical nature of the government and discipline of the Methodist Episcopal church:-- The unjust and dangerous control of church property by the clergy of that sect:-- The superior provision made for their temporal support:-- The mode of raising their supplies:-- The moral machinery of Methodism, its religious character, fruits, &c. &c. By Rev. G. W. Musgrave, bishop of the Third Presbyterian church of Baltimore ... Baltimore, Printed by R.J. Matchett, 1843.
vii, [9]-344 p. 25cm.

1. Methodist Episcopal church—Government.

NcD GEU ICU
NM 0908732 MiU MdBP NjP NN NjNbS TxDaM IEG PPLT

Musgrave, George Washington, 1804–1882.
A sermon occasioned by the death of Major James Owen Law. By the Rev. G. W. Musgrave, D. D., pastor of the Third Presbyterian church of Baltimore ... Baltimore, S. Guiteau, 1847.
32 p. 22½cm.
Published at the request of the Independent greys.

1. Law, James Owen, 1809–1847.

20-12675

Library of Congress F189.B1O9

NM 0908733 DLC PHi PPL NjP PPPrHi

Musgrave, Rev. G. W.
A sermon occasioned by the death of the Rev. William Nevins... Baltimore, 1835.
32p.
VA 16426

NM 0908734 DLC MH NjP PPPrHi PPL

Musgrave, George Washington, 1804-1882.
A vindication of religious liberty: or, The nature and efficiency of Christian weapons. By Rev. G. W. Musgrave, pastor of the Third Presbyterian church, Baltimore ... Published by request. Baltimore: John W. Woods, printer, no. 1, N. Calvert-street. 1834.
32 p. 21.5cm.

Bound with this are his A discourse concerning certain evils connected with the late presidential canvass, Baltimore, 1840; and A brief exposition and vindication of the doctrine of the divine decrees, Baltimore, 1842.

NM 0908736 MiU-C DLC PPPrHi PPL NjP

Musgrave, Guilhelmus, 1657-1721
see
Musgrave, William, 1655?-1721.

Beinecke Library
1973
1033

Musgrave, H
Illusions ... London, Richard Bentley and Son, 1887.
3 v. 19 cm.

On spine: Illusions, a novel [by] Mrs. Musgrave

NM 0908738 CtY

Musgrave, (Mrs.). H.
Miriam... Lond., Sampson Low, Marston Searle & Rivington, 1888.

NM 0908739 PPL

Musgrave (H. B.) Homoeopathic pharmacy demonstrated. 7 pp. 8°. [*n. p., n. d.*]
Repr. from: West. Lancet, Cincin., 1853, xiv.

NM 0908740 DNLM

VOLUME 403

Musgrave, Harrison, 1904- joint author.

Metfessel, Milton Franklin, 1901–
Instructor's guide for demonstrations of psychological experiments, by Milton Metfessel ... and Harrison Musgrave, jr. ... 1st ed. New York and London, McGraw-Hill book company, inc., 1933.

Tr.R. **Musgrave, Herbert**
Imperial consolidation; lecture delivered at the Staff College, on March 30th, 1907, by H. Musgrave, B. R. Moberly [and] C. B. B. White. [London? 1907?]
32 p. 19 cm.
Cover title.
"For private circulation."
1. Imperial Federation. I. Moberly, B. R. II. Title.

NM 0908742 NcD

Musgrave, Isabella (Byron) *lady*
see
Carlisle, Isabella (Byron) Howard, *countess of, d.* **1795.**

Musgrave, J. A.

Crawford, Cecil Clement, 1893–
The Crawford-Musgrave debate; a series of public discussions on the design of baptism and the work of the Holy Spirit in conversion, between C. C. Crawford, of Cincinnati, O., representing the West Frankfort, Ill., Church of Christ, and J. A. Musgrave, of West Frankfort, Illinois, representing the West Frankfort, Ill., Baptist church ... debate held at West Frankfort, Ill., January 2-7, 1922. West Frankfort, Ill., The Daily American [1922]

69
M97 Musgrave, J E T
Canadian tobacco.
(From the Canadian geographical journal. Montreal, 1934. 26cm. v.8,no.6,June 1934. p.277-289. illus.)
1. Tobacco. Canada.

NM 0908745 DNAL

Musgrave, James, d. 1778.
Catalogue of the library of Dr. James Musgrave.

De Villamil, Richard, 1850–
Newton: the man, by Lieut.-Col. R. De Villamil ... Foreword by Professor Albert Einstein. London, G. D. Knox [1931]

Musgrave, *Sir* **James,** *1st bart.,* 1829-
Letter to James H. Tuke, esq., author of Irish distress and its remedies, having reference to that portion of his pamphlet which describes the county of Donegal, by James Musgrave, a proprietor in that county. [n. p., 1880]
16 p. 22cm.
1. Tuke, James Hack—1819-1896. Irish distress and its remedies. 2. Agricultural laborer—Ireland—Donegal.
4-19805
Library of Congress DA953'80.M9

NM 0908747 DLC PPL

LU62
M97 Musgrave, John, of Bolton.
Origin of Methodism in Bolton. Bolton. printed by H. Bradbury, 1865.
52 p. illus.
1. Methodist church in Gt. Britain. I. Title.

NM 0908748 CSaT

---

*EC65
M9727
646a
Musgrave, John, fl. 1646-1654.
Another word to the wise, shewing that the delay of justice, is great injustice. By displaying heavier grievances in petitions from severall counties to the House of commons, and letters to Parlament men, from Mr. John Musgrave gentleman, one of the commissioners from Cumberland and Westmerland, for presenting their grievances to the Parliament. VVho instead either of redressing those two counties grievances, or prosecuting the charge given in by him against Mr. Richard Barwis, a Parliament man, for betraying his trust, in placing traytors and malignant officers in chief places of command, to the apparant ruin thereof and landing of the Irish rebels there, did illegally commit the said Mr John Musgrave to the Fleet, where he hath lain these 4. moneths, without any justice, or tryall of his businesse ...
[London] Printed in the yeare, 1646.
[16]p. 19.5cm.

NM 0908750 MH CSmH

M3145
Bd.w.
S5489
Musgrave, John, fl. 1646-1654.
The conscience pleading for its owne liberty. Being the summe of an excellent discourse. Wherein is pathetically proved, both by Scripture and reason, how farre a free toleration of religion may be granted, and how farre not, as it now stands with the affaires of the state. Humbly presented to his Excellency Sir Tho: Fairfax, and those generous spirits under his command...Read and then judge. London, Printed in the yeare, 1647.
[8], 26 p. A-D4, E1. 4to.
The "excellent discourse", which makes up the main body of the text, is quoted from p. 356-367 of Edward Grimestone's A generall historie of the Netherlands, 1609. Those pages present a speech, supposed to have been delivered by François Baudouin.
Bookplate of Bridgewater library.
Bound with Adam Steuart, An answer to a libell, 1644.

NM 0908752 DFo NNUT-Mc

Musgrave, John, fl. 1646-1654.
A FOURTH word to the wise; or, A plaine discovery of Englands misery, and how the same may be redressed; set forth in a letter written by a prisoner in the Fleete to Commissary Generall Ireton, and published by a friend of his country for Englands good. [London, 1647.] 18 p.
Caption title.

NM 0908753 MnU

M3149 **Musgrave, John, fl. 1646-1654.**
Good counsel in bad times, or A good motion among many bad ones. Being a discovery of an old way to root out sects and heresies ... Likewise an epistle to the reader ... London, Printed for Thomas Watson, 1647.
[8] 28 p. A-D4, E2. 4to.
The "epistle to the reader" only is by Musgrave. The main body of the text contains "A discourse of Francis Bawdwine" which is quoted from Edward Grimestone's A generall historie of the Netherlands (1609), p. 356-367. This in turn was copied from Le Petit's La grande chronique (1601) II, p. 76f. This "discours en forme d'avis" was drawn up by François Baudouin.
Also entered in Wing under Francis Baldwin as B545.
Author's presentation copy.

---- ---- Another issue.
E2 lacking or cancelled.
Differs only in cancel title-page which reads: The conscience pleading for its owne liberty. Being the summe of an excellent discourse ... London, Printed in the yeare, 1647.

NM 0908756 DFo CSmH

---

*EC65
M9727
651h
Musgrave, John, fl. 1646-1654.
The humble addresse of John Musgrave, to the supreme authority, the Parliament of the common wealth of England.
[London, 1651]
8p. 18cm.
Caption title.
Dated on p.6: The second of the 9th. moneth, 1651.
Imperfect: fore edges of p.1-4 mutilated.

NM 0908757 MH

British Tracts 1651 M96
Musgrave, John, fl. 1646-1654.
Musgraves musle broken, or Truth pleading against falshood; being a just defence and answer to two papers read by Sir Arthur Haslerig: set forth in a letter written to Mr. Moyer, one of the commissioners for compounding. Wherein is discovered how the Commonwealth is abused by sub-cummissioners [!] for sequestrations ... [London] 1651.
2p.l., 18p. 19cm.
1. Hesilrige, Sir Arthur, 2d bart., d.1661.

NM 0908758 CtY

942.063
M972t
Musgrave, John, fl. 1646-1654.
A true and exact relation of the great and heavy pressures and grievances the well-affected of the northern bordering counties lye under, by Sir Arthur Haslerigs misgovernment, and placing in authority there for justices of the peace, commissioners for the militia, ministry, and sequestrations, malignants, and men disaffected to the present government, set forth in the petition, articles, letters and remonstrance, humbly presented to the Councel of state, with his apologie to the lord president, for publishing thereof.
By John Musgrave ... London, Printed Anno. Dom. 1650.
1 p.l., 49(i.e.53)p. 19cm.
Errors in paging: p.7-[10] repeated.
Upper margins closely trimmed; some captions removed.
Book-plate of Joseph Thompson, Woodlands, Fulshaw.

NM 0908760 IU MnU

---

*EC65
M9727
646w
Musgrave, John, fl. 1646-1654.
A word to the vvise. Displaying, great augmented grievances, and heavie pressures of dangerous consequence[!]. Appearing, by certain materiall weighty passages of special concernment. Remonstrating, the great dangers which the counties of Cumberland and Westmoreland are in (though now in the hands of the Parliament) but like to be possessed by the enemy, who aimeth at it, above all other landing places, from foraign parts; the said countries being more hazardable, sith that Mr. Richard Barwis (a member of the House of commons) hath (as is set forth by the commissioners for the well affected, in their charge) betrayed his trust, and placed traytors, and disaffected officers in the said counties, tending to the ruine of the well-affected, and to the incouragement and upholding of the malignant party. All which being certified by Mr. John Musgrave ...
[London, 1646]
20p. 18.5cm.
Caption title.
Imperfect: lower edges cropped.

NM 0908762 MH CSmH

[Musgrave, John] fl. 1646-1654.
Yet another word to the wise: shewing, that the lamentable grievances of the parliaments friends in Cumberland and Westmerland. Presented by their Commissioner, Mr. Iohn Musgrave, to the House of Commons above two yeares agoe, are so far yet from being redressed, that the House of Commons not only protecteth Mr. Richard Barwis, one of their owne members, from the law, being accused of high treason, as appeareth by the great charge against him in this treatise contained. As also against Sir Wilford Lawson... [London] Printed in the yeare 1646.
40 p. [i.e. 44] 2 p.l., small quarto.
2 leaves without signature mark; B-F, each 4 leaves; G, 2 leaves.

NM 0908764 CSmH

---

ar V
21165
Musgrave, John, & Sons.
The Tabor steam engine indicator.
[Broadheath, 189-]
191 p. illus. 18cm.

NM 0908765 NIC

Musgrave, John Freedley.
Leucorrhea. 1864.

NM 0908766 PU

VOLUME 403

Musgrave, John R 1906–
Turbimetric particle size analysis, by J. R. Musgrave and H. R. Harner. Joplin, Mo., Eagle-Picher Research Laboratories [1947]
47 p. illus. 28 cm. (Research technique and technology, no. 1)
Bibliography: p. 37-40.

1. Particles. 2. Turbidity. I. Harner, Harold R., 1901– joint author. II. Title. III. Series: Eagle-Picher Company. Research Laboratories. Research technique and technology, no. 1.

TA407.M8 620.19 48-2690*

NM 0908767 DLC NNC

Musgrave, Johnson T.
Gentle winds, around her hover. A four-part song.
(In Novello's Part-Song Book. 2d series. Vol. 17, pp. 10-13. London. [188-?])

E5832 — T.r. — Part songs.

NM 0908768 MB

Musgrave, L F
An Afghan pioneer, the story of Jahan Khan. London, Church Missionary Soc., 1921.
64p. 19cm.

NM 0908769 PPPrHi CtY

591.5 Musgrave, M G
M97b Birds and butterflies. Chicago, c1889.
256p. plates(part col.)
Title page illus. in colors.

NM 0908770 IU PPT OCl

Musgrave (Percy). Cyto-diagnosis. A study of the cellular elements in serous effusions. A preliminary report. 12 pp. 12°. *Boston*, 1903.
Repr. from: Boston M. & S. J., 1903, cxlviii.

NM 0908771 DNLM

Musgrave, Percy.
The examination of pleural fluids, with reference to their etiology and diagnostic value. [Boston] 1904.
50 p. 3 pl. 8°.

NM 0908772 DNLM

CS
439
f.M8
1911

Musgrave, Percy, 1862-
Notes on the ancient family of Musgrave of Musgrave, Westmorland, and its various branches in Cumberland, Yorkshire, Northumberland, Somerset, &c., compiled mainly from original sources. Leeds, 1911.
xvi, 351 p. illus., coats of arms, geneal. tables, port. 31 cm.

At head of title: Collectanea Musgraviana.
"Printed for private circulation only."

NM 0908773 MnHi

Musgrave, Philip.
Philip Musgrave; or Memoirs of a Church of England missionary...
see under Abbott, Joseph, 1789-1863, ed.

Musgrave, Sir Philip, Baron. 1607-1678.
Sir Philip Musgrave's relation.
(In Firth. Narratives illustrating the Duke of Hamilton's expedition to England in 1648. Pp. 302-311. Edinburgh. 1904.)

F5825 — Great Britain. Hist. Civil War. 1642-1649.

NM 0908775 MB

Musgrave, Ray Sigler
A study of the changes in emotional attitudes and interests of fifty college men between their Freshman and Senior years. Delaware (O.) 1934.

(O.W.U. theses)

NM 0908776 ODW

[Musgrave, Sir Richard, 1st bart.,]
1757?-1818.
A concise account of the material events and atrocities which occurred in the present rebellion; with the causes which produced them, and an answer to Veritas's Vindication of the Roman Catholic clergy of the town of Wexford, By Veridicus;.. Dublin, Printed, and Cork, re-printed by A. Edwards, 1799.
47 p. 22cm. (Ante union pamphlets. v.1, no.9)

1.Veritas, pseud A vindication of the Roman Catholic clergy of the town of Wexford. I.Title

NM 0908777 MnU MH MiU

---

*EC75
M9726
799c

[Musgrave, Sir Richard, bart., 1757?-1818]
A concise account of the material events and atrocities, which occurred in the present rebellion, with the causes which produced them, and an answer to Veritas's [pseud.] Vindication of the Roman Catholic clergy of the town of Wexford ... By Veridicus [pseud.].
Dublin:Printed for J.Milliken,32,Grafton-street.1799.
8°. v,66p. 21.5cm.

NM 0908778 MH ICU MsSM

---

*EC75
M9726
799cc

[Musgrave, Sir Richard, bart., 1757?-1818]
A concise account of the material events and atrocities which occurred in the late rebellion, with the causes which produced them; and an answer to Veritas's [pseud.] Vindication of the Roman Catholic clergy of the town of Wexford ... By Veridicus [pseud.]. Third edition, corrected and enlarged.
Dublin:Printed for J.Milliken,32,Grafton-street;and J.Wright,169,Piccadilly,London.1799.
8°. 2p.ℓ.,101p. 21.5cm.

NM 0908779 MH NIC CtY OCl ICU IU

DA948
.A2V5

[MUSGRAVE,Sir RICHARD]1st bart.,1757?-1818.
A concise account of the material events and atrocities which occurred in the late rebellion, with the causes which produced them;and an answer to Veritas's vindication of the Roman Catholic clergy of the town of Wexford... By Veridicus[pseud.] 3d ed.,cor.and enl. Dublin,Printed for J.Milliken;[etc.,etc.]1799.
[3],251 p. 21½cm.
1.Ireland--Hist.--Rebellion of 1798. 2.Catholic church--Clergy. 3.Clergy--Ireland--Wexford.

NM 0908780 ICU MH IU

Musgrave, *Sir* **Richard,** *bart.*, 1757?–1818.
Considerations on the present state of England and France, by Sir Richard Musgrave, bart. ... Dublin, P. Byrne, 1796.
2 p. l., 35 p. 21cm.

1. Gt. Brit.—For. rel.—France. 2. France—For. rel.—Gt. Brit. I. Title.

45-50728

Library of Congress DA47.1.M8
——— Copy 2. [Duane pamphlets, v. 28, no. 10]
AC901.D8 vol. 28, no. 10
——— Copy 3. [Duane pamphlets, v. 36, no. 4]
AC901.D8 vol. 36, no. 4

[2]

NM 0908781 DLC

Musgrave, Sir Richard, 1st bart., 1757?-1818.

Temple, *Sir* **John,** 1600-1677.
The Irish rebellion: or, An history of the attemps of the Irish papists to extirpate the Protestants in the kingdom of Ireland; together with the barbarous cruelties and bloody massacres which ensued thereupon. Written from his own observations, and authentic depositions of other eye-witnesses, by Sir John Temple, knt. ... Now reprinted for the perusal of all Protestants ... London, Reprinted by R. Wilks, 1812.

---

*EC75
L2685
792s

Musgrave, Sir Richard, bart., 1757?-1818.
A letter on the present situation of public affairs. By Sir Richard Musgrave, bart. member of the Irish Parliament. Dedicated to His Grace the Duke of Portland ...
London:Printed for John Stockdale,Piccadilly. 1794. Price 1s. 6d.
8°. iv,[5]-61p. 21cm.
On Irish affairs.
No.4 in a volume labeled on spine: Tracts on Ireland.

NM 0908783 MH MdBP

Tr.R. **Musgrave,** *Sir* **Richard,** *1st bart.*, 1757?–1818.
A letter on the present situation of public affairs. By Sir Richard Musgrave ... Dedicated to His Grace the Duke of Portland ... Dublin, P. Byrne, 1795.
60 p. 23cm.

1. Ireland—Pol. & govt.—1791-1800. 2. United Irishmen.

A 13-1653

Title from Leland Stanford Jr. Univ. Printed by L. C.

NM 0908784 CSt PHi PPAmP PPL CtY PV NcD

Musgrave, Sir Richard
Memoirs of the different rebellions in Ireland, from the arrival of the English: also a particular detail of that which broke out the 23rd of May, 1798, with the history of the conspiracy which preceded it. Third edition. Dublin, 1800.
2 v. 8vo.

NM 0908785 NN

Musgrave,Sir Richard,bart.,1757?-1818.
Memoirs of the different rebellions in Ireland, from the arrival of the English: also,a particular detail of that which broke out the XXIIId of May,MDCCXCVIII; with the history of the conspiracy which preceded it ... To this edition is added,a concise history of the reformation in Ireland; and considerations on the means of extending its advantages therein. By Sir Richard Musgrave ... The second edition. Dublin, Printed by R.Marchbank for J.Milliken and J.Stockdale, 1801.
x,636,210,[8] p. X pl.(incl.4 fold.maps,5 fold.plans) 29 x 23cm.
1.Ireland--Hist.-- Rebellion of 1798.
DA949.M98 1801

IU MoU MH ICN MiD PV IaU
NM 0908786 MiU MB ICN PPL NjP OCl ScU DFo MdBP

Musgrave, *Sir* **Richard,** *1st bart.*, 1757?–1818.
Memoirs of the different rebellions in Ireland, from the arrival of the English: also, a particular detail of that which broke out the XXIIId of May, MDCCXCVIII; with the history of the conspiracy which preceded it. By Sir Richard Musgrave ... 3d ed. Dublin, Printed by R. Marchbank, and sold by J. Archer; [etc., etc.] 1802.
2 v. x fold. pl. (incl. 4 maps, 5 plans) 21cm.

1. Ireland—Hist.—Rebellion of 1798.

Library of Congress DA949.M98 4—5058

OCl
NM 0908787 DLC CaBVaU NcU CLSU NcD NIC WaU CtY

Musgrave, *Sir* **Richard,** *1st bart.*, 1757?–1818.
A narrative of facts, relative to the massacre of the Irish Protestants at Wexford, Scullabogue, and Vinegar Hill, in the year 1798, and their analogy to the present position of Protestants in America. Selected from Musgrave's history of the Irish rebellion. Philadelphia, W. S. Young, printer, 1846.
cover-title, ii, [3]-32 p. 23½cm.
"Introduction" signed: A Protestant Irishman.

1. Ireland—Hist.—Rebellion of 1798. I. A Protestant Irishman, ed.

18-3657

Library of Congress DA949.M9

NM 0908788 DLC PPPrHi

VOLUME 403

[Musgrave, Sir Richard, 1st Bart.] 1757?-1818.
Observations on the correspondence between Lords Redesdale and Fingal, on the remonstrance on the Rev. Peter O'Neil...and considerations on the present state of Ireland. London: R. Faulder, 1804. 99 p. 8°.

396714A. 1. Catholic Church, Roman—Gt. Br.—Ireland. 2. Redesdale, John Freeman-Mitford, 1st baron, 1748–1830: Correspondence. 3. O'Neil, Peter. 4. Fingall, Arthur James Plunkett, 8th earl of, 1759–1836.
N. Y. P. L. January 21, 1929

NM 0908789 NN MH

[**Musgrave,** *Sir* **Richard,** *bart.*] 1757?–1818.
Observations on the Reply of the Right Reverend Doctor Caulfield, Roman Catholick bishop, and of the Roman Catholick clergy of Wexford, to the misrepresentations of Sir Richard Musgrave, bart., and on other writers who have animadverted on the "Memoirs of the Irish rebellions" ... Dublin, Printed by Marchbank, and sold by J. Archer, 1802.
1 p. l., 61 p. 20½cm.

1. Caulfield, James, bp. of Ferns, fl. 1799. Reply ... to the misrepresentations of Sir Richard Musgrave. 2. Ireland—Hist.—Rebellion of 1798. I. Title.
34-16996
Library of Congress DA949.M94 941.57

NM 0908790 DLC MH

MUSGRAVE, Sir Richard. *6563.9
"Origin of the white boys." An extract from [his] Memoirs of the rebellions in Ireland.
(In Maseres, ed. Occasional essays. Pp. 374–394. London, 1809)

NM 0908791 MB

[**Musgrave,** *Sir* **Richard,** *1st bart.*] 1757?–1818.
Strictures upon An historical review of the state of Ireland; by Francis Plowden ... or, A justification of the conduct of the English governments in that country, from the reign of Henry the Second to the union of Great-Britain and Ireland ... London, F. C. and J. Rivington, 1804.
233, [1] p. 20½cm.

1. Plowden, Francis Peter, 1749–1829. An historical review of the state of Ireland. 2. Ireland—Hist.—1172–1801. I. Title.
A 13-1225
Title from Leland Stanford Jr. Univ. Printed by L. C.

NM 0908792 CSt ICU MH CtY MdBP

MUSGRAVE, Richard Abel, 1910–
Budgetary balance and capital budget. n.p., [1939].

23 cm. pp.13.
"Reprinted from American Economic Review, Vol.XXIX,No.2,June,1939," pp.[260]-271.

NM 0908793 MH MB

Musgrave, Richard Abel, joint author.

Higgins, Benjamin Howard.
Deficit finance—the case examined, by Benjamin Higgins and Richard A. Musgrave ... [Cambridge? Mass., 1941?]

Musgrave, Richard Abel, 1910–
... Public finance and full employment [by] Richard A. Musgrave, Evsey D. Domar, Roland I. Robinson ... [and others] Washington, Board of governors of the federal reserve system [1945]
v, 157 p. incl. tables, diagrs. 23cm. ([U. S.] Board of governors of the federal reserve system. Postwar economic studies no. 3, December 1945)
Text on p. [2] of cover.

1. Finance—U. S. I. Domar, Evsey D., joint author. II. Robinson, Roland I., joint author. III. Title.
46-25907
Library of Congress HC101.A183 no. 3
[6] (330.82) 336.73

NM 0908795 PSC PP OrPR PBm OrU IdPI CaBVaU CSt OC1W ICJ MB ViU-L PPLT PV OO DLC WaSpG WaTC NNC-L MiU Or OrP WaTC

Musgrave, Richard Abel, 1910–
... Public finance and full employment [by] Richard A. Musgrave, Evsey D. Domar, Roland I. Robinson ... [and others] Washington, Board of governors of the federal reserve system [1946]
v, 157 p. incl. tables, diagrs. 23 cm. ([U. S.] Board of governors of the federal reserve system. Postwar economic studies no. 3, December 1945)
Text on p. [2] of cover.

NM 0908796 IEN

HJ135
.M8
Musgrave, Richard Abel, 1910-
The voluntary exchange theory of public economy. [n. p., n. d.]
213-237 p. 24 cm.
Cover title.
"Reprinted from The quarterly journal of economics, vol. LIII, February, 1939."
Includes bibliographical footnotes.

1. Finance, Public. I. Title.

NM 0908797 MB

Musgrave, Robert Burns, 1913–
Life history studies of *Poa pratensis L.* by Robert Burns Musgrave ... Urbana, Ill., 1940.
5, [1] p. 23cm.
Abstract of thesis (PH. D.)—University of Illinois, 1940.
Vita.

1. Blue-grass.
40-34166
Library of Congress QK495.G74M86 1940
Univ. of Illinois Libr.
——— Copy 2. [2] 584.986

NM 0908798 IU NIC DLC

W 4 L68 1763 M.1
MUSGRAVE, Samuel, 1732-1780
Dissertatio medica inauguralis, sive Apologia pro medicina empirica ... Lugduni Batavorum, Sam. et Joh. Luchtmans, 1763.
41 p. 23 cm.
Diss. - Leyden.
Conjugate leaves of the dedicatory epistle (signed *2 and *3) form a cancel.
W 4 L68 v.30 no.8
-- --- Copy 2. 24 cm.

NM 0908799 DNLM PPC

MUSGRAVE, Samuel.
An essay on the nature and curve of the (so-called) worm-fever. London, 1776.

NM 0908800 MH DNLM MWA CtY

Musgrave, Samuel, 1732-1780.
Euripides: Hecuba, Orestes, et Phoenissae
see under Euripides. Two or more works.

Musgrave, Samuel, 1732-1780.

Euripides.
Evripidis Tragoediae. Graece ... Lipsiae, svmtibvs et typis Caroli Tavchnitzii, 1810–11.

Musgrave, Samuel, 1732-80.
——. Gulstonian lectures read at the College of Physicians, [etc.] 3 p. l., 124 pp., 2 l. 8°. *London, T. Payne [and others]*, 1779. [*Also, in:* P., v. 610.]
CONTENTS.
1. On the dyspnœa.
2. On the pleurisy and peripneumony.
3. On the pulmonary consumption.

NM 0908803 DNLM

Musgrave, Samuel, 1732-1780.

Sophocles.
Σοφοκλέους αἱ ἑπτὰ τραγῳδίαι. Sophoclis tragœdiæ septem. Cum animadversionibus Samuelis Musgravii, M. D., accedunt præter varantes lectt. editionum optimarum, Sophoclis Fragmenta ex editione Brunckiana. Necnon index verborum ... Oxonii, e typographeo Clarendoniano, 1800.

Musgrave, Samuel, 1732-1780.
The Musgrave controversy: being a collection of curious and interesting papers, on the subject of the late peace
see under title

Musgrave, Samuel, 1732-1780
Notae integrae in Euripidem, accedunt praeter lectionis varietatem scholia auctiora, commentationes, et animadversiones virorum doctorum excerptae, et index verborum copiosus. Lipsiae, 1788. 4°. (Euripides, *Tragoediae, Cur. C. D. Beckius*, v. 3.) 8281

NM 0908806 MdBP PBm

Musgrave, Samuel, 1732–80. Praefatio. 2 pp. (Euripides, *Opera omnia, cur. A. et J. M. Duncan*, v. 1, p. cxliii.)

NM 0908807 MdBP

---

*EC75 M9727 769d
Musgrave, Samuel, 1732-1780.
Dr. Musgrave's reply to a letter published in the news papers by the Chevalier d'Eon ...
London. Printed for the benefit of the charity-school, at Plymouth, and sold by J. Wilkie, no. 71. in St Paul's-church-yard. M.DCC.LXIX.
8°. 2p.ℓ.,40p. 20cm.
Concerning the publication of diplomatic papers on the peace of 1763.
BM records this title with Plymouth imprint.

NM 0908808 MH RPJCB MiU-C CtY CSt

Musgrave, Samuel, 1732-1780.
Speculations and conjectures on the qualities of the nerves. By Samuel Musgrave ... London, P. Elmsly [etc.] 1776.
iv,146p. 21 1/2cm.

NM 0908809 CtY-M NNNAM MH PPC OC1W DNLM

Musgrave, Samuel, 1732–1780.
Two dissertations: On the Graecian mythology. An examination of Sir Isaac Newton's objections to the chronology of the Olympiads. London, Printed by J. Nichols, 1782.
xxii, 231 p. 22 cm.

1. Mythology, Greek. 2. Newton, Sir Isaac, 1642–1727. The chronology of ancient kingdoms amended.
BL780.M8 50-42929

NM 0908810 DLC NIC OkU NNNAM MdBP ICN NjP CU MoU

Musgrave, Sarah Florence
see Musgrave, Florence.

Musgrave, Stanley Dean, 1919-
The influence of three levels of nutrient intake on the growth and sexual development of young Holstein bulls.
[Ithaca, N. Y.] 1951.
157 l. illus. 27cm.

Thesis (Ph.D.)--Cornell Univ., Feb., 1951.

NM 0908812 NIC

VOLUME 403

G972.98
M972h
Musgrave, T B C
... Historical and descriptive sketch of the colony of St. Vincent, W.I. Compiled under the direction of the commissioner for the Windward Islands by T.B.C. Musgrave. [n.p.] Printed at Gardner's, 1891.
1p.l.,26p.,1l.,xi,[1]p. tables. 20½cm.
At head of title: Jamaica exhibition, 1891.
Bibliography: p.iii-xi.
1. St. Vincent - Hist.

NM 0908813 TxU MB

BX
Musgrave,Thomas,abp. of York, 1788-1860.
A charge delivered to the diocese of Hereford,in July and August,1839, at the primary visitation of Thomas,lord bishop of Hereford.
Hereford,Lond.,1839.
1 pam. 8°

NM 0908814 NN CtY

Musgrave, Thomas, Abp. of York, 1788-1860.
A charge delivered to the clergy of the diocese of Hereford, June, 1845. London, 1845.
46 p. 8°. [In v. 833, College Pamphlets]

NM 0908815 CtY

Musgrave, Thomas, *archbishop of York*. A charge delivered to the clergy of the diocese of York, June, 1849, at the primary visitation of Thomas, archbishop of York. 3rd ed. London, Parker, 1849. 43 p.

NM 0908816 PPPD

NE5
C47
Y185C
Musgrave, Thomas, Abp. of York, 1788-1860.
A sermon, preached at St. Bride's Church, Fleet Street, on Monday evening, April 29, 1850, before the Church Missionary Society, by Thomas, Lord Abp. of York. [London? 1850?]
[xxiii]-xlii p. 21 cm.
1. Missions - Sermons. I. Church Missionary Society.

NM 0908817 CtY-D

Musgrave, Thomas, *abp. of York*, 1788-1860.
A sermon preached in St. Paul's cathedral, on Thursday, the 2d May, 1844, at the 143d anniversary meeting of the Society for the propagation of the gospel in foreign parts. By the Right Reverend Thomas, lord bishop of Hereford.
(*In* Society for the propagation of the gospel in foreign parts, London. Report ... for the year 1844. London, 1844. 22cm. 1 l., p. [xxi]-xl)
A detached copy.
1. Missions—Sermons. 2. Church of England—Sermons. I. Society for the propagation of the gospel in foreign parts, London.
34-22120
Library of Congress BV2500.A6A6 1844 266.3

NM 0908818 DLC

DU950
.A8M9
Musgrave, Thomas, captain.
Castaway on the Auckland isles: a narrative of the wreck of the "Grafton," from the private journals of Capt. Thos. Musgrave, with a map, and some account of the Aucklands. Edited by John J. Shillinglaw ... Melbourne, H. T. Dwight, 1865.
vii, 112 p. front. (fold. map) 21 1/2cm.
1. Auckland islands—Descr. & trav. 2. Shipwrecks. 3. Grafton (Schooner) I. Shillinglaw, John Joseph, 1830- II. Title.

NM 0908820 MB MH DN

Musgrave, Thomas, *captain.*
Castaway on the Auckland isles: a narrative of the wreck of the 'Grafton' and of the escape of the crew after twenty months' suffering. From the private journals of Captain Thomas Musgrave. Together with some account of the Aucklands. Ed. by John J. Shillinglaw ... London, Lockwood and co., 1866.
x, 174 p. front. (port.) map. 19 cm.
1. Auckland islands—Descr. & trav. 2. Shipwrecks. I. Shillinglaw, John Joseph, b. 1830. II. Title.
DU950.A8M9 5-12032 rev

WaU OU
NM 0908821 DLC CU ICJ MiU PPL CtY OO NcD MiU TxU

Musgrave, Thomas, *captain.*
Castaway on the Aucklands; the wreck of the Grafton, from the private journals of Thomas Musgrave. Edited by A. H. and A. W. Reed. Wellington, N. Z., A. H. and A. W. Reed [1943]
125 p. illus., map (on lining papers) 19 cm.
1. Auckland Islands—Descr. & trav. 2. Shipwrecks. I. Title.
[DU950.A8M] A 50-1211
New York. Public Libr. for Library of Congress [1]

NM 0908822 NN

Musgrave, Captain Thomas, joint author.

Norman, W[illiam] H.
Journals of the voyage and proceedings of H. M. C. S. "Victoria" in search of shipwrecked people at the Auckland and other islands. With an outline sketch of the islands. Compiled by Captain W. H. Norman ... and Thomas Musgrave ... Melbourne, J. Ferres [etc., 1866]

Musgrave, Thomas Burder Coull. 4512.99
A letter on reform in New York City.
(In Waters, Edwin F. The great struggle in England for honest government . . . Pp. 3-6. New York. 1881.)
K165 — New York, City. Pol. hist.

NM 0908824 MB

Musgrave, Thomas Moore, 1775-1854.
Considerations on the re-establishment of an effective balance of power. By Thomas Moore Musgrave, esq. 2d ed.
(*In* The Pamphleteer. London, 1814. 22½cm. v. 3, p. [v]-xvi, [1]-42)
CA 5-686 Unrev'd
Library of Congress AP4.P2 vol. 3

NM 0908825 DLC MdBP MH-BA ICN OCl

Musgrave, Thomas Moore, 1775-1854, tr.

Ferreira, Antonio, 1528-1569.
Ignez de Castro, a tragedy, by Antonio Ferreira. Translated from the Portugueze, by Thomas Moore Musgrave ... London, J. Murray, 1825.

Musgrave, Thomas Moore, 1775-1854, tr.
FOR OTHER EDITIONS SEE MAIN ENTRY
Camões, Luiz de, 1524?-1580.
The Lusiad, an epic poem, by Luis de Camoens. Translated from the Portugueze by Thomas Moore Musgrave ... London, J. Murray, 1826.

MUSGRAVE,Thomas Moore.
The re-establishment of an effective balance of power,stated to be the only solid basis of a general and permanent peace. London,1813.
pp.(4),83.

NM 0908828 MH

Musgrave, Thomas Moore, 1775-1854.
Re-establishment of an effective balance of power. London, 1814.
[Pamphletter, v. 3]
40

NM 0908829 DLC

Musgrave, Victor.
Montgomery, his life in pictures; foreword: Sir Claud Jacob; introd.: Sir Ronald Weeks. [1st and limited ed.] London, Sagall Press [1947]
viii, 214 p. illus., ports. 26 cm.
1. Montgomery, Bernard Law Montgomery, 1st viscount, 1887-
DA69.3.M56M8 923.542 47-27000*

NM 0908830 DLC

Musgrave, Walter.
Fireside poems. [Topeka, Kansas, c1934]
32 p. 19 cm.

NM 0908831 RPB

Musgrave, Wayne M.
College fraternities, by Wayne M. Musgrave. New York, The Interfraternity conference, 1923.
xii, 250 p. pl. 19½cm.
"Compiled under the unofficial title, The Interfraternity white book."
"Authorities consulted": p. 227-236.
1. Greek letter societies. I. Title.
23-18365
Library of Congress LJ31.M8

NM 0908832 DLC WaWW OrU DHEW IU ViU OOxM OU PPD

---

x828
Sh52
box 11
Musgrave, William, Esq.
A brief and true history of Sir Robert Walpole and his family, from their original, to the present time. London, Printed for E. Curll, 1738.
78p. 21cm.
[The Sherburn collection of pamphlets, box 11, no.4]
1. Walpole, Sir Robert, 1st earl of Orford, 1676-1745. I. Title.

NM 0908833 IU DLC MH CtY

Musgrave, William, Esq.
Genuine memoirs of the life and character of the Right honourable Sir Robert Walpole and of the family of the Walpoles. London, E. Curll, 1732.
(3), iv, (2), 78 p. 8°.

NM 0908834 MB

Musgrave, Sir William, Bart.
see Musgrave, Sir William, Bart., 1735-1800.

---

x913.42
M97a
Musgrave, William, 1655?-1721.
Antiquitates Britanno-Belgicæ, præcipue Romanæ, figuris illustratæ, tribus voll. comprehensæ; quorum I. De Belgio Britannico. II. De Geta Britannico. III. De Julii Vitalis epitaphio: quibus accedit Appendix. Iscæ Dunmoniorum, Typis G. Bishop, 1719-
v. fold.plates, port.(v.1) 20cm.
Vol.1 has both special and general t.p.
Armorial bookplates of Maxwell Richard William Peers Adams, and of William Cotton, F. S. A. in v.1, v.4.

NM 0908836 IU

VOLUME 403

Musgrave, William, 1655?–1721.
Belgium britannicum. in quo illius limites, fluvii, urbes, viæ militares, populus, lingua, dii, monumenta, aliaque permulta clarius & uberius exponuntur. Auctore Guilh. Musgrave ... Præfixa est dissertatio, De Britannia quondam pene insula ... Iscæ Dumnoniorum, typis G. Bishop, 1719.
3 p. l., xxvi, 223, [21] p. 15 fold. pl., fold. map. 20cm.
Forms v. I of the author's Antiquitates britanno-belgicæ.
Incorrectly lettered: Musgrave's Belgium britannicum, 2.
1. Gt. Brit.—Antiquities, Roman. I. Title.
Library of Congress DA145.M987 2—16481

NM 0908837 DLC WU IU KU PSt

Musgrave, William, 1657-1721.
De arthritide ... Ed. nova. Geneve, Fratres de Tournes, 1715.
[4]l.,88p.;[7]l.,170p. 23cm.
Bound with: Sydenham, Thomas, Opera medica, 1716.
Part 1, De arthritide symptomatica; part 2, De arthritide anomala, with separate title pages.
1.Arthritis.

NM 0908838 NcD-MC IaU PPC NNNAM

Musgrave, William, 1655?-1721.
De arthritide anomala, sive interna, dissertatio. Exoniae, T.S. Farley et J. Bliss, 1707.
18 p.l., 479 p., 10 l. 8°.

NM 0908839 DNLM OClW-H

Musgrave, William, 1655?–1721.
Gulielmus Musgrave ... de arthritide anomala, sive interna dissertatio. Ut et Richardus Mead ... de imperio solis ac lunæ in corpora humana, et morbis inde oriundis. 2. ed. Amstelædami, apud Wetstenios, 1710.
7 p. l., 391, [16] p. 16½cm.
Imperfect: lacks t.-p., title supplied from British Museum catalogue and Surgeon-general's catalogue.
1. Gout. 2. Diseases—Causes and theories of causation. I. Mead, Richard, 1673–1754.
CA 11-1833 Unrev'd
Library of Congress RC291.M92

NM 0908840 DLC DNLM PPL OrU

xR128.7
S9
1716
Musgrave, William, 1655?-1721.
De Arthritide anomala, sive interna, dissertatio. Ed. nova accuratior. Genevae, Apud Fratres de Tournes, 1715.
[14],88p. 23cm.
Bound with, as issued, Sydenham, Thomas. Opera medica. Genevae, 1716.
1. Arthritis. 2. Gout. 3. Medicine – 15-18th cent.

NM 0908841 IaU MH

WZ 260
S885
1716
Musgrave, William, 1655?-1721.
De arthritide anomala, sive interna, dissertatio. Editio nova accuratior. Genevae, Apud Fratres de Tournes, 1715.
170 p. 23 cm.
At head of title: Guilhelmi Musgrave.
Bound with the author's De arthritide symptomatica dissertatio. Ed. nova. Genevae, 1715.
1. Gout. (2. Joints - Diseases) [3. Joint diseases - Early works to 1800] I. Title.

NM 0908842 CaBVaU DNLM

610.9
S98
1723
Musgrave,William,1655?-1721.
Guilhelmi Musgrave ...De arthritide anomala, sive interna,dissertatio ... Editio nova accuratior. Genevae, apud G.de Tournes & filios, 1723.
7 p.l.,170 p. 23cm.
With Sydenham,Thomas. Opera medica. 1723.
1.Gout.

NM 0908843 MiU CaBVaU MH

Musgrave, William, 1655?-1721.
De arthritide anomala, sive interna, dissertatio. Editio nova accuratior. Genevae, Tournes, 1736.
168 p.

NM 0908844 PPC DNLM

89541
.893
.11
Musgrave, William, 1655?-1721.
De arthritide anomala, sive interna, dissertatio. Editio nova. Genevae, Apud Frates de Tournes, 1749.
168 p. 23 cm. [With Sydenham, Thomas. Opera medica. 1749]

NM 0908845 NjP DNLM ICU

Musgrave, William, 1655-1721.
De arthritide anomala, sive interna, dissertatio. Ed. nova. Genevæ, apud fratres de Tournes, 1757.
3 p.l., 168 p. sm. 4°.
Bound with: Sydenham, Thomas. Opera med. sm. 4°. Genevæ, 1756.

NM 0908846 DNLM

Musgrave, William, 1655?-1721.
De arthritide primigenia regulari dissertatio. Oxonia, e theatro Sheldoniano, 1726. 195 p.

NM 0908847 PPC

Musgrave, William, 1655?-1721.
De arthritide anomala, sive interna, dissertatio. Genevae, Tournes, 1769. 168 p.

NM 0908848 PPC DNLM

Musgrave, William, 1655?-1721.
De arthritide primigenia & regulari. Opus posthumum, quod nunc primùm publici juris facit Samuel Musgrave. Londini, T. Payne, B. White, J. Robson & P. Elmsly, 1776.
iv, [14], 195 p.
I. Musgrave, Samuel, 1732-1780. 616.72 616.991 1. Arthritis.
0d 221910

NM 0908849 ICJ

Musgrave, William, 1655?–1721.
De arthritide symptomatica dissertatio. Auctore Guilhelmo Musgrave ... Exoniæ [etc.] typis Farleianis, sumptibus Yeo & Bishop, sosiorum [!] 1703.
11 p. l., 251, [27] p. 18½cm.
1. Gout. 2. Joints—Diseases.
7-33877†
Library of Congress RC291.M9

NM 0908850 DLC CLU-M DNLM PPL

Musgrave, William, 1655?-1721.
De arthritide symptomatica dissertatio. Ed. nova. Genevae, fratres de Tournes, 1715.
4 p.l., 88 p. 4°.
Bound with: Sydenham, Thomas. Opera med. 4°. Genevae, 1716.

NM 0908851 DNLM

Musgrave, William, 1655?-1721.
De arthritide symptomatica dissertatio. Ed. nova accuratior. Genevæ, apud fratres de Tournes, 1736.
3 p.l., 88 p. 4°.
Bound with: Sydenham, Thomas. Opera med. 4°. Genevæ, 1736, ii.

NM 0908852 DNLM

R 114
.S901
1749
(Rare)
Musgrave, William, 1655?-1721.
De arthritide symptomatica dissertatio. Ed. nova accuratior. Genevae, Apud Fratres De Tournes, 1749.
88 p.
With, as issued, Sydenham, T. Opera medica. Genevae, 1749.
1. Gout. I. Title.

NM 0908853 ICU DNLM NjP

Musgrave, William, 1655?-1721.
De arthritide symptomatica dissertatio. Ed. nova. Genevae, paud fratres de Tournes, 1757.
3 p.l., 88 p. sm. 4°.
Bound with: Sydenham, Thomas. Opera med. sm. 4°. Genevæ, 1757.

NM 0908854 DNLM

Musgrave, William, 1655?-1721.
De arthritide symptomatica dissertatio. Ed. nova accuratior. Genevæ, 1769.
3 p.l., 88 p. 4°.
Bound with: Sydenham, Thomas. Opera med. 2 v. 4°. Genevæ, 1769.

NM 0908855 DNLM

Musgrave, William, 1655?-1721.
——. Dissertatio de dea salute, in qua illius symbola, templa, statuæ, nummi, inscriptiones exhibentur, illustrantur. 2 p. l., 28 pp., 3 pl. 4°. Oxonii. L. Lichfield. 1716.

NM 0908856 DNLM

913.42
M97d
Musgrave, William, 1655?-1721.
Guilhelmi Musgrave ... Dissertatio de Geta britannico ... Iscæ Dumnoniorum, typis P. Bishop, sumtibus P. Yeo, 1714.
138, 18p. plates(part fold.)
"Dissertatio de icuncula quondam m. regis Ælfredi" (18p. at end) has special t.-p. dated 1715 and separate paging.
1. England--Antiq. 2. Geta, Publius Septimius, emperor of Rome, 189-212. 3. Alfred, the Great, king of England, 849-901.

NM 0908857 IU

Musgrave, William, 1655?-1721.
Guilhelmi Musgrave ... Geta Britannicus. Accedit Domus Severianae synopsis chronologica, et De icuncula quondam m. regis AElfredi dissertatio ... Iscae Dunmoniorum: typis Philippi Bishop, sumtibus Phil. Yeo ... 1715.
[280] p. 4 plates (part fold.) 20½cm.
Afterwards issued as vol.II of the author's Antiquitates britanno-belgicae.
Signatures: †A4, A4, b-c4, B-I4, 1 leaf unsigned, A-Z4.
Title within double line border.
Armorial book-plate of Lord Lilford; book-plate of the Library, Lilford.
Bound in old paneled calf.
Contents.- Juli Capitolini Antoninus Geta cum notis integris Isaaci Casauboni, Jani Gruteri, Claudii Salmasii, & editoris ... Iscae Dunmoniorum, 1714. [8],xiii,[3],52,[12] p. (Commonly attributed to AElius Spartianus)- Guilhelmi Musgrave ... dissertatio de Geta Britannico ... Iscae Dunmoniorum, 1714. [8],138 p. 3 plates(part fold.)- Guilhelmi Musgrave ... Dissertatio de icuncula quondam m. regis AElfredi ... Iscae Dunmoniorum, 1715. [2],iv,18,[14] p. fold plate.

NM 0908860 CLU-C OrU WU

Musgrave, William, 1655?–1721.
Guilhelmi Musgrave ... Geta Britannicus. Accedit Domus Severianæ synopsis chronologica, et De icuncula quondam m. regis Ælfredi dissertatio ... Iscæ Dunmoniorum, typis P. Bishop, sumtibus P. Yeo, 1716.
4 p. l., [272] p. 4 pl. (part fold.) 19½cm.
Afterwards issued as vol. II of the author's Antiquitates britanno-belgicæ.
Incorrectly lettered: Musgrave's Belgium britannicum, I.

Continued in next column

VOLUME 403

Continued from preceding column

CONTENTS.—Julii Capitolini Antoninus Geta cum notis integris Isaaci Casauboni Jani Gruteri, Claudii Salmasii, & editoris ... Iscæ Dunmoniorum, 1714. 4 p. l., xiii, [1] p., 1 l., 52, [12] p. (Commonly attributed to Ælius Spartianus)—Guilhelmi Musgrave ... dissertatio de Geta Britannico ... Iscæ Dunmoniorum, 1714. 4 p. l., 138 p. 3 pl. (part fold.)—Guilhelmi Musgrave ... dissertatio de icuncula quondam m. regis Ælfredi ... Iscæ Dunmoniorum, 1715. 1 p. l., iv, 18, [14] p. fold. pl.

1. Gt. Brit.—Hist.—Roman period, B. C. 55–A. D. 449. 2. Geta, Lucius or Publius Septimius, emperor of Rome, 189–212. 3. Severus, Lucius Septimius, emperor of Rome, 146–211. 4. Alfred the Great, king of England, 849–901.

Library of Congress DA145.M988 2—16482

NM 0908861 DLC IU PSt

PN6289 .M9 MUSGRAVE, WILLIAM, 1655?-1721.
Ivlii Vitalis epitaphium cum notis criticis explicationeq; v.c.Hen.Dodwelli et commentario Guil. Musgrave. Quibus accedit illivs, ad cl.Goetzivm, de Pvteolana & Baiana inscriptionibus, epistola... Escae Dunmoniorum, typis Farleyanis, sumtibus P.Yeo, 1711.
[26], 190, [16]p. plates(part fold.) 19½cm.
Pub.also as v.3 of his Antiquitates britanno-belgicæ.
1.Epitaphs--Bath, Eng. 2.Bath, Eng.--Antiquities Roman. 3.Vitalis, Julius.

NM 0908863 ICU MH

Musgrave, William, 1655?-1721.

Sydenham, Thomas, 1624–1689.
Thomæ Sydenham ... Opera medica; in tomos duos divisa. Editio novissima aliis omnibus quæ præcesserunt multò emaculatior, & novis additamentis ditior. Imò indice alphabetico locupletissimo in locum elenchi rerum suffecto, utilissimè ornata ... Genevæ, apud fratres De Tournes, 1757.

Q41 .L8 Musgrave, William, 1655?-1721, ed.

Royal Society of London.
Philosophical transactions. v. 1–177, 1665/66–1886; series A. Mathematical and physical sciences, v. 178– 1887– ; series B. Biological sciences, v. 178– 1887– London.

Microfilm 8669 CS Musgrave, Sir William, bart. 1735-1800.

Foster, Joseph, 1844–1905.
Collectanea genealogica ... By Joseph Foster. London and Aylesbury, Priv. print. by Hazell Watson and Viney, 1882–83.

Bb33 21 2 Musgrave, Sir William, bart., 1735-1800, comp.
An obituary of the nobility, gentry, etc., of England, Scotland, and Ireland, prior to 1800. Collected by Sir William Musgrave ... With which are incorporated, by permission, the Westminster abbey registers, ed. by Joseph Lemuel Chester ... [Aaron-Bernard, Nathaniel] (In Foster, Joseph, 1844-1905. [Collectanea genealogica ... London, 1882?] 26cm. [v.2] p.1-80. (6th count))

NM 0908867 CtY

Musgrave, *Sir* William, bart, comp.
Obituary prior to 1800 (as far as relates to England, Scotland, and Ireland) comp. by Sir William Musgrave ... and entitled by him "A general nomenclator and obituary ..." Ed. by Sir George J. Armytage ... London, 1899–1901.
6 v. 27cm. (*Half-title:* The publications of the Harleian society ... vol. XLIV–XLIX)
1. Registers of births, etc.—Gt. Brit. I. Armytage, Sir George John, bart., 1842– ed. II. Title.
1-21058 Revised

NM 0908868 PP LU TxU PSt IU ViU CU MoU DLC MB OCl OCU MiU MWA NcD PSC PU PPL

929.3 M97o 1968 **Musgrave, *Sir* William, bart, comp.**
Obituary prior to 1800 (as far as relates to England, Scotland, and Ireland) comp. by Sir William Musgrave ... and entitled by him "A general nomenclator and obituary ..." Ed. by Sir George J. Armytage ... London, 1899–1901.
v. 27 cm. (*Half-title:* The publications of the Harleian society ... vol. XLIV–XLIX)
Photocopy. Cleveland, Micro Photo, 1968.
1. Registers of births, etc.—Gt. Brit. I. Armytage, Sir George John, bart., 1842– ed. II. Title.

NM 0908869 IU

[Musgrave, Sir William] Bart., 1735-1800.
British portraits. A catalogue ... of English portraits... From Egbert the Great to the present time... [London] [1800] PT=328 p.
[With his A catalogue of the genuine duplicates. London, 1798]
31 10933

NM 0908870 DLC

---

31 10933 [Musgrave, Sir William, Bart] 1735-1800
"... A catalogue of the genuine duplicates of an eminent collector of British portraits... will be sold by auction... Feb. 22, 1798..."
[London, 1798]
1 v. 8°

NM 0908871 DLC

Musgrave, William Everett, 1869-1927.
... Part I. Amebas: their cultivation and etiologic significance, by W. E. Musgrave, M. D., and Moses T. Clegg. Part II. Treatment of intestinal amebiasis (amebic dysentery) in the tropics, by W. E. Musgrave, M. D. Manila, Bureau of public printing, 1904.
117 p. 16 pl. (1 col.) 23cm. (Philippine islands. Bureau of government laboratories. [Publications] no. 18, October, 1904. Biological laboratory)
"References to literature. Compiled and edited by Miss Mary Polk, librarian": p. 78–82.
1. Amœba. 2. Dysentery. I. Clegg, Moses Tran, 1876– II. Polk, Mary, 1864–1924.
Library of Congress Q75.P5 5—38438

NM 0908872 MB ICJ DLC CU-M OU CU DNLM NNC PPAN PU MiU

Musgrave, William Everett, 1869-1927

Philippine islands. *Bureau of government laboratories.*
... I. Biological laboratory. Intestinal hemorrhage as a fatal complication in amœbic dysentery and its association with liver abscess, by Richard P. Strong, M. D. II. The action of various chemical substances upon cultures of amœbæ, by J. B. Thomas, M. D. III. Biological and Serum laboratories. The pathology of intestinal amœbiasis, by Paul G. Woolley, M. D., and W. E. Musgrave, M. D. Manila, Bureau of public printing, 1905.

WB qM987i 1910 MUSGRAVE, William Everett, 1869-1927
Index to system of nomenclature of diseases and conditions. Manila, 1910?,
82 l.
Typewritten copy.
Bound with his Nomenclature and classification of diseases and conditions. [Manila, 1910?]

NM 0908874 DNLM

WB qM987i 1910 MUSGRAVE, William Everett, 1869-1927
Nomenclature and classification of diseases and conditions, especially adapted for use in the tropics. [Manila, 1910?]
115 l.
Typewritten copy.
Bound with his Index to system of nomenclature of diseases and conditions. [Manila, 1910?]

NM 0908875 DNLM

Musgrave, William E.
... A preliminary report on trypanosomiasis of horses in the Philippine Islands. By W. E. Musgrave ... and Norman E. Williamson ... Manila, Bureau of public printing, 1903.
26 p. illus., 2 pl. 23cm. (Philippine Islands. Bureau of government laboratories. [Publications] no. 3, 1903. Biological laboratory)
Published also in Spanish.
1. Trypanosomiasis. I. Williamson, Norman E.
Library of Congress S301.L2 5—38452
——— Copy 2. SF807.M95

NM 0908876 DLC PU ICJ

Musgrave, William E.
...Una relación preliminar sobre la tripanosomiasis de los caballos en las islas Filipinas. Por W. E. Musgrave, M. D., director interino del Laboratorio biológico, y Norman E. Williamson, bacteriológico ayudante, Oficina de los laboratorios del gobierno. Manila, Bureau of public printing, 1903.
28 p. illus., 2 pl. 23cm. (Philippine Islands. Bureau of government laboratories. [Publications] no. 3, 1903. Biological laboratory)
Pub. also in English.
1. Trypanosomiasis. I. Williamson, Norman E.
Library of Congress SF807.M952 5—38451

NM 0908877 DLC

Musgrave (William E.) Sprue, or psilosis, in Manila. 35 pp. 8°. *Philadelphia*, 1902.
Repr. from: Am. Med., Phila., 1902, iii.

NM 0908878 DNLM

Musgrave, William E. *3912.115.18
Treatment of intestinal amebiasis (amebic dysentery) in the Tropics (In Philippine Islands. Bureau of Government Laboratories. Bulletin. No. 18. Pp. 87–117. Manila. 1904.)

F9591 — Dysentery. — Tropical diseases.

NM 0908879 MB

Musgrave, William Everett, 1869-1927.
... *Trypanosoma* and trypanosomiasis, with special reference to surra in the Philippine islands. By W. E. Musgrave, M. D., acting director, Biological laboratory, and Moses T. Clegg, assistant bacteriologist, Biological laboratory. Manila, Bureau of public printing, 1903.
248 p. incl. illus., pl., diagrs. 9 pl. (partly fold.) 2 fold. maps. 23cm. (Philippine islands. Bureau of government laboratories. [Publications] no. 5, 1903. Biological laboratory)
Bibliography. Comp. and edited by Miss Mary Polk, librarian: p. 221–241.
1. Trypanosoma. 2. Trypanosomiasis. I. Clegg, Moses Tran, 1876– II. Polk, Mary, 1864–1924.
Library of Congress S301.L2 5—38449
——— Copy 2. SF807.M955
——— Copy 3. RC113.M95 [a38b1]

NM 0908880 DNLM PU CU MiU ICJ DLC

WFA M987e 1879 MUSGRAVE CLAY, Charles René de 1848-
Étude sur la contagiosité de la phthisie pulmonaire. Paris, Delahaye, 1879.
114 p.
Issued also as thesis, Paris.
Author's autograph presentation copy. Signed.

NM 0908881 DNLM PPC

Musgrave-Wood, Ian
see
Musgrave-Wood, Jon.

D745 .2 .B63 Musgrave-Wood, Jon, joint author.

Boyle, Patrick R
Jungle, jungle, little chindit, by Major Patrick Boyle ... and Major Jon Musgrave-Wood ... Illustrated by the authors. With a foreword by Major-General W. D. A. Lentaigne ... London, Hollis and Carter, ltd. [1946]

VOLUME 403

Musgrave Brothers.
Illustrated catalogue of patent stable fittings . . . iron cow house fittings, and general iron works. [*Belfast?* 186-?] (1) 38 pp. 8°.

NM 0908884 NN

Tr.R. The Musgrave controversy: being a collection of curious and interesting papers, on the subject of the late peace. London, Printed for J. Miller [1769?]
60 p. 20½cm.

1. Paris, Treaty of, 1763 2. Éon de Beaumont, Charles Geneviève Louis Auguste André Timothée d', 1728-1810 I. Musgrave, Samuel, 1732-1780. II. 18th century English pamphlets

NM 0908885 NcD ICU

770 M9 The Musgrave controversy: being a collection of curious and interesting papers, on the subject of the late peace. London,Printed for J.Miller and sold by S.Bladon[etc.,1770]
60p. 20½cm.

NM 0908886 CtY

Musgraves, Bert Wade.
Administration of the public junior college program in Texas
see under
Texas Council of Public Junior Colleges.

PR 3991 A1M972 Musgraviana; or, Memoirs of a cod-piece.
[Cambridge? pref.1792]
28 p.

Caption title.
Possibly about Richard Farmer.

1. Farmer, Richard, 1735-1797.

NM 0908888 CLU

Musgrove, pseud.
see Lewis, Elias St. Almo, 1872-

Musgrove, Charles David.
Nervous breakdowns and how to avoid them, by Charles D. Musgrove, M. D. New York, Funk and Wagnalls company, 1913.
viii, 188 p. 19cm.
Printed in England.

1. Nervous system—Hygiene. 2. Neurasthenia. I. Title.

Library of Congress RC351.M8 14—18347

NM 0908890 DLC OrCS Or NN NcD PPJ ICJ MB OCU ICRL

Musgrove, Charles Hamilton.
The dream beautiful, and other poems, by Charles Hamilton Musgrove. Louisville, J. P. Morton and company, 1898.
56 p. 19cm.

I. Title.

Library of Congress PS3525.U9D7 1898 98-514 Revised

NM 0908891 DLC

Musgrove, Charles Hamilton.
Pan and Æolus; poems by Charles Hamilton Musgrove. Louisville, Ky., J. P. Morton & company, incorporated [°1913]
3 p. l., 91 p. 21cm. $1.00
Partly reprinted from various periodicals.

I. Title.

Library of Congress PS3525.U9P3 1913 13-10640

NM 0908892 DLC GU ViU KyHi NcD

Musgrove, Eugene Richard, 1879–
Composition and literature, by Eugene R. Musgrove ... New York, Chicago [etc.] Longmans, Green and co., 1917.
viii, 519 p. 19cm.
"College board requirements, 1917–1922": p. [476]–480; "New York regents requirements, 1917": p. [481]–484.

1. English language—Rhetoric. 2. English literature—Hist. & crit.

Library of Congress PE1408.M8 18—4

NM 0908893 DLC OCl

Musgrove, Eugene Richard, 1879–
Historical background of Burke's Conciliation with America, with practical suggestions, by Eugene R. Musgrove ... Boston, Sibley & company, 1912.
60 p. 15½cm. $0.15
Bibliography: p. 41–42.

1. Burke, Edmund, 1729?–1797. Speech on conciliation with America. 2. U. S.—Pol. & govt.—Revolution.

Library of Congress E211.B98609 12-4937

NM 0908894 DLC

Musgrove, Eugene Richard, 1879– ed.
Poems of New Jersey; an anthology edited by Eugene R. Musgrove ... New York, Chicago [etc.] The Gregg publishing company [°1923]
8 p. l., 472 p. front., plates, ports. 19½cm.
"Biographical index": p. [421]–462.
Bibliography: p. [463]

1. New Jersey—Descr. & trav.—Poetry. 2. Poetry of places—New Jersey.

Library of Congress PS548.N5M8 23—11382

NM 0908895 DLC NIC NjNbS PV OClW ViU CSmH

Musgrove, Eugene Richard, 1879– ed.
Scott, *Sir* Walter, *bart.*, 1771–1832.
Rob Roy, by Sir Walter Scott, bart.; abridged, ed. with introduction and notes by Eugene R. Musgrove ... New York, The Macmillan company, 1919.

Musgrove, Eugene Richard, 1879– ed.
The White hills in poetry; an anthology, ed. by Eugene R. Musgrove; with an introduction by Samuel M. Crothers, and with illustrations from photographs. Boston and New York, Houghton Mifflin company, 1912.
xxiv, [1], 396, [2] p. front., plates. 17 cm.

1. American poetry (Collections) 2. White mountains. I. Title.

PS595.W4M8 12—13430

NM 0908897 DLC WaS OrU NN MdBP CoU MB OCl PPGi

Musgrove, Grover Cleveland
Agricultural credit corporations in Ohio ... by Grover Cleveland Musgrove ... [Columbus] The Ohio state university, 1932.
5 p.

NM 0908898 OU

Musgrove, Jack W
Waterfowl in Iowa, by Jack W. Musgrove ... and Mary R. Musgrove. Illustrated by Maynard F. Reece ... Des Moines, Ia., State conservation commission, 1943.
viii p., 1 l., 113, [3] p. illus. (incl. map) diagr., col. plates. 23½cm.
Bibliography: p. vi.
Glossary: p. 112–113.

1. Water-birds. 2. Birds—Iowa. I. Musgrove, Mary R., joint author. II. Iowa. State conservation commission. III. Title.

Library of Congress QL696.A5M8 [8] 598.41 43-53237

WaS OrCS CaBViPA TNJ NmLcU
NM 0908899 DLC MU CU OKentU OCl OEac PP ICJ IdU

SD 445.7 .M99 1947 Musgrove,Jack W
Waterfowl in Iowa,by Jack W.Musgrove and Mary R.Musgrove; illustrated by Maynard F. Reece. [2d ed.] Printed for State Conservation Commission,Des Moines,Iowa. Des Moines, The State of Iowa, 1947.
ix,124 p. illus.(part col.) maps. 24 cm.

1.Aves--Iowa. 2.Water-birds--Iowa. I.Musgrove,Mary R.,joint author. II.Iowa. State Conservation Commission.

NM 0908900 MiU

Musgrove, John, artist, illus.
Hughes, Thomas, 1827–1890, *ed.*
Ancient Chester: a series of illustrations of the streets of this old city, taken sixty years since, including views of Edgar's Cave, St. John's church & Eaton Hall. Drawn and etched by George & William Batenham & John Musgrove. With preface and descriptions by Thomas Hughes ... London & Manchester, H. Sotheran & co.; [etc., etc.] 1880.

Musgrove, Lewis Stansbury, 1899–
The Musgroves of Longdale, a family record in story form with an addendum concerning the author and his immediate family. By Lewis Stansbury Musgrove. [New York, 1946]
5 p. l, 91 (*i. e.* 107), [3], 20 p., 4 l. col. front. (coat of arms) ports., map, facsim. 28½ x 22½cm.

1. Musgrave family.

Library of Congress CS71.M97865 1946 46-19645

NM 0908902 DLC

Musgrove, Margaret.
A bill of exchange, by Margaret Musgrove. London, Mills & Boon, limited [1929]
254 p. 19½cm.

I. Title.

Library of Congress PZ3.M972Bi 29-14144

NM 0908903 DLC

Musgrove, Margaret.
The blond ace, by Margaret Musgrove ... London, Mills & Boon limited [1930]
251 p. 20cm.

I. Title.

Library of Congress PZ3.M972Bl 30-17712

NM 0908904 DLC

QL696 .A5M8 Musgrove, Mary R., joint author.
Musgrove, Jack W
Waterfowl in Iowa, by Jack W. Musgrove ... and Mary R. Musgrove. Illustrated by Maynard F. Reece ... Des Moines, Ia., State conservation commission, 1943.

VOLUME 403

Musgrove, P. J., ed.

Connolly, James, 1870–1916.
A socialist and war, 1914–1916, by James Connolly; edited and with an introduction by P. J. Musgrove. London, Lawrence & Wishart ltd ₍1941₎

Musgrove, Richard Watson, 1840–1914.
Autobiography. ₍n. p.₎ M. D. Musgrove, 1921.
230 p. illus. 23 cm.

1. U. S.—Hist.—Civil War—Personal narratives. 2. Dakota Indians—Wars, 1862–1865. 3. Frontier and pioneer life—The West.

E601.M99 62–55141 ‡

NM 0908907 DLC IHi CtY ICN WHi MB NN NcD MnHi ViU CaBVaU

Musgrove, Richard Watson.
A guide to Bristol, Pasquaney lake and neighboring towns . . . Bristol, N. H., Enterprise printing house print., 1892.
3 p. l., 59 pp. front., pl. 12°.
F44.B76M8 1-7961–M 1

NM 0908908 NN Nh DLC

Musgrove, Richard Watson, 1840–
A guide to Pasquaney Lake (or Newfound Lake) and the towns upon its borders. By R. W. Musgrove ... Bristol, N. H., Musgrove printing house, 1910.
3 p. l., 54 p., 1 l. front., plates. 15½cm. $0.25
Contents.—Introduction.—Pasquaney or Newfound Lake.—Bristol.—Hebron.—Bridgewater.—Alexandria.

1. Newfound Lake, N. H.—Descr.—Guide-books. 2. Bristol, N. H.—Descr.—Guide-books. 3. Hebron, N. H. 4. Bridgewater, N. H. 5. Alexandria, N. H.
10-16726
Library of Congress F42.N74M8

NM 0908909 DLC

MUSGROVE, R[ichard] W[atson].
A guide to Pasquaney Lake, or Newfound Lake, and the towns upon its borders. 4th ed. Bristol, N.H., Musgrove Printing House, 1921. [cop. 1910].
pp. 66.

NM 0908910 MH

Musgrove, Richard Watson, 1840–
Historical sketches of the Methodist Episcopal church, Bristol, N. H. Giving a description of the church buildings and the roll of ministry with some incidental matters of special interest from its organization in 1801 till June 12, 1890. Part I.–Written by R. W. Musgrove. Part II.–Comp. by Rev. O. Cole. Bristol, N. H., R. W. Musgrove, 1890.
24 pp. illus. 8°.
F44.B76M9 1-7762–M 1

NM 0908911 Nh DLC

Musgrove, Richard Watson, 1840–
History of the town of Bristol, Grafton County, New Hampshire ... by Richard W. Musgrove. Bristol, N. H., Printed by R. W. Musgrove, 1904.
2 v. fronts., plates, ports., maps (part fold.) fold. plan. 24cm.
Contents.—v. 1. Annals.—v. 2. Genealogies.

1. Bristol, N. H.—Hist. 2. Bristol, N. H.—Geneal.
Library of Congress F44.B76M91 4–15551

NM 0908912 DLC MWA MU NIC CU

Musgrove, Samuel
Reply to a letter pub. in the newspapers. 1769.

NM 0908913 IaU

Musgrove, Sydney, 1914–
Anthropological themes in the modern novel. ₍Auckland₎ Auckland University College, 1949.
32 p. 22 cm. (Auckland University College. Bulletin no. 35. English series, no. 3)
"This lecture ... delivered in 1947 for the Extra-Curricular Activities Committee of Auckland University College ... has been extensively revised and rewritten."

1. Fiction—Hist. & crit. I. Title. (Series: Auckland. University College. English series, no. 3)
PN501.A83 no. 3 809.3 52–66382

NM 0908914 DLC MH TxU CoU MoU

Musgrove, Sydney.
The inadequacy of criticism, an inaugural lecture delivered on 24th April, 1947. Auckland, N. Z., Auckland University College, 1947.
30, ₍2₎ p. 22 cm.
"Notes and references": p. ₍32₎

1. Literature—Hist. & crit. I. Title.
PN85.M8 801 48–21964 rev*

NM 0908915 DLC NN MiU

Musgrove, Sydney.
Julius Caesar; a public lecture delivered for the Australian English Association by S. Musgrove... on Aug. 19, 1941. Sydney, 1941.
20 p.

NM 0908916 PU-F CtY

---

308 Z Box 703 Musgrove, Sydney
Julius Caesar; a public lecture delivered for the Australian English association, by S. Musgrove, B.A. (Oxon.) on August 19th, 1941. Sydney, 1941.
1 p. l., 26 p.
1. Shakespeare, William, 1564-1616. Julius Caesar.

NM 0908917 NNC

Musgrove, Sydney, ed.
Niels Klims...
see under Holberg, Ludvig, Baron, 1684-1754.

Musgrove, Sydney.
T. S. Eliot and Walt Whitman. Wellington, New Zealand University Press, 1952.
93 p. 22 cm.

1. Eliot, Thomas Stearns, 1888– 2. Whitman, Walt, 1819–1892.
PS3509.I43Z79 811.5 53—8790 †

NM 0908919 DLC NBuC MeB AU IEN OrU WaS CaBVaU OO NcD PBm MB TU MH PPT PSt PHC WaWW MsU MiU PBL NcU ICU CtY ViU NNC NIC LU NN TxU OCl OU WaSpG WaTC PU

PS3514 .M9 MUSGROVE, SYDNEY, 1914–
The universe of Robert Herrick, by S. Musgrove. Auckland ₍Pelorus Press₎ 1950.
34 p. (Auckland University College Bulletin no. 38. English series no. 4)

1. Herrick, Robert, 1591-1674. I. Title.

NM 0908920 InU MoU PU PPT NcU IaU NRU NcD MiDW MH ICU OrSaW OrCS OU TU LU WaU ICarbS MoSW IEdS ICU CoU N

Musgrove, Sydney, 1914– ed.
Unpublished letters of Thomas De Quincey
see under De Quincey, Thomas, 1785-1859.

Musgrove, T₍homas₎ C.
Musgrove's manuscript book-keeping, for business colleges, academies, and all schools where book-keeping is taught. By T. C. Musgrove ... Philadelphia, Miller's Bible and publishing house, 1875.
₍51₎ p. incl. forms. 25½cm.

1. Bookkeeping.
7-4642†
Library of Congress HF5635.M98

NM 0908922 DLC

MUSGROVE, William James.
Animal psychology and the concept of a mind.

Official copy of a thesis presented for doctor's degree at Harvard University.

NM 0908923 MH

Mush, Ben, pseud.
Block Island: a hand-book
see [Hall, James] 1849-

[Mush, John] 1552-1617.
Declaratio motvvm ac tvrbationvm qvae ex controversiis inter Iesui tas ijsq; in omnibus fauentem D. Georg. Blackwellum Archipresbyterum, & Sacerdotes Seminariorum in Anglia, ab obitu ill: mi Card: lis Alani piae memoriae, ad annum vsque 1601. Ad S. D. N. Clementem octauum exhibita ab ipsis sacerdotibus qui schismatis, aliorumquis criminum sunt ins simulati. Rhotomagi, Apud Iacobum Molaeum, 1601.

142 p. small quarto. Original limp vellum binding.
Note: The Bridgewater Library copy, 43.

NM 0908926 CSmH

FILM Mush, John, 1552-1617.
Declaratio motvvm ac tvrbationvm qvae ex controversiis inter Iesuitas ijsq; in omnibus fauentem D. Georg. Blackwellum archipresbyterum, & sacerdotes seminariorum in Anglia, ab obitu illi: mi Card: lis Alani piae memoriae, ad annum vsque 1601. Ad S. D. N. Clementem Octauum exhibita ab ipsis sacerdotibus qui schismatis, aliorumq; criminum sunt insimulati. Rhotomagi, Apud I. Molaeum ₍i.e. London, T. Creed?₎ 1601.
Signed: Ioannes Musheus.

University microfilms no. 3448 (carton 700)
Short-title catalogue no. 3102.

1. Blackwell, George, 1545?-1613. 2. Catholic Church in England.

NM 0908928 MiU DFo

Mush, John. 1552–1617. Life of Margaret Clitheron. 110 pp. (Morris, J., *Troubles of our Catholic forefathers*, 3 s. p. 331.)

NM 0908929 MdBP

Mūsh u gurba.
Rats against cats, by Nezāameddin Obeyd; tr. by Mas'uud e Farzāād. London, Priory Press ₍1933₎
23 p. 22 cm.
Satirical poem.

I. 'Ubaid, al-Zākānī, 1300–1371, supposed author. II. Mas'ūd-i Farzād, tr. III. Title.
PK6495.M87A35 891.55 49–56933*

NM 0908930 DLC ICU

VOLUME 403

Mushabac, Ruth L.
The package mortgage. Washington, D. C.
Sept., 1946.

NM 0908931 PPPHA

Z5943
.D7U55
Mushabac, Ruth L., comp.

U. S. *Federal housing administration. Library.*
Remodeling and modernization of urban dwellings, 1942–1946. A selected list of periodical references, compiled by Ruth L. Mushabac, Federal housing administration Library. Washington, D. C., Federal housing administration, 1946.

Mushacke, Eduard, ed.
Preussischer Schul-Kalendar
see under title

Mushacke, Hermann.
Keiî der kâtsprêche in Hartmanns von Aue Erec und Iwein ... Berlin, W. Schultze, 1872.
40 p. 20½cm.
Inaug.-diss.—Rostock.

1. Hartmann von Aue, 12th cent.

16-1517

Library of Congress PT1535.M8

NM 0908934 DLC

Lbg55
G2
1
Mushacke, Eduard
Reglements, Instruktionen und Statuten betreffend die Prüfungen zum höheren Schulamto, zu den pädagogischen Seminarien für höhere Schulen, nebst den Verordnungen über das Probejahr der Kandidaten des höheren Schulamts in Preussen ... 2. vollständig umgearbeitete Aufl. Berlin, 1865.

I. Prussia. Ministerium für Wissenschaft, Kunst und Volksbildung.

NM 0908935 CtY

Mushacke, Hermann.
Über einige Eigentümlichkeiten insbesondere über Pleonasmus und Tautologie in der deutschen Wortzusammensetzung. Hannover, 1883-
v.
Programm - König Wilhelms Gymnasium, Hannover.

NM 0908936 NjP

Mushacke, Wilhelm, 1862- *ed.*
Altprovenzalische Marienklage des XIII. jahrhunderts; nach allen bekannten handschriften hrsg. von dr. W. Mushacke. Halle a. S., M. Niemeyer, 1890.
2 p. l., [. 65 p. 18½cm. (*Added t.-p.:* Romanische bibliothek. III)

1. Provençal poetry. 2. Mary, Virgin—Poetry. I. Title.

34-3680

NN CaBVaU AzU OO MiU
NM 0908937 DLC IaU ICU CSt CU MB NcD OU PSC OCU

GR
550
M98+
Mushacke, Wilhelm, 1862-
Beiträge zur Geschichte des Elfenreiches in Sage und Dichtung. Crefeld, Kramer & Baum, 1891.
20 p. 26cm.
Programm.

1. Fairies.

NM 0908938 NIC MH NjP OCl

PC
2025
F83
v.4
no.5
Mushacke, Wilhelm, 1862-
Geschichtliche Entwicklung der Mundart von Montpellier (Languedoc) Heilbronn, G. Henninger, 1884.
166 p. 22cm. (Französische Studien. IV. Bd., 5. Heft)

1. French language--Dialects--Languedoc.

NM 0908939 NIC MH CtY MdBP PSC PU PBm LU ICRL

H
943.435
M97ki
Mushacke, Wilhelm
Krefeld im Fridericianischen Zeitalter unter besonderer Berücksichtigung der Entwicklung der Seidenindustrie. Vortrag gehalten in der Krefelder Ortsgruppe des Alldeutschen Verbandes am 1. Februar 1899, von Dr. Muschacke. Krefeld, Kramer & Baum, 1899.
23p. 22cm.

NM 0908940 ViHarEM

H
943.435
M97kz
Mushacke, Wilhelm, 1862-
Krefeld zur Zeit der preussischen Besitzergreifung; ein geschichtlicher Beitrag zur Erinnerungsfeier der zweihundertjährigen Zugehörigkeit zum preussischen Königreiche u. zum Hohenzollernhause. Krefeld, Kramer & Baum c1902.
54p. 22 1/2cm.

NM 0908941 ViHarEM

Mushackes deutscher schul- -kalender.
Leipzig, etc.
v.

NM 0908942 DHEW MH PU PBm

Mushackes schulkalender, II.theil.
Neue folge
see
Jahrbuch des hoeheren schulwesens.

Mushafi, Ghulam Hamdani, 1750-1824
Tadzkirah-i-Hindi; a biographical anthology of Urdu poets. Edited by Moulvi Abdul Hagr. [Hyderabad, Anjuman-i-Tarraqqi-e Urdu] 1933
6, 14, 283 p.
Text in Urdu and Persian
Added t.p. in English

NM 0908944 MH

Mushahwar, Amīn.
... Notice sur les impôts et les taxes au Liban; préface de m. Jacques Tallec ... Harissa (Liban) Imprimerie de Saint Paul, 1934-
v. 24½cm.
At head of title: Amin Mouchawar.
"Les principales sources documentaires": p. [ix]-x.

1. Taxation—Lebanon.

36-13599

Library of Congress HJ2999.L4M8
[2] 336.209569

NM 0908945 DLC

Mushahwar, Amīn.
Précis de législation fiscale libanaise. Préf. de M. Michel Chiha. [Harissa, 1945]
306 p. 24 cm.

1. Finance—Lebanon—Law. I. Title.

HJ1988.L4M8 47-7685*

NM 0908946 DLC MH-L

Law
Mushahwar, Amīn, ed.

Syria. *Laws, statutes, etc.*
Recueil des textes législatifs relatifs au régime foncier des États de Syrie et du Liban. Beyrouth, Régie des travaux du cadastre et d'amélioration foncière des États de Syrie et du Liban [1932?-42?]

Mushāqah, Mikhā'īl
see
Mishāqah, Mikhā'īl, 1799-1888.

Mushakōji, Kimitomo
see
Mushakōji, Kintomo, 1882-1962.

Mushakōji, Kintomo, 1882-1962.
道草十万里　武者小路公共著　東京　日本評論社　昭和 26 [1951]
2, 314 p. 19 cm.
Colophon inserted.

I. Title. *Title romanized:* Michikusa jūmanri.

J 59-2909

Hoover Institution
for Library of Congress [2]

NM 0908950 CSt-H

DS885
.N48
Orien
Japan
Mushakōji, Kintomo, 1882-1962.

(Nihon no ayumi gojūnen)
日本の歩み五十年　執筆者　武者小路公共 [等　東京]　早川書房　[1951]

Mushakōji, Kintomo, 1882-
冷戦立見席　武者小路公共著　東京　大日本雄弁会講談社　昭和 28 [1953]
246 p. 19 cm.

1. Diplomats—Correspondence, reminiscences, etc. I. Title.
Title romanized: Reisen tachimiseki.

DS890.M8A3 J 62-188 ‡

NM 0908952 DLC

Mushakōji, Kintomo, 1882-1962.
滞歐八千一夜　武者小路公共著 [東京]　暁書房 [1949]
329 p. 19 cm.
Essays.
Colophon inserted.

1. Europe—Description and travel—1945- I. Title.
Title romanized: Taiō hassen-ichiya.

D921.M858 72-822459

NM 0908953 DLC OrU

Mushakōji, Saneatsu, 1885-
(Ai to jinsei)
愛と人生　武者小路實篤 [著　藤澤　池田書店　昭和29 i.e. 1954]
2, 265 p. 19 cm. (人生叢書 6)
CONTENTS: 愛と人生—自分の人生觀 新しき村の目的—新しき村の生活—理想的社會—神の國

1. Life. 2. Man. I. Title.

BD431.M95 72-800472

NM 0908954 DLC

VOLUME 403

Mushakōji, Saneatsu, 1885-
(Ai to magokoro ni ikiru mono)
愛とまごころに生きるもの　武者小路實篤 [著　東京]　雲井書店　[1953]
155 p. 18 cm.
Colophon inserted.

1. Life—Addresses, essays, lectures. 2. Man—Addresses, essays, lectures. I. Title.
BD435.M84　72-800565

NM 0908955 DLC

Mushakōji, Saneatsu, 1885-
愛慾　武者小路實篤著　東京　改造社　大正 15 [1926]
262 p. 19 cm.

I. Title.　*Title romanized:* Aiyoku
J 58-6336
Hoover Institution
for Library of Congress [2]

NM 0908956 CSt-H

Mushakōji, Saneatsu, 1885-
或る家庭　武者小路實篤著　京都　冨書店　昭和 22 [1947]
3, 250 p. 19 cm.
Plays.

I. Title.
Title romanized: Aru katei.
PL811.U8A9　J 65-2166

NM 0908957 DLC

Mushakōji, Saneatsu, 1885-
[Bakaichi]
馬鹿一　武者小路實篤著　[東京　河出書房　昭和28 i.e. 1953]
366 p. 19 cm.
Short stories.

I. Title.
PL811.U8B3 1953b　72-805392

NM 0908958 DLC

Mushakōji, Saneatsu, 1885-
(Bakaichi)
馬鹿一　武者小路實篤著　[東京]　河出書房　[昭和28 i.e. 1953]
288 p. port. 15 cm. (市民文庫 3-E)
Short stories.
CONTENTS: ある島の話—山谷の結婚—彼の羨望—美人—優しい心—天衣無縫—二老人—どっちが笑ふ—不思議—悪魔の微笑—幸福な女——滴の涙—兄弟—今にやるぞ—泰山の個展—書家泰山の夢—馬鹿——馬鹿一の夢—仕合せな男
I. Title.
PL811.U8B3 1953　72-801035
72　J

NM 0908959 DLC

Mushakōji, Saneatsu, 1885-
(Bokushi)
墨子　武者小路實篤著　[東京]　大東出版社　[昭和14 i. e. 1939]
4, 363 p. port. 19 cm. (漢籍を語る叢書)

1. Mo, Ti, fl. 400 B. C. Mo-tzu. I. Mo, Ti, fl. 400 B. C. Mo-tzu. Japanese. Selections. 1939.
B128.M8M87　73-821339

NM 0908960 DLC

Mushakōji, Saneatsu, 1885-
(Dai Tōa sensō shikan)
大東亜戰争私感　武者小路實篤著　[東京　河出書房　昭和 17 i. e. 1942]
2, 3, 200 p. 19 cm.

1. World War, 1939-1945—Addresses, sermons, etc. I. Title.
D743.9.M83　79-792977

NM 0908961 DLC

Mushakoji, Saneatsu, *1885*-　5027.49
A family affair; a comedy in three acts.
(*In* New plays from Japan. Authorized translations by Yozan T. Iwasaki and Glenn Hughes. Pp. 73-108. London. 1930.)

NM 0908962 MB

B
S132Mu　Mushakoji, Saneatsu, 1885-
Great Saigo; the life of Takamori Saigo, adapted by Moriaki Sakamoto from the original Saigo-Takamori. Tokyo, Kaitakusha, 1942.
507p. illus., ports., plans. 22cm.

1. Saigo, Takamori, 1832-1877 2. Japan - History - To 1867 3. Japan - History - Meiji period, 1867-1912 I. Sakamoto, Moriaki II. Title

NM 0908963 NBC NcU NN NRU PU NN NjP ICU

Mushakōji, Saneatsu, 1885-
(Ihara Saikaku)
井原西鶴　武者小路實篤著　[東京　養德社　昭和25 i.e. 1950]
3, 110 p. 19 cm.

1. Ihara, Saikaku, 1642-1693—Fiction.
PL811.U8I4　72-805736

NM 0908964 DLC

Mushakōji, Saneatsu, 1885-
(Ikigai no aru jinsei)
生きがいのある人生　武者小路實篤 [著　東京]　要書房　[昭和29 i.e. 1954]
176 p. 19 cm.
Colophon inserted.

1. Young women—Conduct of life. I. Title.
BJ1688.J3M87　72-800560

NM 0908965 DLC

BJ1588
.J3M845
Orien
Japan　**Mushakōji, Saneatsu,** 1885-
(Ikikata)
生き方　武者小路實篤著　[東京]　實業之世界社　[昭和28 i.e. 1953]
4, 316 p. group port. 19 cm.
Colophon inserted.

1. Conduct of life—Addresses, essays, lectures. I. Title.
BJ1588.J3M845　72-801241

NM 0908966 DLC

Mushakōji, Saneatsu, 1885-
(Jinrui no ishi ni tsuite)
人類の意志に就て　武者小路實篤 [著　東京]　山根書店　[昭和23 i.e. 1948]
183 p. 20 cm.
Colophon inserted.

1. Man. I. Title.
BD431.M955　72-800561

NM 0908967 DLC

Mushakōji, Saneatsu, 1885-
(Jinsei tokuhon)
人生讀本　武者小路實篤著　[東京]　學藝社　[1941-52: v. 1, 1952]
2 v. port. 19 cm.
Vol. 2 has title: 續人生讀本
Essays.

I. Title. II. Title: Zoku Jinsei tokuhon.
PL811.U8J46　74-818414

NM 0908968 DLC

Mushakōji, Saneatsu, 1885-
孔子　武者小路實篤著　東京　大日本雄辯會講談社　昭和 27 [1952]
272 p. 19 cm.
Fictionized biography.

1. Confucius and Confucianism—Fiction.
Title romanized: Kō-shi.
PL811.U8K6　J 62-225 ‡

NM 0908969 DLC

Mushakōji, Saneatsu, 1885-
(Kusunoki Masashige)
楠木正成　[武者小路實篤著　東京　坂上書院　昭和17 i.e. 1942]
174 p. 19 cm.
Drama.

1. Kusunoki, Masashige, 1294-1336—Drama.
PL811.U8K8　73-822897

NM 0908970 DLC

Mushakōji, Saneatsu, 1885-
The man of the flowers (Hanasaka-jiji) Translated by Jun-ichi Natori. Tokyo, Hokuseido [1955]
54 p. illus. 19 cm.

I. Title.
PL898.M82H33　58-21027 ‡

NM 0908971 DLC CaBVaU OrU NBC CtHC

Mushakōji, Saneatsu, 1885-
武者小路實篤作品集　[東京]　創元社　[昭和27 i. e. 1952]
6 v. ports. 19 cm.

Title romanized: Mushakōji Saneatsu sakuhin shū.
PL811.U8A6 1952　72-820462

NM 0908972 DLC

Mushakōji, Saneatsu, 1885-
武者小路實篤全集　[東京]　新潮社　[1954-57]
25 v. col. illus., ports. (part col.) 20 cm.
CONTENTS.—第1-13巻　小說—第14-17巻　戯曲—第18-20巻　美術論—第21巻　詩—第22巻　日記—第23-25巻　隨筆

I. Title.
Title romanized: Mushakōji Saneatsu zenshū.
PL811.U8 1954　J 67-3876

NM 0908973 DLC WaU-FE MH-HY

PL887
.I77　Mushakoji, Saneatsu, 1885-

Iwasaki, Yozan T　*tr.*
New plays from Japan; authorized translations by Yozan T. Iwasaki and Glenn Hughes; with an introduction by Glenn Hughes. New York, D. Appleton and company, 1930.

VOLUME 403

Mushakōji, Saneatsu, 1885-
[Nihon no sugureta hitobito]
日本の偉れた人々 [武者小路]實篤著 [東京] 河出書房 [昭和18 i.e. 1943]
5, 390 p. 18 cm.

1. Japan—Biography. I. Title.
DS834.M87 73-815259

NM 0908975 DLC

Mushakōji, Saneatsu, 1885-
[Ninomiya Sontoku]
二宮尊德 [武者小路實篤著 東京 大日本雄辯會講談社 昭和17 i.e. 1942]
259 p. 19 cm.

1. Ninomiya, Sontoku, 1787-1856—Fiction.
PL811.U8N5 73-815275

NM 0908976 DLC

Mushakoji, Saneatsu, 1885–
The passion, by S. Mushakoji, and three other Japanese plays; translated by Noboru Hidaka; with an introduction by Prof. Gregg M. Sinclair ... [Honolulu] Oriental literature society, University of Hawaii, 1933.
3 p. l., ix, 178 p. 19cm.
"Limited edition 1000 copies."
Printed in Japan.
CONTENTS.—The roof garden, by Kunio Kishida.—Living Koheiji, by Sensaburo Suzuki.—The savior of the moment, by Kwan Kikuchi.—The passion, by Saneatsu Mushakoji.
1. Japanese drama—Translations into English. 2. English drama—Translations from Japanese. I. Kishida, Kunio, 1890– II. Suzuki, Sensaburo, 1893-1924. III. Kikuchi, Kan, 1889– IV. Hidaka, Noboru, tr. V. Hawaii. University. Oriental literature society. VI. Title. VII. Title: The roof garden. VIII. Title: Living Koheiji. IX. Title: The savior of the moment.
Library of Congress PL887.H5 36-543
[5] 895.62

NM 0908977 DLC CU MiU

PL816 .E5A6 1951 Orien Japan

Mushakōji, Saneatsu, 1885– ed.

Senke, Motomaro, 1888-1948.
[Senke Motomaro shishū]
千家元麿詩集 武者小路實篤選 [東京] 岩波書店 [昭和26 i.e. 1951]

Mushakōji, Saneatsu, 1885–
釋迦 武者小路實篤著 東京 大日本雄辯會講談社 昭和9 [1934]
6, 9, 384 p. illus. 19 cm.

1. Gautama Buddha. I. Title. *Title romanized:* Shaka.
J 60-2111
Harvard Univ. Chinese-Japanese Library 1893
for Library of Congress [2]

NM 0908979 MH

Mushakōji, Saneatsu, 1885–
釋迦 武者小路實篤著 東京 講談社 昭和27 [1952]
298 p. 19 cm.

1. Gautama Buddha. I. Title. *Title romanized:* Shaka.
BL1470.M8 J 60-33 ‡

NM 0908980 DLC

Mushakōji, Saneatsu, 1885–
(Shōgai o kaerimite jinsei o kataru)
生涯を顧みて人生を語る 武者小路実篤[著 東京] 青林書院 [昭和28 i.e. 1953]
260 p. port. 19 cm.
Colophon inserted.

I. Title.
PL811.U8S53 72-801114

NM 0908981 DLC

895.62 M9874s

Mushakōji, Saneatsu, 1885-
The sister (Sono imoto). Translated from the Japanese by Kiichi Nishi. Tokyo, Kairyudo [1935]
162p. front. 19cm.

Colophon in Japanese.
Forward by author in Japanese.

I. Nishi, Kiichi, tr. II. Title. III. Title: Sono imoto.

NM 0908982 UU OC1 IEN CU NBC MiU

Mushakōji, Saneatsu, 1885-
(Tsurezuregusa shikan)
徒然草私感 武者小路實篤著 [東京] 新潮社 [昭和29 i.e. 1954]
137 p. 19 cm. (一時間文庫)

1. Yoshida, Kenkō, 1282?-1350. Tsurezuregusa. I. Title.
PL791.6.T73M84 1954 72-804419

NM 0908983 DLC

Mushakōji, Saneatsu, 1885-
[Ummei to go o suru otoko]
運命と碁をする男 武者小路實篤著 [東京] 岩波書店 [昭和2 i.e. 1927]
2, 317 p. 20 cm.
Dramas.
CONTENTS: 運命と碁をする男 五幕 — 体の獨白—みない鳥 一幕 —迫世理姫 一幕—生命の王 一幕

I. Title.
PL811.U8U45 72-808658

NM 0908984 DLC

Mushakōji, Saneatsu, 1885–
(Waga dokushoron)
我が讀書論 武者小路實篤[著 東京] 要書房 [1954]
204 p. 18 cm. (要選書 61)
Colophon inserted.

1. Books and reading—Addresses, essays, lectures. I. Title.
Z1003.M977 73-819766

NM 0908985 DLC

Mushakōji, Saneatsu, 1885–
(Waga jinsei no sho)
我が人生の書 武者小路實篤[著 東京] 要書房 [昭和28 i.e. 1953]
178 p. 19 cm.
Colophon inserted.

I. Title.
PL811.U8W28 72-800933

NM 0908986 DLC

Mushakōji, Saneatsu, 1885–
(Waga jinsei to shinjitsu)
わが人生と眞實 武者小路實篤[著 東京] 要書房 [昭和29 i.e. 1954]
202 p. 19 cm.
Colophon inserted.

I. Title.
PL811.U8W3 72-800931

NM 0908987 DLC

Mushakōji, Saneatsu, 1885-
(Waga jinseiron)
わが人生論 武者小路實篤[著 藤澤 池田書店 昭和28 i.e. 1953]
1, 285 p. 19 cm. (人生叢書 1)

1. Life. I. Title.
BD431.M958 72-800562

NM 0908988 DLC

Mushakōji, Saneatsu, 1885-
(Waga shinnen no sho)
我が信念の書 武者小路實篤[著 東京] 要書房 [昭和30 i.e. 1955]
172 p. 19 cm.
Colophon inserted.

I. Title.
PL811.U8W35 72-802022

NM 0908989 DLC

Mushakoji, Saneatsu.
The young Christ and the powers of darkness; from the Japanese of Saneatsu Mushakoji. (New East. Tokyo, 1917. 8°. v. 1, Aug. p. 58–63.)

1. Drama (Japanese). 2. Title.
N. Y. P. L. December 7, 1917.

NM 0908990 NN

Mushakōji, Saneatsu, 1885-
[Yuimakyō]
維摩經 武者小路實篤著 [東京] 日本評論社 [昭和18 i.e. 1943]
8, 7, 296 p. port. 19 cm. (東洋思想叢書 3)

1. Vimalakirtinirdeśa—Paraphrases. 2. Vimalakirtinirdeśa—Introductions. I. Title.
BQ2213.J3M87 72-807504

NM 0908991 DLC

VM 623.7 .M95

Musham, Harry Albert, 1886-
Early Great Lakes steamboats, 1816 to 1830. Salem, Mass., American Neptune, 1946.
18 p. plate. 26 cm.
Cover title.
"Reprinted from the American Neptune, vol. VI, no. 3, 1946."
Author's autograph copy.

1. Great Lakes--Hist. 2. Steam-navigation --Great Lakes. 3. Steamboats.

NM 0908992 MiU ICU

VM 623.7 .M96

Musham, Harry Albert, 1886-
Early Great Lakes steamboats; the battle of the Windmill and afterward, 1836-1842. Salem, Mass., American Neptune, 1948.
24 p. illus., map. 27 cm.
Cover title.
"Reprinted from the American Neptune, vol. VIII, no. 1, 1948."
Author's autograph copy.
1. Great Lakes--Hist. 2. Canada--Hist.--Rebellion, 1837-1838. 3. Steamboats.

NM 0908993 MiU

Musham, Harry Albert, 1886-
Early Great Lakes steamboats; the Caroline affair 1837-1838, by H.A. Musham ... Salem, Mass., The American neptune, incorporated, c1947.
cover-title, 18 p. plates (incl. map) 25.5cm.
"Reprinted from The American neptune, vol. VII, no. 4, 1947."
Signed copy.

1. Caroline (Steamer) 2. Canada-Hist.-Rebellion, 1837-1838. 3. Great Lakes. 4. Steamboats. I. Title. II. Assn.

NM 0908994 MiU-C MiU

VOLUME 403

VM
623.7 Musham,Harry Albert,1886-
M97 Early Great lakes steamboats,the Ontario and the Frontenac ... ₍Salem,Mass.?₎ American neptune, c1943.

cover-title,12 p. illus. 25½ cm.

"Reprinted from the American neptune,volume III,number 4,1943."

1.Frontenac (Steamboat). 2.Ontario (Steamboat). 3.Steam-navigation--Great lakes.

NM 0908995 MiU IEN MnHi ICN

VM
623.7 Musham,Harry Albert,1886-
.M98 Early Great lakes steamboats,the Walk-in-the water ... ₍n.p., 1945₎
13-28 p. illus. 25½cm.
Reprinted from the American Neptune,vol.V, 1945,p.27-42.

1.Walk-in-the-water (Steamboat) 2.Steam-navigation--Great lakes.

NM 0908996 MiU

Musham,Harry Albert, 1886-
Early Great Lakes steamboats; warships and iron hulls,1841-1846, by H.A.Musham... Salem, Mass., The American neptune, incorporated,c1948.
cover-title, 18 p. illus.,plates. 25.5cm.
"Reprinted from The American neptune, vol. VIII, no.2,1948."
Photograph of model of U.S.S.Michigan between p. 4-5.

1.Great Lakes. 2.Steamboats. 3.Ships,Iron and steel. 4.Michigan (-ship) I.Title.

NM 0908997 MiU-C

VM
623.7 Musham,Harry Albert,1886-
.M984 Early Great Lakes steamboats. Westward ho! and flush times,1831-1837. Salem, Mass., American Neptune, 1947.
24 p. plate. 26 cm.
Cover title.
"Reprinted from the American Neptune,vol. VII,no.1,1947."
Author's autograph copy.
1.Great Lakes--Hist. 2.Steam-navigation--Great Lakes. 3.Steamboats.

NM 0908998 MiU MiU-C

Musham, Harry A 1886-
The graphic solution of triangles by means of the triangle diagram; graphic calculation, by Harry A. Musham ... Chicago, Ill., 1925.
2 l., 8 numb. l., 1 l., 2 numb. l. diagrs. (part fold., incl. blue prints) 29 x 23cm.
Typewritten.

NM 0908999 ICJ

Musham, Harry A 1886-
Report on the location of the first Fort Dearborn, by H. A. Musham ... Chicago, 1940.
1 p. l., 19 numb. l. 3 mounted facsims., 5 fold. blueprints (plan, tables, diagrs.; in pocket) 29cm.
Typewritten.

NM 0909000 ICJ

Musham, Harry A 1886-
Stadia diagram and difference of elevation diagram for graphically reducing surveying field notes, by Harry A. Musham. Camp Gaillard, C. Z., 1917.
1 l., 2 fold. diagrs. 29 x 23cm.

NM 0909001 ICJ

Musham, Harry Albert, 1886-
The technique of the terrain; maps and their use in the field in peace and war, by H. A. Musham. New York, Reinhold publishing corporation, 1944.
vii, 7-228 p. incl. illus., tables. charts (1 double) diagrs. 23½cm.

1. Maps, Military. 2. Military topography. I. Title.

44-8751
Library of Congress UG470.M8
₍25₎ 623.71

MdBP
PP PSt OCl OO OU MiHM TU MiU-C NIC ViU PPF NdU
NM 0909002 DLC CaBVaU IdU OrCS OrP DNAL NcD PHC

Musham, John F.

Sheppard, Thomas, 1876-
Money scales and weights, by T. Sheppard ... and J. F. Musham ... London, Spink & son, ltd., 1923.

Mushanokōji, Kintomo
see
Mushakōji, Kintomo, 1882-1962.

Mushāqah, Mikhā'īl
see
Mishāqah, Mikhā'īl, 1799-1888.

Mushar-Ghadīmī, Hossein Khan
see Moshar-Ghadimy, Hossein Khan, 1898-

Musharaff Moulamia Khan
see Musharraf Mu'allimīyah Khān, 1895-

Musharafīya, Hasan
R10 Étude des traces isolées produites dans
Pa951 les émulsions nucléaires par le rayonnement cosmique, par Hassan Moucharafyeh. Paris, 1952.

Thèse - Paris.

NM 0909008 CtY

Mushard (Christianus Sievers). *De purgatione per alvum. 22 pp., 1 l. 4°. *Helmstadii, typ. H. D. Hammii*, [1721].

NM 0909009 DNLM

Mushard, Ernst.
Christliches bedencken in den erwegenden ursachen, warum die...stadt Hamburg...in mancherley widerwärtigkeit gerathen...wird. n. p., n. p., 1703.
7 p.

NM 0909010 PPLT

Mushard, Franciscus.
see Mushard, Franz.

W 4 MUSHARD, Franz
L68 Dissertatio medica inauguralis de morbis fibrarum in genere ...
1716 Lugd. Bat., C. Wishoff [1716]
M.1 22 p. 24 cm.
Diss. - Leyden.

NM 0909012 DNLM

Mushard, Luneberg, 1672-1708.
Monumenta nobilitatis antiquæ familiarum illustrium, inprimis ordinis equestris in ducatibus Bremensi & Verdensi, i. e. Denckmahl der uhralten berühmten hochadelichen Geschlechter insonderheit der hochlöblichen Ritterschafft im Herzogthum Bremen und Verden. Abgefasset von Luneberg Mushard... Bremen: H. und B. Brauer, 1708. 10 p.l., 572 p. illus. f° in fours.

1 leaf of bibliography.

1. Bremen.—History. 2. Verden.—History. 3. Genealogy. Germany: Bremen. 4. Genealogy, Germany: Verden. 5. Genealogy, Germany: Hanover. 6. Heraldry. Germany: Bremen. 7. Heraldry. Germany: Verden. 8. Heraldry. Germany: Hanover. 9. Title.
N. Y. P. L. May 22, 1915.

NM 0909013 NN

940.5311G Mushardt, Fritz.
M987 Staatsjugendtag, Idee und Gestaltung [von] Mushardt-Tietjen. Leipzig, F. Brandstetter, 1934.
63 p. 21 cm. (Schule im Aufbau aus völkischer Wirklichkeit, 4)

1. National socialism. I. Tietjen, Claus Hinrich, jt. au. II. Title. (Series)

NM 0909014 N MH CoFS NN N IaU CtY DLC-P4

Musharraf Mu'allimīyah Khān, 1895-
Pages in the life of a Sufi; reflections and reminiscences of Musharaff Moulamia Khan. London, Rider & co. ₍1932₎
128 p. 2 port. (incl. front.) 19½cm.

1. India—Soc. life & cust. 2. Sufism. 3. 'Ināyat Khān, 1882-1926. I. Title.

33-17167
Library of Congress DS421.M87
₍2₎ 915.4

NM 0909015 DLC NN

Musharraf Nafisi, Hasan
see Naficy, Hassan, 1897-

Musharraf-Ul-Hukk, Meer Mahommed
see Hukk, Mohammed Ashraful, 1880-

Musharrafah, 'Alī Muṣṭafā, 1898-1950.
الهندسة الوصفية، تاليف على مصطفى مشرفه ₍و₎ محمد الهامى الكردانى. ₍القاهرة₎ الجامعة المصرية، كليتا الهندسة والعلوم، 1937.

9, 520, xi p. illus. 25 cm.

«قاموس نثبت فيما يلى المعانى الانجليزية والفرنسية والالمانية لاهم المصطلحات المستعملة مرتبة ترتيبا ابجديا»: p. i-xi.

Bibliographical footnotes.

1. Geometry, Descriptive. I. al-Kirdānī, Muḥammad Ilhāmī, joint author. II. Title.
Title romanized: al-Handasah al-waṣfīyah.

QA501.M99 N E 67-1298

NM 0909018 DLC

Musharrafah, 'Alī Muṣṭafā, 1898-1950, ed.
Kitāb al-jabr wa-al-muqābalah
see under al-Khuwārizmī, Muhammad ibn Mūsā, fl. 813-846.

Musharrafah, 'Alī Muṣṭafā, 1898-1950.
مطالعات علمية، تاليف على مصطفى مشرفة. الطبعة 1. مصر، مطبعة الاعتماد، 1943.

159 p. illus. 24 cm.
Bibliographical footnotes.

1. Science—Addresses, essays, lectures. I. Title.
Title romanized: Muṭāla'āt 'ilmīyah.

Q171.M974 N E 68-3530

NM 0909020 DLC

VOLUME 403

Musharrafah, ʻAlī Muṣṭafā, 1898–
نحن والعلم ، لعلى مصطفى مشرفه. [القاهرة] مكتبة الجيل الجديد ، ١٩٤٥ [1945]

78 p. 20 cm. (سلسلة العلوم المبسطة ، الكتاب الاول)

1. Science. I. Title. (Series: Silsilat al-ʻulūm al-mubassaṭah, 1)
Title transliterated: Naḥnu wa-al-ʻilm.

Q162.M8 N E 61-179

NM 0909021 DLC MH

Musharrafah, ʻAṭīyah Muṣṭafā.
القضاء فى الاسلام بوجه عام وفى العهد الاسلامى فى مصر بوجه خاص الى سنة ٣٥٨ هـ. تأليف عطية مصطفى مشرفة. الطبعة الأولى. [القاهرة] مطبعة الاعتماد ، 1939.

226 p. 24 cm.

رسالة الأستاذية فى الاداب — جامعة فؤاد الاول
Bibliography: p. 219-226.

1. Judicial power (Islamic law) 2. Judicial power—Egypt. I. Title.
Title transliterated: al-Qaḍā' fī al-Islām.

N E 65-1304

NM 0909022 DLC

Musharrif al-Din
see
Sa'di, d. 1291.

Musharrif ud-Din b. Muslih ud-Din
see
Sa'di, d. 1291

Mushat, John.
Address reported by the committee appointed at Wilkesboro, 5th of February, 1828, to the people composing the Counties of Surry, Ashe, Wilkes and Iredell.
Salisbury, N.C., Philo White, 1828.
By John Mushat and others.

NM 0909025 NcA-S

Mushat, John
The case of the six militia men fairly stated.
Raleigh, N.C., Lawrence and Lemay, 1828.

NM 0909026 NcA-S

Mushaver, *pasha*
see
Slade, *Sir* **Adolphus,** 1802-1877.

Mushed, *Iran*
see
Meshed, *Iran.*

Mushelʹ, Georgiĭ.
[Sonata, violoncello & piano]
Соната для виолончели и фортепиано. Москва, Гос. музыкальное изд-во, 1955.
score (48 p.) and part. 29 cm.

1. Sonatas (Violoncello and piano)
Title transliterated: Sonata dlia violoncheli i fortepiano.

M231.M979S6 M 58-50

NM 0909029 DLC

Lilly
PR 5101
.M67 A6

[MUSHET, DANIEL] supposed author
Alma and Brione, a poem. Cantos I. and II. The return of Theseus, a dramatic scene. London, Longman, Rees, Orme, Brown, and Green, 1827.
x, 122, [2] p. 21 cm.

Bound in quarter red morocco.

I. Tc: Alma and Brione
II. Tc: The return of Theseus

NM 0909030 InU CtY

TN
705
M98

Mushet, David, 1772-1847.
Papers on iron and steel, practical and experimental: a series of original communications made to the Philosophical magazine.
London, J. Weale, 1840.
xxvi, 944 p. tables. 24cm.

1. Iron--Metallurgy. 2. Steel--Metallurgy.

NM 0909031 NIC

Mushet, David, 1772-1847.
Papers on iron and steel, practical and experimental: a series of original communications made to the Philosophical magazine ... By David Mushet ... London, J. Weale, 1840.
1 p. l., [v]-xxvi p., 1 l., 952 p. 6 fold. pl. 24½cm.

1. Iron—Metallurgy. 2. Steel—Metallurgy.

6-16456

Library of Congress TN705.M98

MdBP PPA PU PPL ICJ NN MB NWM I PPF
NM 0909032 DLC CSt ICRL DSI MiU OCl NcU MiHM PBL

Mushet, David, 1772-1847
The wrongs of the animal world. To which is subjoined, the speech of Lord Erskine, on the same subject. By David Mushet, esq. London, Hatchard and son [etc.] 1839.
xii p., 2 l., 324 p. 22cm.

1. Animals, Treatment of. I. Erskine, Thomas Erskine, baron, 1750-1823.

15-22912

Library of Congress HV4708.M8

NM 0909033 DLC CtY PPL

Mushet, James Wellwood, 1882-

HE560
.C3A5
1945

South Africa. *Dept. of Transport. Committee to Investigate Harbour Services for Cape Town Dock Area.*
Report of committee appointed to investigate harbour services for trawling, fishing, engineering and other industries, Cape Town dock area. Sept., 1945. Pretoria, Printed by the Govt. Printer, 1946.

[Mushet, Robert]
Chicago yesterday and to-day. A guide to the Garden city and the Columbian exposition. [10th thousand] . . . [Chicago, Donohue & Henneberry, printers, 1893] 48 pp. 12°.

F548.5.M98 1-Rc-1983

NM 0909035 DLC

Mushet, Robert, 1782-1828.
An attempt to explain from facts the effect of the issues of the Bank of England upon its own interests, public credit, and country banks. By Robert Mushet. London, Baldwin, Cradock, and Joy, 1826.
vi, 215, [1] p. 22cm.

1. Paper money—Gt. Brit. 2. Banks and banking.—Gt. Brit.

6-43187

Library of Congress HG945.M9
——— Copy 3. [Financial pamphlets, v. 33, no. 7]
[44b1]

NIC OrU
NM 0909036 DLC WaE PU PPL NjP CtY OU ICJ NN MH-BA

Mushet, Robert, 1782-1828.

[Homans, Isaac Smith, *jr.*]
The coin book, comprising a history of coinage; a synopsis of the mint laws of the United States; statistics of the coinage from 1792 to 1870; list of current gold and silver coins, and their custom house values; a dictionary of all coins known in ancient and modern times, with their values; the gold and silver product of each state to 1870; list of works on coinage; the daily price of gold from 1862 to 1871. With engravings of the principal coins. Philadelphia, J. B. Lippincott & co., 1872.

Mushet, Robert, 1782-1828.
An enquiry into the effects produced on the national currency, and rates of exchange, by the Bank restriction bill; explaining the cause of the high price of bullion, with plans for maintaining the national coins in a state of uniformity and perfection. By Robert Mushet ... London, Printed for C. and R. Baldwin, 1810.
1 p. l., 100 p. incl. tables. 21½cm. [With Ricardo, David. The high price of bullion. 2d ed. London, 1810]

1. Paper money—Gt. Brit. 2. Banks and banking—Gt. Brit.

6-43186†

Library of Congress HG944.R5

NM 0909038 DLC CtY MH-BA

Mushet, Robert, 1782-1828.
An enquiry into the effects produced on the national currency and rates of exchange, by the Bank restriction bill; explaining the cause of the high price of bullion; with plans for maintaining the national coins in a state of uniformity and perfection. The 2d ed. With some observations on country banks, and on Mr. Grenfell's examination of the tables of exchange annexed to the first edition. By Robert Mushet ... London, Printed for C. and R. Baldwin, 1810.
2 p. l., 112 p. incl. tables. 23cm.
1. Paper money—Gt. Brit. 2. Banks and banking—Gt. Brit.

7-15752

Library of Congress HG944.M9

NM 0909039 DLC MH-BA NNC NcD MnU PU CtY NN

HG944
.M91

MUSHET, ROBERT, 1782-1828.
An inquiry into the effects produced on the national currency and rates of exchange, by the Bank restriction bill; explaining the cause of the high price of bullion; with plans for maintaining the national coins in a state of uniformity and perfection. The 3d ed., cor. and enl. With tables brought down to April 5, 1811; and some remarks on Mr. Bosanquet's Observations on the Bullion report. By Robert Mushet... London, Printed for R. Baldwin, 1811.
[4], 120 p. incl. tables. 21½cm.
1. Paper money--Gt. Brit. 2. Banks and banking--Gt. Brit.

NM 0909040 ICU NNC MH-BA PPAmP MH

Mushet, Robert, 1782-1828.
Mr. Mushet's tables overturned ...
see under title

VOLUME 403

Mushet, Robert, 1782–1828.
A series of tables, exhibiting the gain and loss to the fundholder, arising from the fluctuations in the value of the currency. From 1800 to 1821. By Robert Mushet, ... London, Baldwin, Cradock, and Joy, 1821.
xi, [56] p. 24cm.

NM 0909042 ICJ IEN MH-BA DLC

Rare HJ 8624 M98 1821
Mushet, Robert, 1782-1828.
A series of tables exhibiting the gain and loss to the fundholder arising from the fluctuations in the value of the currency from 1800 to 1821. 2d ed., corr. London, Baldwin, Cradock and Joy, 1821.
xii,[36] p. 25cm.

Half-title: Tables on the national debt.

1. Debts, Public. 2. Finance, Public--Gt. Brit.--1658-1815.

NM 0909043 NIC NNC CtY PSt NcD MH-BA

[**Mushet, Robert**] 1811–1871.
The book of symbols: or, A series of essays, illustrative and explanatory of ancient moral precepts. London, Chapman and Hall; [etc., etc.] 1844.
vii, [v]–xv, 506, [1] p. 20½cm.

1. Ethics. 2. Maxims. I. Title.

15-13528

Library of Congress BJ1008.M8

NM 0909044 DLC MA

BZ4.8 M987
Mushet, Robert, 1811-1871.
The book of symbols: a series of seventy-five short essays on morals, religion, and philosophy, each essay illustrating an ancient symbol or moral precept. By Robert Mushet. 2d ed. London, Chapman and Hall, 1847.
xv,[v]-vii,506p.,1l. 20.5cm.

NM 0909045 NNUT

Mushet, Robert, 1811-71.
A history of coinage in Great Britain, with preliminary remarks on the coins and moneys of account in ancient and modern time.
Philadlphia, 1872.

[In Homans, I.S. Coin book]

NM 0909046 DLC

Mushet, Robert, 1811–1871.
The trinities of the ancients; or, The mythology of the first ages, and the writings of some of the Pythagorean and other schools, examined, with reference to the knowledge of the Trinity ascribed to Plato, and other ancient philosophers. By Robert Mushet ... London, J. W. Parker, 1837.
xv p., 1 l., [19]–243, [1] p. 22½cm.

1. Trinities.

30-24902

Library of Congress BL474.M8 291.214

NM 0909047 DLC CU PPL

[**Mushet, Robert Forester.**] 1811-1891.
The Bessemer-Mushet process, or manufacture of cheap steel. Cheltenham [Eng.]: J. J. Banks, 1883. viii, 64 p. 12°.

Preface signed: Robert Forester Mushet.

1. Steel.—Manufacture. 2. Title.
N. Y. P. L. May 24, 1920.

NM 0909048 NN PPF ICJ CtY

Mushet, Robert Smith.
Law relating to trade marks. London, 1885.

NM 0909049 PU-L

MUSHET, William Boyd.
Cholera; its aetiology, contagiousness, and treatment. London, Churchill, 1883.

39 pp. 21 1/2 cm.

NM 0909050 MBCo

Mushet, William Boyd
Man and apes ... London, 1864.
43 p.

NM 0909051 OCU

WL M987p 1866
MUSHET, William Boyd
A practical treatise on apoplexy (cerebral hemorrhage) its pathology, diagnosis, therapeutics, and prophylaxis, with an essay on so-called nervous apoplexy, on congestion of the brain and serous effusion. London, Churchill, 1866.
iv, 194 p.

NM 0909052 DNLM PU MiU OClW-H

LD3907 .G7 1944 .M8
Mushett, Charles Wilbur, 1914-
A study of the hematological changes produced in animals by the administration of atabrine with particular reference to tissue changes in the rat... New York, 1944.
1p.l.,43,[7] typewritten leaves. plates,tables. 29cm.
Thesis (Ph.D.) - New York university, Graduate school, 1944.
Bibliography: p.41-43.

1.Atabrine. 2.Blood - Analysis and chemistry. 3.Rats. 4.Tissues. I.Title: Hematological changes produced in animals by the administration of atabrine.

NM 0909054 NNU

Mushett, Charles Wilbur, 1914–
... A study of the hematological changes produced in animals by the administration of atabrine, and particular reference to tissue changes in the rat [by] Charles W. Mushett ... [n. p., 1946]
cover-title, 537–547, 8 p. incl. illus., tables, diagrs. 25½ cm.
Abstract of thesis (PH. D.)—New York university, 1944.
Two articles, by C. W. Mushett and Henry Siegel, reprinted from Blood, the journal of hematology, v. 1, 1946, and Archives of pathology, v. 38, 1944.
"References": p. 547.

1. Atabrine. 2. Blood—Corpuscles and platelets. I. Siegel, Henry, 1910– joint author.

QP91.M887 A 48-4850

New York Univ. Wash. Sq. Library for Library of Congress [1]†

NM 0909055 NNU-W OrU DLC

Mushett, William.
Apostolical succession and apostolical successors, by William Mushett ... London, E. Palmer and son, 1848.
46 p. 18cm.

1. Apostolic succession.

BV665.M8 7-7888

NM 0909056 DLC

Mushett, William.
Tares, tracts, and Tractarians: or, Materials for an answer to the question, "What is Tractarianism?" By William Mushett ... London, W. Bennett, 1846.
23, [1] p. 17½cm.

1. Oxford movement.

BX5099.M9 7-7887

NM 0909057 DLC

7743.1 4347
Mushi, v.
Fukuoka, Japan, Entomological Laboratory, Faculty of Agriculture, Kyushu University. v. in illus. 23cm. irregular.

Title also in Japanese.
Text in English, German and Japanese.
Issued 1928-Jan.1943 by Fukuoka Entomological Society.

NM 0909058 CU-E OkS KyU CU-A OU IU

Mushin, A
Дмитрій Богровъ и убійство Столыпина. С предисл. В. Л. Бурцева. Парижъ, Союзъ, 1914.
x, 234 p. facsim., port. 19 cm.

1. Stolypin, Petr Arkad'evich, 1862–1911. 2. Bogrov, Dmitrii Grigor'evich, 1887–1911. I. Title.
Title romanized: Dmitrii Bogrov i ubiĭstvo Stolypina.

DK254.S595M87 74-275217

NM 0909059 DLC

Mushin, A. Z., ed.
Metody uvelicheniia nefteotdachi plastov
see under Russia (1923- U.S.S.R.) **Ministerstvo neftianoi promyshlennosti. Nauchno-tekhnicheskiĭ sovet**

Mushin, William Woolf.
Anaesthesia for the poor risk, and other essays. Springfield, Ill., C. C. Thomas [1948]
ix, 65 p. 22 cm. (American lecture series, no. 49. American lectures in anesthesia)

1. Anesthesia—Addresses, essays, lectures. (Series)

A 51-8928

Minnesota. Univ. Libr. for Library of Congress [3]

NM 0909061 ICJ NNC CtY-M IaU MnU IParkA OrU-M CaBVaU DNLM PPC NBuU

Mushin, William W.
(The) dental prop. Lond., Lancet, 1936.
4p.

Repr. from Lancet, May 9th, 1936.

NM 0909062 PU-D

Mushin, William Woolf, joint author.

FOR OTHER EDITIONS SEE MAIN ENTRY

Macintosh, *Sir* **Robert Reynolds,** 1897–
Local analgesia: brachial plexus. [By] R. R. Macintosh [and] William W. Mushin. 3d ed. Edinburgh, E. & S. Livingstone, 1954.

Mushin, William Woolf, joint author.

Macintosh, Robert Reynolds, 1897–
Physics for the anaesthetist [by] R. R. Macintosh [and] William W. Mushin. Illus. by Miss M. McLarty. Oxford, Blackwell Scientific Publications, 1946.

VOLUME 403

Mushin, William Woolf.
The principles of thoracic anaesthesia, past and present, by William W. Mushin and L. Rendell-Baker. Oxford, Blackwell Scientific Publications [1953]
xviii, 172 p. illus., ports., diagrs. 25 cm.
"Biographical notes": p. 152-162.
Includes bibliographies.

1. Anesthesia. 2. Chest—Surgery. 3. Surgical instruments and apparatus. I. Rendell-Baker, Leslie, joint author. II. Title: Thoracic anaesthesia.

[5]

NM 0909065 MoSU

Mushin, William Woolf.
The principles of thoracic anaesthesia, past and present, by William W. Mushin and L. Rendell-Baker. Springfield, Ill., C. C. Thomas [1953]
xviii, 172 p. illus., ports., diagrs. 25 cm.
"Biographical notes": p. 152-162.
Includes bibliographies.

1. Anesthesia. 2. Chest—Surgery. 3. Surgical instruments and apparatus. I. Rendell-Baker, Leslie, joint author. II. Title: Thoracic anaesthesia.

A 54-8942

Michigan. Univ. Libr. for Library of Congress [5]

ICU ICJ
NM 0909066 MiU OrU-M OU NRU ViU NcD IaU PPC ViU

Mushinskiĭ, N I
(Pervyĭ russkiĭ komik)
Первый русскій комикъ; оригинальные комическіе фарсы, куплеты, сцены, шутки для одного и нѣсколькихъ дѣйствующихъ лицъ. Соч. Н. Мушинскаго. С.-Петербургъ, Тип. М. М. Стасюлевича, 1879.
iv, 272 p. 21 cm.

I. Title.

PG3467.M97P4 74-220719

NM 0909067 DLC

Mushinskiĭ, N I
(Shiko i prochiia shansonetki gospozhi V. Zorinoĭ)
Шико и прочія шансонетки г-жи В. Зориной, съ присовокупленіемъ куплетовъ, разсказовъ и сценъ изъ русскаго и еврейскаго быта. Изд. 2., добавленное новыми шансонетками, куплетами, сценами и разсказами, исполняемыми на разныхъ сценахъ. Соч. Н. Мушинскаго. Москва, Тип. А. Цейссигъ и Ю. Романъ, 1877.
iv, iii, 146 p. 28 cm.
I. Title.

PG3467.M97S5 1877 74-214276

NM 0909068 DLC

Mushinskiĭ, Solomon Vladimirovich, ed.
Instruktsiia po operativnomu uchetu khlebnykh operatsiĭ na khlebozagotovilel'niiu kampaniiu
see under Vsesoiuznoe gosudarstvennoe khlebomukomol'noe ob'edinenie.

Mushīr al-Dawlah
see
Pīrnīyā, Ḥasan.

Mushir, Hosain Kidwai
see Kidwai, Mushir Hosain.

Mushīr Salīmī, ʻAlī Akbar, ed.

PK6561
I 7K8
1951
Orien
Pers

FOR OTHER EDITIONS SEE MAIN ENTRY

ʻIshqī, Mīrzādah, 1894-1924.
(Kullīyāt-i muṣavvar)
كليات مصور عشقى، تاليف و نگارش على اكبر سليمى.
تهران، مؤسسهٔ مطبوعاتى امير كبير [1951 or 2] 1330.

Mushkat, Marion.
Атомная энергия и борьба за мир. Перевод с польского. Предисл. А. Н. Трайнина. Редактор Ф. А. Кублицкий. Москва, Изд-во иностранной лит-ры, 1951.
358 p. 21 cm.

1. Atomic power—International control. I. Title.
Title romanized: Atomnaia ėnergiia i bor'ba za mir.

HD9698.A22M88 53-18847 rev

NM 0909073 DLC

JX
1395
M97

Mushkat, Marion.
Le droit polonais au service de la paix dans la lutte contre les criminels de guerre. (Rapports présentés au Congrès international des juristes-démocrates et à l'Association internationale de droit pénal) [Warsaw?] Publications du Service polonais pour la recherche des criminels de guerre, 1947.
58 p.

At head of title: Muszkat, Cyprian, Sawicki.

NM 0909074 NNC MiU-L

Mushkat, Marion.
Интервенция—преступное орудие политики США. Перевод с польского С. Н. Кибиренского. Под ред. Н. А. Венедиктова. Москва, Изд-во иностранной лит-ры, 1954.
198 p. 20 cm.

1. U. S.—For. rel.—20th cent. 2. Intervention (International law) I. Title.
Title romanized: Interventsiia—prestupnoe orudie politiki SShA.

E744.M887 55-43125 rev

NM 0909075 DLC

Mushkat, Marion.
Interwencja—zbrodniczy oręż polityki Stanów Zjednoczonych. Warszawa, Wydawn. Ministerstwa Obrony Narodowej, 1953.
174 p. 21 cm.

1. U. S.—For. rel.—20th cent. 2. Intervention (International law) I. Title.

E744.M88 64-34049 rev

NM 0909076 DLC

D 804
G4 M88
1948

Mushkat, Marion.
Polish charges against German war criminals (excerpts from some of those) Submitted to the United Nations War Crimes Commission. With an introd. by the Minister of Justice Henryk Swiatkowski. Warsaw, Glowna Komisja Badania Niemieckich Zbrodni Wojennych w Polsce, 1948.
232 p.

Consists of two articles; one by Muszkat and Sawicki with the above title and one by Wilder with title "The part played by the former Prussian eastern provinces in feeding Germany," by J. A. Wilder.

1. Poland - Hist. - Occupation, 1939-1945. 2. World war, 1939-1945 - Atrocities. 3. Concentration camps - Poland. I. Poland. Glowna Komisja Badania Zbrodni Hitlerowskich c Polsce. II. Title.

NM 0909079 CaBVaU

Mushkat, Marion.
One legal aspect of the Polish regained territories [sic] Warszawa, Polish Main national war crimes investigation office, 1948. 29 p. 21cm.

Film reproduction. Negative.
At head of title: Muszkat—Sawicki—Wilder.

1. World war, 1939-1945—Territorial questions—Poland. 2. Poland—Bound.—Germany. 3. Germany—Bound.—Poland. I. Sawicki, Jerzy. II. Wilder, Jan Antoni. III. Poland. Główna komisja badania zbrodni niemieckich w Polsce. t. 1948.

NM 0909081 NN MiU-L NNC DLC-P4

Mushkat, Marion.
U źródeł imperialistycznej polityki ochrony zbrodniarzy wojennych; studium o współczesnych aspektach zagadnienia ekstradycji. Warszawa, Wydawn. Ministerstwa Sprawiedliwości, 1950.
66 p. 21 cm.
Bibliographical footnotes.

1. War crimes. 2. Extradition. I. Title.

JX6731.W3M8 53-20339 rev

NM 0909082 DLC

Mushkat, Marion.

JX5135
A3M901

Zagadnienie energii atomowej a walka o pokój. [Warszawa] Wydawn. "Prasa Wojskowa" [1948]
214 p. 21cm.
"Bibliografia": p.209-214.

1. Atomic power - International control.
I. Title.

NM 0909083 CSt-H

Mushkat, Marion.
Zarys prawa międzynarodowego publicznego. Opracowanie zbiorowe. Warszawa, Wydawn. Prawnicze, 1955-56.
2 v. 25 cm.
Includes bibliographies.

1. International law. I. Title.

JX3695.P7M8 57-39357 rev

NM 0909084 DLC

Mushkatbluet-Cohen, Shoshana
see **Cohen, Shoshana (Mushkatbluet)**

Mushkatirovich', Ioann
see
Muškatirović, Jovan, ca. 1743-1809.

Mushketik, IUriĭ Mikhaĭlovich
see
Mushketyk, IUriĭ.

Mushketov, D.
Practical hints to explorers in Turkestan.

(In: Brouwer, Practical Hints to Travellers, v.2, 1924).

NM 0909088 PPAN

VOLUME 403

Mushketov, Dmitriĭ Ivanovich, 1882–
Курс общей геологии. Изд. 3. значительно перер. на основе 2. изд. "Краткого курса общей геологии." Рекомендовано в качестве учебника для втузов, а также для университетов. Москва, Гос. научно-техн. горно-геолого-нефтяное изд-во, 1934.
401 p. illus., maps. 23 cm.
First ed. published in 1929 under title: Краткий курс общей геологии (transliterated: Kratkiĭ kurs obshcheĭ geologii)
Errata slip inserted.
Bibliography: p. 25–[26]
1. Geology. I. Title. *Title transliterated:* Kurs obshcheĭ geologii.
QE26.M86 1934 55–45727

NM 0909089 DLC

Mushketov, Dmitriĭ Ivanovich, 1882–
Региональная геотектоника. Ленинград, Глав. ред. геолого-разведочной и геодезической лит-ры, 1935.
526 p. illus. 23 cm.
Includes bibliography.
1. Geology, Structural. I. Title.
Title transliterated: Regional'naîa geotektonika.
QE601.M8 54–47158 rev ‡

NM 0909090 DLC

MUSHKETOV, Ivan Vasil'evich, 1850-1902.
Aperçu géologique de district de Lipetzk et des sources minérales de la ville de Lipetzk. St.Petersb., 1885.
4°. 1 pam.

NM 0909091 MH-Z

Mushketov, Ivan Vasil'evich, 1850-1906.
[Contributions to a study of earthquakes in Russia] St. Petersburg, 1889.
2 v.

NM 0909092 PPAN

Mushketov, Ivan Vasil'evich, 1850–1902.
Физическая геологія; курсъ лекцій, читанныхъ студентамъ Горнаго института и Института инженеровъ путей сообщенія. С.-Петербургъ, Тип. М. М. Стасюлевича, 1888–91.
2 v. illus., maps (part fold. col.) 28 cm.
Bibliographical references included in "Примѣчанія" (at end of each vol.)
CONTENTS.—ч. 1. Общія свойства земли, вулканическія, сейсмическія и дислокаціонныя явленія.—ч. 2. Геологическая дѣятельность атмосферы и воды.
1. Geology, Structural. *Title transliterated:* Fizicheskaîa geologiîa.
QE501.M88 49–44814*

NM 0909093 DLC

Mushketov, Ivan Vasil'evich, 1850–1902.
Физическая геологія. 2. изд., значительно передѣланное. С.-Петербургъ, Изд. Ин-та инженеровъ путей сообщенія, 1899–1906.
2 v. illus., port., maps (part fold., col.) 26 cm.
Bibliographical references included in "Примѣчанія" (at end of each vol.)
1. Geology, Structural. I. Title.
Title transliterated: Fizicheskaîa geologiîa.
QE501.M882 53–53107

NM 0909094 DLC

Mushketov, Ivan Vasil'evich, 1850–1902.
Les richesses minérales du Turkestan russe, par J. Mouchkétoff. Paris, Impr. Arnous de Rivière, 1878.
1 p. l., 32 p. fold. map. 30cm.
1. Mines and mineral resources—Turkestan.
G S 16–495
U. S. Geol. survey. Library for Library of Congress 430(695) qM86 TN113.T8M8
[a41b1]

NM 0909095 DI-GS PU

Mushketov, Ivan Vasil'evich, 1850-1902.
...Le tremblement de terre de Verny 28 mai (9 juin) 1887...
St. Petersbourg, 1890.
[Memoires du Comite geologique de Russie, Vol. X, no.1]
QE276
.A15

NM 0909096 DLC

Mushketov, Ivan Vasil'evich, 1850–1902.
Туркестанъ; геологическое и орографическое описаніе по даннымъ, собраннымъ во время путешествій съ 1874 г. по 1880 г. Изд. 2., значительно доп. Петроградъ, Тип. М. М. Стасюлевича, 1915–
v. 29 cm.
At head of title, v. 1– : Императорское Русское географическое общество.
Includes bibliographical references.
1. Geology—Turkmenistan. 2. Turkmenistan—Description and travel. I. Title.
Title romanized: Turkestan.
QE315.M87 72–212919

NM 0909097 DLC

Mushketov, Ivan Vasil'evich, 1850-1902, joint author.
Beck, Wilhelm von, *b.* 1822.
Über nephrit und seine lagerstätten, von W. v. Beck und J. W. v. Muschketow. (Hierzu tafel I–V) ... St. Petersburg, Buchdruckerei der Kaiserlichen akademie der wissenschaften, 1882.

Mushketyk, ÎUriĭ, 1929–
Семен Палий. [Авторизованный перевод с украинского Льва Шапиро] Москва, Молодая гвардия, 1954.
334 p. 20 cm.
1. Paliĭ, Semen, d. 1710—Fiction. *Title transliterated:* Semen Paliĭ.
PG3948.M76S418 55–21309 ‡

NM 0909099 DLC

Mushketyk, ÎUriĭ, 1929–
Семен Палій; повість. Київ, Радянський письменник, 1954.
390 p. illus. 17 cm.
1. Paliĭ, Semen, d. 1710—Fiction. *Title transliterated:* Semen Paliĭ.
PG3948.M76S4 55–21310 ‡

NM 0909100 DLC KU ICU

Mushkin, Jehiel Michel.
מכלל יפי, כולל חדושים ובאורים על התורה ... סאנט לואיז, מא., בדפוס ב. מוינעשטער. St. Louis, Mo. [19—]
93 l. 24 cm.
1. Bible. O. T. Pentateuch—Commentaries. I. Title.
Title transliterated: Mikhlal yofi.
BS1225.M8 52–48143

NM 0909101 DLC

Mushkin, Jehiel Michel.
מילי דאבות. באורים על פרקי אבות. ירושלם, דפוס "ארץ־ישראל." [Jerusalem, 1930]
113 p. 25 cm.
Includes the text of Aboth.
1. Aboth—Commentaries. I. Title.
Title transliterated: Mile de-avot.
BM506.A23M8 54–53186

NM 0909102 DLC

HJ2385
.U62
1954a
Mushkin, Selma J., 1913–
U. S. *Division of Public Health Methods.*
Federal taxes and the measurement of State capacity, by Selma Mushkin [and] Beatrice Crowther. Washington, 1954.

Mushkin, Selma J
Functional federalism: grants-in-aid and PPB systems

NM 0909104 Wa

HD7123
.A35
no. 58
Mushkin, Selma J., 1913– joint author.
Sundelson, Jacob Wilner, 1908–
The measurement of state and local tax effort, by J. Wilner Sundelson [and] S. J. Mushkin ... Washington, D. C., Federal security agency, Social security board, Bureau of research and statistics, 1944.

Mushkin, Selma J 1913–
Social insurance benefits and contributions in relation to family income, 1941, by Selma J. Mushkin and Leila N. Small ... Washington, D. C., Federal security agency, Social security board, Bureau of research and statistics, 1944.
2 p. l., 19 p. incl. tables, diagrs. 27cm. ([U. S.] Social security board. Bureau of research and statistics. Bureau memorandum no. 59)
Reproduced from type-written copy.
Bibliographical foot-notes.
1. Insurance, State and compulsory—U. S. [1. Social security—U. S.] 2. Public welfare—U. S. 3. [Insurance, Old age—Benefits] 4. [Unemployment compensation—Benefits] 5. [Payroll taxes] 6. Income—U. S. I. Small, Leila Nancy, 1919– joint author. II. Title.
S S 44–16
U. S. Social security board. Library for Library of Congress HD7123.A35 no. 59
[3]† (331.25440973) 331.2544

NM 0909106 DLC DHEW PPT

Mushkin, Selma J., joint author.
Gerig, Daniel S
... Social insurance expansion and war financing, by Daniel S. Gerig, jr. and Selma J. Mushkin ... [Washington, 1942]

Mushkin, Selma J 1913–
Social insurance financing in relation to consumer income and expenditures, by S. J. Mushkin, Anne Scitovszky [and] Leila N. Small, Division of finance and economic studies ... Washington, D. C., Federal security agency, Social security board, 1946.
viii, 105 p. incl. tables, diagrs. 27cm. ([U. S.] Social security board. [Bureau of research and statistics] Bureau memorandum no. 63)
Bibliographical foot-notes.
1. Insurance, Social—U. S. 2. Insurance, Social—Finance. 3. Insurance, Health—U. S. 4. Income—U. S. 5. [Social security—U. S.] I. Small, Leila Nancy, 1919– joint author. II. Scitovszky, Anne (Aickelin) 1915– joint author. III. Title.
S S 46-4
U. S. Social security board. Library for Library of Congress [HD7123.A35 no. 63]
[4] (331.2540973)

NM 0909108 MBCo DHEW OC1W

HD
9019
I 3
M98
Vault
Mushlea, Ezekiel, comp.
The indigo planter's manual; or, Guide to purchases & sales of indigo for the season 1825-26. Calcutta, S. Smith, 1826.
67 p. tables. 29 cm.
1. Indigo. I. Title.

NM 0909109 NIC

Mushmov, Nikola A
Античнитѣ монети на Балканския полуостровъ и монетитѣ на българскитѣ царе. Отъ Никола А. Мушмовъ. Съ прѣдговоръ отъ Б. Филовъ. София, Печатница на Г. И. Гавазовъ, 1912.
xx, 509 p. 70 tables. 24 cm.
Includes bibliographies.
1. Coins, Ancient. 2. Coins, Greek. 3. Coins, Bulgarian. I. Title.
Title transliterated: Antichnitĕ moneti na Balkanskiîa poluostrov.
CJ233.M8 66–46492

NM 0909110 DLC DSI

VOLUME 403

Mushmov, Nikola A
Les Marques secrètes de l'Atelier Monétaire de Serdica,

NM 0909111 NjP

Mushmov, Nikola A
Монетитѣ и печатитѣ на българскитѣ царе. [София, 1924]
xvi, 197 p. illus., plates. 25 cm. (Издания на Народния музей въ София)
Title and table of contents also in French; summary in French.

1. Numismatics—Bulgaria. 2. Seals (Numismatics)—Bulgaria. I. Title.
Title transliterated: Monetitѣ i pechatitѣ na bŭlgarskitѣ tsare.

CJ3304.M85 60-57568

NM 0909112 DLC CSt

Mushmov, Nikola A 1926.
Les monnaies et les ateliers monétaires de Serdica.

NM 0909113 NjP

Mushmov, Nikola A.

Numismatique et sigillographie Bulgares...[Sophia, 1924]

197p., illus., plates, 25cm.

Text in Russian

NM 0909114 MdBWA

CJ393 B8M8
Mushmov, Nikola A
Une trouvaille de monnaies de la Mésie inférieure et de la Thrace [par] N.A. Mouchmoff. Paris, Feuardent Frères, 1922.
41 p. 3 plates. 25cm.
"Extrait de la Revue numismatique, 1922."
Pages also numbered 59-172.

1.Coins, Ancient. 2.Coins, Greek. 3.Coins, Bulgarian. I.Title.

NM 0909115 CSt

Mushnikov, A N
Балтийцы в боях за Ленинград, 1941-1944. Москва, Воен. изд-во, 1955.
205 p. illus., ports., maps (part fold.) 21 cm.

1. Russia (1923- U. S. S. R.) Voenno-Morskoĭ Flot. Baltiĭskiĭ flot. 2. Leningrad—Siege, 1941-1944. 3. World War, 1939-1945—Naval operations—Baltic Sea. I. Title.
Title transliterated: Baltiĭfsy v boíakh za Leningrad.

D764.M85 55-43243

NM 0909116 DLC

Mushnikov, Aleksandr Aleksandrovich, 1849-1909.
Общія начала законовѣдѣнія. По порученію главнаго начальника военно-учебныхъ заведеній, составилъ А. Мушниковъ ... С.-Петербургъ [Типографія М. Стасюлевича] 1894.
viii, 48 p. 25 cm.
"Настоящее изданіе представляетъ собой сокращенное изложеніе курса законовѣдѣнія для кадетскихъ корпусовъ, изданнаго въ 1889 году подъ заглавіемъ: 'Основныя понятія о нравственности, правѣ и общежитіи.'"—p. [v]

1. Law—Philosophy. I. Title.
Title transliterated: Obshchiía nachala zakonovíedíeniía.
47-44673

NM 0909117 DLC

Law
Mushnikov, Aleksandr Aleksandrovich, 1849-1909.
Основныя понятія о нравственности, правѣ и общежитіи; курсъ законовѣдѣнія для кадетскихъ корпусовъ. С.-Петербургъ, 1889.
iv, 144 p. 26 cm.
Bibliography: p. [143]-144.

1. Law and ethics. I. Title.
Title transliterated: Osnovnyía poníatiía o nravstvennosti.

55-51060

NM 0909118 DLC

Mushnikov, Aleksandr Aleksandrovich, 1849-1909.
Русскіе военно-уголовные законы въ связи съ законами обще-уголовными. Курсъ законовѣдѣнія для старшихъ классовъ военныхъ и юнкерскихъ училищъ. 3. испр. изд. С.-Петербургъ, Воен. тип., 1902.
x, 217 p. 24 cm.
Bibliography: p. 214-217.

1. Military law—Russia. I. Title.
Title transliterated: Russkie voenno-ugolovnye zakony.

55-51748

NM 0909119 DLC

The mushroom: or, a satyr against libelling and prelatical tantivies
see under [Hickeringill, Edmund] 1631-1708.

464.3 M97
Mushroom diseases leaflet.

Yaxley, Peterborough, Eng.

NM 0909121 DNAL

Mushroom Growers' Association.
Alphabet for mushroom growers

see under

Atkins, Frederick Charles, 1912-

Mushroom Growers Association.
Bulletin
see MGA bulletin.

Mushroom Growers Association.
MGA bulletin
see under title

91.7 M97
Mushroom Growers' Association.
News sheet.
Yaxley, Peterborough.

1. Mushrooms. Societies.

NM 0909125 DNAL

91.7 M97Y
Mushroom Growers' Association.
Year book for mushroom growers. 1946-

Yaxley, Peterborough, Eng.

1. Mushrooms. Societies.

NM 0909126 DNAL

---

423 M97
Mushroom Growers' Association. Insecticides Committee.
Insecticides; data for the mushroom grower.
Yaxley, 1949.
8 p.

1. Insecticides. 2. Mushrooms. Pests.

NM 0909127 DNAL

---

285 M97
Mushroom Growers' Cooperative Association of Pennsylvania.
Before the ... Committee for Reciprocity Information ... in the matter of the trade agreement negotiations between the United States and the Republic of France and its colonies, dependencies, and protectorates other than Morocco. Washington, D.C., 1935.
24 l.

NM 0909128 DNAL

Mushroom Growers, ltd.
Mushroom recipes
see under [Elwes, Hector Dudley] ed.

Mushroom news; official publication of American Mushroom Institute. v.1- Mar.1955-
Kennett Square, Pa., 1955-
v. illus. 30cm.

Title varies: v.1-3, no.8, 1955-July 1957 as AMI news.

1. Mushroom culture - Period. I. American Mushroom Institute. II. AMI news.

NM 0909130 NcU

TX 804 M87
Mushroom recipes, by Miss Oxford Royal [pseud.] Kelton, Pa., Oxford Royal Mushroom Products [n. d.]
16 p. illus.

COOKERY (MUSHROOMS)

NM 0909131 KMK

Mushroom recipes... [London, 1936.
see under [Elwes, Hector Dudley] ed.

SB 353 M8
Mushroom science.
1- 1950-
[v.p.]
v. illus. 22 cm.

Contains the Proceedings of the International Conference on Scientific Aspects of Mushroom Growing.

1. Mushroom culture. I. International Conference on Scientific Aspects of Mushroom Growing. Proceedings.

NM 0909133 OU PSt

VOLUME 403

Mushroom science
see also International Conference on the Biology and Cultivation of the Mushroom. Comptes rendus. Proceedings

---

Mushroom Science II.

see under

International Conference on the Biology and Cultivation of the Mushroom. 2d, Gembloux, 1953.

Mushroom Supply Company, *Toughkenamon, Pa.*
see also **Chester County Mushroom Laboratories,** *West Chester, Pa.*

Mushroom Supply Company, Toughkenamon, Pa.

SB353
.R44

Rettew, Granville Raymond, 1903–
Manual of mushroom culture, by G. Raymond Rettew, with the collaboration of Forrest G. Thompson. 4th ed. Toughkenamon, Pa., Mushroom Supply Co. [1948]

[Mushrooms; a collection of miscellaneous photographs. n.p., n.d.]
[82] l. [41] mounted photos. 23 x 20.5 cm
Loose-leaf.
Each photograph accompanied by descriptive note mounted on blank leaf.
1. Mushrooms.

NM 0909138 MiEM

Mushrooms and toadstools. British edible and poisonous fungi ... London, R. Hardwicke, n.d.
2 col.pl. 75 x 53cm.fold.to 19 x 13cm.

1. Mushrooms - Gt.Brit. 2. Fungi - Gt.Brit.

NM 0909139 DP

Mushrooms for all; how to grow and how to cook them. 1896.

NM 0909140 PPHor

Mushtahir, Egypt. École superieur d'agriculture egyptienne.
Feuilles agricoles
see under title

Mushtaq Ahmad
see **Ahmad, Mushtaq.**

Mushtaq Ahmad Gurmani
see
Gurmani, Mushtaq Ahmad.

Mushtuhur, *Egypt*
see
Mushtahir, *Egypt.*

Mushtukova, O ÍA
В борьбе за экономию материалов. [Литературная обработка Н. Г. Михайловского. Ленинград] Лениздат, 1954.
59 p. illus., port. 17 cm. (Новаторы ленинградской промышленности, вып. 6)
At head of title: О. Я. Муштукова.

1. Boots and shoes—Trade and manufacture—Leningrad. I. Mikhaĭlovskiĭ, Nikolaĭ Grigor'evich. II. Title.
Title romanized: V bor'be za ėkonomiíû materialov.

HD9787.R93L37 67–124512

NM 0909145 DLC

Mushuha, Dr. Luke
see Myshuha, Luka.

Musi , Agostino dei, called Veneziano, b. ca. 1490, engr.
La favola de Psiche...
see under Raffaele, Sanzio, 1483-1520.

Musi, Agostino dei, called Veneziano, b. ca. 1490.
Inlustrium virorum... Romae, 1569.

NM 0909148 PPPM

Wing
fZP
635
.M 987

MUSI, AGOSTINO DEI, called VENEZIANO, b.ca.1490.
Inlvstrivm viror. vt exstant in vrbe expressi vvltvs caelo Avgvstini Veneti. Romae. ∞ D.LXIX. Patauii, Prostant apud M. Bolzettam de Cadorinis, 1648.
[2] l. port., 53 plates (1 fold.) 31cm.

Half-title: Icones Graecorvm sapientivm ...
The engraver is not identified.
With this is bound Stephanoni, Pietro. Gemmae antiqvitvs ... [1646]

NM 0909149 ICN

Musi, Carlo
I miei monologhi in dialetto bolognese. Con prefazione di Alfredo Testoni. Bologna, Brugnoli, 1913
123 p. ports.

NM 0909150 MH

Y
71251
.6

MUSI, CARLO.
...I miei monologhi "in dialetto bolognese", con prefazione di Alfredo Testoni. 2. edizione. Bologna, G.Brugnoli & figli, 1930.
123p. 20cm.

NM 0909151 ICN

W 4
M61
1943

MUSI, Fued
Condiciones sanitarias en Chignautla., Pue. México [Incomex Impr.] 1943.
45 p.
Tesis - Univ. de México.
1. Public health - Mexico - Puebla (State)

NM 0909152 DNLM

The Musiad; or, Ninead: a poem by Diabolus, edited by me. Baltimore, 1830.
8 p. nar. O.

NM 0909153 RPB

Mus'íakov, Pavel Il'ich.
Боевая активность советских военных моряков. Москва, Воен. изд-во, 1955.
77 p. 20 cm.

1. Russia (1923- U. S. S. R.) Voenno-Morskoĭ Flot. 2. World War, 1939–1945—Naval operations, Russian. I. Title.
Title transliterated: Boevaía aktivnost' sovetskikh voennykh moríakov.

D779.R9M8 57–22619 rev

NM 0909154 DLC

Mus'íakov, Pavel Il'ich.
Быть бдительным всегда и везде. Изд. 2., перер. Москва, Воен. изд-во, 1954.
71 p. 20 cm.
——— Microfilm.
Made by the Library of Congress.
Negative film in the Library of Congress.
Microfilm Slavic 540 AC

1. Espionage, American—Russia. I. Title.
Title transliterated: Byt' bditel'nym vsegda i vezde.

DK266.3.M82 65–58334

NM 0909155 DLC

Mus'íakov, Pavel Il'ich.
Город-герой Севастополь. Стенограмма публичной лекции, прочитанной в Москве. Москва, Знание, 1954.
31 p. 23 cm. (Всесоюзное общество по распространению политических и научных знаний. Серия 1, № 33)

1. Sevastopol—Siege, 1942.
Title transliterated: Gorod-geroĭ Sevastopol'.

D764.M86 55–15556 rev ‡

NM 0909156 DLC

Mus'íakov, Pavel Il'ich.
Комендор. Москва, ДОСААФ, 1955.
53 p. illus. 20 cm.

1. Russia (1923- U. S. S. R.) Voenno-Morskoĭ Flot. I. Title.
Title transliterated: Komendor.

VA573.M8 56–47046

NM 0909157 DLC

Mus'íakov, Pavel Il'ich.
На защите Севастополя. [Москва] Гос. изд-во полит. лит-ры, 1943.
30 p. 19 cm.

1. Sevastopol—Siege, 1942. I. Title.
Title transliterated: Na zashchite Sevastopolía.

D764.M87 44–10476 rev*

NM 0909158 DLC

Mus'íakov, Pavel Il'ich.
Рулеви. Превел от руски Асен К. Македонов. София, Изд-во на Доброволната организация за съдействие на отбраната, 1953.
19 p. illus. 20 cm.

1. Russia (1923- U. S. S. R.) Voenno-Morskoĭ Flot. I. Title.
Title transliterated: Rulevi.

VA573.M8212 59–38277 ‡

NM 0909159 DLC

VOLUME 403

Mus'fakov, Pavel Il'ich, ed.
Sevastopol
see under title

NM 0909163 DLC

Mus'fakov, Pavel Il'ich.
Voenno-morskie spetsial'nosti
see under title

RG525 .A18
Musial, Joseph W., 1905- illus.
Aaberg, Jean Littlejohn.
ABC for mothers-to-be, by Jean Littlejohn Aaberg; drawings by Joe Musial. Philadelphia, David McKay company [1944]

Musial, Joseph W 1905-
Learn how Dagwood splits the atom! Prepared with the scientific advice of Leslie R. Groves, John R. Dunning [and] Louis M. Heil. New York, King Features Syndicate [1949]
32 p. col. illus., ports. 26 cm.
Cover title.
Based on the comic strip Blondie by Chic Young.
1. Physics—Juvenile literature. 2. Atomic energy. I. Young, Murat Bernard, 1901- II. King Features Syndicate. III. Title. IV. Title: Dagwood splits the atom.
QC25.M8 541.2 49-4021*

NM 0909163 DLC

Musial, Joseph W 1905-
Matey visits New York, by Joe Musial. Philadelphia, David McKay company [°1941]
[15] p. illus. (part col.) 27 x 26½ cm.
"RCA Victor recording with sound effects" in pocket on p. [3] of cover.
I. Title.
42-7642 Revised
Library of Congress PZ7.M97Mat

NM 0909164 DLC

Musial, Joseph W., 1905- illus.
Potter, Beatrix.
Peter Rabbit; illustrations by Jo Musial, the story by Beatrix Potter. [Racine, Wis., Whitman publishing company, °1936]

Musial, Joseph W 1905-
Popeye's how to draw cartoons, by Joe Musial. Philadelphia, David McKay company, °1939.
38 p., 1 l. illus. 21 x 26 cm.
Illustrated t.-p. and lining-papers.
Contents on end-paper.
1. Caricature. 2. Drawing—Instruction. I. Title.
39-14954
Library of Congress NC1320.M8
——— Copy 2.
Copyright AA 295907 [3] 741

NM 0909166 DLC OCl OEac

Musial, Joseph W., 1905- illus.
PS3501 .A4S6
Aaberg, Jean Littlejohn.
Spare the rod, a primer of proverbs for parents to ponder, by Jean Littlejohn Aaberg; drawings by Joe Musial. Philadelphia, David McKay company [1944]

Musial, Nellie (Kovalczyk)
The little worlds of Nellie Musial. New York, Vantage Press [1954]
81 p. 23 cm.
I. Title.
PZ4.M986Li 54-7404 ‡

NM 0909168 DLC

936.7 M973s
Musiałek, Jósef Mestwin.
Słowianie. [Poznań] Nakł. Komitetu Propagandy Wszechsłowiańskiej, 19
v. port. 22cm.
Contents.- cz.1. Zarys dziejów starożytnej Słowiańszczyzny.- cz.2. O zjednoczenie narodowe i państwowe Słowiańszczyzny na podstawie wspólnego słowianskiego języka literackiego.-
1. Slavs. 2. Panslavism. I. T.

NM 0909169 MiDW NNC MH

Musiałek, Józef M
... Rok 1914, przyczynek do dziejów brygady Józefa Piłsudskiego ... Kraków, Nakładem autora, 1914 [i. e. 1915]
151, [1] p. 21½ cm.
1. Piłsudski, Józef, 1867-1935. 2. European war, 1914-1918—Campaigns—Poland.
43-28837
Library of Congress DK440.5.P5M8

NM 0909170 DLC OU KU

WO M987c 1885
MUSIARI, G
Compendio di propedeutica chirurgica. Parte 1. Semejottica generale. Parma, Battei, 1885.
181 p. illus.
No more published?

NM 0909171 DNLM

Musiatovich, T
see
Musiatowicz, Tadeusz.

Musiatowicz, Tadeusz.
Rozchodzenie się ciepła w cieczy w zależności od prędkości i rodzaju przepływu. Łódź [Łódzkie Tow. Naukowe] 1954.
52 p. illus. 26 cm. (Łodzkie Towarzystwo Naukowe. Wydział 3. Prace, nr. 28)
Prace matematyczno-fizyczne Uniwersytetu Łódzkiego, 1.
Summaries in Russian and French.
1. Heat—Conduction. I. Title. (Series: Łódzkie Towarzystwo Naukowe. Wydział III. Nauk Matematyczno-Przyrodniczych. Prace, nr. 28. Series: Łódź, Poland. Uniwersytet. Prace matematyczno-fizyczne, 1)
QC320.M8 59-28637

NM 0909173 DLC FU NN LU ICRL NNC CoU

MUSIC, A. LEROY, 1902-
Park Avenue, by A. Leroy Music. (In: The Yearbook of short plays; first ser. Evanston, Ill.[, cop. 1931]. 8°. p. 129-147.)
In one act.
569966A. 1. Drama, American. I. Title.

NM 0909174 NN OEac OO OClW NBuG

Music, Antoine
see
Music, Antonio Zoran, 1909-

Music, Antonio Zoran, 1909-
Music [par Cipriano Efisio Oppo et al.] Venise, Éditions du Cavallino [1949]
[20] p. illus., col. plates. 24 cm.
Cover title.
"Tiré ... à l'occasion de l'exposition qui a eu lieu à la Galérie Georges Moos de Genève en avril 1949."
I. Oppo, Cipriano Efisio.
A 49-8376 rev*
Harvard Univ. Library for Library of Congress [r64b½]

NM 0909176 MH

Art Library J18 M98 +955S
Music, Antonio Zoran, 1909-
Music [par] René de Solier. Roma, L'Obelisco[1955]
15p. illus.(part col.)23plates(part col.) port. 35cm. (L'Obelisco, no.4)
Text and captions in French, Italian and English.
Bibliography: p.14-15.
I. Solier, René de, 1914-

NM 0909177 CtY IU OCl CU AAP MH-PA TxFTC GASC

YA 27992
Music, Archie
Oil painting for beginners.
(Little Blue Book No. 1338.)

NM 0909178 DLC

PA371 .M9
Music, August, 1856-
Beiträge zur griechischen satzlehre (bedingungs-, relativ-, fragesätze) von dr. August Musić ... Zagreb, In kommission bei S. Kugli, 1927.
[3], 75, [1] p. 25 cm.
1. Greek language—Clauses.

NM 0909179 IU MH MoU OCU NjP

Under 833 M987 i
Musić, August.
Imperfekat i aorist s partikulama κεν i ἄν kod Homera i hrvatski kondicional, napisao August Musić ... U Zagrebu, Tiskara "Narodnih Novinah", 1884.
79 p. 22cm.

NM 0909180 CU

Musić, August.
Perfektivni i imperfektivni glagoli u grčkom i hrvatskom jeziku, napisao August Musić.
U Zagrebu, Tiskara "Narodnih Novinah", 1880.
42 p. 21 cm.

NM 0909181 CU

PG 1313 .M98
MUSIĆ, AUGUST, 1856 -
Pitanja u hrvatskom ili srpskom jeziku.
U Zagrebu, Tisak Dioničke tiskare, 1910.
235 p.
"Prestampano iz 172. i 184. knjige 'Rada' Jugoslavenske akademije znanosti i umjetnosti.
1. Serbo-Croatian language--Syntax. I. Title.

NM 0909182 InU

VOLUME 403

PG 1307
M88
1900
Musić, August.
Rečenice s konjunkcijom "da" u hrvatskom jeziku. U Zagrebu, Tisak Dioničke tiskare, 1900.
125 p. 23 cm.
"Prestampano iz 142 knjige Rada Jugoslavenske akademije znanosti i umjetnosti."

1. Serbo-Croatian language - Conjunctions. I. Title.

NM 0909183 CaBVaU

491.83
M987r.4
Musić, August, 1856-
Rječnik hrvatskoslovenski. 4. pregledano i umnoženo izd. Zagreb, Izvanredno izdanje "Matice Hrvatske", 1925.
xviii,69p. 22cm.

1. Croatian language. Dict. Slovenian language. I. Title.

NM 0909184 IEN OCl

Music, Benito.
Love me again sometime, by Benito and Frankie Music ... Love lyrics. Dallas, Tex., W. T. Tardy [©1941]
2 p. l., 3-24 p. 17½cm.

I. Music, Frankie. II. Title.
41-11048
Library of Congress PS3525.U92L6 1941
[2] 811.5

NM 0909185 DLC

Music, Frankie.

Music, Benito.
Love me again sometime, by Benito and Frankie Music ... Love lyrics. Dallas, Tex., W. T. Tardy [©1941]

TD1951
M973
MUSIC, JACK FARRIS, 1921-
Molecular orbital theory and spectra of some monosubstituted benzenes. Austin, Tex., 1951.
78,[1]ℓ. illus. 28cm.
Thesis (Ph.D.) - University of Texas, 1951.
Vita.
Bibliography: ℓ.77-78.

1. Benzene. I. Title.

NM 0909187 TxU

Mušic, Marjan
Obnova slovenske vasi. V Celju, Družba sv.Mohorja, 1947

150 p. illus., plans (Redna knjiga za ude Družbe sv. Mohorja)

1. Slovenia - Planning. 2. Architecture - Domestic - Slovenia

NM 0909188 MH IU

NA
40
M97v
Mušič, Marjan.
Veliki arhitekti. Maribor, Založba "Obzorja," 19
v. illus., ports. 25 cm. (Likovna obzorja 7, 10) 88.00 (v. 2) varies Yu 67-690 (v. 2)
Bibliography: v. 2, p. 372-374; v. 3, p. 351-[355]
CONTENTS.—
2. Arhitektura 15. do 19. stoletja.—3. Pionirji in klasiki moderne arhitekture.

1. Architects—Biography. I. Title.

NA40.M8 71-396550

NM 0909189 DLC CLU CSt CU

Mušić, Zoran.
Morfološki atlas človeškega zobovja. Ljubljana [Državna založba Slovenije] 1951.
1 v. and illus. (in portfolio) 30 cm. (Knjižnica za vzgojo strokovnih kadrov, 90)

1. Teeth. I. Title.

QM311.M8 56-35639 ‡

NM 0909190 DLC DNLM

Music, Zoran, 1909-
see
Music, Antonio Zoran, 1909-

Music. Chicago
see Music. A monthly magazine.

Music.
[Cleveland, Music Publications, etc.]
v. illus., ports. 21-29 cm.
Monthly (irregular) -Aug. 1942; bimonthly, Sept./Oct. 1942-
Title varies: -Jan. 1935, The Hawaiian guitarist.—Feb. 1935-Sept./Oct. 1942, The Guitarist.—Nov./Dec., 1942-Nov./Dec., 1944, Music today (varies slightly)

1. Music—Period.

ML1.M205 780.5 48-4824*

NM 0909193 DLC

Music.
Harmondsworth, Middlesex.
v. music. 18 cm. annual. (Pelican books)
Began publication in 1950, superseding Penguin music magazine.
Editor: 19 -1951, R. Hill.

1. Music—Almanacs, yearbooks, etc. 2. Music—Addresses, essays, lectures. I. Hill, Ralph, 1900-1950, ed.

ML5.M637 780.58 52-43630

MB PLF CaBVaU OrU
NM 0909194 DLC OCl CU WaS CaBVa OrP Or NNC NIC TxU

Music.
[London, Century Press, etc.]
v. illus., ports. 25-28 cm. monthly.
Began publication with Dec. 1951 issue. Cf. New serial titles, 1955.
Edited by M. Henslow.

1. Music—Period. I. Henslow, Miles, ed.

ML5.M638 780.5 58-45089

NM 0909195 DLC CaBVaU

Music. Milwaukee, Wis.
Monthly.

NM 0909196 NN

Music. (Milwaukee)
780.5
M964
Music; preview issue of a postwar monthly.
Nov.1944. Milwaukee.
50p. illus. 28cm.

1. Music. Periodicals, societies, etc.

NM 0909197 OrU

Music. Nov. 1944. [New York, Kalmbach Pub. Co.]
50 p. illus., facsims. 28 cm.
Edited by A. Mendel.

1. Music—Period. I. Mendel, Arthur, 1905- ed.

ML1.M2065 68-53264/MN

NM 0909198 DLC

Music. A monthly magazine. Devoted to the art, science, technic and literature of music. W. S. B. Mathews, ed. ... v. 1-22; Nov. 1891-Dec. 1902. Chicago, W. S. B. Mathews [etc.] 1892-1902.
22 v. in 21. illus., plates, ports. 24cm.
No numbers issued May-Aug. 1902.
Merged into the Philharmonic.

1. Music—Period. I. Mathews, William Smythe Babcock, 1837-1912, ed.
8-18040
Library of Congress ML1.M2

OCl CU MB CtY GU P KT RP NcD CoU MdBP NcGU FM OOxM
NM 0909199 DLC WaS KU NcU I MnU GDS PU PP PPL MiU

Music; a review (Jan. -- Apr. 1882)
see
Music & drama. San Francisco.

---

*4040A.290
Music. Formerly Music and Youth. Vol. 1-3 (no. 4, 5, 7, 8, 10); 4 (no. 1-10); 5 (no. 1-5). Oct., 1925-April, 1930.
— New York [etc.]. 1926-30. v. Illus. Portraits. Plates. 30 cm.
Published monthly, ten numbers per year.
Various editors.
Title varies: Vols. 1-5, nos. 1-5, Music and Youth; vol. 5, nos. 6, 7, Music.
Ceased publication, vol. 5, no. 7, April, 1930.

N8396 — Music. Period. — Periodica. ...venile. (For young people.) — Periodicals. English.

NM 0909201 MB

Music. Formerly Music and youth
see also Music and Youth.

M780.82
M9733
Music. [v.p., ca.1790-1839]
56 items in 1v. 35cm.
Binder's title.
Principally songs.
Contains issues of single works and also collections.

1. Songs with piano. 2. Songs, British.

NM 0909203 IU

---

rare bk.
coll.
M
1619
A113M87
Music. [v.p., 1826-1851]
40 items in 1v. 34 cm.
Binder's title.
Principally for voice & piano; also includes several part-songs.

1. Songs with piano. 2. Part-songs.

NM 0909204 NcGU

VOLUME 403

rare bk.
coll.
M 1619 A113M872
Music. ⸢v.p., 1833-1849⸣
41 items in 1v. 34 cm.
Binder's title.
For voice & piano.
Several items are handwritten.
Handwritten on fly-leaf: Jeannie Davis.
1. Songs with piano.

NM 0909205 NcGU

---

rare bk.
coll.
M 1619 A113M871
Music. ⸢v.p., 1836-1856⸣
25 items in 1v. 34 cm.
Binder's title.
Songs for voice & piano.
On cover: Frances L.(?) Shepard.
1. Songs with piano.

NM 0909206 NcGU

Music. [Bound volume of sheet music] 1840-1855.
Owned by Juliette B. Underwood.

NM 0909207 KyBgW

[Music]... v.p., 1840-1856.
26 pieces in 1 v. illus. 34 cm.
on cover: Mary T. Blythe.

NM 0909208 KyU

Music. ⸢v. p., ca. 1845-63⸣
11 items in 1 v. 34 cm.
Binder's title.
Principally for voice and piano.
1. Songs with piano.
M1619.M917 M 54-1894

NM 0909209 DLC

Music. ⸢v. p., 1847-70⸣
46 items in 1 v. 35 cm.
Binder's title.
Songs.
1. Songs with piano.
M1.A15 vol. 88 M 54-1044

NM 0909210 DLC

⸢Music: bound volumes of vocal and instrumental sheet music. New York, c1909?⸣
2 v. 33cm.
Various imprints.

NM 0909211 RPB

---

*
M1 .S444 v.74, no.1
Music. Baltimore, John Cole, No. 123 Market Street ⸢182-⸣
⸢1⸣ p. 35cm. ⸢Sheet music collection, v. 74, no. 1⸣
Caption title.
This volume collected by Louisa C. Carr, with her name stamped in gold on cover.
1. Songs with piano.

NM 0909212 ViU

M21 M987
Music⸢piano⸣ ⸢Mayence, Fils de B.Schott, etc. 19--?⸣
13 v. in 1. 33cm.
Binder's title.
Contents.- 1. Beethoven, L. Sinfonie,op.55, Eb major⸢arr. piano 4 hands⸣.- 2. Mendelssohn-Bartholdy, F. Rondo capriccioso.- 3. Henselt, A. If I were a bird, I'd fly to thee,op.2,no.6.- 4. Chopin, F. Étude, no.11,op.25,A minor.- 5.Chopin,F. Nocturne, B major,op.32,no.1.- 6.Chopin,F. Polonaise in C minor,op.26.- 7.Chopin,F. Impromptu,op.29,no.1,Ab major.- 8.Schumann,R. Phantasiestücke,op.12,2. Heft.- 9.Schumann,R. Träumerei,op.68.-10-13. Heller,S. Im Walde, op.86.
1.Piano music - Collections.

NM 0909213 CSt

Music. [Song for voice and piano acc.] New York, E.S. Mesier, [18-]
broadside. f°.

NM 0909214 NN

Music [songs] New York, 1857-96.
2 v.
Binder's title.
1. Songs, English - Collections.

NM 0909215 NjP

M1 .f.M83
Music. [Paris etc.,184-?]
36 pieces in 1v. illus. 33cm.
Binder's title.
Miscellaneous collection of French instrumental scores,mostly for the horn,and French and English vocal scores with pianoforte accompaniament.
Label mounted on cover:Mr.R.C.Tichborne. The carabineers.

NM 0909216 IU ICU

Music. Philadelphia. Published by G. Willig. ⸢182-⸣
p. 6 34 cm.
No. 47 in a vol. with title: ⸢Collection of piano music and songs. v. p., ca. 1826-36⸣
For piano, with interlinear words.
1. Songs (Medium voice) with piano. I. Title.
M1.A13C no. 47 M 54-2754

NM 0909217 DLC

[MUSIC. A collection of anthems and other sacred music composed by Byrd,Bull.etc.] London,etc.
4°. 11 nos.in 1 vol.
No author card; subject card under Music-Vocal.

NM 0909218 MH

[MUSIC. A collection of anthems and othr sacred music composed by Bach,Gounod,and others.] Boston,etc.,[1895-1903.]
38 nos.in 1 vol. 1.8°.

NM 0909219 MH

⸢Music, a collection of 86 pieces of sheet music, piano and vocal, by various composers, published between the years of 1836-and 1864.
2 v
No general title-page. Separate titlepages of especial interest; some in color.

NM 0909220 OCl

⸢Music, a collection of 83 pieces of sheet music for piano, by various composers, published between the years of 1843-1867.⸣
3 v
No general title-page. Separate titlepages of especial interest; some in color.

NM 0909221 OCl

M20 f.M88
[Music;a collection of pieces for the piano]
35 no.in 1.v. 34cm.

NM 0909222 ICU

M1 A13 L
Music. [A collection of popular sheet music both piano and piano with lyrics, published ca. 1840-1865]
1 v. 35 cm.
Binder's title: Music.
1. Music. 2. Piano. 3. Songs, American.

NM 0909223 DI

M 1619 M8
⸢Music; a collection of 19th century sheet music bound for Clara Whittaker. Covington, Ky., 1819-1896.
unpaged. 35cm.
In MusSp Coll
1. Songs with piano.

NM 0909224 CoU

[MUSIC. A collection of sacred quartettes and choruses.]
1.8°. 16 nos.in 1 vol.
No author card; subject cards under Music-Vocal; Quartettes,and Choruses.

NM 0909225 MH

Music. [A collection of sheet music bound in two volumes]

NM 0909226 NcD

⸢Music; a collection of 39 piano pieces by various composers.⸣
A miscellaneous collection of sheet music, bound in 2 v. by Clara Louise Doeltz.

NM 0909227 OCl

VOLUME 403

.[MUSIC. A miscellaneous collection of anthems, glees,etc.,composed by Byrd,Palestrina,Tallis and others.] London,etc.

1.8°. 20 nos.in 1 vol.
No author card; subject card under Music-Vocal.

NM 0909228 MH

[MUSIC. A miscellaneous collection of duets for the flute.] Paris,etc.,[18--.]

2 vols. 4°.

NM 0909229 MH

[MUSIC. A miscellaneous collection of duets for the violin.] Philadelphia,etc.,[18--.]

2 vol. 4°.

NM 0909230 MH

[MUSIC. A miscellaneous collection of music for the flute and piano. With separate parts for flute.]

4°. 4 vol.

NM 0909231 MH

[MUSIC. A miscellaneous collection of music for the guitar,etc.] Philadelphia,etc.,[18--.]

4°.

NM 0909232 MH

[MUSIC. A miscellaneous collection of music for the organ.]

obl.4°. 11 nos.in 1.

NM 0909233 MH

[MUSIC. A miscellaneous collection of music for the organ.]

11 nos.in 1. obl.4°.

NM 0909234 MH

[MUSIC. A miscellaneous collection of music for the organ.]

30 nos.in 1. 4°.

NM 0909235 MH

[MUSIC. A miscellaneous collection of music for the organ.]

obl.8°. 4 nos.in 1 vol.

NM 0909236 MH

[MUSIC. A miscellaneous collection of music for the piano.]

11 nos.in 1 vol. 4°.

NM 0909237 MH

[MUSIC; a miscellaneous collection of music for the piano.]

4°.

NM 0909238 MH

[MUSIC. A miscellaneous collection of music for the piano.]

25 nos.in 1 vol. 4°.

NM 0909239 MH

[MUSIC; a miscellaneous collection of music for the piano.] n.p.,n.d.

4°.

NM 0909240 MH

[MUSIC. A miscellaneous collection of quartettes,choruses,etc.] [Boston,etc].

25 nos in 1 vol. 1.8°.

NM 0909241 MH

[MUSIC. A miscellaneous collection of sacred songs.]

NM 0909242 MH

[MUSIC. A miscellaneous collection of secular songs.]

NM 0909243 MH

[MUSIC. A miscellaneous collection of sheet music for the piano.]

NM 0909244 MH

[MUSIC. A miscellaneous collection of songs etc.]

44 nos.in 1 vol. 4°.

NM 0909245 MH

[MUSIC. A miscellaneous collection of songs,etc.]

14 nos.in 1 vol. 4°.

NM 0909246 MH

[MUSIC. A miscellaneous collection of songs etc.,published chiefly in the early part of the present century,at Boston and New York.

4°.

NM 0909247 MH

Music Academy, Madras
see Madras. Music Academy.

PT1543 .H294A6 Rare bk room ₍Music accompanying Das jüngere Hildebrandslied₎
facsim.: 5 l. 20½cm.
Photostat copy(negative);original in Stadtbibliothek,Hamburg.

NM 0909249 ICU

... Music (An entirely original drama in five acts, entitled "Music", or, Seraphia's wisdom)
n.p., n.d.
144 p. 26 cm.
Mimeographed copy.

NM 0909250 RPB

MUSIC and Art Foundation, Seattle.
Year book.
Seattle.

Title varies: 1951/52, Centennial report and year book; 1952/53, Supplement to centennial report; 1953/54-1956/57, Annual report and year book.

NM 0909251 WaS

Music and Childhood; an illustrated monthly magazine for young musicians. Chicago, v. 1, no. 1-11, Oct. 1899 - May 1900.

NM 0909252 ICN

Music and composers of Canada
see under [May, Lucille] ed.

Music and criticism
see under Symposium on Music Criticism, Harvard University, 1947.

MUSIC and dance. v. 50, no. 4-8, no-date; Oct. 1959-Feb., Apr. 1960-date
Melbourne, Australian musical news pub. co.
v. illus., ports. 25cm.

Monthly.
For earlier file, whose numbering it continues, see the Australian musical news.

1. Music--Per. and soc. publ. 2. Dancing--Per. and soc. publ.
3. Dancing--Australia--Per. and soc. publ. 4. Periodicals--Australia.

NM 0909256 NN

Music and dance
see also its earlier title Australian musical news.

VOLUME 403

Music and dance in California and the West. [1st-ed.] Hollywood, Bureau of Musical Research, 1933-
v. ports. 29 cm.
Title varies: 1st (1933) Who's who in music and dance in Southern California.—2d (1940) Music and dance in California.
Editors: 1st, B. D. Ussher.—2d, José Rodríguez.—3d R. D. Saunders.
Vol. for 1940 comp. by W. J. Perlman.
1. Music. 2. Music—California—Bio-bibl. 3. Dancing—California. 4. California, Southern—Biog. I. Ussher, Bruno David, 1889- ed. II. Rodríguez, José, 1898- ed. III. Saunders, Richard Drake, 1898- ed. IV. Perlman, William J., comp.
ML200.7.C2M8 780.97949 34-7462 rev*
INS WaTC Wa
NM 0909258 DLC OrU CSt NN LU NSyU TxU CU PSt

Music & dance in New York State. Sigmund Spaeth, editor-in-chief; William J. Perlman, director and associate editor; [and] Joseph A. Bollew, assistant editor. 1952 ed. New York, Bureau of Musical Research [1951]
435 p. ports. 24 cm.
"Personalities of music & dance": p. [159]-385.
1. Music—New York (State) 2. Music—New York (State)—Bio-bibl. 3. Dancing—New York (State) 4. Dancers. 5. New York (State)—Biog. I. Spaeth, Sigmund Gottfried, 1885- ed. II. Perlman, William J., ed.
ML200.7.N7M8 1952 780.9747 52-58
CoU MB
NM 0909259 DLC WaT WaS TU NN IaU FU NBuU PSt

Music and dance in Pennsylvania, New Jersey, and Delaware. Sigmund Spaeth, editor-in-chief; William J. Perlman, director & managing editor; Philip Ballotta, assistant editor [and] Guy Marriner, chairman, Advisory Editorial Board. New York, Bureau of Musical Research [1954]
339 p. ports. 24 cm.
Biographical section: p. [169]-305.
Classified professional directory: p. [307]-324.
1. Music—Pennsylvania—Bio-bibl. 2. Music—New Jersey—Bio-bibl. 3. Music—Delaware—Bio-bibl. 4. Dancers. 5. Music—Addresses, essays, lectures. I. Spaeth, Sigmund Gottfried, 1885- ed. II. Perlman, William J., ed.
ML200.7.P3M8 780.4 54-14250
OOxM PLF PPT IaU
NM 0909260 DLC OrP WaS PSt IU TxU FU CoU NIC NN

ML200 .7 C4M8
Music and dance in the central states. Ed. by Richard Drake Saunders; comp. by William J. Perlman. Hollywood, Calif., Bureau of Musical Research [c1952]
173 p. (p.163-173, advertisements) ports.
"Personalities of music and dance": p.67-162.
1. Music - Central States. 2. Dancing - Central States. 3. Music Central States - Bio-bibl. 4. Dancers. 5. Central States - Biog. I. Perlman, William J., comp. II. Saunders, Richard Drake, 1898- ed.
NM 0909261 CU PSt MiD OCl NN PSt OU

Music and dance in the New England States, including Maine, New Hampshire, Vermont, Massachusetts, Rhode Island & Connecticut. Sigmund Spaeth, editor-in-chief; William J. Perlman, director & managing editor. New York, Bureau of Musical Research [1953]
347 p. ports. 24 cm.
"Biographical section": p. [157]-309.
"Classified professional directory": p. [311]-332.
1. Music—New England. 2. Music—New England—Bio-bibl. 3. Dancing—New England. 4. Dancers. I. Spaeth, Sigmund Gottfried, 1885- ed. II. Perlman, William J., ed.
ML200.7.N3M8 780.974 53-3437
MB NN IU FU TxU CoU
NM 0909262 DLC WaS OrP NcGU OU PPT PP PSt OOxM

Music and dance in the Southeastern States, including Florida, Georgia, Maryland, North & South Carolina, Virginia & the District of Columbia. Sigmund Spaeth, editor-in-chief; William J. Perlman, director & managing editor. New York, Bureau of Musical Research [1952]
331 p. ports. 24 cm.
"Classified professional directory": p. [293]-317.
1. Music—Atlantic States. 2. Music—Atlantic States—Bio-bibl. 3. Dancing—Atlantic States. 4. Dancers. 5. Atlantic States—Bio-bibl. I. Spaeth, Sigmund Gottfried, 1885- ed. II. Perlman, William J., ed.
ML200.7.S7M8 780.975 52-13292
PPT PU-Music OU OU MiU OrU
NM 0909263 DLC WaS OrP OrU NSyU MB TU PSt NN OU

Music and drama. New York
see
The Standard and Vanity fair.

PN2000 M8 RARE BOOK COLLECTION
Music and drama.
v.1-7, 15-16;
1882-1901. Jan.-June 1887, Jan.-Dec.1891.
San Francisco.
v. in 52-64 cm.
Caption title: San Francisco music and drama; the only theatrical journal published on the Pacific slope (later Pacific coast)
1. Theater-Period., soc., etc. 2. Theater- The West- Hist. 3. Theater-Calif.- Hist. I. Title: San Francisco music and drama.
NM 0909265 CU-A NN

The Music & dramatic news. [Melbourne]
v. illus., ports. 31 cm. monthly.
Includes music.
1. Music—Period. 2. Music—Australia.
ML5.M639 60-55783
NM 0909266 DLC

Music and friends.
see under Gardiner, William, 1770-1853.

Music and its influence, or An enquiry into the practice of music.
See under
[Robson, Isaac]

Music and its lovers
see under [Paget, Violet] 1856-

Music & letters. v. 1- Jan. 1920- London, Oxford University Press [etc.]
v. ports., facsims., music. 25 cm. quarterly.
INDEXES:
Author and subject indexes.
Vols. 1-5, 1920-24, with v. 5.
Vols. 6-10, 1925-29, in v. 10.
Vols. 11-15, 1930-34, with v. 15.
Book reviews: author and subject indexes.
Vols. 2-14, 1921-33, in v. 15.
Author and subject index of articles and book reviews.
Vols. 1-40, 1920-59. 1 v.
1. Music—Period.
ML5.M64 63-24794/MN
IaCfT TxDW
MeWC PPiD FTaSU ArU MCM INS MdBP ABS CaNBSaM
MoS RP KyU IC MtU DCU CU MBU CaOTU CaOONL CMC
CtNlC P IaDm IMunS TxCaW MoSU IaAS DCU TNJ-P InRE
NM 0909270 DLC OU WvU OrCS FU CtY-Mus NcRS N P

Music and letters. v. 1- Jan. 1920-
London, Oxford University Press [etc.]
v. port., facsims., music. quarterly.
Microfilm. Ann Arbor, Mich., University Microfilms. reel 1-
1. Music - Periodicals.
NM 0909271 MsSM PSt

Music & letters.
... Beethoven ... London [1927] 2 no. in 1 v. facsims. (incl. music), illus. (music), ports. 25½cm.
Cover-title.
Vol. 8, no. 2-3 of Music & letters.
Contains articles by Richard Aldrich, E. Blom, F. Bonavia, and others.
211517B. 1. Beethoven, Ludwig van, 1770-1827.
N. Y. P. L. December 21, 1942
NM 0909272 NN CU MiD

ML410 B4M8
Music and letters.
Beethoven, born Dec. 16 (?), 1770, died March 26, 1827. London [c1927]
[101]-294 p. illus. 25 cm. (Music and letters, v.8, no.2; April 1927)
Cover title.
Issued as special number of periodical.
NM 0909273 OrPR

Music and liturgy
see Life and worship.

Music and musicians [London]
v. illus., ports. 29 cm. monthly.
Began publication in 1952. Cf. Willing's press guide, 1958.
Editor: 19 E. Senior.
1. Music—Period. I. Senior, Evan, ed.
ML5.M642 780.5 59-29972
NM 0909275 DLC

Music and musicians. London.
see also its later title Music and musicians and the Music magazine.

Music and musicians; devoted principally to the interests of the Northwest. v. 1- Feb. 1915-
[Seattle] D. S. Craig [1915-
v. illus. 35cm. monthly.
1. Music—Period.
18-20388
Library of Congress ML1.M226
NM 0909277 DLC WaS Wa OrP CU PPGi MdBE

Music and musicians; international musical review. v. 1- Oct. 15, 1915-
Brooklyn, N. Y., Royal musical academy [etc., 1915-
v. illus. (incl. music) 39½cm.
Semimonthly, Oct. 1915-Feb. 1916; monthly, Mar. 1916-
English and Italian.
Editor: Oct. 1915- Alfredo Salmaggi.
1. Music—Period. I. Salmaggi, Alfredo, ed.
18-20389
Library of Congress ML1.M227
NM 0909278 DLC

780.5 MUSIM
Music and musicians & the music magazine.
v.1-
1952-
London, Hansom Books.
v. illus. 28cm. monthly.
Title varies: 1952-Jan.1966, Music and musicians.
Absorbed The Music magazine, Feb.1966.
NM 0909279 IU MiU KU CU LU OrU

VOLUME 403

Music and musicians & The Music magazine
see also its earlier title Music and musicians. London.

Music, and other poems...
see under Van Dyke, Henry, 1852-1933.

Music and recordings. 1955-
New York, Oxford University Press.
v. illus., ports. 22 cm. annual.
Editor: 1955- F. V. Grunfeld.

1. Music—U. S. I. Grunfeld, Frederic V., ed.

ML1.M22743 780.973 55—10930

NM 0909282 DLC UU CaBVa IdU Or OrP WaE OAkU LNHT

Music and rhythm. v. 1-
Nov. 1940- [Chicago, Music and rhythm publishing company, 1940-
v. in illus. (incl. ports.) 20-30½cm. monthly.
Volume numbers irregular: Nov. 1940-Apr. 1941 called v. 1, no. 1-6; May 1941-July 1942, v. 2, no. 7-19; Aug. 1942- v. 3, no. 8-
No numbers were issued for July 1941, Feb. 1942.
Includes music.

1. Jazz music—Period.

Library of Congress ML1.M22745 44-11469
[2] 780.5

NM 0909283 DLC

Music, and the Art of dress
see under [Eastlake, Elizabeth (Rigby) lady] 1809-1893.

Music and your emotions; a practical guide to music selections associated with desired emotional responses. Prepared for the Music Research Foundation, inc., by Alexander Capurso [and others] New York, Liveright Pub. Corp. [1952]
128 p. 22 cm.

1. Music—Physiological effect. 2. Music therapy. I. Music Research Foundation. II. Capurso, Alexander Alexis.

ML3920.M896 780.13 52-9662

WaU TNJ WaE WaS IdU OrSaW PWcS
TU ODW PSt PP OU MiD AAP NcD CoU PSt ICN MoU KMK
NM 0909285 DLC CaBVa OrP Wa CU OOxM MdBP TxU MB NN

Music and youth; the first music magazine for young people in America. v. 1- Oct. 1925-
Boston, Mass. [etc.] Evans brothers, 1925-27; New York, N. Y., G. Schirmer, inc., 1928-
v. illus. 31cm. monthly (except July and Aug.)
Includes music.
Editor: Jan. 1926-Dec. 1927, Robert Evans.—Jan.-Dec. 1928, J. L. Bratton.—Jan. 1929- H. W. Hart.
"Publication office, Rumford press, Concord, N. H.", Dec. 1925-Jan. 1927.

1. Music—Period. I. Evans, Robert, ed. II. Bratton, John L., ed. III. Hart, Henry W., ed.

Library of Congress ML1.M2279 29-6244

NM 0909286 DLC WaS MB CtY-Mus NIC OCl

Music and youth
see also Music. Formerly Music and youth.

Music appreciation for boys and girls.
See under
[Reynolds, Ruth E

Music as performed by the Grammar Schools of Philadelphia under the direction of Prof. Jean Louis, July 5, 1875, at the Machinery Hall, Centennial Grounds Phila., 1875.
16 p.
At head of title: 1776 - 1876.
DLC: 32.

NM 0909289 PHi DLC

... Music as recreation
see under [Lee, Sylvia]

Music at home
see
Hi-fi music at home.

M1 .M91 Mss room [Music and songs, with instructions for dancing Joe's jig, etc. 1744?]
[44] p. 10½x20cm.
Manuscript.
Fly leaf signed: Michael Russell, 1744.

1. Music—Manuscripts. 2. Manuscripts, English. 3. Dance music, English.

NM 0909292 ICU

---

34 3010 Music and stage.
New York, 1901-

NM 0909293 DLC

---

705 M973 Music and theatre digest. 1951-
Supersedes Musical digest and Theatre digest.

1. Music. Periodicals, societies, etc. 2. Theater. Periodicals. societies, etc.

NM 0909294 OrU

Music Association of Hollins College
see Hollins College, Hollins, Va. Music Association. [Supplement]

Tzz 283.0964 G139m
Music at Trinity Church. [Galveston? Tex., 1949?]
19p. 29cm.
Cover title.
William M. Morgan furnished part of the source material for this work. Cf. p.2 of cover.
In script on p.2 of cover: For my good friend Dr. Henry Cohen. Thomas G. Rice, Galveston, Texas, July 13, 1949.
1. Galveston, Tex. Trinity Church - Hist. I. Rice, Thomas G., supposed author. II. Morgan, William Manning, 1891-

NM 0909296 TxU

PO 4577 .M98 FC [Music based on the works of Charles Dickens. London, 18--]
9 pieces in portfolio. 38½ cm.

Contents.- Walter & Florence... the subject from ..."Domboy and son", written by Joanne Chandler. The music by Stephen Glover.- The fruit gatherers, song. Founded on an incident in "The battle of life" ...written by Fanny E. Lacy ... composed & arranged by Edwin Flood. - Little Dorrit's polka...composed by Jules Normann.- The Pickwick quadrille, composed by Fred. Revallin.- Jullien's chimes quadrilles.- The chimes quadrille, composed... by Lancelott.- The celebrated chimes quadrilles.-

"Floating away" ... written by J. E. Carpenter, composed by John Blockley.- Little Nell, waltz by Dan Godfrey.

NM 0909298 MdBJ

Music book. v. 1- 1944-
London, Hinrichsen Edition Limited.
v. illus. 19 cm.
Vol. for 1944 issued as Musical surveys, v. 1, no. 1.
Vols. for 1945-46 (2/3) and 1947-48 (4/5) are combined issues.
Title varies: 1944, Hinrichsen's year book; music of our time.—1945-46—1949/50, Hinrichsen's musical year book.
Editor: 1944- M. Hinrichsen (with R. Hill, 1944—1945-46)

1. Music—Almanacs, yearbooks, etc. 2. Music—England. I. Hinrichsen, Max, 1901- ed. (Series: Musical surveys, v. 1, no. 1)

ML21.M8 45-16956 rev 2*‡

MeB AAP CU
NNC NcD TNJ-P FU TxU OCl MiU IU NN PSt CBDP IEG
NM 0909299 DLC OrPR CaBVaU IdPI NSyU CNoS DAU NIC

[Music book,manuscript. "Sally Cushing's book." 1790?]
[47] p. 12 x 20cm.

Manuscript copies of complete compositions--mostly fuguing tunes--with treble parts to other compositions.
Probably after 1782,the date of first publication of Edson's Greenfield,one of the tunes.

NM 0909300 MiU-C

---

rare bk. coll. M 1 A13M8
Music book. [Philadelphia, George E. Blake, 1803?-]
49 items in 1v. 33 cm.

Binder's title; also on spine: Eliza B. McCabe
Contains 26 items of vocal music, mostly for voice & piano, and 23 items, "for pianoforte or harp."
All items published in Philadelphia by G.E. Blake.
No. 22 is the Star Spangled Banner in the

edition described by J. Miller in his bibliog. The Star Spangled Banner, words and music issued between 1814-1864 (New York, 1935) p. 52-57.

1. Songs with piano. 2. Piano music. I. Blake, George E., firm, music publisher. Philadelphia.

NM 0909302 NcGU

[Music book,manuscript; treble voice part, 1790?]
ms.music: 26,[3] l.; 24 blank leaves. 3 x 19cm. (in case 20 cm.high)
Some are American tunes.

1.Music-Manuscripts.

NM 0909303 MiU-C

VOLUME 403

The **Music** box...
v. 1-
New York, 1922- f°.
v. illus.

Monthly during the school year.
Published by the Students Organization of the Society of the Music School Settlement of the City of New York.

1. Music—Per. and soc. publ. 2. Music settlements.
N. Y. P. L. February 27, 1928

NM 0909304 NN

Music bulletin. Brooklyn.
see under Brooklyn Library.

The **Music** bulletin.
v.
London, 19 8°.
v. illus.

Monthly.
Published by the British Music Society.
Title varies: 1922, The British music bulletin; 1923- , The Music bulletin.

1. Music—Per. and soc. publ.
N. Y. P. L. February 4, 1926

NM 0909306 NN NBuG IU

The music bulletin. London
see also its earlier title The British music bulletin.

FILM 780.5 MUSBU
The Music bulletin. v.1-17, no.1-2; Sept.1914-Feb.1932.
New York, American Book Co., Music Dept.
17v.

Frequency varies.
"Intended to be of assistance to supervisors of music and grade teachers, to broaden their horizon by supplying practical and timely articles on various phases of school music."
Supersedes Extension bulletin.
Microfilm (negative) Washington, Library of Congress Photo-duplication Service, 1971.
1 reel. 35mm.

NM 0909308 IU

Music business. v. 1-
Dec. 1944-
[New York]
v. illus., ports. 32 cm. monthly.

Includes music.
Title varies: Dec. 1944-Dec. 1946, Tune-dex digest; concise facts, news and gossip of the music business.

1. Music—Period. 2. Music—U. S.

ML1.M2285 780.5 49-25383 rev*

NM 0909309 DLC NN MB

MUSIC calendar.
N.Y., Peters corp. illus. ports. facsims. music (facsims.)

NM 0909310 WaS PP

---

*ML15.B9 M9
... Music calendar for Buffalo; compiled annually for the convenience of musicians, and those interested in hearing them.

[Buffalo, N. Y.] 1931-

cover-title, vols. 28cm.x25cm.in30½cm.

Mimeographed.
Distributed without charge.
Title varies.
Editors: Harry W. Whitney, 1931/32-1940/41; Grosvenor Library, 1941/42

NM 0909311 NBuG

Music, cantelenas, songs, etc., from an early fifteenth century manuscript ... [London, Printed at the Dryden press, by J. Davy & sons] 1906.

ix, [45] p. incl. facsims. 30½ x 25cm.

Editor's note signed: L. S. M.
"One hundred copies privately printed."
Facsimile of the music and transcription into modern notation on opposite pages.
"Twelve of these songs are in English and four in French."

1. Songs, Medieval. 2. Songs, English. 3. Songs, French. 4. Part-songs—Early to 1800. I. M., L. S., ed. II. L. S. M., ed.

44-15461

Library of Congress M2.M63

NM 0909312 DLC PP ICU IaU NN MB MH CtY FU

Music clubs magazine
see Showcase; music clubs magazine.

The music code of ethics
see under Music Educators National Conference.

M1 .M92 Mss room
Music collection. Anthems, serenades, violin and organ music, etc.
26 v. 24x30cm.-30x23½cm.
Manuscript.
From Baroness Burdett-Coutts' collection.

1. Music—Collections. 2. Music—Manuscripts. 3. Manuscripts, English.

NM 0909314 ICU

La 780.8 M98
[Music collection of New Orleans imprints.
New Orleans, 1830-1940]
7 boxes. 38 x 30cm.

Music arranged alphabetically by publishers prominent in New Orleans from the 1830's to 1940.
Among those New Orleans publishers represented are Manouvrier, Mayo, Gabici, Lehmann, Blackmar, Hart, Grunewald, Werlein, Wehrmann - many of whom were talented musicians as well as publishers. They were responsible for attracting outstanding musical events to the Crescent City and making it one of the foremost music centers of the U.S. until the 1920's.
The Confederate song Bonnie Blue Flag was first published in New Orleans by Blackmar.

NM 0909316 LU

[Music composed in 1824 for General Lafayette.
New York, Philadelphia, Baltimore, Washington, 1824]
29 no. in 1 v. 34cm.

Binder's title.
Contains 17 pieces of printed sheet music and 12 manuscript pieces. They were presented to Gen. Lafayette during his American visit in 1824 and later bound in one volume.
Each printed number separately cataloged; see list in volume.

1. Lafayette, Marie Joseph Paul Yves Roch Gilbert du Motier, marquis de, 1757-1838—Songs & music.

NM 0909317 MiU-C

[Music containing allusions to chess] n.p., 1888

NM 0909318 NjP

Music corporation of America.
Music corporation of America presents the greatest show on ice, "International ice review"...starring Maribel Y. Vinson...n.p. 1937?
12 p.

NM 0909319 OClWHi

Music Data Company, *Chicago.*
Operatic aria reference. Chicago [1946]
36 p. 22 cm.
Cover title.

1. Vocal music—Bibl. I. Title.

ML128.V7M9 781.97 49-40891*

NM 0909320 DLC MB

Music defended... Lond., 1846.

NM 0909321 PHC

The **Music** director.
[Tampa, Fla.]
v. in ports. 30 cm. monthly (except July)

"Established in 1947 as The School director."
Official publication of Florida Music Educators Association and, Feb. 1961- Florida State Music Teachers Association.
Issues for Feb. 1961- include a section The Florida music teacher, v. 3, no. 1-

1. Music—Period. 2. School music—Instruction and study—Period. 3. School music—Instruction and study—Florida. I. Florida Music Educators Association. II. Florida State Music Teachers Association. III. Title: The Florida music teacher.

ML1.M2325 63-25707/MN

NM 0909322 DLC FMU

Music directory and musicians' register of Greater New York.
[18
New York: J. T. Cowdery[, 18 8°.
v.

Compiler : 18 M. L. Pinkham.

1. Music—Direct. 2. New York City—Music—Direct.
N. Y. P. L. December 9, 1924

NM 0909323 NN

There are no cards for numbers NM 0909324 to NM 910000

Music education conference, *University of Texas*
see
Texas. University. *College of fine arts.* Music education conference.

780.65 M973
Music Education Exhibitors Association.
Business handbook of music education.
[6th ed.] n.p. [1951]
23p. 24cm.

1. Music trade. U.S. I. Title.

NM 0910002 OrU

VOLUME 403

MT220 .M9
MUSIC EDUCATION LEAGUE, INC.
Piano auditions syllabus and comprehensive guide for piano teachers; a broadly planned selection of compositions flexibly adapted to the varying talent in each age group herein represented. New York [1952]
102 p.

Cover title.

1. Piano--Instruction and study. I. t.

NM 0910003 InU IaU CoU OrP

Music education league, inc.
Pianoforte syllabus; graded teachers' and students' guide, presented by the Music education league, inc.; auditions program for the five-year period, seasons, 1943-1944 to 1947-1948.
New York, [1945]
50 p.
Cover-title.
"Required special test pieces for pianoforte soloists, season 1944-1945 in pocket at back.

NM 0910004 WaS

Music Education Research Council
see Music Educators' National Conference. *Music Education Research Council.*

Music education school, Portland, Ore.
see Portland, Ore. Music education school.

Music education series; manual for teachers ...
see under Giddings, Thaddeus Philander, 1869- comp.

Music education source book
see under Music Educators National Conference.

Music education; the proceedings of the Workshop on Music Education, conducted at the Catholic University of America...
see Catholic University of America. Music Education Workshop. Proceedings.

Music Education Workshop, *Catholic University of America*
see
Catholic University of America. *Music Education Workshop.*

Music education workshop, University of Arkansas
see Arkansas. University. Music education workshop, 1950. [supplement]

Music educators' journal. 1- ; Sept. 1914- . Madison, Wisc.; Ann Arbor, Mich. etc.] 1914-
v. in illus. 29 cm. monthly Sept. through May.
DLC: ML1.M234
v.1-20, 1914-Aug. 1934: Music supervisors' journal.
"Official publication of the Music Educators' National Conference".

NcDur MoU CoU CtY NSyU CaOTU KMK OAkU FU KAS DLC IaCfT NIC NNStJ GU P KyLoU Nh MBu CU PSt Mi MoSW IaDm MtU PPiD OkTU OU TxCM OC MiU MH-Ed TxLT ABS LNL HU CoD
NM 0910012 NcGU TxDW OrCS ScCleU IU NdU FM

Music educators national conference.
American songs for American children; American unity through music. Presented by the Music educators national conference at the 1942 biennial meeting, Milwaukee, Wisconsin, March 26–April 2, in cooperation with the Music division of the Library of Congress. [Chicago, Ill., The Music educators national conference, 1942]
19 p. 22½cm.
Melodies unaccompanied.
"The notes on the songs were prepared by Mr. [Alan] Lomax."—p. 2.
1. Folk-songs—U. S. I. U. S. Library of Congress. Division of music. II. Lomax, Alan, 1915- III. Title. IV. Title: American unity through music.
42-16012
Library of Congress M1629.M96A6
[2] 784.4973

NM 0910013 DLC MB

780.071 M97a
Music Educators National Conference.
Are you interested in music as a vocation? [Chicago, 1944?]
11p. 22cm.
"Music as a vocation. Reprint of Music Education Research Council Leaflet no.207": p.2-3.
"Music education as a profession. A reprint of a special bulletin prepared by Music Educators National Conference for the Music Advisory Council of the Joint Army and Navy Committee on Welfare and Recreation": p.4-11.

NM 0910014 IU

Music educators' national conference.
Bulletin
see under Music educators' national conference. Music education research council.

Music educators national conference.
Choruses for use in the choral program of the National Supervisors' Conference, March 30th to April 3rd, 1925, Kansas City, Missouri.
Paul John Weaver, conductor. n.p., 1925.
v.p.

NM 0910016 OCl

Music Educators' National Conference.
Committee reports
see its
Progress report.

Music educators national conference.
Conference digest of the Music educators national conference. Widening horizons for music education. Ninth biennial meeting, St. Louis, Missouri, March 2-8, 1944. [St. Louis? 1944]
39 l. 28 x 21½cm.
Reproduced from type-written copy.
"Includes progress reports of a majority of the 1944 committee studies and abstracts of several of the addresses given during the ... meeting."
1. Music—Societies. 2. Music—Instruction and study—U. S. I. Title: Widening horizons for music education.
45-13359
Library of Congress ML27.6.U5M8 1944
[2] 780.72

NM 0910018 DLC

Music Educators National Conference.
Contemporary music for American schools
see under Music Educators' National Conference. Committee on Contemporary Music, 1944-1948.

Music Educators' National Conference.
18 songs for community singing, selected by the National Conference of Music Supervisors... Boston: C. C. Birchard & Co. [cop. 1913.] 1 p.l., 13 p. 4°.
On cover: Standard songs, no. 2.
Words and music.

1. Songs.—Collections. 2. Community music.
N. Y. P. L. September 26, 1918.

NM 0910020 NN RPB

Music educators national conference
Eighteen songs for community singing; selected by the National conference of music supervisors. Boston, C. C. Birchard and co., 1914
26 p.

Complete edition.
cover title; Standard songs no. 2.

NM 0910021 OCl

Music Educators National Conference.
The evaluation of music education
see under
Music Educators National Conference. Commission of Accreditation and Certification in Music Education.

Music educators national conference.
... 55 community songs
see under [Dykema, Peter William] 1873- , ed.

Music Educators National Conference.
55 songs and choruses for community singing, selected by the National Conference of Music Supervisors. Complete ed. Boston, C.C. Birchard [c1917]
76 p. 22 cm.
For voice and piano.
1. Song-books. I. Music Educators National Conference.

NM 0910024 MB

Music educators national conference.
Free men; the drama of democracy, adapted from "The education of free men in American democracy." Prepared for the Educational policies commission by the Music educators national conference. Washington, D. C., Educational policies commission, National education association of the United States, and the American association of school administrators, °1942.
23 p. 23cm.
Without the music.
I. National education association of the United States. Educational policies commission. The education of free men in American democracy. II. National education association of the United States. Educational policies commission. III. American association of school administrators. IV. Title.
42-14482
Library of Congress LC189.N37M8
[2] 370.973

NM 0910025 DLC PPPL

MT 918 .M98 1952
Music Educators' National Conference.
The function of music in the secondary-school curriculum. Material assembled by Sadie M. Rafferty with the assistance of J.J.Weigand. Material organized and edited by Vanett Lawler. Washington, National Association of Secondary-School Principals, 1952.
126 p. (The Bulletin of the National Association of Secondary-School Principals, v.36, no.189)
1.School music--Instruction and study. I.Rafferty, Sadie. II.Title.

NM 0910026 MiU FU MtU OrPS OrMonO

780.72 M973f
Music Educators National Conference.
The function of music in the secondary-school curriculum. Published in cooperation with the National Association of Secondary-School Principals. [Material assembled by Sadie M. Rafferty with the assistance of J.J. Weigand. Material organized and edited by Vanett Lawler] Chicago [c1952]
57p. 22cm.
Cover title.
"Reprint edition of the Bulletin (November 1952) of the National Association of Secondary-School Principals.
1. School music - U.S. I. Rafferty, Sadie. II. Title.

NM 0910027 TxU NNU OU IU MiU CoU PLF

VOLUME 403

Music Educators' National Conference.
Guide for conducting piano classes in the schools
see under Music Educators' National Conference. Committee on Instrumental Affairs. Piano section.

Music Educators National Conference.
Handbook for teaching piano classes
see under
Music Educators' National Conference. Piano Instruction Committee.

Music Educators' National Conference.
I hear America singing; 55 songs and choruses for community singing. Boston, C. C. Birchard, °1917.
close score (47 p.) 22 cm.
Cover title.
"This collection succeeds 18 songs for community singing."

1. Song-books. I. Title.

M1977.C5M8 M 57-512

NM 0910030 DLC RPB OO IU OCl WaE

Music Educators' National Conference.
Journal of proceedings
see its
Yearbook.

ML1 .J6 Music Educators' National Conference.
Journal of research in music education. v. 1- spring 1953-
[Chicago]

ML120 .S7P24 Music educators national conference.
Pan American union. *Division of music and visual arts.*
Latin American music published in connection with the Editorial project of the Music division of Pan American union in cooperation with the Music educators national conference, and a partial list of other publications of Latin American music and books on Latin American music. [Washington] Music division, Pan American union, 1942.

780.69 M97m Music Educators National Conference
The music code of ethics; an agreement defining the jurisdictions of professional musicians and school musicians. Washington [1947?]

NM 0910034 MtBC

Music Educators' National Conference.
Music education curriculum committee reports
see Music Educators' National Conference. Music Education Curriculum Committee.
Reports.

Music Educators' National Conference.
Music education in the secondary schools. Recommendations approved by the North Central Association of Colleges and Secondary Schools. [Chicago, 1951?]
10 p. 23 cm.
"Reprinted from the Music education source book."
"The recommendations with respect to music were prepared and authorized by the Music Educators' National Conference."

1. School music - Instruction and study - U.S. I. North Central Association of Colleges and Secondary Schools.

NM 0910037 MiU OrSaW

Music Educators' National Conference.
Music education materials; selected bibliography.
see its Selected bibliography: Music education materials...

Music Educators' National Conference.
MUSIC education source book. no. [1]-
Chicago, Music educators national conference [1947- v. 24cm.

"Compendium of data, opinions and recommendations compiled from the reports of investigations, studies and discussions" conducted by various committees of the Music educators national conference.
Some vols. have also a distinctive title: 1955, Music in American education; etc., etc.

1. School music--U.S. 2. School music--Outlines, syllabi, etc. 3. School music--Instruction. I. Music educators national conference.

NM 0910040 NN MiU

Music Educators' National Conference.
Music education source book; a compendium of data, opinion, and recommendations; compiled from the reports of investigations, studies, and discussions conducted by the MENC curriculum committees during the period 1942-1946, and a selection of pertinent material from current releases of the organization. Edited by Hazel Nohavec Morgan. Chicago [1947]
xiii, 256 p. 24 cm.
Includes bibliographies.
1. School music—Instruction and study—U. S. 2. Music—U. S. I. Morgan, Hazel (Beckwith) Nohavec, ed. II. Title.

MT3.U5M8 1947 780.72973 48-202 rev*

OU PP NcGU NN Mi MiU
MtU OrP OrU WaS WaSpG WaTC OrSaW MB WU TU TxU PU
NM 0910041 DLC NBuC CU MiD MiEM CaBVaU IdU MtBC Or

MT 3 .U6 M94 1949 Music Educators' National Conference.
Music education source book; a compendium of data, opinion and recommendations, compiled from the reports of investigations, studies and discussions conducted by the MENC curriculum committees during the period 1942-1946, and a selection of pertinent material from current releases of the organization. Edited by Hazel Nohavec Morgan. 3d print., with appendix revisions. Chicago [1949]
264 p.
1. School music--Instruction and study--U.S. 2. Music--U.S. I. Morgan, Hazel (Beckwith) Nohavec, ed. II. Title.

NM 0910042 MiU CoU PSt

Music Educators' National Conference.
Music education source book; a compendium of data, opinion, and recommendations, compiled from the reports of investigations, studies, and discussions conducted by the MENC curriculum committees during the period 1942-1946, and a selection of pertinent material from other sources, including additions to the appendix made available in the 1950-51 biennium. Edited by Hazel Nohavec Morgan. Chicago [1951]
268 p. 24 cm.
1. School music—Instruction and study—U. S. 2. Music—U. S. I. Morgan, Hazel (Beckwith) Nohavec, ed. II. Title.

MT3.U5M8 1951 780.72973 52-2150 rev ‡

Or OrCS CaBViP IU NN
NM 0910043 DLC ICU TxU OrSaW WaS OrPS OrP OrMonO

MT3 .U5M8 1955 Music Educators' National Conference.
Music education source book; a compendium of data, opinion and recommendations; comp. from the reports of investigations, studies and discussions conducted by the Music in American Education Committees of the MENC during the period 1951-54, with which is included selected material from other sources. Ed. by Hazel Nohavec Morgan.

Chicago [1955]
365 p. 24 cm.

Includes bibliographies.

NM 0910045 TU OCU

Music Educators' National Conference.
Music educators' journal
see under title

Music Educators National Conference.
Music Educators National Conference. [Program of] meeting.
Chicago.
v. 21 cm.

1. Music—Societies, etc.

ML27.U5M65 780.72 53-36652 ‡

NM 0910047 DLC

Music educators national conference
Music educators national conference, a department of the National education association of the United States. Rev. ed. Author, 1948.
23 p.

NM 0910048 OrP

Music Educators' National Conference.
Music for everybody
see under Music Educators' National Conference. Committee on School-Community Music Relations and Activities.

Music Educators' National Conference.
Music for small instrumental ensembles: a survey
see under Music Educators' National Conference. Committee on Instrumental Affairs.

Music Educators' National Conference.
Music in American education. Music education source book, number two; a compendium of data, opinions, and recommendations compiled from the reports of investigations, studies, and discussions conducted by the Music in American Education Committees of the MENC during the period 1951-54, with which is included selected material from other sources. Edited by Hazel Nohavec Morgan. Chicago [1955]
xii, 365 p. 23 cm.

"Successor and companion volume to the first Music education source book."
Includes bibliographies.

1. School music—Instruction and study—U. S. 2. Music—U. S. I. Morgan, Hazel (Beckwith) Nohavec, ed. II. Title. III. Title: Music education source book.

MT3.U5M78 780.72973 56-399

OrU OrPS OrSaW WaS
FMU MiU CoU TxU PSt KyLxCB OrAshS OrLgE OrP
MB OU IU CU IEN OOxM OClW PIm C OCl LU FTaSU
NM 0910051 DLC MsSM PPPL NN CaBVaU MtBC MtU

VOLUME 403

Music Educators' National Conference.
Music in the elementary school. Chicago [©1951]
56 p. illus. 23 cm.
Cover title.
"Containing most of the pertinent material from the special Music education issue of the National elementary principal, together with additional material pertaining to music education in the elementary schools."

1. School music—Instruction and study—U. S. I. Title.

MT1.M984 *372.878 780.72 53-2983 ‡

ViU TxU
NM 0910053 DLC FU MtU OrAshS OrCS OrLgE OrPS IU

Music educators national conference.

U. S. *War dept. Bureau of public relations.*
Music in the national effort. [Washington, U. S. Govt. print. off., 1942]

[**Music educators national conference**]
Music of the United nations ... [Chicago, Music educators national conference, 1942?]
1 p. l., 18 numb. l. 35½cm.
Mimeographed.
"This catalogue is issued through the co-operative efforts of the Music division of the Pan American union, the Division of music of the Library of Congress, the Music educators national conference, and the Conference auxiliaries, the National school band, Orchestra and Vocal associations."—Prelim. leaf.
"Additional copies may be obtained from the Music educators national conference, 64 East Jackson blvd., Chicago, Illinois."—Prelim. leaf.

CONTENTS.—National airs and folk songs for unison singing.—Choral music.—Band music.—Orchestral music.—Miscellaneous.

1. United nations (1942-)—Songs and music—Bibl. 2. National songs—Bibl. 3. Music—Bibl. I. Pan American union. Music division. II. U. S. Library of Congress. Division of music. III. Title.

Library of Congress ML128.W2M8 42-18627
[2] 781.97

NM 0910056 DLC MB

Music Educator's National Conference.
Music supervision and administration in the schools
see under Hosmer, Helen M ed.

Hum MT 9 M8
Music Educators National Conference.
Official adjudication forms. Washington, D.C., Music Educators National Conference [n.d.]
set of 17.

1. Musical ability - Testing. I. Title: Adjudication forms.

NM 0910058 FTaSU

Music educators national conference.
Official committee report no. 1- ... Chicago, Ill., Music educators national conference [1930-
v. 22½cm.
Vol. 1 has imprint: Ithaca, N. Y., Music supervisors journal.
CONTENTS.—no. 1. Report of the Committee on vocal affairs. 1st ed., 1930.—no. 2. Graded course in music appreciation for the first six grades. 3d ed., July, 1938.—no. 3. Music for small instrumental ensembles; a survey. 1st ed., 1934.

Library of Congress MT10.M93O4 41-16112
[2] 780.72

NM 0910059 DLC MB OC1 OOxM OO

Music Educators' National Conference.
Official Program, 13th annual meeting. Mar. 22 to 26, 1920. Phila.

NM 0910060 PHi

ML27 .U5 A83362 1939 b
Music educators' national conference.

American musicological society. *International congress. 1st, New York, 1939.*
Papers read at the International congress of musicology, held at New York, September 11th to 16th, 1939, edited by Arthur Mendel, Gustave Reese, and Gilbert Chase. New York, Pub. by the Music educators' national conference for the American musicological society [©1944]

MT1 .S9
Music Educators' National Conference.

Sur, William Raymond, *ed.*
Piano instruction in the schools; a report and interpretation of a national survey. Chicago, Music Educators' National Conference [1949]

L111 .A6 1921, no. 9
Music Educators' National Conference.

National Education Association of the United States.
Present status of music instruction in colleges and high schools, 1919-20. Report of a study made under the direction of the United States Bureau of Education by a joint committee of the National Education Association, Music Teachers' National Association, and Music Supervisors' National Conference. Washington, Govt. Print. Off., 1921.

Music Educators' National Conference.
Progress report. 1942/44-
[St. Louis, etc.]
v. 28 cm.
Title varies: 1942/44- Committee reports.

1. Music—Societies, etc. 2. School music—Instruction and study—U. S.

ML27.U5M66 780.72 45-17686 rev*

NM 0910064 DLC LU MB MiU NcGU ODW OC1 PP

Music Educators' National Conference.
Selected bibliography: music education materials prepared for the United States Department of State by a special committee of the Music Educators' National Conference. Limited ed. for distribution in the United States. Chicago, Ill. [1951]
64 p. 29 cm.
Cover title.
"Prepared ... as a guide in the selection of materials which are distributed ... by the Department of State to cultural institutes of the United States in other countries."

1. Music - Instruction and study - U. S. - Bibl.

NM 0910066 MiU OrU IEN IdPI OrSaW N FU

MUSIC EDUCATORS NATIONAL CONFERENCE.
Selected bibliography: music education materials. Prepared for the United States Department of state by a special committee of the Music educators national conference. Chicago [1952?] 64 p. 28cm.

Cover title.
1. School music--Bibl. 2. Instruction and study--Bibl. 3. Music--Instruction and study--Bibl. I. United States. State dept. t. 1952

NM 0910067 NN

Music Educators' National Conference
Standard songs, no. 2
see its 18 songs for community singing.

372.878 M987S
Music Educators National Conference.
State supervision of music: a handbook prepared by the National Council of State Supervisors of Music of the Music Educators National Conference. Washington (n.d.)
58p.

Includes bibliography.

1. Music - Instruction and study I. Title.

NM 0910069 NBC

Music Educators' National Conference.
Survey of college entrance credits and college courses in music
see under Music Educators' National Conference. Music Education Research Council.

Music Educators National Conference.
Traveling the circuit with piano classes
see under Music Educators' National Conference. Piano Instruction Committee.

Music Educators National Conference.
Twice 55 community songs
see under Dykema, Peter William, 1873-

ML27 .U5M67
Music educators national conference.
Yearbook.
Chicago, Ill. [etc.] Music educators national conference [19
v. illus. (incl. music) pl., ports., tables, diagrs. 23½ cm.
Published and printed in various places up to and including 1930; in that year the conference established headquarters and publication office in Chicago.
Title varies: 19 -30, Journal of proceedings of the Music supervisors national conference.
1931-33, Yearbook of the Music supervisors national conference.
1934- Yearbook of the music educators national conference.
List of members in each volume.
1. Music—Societies. 2. Music—Instruction and study—U. S. I. Title. II. Title: Journal ... Music supervisors national conference.

Library of Congress ML27.U5M67 32—9540
[50z2]

NN PPT NBuG DHEW MNS TU
PSt MtU NIC ODW OCU OOxM OU OC1 OC1W NcD MoSW PU
NM 0910073 DLC IaGG CoU IC MB WvU P WaSp WaS PWcS

780.7 M973e
Music Educators National Conference—Commission of Accreditation and Certification in Music Education.
The evaluation of music education. Standarts for the evaluation of the college curriculum for the training of the school music teacher. [n.p., 1953?]
17p. 28cm.

1. School music—Instruction and study—U.S 2. Music teachers. I. Title.

NM 0910074 IU CoU CU OrPS

Music Educators National Conference. Committee on Audio-Visual Aids.
Handbook on 16 mm. films for music education
see under
Pitts, Lilla Belle.

Music educators' national conference. *Committee on bibliography of research projects and theses.*
Bibliography of research studies in music education, 1932-1944, prepared by the Committee on research in music education of the Music educators' national conference, Arnold M. Small, editor. [Iowa City] Pub. by the State university of Iowa press for the Music educators' national conference [1944]
55 p. 23½cm.
The Committee on research in music education was reorganized in 1944 under the name Committee on bibliography of research projects and theses.
1. Music—Instruction and study—U. S.—Bibl. 2. Dissertations, Academic—U. S.—Bibl. I. Small, Arnold Milroy, 1905- ed.

Library of Congress ML120.U5M83 45-7497
[5] 016.78072

PSt NcGU
NIC PU NN OO OC1 OU OCU MiEM NNC LU MB IdU PPT PP
NM 0910076 DLC OC1W OOxM CLSU FU KMK CaBVaU MtU

VOLUME 403

Music Educators' National Conference. *Committee on Bibliography of Research Projects and Theses.*
Bibliography of research studies in music education, 1932–1948. [Rev. ed.] prepared by William S. Larson and presented by the Music Education Research Council. Chicago, Music Educators' National Conference [1949]
119 p. 23 cm.
First ed., covering the years 1932–1944, prepared by the Committee on Research in Music Education, reorganized in 1944 under the name Committee on Bibliography of Research Projects and Theses.
1. Music—Instruction and study—U. S.—Bibl. 2. Dissertations, Academic—U. S.—Bibl. I. Larson, William S., 1890– II. Music Educators' National Conference. Research Council.
ML120.U5M83 1949 016.78072 49–6749*

NM 0910077 OU NcGU FU NcU IdU WaS WaTC OrSaW OrP OrU OOxM WU KEmT TxU MB OCU OClW PSt DLC CaBVaU IEN TNJ-P Or MU MiU OrCS NN

[Music Educators' National Conference. Committee on Contemporary Music, 1944-48]
Contemporary music for American Schools. Chicago, MENC [n.d.]
unpaged. 28 cm.
1. Music - Bibliography. I. Title.

NM 0910078 CoU OrSaW

Music Educators' National Conference. Committee on Festivals and Contests.
State and national school band and orchestra solo and ensemble contests...
see under title

ML132 I5M9
Music Educators National Conference. Committee on Instrumental Affairs.
Music for small instrumental ensembles; a survey. Chicago, 1934.
[36]p. 23cm. (Official committee report no. 3)
A Survey for grades I to V.

NM 0910080 NBuG IU OU IaU IaDuL

Music Educators National Conference. Committee on Instrumental Affairs.
School bands; how they may be developed
see under Maddy, Joseph Edgar, 1891-1966.

MUSIC LIBRARY MT 222 M8
Music Educators' National Conference. Committee on instrumental affairs. Piano section.
Guide for conducting piano classes in the schools. New York, Published for the Piano Section of the Committee on Instrumental Affairs of the Music Supervisors National Conference by the National Bureau for the Advancement of Music [1928?]
31p. illus. 23cm.
1. Piano - Methods - Group-instruction
2. Music - Instruction and study I. Title

NM 0910082 WU IU WaPS PU OCl

Music Educators' National Conference. Committee on instrumental affairs. Piano section.
Guide for conducting piano classes in the schools. New York, National bureau for the advancement of music [1928?]
31 p. illus. 23 cm.
Film reproduction. Negative.
1. Piano - Instruction - Class teaching, 2. Piano - Instruction, 1901-

NM 0910083 NN

Music educators' national conference. Committee on Music Appreciation.
Graded course in music appreciation for the first six years... 1st ed. Ithaca, N. Y., Cornell Univ., 1930. 19p.

NM 0910084 PWcS

---

780 1987g Educ.
Music educators national conference. Committee on Music Appreciation.
...Graded course in music appreciation for the first six grades; report of the Committee on music appreciation, prepared by the Sub-committee for the first six grades. Presented to the music educators national conference at Chicago, March 28, 1930, and reprinted from the 1930 Journal of proceedings (Yearbook) of the M.E.N.C. 2d ed... Chicago, Ill., Music educators national conference, 1936.
19p. O. (Music educators national conference. Official committee report, no.2)
Lenora Coffin, chairman.

NM 0910086 IaU

Music educators' national conference. Committee on Music Appreciation.
Study helps for developing "Discriminating listening." ...Chicago, The conference, 1932.
8 p.

NM 0910087 OOxM

Music Educators' National Conference. *Committee on Music Rooms and Equipment.*
Music buildings, rooms, and equipment. A revision of Music Education Research Council bulletin no. 17, prepared by the 1952–54 Committee on Music Rooms and Equipment. [Chicago] Music Educators National Conference [1955–
1 v. (loose-leaf) illus., plans. 31 cm.
A revision of Music rooms and equipment, by C. J. Best, published in 1949.
Bibliography: p. 71–74.
1. Music rooms and equipment. I. Best, Clarence J. Music rooms and equipment. II. Title.
NA6880.M8 780.72 55—3617

NM 0910088 MsSM MdBP OOxM FTaSU AAP NN WaTC IdPU CaBVaU FU Or MB NBuU MiU TU UU MtBC NNC NcRS OCU TxU NjN PBL ViU OO ICU PSt DLC OrP WU OrPS WaT LU OrAshS IdU

Music Educators National Conference. Committee on Radio in Music Education.
Radio in music education, annotated bibliography; books, general bibliographies, periodicals, publications [and] sources of general information. Chicago [1951]
12 p. 28 cm.

NM 0910089 OrU OrSaW

781.973 M973
Music Educators National Conference. Committee on Recordings in Music Education.
Recordings catalog. Chicago [1951]
11 l. 29cm.
1. Music. Discography. 2. Phonograph in education. I. Title.

NM 0910090 OrU

Music educators' national conference. *Committee on research in music education*
see
Music educators' national conference. *Committee on bibliography of research projects and theses.*

Music Educators National Conference. *Committee on School-Community Music Relations and Activities.*
Music for everybody; a report and pictorial review. Chicago [1950]
[64] p. 28 cm.
1. Community music. I. Title.
MT87.M8 780.79 50-3503

NM 0910092 OrPS CSt PU MiU TxU NcU DLC FU IdPI IdU OrCS OrSaW CaBVaU MtU

Music educators national conference. Committee on school music competition-festivals
State and national school music competition-festivals ... Rules, music lists, general information...
see under title

Music Educators' National Conference. *Committee on String Instruction*
see
Music Educators' National Conference. *String Instruction Committee.*

Music Educators National Conference. Committee on Teacher Education.
Recommendations for improvement of teacher training curricula in strings
see under Music Educators National Conference. String Instruction Committee.

784.9 M973r
Music Educators' National Conference. Committee on Vocal Affairs.
Report presented to the Conference at Chicago, March 28, 1930. 1st ed. New York, Music Supervisors Journal, 1930.
30p. (Official Committee report no. 1-1930)
Contents.-Singing during pre-adolescence. Singing during adolescence. Singing by Mature voices. Senior high school ensemble singing.
1. Singing and voice culture. 2. School music --Instruction and study--U.S. I. Series: Music Educators' National Conference. "Official committee reports, no. 1-1930.

NM 0910096 TxFTC IaU

Music Educators' National Conference. *Curriculum Committee*
see **Music Educators' National Conference.** *Music Education Curriculum Committee.*

Music educators' national conference. *Eastern music educators' conference*
see
Eastern music educators' conference.

Music Educators' National Conference. *Educational Council*
see **Music Educators' National Conference.** *Music Education Research Council.*

Music Educators' National Conference. *Music Education Curriculum Committee.*
Reports. [Biennial interim series]
Chicago.
v. 24 cm.
Publication began with issue for 1942–44.
1. Music—Societies, etc. 2. Music—Instruction and study—U. S.
ML27.U5M675 780.7 47-42448*

NM 0910100 DLC TxU LU MB NN

VOLUME 403

Music Educators' National Conference. Music Education Research Council.

ML120 .U5M83

Music Educators' National Conference. *Committee on Bibliography of Research Projects and Theses.*
Bibliography of research studies in music education, 1932–1948. [Rev. ed.] prepared by William S. Larson and presented by the Music Education Research Council. Chicago, Music Educators' National Conference [1949]

Music Educators' National Conference. *Music Education Research Council.*
Bulletin.
Chicago [19
no. illus., plans. 23–25 cm.
No. issued by the council under the conference's earlier name: Music Supervisors' National Conference.

MT10.M93R3 780.72 41-16113 rev*‡

NN
NM 0910102 DLC OrLgE MB OCl PP LU TxLT OOxM KyU

Music Educators National Conference. Music Education Research Council.
Course of study in music for rural schools ... Chicago, 1936.
18 p.

NM 0910103 NcU

Music Educators' National Conference. *Music Education Research Council.*
Courses for the training of supervisors of music and a standard course in music for graded schools. 7th ed. Chicago [1932]
19 p. 23 cm. (*Its* Bulletin no. 1)
Published by the conference under its earlier name: Music Supervisors National Conference.

1. School music—Instruction and study—U. S. (Series)
MT10.M93R3 no. 1 52-51197

NM 0910104 DLC OU

Music Educators' National Conference. Music Education Research Council.
Music buildings, rooms, and equipment see under Music Educators' National Conference. Committee on Music Rooms and Equipment.

Music educators' national conference. Music education research council.
Music rooms and equipment; report of the Music education research council presented at the biennial session of the Music supervisors national conference, Cleveland, Ohio, April, 1932. Chicago, Illinois, Music educators national conference, n.d.
Music education research council bulletin no. 17.

NM 0910106 IaDuL

371.62 M97m 1938

Music educators national conference--Music education research council.
... Music rooms and equipment; report of the Music education research council presented at the biennial session of the Music supervisors national conference, Cleveland, Ohio, April, 1932. 2d ed., July, 1938 ... Chicago, Ill., Music educators national conference [1938]
16, [16]p. incl.illus., plans. (Music education research council. Bulletin no.17)

1. Schools--Furniture, equipment, etc. 2. School houses. I. Title.

NM 0910107 IU OrP OClW OU

Music Educators' National Conference. *Music Education Research Council.*
Music supervision and administration in the schools. Chicago, Music Educators' National Conference [°1949]
30 p. 23 cm. (*Its* Bulletin no. 18)
Cover title.
Bibliography: p. 27–29.

1. School music—Instruction and study—U. S. 2. Music teachers. I. Title. (Series)

MT10.M93R3 no. 18 372.878 59-22870

PU-Penn WU
NM 0910108 DLC MtBC MtU CaBVaU OCl FU TxU NN OrU

780.7 M971m

Music educators national conference--Music education research council.
... Music supervision in the public schools; report of the Music education research council, presented at the biennial session of the Music educators national conference, New York, N.Y., (1936) ... Chicago, Ill., Music educators national conference [1936]
10p. (Music education research council. Bulletin no.18)

1. School music. I. Title.

NM 0910109 IU OU

MT1 M82

Music Educators' National Conference. Music Education Research Council.
Musical development of the classroom teacher. Chicago, Music Educators' National Conference [c1951]
30 p. (Its Bulletin no.5)

"Many authorities in music education have cooperated with Theodore F. Normann in preparing this bulletin."

NM 0910110 CU CaBVaU MtBC OrPR MtU TxU

Music Educators' National Conference. Music Education Research Council.
...The present status of school music instruction; report of a survey made by the Research division of the Commission on costs and economic social values of music education, and presented at the biennial session of the Music supervisors national conference, Chicago, Ill., April 1924, Chicago Ill.,Music educators national conference, 1934.
Cover-title, 31p. (It's bulletin no. 16)

NM 0910111 OU

Music Educators' National Conference. Music Education Research Council.
Report of the Educational council on the study of music instruction in the public schools of the United States. Given at the sixteenth annual conference, Cleveland, Ohio. April 9-13, 1923 ... First edition. Ann Arbor, Mich., Pub. by Music supervisors journal, 1924.
cover-title, (32) p. tables, diagrs. 28 cm. (Bulletin no.3, 1924)

NM 0910112 DHEW

---

780 M971r

Music Educators' National Conference. Music Education Research Council.
... Report of the National research council of music education. Contests, competition and festival meets, presented at Chicago, Illinois, March, 1930 ... 1st ed. ... Ithaca, N.Y., Music supervirors [!] journal [1930]
11p. (Research council. Bulletin no.12)
At head of title: Music supervisors national conference.

1. Music--Competitions.

NM 0910113 IU

Music Educators' National Conference. Music Education Research Council.
Research council bulletin see its Bulletin.

780.7 M971s

Music educators national conference--Music education research council.
... Self-survey for school music systems; report of the Music education research council, presented at the biennial session of the Music supervisors national conference, Chicago, Illinois, April, 1934 ... Chicago, Ill., Music educators national conference [1934]
14p. incl.forms. (Music education research council. Bulletin no.15)

1. School music. I. Title.

NM 0910115 IU OClW IaDuC OU

Music Educators' National Conference. *Music Education Research Council.*
Survey of college entrance credits and college courses in music, prepared in cooperation with the National Bureau for the Advancement of Music. New York, National Bureau for the Advancement of Music [1930]
vi, 209 p. diagrs. 24 cm.
P. W. Dykema, chairman.
1. Music—Instruction and study—U. S. 2. Universities and colleges—U. S.—Curricula. 3. Universities and colleges—U. S.—Entrance requirements. I. Title. II. Title: College courses in music.
MT18.M76 780.72973 30-15819 rev*

PPT PU-Penn NcD OClW MH PWcS PPPL PPLas DCU
PPD OCl OCU OU OO OClND MiU MH DHEW PV CU IU MH
NM 0910116 DLC WaWW IdU WaS OrSaW OrU Or PBm PP

Music Educators' National Conference. *National Committee on Music Rooms and Equipment*
see
Music Educators' National Conference. *Committee on Music Rooms and Equipment.*

784.3 M966n

Music educators national conference--National committee on song writing project.
New songs for schools at war. [Washington, U.S. Govt. print. off., 1943]
15p. illus.

Contains music.
"Published ... by the Education section, War finance division, Treasury department."- p.3.
The second collection of songs selected by the National committee on song writing project of the Music educators national conference. cf. p.2.

NM 0910118 IU Vi MH NN

Music Educators' National Conference. *National Committee on String Instruction*
see
Music Educators' National Conference. *String Instruction Committee.*

Music Educators' National Conference. National Interscholastic Music Activities Commission
see National Interscholastic Music Activities Commission.

Music Educators' National Conference. *National Research Council of Music Education*
see **Music Educators' National Conference.** *Music Education Research Council.*

Music Educators' National Conference. *Piano Instruction Committee.*
Handbook for teaching piano classes. Chicago [1952]
87 p. illus. 23 cm.

1. Piano—Methods—Group instruction.

MT222.M975 786.3 52-9405 ‡

CoU NcU CSt KyWA _ ViU TxU PPPL LU Or MtBC CaBViP
NM 0910122 DLC MtU MoU OCl OrP OrU WaS Wa NN CU

VOLUME 403

Music Educators National Conference. Piano Instruction Committee.
Traveling the circuit with piano classes. [Chicago, c1951]
31p. illus. 23cm.

1. Piano - Methods. I. Title.

NM 0910123 TxU IU CU TxFTC MiU OrU MtBC

Music Educators' National Conference. *Research Council*
see Music Educators' National Conference. *Music Education Research Council.*

Music Educators' National Conference. String Instruction Committee.
MENC national project on string instruction; an activity of the music advancement program. Progress panorama. [Chicago, Music Educators' National Conference] 1949.
33 l. 28 cm.
Caption title.

1. Music—U. S.

ML27.6U5M83 787 52-29431

NM 0910125 DLC LU NcU

MT930 M825M5 Educ. Library

Music Educators' National Conference. String Instruction Committee.
Minimum standards for stringed instruments in the schools. [Chicago?] 1952.
8 ℓ.
Caption title.

1. School music - Instruction and study - U.S. 2. Stringed instruments, Bowed - Instruction and study.

NM 0910126 CU OO CoU

ML27.6 .U5M68 1950

MUSIC EDUCATORS' NATIONAL CONFERENCE. String Instruction Committee.
National project on string instruction; an activity of the Music education advancement program. Progress panorama, 2. Chicago [1950]
40 p.
Cover title.

1. Music—U.S. 2. Stringed instruments—Instruction and study. I. Title.

NM 0910127 InU

MT1 M825R3 Educ. Library

Music Educators National Conference. String Instruction Committee.
Recommendations for improvement of teacher training curricula in strings. Prepared for Committee on Teacher Education, Music Educators National Conference. [n. p., 1954?]
6 ℓ.
Caption title.

1. School music - Instruction and study - U.S. 2. Music teachers.

NM 0910128 CU

HFBE6 .M973 C

Music Engravers' Union of America.
Constitution and by-laws. New York,
v. 11½cm.
Library has:

1. Engravers - U.S. - Societies, etc.

NM 0910129 WHi

ML112 M92

Music engraving 1761 - 1936, showing the tools and the various stages of the process, presented to Mr. Josiah Kirby Lilly by Eliott Shapiro. [New York, 1936]
1ℓ. illus. 31cm.

1. Music printing.

NM 0910130 NBuG

Music epitomized ...
see under Dibdin, Charles, 1745-1814.

Music everywhere; songs of Texas with accompainments
see under [Pitcher, Gladys] 1890- comp.

Music festival, *University of Kansas*
see
Kansas. University. *Music festival.*

Music festival of the Massachusetts rural schools
see
Massachusetts rural school music festival.

Music folio of popular western songs (with words and music) Also arranged for piano, uke, guitar, banjo ... New York, Movie songs, inc., c1945.
Portrait of Roy Rogers on cover.
1. Music, Popular (Songs, etc.) 2. Cowboys-Songs and music.

NM 0910135 RPB

M956 .M88

Music for brass. v. 1-8, 11, 13, 15-16, 18, 20-23, 29, 31-33, 35-38, 40-41, 47, 49-50, 55, 57, 59, 63, 67, 69, 101, 105, 111-114, 117-120, 122-124, 201-206, 209-210, 301-303, 402-408, 501-506,
North Easton, Mass., R. King Music Co. [194-
v. in 31cm.
Editor: 194- R. D. King.
Scores and parts.

M956 .M88 Index

—— —— Index. Complete catalog, 1954-55. North Easton, Mass., R. King Music Co. [1955]
1 v. (unpaged) 23cm.

1. Wind emsembles—Scores and parts. I. King, Robert D., ed.

NM 0910137 MB NN NcU

Music for Danish folk dances...
See under
[Foreningen til folkedansens fremme, Copenhagen]

Music for early childhood
see under
McConathy, Osbourne, 1875-1947.

Music for Holy week, as used in the Sistine Chapel
see under Novello, Vincent.

Music for Kino-Pravda, Kombrig Ivanov [and] Rebellion, mutiny in Odessa. The Museum of Modern Art Film Library. [194-?] 3 pieces. 35 cm.

Piano accompaniments for the movies, part manuscript and part selected from printed music. Cover title.

1. Moving-picture music — Piano scores. (1) New York (City). Museum of Modern Art. Film Library. (2) Kino-Pravda (Motion picture) (3) Kombrig Ivanov (Motion picture) (4) Rebellion, mutiny in Odessa (Motion picture)

NM 0910142 NN

Music for life, a series for Catholic elementary schools produced by a group of teachers, authors, composers, and arrangers under the direction of Sister Mary John Bosco. Illustrated by William G. Neurath. Boston, McLaughlin & Reilly [1953-
v. illus. 25 cm.
——— Piano accompaniments. Boston, McLaughlin & Reilly [°1957-
v. 26 cm.
M1994.M97542
——— Supplement. Boston, McLaughlin & Reilly Co. [1960]
62 p. 24 cm.
M1994.M97543
1. School song-books, Catholic. I. Connor, John Bosco, Sister, 1910-
M1994.M9754 M 53-1641 rev 2 ‡

NM 0910143 DLC MiU

Music for living series. Morristown, N. J., Silver Burdett Co. [c19-]
v. 24 cm.

NM 0910144 OO

Music for millions. New York, J. J. Robbins, °1947-
v. and parts. 31 cm.
Vols. 11- published by Consolidated Music Publishers (formerly J. J. Robbins)

1. Instrumental music. 2. Vocal music.

M1.M8772 M 58-260

NM 0910145 DLC NmU CoU

---

fM1 A13M8

Music for piano. [v.p., ca.1840-1858]
48 items in 1v. 34cm.
Binder's title.
All imprints of American publishers.

1. Piano music. 2. Dance music.

NM 0910146 IaU

[Music for piano; twenty-two pieces bound in one volume.] 1843-59. 1 v. f°.

1. Piano.
N. Y. P. L. March 18, 1914.

NM 0910147 NN

VOLUME 403

V
8528
.6

Music for piano & flute. v.p.,n.d.
2v.F.

Binder's title for a collection of sheet music.

NM 0910148 ICN

M1
.M84
1860

[Music for piano and voice, printed in the U. S. during the period 1810-1860; coll. into volumes and privately bound. n. p., 1860?]
3 v. 35cm.
Bookseller's label: "Sold at Knight's Music Saloon, Richmond, Va.", pasted on p. 1 of v. 2.
Owner's name-plate, stamped in gilt, on cover of v. 2: S. P. Bolling.
CONTENTS.—v. 1. Sacred songs.—v. 2. Popular songs and ballads.—v. 3. Dance music (vocal and instrumental)
1. Music, Popular (Songs, etc.) 2. Dance music. 3. Piano music. 4. Music—Collections.

NM 0910149 ViU

Music for Potemkin. The Museum of Modern Art Film Library. [194-?] various pieces (in portfolio) 35 cm.

Manuscript. Cover title. Piano music for the film.

1. Moving-picture music - Piano scores. (1) Bronenosets Potemkin (Notion picture)

NM 0910150 NN

Music for small instrumental ensembles: a survey
see under Music Educators' National Conference. Committee on Instrumental Affairs.

Lilly
E 685
.M98

...MUSIC FOR THE CAMPAIGN. A COLLECTION OF original and selected songs, adapted to familiar tunes for use at campaign meetings for 1880 [n.p.,n.d.]
8 p. illus. (ports.) 27.1 cm.

At head of title: Supplement.
These songs favor General Winfield Scott Hancock in his presidential race against James Abram Garfield.
1. Campaign literature,1880--Republican
2. Garfield, James Abram, 1831-1881.
3. Hancock, Winfield Scott, 1824-1886.

NM 0910152 InU

Oversize
BX5145
.A4
1928b
in:
SWTS

The Music for the celebrant at the Holy Communion comprising the common chants and the music of the preface and proper prefaces including those of 1928. London, G. Cumberlege, Oxford University Press [1930, 1949]
15p. music. 29cm. (Bound with: Church of England. Book of Common Prayer. Communion Service. The Order...London [1929?])
1. Communion-service music. 2. Chants (Plain, Gregorian, etc.)

NM 0910153 IEG

Music for the church service
see under [Dorr, Clarence A] ed.

Music for the dedicatory services of the Rhode Island soldiers and sailors monument
see under [Baker, Henry & son] pub.

Case
MS
VM
1710
M 975

MUSIC for the dvojnice and trojnice. Chicago, Newberry Library[1955]
score(2v.) 39cm.

At head of title: Arbatsky collection.
In manuscript.
Recorded in the Balkan states, near Elbasan, between August, 1934, and August, 1938.

NM 0910156 ICN

Z6814
F6M3

Music for the flute; a complete catalogue. New York, McGinnis & Marx Music Dealers [n. d.]
204 p. 20 cm.

Cover title.

1. Flute Music - Catalogues, etc.

NM 0910157 MeB

Music for the Holy Family Hymns, [melodies] London, 1860.
16°.
Bound with: The Holy Family Hymns. London, 1860.

NM 0910158 CtY

The music for the liturgy of Saint John Chrysostom according to the Russian usage
see under Catholic Church. Byzantine rite. Liturgy and ritual.

Music for The merchant of Venice. Piano score. Written by members of the senior class of Smith College, 1920, under the supervision of Mr. Roger Sessions. Boston, C. W. Thompson [©1920]

27 p. 30 cm.

Originally for orchestra.

1. Music, Incidental—Piano scores. 2. Shakespeare, William, 1564–1616—Songs and music. I. Smith College. Class of 1920. II. Sessions, Roger, 1896– ed. III. Shakespeare, William, 1564–1616. The merchant of Venice. IV. Title: The merchant of Venice.

M1513.M98 70-294092

NM 0910160 DLC

Music for the million
see under Rede, William Leman, 1802-1847.

V
86
.596

[Music for the pianoforte. v.p., c1835-1877] 3v.sq.F.

Binder's title.

NM 0910162 ICN

Case
MS
VM
1710
M 98

MUSIC for the surla. Recorded in the monastery of St. Voldemar, near Elbasan, April 28, 1935. Chicago, Newberry Library[1955]
score(330 l.) 39cm.

At head of title: Arbatsky collection.
In manuscript.

NM 0910163 ICN

Case
MS
VM
1710
M 981

MUSIC for the tivije. Recorded in the monastery of St. Voldemar, near Elbasan, April 28, 1935. Chicago, Newberry Library[1955]
score(321 l.) 39cm.

At head of title: Arbatsky collection.
In manuscript.

NM 0910164 ICN

AV 1
G79
S6

MUSIC for trumpet & cornetto.

Contents:

Grossi, Andrea, 17th cent./Sonate à 2, 3, 4, e 5 instromenti, op. 3. Sonata, no. 10.
Buonamente, Giovanni Battista, fl. 1625-1632./Sonate et canzoni. Sonata, no. 4.

Coperario, John, ca. 1570-1627./Suite, violin, gamba & continuo; arr.
Frescobaldi, Girolamo Alessandro, 1583-1643./Canzoni da sonare, book 1. Canzon, no. 3.
Corelli, Arcangelo, 1653-1713./Sonata, trumpet, D major.

Cazzati, Maurizio, 1620 (ca.)-1677./Suonate à 2, 3, & e 5 con alcune per tromba, op. 35. Sonata, La bianchina.
Buonamente, Giovanni Battista, fl. 1625-1637./Sonate et canzoni. Sonata, no. 5.

Viviani, Giovanni Bonaventura, fl. 1677-1690./Capricci armonici...et sonate per tromba sola, op. 4. Sonata, no. 1.
Hingeston, John, d. 1683./Fantasia, 2 cornetts, sagbut & organ; arr.

Viviani, Giovanni Bonaventura, fl. 1677-1690./Capricci armonici...et sonate per tromba sola, op. 4. Sonata, no. 2.

NM 0910169 CaBVaU

Music for two; for violins ...
see under Beck, Sydney, ed.

... Music for Victory day ...
see [Hennefield, Norman] 1902- ed. Commemoration folio; music for Victory day...

M1
.M85
1842

[Music for voice and piano, printed in the U. S. and London during the period 1820-1840. n. p., 1842?]
1 v. (various pagings) 35cm.
Manuscript score of "The victory of Trafalgar", words by Mrs. J. Cobb, etc., and music by Wm. M. Bennett, bound in.
Owner's name-plate, stamped in gilt, on cover: M. A. Daniel.

1. Music, Popular (Songs, etc.) 2. Piano music. 3. Music—Collections.

NM 0910172 ViU

Music forum
see Music forum and digest.

VOLUME 403

Music forum and digest. v. 1–
Jan. [i. e. Feb.] 1949–
[New York]
v. illus., ports. 30 cm. monthly (irregular)
Title varies: Feb.–Apr./May 1949, Music forum.

1. Music—Period. 2. Music—U. S.

ML1.M235 780.5 51-26728

NM 0910174 DLC NN

Music found to beloved song of childhood. Authorship of verses of "Mary had a little lamb" still in doubt. Clipping from the San Francisco News, Monday, April 14, 1930. facsim. music. port.

NM 0910175 RPB

Music from Leonora [songs]
see under Fry, William Henry, 1815-1864.

Music from the Bohemian Girl
see under [Balfe, Michael William] 1808-1870.

Music from the days of George Washington
see under Engel, Carl, 1883-1944, comp.

---

*A
1723–90
.J4
no.1–9

[Music from the library of Thomas Jefferson; a collection of eighteenth century songs, ballads and cantatas. London, 1723–1790]
9 pts. in 1 v. 34cm.
Autograph signed by John Wayles. Owned also by Mrs. R. C. Randolph of Charlottesville, Va.
CONTENTS.
Each part.
[no.1] Arne, Thomas Augustine. Lyric harmony. London, Wm. Smith [1745?]
[no.2] Bach, Johann Christian. A second collection of favourite songs sung at Vaux Hall. London, Welcker [1770?]
[no.3] Baildon, Joseph. The laurel. Book II. A new collection of English songs and cantatas. London, Printed for I. Walsh [1755?]
[no.4] Curtis, Thomas. The jessamine; a collection of six new songs. London, Printed for the author [1755?]
[no.5] Dibdin, Charles. The ballads sung by Mr. Dibdin this evening at Ranelagh [London] Printed for the composer [1770?]
[no.6] Hayden, George. Three cantatas. London, Printed for John Johnson [1723?]
[nos.7–8] Heron, Henry. A collection of songs sung at Marybone Gardens. Book IV–[V] London, Longman, Lukey [1770?]–1771. (2 v.)
[no.9] The favourite songs sung at Ranelagh, for the voice and harpsichord. London, Printed for R. Bremner [1790?]
1.Songs, English. 2. Ballads, English. 3. Cantatas, Secular—To 1800. 4. Jefferson, Thomas, Pres. U.S., 1743–1826—Music.

NM 0910180 ViU

... Music from "Vincent ventures"
see under [Batchelder, Peggy Reed]

Music front.
v. 1

New York, 1935 28cm.
v. illus. (music.)

Monthly.
Published by Pierre Degeyter Music Club of New York City.
Reproduced from typewritten copy.

1. Music—Per. and soc. publ. 2. Bolshevism—Per. and soc. publ. I. Pierre Degeyter Music Club of New York City.
N. Y. P. L. October 22, 1936

NM 0910182 NN

The Music Fund.
Graded list of phonograph records suitable for schools from kindergarten through the high school, with suggestions for their use. Concord, Mass., The Music Fund [n.d.]
34 p. 20 cm.
Stampted on cover and title page: E.C. Schirmer Music Co., Boston, Mass.
1. Phonorecords - Catalogs. 2. Phonorecord in Education. 3. Music - Bibl. - Graded lists.

NM 0910183 MB

Music goes round & round
see under [Swerling, Joseph]

ML
417
B5.5M8

Music Hall, Chicago.
[Fannie Bloomfield Zeisler in concert, Friday, Dec. 13, 1901. Chicago, 1901]
1 v. (unpaged) ports. 17 cm.
Includes biographical sketches.

1. Bloomfield-Zeisler, Fanny, 1863-1927.

NM 0910185 OCH

The MUSIC hall & theatre review. London. Dec.1894.

Illustr.

NM 0910186 MH

The Music Hall Company of New York (Limited).
Music Hall, founded by Andrew Carnegie. [New York: Cherouny Prtg. and Pub. Co., 189–?] 1 p.l., xlix p., incl. plans, pl., port., 2 double pl. (incl. front.) f°.

Caption-title.
Contains details of construction, etc.

1. New York City.—Music halls.
N. Y. P. L. January 24, 1917.

NM 0910187 NN MH

Case
M2.7
M85

... Music Hall fire ... Buffalo, N. Y., Cointots printing house [1885?]
1l. 22cm.
Broadside.
"Burning of Music Hall", clipping from Buffalo Courier express of March 26, 1835, pasted in.

1. Buffalo, N. Y.-Music hall.

NM 0910188 NBuG

Music Hall Founded by Andrew Carnegie, New York
see Carnegie Hall, New York.

Drama
**FM1963
M9

The music hall; its history and memories in contemporary records. [No imprint, 1920?]
36l. 41cm.
A collection of English music-hall flyers and programs.

NM 0910190 NBuG

Le music-hall; manifeste futuriste
see under [Marinetti, Filippo Tommaso] 1876-1944.

Music-hall memories. [London, 1927]
see under Prentis, Terence, ed.

Lilly
ML 1731
.L 7 M98

THE MUSIC HALLS' GAZETTE. v.1,no.1-37; 11 Apr-19 Dec 1868. London [printed by Walter Sully and published by Richard Allerton]
37 no. 40.6 cm. weekly.
"A journal of intercommunication between music hall managers, their artistes at home and abroad, and the public."
Unbound.

NM 0910193 InU

The music hour ... by Osbourne McConathy ... W. Otto Miessner ... Edward Bailey Birge ... Mabel E. Bray ... New York, Boston [etc.] Silver, Burdett and company [°1927–31]
9 v. illus. (incl. ports.; part col.) col. plates, diagrs. 21½–31cm.
First–third books illustrated by Shirley Kite.
CONTENTS.—[v. 1] Kindergarten and first grade.—[v. 2] First book.—[v. 3] Second book.—[v. 4] Third book.—[v. 5] Fourth book.—[v. 6] Fifth book.—[v. 7] Elementary teacher's book to accompany the First and Second books. — [v. 8] Intermediate teacher's book to accompany the Third and Fourth books.—[v. 9] Teacher's guide for the Fifth book.
1. School song-books. I. McConathy, Osbourne, 1875– ed. II. Miessner, William Otto, 1880– joint ed. III. Birge, Edward Bailey, 1868– joint ed. IV. Bray, Mabel Evelyn, 1879– joint ed.
29–28799 Revised
Library of Congress M1994.M976

MH FU OCU OClND OClh OCl PPT PP
NM 0910194 DLC DHEW MH OrU PWcS IEN CU OKentU NcD

The music hour...by Osbourne McConathy...W. Otto Miessner...Edward Bailey Birge...Mabel E. Bray... [v. 1– New York: Silver, Burdett and Co.], cop. 1928– v. illus. (part col'd), col'd pl., ports. (part col'd.) 8°, 4°, f°.

"Facsimile of pianoforte keyboard (two octaves)," on back lining-papers of Second-Fifth books. Lists of "correlated recorded music" included.
Contents: Kindergarten and first grade; a book for the teacher. First book. Second book. Elementary teacher's book to accompany the First and Second books. Third book. Fourth book. Intermediate teacher's book to accompany the Third and Fourth books. Fifth book. Teacher's guide for the Fifth book.

1. School music—Song books, etc. 2. School music—Instruction. I. Miessner, W. Otto, jt. au. II. Birge, Edward Bailey, 1868– , jt. au. III. Bray, Mabel E., jt. au. IV. Title.
N. Y. P. L. May 6, 1932

NM 0910195 NN OU OO

The music hour ... by Osbourne McConathy ... W. Otto Miessner ... Edward Bailey Birge ... [and] Mabel E. Bray ... illustrated by Shirley Kite. Catholic ed., edited by Right Reverend Joseph Schrembs, D. D., bishop of Cleveland, Reverend Gregory Huegle ... [and] Sister Alice Marie ... New York, Boston [etc.] Silver, Burdett and company [°1931–
v. illus. (part col.) 21½ cm.
1. School song-books, Catholic. I. McConathy, Osbourne, 1875– ed. II. Miessner, William Otto, 1880– joint ed. III. Birge, Edward Bailey, 1868– joint ed. IV. Bray, Mabel Evelyn, 1879– joint ed. V. Schrembs, Joseph, bp., 1866– ed. VI. Huegle, Gregory, 1866– joint ed. VII. Alice Marie, Sister, 1894– joint ed.
31—29472
Library of Congress M1994.M9761
[a49w1] 784.624

NM 0910196 DLC IEN OU OOxM

The music hour ... by Osbourne McConathy ... W. Otto Miessner ... Edward Bailey Birge ... [and] Mabel E. Bray ... Hawaiian ed., comp. by the sub-committee of the Elementary curriculum committee ... Dorothy M. Kahananui, executive editor ... Berta Metzger, literary editor ... New York, Boston [etc.] Silver, Burdett and company [°1932–
v. illus. (part col.) 21cm.
First– book illustrated by Shirley Kite and Juliette M. Fraser.
1. School song-books. I. McConathy, Osbourne, 1875– ed. II. Miessner, William Otto, 1880– joint ed. III. Birge, Edward Bailey, 1868– joint ed. IV. Bray, Mabel Evelyn, 1879– joint ed. V. Hawaii (Ter.) Dept. of public instruction. Elementary curriculum committee. VI. Kahananui, Mrs. Dorothy M., ed. VII. Metzger, Berta, joint ed.
32-10568
Library of Congress M1994.M9762
Copyright A 49515 [3] 784.624

NM 0910197 DLC

VOLUME 403

784.8
M13m The music hour; first[-fifth] book. By Osbourne McConathy ... W. Otto Miessner ... Edward Bailey Birge ... [and] Mabel E. Bray ... Illustrated by Shirley Kite. New York [etc.] Silver, Burdett company [c1936-c37]
5v. col.illus., ports.

1. Children's songs, English. I. Miessner, William Otto, 1880- joint comp. II. Birge, Edward Bailey, 1868- joint comp. III. Bray, Mabel E., joint comp. IV. Title.

NM 0910198 IU

The Music hour ... by Osbourne McConathy ... W. Otto Miessner ... Edward Bailey Birge ... Mabel E. Bray ... New York, Boston [etc.] Silver Burdett company [c1937]
5 v. illus. (part col.) ports. 21½cm.
First-third books illustrated by Shirley Kite. Key board on end lining papers for vols.2-5. Illustrated covers.

1. School song-books. I. McConathy, Osbourne, 1875- , ed. II. Miessner, William Otto, 1880- , joint ed. III. Birge, Edward Bailey, 1868- , joint ed. IV. Bray, Mabel Evelyn, 1879- , joint ed.

NM 0910199 ViU

M 1994
M986 The MUSIC hour. Book one [-] by Osbourne McConathy [and others] Toronto, Gage, 1938-
v. illus. (part col.)
For holdings see Location File
"Authorized for use in the schools of Alberta."
"Recommended for use in the schools of Ontario."
[1. School song-books] I. McConathy, Osbourne, 1875-1947.

NM 0910200 CaBVaU

M1994
M97635 The Music hour,

Schaefers, Peter H
Accompaniments for chants in the Catholic music hour, and the Gregorian chant manual. New York, Silver, Burdett [c1939]

ML52
.A5 The Music hour.

Americans all, immigrants all; junior jubilee, a festival of America, utilizing songs and dances from the Music hour series, including Music highways and byways and Music of many lands and peoples. New York, Chicago [etc.] Silver Burdett company, c1941.

The Music hour.

Rafferty, Sadie.
... Music appreciation: an active force in child development, by Sadie Rafferty. New York, Boston [etc.] Silver Burdett company [c1939]

M784.8
M13ma The music hour; accompaniments for songs in the One-book course by Osbourne McConathy [and others] in collaboration with these authorities on rural education: Fannie W. Dunn, Frank A. Beach [and] Josephine Murray. New York, Silver, Burdett [c1934]
iv, 138p. 26cm.

1. School song-books.

NM 0910204 IU

The Music hour; accompaniments for songs in the Two-book course
see under The Music hour, two-book course.

The music hour; elementary teacher's book, to accompany the first and second books, by Osbourne McConathy ... W. Otto Miessner ... Edward Bailey Birge ... [and] Mabel E. Bray ... New York, Boston [etc.] Silver Burdett company [c1929]
xii, 260p. illus. (music) 26cm.
Includes piano accompaniments for books I and II.

NM 0910206 ViU MH CU NcC

The Music hour; elementary teacher's book, to accompany the first and second books, by Osbourne McConathy ... W. Otto Miessner ... Edward Bailey Birge ... [and] Mabel E. Bray ... New York, Boston [etc.] Silver Burdett company [c1937]
xii, 267 p. illus. (music) 26 cm.
Includes piano accompaniments for books I and II.

1. Music—Instruction and study. 2. Music—Manuals, text-books, etc. I. McConathy, Osbourne, 1875- II. Miessner, William Otto, 1880- joint author. III. Birge, Edward Bailey, 1868- joint author. IV. Bray, Mabel Evelyn, 1879- joint author.
M1994.M9768 1937 784.624 38—6142

NM 0910207 DLC OrLgE IU

The music hour in the kindergarten and first grade: by Osbourne McConathy, W. Otto Miessner, Edward Bailey Birge, and Mabel E. Bray. New York, Silver Burdett [c1929]
9v. illus., music.

1. School song-books. I. Miessner, W. Otto II. Birge, Edward Bailey, 1868-1952. III. Bray, Mabel E IV. Title: The music hour.

NM 0910208 FTaSU OCl OO OU

The music hour in the kindergarten and first grade.. New York, Boston Etc., Silver Burdet company [c1938]
viii, 216 p.

NM 0910209 OU

Music hour in the kindergarten and first grade by Osbourne McConathy, W.O. Miessner.., [c1939]

NM 0910210 WaSp

784.8
M13mi The music hour. Intermediate teacher's book to accompany the third and fourth books. By Osbourne McConathy ... W. Otto Miessner ... Edward Bailey Birge ... [and] Mabel E. Bray ... New York [etc.] Silver, Burdett and company [c1931]
378p.

"Accompaniments for songs in the third [and fourth] book": p.115-366.

NM 0910211 IU ViU MH

The music hour; intermediate teacher's book, to accompany the third and fourth books, by Osbourne McConathy ... W. Otto Miessner ... Edward Bailey Birge ... [and] Mabel E. Bray ... New York, Boston [etc.] Silver Burdett company [c1938]
viii, 408 p. illus. (incl. music) 26cm.
Includes piano accompaniments for books III and IV.

1. Music—Instruction and study. 2. Music—Manuals, text-books, etc. I. McConathy, Osbourne, 1875- II. Miessner, William Otto, 1880- III. Birge, Edward Bailey, 1868- IV. Bray, Mabel Evelyn, 1879-
38-16434
Library of Congress M1994.M9768 I 5 1938
——— Copy 2.
Copyright A 116521 [5] 784.624

NM 0910212 DLC OrLgE OU

The music hour. Louisiana beginner's book for upper grades, by Osbourne McConathy [and others] New York, Silver Burdett [c1937]
124p. illus.

NM 0910213 OCl

The Music hour, one-book course, by Osbourne McConathy ... W. Otto Miessner ... Edward Bailey Birge ... Mabel E. Bray ... in collaboration with these authorities on rural education: Fannie W. Dunn ... Frank A. Beach ... [and] Josephine Murray ... illustrated by Shirley Kite. New York, Boston [etc.] Silver, Burdett and company [c1932]
2 p. l., 220 p. illus. (incl. ports.; part col.) 21½ cm.
"For one-room schools and other schools where pupils of various ages study music together."—2d prelim. leaf.
Contents.—pt. 1. Lower grades.—pt. 2. Upper grades.—pt. 3. Assembly and community songs.

——— Accompaniments for songs in the one-book course, by Osbourne McConathy ... W. Otto Miessner ... Edward Bailey Birge ... [and] Mabel E. Bray ... in collaboration with these authorities on rural education: Fannie W. Dunn ... Frank A. Beach ... [and] Josephine Murray ... New York, Boston [etc.] Silver, Burdett and company [c1934]
iv, 138 p. 25½cm.
1. School song-books. I. McConathy, Osbourne, 1875- ed. II. Miessner, William Otto, 1880- joint ed. III. Birge, Edward Bailey, 1868- joint ed. IV. Bray, Mabel Evelyn, 1879- joint ed. V. Dunn, Fannie Wyche, 1879- joint ed. VI. Beach, Frank Ambrose, 1872- joint ed. VII. Murray, Josephine, joint ed.
32-20008 Revised
Library of Congress M1994.M976 1932 Accomp.
[2] 784.624

NM 0910215 DLC OrLgE Or OCl PPT WaPS ViU ODW

The music hour, one-book course
Music in rural education: a program for the teacher in one- and two-room schools, based on The music hour, one-book course, by Osbourne McConathy ... W. Otto Miessner ... Edward Bailey Birge ... [and] Mabel E. Bray ... in collaboration with these authorities on rural education: Fannie W. Dunn ... Frank A. Beach ... [and] Josephine Murray ... New York, Boston [etc.] Silver, Burdett and company [c1933]

... The music hour, one-book course, containing a brief history of music with selected songs and instrumental themes that illustrate the different historic periods, and special, distinctive materials for varied uses in Texas schools which will help boys and girls to grow musically and also develop their appreciation of the art and science of music. Compiled by a board of consultants in Texas and the editors of The music hour, Osbourne McConathy, Edward Bailey Birge, W. Otto Miessner [and] Mabel E. Bray, in collaboration with these authorities on rural education: Fannie W. Dunn, Frank A. Beach [and] Josephine Murray; illustrated with photographs of historic significance, reproductions of art masterpieces in color, and special drawings by Shirley Kite. New York, Newark [etc.] Silver, Burdett and company [c1935]
1 l., [2], 220 p. illus. (incl. ports.; part col.) 21cm.
"Texas centennial edition."
Contents.—section 1. "Texas under six flags."—section 2. pt. 1. Songs for the lower grades. pt. 2. Songs for the upper grades. pt. 3. Assembly and additional community songs.
1. School song-books. 2. Music—Texas. 3. Folk-songs—Texas. I. McConathy, Osbourne, 1875- ed. II. Birge, Edward Bailey, 1868- joint ed. III. Miessner, William Otto, 1880- joint ed. IV. Bray, Mabel Evelyn, 1879- joint ed. V. Dunn, Fannie Wyche, 1879- joint ed. VI. Beach, Frank Ambrose, 1872- joint ed. VII. Murray, Josephine, joint ed.
35-19139
Library of Congress M1994.M9765 1935
——— Copy 2.
Copyright A 85962 [5] 784.624

NM 0910218 DLC

The music hour, one-book course, by Osbourne McConathy ... W. Otto Miessner ... Edward Bailey Birge ... [and] Mabel E. Bray ... in collaboration with these authorities on rural education: Fannie W. Dunn ... Frank A. Beach ... [and] Josephine Murray ... Illustrated by Shirley Kite. New York, Boston [etc.] Silver Burdett company [c1938]
2 p. l., 228 p. illus. (part col., incl. ports.) 21½ x 16½ cm.
"For one-room schools and other schools where pupils of various ages study music together."—2d prelim. leaf.

Contents.—pt. 1. Lower grades.—pt. 2. Upper grades.—pt. 3. Assembly and community songs.

1. School song-books. I. McConathy, Osbourne, 1875-1947, ed. II. Miessner, William Otto, 1880- joint ed. III. Birge, Edward Bailey, 1868- joint ed. IV. Bray, Mabel Evelyn, 1879- joint ed. V. Dunn, Fannie Wyche, 1879- joint ed. VI. Beach, Frank Ambrose, 1872- joint ed. VII. Murray, Josephine, joint ed.
38—16433
Library of Congress M1994.M9765 1938
[a48g1] 784.624

NM 0910220 DLC OrAshS PPT

VOLUME 403

The music hour, one-book course.

What the teacher should know, to introduce the one-book course or two-book course of The music hour series, by Osbourne McConathy ... W. Otto Miessner ... Edward Bailey Birge ... [and] Mabel E. Bray ... New York, Boston [etc.] Silver Burdett company [c1938]

The music hour, one-book course.

Field, Elizabeth Staton.
Music hour songs for simple melody instruments with fingering for C-melody flute, by Elizabeth Staton Field ... New York, Chicago [etc.] Silver Burdett company [c1942]

The music hour; teacher's guide for the fifth book, by Osbourne McConathy [and others] New York, Silver, Burdett [c1931]
x, 333 p. illus. 26cm.
"Accompaniments for songs in the fifth book": p. 159-326.

1. Music—Instruction and study. 2. Music—Manuals, text-books, etc. I. McConathy, Osbourne, 1875- II. Miessner, William Otto, 1880- joint author.

NM 0910223 ViU IU MH OO OCl

The Music hour; teacher's guide for the fifth book, by Osbourne McConathy ... W. Otto Miessner ... Edward Bailey Birge ... [and] Mabel E. Bray ... New York, Boston [etc.] Silver Burdett company [c1938]
x, 342 p. illus. (incl. music) 26 cm.
Includes piano accompaniments for book v.

1. Music—Instruction and study. 2. Music—Manuals, text-books, etc. I. McConathy, Osbourne, 1875- II. Miessner, William Otto, 1880- joint author. III. Birge, Edward Bailey, 1868- joint author. IV. Bray, Mabel Evelyn, 1879- joint author.

M1994.M9768T4 784.624 38—24692

NM 0910224 DLC PPT OU ViU

The Music hour, two-book course ... by Osbourne McConathy ... W. Otto Miessner ... Edward Bailey Birge ... [and] Mabel E. Bray ... illustrated by Shirley Kite. New York, Newark [etc.] Silver, Burdett and company [c1934]
2 v. illus. (part col.; incl. ports.) 21½ cm.
"Facsimile of pianoforte keyboard (two octaves)" on back lining-papers.
"The two-book course of the Music hour series is a condensation of the five-book grade-by-grade course."—[v. 1] p. 133.
CONTENTS.—[v. 1] Lower grades.—[v. 2] Upper grades.

——— Accompaniments for songs in the two-book course ... by Osbourne McConathy ... W. Otto Miessner ... Edward Bailey Birge ... [and] Mabel E. Bray ... New York, Boston [etc.] Silver, Burdett company [c1937]
iv, 204 p. 25½ cm. M1994.M976 1934 Accomp.

1. School song-books. I. McConathy, Osbourne, 1875- ed. II. Miessner, William Otto, 1880- joint ed. III. Birge, Edward Bailey, 1868- joint ed. IV. Bray, Mabel Evelyn, 1879- joint ed.

M1994.M976 1934 784.624 34—30089

NM 0910226 DLC OrLgE OrP ViU PPT ODW IU

The Music hour, two-book course ... by Osbourne McConathy ... W. Otto Miessner ... Edward Bailey Birge ... [and] Mabel E. Bray ... illustrated by Shirley Kite. New York, Boston [etc.] Silver Burdett company [c1938]
2 v. illus. (part col.; incl. ports.) 21½ x 16½cm.
Diagram of piano keyboard (two octaves) on back lining-paper.
"The two-book course of the Music hour series is a condensation of the five-book grade-by-grade course."—[v. 1] p. 141.
CONTENTS.—[v. 1] Lower grades.—[v. 2] Upper grades.

1. School song-books. I. McConathy, Osbourne, 1875- ed. II. Miessner, William Otto, 1880- joint ed. III. Birge, Edward Bailey, 1868- joint ed. IV. Bray, Mabel Evelyn, 1879- joint ed.

45-49223

Library of Congress M1994.M976 1938

NM 0910227 DLC ViU

The music hour, two-book course.

Music in rural education; based on The music hour, one-book course; The music hour, two-book course, by Osbourne McConathy ... W. Otto Miessner ... Edward Bailey Birge ... [and] Mabel E. Bray ... in collaboration with these authorities on rural education: Fannie W. Dunn ... Frank A. Beach ... [and] Josephine Murray ... New York, Boston [etc.] Silver Burdett company [c1937]

The Music hour, two-book course.

M1994 .M9764 1937

What should the teacher know to introduce The music hour, one-book course, two-book course; a book of teacher helps by the editors of the series, prepared especially for teachers with minimum musical training. [New York, Boston, etc.] Silver Burdett company, c1937.

The music hour, two-book course.

What the teacher should know, to introduce the one-book course or two-book course of The music hour series, by Osbourne McConathy ... W. Otto Miessner ... Edward Bailey Birge ... [and] Mabel E. Bray ... New York, Boston [etc.] Silver Burdett company [c1938]

Music House of Handy, music publishers
see Handy Brothers Music Company, inc., New York.

Music in Britain. no. [1]- Feb./Mar. 1950-
London, British Council.
no. in v. 21 cm.
Frequency varies.
Title varies: Apr. 1950-Aug. 1955, Monthly music broadsheet.

1. Music—Period. 2. Music—Gt. Brit. I. Gt. Brit. British Council.

ML5.M6443 58-43999

NM 0910232 DLC

Music in Commemoration of the Death of George Washington. Boston, 1800.

8 vo.
Sabin 51578.

NM 0910233 MWA

Music in education. v. 1- (no. 1-)
Mar. 1937-
[London, Novello]
v. illus., ports., music. 28 cm.
Monthly, Mar. 1937-July 1940; bimonthly, Aug./Sept. 1940-
Title varies: Mar. 1937-Mar./Apr. 1944, Music in schools.
Some nos. accompanied by music supplements.

1. School music—Period. 2. School music—England.

ML5.M6444 780.72942 49-24853*

MsSM PSt FU GU
NM 0910234 DLC OrU MB DAU TxLT MiU NN ScCelU IU

Music in England, Ireland, Wales, and Scotland; from the earliest ages to the present time. London, Cradock and co., 1845.
iv, 60 p. 15½cm.

1. Music—Gt. Brit.—Hist. & crit.

16-2081

Library of Congress ML285.M9

NM 0910235 DLC WaS PPL CtY

Music in Germany. [Ed. 1. 1929]
see under Kiesel, Karl A., ed.

Music in Germany. Ed.5. 1933
see under [Mönnig, Richard], ed.

The music in Henry and Emma, taken from Prior's Nut Brown Maid
see under Shield, William, 1748-1829.

CT275 G26M8

Music in her sphere; a biography of Anne Macomber Gannett. Augusta, Me., Kennebec Journal, 1953.
90 p. port. 24 cm.

1. Gannett, Anne (Macomber) 1882-1951.

NM 0910239 MeB

Music in minature (Boston, 1779)
see under Billings, William, 1746-1800.

Music [in] Minneapolis public schools, 1928-1929
see under Minneapolis. Public Schools. [supplement]

Music in New France in the seventeenth century
see under Spell, Lota May (Harrigan) 1885-

Music in poetry & prose
see under Ingpen, Ada (De la Mare) ed.

Music in recreation in the United States of America. [n. p., 1940?] 22 l. illus.

Microfilm (negative) of typescript, with corrections in ms. [Washington, D. C., Library of Congress, 1940] Caption title.

1. Music as recreation.

NM 0910244 NN

Music in rural education; a program for the teacher in one- and two-room schools, based on The music hour, one-book course, by Osbourne McConathy ... W. Otto Miessner ... Edward Bailey Birge ... [and] Mabel E. Bray ... in collaboration with these authorities on rural education: Fannie W. Dunn ... Frank A. Beach ... [and] Josephine Murray ... New York, Boston [etc.] Silver, Burdett and company [c1933]
xiv, 290 p. illus. (incl. music) diagrs. 19cm.
Bibliography: p. 287.
1. Music—Instruction and study. 2. Rural schools. I. McConathy, Osbourne, 1875- II. Miessner, William Otto, 1880- joint author. III. Birge, Edward Bailey, 1868- joint author. IV. Bray, Mabel Evelyn, 1879- joint author. V. Dunn, Fannie Wyche, 1879- VI. Beach, Frank Ambrose, 1872- VII. Murray, Josephine. VIII. The music hour, one-book course.

33-20245

Library of Congress MT10.M95
Copyright A 64504 [a38r2] 784.624

PWcS
WaS OrLgE OrMonO OrAshS IaU MB NBuC AAP OU OCl ODW
NM 0910245 DLC DHEW MtU OrSaW OrP Or CaBVaU IdU-SB

VOLUME 403

Music in rural education; based on The music hour, one-book course; The music hour, two-book course, by Osbourne McConathy ... W. Otto Miessner ... Edward Bailey Birge ... ⌊and⌋ Mabel E. Bray ... in collaboration with these authorities on rural education: Fannie W. Dunn ... Frank A. Beach ... ⌊and⌋ Josephine Murray ... New York, Boston ⌊etc.⌋ Silver Burdett company ⌊©1937⌋
vii, 310 p. illus. (incl. music) 19 cm.
Bibliography: p. 306.
1. School music—Instruction and study—U. S. 2. Rural schools. I. McConathy, Osbourne, 1875- II. Miessner, William Otto, 1880- joint author. III. Birge, Edward Bailey, 1868- joint author. IV. Bray, Mabel Evelyn, 1879- joint author. V. Dunn, Fannie Wyche, 1879- VI. Beach, Frank Ambrose, 1872- VII. Murray, Josephine. VIII. The music hour, one-book course. IX. The music hour, two-book course.
Library of Congress MT10.M95 1937 37—29949
⌊a48q1⌋ 784.624

NM 0910246 DLC TU PPT OCU ViU NcD CoU PSt WU IdU

Music in schools
see **Music** in education.

Music in the elementary schools in Indiana
see under Madison, Thurber Hull, 1902-

Music in the education of youth and adults, International conference on the role and place of, Brussels, 1953
see
International conference on the role and place of music in the education of youth and adults, Brussels, 1953.

Music in the elementary schools. 1955
see under [Hood, Marguerite Vivian]

Music in the integrated social program of the modern school; a classification of the song materials in the five-book series of the Music hour. New York, Boston ⌊etc.⌋ Silver Burdett company ⌊©1938⌋
3 p. l., 55 p. 21½ x 28cm.

1. The Music hour. 2. Songs—Dictionaries, indexes, etc. 3. Music—Manuals, text-books, etc.
Library of Congress MT10.M96 38-18857
——— Copy 2.
Copyright AA 266636 ⌊3⌋ 784.624

NM 0910250 DLC OrP OrMonO

Music in the light of anthroposophy
see under [Pease, Marna]

Music in the junior and senior high school
see under [Burckart, Edward Frederick]

The music in the masque of Alfred written by Mr. Mallet
see under [Oswald, James] 1711-1769, supposed composer.

Music in the nursery school ...
see under Western Reserve University, Cleveland. School of Education. Curriculum laboratory.

Music in the post-office!
see under Alden, John Berry, 1847-1924.

Music in Turkey
see under Turkey. UNESCO Türk Gecici Milli Komisyonu.

Music in village churches
see under Church music society.

Music in worship; record of the choir of Holy Cross cathedral, Boston...
see under Tuckerman, Samuel.

The **Music** index. v. 1- 1949-
Detroit, Information Service.
v. 26 cm.
Monthly with annual cumulations, except v. 1, no. 12, Dec. 1949, which is the annual cumulation.
—— Subject heading list.
Detroit, Information Service.
v. 26 cm.
First issued in 1955.
ML118.M842
1. Music—Period.—Indexes. 2. Subject headings—Music.
ML118.M84 50-13627 rev/MN

MdBP CtY CaBVa
OrCS TxHR MiU NjR KEmT NBuC TxLT TNJ-P
Wa PP NcGU IU ViU TxU MiU FU CU MoSW AAP
OCl MsU NjP PPEB MB IEN MiD LU NN ICU NNC
NM 0910259 DLC DCU KyLoU NBuC WU RP MsSM

Music Industries Chamber of Commerce.
Accounting for retail music stores
see under Peisch, Archie M.

Music industry. v. 1- Mar. 1947-
⌊New York, Metronome Corp.⌋
v. in illus., ports. 20-31 cm. monthly.
Title varies: Mar. 1947- 1955, Music dealer.

1. Music—Period. 2. Music trade—U. S.
ML1.M232 50-57916 rev

NM 0910262 DLC

Music is fun for everyone; the "by ear" way
see under [Suttle, David MacIlvaine] 1894-

Music is fun for everyone; the "by ear" way. Advanced course
see under [Suttle, David MacIlvane] 1894-

Music journal; educational music magazine. v. 1- Jan. 1943-
⌊East Stroudsburg, Pa., etc.⌋
v. in illus., ports. 30 cm.
Frequency varies.
Title varies: Jan. 1943-July/Aug. 1946, Music publishers' journal. Other slight variations in title.
Absorbed Educational music magazine in Apr. 1957.

1. Music—Period.
ML1.M276 45-17897*

MoU TxCaW InLP
MdBE DAU OrPS MBU PU CoD LNL UU GEU TNJ-P
NcDur MiU AzTeS OrP OCl OOxM
TxAbH AzU IaDm TxU NcGU PSt MB OrCS CoU P TU
NM 0910265 DLC CaBVaU NcU NN IU CU NdU NNC-T

---

q780.7 Music journal, *East Stroudsburg, Pa.*
M974a The attitudes of teen-agers toward music: listening, performance, study; a national study sponsored by Music journal. ⌊Stroudsburg, Pa., 195-?⌋
24p. tables. 30cm.
"Reprinted from issues September, 1951 through April, 1952."

NM 0910266 IU

The Music journal. East Stroudsburg, Pa.
Index to new music; a classified list of ... new music publications
see The Music journals' index to new music.

ML145 Music journal, East Stroudsburg, Pa.
.M96
The **Music** journal's index to new music. v. 1- 1946-
New York.

Music Journal (East Stroudsburg, Pa.)
⌊Music library association issue. New York, 1946⌋
64 p. illus. (ports.)
Includes advertising matter.
"Articles having to do with the functions of music libraries are included in this issue. The series will be continued with single articles in future issues." p. 3.
1. Music library association. 2. Music libraries.

NM 0910269 NNC

Music journal. East Stroudsburg, Pa.
New Music list
see
The Music journal's index to new music.

ML118 Music Journal, East Stroudsburg, Pa.
M9 Today's thinking about today's music; a classified list of the 402 lively, informative, authoritative articles that have appeared in the Music Journal ... 1942 - 1946. New York, ⌊1947⌋
11p. 23cm.

NM 0910271 NBuG NN

VOLUME 403

A Music journal.
v. 1–

London, 1929– 8°.
v.

Monthly (except Aug.-Sept.).
Published by the Incorporated Society of Musicians (Oct., 1929 – July, 1930, jointly with the British Music Society).

Formed by the union of the Incorporated Society of Musicians. Report and The Music bulletin. The periodicals retained separate identity, being issued under one cover with a common title and a common v. numbering. Beginning with Oct., 1930, however, the British Music Society was unable to continue the arrangement (see Editorial notice, v. 2, no. 1), and its Bulletin was issued as a separately paged suppl. to A Music journal in the months of Oct., 1930, Feb. and June, 1931. These issues are numbered new ser., no. 1–3, and are bound with v. 2 of A Music journal. In the fall of 1931, the Bulletin resumed separate publication as: The B. M. S. bulletin, new ser., no. 1 (Autumn, 1931). (See entry under: The Music bulletin.)

1. Music—Per. and soc. publ. I. British Music Society, London. II. Incorporated Society of Musicians.
N. Y. P. L.

NM 0910274 DLC TxLT MdBP NcU CoCA MB NmLcU

Music-journal (*London, 1947–*)
see **Music survey.**

The Music journal's index to new music. v. 1–
1946–
New York.
v. 26 cm. annual.
Title varies: 1946, MPJ new music list.
Published by Music journal (called 1946 Music publishers' journal)

1. Music—Bibl.—Catalogs, Publishers'. I. Music journal.
ML145.M96 49-13349 rev*

NM 0910276 OU DLC CoU CU ICN MtBC OrU LU TxU NN MB

Music just like the voice of love. Glee [A.T.T.B.].
(In Catch Club. Original manuscript collection. Vol. 19, p. 31. [London. 1781.])

K5540 — Part songs.

NM 0910277 MB

Music league, *Johnstown, Pa.*
see
Johnstown music league, *Johnstown, Pa.*

Music Library Association.
An alphabetical index to Claudio Monteverdi...
see under Music Library Association.
New York Chapter. Bibliography Committee.

Music Library Association.
An alphabetical index to Hector Berlioz:
Werke, 1900-1907
see under Music Library Association.
New York Chapter. Bibliography Committee.

Music library association.
Books on music, a list of recent titles suggested for consideration for army libraries, prepared by Edward N. Waters, president of the Music library association. Washington, Army library service, Special service division, SOS, War dept., 1942.
1 p. l., 32 p. 27 x 20½cm.
Mimeographed.

1. Music—Bibl. I. Waters, Edward Neighbor, 1906– II. U. S. Army library service. III. Title.
43-3934
Library of Congress ML118.M86B6
[3] 016.78

NM 0910281 DLC NNC

Music Library Association.
A check list of thematic catalogues
see under Music Library Association.
Committee on Thematic Indexes.

Music library association.
Code for cataloging music; compiled by a committee of the Music library association. Preliminary version issued by chapters ... [Washington] 1941–42.
5 nos. 24–28 x 21½cm.
Title from no. [2]. Nos. [2]–[5] mimeographed.
Chapter [1], issued by the American library association in collaboration with a committee of the Music library association, is a reprint from A. L. A. catalog rules, preliminary American 2d ed., 1941.
CONTENTS.—[no. 1, chapter 1] Music: entry and heading.—[no. 2] chapter 2. Title.—[no. 3] chapter 3. Imprint.—[no. 4] chapter 4. Collation. chapter 5. Notes.—[no. 5, chapter 6] Code for cataloging phonograph records.
1. Cataloging—Music. 2. Cataloging—Phonograph records. I. American library association. II. Title.
43-13488
Library of Congress ML111.M8C6
[12] 025.3

NM 0910283 Or OrU LU NNC IU N OU OCl OCH MB PPTU PU CU DLC OO ICN IaU OClW CoU DPU MoU WaT Or

---

Z695
.1
.M9M9

MUSIC LIBRARY ASSOCIATION.
Code for cataloging music,compiled by a committee of the Music library association. Preliminary version issued by chapters. Chapter 2. Title. [New York,]1941.
22 numb.l.
Mimeographed.

1.Cataloging--Music.

NM 0910284 ICU

Music library association.
Code for cataloging phonograph records.
[Washington, D.C.] 1942.

iv, 28 numb. l. 26.5 cm.

NM 0910285 OCl MiEM NNC MH TU IU MH LU RPB NNUT PU-FA OO OLak

---

Music library association.
Conference of the Music library association, Cambridge, Massachusetts, January 25-26, 1935. Report of the delegates of Columbia university... [New York, 1935]
9 numb. l. 27 cm.
Caption title.
Typewritten.
Signed: Lowell P. Beveridge, Genevieve Rothen, Richard S. Angell.
1. Musical libraries. I. Beveridge, Lowell P. II. Rothen, Mrs. Genevieve. III. Angell, Richard S.

NM 0910286 NNC

Music library association.
... Constitution ... [194-?]
6 numb. l. 28cm.

Caption title.
Reproduced from type-written copy.

NM 0910287 NNC

ML156
.9
.C8

Music Library Association.
Cumulated index of record reviews. v. 1–
1948/50–
Washington, Music Library Association.

Music library association.
... List of members, April 24, 1940 ...
[1940]
9 numb. l. 28cm.

Caption title.
Reproduced from type-written copy.

NM 0910289 NNC

780.6
M973

Music Library Association.
List of members and institutions.
[Washington] 1955.
42p. 24cm.

"Distributed ... as Supplement to members, number 23."

I. Music Library Association. Notes, 2d ser. Supplement to members. (Separates) no.23.

NM 0910290 OrU

Music library association.

Chicago public library omnibus project.
List of periodicals to be included in cumulative index of music periodicals. (175 periodicals, recommended by the Music library association) Co-sponsored by Newberry library, Chicago, as a part of the Chicago public library omnibus project O. P. 65–1–54–273, Division of professional and service projects, Work projects administration. [Chicago, 1940]

Music library association
Minutes of the meetings ... 1932.
Autographed from typewritten copy.

NM 0910292 OCl

Music library association.
Music and libraries; selected papers of the Music library association, presented at its 1942 meetings. Edited by Richard S. Hill. Washington, Music library association, American library association, 1943.
69 p. 23cm.
CONTENTS.—The Carnegie music sets [by] Florence Anderson.—Materials for the study of Latin American music [by] Gilbert Chase.—Music in wartime and post-war America [by] Edwin Hughes.—The Music library association and the United service organizations [by] Raymond Kendall.—The music library in the college of the future [by] Jerrold Orne.—The relation between the music librarian and the music publisher [by] Gustave Reese.—The army library service [by] Major R. L. Trautman.—Early American publications in the field of music [by] W. T. Upton.
1. Music—Addresses, essays, lectures. 2. Music libraries. I. Hill, Richard Synyer, 1901– ed. II. Title.
Library of Congress ML27.U5M69 43-11011
[10] 780.4

NM 0910293 NIC KMK DPU ViU MB PP OO OCl PPD PU-FA NcD DLC IdB WaS WU MtU CaBVa OrP CaBVaU

ML
27
.U5
M694

Music Library Association.
Newsletter.

Issued by the Publicity Committee.

1. Music. Societies, etc. 2. Music libraries.

NM 0910294 OrU

VOLUME 403

Music Library Association.
Notes. no. 1-15, July 1934-Dec. 1942; ser. 2, v. 1-
Dec. 1943-
[Washington, etc.]
v. illus., ports., facsims. 24-29 cm.
Irregular, 1934-42; quarterly, 1943-
Title varies slightly.
Editors: 1934-40, E. J. O'Meara.—1941-42, C. W. Fox.—1943- R. S. Hill.
INDEXES:
No. 1-15, 1934-42 (Suppl. to ser. 2, v. 1, no. 2) with no. 13-15.
Indexes for ser. 2 issued for each two volumes and beginning with v. 2 are bound with alternate volumes.

——— Supplement for members. no. [1]-
Sept. 1947-
[Washington]
v. 24 cm.
ML27.U5M6952

1. Music—Societies, etc. 2. Music libraries. 3. Music—Period. I. O'Meara, Eva Judd, ed. II. Fox, Charles Warren, 1904- ed. III. Hill, Richard Synyer, 1901- ed. IV. Title.
ML27.U5M695 43-45299 rev 2

IaCFT PSC OrCS TxCaW
GDS MnNC FTaSU OClW CaBVaU COMC PU PP IaAS INS
KyU NBuG TxU DFo TxSaW CtNIC GEU ICN N MtU WvU
FU PHC TNJ-P PPiD CU MiU CtH ScCleU NcU MiDM
ICU ViU CoD P CaOTU OU KMK CtY NBuU OrCS FM NhD
OrP OrPR OrU WaS OrCS TxDW MNoW IaDm PBm IU GAT
NM 0910295 DLC MB OO MoU LNHT AzTeS NN MiD

Music library association.
A provisional list of subject headings for music, based on the Library of Congress classification. Mimeographed for the Music library association. [Rochester] 1933.
cover-title, 1 p. l., 69 numb. l. 28½cm. $1.00
"Copies may be secured ... from Miss Barbara Duncan, Sibley musical library, Eastman school of music, Rochester, N. Y."
"Subject-heads for musical compositions ... The selection and arrangement ... was largely the work of the former chief of the Division of music, the late Oscar G. Sonneck. The actual preparation of the list for publication was undertaken by Mr. W. Oliver Strunk, of the Division of music."
1. Subject headings—Music. I. U. S. Library of Congress. Division of music. II. Sonneck, Oscar George Theodore, 1873-1928. III. Strunk, William Oliver, 1901- IV. Title.
Library of Congress ML111.M8 33-33441
——— Copy 2. [3] 025.3

NM 0910297 DLC OrU NIC IU PPD MiU MB

Music library association.
The public library music department
see under Smith, Gretta.

Music library association.
Report of the committee on the cataloguing and filing of phonograph records ... [Rochester, N. Y., 1939]
3 l. 35cm.

"[This] report contains material that will be revised ... It should therefore be considered as an interim document."

1. Cataloging - Phonograph records.

NM 0910299 NNC

Music library association, pub.
Subject headings for the literature of music (from the Library of Congress Subject headings used in the dictionary catalogues of the Library of Congress, 3d ed., and supplements to date). Mimeographed for members of the Music library association. [Rochester] 1935.
2 p. l., 37 numb. l. 28 x 21cm.
"Copies at $.50 each may be secured from Miss Barbara Duncan, librarian, Eastman school of music, Rochester, N. Y."
1. Subject headings—Music. I. U. S. Library of Congress. Catalog division. Subject headings used in the dictionary catalogues of the Library of Congress.
Library of Congress ML111.M8S9 35-34042
——— Copy 2.
——— Copy 3. Z695.1.M95M9
[2] 025.3

NM 0910300 DLC OrU CaBVaU MoU OCl OU NIC

Music Library Association.
Supplement for members. Washington, D.C., 1947-
see its Notes.

Music Library Association. *Committee on Indexes*
see
Music Library Association. *Committee on Thematic Indexes.*

ML 113 M67C45
Music Library Association. Committee on Thematic Indexes.
A check-list of thematic catalogues. [New York, New York Public Library, 1953]
1 v. (various pagings) 22 cm.

Caption title.
Xerox copy made in 1967, by the Louisiana State University Library, from the Bulletin of the New York Public Library, Jan.-Mar. 1953.

1. Music--Thematic catalogs--Bibl. I. Title.

NM 0910303 LU

Music Library Association. *Committee on Thematic Indexes.*
A check-list of thematic catalogues. New York, New York Public Library, 1954.
37 p. 26 cm.
"Reprinted from the Bulletin of the New York Public Library, Jan.-Mar. 1953."
"Distributed to members of the Music Library Association ... in place of the Supplement to members, number 22."
1. Music—Thematic catalogs—Bibl. I. Music Library Association. Notes, 2. ser. Supplement for members, no. 22. II. Title.
ML27.U5M72 781.9735 54-14251

OCU OCl PPT FMU OO ViU PP
TxU TU PSC ICU WaT NN NcGU NcD OU OOxM
CaBVaU CaBVa OrP InU MB ICN NIC IU CLSU
NM 0910304 DLC NSyU NjR IEN CLU OkU OrU

Music Library Association. Committee on Thematic Indexes.
Preliminary draft of a check-list of thematic catalogues, prepared for the Music library association by the Committee on indexes (1942-1946); Leonard Burkat, Scott Goldthwaite [and] Helen Joy Sleeper. [Wellesley, Mass.] The Wellesley college library, 1946.
3 p. l., 19 numb. l. 28 cm.
CONTENTS.—Individual composers.—Collections.—Libraries.—Publishers.—Doubtful items.
1. Music—Thematic catalogs—Bibl. I. Title: Check-list of thematic catalogues.
ML113.M67 781.9735 48-16331

NM 0910305 DLC MH MB CU

ML 113 M987+ no.1
Music Library Association. New York Chapter. Bibliography Committee.
An alphabetical index to Claudio Monteverdi, Tutte le opere, nuovamente date in luce da G. Francesco Malipiero, Asolo, 1926-1942. Edited by the Bibliography Committee of the New York Chapter, MLA. New York, Music Library Association [195-?]
17 p. 28cm. (MLA index series, no.1)

1. Monteverdi, Claudio, 1567-1643. Works. (Indexes) II. Title.

NM 0910306 NIC NN

Music Library Association. New York Chapter. Bibliography Committee.
An alphabetical index to Hector Berlioz: Werke, 1900-1907. Edited by the Bibliography committee of the New York chapter, MLA. New York, Music library association [n.d.] 6 p. 28cm. (M L A index series. no.2)

1. Berlioz, Hector--Bibl. I. Series. II. Berlioz, Hector, 1803-1869. Works. III. Music library association. New York chapter.

NM 0910307 NN

Music Library Association. *Northern California Chapter.*
Bulletin for Northern California music libraries. v. 1- Jan. 1948-
[n. p.]
v. in illus. 22-28 cm. 8 no. a year (irregular)
Title varies: Jan.-Feb. 1948, Bulletin.—Apr. 1948- Notes for Northern California music libraries.

1. Music—Societies, etc. I. Title.
ML27.U5M75 026.78 59-42203 ‡

NM 0910308 DLC

Music Library Association. *Northern California Chapter.*
Notes for Northern California music libraries
see its
Bulletin for Northern California music libraries.

---

ref ML 113 M88
Music Library Association. Publications Committee.
A checklist of music bibliographies (in progress and unpublished) [Ann Arbor, University of Michigan, n.d.]
[5] p. 28 cm. (MLA index series, 3)

NM 0910310 NcGU

NX 110 .07 M8
Music, literature and art directory.
1928-
Portland, Oreg.
v. illus. 21cm.

1933- , issued by Mary Holder Williamson.

*1. Oregon. Music teachers. *2. Oregon. Art. Study and teaching. Direct. *3. Oregon. Entertainers. Direct. *I. Williamson, Mary Holder

NM 0910311 OrU

Music lives in Prague. [1st ed.] **Prague, Orbis, 1949.**
92 p. illus. 20 cm.

1. Music—Czechoslovak Republic—Prague.
ML247.8.P6M8 780.9437 51-33463

NM 0910312 DLC TxU

The **Music** lover...
v.

London: British-Continental Press, Ltd. [193 28½cm.
v. illus. (ports.)
Weekly.
Editor : E. Evans.
Absorbed the Musical mirror, Sept. 2, 1933.
Ceased publication.

1. Music—Per. and soc. publ. I. Evans, Edwin, 1874- ed.

NM 0910313 NN CLSU

Music lover's album, The. [Compositions for piano solo.] 8052.1254
= New York. The Musical Observer Co. [1912.] 127 pp. 26 cm.
The title is on the cover.

M481 — Pianoforte. Music. Colls.

NM 0910314 MB

The music lovers' almanac
see under Hendelson, William H 1904-

VOLUME 403

The music lovers' calendar for 1910 with birth dates of celebrated musicians. London, 1910. unp. 16 cm.

NM 0910316 RPB

ML 13
M45 The MUSIC-LOVERS calendar, illustrated and published annually. [New York, Breitkopf & Härtel, 1905?- v. illus., music. 30 cm. Library has v. 3, 1907.

1. Music - Periodicals.

NM 0910317 CABVaU CU

ML102
.S6M8 Music lovers contest co., Memphis. Music lovers contest title book; titles and authors of all songs and music used in our music lovers contest. [Memphis, C. B. Johnston & co., printers] c1912. cover title, 17 p. 23 cm.

NM 0910318 DLC

Music lovers' cyclopedia
see under Hughes, Rupert, 1872-1956, ed.

Music lovers' encyclopedia...
see under Hughes, Rupert, 1872-1956, ed.

ML1
.M2643 Music lovers' guide; a monthly review of the best in recorded music. v.1- Sept. 1932 [New York, New York band instrument company, inc., etc., 1932- v. illus. 23cm.

Subtitle varies.

1. Music--Period. 2. Phonograph records.

NM 0910321 DLC

MUSIC lovers' guide; a review of the best in recorded music. v. 1-3, no. 2; Sept. 1932-Mar. 1935. New York, New York band instrument company, inc. [etc.] 3 v. illus., ports. 23cm.

Edited by A.B.Johnson and others.
Superseded by the American music lover.
1. Music--Per. and soc. publ. 2. Phonograph--Per. and soc. publ. 3. Periodicals--U.S. I. New York band instrument company, inc.

NM 0910322 NN NNU-W MB

ML
.M88
1905 The music lovers library; best music of the famous composers of all nations. New York, Music Lovers Press [1905] 7 v. 30cm. SET INCOMPLETE
CONTENTS.—v. 1. Vocal music for the home, lodge, school and social gatherings.—v.2. The best songs of the famous composers.—v. 3. Vocal duets, trios, quartets, and choruses.—v.4. Piano music: old masters.—v.5. Piano music: modern masters.—v.6. Piano music: standard composers.—v. 7. Piano music: popular composers and dance writers.
1. Songs with piano. 2. Choruses. 3. Piano music.

NM 0910323 ViU NN WaSp

Music lover's magazine. vol. 1-2. Portland, Oregon, 1922-23.

NM 0910324 Or DLC

MUSIC lovers' phonograph monthly review. v.1-6, no.6; Oct. 1926-Mar. 1932. Medford, Mass. [etc.] 6 v. illus. 27cm.

"An independent journal of phonography and other arts of sound-reproduction." (varies slightly.)
Title varies: Oct. 1926-June, 1927; Oct. 1930-Mar. 1932, The Phonograph monthly review.
Edited by A.B. Johnson.
1. Phonograph records--Per. and soc. publ. 2. Periodicals--U.S. I. Title: The Phonograph monthly review.

NM 0910325 NN PP

Music lovers' piano pieces; the nation's favorite melodies, with added text
see under [Treharne, Bryceson] 1879- arr.

8052.256
The music-lover's symphony series. For piano, two-hands. — New York. G. Schirmer, Inc. [1928-31.] 6 v. 30 cm.

1. Schubert, F. P. Symphony in B minor.
2. Mozart, W. A. Symphony in C major (Jupiter).
3. Schumann, R. Symphony No. 4 in D minor.
4. Beethoven, L. van. Symphony No. 6 in F major (Pastoral).
5. Brahms, J. Symphony No. 3 in F major.
6. Franck, C. Symphony in D minor.

D2708 — T.r. — Symphonies. Pianoforte.

NM 0910327 MB OO

Music magazine.
v. 1

Chicago: The Midwest Concert Management, Inc., 1926- f°.
v. illus. (incl. music.)

Weekly, Feb. 19 – Oct. 15, 1926; bi-weekly, Oct. 29, 1926 – Aug. 5, 1927; monthly, Sept., 1927 –
Title varies: Feb. 19 – June 11, 1926, Musicians' service magazine; June 18, 1926 – Aug. 5, 1927, Musicians' magazine; Sept., 1927 – Music magazine.

1. Music—Per. and soc. publ.
N. Y. P. L. May 8, 1928

NM 0910328 NN ICN

The Music magazine (New York, Oct.1961-Oct.1962)
see Musical courier.

Music magazine; edited by the Association for the advancement of Chinese music, Peking, China. v. 1- Jan. 10, 1928- [Peking, 1928- v. illus. 27cm.

Text in Chinese.
Includes music.
Vol. 1, no. 1-2 include bibliography of Chinese music by T. L. Yuan.

1. Music—Period. 2. Music, Chinese. I. Association for the advancement of Chinese music, Peking.

CA 29-408 Unrev'd
Library of Congress ML5.M65

NM 0910330 DLC

Music magazine (*Radio program*)
Selections from the BBC programme, Music magazine, chosen and edited by Anna Instone & Julian Herbage. London, Rockliff [1953]
128 p. illus. 20 cm.

1. Music—Addresses, essays, lectures. I. Instone, Anna, 1904- ed. II. Herbage, Julian, ed.

ML55.M67 1953 780.4 54-16911 ‡

NM 0910331 DLC CaBVa PP NN

The Music magazine and musical courier
see The Musical Courier.

Music makers. no. 1- Dec. 1953- Cleveland, Music School Settlement.
no. illus. 28 cm. irregular.
Vol. 1- bound with Cleveland. Music School Settlement. Annual report [on] music extension program, 1953/54-

1. Music—Period. I. Cleveland. Music School Settlement.

MT4.C7C775 56-28395

NM 0910333 DLC

Music makers of stage, screen, radio. v. 1, no. 1-3; May-Dec. 1940. [New York, Music makers, inc., 1940]
1 v. illus. (incl. ports.) 29½cm. irregular.
Title varies slightly.
Edited by L. K. Engel.
No more published.

1. Music—Period. I. Engel, Lyle K., ed.

ML1.M266 47-37145

NM 0910334 DLC NBuG NN

Music manual; course of study in school music ... [n. p., 19
v. illus. (incl. music) diagr. 27 cm.
Reproduced from type-written copy.
For use in Catholic schools.
CONTENTS.—

book 3. Modern music and Gregorian chant.

1. Music—Manuals, text-books, etc. 2. School music—Instruction and study—U. S.
46—39050
Library of Congress MT10.M965
[a48c1] 780.2

NM 0910335 DLC

Film
3149
Music
Lib'y Music manuscripts and prints of the 15th and 16th centuries. 30 reels of microfilm. 35mm.

CONTENTS.--Reel 1. London. British Museum. Add. 31922.--Reel 2. London. British Museum. Add. 35087.--Reel 3. Modena. IV.--Reel 4. Paris Bibliotheque Nationale. Fonds français 1596.--Reel 5. Paris. Bibliotheque Nationale. Dept. des Manuscrits. Mss. 1597.--Reel 6. Paris. Bibliotheque. Fonds français 2245.--Reel 7.

Paris. Bibliotheque Nationale. Fonds nouv. acq. français 4379.--Reel 8. Rome. Capella Giulia XIII, 27.--Reel 9. Rome. Biblioteca Casanatense. Mss. 2856.--Reel 10. St. Gall. Stifts-Bibliothek. 462.--Reel 11. St. Gall. Stifts-Bibliothek. 463.--Reel 12. St. Gall. Stifts-Bibliothek. 464.--Reel 13. Torino.

Biblioteca Nazionale. Riserva Musicale. I-27. --Reel 14. Tournai. Bibliotheque de la Ville. Mss. 94.--Reel 15. Wolfenbüttel. Landes-Bibliothek. 287.--Reel 16. Capirola lute book.--Reel 17. Cambrai. Recueil 125-128.--Reel 18. Firenze. 2439.--Reel 19. Regensburg. C120.--Reel 20. Verona. Biblioteca capitolare. Cod.

Mus. DCCLXI.--Reel 21. Wien. SM 15497.--Reel 22. Wien. 11883.--Reel 23. Frottole libro tertio. Roma antico 1517.--Reel 24. Motetti novi e chanzoni françaises. Venezia. Antico, 1530.--Reel 25. Cancioni, frottete et capitoli da diversa. Roma 1531.--Reel 26. Six publications by Attaignant. Paris 1532.--Reel 27.

Lieder zu 3 & 4 Stimmen. Frankfurt, Egenoiff. 1535.--Reel 28. Trium vocum carmina. Nürnberg. For. 1538.--Reel 29. Secundus tomus biciniorum. Wittemberg. Rhaw, 1545.--Reel 30. Liber primus sex missas continens. Paris, LeRoy & Ballard, 1553.

1. Music - Manuscripts.

NM 0910340 TxU

VOLUME 403

"The music master"...
see under [Klein, Charles] 1867-1915.

Music microfilm archive.
Carton no. 1

[Philadelphia, 1941
reel.

Film reproduction. 35mm. Position I. Positive.

Microfilm reproductions of original music manuscripts, undertaken under the auspices of the Oberlaender trust.

CONTENTS.

Carton no. 1.
MOZART, W. A. [Symphonies. K. 318] Sinfonia. 1779.
SCHUMANN, R. A. [Symphonies. no. 1. Op. 38] Frühlingssymphonie. [1841]
BRAHMS, JOHANNES. [Symphonies. no. 1] Brahms Simphonie. 1877.

1. Autographs—Music—Collections—Facsimiles. I. Carl Schurz memorial foundation, inc. Oberlaender trust.
N. Y. P. L. July 22, 1942

NM 0910344 ICN MB MH MNS NBuG NNC NPV NRU-Mus NcU NN MiU WaU WU TxDT PU NjP CLU CU DLC

Music mirror. v. 1- June 1954-
[London]
v. in illus., ports. 26 cm.
Monthly, June 1954-Oct. 1957; semimonthly, Dec. 1957-
Beginning in Dec. 1957 alternate issues have titles: Jazz music mirror, Pop music mirror.

1. Music—Period. 2. Jazz music—Period.

ML5.M652 780.5 58-46363

NM 0910345 DLC CaBVa

Music Mountain Mining Co.
Prospectus of the Music Mountain Gold Mining Company. ...
14 p. O. Washington [1884].
Title taken from inside cover.

NM 0910346 ICJ

The Music news. v. 1-
Nov. 6, 1908-
Chicago [C. E. Watt] 1908-
v. illus. (incl. ports.) 40cm. weekly.
Editor: Nov. 6, 1908- C. E. Watt.
Supersedes the Musical standard.

1. Music—Period. I. Watt, Charles E., 1862-1933, ed.

Library of Congress ML1.M27 10-21594

NM 0910347 DLC OrP IaDm ICN IC I

Music news. Hollywood, Calif., 1952
see Music views.

The Music news. Washington
see
Washington Music Teachers' Association, *Washington, D. C.*
Directory.

The Music news directory
see
Washington Music Teachers' Association, *Washington, D. C.*
Directory.

Music of Bohemia, given at the Central Theatre, San Francisco.
see under Bohemian club, San Francisco.

Music of Bohemia, under the direction of Paul Steindorff ... Aug., 26, 1909. San Francisco, 1909.
23 p. port. pl. music. 23 cm.
Newspaper clipping inserted.

NM 0910352 RPB

The music of courage: trumpet. London, n.d.
[11] p. front. 11 cm. (Life's music series)
Illustrated title page.

NM 0910353 RPB

The music of freedom ...
see under [MacSwiney, Terence Joseph] 1879-1920.

The music of joy: lyre. London, n.d.
[12] p. front. 11 cm. (Life's music series)
Illustrated title page.

NM 0910355 RPB

---

*EC8 B8443 819f

The music of Lough Corrib.
[Kent,Eng.]Lee Priory press.[1817]
broadside. 24x19cm. (In Miscellaneous articles printed at Lee Priory [1819?])
Dated at foot: Cong, June 9, 1817.
Also issued separately.
In verse.

NM 0910356 MH

Music of many lands and peoples
see under MacConathy, Osbourne, 1875-1947, ed.

Music of our time: an extract from the catalog of Boosey & Hawkes
see under Boosey & Hawkes, Inc., New York. [supplement]

Music of Street games of North Shields children
see under [King, Madge]

Music of the ages. Philadelphia, c1913.
[10] p. col. illus. 19 cm.
Cover title
Copyright by J. Henry Smythe.

NM 0910360 RPB

ML338 .L7

The music of the ancients. A lecture.
[Calcutta? 1874?]
24 p. 2 pl. 21 cm. [With Lokanatha Ghosha. The music and musical notation of various countries. Calcutta, 1874]

NM 0910361 DLC

Music of the Appendix to the Hymnal noted
see under [Helmore, Thomas] 1811-1890, comp.

[Music of the Civil War.] *8050.15
Scrap-books. [Indianapolis, etc. 1861-64.] 4 v. Portraits. Plates. 33½ cm.
A collection of vocal and pianoforte music.
Title on the back of each volume.
Manuscript table of contents in each volume.
Each title is catalogued separately.
The plates are lithographs of military subjects.

H6801 — Scrap-books. United States. Hist. 19th century. Civil War, 1861-1865. — Pianoforte. Music. Colls. — United States. Hist. 19th century. Civil War, 1861-18.. Music. — Songs. With music. Colls. — Military lithographs.

NM 0910363 MB

Music of the land. Boston, C. C. Birchard, °1941.
8 p. 28 cm.
Arrangements for chorus (SATB), 1-2 voices and piano, and rounds.

1. Choruses, Secular.

M1547.M8 51-53761

NM 0910364 DLC

M2 .M849

The Music of the Mass, fully noted according to the festal and ferial uses customary in western Christendom, together with the Communion adapted to the Ordinary and Canon of the Mass ... edited by the Society of SS. Peter & Paul, the music adapted and arr. by Francis Burgess. London, Society of SS. Peter & Paul, 1912.
105, lxiv, xiii p.

I. Society of SS. Peter and Paul. II. Burgess, Francis, 1879-

NM 0910365 ICU

... The music of the Mongols. Part I: Eastern Mongolia. Preface by Sven Hedin... Stockholm, 1943. 100, 97 p. mounted col. front., illus., map, plates. 30cm. (Sino-Swedish expedition, 1927-1935. Reports from the scientific expedition to the North-Western provinces of China under the leadership of Dr. Sven Hedin. Publication 21. [Section] 8. Ethnography. [v.] 4.)

CONTENTS.—On the trail of ancient Mongol tunes, by Henning Haslund-Christensen.—Specimens of Mongolian poetry tr. [into English] by K. Grønbech.—Preliminary remarks on Mongolian music and instruments, by Ernst Emsheimer.—Music of Eastern Mongolia, collected by H. Haslund-Christensen, noted down by Ernst Emsheimer.

1. Music—Mongolia. 2. Musical instruments, Mongolian. I. Emsheimer, Ernst. II. Grønbech, Kaare, 1901- III. Haslund-Christensen, Henning, 1896- IV. Ser.
N. Y. P. L. March 25, 1947

NM 0910367 NN PU-Mu ICU NN

Music of the Moravians in America from the archives of the Moravian Church at Bethlehem, Pennsylvania.

New York, New York Public Library, 1947-
nos. 31 cm.

1. Music, Moravian (Scores) I. New York. Public Library.

M2.M635 48-14742*

NM 0910368 DLC AAP TxU NN WaU OkU

VOLUME 403

M2
.D24M9 Music of the Moravians in America from the archives of the Moravian Church at Bethlehem, Pa. New York, Published for the New York Public Library by C. F. Peters, 1954-
score (v.) and parts.

1. Music--U. S. 2. Music, Moravian.

NM 0910369 ICU

Music of the National-Socialist Party
see under [German Library of Information, New York]

Music of the new world (Radio program)
Music of the new world; handbook
see under NBC University of the Air.

Music of the North. Musikrevy international
see under Musikrevy international.

Music of the ordinary. New York, Liturgical society of Saint James
see under Liturgical society of Saint James, New York.

The music of the Orient.
(*In* National education association of the United States. Journal of proceedings and addresses, 1915. p. 872-882)

1. Music, Oriental.

E 16-755

Library, U. S. Bur. of Education

NM 0910374 DHEW

ML3001
.C56
no.10
in:
SWTS
The music of the parish church. By a member of the Society of the sacred mission. London, Published for the Church Music Society by Geoffrey Cumberlege, Oxford University Press, 1948.
7p. 23cm. (Shorter papers, no. 10)
1. Music in churches. 2. Church music. I. Church music society. II. Society of the sacred mission.

NM 0910375 IEG

The music of the Pilgrims; a description of the Psalm-book brought to Plymouth in 1620. Boston, 1921
see under Pratt, Waldo Selden, 1857-1939.

Music of the Polish Renaissance; a selection of works from the xvith and the beginning of the xviith century. Edited by Józef M. Chominski and Zofia Lissa. ₍Translation from the Polish: Claire Grece Dąbrowska; English translation of the Polish songs: Przemysław Mroczkowski. Kraków, Polskie Wydawn. Muzyczene, 1955.
score (370 p.) facsims. 33 cm.
Partial contents.—Music of the Polish Renaissance.—Instrumental music.—Vocal music.—Translations of the Polish songs.

1. Instrumental music—To 1800. 2. Vocal music—To 1800. 3. Music, Polish. I. Chomiński, Józef Michał, ed. II. Lissa, Zofia, joint ed.

M2.M9813 M 56-1156

NM 0910377 DLC

Music of the Roman church for piano or organ. London, Ashdown ₍19--₎
24 p.

NM 0910378 OrP

Music of the United Nations...
see under Music educators' national conference.

Music of the West; a monthly report to the nation on music and musicians of western America. v. 1-
Sept. 1945-
₍Pasadena, Calif.₎
v. illus., ports. 31 cm.

1. Music—Period. 2. Music—U. S.

ML1.M273 780.978 49-25382*

NM 0910380 DLC OC IaDm OrP CI CoD CSt NN

[Music on the War.] *"20th".1Je.g
[Indianapolis, etc. 1861-64.] 6 v. Portraits. Decorated title-pages. 33½ cm.
A collection of vocal and pianoforte music.
Each volume has a manuscript table of contents.
The decorated title-pages are lithographs of military subjects.

K8381 — Military lithographs.— Pian. [illegible]e. Music. Colls.— United States. Hist. 19th century. Civil War, 1861-1865. Music. — War songs and poems.

NM 0910381 MB

Music, or a parley of instruments
see Musick, or a parley of instruments.

Music parade. v. 1-
₍London, A. Unwin₎
v. in illus., ports. 22 cm.

1. Music—Period. 2. Music—Addresses, essays, lectures.

ML5.M654 780.5 46-2437 rev*‡

NM 0910383 DLC

Music Performance Trust Fund, *New York*.
Report and statement of trustee.
New York.
v. 28 cm.

ML26.M85 780.73973 53-33577 ‡

NM 0910384 DLC

Music Performance Trust Fund, *New York*.
Trustee's regulations, 1 July, 1949. New York ₍1949₎
6, ₍4₎ p. 28 cm.
Cover title.
"Recommendation for project": p. ₍7₎-₍10₎

ML26.M83 780.627 53-35426

NM 0910385 DLC FMU InU

Brown
ML42
.B7C65 Music performed at the Coliseum concert, Sept. 26, 1869. [Boston, 1869?]
14 p. 27 cm.
Held in conjunction with the National peace jubilee and musical festival.

1. Concerts--Programs. 2. Concerts--Boston. I. Boston. National peace jubilee and musical festival, 1869.

NM 0910386 MB MH

VM
2136
M 98 The MUSIC performed at the Magdalen chapel, consisting of anthems, hymns and psalm tunes composed by Handel and other great masters. Arranged for the organ, piano forte & voice. London, Preston₍1815?₎
140p.

Issued in five parts, each with separate t.-p. but with continuous paging.

NM 0910387 ICN

Music play for little folks
see under Eckstein, Maxwell.

Music popular in Philadelphia, 1836 to 1848, piano songs and dance music.
2 v.

NM 0910389 PU

Music press choral series. no.50-100,105
New York ₍1942-1947
52v. 26cm.

NM 0910390 OrU

Music Press contemporary choral series.
General editor Hugh Ross. New York, Music Press, inc.
27 cm.
Volumes arbitrarily numbered.

NM 0910391 PU

Music Press ensemble series. NY

Edited by S.Beck
Vol.1 (1942): Music for two

NM 0910392 MH

Music program.
... Catalogue ... of 230 master electrical transcriptions produced by the WPA and broadcast coast to coast from April 1936 up to and including release of November 6, 1939. Talent furnished by Music program of Professional and service projects ... Production and distribution by Radio section, Information division ... Recorded by RCA, Allied, Decca. Boston, New York ₍etc., 1939?₎
5 p. l., 53 numb. l. 26½cm.
Reproduced from type-written copy.
On cover: 1936. W. P. A. 1939. Catalogue of electrical transcriptions.

—— 1940- series. ₍n. p., 1940-
v. 26½cm.
Type-written (carbon copy)

1. Phonograph records—Catalogs. 2. Concerts—Programs. I. U. S. Work projects administration. II. Title: Electrical transcriptions.

42-35171

Library of Congress ML156.M92C2
₍2₎ [789.9] 781.973

NM 0910394 DLC

VOLUME 403

Music program.
... Digest of meetings, April 29-30, 1940 ... Washington, D. C.; May 14-15, 1940 ... New York city. [n. p., 1940]
1 p. l., 23 numb. l. 27 x 20½cm.
At head of title: National advisory committee, WPA Music program.
Reproduced from type-written copy.
42-30221
Library of Congress ML3795.U5F43

NM 0910395 DLC

Music program.
ML120 .U5W6
U. S. *Work projects administration.*
List of American orchestral works recommended by WPA music project conductors ... Washington, D. C., Work projects administration, Federal works agency [1941]

Music Program
see also
Federal Music Project.
Music Project.
History of Music Project.

Music program. New Mexico.
Writers' program. *New Mexico.*
The Spanish-American song and game book ... Compiled by workers of the Writers' program, Music program, and Art program of the Work projects administration in the state of New Mexico. Sponsored by the University of New Mexico and state superintendent of public instruction of New Mexico. New York, A. S. Barnes and company [c1942]

Music Project
see also
Federal Music Project.
Music Program.
History of Music Project.

Music project. Alabama.
Alabama. *Dept. of education.*
Sing Alabama ... Music copy-work by Alabama music project, Work projects administration, sponsored by Alabama college, Montevallo. Experimental ed. [Montgomery? Ala.] 1941-

---

Music project. *Arkansas.*
Pre-service training manual for music education teachers. Prepared by Exene C. Benefield, state supervisor, Arkansas WPA Music project. Little Rock, Ark., Federal [!] works agency, Work projects administration [1942?]
4 p. l., 26 numb. l. 28cm.
Loose-leaf; reproduced from type-written copy.
Bibliography: leaf 26.
1. Music—Manuals, text-books, etc. I. Benefield, Exene C.
43-12901
Library of Congress MT10.M97
[2] 780.72

NM 0910401 DLC

Music project, Massachusetts.
*ML200 .7 .M4F4
Report on activities, April 1, 1941 to March 31, 1942. Massachusetts WPA music project. [Boston, 1943?]
cover-title, 2 p. l., 49 numb. l., [54] l. 28cm.
Memeographed.
1. Music—Massachusetts. 2. Music and state—Massachusetts.

NM 0910402 MB

Music project. *Massachusetts.*
Sponsors of the Massachusetts WPA Music project, the year 1940-1941. [Boston, 1941]
cover-title, [149] p. illus. 22½cm.
"Compiled and mimeographed by Information service, Massachusetts WPA Music project."—p. [2]
"This collection of official seals represents the various communities that have aided the work of the Massachusetts WPA Music project."—p. [3]
1. Seals (Numismatics)—Massachusetts.
43-15208
Library of Congress CD5618.M4M8
[2] 929.8

NM 0910403 DLC MB

Music project. *Michigan.*
... Catalog of band selections in library of Michigan Music project ... Lansing, Mich. [1940?]
cover-title, 9 numb. l. 27cm.
At head of title: Work projects administration.
Reproduced from type-written copy.
1. Band music—Bibl.—Catalogs.
44-33901
Library of Congress ML128.B23M8
[2] 781.9731

NM 0910404 DLC

Music project. *Michigan.*
... Catalog of orchestral compositions in library of Michigan Music project ... Lansing, Mich. [1940?]
cover-title, 41 numb. l. 27cm.
At head of title: Work projects administration.
Reproduced from type-written copy.
1. Orchestral music—Bibl.—Catalogs.
44-33900
Library of Congress ML128.O5M8
[2] 781.9731

NM 0910405 DLC

Music Project. *New York (City)*
History of the Music Project, June 5th, 1933 to June 1st, 1941, New York Public Library, Circulating Music Department, 121 East 58th Street, N. Y. C. W. P. A. Project # 65-1-97-8 WP # 13. New York [1941]
4 l. 29 cm.
Title from label mounted on cover.
Typewritten (carbon copy)
Prepared by Alfred Roth.
I. Roth, Alfred, W. P. A. supervisor.
ML200.8.N52M94 52-50004

NM 0910406 DLC

Music project. *New York (City)*
... Teacher's guide. A creative approach to piano class teaching, by Jules Orlik ... Music education division ... [New York? 1941?]
cover-title, 87 numb. l. illus. (music) 27½ x 21½cm.
At head of title: Federal works agency, Work projects administration music program, New York city WPA Music project ...
Mimeographed (musical examples reproduced from manuscript)
Graded list of teaching material at end of each section. List of compositions for "piano ensemble": leaves 60-75. "Publishers represented in the graded list of material": leaf 76. "Collections of early keyboard music": leaves 77-82. Bibliographies: leaves 83-87.
1. Pianoforte—Instruction and study. 2. Pianoforte music—Bibl.—Graded lists. I. Orlik, Jules. II. Title.
42-22738 Revised
Library of Congress MT937.M9P5
[r43c2] 786.3

NM 0910407 DLC

Music project. *New York (City)*
... Teacher's guide. A creative approach to the teaching of harmony, by Max Garfield ... Music education division ... [New York?] 1941.
4 p. l., 53 numb. l., 1 l. illus. (music) 27½ x 21½cm.
At head of title: Federal works agency, Work projects administration music program, New York city WPA Music project ...
Mimeographed (musical examples reproduced from manuscript)
Bibliography: leaf at end.
1. Harmony. I. Garfield, Max. II. Title. III. Title: A creative approach to the teaching of harmony.
43-10765
Library of Congress MT937.M9H2
[2] 781.3

NM 0910408 DLC

Music project. *New York (City)*
... Teacher's guide. A creative approach to violin class teaching, by Paul Glass ... Music education division ... [New York? 1941?]
2 p. l., 174 numb. l. illus. (music) 27½ x 21½cm.
At head of title: Federal works agency, Work projects administration music program, New York city WPA Music project ...
Mimeographed (musical examples reproduced from manuscript)
Graded lists of teaching material at end of each section. "Publishers represented in the graded lists of material": leaves 173-174.
1. Violin—Instruction and study. 2. Violin music—Bibl.—Graded lists. I. Glass, Paul. II. Title.
42-22737
Library of Congress MT937.M9V5
[2] 787.1

NM 0910409 DLC NN

Music project. New York (City)
... 20 American and Irish fiddle tunes
see under Glass, Paul.

Music project. Virginia.
Writers' program. *Virginia.*
Folk songs to sing. Compiled by the Virginia writers' project, illustrated by the Virginia art project, bound by the School library project, harmonizations by the Virginia music project. Sponsored by the Virginia State board of education. [Richmond?] 1942.

Music project. Virginia.
Virginia variations: a thematic index of the monthly activities of the Virginia Music project ... v. 1- July? 1941- [Richmond, Va., 1941-
v. illus. (incl. music) 28 cm.
"Work projects administration of Virginia, R. S. Hummel, state administrator ... Virginia Arts program, Lollie C. Whitehead, state supervisor ... Virginia Music project, Henry H. Fuchs, state superintendent ... Sponsored by Virginia Conservation commission."
Mimeographed (musical examples reproduced from manuscript)
1. Music - Periodicals. 2. Periodicals (Titles) I. Title.

NM 0910412 Vi

---

*M5 M9
Music published in Germany from 1939 to 1944 under the Nazi regime. Berlin, Leipzig, Mainz [etc.] 1939-44.
33 pts. in 1. 21-34cm.

NM 0910413 NBuG

Music Publishers' Association of the United States.
Bulletin
see MPA bulletin.

Music publishers' journal
see
Music journal. East Stroudsburg, Pa.

Music purposely composed for the harp ...
see under [Jones, Thomas] musician.

Music Q, a guide to good music listening. v. 1-3, no. 9; Feb. 1948-Oct. 1950. [Washington, Music-Q Co.]
3 v. in 2. 22 cm. monthly.
Superseded by Good music.
1. Music—Period.
ML1.M277 780.5 50-57915 rev

NM 0910417 DLC

VOLUME 403

Music reading "flash cards" based on the **Oxford piano** course ... New York, Boston [etc.] C. Fischer, inc., °1940.
8 folders in portfolio. 19 x 30½cm.
Cover-title.
The folders (flash cards) contain material from "Singing and playing" of the Oxford piano course by Ernest Schelling and others.

1. Piano—Methods. I. *Schelling, Ernest, 1876-1939. Oxford piano course.
44-15595
Library of Congress MT236.M85

NM 0910418 DLC

MUSIC record and opera news. v. 1-2, no. 6, v. 3, no. 4-7; Mar. 1921-May, 1924
New York, J. Wanamaker. v. illus., ports. 28cm.

Supersedes Opera news.
Ceased publication with issue for May, 1924?

1. Music--Per. and soc. publ. 2. Opera--Per. and soc. publ. 3. Phonograph records--Per. and soc. publ. 4. Operas--Per. and soc. publ. 5. Periodicals--U. S.

NM 0910419 NN

Music relating to George Washington.
Bost. Oliver Ditson[c1931] 7 pieces of music bound together.

NM 0910420 WaE

Music reporter. 1947/48-
New York, City Center of Music and Drama.
v. 28 cm. annual.
Report year ends Aug. 31.
"Music reviews appearing in the New York times, New York herald-tribune, New York sun and the New York world-telegram."

1. Music—New York (City) 2. Press—New York (City)
I. City Center of Music and Drama, New York.
ML200.8.N5M8 780.9747 49-3613*

MB NBuG NN OU PP CaBVa TU
NM 0910421 DLC M CoU CU CtY MdBE FTaSU NNC MiD TxU

ML3920
.M896

Music Research Foundation.

Music and your emotions; a practical guide to music selections associated with desired emotional responses. Prepared for the Music Research Foundation, inc., by Alexander Capurso [and others] New York, Liveright Pub. Corp. [1952]

The **Music** review. v. 1-
Feb. 1940-
Cambridge, Eng., W. Heffer.
v. illus., ports., facsims., music. 25 cm. quarterly.
Editor: Feb. 1940- G. Sharp.
INDEXES:
Vols. 1-5, 1940-44. 1 v. unb.

1. Music—Period. I. Sharp, Geoffrey Newton, 1914- ed.
ML5.M657 780.5 56-29749

MB KyU CU-Riv
KyLoU PSt CtY TxKT OOxM INS MsSM CU P CaOTU
MoSW CaNBSaM CaOONL OClW TNJ-P NN NjR MBU
NcGU MiU MnU NhD IaU KU PP MdBP TxDW IaCfT
NM 0910423 DLC OrCS CaBVa FM NNU MtU IaAS CU

The **Music** review; devoted to the theory, analysis, review and practice of music. v. 1-
Sept. 1891-
Chicago, C. F. Summy [1891-
v. illus. (music) 25½-26½cm. monthly.
Subtitle varies.
Editor: Sept. 1891- F. G. Gleason.

1. Music—Period. I. Gleason, Frederic Grant, 1848-1903, ed.
CA 17-30 Unrev'd
Library of Congress ML1.M29

NM 0910424 DLC ICRL TxU MiU MsSM

Music roll. "Somewhere in France." 3 times a week.

Mimeographed "Somewhere in France" by officers and men of U.S. Army. European civil affairs division (G5).

NM 0910425 NN

V
683
.607

MUSIC school catalogs. [v.p.,1889-1903]
12v.in 1. 16x22cm.

Binder's title.
A volume containing miscellaneous publications, mostly catalogs, of American conservatories of music.

NM 0910426 ICN

Music School Settlement, *Cleveland*
see
Cleveland. Music School Settlement.

---

*BROAD-
SIDE
1913
.M87

Music School Settlement for Colored People, New York.

Concert of Negro music composed and rendered exclusively by colored musicians Carnegie Hall Lincoln's birthday, February twelfth, 1913 at 5.15 in commemoration of the 50th anniversary of the Emancipation proclamation ... New York, 1913.
broadside. 21 x 30cm.
Caption title.
1. Emancipation proclamation. 2. Negro music.

NM 0910428 ViU

Music seller and radio music trader
see Music seller and small goods dealer.

The **Music** seller and small goods dealer. v. 1-
Sept. 1927-
[London, Evans Bros.
v. illus., ports. 30 cm. monthly.
Absorbed the Phono record in May? 1932. Ceased publication with Apr. 1936 issue; absorbed by the Pianomaker. Cf. British union catalogue of periodicals.
Title varies slightly.

1. Music—Period. 2. Music trade—England.
ML5.M66 60-55784

NM 0910430 DLC NN

Music Seller Reference Book, The. 1932/33.
— London. Evans Bros, Ltd. [1932.] 1 v. 24½ cm.

D1858 — Annuals and year-books. — Music trade. Period.

NM 0910431 MB NN

ML
160
.M9

Music series. no.1-
Dubuque, Iowa, W.C. Brown, 19 -

Consulting editor, 19 - : Frederick W. Westphal.

1. Music-Hist. & crit.-Collections. I. Westphal, Frederick W.

NM 0910432 DAU

W.C.L. **Music.** Songs [collected by] Jones. [n. p., M780.88 ca. 1850-1879]
A512VB
33 pieces in 1 v. 33 cm.
Binder's title.
A collection of songs, arias and opera excerpts, with words in original languages and /or English.
1. Songs (High voice) with piano. 2. Sacred songs (High voice) with piano. 3. Operas. Excerpts. Vocal scores with piano. 4. Oratorios. Excerpts. Vocal scores with piano.

NM 0910433 NcD

The **music** speech, spoken at the public commencement in Cambridge, July the 6th, 1714. [London? 1714.] 16-34 p. 12°.

438704A. 1. Poetry, English.
N. Y. P. L. October 17, 1929

NM 0910434 NN

Music student (London, 1908-)
see Music teacher and piano student.

The Music student, London. Supplement.

Chamber music. A supplement to the Music student, appearing alternate months under the direction of W. W. Cobbett. no. 1-22a; June 1913-Nov. 1916. [London] 1913-16.

The **Music** student [a monthly periodical for the amateur as well as the professional student of music] v. 1-
Aug. 1915-
Los Angeles, Cal., The Henry J. Klahn company, 1915-
v. 16½cm.
Issued in three editions, which differ only in advertising matter: Northern California edition, Southern California edition, National edition.
Editors: Aug.-Nov. 1915, Vernon Spencer.—Jan. 1916- W. F. Gates.

1. Music—Period. I. Spencer, Vernon, ed. II. Gates, Willey Francis, 1865- ed.
17-5197
Library of Congress ML1.M31

NM 0910437 DLC

The **Music** student's library . . .
no. 1-
London: Joseph Williams, Ltd., cop. 1929 8°.
v. illus. (music.)
Editor : 1929 S. MacPherson.

Contents:
no. 1. MacPherson, S. A simple introduction to the principles of tonality. cop. 1929.
no. 2. Cooke, G. V. T. Tonality and expression. cop. 1929.

NM 0910438 NN

VOLUME 403

Music students piano course, The. A standard textbook for the systematic training of ears, fingers and mind in piano playing and musicianship. A practical method for . . . teachers and pupils. A logical basis for the granting of school credit. Edited by Clarence G. Hamilton, John P. Marshall, Percy Goetschius, Will Earhart, William Arms Fisher.
Boston. Oliver Ditson Co. [1897-1923.] 20 parts in 1 v. Illus. Portraits. Plates. 31 cm.

D7601 — Marshall, John Patton, ed., 1877- . — Hamilton, Clarence Grant, ed., 1865- . — Goetschius, Percy, editor, . — Earhart, Will, ed. — Fisher, William Arms, ed., 1861- . — School c. piano course, The. — Pianoforte. Instruction books.

NM 0910439 MB

Music students piano course, The. A standard textbook for the systematic training of ears, fingers and mind in piano playing and musicianship. A logical basis for the granting of school credit. Edited by Clarence G. Hamilton, John P. Marshall, Percy Goetschius, Will Earhart, William Arms Fisher.
= Boston. Oliver Ditson Co. [1905-23.] 20 parts in 5 v. Illus. Portraits. Plates. 31 cm.
The title of volumes 3 and 4 is The school credit piano course . . .

N7760 — Marshall, John Patton, ed., 1877-. — Hamilton, Clarence Grant, ed., 1865-. —Goetschius, Percy, 1853-. —Earhart, Will, ed.— Fisher, William Arms, ed., 1861-. — Pianoforte. Instruction books.

NM 0910440 MB

... The music students piano course, for the systematic training of ears, fingers and mind in piano playing and musicianship, edited by Clarence G. Hamilton ... John P. Marshall ... [and others] [Teacher's manual, first and second years] Boston, Oliver Ditson co. [c1913]
[iv] 29, 23 p. illus. (music)

NM 0910441 WaSp OCl OClUr

Music studio news. v. 1-
Oct. 1946-
Oakland, Calif., Golden Gate Publications.
v. in illus., ports., music. 30 cm. monthly.
Vol. numbers irregular: v. 2, no. 4-5 lack numbering; v. 3, no. 1-6 omitted in numbering.

1. Music—Period.

ML1.M313 780.5 50-57914

NM 0910442 DLC

---

*ML28 .H48M87 Music Study Club.
The new music of the sixteenth, eighteenth, and twentieth centuries. Prospectus presented by the Program Committee of 1950-51. [Haverford, Pa. ? 1951]
[14] l. 22cm.
Cover title.
Concert programs.
Mimeograph copy.
1. Concerts—Programs. I. Title.

NM 0910443 MB

Music study club, Danville, Va. History committee
History of the Music study club, formerly the Chaminade club, Danville, Virginia. 1898 to 1942. [Danville, Va., 1942]
57 l. 28 cm.
Type-written (carbon copy)
A few corrections in manuscript.
Signed, leaf [53]: History committee, Mrs. John G. Eanes, chairman.
Consists chiefly of copies of programs presented by the club, taken in part from Danville newspapers.

"1907-1941. Membership list": leaves [54]-[56]

1. Music study club, Danville, Va. - Hist. 2. Music - Virginia - Danville. 3. Musical societies - Danville, Va.
ML28.D19.M9

NM 0910445 Vi

Music Study Club of Detroit
Yearbook. Detroit [Sussman's Print Shop]

Library has
1935/36

NM 0910446 MiD

Music study for adults
see under Eckstein, Maxwell.

M2062 .4 .M8 1907 Music sung at the sacred concert ...
[1907?]

1. Choruses, Sacred (Mixed voices, 4 pts.) with piano.

NM 0910448 ViU

Music supervision and administration in the schools
see under Music Educators' National Conference. Music Education Research Council.

Music supervisors journal
see
Music educators journal.

Music supervisors national conference
see
Music educators national conference.

Music survey. v. 1-
autumn 1947-
[London, N. Wolsey, etc.]
v. music. 22-25 cm. quarterly.
Title varies: autumn 1947, Music-journal.

1. Music—Period.

ML5.M673 780.5 51-25773

NM 0910452 CtY MoSW CL FTaSU NN NBuG ICN PP DLC NcU CaBVaU OrU WaS TxU NcGU CU PU

ML1 .M82 Music teacher.
1922-
London, Evans Bros., Ltd.
v.

Supersedes Music teacher and Piano student.

1. Music - Instruction and study - Periodicals.

NM 0910453 PSt NN

Music teacher & piano student.
v.

London: Evans bros., ltd., 19 30½cm.
v. illus. (incl. music, ports.)

Monthly.
Absorbed the Piano student, Dec., 1937.

Caption-title: 1938- The Music teacher and piano student, incorporating "The Music student" and "The Musician."
Vols. 17-18 include the current suppl.: Panpipes, 1938-39.
Vols. include the separately numbered section: School orchestra ensemble and string player, no. (Issued 3 times a year and called "Terminal suppl. to the 'Music teacher.'")

NM 0910455 FTaSU NB NN CaBVaU MB OO CaBVa MiD NNU-W CaOTU

Music Teachers' Association of California.
Annual convention. [Official program]

[n. p.]
v. 23 cm.

ML27.U5M6789 780.62794 52-42780 ‡

NM 0910456 DLC C

Music teachers' association of California.

The **Musicians'** journal. v. 1-
Feb. 1913-
San Francisco, Cal., 1913-

Music Teachers' Association of California.
Official bulletin.

[Los Angeles]
v. 23 cm.
Ceased publication in 1935? Cf. Union list of serials.

1. Music—Societies, etc.

ML1.O351 27-25075 rev

NM 0910458 DLC

ML63 .B87 Music teachers' institute, Nunda, N. Y., 1850.

Bulkley, Charles Henry Augustus, 1819-1893.
Alliance of music and religion. Address delivered before the Music teachers' institute, held at Nunda, Livingston county, N. Y., August 28 to September 7, 1850, by Rev. C. H. A. Bulkley; with a catalogue of the members of the institute. Nunda, Swain & Ray, 1850.

Music Teachers' National Association.
Advisory Council Bulletin
see its Bulletin.

ML1 .A5 Music Teachers' National Association.

American music teacher. v. 1-
Sept./Oct. 1951-
[Baldwin, N. Y., etc.]

Music teachers' national association
... Annual meeting...
see its Volume of proceedings...

Music Teachers' National Association.
Bulletin.
[Lincoln, Neb., etc.]
Title varies: Vol. 1-2 known as Advisory Council Bulletin.
Superseded by the Association's American music teacher.

NM 0910463 Or OrP WaS MB CoU NcGU NN CSt NNU-W WvU NcU OrU

Music teachers' national association.
... Conference on music in liberal arts college, Milwaukee, Wisconsin, December 27, 1934. Oberlin, O., The Association, 1935.
cover-title, 48 p. 22cm.
Also published in Proceedings of the Music teachers' national association, 1934, p. [127]-176.
Caption and running title: College music conference.

1. Music in universities and colleges—U. S. 2. Music—Instruction and study—U. S. I. Title. II. Title: College music conference.

Library of Congress MT18.M8C6 35-13517
[2] 780.72973

NM 0910464 DLC NcU OO

VOLUME 403

Music Teachers' National Association.
Doctoral dissertations in musicology

see under

Joint Committee of the Music Teachers National Association and the American Musicological Society.

Music teachers' national association.

New England education league.
High school music course. Report of music conference under auspices of the New England education league with co-operation of the Music teachers' national association and Music section of the National educational association. 2d ed. Boston, Mass., New England education league, 1904.

Music Teachers' National Association.

ML113 .D36

David, Hans Theodore, 1902– *comp.*
A list of doctoral dissertations in musicology and allied fields. Compiled for the Music Teachers National Association and the American Musicological Society by Hans David [and others] Denton, Tex., 1951.

Music Teachers National Association.
Membership list.
[n. p.]
v. 33 cm.

1. Musicians—U. S.—Direct.

ML27.U5M83 780.7 53-34107 ‡

NM 0910468 DLC

Music teachers' national association.
... Music departments of libraries, by a committee of the Music teachers' national association. Washington, Govt. print. off., 1922.
55 p. 23cm. ([U. S.] Bureau of education. Bulletin, 1921, no. 33)
At head of title: Department of the interior, Bureau of education ... William Benlow, chairman.
Appendix: Music in our libraries, by O. G. Sonneck.
"Bibliography on music": p. 51.

1. Musical libraries. I. Benlow, William. II. Sonneck, Oscar George Theodore, 1873–1928. III. Title.

E 22-37

U. S. Off. of educ. Library for Library of Congress L111.A6 1921, no. 33
L111.A6 1921, no. 33
——— Copy 2. ML3795.M87
[a38n1] (370.6173)

OU PP OCU OCl OO ICJ DLC MB PPPL
NM 0910469 DHEW NNUT CABVaU OrP OrU PBa PBm MiU

Music teachers' national association
Official program... Annual meeting...
see its Volume of proceedings...

Music Teachers National Association.
Official program booklet, national biennial convention.

[n. p.]
v. 23 cm.
Conventions held (1957) in coordination with the American String Teachers Association annual meeting.

I. American String Teachers Association.

ML27.U5M687 57-36624

NM 0910471 DLC

Music Teachers' National Association.
Official report of the ... annual meeting ...
see its Volume of proceedings...

Music teachers' national association.

Parsons, Albert Ross, 1847–
On teaching and teaching reform; read before the Music teachers' national association. By Albert R. Parsons and Constantin Sternberg. Philadelphia, T. Presser [18—?]

Music teachers' national association.
Papers and proceedings
see its Volume of proceedings of the Music teachers' national association ...

Music Teachers' National Association.
Preliminary program of annual meeting.

Cleveland.
v. 23 cm. annual.

1. Music—Societies.

ML27.U5M689 780.72 51-38692 ‡

NM 0910475 DLC

Music Teachers' National Association.

L111 .A6 1921, no. 9

National Education Association of the United States.
Present status of music instruction in colleges and high schools, 1919–20. Report of a study made under the direction of the United States Bureau of Education by a joint committee of the National Education Association, Music Teachers' National Association, and Music Supervisors' National Conference. Washington, Govt. Print. Off., 1921.

Music teachers' national association.
Proceedings
see its Volume of proceedings of the Music teachers' national association...

Music Teachers' National Association
Souvenir programme of the Music Teachers' National Association for the promotion of musical art. Convention to be held at Cleveland, Ohio, July 5,6,7 and 8, 1892. Ed. by Wilson G. Smith. Detroit,Mich.,J.W.Ritchie & Co.,1892.
108p. ports. 28cm.

Includes advertisements.

NM 0910478 OClWHi OCl

Music Teachers' National Association.
Studies in musical education, history and aesthetics ...
see its Volume of proceedings of the Music teachers' national association.

Music teachers' national association.
Volume of proceedings of the Music teachers' national association ... Annual meeting of the [1st]– year ...: 1876–19
Pittsburgh, Pa. [etc.] 1877–19
v. illus. (music) plates, diagrs. 21½–25cm.
1906– called series [1]–
No meetings were held in 1877 and 1891. The numbering of the annual meeting was changed from 46th in 1924 to 49th in 1925 to correspond to the number of years since the first meeting instead of the number of meetings held.
At head of title, 1906–26: Studies in musical education, history and aesthetics ... (varies slightly)

Title varies: 1876– The proceedings of the Music teachers' national association.
18 –85, The ... annual meeting of the Music teachers' national association ... Official report (varies slightly)
1886– Official report of the ... meeting of the Music teachers' national association ... (varies slightly)
–1927, Papers and proceedings of the Music teachers' national association at its ... annual meeting (varies slightly)
1928– Volume of proceedings ...
Editors: 19 –16? W. S. Pratt.—1917–38, K. W. Gehrkens.—1939– T. M. Finney.

Continued in next column

Continued from preceding column

With the report of the 16th meeting, 1894, was issued "The secretary's official report of the special meeting ... Chicago, 1893," containing a résumé of the reports of meetings from 1876 to 1892.
INDEXES:
Vol. 28–37 (series 1–10) 1906–15, in 1915.
Vol. 40–53 (series 13–24) 1918–29, in 1929.
Vol. 54–60 (series 25–31) 1930–36, in 1937.

1. Music—Societies. 2. Music—Instruction and study. I. Pratt, Waldo Selden, 1857–1939, ed. II. Gehrkens, Karl Wilson, 1882– ed. III. Finney, Theodore Mitchell, 1902– ed.

8-24680 Revised

Library of Congress ML27.U5M8

PSC PBa OCl Or Nh MiGr MNS IaGG
IaU MeB ICN CoU Or OCU OU TU OO MiU
ICRL CaOTU NcC MnU TxLT CU PU CSt MB NIC
NM 0910480 DLC MShM PPLT WvU KEmT CoU NcD

Music teachers' national association.

PN4071 .W4

Werner's magazine; a magazine of expression. v. 1–30, no. 4; Jan. 1879–Dec. 1902. Chicago, Werner's magazine co.; [etc., etc., 1879]–1902.

Music Teachers' National Association
see also
Joint Committee of the Music Teachers National Association and the American Musicological Society.

Music teachers' national association. 60th annual convention, Washington, D. C., 1938.

ML141 .W3U5

U. S. *Library of Congress. Music division.*
... An exhibit of music, including manuscripts and rare imprints, prepared for the sixtieth annual convention of the Music teachers national association, held in Washington, D. C., on December 28, 29 and 30, 1938. Main exhibition hall, second floor. Washington, U. S. Govt. print. off., 1939.

Music teachers' national association
Special piano committee.
Piano classes and the private teacher...1929.

NM 0910486 MiU

MT222 M97

Music teachers national association.
Special piano committee.
Piano classes and the private teacher.
New York, National bureau for the advancement of music [1931]
43p. front.(ports.) 23cm.

1. Piano – Instruction and study.
I. National bureau for the advancement of music. II. Title.

NM 0910487 IaU CoU

786.3 M985

Music Teachers' National Association.
Western Division

Convention: piano, junior level sessions.

1953-

NM 0910488 OrP

VOLUME 403

Music teachers' review. v. 1-
Jan. 1932-
[Brooklyn, Music teachers' review, etc., 1932-
v. 21-31½cm.

Vol. 1 (1932) consists of 4 nos.; monthly (omitting 2 or 3 summer months) 1933-37; bimonthly, 1938-
Title varies: Jan. 1932-Jan. 1934, The Brooklyn and Long island musical review.
Feb. 1934-May 1936, Musical review.
Sept. 1936- Music teachers' review.
Editors: Jan. 1932-Nov. 1933, W. F. Allen.—Dec. 1933- L. C. Schwartz.

1. Music—Period. 2. Music—Instruction and study—Period.

Library of Congress ML1.M325 39-1618
[3] 780.7

NM 0910489 DLC NN AzTeS NcU

... Music teaching in intermediate grades
see under Glenn, Mabelle, 1881-

... Music teaching in kindergarten and primary grades
see under Glenn, Mabelle.

The music that Washington knew ...
see under Fisher, William Arms, 1861-1948.

Music the world sings
see under Wilson, Harry Robert, 1901- ed.

Music theory for piano students. As presented in The music students piano course. Book 1. Prepared by Clarence G. Hamilton, Percy Goetschius, John P. Marshall, Will Earhart.
= Boston. Oliver Ditson Co. [1924.] v. Music. [A manual of fundamentals and keyboard harmony.] 19 cm.

The music students piano course is published in the series entitled Teacher's manual.
Contents. — 1. Years one and two.

N4589 — Quadruple main card. — [Ha]milton, Clarence Grant, 1865-. (M1) — Goetschius, Percy, 1853-. (M2) — M[arsh]all, John Patton, 1877-. (M3) — Earhart, Will. (M4) — T.r. (1) — S.r. (1) — Pianoforte. Instruction books. (1)

NM 0910494 MB Or OCl OrP MiD

MUSIC theory translation series.
New Haven, Yale school of music.

x Yale university. Music, School of.

NM 0910495 NN MCM

Music Therapy. 1951-
see under National Association for Music Therapy.

Music to be performed at the grand national peace jubilee, to be held in Boston, June, 1869
see under Boston. National Peace Jubilee and Musical Festival, 1869.

Music to be performed at the World's peace jubilee and international musical festival, in Boston, June, 1872
see under Boston. World's peace jubilee and international musical festival, 1872.

8053.1710
Music to Shakespeare's plays. Edited by Steuart Wilson. No. 1.
London. Oxford University Press. [1930- .] v. 31 cm.

Each number is catalogued separately.
Contents. — 1. Twelfth Night.

N9735 — Wilson, Steuart, ed.

NM 0910499 MB

Music today [Cleveland]
see Music. Cleveland.

Music today. 1st- issue;
London, D. Dobson [1949-
v. ports., music. 26 cm. annual.

Journal of the International Society for Contemporary Music. English and French.

1. Music—Period. 2. Music—Hist. & crit.—20th cent. I. International Society for Contemporary Music.

ML5.I 583 780.58 51-23367

NM 0910501 DLC NNC MH CU PSt NcU NIC NN

MUSIC together.
Bedford Hills, N.Y., Gerstner printers & publishers.
no. illus. 28cm.

"An annual cooperative publication for music teacher and student associations, the music industry and accordion & guitar world."

1. M[us]ic--Per. and soc. publ. 2. Periodicals--U.S.

NM 0910502 NN

Music trade credit rating book and directory; containing a complete list of the manufacturers, wholesale and retail dealers in pianos, organs and musical instruments ... in the United States ...
Boston, Mass., Music trade mercantile agency,
v. 22½cm.

1. Music trade—Credit guides. 2. Music trade—U. S.—Direct.

Library of Congress ML18.M4 10-10963

NM 0910503 DLC

... Music trade credit ratings of the manufacturers and dealers in pianos, organs, musical instruments and supplies, importers and publishers of music, together with all other factors and handlers of goods connected with the music trade of the United States. v. 1- 1891-
Boston, Mass., The Thompson reporting company [etc.] °1891-19
v. 21½cm.

Title varies: 1891- Credit ratings of the importers, manufacturers and dealers in musical instruments [etc.] ... of the United States.
189 Music trade credit ratings ... (Title varies slightly)
1891- published by the Musical trade reference company.

Vols. for 1901-03, 1905 include Canada.

1. Music trade—Credit guides. 2. Music trade—U. S.—Direct. 3. Music trade—Canada—Direct. I. Thompson reporting company. II. Title: Credit ratings, Music trade.

Library of Congress ML18.M5 1-31071 Revised
——— 2d set. HF5585.M9M8

NM 0910505 DLC

The Music trade directory. London, Musical Opinion & music trade review.
v.
has title: The British, colonial and foreign music trade directory.
I. Musical opinion and music trade review.

NM 0910506 CU

ML18 .M7
... Music trade directory of the manufacturers and dealers in pianos, organs, musical instruments and supplies . . . of the United States and Canada
Boston, Thompson reporting co., 1896-1902. 4 v.
8°.

Copyright by Thompson reporting company, Boston, Mass. Class A, XXc, no. 7394, Feb. 11, 1901; 2 copies rec'd Mar. 1, 1901.

1-15317—M 4 Aug. 8

NM 0910507 DLC

ML 1 .M46
The Music trade indicator. v.1-52,no.1; 1878-Jan. 1930. Chicago.
52 v.

Title varies: 1878-Sept.25,1915,Indicator.
Merged into Piano and radio magazine (later Piano trade magazine)

NM 0910508 MiU

Music trade indicator.
Clarence Eddy, concert organist
see under title

Music Trade Review. [Semi-monthly.] Vol. 1, 2; 3 (no. 1, 2, 11).
= New York. Trade Review Publishing Co. 1875, 76. 3 v. in 1. Illus. Portraits. F°.

NM 0910510 MH

The Music trade review (New York, 1879-)
see Musical merchandise review.

780.5 M958
The Music trades. v.1- 1890-
York, Music Trades Corp., 1890-
v. illus. 30cm.

DLC (ML 1 .M35)

1. Music trade--U.S.--Period.

NM 0910512 LU DLC MB OCl MiU FTaSU InU MdBE CaBVa

The Music Trades.
The piano and organ purchaser's guide for...
see The purchaser's guide to the music industries.

The Music Trades
The purchaser's guide to the music industries
see under title

VOLUME 403

The Music trades diary, directory, and year book. London, G. D. Ernest & co., ltd.
v. 27½cm.

1. Music trade—Gt. Brit.—Direct.

CA 30-1003 Unrev'd

Library of Congress ML18.M8

NM 0910515 DLC

Music trades review...incorporating the Talking machine & wireless trade news.
no. 1
Year

London, Industrial journals, ltd. [etc.] 1877–19
v. illus. 31cm.
Monthly.
Numbering continuous

Absorbed the Talking machine & wireless trade news in 1936.
Title varies: no. 1- The London and provincial music trades review.
Year Music trades review...incorporating the Talking machine & wireless trade news.

1. Music—Per. and soc. publ. 2. Music trade—Gt. Br. I. The London and provincial music trades review.
N. Y. P. L. December 13, 1951

NM 0910518 NN DLC CaBVaU

Music trades review ... incorporating the Talking machine ...
see also London and provincial music trades review.

Music U. S. A. v. 1-
Jan. 1885-
[New York, Metronome Corp., etc.]
v. in illus., ports., music. 26-36 cm.
Monthly (semimonthly Jan. 1925-Aug. 1927)
Vol. numbers irregular: v. 73 omitted.
Title varies: 1885-1958, Metronome.
Issued Oct. 1914-Dec. 1924 in 2 editions with identical numbering: The Metronome, orchestra monthly, and the Metronome, band monthly; Jan 1925-Jan. 1932 called either "orchestra edition" or "band edition."
Absorbed the Dominant in Jan. 1925.
Includes music.
1. Music — Period. 2. Orchestra — Period. 3. Bands (Music) — Period. 4. Jazz music—Period.

ML1.M17 42-13878 rev*

ScCleU IaDm CoD MnNC
NM 0910520 DLC CaBVaU WaS OU NcU NBuG IU NIC KU

... Music Vale seminary, 1835-1876
see under [Johnson, Frances Hall] 1865-

Music vanguard; a critical review.
v. 1, no. 1-2 (March/April - Summer, 1935).

New York: Music vanguard, 1935. 96 p. illus. (music.) 23cm.
Edited by Amnon Balber, Max Margulis, and Charles Seeger.
Ceased publication with v. 1, no. 2 (Summer, 1935).

1. Music—Per. and soc. publ.
N. Y. P. L. July 28, 1938

NM 0910522 NN MB CtY ICN

MUSIC views. v. 10, no. 3-date; Mar. 1952-date
Hollywood, Calif., Capitol publications. v. illus. 15cm.

Monthly (slightly irregular; some issues combined).
For earlier file, whose numbering it continues, see Capitol news.
Published by Capitol records, inc.
Title varies: v. 10, no. 3-8, Mar.-Aug. 1952, Music news.

1. Music--Per. and soc. publ. 2. House organs. 3. Jazz--Per. and soc. publ. 4. Phonograph records--Per. and soc. publ. 5. Periodicals--U. S. I. Capitol records, inc. II. Title: Music news.

NM 0910524 NN

The music with the form and order of the service to be performed at the coronation ...
see under Church of England. Liturgy and Ritual. Coronation Service.

The Music world.
v. 1-

Los Angeles: Music World Co., 1930– 29½cm.
v. illus. (incl. ports.)
Monthly (irregular).
Editor : 1930– , W. David.

1. Music—Per. and soc. publ. I. David, Walter, editor.
N. Y. P. L. June 15, 1933

NM 0910526 NN

Music-world almanak...

New York, 19 31cm.
v. illus. (incl. ports.)
Monthly.
Published by Edward B. Marks Music Company.

1. Music—Per. and soc. publ. I. Marks, Edward B., Music Company, New York.
N. Y. P. L. July 22, 1936

NM 0910527 NN

The Music world's answer to Collier's. [n. p., 1949].
[8] p. illus. 29 cm.
Occasioned by Stanley Frank's article in Collier's magazine, June 4, 1949.

1. Music trade—U. S. 2. Frank, Stanley Bernard, 1908-

ML3790.M77 780.73 53-31742 ‡

NM 0910528 DLC

The Music writer's guide. 1947-
[Milwaukee, Music writer's service, °1947-
v. 23 cm.

1. Music trade—U. S.—Direct. 2. Music, Popular (Songs, etc.)—Writing and publishing. I. Music writer's service, Milwaukee.

ML3790.M8 781.98 47-6010

NM 0910529 DLC

ML3790
.M8

Music writer's service, Milwaukee.

The Music writer's guide. 1947-
[Milwaukee, Music writer's service, °1947-

Musica, Antonie de.
Commentarii rerum ab imp. Carolo V apud S. Digerium gestarum, ad reg. Angl. Henricum VIII; e cod. Bibl. Regiæ Londinensis. (*In* Mencke, J. B., editor. Scriptores rervm Germanicarvm. Vol. I, col. 1289-1314. Lipsiæ. 1728.)

L4925 — Charles V., of Germany, I., of Spain, 1500-1558.

NM 0910531 MB NN

Musica.

Firenze, Sansoni, 19
v. illus. (music) plates (part col.) ports., facsims. 27½cm.
Publication began in 1942.

1. Music—Almanacs, year-books, etc.

45-32015

Library of Congress ML5.M71355
[2] 780.58

NM 0910532 DLC CaBVaU NIC NN ICN

Musica. 1.– Jahrg.; Jan.–Feb. 1947–
Kassel, Bärenreiter-Verlag.
v. illus., ports. (part col.) music. 27 cm.
Bimonthly, 1947–48; monthly, 1949–
Editor: 1947– : F. Hamel.

1. Music—Period. I. Hamel, Fred, 1903–

ML5.M71357 780.5 50-57913

CU OU
NSyU WaU ICN NcD GU NjR MsSM TxU ICU NN NcU AzU
NM 0910533 DLC PU NBuU InU MiU ViU LU MnU FTaSU

Música. año 1– (no. 1–);
15 dic. 1944–
[Madrid]
v. in illus., ports., music. 33 cm.
Semimonthly Dec. 15, 1944–July 15, 1945; monthly Aug. 1945–

1. Music—Period.

ML5.M71358 780.5 48-37575*

NM 0910534 DLC

780.5
M9745 Musica. v.1-13 (no.1-143) Oct. 1902-Aug. 1914.
Paris, 1902-14.
13v. in 4. illus. 35cm.

NM 0910535 NcU GU CU CaBVaU NcU NNC

Musica. [Paris, 1902-]
Album Musica
see under title

Musica. no 1– avril 1954–
[Paris]
no. in v. illus. (part col.) ports. (part col.) facsims. (part col.) music. 28 cm. monthly.
Caption title, Apr. 1954– Chaix musica.

1. Music—Period.

ML5.M71364 59-53365

NM 0910537 DLC NN

Musica. 1.– årg.; sept. 1949–
Randers.
v. illus., ports. 23 cm.

1. Music—Period.

A 51-481

Oregon. Univ. Libr.
for Library of Congress [1]

NM 0910538 OrU

VOLUME 403

Música. v. [1]- enero/feb. 1955-
Tegucigalpa, Honduras.
v. in illus., ports. 29 cm. monthly.
"Boletín de la Escuela Vocacional de Música."

1. Music—Period. I. Tegucigalpa. Escuela Vocacional de Música.

ML5.M7137 59-20427

NM 0910539 DLC

Musica; årsbok. 1947-
Stockholm.
v. illus., ports. 25 cm.
"Utgiven av Musikhistoriska museets vänner, Jenny Lind sällskapet, Gunnar Wennerberg sällskapet."

1. Music—Period. 2. Music—Sweden. I. Musikhistoriska museets vänner.

ML5.M7138 49-52181*

NM 0910540 DLC OrU NNC

Musica. Archiv für wissenschaft, geschichte, aesthetik und literatur der heiligen und profanen tonkunst. In zwanglosen heften hrsg. von Dom. Mettenleiter. 1.-2. hft.; 1866-68. Brixen, A. Weger, 1866-68.
2 v. 21½cm.
No more published.

1. Music—Period. I. Mettenleiter, Dominicus, 1822-1868, ed.

14-20226

Library of Congress ML5.M7

NM 0910541 DLC ICU

ML5
.M7136
La Musica; giornale letterario-artistico-teatrale. anno 1-
30. genn. 1855-
Napoli, 1855-
nos. in v. 35cm. weekly.
Caption title.
Director: 1855- Pasquale Trisolini.

1. Music—Period. I. Trisolini, Pasquale.

45-50505

Library of Congress ML5.M7136

NM 0910542 DLC

Musica; reseña informativa internacional.
Año 1 (julio-dic., 1930)

Buenos Aires: G. Ricordi & co., 1930. 1 v. 4°.
Monthly.
Supersedes La Revista de musica.
Ceased publication with Año 1, no. 6, Dec., 1930.

1. Music—Per. and soc. publ. 2. Music—Argentine Republic—Buenos Aires.
N. Y. P. L. August 13, 1932

NM 0910543 NN

Musica; revista mexicana. v. 1-2 (no. 1 11/12); abr. 1930-feb./marzo, 1931.
México, D. F. illus., music 23 cm.

Monthly.

1. Music, Mexican - Periodicals. 2. Music - Periodicals.

NM 0910544 NN

Musica; settimanale di cultura e di cronaca.
[Roma]
v. illus. (ports.) 46cm.
Subtitle varies.

1. Music—Period.

CA 15-279 Unrev'd

Library of Congress ML5.M71

NM 0910545 DLC

ML
100
.M78
Musica. Sotto la direzione di Guido M. Gatti, a cura di Alberto Basso. [Torino] Unione tipografico-Editrice torinese [
v. 27cm.

Contents.-

pt. 2: Dizionario. 1. A-k.-

1. Music. Dictionaries. Italian. I. Gatti, Guido Maria, 1892- ed II. Basso, Alberto, ed.

NM 0910546 OrU

Musica a Firenze. Music in Florence ... Hanno collaborato ... Franco Armani, Ugo Bigliazzi, Alessandro Bonsanti [ed altri] ... [Firenze] A cura dell' Ufficio stampa del Teatro comunale, 1945.
2 p. l., 3-76, [2] p. illus. (incl. ports.) 36 x 28cm.

1. Florence. Teatro comunale Vittorio Emanuele II.

45-21968

Library of Congress ML290.8.F6M8
[2] 780.945

NM 0910547 DLC NN

Musica aeterna; eine Darstellung des Musikschaffens aller Zeiten und Völker, unter besonderer Berücksichtigung des Musiklebens der Schweiz und desjenigen unserer Tage. [Hrsg. unter der Leitung von Gottfried Schmid und unter der Mitwirkung von Franz Brenn et al.] Zürich, M. S. Metz [1948]
2 v. plates, ports., music. 29 cm.

1. Music—Addresses, essays, lectures. 2. Music—Switzerland. I. Schmid, Gottfried, ed.

ML55.M69 780.4 A 48-9878*

Harvard Univ. Library
for Library of Congress [1]†

MB NN DLC
NM 0910548 MH OCl OrU ICU NcU OU WU NIC PP

Musica aeterna; la vie et la production musicales de tous les temps et de tous les peuples, en tenant compte particulièrement de la Suisse, de la Belgique, de la France et de la musique de nos jours. [Publié sous la direction de Gottfried Schmid, et avec la collaboration de Henry Barrand et al.] Zürich, M. S. Metz [1950]
2 v. illus., ports., music. 29 cm.

1. Music—Addresses, essays, lectures. 2. Music—Switzerland. I. Schmid, Gottfried, ed.

ML55.M693 780.4 51-26875

NM 0910549 DLC NjP NN

MUSICA antiqua batava.
The Hague, Editio "Musico."

Issued by the Vereniging voor Nederlandse muziekgeschiedenis.

x Vereeniging voor Nederlandsche muziekgeschiedenis.

NM 0910550 NN

Musica antiqua Bohemica; red. Jan Racek, rev. Anton Nemec, Jaroslav Pekelsky. Prague. Artia [195
v. 31 cm.

1. Instrumental music. I. Racek, Jan, ed.

M2.M637 M 56-1169

CoU OU MiU TxU
NM 0910551 DLC ICU PPi MiDW IU NN ViU CSt CLSU

Musica antiquata, being essays in modal composition
see under Wooldridge, Harry Ellis, 1845-1917.

Musica. B. M. Additional Ms. 14905. Cardiff, University of Wales Press Board, 1936.
xii, facsim. (117 p. illus.) 30 cm.
The title of the facsim. reads: Musica neu Beroriaeth.
Apparently a tablature.

1. Music—Manuscripts—Facsimiles. I. British Museum. Mss. (Additional 14905) II. Title: Musica neu Beroriaeth.

ML96.5.M98 52-53449

NcU
MH InU OU FTaSU ICN NN ICU NNC NcD NBuU CLU LU
NM 0910553 DLC OkU TxU NBC IU WU MiU KU TU NNU-W

Musica; beschreibung eines neuentdeckten Lautenbuches von Hans Gerle sowie vier anderer musikalischer seltenheiten
see under Gilhofer und Ranschburg, firm, booksellers, Vienna.

[Musica boemica per organo. Praha, 1954-
Also with Czech title: Česká varhanní tvorba.

NM 0910555 MH OU

Música boletín.
La Habana, Casa de las Américas.
no. in v. 24 cm.

1. Music—Periodicals. 2. Music—Cuba. I. Casa de las Américas.

ML5.M7139 780'.97291 73-647392
MARC-S

NM 0910556 DLC

Musica Britannica; a national collection of music. lished for the Royal Musical Association. London, Stainer & Bell, 1951-
v. facsims. 33 cm.
General editor: 1951- Anthony Lewis.

1. Instrumental music—To 1800. 2. Vocal music—To 1800. I. Lewis, Anthony, ed.

M2.M638 52-23894

PP MoSU NN
OrPR OrCS NcU MH OClW GU MeB IEdS KEmT MB ViU
NM 0910557 DLC CU-S CLSU OO UU MU ScU CaOTU TxU

Musica Byzantinae monumenta Cryptensia phototypice expressa. Roma, Libreria dello Stato, 1950-
v. 25 cm.

1. Music, Byzantine. 2. Music—Manuscripts—Facsimiles. 3. Manuscripts, Greek—Facsimiles.

M2.M639 62-28993/M

NM 0910558 DLC

VOLUME 403

La MÚSICA checa y Checoeslovaquia. Publicado en ocasion de las representaciones de la Opera nacional checoeslovaca en España, 1924. Praga, Orbis [1924] 41 p. illus., ports. 29cm.
"Sociedad anónima de imprenta edición y publicación.

1. Czechoslovakia. 2. Musicians, Czechoslovakian. 3. Music--Czechoslovakia.

NM 0910559 NN

La Música checoslovaca. Prague, Orbis, 1948–
v. illus., ports., facsims. 21 cm.
Issued also in English under title: Czechoslovak music.
"Resumen de la evolución de la música checa en discos checos para gramófono": v. 1, p. 139–150. Bibliography: v. 1, p. 151–157.
CONTENTS.—1. Bohemia, conservatorio de Europa.

1. Music—Czechoslovak Republic—Hist. & crit. 2. Music, Czech—Hist. & crit. 3. Musicians, Czech. 4. Music, Czech—Discography.
ML247.C897 56-40807

NM 0910560 DLC

Música considerada como uno de los medios más eficaces para excitar el patriotismo y el valor
see under Murguia, Joaquin Tadeo de.

ML240 .5 M87 La musica contemporanea in Europa; saggi critici, di G. M. Gatti [et al] Note biografiche e bibliografiche. Milano, Bottega di Poesia, 1925.
137 p.
"Sono stati pubblicati per la prima volta nel fascicolo di Settembre-Ottobre 1924 della Rivista di Coltura e d'Arte L'Esame."
"Nota bibliografica": p. [109]-137.
Contents. - Gatti, G. J. Del presente musicale in Italia. - Prunières, Henry. La giovane scuola francese. - Dent, E. J. La musica inglese moderna. - Jarnach, Philipp. La musica contemporanea in Germania e in Austria. - De Schloezer, Boris. Le correnti della musica russa contemporanea. - Pannain, Guido. Estetica e musica nell recente cultura italiana.

1. Music - Europe - Hist. & crit. 2. Music - Hist. & crit. - 20th cent. I. Gatti, Guido Maria, 1892-

NM 0910563 CU IEN ICN

Musica curiosa, or a curious collection of celebrated airs compos'd by Messrs. Granno, Weideman . . . and other eminent masters . . . Added, two choice sonatas of Sigr. Brivia and the favourite concerto of Sigr. Hasse's all set for two German flutes or two violins and a bass.
— London. Printed for C. & S. Thompson. [179-?] (1), 16 ff. 8°, obl.

G1524 — Violin. Music. — Flute. Music.

NM 0910564 MB

Musica d'oggi; rassegna di vita e di coltura musicale. anno 1– giugno 1919–
Milano, G. Ricordi e c., 1919–
v. illus., plates. 23½-24½cm.
Quarterly, June-Sept. 1919; monthly, Dec. 1919–
Title varies: June 1919–Dec. 1921, Musica d'oggi; rassegna internazionale bibliografica e di critica.
Jan.–Feb. 1922, Musica d'oggi; rassegna bibliografica.
Mar. 1922– Musica d'oggi; rassegna di vita e di coltura musicale.
Includes music, and section "Bibliografia".
1. Music—Period. 2. Music—Italy.
Library of Congress ML5.M721 25-13377

NN PP PU-FA MH
NM 0910565 DLC IU CU ICN PU IaU InU NIC NNC NcU

Musica de America; revista mensual de arte. año 1-3, no.1, marzo 1920-enero 1922.

NM 0910566 IaU

Mvsica de diversi avtori. La Bataglia francese et Canzon delli vcelli
see under [Gardano, Angelo] fl. 1576-1601 pub.

La musica de las palmas [El niño pobre, Te ví llorar] [n.p., 18-]
1 p.l., p. [155]-166, 1 l. 25.5 cm.

NM 0910568 CtY

Musica disciplina; a journal of the history of music. v. 1– Mar. 1946–
Rome, American Institute of Musicology.
v. illus., music. 27 cm. irregular.
Title varies: Mar. 1946–June 1947, Journal of Renaissance and baroque music.
Editors: Mar. 1946– A. Carapetyan (with L. Schrade, Mar. 1946–June 1947)
Vol. 1 published in Cambridge, Mass., etc., under the institute's earlier name: Institute of Renaissance and Baroque Music.
"Italian ars-nova music, edited by Federico Ghisi" (score, 24 p.) issued as supplement to v. 1, no. 3.
1. Musicology—Period. 2. Music—Hist. & crit. I. Carapetyan, Armen, ed. II. American Institute of Musicology.
ML5.M722 780.9 51—22232

CtHC OAU
KMK NBuU IaAS ViU IC PHC FTaSU CU KyU OC
MBtS GEU MeB CU-I FMU UU MtU OOxM CoD ICU
TxDaM OClW NjR MB NBuC GU PHC PSt NcGU VtU
NcU NN MiU TU NNC CtY NBuG OO PSC MBU
NM 0910569 DLC OU PBm ICN MoSC PPiD

Musica. Disques. Paris, Chaix, 1954-70.
see Musica. [Paris] 1954-

Musica divina; monatsschrift für kirchenmusik, hrsg. von der Schola austriaca ... 1.– jahrg.; mai 1913–
Wien, Universal-edition, 1913–
v. illus., plates, ports., facsims. 26½cm.
Editor: May 1913– Alban Schachleiter.
Includes supplements of music (in pockets at end of volumes)

1. Music—Period. 2. Church music—Period. I. Schachleiter, Alban, ed. II. Schola austriaca.
16-24466
Library of Congress ML5.M723

NM 0910571 DLC NN OOxM CU

Musica divina. Supplement.

Wöss, Josef Venantius von, 1863–
Die modulation, ein lehrbuch von Josef v. Wöss. Wien, Leipzig, Universal edition a.-g. [1921]

Musica divina, das ist die geistreichen Doctoris Martini Lutheri, und erlicher anderer Christlichen lehrer teutsche fürnembste gesänge So in der Christlichen Versamlung durchs ganze Jahr gesungen werden... Wolffenbuttel, 1620.

NM 0910573 OAkU

*M2 .M83 Musica divina. Kirchenmusikalische Werke für Praxis und Forschung; hrsg. im Auftrag des Instituts für Musikforschung Regensburg von Bruno Stäblein. Regensburg, F. Pustet, [1950-
v. in 27 cm.
CONTENTS.--1.-4. Cavalli, F. Vier marianische Antiphonen (1656) Ave Regina; Regina caeli; Salve Regina; Alma Redempt oris Mater.--5. Porta, C. Missa tertii toni (1578--6. Gindele, C Orgelintonationen in den acht Kirchentonarten. 2. Aufl.--7.-8. Gindele, C. Gregorianische Choralvorspiele, für die Orgel. 2. Aufl.--9. Lassus, O di. Missa, Beschaffens Glück (Il me suffit) 2. Aufl.--10. Viadana, L. G. da. Missa dominicalis (1609) 2. Au fl.--11. Anerio, G; F. Missa della Battaglia, 1605.--12. Fux, J. J. Missa Sancti Joannis (1727)--13. Fossa, J. de, Missa super theutonicam cantionem Ich segge à dieu.--14. Gindele, C. Kleine Orgelstücke.--15. Victoria, T. L. de. Missa pro defunctis cum responsorio Libera me, Domine. (1605)--16. Allardo. Missa (1580)

1. Choruse Sacred--To 1800. 2. Masses--To 1800--Vocal scores. 3. Organ music. I. Stäblein, Bruno, ed

NM 0910576 MB NN TxU KU MnCS MCM WU

Musica divina; psalmodia vespertina, quatuor vocum, auctorum variorum. Annus I, Tom. III, Sectio III. Ratisbonae, F.Pustet, 1861.

30 cm.
Separate parts for cantus, altus, tenor and bassus.
Paper cover serves as title-page.
Contents: Magnificat octo tonorum, voces separatae.

NM 0910577 MH

860.81 M987 Música divina: Rubén Darío, Amado Nervo, Belisario Roldán. Prólogo de Juan Pablo Echagüe. [Buenos Aires, Agencia General de Librería y Publicaciónes] 1924.
2 v. (Biblioteca literaria argentina Floreal, v.4-5)
CONTENTS.--v.1.Prosas.--v.2.Versos.

1.Argentine literature (Collections). I.Darío, Rubén, 1867-1916. II.Nervo, Amado, 1870-1919. III.Roldán, Belisario, 1873-1922.

NM 0910578 MiU

Musica divina; sive, Thesaurus concentuum
see under Proske, Karl, 1794-1861, comp.

Musica e dischi; rassegna musicale internazionale. anno 1– (n. 1–); ott. 1945–
Milano.
v. in illus., ports. 50 cm. monthly.
Title varies: Oct.–Nov. 1945, Musica.
Subtitle varies slightly.

1. Music—Period. 2. Music—Discography.
ML5.M725 55-58546

NM 0910580 DLC NN IU InU CSt MiD

Musica e dischi; rassegna della vita musicale italiana. Milan. Anno 1-8 (Oct. 1945-1952).
Microfilm.

NM 0910581 NN

VOLUME 403

Musica e jazz
see **Musica** jazz.

Musica e musicisti; gazzetta musicale de Milano
see
Ars et labor. Musica e musicisti.
Gazzetta musicale de Milano.

MUSICA e musicisti; rivista illustrata bimestrale.
Anno 1, no.1-6; genn.-nov. 1902.
Milano, G. Ricordi & co. 384 p. ports., music.
17cm.

Absorbed by Gazzetta musicale di Milano, Jan. 1903. The Gazzetta appeared from 1903-1905 under title Musica e musicisti. Gazzetta musicale di Milano, then changed title.

1. Music--Per. and soc. publ. 2. Periodicals--Italy. 3. House organs. 4. Musicians, Italian. 5. Singers, Italian. 6. Musicians--Iconography I. Ricordi, firm, music publishers.

NM 0910585 NN

Musica e musicisti alla corte sforzesca ...
see under [Cesari, Caetano] 1870.

Musica ecclesiastica; the imitation of Christ...
see under Imitatio Christi. English. (London, Stock, 1889) (N.Y., Randolph, 1889, 1890) (Philad., Jacobs, c1895) (London, Scott [1911?])

La música en el primitivo teatro español
see under [Salazar, Adolfo] 1890-

M2
M815

La música en la corte de los reyes católicos.
Madrid, Consejo Superior de Investigaciones Cientificas, Instituto Diego Velázques, 1941-
v. facsims. 32cm. (Monumentos de la música española, 1, 5, 10, 14 (pts. 1-2)

Imprint varies.
The music is transcribed into modern notation.
Nos. 1, 5, 10 by Higini Anglés; no. 14 by José Romeu Figueras

CONTENTS.- I. Polifonia religiosa.- II-IV. Polifonía profana: Cancionero musical de Palacio (siglos XV-XVI)

1. Music - Spain - Hist. & crit. 2. Sacred vocal music - To 1800. 3. Vocal music - To 1800. 4. Music, Spanish - To 1800. I. Higini, Anglés, 1888- II. Romeu Figueras, José.

NM 0910590 GU CaBVaU

La Música en México.
México.
no. in v. illus. 37 cm. monthly.
Issued as a suppl. to El Día.

1. Music—Periodicals. 2. Music—Mexico. I. El Día, Mexico.
ML5.M726 780'.972 73-646818
MARC-S

NM 0910591 DLC

Musica enchiriadis.
Hucbaldi monachi Elonensis quaedam e Musica enchiriade inedita
(IN: Coussemaker, Edmond de. Scriptorum de musica medii aevi novam seriem... Parisiis, 1864-76. v. 2)

NM 0910592 MiU

Musica enchiriadis.
Musica enchiriadis [anonymous 9th cent. treatise sometimes ascribed to Hucbald]
see (also) in
Gerbert, Martin, Freiherr von Hornau, 1720-1793, ed.
Scriptores ecclesiastici de musica sacra potissimum. 1784. (2: 168)

Musica enchiriadis.
Musica enchiriadis; deutsch und mit kritischen Anmerkungen, begleitet von Raymund Schlecht. (Monatsch. & Musikg. 5.u.6.Jahrg.,1874-75.)

NM 0910594 NN

La música española desde la edad media hasta nuestros días ...
see under Institut d'estudis catalans, Barcelona. Biblioteca de Càtalanya. Departament de musica.

Musica getutscht vnd ausgezogē durch Sebastianū virdung
see under Virdung, Sebastian, fl. 1500.

Musica Guidonis
see under British Museum. Mss. (Lansdowne 763)

Musica hebraica, founded by the World centre for Jewish music in Palestine. v. 1/2–
Jerusalem, S. Levi, 1938–
v. illus. (incl. music) 30cm.
English, German and Hebrew.
Editor: 1938– Hermann Swet.

1. Music—Jews. 2. Music—Period. I. Swet, Hermann, ed. II. World centre for Jewish music.
41-23864
Library of Congress ML5.M728
[5] 780.5

PPDrop PU-FA ViU
NM 0910598 DLC OrP OrU WaS IEN MiU NBuU OCl ICN

Musica Hispana. Ser. A: Canción popular.
1- 1952- Barcelona, Instituto Español de Musicología, Consejo Superior de Investigaciones Científicas, 1952-
v. 31 cm. (Musica Hispana 1,

1. Music--Collected works. I. Spain. Consejo Superior de Investigaciones Scientificas. Instituto Espanol de Musicologia. II. Title: Canción popular. III. Musica Hispana.

NM 0910599 LU NcU OrU

Música Hispana. Ser. B: Polifonía. 1-
1953- Barcelona, Instituto Español de Musicologia, Consejo Superior de Investigaciones Cientificas, 1953-
v. 31 cm. (Musica Hispana 3,

1. Music--Collected works. I. Spain. Consejo Superior de Investigaciones Scientificas. Instituto Espanol de Musicologia. II. Title: Polifonía. III. Musica Hispana.

NM 0910600 LU

Musica Hispana. Ser. C: Música de cámara. 1-
1952- Barcelona, Instituto Español de Musicología, Consejo Superior de Investigaciones Cientificas, 1952-
v. 31 cm. (Musica Hispana 2, 5-9

1. Music--Collected works. I. Spain. Consejo Superior de Investigaciones Scientificas. Instituto Espanol de Musicologia. II. Title: Música de cámara. III. Musica Hispana.

NM 0910601 LU NcU

La **Música** ilustrada [hispano-americana] revista artística literaria. año 1- (núm. 1-); 25 dic. 1898-
[Barcelona, etc., 1898-19
v. illus. 35½cm.
Año 1 consists of one number only, published Dec. 25, 1898.
Semimonthly, 1898-1900; monthly, 1901-
"Órgano oficial de los profesores y artistas músicos," Oct. 10, 1899-
From 1898-1900 title reads: La Música ilustrada hispano-americana, revista quincenal de música, literatura y teatros.
Editor: Dec. 1898- Agustín Salvans.
Contains music.

1. Music—Period. I. Salvans, Agustín, ed.
25-15575
Library of Congress ML5.M734

NM 0910602 DLC

Música incaica; reminiscencias populares sobre aires cuzqueños. Ollantay. Atahualpa. Lima: G. Brandes & co., s. a.[, cop. 1917.] Publ. pl. no. G. 357 B. 9 p. 34½cm.

"Ollantay" for piano; "Funerales de Atahualpa" for violin and piano in score.
CONTENTS.—Ollantay: Yaravi 1. Kashua. Yaravi 2. Huayno.—Funerales de Atahualpa.

1. Piano. 2. Violin and piano. 3. Indian-American—Inca. 4. Peru—Music. 5. Atahualpa, inca of Peru, d. 1533. I. [Ollanta.] Ollantay. II. Title: Atahualpa, Funerales de.
N. Y. P. L. April 27, 1934

NM 0910603 NN

Música Infantil Aires Provinciales aplicados al estudio de la Geografía de España
see under Ramírez Brunet, Vicente.

Música instrumental I - ...
Monestir de Montserrat, 1934-
v. 33cm. (Added t.-p.: Mestres de l'escolania de Montserrat ... [4-)
"Transcripció, revisió i anotació de Dom David Pujol ...", I.
Contents - I. Miquel López. [Compositions for organ, or piano]. - Narcís Casanoves [Compositions for organ or piano]

NM 0910605 CtY CtY-Mus

La **Música** instrumental cortesana desde el siglo XV al XVIII. Programas. [Barcelona, 1940]
1 v. (unpaged) illus., ports., facsims. 23 cm.

1. Concerts—Programs. 2. Concerts—Barcelona.
ML42.B282M9 61-57530

NM 0910606 DLC

VOLUME 403

La musica instrumentale in Italia nei secoli XVI, XVII, e XVIII
see under Torchi, Luigi, 1858-1920.

Musica instrumentalis; eine neue **Werkreihe für Melodieinstrumente.** ⌊Zürich, Musikverlag zum Pelikan, 1954-
score (v.) 27-31 cm. (Pelikan Edition, 740-

1. Instrumental music.

M2.M643 62-35135/M

NM 0910608 DLC TxU NN

Musica jazz. anno 1-
Milano.
v. ports., music. 25-35 cm.
Semimonthly, 19 ; monthly, 19
Title varies: 1945- Musica e jazz.
Editor: 19 G. C. Testoni.

1. Jazz music—Period. I. Testoni, Gian Carlo.

ML5.M732 780.5 51-17475

NM 0910609 DLC NN NB

Die "Musica magistri Szydlovite," ein polnischer Choraltraktat des xv. Jahrh. ...
see under Gieburowski, Waclaw, 1877-

La **Musica** nel film. ⌊Edito da Luigi Chiarini⌋ **Roma,** Bianco e nero ⌊1950⌋
147 p. illus. 25 cm. (Quaderni della Mostra internazionale d'arte cinematografica di Venezia)
Bibliography, by M. Verdone: p. 139-145.

1. Moving-picture music. I. Chiarini, Luigi, 1900- ed. (Series: Venice. Mostra internazionale d'arte cinematografica. Quaderni)

ML2075.M9 A 51-1613
Southern Calif., Univ. of. for Library of Congress Library ⌊a54c½⌋†

NM 0910611 CLSU GU CtY IaU PU-Music DLC

Musica neu Beroriaeth
see Musica. B. M. additional ms. 14905.

MUSICA NOVA accommodata per cantar et sonar sopra organi, et altri strumenti, composta per diversi eccellentissimi musici. Venetia, al segno del pozzo, 1540

1 pt. (bassus)
Microfilm (negative)
Original in Biblioteca Musicale, Bologna.

NM 0910613 MH-I

FILM
M786.8
M974

Mvsica nova accommodata per cantar et sonar sopra organi et altri strvmenti, composta per diversi eccellentissimi mvsici. Bassvs. Venetia, Al Segno del Pozzo, 1540.

Microfilm copy made in 1948 of original in the Biblioteca musicale "Martini," Bologna. Positive.
Collation of the original as determined from the film: ⌊16⌋ *l.*

Signatures: N-Q^4.
Copy filmed imperfect: *l.* 6(O^2) wanting.
The "bassus" only. Contains 21 pieces (the seventh wanting) by Giulio da Modona (i.e. Giulio Segni), Adrian Willaert and others.

NM 0910615 IU WaU

Musica nova manualis
see under Haass, Hans.

Musica orans.
Heft

M.-Gladbach: Volksvereinsverlag G.m.b.H. ⌊1928 32cm.
no.

Contains music.

1. Choral music, Sacred—Collections.
N. Y. P. L. March 22, 1939

NM 0910617 NN

MUSICA practica.
Kassel [etc.], Nagel. scores(no.) 30cm.

Instrumental and vocal music.
Editors: R. Heyden and W. Twittenhoff.

1. Instrumental music--Collections. 2. Choral music, Secular--Collections. 3. Choral music, Sacred--Collections. 4. Chamber music--Collections. I. Heyden, Reinhold, ed. II. Twittenhoff, Wilhelm, 1904- , ed.

NM 0910618 NN

Musica sacra... Berlin, E. Bote & G. Bock
see under Commer, Franz, 1813-1887, ed.

Musica sacra. ⌊1.⌋- **Jahrg.;** 1866-
Köln ⌊etc.⌋
v. in illus., ports. 24-27 cm.
Includes music.
Frequency varies.
Publication suspended 1921-May 1924 and 1938-Mar. 1949, during the latter period absorbed by Die Kirchenmusik.
Organ of Allgemeiner Cäcilienverein für Deutschland, Österreich und die Schweiz, 1871- (called 1871-Apr. 1876, Allgemeiner Deutscher Cäcilien-Verein; May 1876- Cäcilien-Verein für Alle Länder Deutscher Zunge; 19 -20, Allgemeiner Cäcilienverein zur Förderung der Katholischen Kirchenmusik; 1924-27, Allgemeiner Cäcilienverein)

Title varies: 1866-1910, Fliegende Blätter für katholische Kirchenmusik.—1911-49, Cäcilien-Vereins-Organ (varies slightly)—1950-55, Zeitschrift für Kirchenmusik.
Absorbed Musica sacra (Regensburg) in Jan. 1929.
Supplements accompany some issues.

1. Music—Period. 2. Church music—Catholic Church.

ML5.C13 57-39999

NM 0910621 TxU NIC OCH IU KMK ICU

Musica sacra; Monatschrift für Kirchenmusik u⌊nd⌋ Liturgie. **-58. Jahrg.;** -Dez. 1928. Regensburg, F. Pustet ⌊etc.⌋
v. in ports., music. 24-27 cm.
Began publication in 1868. Cf. Union list of serials.
Publication suspended 1922-24.
Vols. 22- called also "neue Folge," v. 1-
Subtitle varies: -1889, Beiträge zur Reform und Förderung der katholischen Kirchenmusik (varies slightly)—1890-95, Monatschrift für Hebung und Förderung der katholischen Kirchenmusik.—1896- Halbmonatschrift für Hebung und Förderung der katholischen Kirchenmusik.— Monatschrift zur Förderung der katholischen Kirchenmusik.
Absorbed by Cäcilien-Vereins-Organ (later Musica sacra) in Jan. 1929.
1. Music—Period. 2. Church music—Period.

ML5.M74 64-1445/MN

MoConA MiU MB NIC
NM 0910622 DLC WaU NRU MH PHC DCU OCH IEN IU NN

M2072
.4
.T

Musica sacra (Regensberg) Supplement.

Thielen, Peter Heinrich, 1839-1908.
Memorare. Gebet des heil. Bernhard. Für sopran-solo und vierstimmigen gemischten chor (alt, tenor, bariton und bass) mit orgelbegleitung komponiert von P. H. Thielen ... Regensburg, New-York ⌊etc.⌋ F. Pustet, 1910.

M2013
.S82
op. 40

Musica sacra (Regensberg) Supplement.

Stein, Bruno Maria Josef, 1873-1915.
⌊Mass, no. 11, op. 40, E♭ major⌋

Missa XI. ad tres voces æquales (viriles) **organo comitante.** Messe für dreistimmigen männerchor, mit orgelbegleitung von Bruno Stein ... Opus 40 ... Regensburg, New York ⌊etc.⌋ F. Pustet, 1907.

M2082
.4
.M58C3
1910

Musica sacra (Regensberg) Supplement.

Mitterer, Ignaz Martin, 1850-1924.
⌊Cantiones eucharisticae⌋

V cantiones eucharisticae ad 4 voc. inaeq. auctore I. Mitterer. Op. 166 ... Ratisbonæ, Neo Eboraci ⌊etc.⌋ sumptibus Friderici Pustet, 1910.

M2093
.4
.S

Musica sacra (Regensburg) Supplement.

Stein, Joseph, 1845-1915.
⌊Leicht ausführbare lateinische und deutsche gesänge, op. 99⌋

12 leicht ausführbare lateinische und deutsche gesänge zum kirchlichen gebrauch für vierstimmigen männerchor komponiert von Josef Stein ... Opus 99 ... Ratisbonæ, Neo Eboraci ⌊etc.⌋ sumptibus Friderici Pustet, 1907.

Música sacra, revista mensal. ano 1- jan. 1941-
Petropolis, Editora Vozes ltda. ⌊1941-
v. illus. (incl. ports.) 27½cm.
Includes music.

1. Church music—Period. 2. Church music—Catholic church. 3. Church music—Bibl.
Library of Congress ML5.M745 45-25435
⌊2⌋ 783.05

NM 0910627 DLC

... **Musica** sacra; revue du chant liturgique et de la musique religieuse ... 1.- année; déc. 1874-
Toulouse, Impr. L. Hébrail, Durand et Delpuech ⌊etc.⌋ 1875-
v. 27½cm. monthly.
Publication suspended from Apr. 1880 to Mar. 1881, inclusive.
Includes musical supplements.
Editor: Dec. 1874- Aloys Kunc.

1. Music—Period. 2. Church music—Period. I. Kunc, Aloys Martin, 1832- ed.
CA 8-2101 Unrev'd
Library of Congress ML5.M76

NM 0910628 DLC

Musica sacra; rivista bimestrale.
Milano.
v. in 25-31 cm.
Frequency varies.
Began publication with issue for May 1877. Cf. Union list of serials.
Vol. numbers irregular: v. 43 omitted; Dec. 1920 issue is v. 46.
v. called also "serie II"
Subtitle varies.
Unnumbered supplements (instrumental and vocal music) accompany some numbers.
—— Annessi musicali. 1931-
Milano.
v. in 31 cm.
Frequency varies.
1. Music—Period. 2. Church music—Period.
ML5.M748 ML5.M748 Suppl. 65-74253/MN

ICN ICU OClW
NM 0910629 DLC IU LU INS CtY FTaSU InU NSyU NN

VOLUME 403

Mvsica sacra, "Sancta sancte", organe de l'École interdiocésaine de musique religieuse et de la Société de saint-Grégoire; revue trimestrielle de chant d'église et de musique sacrée ...

Bruges, Desclée, de Brouwer et c^ie^; ⌐etc., etc.⌐, 1881–19
v. illus., ports. 24½–27½cm.
Monthly, 1881– quarterly, 192 Publication suspended, Aug. 1914–Feb. 1927, inclusive.
Title varies: Aug. 1881– Musica sacra; revue de chant d'église & de musique religieuse. Bulletin de la Société de saint Grégoire ... Mvsica sacra, "Sancta sancte" ...
Editors: 1881– P. J. van Damme.
Abbaye du Mont César, Louvain.

Imprint varies: 1881– Gand, C. Poelman, impr.—19 Bruges, Desclée, de Brouwer et c^ie^.

1. Church music—Period. 2. Church music—Catholic church. I. Damme, Pierre Jean van, 1832–1899, ed. II. Mechlin. École interdiocésaine de musique religieuse. III. Société de saint-Grégoire. IV. Louvain. Mont César (Benedictine abbey)

7-23386 Revised

Library of Congress ML5.M744

NM 0910631 DLC NN ICN ICU NNC NcU

Musica sacra, Bruges.
"Motu proprio" sur la musique sacrée
see under Catholic Church. Pope, 1903-1914 (Pius X) Musica sacra (22 Nov. 1903) French.

M2013 .M612 I 5

Musica sacra (Bruges) Supplement.

Meulemans, Arthur, 1884–
⌐Missa, Ignis vibrans lumine⌐

Missa, Ignis vibrans lumine, ad tres voces æquales comitante organo. ⌐Malines, Belgium, Musica Sacra, °1954⌐

Musica sacra: a collection of psalm tunes, hymns, and set pieces. Compiled at the request, and published under the patronage of the Oneida Musical Society. Utica: Seward & Williams, 1815. viii, (1)10–176 p., 1 l. 8°.
Words with music for S and A, or S and T, with B. Blank music paper at end.

1. Hymns. 2. Oneida Musical Society, Utica.
N. Y. P. L. November 26, 1919.

NM 0910634 NN MWA NUt

Musica sacra: a collection of psalm tunes, hymns and set pieces. Compiled at the request, and published under the patronage of the Oneida musical society. 2d ed., rev. and cor. Utica: Printed and published by Seward & Williams, no. 60, Genesee-Street. 1816.
vii (i. e. viii), ⌐9⌐–176 p. 22cm.

1. Hymns, English. 2. Church music. I. Oneida musical society.

Library of Congress M2116.M975 23-16233

NM 0910635 DLC NNUT IEs

M2011 .C64M3

Musica sacra. Geistliche chorwerke für gemischten chor.
Commer, Franz, 1813–1887.
⌐Mass. E♭ major⌐

... Sehr leichte und kurze messe für vierstimmigen gemischten chor. Aus hinterlassenen skizzen des autors ergänzt und für die einfachsten chorverhältnisse herausgegeben von Carl Thiel ... Berlin, W. Sulzbach ⌐1899⌐

MUSICA sacra; Motu proprio Pius X, und Constitution Pius XI über Liturgie und Kirchenmusik Neuausgabe ... Luzern, Paulus-Verlag, 1945. 27 p. 21cm.

1. Church music--Catholic church, Roman. 2. Chant (Plain, Gregorian, etc.). I. Catholic church, Roman. Pope, 1903-1914 (Pius X). Tra le sollecitudini. II. Catholic church, Roman. Pope, 1922-1939 (Pius XI). Divini cultus sanctitatem.

NM 0910637 NN

Musica sacra; or, Springfield and Utica collections united
see under Hastings, Thomas, 1784-1872, comp.

Musica sacra; or, Utica and Springfield collections united
see under Hastings, Thomas, 1784-1872, comp.

VM 2079 L 82 M 98

Musica sacra quæ cantatur quotannis per hebdomadam sanctam Romae in sacello pontificio. Lipsiae,Peters,n.d.
30p.

Plate no.: 696.
Contents.—Stabat mater. Fratres, ego enim. Palestrina.—Miserere. Bai.—Improperia. Palestrina.—Miserere. Allegri.

NM 0910640 ICN

Musica sacra. Sammlung berühmter Kirchenchöre
see under Dörffel, Alfred, 1821-1905.

Musica sacra. Sammlung der besten Meisterwerke
see under Commer, Franz, 1813-1887, ed.

D786.8 AM97

Musica sacra; vollständiges verzeichniss aller seit dem jahre 1750-1867 gedruckt erschienener compositionen für die orgel, lehrbücher für die orgel, schriften über orgelbaukunst. Nebst angabe der verleger und preise. Erfurt, Weingart,1867.
56 p. 22cm.
DLC (ML128 .06W3)

1. Church music - Bibliography. 2. Organ music - Bibliography. 3. Organ - Bibliography. 4. Music - Bibliography.

NM 0910643 NNC PPL CtY

Musica Sacra. Vollständiges Verzeichniss aller seit dem Jahre 1750 bis Ende 1871 gedruckt erschienener Werke heiliger Tonkunst. Abth.III. Oratorien, Messen, Cantaten und andere Werke der Kirchen-musik im Clavier-Auszuge oder mit Begleitung der Orgel. Nebst Angabe der Verleger und Preise.
Erfurt,E.Weingart,1872. 26pp. 22cm.
[Bound with Musica Sacra [Abth.I]]

NM 0910644 CtY-Mus

Musica sacro-hispana; revista mensual litúrgico-musical. Organo de los congresos españoles de musica sagrada ...
Bilbao, Mar & cía.
v. illus. 29cm. monthly.
Includes monthly supplements of music.

1. Music—Period.

CA 14-387 Unrev'd

Library of Congress ML5.M752

NM 0910645 DLC

Musica spiritualis; eine Auswahl altklassischer kirchlicher a cappella Gesänge und Messen. Serie I– (Heft 1–
Regensburg, F. Feuchtinger ⌐1950⌐–
score (v.) 25–28 cm.
Vols. 1– edited by K. Roseling.

1. Part-songs, Sacred—To 1800. 2. Masses—To 1800—Vocal scores. I. Roseling, Kaspar, ed.

M2.M68 65-37130/M

NM 0910646 DLC

Musica spiritualis, or sacred music ...

This work is available in this library in the Readex Microprint edition of Early American Imprints published by the American Antiquarian Society.
This collection is arranged according to the numbers in Charles Evans' American Bibliography.

NM 0910647 DLC

Musica spiritulis, or sacred music as performed on Tuesday the 23d of April, 1782 at the Stone chapel, Boston. For the benefit of the poor of said town. [Boston] Printed by Benjamin Edes & sons, [1782]
[2], 3-8 p. 18 cm.
Without music.

NM 0910648 MWA

ML120 .G3B91

Musica theatralis, d.i., Vollständiges Verzeichniss sämmtlicher, seit dem Jahre 1750 bis zu Ende des Jahres 1863 im deutschen und auswärtigen Handel gedruckt erschienener, Opern-Clavier-Auszüge mit Text ... Erfurt, E. Weingart, 1864.
56 p. With Büchting, Adolph. Bibliotheca musica. Nordhausen, 1867.
DLC(ML 128 .O4W3)

1. Opera—Bibl.

NM 0910649 ICU CtY

Musica transalpina
see under Yonge, Nicholas.

Musica veterum.
Roma, Edizioni "Psalterium"
v. music.

"Raccoltà di opere inedite o rare, teoriche e pratiche."

NM 0910651 NcD

VOLUME 403

MUSICA viva. [Brussel.] no 1- ; avril, 1936-
Bruxelles, Ars viva. no. ports., facsims, music.
29-31cm.

Quarterly.
English, French, German and Italian.
Editor: Apr. 1936- , H. Scherchen.

Ceased publication with no. 3, Oct. 1936?

1. Music--Per. and soc. publ. 2. Periodicals--Belgium.
I. Scherchen, Hermann, 1891- , ed.
II. Ars viva.

NM 0910653 NN OrU IEN

M
2
.M69

Musica viva historica. v.

Praha, Státní hudební vydavatelství; export: Artia, 19
v. 31cm.

*1. Instrumental music. To 1800.

NM 0910654 OrU

Música y teatro. no. 1- 1951-
[n. p.]
v. illus. 28 cm.
Issued by the Ministerio de Educación, Provincia de Buenos Aires.

1. Music—Period. I. Buenos Aires (Province) Ministerio de Educación.

ML5.M7518 64-1124/MN

NM 0910655 DLC NN DPU

He77
027
7

Música y versos; 6, La casa de huéspedes, comedia en un acto, original de D.F.M.
[Madrid,1852]
7p. 27cm. (Biblioteca dramatica)
Binder's title: Teatro español. 3.ser., v.7.
Caption title.

NM 0910656 CtY

Musicae bohemicae anthologia. An anthology of Czech music. [Prague, Supraphon, 1949?]
47 p. 21cm.

Program booklet issued with the collection of phonograph records entitled Musicae bohemicae anthologia.
Text in English.

1. Music—Czechoslovakia—Phonograph records. 2. Discography, Czechoslovakian. 3. Musicians, Czechoslovakian. 4. Music—Czechoslovakia—Discography. I. Title: An anthology of Czech music.

NM 0910658 NN

Musicae sacrae disciplina
see under Catholic church. Pope, 1939-1958 (Pius XII) Musicae sacrae disciplina.

Musicæ vocalis deliciæ, being a collection of scarce & celebrated madrigals, glees, catches, canzonets, rounds & canons, both antient and modern, composed by Arne, Atterbury, Brewer ... & other eminent masters; most of which are sung at the Noblemens catch-club, Anacreontic society, and Je ne scai quoi club. The words consistent with female delicacy ... London, T. Skillern [1790?]
2 v. 23½cm.
Scores: 2-5 voices; a few of the compositions have figured bass accompaniment.
1. Vocal music (Collections)
45-46618
Library of Congress M1497.M78

NM 0910660 DLC

Musical academy of Messrs. Logier, Webbe and Kalkbrenner, London.
Prospectus of the Musical academy of Messrs. Logier, Webbe, and Kalkbrenner... [London, 1818] 4 p. 22½cm.
Caption-title.

NM 0910661 NN

Musical advance. v. 1-
Apr. 1913-
New York, C. Mackie inc. [etc.] 1913-
v. illus. (incl. ports.) 31½cm. monthly.
No numbers issued from June to Sept. 1913, inclusive.
Editors: Apr.-Oct. 1913, Alfred Kreymborg and others.—Dec. 1913- C. E. Le Massena.

1. Music—Period. I. Kreymborg, Alfred, ed. II. Le Massena, Clarence E., ed.
16-24485
Library of Congress ML1.M358

NM 0910662 DLC

Musical advertiser and masonic journal
see
The Masonic journal, devoted to the interests of freemasonry.

Musical advocate. Oxford, Ga.
v.1, no. 1-9.
Je. 1891 - Je. 1892.

NM 0910664 GEU

The Musical advocate and singer's friend. v. 1-
July 1859-
Singer's Glen, Va., J. Funk & sons, 1859-
v. illus. (music) 25cm. monthly.
Title varies: July 1859- The Southern musical advocate and singer's friend.
The Musical advocate and singer's friend.
Vol. 1, nos. 1-8, have imprint: Mountain Valley, near Harrisonburg, Va. (Name of Mountain Valley was changed in 1860 to Singer's Glen)
Editors: 1859- J. Funk & sons.— 1868, A. S. Kieffer, W. S. Rohr.
Continued until Mar. 1861; resumed for a year or so in 1867. cf. Wayland, Hist. of Rockingham Co., Va.
1. Music—Period. I. Funk, Joseph, 1777-1862, ed. II. Kieffer, Aldine Silliman, 1840-1904, ed. III. Rohr, William S., ed. IV. The Southern musical advocate and singer's friend.
16-24492
Library of Congress ML1.M364

NM 0910665 DLC ViHarEM NcU NcD

The Musical age.
v. 1-
New York, 1893-1914. f°.
v. illus., ports.
Weekly.
v. 11, no. 12-13, v. 12, no. 1 (Oct. 30 - Nov. 6, 13, 1895) incorrectly numbered v. 12, no. 12-13, v. 13, no. 1.
Title varies: Jan.-Nov., 1893, Freund's weekly; Dec., 1893 - Jan. 8, 1896, Freunds musical weekly; Jan. 15, 1896 - March, 1914, The Musical age.
Edited and published by H. E. Freund.

1. Music—Per. and soc. publ.
N. Y. P. L. February 18, 1928

NM 0910666 NN DLC MB

The musical age
see also Freund's musical weekly.

Musical album. [n. p.] 1857.
29 items in 1 v. 35 cm.
Ms. t. p. prepared for previous owner.
Songs and piano pieces.

1. Songs with piano. 2. Piano music.
M1.M885 M 54-833

NM 0910668 DLC RPB

... The Musical album: a collection of concerted pieces for soprano voices... v. -
New York, J. Winchester.
v. 26 x 29 cm.
Editor: E. Ives, jr.

NM 0910669 RPB

Music
=M87a
Harris Collection

The musical album, No. 2; Christmas gift free with the N. Y. Family Story Paper, no. 378.
[New York, N. L. Munro, 1880?]
cover-title, [20] p. 36 cm.
Illus. cover.

1. Songs (Collections) I. New York Family Story Paper.

NM 0910670 RPB

MUSICAL album of songs rendered by Corse Payton and his clever company. New York, W.B. Gray [1897?] 25 p. 33cm.

Microfilm.
Chiefly song texts; includes some tunes, in part accompanied.

1. Songsters. I. Payton, Corse, 1867-

NM 0910671 NN

Musical album of songs rendered by Corse Payton's Stock Company presenting a repertoire of comedies & dramas. New York, Howley, Haviland & Co. [1898?]
Cover-title, [26] p. 30 cm.
Portrait on cover.
With some music.

NM 0910672 RPB

Music
=M87a ℓ
Harris Collection

The musical album. Presented by H. Hume, No. 286 Fulton Street, Brooklyn. [Brooklyn, H. Hume, 188-?]
cover-title, 15, [1] p. illus. 35 cm.
Contains adv. matter for furniture.

1. Songs (Collections) I. Hume, H.

NM 0910673 RPB

Musical Almanac, The. 1842. **M.409.79
Boston. Bradbury & Soden. [1841.] 1 v. Plate. Music. 29 cm.

L9584 — Almanacs. — Music. Periodicals.

NM 0910674 MB PPL PHi

Musical almanac, 1885. Manch., 1884.

NM 0910675 Nh

VOLUME 403

Musical almanac and review. Manch., 1894.
v. 1, 9-16.

NM 0910676 Nh

780.59 M987 Music lib. Musical almanac for 1868. For the use of seminaries, professors of music, and the musical public. Being a condensed catalogue; to which is added a list of our latest and best publications... Philadelphia, W. H. Boner, 1868.
144p. illus.,tables. 20cm.
"Wm. H. Boner & Co's musical almanac."
1.Music - Almanacs, yearbooks, etc. 2. Music - Bibliography - Catalogs, Publishers. I.Boner, William H., Philadelphia, music pub. I.x Wm. H. Boner & Co's musical almanac.
R 4-29-65 TTdab 11

NM 0910677 NcU

Musical America.
New York ₍The Musical America co.₎
v. illus. (incl. ports.) 39½-40½ cm. weekly.
First issued in the fall of 1898; publication suspended -Oct. 1905.
Editor: J. C. Freund.
1. Music—Period. I. Freund, John Christian, 1848-1924, ed.
ML1.M384 CA 7—4415 Unrev'd

CoCA PPT PCM OU OClW FDS MeWC ScCleU TxLT MeP N MdBP NNC P TxSaT OO WvU DCU MNS KT IC OY PBL ICN NSyU LNT NcD I FTaSU NjR MtU KyU MiU PPiD CoU MsSM NdU PSt IaDm PHC MB WaS OrCS FU LNL CU NbU
NM 0910678 DLC NcU NcGU ABS NcRS ILS IaCfT

R780.8 M973 Musical America;₍special issue,v.75,no.4,Feb. 15,1955₎ ₍N.Y.,Musical America corporation, 1955₎. illus.
Includes,besides feature articles,listings of music and musicians in the principal cities of the United States and Canada.

NM 0910679 WaSp

Musical America
Special forecast for 1937.
274, 16 p. illus., ports.

NM 0910680 OCl

... **Musical** America's guide ...
a digest of the musical resources of the United States and Canada. New York, The Musical America co., ©1921-
v. 25½cm.
Compiler: 1921- J. C. Freund.
1. Music—U. S.—Direct. 2. Music—Canada—Direct. I. Freund, John Christian, 1848-1924, comp.
Library of Congress ML13.M45 21—8618

MiU
NM 0910681 DLC WaS OrP DHEW PP AzU MiU OCl OO MB

Musical and dramatic courier
see The Musical Courier.

... The musical and literary organizations and their leaders of Landisville and vicinity...
see under [Landis, David Bachman] 1862-

Musical and sewing machine courier
see Musical Courier.

Musical and sewing machine gazette
see Musical Courier.

Musical and Vocal Cabinet; comprising a selection of the most favorite English, Scotch and Irish melodies, arranged for the voice, violin, flute, &c., as sung at the theatres & harmonic meetings. London, T. Kelly [n.d.]
308 p.

NM 0910686 CLU

Musical anecdotes and stories. Lives of Haydn and Mozart. Written for the young. With sixteen pieces of original and German music. By the singing master. Boston, Saxton and Peirce, 1841.
96 p. illus. 16 cm.
Running title: The singer. Binder's title: Musical stories and songs.
First published serially, 1840-41, with title: The Singer. Cf. Union list of serials.
1. Music—Juvenile literature. 2. Haydn, Joseph, 1732-1809—Juvenile literature. 3. Mozart, Johann Chrysostom Wolfgang Amadeus, 1756-1791—Juvenile literature. I. The singing master. II. Title: Musical stories and songs.
ML3930.A2S494 780'.92'2 [B] 74-183419 MARC

NM 0910687 DLC MH-Mu MB

Musical antiquarian society, *London.*
Publications of the Musical antiquarian society. ₍London, Printed for the members of the Musical antiquarian society, by Chappell, 1841-48₎
19 v. front. (v. 18; facsim.) illus. (incl. coat of arms) 39½cm.
Title from spine.
With reproductions of original title-pages, dedications and prefaces.
List of members in v. 4, 8, 11, 15, 17.
List of publications in v. 4.

CONTENTS.—v. 1. Byrd, William. A mass for five voices.—v. 2. Wilbye, John. The first set of madrigals.—v. 3. Gibbons, Orlando. Madrigals and motets for five voices.—v. 4. Purcell, Henry. Dido and Æneas.—v. 5. Morley, Thomas. The first set of ballets for five voices.—v. 6. Byrd, William. Book 1, of cantiones sacræ for five voices.—v. 7. Purcell, Henry. Bonduca.—v. 8. Weelkes, Thomas. The first set of madrigals.—v. 9. Gibbons, Orlando. Fantasies in three parts, composed for viols.—v. 10. Purcell, Henry. King Arthur.—v. 11. The whole book of Psalms ... in four parts ... published by Thomas Este.—v. 12. Dowland, John. The first set of songs.—v. 13. Hilton, John. Ayres or Fa las.—v. 14. Rimbault, E. F., ed. A collection of anthems ₍by M. Este, T. Ford, Weelkes, and Bateson₎—v. 15. Bennet, John. Madrigals for four voices.—v. 16. Wilbye, John. The second set of madrigals.—v. 17. Bateson, Thomas. The first set of madrigals.—v. 18. Parthenia; or, The first musick ever printed for the virginals ... by W. Byrd, John Bull and Orlando Gibbons.—v. 19. Purcell, Henry. Ode, composed for the anniversary of St. Cecilia's day, 1692.

1. Music, English—Collections. 2. ₍Part-songs: Early₎ 3. Madrigals.
A C 40-2341
Newberry library for Library of Congress [M2.M7 vol. 1-19] ₍2₎ 784.8

CSmH
NM 0910690 IEN IU ICarbS MiU NcU PU-FA CU NN OO

The **Musical** antiquary. v. 1-
Oct. 1909-
London, New York ₍etc.₎ H. Frowde ₍1909-
v. 26cm.
1. Music—Period.
Library of Congress ML5.M751 11-28229

MoSW CLSU
PU-FA NIC ICU FTaSU CSf TxDW OU MB GU NN MU
NM 0910691 DLC CaBVaU NjR MiU TU CoU NSyU OO ViU

A Musical appendix to the Clifton chapel collection.
see under Bodwell, Lewis, ed.

Musical art club, Boston.
[Programs of concerts, 1909-16. Boston, 1909-16]
22 pts. in 1 v. 20cm.
1. Concerts—Programs. 2. Music—Societies. 3. Music—Massachusetts—Boston.

NM 0910693 MB

Musical Art Club, *Philadelphia.*
A man and his dream, a reminiscence of the Musical Art Club. Phila.

NM 0910694 PHi

MUSICAL ART SOCIETY OF NEW YORK.
Minutes of the meetings [1893-1917. n.p., 1917?] 1 v.(unpaged) 27cm.
Typescript.

NM 0910695 NN

Musical art society of New York.
Deprès, Josquin, *d.* 1521.
Miserere mei Deus ... By Josquin de Près ... Edited by Frank Damrosch ... ₍New York₎ G. Schirmer, ©1900.

Musical art society of New York.
The Musical art society of New York, Frank Damrosch, director; a brief history. ₍New York, Irving press, 1912₎
23 p. 22½cm.
Library of Congress ML28.N5M64 16-7617

NM 0910697 DLC

Musical Art Society of New York.
₍Program₎ 1st-26th season; 1894-1919/20. ₍New York₎
26 v. in 3. illus. 20-22 cm.
Program notes principally by H. E. Krehbiel.
——— 2d set. 26 v. in 4. Reviews of the concerts from various New York newspapers bound in vols. for 1894-1913.
ML28.N5M672
1. Concerts—New York (City) 2. Music—Societies, etc. I. Krehbiel, Henry Edward, 1854-1923.
ML28.N5M67 5-22907

NM 0910698 DLC NN MB

MUSICAL ART SOCIETY OF NEW YORK.
Works in the library of the Musical art society. [n.p., 1893?-1920?] 1 v.(loose-leaf) 20cm.
Manuscript.
1. Libraries, Society--U.S.--N.Y.--New York. 2. Libraries, Music--U.S.--N.Y.--New York. 3. Choral music--Bibl.

NM 0910699 NN

VOLUME 403

Musical art society of New York.
...Works selected from the programs of the society. no. 45.
N. Y., G. Schirmer, 18...
v.

NM 0910700 00

Musical Arts Association, Cleveland.
The Cleveland String Quartet. Fifteen years, 1919-34.
= [Cleveland. 1934.] (12) pp. 20.5 cm.

D8613 — Cleveland String Quartet.

NM 0910701 MB

Musical arts association, Cleveland, defendant.
...Mary Hallock Greenewalt, plaintiff, vs. Musical arts association... Brief for plaintiff
see under Greenewalt, Mary Elizabeth (Hallock), 1871- , plaintiff.

Musical Association, London
see Royal Musical Association.

F869 S3 .56 M8
Musical Association of San Francisco.
Musical Association of San Francisco. [San Francisco, 1910?]
folder([4] p.) 29cm.

1. Musical societies - San Francisco.

NM 0910704 CU-B

The Musical banquet.
New musical banquet; or, Choice songs... 1810
see under title

PR 1215 M973
The Musical banquet of choice songs, considerably improved. 2d ed. Glasgow, A. Macgoun [n.d.]
140 p.
Poems.
Edition statement at head of title.

1. English poetry - 18th century. I. Title: The second edition of The Musical banquet of choice songs.

NM 0910706 CLU

Lilly M 1626 .M 9
THE MUSICAL BEE ... London, Sherwood & Co. [1842-]
16.5 cm.
Music scores only.

NM 0910707 InU

The Musical bijou, an album of music and poetry. 1829-
London, D'Almaine and co. [etc., 1829-
v. plates. 30-36cm. annual.
Subtitle varies slightly.
Editor: 1829- F. H. Burney.
1829- were published by Goulding and D'Almaine.
Music consists of piano solos and songs with piano accompaniment.

1. Music (Collections) I. Burney, F. H., ed.
43-45295
Library of Congress M1.M886

NcD
NM 0910708 DLC NNC IdU PU-FA PPULC MWA MH NBuG

Musical biography; or memoirs of the lives and writings of the most eminent musical composers
see under Bingley, William, 1774-1823.

The Musical blue book of America, 1915-
recording in concise form the activities of leading musicians and those actively and prominently identified with music in its various departments ... New York, Musical blue book corporation [1915-
v. 28cm.
Compiler: 1915- Emma L. Trapper.

1. Musicians, American—Direct. I. Trapper, Emma Louise, comp.
15—18417
Library of Congress ML13.M49

PU PP DHEW ICN CU MB NN OO ICarbS
NM 0910710 DLC FTaSU PSt WaS OrU WU NcC OCl ICJ

F870 M9M77
Musical blue book of California
San Francisco, Musical Review Company, 1924-
v. illus., ports. 24cm.
Editor: 1924/25- A. Metzger.

1. Music - California - Directories. I. Metzger, Alfred, ed.

NM 0910711 CU-B

The musical bore; a humorous farce, in one act and one scene ... New York, Dick & Fitzgerald [19—?] 16 p. 19cm.
(Dick's American edition.)

1. Drama, American.
N. Y. P. L. March 18, 1948

NM 0910712 NN CtY IU RPB CLSU

The musical boquet [!], vocalist's magazine, and reciter's companion: containing a choice selection of the most popular songs of the day... Upwards of 450 songs, toasts, sentiments, and recitations. New York, J. Burke [n.d.]
32 p. 14 cm.
Title and text within line borders.
Cover-title: The musical bouquet, vocalist's magazine, and reciter's companion.

NM 0910713 RPB

Musical bouquet.
Russell, Henry, 1812-1900.
... Copyright collection of the songs, scenas, etc., of Henry Russell, including his well-known negro songs, to which is added a variety of the most popular songs of the day. London [C. Sheard] Musical bouquet office [1860?]

789.805 MU
Musical Box Society.
Bulletin.
Springfield, Mass. [etc.] Printed by Louis J. Horne.
v. illus. 22cm.

NM 0910715 IU

Musical Box Society.
Directory.
[Springfield, Mass., Printed by L. J. Hoone]
v. 21 cm.

1. Musical box—Collectors and collecting—Directories.
ML12.M89 789.8'06'21 73-647381 MARC-S

NM 0910716 DLC IU

Musical Britain. 1951
see under The Times, London.

*ML1 .M82
The Musical bulletin. v. 4, no. 11-v. 5, no. 1-8, 10, 12; v. 6, no. 1, 4, 11; v.7,
Nov. 1870-March 1873.
New York, 1870-
v. in 29cm. monthly.
Includes musical selections; some of the issues are imperfect.

1. Music—Period. 2. Periodicals, English.

NM 0910718 MB

The Musical bulletin. A journal devoted entirely to music. Pub. by the Hershey school of musical art. v. 1- ; Dec. 1879-
Chicago [1880]-
v. 26½cm. monthly.
Editors: 1879- F. G. Gleason, Sara H. Eddy.

1. Music—Period. I. Gleason, Frederic Grant, 1848-1903, ed. II. Eddy, Mrs. Sara (Hershey) ed. III. Hershey school of musical art, Chicago.
CA 17-801 Unrev'd
Library of Congress ML1.M4

NM 0910719 DLC MH

The Musical bulletin; a monthly journal of musical events, reviews, etc. Jan. to Dec. 1867.
Troy, 1867.
44

NM 0910720 DLC

Musical cabinet, The.
[A fragment of a collection of songs, with pianoforte accomp.]
= N. t. p. [182-?] 165-196 pp. 8°.

E6514 — Songs. With music.

NM 0910721 MB

The Musical cabinet: a monthly collection of vocal and instrumental music, and musical literature. pt. 1- ; July 1841-
Boston, Bradbury, Soden & co., 1842-
v. port. 36cm.
Editors: July 1841- G. J. Webb, T. B. Hayward.

1. Music—Period. I. Webb, George James, 1803-1887, ed. II. Hayward, T. B., ed.
14-20224

NM 0910722 DLC PP MdBE LU ViU MB

Music Library Microcard Serial 55-4
The Musical cabinet; a monthly collection of vocal and instrumental music, and musical literature. v.1, no.1-12; July 1841-June 1842. Boston, Bradbury, Soden.
5 cards. ports.
For any changes in holdings see N.C. Serials list.
Edited by G.J. Webb and T.B. Hayward.
Microcard reprint by the University of Rochester Press from the original at Sibley Music Library, Eastman School of Music, 1965.

NM 0910723 NcD PSt CoU OrU NN

VOLUME 403

734.8 M975 The Musical cabinet, being a selection of the most admired English, Scotch, & Irish songs, with the music, composed by eminent masters, and adapted for the voice, violin, and German flute. Huddersfield, J. Lancashire [1814] 200p.

Melodies unaccompanied.

1. Songs, English.

NM 0910724 IU

The Musical cabinet; containing a selection of all the new and fashionable songs arr. for the voice and piano forte. v. 1, no. Charlestown, T. M. Baker, v. 20 cm.

1. Songs, American.

M1.A13M M 58-1806

NM 0910725 DLC NN MWA CtY RPB MB CtY-Mus

The MUSICAL cabinet, containing a selection of all the new and fashionable songs. Arranged for the voice and piano forte. Charlestown, T. M. Baker, 1822. 252 [i.e. 250] p. 23 x 14cm.

Microcopy (negative)
For 1-4 voices, chiefly with piano.
The Musical cabinet was issued in 8 numbers between 1822 and 1823. --cf. Wolfe, Richard. Secular music in America, 1801-1825. New York, 1964.
1. Songs, U.S.--Collections, 19th cent.

NM 0910726 NN

Musical Canada. A monthly review and magazine. v. 1- Mar. 1906- Toronto, Can., 1906-
v. illus. 25½cm.
Title varies: Mar. 1906-Apr. 1907, The Violin. May 1907- Musical Canada.
Editor: 1906- E. R. Parkhurst.

1. Music—Period. 2. Violin. I. Parkhurst, Edwin R., ed.

14-5252

Library of Congress ML5.M753

NM 0910727 DLC

The musical carcanet: a choice collection of the most admired popular songs, arranged for the voice, flute and violin. New York: Collins & Hannay, 1832. 144 p. 8°.

1. Songs.—Collections. 2. Songs (American).—Collections.
N. Y. P. L. October 23, 1919.

NM 0910728 NN NBu NIC ICN MiU-C WaU RPB CtY MB MH PPL NBuC

The MUSICAL cascade, comprising 100 pieces of vocal and instrumental music for the piano. Boston, W.H. Cundy, [18-].
1.8°.

NM 0910729 MH RPB

4 Music 2364 Musical catechism for the use of pupils studying the piano-forte. By a teacher. Fulton, N.Y., F. C. Bullock, 1875. 18 p.

NM 0910730 DLC-P4

Musical catechism; in three parts. For the use of schools and private families
see under [Hogan, David]

Musical catechism on those rules which will have the greatest effect in the science of musick
see under Moore, Henry Eaton, 1803-1841.

The musical century.
Springdale, Pa., 1901-
32
10080

NM 0910733 DLC

Musical chit chat. Philadelphia, Art Service Music Co.
v. in illus. 28 cm. Irregular.
Editors: G.P. Chew and K. Brooke.

1. Music—Period.

ML1.M42 780.5 59-42202

NM 0910734 DLC

MUSICAL circle. Boston, L.P. Goullaud, cop. 1878.
4°.
Piano and vocal selections.

NM 0910735 MH RPB

The musical circle, being a curious contrivance to modulate thro' all the keys in music. Reduced to practice by an eminent master. London, Printed by Welcker [ca. 1775] 3 p. diagr. 26 x 36cm.

1. Modulation. I. An eminent master.

NM 0910736 NN CSt

The musical class book...
see under Johnson, Artemas Nixon, b. 1817.

Musical Clipper.
April to Sept., 1895, v. 1, no. 1-6. Phila.

NM 0910738 PHi

780.6 M99 (The) Musical club, Portland, Ore.
Program.
Library has 1897/98-1900/01 [2d?]-5th season]
Nos. lacking.

NM 0910739 OrP

Musical comedy song folio. Popular vocal selections from eight operas ... Boston, c1904.
108 p. 31 cm.

NM 0910740 RPB

The Musical companion. London, 1667, 1673
see under Playford, John, 1623-1687?

The musical companion. A collection of the newest and best songs sung at the theatres, gardens, and publick places of diversion... London, Printed for R. Stevens, and J. Seymour, 1759.

NM 0910742 DFo

The musical companion: being a collection of all the new songs sung at the play houses, and all the public gardens. 3d ed... London, Printed for J. Seymour [1765?]

NM 0910743 DFo

The musical companion; being a collection of all the new songs sung at the play houses, and all the public gardens. 3d ed. London, Printed for J.Seymour [1781]
xii, 249 p. 18 cm.

NM 0910744 MH

Musical Companion and Shopping guide of the city of Boston. Boston, n.d.
12°.

NM 0910745 MWA

The musical companion: containing the music and words of the most popular airs, duets, glees, &c. of Arne, Handel, Haydn, Mozart, Winter, Weber, Bishop, and other celebrated composers, ancient and modern; including... Irish and Scotch melodies, with appropriate words, written expressly for this work. Arranged for the voice, with accompaniments for the piano-forte, harp, &c... To which are prefixed, concise instructions for the beginner, with exercises for the voice, and observations on accompaniment, &c. for the proficient amateur. London: T. T. & J. Tegg, 1833. xxviii, 344 p., front. (port.) 8°.

"Observations on music," signed W. H. P.

1. Songs (English).—Collections. 2. P., W. H.
N. Y. P. L. June 16, 1916.

NM 0910746 NN NBuG PPRF

The MUSICAL companion, or Lady's magazine; being a complete collection of the choicest and most approved English and Scotch songs, airs, catches, &c., in all the English operas, entertainments, and other musical compositions. London, printed for T.Read, 1741.
nar.16°.
Front. 25252.69

NM 0910747 MH DFo

[Musical compositions in memory of Abraham Lincoln.] *"20th".110.3
Boston [etc. 1865]. 8 parts in 1 v. Portrait. Decorated title-pages. 34½ cm.
Contents. — Funeral march [for pianoforte. Portrait on title-page]. By Donizetti. — Little Tad. Ballad [M.-S.] By J. W. Turner. — The death knell [S. A. T. B.]. By J. F. Fargo. — A nation weeps. [Solo for M.-S. and chorus S. A. T. B.]. By J. W. Turner. — "Live but one moment." Ballad [M.-S.]. By J. W. Turner. — A nation mourns her chief. [Solo for M.-S. and chorus. S. A. T. B.] By H. S. Thompson. — Requiem [S. A. T. B.]. By M. Keller. — To a mourning world. [Solo for S. and chorus. S. A. T. B.] By M. Keller.

D7607 — No main card. — Funeral m. &c. — Lincoln, Abraham. Music in honor of. Colls.

NM 0910748 MB

VOLUME 403

The musical concert. Containing the rudiments of music, and a great variety of psalm tunes,
see under West, Elisha, comp.

Musical Convention, Boston, 1838
see National Musical Convention, Boston, 1838.

Musical Convention, Rochester, N.Y., 1851.
First annual meeting of the Musical Convention, at Rochester, N. Y., October 8, 1851. Rochester: A. Strong & Co. Printers--Democrat Office. 1851.
11 x 17.5 cm. 12 p.

NM 0910751 WHi

Musical courier. v. -164, no. 9; Oct. 1962. New York.

164 v. in illus., ports. 23-40 cm.

Frequency varies.
Began publication with Feb. 7, 1880 issue under title: Musical and sewing machine gazette.
An unnumbered second issue for Sept. 1961 was published with title: The Music magazine.
Title varies:
Musical & dramatic courier (running title: The Courier)—Feb.-Sept. 1961, Musical courier and review of recorded music.—Oct. 1961-Oct. 1962, The Music magazine/Musical courier.

Vols. for May 1961-Oct. 1962 published in Evanston, Ill., by Summy-Birchard.
Absorbed Musical observer, Sept. 26, 1961; Review of recorded music in July 1958.
L. C. set incomplete: v. 1, 4-7, and scattered no. wanting.
Vols. for 1957-61 include an additional (mid-January) no. called Directory issue, 1st-5th ed. The 6th ed. was published as the Dec. 1961 issue. Superseded by the Annual directory of the concert world.

1. Music—Period. 2. Music—U. S.—Direct. 3. Drama—Period. I. Title: Musical & dramatic courier. II. Title: The Courier. III. Title: The Music magazine/Musical courier.

ML1.M43 64-4899/MN

MeP FDS
HU N MoSW KyU OCl TNJ-P IaDm WvU CaOTU
MiU ScCleU LNHT CU NcGU FU LU CoU MB
GEU IU TxLT MdBP NN TxHR OkTU DPU NcU NjR
NM 0910752 DLC OU NcD NbHi ICN NcRS

FILM X416 Musical courier. v.1 -164,no.9; Feb.1880-Oct.1962.
New York.

Began publication with Feb.7,1880 issue under title: Musical and sewing machine gazette.
An unnumbered second issue for Sept.1961 was published with title: The Music magazine.
Title varies: Musical & dramatic courier (running title: The Courier); Feb.-Sept.1961,Musical courier and review of recorded music; Oct.1961-Oct.1962,The Music magazine/Musical courier.
Absorbed Musical observer,Sept.26,1961; Review of recorded music in July 1958.
Vols.for 1957-61 include an additional (mid-January) no.called Directory issue,1st-5th ed. The 6th ed.was published as the Dec.1961 issue. Superseded by the Annual directory of the concert world.
Microfilm. Ann Arbor, University Microfilms.

NM 0910755 MiU

Musical courier.
Ludwig van Beethoven: December 16, 1770 – March 26, 1827 ... New York, 1927. 58 p. illus. (incl. facsims., ports.) 39cm.

Beethoven centennial number, v. 94, no. 12.

1. Beethoven, Ludwig van, 1770-1827.
N. Y. P. L. January 29, 1943

NM 0910756 NN

The Musical critic. v.1-3,no.9; Oct.12,1897-July 1900. Chicago.
3 v.

NM 0910757 MiU

Musical critics and what they can do, or Things not published in the newspapers ... With much respect for the musical public in America, these few pages are written for and dedicated to them by a stranger ... New York, O. J. Blaber, printer, °1881.

9 p. 22½cm.

CA 8-2130 Unrev'd

Library of Congress ML3915.M8
(Copyright 1882: 4562)

NM 0910758 DLC

The musical dictionary, containing descriptions of the various voices and instruments, their powers and characters, explanations of all the terms used in ancient and modern music ... London,1635. 17½cm.

NM 0910759 CtY-Mus

Musical Dictionary...Curiously Adorn'd with Cuts representing the Manner of Performing on every Instrument./Finely Engrav'd on above 320 Plates. (Edited by Peter(Prelleur.) Engrav'd, Printed, and Sold (by Cluer, or Dicey) at the Printing-Office in Bow Church Yard. London: 1731. 8vo. Each part has an engraved frontispiece and title page, and is separately paged; total pages "above 320"; contemp. half calf.

D.C. Miller Collection - Library of Congress
No. 195

NM 0910760 DLC

The **Musical** digest (London)
see **London** musical digest.

Musical digest. v.1-
Oct. 1920-
New York, 1920-
v. illus., ports. 28-32cm.

NM 0910762 NcU OCl MiU

Musical directory, annual & almanack.
London, Rudall, Carte, etc., 1858-1931.
v. DLC: ML21.R8
Title varies slightly.

NM 0910763 ICRL MB ICU NBuG DLC ICN NBuB

A **musical** directory for the year 1794. To be continued annually. Containing the names and address of the composers & professors of music, with a number of amateurs ... Also the names and address of the principal music-sellers, and instrument-makers ... &c. London, Printed for the editor, pub. by R. H. Westley [1794]

vii, 87 p. 19cm

Dedication signed: J. Doane.

1. Musicians—England. 2. Music—England—Direct. I. Doane, Joseph, ed.

9-5290

Library of Congress ML286.8.L5D5

NM 0910764 DLC

... The **musical directory of Atlanta and Georgia** ... **v. 1-** 1909/10-
Atlanta, Ga., Arno music company [°1909-
v. 17cm.

1. Musicians—Atlanta, Ga. 2. Musicians—Georgia. 3. Atlanta, Ga.—Direct. 4. Georgia—Direct.

9-31875

Library of Congress ML15.A8

NM 0910765 DLC

... The **Musical** directory of Detroit and Wayne County, including Windsor, Ontario. Teachers, musicians, conservatories, musical dealers, piano tuners, movers, etc., etc. ... v. 1- 1904-
[Detroit] F. A. Barrett [1904-
v. 15½cm.
Vol. 1 has title: The Musical directory of Detroit ...

1. Musicians—Detroit. 2. Detroit—Direct.

29-6003

Library of Congress ML15.D48

NM 0910766 DLC NN

... The **Musical** directory of greater Cincinnati and visitor's guide; including Bellevue, Covington, Latonia, Newport, Ft. Thomas, Dayton, Bromley, Ky., & Norwood, Ohio. For 1906- [v. 1-
no. 1- Cincinnati, The Lawriston press [°1905-
v. fold. map (v. 1) 15cm.

1. Musicians—Ohio. 2. Cincinnati—Direct.

6-1272

Library of Congress ML15.C55

NM 0910767 DLC

Musical directory of Latin America
see Pan American Union. Music Section. Directorio musical de la América Latina.

The MUSICAL directory of the United Kingdom.
see Musical directory, annual & almanack.

Musical drawing-room companion, containing classical piano compositions. Cincinnati: Geo. Sutterer, 154 York Street ... °1865.

38 p. 36 cm.
Songs and piano compositions.

1. Songs (Medium voice) with piano. 2. Piano music.

M1.M889 52-49054

NM 0910770 DLC

MUSICAL EDUCATION SOCIETY,Boston.
Constitution and by-laws. Boston,Shipping list press,1849.

pp.16. Mus 30.36

NM 0910771 MH

The musical entertainer. London, for C. Corbett [1734-39]
2 v. in 1. fol.
First edition.

NM 0910772 MWiW-C

VOLUME 403

The **Musical** entertainer, engrav'd by George Bickham, Junr. London, G. Bickham [1737–38]
2 v. in 1. illus. 37 cm.
Vol. 2, "printed for C. Corbett," has title: Bickham's musical entertainer.
The illus. are after designs by Gravelot and Bickham.
Principally for high voice and figured bass. Part for flute printed at the end of most of the songs.
L. C. copy imperfect: 1 leaf wanting.
List of subscribers (4 p.) inserted.

1. Songs (High voice) with harpsichord—To 1800. I. Bickham, George, d. 1758. II. Title: Bickham's musical entertainer.

M1619.M92 67-47936/M
——— Copy 2. Rosenwald Coll.
L. C. copy imperfect: t. p. of v. 1, and 5 leaves wanting. Without the list of subscribers. Substitute t. p. from the 1740 ed. mounted in v. 1.
Lettered on the green morocco bindings: Iane Iannett Mary Vietch. Signed on flyleaves: Jane Jannet Mary Blake.
Bookplate (v. 2) of James Veitch, Esq., M. D.

NM 0910774 DLC CU MiU CtY MH CtY-Mus NN ICN MB

M
1619
.B58
The musical entertainer,engrav'd by George Bickham junr. London, Geo.Bickham [1738?-40?]
2 v.in 1. 37½ cm.
Engraved throughout,on rectos only,mostly one composition to a leaf,each headed by an illus.
Vol.2,p.99 lacking,supplied by positive photocopy.
For solo voice with figured bass and,in most cases,flute obbligato.
Vol.1 conforms in part to descriptions of the 1st issue (1738) but lacks the list of subscribers and index,and does not lack the figures in the bass of bars 1-2 of leaf 88. Vol.2 has no t.p.and conforms in part to descriptions of the 2d issue (1740) Leaf 14 is not attributed to Handel,as in the 1st issue,but to Porpora,and leaf 86 does not lack the composer's name. Cf.Purcell and Handel in Bickham's Musical entertainer (1942) and The British union catalogue of early music printed before the year 1801 (1957)
1.Songs (High voice) with harpsichord--To 1800. I.Title.

NM 0910776 MiU ViWC

The Musical Entertainer Engrav'd by George Bickham junr London, Printed for & Sold by Charles Corbett Bookseller and Publisher at Addison's Head, Fleet Street. [Second edition, 1740]
Incomplete copy; the following pp. are present: Vol. I, pp. 5, 24, 38, 40, 79, 89.

NM 0910777 NNMus

M
1497
M98+
The Musical entertainer, engrav'd by George Bickham jun. London [1736?, 1942]
[22] p. illus., music. 28cm.
Cover title: Purcell and Handel in Bickham's Musical entertainer.
Parts of vol. 1 of a two volume work. Contains pieces by Händel and Purcell, as well as pieces by other composers, which at the time of publication were assumed to be by Händel or Purcell.

Plates in this edition copied from the first edition of the original in the Paul Hirsch Library in Cambridge.

I. Händel, Georg Friedrich, 1685-1759. II. Purcell, Henry, 1658?-1695. III. Bickham, George, d. 1758.

NM 0910779 NIC

A musical entertainment, being a parody on the Beggar's opera
see under [Barrett, Eaton Stannard] 1786-1820.

A MUSICAL entertainment performed by a society of gentlemen in Edinburgh,upon the anniversary of the birth-day of James Thomson, author of the Seasons,&c Sept.22,1770. n.p., n.d.

pp.14. Words only.
MS.note on title-page attributes the above to John Tait.

NM 0910781 MH OCU

Musical events. [London]
see London musical events.

Musical examinations (dubious), and imitation "degrees," with particulars respecting the proprietary musical "colleges," their shareholders, working of the companies, pretences, issue of diplomas, mock academical robes, medals, etc. Together with warning speeches and exposure letters by H. R. H. the Prince of Wales, Right Hon. A. H. Dyke Acland, etc., etc. London, Musical news office [1907?]
cover-title, x, 226 p. 20cm.
Reprinted by request from the musical and educational journals, the London daily and weekly newspapers, the provincial press, and other sources.
At head of title: 3d enlarged edition, with indexes.
1. Musical schools (Proprietary)—Gt. Brit. E8-26
Library, U. S. Bur. of Education MT3.G

NM 0910783 DHEW

MT9
M88
Musical examinations, with some particulars respecting the proprietary musical "colleges," their shareholders, working, issue of diplomas and robes. 2d ed., with addenda and index. London, Musical News [1900?]
108 p. 19cm.

1. Music - Examinations, questions, etc.

NM 0910784 CoU

Musical exercises for singing schools...
see under Mason, Lowell, 1792-1872.

Musical express
see
New musical express.

Musical facts. v.1-
May, 1940-Dec. 1940 Chicago, 1940-
iv. illus., ports. 21cm.

NM 0910787 OrU IU

The musical farce of Hunt the slipper
see under [Knapp, Henry Ryder] 1756?-1817.

The musical favorite: a new collection of the choicest dance music and piano-forte selections.
Boston, O. Ditson & co., 1882.
230 (1) p. 4°.

NM 0910789 MB

Musical field...
v. 1–
New York: F. C. Torre, 1919– 4°.
v. illus.
Monthly, Sept. 1919 – June 1922; monthly (except July – Sept.), Oct. 1922–
Editor: 1919– F. C. Torre.

1. Music.—Per. and soc. publ.
N. Y. P. L. December 22, 1923.

NM 0910790 NN

Music
=MU873f
Musical folio. Providence, R.I., Ryder-Dearth [188-?]
cover-title, [20] p. illus. 35 cm.

Harris Collection
Contains songs and advertisements of local industries.
"Compliments of Callender, McAuslan & Troup"
Cover illustrated in colors

1. Songs (Collections). 2. Providence, R.I.--Industries.

NM 0910791 RPB

The **Musical** forecast.
v. 1–
Pittsburgh, 1921– f°.
v. illus.
Monthly.
Official organ of the Musicians' Club of Pittsburgh.

1. Music.—Per. and soc. publ.
N. Y. P. L. October 11, 1924

NM 0910792 NN

The musical foundations of verse
see under [Sapir, Edward], 1884-1939.

Musical fountain enlarged; a collection of temperance music... Cincinnati, Church,c1867.
126 p.

NM 0910794 PPPrHi

Musical friend, The, a collection of chaste vocal music, with piano-forte accompaniment, together with a selection of beautiful piano pieces, and duetts for four hands.
= Boston. Tolman & Co. 1865. 207 pp. 4°.

E3406 — Pianoforte. Music. — Songs. With music. Coll.

NM 0910795 MB

Musical frolic and dance presented by C. W. A. workers on Boston Public Library projects, . . . March 22, 1934. Repertory Theatre . . . Benefit of the Emergency Relief Campaign. [Programme.]
= [Boston. 1934.] (4) pp. 19 cm.
The title is on the cover.

D9317 — United States. Civil Works Administration. Massachusetts. Boston. Public Library.

NM 0910796 MB

Musical fun. [Instruction book for a simple six hold flute (flageolet)] Levittown, Pa., Educational Sales Co. [19--?]
16 p. 22 cm.
Includes words to songs.
1. Flute - Instruction and study.

NM 0910797 RPB

VOLUME 403

Musical Fund Hall, Philadelphia.
Programme of M'lle Jenny Lind's concert
see under title

Spec.
F499
.C5M9
MUSICAL FUND SOCIETY OF CINCINNATI.
Constitution of the Musical fund society of Cincinnati. Established, May, 1835. ‹Cincinnati, Mirror press, 1835›
21 p.

Cover title.

NM 0910799 InU

AC901
.P3
Musical fund society of Philadelphia.
Act of incorporation, by-laws, and orchestral regulations... Philadelphia, pr. by Harding, 1826.
23 p. (Pamphlets, 18:7)

NM 0910800 DLC PPL

Musical Fund Society of Philadelphia.
Act of Incorporation and by-laws. Phila., 1831.

NM 0910801 PHi

MUSICAL FUND SOCIETY OF PHILADELPHIA.
Act of incorporation and by-laws of the society. Instituted Feb.29,1820. Philadelphia,Billstein & son,1897.

nar.12°. pp.24.

NM 0910802 MH

Musical fund society of Philadelphia.
Act of incorporation...and by-laws...together with a list of the officers and members. Phila., Musical fund soc., 1912.
54 p.

NM 0910803 PU PHi

Musical fund society of Philadelphia.
... Act of incorporation, approved February 22, 1823; amendment thereof approved April 28, 1857, and by-laws as revised and amended May 7, 1912, together with a list of officers and members, historical data, and list of portraits. September, 1930. [Philadelphia, 1930]
67 p. 23cm.
Cover-title: Charter and by-laws of the Musical fund society of Philadelphia and list of officers and members.

Library of Congress ML28.P5M94 1930 31-13016
——— Copy 2. 780.62

NM 0910804 DLC NIC ICN MH IU NN CtY MiU OU OCl ViU OClW PPD PHi PU PPAmP PSt PP IdU WaS OrU Or

---

Musical fund society of Philadelphia
Cantus ecclesiae; or, The sacred chorister
see under Darley, William Henry Westray, 1801-1872.

Musical fund society of Philadelphia.
Centenary, Musical fund society of Philadelphia, 1820-1920. [Philadelphia? 1920?]
23 p. illus. (incl. ports., facsims.) 26cm.

Library of Congress ML28.P5M9 21-20627

NM 0910806 DLC PPAmP PHi PPL MB

MUSICAL FUND SOCIETY OF PHILADELPHIA.
Centenary, Musical fund society of Philadelphia, 1820-1920. [Philadelphia? 1920?] 23 p. illus., ports., facsims. 26cm.

Microfiche (neg.) 1 sheet. 11 x 15cm. (NYPL FSN 14,942)

NM 0910807 NN

Musical Fund Society of Philadelphia.
Constitution, Feb. 29, 1820. Phila., 1822.
33 p.

NM 0910808 PHi PPL

Musical fund society of Philadelphia.
The Musical fund society of Philadelphia; organized February 29th, 1820, incorporated February 22nd, 1823. [Philadelphia] 1910. 95 p. 21cm.

"The following history was compiled from a sketch...by William L. Mactier...and from a pamphlet issued as a souvenir of 28th October 1891, and also from the book compiled in 1896 by Louis C. Madeira with addenda from secretary's records."

NM 0910809 NN PPAmP PP

Musical fund society of Philadelphia.
Report of the Joint board of officers to the Musical fund society of Philadelphia, at the stated annual meeting, May 6, 1856.
Philadelphia, 1856.

ML28
.P5M95

NM 0910810 DLC PHi

Musical Fund Society of Philadelphia.
Sketch, 1870. Phila.

NM 0910811 PHi

Musical Fund Society of Philadelphia.
The words of the Creation of the World, a sacred oratorio ...
see under Haydn, Joseph, 1732-1809.

The Musical gazette. Boston, 1838-39.
see Boston Musical gazette.

The Musical gazette. v.1-5,1846-Oct.1,1850.
Boston, 1846-1850.

5 vols. 30cm.

No more pub.
Running title: Boston Musical gazette.
Merged into Journal of the fine arts and Musical world, later Musical world.

NM 0910814 NBuG DLC

The musical gazette. [Brooklyn]
see The musical magazine. [Brooklyn]

The Musical gazette. no. 1-26, Nov. 11, 1854-May 5, 1855. New York, Mason brothers [1854-55]
26 nos. in 1 v. 30 cm.
No more published.
1. Music - Period.
x. New York musical gazette.

NM 0910816 CU

AW 1
R2724
MUSICAL gazette. no. 1-26: Nov. 11, 1854-May 5, 1855.
New York.
26 nos. biweekly. 35 mm.
United with New York musical review and choral advocate to form New York musical review and gazette.
Microfilm. 1 reel. 25 mm.
Library lacks no. 18, 20, 21.
1. Music - Period.

NM 0910817 CaBVaU NN CU

Musical Gazette, The. An independent journal of musical events, and general advertiser and record of public amusements. [Weekly.]
Vol. 1-3; 4 (no. 1-10). 1856-59.
= London. 1856-59. 4 v. in 3. 4°.

E6514 — Music. Period.

NM 0910818 MB

The Musical gem; a collection of modern and favourite songs, duets, and glees, selected from the works of the most celebrated composers. Adapted for the voice, flute, or violin. London, H. G. Bohn, 1845.
3 v. in 1. 22 cm.
Unacc.
Compiled and arr. by John Parry. Cf. Brown and Stratton. Brit. musical biog.
CONTENTS.—v. 1. Vocal companion.—v. 2. British minstrel.—v. 3. Flowers of song.
1. Songs, English. I. Parry, John, 1776-1851, comp. and arr. II. Title: Vocal companion. III. Title: British minstrel. IV. Title: Flower of song.

M1738.M79 19-14760 rev/M

NM 0910819 DLC PPiU NN

M784.8
M975
The Musical gem. [a souvenir ...]
London, Mori and Lavenu.
v. plates. 29cm.

In part for voice and piano, in part for piano.

NM 0910820 IU

The Musical gem; a souvenir for MDCCCXXXI. Ed. by N. Mori and W. Ball... London, Mori and Lavenu [1831]

4 p.l., 107p. ports.(incl.front.) fold.facsim. 21cm.

Songs with music.
Biographical sketches.

NM 0910821 CU ICN MdBJ PP MH MoU NN

Musical Gem, The; a souvenir for 1833. Edited by N. Mori and W. Ball.
London. Mori & Lavenu. [1832.] (4), 88 pp. Portraits. Plates. Fac-similes. 4°.

E6809 — Annuals. — Mori, Niccolò, ed. — Ball, William, ed.

NM 0910822 MB

The musical gem. Vocal and instrumental music
see under White, Charles Albert, 1832-1892, comp.

VOLUME 403

Musical gems; a graded course in music for rural and village schools
see under Moore, Charles L

Musical gems for school and home...
see under Bradbury, William Batchelder, 1816-1868, ed.

Musical gems, vocal and instrumental being a choice collection of popular melodies
see under Winner, Joseph E

The musical gift... Albany, N. Y., Weed, Parsons & co., printers [1859] 16 p. 18cm.
Melodies unaccompanied.
Reprinted from Gentle Annie melodist no. 2 (Firth, Pond & co., New York).
Advertising matter interspersed.
CONTENTS.—Ellen Bayne, by S. C. Foster.—O kiss, but neber tell, by Frederick Buckley.—The yellow rose of Texas, by J. K.—I see her still in my dreams, by S. C. Foster.

309689B. 1. Songs, English—U. S. —Collections—To 1870.
N. Y. P. L. July 11, 1945

NM 0910827 NN

Musical gift ... Philadelphia, E. L. Walker
see Walker's musical gift...

Musical gift for the young; containing musical anecdotes and stories, with forty-two pieces of original and selected music. By the singing master. Boston, W. Crosby & co. [etc.] 1842.
190 p. illus. 16½cm.
Running title: The singer.
"The work has heretofore appeared in monthly numbers, of which this is the first volume."—Pref.

1. Music—Anecdotes, facetiae, satire, etc.

Library of Congress ML65.M91 5-38548

NM 0910829 DLC

Brown
ML1
.M845 Musical globe, and ladies' fashion bazaar. v. 4, no. 7-v. 5, nos. 11-12. July 1875-Nov. & Dec. 1876. New York, 1875-1876.
2 v. in 1. illus. 29 cm. frequency varies.
Subtitle varies: Musical globe, a new musical journal and literary eclectic.

1. Music--Period. 2. Periodicals, English.

NM 0910830 MB

A musical grammar, in four parts...
see under Callcott, John Wall, 1766-1821.

M1628
.M8 The Musical guide: containing the music and words of the most popular airs, duets, glees, &c... to which are prefixed, concise instructions for the beginner. London:G.Berger, 1834.
various pagings. 21cm.

NM 0910832 NNU-W

Musical guide, The, for singing and the pianoforte . . .
= London. Cradock & Co. 1845. iv, 60 pp. Sm. 8°.

E6514 — Music. Instruction books.

NM 0910833 MB PPL

Musical hand-book for musicians and amateurs ...
see under Schuberth, Julius Ferdinand Georg, 1804-1875, ed.

The musical harmonist containing concise and easy rules of music together with a collection of the most approved psalm &c hymn tunes
see under Jenks, Stephen, 1772-1856.

The Musical herald. Boston, 1880-88
see
The Musical herald of the United States.

M780.5
M9864 The Musical herald, a journal of music and musical literature. v.1-2, 1846-1847. London, George Biggs, 1846-47.
2v. 28cm.

No more published.
Edited by George Hogarth.
v.1 contains 152pp. of music.

NM 0910837 NcU MB ICN

The Musical herald of the United States; a monthly review. v. 1-14; Jan. 1880-Nov. 1893. Boston, Musical herald co. [etc.] 1880-[92]; Chicago and Boston, G. H. Wilson [1892-93]
14 v. in 13. illus. (incl. ports.) 27-32½cm.
Includes musical supplements.
Title varies: Jan. 1880-Dec. 1888, The Musical herald ... (Subtitle varies)
Jan. 1889-Oct. 1892, Boston musical herald ...
Nov. 1892-Nov. 1893, The Musical herald of the United States ...
Editors: Jan. 1880-Dec. 1890, Eben Tourjée.—Jan. 1891-Nov. 1893, G. H. Wilson.
No more published?

1. Music—Period. I. Tourjée, Eben, 1834-1891, ed. II. Wilson, George Henry, 1854- ed.

Library of Congress ML1.M5 33-4290

NM 0910838 DLC OCl NSyU NcGU PP ICN MB DHeW

The Musical heritage of the church. 1944–
[St. Louis, Concordia Pub. House]
v. 23 cm. annual.
Issued 1944-45 as Valparaiso University pamphlet series no. 6 (i. e. 1)-2; 1946 as Valparaiso University church music series no. 3.
Title varies: 1944, The Musical heritage of the Lutheran Church.
Issues for 1944-46 published in Valparaiso, Ind. by Valparaiso University.
Editor: 1944– T. Hoelty-Nickel.
Consists of essays presented at the Valparaiso church music seminars.

Essays presented 1947-52 issued together.

1. Church music—Lutheran Church. 2. Church music—Addresses, essays, lectures. I. Hoelty-Nickel, Theodore, ed. II. Title: Valparaiso church music seminar. (Series: Valparaiso University, Valparaiso, Ind. Pamphlet series. No. 1, 2. Series: Valparaiso University, Valparaiso, Ind. Church music series, no. 3)

ML3168.M8 783 A 56-4463
Indiana. Univ. Libr. for Library of Congress [2]†

OrSaW MH-AH NcU INS MiD NcD
CtY-D WaU OU PPT NjPT DLC OrU OrP CaBVaU CLSU
NM 0910840 InU IdPI WaS KU MiU CoU IU WU MiEM

The musical hive: or a selection of some of the choicest and most characteristic national melodies ... Added, variations for the harp, or piano-forte
see under Jones, Edward, 1752-1824, comp.

The Musical Hodge Podge [An old woman cloathed in grey]
see under [Carey, Henry] 1687?-1743.

The musical host. [monthly] Jan. 1864- to Dec. 1865.
New York, 1864-5.

32
10078

NM 0910843 DLC

Musical ignoramus, pseud.
Short instructions for tuning a piano-forte
see under title

ML1
.M86 The Musical Independent. v. II, no. 27-36; January-October, 1871. Chicago, Lyon & Healy.
1 v. music 30 cm.
"A monthly review of the news, literature, and science of Music."

1. Music—U.S.—Periodicals.

NM 0910845 MB ICHi

Musical information record
see
Les Cahiers d'information musicale.

Musical Institute, Providence, R.I.
see Providence, R.I. Musical Institute.

Musical instructer, The, containing instructions for reading vocal music according to the most approved systems, with examples, lessons for tuning the voice, and a copious dictionary of musical terms.
Canandaigua. Bemis & Co. 1823. 24 pp. 8°.

F3346 — Music. Instruction books. — Singing.

NM 0910848 MH MWA NCanHi

Musical instrument sales tip
see M.I.S.T. ...

Musical instruments in pictures...
see under Sauerlandt, Max, 1880-

The musical isle ...
see under [Merington, Marguerite], d. 1951.

VOLUME 403

musical items. v. 1-
Dec. 1883-
New York, E. Schuberth & co., 1883-
v. illus. (music) 29cm. monthly.
Editor: Dec. 1883- Mrs. H. D. Tretbar.

1. Music—Period. I. Tretbar, Helen D., ed.
CA 17-37 Unrev'd
Library of Congress ML1.M56

NM 0910852 DLC MiU

The musical journal. Edited by Alice Hawthorne.
Jan. to Dec. 1867.
Philadelphia, [1867]

32
10078

NM 0910853 DLC

Musical journal for the pianoforte.
Baltimore. 1-5 (no.1-120) 1799-1803//?

NM 0910854 MdBE PP NIC MB NcD PU

The Musical journey of Dorothy and Delia...
[c1893]
see under Gilman, Bradley, 1857-1932.

KB Broadside
Musical jubilee at Bismark Grove, Aug. 18 and 19. Grand chorus of 6000 voices accompanied by an orchestra and brass bands... Prof. C. C. Leslie, Director. Kansas City, Mo., Ramsey, Millett & Hudson, 1881.
Broadside. 60 x 23cm.

1. Bismark Grove, Lawrence, Kan.
I. Leslie, C E

NM 0910856 KU

The MUSICAL keepsake. Vol.I. London, Longman,Rees,Orme,Brown,Green and co.,1834.
4°. Ports.
Added engraved title-page. Mus 404.20

NM 0910857 MH

Musical key; the guide to good music. v. 1, no. 1-6 (Oct. 1-Dec. 15, 1939). New York: Sloane pub. corp., 1939. 1 v. illus. (incl. ports.) 26cm.
Biweekly, Oct. 1-Nov. 25; semimonthly, Dec. 1-15.
No more published.

1. Music—Per. and soc. publ.
N. Y. P. L. August 5, 1941

NM 0910858 NN

The Musical lady. 1778
see under Colman, George, 1732-1794.

ML1 .M8
Musical leader. v.1- 1895-
Chicago, 1895-
v. illus., ports. 35 cm. monthly.

Title varies: v.1-19, no.13, Musical leader and concertgoer.

1. Music—Periodicals.

NM 0910860 TU NIC LU PSt ICRL NdU MtU MdBP WvU

Musical leaves for Sabbath Schools ...
see under Phillips, Philip, 1834-1895, ed.

The musical library. Boston, 1836
see under Mason, Lowell, 1792-1892, ed.

M 1 M98
The Musical library. v. 1-4, no. 36; Apr. 1834-Mar. 1837. [London, C. Knight]
8 v. in 4. 35 cm.
Issued weekly as a number containing 8 pages, either vocal or instrumental; issued monthly as a part containing 36 pages of music. Cf. the Musical library, Monthly supplement, p. [1]
Edited by William Ayrton. Cf. Prefaces to v. 4, Instrumental [and] Vocal, signed: W. A.; and Dict. nat. biog.

NM 0910863 Vi MB MH NN PU PP

M 1 M98 Suppl.
The Musical library, London.
—— Monthly supplement. v. 1-3; Apr. 1834-July 1836. London, C. Knight.
3 v. in 1. illus. 35 cm.
Contains biographical and critical notices, theatrical news, etc.

1. Music - Period. 2. Instrumental music. 3. Vocal music. 4. Periodicals (Titles) I. Ayrton, William, 1777-1848, ed.

NM 0910864 Vi MB PP DLC ViU OO

M 32 .8 M98++
The Musical library; instrumental.
[Boston? O. Ditson?] 1845-62.
4 v. in 2. 35cm.
Principally arr. for piano; some with flute.

1. Piano music, Arranged.

NM 0910865 NIC

Xv71 T16 +904
... The musical library of Mr. T. W. Taphouse ...
(From The Musical times. London, October, 1904. 26½cm. v.45,no.740,p.629-636. illus. (incl.facsims.), port.)
Article signed: Dotted Crotchet.

1.Taphouse, Thomas William, 1838-
I.Crotchet, Dotted, pseud. 2.Music - Bibl.
II.Dotted Crotchett, pseud.

NM 0910866 CtY

M 1497 M98++
The Musical library; vocal. [Boston? O. Ditson?] 1844-1862.
4 v. in 2. 35cm.
With piano acc.

1. Vocal music--Collections. 2. Choruses, Secular (Mixed voices) with piano. 3. Songs with piano.

NM 0910867 NIC ViU

Musical library. With composers' names alphabetically arranged. Lond. 1846.
4 v. f.

NM 0910868 NN

Musical life in early Cincinnati and the origin of the May festival.
see under [Frank, Leonie C]

The Musical magazine. [Brooklyn]
v.
Brooklyn: H. R. Marvin, 1891 32-33½cm.
v.
Monthly, 1891; quarterly,
Includes music.
Title varies: 1891, The Musical gazette; The Musical magazine.

1. Music—Per. and soc. publ. I. The Musical gazette. [Brooklyn]
N. Y. P. L. November 4, 1937

NM 0910870 NN

The Musical magazine (London)

The New musical and universal magazine. Consisting of the most favourite songs, airs, &c., as performed at all public places, adapted for the G. flute, violin, guitar, and harpsichord. Also is included ... pages of letter press, of amusing and agreeable subjects. Calculated for the lady, gentleman and musician. v. 1-3; Sept. 1774-[1777?] London, Printed for R. Snagg [etc., 1774-77?]

Case -VM 2116 L 41a 1803 pt.III
The MUSICAL magazine; being the third part of The art of singing; containing a variety of anthems and favourite pieces. A periodical publication. By Andrew Law. 4th ed., with additions and improvements. Printed upon a new plan...No.I. [Boston]Printed for the author,By E.Lincoln[1805]
96p. 14x24cm.
Bound with Law, Andrew,The musical primer, 4th ed., Cambridge,W.Hilliard,1803.
Added t.-p.: The art of singing...Part third.
Consists entirely of music in Law's own notation: character notes without staves.
Errata for pts.I and III: p.6-7.
Contents differ from ed. in regular notation.
Shaw-Shoemaker 8764.

NM 0910873 ICN NNUT MWA OCl PHi RPB CtY

-VM 2116 L 41a 1810
The MUSICAL magazine; being the third part of The art of singing; containing a variety of anthems and favourite pieces. A periodical publication. By Andrew Law. no. 2nd. Philadelphia,J.Aitken[c1810]
p.101-128. (Law, Andrew, comp. The art of singing... [c1810] pt. 3rd)
Contains both general and special t.-p. Character notes without staves.

NM 0910874 ICN

The Musical magazine. By Mr. Oswald, and other celebrated masters. London, Printed for J. Coote [1760]
20 no. in 1 v. 27 cm.
Other copies have title: The Musical magazine; or, Monthly Orpheus. Consisting of original songs, cantatas ... By Mr. Oswald, and other celebrated masters. Cf. Brit. union-cat. of early music.
Contains 56 p. of text, interspersed with [86] leaves of music (vocal and instrumental, principally with figured bass)

1. Music—Periodicals. 2. Vocal music—To 1800. 3. Instrumental music—To 1800. I. Oswald, James, 1711-1769.
ML4.M766 72-207939

NM 0910875 DLC IU

VOLUME 403

The musical magazine; containing a variety of favorite pieces. A periodical publication. By Andrew Law... Number first- Cheshire, Conn.: Printed and sold by William Law, 1792–
v. ob. 4°.

Words and music.
Another work, with similar title, was published as part 3 of the author's "Art of singing. 4. ed. Boston, 1805."
Number 1 has hymns in manuscript, and hymns from another work appended.
Bound with his: Rudiments of music... ⌊Cheshire, 1785.⌋ 2. ed. ob. 4°.

1. Psalmody. 2. Hymns. 3. Title.
N. Y. P. L. July 15, 1916.

TxLT MHi
NM 0910876 NN MiU ICN CtY MB NBu RPB MWA DAU

The **Musical** magazine; containing a variety of favorite pieces. no. 1–⌊4⌋; 1792. Cheshire ⌊Conn.⌋ Printed by W. Law.

(American periodical series: eighteenth century, 18)
Microfilm copy (positive) made by University Microfilms, Ann Arbor, Mich.
Collation of the original, as determined from the film: 4 no. music.
Issued in 6 no., 1792–1801. Cf. Union list of serials.
Edited by A. Law.

1. Instrumental music—To 1800. I. Law, Andrew, 1748–1821, ed. (Series)

Microfilm 01103 no. 18 AP Mic 56—4433

NM 0910877 DLC ViU PU MiU

The musical magazine and musical courier
see Musical courier.

The **Musical** magazine; or, Compleat pocket companion, consisting of songs and airs for the German flute, violin, guittar and harpsichord, by the most eminent masters.

London, Sold by T. Bennett.
v. 25 cm. annual.
Principally for voice and continuo.

1. Vocal music—To 1800. 2. Instrumental music—To 1800.

M1.M89M3 M 54–1113

NM 0910879 DLC ICN IU NcD MdBP MB

The **Musical** magazine; or, Repository of musical science, literature and intelligence. v. 1–3; Jan. 5, 1839–Apr. 24, 1842. Boston, Otis, Broaders and company ⌊etc.⌋ 1839–42.

3 v. 22½cm. biweekly.

No nos. issued Dec. 4, 1841–Apr. 10, 1842, inclusive.
Editors: 1839, H. T. Hach, T. B. Hayward.—1840–42, H. T. Hach.
No more published.

1. Music—Period. I. Hach, H. Theodor, ed. II. Hayward, T. B., ed.

Library of Congress ML1.M63 8–13965

NM 0910880 DLC IEN

Musical man's companion, The, or a new collection of love, Masonic, sea, and other songs.
— Paris, (Me.) . . . The Oxford Bookstore. [182–?] 69 pp. 14½ cm., in 6s.
Words only.

D65 — Songs. Without music. Colls.

NM 0910881 MB

Coll
MU846m
Harris Collection

The musical man's companion; or, A new collection of love, Masonic, sea and other songs. Paris, (Me.) Oxford book-store ⌊1830?⌋
69p. 14cm.

Without music.

NM 0910882 RPB

⌊MUSICAL manuscript, probably of the 17th century containing songs for one voice with melodic bass accompaniment. n.p.,n.d.⌋
⌊288⌋p. 8x24cm.

Italian words.
Manuscript note on flyleaf: Manoscritto autografo di Stradella.
Includes compositions of M.A.Cesti, G.B.Giansetti and P.Lorenzani.

NM 0910883 ICN

M1900
M8

The musical mason, or, Free mason's pocket companion, being a collection of songs used in all lodges, to which are added the Free mason's march, and Ode. London, Printed for C. & S. Thompson ⌊1750?⌋

1p.ℓ.,52p. 19cm.

Title within ornamental border.

NM 0910884 NBuG IaCrM

Musical merchandise magazine. v. -65, no. 3; -Dec. 1957. ⌊New York, V. I. McKernin, etc.⌋

v. in illus., ports. 29 cm. monthly.

Began publication with Sept. 1925 issue. Cf. Union list of serials.
Title varies slightly.
United with Piano & organ review to form Musical merchandise review.

1. Music—Period. 2. Music trade—U. S.

ML1.M637 781.98305 50–57917 rev

NM 0910885 DLC

Musical merchandise review.

⌊New York, Select Publications, etc.⌋

v. illus., ports. 31 cm. monthly.

Formed by the union of Musical merchandise magazine and Piano & organ review and continued the vol. numbering of the latter.

1. Music—Period. 2. Music trade—U. S.

ML1.M6373 67–33135/MN

NM 0910886 DLC OrP CaBVaU InU NN I

ML
1
M979

The Musical mercury. v. 1-17, no. 2/3; Jan./Feb. 1934-Dec. 1949. New York, Kalmus.
6 v. in 2. music. 22-25 cm. quarterly (irregular)
From v. 6, "the Musical Mercury will consist exclusively of actual music without articles or musical subjects."

1. Music—Period. I. Kalmus, E. F., (Firm), New York.

NM 0910887 CtY-Mus MiU OClW ICU

M
780.5

The musical messenger; a monthly magazine. v1-7; n.s. v.1- Oct. 1, 1891-97; 1899/19
Cincinnati and New York, 1891-
v. illus. 24cm.

Contains music.
Editors: 18 -19 , C.M. Fillmore.
Vol. 1, no.12; v.2, nos.2, 6 lacking.

1. Music--Period. I. Fillmore, Charles M., ed.

NM 0910888 LU OU DLC MH NN

H
780.5
M97

The Musical million. v.1-45.
Jan., 1870-Nov. 1914[?]
Dayton, Va., Ruebush-Kieffer, 1870-1914[?]
45v. illus. monthly.
Title varies: 1870-1874[?] The Musical million and fireside friend. 1775[?]-Nov. 1914[?] The Musical million.
Vol's. 1-9, no. 9, were published at Singer's Glen. From 1870 until sometime in 1872 (after July) the periodical carried the imprint Patent-Note Publishing Co.

Library has: Vol. 1; Vol. 2, Feb.-Dec.; Vol. 3, Jan.-July & part of Nov.; Vol. 4; Vol. 5, Jan., July, Aug., Oct., Nov.; Vol's 6-31; Vol. 34; Vol. 38 (2 pages missing); Vol's 39-40; Vol. 41, Feb.; Vol. 42, Aug.; Vol. 43, May, Oct., Dec.; Vol. 44, March, April, Oct.; Vol. 45, Nov.
The Library also has 3 separate bound volumes covering the years June 1875-May 1878; 1882-1883 and 1888.
Supersedes The Musical advocate and singer's friend.

NM 0910890 ViHarEM

32
10080

The musical mirror.
La Fayette, Ind., 1901-

[Analyzed]

NM 0910891 DLC

The MUSICAL mirror and fanfare; music, radio and the gramophone.
Lond. illus. ports. music.

Monthly.
Preceded by The Musical mirror; music, radio and the gramophone.

NM 0910892 WaS

M
1
.M98

Musical miscellany. ⌊v.p., ca.1800⌋
24 pieces in 1 v. 32 cm.
Binder's title.
A made-up volume,principally songs.

1.Songs,English.

NM 0910893 MiU

Musical miscellany. ⌊New York,etc., J. Hewitt's musical repository,etc., 179-?-1811⌋

30 pieces in 1 vol.
Binder's title.

CONTENTS.--1.Kotzwara,Franz. Battle of Prague. 2. Hook,James. Rondo.--3.Hewitt,D.C. Wounded hussar.--4. Abrams,Harriet. Crazy Jane.--5.Spofforth,Reginald. Hark the goddess Diana.--6.Hook,James. Unfortunate sailor.--7.Arnold,Samuel. Little Sally.--8.Rosline castle.--9. Decleve,V. Poor blind girl.--10.Hook,James. She lives in the valley below.--11.Kelly,Michael. Young Henry lov'd his Emma well.--12.Gin ye can loo me lass.--13.Erben, Peter. Duett for the piano forte.--14.Barthelemaw,Mr. Three favorite duetts.--15.Spofforth,Reginald. Wood robin.--16.Pleyel,Ignaz Joseph. Pleyel's German hymn.--17.Haydn,Franz Joseph. Favorite easy sonata.--18.Johnny and Mary.--19.Hook,James. Invisible girl.--20.Cope,W.P. R. Mark the busy insect playing.--21.Brazilian waltz.--22.Devonshire,Elizabeth. Sweet is the vale.--23.Willson, Joseph. I knew by the smoke that so gracefully curld.--24.Mazzinghi,Joseph. See from ocean rising.--25.Davy, John. Bay of Biscay O!--26.Hook,James. Softly waft ye southern breezes.--27.Stevenson,Sir John Andrew. When in death I shall calm recline.--28.Corri,Domenico. My ain kind dearie.--29.Hewitt,James. Primrose girl.--30.Leach,James. Anthem for Christmas.

NM 0910896 MiU-C

VOLUME 403

The Musical miscellany: a select collection of Scots, English and Irish songs, set to music. Perth, Printed by J. Brown, 1786.
2 p. l., [iii]-xii, 347 p. front. 17cm.
Added t.-p., engraved.
Melodies unaccompanied, except 10, arranged for 2 voices.
This miscellany has been attributed to Alexander Smith. cf. Brit. mus. Catalogue of printed music, 1787-1800; Eitner, Robert. Quellen-lexikon.

1. Songs, English. I. Smith, Alexander, fl. 1786.
45-49628
Library of Congress M1738.M79

TxU NjP CaBVaU PPL
NM 0910897 DLC MU TxU NcU MH CLU MNF NRU-Mus

The Musical miscellany. Being a choice selection of favorite patriotic, Yankee, Irish and Scotch songs. New-Haven, Sidney's Press, for Increase Cooke & Co., 1812.
107, 4 p. 15 cm.

Without music.
Bound with: The songster's museum ... New-Haven, 1812.

NM 0910898 RPB MWA CtY

The musical miscellany. Being a choice selection of favorite patriotic, Yankee, Irish and Scotch songs...

Poughkeepsie:[N.Y.]. Printed by P. & S. Potter. 1816. [3], 4-100p. 14½cm.
Without music.

NM 0910899 MWA

THE MUSICAL MISCELLANY: BEING A COLLECTION of choice songs, set to the violin and flute, by the most eminent masters ... London,Printed by and for J. Watts,1729-1731.
6 v. engr. fronts.

Volumes 3-6 have title: The musical miscellany; being a collection of choice songs, and lyrick poems; with the bassos to each tune, and transpos'd for the flute. By the most eminent masters.
1. Songs--English

IaU NjR CtY MdBJ NN MH ICU DLC MnCS IEN ViU OU CtY-Mus NcU MdBP DNC MiU Vi ICN MNF ViW PU NjP MHi
NM 0910900 InU NcD CoD NBU MB CLU CLU-C NRU-Mus

The musical miscellany, comprising the music published in the Musical magazine.
see under Hastings, Thomas, 1784-1872, ed.

Y 184 .6 The MUSICAL miscellany; or, Songster's companion. Being a collection of new humourous songs, duets, catches, glees, &c. sung at the theatres and public gardens in London, with a variety of new songs, written on purpose for this work, and adapted to familiar tunes. North Shields, W.Thompson,1789.
284p. 17½cm.

Bookplate of G.P.Upton.
Without the music.

NM 0910902 ICN

x784.3 M973 The Musical miscellany; or, Songster's pocket companion. An intire new collection of all the favourite English songs, dialogues, and cantatas, which have been set to music by the most eminent masters ... Interspersed with various songs, peculiarly adapted to the several societies of Masons, Antigalli-cans, Bucks, Bellgrades, &c ... London, Printed for T. Caslon, 1760.
383p. front. 15cm.

Without music.

NM 0910903 IU

Musical moments; short selections in prose and verse for music lovers
see under [Dodsworth, Jessie Eliose (Prentice)]

The Musical monitor; the official magazine of the National federation of musical clubs.

[Chicago, Ill., Mrs. D. A. Campbell,
v. illus. 31cm. monthly.
Title varies: -Dec. 1914, The Musical monitor and world.
Jan. 1915- The Musical monitor.
Editor: Mrs. D. A. Campbell
Absorbed the Musical world in Sept. 1913.

1. Music—Period. I. Campbell, Mrs. Viola Vaille (Barnes) II. National federation of musical clubs.
CA 16-536 Unrev'd
Library of Congress ML1.M679

NM 0910905 DLC WaS

The musical monitor; a collection of church music of the most approved character... 1833 [c1833]
see under Edson, William J ed.

Musical mutual protective union of New York.
American music journal. Pub. under the auspices of the Musical mutual protective union, of the city of New York, and devoted to the interests of the musical profession of America. v. 1, v. 2, no. 1-15; Dec. 6, 1884-Apr. 24, 1886. New York, 1884-86.

Musical mutual protective union of New York.
The American musician and American music journal ...
v. 1-
Dec. 6, 1884-
New York, 1884-

Musical Mutual Protective Union of New York.
Charter and by-laws of the Musical Mutual Protective Union, affiliated with the American Federation of Musicians as Local 310. Founded April 23, 1863. Organized and adopted, June 26, 1864. Amended and revised September 13, 1867... July...1910... In effect Sept. 1st, 1910. [New York: Mercantile Prtg. Co., 1910.] 146, ix p. 16°.

1. Trades unions (Musicians'). U. S.
N. Y. P. L. September 8, 1922.

NM 0910909 NN

Musical mutual protective union of New York.
Constitution of the Musical mutual protective union. Founded April 23, 1863. Organized and adopted June 26, 1863. Amended and revised December 1, 1864. New York, Printed by A. Marrer, 1864.
32 p. 16½cm.

CA 15-802 Unrev'd
Library of Congress ML28.N5M73

NM 0910910 DLC

pV 206 .6001 MUSICAL MUTUAL PROTECTIVE UNION OF NEW YORK.
Musical mutual directory protective union. Published by the union, for the accommodation of its members. 8th ed. New York,1874.
77p. 14cm.

NM 0910911 ICN

4 Music 2164 Musical mysteries; an exciting, entertaining and fascinating game for children and adults. Philadelphia, Codeway, c1946.
unpaged

NM 0910912 DLC-P4

The Musical news.

San Francisco.
v. ports. 32 cm. monthly.
Official journal of the Musicians' Union, Local Six, A. F. of M.

1. Music—Period. 2. Music—California—San Francisco. I. Musicians' Union, San Francisco.
ML1.M69 331.881178 49-51176*‡

NM 0910913 DLC ICRL

Musical news. A weekly journal of music ...
London,
v. 28cm.

1. Music—Period.
CA 9-794 Unrev'd
Library of Congress ML5.M5

NM 0910914 DLC PPiU ICN CtY-Mus MiU

Musical news, London.
Musical examinations
see under title

The MUSICAL nightingale, containing six love songs, viz. 1. The bunch of green ribbons. 2. The gown of green. 3. The green garters. 4. Amynta, or, The loving shepherd. 5. Give me my sailor. And, 6. 'Tis the voice of love. Falkirk, Printed by T. Johnston [1801?] 8 p. 16cm.

Without covers.

NM 0910916 NN

The Musical notation of the middle ages exemplified by facsimiles of manuscripts written between the tenth and sixteenth centuries inclusive, dedicated (by permission) to H. R. H. the Duke of Edinburgh. Prepared for the members of the Plainsong and mediæval music society. London, J. Masters & co., 1890.
4 p. l., 7 p., 20 l., 21 pl. (incl. 20 facsim. (music)) 38 cm.
Plate and facsimiles in portfolio.
"245 copies printed, of which this is no. 196."
"The development of musical notation" signed: H. B. B. [i. e. Henry B. Briggs] Descriptions of the facsimiles by A. Hughes-Hughes.
1. Musical notation. 2. Music—Manuscripts—Facsimiles. I. Plainsong and mediæval music society. II. Briggs, Henry Bremridge, d. 1901. III. Hughes-Hughes, Augustus.
7—18238
Library of Congress M2.P6M8
[a50m½] (780.82) 781.24

ICU CLSU
NM 0910917 DLC NcU KMK MH CU CtY OO MiU PU NjP

Musical notes; an annual critical record of important musical events
see under Klein, Hermann, 1856-1934.

Musical numbers from "The purple dragon"
see under Johnson, Malcolm.

VOLUME 403

Musical observer. v. 1-30, no. 8; Jan. 1907-Aug. 1931. ⌈New York⌉
30 v. in 27. illus., ports., music. 26-36 cm. monthly (irregular)
Official organ of the New York State Music Teachers' Assn., Jan. 1909-June 1910.
Editors: Jan. 1907-Oct. 1928, Gustav Saenger.—Nov. 1928-Aug. 1931, D. K. Antrim.
Numbers for Jan. 1907-June/July 1929 and Apr. 1930-May 1931 include music supplements.
Merged into Musical courier.
L. C. set incomplete: v. 29, no. 11 wanting.
1. Music—Period. I. Saenger, Gustav, 1865-1935, ed. II. Antrim, Doron Kemp, 1890- ed. III. New York State Music Teachers' Association.
ML1.M696 9-7230 rev*

NM 0910920 DLC OO OCl CoU

The musical olio ... 1805
see under Olmsted, Timothy, ed. & comp.

The MUSICAL opera journal; a semi-monthly publication containing the latest and most admired songs in Italian, French, English & Spanish, with accompaniments for the piano forte, harp & guitar, and also extracts from the Italian operas which are now performing in Europe & America. v.1; 1833. New York, A.R. Jollie. 192 p. front., port., music. 36cm.
"Edited by a society of amateurs."
No more published?
1. Songs--Collections--19th cent. 2. Arias--Collections.

NM 0910922 NN

Musical opinion and music trade review.
London, 18
v. illus. 29cm. monthly.
1. Music—Period. 2. Music trade—England.
CA 8—2174 Unrev'd
Library of Congress ML5.M78

MiD OkS IC INS TxU MiU FTaSU IU CaBVaU OU DSI
NM 0910923 DLC ICU CaOTU MB NN OCU PSt ICN IaDaM

Musical opinion and music trade review.
... **Repairing** the player piano. Information useful to pianoforte tuners and repairers. By S. G. E. London, "Musical opinion and music trade review" ⌈1916⌉

Musical opinion and music trade review.
ML552
.R46
... **Repairing** the reed organ and harmonium. Information useful to pianoforte tuners and repairers. By S. G. E. London, "Musical opinion and music trade review" ⌈1917⌉

The Musical pastime. Portland, Ore., W.B. Allen [1900?] Pl.no. W.B.A.142,190,193. [8]p. 36cm.
For piano, or voice and piano.
Contents.- Portland carnival march, by J. Mueller.- Portland waltz, by E.J. Finck.- Our emblem flower; or, Wild grape of Oregon, by G. Adams.
1. Piano music. 2. Choruses, Secular (Mixed voices, 4 pts.) 3. Oregon. Songs and music.

NM 0910926 OrU

Songster Coll MU856 Harris Coll.
Musical pearls; or, One hundred songs and hymns, selected for the fireside and for schools. Syracuse, N. Y., William F. Hamilton; Cincinnati, O., Jacob Ernst, 1855.
viii, [9]-126 p. 16 cm.
With some music.

NM 0910927 RPB

The Musical personnel of Cincinnati and vicinity for 1896. Containing the names and addresses of musicians, teachers of music colleges and schools, dealers in musical instruments, pianos and organs ... Together with portraits and biographical sketches of persons prominent in the world of music. Cincinnati, Universal Publishing Co.,[1895]
90 p. illus. 8°.

NM 0910928 NN

The musical Pickwick, an evening entertainment containing readings from The Pickwick papers interspersed with original & appropriate songs & choruses
see under Martyn, Davis L., comp.

The musical pilgrim
see under Somerville, Arthur, 1863-1937, ed.

The **Musical** pioneer. v. 1- Oct. 1855-
New-York, F. J. Huntington & co. ⌈1855-
v. 25cm. monthly.
Includes music.
Title varies: Oct. 1855-Sept. 1859, New York musical pioneer and choristers' budget.
Oct. 1859-Sept. 1865, New-York musical pioneer. (Title-page reads, Oct. 1859-Sept. 1863, New York musical pioneer and choristers' budget; caption title, New-York musical pioneer. Caption title, Oct. 1864-Sept. 1865, The Musical pioneer)
Oct. 1865- The Musical pioneer.
I. B. Woodbury, editor, Oct. 1855-Oct. 1868.
1. Music—Period. I. Woodbury, Isaac Baker, 1819-1858, ed.
15-11209
Library of Congress ML1.N59

NM 0910931 DLC MB InU MdBP

VM 1495 M 986p
THE MUSICAL PIONEER.
The pioneer album. New York,F.J.Huntington [c1865]
213p.
A collection of sacred and secular music, "the greater part of its materials...gathered from the back volumes of the Pioneer".—Dedicatory address.

NM 0910932 ICN

Musical pitch. Letters, articles, and comments in the press on the proposal to adopt the low pitch throughout the pianoforte trade. ... . 66 p. 1 il. F. London 1899.

NM 0910933 ICJ OClW

⌈Musical pitch; pamphlets, clipping, etc. 1859-1896⌉
5 pieces. 25cm.
CONTENTS.—Rapport et arrêtés pour l'établissement en France d'un diapason musical uniforme, par la Commission chargée de rechercher les moyens d'établir en France. 1859.—Uniform musical pitch, newspaper clipping signed: C. L. G.—Uniform musical pitch; minutes of a meeting of musicians, amateurs, and others, held by the Society for the encouragement of arts, manufacturers, and commerce, London, 1860.—The standard for musical pitch, by A. J. Hipkins (in Journal of the Society of Arts, Feb. 28, 1896)—Standard pitch of military bands, by Boosey & Co., London.
1. Musical pitch—Pamphlets.

NM 0910934 ViU

Musical plays
see under Federal Theatre Project.

Musical primer...
see under Law, Andrew, 1748-1821.

MICF 782
Musical prodigies. Kock's celebrated juvenile opera troupe, will give a grand vocal & instrumental concert, including the choicest...gems from the best operas. Louisville, Louisville Couriers "Lightning Press," Print, 1857.
Broadside.
#Concerts--Kentucky.
Kock's celebrated juvenile opera troupe.

NM 0910937 MoU

Musical professional society of Boston.
The American harp ...
see under Zeuner, Charles, 1795-1857.

Musical professional society of Boston.
The ancient lyre ...
see under Zeuner, Charles, 1795-1857.

A musical professor, pseud.
A ramble among the musicians of Germany....
see
Holmes, Edward, 1797-1859

Musical progress and mail
see MPM; musical progress and mail.

The musical prouerbis in the garet at the new lodge in the parke of Lekingfelde ...
see under [Peeris, William] fl. 1520, supposed author.

The **Musical** quarterly. v. 1- Jan. 1915-
New York ⌈etc.⌉ G. Schirmer ⌈1915-
v. illus. (incl. music) plates (incl. music) ports. 24½cm.
Editor: Jan. 1915- O. G. Sonneck.
1. Music—Period. I. Sonneck, Oscar George Theodore, 1873- ed.
16—24484
Library of Congress ML1.M725

AzTeS PHC PP PU PPL PSC CaOTU MiU MB ICN PWb P TxLT KT NBS OrP PPiD MoCA NNStJ GDS CU-Riv NcDur PHi OU MiU OO OCH OCl ODW PBL MoSW IaAS LNL WvU
NM 0910943 DLC CaOONL MeB NdU CBGTU NcGU NjP PBm

VOLUME 403

Musical quarterly.
Beethoven number. [New York: G. Schirmer, inc., 1927] p. 161-343. facsims. (incl. music), illus. (music), plates, ports. 24cm.

Binder's title.
Vol. 13, no. 2 of the Musical quarterly.
CONTENTS.—Beethoven after a hundred years, by W. J. Henderson.—Beethoven's intellectual education, by J. G. Prod'homme.—Sayings of Beethoven.—Beethoven's "Adelaide," by Martial Douël.—Beginnings of Beethoven in America, by Otto Kinkeldey.—The "Immortal beloved," by Max Unger.—Beethoven's op. 3, an "Envoi de Vienne?" by Carl Engel.—Hans von Bülow and the ninth symphony, by Walter Damrosch.—Beethoven to Diabelli: a letter and a protest, by O. G. Sonneck.—Beethoven and a younger generation, by E. J. Dent.—Bach, Beethoven, Brahms, by Hermann Abert.

210563B. 1. Beethoven, Ludwig van, 1770-1827.
N. Y. P. L. December 16, 1942

NM 0910944 NN

Musical quarterly.

Currier, Thomas Parker, 1855-
Edward MacDowell (as I knew him) by T. P. Currier ... [New York [etc.] G. Schirmer, 1915]

Musical quarterly.

Henderson, William James, 1855-
The function of musical criticism, by W. J. Henderson ... [New York [etc.] G. Schirmer, 1915]

Musical quarterly.

Seashore, Carl Emil, 1866-
The measurement of musical talent, by Carl E. Seashore ... [New York [etc.] G. Schirmer, 1915]

Musical quarterly. FOR OTHER EDITION SEE MAIN ENTRY

Vescelius, Eva Augusta, d. 1917.
Music and health, by Eva Augusta Vescelius. New York city, The Goodyear book shop [c1918]

Musical quarterly.

Henry, Hugh Thomas, 1862-
Music reform in the Catholic church, by H. T. Henry ... [New York [etc.] G. Schirmer, 1915]

Musical quarterly.
The MUSICAL quarterly. Indexes.

INDEXES:
Vols. 1-45, 1915-59. 1 v.

Compiled by Herbert K. Goodkind.

1. Music--Per. and soc. publ. 2. Periodicals--U.S. I. Goodkind, Herbert K.

NM 0910950 NN OrP

ML603 .S37 Case

Musical quarterly.

Schrade, Leo, 1903-1964.
The organ and the organ music in the Mass of the 15th century, parts I-II. [New York, 1942]

The musical quarterly shopping gazette. n.p. [S.W.Thompson at off.of Merchants' & manufacturers' agency]

NM 0910952 NBHi

The musical reader, or, Practical lessons for the voice
see under [Hastings, Thomas] 1784-1872, comp.

Musical recollections of the last half-century...
see under [Cox, John Edmund] 1812-1890.

The Musical record. v. 1- June 1933-
Philadelphia, Pa., The Musical record [1933-
v. 25½cm. monthly.

Editor: June 1933- R. J. Magruder.
Editorial office, Philadelphia; publication office, Baltimore.

1. Music—Period. 2. Phonograph records. I. Magruder, Richard J., ed.

38-4334

Library of Congress ML1.M736
[3] 780.5

NM 0910955 DLC IaU NN NNU-W WaS

Musical record and review.
Boston, O. Ditson & co.; [etc., etc.] 18
v. illus., ports. 31cm (1901- : 19cm) monthly.

Includes musical supplements.
Title varies: -Sept. 1897, The Musical record. A journal of music, art, literature.
Oct. 1897-Dec. 1900, Musical record.
Jan. 1901- Musical record and review.
Editors: -July 1894, Dexter Smith.—Aug. 1894-Sept. 1897, L. F. Deland.—Oct. 1897-Dec. 1900, Philip Hale.—Jan.? 1901- Thomas Tapper.

1. Music—Period. I. Smith, Dexter, 1842- ed. II. Deland, Lorin Fuller, ed. III. Hale, Philip, 1854-1934, ed. IV. Tapper, Thomas, 1864- ed.

16-24495

Library of Congress ML1.M74

NM 0910956 DLC TxU NN PP NcD MiU ICRL GU NcGU MB

Musical Re-Education. Music for health, joy and liberation. Vol. (no. 1). June, 1928. Published by the Society for Musical Re-Education.
= New York. [1928.] v. Illus. Portrait. 26½ cm.

The current number and additional unbound parts are kept in the Brown Music Library.
Editors: Vol. 1-, Harriet Ayer Seymour.

N5952 — Music. Period. — Periodic. English. — Society for Musical Re-Education. Pubs. — Seymour, Harriet Ayer, ed.

NM 0910957 MB

The Musical reform. Devoted to the regeneration of sacred and social music in America. v. 1-2; Oct. 1886-June 1888. New York, Biglow & Main, 1886-88.
2 v. in 1. 25½cm. [With The Tonic sol-fa advocate. v. 5]

Volume numbering irregular: v. 2, no. 1-2 repeated.
Supersedes the Tonic sol-fa advocate.
T. F. Seward, editor (Mar.-May 1888, G. T. Bulling, editor)
A pamphlet entitled "A revolution in music-teaching. A treatise on the tonic sol-fa system. By Theodore F. Seward" (20 p.) is bound with v. 2, no. 2, Feb. 1888.
No more published.

1. Tonic sol-fa—Period. 2. Singing and voice culture—Period. I. Seward, Theodore Frelinghuysen, 1835-1902, ed.

17-5199

Library of Congress ML1.T4

NM 0910958 DLC

The Musical register. America's leading musical journal. v. 1, v. 2, no. 1-3; 1909-Mar. 1910. Chicago, The Musical register publishing co., 1910.
2 v. in 1. illus. 38½cm. monthly.
P. H. Wezeman, editor.
No more published.

1. Music—Period. I. Wezeman, Paul H., ed.

CA 11-2838 Unrev'd

Library of Congress ML1.M813

NM 0910959 DLC

Musical reminiscences of an old amateur chiefly repecting the Italian opera in England for fifty years ...
see under [Mount-Edgcumbe, Richard Edgcumbe, 2d earl of] 1764-1839.

The musical repertory.

This work is available in this library in the Readex Microprint edition of Early American Imprints published by the American Antiquarian Society.
This collection is arranged according to the numbers in Charles Evans' American Bibliography.

NM 0910961 DLC

The MUSICAL repertory. no. 1-3. Boston, Printed and sold by William Norman, No. 75 Newbury-st. [1796-97] 3 nos. (48 p.)

Microfilm.
For voice and keyboard instrument.
Imperfect: t.p. of no. 2 and p. 47-48 of no. 3 lacking.
1. Songs, English-- Collections, 18th cent.

NM 0910962 NN

The Musical repertory. A selection of the most approved ancient and modern songs. In four parts. [Hallowell, Me.] Published and sold at the Hallowell bookstore, sign of the Bible. By Ezekiel Goodale. Augusta: Printed by Peter Edes. 1811.
209, [7] p. 15cm.

Caption title: Sea songs, &c.
Without music; the tunes of some of the songs indicated by title.

1. Songs, English.

7-34491

Library of Congress PR1187.M8

NM 0910963 DLC MiU-C MH MeBa MWA NN

The musical reporter. v.1,no.1-9,Jan.-Sept.1841. Boston: Published by Saxton & Peirce. No.133 1-2 Washington Street. 1841.

9 nos. 22.5cm.

All published.
Additional publishers: nos.2-4: Daniel Fanshaw, New York; no.5: Daniel Fanshaw,New York,and J.W. Scammell,Philadelphia; nos.6-9: Daniel Fanshaw,New York,and Drew & Scammell,Philadelphia.

-- ---"Small edition." Vol.1,no.1,Jan.1841 only.

The "small edition" was made up of selected portions of the regular edition and contained only half the number of pages.

NM 0910965 MiU-C NNU-W ICN

AP2 Am358 Reel 840

Musical reporter. v. 1, no. 1-9; Jan.-Sept. 1841.// Boston, 1841.
(American periodical series: 1800-1850, reel 840, APS 1032)

Microfilm copy made by University Microfilms, Ann Arbor, Mich. Positive.

NM 0910966 IaAS MoU

VOLUME 403

Musical repository. Phila., Harmstead, 1847.
96 p.

NM 0910967 PPPrHi

The Musical repository: a collection of favourite Scotch, English, and Irish songs, set to music. Glasgow, Printed by A. Adam, for A. Carrick, 1799.
278 p. 15½cm.
The melodies are unaccompanied.

1. Songs, English.

19-14756

Library of Congress M1738.M85

NM 0910968 DLC ScU CtY AU NNC MH NNF ICN

M1738 The Musical repository: a collection of
M97 favourite Scotch, English, and Irish songs, set to music. Edinburgh, 1802.
290 p. 15 cm.

1.Songs, English.

NM 0910969 NjP

VR60 Musical repository, being a collection of
1841M popular music, principally original, and adapted to the use of Sabbath-schools, and other juvenile institutions. Philadelphia, Orrin Rogers,1841.
1p.l.,xvi,[3]-48p. 14x17cm.
With music.

NM 0910970 NNUT

Musical review. Brooklyn
see Music teachers' review.

Musical review. Brooklyn, 1934-36
see
Music teachers' review.

Musical review. Chicago. v. 1, no. 1-6, F-S 1877.
no. 6

NM 0910973 ICHi

780.5 **Musical review. v.1- (no.1-); Oct.16,**
MURE **1879- New York.**
v. 29cm. weekly.
Ceased publication with issue for Jan.20, 1881. Cf. Union list of serials.
Superseded by Studio and musical review.

NM 0910974 IU WaS MB

Musical review.
San Francisco [A. Metzger] 19 -07.
v. illus. (incl. ports.) 26cm. monthly.
Preceded by La Bohémienne.
Editor: -July 1907, Alfred Metzger.
Continued as the Pacific coast musical review.

1. Music—Period. 2. Music—Pacific coast. I. Metzger, Alfred, ed.

CA 8—2175 Unrev'd

Library of Congress ML1.P1

NM 0910975 DLC

Musical review (San Francisco)
ML Musical review. University of California edi-
200.7 tion. [Vol.9, no.6, Oct.1906. San Fran-
C1M97 cisco, Calif., A. Metzger, 1906]
92 p. fold.plate,mounted ports.
Cover title.
"There have been prepared one hundred complete copies of this de luxe edition of the Musical review's University of California edition." This copy not numbered.
"What the State University has done for music, by Alfred Metzger": p.[17]-21.

NM 0910976 CLU

Musical Review, The. A weekly musical journal. Vol. I, no. 1, 3-15, 17, 18, 20-26. 1889. **M.165.7
= [London. Novello, Ewer & Co.] 1883. F°.
One volume only was published.

E6515 — Music. Period.

NM 0910977 MB PPL IEN CaBVaU

Musical review and choral advocate
see
New York weekly review.

Musical review and musical world.
see
New York weekly review.

780.5
M983 Musical review, and record of musical science,
Music literature and intelligence. v.1-2, no.4,
lib. 1838-39. New York.
2v. in 1. 23cm.
Editor: E. Ives.
Holdings: v.1-2, 1838-39.
1. Music - Period. I. Ives, Elam, 1802-1864, ed.

NM 0910980 NcU NNUT

Musical salvationist. v.1- ; 1890-
London, Salvation Army International Headquarters.
v. illus. monthly.
Vol. 1-3 published in one volume dated 1890 (serial began 1886, cf.ULS).
Ceased 1901?

NM 0910981 ICRL PPPrHi PPL

The musical Salvationist song book, containing 384 songs to correspond with volumes I, II, and III Musical Salvationist, and favorite songs of the singing brigade. London, International Headquarters, 1891.
118p.

NM 0910982 ICRL

The Musical salvationist song book, containing 450 songs to correspond with volumes IV, V, and VI of the Musical salvationist. London, 1893.
1 p.l., ix, 140 p. 24°.

NM 0910983 NN

Musical service of the Protestant Episcopal church in the United States of America...
see under Mason, Lowell, 1792-1872, musical ed.

Musical services, anthems, chorals, etc. for young people and juniors.
Miscellaneous uncatalogued pieces of music in pamphlet case.

NM 0910985 NNUT

The musical siren; being esteemed modern songs. Selected from the latest English and American editions. New-York: Printed for the booksellers. 1805.
36 p. 13.8 cm.
Without music.
Wrappers.

1. American ballads and songs. 2. English ballads and songs. *I. U.S. - New York - 1805. *II. 1805, New York.

NM 0910986 CtU MWA RPB

Musical sketches... [n. p., n. d.] 102 f. 20cm.
Cover-title.
Prompt-book, in ms.
Without music.
CONTENTS.—Furnished apartments; words by J. Cowen, music by Mel. B. Spurr.—The ladies; words by Mel. B. Spurr, music by J. W. Hudson.—Up the river; words and music by Mel. B. Spurr.—Home for the holidays.—The jubilee.

288540B. 1. Drama, American. 2. Prompt-books. I. Spurr, Mel. B.
N. Y. P. L. March 29, 1945

NM 0910987 NN

Musical society; a magazine of music and musical literature. v.1-2 (no.1-17); Mar.1886-July 1887. London.

NM 0910988 IaU

784.8 The musical souvenir; a selection of the most
M97 popular songs, with accompaniments for the piano forte. Philadelphia, G. E. Blake [n.d.]
1 v. (unpaged) 33 cm.

1. Songs.

NM 0910989 LU

VOLUME 403

xM1738 Musical souvenir for 1829. London, C.Tilt
M97 [1829]
91p. 18cm.

Title vignette.
Songs, principally for medium voice, with pianoforte accompaniment.

1. Songs, English. 2. Ballads, English.

NM 0910990 IaU NNUT MH

[Musical souvenir of Mexico. Mexico, A. Wagner y Levien sucs [n.d.]
180p. 33cm.

Each work has a separate paging and title page.

1. Music - Mexico.

NM 0910991 NcU

The musical spelling-book...
see under Ives, Elam, 1802-1864.

Musical spelling game ...
see under [Colicchio, Ralph]

The Musical standard. A newspaper for musicians, professional and amateur. v. 1-14, Aug. 2, 1862-Apr. 29, 1871; new ser., v. 1-
May 6, 1871-
London [1862-
v. illus., plates, ports., facsims. 25½-32cm.
Semimonthly, Aug. 1862-Dec. 1863; biweekly, Jan. 1864-June 1866; weekly, July 1866-
Editor: July 1897-Nov. 1, 1902, E. A. Baughan.
New ser., v. 46- called also "v. 1- illustrated ser."

1. Music—Period. I. Baughan, Edward Algernon, ed.

Library of Congress ML5.M81 9-11337†

NM 0910994 DLC MiU OO MB

The Musical standard.
Musical Standard, The. . . . Special Beethoven number. Vol. 29, no. 509. March 26, 1927.
— London. 1927. 105-120 pp. Portraits. 29 cm.

D4319 — Beethoven, Ludwig van.

NM 0910995 MB

The Musical standard, incorporating the Violinist.
Chicago [Musical standard publishing co.] 19 -08.
v. illus. (incl. ports.) 30½cm. monthly.
Superseded by the Music news.

1. Music—Period.

Library of Congress ML1.M84 CA 9—10 Unrev'd

NM 0910996 DLC

Musical studies... 1880
see under Hueffer, Francis, 1843-1889.

Musical surveys.
[v.] 1

London, Hinrichsen edition ltd [1944 v. 19cm.

CONTENTS.
v. I.
*MAD
(Gt. Br.)
no. 1. Hinrichsen's year book... Music of our time. 1944 [1944]

NM 0910998 NN

Musical test rules ...
see under [Maxfield, Walter Taylor]

Musical theory especially dedicated to young pianists
see under [Marcouiller, Marie Mélina, in religion Sister M. de St. Mathieu] 1873-

ML3920 Musical therapy [written by a registered
M8 Physician for the medical profession.
pam St. Louis, Mo., Dios Chemical Co. °1953]
29 p. 22cm.

"Suggested recordings for children": p. 16.

1. Music therapy. 2. Music, Physical effect of. I. Title.

NM 0911001 OrCS

The Musical times. v. 1- (no. 1-)
June 1844-
[London, etc., Novello, etc.]
v. in illus., ports. 27 cm.
Monthly, June 1844-Jan. 1854, Aug. 1855- semimonthly (irregular) Feb. 1854-July 1855.
Title varies: June 1844-1903, The Musical times and singing class circular (running title: Musical times)
Absorbed the Musical review, July 1852.
Includes music.
Supplements accompany some numbers.

1. Music—Period.

ML5.M85 54-525

MiU MCM NNC KU FU PHC AzU WaU CaOONL MdBP TxLT NcGU PSt CaBVaU KyLoU NIC MB MsSM NIC NBuG OOxM OCl PU CSt KyU MiD ScCleU CtH INS NN

NM 0911002 DLC OCU IC PHC AzTeS CU DAU CoU CLSU OU

FILM The Musical times. v.1- (no.1-);
MX9 June 1844-
[London,etc.]

Title varies: June 1844-1903 The Musical times and singing class circular (running title: Musical times)
Absorbed the Musical review,July 1852.
Supplements accompany some numbers.
Microfilm. London, World Microfilms.

NM 0911004 MiU

Musical times, a review of music, art and literature
see Boston musical times.

The Musical times and singing class circular
see
The Musical times.

V418 The Musical Tour Of Dr. Minin, A.B.C. & D.E.
54 F.G. With A Description Of A New Invented Instrument, A New Mode Of Teaching Music By Machinery, And An Account Of The Gullabaic System In General. London:Printed By W. Glindon,Rupert Street, Haymarket, For "Qui capit ille facit," And May Be Had Of The Booksellers. 1818.
60p. 19cm.
A satire.

NM 0911007 CtY

Musical tour through South America, June-October, 1940
see under [Smith, Carleton Sprague] 1905-

VM The MUSICAL treasure, a collection of vocal and
1 instrumental music, for the piano-forte or
M 96 reed organ. Consisting of songs, ballads, duets and quartets, rondos, variations, four-hand pieces, waltzes, polkas, polka redowas, polka mazurkas, schottisches, quadrilles, galops, mazurkas, marches, &c. Boston,O. Ditson,c1871.
223p. 29cm.

NM 0911009 ICN MB RPB NBuG DLC

... The Musical trio.
Waco, Tex., The Trio music company,
v. 30cm. monthly.
Editor: Jan. 1908- E. S. Dean.

1. Music—Period. I. Dean, Emmett S., ed.

CA 11-490 Unrev'd

Library of Congress ML1.M87

NM 0911010 DLC

Musical union, *London.*
Record of the Musical union ... by J. Ella. [1st]-36th; 1845-80. London [1846?-80]
36 v. in 6. illus., plates, ports. 24cm.
Vol. 1: 2d ed.
Most of the volumes have no t.-p.; cover-title, 1850-80: Annual record (except 1877: Annual report)
Contains analytical programs, with musical illustrations, of the morning concerts, 1845-80, and of the 2d-7th season of the evening concerts, 1853-59; the latter were begun in 1852 and were discontinued after 1859.
"Supplement of the Musical union Record, 1855. With a catalogue of 146 classical works executed, and a summary of artists engaged, at the Musical union, from 1845 to 1855, inclusive": v. 11, 1855, 1 l., p. 35-44.
Vol. 14, pt. 2: The Musical record, 1857-58 [supplementary to the Annual record]
No more published; the Union ceased to exist in 1880.
1. Music—Societies. 2. Music—England—London. 3. Concerts—Programs. 4. Music—Analytical guides. I. Ella, John, 1802-1888, ed. II. Title.
Library of Congress ML28.L8M9 15-440

NM 0911011 DLC NN

Musical union, Oxford university
see
Oxford university musical union.

The Musical union of Baltimore city.
Constitution and by-laws of the musical union of Baltimore city... comp. and rev. by Benj. H. McKindless...
[Baltimore,]1905.
62 p. 15.5 x 8 cm.
ML28
.B2M93

NM 0911013 DLC

Musical visitor. [Boston]
see
American journal of music and musical visitor.

VOLUME 403

The **Musical** visitor ... a magazine of musical literature and music. v. -26; -Dec. 1897.
Cincinnati, J. Church & co.; [etc., etc.] 18 -97.
v. illus., ports. 31cm. monthly.
Includes musical supplements.
Title varies: -Jan. 1883, Church's musical visitor, an independent journal of music <With which is incorporated "Root's Song messenger," established 1862>
Feb. 1883-Dec. 1893, The Musical visitor, an independent journal of music ...
Jan. 1894-Dec. 1897, The Musical visitor ... a magazine of musical literature and music ...
Editor: -Dec. 1897, J. R. Murray.
1. Music—Period. I. Murray, James R., ed.
CA 17-38 Unrev'd
Library of Congresss ML1.M88

NM 0911015 DLC MB

Micro Film D16a reels 1289-1291
Musical visitor. v.1-26; Oct. 1871-Dec. 1897. Cincinnati.
3reels. 35mm. (American periodical series: 1800-1850. APS 1033)
Vols.1-12, 1871-Jan. 1883 as Church's musical visitor, an independent journal of music (subtitle varies).
Microfilm (positive). Ann Arbor, University Microfilms, 1972.
I. Title: Church's musical visitor.

NM 0911016 PSt

fF591 .6 M9M9
Musical West; music and the dance. v.1-14, no. 8; 1923-June, 1937. San Francisco.
14 v. in illus.
Title varies: v.1-2, no. 2, Northwest musician; v. 2, no. 3-v. 4, no. 9, Musical West and the Northwest musician.
1. Music - The West - Periodicals, societies, etc. 2. Music - California - Periodicals, societies, etc. 3. Periodical - California.

NM 0911017 CU-B DLC OrU

The musical works of Dr. Henry Hadley
see under Berthoud, Paul P

fV 207 .63973
The Musical world. v.1; Feb.1901-Jan.1902. Boston,1901-02. 1v.

NM 0911019 ICN DLC

Microfilm R2725
MUSICAL world (Boston) v. 1-4, no. 1; Feb. 1901-Jan. 1904.
Boston.
4 v.
Merged into Musician (Boston)
Microfilm. 1 reel. 35 mm.
1. Music - Period.

NM 0911020 CaBVaU ViU

The Musical world.
v.
Chicago, 19 f°.
v. illus.
Monthly (irregular).
Superseded by The Musical monitor and world (later The Musical monitor).
1. Music—Per. and soc. publ.
N. Y. P. L. September 19, 1923.

NM 0911021 NN

Musical world. Cleveland

NM 0911022 MiD

The MUSICAL world. v. 1-71 (no. 1-209) Mar. 1836-1891.
London, H. Hooper [etc.]
v. illus. 19-23 cm. weekly.
Vols. 8-16 numbered also as new series v. 1-9.
1. Music - Period.

NM 0911023 CaBVaU NNUT

The **Musical** world. v. 1-7, v. 8, no. [1-2]; Oct. 15, 1904-Feb. 17, 1908. London, Office of the Musical world; [etc., etc., 1904-08]
8 v. in 6. illus. (incl. ports.) 30½-31cm.
Weekly, Oct. 1904-Aug. 1905; monthly, Sept. 1905-Feb. 1908.
Published in Manchester by the Musical world company, etc., from Oct. 1904 to Mar. 4, 1905.
No more published.
1. Music—Period.
Library of Congress ML5.M87 8—9858

NM 0911024 DLC MB MiD IU NN NcU ICN

The **Musical** world. v. 1-25, no. 12 (no. 1-486); Aug. 1, 1849-July 21, 1860. New York.
v. in 30-32 cm.
Semimonthly, 1849- weekly,
The first number preceded by one also called v. 1, no. 1, dated July 7, 1849. Limited to a few copies.
Title varies: 1849-Mar. 15, 1851, The Message bird; a literary and musical journal.—Apr. 1, 1851-Apr. 15, 1851, The Message bird; journal of the fine arts.—May 1, 1851-June 2, 1851, Journal of the fine arts; American and foreign record of music, literature, and art.—June 16, 1851- Journal of the fine arts and musical world.— The Musical world and journal of the fine arts (caption title: The Musical world; an American and foreign record of music, literature, and art)— Sept. 2, 1854, The Musical world and New York musical times.—
Running title, Dec. 25, 1852-Sept. 2, 1854: The Musical world and times.
Absorbed The Literary American and The Musical gazette, Boston, June 2, 1851: The Musical times, July 1852.
United with New York musical review and gazette to form the Musical review and musical world (later New York weekly review)
Includes music.
L. C. set incomplete: no. 50-62, 64-67, 69-70, 72-74, 148-149, 154, 172-175, v. 11-20, no. 458-459, 463, 475-486 wanting.
1. Music—Period. I. Title: The Message bird. II. Title: Journal of the fine arts. III. Title: Journal of the fine arts and musical world. IV. Title: The Musical world and journal of the fine arts. V. Title: The Musical world and New York musical times. VI. Title: The Musical world and times.
ML1.M92 64-30204/MN

NM 0911026 ICU NBuG MH DLC NN MiU ICN RPB N InU TxU MB NhD

ML1 .M91
The Musical world; a magazine for musicians. Brooklyn, N.Y.,

NM 0911027 DLC

The MUSICAL world; a monthly magazine of selected compositions of the present age. v.1, no.3,5; Sept., Nov. 1872
New York [etc.] Henry Litolff. v. 32cm.
Vol. 1, no. 3, 5 are Ed. C: Songs for a low voice.
1. Music--Per. and soc. publ. 2. Periodicals--U.S. 3. Songs--Collections, 19th cent.

NM 0911028 NN

The **Musical** world; international review.
v. 1
New York: G. Ingegnieros, 1923- f°.
v. illus.
Monthly.
Sub-title varies.
Editors: Dec., 1923 G. Ingenito; Alice Baroni.
1. Music—Per. and soc. publ.
N. Y. P. L. February 21, 1928

NM 0911029 NN

The Musical world and New York musical times
see The Musical world. New York

The Musical world and times
see The Musical world. New York

Music -M98734w
The Musical wreath, a choice collection of vocal music. Boston, White, Smith, c1880. 224p. 30cm

NM 0911032 RPB

The **Musical** yearbook of the United States ... v. 1-1883/84-
Boston [etc.] 1884-
v. 17½ x 13½ cm.
Title varies: v. 1-2, The Boston musical year book ... By G. H. Wilson.
v. 3, The Boston musical year book and musical year in the United States ... By G. H. Wilson.
v. 4- The Musical year-book of the United States ... By G. H. Wilson.
v. The Musical yearbook of the United States ... Including the Dominion of Canada ... George H. Wilson and Calvin B. Cady, editors.
Imprint varies: v. 1-7, Boston, G. H. Ellis, printer [etc.] 1884-[90]— v. Worcester, Printed by C. Hamilton 1891;—v. Chicago, C. F. Summy [18
1. Music—U. S. 2. Music—Almanacs, yearbooks, etc. I. Wilson, George Henry, 1854- ed. II. Cady, Calvin Brainerd, 1851, ed.
ML200.4.A2 CA 6—1297 Unrev'd

NM 0911034 DLC PHi ICRL OO MdBP MB MiU PPL

Musical Youth of France
see **Jeunesses musicales de France.**

The **Musicale.**
v.
Dallas: Musicale Pub. Co., 19 f°.
v. illus. (incl. ports.)
Monthly.
1. Music—Per. and soc. publ.
N. Y. P. L. February 13, 1929

NM 0911036 NN

VOLUME 403

Musicalia ... ₍año 1- ₎ (no. 1-); mayo/junio 1928-
La Habana ₍1928-
v. in illus. (incl. music) ports. 28cm. bimonthly (irregular)
Nos. 1-12 are dated May/June 1928-July/Aug. 1930; no. 13/14, Sept./Dec. 1930; no. 15/16, Jan./Apr. 1931; no. 17, Nov./Dec. 1932.
Editors: May 1928- María Muñoz de Quevedo (with Antonio Quevedo, Sept. 1929-
Includes musical supplements.

1. Music—Period. 2. Music—Cuba—Havana. I. Muñoz de Quevedo, María, ed.
41-34407
Library of Congress ML5.M874

NM 0911037 DLC NN TxU CU MB

Musicalische bibliothek.
Stück 1-2.
Marburg, Giesen, 1784-85; ₑRochester, N. Y.₃ University of Rochester Press ₑ1962?₃
4 cards. 7½x12½cm. (UR-62 89-92)

Micropaper copy.
Original at Sibley Music Library, Eastman School of Music.
Collation of the original: 2 v.
Edited by Hans Adolf, Freiherr von Eschstruth.

NM 0911038 NNC OU ICRL ViU CoU NcU OrU

Musicalische neu-erbauete schäfferey / oder Keusche liebes-beschreibung, von der verliebten nymfen Amaena vnd von jhrem lob-würdigem schäffer Amandvs. Auffs neue übersehen / etwas in der gebundenen rede corrigiret / mit unterschiedlichen sententien und sprichwörtern vermehret / vñ die darin befindende oden mit neuen melodien / nach anbegehren etlicher musicalischen freunde / beseelet von einem sonderlichen liebhaber der teutschen poesie / und der edlen musike / Nebenst angehenckter kurtzen anleitung / wie man anmuthige teutsche brieffe / nach heutigem gebrauch / recht zierlich / und kurtz stellen könne. Königsberg, Bey P. Händeln ₍1641?₎
4 p. l., 306, ₍58₎ p. 16cm.
Dedication signed: G. C. V. G., A. S. D. D. sonst geheissen Schindschersitzky.
The "Kurtze anleitung wie anmutige, teutsche brieffe ... zu stellen" has special t.-p.
Added t.-p., engr.: Newe musicalische schafferey, oder Keusche liebes beschreibungh, von der verliebten nimfen Amœna vnd dem lobwürdigen schäffer Amandvs ...
1. Letter-writing, German. I. Schindschersitzky, pseud. II. G., G. C. V. III. D., A. S. D.
12-78
Library of Congress ML3925.A2M9

NM 0911040 DLC

Musicalische neu-jahrs-gedichte ... Von der Gesellschafft der vocal- und instrumental-music, ab dem Music-sal daselbst zum anderen mahl aufgelegt ... ₍I₎-XCIII; ₍1685-1777₎ ₍Zürich, 1685-1777₎
93 no. in 1 v. illus., plates. 19-24cm.
The first number is a reprint (1716) of the edition of 1685.
93 numbered leaflets (i. e. quarto signatures) of which 1-83 are continuously paged, 668 p. (no. 83, t.-p. is incorrectly numbered 657 instead of 659); 84-88 are paged 272-310, (no. 84, t.-p. numbered 656; no. 85, 664; no. 86, 674) and 89-93 are unpaged (40 p.)
Each signature contains music with words, and is accompanied by an engraving either included in the pagination or unpaged.

At the end of the signatures are the following words: Einer kunst- und tugendliebenden jugend in Zürich, ab dem Music-saal daselbst an dem Neuen jahrs-tag 1685₍-1777₎ verehrt.
Imperfect: 37, 1721 and 56, 1740, wanting.
Continued as Neujahrsgeschenk ab dem Musiksaal an die zürchersche jugend. 1778-1812.

1. Music—Collections. I. Gesellschaft auf dem Musiksaal, Zürich.
10-10101
Library of Congress ML5.N46

NM 0911042 DLC ICN

Case VM 1 .M 972
₍MUSICALISCHE Neu-Jahrs-Gedichte, als ein Biblisches, musicalisches Werck, in welchem alle die in heiliger Schrifft enthaltene, die Music betreffende Materien und Stellen..in Kupfer-Stichen, auch..Melodeyen und Poesien vorgestellet und herausgegeben, von der Music-Gesellschaft..in Zürich. Der lieben Jugend daselbst zu verehren an dem Neu-Jahrs-Tag. Zürich,1713-79₎
3v.(538p.) plates,music. 22cm.
Parts 1-57, each with special t.-p. General t.-p. wanting; supplied from Brit. Mus. Catalogue of printed music, v.1, p.7.

NM 0911043 ICN

Musicalische strigel ...
see under [Fuhrmann, Martin Heinrich] b. 1669.

ML 21 M98
Musicalischer Hausfreund.
Mainz.
v. illus. 17-21cm.

Title varies: -18 , Musikalischer Haus-Freund.

NM 0911045 NIC

Musicalisches taschen-buch, 1803-5
see
Musikalisches taschenbuch.

Musicalisch-türckischer eulen-spiegel
see under [Speer, Daniel] d. 1693 or 4.

Musicana, a folio of popular song hits ... New York, N. Y., Peer international corporation, selling agents: Southern music publishing co., inc. ₍1943₎
cover-title, 47 p. 30 x 23cm.
With piano accompaniment; also chords in guitar tablature.

1. Music, Popular (Songs, etc.)—U. S.
46-1329
Library of Congress M1630.18.M885

NM 0911048 DLC

Musicana, Army, Navy & Air Force.

₍New Haven, United States Army, Navy and Air Force Bandsmen's Association₎
v. in illus., ports. 30 cm. irregular.
Title varies: -Feb. 1951, Army & Navy musician.
Published by the association under its earlier name: United States Army and Navy Bandsmen's Association.

1. Music—Period. 2. Band music—Period. I. United States Army, Navy and Air Force Bandsmen's Association.
ML1.M925 780.5 49-34106 rev*‡

NM 0911049 DLC IC NN

MUSICANADA; revue mensuelle, littéraire et musicale. v. 1, no. 1-3; Oct. 1922-Feb. 1923? Montréal.

1 v. illus., music 35 cm. monthly.

Subtitle varies.

1. Music - Periodicals. 2. Music - Canada.

NM 0911050 CaBVaU

784.8 fM973
MÚSICAS do carnaval do Rio de Janeiro; carnival songs of Rio de Janeiro; musicas del carnaval de Rio de Janeiro. ₍Rio de Janeiro? Directoria de turismo e propaganda da prefeitura do districto federal, 1936?₎
₍28₎ p. illus. 32cm.
With music.
1. Songs, Brazilian. 2. Carnival songs. I. Rio de Janeiro (Federal district) Directoria de turismo e propaganda. II. Title: Carnival songs of Rio de Janeiro.

NM 0911051 MnU DPU NN

Músicas do carnaval de Rio de Janeiro; Carnival songs of Rio de Janeiro; Musiques du Carnaval de Rio de Janeiro. Rio de Janeiro, Brasil, Departamento de Turismo e Certames de Prefritura do Distrito Federal, 1953.
40 p. music, 33cm.
Cover-title.
1. Songs, Brazilian. 2. Folk-songs, Brazilian. I. Title: Carnival songs of Rio de Janeiro.

NM 0911052 ScCleU NcD TxU

Musices choralis medulla...
see under [Mott, F. Hermannus]

VM 2080 M 9871
MUSICESCU, GAVRIIL, 1847-1903.
Imnele sfinteĭ liturgiĭ. Pentru cor mixt şi piano. Jaşi,1900.
score(203p.) port. 32cm.
For 4-8 voices and piano.

NM 0911054 ICN

Ein music-freund.
MT262 .R93 1778 Case
FOR OTHER EDITIONS SEE MAIN ENTRY
Rudimenta panduristæ, oder: Geig-fundamenta, worinnen die kürzeste unterweisung für einen scholaren, welcher in der violin unterwiesen zu werden verlanget, sowohl zum behuf des discipuls, als auch zur erleichterung der mühe und arbeit eines lehrmeisters, auf die gründlichst- und leichteste art mit beygesetzten exempeln dargethan wird. Von einem aufrichtigen music-freund. Augsburg, Zu finden bey J. J. Lotter, 1778.

Music-gesellschafft ab dem Music-saal auf der Teuschen Schul in Zürich
see Musikgesellschaft zur Deutschen Schule, Zürich.

Mvsiche de alcvni eccellentissimi musici composte par La Maddalena ...
see under [Monteverdi, Claudio], 1567-1643.

VOLUME 403

Musiche vocali e strumentali sacre e profane sec. XVII–XVIII–XIX; a cura di Bonaventura Somma. Roma, Edizioni De Santis, 1941–
v. 34 cm.

1. Sacred vocal music—To 1800. 2. Organ music, Arranged.

M2.M75 M 58-2011

NM 0911058 DLC NcU ICU MiU WaU OrU

Musici scriptores Graeci
see under Jan, Karl von, 1836-1899, ed.

A musician.
The street singer
see Daniell, Charles Addison.

The MUSICIAN. v. 2, no. 2-7, 9- ; Feb.-July, Sept. 1897-
Boston [etc.] v. f°

Monthly (Mar.-May, Sept. 1943, Jan.-Mar., Aug.-Oct. 1947 not published.)
Absorbed the Musical record and review in 1904.

1. Music--Per. and soc. publ. 2. Periodicals--U.S.

NM 0911061 NN CMC CtH CtNlC MoCA PSt IU TxCaW NdU

The Musician (London, 1897)

Grey, Robin.
Studies in music, by various authors; reprinted from 'The Musician' and ed. by Robin Grey. London, Simpkin, Marshall, Hamilton, Kent and co., limited, 1901.

ML5 M88 The musician.
[London, 1919-

NM 0911063 DLC

The Musician.
New York, etc.
v. illus.
Monthly; monthly except Sept./Oct.
Published 1896-Nov. 1948.
Not published Oct. 1933 and May 1936.

NM 0911064 ICRL CU

The musician; a collection of the most celebrated songs
see under Gazlay, T., comp.

The **Musician**; a monthly publication devoted to the educational interests of music
see
The **Musician**; America's leading monthly magazine for musicians, music-lovers, teachers and students.

ML 5 M982 The Musician; a registered newspaper devoted to the art of music. v. 1-2 (no. 1-28); May 12, 1897-Nov. 17, 1897. London.
1 v. illus., ports. 35 cm. weekly.
No more published.
Portraits, headed "Supplement to The Musician", bound with some numbers.

1. Music—Period.

NM 0911067 CtY-Mus

The **Musician**; America's leading monthly magazine for musicians, music-lovers, teachers and students. v. 1–
Jan. 1896–
Philadelphia, Hatch music company; [etc., etc., 1896–1918; New York, E. Belier, etc., 1919–
v. illus., plates, ports. 30–34cm.
Includes music.
First issued as the Musician; a monthly publication devoted to the educational interests of music. (Several variations of subtitle follow)
Editors: Jan. 1896– A. L. Manchester.—Dec. 1903–July 1907, Thomas Tapper.—Oct. 1907–Dec. 1918, W. J. Baltzell.—Jan. 1919–May 1922, Glad. Henderson.—June 1922–May 1935, Paul Kempf.—June 1935– Nicolas de Vore.

Published in Philadelphia by the Hatch music company, Jan. 1896–Nov. 1903; Boston, Oliver Ditson company, Dec. 1903–Dec. 1918; New York, Henderson publications, inc., Jan. 1919–May 1922; P. Kempf, June 1922–May 1935; E. Belier, June 1935– (Publication office, East Stroudsburg, Pa.; editorial office, New York)
No numbers published for Oct. 1933 and May 1936.

1. Music—Period.

Library of Congress ML1.M94 42-26030

NM 0911069 PU DLC MB NcGU CoU MiU ICN PHi ICU OClW

The **Musician**, published in the interests of Salvation Army musicians. v. 1–
Jan. 1941–
[Chicago]
v. illus., ports. 29 cm. monthly.
Issues for Jan.–Oct. 1941 published in the interests of Salvation Army musicians in the central territory, U. S. A.
Includes music.

1. Music—Period. 2. Music—U. S. I. Salvation Army.

ML1.M927 780.5 49-39932*

NM 0911070 DLC

The **Musician**; the journal of the efficient music teacher
see
The **Musician**; America's leading monthly magazine for musicians, music-lovers, teachers and students.

The **Musician**; the music teachers' magazine
see
The **Musician**; America's leading monthly magazine for musicians, music-lovers, teachers and students.

Musician, The, and Concert-Room Reporter. No. 1–10. March 17–May 22, 1858.
= [London, 1858.] 80 pp. Portraits. L. 8°.

NM 0911073 MB

---

xPZ5 M97 The musician, and other stories. New York, Leavitt & Allen [18--]
16p. illus. 11cm.
Title vignette.

NM 0911074 IaU NNC

A musician, Co. H, 19th regiment.

Three months in camp and field. Diary of an Ohio volunteer. By a musician, Co. H, 19th regiment. Cleveland, The author, 1861.

780.7 S3721 Musician, director and teacher. v.1- Oct.1929-
Chicago.
v. illus. 30cm. monthly (except July and Aug.)
Vol. 1, no.1, v.2, no.1 incorrectly numbered v.5, no.1, 10.
Supersedes Music magazine.
Title varies: Oct. 1929-Oct. 1951, School band and orchestra musician; Nov. 1951- Apr. 1964, The School musician.

1.Music - Instruction and study. 2.Music - Periodicals. I. School band and orchestra musician. II.The School musician.

NM 0911076 CLSU

The **Musician**, for teacher, pupil and lover of music
see
The **Musician**; America's leading monthly magazine for musicians, music-lovers, teachers and students.

The **Musician** of the Salvation Army.
[London, Salvationist Pub. and Supplies]
v. illus., ports. 30 cm. weekly.
Began publication in 1938. Cf. Willings press guide.

1. Music—Period. I. Salvation Army.

ML5.M884 55-36483

NM 0911078 DLC

MUSICIAN, The, organist and choirmaster. Vol. 1–3. 1867–70.
= London. [Biggar.] 1867–[70]. 3 v. in 2. 4°.
The title of volume 1 and 2 is "The church choirmaster and organist." In January, 1869, the title was changed to "The choirmaster," but in May, 1869, the above title was fixed upon.

NM 0911079 MB PPL

FILM 780.5 MUSOR Musician, organist and choirmaster. no.1-9; Apr.-Dec.1866. [n.s.] no.1-41; Jan.1867-May 1870.
London.
5v. music. monthly.
Vols. for 1867-69 called also v.1-3.
Title varies: Apr.-Dec.1866, Organist; a monthly musical journal and review.- 1867-68, Church choirmaster and organist.- Jan.-Apr.1869, Choirmaster.
Microfilm. [Boston] Boston Public Library, 1970. 1 reel. 35mm.

NM 0911080 IU

840.81 M96 Musiciana, ou, Album d'un musicien, contenant anecdotes, contes en vers et en prose, chansons, logogryphes, énigmes, charades, épigrammes, calembours et jeux de mots; la plupart relatifs à la musique ou aux musiciens. Paris, Carnaud, 1832.
168p. 17cm.
"Liste des artistes": p.[129]-162.

1. Music--Anecdotes, facetiae, satire, etc. 2. Ana.

NM 0911081 IU

VOLUME 403

Musicians advisory service, inc., *New York.*
M. A. S. first music reader for piano. Teachers copy. New York, N. Y., Musicians advisory service, inc. ₍1941₎
cover-title, 1 p. l., x, 45 p. illus. (incl. music) 21½ x 28ᶜᵐ.

1. Pianoforte—Methods—Juvenile.
43-11802
Library of Congress MT742.M87

NM 0911082 DLC

Musicians' and allied artists' directory... [Chicago and Mid-West)
see
...Musicians' directory, Chicago and mid-West.

Musicians and music-lovers and other essays...
see under Apthorp, William Foster, 1848-1913.

Musicians and their compositions. 1895
see under Griffiths, J R

Musicians' Association, Seattle
see American Federation of Musicians. Local no. 76, Seattle. [supplement]

Musicians' business directory and guide ...
see under Mitthauer, John.

Musicians' Club of Pittsburgh.
The musical forecast
see under title

Musicians club of Richmond.
Twenty-first anniversary programme, Musicians club of Richmond, presenting Kirsten Flagstad, Soprano, Mosque theatre, October 15, 1937.
24 p.

NM 0911089 ViU

Musicians' company, *London*
see
London. Musicians' company.

Musicians directory. Denver.
... Official musicians' directory and dramatic art teachers.
Denver, Colo. ₍J. Raine₎ ᶜ1897-

Musicians' directory.
Los Angeles, Musicians mutual protective ass'n, Local 47 A. F. of M. ₍19
v. 25ᶜᵐ.

1. Musicians—Los Angeles—Direct. I. Musicians mutual protective association, Los Angeles.
ML15.L6 780.58 47-3086

NM 0911092 DLC

MUSICIAN'S DIRECTORY and diary of Boston and vicinity. 10th, edition.
Boston. Schell. 1899. 106 pp. Portr. 32°.

NM 0911093 MB

Musicians directory, Buffalo and the Niagara frontier. ₍1946₎-
Buffalo, 1946-
v. 21½ᶜᵐ.
Editor: 1946- W. C. Stoeckel.
Issues for 1946- have caption title: Directory of professional musicians for Buffalo and the Niagara frontier.

1. Musicians—Buffalo—Direct. I. Stoeckel, William C., ed.
ML15.B83 780.9747 46-8427

NM 0911094 DLC

... **Musicians'** directory, Chicago and mid-West, with dramatic and dancing arts ...
Chicago, Stroup & Phillips, ᶜ1923-
v. illus. (ports.) 22½ᶜᵐ.
Cover-title.
At head of title: Quick reference.

1. Musicians, American—Direct. 2. Musicians—Chicago. 3. Chicago—Direct. I. Stroup & Phillips, Chicago.
24-5901
Library of Congress ML15.C5

NM 0911095 DLC

The **Musician's guide.** 1st-
New York, Music Information Service ₍1954-
v. 22 cm. annual.
Editor: 1st- S. F. Keegan.

1. Music—U. S.—Direct. 2. Music trade—U. S.—Direct. I. Keegan, Stephen F., ed.
ML13.M505 54—14954

NM 0911096 NBuC MoU MsSM OrPS NBuT ICU TxU AAP DPU IdU Or DLC WaWW WaTC CaBVa KEmT CoFS NbU Wa

The Musician's guide; a descriptive catalogue of sheet music and musical works, containing nearly four thousand vocal and instrumental compositions, including the works of the most celebrated composers. Boston, Russell & Richardson ₍ca. 1858₎
78 p. illus. 29 cm.

1. Music—Bibliography—Catalogs. I. Russell and Richardson (Firm)
ML31.S3g no. 1 72-211381

NM 0911097 DLC

FILM A780 M973
The musician's guide, a descriptive catalogue of sheet music, music books, and the most celebrated composers. Invaluable to teachers, dealers, and all others interested in the selection of any kind of music, embracing, besides the original publications of Root & Cady, the following well known catalogues of sheet music. George P. Reed, Henry Tolman, Nathan Richardson, H. Oakes, Russell & Richardson, Russell & Fuller, Russell & Tolman, Henry Tolman & co., Mason & Hamlin, Ziegfield, Gerard & co., and H. T. Merrill & co. Cleveland, Published by S. Brainard's sons [1871?]
Film copy, made by the University of Illinois library. Negative.
Collation of the original, as determined from the film: 1 p.l., v-vii, [2], 6-497p.

1. Music--Bibl.--Catalogs. I. Brainard's (S.) sons, publishers. II. Root & Cady, publishers.

NM 0911099 IU

The musician's guide; or, Henry Tolman & Co's. illustrated catalogue
see under Tolman (Henry) and Company, Boston.

Musicians' handbook. Standard dance music guide
see under De Vita, Anthony Ray, comp.

Musicians' international directory and biographical record.
London, Shaw Publishing Co., Ltd.
v. 22 cm.
Formerly called Who's who in music; 1949-50 is first post-war edition under new title.

NM 0911102 MtU WaS CaBVaU DPU NcU CSt

The **Musicians'** journal. v. 1-
Feb. 1913-
San Francisco, Cal., 1913-
v. 25½ᶜᵐ. monthly.
Official organ of the Music teachers' association of California.

1. Music—Period. 2. Music—California. I. Music teachers' association of California, San Francisco.
16-7621
Library of Congress ML1.M983

NM 0911103 DLC

M 780.82 M987
The musicians library. Boston, O. Ditson, v. illus.

Contents.-- ₍pt.1₎ Vocal music: ₍v.1₎ Bantok, Sir G. One hundred songs of England.- ₍v.2₎ Bantok, Sir G. Sixty patriotic songs of all nations.- ₍v.3₎ Brahms, J. ₍Songs. Selections₎ Forty songs.- ₍v.4₎ Chaikovskii, P. ₍Songs. Selections₎ Forty songs.- ₍v.5₎ Finck, H. Fifty mastersongs.- ₍v.6₎ Finck, H. One hundred songs by ten masters. 2v.- ₍v.7₎ Fisher, W. Seventy Negro spirituals.- ₍v.8₎ Floridia, P. Early Italian songs and airs. 2v.- ₍v.9₎ Franz, R. ₍Songs. Selections₎ Fifty songs.- ₍v.10₎ Grieg, E. ₍Songs. Selections₎ Fifty songs.- ₍v.11₎ Hale, P. Modern French songs. 2v.- ₍v.12₎ Händel, G. ₍Works, vocal. Selections; arr.₎ Songs and airs. 2v.- ₍v.13₎ Jensen, A. ₍Songs. Selections₎ Forty songs.- ₍v.14₎ Krehbiel, H. Songs from the operas for alto.- ₍v.15₎ Krehbiel, H. Songs from the operas for baritone and bass.- ₍v.16₎ Krehbiel, H. Songs from the operas for mezzo soprano.- ₍v.17₎ Krehbiel, H. Songs from the operas for soprano.- ₍v.18₎ Krehbiel, H. Songs from the operas for tenor.- ₍v.19₎ Liszt, F. ₍Songs. Selections₎ Thirty songs.- ₍v.20₎ Newman, E. Modern Russian songs. 2v.- ₍v.21₎ Schubert, F. ₍Songs. Selections₎ Fifty additional songs.- ₍v.22₎ Schumann, R. ₍Songs. Selections₎ Fifty songs.- ₍v.23₎ Sharp, C. One hundred English folksongs.- ₍v.24₎ Strauss, R. ₍Songs. Selections₎

Continued in next column

VOLUME 403

Continued from preceding column

Forty songs.– ⌈v.25⌉ Vincent, C. Fifty Shakspere songs.– ⌈v.26⌉ Wagner, R. ⌈Songs. Selections⌉ Wagner lyrics for baritone and bass.– ⌈v.27⌉ Wagner, R. ⌈Songs. Selections⌉ Wagner lyrics for soprano.– ⌈v.28⌉ Werrenrath, R. Modern Scandinavian songs. 2v.– ⌈v.29⌉ Wolf, H. ⌈Songs. Selections⌉ Fifty songs.– ⌈v.30⌉ Bantok, G. One hundred folksongs of all nations.– ⌈v.31⌉ Schubert, F. ⌈Songs. Selections⌉ Fifty songs.– ⌈v.32⌉ Hopekirk, H. Seventy Scottish songs.

⌈pt.2⌉ Piano music: ⌈v.1⌉ Brahms, J. ⌈Works, piano. Selections⌉ Selected piano compositions.– ⌈v.2⌉ Esposito, M. Early Italian piano music.– ⌈v.3⌉ Greig, E. ⌈Works, piano. Selections⌉ Larger piano compositions.– ⌈v.4⌉ Grieg, E. ⌈Works, piano. Selections⌉ Piano lyrics and shorter compositions.– ⌈v.5⌉ Phillip, I. Anthology of French music. 2v.– ⌈v.6⌉ Moszkowski, M. Anthology of German piano music.– ⌈v.7⌉ Coleridge-Taylor, S. Twenty-four Negro melodies.– ⌈v.8⌉ Wagner, R. Selections from the music dramas of Richard Wagner

1. Piano music. 2. Vocal music. anals for contents.

NM 0911107 FTaSU OClUr MiU OClW OClh DCU MB

M
2
.M7

The musician's library. v. 1-
New York, Macmillan, 19 -

London, Macmillan reprints.

1. Music-Collections.

NM 0911108 DAU

Musicians' magazine (Chicago)
see Music magazine (Chicago)

ML15
.L6

Musicians mutual protective association, Los Angeles.
Musicians' directory.
Los Angeles, Musicians mutual protective ass'n, Local 47, A. F. of M. ⌈19

ML1
.O 985

Musicians Mutual Protective Association, Los Angeles.
The Overture.
Los Angeles.

Musicians' Mutual Protective Union, San Francisco
see Musicians' Union, San Francisco.

The musicians of Bremen; adapted from Jacob and Wilhelm Grimm
see under Grimm, Jakob Ludwig Karl, 1785-1863.

Musicians' Protective Union, Washington, D.C.
Constitution and by-laws ... (Washington, D.C.,) 1924-
v. 15 cm.

NM 0911114 DL

Musicians' protective union, Washington, D. C.
The Washington musician; published monthly by Musicians' protective union, Local 161, A. F. of M. v. 1- Aug. 1929-
Washington, D. C., 1929-

Musicians' report and journal...Official organ of the Amalgamated musicians' union. Manchester.

NM 0911116 DL

Musician's rosary. Louisville, Ky., n.p., 1900.

NM 0911117 KyBgW

Musicians' service magazine
see Music magazine (Chicago)

ML27
.G7 I 66

Musicians' Union [Gt. Brit.]

Gt. Brit. Independent Committee to Make an Award on a Question Which Has Arisen between the British Broadcasting Corporation and the Musicians' Union Concerning Minimum Fees for Casual Studio Broadcasts and to Examine and Make Recommendations on Certain Other Questions.
British Broadcasting Corporation and Musicians' Union; report. London, H. M. Stationery Off., 1948.

Musicians' Union [Gt. Brit.]
see also Amalgamated Musicians' Union.

F851
L18
no. 71
x

Musicians' Union, San Francisco.
Constitution and by-laws of the Musicians' Mutual Protective Union of San Francisco, Local No. 6, American Federation of Musicians. January 1, 1912. [San Francisco, Brunt Press, 1912?]
40 p. 15cm. in cover 20cm. (Labor union constitutions and by-laws, no. 71)

NM 0911121 CU-B

ML1
.M69

Musicians' Union, San Francisco.
The Musical news.
San Francisco.

F851
L18
no. 72
x

Musicians' Union, San Francisco.
Price list of the Musicians' Mutual Protective Union of San Francisco, Local No. 6, American Federation of Musicians. In effect from and after January 1, 1914. San Francisco, Brunt Pres [1914?]
47 p. 15cm. in cover 20cm. (Labor union constitutions and by-laws, no. 72)

NM 0911123 CU-B

Un musicien
Almanach illustrée chronologique, historique, critique et anecdotique de la musique
see under Almanach; illustrée chronologique, historique, critique et anecdotique de la musique.

Un musicien.
Musiciana, ou, Album d'un musicien ...
see under title

---

*FC6
A100
626m

Le mvsicien renversé.
[Paris?] M. DC. XXVI.
11p. 15.5cm.
In verse.
With this is bound L'Hermite des Fontaines' Le bovqvet de fleur-d'espine, 1626.

NM 0911126 MH

Les Musiciens célèbres. ⌈Genève⌉ L. Mazenod ⌈1946⌉
357, ⌈1⌉ p. incl. front. plates (2 col.; 1 double) ports., facsims. (1 col.) 29½ x 22½cm. ⌈La Galerie des hommes célèbres, I⌉
"Publié sous la direction de Jean Lacroix avec la collaboration de Ernest Ansermet, Edmond Appia, Louis Aubert ⌈etc.⌉"

1. Composers. I. Lacroix, Jean, of Switzerland, ed. II. Title.
ML390.M96 927.8 47-16486

NM 0911127 DLC PLatS OCl OOxM OU PP

LES MUSICIENS célèbres. [Genève] L. Mazenod [c1948]
357 p. illus. 30 cm. (La galerie des hommes célèbres, v. 1)

NM 0911128 CaBVaU OKentU

---

*ML390
.M96
1949

Les Musiciens célèbres. ⌈Genève⌉ L. Mazenod ⌈1949⌉
357, ⌈1⌉ p. incl. front. plates (2 col.; 1 double) ports., facsims. (1 col.) 30cm. (La galerie des hommes célèbres)
"Publié sous la direction de Jean Lacroix" et al.
"Essai d'un répertoire historique des musiciens célèbres": p. ⌈293⌉

NM 0911129 MB OO OKentU MH NcD

Les Musiciens célèbres. [Paris] L. Mazenod [1950]
357 p. illus. (part col.), ports. 30 cm. (La galerie des hommes célèbres, 1)
Ed. by Jean Lacroix.
1. Musicians. I. Lacroix, Jean, 1900-

NM 0911130 MdBP

Musiciens contemporains
see under Huré, Jean Louis Charles.

Les musiciens de la ville de Brême
see under Grimm, Jakob Ludwig Karl, 1785-1863.

Musiciens oubliés, musique retrouvée
see under Bouvet, Charles, 1858-1935.

Il Musicista pavese Alessandro Rolla (1757-1841); il comune di Pavia per la celebrazione del centenario, 1941. [Pavia, Industrial grafica pavese, 1942]
1 p. l., [7]-159 p. illus. (incl. music) port. facsim. O.

NM 0911134 PP

VOLUME 403

Musick, Egon
Die Grenzen des vertraglichen Haftungsausschlusses ... von Egon Musick ... Rostock, G. Neumann, 1933.
33, [1] p. 22½cm.
Inaug.-Diss. - Leipzig.
"Benutzte Literatur": p. [4]-[5]

NM 0911135 MH-L ICRL

---

f910.4 M987c [Musick, Elvon]
Cruise of the Canim. [Los Angeles, Printed for Elvon Musick by the] University of Southern California Press, 1950.
35p. illus.,ports. 29cm.
"Photos by Marshall Neal; art by Cas Duchow."
"Thirty copies ... printed ... This is copy number 30."
"This is copy number 3."

NM 0911136 CLU

Musick, James B.
New York. Museum of modern art.
George Caleb Bingham, the Missouri artist, 1811-1879. January 30-March 7, 1935, the Museum of modern art, New York. [New York, Printed by W. E. Rudge's sons, 1935]

Musick, James B.
St. Louis as a fortified town; a narrative and critical essay of the period of struggle for the fur trade of the Mississippi valley and its influence upon St. Louis, by James B. Musick. St. Louis [Press of R. F. Miller] 1941.
ix, 132 p., 1 l. front., plates, maps (part double) plans. 24cm.
"Five hundred copies have been printed, of which this copy is no. 89."
Bibliography: p. 115-118.
1. St. Louis—Hist. 2. St. Louis—Fortifications. 3. Fur trade—Mississippi valley. I. Title.
Library of Congress F474.S2M86 41-24442
[3] 977.866

NM 0911138 DLC IEdS NcD WaSp

[Musick, John Roy] 1849-1901.
The bad boy and his sister. By Benjamin Broadaxe [pseud.] ... New York, Chicago, J. S. Ogilvie & company, 1887.
192 p. incl. front., illus. 20cm. (Fireside series, no. 34)
Library of Congress PZ3.M973B 7-32296†

NM 0911139 DLC

PS 2459 M6 B35 1883
Musick, John Roy, 1849-1901.
The banker of Bedford, by John R. Musick. Boston, D. Lothrop and Company [1883]
225 p. 18 cm.

NM 0911140 OU MB

Musick, John Roy, 1849-1901.
Braddock; a story of the French and Indian wars, by John R. Musick ... illustrated by F. A. Carter. New York [etc.] Funk & Wagnalls company, 1893.
x, 470 p. front., illus., plates, ports. 19cm. (On cover: Columbian historical novels. (v. 8))
"Designed to give all the principal incidents in the history of the ... American republic from ... 1700 to 1760."
1. U. S.—Hist.—Colonial period—Fiction. 2. Braddock's campaign, 1755—Fiction. I. Title.
Library of Congress PZ3.M973Br 7—32294

OClWHi MB PPD Vi
NM 0911141 DLC ICN OU NNC NcD MH CU OOxM OCl

---

40 Musick, John Roy, 1849-1901.
The Brookfield bank robber, by D. W. Stevens [pseud] New York, F. Tousey, 1882.
14 p. 4°. [The five cent wide awake library, v. 1, no. 512]

NM 0911142 DLC

Musick, John Roy, 1849-1901.
Brother against brother; or, The Tompkins mystery. A story of the great American rebellion. By John R. Musick ... New York, Chicago, J. S. Ogilvie & company, 1887.
253 p. 20cm. (Fireside series, no. 28)
1. U. S.—Hist.—Civil war—Fiction. I. Title.
Library of Congress PZ3.M973Bro 7—33331

NM 0911143 DLC NjP

Musick, John Roy, 1849-1901.
Calamity row; or, The sunken records. By John R. Musick ... Chicago, New York, Rand, McNally & company, 1887.
1 p. l., [5]-265 p. 19½cm. (On cover: Globe library. no. 37)
Library of Congress PZ3.M973C 7-33470†

NM 0911144 DLC OCl

Musick, John Roy, 1849-1901.
A century too soon; a story of Bacon's rebellion, by John R. Musick ... illustrated by F. A. Carter. New York [etc.] Funk & Wagnalls company, 1893.
xiii, 400 p. front., illus., plates, ports. 19cm. (On cover: Columbian historical novels (v. 6))
1. Bacon's rebellion, 1676—Fiction. 2. U. S.—Hist.—Colonial period—Fiction.
Library of Congress PZ3.M973Ce 7-33332†

NM 0911145 DLC NIC OCl OClW PPL MB ViU

Musick, John Roy, 1849-1901.
A century too soon; a story of Bacon's rebellion, by John R. Musick ... illustrated by F. A. Carter. New York [etc.] Funk & Wagnalls company, 1893.
xiii, 400 p. front., illus., plates, ports. 19cm. (On cover: Columbian historical novels. (v. 6))
(Wright American fiction, v. III, 1876-1900, no. 3917, Research Publications, Inc. Microfilm, Reel M-59)

NM 0911146 NNC CU KEmT WaSp

MUSICK,John Roy,1849-1901.
A century too soon;a story of Bacon's rebellion. Illustrations by Freeland A.Carter. New York,etc.,Funk & Wagnalls Co.,1895.
"Columbian historical novels,vol.VI."

NM 0911147 MH NcD

Musick, John Roy, 1849-
Columbia: a story of the discovery of America, by John R. Musick ... New York, Worthington co., 1891.
vi, 345 p. incl. illus., port. front., pl. 19½cm. (Worthington's international library, no. 19)
1. Colombo, Cristoforo—Fiction.
Library of Congress E120.M98 2-2681

NM 0911148 DLC NN PPD PPL MB MH ICN NIC

FILM 4274 PR v.3 reel M59
Musick, John Roy, 1849-1901.
Columbia: a story of the discovery of America, by John R. Musick ... New York, Worthington co., 1892.
vi, 345 p. incl. illus., port. front., pl. 20 cm. (Worthington's international library, no. 19) (Wright American fiction, v. III, 1876-1900, no. 3918, Research Publications, Inc. Microfilm, Reel M-59)
1. Colombo, Cristoforo--Fiction. I. Title.

NM 0911149 CU

MUSICK,John Roy,1849-1901.
Columbia;a story of the discovery of America. Illustrations by Freeland A.Carter. New York, etc.,Funk & Wagnalls Co.,1895.
"Columbian historical novels,1."

NM 0911150 MH NcD

Musick, John Roy, 1849-1901
Columbian historical novels, N. Y., Funk and Wagnalls co., 1891-94.
12 v.

NM 0911151 OOxM

Musick, John Roy, 1849-1901.
Columbian historical novels ... by John R. Musick. Illustrations by Freeland A. Carter. New York, Funk & Wagnalls, 1893-1900,v.1,1895.
13 v. illus.(incl. ports.) plates, maps. 19 cm.
Contents.-- I. Columbia, a story of the discovery of America.-- II. Estevan, a story of the Spanish conquests.-- III. Saint Augustine, a story of the Hugenots in America.-- IV. Pocahontas, a story of Virginia.-- V. The Pilgrims, a story of Massachusetts.--
VI. A century too soon, a story of Bacon's rebellion.-- VII. The witch of Salem, or, Credulity run mad.-- VIII. Braddock, a story of the French and Indian wars.-- IX. Independence, a story of the revolution.-- X. Sustained honor, a story of the war of 1812.-- XI. Humbled pride, a story of the Mexican war.-- XII. Union, a story of the great rebellion.-- XIII. Cuba libre, a story of the Hispano-American war.

NM 0911153 NNCoCi NcD CtY PPD DLC MH

Musick, John Roy, 1849-1901. 69.135
Columbian historical novels. With reading courses. Being a complete history of the United States from the time of Columbus to the present day . . . Drawings by F. A. Carter.
— New York. Funk & Wagnalls Co. 1906. 13 v. Illus. Portraits. Plates. Maps. 20 cm., in 8s.
Contents. — 1. Columbia; a story of the discovery of America. 2. Estevan; a story of the Spanish conquests. 3. Saint Augustine; a story of the Huguenots in America. 4. Pocahontas; a story of Virginia. 5. The Pilgrims; story of Massachusetts. 6. A century too soon; a story of Bacon's Rebellion. 7. The witch of Salem; or, credulity run mad. 8. Braddock; a story of the French and Indian wars. 9. Independence; a story of the Revolution. 10. Sustained honor; a story of the War of 1812. 11. Humbled pride; a story of the Mexican War. 12. Union; a story of the great rebellion. 13. Cuba libre; a story of the Hispano-American War.

NM 0911155 MB IU CLSU

Musick, John Roy, 1849-1901.
Crutches for sale. An osteopathic novel. By John R. Musick ... Written from the play of the same title by Dr. William Smith and Prof. Robert Darton. London, Chicago [etc.] F. T. Neely [c1899]
x, [11]-316 p. 19cm. (On cover: Neely's universal library. (no. 72))
1. Osteopathy. I. Smith, Dr. William. Crutches for sale. II. Darton, Robert, joint author. Crutches for sale.
Library of Congress PZ3.M973Cr July 27, 99-93

NM 0911156 DLC RPB

VOLUME 403

Musick, John Roy, 1849–1901.
... Cuba libre; a story of the Hispano-American war, by John R. Musick ... illustrated by Freeland A. Carter. New York and London, Funk & Wagnalls company, 1900.
xvi, 454 p. front., illus., plates, maps (1 fold.) 19cm. (Columbian historical novels. v. 13)
"Chronology": p. [449]-454.
1. U. S.—Hist.—War of 1898—Fiction. I. Title.
Library of Congress PZ3.M973Cu 0-3724 Revised

NM 0911157 DLC OKentU

Musick, John Roy, 1849–1901.
Estevan; a story of the Spanish conquests, by John R. Musick ... New York [etc.] Funk & Wagnalls company, 1892.
vii, 399 p. front., illus., plates. 19cm. (On cover: Columbian historical novels [v. 2])
1. America—Disc. & explor.—Spanish—Fiction.
Library of Congress PZ3.M973Es 7-33330

NM 0911158 DLC WU NIC LU ICN OCl OClW OOxM MB

FILM 4274 PR v.3 reel M59 **Musick, John Roy,** 1849–1901.
Estevan; a story of the Spanish conquests, by John R. Musick ... New York [etc.] Funk & Wagnalls company, 1892.
vii, 399 p. front., illus., plates. 19cm. (On cover: Columbian historical novels [v. 2])
(Wright American fiction, v. III, 1876-1900, no. 3920, Research Publications, Inc. Microfilm, Reel M-59)
1. America—Disc. & explor.—Spanish—Fiction.

NM 0911159 CU NNC

813 M987e Musick, John Roy, 1849-1901.
Estevan, a story of the Spanish conquests. Illus. by Frank A Carter. New York, Funk & Wagnalls, 1895.
402p. illus. 20cm. (Columbian historical novels. vol.II)
1. America - Descr. & explor. - Spanish - Fiction.

NM 0911160 NcU NcD MH

40 Musick, John Roy, 1849-1901.
Frank James' surrender, by D.W. Stevens [pseud.] New York, F. Tousey,[1880]
29 p. 4°. [The boys of New York pocket library, no. 105]

NM 0911161 DLC

40 Musick, John Roy, 1849-1901.
Frank James, the avenger, by D.W. Stevens [pseud] New York, F. Tousey,[1880]
30 p. 4°. [The boys of New York pocket library, no. 81]

NM 0911162 DLC

DU623 M97 Musick, John Roy, 1849-1901.
Hawaii ... our new possessions. An account of travels and adventure, with ... an appendix containing the treaty of annexation to the United States. Illus. ... by Philip E. Flintoff and ... Freeland A. Carter. New York, Funk & Wagnall [c1897]
xxii p.,1 l.,534 p. illus.,plates,ports., fold.map.
1. Hawaiian Islands - Descr. & trav. 2. Hawaiian Islands - Hist.

NM 0911163 CU CoU

Musick, John Roy, 1849–1901.
Hawaii. Our new possessions. An account of travels and adventure, with ... an appendix containing the treaty of annexation to the United States. By John R. Musick ... Illus. ... by Philip E. Flintoff and ... Freeland A. Carter. New York and London, Funk & Wagnalls company, 1898.
xxii p., 1 l., 524 p. illus., 56 pl. (incl. front., ports.) fold. map. 23cm.
1. Hawaiian Islands—Descr. & trav. 2. Hawaiian Islands—Hist.
Library of Congress DU623.M97 5—13497

NM 0911164 PP NjN NcU ViU OCl ODW OO OCU PPT ICJ MB DLC DI-GS CaBViP OrU PPF OrSaW IdU NIC

MUSICK,John Roy,1849-1901.
Hawaii,the "Pearl of the Pacific," the eleventh of a series of letters. [New York,Funk & Wagnalls Co.cop.1896.]
Broadside. 17 x 13 in.

NM 0911165 MH

Musick, John Roy, 1849–1901.
His brother's crime. By John R. Musick ... London, New York, F. T. Neely [1898]
iv, [5]-308 p. 19½cm. (On cover: Neely's universal library. no. 41)
I. Title.
Library of Congress (PZ3) 98-1607 Revised

NM 0911166 DLC NcU

Musick, John R[oy] 1849-1901.
History of the war with Spain. With a complete record of its causes, with incidents of the struggle for supremacy in the western hemisphere. By John R. Musick ... New York, J. S. Ogilvie publishing company [1898]
v p., 1 l., 33-468 p. front., pl., port. 22cm.
Subject entries: U. S.—Hist.—War of 1898.
Library of Congress, no. E715.M98. 2-19926

NM 0911167 DLC MoU

Musick, John Roy, 1849–1901.
Humbled pride; a story of the Mexican war, by John R. Musick ... illustrated by F. A. Carter. New York [etc.] Funk & Wagnalls company, 1893.
xii, 462 p. front., illus., plates, ports. 19cm. (On cover: Columbian historical novels. [v. 11])
"The author has endeavored to include [in this volume] all the history of the United States in this short period [i. e. 1840-1855]"
1. U. S.—Hist.—War with Mexico, 1845-1848—Fiction. 2. U. S.—Hist.—1815-1861—Fiction. I. Title.
Library of Congress PZ3.M973Hu 7—33329

NM 0911168 DLC ICN NN OU OClW OCl MB

FILM Musick, John Roy, 1849-1901.
Humbled pride; a story of the Mexican war, by John R. Musick ... illustrated by F.A. Carter. New York [etc.] Funk & Wagnalls company, 1893.
xii, 462 p. front., illus., plates, ports. 19 cm. (On cover: Columbian historical novels. [v. 11])
"The author has endeavored to include [in this volume] all the history of the United States in this short period [i.e. 1840-1855]"
(Wright Fiction, v. III, no. 3921, Reel M-60)

NM 0911169 CU

MUSICK,John Roy,1849-1901.
Humbled pride;a story of the Mexican war. Illustrations by Freeland A.Carter. New York, etc.,Funk & Wagnalls Co.,1895.
"Columbian historical novels,11."

NM 0911170 MH PHC NcD

Musick, John Roy, 1849-1901.
In the whirl of the tornado. 1899.
p. 591-6. illus. O.
P.4326

NM 0911171 DAS

Musick, John Roy, 1849-1901.
In the whirl of a tornado. (In: W. S. Booth, Wonderful escapes by Americans. Boston, 1913. 8°. p. 336-352.)
1. Tornadoes, U. S.: Mo., 1897.
N. Y. P. L. November 21, 1913.

NM 0911172 NN

Musick, John Roy, 1849–1901.
Independence; a story of the revolution, by John R. Musick ... illustrated by F. A. Carter. New York [etc.] Funk & Wagnalls company, 1893.
xv, 456 p. front., illus., plates, ports. 19cm. (On cover: Columbian historical novels [v. 9])
1. U. S.—Hist.—Revolution—Fiction. I. Title.
Library of Congress PZ3.M973In 7-33328

NM 0911173 DLC NIC NN OOxM OCl MB

Musick, John Roy, 1849–190.
Independence; a story of the revolution, by John R. Musick ... illustrated by F. A. Carter. New York [etc.] Funk & Wagnalls company, 1893.
xv, 456 p. front., illus., plates, ports. 19cm. (On cover: Columbian historical novels [v. 9])
(Wright American fiction, v. III, 1876-1900, no. 3922, Research Publications, Inc. Microfilm, Reel M-60)

NM 0911174 NNC CU

Musick, John Roy, 1849-1901
Independence; a story of the revolution illustrated by F. A. Carter. N. Y., Funk and Wagnalls co., ltd., 1894.
464 p.

NM 0911175 OClW PP

Musick, John Roy, 1849-1901.
... Independence; a story of the revolution, by John R. Musick ...Illustrations by Frank A. Carter. New York, London [etc.] Funk & Wagnalls company, 1895.
xv, 464 p. front., illus., plates, map. 21cm. (Columbian historical novels. v.9)
"Copyright, 1893."

NM 0911176 NcD MH MB

40 Musick, John Roy, 1849-1901.
The James boys and the Ku Klux, by D. W. Stevens [pseud] New York, F. Tousey, 1881.
15 p. 4°. [The five cent wide awake library, v. 1, no. 466]

NM 0911177 DLC

VOLUME 403

Musick, John Roy, 1849-1901.
The James boys and the vigilantes, by D. W. Stevens [pseud] New York, F. Tousey, 1881.
15 p. 4°. [The five cent wide awake library, v. 1, no. 462]

NM 0911178 DLC

Musick, John Roy, 1849-1901.
The James boys as bank robbers, by D. W. Stevens [pseud.] New York, F. Tousey, 1882.
15 p. 4°. [The five cent wide awake library, v. 1, no. 531]

NM 0911179 DLC

40 Musick, John Roy, 1849-1901.
The James boys as guerrillas, by D. W. Stevens [pseud] New York, F. Tousey [1881]
15 p. 4°. [The five cent wide awake library, v. 1, no. 457]

NM 0911180 DLC

40 Musick, John Roy, 1849-1901.
The James boys as highwaymen, by D. W. Stevens [pseud] New York, F. Tousey, 1882.
15 p. 4°. [The five cent wide awake library, v. 1, no. 482]

NM 0911181 DLC

40 Musick, John Roy, 1849-1901.
The James boys as train wreckers, by D. W. Stevens [pseud] New York, F. Tousey, 1882.
15 p. 4°. [The five cent wide awake library, v. 1, no. 474]

NM 0911182 DLC

40 Musick, John Roy, 1849-1901.
The James boys at Cracker Neck, by D. W. Stevens [pseud] New York, F. Tousey, 1882.
14 p. 4°. [The five cent wide awake library, v. 1, no. 492]

NM 0911183 DLC

40 Musick, John Roy, 1849-1901.
The James boys' brides, by.D. W. Stevens [pseud] New York, F. Tousey, 1882.
15 p. 4°. [Five cent wide awake library, no. 538]

NM 0911184 DLC

Lilly PS 2459 .M86 J27 MUSICK, JOHN ROY, 1849-1901
... The James boys' dash for life or death!; or, The detective's secret snare, by D.W. Stevens ₑpseud.ₒ New York, Frank Tousey, 1902.
28 p. illus. 28.8 cm. (At head of caption title: The James boys weekly, no. 58)

Stapled as issued.

I. The James boys weekly, no. 58 (Jan. 31. 1902)

NM 0911185 InU

40 Musick, John Roy, 1849-1901.
The James boys in California, by D. W. Stevens [pseud] New York, F. Tousey, 1882.
15 p. 4°. [Five cent wide awake library, v. 1, no. 469]

NM 0911186 DLC

40 Musick, John Roy, 1849-1901.
The James boys in court, by D. W. Stevens [pseud] New York, F. Tousey, 1882.
15 p. 4°. [The five cent wide awake library, v. 1, no. 521]

NM 0911187 DLC

40 Musick, John Roy, 1849-1901.
The James boys in Mexico, by D. W. Stevens [pseud] New York, F. Tousey, 1882.
15 p. 4°. [Five cent wide awake library, v. 1, no. 490]

NM 0911188 DLC

[Musick, John Roy] 1849-1901.
The James boys in Minnesota, by D.W. Stevens [pseud.] New York, F. Tousey, 1882.
14p. illus. 30cm. (The Five cent wide awake library, no. 479)

Facsimile reprint by the Dime Novel Club.

NM 0911189 TxU MnHi

Tz 813.91 D48 no. 438 facsim. Musick, John Roy, 1849-1901.
The James boys in No Man's Land; or, The bandit king's last ride, by D.W. Stevens [pseud.] New York, F. Tousey, 1891 [1945]
30p. illus. 29cm. (The New York detective library, no. 438)

Facsimile reprint by the Dime Novel Club.

I. Series: Detective library, no. 438.

NM 0911190 TxU NNC InU NRU

40 Musick, John Roy, 1849-1901.
The James boys in Timberlake, by D. W. Stevens [pseud] New York, F. Tousey, 1882.
15 p. 4°. [Five cent wide awake library, v. 1, no. 514]

NM 0911191 DLC

40 Musick, John Roy, 1849-1901.
The James Boys' longest chase, by D. W. Stevens [pseud] New York, F. Tousey, 1882.
15 p. 4°. [Five cent wide awake library, v. 1, no. 488]

NM 0911192 DLC

Musick, John Roy, 1849-1901.
John Hancock, a character sketch; by John R. Musick ... With anecdotes, characteristics and chronology. Chicago, The University association [1898]
116 p. incl. front., illus., ports., facsims. (*On cover:* The patriot. vol. I. no. 4)
Bibliography: p. 116.

1. Hancock, John, 1737-1793.

Library of Congress E176.P31 vol. 1, no. 4 C-259 Revised
——— Copy 2. E302.6.H23M91

NM 0911193 DLC MiU OClU

Musick, John Roy, 1849-1901.
John Hancock, a character sketch, by John R. Musick ... with anecdotes, characteristics and chronology. Milwaukee, Wis., H. G. Campbell publishing co. [1898]
116 p. incl. front., illus. (incl. ports., facsim.) 19½cm. (*On cover:* True stories of great Americans)
Bibliography: p. 116.

1. Hancock, John, 1737-1793.

Library of Congress E302.6.H23M9 3-10213

NM 0911194 DLC WHi OFH OCl OClWHi NN MB

Musick, John Roy, 1849-1901.
... John Hancock, a character sketch by John R. Musick ... with an essay on the patriot by G. Mercer Adam ... together with anecdotes, characteristics, and chronology by L. B. Vaughan and others. Milwaukee, H. G. Campbell publishing company, 1903.
178 p. incl. front. (port.) illus. 19½cm. (Great Americans of history)
Original copyright, 1898.
Bibliography: p. 178.

1. Hancock, John, 1737-1793. I. Adam, Graeme Mercer, 1839-1912. II. Vaughan, L. Brent, 1873-

Library of Congress E302.6.H23M92 3-23495

NM 0911195 DLC PPSJ PU OClWHi MB NN

40 Musick, John Roy, 1849-1901.
The life and death of Jesse James, by D. W. Stevens [pseud] New York, F. Tousey [1880]
27 p. 4°. [The Boys of New York pocket library, no. 76]

NM 0911196 DLC

Musick, John Roy, 1849-1901.
Lights and shadows of our war with Spain. A series of historical sketches, incidents, anecdotes, and personal experiences in the Hispano-American war. Written and comp. by John R. Musick ... New York, J. S. Ogilvie publishing company, 1898.
vi, [7]-224 p. 2 port. (incl. front.) 20cm. (The peerless series, no. 109)

1. U. S.—Hist.—War of 1898—Anecdotes. I. Title.

Library of Congress E735.M98 98-265 Revised

NM 0911197 DLC

MUSICK, JOHN ROY, 1849-1901.
Lights and shadows of our war with Spain; a series of historical sketches, incidents, anecdotes and personal experiences in the Hispano-American war. Written and compiled by J.R. Musick. New York, J.S. Ogilvie pub. co., [1898] 224 p. 21cm.

Microfiche (neg.) 5 sheets. 11 x 15cm. (NYPL FSN 11,404)

1. United States--Hist.--Spanish-American war--Personal narratives.

NM 0911198 NN

40 Musick, John Roy, 1849-1901.
The lives of the Ford boys, by D. W. Stevens [pseud] New York, F. Tousey [1880]
29 p. 4°. [The boys of New York pocket library, no. 87]

NM 0911199 DLC

Musick, John Roy, 1849-1901.
Mysterious Mr. Howard. A novel. By John R. Musick ... With illustrations by Warren B. Davis. New York, R. Bonner's sons, 1896.
2 p. l., 7-361 p. plates. 19½cm. (The choice series. no. 129)

Library of Congress PZ3.M973Mv 7-32292†

NM 0911200 DLC

VOLUME 403

Musick, John Roy, 1849-1901.
Mysterious Mr. Howard. A novel. By John R. Musick ... With illustrations by Warren B. Davis. New York, R. Bonner's sons, 1896.
2 p. l., 7-361 p. plates. 19½cm. (The Ledger library. no. 129)
Library of Congress PZ3.M973My 2 7-32293†

NM 0911201 DLC

Musick, John Roy, 1849-1901.
The Pilgrims; a story of Massachusetts, by John R. Musick ... New York [etc.] Funk & Wagnalls company, 1893.
ix, 368 p. front., illus., plates, ports. 19cm. (On cover: Columbian historical novels (v. 5))
"Embraces the history of North America from the time at which the novel 'Pocahontas' left off, to the year when the colonies of New England were united (i. e. 1644)"
1. Pilgrim fathers—Fiction. 2. U. S.—Hist.—Colonial period—Fiction.
Library of Congress PZ3.M973Pi 7-33327†

NM 0911202 DLC NIC PPL OCl OOxM MB WaSp

Musick, John Roy, 1849-1901
The Pilgrims; a story of Mass. N. Y., etc., Funk and Wagnalls com. 1894.
370 p.
(On cover; Columbian historical novels. v. 5.)

NM 0911203 OClW OC

Musick, John Roy, 1849-1901.
... The Pilgrims; a story of Massachusetts, by John R. Musick ... Illustrations by Frank A. Carter. New York, London [etc.] Funk & Wagnalls company, 1895.
ix, 370 p. front., illus., plates, map. 21cm. (Columbian historical novels. v.5)
"Copyright, 1893."

NM 0911204 NcD MB

Musick, John Roy, 1849-1901
Pocahontas; a story of Virginia. c1892
Columbian historical novels.

NM 0911205 OCl

Musick, John Roy, 1849-1901.
Pocahontas; a story of Virginia, by John R. Musick ... New York [etc.] Funk & Wagnalls company, 1893.
vii, 366 p. front., illus., 7 pl. 19½cm. (On cover: Columbian historical novels. (v. 4))
1. Pocahontas, d. 1617—Fiction. 2. Virginia—Hist.—Colonial period—Fiction. I. Title.
Library of Congress PZ3.M973Po 8—15728

NM 0911206 DLC MB ViU PPD Vi WaSp

Musick, John Roy, 1849-1901.
Pocahontas: a story of Virginia, by John R. Musick ... New York [etc.] Funk & Wagnalls company, 1893.
vii, 366 p. front., Illus., 7 pl. 19.5 cm.
(On cover: Columbian historical novels. [v. 4])
(Wright American fiction, v. III, 1876-1900, no. 3924, Research Publications, Inc. Microfilm, Reel M-60)

NM 0911207 CU

Musick John Roy, 1849-1901
Pocahontas, astory of Virginia. N. Y., Funk and Wagnalls co., 1894.
369 p.

NM 0911208 OClW

MUSICK, John Roy, 1849-1901.
Pocahontas; a story of Virginia. Illustrations by Freeland A. Carter. New York, etc., Funk & Wagnalls Co., 1895.
"Columbian historical novels, 4."

NM 0911209 MH NcD

Musick, John Roy, 1849-1901.
Pocahontas. Funk, 1898.

NM 0911210 PPAp

Musick, John Roy, 1849-1901.
The real America in romance, by John R. Musick; with reading courses, being a complete and authentic history of America from the time of Columbus to the present day. Forty illustrations in photogravures, one hundred halftone plates, maps of the period and numerous pen-and-ink drawings, by F. A. Carter. v. 1- New York, Chicago, W. H. Wise & company, 1908-
v. front. (port.) illus., plates, map. 22 cm.
Vol. 1 has added t.-p.
Published in 1892-1900 as the Columbian historical novels.
Date corrected from 1907 to 1908.
1. U. S.—Hist.—Fiction.
PZ3.M973A 2 8—5880

NM 0911211 DLC NN

Musick, John Roy, 1849-1901.
Saint Augustine; a story of the Huguenots in America, by John R. Musick ... New York [etc.] Funk & Wagnalls company, 1892.
vii, 319 p. front., illus., plates, ports. 19cm. (On cover: Columbian historical novels. (v. 3))
1. Florida—Hist.—Huguenot colony, 1562-1565—Fiction. I. Title.
Library of Congress PZ3.M973S 7—33326

NM 0911212 DLC OCl OClW PPD NcD NIC MB

FILM 4274 PR v.3 reel M60
Musick, John Roy, 1849-1901.
Saint Augustine; a story of the Huguenots in America, by John R. Musick ... New York [etc.] Funk & Wagnalls company, 1892.
vii, 319 p. front., illus., plates, ports. 19 cm. (On cover: Columbian historical novels. (v. 3))
(Wright American fiction, v. III, 1876-1900 no. 3925, Research Publications, Inc. Microfilm, Reel M-60)

NM 0911213 CU

3Z5 498 3
Musick, John Roy, 1849-1901.
Saint Augustine, a story of the Huguenots in America, by John R. Musick ... New York [etc.] Funk & Wagnalls company, 1894.
vii, 322p. front., illus., plates. 20.5cm.

NM 0911214 NNUT

MUSICK, John Roy, 1849-1901.
Saint Augustine; a story of the Huguenots in America. Illustrations by Freeland A. Carter. New York, etc., Funk & Wagnalls Co., 1895.
"Columbian historical novels, 3."

NM 0911215 MH NcD

MUSICK, John Roy, 1849-1901.
Should Hawaii be annexed?. The Arena, 1897.
pp. 461-468. Oc 7435.1

NM 0911216 MH

Musick, John Roy, 1849-1901.
Stories of Missouri, by John R. Musick ... New York, Chicago [etc.] American book company, 1897.
288 p. incl. front., illus. (incl. ports.) 19cm.
1. Missouri—Hist. I. Title.
Library of Congress F467.M98 Rc-1342

NM 0911217 Or DLC CoU LU CU PHC MiU OCU OU OClW MB

Micro-opaque F 467 .M98
Musick, John Roy, 1849-1901.
Stories of Missouri, by John R. Musick. New York, Chicago [etc.] American book company, 1897.
288 p. illus. 19 cm.
Micro-opaque. Louisville, Ky., Lost Cause Press, 1960. 4 cards. 8 x 13 cm.
1. Missouri--Hist. I. Title

NM 0911218 OKentU

Musick, John Roy, 1849-1901.
Sustained honor; a story of the war of 1812, by John R. Musick ... illustrated by F. A. Carter. New York [etc.] Funk & Wagnalls company, 1893.
xii, 451 p. front., illus., plates, ports. 19cm. (On cover: Columbian historical novels. (v. 10))
1. U. S.—Hist.—War of 1812—Fiction. I. Title.
Library of Congress PZ3.M973Su 7—33325

NM 0911219 DLC ICN NIC PPL OClW MB

Musick, John Roy, 1849-1901.
Sustained honor; a story of the war of 1812, by John R. Musick ... illustrated by F. A. Carter. New York [etc.] Funk & Wagnalls company, 1893.
xii, 451 p. front., illus., plates, ports. 19cm. (On cover: Columbian historical novels. (v. 10))
(Wright American fiction, v. III, 1876-1900 no. 3926, Research Publications, Inc. Microfilm, Reel M-61)

NM 0911220 NNC CU

Musick, John Roy, 1849-1901.
... Sustained honor; a story of the war of 1812, by John R. Musick ... Illustrations by Frank A. Carter. New York, London [etc.] Funk & Wagnalls company, 1895.
xii, 458 p. front., illus., plates, double map. 21cm. (Columbian historical novels. v.10)
"Copyright, 1893."

NM 0911221 NcD

Musick, John Roy, 1849-1901.
The train robbers; or, a story of the James boys.
New York, [1879]
40
[The five cent wide awake library, vl, no. 440]

NM 0911222 DLC

VOLUME 403

Musick, John Roy, 1849–1901.
Union; a story of the great rebellion, by John R. Musick ... illustrated by F. A. Carter. New York [etc.] Funk & Wagnalls company, 1894.
xviii, 505 p. front., illus., plates, ports. 19cm. (*On cover:* Columbian historical novel. [v. 12])
Appendix [history of the United States, 1865–1894]: p. [431]–494.

1. U. S.—Hist.—Civil war—Fiction. 2. U. S.—Hist.—1865–1898. I. Title.

Library of Congress PZ3.M973Un 7—33324

NM 0911223 DLC OClW OCl FU NIC ICN MB NjP

FILM
Musick, John Roy, 1849-1901.
Union; a story of the great rebellion, by John R. Musick ... illustrated by F.A. Carter. New York [etc.] Funk & Wagnalls company, 1894.
xviii, 505 p. front., illus., plates, ports. 19 cm. (On cover: Columbian historical novel. [v. 12])
Appendix [history of the United States, 1865-1894]: p. [431]-494.
(Wright Fiction, v. III, no. 3927, Reel M-61)

NM 0911224 CU

MUSICK, John Roy, 1849-1901.
Union; a story of the great rebellion. Illustrations by Freeland A. Carter. New York, etc., Funk & Wagnalls Co., 1895.
"Columbian historical novels, 12."

NM 0911225 MH NcD

Musick, John Roy, 1849–1901.
The witch of Salem; or, Credulity run mad, by John R. Musick ... illustrations by F. A. Carter. New York [etc.] Funk & Wagnalls company, 1893.
viii, 389 p. front., illus., plates, ports. 19cm. (*On cover:* Columbian historical novels [v. 6])
"Designed to cover twenty years in the history of the United States ... from 1680 to 1700, including all the principal features of this period."

1. Witchcraft—New England—Fiction. 2. U. S.—Hist.—Colonial period—Fiction.

Library of Congress PZ3.F973Wi 7—33323†

NM 0911226 DLC NIC PPD IU ICN OCl MB

M-film
810.8
Am35
344-7
Musick, John Roy, 1849-1901.
The witch of Salem; or, Credulity run mad, by John R. Musick. Illustrated by F. A. Carter. New York, Funk & Wagnalls, 1893.
viii, 389 p. illus. (Columbian historical novels, v. 7)

Microfilm (positive) Ann Arbor, Mich., University Microfilms, 1977. 7th title of 8. 35 mm. (American fiction series, reel 334.7)

NM 0911227 KEmT NNC CU

MUSICK, John Roy, 1849-1901.
The witch of Salem, or Credulity run mad. Illustrations by Freeland A. Carter. New York, etc., Funk & Wagnalls Co., 1895.
"Columbian historical novels, 7."

NM 0911228 MH NcD MB

Hebard
PS
2458
M8x
H4
Musick, L W
The hermit of Siskiyou, or Twice-old man. A story of the "Lost cabin" found; the Fountain of perpetual youth revived, etc. By L.W. Musick. Published from the office of the Crescent City News. Crescent City, Del Norte County, California, The News, 1896.
5 l.,[5]-81p. 15.4x9.5cm.

Appendix, p.75-81, includes quotations from The Del Norte Record, 1883 and 1886, and from The Crescent City News, 1895.

Hebard
PS
2458
M8x
H4
T.p. within border of type ornaments; headpieces, tailpieces, ititials.
Blue cloth-covered boards; embossed ornament front and back covers. Title on front cover in gilt.
Front flyleaf inscribed in pencil: A.B. Schuster.

1.Siskiyou Mountains, California. 2.Del North County, California--Descr. and trav. 3.Gold mines and mining--California. I.The Crescent City News, Crescent City, Calif. II. The Del Norte Record, Crescent City, Calif. III.Title. IV.Title: Twice-old man. V. Title: The Lost cabin found.

NM 0911230 WyU CLU RPB DLC ViU CU-B

Musick, Samuel H.
Apprentice instruction in the Manila Bureau of printing: a description of a new system of coöperative vocational training and what it has accomplished, by Samuel H. Musick, craftsman instructor, Bureau of printing, Manila, Philippine Islands. Manila, Bureau of printing, 1913.
cover-title, 1 p. l., 22 p. illus. (part col.) 26cm.
Reprinted from the Philippine craftsman, November, 1912 (Second printing)
1. Philippine Islands. Bureau of printing. 2. Printing. Public—Philippine Islands. 3. Apprentices—Philippine Islands. 4. Printing as a trade—Philippine Islands. I. Title.

Library of Congress Z122.5.P6M 1913 14-11084

NM 0911231 DLC MiU NN IU

Musick, Samuel H. * IPB p.v.2, no.3
The Bureau of Printing system of vocational training. n. t.-p. [Manila, 1913.] 4 p. 8°. (Philippine Islands. Printing Bureau.)

1. Education (Industrial, etc.), P. I. 2. Printing.—Education.
N. Y. P. L. June 17, 1915.

NM 0911232 NN MH

X189
912
Musick, Samuel H
The system of apprentice instruction in the Bureau of printing, Manila, Philippine Islands ... Manila, Bureau of printing, 1912.
cover-title, 1p.l., 20p. illus.(part.col.) 26cm.
"Reprinted from the Philippine craftsman, November 1912."
"Bindery division. Distribution of bookbinding specialties during apprenticeship and junior craftsmen periods": fold.leaf in pocket.

NM 0911233 CtY NNC MH

Musick, Samuel H.
The system of vocational training in use in the Manila Bureau of printing, by Samuel H. Musick, craftsman instructor. [Manila, 1913?]
8 p. 25cm.
Running title: Vocational training.
"Comments on the system": p. 4-8.

1. Philippine Islands. Bureau of printing. 2. Printing, Public—Philippine Islands. 3. Apprentices—Philippine Islands. 4. Printing as a trade—Philippine Islands. I. Title. II. Title: Vocational training.

Library of Congress Z122.5.P6M 1913 a 14-31152

NM 0911234 DLC IU

Musick, Thomas H[ubbard]
A brief on the doctrine of the conservation of forces. By Thomas H. Musick ... Mexico, Mo., Mexico union print, 1878.
56 p. 22½cm.

1. Force and energy.

Library of Congress QC73.M98 4-31210†

NM 0911235 DLC

Musick, Thomas Hubbard.
The genesis of life and thought. By Thomas H. Musick... New York: J. B. Alden, 1892. 404 p. 12°.

382933A. 1. Science and philosophy. 2. Metaphysics. 3. Evolution.
N. Y. P. L. January 21, 1929

NM 0911236 NN PPLT ODW NNUT DSI

Musick, Thomas Hubbard.
The genesis of nature considered in the light of Mr. Spencer's philosophy, as based upon the persistence of energy, by Thomas H. Musick ... New York, J. B. Alden, 1890.
377 p. 19½cm.

1. Ontology. 2. Force and energy. I. Title.

Library of Congress Q173.M975 12-6931

NM 0911237 DLC ICU PPT SdRM MiU NNUT

Musick, Thomas Hubbard.
The genesis of nature considered in the light of Mr. Spencer's philosophy, as based upon the persistence of energy, by Thomas H. Musick ... New York, The Columbian publishing co., 1891.
377 p. 19½cm.

1. Ontology. 2. Force and energy. I. Title.

Library of Congress Q173.M975 1891 16-21812

NM 0911238 DLC ODW

Musick, Thomas Hubbard
Investigations of Hot Springs affairs. Wash., 1890.

NM 0911239 PP

Musick, William Henry Harrison, 1840-
Urlov, the wanderer. A realistic story of vicissitude and adventure, on sea and land. [Hartfille, Mo.?] c1904.
320 p.
PZ3
.M9735U

NM 0911240 DLC

Musick, William Leslie, 1860–
Business English; essentials of grammar, punctuation and letter-writing, routine letters, sales letters...by William L. Musick. Chicago: Universal Text Book Co., cop. 1917. 96 p. 8°.

NAT. SHORTHAND REP. ASSOC.
1. Business correspondence, U. S.
N. Y. P. L. October 15, 1919.

NM 0911241 NN

VOLUME 403

Musick, William Leslie, 1860-
Combination shorthand dictionary and reader adapted to The universal dictation course for Barnes Pitman phonography, arranged by W. L. Musick ... St. Louis, Mo., W. L. Musick publishing co. [1903]
1 p. l., 46 p. 24 cm. [With his The universal dictation course of Barnes Pitman phonography ... St. Louis, Mo. [1903]]

1. Shorthand—Barnes—Dictionaries.

Z55.5.M85 3—23063

NM 0911242 DLC WaS

Musick, William Leslie, 1860-
Combination shorthand dictionary and reader adapted to The universal dictation course for Barnes Pitman phonography, arranged by W. L. Musick...St. Louis, Mo. W. L. Musick Publishing co., 1913.

NM 0911243 OCl

Musick, William Leslie, 1860-
Combination shorthand dictionary and reader adapted to The universal dictation course for Benn Pitman phonography, arranged by W. L. Musick ... St. Louis, Mo., W. L. Musick publishing co. [1902]
1 p. l., 46 p. 24cm. [With his The universal dictation course of Benn Pitman's phonography ... St. Louis, Mo. [1902]]

1. Pitman, Benn, 1822-1910. 2. Shorthand—Dictionaries. I. Title.

Library of Congress Z56.M986PB 1902 33-8249
[3] 653.42

NM 0911244 DLC MB

Musick, William Leslie, 1860-
Combination shorthand dictionary and reader, adapted to The universal dictation course for Benn Pitman phonography, arranged by W. L. Musick ... Springfield, Mo., W. L. Musick [1902]
1 p. l., 46 p. 24cm. [With his The universal dictation course of Benn Pitman's phonography ... Springfield, Mo. [c1897]]

1. Pitman, Benn, 1822-1910. 2. Shorthand—Dictionaries. I. Title.

Library of Congress Z56.M986PB 2—10836

NM 0911245 DLC ICJ

Musick, William Leslie, 1860-
Combination shorthand dictionary and reader, adapted to the universal dictation course for Benn Pitman phonography, arranged by W. L. Musick... St. Louis, Mo.: W. L. Musick Pub. Co.[, cop. 1903.] 46 p. 8°.
Bound with his: Universal dictation course of Benn Pitman's phonography. St. Louis, Mo.[, cop. 1897.] 8°.

348474A. 1. Shorthand—Letters. ROCKWELL SHORTHAND COLLECTION.
N. Y. P. L. August 9, 1928

NM 0911246 NN

MUSICK, WILLIAM LESLIE, 1860-
Combination shorthand dictionary and reader adapted to the Universal dictation course for Chartier dictionary. St. Louis, W.L. Musick pub. co. [c1903] 47 p. 24cm.
Issued and bound with his: Principles of shorthand arranged for convenient study and review and for ready reference. St.Louis, W.L. Musick pub. co., c.1909.
John Robert Gregg Shorthand Collection.
1. Shorthand--Dictionaries, English, 1903.
2. Shorthand--Readers, 1903.

NM 0911247 NN

Musick, William Leslie, 1860-
Combination shorthand dictionary and reader adapted to The universal dictation course for Dement Pitmanic shorthand, arranged by W. L. Musick ... Springfield, Mo., W. L. Musick [1902]
1 p. l., 45 p. 24cm. [With his The universal dictation course of Dement's Pitmanic shorthand ... Springfield, Mo. [1897]]

1. Dement, Isaac Strange. 2. Shorthand—Dictionaries. I. Title.

Library of Congress Z56.M986PD 2—10839

NM 0911248 DLC

Musick, William Leslie, 1860-
Combination shorthand dictionary and reader, adapted to The universal dictation course for Graham's Standard phonography, arranged by W. L. Musick ... Springfield, Mo., W. L. Musick [1902]
1 p. l., 46 p. 24 cm. [With his The universal dictation course of Graham's Standard phonography ... Springfield, Mo. [1897]]

1. Shorthand—Graham—Dictionaries.

Z55.5.M855 1897 2—10832

NM 0911249 DLC PSt NN

Musick, William Leslie, 1860-
Combination shorthand dictionary and reader, adapted to the Universal dictation course for Graham's standard phonography, arranged by W. L. Musick... St. Louis, Mo.: W. L. Musick Pub. Co. [cop. 1903.] 1 p.l., 46 p. 8°.
Bound with his: Universal Graham manual. St. Louis, Mo., 1912. 8°.

1. Shorthand.—Dictionaries NAT. SHORTHAND REP. ASSOC. (American), 1903.
N. Y. P. L. July 29, 1915.

NM 0911250 NN CtY MB

Musick, William Leslie, 1850-
Combination shorthand dictionary and reader adapted to the Universal dictation course for Isaac Pitman phonography arranged by W. L. Musick... St. Louis, Mo.: W. L. Musick Pub. Co.[, cop. 1903.] 47 p. 8°.
Bound with his: Universal Isaac Pitman manual... St. Louis, 1912. 8°.

216080A. 1. Shorthand—Dictionaries, American, 1903. 2. Shorthand—Exercises, 1903.
N. Y. P. L. June 7, 1926

NM 0911251 NN

Musick, William Leslie, 1860-
Combination shorthand dictionary and reader, adapted to The universal dictation course for Munson phonography, arranged by W. L. Musick ... Springfield, Mo., W. L. Musick [1902]
1 p. l., 49 p. 24cm. [With his The universal dictation course of Munson's phonography ... Springfield, Mo. [c1897]]

1. Munson, James Eugene, 1835-1906. 2. Shorthand—Dictionaries. I. Title.

Library of Congress Z56.M986M 2—10838

NM 0911252 DLC MB

Musick, William Leslie, 1860-
Combination shorthand dictionary and reader adapted to The universal dictation course for Munson phonography, arranged by W. L. Musick ... St. Louis, Mo., W. L. Musick publishing co. [1903]
1 p. l., 49 p. 23cm. [With his The universal dictation course of Munson's phonography ... St. Louis, Mo. [1903]]

1. Munson, James Eugene, 1835-1906. 2. Shorthand — Dictionaries. I. Title.

30-27796

Library of Congress Z56.M986M 1903

NM 0911253 DLC CtY

Shorthand Collection 42 M195 M9 1902
Musick, William Leslie, 1860-
Combination shorthand dictionary and reader adapted to The universal dictation course for new standard shorthand, arranged by W.L.Musick ... St.Louis,Mo.,W.L.Musick publishing co.[c1902]
1p.l. 45p. 24cm. [Bound with his The universal dictation course of new standard shorthand ... St.Louis,Mo.[1902?]
New standard shorthand first appeared in 1888 as the new rapid, and was later known as McKee shorthand. It was invented by C.E.McKee

NM 0911254 CtY OO

Musick, William Leslie, 1860- 653.04 P700

——. Combination shorthand dictionary and reader adapted to the universal dictation course ... for Pitman and Howard ... St. Louis, Mo., [1913].
[2], 46 p. incl. tables. 23½cm.

NM 0911255 ICJ

Musick, William Leslie, 1860-
Combination shorthand dictionary and reader adapted to The universal dictation course for Platt's Pitman phonography, arranged by W. L. Musick ... St. Louis, Mo., W. L. Musick publishing co. [1903]
1 p. l., 46 p. 24 cm. [With his The universal dictation course of Platt's Pitman phonography ... St. Louis, Mo. [1903]]

1. Shorthand—Platt—Dictionaries.

Z55.5.M86 3—23064

NM 0911256 DLC

Musick, William Leslie, 1860-
Combination shorthand dictionary and reader adapted to The universal dictation course for Taylor's Graham phonography, arranged by W. L. Musick ... St. Louis, Mo., W. L. Musick publishing co. [1903]
1 p. l., 45 p. 24 cm. [With his The universal dictation course of Taylor's Graham phonography ... St. Louis, Mo. [1903]]

1. Shorthand—Taylor—Dictionaries.

Z55.5.M87 3—23061

NM 0911257 DLC

Musick, W[illiam] Leslie, 1860-
Essentials of grammar, punctuation, and business correspondence, for use in public and private schools, academies, commercial schools, and for private study. W. L. Musick, author ... Springfield, Mo., W. L. Musick [c1901]
88 p. 20cm.

5-4771

NM 0911258 DLC NN

Musick, William Leslie, 1860-
General business dictation and suggestions; letters and articles arranged in sections with shorthand vocabularies, by William L. Musick. Chicago, Ill., Universal text book company [c1926]
4 p. l., 7-154 p. 20½cm.
Lettered on cover: General business dictation and suggestions. Gregg.

1. Shorthand—Exercises for dictation.
Library of Congress Z56.M986G8 1926 26-17106

NM 0911259 DLC PPGi PPLas

VOLUME 403

Musick, William Leslie, 1860–
Handbook. Guide to "Essentials of grammar, punctuation and business correspondence" and to the "Dictionary and reader" of the Universal dictation course. Arranged by W. L. Musick. St. Louis, Mo., W. L. Musick publishing company [c1903]
1 p. l., 20 p. 17cm.

1. English language—Grammar—1870–

Library of Congress PE1111.M883 11-5595

NM 0911260 DLC NN MB

Musick, William Leslie, 1860–
Musick's Commercial law; containing a short course and articles on government and economics, for use in commercial schools, normal schools and high schools, and as a reference book. By W. L. Musick ... St. Louis, Mo., W. L. Musick publishing company, 1904.
3 p. l., 21, [1], 58 p., 1 l., 136 p. 21½cm.

1. Commercial law—U. S. 2. U. S.—Pol. & govt.—Handbooks, manuals, etc. I. Title.

Library of Congress HF1237.M85 4-24519 Revised

NM 0911261 DLC

Musick, William Leslie, 1860–
Musick's manual of Benn Pitman phonography, especially adapted for use in school work, with a view to private study and lessons by mail. By W. L. Musick. St. Louis, Mo., W. L. Musick publishing co., 1905.
4 p. l., 122 p. 17½cm.

1. Shorthand. 2. Pitman, Benn, 1822-1910.

Library of Congress Z56.M986PB1 5—33932

NM 0911262 DLC ICJ

Musick, William Leslie, 1860–
Musick's manual of Graham phonography, especially adapted for use in school work, with a view to private study and lessons by mail. By W. L. Musick. St. Louis, Mo., W. L. Musick publishing co., 1905.
3 p. l., 127 p. 17½cm.

1. Shorthand. 2. Graham, Andrew Jackson.

Library of Congress Z56.M986G6 5—33934

NM 0911263 DLC ICJ

Musick, William Leslie, 1860–
Musick's practical arithmetic. Designed to teach the practical things in active business affairs, and is, at the same time, a thorough, fundamental course in mathematics. Prepared and arranged by W. L. Musick ... St. Louis, Mo., W. L. Musick publishing co. [1904]
207 p. illus., diagrs. 20½cm.

1. Arithmetic—1901–

Library of Congress QA103.M987 4-19063 Revised

NM 0911264 DLC WaE

Musick, William Leslie, 1860–
Musick's Typewriter instructor (adapted to the Underwood typewriter), by W. L. Musick... St. Louis, Mo.: W. L. Musick Pub. Co., cop. 1903. 140 p. ob. 12°.
Text runs parallel with binding.

O'KEEFE COLLECTION.

163839A. 1. Typewriting—Manuals.
N. Y. P. L. April 8, 1925

NM 0911265 NN Or OrU MH

Musick, William Leslie, 1860–
Practical bookkeeping and accounting; a system of modern bookkeeping and accounting logically developed, with forms and statements amply illustrated ... Contains a system of accounts for retail merchants ... By William L. Musick, assisted by commercial teachers and public accountants; script by Baitzer. Chicago, Universal text book company [c1921]
2 p. l., 242, [6] p. illus. (forms) 25cm.

1. Bookkeeping. 2. Accounting.

Library of Congress HF5635.M983 21-8719

NM 0911266 DLC CU ICJ

MUSICK, WILLIAM LESLIE, 1860-
Principles of shorthand arranged for convenient study and review and for ready reference. St.Louis, W.L. Musick pub. co., c1909. 201 p. 24cm.
With this is issued and bound his: Combination shorthand dictionary and reader adapted to the Universal dictation course for Chartier dictionary. St.Louis, W.L. Musick pub. co. [c1903]
John Robert Gregg shorthand coll.
1. Shorthand--Dictation.

NM 0911267 NN

[Musick, William Leslie] 1860–
Progressive dictation adapted to Graham standard phonography, made up of original letters selected from twenty-seven different lines of business, with shorthand vocabularies at the top of each page for the letters following ... It also contains a shorthand dictionary in the back for convenient reference. 10th thousand. Chicago, Ill., Progressive text book co. [1915]
4 p. l., 248 p. 18½cm. $1.25

1. Shorthand — Exercises for dictation. 2. Shorthand — Dictionaries. Graham, Andrew Jackson, 1830?-1894. II. Title.

Library of Congress Z56.M986G5 1915 15-20626

NM 0911268 DLC

Musick, W[illiam] Leslie, 1860–
Seventy-five lessons in spelling and practical word analysis. Arranged as a dictionary for the use of public schools, private schools and colleges, also a companion for ready reference. W. L. Musick, author. Springfield, Mo., W. L. Musick [c1901]
76 p. 18cm.

5-4770

NM 0911269 DLC

Musick, W[illiam] Leslie, 1860–
Shorthand pocket dictionary, Barnes; eight thousand words and phrases prepared by W. L. Musick ... St. Louis, W. L. Musick publishing co., 1903.
2 p. l., 155 p. 13cm.

1. Shorthand — Dictionaries. I. Barnes, Louisa Ellen "Mrs. A. J. Barnes."

Library of Congress Z56.M987B Copyright 5-5076

NM 0911270 DLC NN

Musick, William Leslie, 1860-
Shorthand pocket dictionary, Barnes, eight thousand words and phrases... St. Louis, W. L. Musick pub. co., 1909. 155 p. 13cm.

1. Shorthand--Dictionaries, American, 1909.

NM 0911271 NN

Musick, William Leslie, 1860-
Shorthand pocket dictionary, Benn Pitman ... St.Louis,Mo.,W.L.Musick publishing co.,1903.
2p.l.,124p. 13cm.

NM 0911272 CtY

Musick, William Leslie, 1860–
Shorthand pocket dictionary, Dement; eight thousand words and phrases prepared by W. L. Musick ... St. Louis, W. L. Musick publishing co., 1903.
2 p. l., 155 p. 13 cm.

1. Shorthand—Dement—Dictionaries.

Z55.5.M73 5—5081

NM 0911273 DLC

Musick, William Leslie, 1860–
Shorthand pocket dictionary, Eclectic; eight thousand words and phrases prepared by W. L. Musick ... St. Louis, W. L. Musick publishing co., 1904.
2 p. l., 155 p. 13 cm.

1. Shorthand—Eclectic—Dictionaries.

Z55.5.M74 5—5078

NM 0911274 DLC

Musick, William Leslie, 1860–
Shorthand pocket dictionary, Graham; eight thousand words and phrases prepared by W. L. Musick ... St. Louis, W. L. Musick publishing co., 1903.
2 p. l., 155 p. 13cm.

1. Shorthand—Dictionaries. I. Graham, Andrew Jackson.

Library of Congress Z56.M987G 5-5181 Revised

NM 0911275 DLC CtY ICJ

Musick, William Leslie, 1860–
Shorthand pocket dictionary, Isaac Pitman; eight thousand words and phrases prepared by W. L. Musick ... St. Louis, W. L. Musick publishing co., 1904.
2 p. l., 155 p. 13cm.

1. Shorthand—Dictionaries. I. Pitman, Sir Isaac, 1813-1897.

Library of Congress Z56.M987P 5—5077

NM 0911276 DLC

Musick, W[illiam] Leslie, 1860–
Shorthand pocket dictionary, New standard; eight thousand words and phrases prepared by W. L. Musick ... St. Louis, W. L. Musick publishing co., 1903.
2 p. l., 155 p. 13cm.

1. Shorthand—Dictionaries.

Library of Congress Z56.M987N Copyright 5-5079

NM 0911277 DLC NN

VOLUME 403

Musick, William Leslie, 1860–
Shorthand pocket dictionary, Pernin; eight thousand words and phrases prepared by W. L. Musick ... St. Louis, W. L. Musick publishing co., 1904.
2 p. l., 155 p. 13cm.

1. Shorthand—Dictionaries. I. Pernin, Mrs. Helen M., d. 1905.

Library of Congress Z56.M987Pe 5-5182 Revised

NM 0911278 DLC ICJ

Musick, William Leslie, 1860–
Shorthand pocket dictionary, Platt; eight thousand words and phrases prepared by W. L. Musick ... St. Louis, W. L. Musick publishing co., 1903.
2 p. l., 155 p. 13 cm.

1. Shorthand—Platt—Dictionaries.

Z55.5.M78 5—5080

NM 0911279 DLC

Musick, William Leslie, 1860–
Shorthand pocket dictionary, Taylor; eight thousand words and phrases prepared by W. L. Musick ... St. Louis, W. L. Musick publishing co., 1903.
2 p. l., 155 p. 13 cm.

1. Shorthand—Taylor—Dictionaries.

Z55.5.M8 5—5075

NM 0911280 DLC

Musick, William Leslie, 1860–
Standard American phonography of the Benn Pitman system; Musick's method of instruction adapted to Pitman-Howard phonography... By William L. Musick... Chicago: Universal Text Book Co., 1918. vi, 5–181 p. 8°.

NAT. SHORTHAND REP. ASSOC.
1. Shorthand.—Systems (American), 1918.
N. Y. P. L. October 15, 1919.

NM 0911281 NN ICN

Musick, William Leslie, 1860–
Standard American phonography of the Graham system; Musick's method of instruction adapted to Graham standard phonography... By William L. Musick... Chicago, Ill.: Universal Text Book Co., 1917. vi, 5–187 p. incl. tables. 12°.
On cover: Standard Graham manual.

BRIDGE SHORTHAND COLL.
393655A. 1. Shorthand—Systems, Amer., 1917.
N. Y. P. L. May 31, 1929

NM 0911282 NN

Musick, William Leslie, 1860–
Standard dictation, amanuensis and secretarial; a graded dictation course adapted to Gregg shorthand ... by William L. Musick. Chicago, Ill., Universal text book company [c1923]
239 p. 23½cm.

1. Shorthand—Exercises for dictation. 2. Gregg, John Robert, 1867–
23-11475 Revised
Library of Congress Z56.M986G8 1923

NM 0911283 DLC OCIU ICRL NNU-W NN Or

Musick, William Leslie, 1860-
Standard dictation, amanuensis and secretarial; a graded dictation course adapted to Gregg shorthand... Chicago, Universal text book co. [c1925] 239 p. 23cm.

1. Shorthand—Dictation.

NM 0911284 NN OCl ICN PPCCH

Musick, William Leslie, 1860–
Standard dictation, amanuensis and secretarial; a graded dictation course adapted to the Anniversary edition of the Gregg manual, 1929 ed. ... By William L. Musick. Chicago, Ill., Universal text book company [c1929]
239 p. 23 cm.

1. Shorthand—Exercises for dictation. 2. Gregg, John Robert, 1867–
Z56.M986G8 1929 29-30670 rev

NM 0911285 DLC PP WaS Or

Musick, William Leslie, 1860–
Standard phonography, Pitmanic; simplified vowel scheme, especially adapted for use in school work, with a view to private study and lessons by mail. By W. L. Musick. St. Louis, Mo., W. L. Musick publishing co., 1905.
4 p. l., 123 p. 17½cm.

1. Shorthand 2. Pitman, Benn, 1822–1910.

Library of Congress Z56.M986S 5—33933

NM 0911286 DLC ICJ MB

Musick, William Leslie, 1860–
The universal dictation course of Barnes Pitman phonography, made up of business letters from twenty-six different businesses, together with legal papers, depositions, and testimony from civil and criminal cases. Arranged ... by W. L. Musick ... 90th thousand ... St. Louis, Mo., W. L. Musick publishing co. [1903]
xii, 201 p. 24 cm.

1. Shorthand—Barnes—Exercises for dictation.

Z55.5.M85 3—23062

NM 0911287 DLC NN WaE

Musick, William Leslie, 1860-
The universal dictation course of Barnes Pitman phonography, made up of business letters from 26 difference businesses, together with legal papers, depositions, and testimony from civil and criminal cases. Arranged... by ...290th thousand...St. Louis, Mo., W. L. Musick pub. co., 1913.
Bound with this is a combination shorthand dictionary and reader adapted to The Universal dictation course 'or Barnes Pitman phonography.

NM 0911288 OCl

Musick, William Leslie.
The universal dictation course of Barnes Pitman phonography. Chicago,Universal text book co., c1916.

NM 0911289 NcC

Musick, William Leslie, 1860–
The universal dictation course of Benn Pitman's phonography, made up of business letters from twenty-six different businesses, together with legal papers, depositions, and testimony from civil and criminal cases. Arranged ... by W. L. Musick ... 41st thousand ... Springfield, Mo., W. L. Musick [c1897]
xii, 201 p. 24cm.

1. Pitman, Benn, 1822–1910. 2. Shorthand—Exercises for dictation.

Library of Congress Z56.M986PB 2—10835

NM 0911290 DLC ICN NN CtY

Musick, William Leslie, 1860-
The universal dictation course of Benn Pitman's phonography, made up of business letters from twenty-six different businesses, together with legal papers, depositions, and testimony from civil and criminal cases. Arranged. by W. L. Musick. 90th thousand. Springfield, Mo,, W. L. Musick (c1897)
xii,201p, 1l, 46p. 24cm.
This edition includes a "Combination shorthand dictionary and reader adapted to the universal dictation course for Benn Pitman phonography" following p.201.

NM 0911291 Ok

Musick, William Leslie, 1860– 6141.86
The universal dictation course of Benn Pitman's phonography, made up of business letters from twenty-six different businesses, together with legal papers, depositions, and testimony from civil and criminal cases . . . With complete vocabulary of words and phrases (with proper shorthand outlines) preceding each collection or business, to be practised before taking dictation in that business . . . 122d thousand . . .
St. Louis. W. L. Musick Publishing Co. [1897.] xii, 201 pp. 8°.
Inserted is Combination shorthand dictionary and reader, adapted to The universal dictation course . . . catalogued separately.

G404 — Stenography. — T.r. — Pitman, Benn. 1822–

NM 0911292 MB

Musick, William Leslie, 1860–
The universal dictation course of Benn Pitman's phonography, made up of business letters from twenty-six different businesses, together with legal papers, depositions, and testimony from civil and criminal cases ... Arranged ... by W. L. Musick ... 78th thousand ... St. Louis, Mo., W. L. Musick publishing co. [1902]
xii, 201 p. 24cm.
With this is issued the author's "Combination shorthand dictionary and reader adapted to The universal dictation course for Benn Pitman phonography ... St. Louis, Mo. [1902]"
1. Pitman, Benn, 1822–1910. 2. Shorthand—Exercises for dictation.
33-8248
Library of Congress Z56.M986PB 1902
[2] 653.42

NM 0911293 DLC

Z56 M94 Musick, Wiliam Leslie, 1860-
The universal dictation course of Chartier shorthand, made up of business letters from twenty-six different businesses, together with legal papers, depositions, and testimony from civil and criminal cases. Arranged ... by W.L. Musick, and adapted to any of the Pitmanic systems ... A method of instruction ... St. Louis, Mo., W.L. Musick publishing co. [c1897]
viii,88 p. 24cm.

1.Shorthand - Exercises for dictation. I.Chartier, Edward Morris, 1860-

NM 0911294 CU

Musick, William Leslie, 1860–
The universal dictation course of Churchill shorthand, made up of business letters from twenty-six different businesses, together with legal papers, depositions, and testimony from civil and criminal cases. Arranged with complete vocabulary of words and phrases (with proper shorthand outlines) preceding each collection or business to be practised before taking dictation in that business, by W. L. Musick, and adapted to any of the Pitmanic systems (book for each system); a method of instruction especially prepared for shorthand schools, academies, colleges and private study... Chicago: Universal Text Book Co.[, 1917.] 256 p. 8°.

O'KEEFE COLLECTION.
165239A. 1. Shorthand—Dictation.
N. Y. P. L. March 10, 1925

NM 0911296 NN OCl

VOLUME 403

Musick, W[illiam] Leslie, 1860-
The universal dictation course of Dement's Pitmanic shorthand, made up of business letters from twenty-six different businesses, together with legal papers, depositions, and testimony from civil and criminal cases. Arranged ... by W. L. Musick ... 41st thousand ... Springfield, Mo., W. L. Musick [°1897]
xi, [1], 201 p. 24cm.

Subject entries: 1. Dement, Isaac Strange. 2. Shorthand—Exercises for dictation.
2-10834

Library of Congress, no. Z56.M986PD. Copyright.

NM 0911297 DLC NN

Musick, William Leslie, 1860-
The universal dictation course of eclectic shorthand ... By W. L. Musick ... Springfield, Mo., W. L. Musick [1897]
xii, 177, [1] p. 24 cm.

1. Shorthand—Eclectic—Exercises for dictation.

Z56.M983 98-266 rev

NM 0911298 DLC ICN NN

Musick, William Leslie, 1860-
The universal dictation course of Graham phonography; made up of business letters from twenty-six different businesses, together with legal papers, depositions, and testimony from civil and criminal cases. Arranged with complete vocabulary of words and phrases (with proper shorthand outlines), preceding each collection or business, to be practised before taking dictation in that business, by W. L. Musick and adapted to any of the Pitmanic systems... Chicago: Universal Text Book Co. [cop. 1917.] 256 p. 8°.

Cover-title: The new universal dictation course.

NAT. SHORTHAND REP. ASSOC.
1. Shorthand.—Exercises.
N. Y. P. L. October 15, 1919.

NM 0911299 NN

Musick, W[illiam] Leslie, 1860-
The universal dictation course of Graham's standard phonography ... Springfield, Mo., W. L. Musick [1897]
xi, [1], 177 p. 8°.

1. Graham, Andrew Jackson. Standard phonography. 2. Shorthand—Exercises for dictation.

Sept. 7, 98-62

Library of Congress Z56.M986G Copyright

NM 0911300 DLC NN PP OO ICN

Musick, William Leslie, 1860-
The universal dictation course of Graham's Standard phonography, made up of business letters from twenty-six different businesses, together with legal papers, depositions, and testimony from civil and criminal cases. Arranged ... by W. L. Musick ... 41st thousand ... Springfield, Mo., W. L. Musick [°1897]
xii, 201 p. 24 cm.

1. Shorthand—Graham—Exercises for dictation.

Z55.5.M855 1897 2—10833

NM 0911301 DLC NN PSt OCl MB CtY

Musick, W[illiam] Leslie, 1860-
The universal dictation course of Gregg shorthand; made up of business letters...together with legal papers...arranged... by W. L. Musick... Springfield, Mo.: W. L. Musick [cop. 1897]. xii, 201 p. 1. ed. 8°.

——— ——— xii, 201 p. 2. ed. 8°.

Bookplates of C. C. Beale.

BEALE SHORTHAND COLL.
1. Shorthand.—Exercises, 1897. 2. Gregg, John Robert.
N. Y. P. L. October 14, 1912.

NM 0911302 NN

Musick, William Leslie, 1860-
The universal dictation course of Isaac Pitman's phonography, made up of business letters from twenty-six different businesses, together with legal papers, depositions, and testimony from civil and criminal cases. Arranged with complete vocabulary of words and phrases (with proper shorthand outlines) preceding each collection or business to be practised before taking dictation in that business, by W. L. Musick and adapted to any of the Pitmanic systems (book for each system)... St. Louis, Mo.: W. L. Musick Pub. Co.[, cop. 1897.] 201 p. 8°.
266th thousand.
Bound with his: Universal Isaac Pitman manual... St. Louis, 1912. 8°.

162080A. 1. Shorthand—Dictation.
N. Y. P. L. June 5, 1926

NM 0911303 NN CtY

Musick, William Leslie, 1860-
The universal dictation course of Munson's phonography, made up of business letters from twenty-six different businesses, together with legal papers, depositions, and testimony from civil and criminal cases. Arranged ... by W. L. Musick ... 41st thousand ... Springfield, Mo., W. L. Musick [°1897]
xii, 201 p. 24cm.

1. Munson, James Eugene, 1835-1906. 2. Shorthand—Exercises for dictation.

Library of Congress Z56.M986M 2—10837

NM 0911304 DLC NN MB

Musick, William Leslie, 1860-
The universal dictation course of Munson's phonography, made up of business letters from twenty-six different businesses, together with legal papers, depositions, and testimony from civil and criminal cases ... Arranged ... by W. L. Musick ... 234th thousand ... St. Louis, Mo., W. L. Musick publishing co. [1903; °1897]
xi, [1], 7-201 p. 23cm.
With this is issued the author's "Combination shorthand dictionary and reader adapted to The universal dictation course for Munson phonography ... St. Louis, Mo. [1903]"

1. Munson, James Eugene, 1835-1906. 2. Shorthand—Exercises for dictation.
30-27795

Library of Congress Z56.M986M 1903 653

NM 0911305 DLC

Musick, William Leslie, 1860-
The universal dictation course, Munson's phonography; centenary edition, made up of business letters, from twenty-six different businesses, together with legal papers, depositions, and testimony from civil and criminal cases. Arranged with complete vocabulary of words and phrases (with proper shorthand outlines) preceding each collection or business to be practised before taking dictation in that business, by W. L. Musick, and adapted to any of the Pitmanic systems... Chicago, Ill.: Universal Text Book Co.[, cop. 1917.] 256 p. 8°.

393670A. 1. Shorthand—Exercises, American, 1917. 1917. 2. Business correspondence,
N. Y. P. L. March 6, 1929

NM 0911306 NN

Shorthand Collection 42 M195 M9 1902

Musick, William Leslie, 1860-
The universal dictation course of new standard shorthand, made up of business letters from twenty-six different businesses, together with legal papers, depositions, and testimony from civil and criminal cases. Arranged ... by W.L.Musick ... 119th thousand ... St.Louis,Mo.,W.L.Musick publishing co. [1902?]
xii,201p. 24cm.
New standard shorthand first appeared in 1888 as the new rapid, and was later known as McKee shorthand. It was invented by C.E. McKee.

NM 0911308 CtY

Musick, William Leslie, 1860-
The universal dictation course of Pernin's universal phonography, made up of business letters from twenty-six different businesses, together with legal papers, depositions, and testimony from civil and criminal cases... 2. ed. Springfield, Mo., W.L. Musick [c1897] xii,201 p. 23cm.

1. Shorthand—Systems, American, 1897. I. Pernin, Helen M ,d. 1905.

NM 0911309 NN

Musick, William Leslie, 1860-
The universal dictation course of Pitman and Howard phonography, made up of business letters from twenty-six different businesses, together with legal papers, depositions, and testimony from civil and criminal cases. Arranged ... , by W. L. Musick, and adapted to any of the Pitmanic systems (book for each system). 290th thousand. A method of instruction ... used in school ten years by the author before publication. St. Louis, Mo., W. L. Musick Publishing Co., [°1913].
201 p. incl. tables. 23½cm.

NM 0911310 ICJ

Musick, William Leslie, 1860-
The universal dictation course of Pitman and Howard phonography, made up of business letters from twenty-six different businesses, together with legal papers, depositions, and testimony from civil and criminal cases. Arranged with complete vocabulary of words and phrases (with proper shorthand outlines) ... By W. L. Musick... Chicago: Universal Text Book Co.[, cop. 1917.] 256 p. 8°.

With author's autograph.

BRIDGE SHORTHAND COLL.
398005A. 1. Shorthand—Exercises, American, 1917. 1917. 2. Business correspondence,
N. Y. P. L. March 20, 1929

NM 0911311 NN

Musick, William Leslie, 1860-
The universal dictation course of Pitman phonography made up of business letters from twenty-six different businesses, together with legal papers, depositions, and testimony from civil and criminal cases ... By W. L. Musick ... Springfield, Mo., W. L. Musick [°1897]
xi, [1], 177 p. 24cm.

1. Shorthand—Exercises for dictation. 2. Commercial correspondence.
14-21334
Library of Congress Z56.M986P

NM 0911312 DLC ICN

Musick, William Leslie, 1860-
The universal dictation course of Platt's Pitman phonography, made up of business letters from twenty-six different businesses, together with legal papers, depositions, and testimony from civil and criminal cases. Arranged ... by W. L. Musick ... 90th thousand ... St. Louis, Mo., W. L. Musick publishing co. [1903]
xii, 201 p. 24cm.

1. Shorthand—Exercises for dictation. 2. Platt, Charles T.
3-23065 Revised
Library of Congress Z56.M986PP

NM 0911313 DLC

Musick, William Leslie, 1860-
The universal dictation course of revised eclectic shorthand made up of business letters from twenty-six different businesses, together with legal papers, depositions, and testimony from civil and criminal cases. Arranged with complete vocabulary of words and phrases (with proper shorthand outlines) preceding each collection or business to be practised before taking dictation in that business, by W. L. Musick, and adapted to any of the Pitmanic systems... Chicago, Ill.: Universal Text Book Co.[, cop. 1916.] x, 201, 32 p. 8°.

393669A. 1. Shorthand—Exercises, American, 1916. 1916. 2. Business correspondence,
N. Y. P. L. March 13, 1929

NM 0911314 NN

VOLUME 403

Musick, William Leslie, 1860-
The universal dictation course of revised Gregg's shorthand, made up of business letters from 26 different businesses, together with legal papers, depositions, and testimony from civil and criminal cases. Arranged with complete vocabulary of words and phrases (with proper shorthand outlines) preceding each collection or business to be practised before taking dictation in that business, ...and adapted to any of the Pitmanic systems...St. Louis, Mo., W. L. Musick pub. co., c1913.
Bound with his is combination shorthand dictionary and reader adapted to the Universal dictation course for revised Gregg's shorthand arranged by W.L. Musick...c1913.
46 p. 201-

NM 0911316 OCl

Musick, William Leslie, 1860-
The universal dictation course of revised Gregg's shorthand, made up of business letters from twenty-six different businesses, together with legal papers, depositions, and testimony from civil and criminal cases. Arranged with complete vocabulary of words and phrases (with proper shorthand outlines) preceding each collection or business, to be practised before taking dictation in that business, by W. L. Musick, and adapted to any of the Pitmanic systems ... 303d thousand. A method of instruction especially prepared for shorthand schools, academies, colleges and private study ... Chicago, Ill., Universal text book co. [°1916]
x, 201, 46 p. 24cm. $2.00

1. Gregg, John Robert, 1867- 2. Shorthand—Exercises for dictation.
Library of Congress Z56.M986G8 1916 16—3108

NM 0911318 DLC NN ICJ

Musick, William Leslie, 1860-
The universal dictation course of revised Gregg's shorthand made up of business letters from twenty-six different businesses, together with legal papers, depositions, and testimony from civil and criminal cases. Arranged with complete vocabulary of words and phrases (with proper shorthand outlines) preceding each collection or business to be practised before taking dictation in that business, by W. L. Musick, and adapted to any of the Pitmanic systems... Chicago, Ill.: Universal Text Book Co.[, cop. 1917.] 256 p. 8°.

393671A. 1. Shorthand—Exercises, 1917. 2. Business correspondence, American, 1917.
N. Y. P. L. March 13, 1929

NM 0911319 NN

Musick, William Leslie, 1860-
The universal dictation course of Sloan-Duployan shorthand, made up of business letters from twenty-six different businesses, together with legal papers, depositions, and testimony from civil and criminal cases. Arranged with complete vocabulary of words and phrases...by W. L. Musick, and adapted to any of the Pitmanic systems... A method of instruction especially prepared for shorthand schools, academies, colleges and private study... Springfield, Mo.: W. L. Musick[, cop. 1897]. xii, 201 p. 8°.

HOWARD SHORTHAND COLL.
201500A. 1. Shorthand—Exercises.
N. Y. P. L. November 27, 1925

NM 0911320 NN

Musick, William Leslie, 1860-
The universal dictation course of Taylor's Graham phonography; made up of business letters from twenty-six different businesses, together with legal papers, depositions, and testimony from civil and criminal cases. Arranged ... by W. L. Musick ... 90th thousand ... St. Louis, Mo., W. L. Musick publishing co. [1903]
xii, 201 p. 24 cm.

1. Shorthand—Taylor—Exercises for dictation.

Z55.5.M87 3—23060

NM 0911321 DLC

Musick, William Leslie, 1860-
Universal Graham manual adapted to Graham phonography, a simple presentation. One style of writing, taught as reporters write it ... by William L. Musick ... The 3d thousand. St. Louis, Mo., W. L. Musick publishing co., 1912.
3 p. l., 5-95 p. 20½cm. $1.25

1. Shorthand. I. Graham, Andrew Jackson.
Library of Congress Z56.M986G6 1912 12-16427

NM 0911322 DLC NN ICJ

Musick, William Leslie, 1860-
Universal Isaac Pitman manual, adapted to Isaac Pitman phonography. A simple presentation. One style of writing, taught as reporters write it. Especially designed for shorthand schools, and for self-instruction. By William L. Musick, with extensive vocabulary of word-signs, phrases and contractions. Purely Isaac Pitman. St. Louis, Mo.: W. L. Musick Pub. Co., 1912. 123 p. 8°.
Third thousand.
Cover-title: The universal dictation course. And manual. Isaac Pitman.

With this are bound his: The universal dictation course of Isaac Pitman's phonography.. St. Louis[, cop. 1903]. 8°. Combination shorthand dictionary and reader adapted to the Universal dictation course for Isaac Pitman phonography... St. Louis[, cop. 1903]. 8°.

216080A. 1. Shorthand—Systems, English, 1912.
N. Y. P. L. June 5, 1926

NM 0911324 NN

Musick, William Leslie, 1860-
Universal Pitman manual adapted to Pitman-Howard phonography, a simple presentation ... taught as reporters write it ... by William L. Musick ... The 3d thousand. St. Louis, Mo., W. L. Musick publishing co., 1912.
3 p. l., 5-101 p. 20½cm. $1.25

1. Shorthand. I. Pitman, Benn, 1822-1910.
Library of Congress Z56.M986PH 12-16428

NM 0911325 DLC ICJ

Musick, William Leslie, 1860-
Universal shorthand ... by W.L.Musick. St. Louis,Mo.,W.L.Musick publishing co.,1905.
4p.l.,92p. 17½cm.

NM 0911326 CtY

Musick, William Leslie, 1860-
Universal shorthand, especially adapted to the use of schools, with a view to private study, by W. L. Musick... St. Louis, Mo.: W. L. Musick Pub. Co., 1905. 66 p. 2. ed. 16.

HOWARD SHORTHAND COLL.
201447A. 1. Shorthand—Systems, Amer., 1905.
N. Y. P. L. January 20, 1926

NM 0911327 NN

Musick, William Leslie, 1860-
Universal touch typewriting, expert course. The scientific method of learning typewriting by touch...by William L. Musick ... St. Louis, W. L. Musick pub. co. [1912] 100 p. 20 x 26cm.

264092B. 1. Typewriting—Manuals.
N. Y. P. L. March 27, 1944

NM 0911328 NN

Musick: or a parley of instruments. 1676.
Wing 3157A

NM 0911329 CSmH

Mušicki, Đorđe.
Упутства за вежбе из физике II. Београд, Научна књига, 1951.
152 p. illus. 24 cm.
At head of title: Природно-математички факултет Универзитета у Београду. Ђ. Мушицки [и др.]

1. Physics—Problems, exercises, etc. I. Title.
Title transliterated: Uputstva za vežbe iz fizike II.

QC32.M8 55-23339 rev

NM 0911330 DLC

Musicks hand-maid; new lessons and instructions for the virginals or harpsychord. London, J. Playford, 1678-89.
See under
[Playford, John, 1623-1686?

Musick's monument; or a remembrancer of the best practical musick
see under Mace, Thomas, d. 1709?

MUSICLAND.
Seattle. illus. ports.
Semi-monthly.
Official publication, Musicians' association, A.F. of M., Local 76.
Editor: v.1- F. Clyde Dunn.

NM 0911333 WaS

The Musiclovers calendar, illustrated and published annually. v. 1, no. 1- Dec. 1905-
Boston, The Musiclovers company [East-Aurora, N. Y., Printed by the Roycrofters] 1905-
v. ports. 29½cm.
Cover-title: The Musiclovers calendar. A yearly publication for musicians and musiclovers.
Includes the sections "Bibliography" and "Recent musical publications, list compiled by Hubbard William Harris."
"Cadenza to the first and third movements Beethoven's G major piano concerto, composed by Julius Röntgen": v. 1, no. 1, vi p. at end.
1. Music—Almanacs, year-books, etc.
Library of Congress ML13.M51 6-9735

NM 0911334 DLC InU NNC MiU OO OCl

Musico, the physician
see Mustio.

Musico, Bernard. 338.93 S003
Lectures on industrial psychology, by Bernard Musico, ... Second edition (revised). London, G. Routledge & Sons; New York, E. P. Dutton & Co., 1920.
iv, 300 p. incl. illus., diagrs. 19½cm.
"These lectures ... were delivered at the Sidney University, under the auspices of the Workers' Educational Association in 1916, and again in 1917 under the auspices of the University Extension Board."—Pref. to second edition.
Contents.—1. The immediate aim of industrial psychology.—2. Mental factors relevant to industry.—3. Selection of workers on the basis of natural fitness.—4. The best method of work.—5. The desirability of applying psychology to industry.

NM 0911336 ICJ ICRL

VOLUME 403

Musico, Philo, arr.
The song-singer's amusing companion. Being a selection of the best philosophic, sentimental, national and moral songs: and also a number of airy and amusing pieces. Copy-right secured. Boston: Printed for Stearne and Mann, 1818.
23 p. 18½cm.

NM 0911337 ViU

El Músico. año 1- (no. 1-) oct. 1950-
México.
v. in illus., ports. 30 cm. monthly.
Official organ of the Sindicato Único de Trabajadores de la Música.

I. Sindicato Único de Trabajadores de la Música.

ML5.M895 59-20428

NM 0911338 DLC MB

Musicografía; publicación...del Instituto-escuela de música. Año 1

Monóvar, 1933- 25cm.
v. illus. (ports.), plates.
Monthly.
Numbering continuous.

1. Music—Per. and soc. publ. I. Instituto-escuela de música, Monóvar, Spain.
N. Y. P. L. August 26, 1936

NM 0911339 NN

Musicologia Hungarica...
[Szám] 1

Budapest, 1934 25½cm.
v. illus., plates.
Includes music.
[Szám] 1 , full title reads: Musicologia Hungarica; a Magyar nemzeti muzeum zenetörteneti kiadvanyai.
Text in Hungarian, German, or Latin.
Editors: [Szám] 1 K. Isoz and D. Bartha.

1. Music—Hungary. I. Bartha, Dénes, 1908- , ed. II. Isoz, Kálmán, 1878- , ed. III. Buda-pest. Magyar nemzeti múzeum.
N. Y. P. L. March 13, 1936

NM 0911340 NN NcU IaU IEN WaU

Musicologica. 1.- Bd. Leiden, E. J. Brill, 1955-
v. 25 cm.

NM 0911341 DCU

MUSICOLOGICA medii aevi.
Amsterdam, North Holland pub. co.

Editor: 1957- , J. Smits van Waesberghe.

x Smits van Waesberghe, Joseph, 1901- , ed

NM 0911342 NN

M
1
.M8
Musicological studies and documents.
1- 19 -
[n.p.] American Institute of Musicology, Armen Carapetyan, Director.

1. Music-Hist. & crit.-Collections. 2. Music-Collections. I. American Institute of Musicology. II. Carapetyan, Armen.

NM 0911343 DAU MiU IU

... Musicologisch onderzoek ... [Batavia] Uitgegeven door het Koninklijk bataviaasch genootschap van kunsten en wetenschappen, 1931-
v. illus. (music) plates (incl. music) 23½cm.
At head of title: Oudheidkundige dienst in Ned.-Indië.

1. Music—Dutch East Indies. 2. Musical instruments—Dutch East Indies. 3. Music, Primitive. I. Oudheidkundige dienst in Nederlandsch-Indië. II. Bataviaasch genootschap van kunsten en wetenschappen.

32-7565

Library of Congress ML3547.M8
—— 2d set. [2] 781.791

NM 0911344 DLC

Musicology. v. 1-2; autumn 1945-July 1949. [Flushing, N. Y., etc., M. & H. Publications]
2 v. illus., ports., music. 28 cm. quarterly (irregular)
No more published?

1. Musicology—Period. 2. Music—Period.

ML1.M993 780.5 51-30118

NNU-W ICU NcGU CLU LU PU-Music KyLoU MiU DAU
NM 0911345 DLC OCU ICN CtNlC CoU MiD CSt ICU NN

ML1
.M9932S3
Musicology (Periodical) Supplement.
Scholz, Robert, 1902-
[Suite, orchestra, no. 1. Selections]
Andante and allegro from the first orchestra suite. [Brooklyn] M & H Publications [c1946]

ML1
.M9932H3
Musicology (Periodical) Supplement.
Haubiel, Charles, 1894-
[Pieces, wood-winds & horn]
Five pieces for five winds. [Brooklyn] M & H Publications [1948]

ML1
M9932G7
Musicology (Periodical) Supplement.
Gradenwitz, Peter, 1910-
[Palestinian landscapes]
Four Palestinian landscapes, for oboe and piano. [Brooklyn] M & H Publications [c1946]

ML1
.M9932G3
Musicology (Periodical) Supplement.
Gál, Hans, 1890-
[Huyton suite, flute & 2 violins]
Huyton suite, for flute and 2 violins. [Brooklyn] M & H Publications [1948]

ML1
.M9932V3
Musicology (Periodical) Supplement.
Van Vactor, David, 1906-
[Sonatina, flute & piano]
Sonatina for flute and piano. [Brooklyn] M & H Publications, 1949.

ML1
.M9932L6
Musicology (Periodical) Supplement.
Lowens, Irving, 1916-
[Songs]
Three songs for voice and piano. [Brooklyn, M & H Publications, c1949]

ML5
.M8962U4
Musicology (Periodical) Supplement.
Ullrich, Hermann J
[Trio-phantasy, piano, violin & horn, op. 20]
Trio-phantasy for violin, horn and piano. Op. 20. [Brooklyn] M & H Publications [c1947]

Musicolor; an easy way to learn to play
see under [Weedon, Alice Mercedes] 1893-

La musicomania ...
see under [Audinot, Nicolas Médard] 1732-1801.

Músicos célebres. no. 1-
[Buenos Aires, Ricordi americana, 1942-
v. ports. 18½cm.

1. Musicians.

44-25421

NM 0911355 DLC

MUSICRAFT records. [Catalog]
New York, Musicraft records, inc. no.
ports. 16cm.

1. Phonograph records-- Catalogs, Publishers'.
2. Catalogs, Publishers.

NM 0911356 NN

Music's facination
see Cherry, Andrew, 1762-1812.
The travellers; or, Music's fascination.

Musicus apparatus academicus
see under [Croft, William] 1678-1727.

Musicus autodidaktos
see under Eisel, Johann Philipp, 1698-1763.

Musicus curiosus, oder Battalus, der vorwitzige musicant, in einer sehr lustigen anmuthigen unertichteten und mit schönen moralien durchspickten geschichte, vorgestellet von Mimnermo, des Battali guten freunde
see under [Kuhnau, Johann] 1660-1722.

Musicus Ignoramus.

Short instructions for tuning a piano-forte. Written by Musicus Ignoramus, for the use of amateurs more ignorant than himself. With a portrait of the author ... London, T. Becket and J. Porter, 1809.

VOLUME 403

Musicus magnanimus, oder Pancalus, der grossmuthige musicant
see under [Kuhnau, Johann] 1660-1722.

Musicus theoretico-practicus
see under [Hartong]

Musicus vexatus, oder, der wohlgeplagte doch nicht verzagte sondern iederzeit lustige musicus instrumentalis in einer anmuthigen Geschicht vor Augen gestellt von Cotala [pseud.]
see under [Kuhnau, Johann] 1660-1772.

Musidora, *pseud.* La vie sentimentale de George Sand
see **Roques, Jeanne,** 1889-

Musidora; a pastoral elegy, on the death of the Honourable Mrs. Bowes. Inscrib'd to the Right Honourable the Lord Viscount Killmorey ... London, Printed for S. Bussey, 1725.
12 p. 33 cm.
Title vignette.

NM 0911366 CtY

*EC75 Ar578 744a
Musidorus: a poem sacred to the memory of Mr James Thomson ...
London: Printed for R.Griffiths,at the Dunciad,in Ludgate-street. [1748] (Price one shilling.)
24p. 25.5cm.
Title vignette.
No.[2] in volume lettered on spine: Thomson' Castle of indolence.

NM 0911367 PU NcD OCU MH

Musiel, Josef,1875-
Ueber die behandlung chronischer empyeme.
Inaug. diss. Breslau, 1903.
60p.

NM 0911368 ICRL DNLM

Musienko, P N
Карп Демьянович Трохименко, народный художник Украинской ССР. Москва, Искусство, 1950.
29 p. illus. 17 cm. (Массовая библиотека)

1. Trokhymenko, Karp Dem'ãnovych, 1883-
Title transliterated: Karp Dem'ãnovich Trokhimenko.

ND699.T7M8 52-36839 rev

NM 0911369 DLC

Musienko, P N
Керамика в архитектуре и строительстве; методы художественного оформления керамических изделий. Киев, Академия архитектуры Укр. ССР, 1953.
126 p. illus. 22 cm.
At head of title: Академия архитектуры Украинской ССР. Институт художественной промышленности.
Bibliographical footnotes.

Microfilm Slavic ——— Microfilm copy (negative)
Microfilm Slavic 376 T

1. Ceramics. 2. Architecture—Ukraine. I. Title.
Title transliterated: Keramika v arkhitekture.

TH1077.M8 55-36964

NM 0911370 DLC

56.43 M97
Musierowicz, Arkadiusz.
Skład mechaniczny gleb i metody analizy mechanicznej. Warszawa, Państwowy Instytut Wydawnictw Rolniczych, 1949.
104 p.

1. Soil mechanics. 2. Soil. Analysis. I. Warsaw. Państwowy Instytut Wydawnictw Rolniczych.

NM 0911371 DNAL DLC-P4

342.43 Se2t.2
Musig, M Martin
Licht der weisheit, in denen nöthigsten stücken der wahren gelehrsamkeit zur erkänntniss menschlicher und göttlicher dinge, nach anleitung der philosophischen und theologischen grundsätze, herrn Io. Franc. Bvddei... nebst dessen approbation und vorrede von der welt- und schul-gelahrtheit verfertiget von M. Martin Mvsig. Erster tomus. Franckfurt und Leipzig, 1709.
6p.l.,602,[80]p.,1l. 16.5cm.

Io. Franc. Bvddei... Philosophischer discurs von dem Unterscheid der welt- und schul-gelahrtheit... 40p. at end.
Bound with Seckendorf, V.L. Teutscher fürsten-staat... Franckfurt und Leipzig, 1703.

NM 0911373 KU

Musignano, Zenaide.
see
Bonaparte, Zedaide Charlotte Julie, 1801-1854.

Musigny, Alfred.
Les femmes et l'avenir de la France. Education féminine, salut national et rédemption. Paris: Revue contemporaine [1917?].
23 p. 8°.
Author's name at head of title.

1. Woman.—Education, France. 2. European war, 1914- .—Educational aspects, France.
N. Y. P. L. November 29, 1918.

NM 0911375 NN

f780.9 M987c
Musigraphs.
Chart[s] no.1-7. Brentwood, Mo., Musigraphs, 1953-54.
7l. 28x50cm.

Diagrams showing the development of music from 600 B.C.

1.Music - Charts, diagrams, etc.
2.Music - Chronology.

NM 0911376 CLSU

Musiienko, P
see
Musienko, P N

Musiikin tietokirja. Toimituskunta: Toivo Haapanen [et al.] Helsingissä, Kustannusosakeyhtiö Otava [1948]
573 p. ports., music. 21 cm.

——— Täydennysliite. Toimittanut: Keijo Virtamo. Käsikirjoituksen tarkastanut: L. Arvi P. Poijärvi. Helsingissä, Kustannusosakeyhtiö Otava [1957]
64 p. 21 cm.
ML100.M912

1. Music—Dictionaries—Finnish. 2. Music—Bio-bibl. I. Haapanen, Toivo Elias, 1889- ed. II. Virtamo, Keijo, ed. III. Poijärvi, Lauri Arvi Pellervo, 1900- ed.

ML100.M9 49-53647 rev*

NM 0911378 DLC NN

Musik, Rudolf, 1912- *ed.*
Deutsches wesen im Karpatenraum, von Rudolf Musik. Pressburg, C. Bayerlein, 1940.
63, [1] p. illus. 24cm.
Prose and poetry, edited by Rudolf Musik.
"Deutsche dichter und schriftsteller in der Slowakei": p. 55-60.

1. Germans in Slovakia. I. Title.

Library of Congress DB665.M8 42-10772
[2] 325.24309437

NM 0911379 DLC CU

Musik, Rudolf, 1912-
DB665 .T7
Tropper, Ernst.
Slowakei, Land zwischen Ost und West. Einführender Text von Rudolf Musik. Brünn, R. M. Rohrer, 1944.

Die **Musik.** 1.-35. Jahrg., Heft 6; Okt. 1901-März? 1943. Berlin, M. Hesse [etc.]
35 v. illus., ports. 28 cm.
Semimonthly, 1901-Sept. 1915; monthly, Oct. 1922-Mar. 1943.
Publication suspended Oct. 1915-Sept. 1922.
Organ of NS-Kulturgemeinde, Sept. 1934-Sept. 1937; of Amt Musik beim Beauftragten des Führers für die Überwachung der Gesamten Geistigen und Weltanschaulichen Schulung und Erziehung der NSDAP (varies slightly) Oct. 1937-
Official journal of Reichsjugendführung, Abteilung S, and other similar organizations, Apr. 1934-
Founded and for some years edited by B. Schuster.

United with Allgemeine Musikzeitung, Neues Musikblatt and Zeitschrift für Musik to form Musik im Kriege.
L. C. set incomplete: v. 35, no. 5-6 wanting.

1. Music—Period. I. Schuster, Bernhard, 1870-1934, ed. II. Nationalsozialistische Kulturgemeinde. III. Nationalsozialistische Deutsche Arbeiter-Partei. Beauftragter des Führers für die Überwachung der Gesamten Geistigen und Weltanschaulichen Schulung und Erziehung. IV. Nationalsozialistische Deutsche Arbeiter-Partei. Reichsjugendführung.

ML5.M9 57—55424

NM 0911382 NN MiU NNC PBm OClW IaU DLC ICN MiD CtNlC CU MiU KyU CoU GU

Microfilm S-71
Die Musik. 1. -35, Jahrg., Heft 6; Okt. 1901-März? 1943. Berlin, M. Hesse [etc.]
35 v. on 21 reels. illus., ports. 28cm.

Publication suspended Oct. 1915-Sept. 1922.
Organ of NS-Kulturgemeinde, Sept. 1934-1937; of Amt Musik beim Beauftragten des Führers für die Überwachung der Gesamten Geistigen und Weltanschaulichen Schulung und Erziehung der NSDAP (varies slightly) Oct. 1937-
Official journal of Reichsjugendführung, Abteilung S, and other similar organizations, Apr. 1934-
United with Allgemeine Musikzeitung, Neues Musikblatt and Zeitschrift für Musik to form Musik im Kriege.
Microfilm. New York, New York Public Library, 1963.

NM 0911384 ViU

VOLUME 403

ML410 Die Musik.
.B4M9 Beethoven-Heft. 1.-
190 -
Berlin, Schuster & Loeffler.

Issued as numbers of Die Musik.

1. Beethoven, Ludwig van—Societies, periodicals, etc.

NM 0911385 ICU ViU PU-FA

Die Musik.
Beethoven-kalender ... 1907-
Berlin und Leipzig, Schuster & Loeffler, 1907-

Die **Musik.**
[Beethoven Nummern] Stuttgart: Deutsche Verlags-Anstalt, 1925-27. 4 no. in 1 v. facsims. (incl. music), illus. (music), plates, ports. 27½cm.

Numbers of Die Musik (Jahrg. 17, Heft 6, Jahrg. 18, Heft 6 and Jahrg. 19, Heft

211518B. 1. Beethoven, Ludwig van, 1770-1827.
N. Y. P. L. January 29, 1943

NM 0911387 NN MB

Die Musik.
Berlioz-Heft; Felix Weingartner gewidmet.
Berlin [1904]
324-399, 6 p. plates, ports., facsims., music. 27cm. (Die Musik, III. Jahr, 1903/1904, Heft 5)

NM 0911388 NNC

Die musik.
Einhundert jahre musikgeschichte
see under title

Musik. Von Carl Friedrich Cramer ... Dec. 1788-Apr.1789.
Copenhagen, S. Sönnichsen, 1789.
346 p., 4 fold. pl. 16 cm.
Preceded by Magazin der Musik, Hamburg, 1783-86.

1. Music—Period. I. Cramer, Karl Friedrich, 1752-1807, ed.

ML4.M3 12-18594

NM 0911390 DLC

Musik. Dec. 1788-Apr. 1789.
Copenhagen, S. Sönnichsen.
1v. illus. (Early books and periodicals, mostly before 1850)

Microcard ed.
Supersedes Magazine der Musik.

NM 0911391 ICRL

Musik album. Piano och-saangstycken. Svensk musiktidnings bilaga.

see

Svensk musiktidnings musik-album.

Musik alter Meister; Beiträge zur Musik- und Kulturgeschichte Innerösterreichs. Hrsg. von Hellmut Federhofer. Graz, Akademische Druck- u. Verlagsanstalt, 19
score (v.) facsims. 30 cm.

1. Sacred vocal music—To 1800. 2. Music, Austrian—To 1800. I. Federhofer, Hellmut, ed.

M2.M85 M 58-318

NM 0911393 DLC NcD KU MiU CoU NN IU

...**Musik** am Hofe des Grafen Ernst (1601-1622)...
Bd. 1

Bückeburg: C. F. W. Siegel's Musikalienhandlung (R. Linnemann), 1922 v. ports. 27cm. (Fürstliches Institut für Musikwissenschaftliche Forschung zu Bückeburg. Veröffentlichungen. Reihe 3: Alt-Bückeburger Musik.)

Contains music.
Editor : Bd. 1 , Max Seiffert.

1. No subject. I. Seiffert, Max, 1868-1948, ed.
N. Y. P. L. January 13, 1937

NM 0911394 NN

MUSIK am Hofe des Grafen Ernst (1601-1622)
Bückeburg, C.F. W. Siegel's Musikalienhandlung.
(Fürstliches Institut für musikwissenschaftliche Forschung, Bückeburg. Veröffentlichungen. Reihe 3. Alt-Bückeburger Musik)
Microfiche (negative). 11 x 15cm. (NYPL)

Editor, 1922- :M. Seiffert.
I. Seiffert, Max, 1868- , ed. II. Series.

NM 0911395 NN

M922
Musik am preussischen Hofe, mit allerhöchster Genehmigung Seiner Majestät des Kaisers und Königs Wilhelm's II. Aus den Musikschätzen der Königl. Hausbibliothek zu Berlin hrsg. von Georg Thouret.
Nr.

Leipzig [etc.] Breitkopf & Härtel [c189 nos.
34cm.

No. 3 is not series edition; series title and numbering supplied in manuscript.

1. Germany—Prussia (g). I. Thouret, Georg, 1855-1924, ed. II. Prussia. Schlossbibliothek, Berlin.
N. Y. P. L. September 22, 1944

NM 0911396 NN

...**Musik** auf dem Kostümball am 27. Februar 1897 im königlichen Schlosse zu Berlin. Klavier-Auszug der alten Märsche und Tänze. Leipzig [etc.] Breitkopf & Härtel, 1897. Publ. pl. no. 21806. vii, 39 p. 34cm. (Musik am preussischen Hofe... Nr. 14.)

Arranged for piano.
Contents.—Marsch "Jung Bornstedt," 1792.—Marsch der Grenadiergarde Friedrich Wilhelms I.—Marsch "Erstes Bataillon Garde," 1805.—Fackeltanz vom 24. December 1793.—Fackeltanz vom 26. December 1793.—Alte Polonaise.—Gavotte Vestris.—Luisen-Walzer.—Menuett aus "Don Juan" von Mozart.—Erster Schottisch.—Alte Française.—Drei Walzer von Kauer.—Zweiter Schottisch.—Vier Walzer von Cibulka.—Menuet à la reine von Grétry.—Schlussreigen von Dittersdorf.

1. Marches—Piano—Collections. 2. Dances—Piano—Collections.

NM 0911397 NN

Musik aus alter Zeit
see under Georgii, Walter, 1887- comp.

M21 Musik aus früher Zeit. Music of early times
.M97q (1350-1650) Für Klavier. Mainz, Schott, [c1934]
2 v.in 1. 31 cm. (Werkreihe für Klavier)

Edition Schott, 2341-42.
Contents.- Bd.I. Deutschland und Italien.- Bd.II. England, Frankreich, Spanien.

NM 0911399 NjP OOxM OU CSt

Musik aus Wien für Akkordeon ab 24 Bässe. Wien, L. Doblinger [°1946-
v. 31 cm.
For accordion, with superlinear words.

1. Accordion music. 2. Music, Popular (Songs, etc.)—Austria—Vienna.

M175.A4M88 52-20001

NM 0911400 DLC IaU IU NN

Music Library ML55 .M56 Musik der Gegenwart; eine Flugblätterfolge.
Nr.1-
Wien, Musikblätter des Anbruch, 1925-
no.in v.

Issued as supplement? to Musikblätter des Anbruch.

1.Music - Addresses, essays, lectures.
I.Musikblätter des Anbruch.

NM 0911401 NcU

Musik der Hitler-Jugend
see under Kallmeyer, Georg, firm, publisher.

M21 Musik der Zeit; eine Sammlung zeitgenössisch
M988 er Werke. Contemporary music; a collection of contemporary works. Piano solo.
Wien, Universal [19--?]
6 v. 31cm. (Universal-Edition, 9516-9521)

1.Piano music. I.Title. I.Title: Contemporary music.

CaBVaU WaE
NM 0911403 CSt OU ICU MH ICN OCl NIC CLSU PP

ML Musik der Zeit; eine Schriftenreihe zur
410 zeitgenössischen Musik. Igor Strawinsky
S914M9+ [zum siebzigsten Geburtstag] Bonn, Boosey & Hawkes [1952]
78 p. illus. 27cm.

Cover title.

1. Stravinskiĭ, Igor' Fedorovich, 1882-

NM 0911404 NIC

780.902 Musik des Mittelalters in der Hamburger
M973 Musikhalle vom 1. bis 8. April 1924. [Hamburg? 1924]
[54]p. facsims.(music) 14x23cm.

"Dienstag, den 1. April 1924 - im Hörsaal A der Universität: Vortrag von Herrn Dr. Wilibald Gurlitt - Musik und Musikanschauung des gotischen Mittelalters. Donnerstag, den 3. April - Musica ecclesiastica, mit Einführung

von - W. Gurlitt. Sonnabend, den 5. April - Musica composita. Dienstag, den 8. April - Musica vulgaris."
Includes sources and texts in original languages with German translations.

1. Concerts—Programs. 2. Music—To 1800.

NM 0911406 IU

Musik für Tänzer, piano solo
see under Schlee, , comp.

VOLUME 403

Musik im alten Dresden. Drei Abhandlungen... Dresden: Verlag des Vereins für Geschichte Dresdens, 1921. 137 p. 22½cm. (Verein für Geschichte Dresdens. Mitteil. Heft 29.)

Bibliographical footnotes.
Contents: Schmid, Otto. Die Kirchenmusik in der katholischen (Hof-) Kirche zu Dresden. Ihre Geschichte und ihre kunst- und kulturgeschichtliche Bedeutung. Moertzsch, Otto. Die Dresdener Hoftrompeter. Perl, C. J. Carl Maria von Webers romantische Sendung zu Dresden.

592084A. 1. Music—Germany—Dresden. 2. Church music—Germany—Dresden. 3. Trumpet. 4. Weber, Karl Maria Friedrich Ernst, Freiherr von, 1786–1826. I. Schmid, Otto, 1858– . II. Moertzsch, Otto. III. Perl, Carl Johann, 1891- IV. Verein für Geschichte Dresdens.
N. Y. P. L. September 8, 1932

NM 0911408 NN NcU

Musik im Bild. [München 1912]
see under [Ewers, Hanns Heinz] 1871-1943, ed.

MUSIK im Bild. Zwölf Originalphotokarten nach Aufnahmen des Kunstgeschichtlichen Seminars der Universität Marburg ... Kassel: Bärenreiter-Verlag [1935?] folder of 12 pl. 15cm. ("Kunst der Welt." Lief. 20.)

Cover-title.

802106A. 1. Music in art.

NM 0911410 NN

Musik im Haus. M[ünchen] Gladbach

Vol.114 (192- ?): Siegl, O. Suite für Violine und Klavier, op.59

NM 0911411 MH-Mu

Musik im Kriege. 1.–2. Jahrg., Heft 7/8; Apr. 1943–1944. Berlin.

2 v. in 1. illus., ports., music. 26 cm. bimonthly.

Published during the suspension of Allgemeine Musikzeitung, Die Musik, Neues Musikblatt and Zeitschrift für Musik.
Organ of the Amt Musik of the Beauftrager des Führers für die Überwachung der gesamten geistigen und weltanschaulichen Schulung und Erziehung der NSDAP and the Amt Feierabend and Amt Deutsches Volksbildungswerk of the Nationalsozialistische Gemeinschaft "Kraft durch Freude."

1. Music—Period. I. Nationalsozialistische Deutsche Arbeiter-Partei. Beauftragter des Führers für die Überwachung der gesamten geistigen und weltanschaulichen Schulung und Erziehung.

ML5.M90215 51-49943

NM 0911412 DLC NN MB MiU IEN ICU IU

MUSIK im Kriege. Jahrg. [1]-2, Heft 7/8; Apr./Mai, 1943-[Okt./Nov.] 1944. Berlin-Halensee. 2 v. illus.,music. 26cm.

Microfiche (negative). 8 sheets. 10.5x15cm. (NYPL FSN 252)
Lacking: June-Sept. 1943.
"Organ des Amtes Musik beim Beauftragten des Führers für die Überwachung der gesamten geistigen und

NM 0911413 NN

Musik im leben; ein jahrbuch der volkserneuerung ... 1.– jahr; 1925–
M[ünchen] Gladbach, Führer-verlag [°1926–

v. illus. (incl. music) diagrs. 29½cm.

Editor: 1925– E. Jos. Müller.

1. Music—Almanacs, year-books, etc. I. Müller, Edmund Joseph, 1874– ed.

Library of Congress ML21.M8947 26-15119

NM 0911414 DLC

Musik im leben der voelker, Internationale ausstellung, Frankfurt am Main, 1927.

see

Frankfurt am Main. Internationale ausstellung Musik im leben der voelker, 1927.

Musik im Unterricht.

Mainz, B. Schott's Söhne.

v. in illus., ports., facsims., music. 27 cm. monthly.
Began publication in 1903. Cf. Union list of serials.
"Mitteilungsblatt der Vereinig. der Landesverbände Deutscher Tonkünstler u. Musiklehrer ... des Verbandes Deutscher Schulmusiker sowie des Deutschen Kunststudentenverb., Fachgr. Musik," 19
Title varies: –Aug./Sept. 1938, Deutsche Tonkünstler-Zeitung.—Oct. 1938– Der Musikerzieher.
United with Völkische Musikerziehung to form Zeitschrift für völkische Musikerziehung, published Jan.–Sept. 1944; issued Mar.–June 1949 as a separately paged supplement to Musikleben. Cf. Union list of serials.

1. Music—Period. 2. Music—Instruction and study—Period. I. Vereinigung der Landesverbände Deutscher Tonkünstler und Musiklehrer.

ML5.M943 51-25199 rev

NM 0911416 DLC IEN OrU

Musik in der deutschen Bildung [von Dr. Hans Mersmann et al] Ratingen (RHLD) Aloys Henn [1950]
70 p. (Fredeburger Schriftenreihe)

NM 0911417 OCl

Musik in der Schule.
Berlin, Volk und Wissen Verlag.

v. in illus., ports., music. 23 cm.

Six no. a year, 19 –56; 9 no. a year, 1957–
Began publication with Nov. 1949 issue. Cf. Deutsche Bibliographie. Zeitschriften, 1945–52.
"Herausgegeben vom Ministerium für Volksbildung der Deutschen Demokratischen Republik," 1952–
Includes music.

1. Music—Period. 2. School music—Instruction and study—Germany. I. Germany (Democratic Republic, 1949–) Ministerium für Volksbildung.

ML5.M901 59-17129

NM 0911418 DLC OrU

ML
320
.M87

Musik in der Schweiz; Stand, Aufgabe, Geführdung, unserer Musikpflege. [n.p.] Schweizer Musikrat [19--?]
64 p. 23cm.

1. Music--Switzerland--Addresses, essays, lectures.

NM 0911419 KyLoU

Die **Musik** in Geschichte und Gegenwart; allgemeine Enzyklopädie der Musik. Unter Mitarbeit zahlreicher Musikforscher des In- und Auslandes, hrsg. von Friedrich Blume. Kassel, Bärenreiter-Verlag, 1949–

v. illus., ports., facsims, music. 28 cm.

Contents.—Bd. 1. Aachen-Blumner.—Bd. 2. Boccherini-Da Ponte.—Bd. 3. Daquin-Fechner.—Bd. 4. Fede-Gesangspädagogik.—Bd. 5. Gesellschaften-Hayne.

1. Music—Dictionaries—German. 2. Music—Bio-bibl. I. Blume, Friedrich, 1893– ed.

ML100.M92 780.3 A 50-3662 rev 2

Oregon. Univ. Libr. for Library of Congress [r57d2]†

WaTC IdU
KEmT CU-S WU CSf OrSaW OrPR CaBVaU OrSaW OrU
NjP NAurM DSI PSt NIC N OrPS CSaT KMK INS AAP MU
TxU MB MoSU CtY OCl NNC NcD PSC INS MnU OClW FU OO
MdBP NjPT NcGU PBL PBm PPLT OClSA OOxM DLC MiD PU
NM 0911420 OrU NjR MH-AH MH ViU TU NBC IEN ICN NN

Musik in Jugend und Volk. 1.–7. Jahrg., Heft 3; 1937/38–1944. [Wolfenbüttel]

7 v. in 6. illus., ports., music. 25 cm.

Frequency varies.
Issued by the Reichsjugendführung and the National-sozialistische Gemeinschaft "Kraft durch Freude."
L. C. set incomplete: v. 3, no. 7; v. 4, no. 3; v. 5, no. 10 wanting.

1. Music—Period. I. Nationalsozialistische Deutsche Arbeiter-Partei. Reichsjugendführung. II. Nationalsozialistische Gemeinschaft "Kraft durch Freude."

ML5.M9022 780.5 51-26581

NM 0911422 DLC

MUSIK in Jugend und Volk. Jahrg. 1, Heft 11-Jahrg. 7, Heft 2; Sept. 1938-[Apr. ?] 1944 (incomplete) Wolfenbüttel, G. Kallmeyer. v. illus. 24cm.

Microfilm (negative).

Monthly, Sept. 1938-Apr. 1943: quarterly, 1944.

NM 0911423 NN

Musik in jugend und volk.
Die orgel in der gegenwart. Sonderdruck aus der amtlichen musikzeitschrift der Reichsjugendführung, der Werkscharen und der N. s. gemeinschaft "Kraft durch freude" in der Deutschen arbeitsfront, "Musik in jugend und volk." Wolfenbüttel und Berlin, G. Kallmeyer, 1939.

30 p. 2 pl. 23cm.

"Die zusammenstellung des heftes besorgte Guido Waldmann im auftrage des Kulturamtes der Reichsjugendführung."—p. [2] of cover.

Contents.—Stumme, Wolfgang. Wie steht die jugend zur orgel.—Frotscher, Gotthold. Die orgel in der politischen feier.—Auler, Wolfgang. Neue wege der orgelkunst.—Haag, Herbert. Die neuen aufgaben und forderungen für orgelspiel und orgelmusik.—Frotscher, Gotthold. Orgelideale aus vier jahrhunderten.—Altemark, Joachim. Gedanken bei leisem orgelspiel.—Frotscher, Gotthold. Schrifttum über die orgel (p. 27-30)

1. Organ—Hist. I. Waldmann, Guido, 1901– ed. II. Title.

42-40675

Library of Congress ML607.M807
[2] 786.62

NM 0911425 DLC IEN

... Die musik in Polen ...
see under [Bylicki, Franz]

Musik in Pommern; Mitteilungsblatt hrsg. vom Verein zur Pflege Pommerscher Musik. Greifswald
vol.1 (Herbst 1932) -
Schriftleiter: Hans Engel

NM 0911427 MH-Mu

ML246.8
V6M8

Musik in Wien. Wien, Fremdenverkehrsstelle, 1936.

64p. illus.(incl.ports.) 17cm.

1. Music.-Austria.-Vienna.

NM 0911428 NBuG

Musik, musikalische Erkenntnis eines Musikenthusiasten
see under [Vockner, Josef]

VOLUME 403

750
M973 MUSIK. Musikanten in bildern grosser meister; geleitwort von Wilhelm Schäfe: Leipzig, Verlegt bei Seemann & co. [c1935]

14, [5] p. 10 mounted col. pl. 23 x 17cm.

Plates accompanied by leaves with descriptive letter-press.
1. Music in art. I. Schäfer, Wilhelm, 1868- II. Title: Musikanten in bildern grosser meister.

NM 0911430 MnU CtY

Musik og handel.
[København]
v. in illus., ports. 29 cm. monthly.
"Medlemsblad for Dansk musikhandlerforening," Jan. 1950- Dec. 1957
Issues for 1955-57 include section "Dansk musikfortegnelse" (sometimes called Musikfortegnelse)

1. Music—Period. 2. Music trade—Denmark—Period. I. Dansk musikhandlerforening.

ML5.M9027 59-53364

NM 0911431 DLC

Musik, Theater, Tanz, Musikwissenschaft. Jahrg.

[Leipzig, 19 nos. 30cm.

"Sonder-Abdruck aus Jahresberichte des Literarischen Zentralblattes."
Title varies: 192 -31, Musikwissenschaft; 1932- Musik, Theater, Tanz, Musikwissenschaft.
Editor : 192 Kurt Taut.

1. Music—Bibl. I. Taut, Kurt, 1888- , ed. II. Title. III. Title: Musikwissenschaft.
N. Y. P. L. April 5, 1938

NM 0911432 NN

M
1775.
M8
1930 **Musik till Frälsningsarmens sångbok arrangerad för blandad kör, orgel eller piano. Supplement innehåller 257 sånger, vilka återfinnas i den nya sångboken dessa sånger ingå icke i den förut utgivna musikboken. Stockholm Frälsningsarmens Högkvarter, 1930.**
229p music 24cm

1. Songs, Swedish.

NM 0911433 MnCS

Musik und Altar.

Freiburg, Christophorus-Verlag Herder.
v. music (in pockets) 22 cm. bimonthly.
Began publication in 1948. Cf. Jahresverzeichnis des deutschen Schrifttums, 1948.

1. Church music—Period. 2. Church music—Catholic Church.

ML5.M9032 55-36067

NM 0911434 DLC

Musik und bild; festschrift Max Seiffert zum siebzigsten geburtstag, in verbindung mit fachgenossen, freunden und schülern herausgegeben von Heinrich Besseler. Kassel, Bärenreiter-verlag, 1938.
160 p. front., illus. (incl. music) 38 pl. (1 fold.; incl. ports.) 27½cm.
"Das werk Max Seifferts, zusammengestellt von Thekla Schneider": p. 11-22.
CONTENTS.—Zum geleit.—Schneider, Thekla. Das werk Max Seifferts.—Steglich, Rudolf. Über die wesensgemeinschaft von musik und bildkunst. — Moser, H. J. Die symbolbeigaben des musikerbildes. — Schünemann, Georg. Volksfeste und volksmusik im alten Nürnberg.—Frotscher, Gotthold. Die volksinstrumente auf bildwerken des 16. und 17. jahrhunderts.—Ehmann, Wilhelm. Das musizierbild der deutschen kantorei im 16. jahrhundert.—Fellerer, K. G. Musikalische bilddarstel-

Continued in next column

Continued from preceding column

lungen des 15./16. jahrhunderts zu Freiburg im Üchtland.—Pietzsch, Gerhard. Dresdner hoffeste vom 16.-18. jahrhundert.—Schneider, Max. Ein Braunschweiger freudenspiel aus dem jahre 1648.—Schenk, Erich. Johann Theiles "Harmonischer baum."—Miesner, Heinrich. Porträts aus dem kreise Philipp Emanuel und Wilhelm Friedemann Bachs.—Vetter, Walther. Die musikalischen wesensbestandteile in der kunst Moritz von Schwinds.—Taut, Kurt. Aus einem musikerstammbuch des 19. jahrhunderts.—Müller-Blattau, Josef. Die musikalische karikatur.—Blume, Friedrich. Musik, anschauung und sinnbild.—Besseler, Heinrich. Musik und raum.

1. Music in art. 2. Musicians—Portraits. 3. Seiffert, Max, 1868- 4. Seiffert, Max, 1868- —Bibl. I. Besseler, Heinrich, 1900- ed. II. Schneider, Thekla.

Library of Congress ML55.S55M9 39-10996
[3] 780.4

NcD IEN NcU MiU IU IaU NNU MH
NM 0911436 DLC NN PU-FA NNU-W NIC OOxM ICU CoU

Musik und bild, kalender... Leipzig, C. F. Peters, [1946]

NM 0911437 NN ICN NRU

Musik und Dichtung; 50 Jahre Deutsche Urheberrechtsgesellschaft
see under GEMA, Gesellschaft für Musikalische Aufführungs- und Mechanische Vervielfältigungsrechte.

Musik und Gesellschaft.

[Berlin, Henschelverlag, etc.]
v. illus., ports. 30 cm. monthly.
Began publication in 1951. Cf. Jahresverzeichnis des deutschen Schrifttums, 1951.
Issued Apr. 1952- by Verband Deutscher Komponisten und Musikwissenschaftler.

1. Music — Period. I. Verband Deutscher Komponisten und Musikwissenschaftler.

ML5.M9033 55-34806

NM 0911439 DLC ICU OU CtY-Mus TxU MoSW

Musik und Gesellschaft; Arbeitsblaetter für soziale Musikpflege und Musikpolitik.
Jahrg. 1 (April, 1930 – Feb., 1931)

Wolfenbüttel-Berlin: G. Kallmeyer, 1930-31. 1 v. illus. (music.) 8°.

Published every six weeks.
Edited by F. Jöde and H. Boettcher.
Ceased publication with v. 1, no. 8 (Feb., 1931).

1. Music—Per. and soc. publ. I. Boettcher, Hans, editor. II. Joede, Fritz, 1887- , editor.
N. Y. P. L. September 15, 1932

NM 0911440 NN

Musik und Gottesdienst. [Zeitschrift für evangelische Kirchenmusik] 1.- Jahrg.; Jan. 1947-
Zürich, Zwingli-Verlag.
v. in illus., music. 22 cm. bimonthly.

1. Church music—Period. 2. Church music—Protestant churches.

ML5.M9042 783.05 50-57893

NM 0911441 DLC OU MH-AH NSyU NN

Musik und Kirche. 1.- Jahrg.;
Jan./Feb. 1929-
Kassel, Im Bärenreiter-Verlag.
v. illus., ports., music. 23 cm. bimonthly.
Organ of the Neue Schütz-Gesellschaft, Mar./Apr. 1933-
Absorbed Zeitschrift für evangelische Kirchenmusik, Jan./Feb. 1933.
Vols. 1-3 accompanied by separately paged supplement, "Das Musikalische Schrifttum"; v. 7-14, 19- by "Der Kirchenchor" (formerly Kirchenchordienst)
Other supplements accompany some numbers.
1. Church music—Period. 2. Church music—Protestant churches. I. Neue Schütz-Gesellschaft.

ML5.M9043 783.05 51-25774

NcD MiU ICU MH-AH IU GU PSt CtY-D TxU
NM 0911442 DLC CU MB NN CU-Riv CaBVaU MiD KyLxCB

ML5
.K583 Musik und Kirche. Supplement.

Der Kirchenchor. 1.- **Jahrg.;**
Jan./Feb. 1935-
Kassel, Bärenreiter-Verlag.

Musik und kultur, festschrift zum 50. geburtstag Arthur Seidl's, hrsg. von Bruno Schuhmann. Regensburg, G. Bosse [1913]

3 p. l., 273, [1] p., 1 l. mounted port. 19½cm. (*Added t.-p.:* Deutsche musikbücherei, bd. 7)

CONTENTS.—Zur einführung.—Arthur Seidl; ein beitrag zum problem der künstlererziehung, von B. Schuhmann.—Verleuchtender tag (E. L. Schellenberg) [musik] von C. Ansorge.—Kultur und mittler, von W. Wiegand. — Kunst und öffentlichkeit, von S. von Hausegger. — Tempel der kunst, von K. Storck.—Erziehung zur kunst, von A. Lamm.—Über den nutzen des gymnasialbetriebs, von M. Steinitzer.—Aphorismen zur erziehung des musikers, von P. Marsop.—Das aesthetische allgemeingesetz, von H. Stephani.—Betrachtung über den wert der geschichte, von R. Pannwitz.—Die auswanderung vom heiligen Gralsberge, variationen zu dem thema: Ergo vivamus; von P. Riesenfeld.—Vom dramatischen Strauss, von P. Ehlers.—Charakterköpfe norddeutscher Schumannianer in der klaviermusik, von W. Niemann.—Musikhistorische grenzforschungen, von L. Kamienski.—Richard Wagner und Jakob Grimm, von A. Prüfer.—Die zwei reiche in Wagners dramen, von R. Sternfeld.—Der wanderer im "Siegfried," von H. Stephani.

1. Seidl, Arthur, 1863- 2. Music—Addresses, essays, lectures. I. Schuhmann, Bruno, ed.

14-10253

Library of Congress ML423.S5S4

NM 0911445 DLC NIC IaU NcU NBuU WU CU

Musik und Schrifttum; Schriftenreihe des Musikwissenschaftlichen Seminars der Universität Marburg. Würzburg

Vol.1 (1942): Reindell, W. Das De tempore-Lied des ersten Halbjahrhunderts der reformatorischen Kirche

NM 0911446 MH-Mu

Musik und Theater in Essen... Essen an der Ruhr, Gedruckt bei Fredebeul & Koenen, 1914. 19 p. 24cm.

"Den Mitgliedern des Allgemeinen deutschen Musikvereins zum 49. Tonkünstler-Fest in Essen gewidmet, 1914."
CONTENTS.—Das musikalische Kunstleben Essens seit dem Jahre 1906, von Ludwig Riemann.—Zur Geschichte des Theaterwesens in Essen, von T. Kellen.

393303B. 1. Music—Germany—Essen. 2. Stage—Germany—Essen. I. Riemann, Ludwig, 1863-1927. II. Kellen, Tony, 1869- III. Allgemeiner deutscher Musikverein.
N. Y. P. L. September 17, 1947

NM 0911447 NN

Musik und volk ... 1.- jahr.; [okt.] 1933-

Kassel, Bärenreiter-verlag [1933-
v. illus. (music) 23½cm. bimonthly.
"Herausgegeben vom Reichsbund volkstum und heimat in verbindung mit Hans Hoffmann, Wilhelm Hopfmüller ... [u. a.]"
'Erscheint an stelle der 'Singgemeinde' und des 'Kreis'."

1. Music—Period. 2. Folk-songs, German. I. Reichsbund volkstum und heimat

Library of Congress ML5.M905 37-20360
[2] 780.5

NM 0911448 DLC NcU MB NN

---

a-F
Hitler
coll. **Musik- und Wanderklub "Amicitia", Landau-Pfalz Ehrenurkunde. Landau, 1933.**

Handlettered. 36 cm.

Special binding.

NM 0911449 DLC

Musik-vurmen. Lustspel på vers och med sång
see under [Grenier,] [supplement]

VOLUME 403

Musika, František, 1900-
Mikoláš Aleš
see under Aleš, Mikuláš, 1852-1913.

Musik-Akademie, *Basel*
see
Basel. Musik-Akademie.

Musikalienhandel. Jahrg. 28, Nr. 39 - Jahrg. 35, Nr. 5; Okt. 1926-Apr. 7, 1933 (incomplete) Leipzig, Deutsches Buchhändlerhaus. v. illus., ports. 33cm.

Microfilm (master negative).
Positive in *ZAN-*M55

"Zeitschrift und Anzeigeblatt des Verbandes der deutschen Musikalienhändler."
Includes supplements.

NM 0911453 NN

Musikalien-Verlags-Handlung von Jos. Günther, Dresden
see Günther (J.) Musikverlag, Dresden.

There are no cards for numbers
NM 0911455 to NM 0912000

Musikalische Agende für die Nebengottesdienste
see under Kiesslich, Alex, comp.

Musikalische Altaragende für den evangelisch-lutherischen Gottesdienst mit ausgesetzten Harmonieen für den Chor und die Orgelbegleitung von Dr. L. Kraussold. 1853
see under Kraussold, L[orenz] 1803-1881.

Musikalische briefe. Wahrheit über tonkunst und tonkünstler
see under [Lobe, Johann Christian] 1797-1881.

Musikalische charlatanerien. Von F. W. V. Berlin und Leipzig, 1792.

23 p. 16½cm.

1. Music—Anecdotes, facetiae, satire, etc. I. V., F. W. II. F. W. V.

13-7412

Library of Congress ML63.V2

NM 0912004 DLC

Musikalische chronik ... 1. bd., 1. oct. 1886-sept. 1887; 5. bd., 5. oct. 1887-20. feb. 1888. Wien, Verlag von Kastner's Wiener musikalische zeitung; [etc., etc., 1886]-88.

2 v. in 1. 23½ cm. semimonthly.

Emerich Kastner, editor.
From Oct. 1886 to Sept. 1887 issued as a supplement to Kastner's Wiener musikalische zeitung, v. 3-4. In Oct. 1887 the two were united and continued as Musikalische chronik, v. 5.
"Moniteur musical. Hrsg. ... von Emerich Kastner, bd. 1, bogen 1-12, bd. 2, bogen 13-15," issued as a supplement to Musikalische chronik, [May?] 1887-Feb. 1888. Beginning with "bogen 16," issued independently.
No more published?

1. Music—Period. I. Kastner, Emerich, 1847-1916, ed.

10—27•97

Library of Congress ML5.K182

NM 0912005 DLC CU

Musikalische Denkmäler. Bd. 1- Mainz, B. Schott's Söhne [1955-

v. 33 cm.

At head of title: Akademie der Wissenschaften und der Literatur in Mainz, Veröffentlichungen der Kommission für Musikwissenschaft.
Editor: v. 1- Arnold Schmitz.

1. Vocal music—To 1800. I. Schmitz, Arnold, 1893-

M2.M925 56-27666

NM 0912006 DLC WaTC NSyU KU ICU KMK FTaSU DCU

Der **Musikalische** dillettante; eine wochenschrift. no. 1-53; 1770. Wien, Gedruckt bey J. Kurtzböcken, 1770.

424, [1] p. 22½ x 18cm.

A treatise on thorough-bass, issued in weekly numbers, each accompanied by music.
Has been ascribed to J. F. Daube. The preface, however, is signed "Die verfasser," and this accords with the advertisement in the Augsburger kunstzeitung cited by Freystätter, which reads "Der musikalische dilettante. Wochenschrift herausgegeben von einer gesellschaft virtuosen ..."
The dedication and index announced on p. 4 do not appear in L. C. copy.

1. Music—Period.

5-4912 Revised

Library of Congress ML4.M40

NM 0912007 DLC

Musikalische Formen in historischen Reihen
see under Martens, Heinrich, 1876- ed.

Musikalische Fundgrube; die Zeitschrift für Hausmusik. Jahrg. 1

Schönebeck-Bad-Salzelmen: Göbel & Grabner [1933 31cm.
v. music.

Monthly.
Jahrg. 1 has subtitle: Notenzeitschrift bisher ungedruckter Kompositionen zur Pflege guter Hausmusik.
Contains music and brief text.
Various issues include Beilage.
Includes biographical material.

1. Music—Per. and soc. publ. 2. Music—Collections.
N. Y. P. L. July 8, 1935

NM 0912009 NN

Musikalische Gartenlaube; Hausmusik für Pianoforte und Gesang. Band 1

Leipzig: Expedition der Musikalischen Gartenlaube (G. H. Friedlein) [1869- 4°.
v.

Weekly.
Editor : 1869- Hermann Langer.
Band 3-5 contain: Deutsche Kriegsklänge; Märsche über deutsche Volkslieder, von Franz Abt und C. Wiedemann, separately paged.

1. Music.—Per. and soc. publ. 2. Piano.—Collections. 3. Songs.—Collections.
N. Y. P. L. May 20, 1924.

NM 0912010 NN

Musikalische geschichte der stadt Gebweiler
see under [Kienzl, Charles] d. 1874.

Musikalische Gesellschaft in Bern.
See
Bernische Musikgesellschaft.

Musikalische Kapelle, Dresden
see Königliche Musikalische Kapelle, Dresden.

Music Library
Microcard
Serial
55-8

Musikalische Korrespondenz der Teutschen Filarmonischen Gesellschaft. [no.1]-52; Juli 7, 1790-Mai 2, 1792. Speyer. 7 cards.

Supersedes Musikalische Realzeitung.
Microcard

1.Music - Period. I.Teutsche Filarmonischen Gesellschaft.

NM 0912016 NcU NN ICRL OrU CoU OU ViU

Musikalische monathsschrift. 1.-6. stück; jul.-dec. 1792. Berlin, In der Neuen berlinischen musikhandlung [1792]

cover-title, 172 p. 26cm.

J. F. Reichardt, F. L. A. Kunzen, editors.
Preceded by Musikalisches wochenblatt.

1. Music—Period. I. Reichardt, Johann Friedrich, 1752-1814, ed. II. Kunzen, Friedrich Ludwig Aemilius, 1761-1815, ed.

9-32314

Library of Congress ML4.M45

NM 0912017 DLC

Musikalische Monathsschrift. no.1-6; July-Dec. 1792. Berlin, Neue Berlinische Musikhandlung. 6 no. illus. monthly. (Early music books and periodicals, mostly before 1850).

Microcard ed.
Supersedes Musikalisches Wochenblatt.
Reissued as Studien für Tonkünstler und Musikfreunde.

NM 0912018 ICRL OrU CU ViU OU CoU NcU CaBVaU

Musikalische monathsschrift, Berlin, 1792.

Studien für tonkünstler und musikfreunde. Eine historisch-kritische zeitschrift mit neun und dreissig musikstücken von verschiedenen meistern fürs jahr 1792, in zwei theilen herausgegeben von F. Ae. Kunzen und J. F. Reichardt. Berlin, Im verlage der neuen musikhandlung, 1793.

Musikalische Nachrichten und Anmerkungen. [1.-4. Jahrg.] 1. Julius 1766-24. Dec. 1770. Leipzig, Im Verlag der Zeitungs-Expedition.

4 v. 24 cm. weekly.

Includes music.
Title varies: July 1766-Dec. 1769, Wöchentliche Nachrichten und Anmerkungen die Musik betreffend.
Edited by J. A. Hiller.
Supplements accompany v. 3.
L. C. set incomplete: v. 2 wanting.

1. Music—Period. I. Hiller, Johann Adam, 1728-1804, ed. II. Title: Wöchentliche Nachrichten und Anmerkungen die Musik betreffend.

ML4.M47 12-18593 rev 2*

NM 0912020 DLC KyLoU MB NSyU ICN InU IU CU CoU

Musikalische Nachrichten und Anmerkungen. v.4; 1770. Leipzig, Verlag der Zeitungs-Expedition. 1v. weekly. (Early music books and periodicals mostly before 1850)

Microcard ed.
Continues Wöchentliche Nachrichten und Anmerkungen die Musik betreffend.

NM 0912021 ICRL ViU CoU CSt OrU CU ICRL OU CaBVaU

VOLUME 403

V780.5 M9896 Der Musikalische Postillion; ein Wochenblatt zur Belehrung und Unterhaltung für Musiker und Musikfreunde. [Jahrg.] 1, 1841.
1 v. 23 cm.

Incorrectly bound up in the following order: Nr.1, 10-13, 6-9, 2-5, 14-52.

Holdings: v.1, 1841.

NM 0912022 NcU

Musikalische real-zeitung ... 2. julii 1788-30. junii 1790. Speier, Expedition dieser zeitung; [etc., etc., 1788-90]
4 v. in 1. 21½ x 17½cm. weekly.

Title vignette.
H. P. C. Bossler, J. F. Christmann, editors.
No more published.
The musical supplements were issued July-December, 1788, as "Anthologie zur Realzeitung".
Continued as "Musikalische correspondenz der Deutschen filarmonischen gesellschaft".

1. Music—Period. I. Bossler, Heinrich Philipp Carl, d. 1812, ed. II. Christmann, Johann Friedrich, 1752-1817, ed.

6-375

Library of Congress ML4.M98

NM 0912023 DLC MB NN CaBVaU CoU

V 207 .658 v.89 Musikalische rundschau; musikberichte aus deutschen städten. Erscheint in zwangloser folge als beilage der Zeitschrift für musik. Nachdrucke nur mit genehmigung des verlegers unter quellen angabe gestattet. Lpz.1922- Q. (in Zeitschrift für musik... 1922- no.89

NM 0912024 ICN

Musikalische sachverstaendigen-kammer fuer den Koenigl. Preussischen staat.

see

Prussia. Musikalische sachverstaendigen-kammer.

Musikalische schriftenreihe der NS.-kulturgemeinde

see

Nationalsozialistische kulturgemeinde Musikalische schriftenreihe.

Musikalische Schrifttafeln für den unterricht in der Notationskunde
see under Wolf, Johannes, 1869- comp.

Das **Musikalische** Schrifttum
see **Musik** und Kirche.

Musikalische Seltenheiten. Wien und New York. Universal-Edition. 1921-
score (v.)
1. Sonatas (Piano) 2. Ronodos (Piano) 3. Beethoven, Ludwig van, 1770-1827. Sonata, piano, no. 14, op. 27, no. 2, C sharp minor.

NM 0912029 KMK OO NcU

Musikalische volksbuecher, hrsg. von Adolf Spemann. Stuttgart, 1922-
v.

NM 0912030 DLC OO

M2065 .M973 Musikalische Weihnachts - Liturgie. Zusammengestellt für Alle, die Christi Geburt feiernd begehen wollen. Port Huron, Mich., J. R. Lauritzen. 1881.
33 p.

1. Christmas music. 2. Christmas carols.

NM 0912031 CtHC

Die **Musikalische** welt. Monatshefte **ausgewählter compositionen** unserer zeit.

Braunschweig, H. Litolff's verlag [18
v. 31½cm.

Publication began in 1872.
Editors: Franz Abt, Clemens Schultze.

1. Music (Collections) I. Abt, Franz, 1819-1885, ed. II. Schultze, Clemens, 1839-1900, ed.

46-41063

Library of Congress M1.M9916

NM 0912032 DLC ICN NN

837R18 Ov1872 Musikalische witze und anekdoten. Zur unterhaltung für lachlustige leute. Erfurt,
2 pts.

Bound with: Rattermann, H. A. Vater Rhein. 1872.

NM 0912033 IU

Musikalische Zeitschriftenschau. 1919-

[Leipzig: Breitkopf & Härtel, 1919- 27cm.
nos.

Annual.
Published as a section of the Zeitschrift für Musikwissenschaft. (See also entry under this title).

1. Music—Bibl. 2. Periodicals—1883- , editor. II. Floeter, Annemarie, editor. III. Landau, Anneliese, editor. Indexes. I. Beckmann, Gustav,
N. Y. P. L. November 21, 1934

Continues the Zeitschriftenschau of the Zeitschrift der Internationalen Musik-Gesellschaft. (See entry under: International Musical Society. Zeitschrift.)
Editors: 1919-27, G. Beckmann; 1928-29, Annemarie Floeter; 1930- Anneliese Landau.

NM 0912035 NN

Musikalischer Almanach... 1796.
see under Reichardt, Johann Friedrich, 1752-1814.

Musikalischer almanach auf das jahr 1782. **Alethinopel** [1782?]
20 p. l., 116 p. 17½cm.
Added t.-p., engr.
At p. 107 is a second title-page: Musikalisches handbuch **auf das jahr** 1782. Alethinopel.
Attributed by most **authorities** to Carl Ludwig Junker. **Eitner ascribes** the work to Johann Friedrich Reichardt (**Monatshefte für musikgeschichte,** 12, 144)
Continuations of the work, for the years 1783 and 1784, **were published** with imprint (1783) Kosmopolis and (1784) Freyburg.
Forkel quotes as a supplement to this: **Sichtbare und unsichtbare sonnen-** und mondfinsternisse, die sich zwar im **Musikalischen handbuch oder Mu-**sikalmanach für das jahr 1782, befinden, aber nicht angezeigt sind. **Ale-**thinopel (Berlin) 1782.
1. Music—Almanacs, year-books, etc. I. Junker, Carl Ludwig, 1740-1797. II. Reichardt, Johann Friedrich, 1752-1814.

7-13045

Library of Congress ML20.M60

NM 0912037 DLC OrU MB

Musikalischer Almanach auf das Jahr 1782. Alethinopel [1782?]
Microcard edition (2 cards)

1. Music—Almanacs, year-books, etc. I. Junker, Carl Ludwig, 1740-1797. II. Reichardt, Johann Friedrich, 1752-1814. III. Title.

NM 0912038 ViU CaBVaU CoU OrU ICRL NcU

PT19 .M981 Rare bk room **Musikalischer** almanach auf das jahr 1784. Freyburg [1784?]
144 p. incl. front. 15½cm.

A second t.-p.: Musikalisches taschenbuch auf das jahr 1784, p. [33]
Attributed to Carl Ludwig Junker by Eitner (Quellen-lexikon) Sometimes ascribed to Johann Friedrich Reichardt.
The almanacs for 1782 and 1783 were published with imprint (1782) Alethinopel and (1783) Kosmopolis. 1783 has title: Musikalischer und künstler-almanach.

1. Music—Almanacs, year-books, etc. 2. Almanacs.

NM 0912039 ICU MB

Musikalischer Almanach auf das Jahr 1784. Freiburg (Ger.)
1v. annual. (Early music books and periodicals, mostly before 1850)

Microcard ed.
Continues Musikalischer und Künstler Almanach. [Musikalisches Taschenbuch. 1784]

NM 0912040 ICRL

Musikalischer almanach für Deutschland **auf das jahr** 1782-84, 1789. Leipzig, Schwickert [1782-89]
4 v. 16½-17½cm.
Edited by Johann Nikolaus Forkel.

1. Music—Almanacs, year-books, etc. I. Forkel, Johann Nikolaus, 1749-1818, ed.

8-16376

Library of Congress ML20.M63

NM 0912041 DLC ICN NRU CU CSt CtY MH OCH MB

Microcard 780.5 Musikalischer Almanach für Deutschland. 1782-84, 1789. Leipzig, Schwickert. Rochester, N.Y.: University of Rochester Press, 1959.
4v. 18cm.
Editor: Johann Nikolaus Forkel.
Micro-opaque of the original in the Sibley Music Library, Eastman School of Music. 13 cards. 7.5x12.5cm.

NM 0912042 IU OO NNC CoU ICRL OU OrU ViU CaBVaU

MUSIKALISCHER Almanach für Deutschland auf das Jahr 1784. Leipzig. Schwickert [1784] 1 v. 17cm.
Microfilm (master negative)

NM 0912043 NN

Musikalischer Blumenstrauss. Berlin, Im Verlage der neuen Berlinischen Musikhandlung [18
v. 20 cm.
For 1-4 voices and piano.

1. Choruses, Secular (Mixed voices) with piano.

M1549.M88 M 59-1743

NM 0912044 DLC NN

Musikalischer Haus- und Familien- Almanach für das Jahr 1905. (Harmonie-Kalender 5. Jahrgang) Berlin, Harmonie, Verlagsgesellschaft für Literatur und Kunst, [1904]
[94 p.] illus. 8°.

NM 0912045 NN

Musikalischer hausschatz. Eine sammlung von über 1100 liedern ...
see under [Fink, Gottfried Wilhelm] 1783-1846, comp.

VOLUME 403

Musikalischer Haus-Freund. Mainz
see Musicalischer Hausfreund. Mainz.

Musikalischer Jugenfreund ... München, Gedruckt und im Verlage der Sidlerschen Haupt-Steindruck- Niederlage, 1815.
4v. 25x32cm.
v.3 wanting.
For voice and piano.
Contains songs by Schinn, Gratz, Ett, G.Albrechtsberger, etc.

NM 0912048 CtY-Mus

Musikalischer Kurier.
...Salzburger Festspiele 1922, 13. – 29. August; Denkschrift der Salzburger Festspielhausgemeinde. [Wien, 1922] 32 p. illus. (incl. ports.) 28½cm.
Cover-title.
"August-Heft (Sondernummer)."
Contents.—Ginzkey, F. K. Herrn Walthers Wiederkehr.—Damisch, Heinrich. Aus der Chronik der Festspielhausgemeinde.—Decsey, Ernst. Das vormozart'sche Salzburg.—Graf Max. Die Theaterwelt Mozarts.—Leisching, Julius. Die Salzburger Kollegienkirche.—Kralik, Heinrich. Die Künstler um Strauss und Schalk.—Guttmann, Richard. Das "Salzburger Grosse Welttheater."—Nilson, Einar. Musik bei Reinhardt.—Strauss, Richard. Bemerkungen über den Spielplan grosser Opernhäuser.—Holzer, Rudolf. Hellbrunn.

1. Musical festivals. I. Salzburger Festspielhaus-Gemeinde. II. Title.
N. Y. P. L. October 28, 1936

NM 0912049 NN

Musikalischer sachverstaendigen-verein fuer den Koenigl. Preussischen staat
see
Prussia. Musikalische sachverstaendigen-kammer.

Musikalischer und künstler-almanach auf das jahr 1783. Kosmopolis [1783?]
16 p. l., [25]-168 p. front. 17½cm.
Ascribed to Carl Ludwig Junker.
The almanacs for the preceding and the following years (all published) have title: "Musikalischer almanach", and imprint (1782) Alethinopel and (1784) Freyburg.

1. Music—Almanacs, year-books, etc. 2. Art—Year-books. I. Junker, Karl Ludwig, d. 1797.
7—13046
Library of Congress ML20.M61

NM 0912051 DLC

Musikalischer und Künstler Almanach. 1783.
Kosmopolis (Ger.)
1v. annual. (Early music books and periodicals, mostly before 1850)
Microcard ed.
Continues Musikalischer Almanach and is continued by Musikalisches Taschenbuch.

NM 0912052 ICRL ViU OU IaU OrU

71019 A3 z Musikalischer zeit-vertreib
Des musicalischen zeit-vertreibs zweyter theil. Welchen man sich bey vergönten stunden auf dem beliebten clavier mit einem angenehmen accompagnement der violine oder flaute traversiere durch singen und spielen auserlesener oden vergnüglich machen kan. Franckfurth und Leipzig, 1746.
[6], 64 p. front. 8°.
For voice and continuo.
Frontispiece, title vignette and music engraved.

NM 0912053 NPV

Musikalisches Allerley von verschiedenen Tonkünstlern
see under Birnstiel, Friedrich Wilhelm, fl. 1753-1782, ed.

Musikalisches centralblatt. 1.-4. jahrg., nr. 39; 7. jan. 1881-25. sept. 1884. Leipzig, 1881-[84]
4 v. illus. (music) 28½cm. weekly.
Edited and published by Robert Seitz.
No more published.

1. Music—Period. I. Seitz, Robert, 1837-1889, ed.
44-31397
Library of Congress ML5.M913
[2] 780.5

NM 0912055 DLC

Musikalisches Conversations-Lexikon. Eine Encyklopaedie der gesammten musikalischen Wissenschaften ...
see under Mendel, Hermann, 1834-1876.

Musikalisches conversationes-lexicon. Encyklopaedie der gesammten Musik-wissenschaft für künstler 1835, 1840, 1873
see under Gathy, August, 1800-1858, ed.

Musikalisches handwörterbuch, oder Kurzgefasste anleitung, sämmtliche im musikwesen vorkommende, vornehmlich ausländische kunstwörter richtig zu schreiben, auszusprechen und zu verstehn. Nebst einem Anhange, welcher sehr wichtige musik-vortheile und eine neue erfindung beschreibt. Ein buch für jeden, der die musik treibt, lehrt oder lernt ... Weimar, C. L. Hoffmanns seel. wittwe und erben, 1786.
10 p. l., [5]-222 p. fold. pl. 18cm.
Ascribed to J. G. L. von Wilke.
1. Music—Dictionaries. 2. Violin—Instruction and study. I. Wilke, Johann Georg Leberecht von, 1730-1810, supposed author.
7-3121 Revised
Library of Congress ML108.A2M9

NM 0912058 DLC PPL

Musikalisches Kunstmagazin. Berlin
see under Reichardt, Johann Friedrich, 1752-1814.

ML5 .M906 Musikalisches magazin. Gesammelt und hrsg. von mehreren freunden der tonkunst... 1. hft. 1829- Hamburg, 1829-

NM 0912060 DLC

Film 3513 Music Lib'y Musikalisches Magazin; Abhandlungen über Musik und ihre Geschichte, über Musiker und ihre Werke. Hrsg. von Ernst Rabich. Langensalza, H. Beyer, 1901-29.
74 [i.e. 70]v. music. 21-22cm.
Vols. 15, 36, 63, 64 never published?
Microfilm (negative) New York, New York Public Library, 1963. 1 reel. 35mm.
Analyzed. Extra card for series in Public Catalog.

NM 0912061 TxU ViU CaBVaU CoU OO NcD

Film 11022 Musikalisches Mancherley. Berlin, G.L. Winter, 1762-1763.
[4]v.
Contents.- 1. Vierteljahr: 1.bis 12. Stücke.- 2. Vierteljahr: 13.-24. Stücke.-[3. Vierteljahr] 25.-36. Stücke.- 4. Vierteljahr: 37.-48. Stücke.
Microfilm (negative) Berlin, Deutsche Staatsbibliothek, 1967. 1 reel. 35mm.
On reel with: Bach, C.P.E. Concerto, oboe & string orchestra, W.164, Bb major. n.p., n.d.- Concerto, oboe & string orchestra, W.165, Eb

Continued in next column

Continued from preceding column

major. n.p., n.d.- Concerto, harpsichord & string orchestra, W.36, Bb major. n.p., n.d.- Concerto, harpsichord, W.37, Eb major. n.p., n.d.- Concerto, harpsichord, W.38, F major. n.p., n.d.- Concerto, organ, W.35, Eb major. n.p., n.d.- Veränderungen und Auszierungen über einige gedeuckten Sonaten fur Scholaren. n.p., n.d.- Sei mir gesegnet. n.p., n.d.- Trio sonata, violins & continuo, W.156, A minor. n.p., n.d.-

Passions-Musik nach dem Evangelisten Matthäus, W.234. n.p., n.d.- Passions-Musik nach dem Evangelisten Lucas, W.235. n.p., n.d.- Sonata, harpsichord, W.60, C minor. n.p., n.d.- Sonatas, harpsichord, W.54. Amsterdam, n.d.- Concerto, harpsichord & string orchestra, W.25, Bb major. Norimberga, 1752.- Sonatas, harpsichord, W.49. Norimberge, 1744.- Musikalisches Allerley von verschiedenen Tonkünstlern. Berlin, 1761-1763.- Sonata, harpsichord, D major. n.p., n.d.- Sonata, harpsichord. W.69, D minor. n.p., n.d.

NM 0912064 IaU

[MUSIKALISCHES monatblatt für das pianoforte. The music. Stuttgart, 18-?]
obl.4°.

NM 0912065 MH

Musikalisches Pfennig-Magazin tur das Pianoforte. Jahrg. 1
Wien: T. Haslinger[, 1834 f°.
v.
Weekly.
Music only; includes no text.
Caption title reads: Wiener musikalisches Pfennig-Magazin...
Editor : 1834- Karl Czerny.

1. Music—Per. and soc. publ. 2. Piano.
N. Y. P. L. March 30, 1926

NM 0912066 NN

Musikalisches Taschenbuch. 1784
see Musikalischer Almanach auf das Jahr 1784.

Musikalisches taschenbuch ... Penig, Bey F. Dienemann und comp. [1803
v. 12½ x 9cm.
1803: Herausgegeben von Julius Werden und Adolph Werden, mit musik von Wilhelm Schneider.

1. Music—Almanacs, year-books, etc. I. Werden, Julius, ed. II. Werden, Adolph, joint ed.
Library of Congress ML20.M78 ca 5—1369 Unrev'd

NM 0912068 DLC ICN MB

Musikalisches wochenblatt. 1.-2. hft. (stück 1-24); 1791-92. Berlin, In der Neuen berlinischen musikhandlung [1791-92]
cover-title, 191, [1] p. 26cm.
J. F. Reichardt, F. L. A. Kunzen, editors.
Superseded by the Musikalische monathsschrift.

1. Music—Period. I. Reichardt, Johann Friedrich, 1752-1814, ed. II. Kunzen, Friedrich Ludwig Aemilius, 1761-1815, ed.
9-32315
Library of Congress ML4.M8

NM 0912069 DLC MiU MoU ICRL NcU

Musikalisches wochenblatt. 1.-2. hft. (stück 1-24); 1791-92. Berlin, In der Neuen berlinischen musikhandlung [1791-92]
Microcard edition (3 cards)

1. Music—Period. I. Reichardt, Johann Friedrich, 1752-1814, ed. II. Kunzen, Friedrich Ludwig Aemilius, 1761-1815, ed. III. Title.

NM 0912070 ViU CaBVaU ICRL CoU OrU

VOLUME 403

Musikalisches wochenblatt, Berlin, 1791-92.

Studien für tonkünstler und musikfreunde. Eine historisch-kritische zeitschrift mit neun und dreissig musikstücken von verschiedenen meistern fürs jahr 1792, in zwei theilen herausgegeben von F. Ae. Kunzen und J. F. Reichardt. Berlin, Im verlage der neuen musikhandlung, 1793.

Musikalisches wochenblatt; organ für musiker und musikfreunde, vereinigt seit 1. oktober 1906 mit der von Robert Schumann 1834 gegründeten "Neuen zeitschrift für musik" ... 1.-41. jahrg.; 1. jan. 1870-22. dez. 1910. Leipzig, E. W. Fritzsch [etc.] 1870-[1910]

41 v. illus., plates, ports. 26½-29cm.

Includes musical supplements.

Editors: Jan.-Mar. 1870, Oscar Paul.—Apr. 1870-Aug. 1902, E. W. Fritzsch.—Aug. 1902-Feb. 1903, Willibald Fritzsch.—Mar. 1903-Sept. 1907, Carl Kipke.—Oct. 1907-Dec. 1910, Ludwig Frankenstein.

Musikalisches wochenblatt and Neue zeitschrift für musik were united in Oct. 1906 and continued till Dec. 1910 under title Musikalisches wochenblatt (37.-41. jahrg.) In Jan. 1911 title was changed to Neue zeitschrift für musik ... (seit 1. oktober 1906 vereinigt mit dem Musikalischen wochenblatt) and the volume numbers of Neue zeitschrift were resumed.

For continuation of the combined publications see Neue zeitschrift für musik.

——— Inhalts-verzeichniss der jahrgänge I-XXV (1870-1894) ... Angefertigt von Willibald Fritzsch. Leipzig, E. W. Fritzsch, 1897.

1 p. l., 168 p. 29cm.

1. Music—Period. I. Paul, Oskar, 1836-1898, ed. II. Fritzsch, Ernst Wilhelm, 1840-1902, ed. III. Fritzsch, Willibald, ed. IV. Kipke, Carl, 1850-1923, ed. V. Frankenstein, Ludwig, 1868- ed.

7—34217-8

Library of Congress ML5.M92

NM 0912073 DLC OCH GU MB MiU

AW 1
R2370 MUSIKALISCHES Wochenblatt. 1.-41. Jahrg.; Jan. 1870-Dez. 1910.
Leipzig.
41 v. weekly.

Merged with Neue Zeitschrift für Musik, Oct. 1906, which also retained its original vol. numbering.
Microfilm. reels. 35 mm.
1. Music - Period. I. Neue Zeitschrift für Musik.

NM 0912074 CaBVaU

Musikalisches Wochenblatt (Leipzig)
Musikbibliographische Monatshefte
see under title

Musikalisch-literarischer Monatsbericht
see
Deutsche Musikbibliographie.

Musikalisch-wöchentliche belustigungen, bestehend in weltlichen liedern, zu ein, zwey und drey stimmen. Zürich, Gedruckt in Bürgklischer druckerey, 1775.
217 p. 21 cm.

1.Songs,German.

NM 0912077 NjP

Musikaliska akademien, *Stockholm.*
Årsskrift. 1942-
[Stockholm]
v. 28 cm.

MT5.S88M842 47-33805 rev*

NM 0912078 DLC

Musikaliska akademien, *Stockholm.*
Katalog öfver Kungl. Musikaliska akademiens bibliotek. Stockholm, I. Marcus' boktr.-aktiebolag, 1905-
v. 22 cm.

Preface of v. 2 signed: C. F. Hennerberg.

CONTENTS.—1. Operapartitur. Klavérutdrag ur operor, operetter, sångspel.—2. Litteratur (musikteori, musikhistoria m. m.) Nominalafdelning.

1. Music—Bibl. I. Hennerberg, Carl Fredrik, 1871-1932.

ML136.S8K9 54-51773

NM 0912079 DLC CtY NN ICN

FILM
5683
ML
Musikaliska akademien, Stockholm.
Katalog öfver Kungl. Musikaliska akademiens bibliotek ... Stockholm, I. Marcus, 1905-10.
2 v. in 1 reel. On film.
Microfilm. Original in Library of Congress.
Contents.- I. A. Operapartitur, B. Klaverutdrag ur operor, operetter, Sångspel.- II. Litteratur (musikteori, musikhistoria m.m.) A. Nominalafdeling.

NM 0912080 CU

ML93
.B4
Musikaliska akademien, Stockholm.

Bengtsson, Ingmar.
Handstilar och notpikturer i Kungl. Musikaliska akademiens Roman-samling. Handwriting and musical calligraphy in the J. H. Roman-collection of the Swedish Royal Academy of Music, av Ingmar Bengtsson och Ruben Danielson. With an English summary. Uppsala [Almquist & Wiksells boktr.] 1955.

Musikaliska akademien, Stockholm.
Matrikel.
[Stockholm]
v. 21 cm. annual.
Vols. for issued with the Musikhögskolan.

1. Musikaliska akademien, Stockholm. 2. Stockholm. Musikhögskolan. I. Stockholm. Musikhögskolan.

MT5.S88M8425 73-647885
MARC-S

NM 0912082 DLC

Musikaliska akademien, *Stockholm*
see also **Stockholm. Musikhögskolan.**

ML128
.O6L4
Musikaliska akademien, Stockholm. Biblioteket.

Lellky, Åke.
Katalog över orkester- och körverk, tillgängliga för utlåning från Kungl. Musikaliska akademiens bibliotek och Sveriges orkesterföreningars riksförbunds centralbibliotek. Stockholm, 1953.

MUSIKALISKA ADADEMIEN, Stockholm.
Biblioteket.
Publicationer.
Stockholm.

NM 0912085 NN

Musikaliska revyer af U. Stockholm, A. Hirsch, 1852.
48 p. 20 cm.
"Första häftet." No more published?

1. Music—Addresses, essays, lectures.

ML60.M95 67-34314/MN

NM 0912086 DLC

Musikaliskt tidsfördrif. 1789-
Stockholm.
v. in 17 x 24 cm. 30 no. a year.

Ceased publication with vol. for 1834. Cf. Lesure. Recueils imprimés XVIIIe siècle.
Some no. issued in combined form.
Principally songs and piano music.
Edited by O. Åhlström. Cf. Grove, 5th ed.

1. Songs with piano. 2. Songs with piano—To 1800. 3. Piano music. 4. Piano music—To 1800. I. Åhlström, Olof, 1756-1835, ed.

M1.M9934 67-125455/M

NM 0912087 DLC

M780.8
M988
Musikalsk Anthologie. Udv. Stykker af danske Operaer, Balletter, Syngespil og andre Sangecompositioner, udsatte for Pianoforte. København, I. Rée, 1856-
v. 33cm.

1. Piano music. Collections.

NM 0912088 IEN

Musikalsk Museum; udvalg af Dandse, Sange, Folkemelodier og andre Musikstykker for Pianoforte. Aargang Kjoebenhavn; Horneman and Erslev. 186-? v f

NM 0912089 OCH IEN

Musikalsk museum; udvalg af dandse, sange, folkemelodier og andre musikstykker for pianoforte. 2. aargang. [44]p. Kjöbenhavn, Horneman & Erslev [n.d.]

Cover-title.
Various paging.

NM 0912090 OCl

Musikalsk tidende. nr. 1-20; 17. jan.-26. juni 1836. Kjøbenhavn.
320 columns. 26 cm. weekly.
Edited by A. P. Berggreen.
"Med 6 musikbilag."
No more published?

1. Music—Period. I. Berggreen, Andreas Peter, 1801-1880, ed.

ML5.M9225 52-50209

NM 0912091 DLC

Musikalske selskab i Frederikshald.
Love for det Musikalske selskab i Frederikshald. Frederikshald, Trykt hos H. Gundersen og H. Larssen, 1834.
19 p. 15½cm.

CA 15-486 Unrev'd

Library of Congress ML28.F83M73

NM 0912092 DLC

Der **Musik-Almanach.**
v. 1-
München, K. Desch [1948-
v. ports., music. 19 cm.
Editor: 1948- Viktor Schwarz.

1. Music—Almanacs, yearbooks, etc. 2. Composers, German. 3. Music—Germany. I. Schwarz, Viktor, 1894- ed.

ML5.M90213 52-28609

NM 0912093 DLC CU ICN NN IU CLSU MH

VOLUME 403

Musik-almanach für die Tchechoslowakische Republik. 1.– jahrg., 1922–
Prag, J. Hoffmann's wwe. [1922?]–
v. 16cm.
Editors: 1922– J. Branberger (with I. Merz)

1. Music—Almanacs, year-books, etc. 2. Music—Czechoslovak Republic. 3. Musicians, Czechoslovak. I. Branberger, Johann, 1877– ed. II. Merz, Ig., joint ed.

Library of Congress ML21.M89 23-8033

NM 0912094 DLC NN

Musikant, A., *pseud.*
see
Rosenberg, Jesaiah, 1871–1937.

...**Musikanta** dseesmas. Skatu luga ar dseedaschanu 5 zehleenos. [Tulkojis K. Brihwneeks. Musika F. Gumberta. 2.isdewums. Rigā: J. Rose, 1923. 62 p. 19½cm.
Without music.

789462A. 1. Drama, Lettish. I. Brīvnieks, Kārlis, 1854– , tr.
N. Y. P. L. May 5, 1937

NM 0912096 NN

Musikantengeschichten
see under Soehle, Karl, 1861-

Musikantangilde ... Hartenstein, 1923-
see Jahrbuch der Musikantengilde.

Die **Musikantengilde**; blätter der erneuerung aus dem geiste der jugend ... 1.– jahrg.; 1 okt. 1922–
Wolfenbüttel, J. Zwissler [1922–
v. 23cm.
Published every 6 weeks. Includes music.
Editor: Oct. 1922– Fritz Jöde.
Includes the current supplements "Musik im anfang" (Oct. 1922–Nov. 1924) and "Musik in der schule" (Aug.–Nov. 1924)
Supersedes Die Laute; monatsschrift zur pflege des deutschen liedes und guter hausmusik. Jahrg. 1– of Die Musikantengilde are called also 6.– jahrg. of the Laute.
1. Music—Period. I. Jöde, Fritz, ed.

25-13373

Library of Congress ML5.M923

NM 0912099 DLC CU

Die Musikantengilde.
Werkschriften...Dokumentenreihe einer deutschen Jugend- und Volksmusik.
Heft 1-

Wolfenbüttel [etc.]: Georg Kallmeyer, 1926– 8°.
nos. music, plates.
Editor : 1926– F. Reusch.

NM 0912100 NN

Die Musikantengilde, Bund der Sing- und Spielkreise
see
Bund der Sing- und Spielkreise Die Musikantengilde.

Musik-archiv; monatschrift für musikleben und musikwissenschaft. Mit den beilagen: Grundriss der musikwissenschaft und Quellenlesebuch für musiker und musikfreunde. Hrsg. von Otto Wille ... 1. jahrg.; jan.–dez. 1914. Leipzig-R., O. Wille, 1914.
v (i. e. iv), 96 p. 24cm.
No more published.

1. Music—Period. 2. Music—Bibl. I. Wille, Otto, ed.

22-11224

Library of Congress ML5.M902

NM 0912102 DLC

Musik-archiv; monatschrift für musikleben und musikwissenschaft. Supplement.

Grundriss der musikwissenschaft für tonkünstler, musiklehrer und konservatoristen zur einführung in die spezialliteratur. Hrsg. von Otto Wille ... Leipzig-R., "Musik-archiv", 1914.

Musik-archiv; monatschrift für musikleben und musikwissenschaft. Supplement.

Quellenlesebuch für musiker und musikfreunde, hrsg. von Otto Wille ... [Leipzig-Reudnitz] "Musik-archiv", 1914.

Musikbeilage zu Maler Nolten von Eduard Mörike
see under [Hetsch, Louis] 1806-1872.

Musikbibliographische Monatshefte. Jahrg. 1, Nr. 1/2-3/4; Feb.-Apr. 1908. Leipzig, 1908.
v.

NM 0912106 MiU DLC

Musikbibliothek Paul Hirsch, *Frankfurt am Main*
see **Hirsch, Paul,** 1881–

Musikbibliothek Peters, *Leipzig*
see
Leipzig. Musikbibliothek Peters.

Musikbladet, revue for musik og theater. 1.–10. arg.; 4 okt. 1884–93. Kjøbenhavn, W. Hansens musik-forlag, 1884–93.
10 v. in 5. illus. (incl. ports.) 30½–31½cm.
Weekly, Oct. 1884–June 1885; semimonthly (irregular) July 1885–92.
H. V. Schytte, editor.
No more published?

1. Music—Period. I. Schytte, Henrik Vissing, 1827– ed.

9-7862

Library of Congress ML5.M934

NM 0912109 DLC

Musik-Blätter.
Richard Strauss zum 85. Geburtstag [von Roland Tenschert und Erik Werba. Wien, Gerlach & Wiedling, 1949] 44 p. ports., facsims., music. 21cm.
"Sondernummer."
"'Rosenkavalier'—Aufführungen in der Wiener Staatsoper," p. 39-44.

1. Strauss, Richard, 1864-1949. I. Tenschert, Roland, 1894– II. Werba, Erik.

NM 0912110 NN

Musikblätter. Nov. 1947–
[Berlin]
v. in 21 cm. semimonthly.

1. Music—Period.

ML5.M9415 780.5 51-25771

NM 0912111 DLC GU

Musikblätter der Hitler-Jugend. Nr. 1–
[1. Apr. 1934]–
Wolfenbüttel, G. Kallmeyer.
no. 25 cm. monthly.
"Herausgegeben vom Kulturamt der Reichsjugendführung," no. 4-

1. Instrumental music. 2. Vocal music. I. Nationalsozialistische Deutsche Arbeiter-Partei. Reichsjugendführung. Kulturamt.

M1734.M96 M 55-540 ‡

NM 0912112 DLC NRU NN TxU

---

*ML5
.M815 Musikblätter der reichsfrauenführung. nr. 1-
Nov. 1937
Potsdam, L. Voggenreiter [1937-
v. 23cm. irregular.
Music only.
Editor: Nov. 1937- E. Hölter.
1. Music—Period. 2. String orchestra music—Scores. 3. Dance music (Scores) 4. Cooperative acquisitions project (Library of Congress)—German texts, 1938-1945. 5. Periodicals, German. I. Hölter, Eugenie, ed.

NM 0912113 MB NBuG

Musikblätter des Anbruch; monatsschrift für moderne musik. 1.– jahrg.; nov. 1919–
Wien, Universal-edition a. g. [1919–
v. plates, ports. 23–25½ cm.
Issued semimonthly, 1919–22; monthly, 1923– "mit einer zweimonatlichen sommerpause."
Editors: Nov. 1919–Feb. 1922, Otto Schneider.—Apr. 1922– Paul Stefan.
Includes music.

1. Music—Period. I. Schneider, Otto, ed. II. Stefan-Gruenfeldt, Paul, 1879–1943, ed.

ML5.M935 25—13375

NM 0912114 DLC ICN NN OCl CU

Musikblätter des Anbruch.
Arnold Schönberg zum fünfzigsten geburtstage, 13. september 1924
see under title

Musikblätter des Anbruch.
Musik der Gegenwart; eine Flugblätterfolge
see under title

Musikbrevier
see under Jerger, Wilhelm, 1902- ed.

Musikbuch aus Österreich; ein jahrbuch der musikpflege in Österreich und den bedeutendsten musikstädten des auslandes ... I.– jahrg. Wien und Leipzig, C. Fromme, 1904–
v. fold. facsim. 17½ x 14cm.
Editor: 1904– R. Heuberger.
"Das 'Musikbuch aus Österreich' erscheint gleichsam als fortsetzung des seit drei jahren sistierten 'Kalenders für die musikalische welt'."—Pref.

1. Music—Austria. 2. Music—Almanacs, year-books, etc. I. Heuberger, Richard, 1850–1914, ed.

6—10017

Library of Congress ML21.M91

NM 0912118 DLC IU MB

Musikbücher. Zusammengestellt und hrsg. unter Mitwirkung von hervorragenden Fachleuten. Leipzig, Verlag von Koehler & Volckmar A.-G., [1929]
72 p. 16 cm. (Bücherverzeichnisse aus allen Gebieten, 12)
Supersedes Kompendien-Kataloge, v. 12 with special title Musik für Haus, published in 1920.

1. Music—Germany—Bibl. (Series)

ML120.G3M95 68-42542/MN

NM 0912119 DLC

VOLUME 403

Musik-bücherei. Weissenturn verlagsgesellschaft.
Die welt der töne umfassend die meisterschöpfungen von mehr als drei jahrhunderten ...
see under title

Mus 187.260
[Musik-Collegium Schaffhausen]
300 [i.e. Dreihundert] Jahre Musik-Collegium Schaffhausen. [Schaffhausen, 1955-

Contents: - Vol.1. 1655-1875.

NM 0912121 MH

Musikens historie fra de ældste tider til vore dage populært fremstillet. Kjøbenhavn, E. Bergmann, 1881-87.
2 p. l., 639, [4] p. 20½cm.
"... For de første afsnits vedkommende udarbejdet paa grundlag af Wilhelm Baucks 'Musikens historia'; de senere afsnit støtte sig til forskjellige musikhistoriske forfattere ... Afsnittet 'Tonekunsten i Norden' er en selvstændig udarbejdelse med benyttelse af de forhaandenværende kilder."

1. Music—Hist. & crit. 2. Music—Scandinavia—Hist. & crit. I. Bauck, Vilhelm i. e. Karl Vilhelm, 1808-1877.

10-9661

Library of Congress ML160.M87

NM 0912122 DLC

ML160
.M89
Musikens hvem, hvad, hvor. Politikens musikleksikon. København, Politikens forlag, 1950.
3 v. ports. 17 cm.
"Udarbejdet af Nelly Backhausen og Axel Kjerulf."
CONTENTS.—1. Musikhistorie.—2. Biografier A-Q.—3. Biografier R-Å og 15,000 musiktitler.

1. Music—Hist. & crit. 2. Music—Chronology. 3. Music—Bio-bibl. I. Backhausen, Nelly, ed. II. Kjerulf, Axel, 1884- ed.

A 51-2713

Oregon. Univ. Libr. for Library of Congress [3]

NM 0912123 OrU NN CU DLC

MUSIKENS hvem, hvad, hvor. København, Politikens forlag, 1950. 3v. illus., ports. 17cm.

Microfiche (neg.) 11 x 15cm. (NYPL FSN 11,259)
At head of title: Politikens musikleksikon.
"Udarbejdet af Nelly Backhausen og Axel Kjerulf."
CONTENTS.--1. Musikhistorie.--2. Biografier A-Q.--3. Biografier R-Å og 15,000 musiktitler.
1. Music--Dictionaries. 2. Musicians--Dictionaries. 3. Dictionaries(In Danish). 4. Musicians, Scandinavian. I. Title: Politikens musikleksikon.

NM 0912124 NN

R016.59988
M987a
Musiker, Reuben, comp.
The Australopithicinae; bibliography compiled by R. Musiker. Cape Town, South Africa, University of Cape Town, School of Librarianship, 1954.
81 p. 27cm. (University of Cape Town, School of Librarianship. Bibliography series)

1. Australopithecinae - Bibl. 2. Man - Origin - Bibl.

MiEM NRU NN CtY CaBVaU
NM 0912125 FU CU WaU CSt NSyU NIC IEN MH-P DSI

Musiker, Reuben, comp.
Guide to South African reference books
see under Cape Town. University of Cape Town. School of Librarianship.

Der **Musiker.**
Hamburg [etc.]
v. in illus., ports., music. 30 cm. monthly.
Began publication with Apr. 1948 issue. Cf. Deutsche Bibliographie. Zeitschriften, 1945-52.
"Offizielles Organ des Deutschen Musikerverbandes in der Gewerkschaft Kunst des DGB."
Supplements included in some issues.

1. Music—Period. I. Deutscher Musikerverband.

ML5.M9434 59-18907

NM 0912127 DLC

Musiker-biographien. v. 1-18?-
Lpz. n.d. (Universal-bibliothek)
etc.,

NM 0912128 ODW NNC NN MnU ICU MB ICN OCl NPV RPB

Musikergestalten. Wolfenbüttel

Vol.1 (1929): Blume, F. Michael Praetorius, Creuzburgensis

NM 0912129 MH

Musikergilde ... 1921-1922
see Jahrbuch der Musikantengilde.

120
Musiker-Kalender...

Volume for 1946.

(Published in Vienna. Has picture of Schubert by F. Streye on front cover).

NM 0912131 NN ICN IU MB

Musiker-kalender für die Schweiz ... Agenda du musicien pour la Suisse ...
[Zürich] Der Schweiz. musikpädagogische verband, 19
v. 15cm.

1. Music—Almanacs, year-books, etc. 2. Music—Switzerland. 3. Musical societies—Switzerland. I. Title: Agenda du musicien pour la Suisse. II. Schweizerischer musikpädagogischer verband.

35-2138

Library of Congress ML21.M895
[2] 780.59

NM 0912132 DLC NN

Musikern.
[Stockholm, Svenska musikerförbundet]
v. illus., ports. 30 cm.
Semimonthly, -Apr. 16, 1948; monthly, May 1, 1948-
Began publication in 1908. Cf. Union list of serials.

1. Music—Period. 2. Music—Sweden. I. Svenska musikförbundet.

ML5.M9426 51-25768

NM 0912133 DLC NN TxU

Musiker-zeitung
see
Oesterreichische musiker-zeitung.

Der **Musikerzieher**
see
Musik im Unterricht.

Musikerziehung. 1.- Jahrg.; Dez. 1947-
Wien, Österreichischer Bundesverlag.
v. in illus., ports., music. 27 cm. quarterly.
Contains information concerning the Arbeitsgemeinschaft der Musikerzieher Österreichs.

1. Music—Period. I. Arbeitsgemeinschaft der Musikerzieher Österreichs.

ML5.M9435 51-27637

NM 0912136 DLC OrU NIC InU CaBVaU NN

Die Musikerziehung; Zentralorgan für alle Fragen der Schulmusik, ihrer Grenzgebiete u. Hilfswissenschaften.

[Königsberg]
v. in 23 cm. monthly.
"Gegründet 1924."
Vols. for published in Lahr in Baden by M. Schauenburg.

1. School music—Instruction and study—Period. 2. School music—Instruction and study—Germany.

ML5.M9436 64-420/MN

NM 0912137 DLC

Musikfest der stadt Essen, 100-jahr-feier des Städtischen musikvereins ...
see under Essen. Musikfest, 1938.

Musikfest der stadt Essen vom 12. bis 17. marz 1938
see under Essen. Musikfest, 1938.

Musikfest des Ständigen rates für die internationale zusammenarbeit der komponisten, Dresden 1937
see Internationales musikfest, Dresden, 1937.

Das musikfest in Bern ...
see under [Bürkli, Johann Georg] 1793-1851.

Das musikfest in St. Gallen ...
see under [Bürkli, Johann Georg] 1793-1851.

ML55
P25
Music
Library
Musikfest zur Säcularfeier von Ludwig van Beethoven's Geburtstag am 20., 21., 22., und 23. August 1871 in Bonn ... [Bonn, P. Neusser, 1871?]
43 p. (In Pamphlets on music)

Cover title: Säcularfeier des Geburtstages von Ludwig van Beethoven ... in seiner Vaterstadt Bonn.

1. Beethoven, Ludwig van - Anniversaries, etc., 1871.
I. Title: Säcularfeier des Geburtstages von Ludwig van Beethoven.

NM 0912143 CU

Musikfibel für Laienmusiker; Musikgrundlehre, die Instrumente, die Gattungen der Musik, Geschichte der Musik, von Paul Büttner [et al.] Halle (Saale) Mitteldeutscher Verlag [°1950]
72 p. music. 21 cm.
At head of title: Zentralstelle für Volkskunst.

1. Music—Instruction and study. I. Büttner, Paul, 1870-1943.

MT6.M965 51-31051

NM 0912144 DLC

VOLUME 403

Musikforeningen, *Copenhagen.*
Festskrift i anledning af Musikforeningens halvhundredaarsdag ... Kjøbenhavn, Udg. af Musikforeningen, 1886.
2 v. 23cm.
Label, "Kjøbenhavn, I kommission hos C. A. Reitzel, 1886," mounted over imprint on cover.
CONTENTS.—I. del. Koncerter og musikalske selskaber i ældre tid, af V. C. Ravn.—II. del. Musikforeningens historie 1836–1886, af Angul Hammerich.
1. Music—Denmark—Copenhagen. I. Ravn, Vilhelm Carl, 1838– II. Hammerich, Angul, 1848–
Library of Congress ML311.4.M8 5–19888

NM 0912145 DLC NcD ViU NcU NdU TxU CU

Musikforeningen, *Oslo*
see also
Filharmoniske selskap, *Oslo.*

Die Musikforschung. 1.– Jahrg.; 1948–
Kassel, Bärenreiter-Verlag.
v. in ports., music. 23 cm. 4 no. a year.
"Herausgegeben im Auftrag der Gesellschaft für Musikforschung und in Verbindung mit dem Landesinstitut für Musikforschung ... und dem Institut für Musikforschung."
1. Music—Period. 2. Musicology—Period. I. Gesellschaft für Musikforschung, Kiel.
ML5.M9437 780.5 51-28227

CU-Riv ICN MoSW OCU CSt
AzU MBU WU IaAS OU MiU NcD INS GU KyLoU DCU MNS
NM 0912147 DLC TxU NIC NcU OClW PU-FA DAU FTaSU

Musikfrämjandet. Stockholmsavdelningen.
Årsskrift. 19
[Stockholm, 19 no. illus. 22cm.
Editor : 19 Nils Wallin.
19 include annual report.
1. Music—Per. and soc. publ.
N. Y. P. L. May 10, 1949

NM 0912148 NN

MUSIKFRÄMJANDET.
Svensk ton på grammofon. [Stockholm, 1953]
15 p. 22cm.
1. Phonograph records--Selected lists. 2. Discography, Swedish. 3. Music, Swedish--Discography.

NM 0912149 NN

Musikgemeinde, Rudolstadt
2.Historisches Musikfest in Rudolstadt und auf Schloss Heidecksburg, Pfingsten 1926; Festschrift. [Die Ausstattung dieser Festschrift besorgte W.Geissler] Rudolstadt, Greifenverlag, 1926
77 p. illus., ports.
Added t.-p.: Die Deutschen Musikabende und Historischen Musikfeste in Rudolstadt, von Ernst Wollong

NM 0912150 MH

Musikgeschichte in Bildern, hrsg. von Heinrich Besseler und Max Schneider. Leipzig, Deutscher Verlag für Musik [19
v. illus. (part col.) facsim., map. 35 cm.
Includes bibliographies.
1. Music—Hist. & crit.—Pictorial works. 2. Music in art. I. Besseler, Heinrich, 1900– ed. II. Schneider, Max, 1875– ed.
ML89.M9 65–88461/MN

LU
NM 0912151 DLC KMK CtY INS CaBVaU OrSaW OrU OrPR

Musikgeschichte Leipzigs, von Rudolf Wustmann [und Arnold Schering] Leipzig, B. G. Teubner, 1909–
3 v. illus., ports. 25cm. (Geschichte des Geistigen Lebens in Leipzig aus Anlass des fünfhundertjährigen Jubiläums der Universität mit unterstützung des Rates der Stadt Leipzig, hrsg. durch die Königlich Sächsische Kommission für Geschichte)
"Aus den Schriften der Kgl. Sächsischen Kommission für Geschichte."
CONTENTS.—1. Bd. Bis zur mitte des 17. Jahrhunderts. 1909.—2. bd. Von 1650 bis 1723, von Arnold Schering.—3. bd. Das Zeitalter Johann Sebastian Bachs und Johann Adam Hillers (von 1723 bis 1800) von Arnold Schering.
1. Music—Germany—Leipzig. 2. Bach, Johann Sebastian, 1685–1750. I. Wustmann, Rudolf, 1872–1916. II. Schering, Arnold, 1877–1941.

NM 0912153 ViU ICN NN NIC CtY WU

Musikgeschichte Leipzigs ... von Rudolf Wustmann ... [und Arnold Schering] Leipzig, F. Kistner & C. F. W. Siegel, 1926–41.
3 v. fronts. (v. 1–2) illus., plates, ports., facsims. 23½–25½cm. (*Half-title:* Geschichte des geistigen lebens in Leipzig, hrsg. durch die Sächsische kommission für geschichte)
"Aus den Schriften der Sächsischen kommission für geschichte."
Vol. 1: 2. unveränderte auflage.
Vol. 3 has special t.-p.: Johann Sebastian Bach und das musikleben Leipzigs im 18. jahrhundert. Der Musikgeschichte Leipzigs dritter band ...
Includes music.
"Schriften der Königlich sächsischen kommission für geschichte": v. 1, p. [xv]–xviii.
"Literaturnachweise": v. 2, p. [472]–474; v. 3, p. [672]–675.
CONTENTS.—1. bd. Bis zur mitte des 17. jahrhunderts, von Rudolf Wustmann.—2. bd. Von 1650 bis 1723, von Arnold Schering.—3. bd. Das zeitalter Johann Sebastian Bachs und Johann Adam Hillers (von 1723 bis 1800) von Arnold Schering.
1. Music—Germany—Leipzig. 2. Bach, Johann Sebastian, 1685–1750. I. Wustmann, Rudolf, 1872–1916. II. *Schering, Arnold, 1877–1941.
33–1058 Revised
Library of Congress ML280.8.L3M9
[2] 780.94321

OOxM CSt
NM 0912155 DLC NSyU NcD OU PP PSt ICU MH NN MiU

M2
.E68
Musikgeschichtliche Kommission.
Das Erbe deutscher Musik, hrsg. von der Musikgeschichtlichen Kommission E. V. Kassel [etc.] Nagels Verlag [etc., 1954–

Musikgeschichtliche Kommission
see also
Kassel. Deutsches Musikgeschichtliches Archiv.

ML105
.E37
Musikgeschichtliche quellennachweise ... [Eisleben, ...] 1911 ...

NM 0912158 DLC

Musikgesellschaft, Allgemeine, Zürich.
see
Allgemeine musikgesellschaft, Zürich.

Musikgesellschaft, *Bern*
see
Bernische Musikgesellschaft.

Musik-gesellschaft auf der Teutschen schule in Zürich
see
Musik-gesellschaft zur Deutschen schule, Zürich.

Musikgesellschaft Baden
see **Orchestergesellschaft Baden.**

Musikgesellschaft Derendingen.
75 [i. e. Fünfundsiebzig] Jahre, 1873–1948, Musikgesellschaft Derendingen, 12.–13. Juni event. 19.–20. Juni; Jubiläumsfestschrift mit Programm und Vereinschronik. [Derendingen, 1948] 28 p. 22cm.
Cover title.

NM 0912163 NN

Musikgesellschaft Düdingen.
150 [i.e. Hundertundfünfzig] Jahre Musikgesellschaft Düdingen, 1798–1948
see under Felder, Emil.

Musikgesellschaft Erschwil, Switzerland.
50 [i. e. Fünfzig] Jahre Musikgesellschaft Erschwil, 1898–1948; Jubiläumsfeier verbunden mit Fahnenweihe, Sonntag, den 6., eventuell 13. Juni 1948. [Erschwil, 1948] [32] p. illus. 21cm.
Cover title.

NM 0912165 NN

Musikgesellschaft Schnottwil.
125 [i. e. Hundertfünfundzwanzig] Jahre Musikgesellschaft Schnottwil, 1826–1951. Lengnau bei Biel, 1951?]
52 p. illus. 21 cm.
I. Title.
ML320.8.S35M8 56–33416 ‡

NM 0912166 DLC

Musikgesellschaft Sumiswald.
100 [i. e. Hundert] Jahre Musikgesellschaft Sumiswald, 1849–1949; Festschrift zur Jubiläumsfeier vom 3. und 4. Mai 1952 den Ehrenmitgliedern, Aktiven, Passiven, Gönnern und Freunden dargeboten. Verfasser des geschichtlichen Teils: Christian Lerch. [Sumiswald, 1949]
70 p. illus., ports. 21 cm.
1. Music—Switzerland—Sumiswald. I. Lerch, Christian. II. Title.
ML320.8.S8M87 55–37469

NM 0912167 DLC

Musikgesellschaft Wimmis.
Festschrift, 75 [i. e. fünfundsiebzig] Jahre Musikgesellschaft Wimmis, 1876–1951. Hrsg. zur Jubiläumsfeier vom 29. Juli 1951. Wimmis, Buchdr. ILG [1951]
32 p. illus. 23 cm.
1. Musikgesellschaft Wimmis. 2. Music—Switzerland—Wimmis. I. Title.
ML320.8.W38M8 57–37678 ‡

NM 0912168 DLC

Musikgesellschaft Worb, Switzerland.
Jubiläums-Schrift zum 100-jährigen Bestehen. [Worb, 1943]
38 p. illus., ports. 22cm.

NM 0912169 NN

Musikgesellschaft zum Fraumuenster, Zürich.
see
Musik-gesellschaft zur Deutschen schule, Zürich.

VOLUME 403

8A
1566 MUSIK-GESELLSCHAFT ZUR DEUTSCHEN SCHULE, Zürich.
Helvetischer Neujahrs-Gesang. [Zürich, 1780]
8p. 20x24cm. (its Neujahrs-Geschenk, Jahr 1780)

Caption title.
For chorus(SATB) and organ (figured bass).

NM 0912171 ICN

8A
1565 MUSIK-GESELLSCHAFT ZUR DEUTSCHEN SCHULE, Zürich.
Der neue Schweizer Bund. Zürich, gedrukt bey D. Bürkli, 1804.
p.26-31. front. 20x24cm. (its Neujahrs-Geschenk, Jahr 1804)

For chorus and keyboard instrument.

NM 0912172 ICN

Musikgesellschaft zur Deutschen schule, Zürich.

Neujahrsgeschenk an die zürcherische jugend, von der Musik-gesellschaft zur Deutschen-schule in Zürich. 1713–1812. [Zürich, 1713–1812]

Musikhandel. 1.– Jahrg.; 1. Sept. 1949–
[Wiesbaden, Deutscher Musikverleger-Verband]
v. in illus. 30 cm. bimonthly.
Supplements with title Der Jung-Musikhandel accompany some issues.

1. Music trade—Period. I. Deutscher Musikverleger-Verband.
ML5.M9438 55-36474

NM 0912174 DLC InU TxU OU

MUSIKHANDEL. 1.-date Jahrg.; Sept. 1949-date
Wiesbaden. v. illus. 30cm.

Film reproduction. Positive.

Frequency varies.
Published by the Deutscher Musikverleger-Verband and the Deutscher Musikalienwirtschafts-Verband.

Includes the suppl.: Der Jung-Musikhandel.

1. Music--Per. and soc. publ. 2. Music trade--Germany. 3. Periodicals--Germany. 4. Trade--Germany--Per. and soc. publ. I. Deutscher Musikverleger-Verband. II. Deutscher Musikalienwirtschafts-Verband. III. Der Jung-Musikhandel.

NM 0912176 NN

Musikhandel und musikpflege. Mitteilungen des Vereins der deutschen musikalienhändler zu Leipzig.
Leipzig, Verein der deutschen musikalienhändler zu Leipzig
v. 30½cm. weekly.

1. Music—Period. I. Verein der deutschen musikalienhändler, Leipzig.
CA 9-9 Unrev'd
Library of Congress ML5.M944

NM 0912177 DLC

Musikheroen der Neuzeit. Leipzig. 1-8, 1887-95//?
v.2 pub. in 1886.

NM 0912178 ICU CU MB MH NN OCl PU DLC

Musikhistoriker, pseud.
Wie studiert man musikwissenschaft?
see under title

Musikhistorischer kongress, Vienna, 1927
see
Internationaler musikhistorischer kongress, Vienna, 1927

Musikhistorisches museum von Fr. Nicolas Manskopf, Frankfurt
see Frankfurt am Main. Bibliothek für Neuere Sprachen und Musik. Manskopfsches Museum für Musik und Theatergeschichte.

Musikhistorisches museum von Wilhelm Heyer in Cöln
see under Heyer, Wilhelm, 1849-1913.

Musikhistorisk Arkiv...
Bind 1

København: Levin & Munksgaard, 1931– 24cm.
v. illus. (music.)

Published by Dansk Musikselskab, musikologisk Samfund.
Editor : Bd. 1 , G. Skjerne.

1. Music—Per. and soc. publ. I. Skjerne, Godtfred, 1880– , ed. II. Dansk Musikselskab, musikologisk Samfund.
N. Y. P. L. December 24, 1935

NM 0912183 NN DLC IU MiU MH CU CtY

Musikhistorisk museum, Copenhagen.
see
Copenhagen. Musikhistorisk museum.

Musikhistoriska museet, Stockholm
see Stockholm. Musikhistoriska museet.

Musikhistoriska museets vänner.

ML5 .M7138
Musica; årsbok. 1947–
Stockholm.

Musikhögskolan, *Stockholm*
see Stockholm. Musikhögskolan.

Musiki ansiklopedisi. sene 1– (sayı 1–); 7 Mart 1947–
[İstanbul]
v. illus., ports., music. 30 cm. biweekly.
Editor: no. 1– E. Cenkmen.
Includes music.
Ceased publication with no. 21?

1. Music—Period. I. Cenkmen, Emin, ed.
ML5.M9915 59-41865

NM 0912188 DLC

Musiki mecmuası. sene 1– (no. 1–); 1 Mart 1948–
[İstanbul]
v. illus., ports., music. 29 cm. monthly.
Editors: Mar.–Apr. 1948, A. I. Tayşılı.—May 1948– L. Karabey.
Includes music (principally unacc. melodies)

1. Music—Period. I. Tayşılı, A. Ihsan, ed. II. Karabey, Lâika, ed.
ML5.M947 59-42207

NM 0912189 DLC

Musiki muallim mektebi, *Ankara*
see
Ankara. Devlet konservatuvarı.

Das Musikinstrument. Jahrg. [1]– [1952]–
Frankfurt/Main.
v. illus., ports., diagrs. 30 cm.
Six no. a year, 1953–54; monthly, 1955–
Editor: 1952– E. Bochinsky.

1. Musical instruments — Period. 2. Music trade—Germany. I. Bochinsky, Erwin, ed.
ML5.M90225 59-20429

NM 0912191 DLC NSyU NN IU

Musikinstrumenten-Museum, *Leipzig*
see
Leipzig. Universität. *Musikinstrumenten-Museum.*

Musik-instrumenten-zeitung. Fach- und anzeigeblatt für fabrikation, handel und export von musik-instrumenten aller art.
Berlin, M. Warschauer
v. illus. 32cm. weekly.

1. Musical instruments—Period.
CA 9-6250 Unrev'd
Library of Congress ML5.M905

NM 0912193 DLC

Musikkollegium Winterthur.
...Ausstellung musikhistorischer Dokumente bei Anlass des dreihundertjährigen Jubiläums im Gewerbemuseum Winterthur 3.–17. April 1930... Katalog... [Winterthur: Buchdruckerei Winterthur, pref. 1930.] 27 p. front. 2. ed., rev. and enl. 12°.

1. Music—Exhibitions—Switzerland —Winterthur.
N. Y. P. L. February 24, 1932

NM 0912194 NN

780.72 Musikkollegium Winterthur.
W788b Bericht bei Anlass des 275-jährigen Bestehens erstattet von der Vorsteherschaft, 1629-1904.
Winterthur, Ziegler, 1904.
Music lib. 40p. 26cm.

1. Winterthur. Musikkollegium.

NM 0912195 NcU

MT 5 S8 W5 M8 Musikkollegium Winterthur.
Festschrift zur Feier des dreihundertjährigen Bestehens, 1629-1929 ... [Winterthur, Im Verlag des Musikkollegiums Winterthur, 1929-
v. illus., ports. 25 cm.

Contents: - 1. Bd. Das Musikkollegium Winterthur 1629-1837, von Max Fehr.

NM 0912196 OU IaU MH NN CU ICU CLU DLC

VOLUME 403

Musikkollegium Winterthur.
Generalprogramm, 1951/1952. ⌜Werner Reinhart zum Gedächtnis. Winterthur? 1952?⌝
46 p. ports. 21 cm.

1. Concerts—Programs. 2. Concerts—Winterthur. 3. Reinhart, Werner, 1884–1951.
ML42.W64M8 53-34101

NM 0912197 DLC

Musikkollegium Winterthur.
In memoriam Ernst Wolters, geboren am 9. Oktober 1893, gestorben am 30. März 1945. ⌜Die Beiträge von Eduard Geilinger et al. Winterthur, 1946⌝
30 p. illus. 21 cm.

1. Wolters, Ernst, 1893–1945. I. Title.
ML422.W83M9 61-27419 ‡

NM 0912198 DLC

Musikkollegium Winterthur.
Die Programme der Konzerte von Hermann Scherchen, 1922–1947, fünfundzwanzig Jahre Dirigent des Stadtorchesters Winterthur. ⌜Winterthur, 1949⌝
73 p. 21 cm.

1. Concerts—Winterthur. 2. Concerts—Programs. 3. Scherchen, Hermann, 1891–
ML42.W64S3 55-58539 ‡

NM 0912199 DLC

Musikkollegium Winterthur.
Zum Gedächtnis an Oskar Kromer, 1904–1949. ⌜Winterthur, 1949⌝
52 p. ports. 21 cm.

1. Kromer, Oskar, 1904–1949.
ML418.K94M8 55-32559

NM 0912200 DLC MH

Das **Musik-Kränzlein**; Meisterwerke der Vergangenheit und Gegenwart.
Nr. 1

Leipzig: F. Kistner & C. F. W. Siegel⌜, 1932 30½cm.
no. music.
Editor : Nr. 1 , H. J. Moser.

1. No subject. I. Moser, Hans Joachim, 1889- , editor.
N. Y. P. L. June 8, 1933

NM 0912201 NN

Musikrevy. årg. 1-
okt./nov. 1946–
⌜Stockholm⌝
v. in illus., ports. 25 cm. irregular.

1. Music—Period. 2. Music—Discography.
ML5.M9635 51-25767

NM 0912202 DLC ICN OrU MiU IU OU NSyU

Musikrevy international. nr. 1-
1951–
⌜Stockholm⌝
v. illus., music, ports. 26 cm.
Each vol. has also a distinctive title: 1951, Music of the North.—1954, Music in Sweden.—1960, Sweden in music.
Special issues of Musikrevy.

1. Music—Sweden—Hist. & crit. I. Title: Music of the North. II. Title: Music in Sweden. III. Title: Sweden in music.
ML313.M88 60-43833 rev/MN

NM 0912203 DLC MiU MB

780.9485 **Musikrevy** international.
M97m
Music in Sweden: Musikrevy international, 1954. Typography by Tore Lagergren. Translated by Karin McNeil and Erik Sjögren. [Stockholm] 1954.
48 p. illus., ports. 26 cm.

1. Music--Sweden. I. Title.

NM 0912204 LU NcU

V 207 .6512
MUSIKKULTUR; tidskrift för sverges bildningsälskande musikvänner. årg.1-4; 1926-1929. Stockholm⌜Lagerström⌝1926-29.
4v.in 2.

Twelve nos. a year, with 2 and 3 nos. sometimes combined.
Subtitle varies: årg.1, no.1-2, Organ för Sveriges musikpedagogiska förbund och sveriges körförbund.
No more published.

NM 0912205 ICN

Musiklärarnas riksförbund.
ML5 .S3765
Skolmusik.
⌜Uppsala, etc.⌝

Das **Musikleben.** 1.- Jahrg.; Feb. 1948–
Mainz.
v. illus., ports. 30 cm. monthly.
Issued 1948 as Melos, allgemeine Ausgabe, a suppl. to Melos.
Published 1948–Feb. 1949 by Melosverlag.

1. Music—Period. I. Melos. Supplement.
ML5.M9025 51-28233

NM 0912207 DLC MB CU InU

Micro-film ML 338
Das Musikleben. 1.- Jahrg.; Feb.1948-
Mainz.
Monthly.
Issued 1948 as Melos, allgemeine Ausgabe, a suppl. to Melos.
Published 1948-Feb.1949 by Melosverlag.
Negative; microfilmed by Newberry Library, Photoduplication Service.
1. Music--Period. 2. Periodicals (German)
I. Melos. Supplement.

NM 0912208 ICU

... Der musiklehrer ...
see under Kestenberg, Leo, 1882- ed.

Musikliterarische blätter. Organ zur förderung der musikalischen produktion aller völker. Fachblatt für komponisten, musikverleger, musikalienhändler, musikdirigenten und konzertvirtuosen ... 1.- jahrg.; 11. dez. 1903–
Wien, "Universal-handbuch der musikliteratur" Pazdirek & co., kommanditgesellschaft, 1903–
v. illus. (ports.) 30½cm. 3 nos. a month.
Editors: Dec. 1903–Feb. 1, 1904, Otto Keller.—Feb. 11, 1904– Franz Pazdirek.
1. Music—Period. I. Keller, Otto, 1861– ed. II. Pazdirek, Franz, ed.

Library of Congress ML5.M91 7-23381†

NM 0912210 DLC

MUSIKLIVET. årg.
Stockholm. v. illus., ports., music.
27-29cm.

Quarterly.
Published by Sveriges körförbund.
Title varies: 1957-61, Musiklivet; vår sång.
Includes scores inserted as "Bilaga."
1. Music--Per. and soc. publ. 2. Periodicals--Sweden.
I. Sveriges körförbund.

NM 0912211 NN

MUSIK-MAPPE; eine Zeitschrift mit Noten-Beilagen.
Bd. 1-[5]. Berlin, 1904-11. 5 v. on 1 reel. illus., music. f°.
Film reproduction. Negative.
Lacking: Bd. 1, Heft 1.
Each no. in 2 parts: Unterhaltener Teil; Musikalischer Teil. (The latter is bound separately according to subject: Lieder, * MP; Tänze, *MYD; Salonstücke, * MYD)
1. Music--Per. and soc. publ. 2. Periodicals--Germany.
3. Songs--Collections 4. Piano--Collections.

NM 0912212 NN

Musikologie; sborník pro hudební vědu a kritiku.
Praha, Státní nakl. krásné literatury, hudby a umění, 19
v. music. 24 cm.
Tables of contents also in Russian, French, English, and German.

1. Music—Addresses, essays, lectures. 2. Musicology.
ML55.M75 58-31840

NM 0912213 DLC IU NcU NcD TxU

ML55 .M95
Musikpädagogische Bibliothek. Hft.1-
1925- Leipzig, Quelle & Meyer.
v. music.
Editor: 1925- Leo Kestenberg.

1. Music--Collections. 2. Music--Instruction and study.

NM 0912214 ICU NN

Musikpädagogische blätter ... Zentralblatt für das gesamte musikalische unterrichtswesen. Organ der musiklehrer- und tonkünstler-vereine zu Dresden, Essen, Hamburg, Leipzig, Stuttgart und des deutschen musikpädagogischen verbandes (E. V.) ... 1.- jahrg.; jan. 1878–
Berlin, W. Peiser verlag ⌜etc., 1878⌝–
v. illus., plates. 26–27½cm. semimonthly.
Title varies: Jan. 1878–Dec. 1910, Der Klavier-lehrer.
Jan. 1911– Musikpädagogische blätter.
Editors: Jan. 1878–July 1899, Emil Breslaur.—Jan. 1900– Anna Morsch.
Formed by the union of Der Klavier-lehrer and Gesangspädagogische blätter, continuing the volume numbering of the former.
1. Music—Period. I. Breslaur, Emil, 1836–1899, ed. II. Morsch, Anna, 1841– ed.
Library of Congress ML5.M956 13-33624

NM 0912215 DLC MiU

Musikpädagogische Reformen. 1-2; 1905? ⌜Berlin⌝
2 v.

"Herausgegeben von Anna Morsch."
"Beilage der Zeitschrift 'Der Klavier-Lehrer.'"

NM 0912216 MiU

780.5 MER v.2, pt.3- v.3, pt.1
Musikpädagogische Zeitscrift, Monatsbeilage des "Merker" für soziale und Unterrichtsfragen. Nr.1-
20.Apr.1911-
Wien.
v. 25cm. monthly.
Organ of the Österreichischer Musikpädagogischer Verband.
Nr.1-11 issued in and bound with Der Merker, v.2, pt.3-v.3, pt.1.

NM 0912217 IU

Musikpädagogischer verband.
Der **Klavier-lehrer.** Musikpädagogische zeitschrift für alle gebiete der tonkunst. Organ der musiklehrer- und tonkünstler-vereine zu Köln, Dresden, Hamburg, Stuttgart, Leipzig und des Musikpädagogischen verbandes (E. V.) ... 1.–33. jahrg.; jan. 1878–dez. 1910. Berlin, W. Peiser verlag ⌜etc., 1878–1910⌝

VOLUME 403

Musikpädagogischer verband.
Satzungen und prüfungsordnung des Musikpädagogischen verbandes. [Berlin, Druck von J. S. Preuss, 1903]
16 p. 22½cm.

1. Music—Instruction and study.

CA 8-2108 Unrev'd

Library of Congress MT3.G3M53

NM 0912219 DLC

Musikpaedagogischer verband in Prag
see
Deutscher musikpaedagogischer verband in der Tschechoslowakei.

ML5 .D195
Musikpædagogisk forening.
Dansk musiktidsskrift.
København, G. E. C. Gad [etc.]

Die Musikpflege; Monatsschrift für Musikerziehung, Musikorganisation und Chorgesangwesen.
Jahrg.
Leipzig, 193 24cm.
v. illus.

"In Verbindung mit der Musikabteilung des Zentralinstituts für Erziehung und Unterricht und der Interessengemeinschaft für das deutsche Chorgesangwesen herausgegeben."
Editor : E. Preussner.

1. Music—Per. and soc. publ. 2. Music—Conservatories—Germany—Periodicals. I. Interessengemeinschaft für das deutsche Chorgesangwesen. II. Zentralinstitut für Erziehung und Unterricht, Berlin—Musikabteilung. III. Preussner, Eberhard, editor.
N. Y. P. L. September 24, 1932

NM 0912221 NN

Music D780.9485 M97
Musikrevy international.
Music of the North. Musikrevy international. [Stockholm, 1951]
cover-title, 44 p. illus., music. 26cm.

"It is natural that this first international edition of the Swedish magazine Musikrevy (founded in 1946) should deal exclusively with Swedish music."
"In collaboration with the Swedish Institute and the Society of Swedish Composers. Translated by Burnett Anderson."

NM 0912222 NNC

Musik-Sammlung von J. Walter. [v. p., 179-?-18—]
20 v. in 1. 25 x 34 cm.
Binder's title.
Principally songs.

1. Songs with piano.

M1495.M95 M 54-2024

NM 0912223 DLC

Musikschule, Weimar
see Weimar. Staatliche Hochschule für Musik.

Musikschule für Gesang, Klavier und Komposition, *Berlin*
see
Berlin. Städtisches Konservatorium.

Musikschule Mozarteum, *Salzburg*
see
Salzburg. Akademie für Musik und Darstellende Kunst Mozarteum.

Das Musikschulwerk.
Berlin, Volk und Wissen Verlags GmbH, 19
v. illus. 24 cm.
Includes songs.

1. School music—Instruction and study—Germany. 2. School songbooks, German.

MT935.M96 53-33585

NM 0912227 DLC

Musikselskabet "Harmonien," *Bergen.*
... 175-års jubileum, 1765–1940. [Bergen, A.s J. Griegs boktrykkeri, 1940]
28 p. illus. (incl. ports.) diagr. 23cm.

1. Music—Norway—Bergen. 2. Musicians, Norwegian.

44-43883

Library of Congress ML312.8.B4M8
[2] 784.606248.

NM 0912228 DLC

780.94315 M973
Musikstadt Berlin zwischen Krieg und Frieden; musikalische Bilanz einer Viermächtestadt. Berlin, Ed. Bote & G. Bock [1955]
239 p. illus. 22cm.

1. Music. Germany. Berlin. 2. Music. Addresses, essays, lectures.

NM 0912229 OrU

Die Musikstätten Österreichs ...
see under Fischer, Alexander, writer on music, ed.

ML100 .M92
Musik-taschenbuch. Erklärung der musikalischen kunstausdrücke, von dr. Hugo Riemann. Katechismus der musik, von Oskar Schwalm. Tabellen zur musikgeschichte, von dr. Hugo Riemann. Tonkünstler-lexikon. Führer durch die klavierlitteratur. 4. aufl. Leipzig, Steingräber [1888]
326 p. 13cm.

1. Music—Dict. 2. Music—Hist. & crit. 3. Musicians—Dict.

NM 0912231 ICU

ML 110 M9 1892
Musik-Taschenbuch. [5. Aufl.] Leipzig, Steingräber Verlag [1892]
352, xxxiip. music. 13 1/2 cm.

1.-3. Aufl., entitled Kalender für Musiker und Musikfreunde ... hrsg. von Gust. Damm; 1st ed., Hannover, 1885. Cf. Coover, Music Lexicography.
Contents.-Erklärung der musikalischen Kunstausdrücke, by H. Riemann.-Katechismus der Musik, von O. Schwalm.-Kurzgefasste

Harmonielehre, von H. Riemann.-Anleitung zum Studium der Technischen Ubungen, von H. Riemann.-Tabellen zur Musikgeschichte, von H. Riemann.-Notizblätter und Studenconti.-Führer durch die Edition Steingräber.

NM 0912233 NcU

Music ML100 M95
Musik-Taschenbuch, für den täglichen Gebrauch. Leipzig, Steingräber Verlag [188-?]
303p. 14cm.

"Edition Steingräber, Nr.60."
CONTENTS: Kurze Erklärung der musikalischen Kunstausdrücke, by H.Riemann.- Katechismus der Musik, by O.Schwalm.- Kurzgefasste Harmonielehre, by H.Riemann.- Orgel und Harmonium, by S. Karg-Elert.- Tabellen zur Musikgeschichte, by H. Riemann.

1. Music - Dict. 2. Music - Hist. & crit. 3. Musicians - Dict.

NM 0912234 IaU

---

780 M973 Music Lib'y
Musik-Taschenbuch für den täglichen Gebrauch. Leipzig, Steingräber-Verlag [1929]
319p. illus.,music. 14cm. (Edition Steingräber, Nr. 60)
CONTENTS.--Erklärung der musikalischen Kunstausdrücke, von H. Riemann.--Kurzgefasste Harmonielehre, von H. Riemann.--Zur Pädagogik des Geigenspiels, con E. Beyer.--Orgel und Harmonium, von S. Karg-Elert.--Katechismus der Musik, von O. Schwalm.--Tabellen zur Musikgeschichte, von H. Riemann.
1. Music. 2. Music - Hist. & crit.

NM 0912235 TxU

Der Musikus Almanach.
Jahr 1

Berlin-Steglitz: Panorama-Verlag, 1927 19cm.
v. illus., ports.

Half-title: Der Musikus.
Editor : 1927 Walter Dahms.
1927 with autograph of Sigrid Onegin.

1. Music—Essays. 2. Music—Almanacs, yearbooks, etc. I. Dahms, Walter, 1887- , ed.
N. Y. P. L. March 28, 1939

NM 0912236 NN

Musikvärlden. årg. 1–5; febr. 1945–dec. 1949. [Stockholm, Bonnier]
5 v. illus., ports., music. 28 cm. 10 no. a year.
Edited by F. H. Törnblom.
L. C. set incomplete: Mar. 1945 wanting.

1. Music—Period. I. Törnblom, Folke Hilding, 1908– ed.

ML5.M9637 780.5 51-25759

NM 0912237 DLC

Musikverein Bruchsal.
... Hundert jahre Musikverein Bruchsal, veranstalter der Bruchsaler historischen schlosskonzerte, gegr. 1837. Festschrift zur wiederkehr des gründungstages des ältesten vereins Bruchsals. Bruchsal, Druck: E. Schmidt, 1937.
20 p. illus. (1 mounted, incl. ports.) 31½ x 24½cm.
At head of title: 1837–1937.
"Die festschrift wurde bearbeitet von Paul Preiser, Bruchsal, nach den zeitungen ab 1837, den vereinsakten, und mitteilungen des mitglieds Theobald Fuchs."—p. [2]

1. Music—Germany—Bruchsal. I. Preiser, Paul, ed. II. Title.

39-19418

Library of Congress ML276.8.B88M9
[2] 780.94346

NM 0912238 DLC

Musikverein Eisenach.
Hundert jahre Musikverein Eisenach, 1836–1936. [Eisenach, Buch- und kunstdruckerei P. Kühner, 1936]
4 p. l., 13–173 p., 1 l. ports. (2 mounted) 21½cm.
CONTENTS.—Schering, Arnold. Die sendung Eisenachs in der deutschen musik.—Kühn, Hermann. Aus dem Eisenacher musikleben früherer zeit.—Schumm, Oskar. Die geschichte des Musikvereins.—Freyse, Conrad. Ein musikhistorischer rückblick.—Freitag, Louis. Kunst und künstler in 100 jahren.—Andernacht, Karl. Der Musikverein in der zukunft.

1. Music—Germany—Eisenach. I. Schumm, Oskar, 1862– II. Title.

39-34044

Library of Congress ML28.6.E36
[2] 780.624323

NM 0912239 DLC

VOLUME 403

Musikverein Essen. *Musikfest*, 1938
see
Essen. Musikfest, 1938.

Musikverein Euterpe.
Der Musikverein Euterpe zu Leipzig 1824–1874. Ein Gedenkblatt auf Grund der Acten hrsg. bei der Jubelfeier des fünfzigjährigen Bestehens der Euterpe. Leipzig, C. F. Kahnt, 1874.
52 p. 22 cm.

ML280.8.L32M9 10–10102 rev/MN

NM 0912241 DLC

Musikverein "Hermania," *Sibiu, Transylvania.*
Aus der geschichte des Musikvereins "Hermania," 1839–1939; festschrift zu seiner jahrhundertfeier, 21.–29. mai 1939. Hermannstadt, Im selbstverlag des Musikvereins "Hermania," 1939.
109 p., 1 l. plates, ports., facsims. 23½ cm.
Cover title: 100 jahre Musikverein "Hermania."
Addenda slip inserted.

1. Music—Transylvania—Sibiu. 2. Concerts—Programs.

ML248.8.S5M8 780.943 44–45604 rev

NM 0912242 DLC NN

Musikverein "Hermania," *Sibiu, Transylvania.*
Die concerte des Hermannstädter musikvereins 1839–1889. Ein beitrag zur geschichte dieses vereines, anlässlich der feier des fünfzigjährigen bestandes desselben im auftrage des vereinsausschusses hrsg. von Wilhelm Weiss ... Hermannstadt, Verlag des Vereins, 1889.
75 p. 23½ cm.

1. Music—Transylvania—Sibiu. 2. Concerts—Programs. I. Weiss, Wilhelm, 1859–1904.

ML248.7.T7M8 11–3506 rev 2

NM 0912243 DLC

Musikverein "Hermania," *Sibiu, Transylvania.*
Deutsches musikleben in Siebenbürgen; eine ausstellung aus fünf jahrhunderten deutscher musikpflege des siebenb.-sächsischen volkes, anlässlich der jahrhundertfeier des Musikvereins "Hermania," pfingsten 1939, Hermannstadt, 25.–31. mai 1939. Sibiu—Hermannstadt, Druck der Buchdruckerei G. A. Haifer, 1939.
52 p. 23 cm.
Cover title: Führer durch die austellung "Deutsches musikleben in Siebenburgen."
CONTENTS.—Zur einführung, von G. Brandsch.—Die pflege der kunstmusik in neuerer zeit (seit 1880) von Wilhelm Orendt.—Über die musikkultur unserer zeit, von Ludwig Schmidts.—Musikinstrumente und klangideal, von Martha Bruckner.—Verzeichnis der ausgestellten musikalien und sonstigen gegenstände.
1. Musik—Transylvania.
ML248.7.T7M83 780.943 45–52946 rev
Library of Congress [r50c2]

NM 0912244 DLC

Musikverein von Milwaukee
see
Milwaukee musical society.

Musikverein zu Münster.

AS182 .W5

Westfälischer provinzial-verein für wissenschaft und kunst, *Münster.*
Jahresbericht 1.–51./52.; [1872]–1922/24. Münster [1873–1926]

Die Musikvereine des Kantons St. Gallen. St. Margrethen, Hrsg. im Auftrage des St. Gallischen Kantonal-Verbandes durch den Verlag der Buchdr. W. Huwiler, 1952.
112 p. illus. 34 cm.

1. Music—St. Gall, Switzerland (Canton) I. St. Gallischer Kantonale-Musikverband.

ML320.7.S3M8 53–24382 ‡

NM 0912247 DLC OrU

Musikverlag Schwann, *Düsseldorf*
see
Schwann, Musikverlag, *Düsseldorf.*

Der Musikverlag und Musikalienhandel in der Welt
see under International Publishers Association. 12th congress, Leipzig, 1938.

Musikvetenskapliga saellskapet i Finland
see Suomen Musiikkitieteellinen Seura.

Die Musikwelt. 1905–1906.
Berlin.

NM 0912251 NIC

Die **Musikwelt.** Wien.
see
Das **Internationale** Podium.

"Musik-welt." Musikalische wochenschrift für die familie und den musiker. Hrsg. von Max Goldstein. 1. jahrg., 2. jahrg., no. 1–13; 23. oct. 1880–25. märz 1882. Berlin [Druck von H. S. Hermann] 1880–82.
2 v. in 1. 31cm.
No more published.

1. Music—Period. I. Goldstein, Max, ed.

13–2052

Library of Congress ML5.M964

NM 0912253 DLC

Das Musikwerk; eine Beispielsammlung zur Musikgeschichte hrsg. von Karl Gustav Fellerer. Koeln, Arno Volk-Verlag [19—
v. 32 cm.

1. Vocal music. 2. Instrumental music. I. Fellerer, Karl Gustav, 1902– ed.

M2.M945 63–40283/M

OO
NM 0912254 DLC TxU NBuG OrU PSt CSt CLSU IEdS CoU

Musikwissenschaftliche Arbeiten. Nr. 1-
Kassel, New York, Bärenreiter, 1947-
v. 24 cm.
No. 2- issued as supplements to Musikforschung.

1. Music - Hist. & crit. - Collections.

NM 0912255 DCU NhD IU NcD DAU NcU OO ICarbS NN

Musikwissenschaftliche beiträge; festschrift für Johannes Wolf zu seinem sechzigsten geburtstage, herausgegeben von Walter Lott, Helmuth Osthoff und Werner Wolffheim. Mit zahlreichen notenbeispielen und tafeln. Berlin, M. Breslauer, 1929.
3 p. l., 221 p., 1 l. front. (port.) plates, facsims. (incl. music) fold. diagr. 30 x 23½cm.
"325 gezählte abzüge hergestellt. nr. 86."
Contains music.
"Bibliographie der gedruckten arbeiten von Johannes Wolf": p. 1–5.
CONTENTS.—Dos tractats medievals de música figurada, per Higini Anglès.—Die gesamtanlage von Bachs "H-moll"-messe, von H. T. David.—William Byrd and the madrigal, by E. J. Dent.—Ein emissär der monodie in Deutschland: Francesco Rasi, von Alfred Einstein.—Ein unbekanntes duett-fragment Franz Schuberts, von Max Friedländer.—Die musikalien der pfarrkirche zu St. Aegidi in Bártfa, von Otto Gombosi.—Das generalbassflugblatt Francesco Bianciardis, von Robert Haas.—Die Jesuiten-kollegien der böhmischen provinz zur zeit des jungen Gluck, von Vladimír Helfert.—Bibliographie der musiktheoretischen drucke des Franchino Gafori, von Paul Hirsch.—Tonart und ethos, von E. M. von Hornbostel.—Reinhard Keiser in Kopenhagen, von Torben Krogh.—Die musikalischen konstructionsprinzipien der altmexikanischen tempelgesänge, von Robert Lach.—Die weise vom löwen und der pythische nomos, von Robert Lachmann.—Das farbe-tonproblem und die selbstständige farbe-ton-forschung als exponenten gegenwärtigen geistesstrebens, von Friedrich Mahling.—Sonatenformen in der romantischen kammermusik, von Hans Mersmann.—Über musikbibliographie, von Kathi Meyer.—Instrumentalismen bei Ludwig Senfl, von H. J. Moser.—Die musik zu der Molièreschen komödie "Monsieur de Pourceaugnac" von Jean Baptiste de Lully, von Friedrich Noack.—Die schwedische hofkapelle in der reformationszeit, von Tobias Norlind.—Eine unbekannte schauspielmusik Jacob Regnarts, von Helmuth Osthoff.—Gilles Mureau, chanoine de Chartres, par André Pirro.—Zweiklänge im altertum, von Curt Sachs.—Musikalisches aus Joh. Burckards "Liber notarum" (1483–1506) von Arnold Schering.—Eine unbekannte lautentabulatur aus den jahren 1537–1544, von Max Schneider.—Ein sing- und spielbuch des 18. jahrhunderts, von Georg Schünemann.—Ein kanon aus Marco Scacchis "Cribrum musicum ad triticum Siferticum", von Alicja Simon.—La prima opera francese in Italia? (L'Armida di Lulli, Roma 1690), di Fausto Torrefranco.—Le "Fragment de Gand", par Charles van den Borren.—Ein versteckter discantus, von Peter Wagner.—Schuberts tod. Versuch einer deutung, von T. W. Werner.—Ein unbekannter canon von Joh. Seb. Bach, von Werner Wolffheim.

1. Music—Addresses, essays, lectures. 2. Wolf, Johannes, 1869– I. Lott, Walter, 1892– ed. II. Osthoff, Helmuth, 1896– joint ed. III. Wolffheim, Werner Joachim, 1877– joint ed. IV. Title: Festschrift für Johannes Wolf.

30–5307

Library of Congress ML60.W735M8

ViU CtY NN NIC NBC OO KU IaU OU IEN ICU CoU NcD
NM 0912259 DLC WU MiU CLSU NjP OrU NSyU GU NcU PU

FILM 780.4 M973

Musikwissenschaftliche beiträge; festschrift für Johannes Wolf zu seinem sechzigsten geburtstage, herausgegeben von Walter Lott, Helmuth Osthoff und Werner Wolffheim. Mit zahlreichen notenbeispielen und tafeln. Berlin, M. Breslauer, 1929.
Microfilm copy (negative) made in 1958 by the Library of Congress, Photoduplication Service.
Collation of original as determined from the film: 221p. port., plates, fold.diagr., facsims.(incl.music), music.

NM 0912260 IU

Musikwissenschaftliche studien, veroeffentlicht von E. Ebering...
Berlin, 1902-

NM 0912261 MH

Musikwissenschaftliche Studien-bibliothek
see under Gennrich, Friedrich, 1883- ed.

D780.6 M973

Musikwissenschaftlicher kongress, Basel, 1924.
Bericht über den Musikwissenschaftlichen kongress in Basel veranstaltet anlässlich der feier des 25jährigen bestehens der ortsgruppe Basel der Neuen schweizerischen musikgesellschaft, Basel vom 26. bis 29. September 1924. Leipzig, Breitkopf, 1925.
vii, 399 p. front. (facsim.) illus. (music) 24½cm.
"Kongressliteratur": p. 399.
1.Music - Congresses. I. Neue schweizerische musikgesellschaft. Ortsgruppe Basel.

IU TxU IEN PU CU TxFTC
NM 0912263 NNC CtY ICU OU WU NN IaU MiU InU RPB

Musikwissenschaftlicher Kongress. Basel, 1924.
... Festschrift zum musikwessenschaftlichen Kongress in Basel, 26. bis 29. September 1924
see under Neue Schweizerische Musikgesellschaft. Ortsgruppe Basel.

VOLUME 403

Musikwissenschaftliche kongress, Basel, 1924

Schweizerisches jahrbuch für musikwissenschaft. I.– bd. Basel, 1924–

Musikwissenschaftlicher Kongress der deutschen Musikgesellschaft in Leipzig
see Deutsche gesellschaft für musikwissenschaft. 1. Musikwissenschaftlicher Kongress, Leipzig, 1925.

Musikwissenschaftliches institut der Universitaet Kiel
see
Kiel. Universitaet. Musikwissenschaftliches institut.

Musikwissenschaftliches Institut der Universität Wien.
See
Vienna. Universitaet. Musikwissenschaftliches Institut.

Musikwissenschaftliches Instrumenten-Museum der Universität Leipzig
see
Leipzig. Universität. *Musikinstrumenten-Museum.*

Musil, Albina Frances, 1894–
Distinguishing the species of *Brassica* by their seed. [Washington, U. S. Govt. Print. Off., 1948]
35 p. illus. 24 cm. (U. S. Dept. of Agriculture. Miscellaneous publication no. 643)
Caption title.
Contribution from Bureau of Plant Industry, Soils, and Agricultural Engineering.
"Literature cited": p. 33–35.
1. Brassica—Seed. 2. [Seeds] (Series)
QK495.C9M8 583.123 Agr 48–240*
—— Copy 2. S21.A46 no. 643
U. S. Dept. of Agr. Libr. 1Ag84M no. 643
for Library of Congress [7*]†

NM 0912270 DNAL WaWW DLC

Musil, Albina Frances, 1894–
Identification of brassicas by seedling growth or later vegetative stages. Washington, U. S. Dept. of Agriculture, 1950.
26 p. illus. 24 cm. ([U. S. Dept. of Agriculture] Circular no. 857)
Contribution from Bureau of Plant Industry, Soils and Agricultural Engineering.
"Supersedes a processed publication issued in 1941 by the Bureau entitled, The identification of brassicas by seedling growth."
1. Brassica—Seedlings. 2. Seedlings. I. [U. S. Bureau of Plant Industry, Soils, and Agricultural Engineering. The identification of brassicas by seedling growth] II. Title. (Series)
QK495.C9M83 583.123 Agr 50–730
—— Copy 2. S21.A48 no. 857
U. S. Dept. of Agr. Libr. 1Ag84C no. 857
for Library of Congress [5*]†

NM 0912271 DNAL DLC

Musil, Albina Frances, 1894–
... Testing farm seeds in home and school ... Washington [U. S. Govt. print. off., 1942]
cover-title, 88 p. illus. 23cm. (U. S. Dept. of agriculture. Miscellaneous publication no. 437)
Contribution from Bureau of plant industry.
"Supersedes Farmers' bulletin 428, 'Testing farm seeds in the home and in the rural school,' by F. H. Hillman."—Foot-note, p. 1.
1. Seeds—[Testing and examination] I. Hillman, Fred Hebard, 1863–
Agr 42–230 Brief cataloging
U. S. Dept. of agr. Library 1Ag84M no. 437
for Library of Congress SB117.M8
[6*]† 631.5211

NM 0912272 DNAL WaWW PP PPT DLC

Musil, Alfred.
Bau der dampfturbinen, von Alfred Musil ... Leipzig, B. G. Teubner, 1904.
233, [1] p. illus., diagrs. 24½cm.
1. Steam turbines. I. Title.
5–29156
Library of Congress TJ735.M96

NM 0912273 DLC PU-Sc MiU ICJ NN

Musil, Alfred. 621.4 P702
Die Motoren für Gewerbe und Industrie. Dritte vollständig neu bearbeitete Auflage der Motoren für das Kleingewerbe. xiii, 311 p. il. 1 table. O. Braunschweig: F. Vieweg & Sohn, 1897.

NM 0912274 ICJ PPF

Musil, Alfred. 621.4 P901
Wärmemotoren. Kurzgefasste Darstellung des gegenwärtigen Standes derselben in thermischer und wirthschaftlicher Beziehung unter specieller Berücksichtigung des Diesel-Motor. vi,[2],106 p. 31 il. O. Braunschweig: F. Vieweg & Sohn, 1899.

NM 0912275 ICJ PPF

Musil, Alois, 1868–
Alleged desiccation of Arabia and the islamic movement. New York. N.d.
16 p. 25 1/2 cm.

NM 0912276 DAS

Musil, Alois, 1868–
... Arabia Deserta, a topographical itinerary by Alois Musil ... published under the patronage of the Czech academy of sciences and arts and of Charles R. Crane. New York, 1927.
xvii p., 1 l., 631 p. illus. (incl. ports., plans) 2 maps (1 fold.; incl. front.) 26cm. (American geographical society. Oriental explorations and studies no. 2)
Folded map in pocket.
Bibliography: p. [575]–584.
1. Arabia. I. Title.
28–10540
Library of Congress DS204.M8

PWcS PPDrop LU NBuC MtBC NBuU MU MdU
ViU MiU OO OCl OCH CaBVaU PPAmP PPC PU NcD NN MB
NM 0912277 DLC IU KyLxCB IaU FMU TNJ-P CU TxU NNUN

Musil, Alois, 1868–
... Arabia Petraea, von Alois Musil ... Wien, A. Hölder, 1907–08.
3 v. in 4. illus., fold. pl., ports., fold. maps, plans. 26cm.
At head of title: Kaiserliche akademie der wissenschaften.
With v. 3 is issued a map of Arabia Petraea on 3 leaves, 65 x 50cm each.
Contents.—I. Moab; topographischer reisebericht.—II. Edom; topographischer reisebericht, 1. u. 2. teil. 2 v.—III. Ethnologischer reisebericht.
1. Arabia—Descr. & trav. 2. Arabs. 3. Ethnology—Arabia. 4. Folk-lore—Arabia. I. K. Akademie der wissenschaften, Vienna. II. Title.
8–29432
Library of Congress DS110.5.M8

OCl NN ICJ MH NjP
NM 0912278 DLC MB PPAN PPC PPDrop PU CtY OCH MiU

Musil, Alois, 1868–
Bemerkungen zur karte von Arabia Petraea. n.p. [1907]

NM 0912279 NjP

Musil, Alois, 1868–
Bemerkungen zu Guthes Bibelatlas. [Freiburg i. Br. 1912]

NM 0912280 NjP

Musil, Alois, 1868–
Griechische inschriften aus Arabia Petraea. Wien, 1907.

NM 0912281 NjP

Musil, Alois, 1868–
Dar Nilu; nový Egypt. V Praze, Melantrich [1935?]
293 p. fold. map. 22 cm. (Dnešní Orient, 4)
Bibliography: p. 281–[292].
1. Egypt. I. T.

NM 0912282 NjP

DS 36.5 .M98 MUSIL, ALOIS, 1868–
Dnešní Orient; národní probuzení a politický vývoj jednotlivých států. V Praze, Vydává Melantrich [1934–1941]
11 v. illus.
Each vol. has also special t.-p.
1. Arab countries--Hist. 2. Asia--Western--Hist. 3. Ethiopia--Hist.

NM 0912283 InU IU

Musil, Alois, 1868–
Im nördlichen Hegaz. Wien, 1911.

NM 0912284 NjP

Musil, Alois, 1868–
In the Arabian desert, by Alois Musil, arranged for publication by Katharine McGiffert Wright ... New York, H. Liveright, 1930.
xiv, 339 p. front., plates, ports., double map. 22½ cm.
"The present book is drawn mainly from Musil's 'Arabia deserta' ... and from 'The manners and customs of the Rwala Bedouins' ... His experiences during two journeys made in 1908–09 and 1914–15."—Editor's foreword.
1. Arabia—Descr. & trav. 2. Bedouins. 3. Arabia—Soc. life & cust. I. *Wright, Katharine (McGiffert) 1894– ed. II. Title.
DS207.M8 30–33675

MiU Or
OrCS PBm PP PPL NcD CU NNZi MTa MnDu ABS NN MB PU
NM 0912285 DLC WaS ICU LU CBGTU TxU UU OrPS MoU

MUSIL, Alois, 1862–
In the Arabian desert. Arranged for publication by Katharine McGiffert Wright. London, etc., J. Cape, [1931].
Port., plates and map.

NM 0912286 MH

Musil, Alois, 1868–
Italie v Africe; nová Libye, italská východní Afrika. V Praze, Melantrich [1939]
303 p. maps (part fold.) 24 cm. (Dnešní Orient, 9)
Bibliography: p. 289–301.
1. Italy - Colonies - Africa. 2. Libya. 3. Eritrea. 4. Somaliland, Italian. I. T.

NM 0912287 NjP

MUSIL, Alois, 1868–
Karte von Arabia Petraeo: nach eigenen aufnahmen von Prof. Dr. Alois Musil. Wien, [1906?]
Map, 39 1/2 x 40 1/4 in.
Scale, 1:300,000.

NM 0912288 MH

VOLUME 403

Musil, Alois, 1868– *Map 1062.17
Karte von Arabia Petraea.
— [Wien. Kaiserliche Akademie der Wissenschaften. 1907.] Size, 39¾ × 39 inches. Scale, 1 : 300000 (or, 7633.58 + feet to 1 inch.) Profiles. Folded.

G7256 — Arabia. Geog. Maps.

NM 0912289 MB OCH

Musil, Alois, 1868–
... The manners and customs of the Rwala Bedouins, by Alois Musil ... published under the patronage of the Czech academy of sciences and arts and of Charles R. Crane. New York, 1928.
3 p. l., v-xiv, 712 p. front. (port.) illus. 26cm. (American geographical society. Oriental explorations and studies no. 6)

1. Bedouins. 2. Folk-lore—Arabia. I. Title: Rwala Bedouins, The manners and customs of the.

Library of Congress DS219.B4M8 29-7596

NBuC TNJ-P OrPR IU MiU OrPR DSI NBuU CaBVaU
PWcS ViU NNUN MiU MB OCH OCl OO NcD CLSU FTaSU
NM 0912290 DLC IaU WU ScU CU PBm PPDrop PPAmP PPC

Musil, Alois, 1868-
Krizak. ‹Praha› Novina, 1943.
178 p.

Bohemian.

NM 0912291 OCl

Musil, Alois, 1868–
Akademie der wissenschaften, *Vienna. Nordarabische kommission.*
... Ḳuṣejr ʿAmra ... Mit einer karte von Arabia Petraea. Wien, K. K. Hof- und staatsdruckerei, 1907.

Musil, Alois, 1868-
Lev ze kmene Judova; nová Habeš. V Praze, Melantrich [1934]
120, [3] p. fold. map. 22 cm. (Dnesní Orient, 2)

Bibliography: p. 117-[121].

1. Ethiopia. I. T.

NM 0912293 NjP

Musil, Alois, 1868-
Map of Northern Arabia. 1926.
(American Geographical explorations and studies. Nos. 2-5)

NM 0912294 NcD

Musil, Alois, 1868-
Mezi Eufratem a Tigridem; nový Irák. V Praze, Melantrich [1935]
167 p. fold. map. 23 cm. (Dnešní Orient, 3)

Bibliography: p. 161-[166].

1. Iraq - History. 2. Iraq - Civilization. I. T.

NM 0912295 NjP

Musil, Alois, 1868–
... The middle Euphrates, a topographical itinerary, by Alois Musil ... published under the patronage of the Czech academy of sciences and arts and of Charles R. Crane. New York, 1927.
xv p., 1 l., 426 p. front., illus (incl. plan) 2 fold. maps (in pocket) 25½ cm. (American geographical society. Oriental explorations and studies, no. 3)
Bibliography: p. [369]-383.

1. Mesopotamia. I. Title.

DS70.M8 28—22785

NBuC FU ScU KyLxCB MsU CoFS NBuU MU
OCl OO PPDrop PPWe NN NNUN IaU FMU TNJ-P CLSU NIC
NM 0912296 DLC DDO ViU PPAmP PPC PU PWcS MiU OCH

1788 .667 Musil, Alois, 1868-
Most do Asie, nové Turecko. V Praze, Melantrich [1941?]
262 p. map. 23 cm (Dnešní Orient, 10)

Bibliography: p.249-260.

1. TURKEY. 2. EASTERN QUESTION. I. T

NM 0912297 NjP

Musil, Alois, 1868-
Neues aus Arabia Petraea. Wien [1910]

NM 0912298 NjP

DS 207 .M95 MUSIL, ALOIS, 1868-
Nord-Arabien; Vorbericht über die Forschungsreise 1908-9. Wien, In Kommission bei A. Holder, 1909.
18 p. map.

Reprinted from Akademie der Wissenschaften, Vienna--Philosophisch-historische Klasse. Anzeiger, 1909, no.19.

1. Arabia--Descr. I. Title.

NM 0912299 InU PPDrop OCH NjP

Musil, Alois, 1868–
Northern Arabia, according to the original investigations of Alois Musil ... published under the patronage of the Czech academy of sciences, letters, and arts, and of Charles R. Crane. New York, N. Y., American geographical society of New York [1928]
fold. map (in 4 sections, each 62½ x 60½cm)
In portfolio.
To accompany American geographical society, Oriental explorations and studies, no. 2-5.

1 Arabia—Descr. & trav.—Maps. I. Title.

Library of Congress DS204.M8 Atlas 28-24970

OO OCH InU
NM 0912300 DLC NIC OCU FTaSU NBuC CU ViU MiU OCl

Musil, Alois, 1868–
... The northern Ḥeǧâz, a topographical itinerary by Alois Musil ... published under the patronage of the Czech academy of sciences and arts and of Charles R. Crane. New York, 1926.
xii, 374 p. illus. (incl. plans) maps (part fold.) 26cm. (American geographical society. Oriental explorations and studies no. 1)
Folded maps in pocket.
Bibliography: p. 335-340.

1. Hejaz, Arabia. I. Title.

Library of Congress DS247.H4M8 27-18797

OU OCU MU NBuU LU KyLxCB FTaSU TNJ-P NBuC
PWcS OCl PPWe MiU OCH OO ICJ MB NN CU NcD IU CLSU
NM 0912301 DLC FU NNUN ViU DDO PPAmP PPC PPDrop PU

Musil, Alois, 1868–
... Northern Neǧd, a topographical itinerary by Alois Musil ... published under the patronage of the Czech academy of sciences and arts and of Charles R. Crane. New York, 1928.
xiii, 368 p. illus., 2 maps (incl. front.; 1 fold. in pocket) fold. geneal. tab. (in pocket) 26cm. (American geographical society. Oriental explorations and studies. no. 5)
"Bibliographies": p. [321]-330.

1. Nejd. I. Title.

Library of Congress DS247.N4M8 28-24971

NBuC FMU InU FU NSyU LU KyLxCB
PWcS PPWe PPDrop MiU OCH OCl OO CU NcD NN MB
NM 0912302 DLC IaU TNJ-P NNUN ViU PPAmP PPC PU

Musil, Alois, 1868-
Od Libanonu k Tigridu; nová Syrie. V Praze, Melantrich [1938?]
252 p. maps. 22 cm. (Dnešní Orient, 8)

Bibliography: p. 243-249.
"Knihy Aloise Musila": p. 251-252.

1. Syria. I. T.

NM 0912303 NjP

Musil, Alois, 1868–
... Palmyrena, a topographical itinerary, by Alois Musil ... published under the patronage of the Czech academy of sciences and arts and of Charles R. Crane. New York, 1928.
xiv p., 1 l., 367 p. illus. (incl. plans) 2 maps (incl. front.; 1 fold. in pocket) 25½cm. (American geographical society. Oriental explorations and studies no. 4)
Bibliography: p. [327]-337.

1. Syria. I. Title.

Library of Congress DS98.5.M8 28-22546

CLSU IU NIC IEG KyU TNJ-P IaU NBuC MU
PPDrop OCH OCl OO MB NN NcD FMU FU OU LU KyLxCB
NM 0912304 DLC DDO NNUN ViU PPAmP PPC PU PWcS MiU

Musil, Alois, 1868-
Pod Himalajemi; nová Indie. V Praze, Melantrich [1936?]
315 p. fold. map. 22 cm. (Dnešní Orient, 5)

Bibliography: p. 297-313.

1. India. I. T.

NM 0912306 NjP

DS 207 .M97 MUSIL, ALOIS, 1868-
Pod ochranou Núriho; z much cest Pustou Arabii. Praha, Nakl. Českomoravských podniků tiskařských a vydavetelskych, 1929.
371 p. illus.

1. Arabia--Descr.

NM 0912307 InU

Musil, Alois, 1868-
Poušť a oasa; nová Arabie. V Praze, Melantrich [193-?]
255 p. illus., map. 23 cm (Dnešní Orient, 1)

Bibliography: p. 251-[256].

1. Arabia. I. T.

NM 0912308 NjP

Musil, Alois, 1868– *3340.3.147
Sieben samaritanische Inschriften aus Damaskus. (2), 11, (1) pp. Illus.
(In Kaiserliche Akademie der Wissenschaften, Vienna. Philosophisch-historische Classe. Sitzungsberichte. Band 147, Abh. 1. Wien. 1903.)

H4087 — Samaritans. Lang. Works in Samaritan. — Inscriptions. Samaritan. — Damascus. Antiq.

NM 0912309 MB IEG PU

Musil, Alois, 1868-
Stará Ethiopie, nový Súdán. V Praze, Melantrich [1941?]
178 p. map. 22 cm. (Dnešní Orient, 11)

Bibliography: p. 169-175.
"Knihy Aloise Musila": p. 177-179.

1. Sudan. I. T.

NM 0912310 NjP

VOLUME 403

Musil, Alois, 1868-
Svetcuv demant. [Praha] Melantrich [1945]
165 p. illus., map.

NM 0912311 OCl

891.863 M973s 1933
Musil, Alois, 1868-
Syn pouste. S kresbami L. Salace.
V Praze, Novina, 1933.
201 p. illus.,maps. 22cm

NM 0912312 KU

1793 .667
Musil, Alois, 1868-
Zaslíbená země, nová Palestina. V Praze, Melantrich [1937?]
228 p. maps. 23 cm (Dnesní Orient, 7)

Bibliography: p.219-226.

1. PALESTINE. 2. JEWISH QUESTION. I. T

NM 0912313 NjP

Musil, Alois, 1868-
Země Arijců, nový Iran, nový Afganistan.
V Praze, Melantrich [1936?]
291, [1] p. map. 22 cm. (Dešní Orient, 6)

Includes bibliographies.
"Knihy Aloise Musila": p. 291-292.

1. Iran. 2. Afghanistan. I. T.

NM 0912314 NjP

DS244 .M9 (Ha)
Musil, Alois, 1868-
... Zur zeitgeschichte von Arabien. Von Alois Musil. Leipzig, S. Hirzel; [etc., etc.] 1918.
[5], 102 p. illus. (maps) fold. geneal. tab. 24½cm. (K. K. Oesterr. orient- und uebersee-gesellschaft. [Schriften])

1. Arabia—Hist.

NM 0912315 ICU UU PPDrop OCl PU DLC-P4 MH NN IU

Musil, Antonín
Vzpomínky na Karla Havlíčka Borovského. Podává Antonín Musil (Jihlavský). V Kutné Hoře, Nákl.Karla Šolce, 1896
48 p. illus.
1.Havlíček, Karel, 1821-1856 X-ref.Jihlavský, Antonín(To main entry)

NM 0912316 MH

Musil, Emil, Comp.
[Kytice Komenského; k oslavě 300 leté ročnice narozenin Jana Amosa Komenského. Smíchově, Kapr, 1892.
161 p.

NM 0912317 OCl

Musil, Emil, comp.
[Z našich mysliven; humoresky staršího i novějšího data...Praha, J. V. Rozmara, n.d.
v. 1.

NM 0912318 OCl

E184 .B67M95
Musil, Ferdinand L
Československá Amerika; ze spolkového a národního života Čechů a Slováků ve Spoj. Státech a v Kanadě roku 1932. Napsal Ferdinand L. Musil... Chicago, Ill.,Tiskem a nákladem Denního hlasatele (Hlasatel printing & publishing company) 1933.
40 p. 26cm.

"Zvláštní doplněný otisk z kalendáře 'Hlasatel' na rok 1933."

NM 0912319 MnHi

Slavic-American Imprints Coll. 420.37 K873
Musil, Ferdinand L.
Chceš-li dobrý nápoj píti, můžeš si jej připraviti! Nová sbírka osvědčených návodů k přípravě ovocných, bylinných, kořenných i jiných nápojů všeho druhu. Vinařství a pivovarství; zpracoval Ferdinand L. Musil. Chicago, České Ústřední Knihkupectví, 1919.
61 p. 20 cm.

English translation of title: If you want to drink a good drink, you can make it! New collection of tested instructions to the preparation of fruit, vegetal, root and other beverages of all kinds. Vine dressing and brewery, compiled by Ferdinand L. Musil.

NM 0912320 IEdS

Musil, Ferdinand L comp.
Tyršovo sokolstvo v Americe; k 100. výročí narození Dra. Miroslava Tyrše, spoluzakladatele Sokola. Uspořádal Ferdinand L. Musil. Chicago, Ústřední vzdělávací odbor Americké obce sokolské, 1932.
40 p. 28 cm.

CONTENTS: Bor, P. Tyršova hvězda.—Čermák, J. Vzpomínka na Dra. Miroslava Tyrše.—Jelínek, J. Tělesna výchova. Knihovna sokolského cvičitele.—Košař, J. Dr. Miroslav Tyrš. Idea sokolství.—Musil, F. L. Tyršové památce. Rozvoj sokolské myšlenky. O sloškach sokolské organisace. Počátky Sokola v Americe. První sokolská jednota v Americe. Všesokolské slety v Praze. Myšlenky z Tyršových prací.—Ort, J. Pro patria. Kredo.—Pekárek, J. Poprsí Dra. Miroslava Tyrše.—Turek, J. Sokolská knihovna vzdělávací.

1. Československa obec sokolská. 2. American Sopal Union. I. Tyrš, Miroslav, 1832-1884. II. American Sokol Union. III. Title.

GV288.C9M87 74-210028

NM 0912322 DLC

Musil, Franz.
Die elektrischen stadtschnellbahnen der Vereinigten Staaten von Nordamerika. Anlage, bau und betrieb der stadtbahnen in Neuyork, Boston, Philadelphia und Chicago, von ingenieur F. Musil in Wien. Mit 6 tafeln und 37 abbildungen im texte ... Wiesbaden, C. W. Kreidel, 1913.
50 p. illus., 6 pl., diagrs. 31cm.
Sonderabdruck aus dem Organ für die fortschritte des eisenbahnwesens, 1913.
"Die vorliegende abhandlung ist das ergebnis einer vom verfasser im jahre 1911 im auftrage der 'Kommission für verkehrsanlagen in Wien' unternommenen ... reise zum studium der elektrischen stadtschnellbahnen in den Vereinigten Staaten von Nord-Amerika."
1. Street-railroads—New York (City) 2. Street-railroads—Boston. 3. Street-railroads—Philadelphia. 4. Street-railroads—Chicago. I. Title.
Library of Congress TF723.M8 14-21394

NM 0912323 DLC

MUSIL, FRANZ.
Die künftigen Wiener elektrischen Untergrund-Schnellbahnen, von Ing.Franz Musil... Wien: Akademischer Verlag, 1910. 19 p. incl. tables. illus. (incl. charts), plans. 31cm.

Bibliographical footnotes.

874160A. 1. Subways—Austria—Vienna.

NM 0912324 NN

T353 .R7715
Musil, Hermann, joint author.

Rosak, Michael.
Fachzeichnen für das Metallgewerbe, von Michael Rosak und Hermann Musil. Wien, R. Bohmann, 1949.

Musil, Jan.
Přehled klinické biochemie

see under

Opplt, Jan J

Musil, Jaromír, 1870-
...Nezaměstnanost a problém práce se zřetelem na zemi podkarpatoruskou... Praha: Nákladem Masarykovy akademie práce, 1933. 39 p. incl. tables. 23½cm. (Masarykova akademie práce, Prague. [Vydané samostatně.] Číslo 39.)

"Poctěno cenou Fondu Ceny Dr. techn. h. c. T. G. Masaryka."
"Literatura," p. 39.

1. Labor, Unemployed—Czecho-Slovakia—Ruthenia. I. Ser.
N. Y. P. L. June 15, 1934

NM 0912327 NN

Folio HC337 .R8 M8
Musil, Jaromír, 1870- ed.
Technická práce v zemi Podkarpatoruské, 1919-1933. V Užhorodě, Vyd. Odbor spolku československých inženýrů, 1933.
386p. illus. (part fold.)

Table of contents also in French, German, and English.

1.Ruthenia - Industries. 2.Natural resources - Ruthenia. 3.Ruthenia - Econ. condit. - 20th cent. I.Title.

NM 0912328 NcU

Musil, Josef, b. 1869.
Honební předpisy Moravsko-Slezské. Se zřetelem k judikatuře nejvyšších úřadů správních a soudních napsal, výklady a vzorci opatřil Josef Musil. V Praze, V. Linhart, 1934.
398 p. 19 cm. (Právnická knihovna, sv. 7)
Bibliography: p. 8.

1. Game-laws—Czechoslovak Republic. I. Czechoslovak Republic. Laws, statutes, etc. Honební zákon pro Moravu. II. Czechoslovak Republic. Laws, statutes, etc. Honební zákon Slezsko. III. Title.

68-53324

NM 0912329 DLC MiU-L

Musil, Josef, b. 1869.
Honební zákon pro Čechy. Na základě vlastní prakse a judikatury nejvyšších úřadů správních a soudních napsal, výklady a vzorci opatřil Josef Musil. V Praze, V. Linhart, 1933.
273 p. 18 cm. (Právnická knihovna, sv. 6)
Bibliography: p. 8.

1. Game-laws—Czechoslovak Republic. I. Title.

68-125028

NM 0912330 DLC IU MH-L MiU-L

Musil, Joža.
Bojovnici zivota; socialni román vesnice ze zivota sedlaku a delniku.

NM 0912331 OCl

PG 5038 .M98 U6
MUSIL, JOŽA
Úpadek planinského gruntu; román. Brno, "Novina", 1934.
123 p. (Románová knihovna svobody)

Contains also Oppenheim, E. Ph. Podivná sázka pana Arnošta Blisse.

NM 0912332 InU

HF 5550 .M987b
Musil,Louis F
Budget procedure in management control; a paper read before the forty-fifth convention and exhibition of the National electric light association at Atlantic City,N.J.on May 17,1922. By Louis F.Musil ... [1882]
cover-title,16 p. 14½ cm.
Stamped on back of cover: American management association,New York,N.Y.

NM 0912333 MiU

Musil, Louis F.
Financial budgeting, principles and practice, N. Y., American management associ. c1929.
Cover title, 24 p. (American management assoc., Financial executives' series, no. 31.

NM 0912334 OU

VOLUME 403

Musil, Louis F.
Securing capital for an established enterprise, by Louis F. Musil... In collaboration with B. N. Freeman...John M. McMillan...W. B. Jackson...and F. W. Le Porin... New York: Amer. Institute of Finance[, cop. 1920]. 48 p. incl. tables. 8°.
"Test questions," 2 l. inserted.

619512A. 1. Corporations—Finance. I. American Institute of Finance.
N. Y. P. L. January 9, 1933

NM 0912335 NN

Musil, Louis F.
Securing capital for an established enterprise, by Louis F. Musil ... in collaboration with B. N. Freeman ... John M. McMillan ... W. B. Jackson ... and F. W. Le Porin ... Boston, American institute of finance [°1922]
48 p., 2 l. 23cm.

1. Capital. I. American institute of finance. II. Title.
CA 24-139 Unrev'd
Library of Congress HF5550.M8

NM 0912336 DLC PPT TU

HF 5550 M8 1929
Musil, Louis F
Securing capital for an established enterprise, by Louis F. Musil...in collaboration with B.N. Freeman...John M. McMillan... W.B. Jackson...and F.W. Le Porin... Boston, American Institute of Finance [°1929]
46 p. 23 cm.

1. Capital. I. American Institute of Finance. II. Title.

NM 0912337 LU

Musil, Ludwig, 1900–
Gasturbinenkraftwerke, ihre Aussichten für die Elektrizitätsversorgung; eine Studie. Wien, Springer, 1947.
108, [2] p. diagrs. 21 cm.
"Literaturverzeichnis": 1 p. at end.

1. Electric power. 2. Gas-turbines. I. Title.
TK1061.M8 50-35925

NM 0912338 DLC OU OCIW RPB IEN NN IU

Musil, Ludwig, 1900–
Die gesamtplanung von dampfkraftwerken, von dr.-ing. habil. L. Musil ... Mit 191 abbildungen im text und auf 2 tafeln. Berlin, Springer, 1942.
v, [1], 272 p. illus., diagrs. (2 fold.) 23½cm.
"Schrifttum": p. 270-272.

1. Electric power-plants. 2. Steam power-plants. I. Title.
44-1696
Library of Congress TK1191.M84
[2] 621.312132

NM 0912339 DLC MCM

Musil, Ludwig, 1900–
Die Gesamtplanung von Dampfkraftwerken. 2. neubearb. Aufl. Berlin, Springer-Verlag, 1948.
xii, 451 p. diagrs. 24 cm.
"Schrifttum": p. [445]-448.

1. Electric power-plants. 2. Steam power-plants. I. Title.
TK1191.M84 1948 621.312132 49-27260*

NM 0912340 DLC NN OU PPF

Musil, Ludwig, 1900–
Praktische Energiewirtschaftslehre. Wien, Springer, 1949.
vi, 279 p. diagrs. 23 cm.
Bibliography: p. [278]-279.

1. Power (Mechanics)
TJ153.M8 621 50-4712

NM 0912341 DLC TxU OU NN

Musil, Ludwig, 1900–
Wirtschaftliche Gesichtspunkte für die Grossraum-Verbundwirtschaft in der Elektrizitätsversorgung. Wien, Springer, 1947.
42 p. diagrs. 21 cm. (Schriftenreihe des Österreichischen Wasserwirtschaftsverbandes, Heft 9)
"Sonderabdruck aus der Zeitschrift des Österreichischen Ingenieur- und Architekten-Vereines."
1. Electric utilities—Austria. 2. Electric power distribution. I. Title. (Series: Österreichischer Wasserwirtschaftsverband. Schriftenreihe, Heft 9)
HD1697.A9O4 Heft 9 51-19047

NM 0912342 DLC PSt

Musil, Ludwig, 1900–
Die wirtschaftlichkeit der energiespeicherung für elektrizitätswerke; eine energiewirtschaftliche studie von dr.-ing. Ludwig Musil; mit 89 textabbildungen. Berlin, J. Springer, 1930.
x, 142, [2] p. illus., diagrs. 24cm.
"Literaturverzeichnis": p. [143]

1. Electric power-plants. I. Title. II. Title: Energiespeicherung für elektrizitätswerke.
30-29889
Library of Congress TK1191.M85
Copyright A—Foreign 8690
[2] 621.312066

NM 0912343 DLC NN

PT2625 .U8M3
Musil, Martha, ed.
Musil, Robert, 1880–1942.
Der Mann ohne Eigenschaften; Roman. Berlin, E. Rowohlt, 1931–43.

Musil (Mathias). * De facie humana. 32 pp. 12°. Viennæ, L. Grund, [1835].

NM 0912345 DNLM

*GC9 M9737 LZ999
Musil, Robert, 1880-1942.
Die Amsel. Erzählung von Robert Musil.
(In: Die Neue Rundschau. Berlin,1928. 25cm.,in file-box. Jahrg.39,Heft 1,p.[36]-51)

NM 0912346 MH

Bender Room
Musil, Robert, 1880-
Beitrag zur Beurteilung der Lehren Machs. [Berlin-Wilmersdorf, 1908?]
124 p., 1 l. 22cm.
Inaug.-Diss. - Berlin.
Vita.

1. Mach, Ernst, 1838-1916.

NM 0912347 CSt MiU MdBP CtY MH PU DLC

Musil, Robert, 1880-1942.
Drei Frauen. Berlin: Ernst Rowohlt[, cop. 1924]. 167 p. nar. 12°.

NM 0912348 NN NRU NNC IaU IU NIC CU-S MH InU WU

Musil, Robert, 1880–1942.
... Drei frauen, novellen. Zürich, Pegasus verlag, 1944.
171, [1] p., 1 l. 19cm.
Contents.—Grigia.—Die Portugiesin.—Tonka.

I. Title.
PT2625.U8D7 47-21897

NM 0912349 DLC CU PBm NNC CLSU PSC PU

833.8 M987d
Musil, Robert, 1880-1942
Drei Frauen. [Reinbek bei Hamburg] Rowohlt [1952]
159 p. illus. (Rororo)

NM 0912350 CaQML

Musil, Robert, 1880-1942.
Drei Frauen. [Berlin] Rowohlt [1954]
146 p. (Rororo. 64)

NM 0912351 NNC OCU

*GC9 M9737 LZ999
Musil, Robert, 1880-1942.
Das Fliegenpapier.
(In: Das Tage-Buch. Berlin,1923. 22cm.,in file-box. Jahrg.4,Heft 4,p.122-123)

NM 0912352 MH

833.91 M97A1 1952
Musil, Robert, 1880-1942.
Gesammelte Werke in Einzelausgaben, hrsg. von Adolf Frisé. Hamburg, Rowohlt, 1952-1957.
3v. 21cm.

Contents.- [Bd.1] Der Mann ohne Eigenschaften, Roman.- [Bd.2.] Tagebücher, Aphorismen und Reden.- [Bd.3] Prosa, Dramen, späte Briefe.

NM 0912353 KU TxDaM ICarbS MoSU OO

*GC9 M9737 LZ999
Musil, Robert, 1880-1942.
Grigia. Erzählung von Robert Musil.
(In: Der Neue Merkur. München,1921. 23cm.,in file-box. 5.Jahrg.,Heft 8/9,p.[587]-607)

NM 0912354 MH

Musil, Robert, 1880–
Grigia; Novelle von Robert Musil. Potsdam: Müller & Co., 1923. 47 p. front., plates. 19cm. (Half-title: Der Sanssouci-Bücher achter Band...)
"Mit 6 Originalradierungen von Alfred Zangerl."
"Die Vollholzschnitte der Nr. 1 bis 100 sind auf Japanpapier abgezogen und vom Künstler signiert... Dieses Buch trägt die Nummer 82."

1. Fiction, German. I. Title.
N. Y. P. L. February 27, 1941

NM 0912355 NN NjP NNC ViU InU IU PU MH

*GC9 M9737 LZ999
Musil, Robert, 1880-1942.
Isis und Osiris, von Robert Musil.
(In: Die Neue Rundschau. Berlin,1923. 25cm.,in file-box. Jahrg.34,Heft 5,p.[464])
A poem.

NM 0912356 MH

*GC9 M9737 LZ999
Musil, Robert, 1880-1942.
Literat und Literatur: Randbemerkungen dazu von Robert Musil.
(In: Die Neue Rundschau. Berlin,1931. 25cm.,in file-box. Jahrg.42,Heft 9,p.[390]-412)

NM 0912357 MH

VOLUME 403

Musil, Robert, 1880-1942.
The man without qualities; translated from the German and with a foreword by Eithne Wilkins & Ernst Kaiser. London, Secker & Warburg, 1953-
v. 23 cm.
CONTENTS.—v. 1. A sort of introduction. The like of it now happens, I.
I. Title.
PZ4.M987Man 2 833.91 53-31034 ‡
CaQMM MShM CaBVaU MiU TNJ
NM 0912358 DLC CaBVa NcU TxU NN MH IaU CtY DAU

Musil, Robert, 1880-1942.
The man without qualities; translated from the German and with a foreword by Eithne Wilkins & Ernst Kaiser. [1st American ed.] New York, Coward-McCann [1953-
v. 22 cm.
I. Title.
PZ4.M987Man 833.91 53—5303 ‡
WaT WaE IdU OrP WaS CaBVaU OrPR
ViU PPL MB PP OU OCl TxU NN MB MtU Or PBL ICU FTaSU
NM 0912359 DLC CaBVaU OrU IEdS PPDrop OO NcD OCU

Musil, Robert, 1880-1942.
Der Mann ohne Eigenschaften; Roman. Berlin, E. Rowohlt, 1930-1943.
3 v. ports., facsim. 20 cm.
Vol. 3, "aus dem Nachlass herausgegeben von Martha Musil," has imprint: Lausanne, Imprimerie centrale, 1943.
NM 0912360 OU NNC MB MH InU

PT2625 .U8M3
Musil, Robert, 1880-1942.
Der Mann ohne Eigenschaften; Roman. Berlin, E. Rowohlt, 1931-43.
3 v. ports., facsim. 20 cm.
Vol. 3, "aus dem Nachlass herausgegeben von Martha Musil," has imprint: Lausanne, Imprimerie centrale, 1943.
I. Musil, Martha, ed. II. Title.
PT2625.U8M3 A C 33-1976 rev*
Stanford Univ. Library for Library of Congress [r49c1]†
NM 0912361 CSt DLC

Musil, Robert, 1880-1942
Der Mann ohne Eigenschaften; Roman. Wien, Bermann-Fischer, 1938
NM 0912362 MH

---

*GC9 M9737 930m v.3 (A)
Musil, Robert, 1880-1942.
... Der Mann ohne Eigenschaft . Roman [3.Bd.] 1943, Imprimerie centrale-Lausanne.
2p.ℓ.,7-462p. 2 ports.(incl.front.)facsim. 19cm.
"Aus dem Nachlass herausgegeben von Martha Musil."
Original decorated gray cloth.

*GC9 M9737 930m v.3 (B)
Another copy. 19cm.
NM 0912363 MH

Musil, Robert, 1880-1942.
Der Mann ohne Eigenschaften, Roman. Hamburg, Rowohlt [°1952]
1671 p. 21 cm. (His Gesammelte Werke in Einzelausgaben)
I. Title.
[PT2625.U] A 53-7387
Rochester. Univ. Libr. for Library of Congress [1]
WaWW WaS ScU ViN
OClW IEN IU OCU NcU ICU MiU OrU CaBVaU CaBVa OrCS
OO ODW PBL PHC PBm PSC PPT OrPR OOxM MWH IaU ViU
NM 0912364 NRU OKentU MsSM LN OkS TxU CLSU CtY NNC

Musil, Robert, 1880-
... Nachlass zu lebzeiten. Zürich, Humanitas verlag, 1936.
220 p. 18½ x 11cm.
"1. auflage."
"Kleine geschichten und betrachtungen ... [die] fast alle in den jahren zwischen 1920 und 29 entstanden und zum erstenmal veröffentlicht worden [sind]": p. 8-9.
CONTENTS.—Bilder.—Unfreundliche betrachtungen.—Geschichten, die keine sind.—Die amsel.
I. Title.
36-17281
Library of Congress PT2625.U8N3 1936
Copyright A—Foreign 31511
[2] 833.91
NM 0912365 DLC OrP NN ICU OCl NBC

834M97 On
Musil, Robert, 1880-1942.
... Nachlass zu lebzeiten. Zürich, Humanitas verlag, 1936.
220 p. 18cm.
"3. auflage."
"Kleine geschichten und betrachtungen ... [die] fast alle in den jahren zwischen 1920 und 29 entstanden und zum erstenmal veröffentlicht worden [sind]": p. 8-9.
CONTENTS.—Bilder.—Unfreundliche betrachtungen.—Geschichten, die keine sind.—Die amsel.
NM 0912366 IU PHC PU

---

*GC9 M9737 LZ999
Musil, Robert, 1880-1942.
Politisches Bekenntnis eines jungen Mannes. Ein Fragment.
(In: Die Weissen Blätter. Leipzig,1913. 23cm.,in file-box. 1.Jahrg.,Nr.3,p.237-244)
NM 0912367 MH

---

*GC9 M9737 923p
Musil, Robert, 1880-1942.
... Die Portugiesin.
Ernst Rowohlt Verlag,Berlin,1923.
1p.ℓ.,29p.,1ℓ. 25cm.
"Handpressendruck der Officina Serpentis Berlin-Steglitz ... Die Auflage beträgt 200 Exemplare auf Bütten, Nro. 1-25 wurden auf handgeschöpftem Papier abgezogen." This copy is unnumbered.
A story.
Original half tan cloth & green boards.
NM 0912368 MH IEN

Musil, Robert, 1880-
...Rede zur Rilke-Feier in Berlin am 16. Januar 1927. Berlin: E. Rowohlt[, 1927]. 19 p. 8°.
1. Rilke, Rainer Maria, 1875-1926.
N. Y. P. L. June 27, 1928
NM 0912369 NN FU CtY IaU MH InU FU

---

*GC9 M9737 LZ999
Musil, Robert, 1880-1942.
Robert Müller.
(In: Das Tage-Buch. Berlin,1924. 22cm.,in file-box. Jahrg.5,Heft 37,p.1300-1304)
NM 0912370 MH

Musil, Robert, 1880-
Die schwärmer, schauspiel in drei aufzügen von Robert Musil. Dresden, Sibyllen-verlag [°1921]
243, [1] p., 1 l. 19½cm.
I. Title.
Library of Congress PT2625.U8S3 1921 24-22584
NM 0912371 DLC MH IEN ICarbS NjP PPT

Musil, Robert, 1880-
Die schwärmer, schauspiel in drei aufzügen von Robert Musil. Dresden, Sibyllen-verlag [°1921]
243, [1] p., 1 l. 19½cm.
"Zweite Auflage."
NM 0912372 ICU

---

*GC9 M9737 LZ999
Musil, Robert, 1880-1942.
Symptomen-Theater I[-II]. Von Robert Musil.
(In: Der Neue Merkur. München,1922-23. 23cm.,in file-box. 6.Jahrg.,Heft 3,p.[179]-186; Heft 10/12,p.587-594)
NM 0912373 MH

Musil, Robert, 1880-1942.
Tagebücher, Aphorismen, Essays und Reden; hrsg. von Adolf Frisé. Hamburg, Rowohlt [°1955]
962 p. 21 cm. (His Gesammelte Werke in Einzelausgaben [Bd. 2])
A 56-3467
Washington. Univ., Seattle. Library for Library of Congress [2]
KU FTaSU PSt OU PP CaBVaU CaBVa MtBC MtU OrCS OrPR
NcD IEN VtMiM NcU OOxM OClW TxU InU OCl PSC GU OO
NM 0912374 WaU C NIC FU ViU MH CU NNC NN CtY ICU

Musil, Robert, 1880-
... Über die dummheit. Wien, Bermann-Fischer, 1937.
2 p. l., [7]-47, [1] p. 22½cm. (Added t.-p.: Schriftenreihe "Ausblicke")
"Vortrag auf einladung des Österreichischen werkbunds gehalten in Wien am 11. ... märz, 1937."
1. Inefficiency, Intellectual.
41-24908
Library of Congress BF435.M8
NM 0912375 DLC CSt InU CLSU IEN MH TNJ NN

Musil, Robert, 1880-1942.
Vereinigungen; zwei Erzählungen. Berlin: S. Fischer Verlag [cop. 1911] 175 p. 16°.
CONTENTS.—Die Vollendung der Liebe. Die Versuchung der stillen Veronika.
NM 0912376 NN NNC

Musil, Robert, 1880-
Vereinigungen, Zwei Erzählungen, von Robert Musil. München [etc.] G. Müller [1911] 174 p. 18½cm.
"Zweite Auflage."
CONTENTS.—Die Vollendung der Liebe.—Die Versuchung der stillen Veronika.
829203A. 1. Fiction, German. I. Title.
N. Y. P. L. September 29, 1936
NM 0912377 NN IaU TU MH InU WU

Lilly PT 2625 .U8 V57 1906
MUSIL, ROBERT, 1880-1942
... Die Verwirrungen des Zöglings Törless. Wien, Leipzig, Wiener Verlag, 1906.
2 p.ℓ.,316 p. 19.5 cm.
Author's name at head of title.
Wilpert and Gühring describe a first ed. published in 1906 by Singer.
Title vignette.
From the library of Ian Fleming.
Bound in green morocco, with the original grey printed wrappers bound in; in a folding case.
NM 0912378 InU WU NNC MH

VOLUME 403

Musil, Robert, 1880-
Die Verwirrungen des Zöglings Törless. München, etc., G.Müller, 1911.
318 p. 18 cm.

NM 0912379 MH NRU

A-25
Musil, Robert, 1880-1942.
Die verwirrungen des zöglings Törless. 3. aufl. Berlin, 1911.
318 p.

NM 0912380 NNC

Musil, Robert, 1880-1942.
Die Verwirrungen des Zöglings Törless. Berlin: Ernst Rowohlt, 1931 [, cop. 1930]. 233 p. 12°.

NM 0912381 NN IaU

Musil, Robert, 1880–
Vinzenz und die Freundin bedeutender Männer; Posse in drei Akten, von Robert Musil. Berlin: E. Rowohlt, 1924. 105 p. 20½cm.

978857A. 1. Drama, German. I. Title.
N. Y. P. L. May 29, 1939

NM 0912382 NN WaU WU MH PU

Musil, Robert, 1880–1942.
Young Törless. Translated from the German by Eithne Wilkins and Ernst Kaiser. London, Secker & Warburg, 1955.
ix, 217 p. 19 cm.
Translation of Die Verwirrungen des Zöglings Törless.

I. Title.
[PZ3.M] A 56–1086
Rochester. Univ. Libr. for Library of Congress [1]

FTaSU
NM 0912383 NRU CaBVaU IdU IEN ICU IaU IU NIC

Musil, Robert, 1880–1942.
Young Törless; translated from the German by Eithne Wilkins and Ernst Kaiser. New York, Pantheon [1955]
217 p. 21 cm.
Translation of Die Verwirrungen des Zöglings Törless.

I. Title.
PZ3.M9737Yo 55–10278 ‡

TxU NcD OCl OCU WaE WaT OrP OrPR
NM 0912384 DLC WaU IaU AAP MiU VtU UU CU NN

*fGC9 R4574 LL713 v.3(4)
Musil, Robert, 1880-1942.
Zur deutschen Literatur, aus dem Nachruf für Rilke von Robert Musil.
(In Die Literarische Welt. Berlin, 1927. 45cm., folded & in portfolio 32cm. 3.Jahrg., Nr.4, p.[1])
Ritzer K109.

NM 0912385 MH

Musil, Rosemary Gabbert.
Five little Peppers, dramatized from Margaret Sidney's story, by Rosemary Gabbert Musil. Charleston, W. Va., The Children's theatre press, ©1940.
60 p. illus., diagrs. 23cm.

I. Lothrop, Mrs. Harriet Mulford (Stone) 1844–1924. Five little Peppers and how they grew. II. Title.
41–234
Library of Congress PN6120.A5M844
——— Copy 2.
Copyright D pub. 72601 [2] 812.5

NM 0912386 DLC WaTC KU NBuG

Musil, Rosemary Gabbert.
The ghost of Mr. Penny, by Rosemary Gabbert Musil. South Hills, Charleston, W. Va., The Children's theatre press, ©1939.
48 p. 1 illus. 23cm. (On cover: Thespian series. Book 2)

I. Title. 40–15181
Library of Congress PN6120.A5M845
——— Copy 2.
Copyright D pub. 67445 [2] 812.5

NM 0912387 DLC IU CaBVaU

Musil, Rosemary Gabbert.
Mystery at the old fort, by Rosemary Gabbert Musil. South Hills, Charleston, W. Va., Children's theatre press, c1944. 48 p. illus. 23cm.

1. Juvenile literature—Drama, American. I. Title.
N. Y. P. L. January 27, 1950

NM 0912388 NN IdPI ICarbS KMK KU

Musil, Rosemary Gabbert.
Seven little rebels, by Rosemary Gabbert Musil. Charleston, W. Va., The Children's theatre press, ©1938.
60 p. illus., diagrs. 23cm.

I. Title. 38–22711
Library of Congress PN6120.A5M85
——— Copy 2.
Copyright D pub. 57535 [3] 812.5

NM 0912389 DLC OrAshS Or FTaSU KMK OCl

Musil-Černohorský, Fr J
Sebrané básně. Mistra Jana Husi životopis a povahopis doby tehdejší. V Praze, Křesťanské nakl., 1901.
205 p. port. 28 cm. (Galerie českých reformatorů a bojovníků Páně, kn. 1)

1. Hus, Jan, 1369–1415.
BX4917.M77 64–58786

NM 0912390 DLC MH ICU CtY OO OCl CSt IEdS

Musílek, Josef, 1885-
Ptactvo Pardubicka, podle vlastních skušeností s kritickým zřetelem k starší literatuře. v Pardubicích, Otto & Ružička, 1946.
184p. plates, map (col., fold.) 24cm.

1 Birds - Czechoslovak republic. 2 t.
3 Ornithology - Czechoslovak republic.

NM 0912391 NNM

4K-211
Musillami, G
Dell'ingiuria collettiva e dei limiti tra la diffamazione e il diritto di pubblica censura. Palermo, A. Reber, 1907.
100 p.

NM 0912392 DLC-P4 MH-L

Musillami (Salvatore). Sulla genesi dei toni e dei rumori di soffio del cuore. Brevi osservazioni per l'apprezzamento clinico di questi ultimi. 21 pp. 8°. *Palermo, Carini*, 1895.

NM 0912393 DNLM

Musilli, Antonio Maria.
Elementi per apprendere il canto fermo, del p. maestro Antonio Maria Musilli, min. conventuale, con appendice del r. p. Luigi d'Assisi ... Roma, Tip. poliglotta della S. C. di propaganda, 1882.
iv, 90, [2] p. 20cm.

1. Chant (Plain, Gregorian, etc.) I. Assisi, Luigi d'.
10–359
Library of Congress MT860.M95

NM 0912394 DLC

Musilová, Vilma.
...Deti širého sveta. Dodatková četba pre stredný stupeň slov. l'ud. škôl...Praha, Štátne nakladatel'stvo., 1933.
144 p. illus.,

NM 0912395 OCl

Musilová Vilma.
...Druha Kniha...Praha, Štátne nakladatel'stvo, 1931.
184 p. illus.,

At head of title; Musilová- Prihoda-Music. Slovak.

NM 0912396 OCl

Musilová, Vilma.
...Prvá kniha, illus., O. Cihelka...Praha, Štátne nakladatel'stvo, 1930.
154 p. illus.,

At Head of title; Musilová-prihoda-musil. Slovak.

NM 0912397 OCl

Musilová, Vilma.
...Testy k prvej knihe... Praha-Bratislava, Vydalo Štátne nakladatel'stvo, 1930.
8 numb. l. illus.,

At head of title; Musilová-Prihoda-Musil.
Contents; ......

NM 0912398 OCl

Musin, B M
Балкашинский племенной совхоз. Москва, Гос. изд-во сельхоз. лит-ры, 1953.
79 p. illus. 20 cm. (Передовой опыт в сельском хозяйстве)
At head of title: Б. М. Мусин, Б. В. Бай.

1. Cattle—Russia. 2. Balkashinskiĭ plemennoĭ sovkhoz (Akmolinsk Province) I. Baĭ, B. V., joint author.
Title transliterated: Balkashinskiĭ plemennoĭ sovkhoz.
SF196.R8M8 55–34239

NM 0912399 DLC

Musin (Edmond-Éloi-Marie-Joseph) [1868–].
*De la folie consécutive aux traumatismes opératoires sur le système génital de la femme. 95 pp. 4°. *Lille*, 1895, No. 99.

NM 0912400 DNLM

Musin, Louis.
Fenêtres sur la nuit, poèmes. Malines, C. E. L. F., 1951.
31 p. 19 cm. (Les Cahiers de la Tour de Babel, no. 26)

I. Title.
A 52–507
Illinois. Univ. Library for Library of Congress [½]

NM 0912401 IU NN

PQ2625 .U78H8
Musin, Louis.
L'humain voyage (Prix Max Rose 1951) Illus. de Charles Pry. [Éd. originale] Malines, C. E. L. F., 1952.
31 p. front. 19 cm. (Les Cahiers de la Tour de Babel, no 51)

I. Title.
A 53–2347
Illinois. Univ. Library for Library of Congress [½]

NM 0912402 IU NN DLC

VOLUME 403

Musin, Louis.
Silences de la terre. 2. éd. Paris, P. Seghers [1953]
37 p. 18 cm. (Collection P. S., no 346)
On cover: Poésie 53.

I. Title. II. Series.
[PQ1184.C57 no. 346] A 61-1922

Illinois. Univ. Library for Library of Congress rev [r74b2]

NM 0912403 IU IEN NN CU

TJ1071 .I13
Musin, M. M., joint author.
IAgnfatinskii, S O
Автоматические линии для шлифования деталей подшипников. Свердловск, Гос. научно-техн. изд-во машиностроит. лит-ры [Урало-Сибирское отд-ние] 1954.

787.1 M97b
Musin, Ovide, 1854-1929.
Berceuse pour violon avec accompagnement de piano, op. 9. New York, E. Schuberth, °1893.
score (5 p.) and part. 36 cm.

1. Violin and piano music. I. Title.

NM 0912405 LU

787.1 M97c
Musin, Ovide, 1854-1929.
Caprice de concert pour violon avec accompagnement de piano, op. 6. New York, E. Schuberth, °1893.
score (13 p.) and part. 36 cm.

1. Violin and piano music. I. Title.

NM 0912406 LU OCl

Musin, Ovide, 1854–
...Mazurka de concert pour violon avec accompagnement de piano, par Ovide Musin... New York: E. Schuberth & Co., cop. 1887. Publ. pl. no. E. S. & Co., 1655. 2 parts. f°.
Violin and piano in score and violin part.

1. Violin and piano.
N. Y. P. L. February 23, 1921.

NM 0912407 NN

M 787.12 My87M
Musin, Ovide, 1854-
Mazurka romantique, op.11, no.3, pour violon avec accompagnement de piano. New York, C. Fischer, c1898.
score(7p.) and part. 34cm.

At head of title: Repertoire du virtuose.

1. Mazurkas (Violin and piano) 2. Violin and piano music - Scores and parts

NM 0912408 NBC MH NN

Musin, Ovide, 1854–
My memories, by Ovide Musin ... a half-century of adventures and experiences and globe travel written by himself. New York, Musin publishing company, 1920.
xiii, 298 p. front., plates, ports., facsims. 21½cm.

1. Musicians—Correspondence, reminiscences, etc.
Library of Congress ML418.M9 20-4469

NM 0912409 DLC MtU WaS TxU ICRL NIC CU MiU OOxM NN

Musin, Ovide, 1854-1929 8050.349
Ovide Musin School of violin playing illustrated. A system of daily exercises . . . scales with Paganini's fingering, the staccato, how to acquire it quickly. Supplement: a graduated course of studies to pursue from beginning to finishing. . . .
= New York. Breitkopf & Härtel. [1903.] (1), 47 pp. Portrait. Plates. Autograph facsimile. 33 cm.

K8736 — Violin. Instruction books.

NM 0912410 MB

LA836 .M8
Musin-Pushkin, Aleksandr Alekseevich, *graf*, 1855–
Среднеобразовательная школа въ Россіи и ея значеніе. Петроградъ, Тип. Глав. упр. удѣловъ, 1915.
163 p. 25 cm.

1. High-schools—Russia. I. Title.
Title transliterated: Sredneobrazovatel'nafa shkola v Rossii.

LA836.M8 54-50387 ‡

NM 0912411 DLC

Musin-Pushkin, Alekseĭ Ivanovich, graf, 1744-1817.
Vladimirov, Petr Vladimirovich, 1854–
Древняя русская литература, кіевскаго періода XI–XIII вѣковъ. П. В. Владимірова ... Кіевъ, Тип. Н. Т. Корчакъ-Новицкаго, 1900.

JN6541 .V5 Rare Bk Coll
Musin-Pushkin, Alekseĭ Ivanovich, graf, 1744-1817, ed.
Vladimir *Monomachus, Grand Duke of Kiev*, 1053–1125.
Духовная Великаго Князя Владиміра Всеволодовича Мономаха дѣтямъ своимъ, названная въ Лѣтописи суздальской "Поученіе." Въ Санктпетербургѣ, Въ Тип. Корпуса чужестранныхъ единовѣрцовъ, 1793.

PG3300 .S6 1800 Rare Bk. Coll.
Musin-Pushkin, Alekseĭ Ivanovich, graf, 1744-1817.
Slovo o polku Igoreve.
Ироическая пѣснь о походѣ на половцовъ удѣльнаго князя Новагорода-Сѣверскаго Игоря Святославича, писанная старинным русскимъ языкомъ въ исходѣ XII столѣтія съ переложеніемъ на употребляемое нынѣ нарѣчіе. Москва, Въ Сенатской тип., 1800.

Musin-Pushkin, Alekseĭ Ivanovich, *graf*, 1744–1817.
Историческое изслѣдованіе о мѣстоположеніи древняго россійскаго Тмутараканскаго княженія. Въ Санктпетербургѣ, Въ Тип. Корпуса чужестранныхъ одиновѣрцовъ, 1794.
iv, 64, lxxiv p. 2 illus., fold. map, geneal. table. 26 cm.
"Описаніе народовъ, городовъ и урочищъ, означенныхъ въ чертежѣ, собранное изъ Исторіи г. Татищева, Географическаго словаря его, Записокъ касательно россійской исторіи, изъ Книги древняго Большаго чертежа, рукописей г. Болтина и нѣкоторыхъ другихъ": p. [1]–lxxiv.
L. C. copy imperfect: 1 illus. wanting.
1. Tmutarakan, Russia (Principality) 2. Russia—Historical geography. I. Title.
Title transliterated: Istoricheskoe izsliedovanie o mie-stopolozhenii drevniago rossiiskago Tmutarakanskago kniazheniia.

DK511.T6M8 42-33149 rev*
Library of Congress [r61c8]

NM 0912415 DLC MH

Law Case
Musin-Pushkin, Alekseĭ Ivanovich, graf, 1744-1817, ed.
Russkaia Pravda.
Правда Руская; или, Законы великихъ князей Ярослава Владиміровича и Владиміра Всеволодовича Мономаха. Съ переложеніемъ древняго оныхъ нарѣчія и слога на употребительные нынѣ, и съ объясненіемъ словъ и названій изъ употребленія вышедшихъ. Изданы Любителями отечественной исторіи. [Санктпетербургъ] Въ Тип. Святѣйшаго Правительствующаго синода, 1792.
viii, [14], 100, xvi p. 26 cm.

PG3300 .S6 1920
Musin-Pushkin, Alekseĭ Ivanovich, graf, 1744-1817.
Slovo o polku Igoreve.
Слово о полку Игоревѣ; снимокъ съ перваго изданія 1800 г. гр. А. И. Мусинъ-Пушкина, подъ ред. А. Ѳ. Малиновскаго; съ приложеніемъ статьи проф. М. Н. Сперанскаго и факсимиле рукописи А. Ѳ. Малиновскаго. Москва, Изданіе М. и С. Сабашниковыхъ, 1920.

Law
Musin-Pushkin Brius, Vasilii Valentinovich, graf, 1775-1836.
Записка изъ апелляціоннаго дѣла, Двора Его Императорскаго Величества Оберъ-шенка, дѣйствительнаго камергера графа Василья Валентиновича Мусина-Пушкина Брюсъ, по довѣренности отставнаго полковника графа Ивана Стенбока-Фермора, сына его поручика графа Якова Стенбока-Фермора и полковницы Сарры Куломзиной, урожденной графини Стенбокъ-Ферморъ, о духовномъ завѣщаніи, кодицилѣ и дарственной записи, учиненныхъ за границею покойною графинею Катериною Мусиною-Пушкиною-Брюсъ въ пользу австрійскихъ подданныхъ графовъ Камилла и Александра Гритти, на капиталы ея за границею и въ Россіи находящіяся. [Санктпетербургъ? 1833?]

A musing bee within the hive.
Brief thoughts on the agricultural report
see under title

Musings, by myself ... Oxford, Alden & co., ltd., 1907.
32 p.
Poems.

NM 0912420 CtY

3A 4262
MUSINGS, by the author of Heart-breathings ... London, Darton and Clark, [1844?]
224, [2]p. 12cm.

P. [226] contains advertisement for 3rd thousand of "Heart-breathings, by 'Alfred'."

NM 0912421 ICN

Musings among the Swiss mountains; a poem
see under [Plimsott, I.]

Musings and memories, being chiefly a collection of anecdotes ...
see under [Walton, Joseph] 1817-1898.

---

* PS586 .Z93 .M878 1819
Musings at an evening club in Boston.
Somewhat like a poem. Boston: Printed by True & Weston, 1819.
53 p. 16cm.

NM 0912424 ViU MH MH PHi RPB CSmH

---

ar V 5323
Musings in solitude. A posthumous collection of miscellaneous poems. By a minor. Manchester, J. & J. Thompson, 1843.
iv,96 p. illus. 19cm.
Author's initials, B. C., under port.

I. C., B.

NM 0912425 NIC CtY

VOLUME 403

ar W
14989
Musings in Watkins Glen, Schuyler County, N. Y. In aid of a church mission. Auburn, N. Y., Knapp & Peck, 1880.
16 p. 21cm.

Poem.

Bound with Ells, M. Descriptive guide book of the Watkins Glen. 9th ed. Philadelphia [c1886]

1. Watkins Glen, N. Y.--Poetry.

NM 0912426 NIC

1901
MU855
Harris Collection
Musings of a lonely widow... New York, Brown, Titian and Grey [193-?]
47 numb. l. 17cm.

"Two hundred and fifty copies... issued... number 155."
Printed on outside of double leaf uncut at top.

NM 0912427 RPB

Musings (The) of a medical. No. 1. 15, 11 pp. 8°. Edinburgh, J. Thin, [n. d.]

NM 0912428 DNLM ICN

Musings of a musician...
see under Lunn, Henry Charles, 1817-1894.

Musings of an invalid
see under [Townsend, Frederic]

Musings of inspiration, Author of.
Gems of meditation
see under [Elliott, Nora S]

SPECIAL COLLECTIONS SELIGMAN
1864E
M97
Musings on money matters; or, Crotchets on currency. By a merchant trader. 2d ed. Dedicated to the Right Honourable the Chancellor of the Exchequer. London, Ash and Flint, 1864.
16 p. 21cm.

1. Currency question - Gt. Brit.

NM 0912432 NNC

Musings without method. A record of 1900-1901
see under Annalist, pseud.

Musini, Luigi, 1843-1903.
Dal Trentino ai Vosgi; memorie garibaldine ordinate e pubblicate a cura del figlio Nullo. Campagna del Trentino: 1866 - Campagna dell' Agro Romano (Villa Glori - Monterotondo - Mentana): 1867 - Campagna di Francia: 1870-1871. Con una lettera - prefazione di G.C. Abba. Borgo S. Donnino, etc., Casa ed. Verderi & C., 1911.
Ports. and plates.

NM 0912434 MH

Musini, Nullo, ed.
Dal Trentino ai Vosgi ...
see under Musini, Luigi, 1843-1903.

4NC
84
Musini, Nullo
Quei medici...! Visioni umoristiche dalla matita di un medico. Milano, Istituto sieroterapico milanese S. Belfanti, 1952.
1 v. (unpaged)

NM 0912436 DLC-P4 InU DNLM

Htb25
M97
Musinowicz, Alexander, 1860-
Die Stellung des attributiven Adjektivs im Altisländischen und Altnorwegischen. Ein Beitrag zur altnordischen Syntax ... Kirchhain N.-L. 1911.
x,[2],130p.,1l.incl.tables. 23 cm.
Inaug.-Diss. - Leipzig.
"Curriculum vitae."
"Die Dissertation ist in gleichem Umfange als Buch erschienen ... Riga 1911."
"Literatur": p.[xi]-[xii]

NM 0912437 CtY IU MH PU ICRL NIC

Mušinskas-Mušaitis, Antanas, ed.
Vladislava Grigaitienė, 1919-1934; jos 15 metu scenos darbo sukaktuvėms paminėti. Kaunas, Daina, 1934.
31 p. ports. 30 cm.
Contents. -Vaiciunas, P.: Artistui. - [Grigaitienė, V.]: Svajonės issipildė. -Biografija. -Zadeika, V.: Jubiliatė kurėja. -Jakubėnas, V.: Jubilieju minint.

NM 0912438 PU

Musio, Fernando Fara
see Fara Musio, Fernando. (Supplement)

Musio, Gavino.
I quattro poeti continuatori del pensiero italiano; canto.
(In [Saggari, Liceo Azuni] Alla nobile città di Firenze, etc. [1865] p. 41-44)

NM 0912440 NIC

Musio, Giuseppe, d. 1876.
Di una novella legge organica dell'ordine giudiziario; nuovi studi. Firenze, Tip. di F. Bencini, 1868.
98 p.

NM 0912441 MH

Musio, Giuseppe, d. 1876.
Discorsi del senatore Giuseppe Musio intorno al progetto di legge di modificazioni all'ordinamento giudiziario nelle tornate dal 24 al 29 gennaio 1873. Roma, Cotta, Tip. del Senato del Regno [1873?]
viii, 151 p. 21½cm.

NM 0912442 MH-L MH

Musio, Giuseppe, d. 1876.
Parole del Senatore Musio in risposta al libello famoso contro l'Italia pubblicato in forma di pastorale da S. E. il Cardinale Arcivescovo di Parigi ... Roma, Cotta e Comp., 1874.
24 p. 20cm.

NM 0912443 MH-L MH

4K
6554
Musio, Giuseppe, d. 1876.
Sul progetto di legge abolitiva degli ademprivi in Sardegna; note. Cagliari, Tip. Nazionale, 1859.
46 p.

NM 0912444 DLC-P4

Musio, Giuseppe, d. 1876.
Sul riordinamento giudiziario; studi. Ancona, Succ. della Tip. Baluffi, 1862.
1.8°.
Back cover dated 1863.

NM 0912445 MH

Musio, Giuseppe Fara-
see Fara-Musio, Giuseppe.

Musio, Luigi.
Ortensia d'Altavilla; produzione di Luigi Musio. **Soggetto** per film, da prodursi in due spettacoli ... [Oristano, Agenzia tipografica A. Marongiu, 1945]
17 p. 17½cm.

I. Title.
PN1997.M87 47-18301

NM 0912447 DLC

Musioł, Augustyn, ed.
...Tańce śląskie...opracowali Augustyn Musioł i Feliks Sachse. Z rysunkami Pawła Stellera. Z przedmową prof. dra Józefa Reissa. Zeszyt 1 Katowice, 1937 v. illus. 24½cm. (Wydawnictwa Instytutu śląskiego.)

Contains music arranged for piano with interlinear Polish words and directions for the dances.
CONTENTS.—Zeszyt 1. Tańce z powiatu rybnickiego.

1. Folk dances, Polish—Silesia. I. Sachse, Feliks, jt. ed. II. Instytut śląski, Katowice, Poland.
N. Y. P. L. December 22, 1939

NM 0912448 NN

W 4
M96
1953
MUSIOL, Hubert, 1925-
Der Spättod bei Salzsäurevergiftungen. [München] 1953.
33 l.
Inaug.-Diss. - Munich.
Typewritten copy.
1. Hydrochloric acid

NM 0912449 DNLM

ML410
.R69M8
Musiol, Josef, 1902-
... Cyprian de Rore, ein meister der venezianischen schule. Breslau; Halle (Saale) E. Klinz buchdruckwerkstätten, 1932. 2 p.l., 87, [1], 33 p. (music) 23 cm.
Inaug.-diss. - Breslau.
Lebenslauf.
"Literatur-verzeichnis": p. 87.

NM 0912450 DLC

Musiol, Josef, 1902-
Cyprian de Rore, ein Meister der venezianischen Schule, von Dr. Josef Musiol. Breslau: E. Klinz, 1933. 87, 33 p. 23cm.

Musical supplement (last 33 p.) includes 9 madrigals.
"Literaturverzeichnis," p. 87.

688125A. 1. Rore, Cipriano de, 1516-
N. Y. P. L. JUILLIARD FOUNDATION FUND. 1565. February 27, 1934

NM 0912451 NN CU CtY

VOLUME 403

A44P K15W II.4 Musiol, Ludwik
Dzieje szkół parafjalnych w dawnym dekanacie Pszczynskim. Katowice, Nakładem Muzeum Śląskiego, 1933.
xii, 263 p. 24 cm. (Wydawnictwa Muzeum Śląskiego w Katowicach, dział 2, nr. 4)
Summary in German.

1. Pszczyna, Poland. 2. Education - Poland.

NM 0912452 CtY

Musioł, Ludwik.
Eingedeutschte Ortsnamen in Schlesien Zniemczone nazwy miejscowe na Śląsku. Dienstliche Uebersetzung der Publikationsstelle des Preuss. Geheimen Staatsarchivs in Berlin-Dahlem. Berlin, 1938.
33 l. 30 cm. (Publikationsstelle Berlin-Dahlem. Polnische Reihe. Bücher und grössere Aufsätze, 115)
"Nur für den Dienstgebrauch!"
German.
"Anmerkungen" (bibliographical) leaves 29-33.
1. Names, Geographical—Silesia. 2. Names, Geographical—German. 3. Names, Geographical—Polish. I. Title. (Series: Germany. Publikationsstelle Berlin-Dahlem. Polnische Reihe. Bücher und grössere Aufsätze, 115)
DD491.S48M815 55-48836

NM 0912453 DLC

Musioł, Ludwik.
Materjały do dziejów Wielkich Katowic, 1299–1799. Z 5 planami i 13 rycinami. Katowice, skład główny: Nasza Księgarnia, Warszawa, 1936.
219 p. illus., maps. 26 cm. (Pamiętnik Instytutu Śląskiego, 2)
Wydawnictwa Instytutu Śląskiego.
Part of the documents in Latin or German.
Bibliography: p. 12.

1. Katowice—Hist.—Sources. I. Title. (Series: Instytut Śląski, Katowice. Pamiętnik, 2)
DD491.S522M8 54-55940

NM 0912454 DLC ScU NNC NN MH

Musioł, Ludwik.
Zniemczone nazwy miejscowe na Śląsku. Katowice, Skł. gł.: Kasa im. Mianowskiego, 1936.
43 p. 25 cm. (Polski Śląsk; odczyty i rozprawy, 17)
Wydawnictwa Instytutu Śląskiego.

1. Names, Geographical—Silesia. 2. Names, Geographical—Polish. I. Title.
DD491.S48M8 57-56756 ‡

NM 0912455 DLC NN

Musioł, Paweł.
... Ochotnicze drużyny robocze ... Katowice, 1937. 61 p. illus. 24½cm. (Zagadnienia gospodarcze śląska; odczyty i rozprawy. [nr.] 8.)
At head of title: Wydawnictwa Instytutu śląskiego.

1. Industrial army—Poland—Silesia. I. Ser.
N. Y. P. L. December 20, 1939

NM 0912456 NN

Musiol, Robert Paul Johann, 1846-1903, ed.
Conversations-lexikon der tonkunst
see under title

Músiol, Robert Paul Johann, 1846–1903.
Grundriss der Musikgeschichte von Robert Musiol. Dritte, stark vermehrte Auflage, vollständig neu bearbeitet von Richard Hofmann... Leipzig: J. J. Weber, 1905. x, 412 p. illus. (incl. music), tables. 16°.

92470A. 1. Music.—History. 2. Hofmann, Richard, 1844-1918, editor.
N. Y. P. L. August 18, 1923.

NM 0912458 DLC NjP NcU OCH NN

Musiol, Robert [Paul Johann] 1846–
Hugo Brückler. Ein beitrag zur geschichte des musikalischen deutschen liedes. Von Robert Músiol. Dresden, L. Hoffarth, 1896.
35, [1] p. port. 20½cm.

Subject entries: Brückler, Hugo, 1845-1871. 8-13970

Library of Congress, no. ML410.B889.

NM 0912459 DLC

Musiol, Robert Paul Johanna, 1846-1903, ed.
Schuberth, Julius Ferdinand Georg, 1804–1875.
Julius Schuberth's Musikalisches conversations-lexicon. Ein encyclopädisches handbuch enthaltend das wichtigste aus der musikwissenschaft, die biographien sämmtlicher berühmten componisten, virtuosen, dilettanten, musikalischen schriftsteller, instrumentenbauer, musikalien-verleger etc., sowie beschreibung aller instrumente und erklärung der in der musik vorkommenden fremd- und kunstwörter für tonkünstler und musikfreunde. 10., verm. und verb. aufl., bearb. von Robert Músiol ... Leipzig, J. Schuberth & co [pref. 1877]

780.9 M974k Musiol, Robert Paul Johann, 1846-1903
Katechismus der Musikgeschichte.
Leipzig, J. J. Weber, 1877.
viii, 244 p. illus. (Weber's illustrirte Katechismen, No.80)

1. Music - History and criticism 2. Music - Examinations, questions, etc. I. T.

NM 0912461 MiD MH MB

Músiol, Robert Paul Johann, 1846–1903.
Katechismus der Musikgeschichte. Von Robert Músiol... Leipzig: J. J. Weber, 1888. viii, 279 p. illus. (incl. music), table. 2. ed., rev. and enl. 17cm. (Webers illustrierte Handbücher. No. 80.)

608555A. 1. Music—Hist. I. Ser.
N. Y. P. L. December 16, 1932

NM 0912462 NN NNC NjP MH

Musiol, Robert Paul Johann, 1846-1903.
Die Meerkönigin, für Sopran- und Alt- (oder Bariton-) Solo ...
see under Hummel, Ferdinand, 1855-1928.

Musiol, Robert Paul Johann, 1846-1903.
Musiker-lexikon, von Robert Músiol. Stuttgart, C. Grüninger, 1890.
iv, [3]-544 p. 13½cm.

1. Musicians—Dictionaries.
11-75

Library of Congress ML105.M97

NM 0912464 DLC ViU

Músiol, Robert Paul Johann, 1846-1903. No. 2 in **M.370.30
Sonntag. [Männerchor.]
(In Gruber. Sangeshort. Heft 4, pp. 24, 25. Leipzig. [188-?])

E5832 — T.r. — Part songs.

NM 0912465 MB

Musiol, Robert Paul Johann, 1846-1903.
Theodor Körner und seine beziehungen zur musik. Musikhistorische studie, von Robert Músiol. Ratibor, E. Simmich, 1893.
96 p. 19cm.

1. Körner, Theodor i. e. Karl Theodor, 1791-1813.
10-21742

Library of Congress ML80.K7M9

NM 0912466 DLC WU

Músiol, Robert Paul Johann, 1846-1903. No. 3 in **M.370.30
Weinlied [T. T. B. B.].
(In Gruber. Sangeshort. Heft 4, pp. 24, 25. Leipzig. [188-?])

E5832 — T.r. — Part songs.

NM 0912467 MB

Musiol, Robert [Paul Johann] 1846–
Wilhelm Fritze. Ein musikalisches charakterbild, von Robert Musiol. Mit dem portrait des componisten. Demmin, A. Frantz, 1883.
88 p. front. (port.) 17½cm.
"Verzeichniss sämmtlicher werke von Wilhelm Fritze": p. 81-88.

1. Fritze, Wilhelm, 1842-1881.

Library of Congress ML410.F95M9 5-20187

NM 0912468 DLC MB

MUSIOL, Robert Paul Johann, 1846-1903. No. 14 in **M.392.3
Zwei Festgesänge zur goldenen Hochzeitsfeier Sr. Majestät des Deutschen Kaisers ... Für vierstimmigen Männerchor.
Cöln. Tonger. [1879.] 5 pp. L. 8°.
Contents. — Wilhelm und Augusta Heil! — Kaiserhymne.

NM 0912469 MB

Musique; revue mensuelle ... 1.– année; 15 oct. 1927–
[Paris, 1927–
v. illus. (incl. ports., facsims.) 27cm.
No number was issued for Aug., 1928.
Editor: Oct. 1927– Marc Pincherle.

1. Music—Period. 2. Music—France. I. Pincherle, Marc, 1891– ed.

Library of Congress ML5.M974 30-16930

NM 0912470 DLC IaU NcU

Musique [Extract]
see under Encyclopédie, ou Dictionnaire raisonné des sciences.

YA 1930 La musique a Bordeaux, revue mensuelle publiée ... Bordeaux, Feret et fils, 1879.
411 p.

NM 0912472 DLC NN

AW 1 R 2323 MUSIQUE à l'usage des fêtes nationales. N. 3. Troisième livr.: Mois prairial. An 2ème de la République Française. [Paris?] R. l'Aîne [n.d.]
6 nos.
CONTENTS. - Ouverture pour instrumens [sic] a vent, par Méhul. - Hymne patriotique [par] Méhul. - Marche militaire, par Catel. - Pas de manoeuvre, ou Rondeau, par Ozi. - Les canons, ou La réponse au Salpêtre:

Continued in next column

VOLUME 403

Continued from preceding column

chanson patriotique, par Coupigni; musique de Dalayrac. - Chant d'une esclave affranchie, par Coupigni; musique de L. Jardin.
Microfilm. Ann Arbor, University Microfilms [1965?]
1 reel. 35 mm.
1. National music, French - Scores. [2. National songs, French.] [I. Méhul, Étienne Nicolas, 1763-1817.]

NM 0912474 CaBVaU

... Musique-adresses ...
Paris, Office général de la musique [191
v. 18½cm.
Publication suspended 1915-1918.
Subtitle varies: 1921 Annuaire du commerce de musique; instruments de musique—machines parlantes—éditions musicales; France, colonies françaises, pays de protectorat, principauté de Monaco, Belgique, Luxembourg.
Imprint varies: -15, Paris, A. Bosc.

1. Music trade—France—Direct. 2. Music printing.

21-20034

Library of Congress ML21.M95

NM 0912475 DLC MB PP

La musique, au point de vue moral et religieux. Paris, 1859
see under [Gjertz, Marie Gabrielle]

ML5 .R47 March 1931
La musique autrichienne. Paris, 1931.
[193]-288 p. illus., ports., music. (La Revue musicale, mars, 1931)
Cover title.

1. Music--Austria. I. La Revue musicale.

NM 0912477 ICU

Musique contemporaine; revue internationale.
[no.] 1-
Paris, 1951-
v. illus. 26cm.

NM 0912478 OrU

Musique, contenant 19 planches ...
see under [Lusse, Charles de] b.1731.

ML5 .R47 Feb.-Mar. 1937
Musique d'orgue et musique religieuse.
Paris, 1937.
152 p. illus., music. (La Revue musicale, février-mars, 1937)
Cover title.

1. Organ music--Hist. & crit. 2. Church music--Hist. & crit. (1, La Revue musicale.

NM 0912480 ICU

ML5 .R47 June-July 1937 special no.
La musique dans l'Exposition de 1937; ont collaboré à ce numéro spécial: Robert Bernard [et al.], Paris, 1937.
128 p. illus., ports. (Numéro spécial de la Revue musicale, juin-juillet, 1937)
Cover title.

1. Music--Addresses essays, lectures.
I. Paris. Exposition internationale, 1937.
II. La Revue musicale. Numéro special.

NM 0912481 ICU InU

V 415 .6
La Musique de chambre... Séances musicales données dans les salons de la Maison Pleyel; reproduction des programmes.
1.-10.recueil (année 1893-1903)
Paris[1894?-1904?] 10v.in 5.

Vol.8 covers years 1900-1901.
Preface, 1893-1896, by Oscar Comettant; 1897-1898, by Henry Gauthier-Villars.

NM 0912482 ICN NN MB NcU CSt

8059a.50
Musique des chansons populaires de France. Édition du Petit Journal. [Anon.]
= Paris, 1866. viii, 263 pp. 16°.

June 4, 1900
*D5854 — Songs with music. — Folk-songs.

NM 0912483 MB

La musique, poème divisé en quatre chants
see under [Serré de Rieux, Jean de] 18th cent.

La musique dans la comédie de Molière ...
see under [Tiersot, Julien], 1857-1936.

La musique dans les couvents de femmes depuis le moyen age jusqu'a nos jours
see under [Bobillier, Marie] 1858-1918.

ML5 .R4 1940
LA MUSIQUE DANS LES PAYS LATINS. Paris, 1940.
[53]-196 p. illus., music. (La revue musicale, no.196, Fev.-Mars 1940)

Numéro spécial.

1. Music--Italy. 2. Music--Canada.
3. Music--Belgium. 4. Music--Rumania.
(Ser.ae.)

NM 0912487 InU

La musique dans les universités allemandes
see under [Emmanuel, Maurice]

Musique des cantiques religieux et moraux à l'usage des Enfans des deux sèxes. Ouvrage spécialement destiné aux Elèves qui suivent les exercices du Cours d'education Physique et Gymnastique, Dirigé par Mr. Amoros. Gravée par Mme Crémon. Paris, Juillet 1818.

NM 0912489 NNH

Musique des chansons de Béranger ... airs notes anciens et modernes. 4. ed. augm de la musique des nouvelles chansons et de trois airs avec accompagnement de piano par Halévy et Mme Mainvielle-Fodor.
Paris, Perrotin, 1847.
2 p.l., 292 p. 24 cm.
I. Halévy, Jacques François Fromenthal Élie, 1799-1862. II. Mainvielle-Fodor, Mme Joséphine, b. 1793. III. Title.

NM 0912490 NSyU

Musique des chansons de Béranger; airs notés anciens et modernes. 5. éd., augmentée de la musique des nouvelles chansons et de trois airs avec accompagnement de piano par Halévy et mme Mainvielle-Fodor. Paris, Perrotin, 1851.
2 p. l., 292 p. 25cm.
Principally unaccompanied melodies. The songs by Halévy and Mme. Mainvielle-Fodor have piano accompaniment.

1. Songs, French. I. Béranger, Pierre Jean de, 1780-1857. Chansons. II. Halévy, Jacques François Fromental Élie, 1799-1862. Notre coq. III. Mainvielle-Fodor, Joséphine, 1789-1870. Songs.

46-28318

Library of Congress M1730.M965 1851
[2]

NM 0912491 DLC

Musique des chansons de Béranger. Airs notés anciens et modernes. Augmentée de la musique des nouvelles chansons et de trois airs avec accompagnement de piano, par Halévy et Mme Mainvielle Fodor.
Paris, Perrotin, 1853.
2 p.l., 1 l, 292 p. illus. 8°.
[Facsimile of a letter by Beranger]
6 ed.

NM 0912492 NN

Musique des chansons de Béranger; airs notés anciens et modernes. 7. éd., augmentée de la musique des nouvelles chansons et de trois airs avec accompagnement de piano par Halévy et mme Mainvielle-Fodor. Paris, Perrotin, 1858.
2 p. l., 292 p. front. (port.) plates, fold. facsim. ([3] p.) 24 cm.
(On cover: Œuvres de Béranger. v. 3)
Added t.-p., engr.: Album Béranger par Grandville.
Principally unaccompanied melodies. The songs by Halévy and Mme. Mainvielle-Fodor have piano accompaniment.
I. Béranger, Pierre Jean de, 1780-1857. Chansons. II. Halévy, Jacques François Fromental Élie, 1799-1862. Notre coq. III. Mainvielle-Fodor, Joséphine, 1789-1870. Songs. IV. Grandville, Jean Ignace Isidore Gérard, called, 1803-1847, illus.
PQ2195.A1 1858 vol. 3 12-11931 rev 2/M
—— Copy 2. M1730.M965 1858

NM 0912493 DLC KyU MH

Musique des chansons de Béranger. Airs notés anciens et modernes. 8.éd., revue par Frédéric Bérat, augmentée de la musique des chansons publiées en 1847 et de quatre airs par Halévy, Gounod et Mme.Mainvieille-Fodor. Paris, Perrotin, 1861.

292 p. front., music.

NM 0912494 MH CtY MiU NcU

Musique des chansons de Beranger,air notes anciens et modernes,neuvieme edition,revue par Fréderic Bérat augmentee de la musique des chansons posthumes d'airs composés par Béranger Halévy Gounod et Laurent de Rille avec deux tables. P., 1868.

81 woodcuts.

NM 0912495 MH

Musique des chansons de Béranger : airs notés anciens et modernes : avec deux tables, l'une alphabétique, l'autre historique des 450 airs du recueil. — 10. éd. / revue par Frédéric Bérat ; augmentée de la musique des chansons posthumes d'airs composés par Béranger ... [et al.]. — Paris : Garnier frères, libraires-éditeurs [ca. 1870]
348 p., [121] leaves of plates : ill. ; 30 cm.
Unacc. melodies.

1. Songs, French. I. Béranger, Pierre Jean de, 1780-1857. II. Bérat, Frédéric, 1801-1855.

M1730.M965 1870z 74-229128

Library of Congress 74 [2] M

PHC
NM 0912496 DLC NNU-W MdBP NN NcU IaU MH CtY PU

Musique des chansons de P. J. de Béranger, contenant les airs anciens et modernes les plus usités. [Tome 1-4.] Paris: Perrotin. 1834. 272 p. 8°.

French words, with tunes.
Illustrated t.-p.

405966A. 1. Songs, French.
N. Y. P. L. April 22, 1929

NM 0912497 NN ICN NBuG PPULC

VOLUME 403

Musique des chansons de P. J. de Béranger, contenant les airs anciens et modernes les plus usités. 2. éd., augmentée de deux airs avec accompagnement de piano par Mme Mainvielle-Fodor. Paris, Perrotin, 1838.
4 v. in 1. 22 cm.
Principally unacc. melodies.

1. Songs, French. I. Béranger, Pierre Jean de, 1780-1857. II. Mainvielle-Fodor, Joséphine, 1789-1870.

M1730.M965 1838 66-86072/M

NM 0912498 DLC MiU

Musique des chansons de P. J. de Béranger, contenant les airs anciens et modernes les plus usités. 3. éd., augmentée de deux airs avec accompagnement de piano par Mme Mainvielle-Fodor. Paris, Perrotin, 1845.
4 v. in 1. 22 cm.
Principally unacc. melodies.

1. Songs, French. I. Béranger, Pierre Jean de, 1780-1857. II. Mainvielle-Fodor, Joséphine, 1789-1870.

M1730.M965 1845 66-86071/M

NM 0912499 DLC MBAt

M 1730 M9 1847

Musique des chansons de P.J. de Béranger; contenant les airs anciens et modernes les plus usités. 4. éd., augmentée de la musique des nouvelles chansons et de trois airs avec acc. de piano par M. Halévy et Mme Mainvielle-Fodor. Paris, Perrotin, 1847.
292 p. 24cm.

NM 0912500 NIC NjP

Musique des choeurs d'Esther et d'Athalie et des quatre Cantiques spirituels
see under [Moreau, Jean Baptiste], 1656-1733.

La Musique des familles. année 1-4; Oct. 20, 1881-Oct. 8, 1885. Paris.
4 v. on 1 reel.

Title varies: Oct. 20, 1881-Oct. 9, 1884, La Musique populaire.
Microfilm. New York, New York Public Library, 1962.

NM 0912502 ViU NN

La musique des origines à nos jours
see under Dufourcq, Norbert, 1904-

ML3845 N2 Music Library

La musique des yeux et l'optique théatrale; opuscules tirés d'un plus grand ouvrage anglais de Sir Thomas Witth, par N. N. St Pétersbourg, 1800.
109 p.

1. Music - Philosophy and aesthetics. I. Witth, Thomas. II. Title.

NM 0912504 CU

La **musique** du diable, ou Le Mercure galant devalisé. A Paris, Chez Robert le Turc, ruë d'Enfer, 1711.
11 p. l., 381 p. front. 13½cm.
Supposed adventures of Mlle. Desmâtins, of the Opéra, in the Inferno. Introduces Lully and other celebrities of the time.

1. Desmâtins, Mlle., d. 1708.

CA 10-1223 Unrev'd

Library of Congress ML1727.3.A2M9

NM 0912505 DLC CtY NcD CLU-C NRU-Mus CU ICN

1001

La musique du diable; ou, Le Mercure galant devalisé. Paris, Robert le Turc, 1711.
381 p. 14cm.
Micro-opaque. 5 cards. (Eighteenth century French fiction)

1. Desmâtins, Mlle. d.1708.

NM 0912506 CSt ICN RPB PSt

La Musique en Belgique du Moyen age a nos jours ...
see under Closson, Ernest, 1870-1950, ed.

La **Musique** en l'année 1862; ou Revue annuelle des théâtres lyriques et des concerts, des publications littéraires relatives à la musique et des événements remarquables appartenant à l'histoire de l'art musical, par P. Scudo. Paris, J. Hetzel [1863]
2 p. l., 245, [2] p. 18½cm.
Continuation of L'Année musicale.

1. Music—Almanacs, year-books, etc. I. Scudo, Paul, 1806-1864, ed.

19-2164

Library of Congress ML29.S29

NM 0912508 DLC WU NSyU

La **musique** et les compositeurs russes **contemporains.** Mlle Ella Adaïewski, pianiste et compositeur. Paris, A. Chaix et cie, 1877.
51 p. 25cm.

1. Adaïewski, Ella, 1852-

24-15638

Library of Congress ML410.A17

NM 0912509 DLC

Musique et instruments
see Musique et radio.

783.205 **Musique et liturgie.**
no.1-
jan./fév.1948-
Paris, Centre pastoral liturgique.
no. illus., music. 27cm.

NM 0912511 IU N CU

Micro-film ML 367

Musique et liturgie. 1.- année; 191 -
Paris [etc.]

Bimonthly.
Title varies: -May/June,1937, Revue liturgique et musicale.
Negative; microfilmed by the Bibliotheque Nationale, Département de Musique, Paris. Microfilm
1. Church music--Catholic church--Period. 2. Liturgics--Catholic church--Period. 3. Periodicals (French)

NM 0912512 ICU

Musique et musiciens. Paris, Hachette et Cie., 1914
see under Heinecke, H.

Musique et poésie au XVIe siècle

see under

France. Centre national de la recherche scientifique.

80.5 1996

Musique et radio. 1.- année, (no.1-
1911- Paris, Horizons de France, 1911-
v. illus. 32 cm.

Title varies: 1-30(no.1-359), 1911-July 1939, Musique et instruments.
Suspended Aug. 1914-Feb.1919.

1.Music--Period. 2.Musical instruments--Period 3.Radio--Period.

NM 0912515 LU PU-FA

ML 55 C13 ser.2 no.3

La musique et ses problèmes contemporains. Paris, Julliard [1954]
127 p. illus. 19cm. (Cahiers de la Compagnie Madeleine Renaud-Jean Louis Barrault. 2. année, cahier 3)

1. Music--Addresses, essays, lectures. I. Series.

NM 0912516 NIC VtMiM CtY OrU

La musique instrumentale de la Renaissance

see under

Jacquot, Jean, ed.

ML5 .R47 July 1930

La musique mécanique, par Gabriel Audisio et al. Paris, 1930.
96 p. illus., port. (La Revue musicale, juillet, 1930)
Cover title.
"Supplément musical: Rêverie-nocturne, par Julien Krein."
1. Radio and music. 2. Moving-pictures, Talking. 3. Phonorecords. I. La Revue musicale.

NM 0912518 ICU

La musique militaire. Sinnett, ed. Paris, (n.p., n.d.)
cover-title, 25 col. pl. 16 cm.

97599

NM 0912519 DNW

La musique moderne, sous la direction de Andre Coeuroy ... Paris, 1926-

NM 0912520 CtNIC DLC

Musique polonaise ...
see under Towarzystwo Szerzenia Sztuki Polskiej Wśród Obcych, Warsaw.

La Musique populaire
see La Musique des familles.

ML 128 .F7 M98

Musique pour flûte. Paris [A. Leduc, 1954?]
1 v. (unpaged) 17 cm.
Cover title.
"Repertoire of the Paris National Conservatory of Music, the French conservatories and schools of music; teaching and examination pieces, and concert-works."
Introductory notes in French, English, German, Italian, and Spanish.

1. Flute music - Bibliography. 2. Flute - Methods - Bibliography.

NM 0912523 DCU

VOLUME 403

ML 128 .T7 M98
Musique pour trombone. Paris ⌈A. Leduc, 1955?⌉
1 v. (unpaged) 17 cm.
Cover title.
"Repertoire of the Paris National Conservatory of Music and the French Conservatories and Schools of Music: teaching and examination pieces, and concert-works."
Introductory notes in French, English, German, and Italian.

1. Trombone music - Bibliography. 2. Trombone - Methods - Bibliography.

NM 0912524 NjR

La musique rendue sensible par la méchanique ... see under [Choquel, Henri Louis] d. 1767.

ML5 .R47 July 1921
La musique russe contemporaine. Paris, Éditions de la Nouvelle revue française, 1921.
96 p. illus., port., music. (La Revue musicale, juillet, 1921)
Cover title.
"Supplément musical: Une mélodie et trois pièces pour piano de Prokofieff."

1. Music, Russian. I. La Revue musicale.

NM 0912526 ICU

No. 3 in **M.372.21
Musique sacrée, La, au diocèse de Rouen du IVe au VIIIe siècle. Rouen. Cagniard. 1866. 16 pp. 8°.

E6799 — Rouen. F. a. Music. — Church music. Hist.

NM 0912527 MB

La Musique tchécoslovaque. Prague, Orbis, 1946.
2 p. l., 7-138, ⌈1⌉ p., 2 l. plates, ports., facsims. 19cm.
Collection of articles by various authors.
Issued also in English under title: Czechoslovak music.

1. Music—Czechoslovak republic—Hist. & crit. 2. Music, Czech—Hist. & crit.

46-7214

Library of Congress ML247.M85 ⌈2⌉ 780.9437

NM 0912528 DLC MH TxU NcU CU CSt

Musique théorique et pratique. ⌈n. p., ca. 1700.⌉ 6 l., 31-87 p. 8°.

Manuscript.
Caption-title.
First 6 leaves contain theoretical material; p. 31-87, musical illustrations consisting of airs from the works of Lully, Corelli, Gaultier de Marseille, Mr. B., etc.

451450A. 1. Music—Theory. 2. Manuscripts.
N. Y. P. L.

NM 0912529 NN

La musique theorique et pratique, dans son ordre naturel ... see under [Saurin, Didier] b. ca. 1692.

Asia ML345 .V5M8
La musique vietnamienne. /⌈Saigon, Vietnam, 195?⌉
23 p. illus.

"Edition speciale publiee par la revue Horizons, Saigon."

1. Music – Vietnam – Hist. & crit.
I. Horizons (Saigon)

NM 0912531 HU- NIC

Les MUSIQUES de la guerre; hymnes alliés. Illustré par Paulet Thèvenaz. Paris, Tolmer [1915] [26] p. illus.(part col.) 31cm.

For piano, with superlinear French words.
CONTENTS.--La marseillaise.--L'hymne russe.--La brabançonne.--L'hymne de Mameli.--God save the King.--L'hymne japonais.--L'hymne serbe.

1. National music. 2. European war, 1914-1918.

NM 0912532 NN MB

Musiques françaises. ⌈no.⌉ 1–
Genève, Éditions du siècle musical ⌈°1948–
score (v.) and parts. 32 cm.
Title also in English and German.
"Collection publiée sous la direction de Georges Migot."
Chamber music.

1. Chamber music—To 1800. I. Migot, Georges, 1891–

M2.M96 M 56-360

NM 0912533 DLC MiU OOxM

---

al-Musīrī, 'Abd al-Mu'ṭī.
(Aqāṣīṣ min al-qahwah)
اقاصيص من القهوة ⌈تأليف⌉ عبد المعطى المسيرى. دمنهور ، مطبعة حلبى ⌈الاهداء 1942⌉
149 p. illus. 20 cm.

I. Title.

PJ7850.U848A88 74-215117

NM 0912534 DLC

Musis, Julius de, engr.
[Map of the world] Ivlivs de Mvsis Venet. in aes incidit
see under Gastaldo, Jacopo, 16th cent.

Die **Musische** Erziehung.
⌈München⌉
no. in v. illus., music. 30 cm. irregular.
"Richtlinien und Mitteilungen des Kulturamtes der Reichsstudentenführung für die Leiter der Kulturämter und Kameradschaftsführer."

1. Music—Period. 2. Music—Germany. I. Reichsstudentenführung. Kulturamt.

ML5.M984 780.5 49-56449*

NM 0912536 DLC

Musitanus, Carolus, 1635-1714.
R. D. Caroli Musitani ... Opera omnia, sou trutina medica, chirurgica, pharmaceutico-chymica &c. Omnia juxta recentiorum, philosophorum principia, & medicorum experimenta, excogitata, & adornata. Accesserunt huic novae editioni tractatus tros, nunquam editi, nompo de morbis infantum, de luxationibus, & do fracturis. Cum indicibus capitum, rerum & materiarum locupletissimis ... Genovae, sumptibus Cramor & Perachon, 1716.
2 v. in 1. front. (port., v.1), plate

Titlo in rod and black.
Titlo vignottos.

1. Medicine - Early works.

NM 0912538 NNC DNLM PPC

17th cent +
MUSITANO, Carlo, 1635-1714.
Caroli Musitani Opera omnia; seu, Trutina medica chirurgica, pharmaceutico-chymica ... Editio omnium operum secunda ... cui praeter tractatus de morbis infantum, de luxationibus & de fracturis ... Accesserunt notae & observationes D. De Vaux ... in tractatum de lue venerea, & praefatio de eadem materia, quam Hermannus Boerhaave aphrodisiacis praeposuit ... Lugduni, Sumptibus Perachon & Cr mer, 1733.
2v. port. 36cm.

1. Medicine - Early works to 1800 I. Title: Trutina medica chirurgica, pharmaceutico-chymica

NM 0912540 CtY-M

RARE BOOK DEPT.
CA 3963
Musitano, Carlo, 1635-1714.
Ad. Had. a Mynsicht Thesaurum et armamentarium medicochymicum mantissa ... cui accessit Andreae Battimelli Auctuarium et Hieronymi Piperi Corollarium. Genevae, Sumptibus Societatis, 1701.
67, [3], 37, [5], 76p. 18cm.
Bound with Mynsicht, Adrian von. Thesaurus et armamentarium medico-chymicum. Genevae, 1726.
"Andreae Battimelli Auctuarium" (37p.) 3d paging.

"Hieronymi Piperi Corollarium" (76p.) 5th paging, has separate t.p.

I. Battimelli, Andrea II. Piperus, Hieronymas

NM 0912542 WU MnU DNLM ICU

Musitano, Carlo, 1635–1714. 615.02 E2
Ad Thesavrvm et armamentarivm medico-chymicum Hadriani a Mynsicht ..., Mantissa Rev. D. Caroli Mvsitani ... Que locupletiori penu non adhuc cognita, vulgataque medicamenta congerit ſiue conquiſita, ſiue propria induſtria excogitata, & experientia probata, eorumdem vſu, atque operandi rationabili energia. Neapoli, Ex typ. C. Troyſe, 1697.
[6], 58, [2] p. 17cm.
With Mynsicht, A. von. ... Thesavrvs, et armamentarivm medico-chymicum, ... Neap[oli], 1697.

187066

NM 0912543 ICJ

Musitanus, Carolus, 1635-1714.
——. Ad thesaurum, et armamentarium medicochymicum Hadriani a Mynsicht mantissa, quæ locupletiori penu non adhuc cognita, vulgataque medicamenta congerit, sive conquisita, sive propria industria excogitata et experientia probata, eorumdem usu, atque operandi rationabili energia. 162 pp. 16°. *Venetiis, J. G. Hertz,* 1707.
Bound with: VON MYNSICHT (H.) Thesaurus et armamentarium, [etc.] 16°. *Venetiis,* 1707.

NM 0912544 DNLM

WZ 250 M987 1698
MUSITANO, Carlo, 1635-1714
... Chirurgia theoretico-practica;/seu, Trutina chirurgico-physica in IV. tomos divisa ... Coloniae Allobrogum, Sumptibus Cramer & Perachon, 1698.
4 v. in 1. 23 cm.
Imperfect: portait wanting.
Edited by Giuseppe Musitano.
Contents. - v. 1. De tumoribus. - v. 2. De ulceribus. - v. 3. De vulneribus. - v. 4. De lue venerea.

I. Musitano, Giuseppe, ed.

NM 0912545 DNLM MB PPC MnU

Musitano, Carlo, 1635-1714. S616.02 F50
D. Caroli Musitani ... Chirurgische und physicalische Schrifften. Darinnen gehandelt wird/ wie ein Chirurgus alle Kranckheiten/ so zu seiner Profession nöthig/ erkennen und glücklich curiren könne. ⌈I.⌉-III. Theil. Frankfurt und Leipzig, J. J. Erythropel, Buchhandler in Copenhagen, 1701-1702.
3 pt. in 1 vol. fronts. (ports.) 17½cm.
Pt. 2 has half-title only.
Contents.—I. Von den Geschwulsten.—II. Von den Geschwüren.—III. Von den Wunden.

NM 0912546 ICJ

Musitanus, Carolus, 1635-1714.
——. Chirurgische und physicalische Waag-Schaale der Venus-Seuche, oder Frantzosen Kranckheit, darinnen nicht allein ihre Art und Zustand gemeldet, sondern auch alle Zeichen, Ursachen, Vorher-Verkündigungen und Curen untersuchet und angewiesen werden. Nebenst einer neu-erfundenen Artzney, solche Kranckheit glücklich zu curiren. 5 p. l., 324 pp., 6 l. 12°. *Hamburg, H. C. Paulli,* 1708.

NM 0912547 DNLM

WZ 250 M987dℓI 1697
MUSITANO, Carlo, 1635-1714
Del mal francese libri quattro ... Tradotti dalla lingua latina nell'idioma italiano da Giuseppe Musitano ... Neapoli, Giacinto Pittante, 1697.
[8], 324, [4] p. illus. 17 cm.
Translation of De lue venerea.

I. Musitano, Giuseppe, tr.

NM 0912548 DBLN CtY

VOLUME 403

Musitanus, Carolus, 1635-1714.
De morbis mulierum tractatus, cui quaestiones duae, altera de semine cum masculo, tum foemineo, altera de sanguine menstruo ... sunt praefixae ... Colonioe Allobrogum, Choüet [et al.] 1709.
3 p.l., 240 p. 4°.

NM 0912549 DNLM

Musitanus, Carolus, 1635-1714.
De morbis mulierum tractatus, cui quaestiones duae, altera de semine cum masculo, tum foemineo, altera de sanguine menstruo... sunt praefixae ... Colonioe Allobrogum, sumpt. Choüet [et al.] 1709.
2 p.l., 240 p. port. 4°.
With this is bound: Kuysch, F. Kurtze Hoch gründliche Erörterung. 4°. Leipzig, 1728.

NM 0912550 DNLM

Musitanus (Carolus) [1635-1714]. Mantissa, quæ locupletiori penu non adhuc cognita, vulgataque medicamenta congerit sive conquisita, sive propria industria excogitata, et experientia probata, eorumdem usu, atque operandi rationabili energia. 1 p. l., 47 pp., 1 l. 16°. *Neapoli, M. A. Mutio*, 1701.
Bound with: Mynsicht (Hadrianus). Thesaurus [etc.]. 16°. *Neapoli*, 1701.

NM 0912551 DNLM

WZ 250 M987 1700

MUSITANO, Carlo, 1635-1714
... Opera medica chymico-practica; seu, Trutina medicochymica, in III. partes divisa. Omnia juxta recentiorum philosophorum principia, & medicorum experimenta excogitata, & adornata ... Coloniae Allobrogum, Sumptibus Chouet, G. de Tournes, Cramer, Perachon, Ritter & S. de Tournes, 1700.
3 pts. in 2 v. port. 24 cm.
Parts [2-3] have special title pages. Contents. - Pt. [1.] Trutina medica. - pt. [2] Pyretologia; sive, Tractatus de febribus. - pt. [3] Pyrotechnia sophica.

With vol. 2 is bound: Celeberr. virorum apologiae pro R. D. Carolo Musitano. Kruswick, 1700.

NM 0912553 DNLM

Musitano, Carlo, 1635-1714.
D.Caroli Musitani ... Pyretologia sive tractatus de febribus, in quo, Hippocratis serie servatâ, novum systema de febribus singulisque earumdem speciebus, aperitur; antiquâ galenicorum doctrinâ ad trutinam revocatâ, penitusque eversâ. Cum indicibus capitum, rerum & materiarum locupletissimis. Coloniae Allobrogvm, sumptibus Chouet, G.de Tournes, Cramer, Perachon, Ritter & S. de Tournes, M. DCC.
4 p.l., 213, [3] p. front.(port.) 23½ x 19cm.
Title vignette.
With this are bound Musitano, C. Pyrotechnia sophica. M. DCC, and Celeberr. virorum apologiae pro r.d. Carolo Musitano. M. DCC.
1. Fever. 2. Medicine, Greek and Roman. I. Title.

NM 0912554 MiU

Musitano, Carlo, 1635-1714.
... D.Caroli Musitani ... Pyrotechnia sophica. In qva rerum omnium principiis vestigatis, reliquisque chymici apparatus expensis, singulorum corporum ex triplicato naturae regno vegetantium nempè, mineralium, & animalium principia, genesis, praeparationes, usus, & dosis ignis artificio examine explorantur, & ad trutinam revocantur. Cum indicibus capitum, rerum, & materiarum locupletissimis. Coloniae Allobrogvm, sumptibus Chouet, G.de Tournes, Cramer, Perachon, Ritter & S.de Tournes, M. DCC.
4 p.l., 200, [8] p. diagr. 23½ x 19cm.
Title vignette.
With his Pyretologia sive tractatus de febribus. M. DCC.
1. Chemistry, Medical and pharmaceutical. 2. Materia medica--Early works to 1800. I. Title.

NM 0912555 MiU

B616.951 M974dF

MUSITANO, Carlo, 1635-1714.
Traité de la maladie venerienne, et des remedes qui conviennent à sa guerison. Nouvellement traduit avec des remarques, par m. D.V.*** [i.e. Jean Devaux] A Trevoux, E. Ganeau, 1711.
2 v. 16cm.
Translation of: De lue venerea.
1. Syphilis. I. Devaux, Jean, 1649-1729, ed. and tr.

NM 0912556 MnU NNNAM DNLM

WZ 250 M987t 1688

Musitano, Carlo, 1635-1714
Trutina medica antiquarum, ac recentiorum disquisitionum gravioribus de morbis habitarum, in qua rationibus, & experimentis undequaque conquisitis, quae ex Hippocrate, Galeno, Paracelso, Van-Helmontio, omnibusque neotericis dogmata accepimus, ad examen revocantur exactissimè ... Quibus omnibus ... peculiares conjecturae de unoquoque morbo, & complura medicamenta chymiae ductu noviter confecta, longoque usu firmata accesserunt ... Venetiis, Typis Johannis Petri Foresti, 1688.
[24], 441, [3] p. 20 cm.
Imperfect: p. 89-96 and 361-368 wanting. Duplicates of p. 177-184 (sig. Z) bound in place of p. 361-368 (sig. 2Z)

— — Film copy. Negative.

NM 0912558 DNLM

HQ 19 .V485 (Rare)

Musitano, Carlo, 1635-1714.
[De morbis mulierum tractatus. German]
Von denen Weiber Kranckheiten, worinnen die Erzeugung der Menschen auf das genaueste untersuchet ... Leipzig, J. F. Braun, 1711.
[4], 737 p.
Bound with Venette, Nicolas, 1633-1698. Von Erzeugung der Menschen. [Leipzig, 1711.]

1. Gynecology--Early works. I. Title.

NM 0912559 ICU

Musitano, Carlo, 1635-1714.
Caroli Musitani ... Von denen Weiber-Kranckheiten, worinnen die Erzeugung der Menschen auf das genaueste untersuchet auch noch zwey curieuse Fragen beygefüget, deren die eine de semine der Männer und Weiber, die andere aber von dem menstruo handelt; alles nach denen Principiis der neuesten doctorum medicinae abgefasset. Aus dem Lateinischen übersetzet. [Andere Auflage] Leipzig, Bey J. F. Braun, 1715.
[6], 746, [14] p. front. (port.) 17cm.
Title vignette.

NM 0912560 ICJ

Musitano, Carlo, 1635-1714.
... Weiberkranckheiten, worinnen die Erzeigung der Menschen auf das genaueste untersuchet auch noch zwey curieuse Fragen beygefüget ... Aus dem Lateinischen übersetzet. Leipzig, J.F. Braun, 1711.
7 p.l., 747, [18] p. front. (port.)
16.5 cm.

NM 0912561 CtY-M

Musitanus, Carolus, 1635-1714.
Weiber Kranckheiten, worinnen die Erzeugung der Menschen auf das genaueste untersuchet, auch noch zwey curiöse Fragen beygefüget werden, deren die eine von dem Saamen der Männer und Weiber, die andere aber von der monatlichen Zeit handelt, alles nach denen Principiis der neuesten Doctorum Medicinae abgefasset. Aus dem Lateinischen übersetzet. Leipzig, J.F. Braun's Erben, 1732.
2 p.l., 746 p., 7 l. port. 12°.

NM 0912562 DNLM

Musitcheskoo, G. 8044.176.122
Cherubim song. [Anthem. S. A. T. B.] The English adaptation by N. Lindsay Norden.
= New York. Fischer. 1914. 7 pp. [Russian church music. No. 4122.] 26½ cm.
There is an accompaniment for rehearsal only.

NM 0912563 MB OO

Musitelli, Sergio, ed.
Arcadia e illuminismo
see under Fabini, Mario.

Musitelli, Sergio.
Corso di storia greca. Anno accademico 1952-53. Milano, C. E. U. M. [1953]
168 p. 24 cm.
At head of title: Università degli studi di Milano. Facoltà di lettere e filosofia.

1. Greece—Hist.—Sources.

A 55-1418

Princeton Univ. Libr.
for Library of Congress [3/4]

NM 0912565 NjP

Musitelli, Sergio, ed.
Poesia lirica in Roma

see under

Castiglioni, Luigi, 1882-

Musitu, José Bertrán y

see

Bertrán y Musitu, José, 1873-

---

*NC5 Er153 536i

Musius, Cornelis, 1500-1572.
Cornelii Mvsii ... Ad Iacobum Sanctaragundum tumulorum D. Erasmi roterodami, libellus ...
Louanij ex officina Rutgeri Rescij, mense sep. 1536.
4°. [11]p. 20.5cm.
Signatures: A^4, B^2.
Bound with Erasmus's In sanctissimorum martirũ ... heroicũ carmen, 1536.

NM 0912568 MH

Musius, Cornelius, 1500-1572.
Imago patientiae, a Cornelio Mvsio Delpho, carmine descripta. Eivsdem De temporum fugacitate, & sacrorum poëmatum immortalitate, ode. Antehac nunquam excusa ... Pictavii Ex officina [Io. et Engvilb.] Marnefiorum fratrum, sub Pelicano. Ann. 1536. [Mense Feb.]
[48] p. 16 cm.
Signatures: $A-F^4$.

NM 0912569 CtY

Musizierbüchlein für C-Blockflöte und Klavier. Mainz, B. Schott's Söhne [c1949]
score (2 v.) and parts. 19 x 28 cm. (Edition Schott, 3915-3916)
L. C. set incomplete: v. 2 wanting.
For recorder and piano.
CONTENTS.—Heft. 1. Kleine Lieder und Tänze für Anfänger.—Heft. 2. Volkslieder und Tänze.

1. Recorder and piano music, Arranged.

M243.M97 M 53-208

NM 0912570 DLC CLSU

MUSIZIEREN und Singen.
[Nr.]

Potsdam: L.Voggenreiter [1935 16cm.
nos. illus. (music)

1. Music—Instruction and study.

NM 0912571 NN

Muška, Jiří.
Účast československé armády v Rusku na imperialistické válce a protisovětské intervenci v letech, 1914-1920
see in K úloze československých legií v Rusku.

VOLUME 403

Muška gimnazija u Kragujevcu
see Kragujevac, Yugoslavia. Muška gimnazija.

Muskalla, Konstantin, 1879– Johann Timotheus Hermes. Ein Beitr. z. Kultur- u. Literaturgeschichte d. achtzehnten Jhs. 6. Kap. Stände. Breslau 1910: Nischkowsky. 33 S. 8° ¶(Vollst. in: Breslauer Beiträge z. Literaturgesch.)
Breslau, Phil. Diss. v. 13. Okt. 1910, Ref. Koch
[Geb. 14. Dez. 79 Kaltwasser, Kr. Gr.-Strehlitz; Wohnort: Kaltwasser; Staatsangeh.: Preußen; Vorbildung: Kath. Gymn. Glogau Reife M. 04; Studium: Breslau 12 S.; Rig. 15. u. 22. Dez. 09.] [U 11. 734

NM 0912574 ICRL PU NjP MH CtY DLC

Muskalla, Konstantin, 1879–
Die romane von Johann Timotheus Hermes; ein beitrag zur kultur- und literatur-geschichte des achtzehnten jahrhunderts, von dr. Konstantin Muskalla. Breslau, F. Hirt, 1912.
4 p. l., 87, [1] p. 23cm. (*Added t.-p.:* Breslauer beiträge zur literaturgeschichte ... 25. hft. (hft. 15 der neuen folge))
Chapter VI (33 p.) the author's inaugural dissertation, Breslau, 1910.

1. Hermes, Johann Timotheus, 1738–1821.

25-12091

Library of Congress PT2355.H25Z5 1912

NM 0912575 DLC CU PBm PU NjP NcU MiU OCU OU

Muskat, C. G.
The Gospels are forgeries. [By] C. G. Muskat... Los Angeles: New Age Print [1910?] 15(1) p. 12°.

1. Bible.—N. T.: Gospels. Authenticity.
N. Y. P. L. May 25, 1918.

NM 0912576 NN

Muskat, Caroline Juliette.
Implications of clinical study of twenty-two preschool children...by ....Muskat...1927.
5 p. l., 104 numb. l.

NM 0912577 OU

Muskat, Eugen, b. 1857
Ueber den Einfluss der bedingten Novation auf die urspruengliche Obligation ... vertheidigen wird Eugen Muskat ... Opponiren werden: ... Hertz ... °Ollendorff. Breslau, F. Cohn [1882]
vii, 60, [3] p. 22cm.
Inaug.-diss. - Breslau.
"Lebenslauf": p.[62]
"Literatur": p.[61]

NM 0912578 MH-L

MUSKAT, Eugen, b. 1857.
Der vormundschaftliche schutz der geistig oder körperlich gebrechlichen personen; nach dem entwurfe eines bürgerlichen gesetzbuches für das Deutsche Reich unter berücksichtigung des geltenden, insbesondere des gemeinen und preussischen rechts. Breslau, 1889.
48 p.

NM 0912579 MH-L

Muskat, Gustav, 1874-
... Die brüche der mittelfussknochen in ihrer bedeutung für die lehre von der statik des fusses ... Leipzig, Breitkopf, 1899.
cover-title, 16 p. illus., plate. (Sammlung klinischer vorträge. Chirurgie nr. 76)
"Litteratur": p. 15-16.
1. Foot - Fracture. I. Sammlung klinischer vorträge. Chirurgie nr. 76.

NM 0912580 NNC

Muskat, Gustav, 1874-
Die congenitalen luxationen im kniegelenk.
Inaug. diss. Berlin, 1897
Bibl.

NM 0912581 ICRL DNLM NNC CtY

Muskat, Gustav, 1874-
——. Ueber den Plattfuss. 25 pp. 8°. *Berlin, H. Kornfeld,* 1905.
Forms 200. Hft. of: Berl. Klin.

NM 0912582 DNLM

Muskat, Helmut.
... Bismarck und die Balten; ein geschichtlicher beitrag zu den deutsch-baltischen beziehungen, von dr. Helmut Muskat. Hrsg. in verbindung mit dem Deutschen auslands-institut, Stuttgart. Berlin, Verlag dr. Emil Ebering, 1934.
152 p. 24½cm. (Historische studien ... hrsg. von dr. Emil Ebering. hft. 260)
"Literatur": p. [144]–149.

1. Bismarck, Otto, fürst von, 1815–1898. 2. Germany—Relations (general) with Baltic provinces. 3. Baltic provinces—Relations (general) with Germany. I. Deutsches ausland-institut, Stuttgart. II. Title.

A C 35–178

Title from Columbia Univ. Printed by L. C.
[3]

DLC
NM 0912583 NNC MoU KMK UU CaBVaU GU CU MiU OU

QD1099 .M948 Muskat, Irving Elkin.
... The mechanism of substitution in the aromatic nucleus: direct addition in the benzene ring ... By Irving Elkin Muskat. Chicago, 1927.
1 l., 55, 8 numb. l. 29cm.
Typewritten.
Thesis (PH. D.)—University of Chicago, 1927.
Bibliographical foot-notes.
"Abstract": 8 l. at end.

1. Benzene.

NM 0912584 ICU

Muskat, Josef, 1927–
Untersuchungen über Schimmelpilze oberbayrischer und tunesischer Böden. München, 1954.
Microfilm copy of typescript. Positive.
Collation of the original, as determined from the film: 99 l. illus., map.
Inaug.-Diss.—Munich.
Vita.
Bibliography: leaves 96–99.

1. Soil micro-organisms. 2. Molds (Botany)

Microfilm 4332 QR Mic 55–3842

NM 0912585 DLC

Muskat, Kurt, Referendar: Der Einfluß der sogenannten aufschiebenden Einreden des Erben auf den Eintritt des Verzuges. Breslau 1911: Cohn. 67 S. 8°
Breslau, Jur. Diss. v. 20. Juni 1911, Ref. O. Fischer, H. Meyer
[Geb. 11. Aug. 88 Namslau; Wohnort: Waldenburg i. Schl.; Staatsangeh.: Preußen; Vorbildung: Gymn. Waldenburg Reife O. 06; Studium: München 1, Berlin 1, München 2, Breslau 3 S.; Rig. 22. Febr. 10.] [U 11. 633

NM 0912586 ICRL MH DLC

Muskat, Morris, 1907–
Calculation of initial fluid distribution in oil reservoirs.
(*In* Petroleum technology. York, Pa., 1938–48. 23 cm. v. 11, no. 4, July 1948. 9 p. diagrs.)
American Institute of Mining and Metallurgical Engineers. Technical publication no. 2405 (Class G, Petroleum technology, July 1948)
Bibliography: p. 9.

1. Capillarity. 2. Fluid mechanics. I. Title: Fluid distribution in oil reservoirs.
[TN860.P55 vol. 11, no. 4] P O 52–243

U. S. Patent Office. Library
for Library of Congress [3]

NM 0912587 DP

Muskat, Morris, 1907–
The effect of casing perforations on well productivity.
(*In* Petroleum technology. York, Pa., 1938–48. 23 cm. v. 5, no. 6, Nov. 1942. 10 p. diagrs.)
American Institute of Mining and Metallurgical Engineers. Technical publication no. 1528 (Class G, Petroleum Division, no. 176)

1. Petroleum engineering. 2. Petroleum—Well-boring. I. Title: Casing perforations. II. Title: Well productivity.
[TN860.P55 vol. 5, no. 6] P O 52–108

U. S. Patent Office. Library
for Library of Congress [3]

NM 0912588 DP

Muskat, Morris, 1907–
The effect of permeability stratification in cycling operations.
(*In* Petroleum technology. York, Pa., 1938–48. 23 cm. v. 11, no. 6, Nov. 1948. 16 p. diagrs.)
American Institute of Mining and Metallurgical Engineers. Technical publication no. 2494 (Class G, Petroleum technology, Nov. 1948)
Bibliography: p. 16.

1. Oil sands—Permeability. 2. Gas, Natural. 3. Petroleum engineering. I. Title.
[TN860.P55 vol. 11, no. 6] P O 52–251

U. S. Patent Office. Library
for Library of Congress [3]

NM 0912589 DP

Muskat, Morris, 1907–
Effect of reservoir fluid and rock characteristics on production histories of gas-drive reservoirs, by M. Muskat and M. O. Taylor.
(*In* Petroleum technology. York, Pa., 1938–48. 23 cm. v. 8, no. 5, Sept. 1945. 16 p. diagrs.)
American Institute of Mining and Metallurgical Engineers. Technical publication no. 1917 (Class G, Petroleum Division, no. 242)
Bibliography: p. 16.
1. Petroleum engineering. 2. Petroleum—Tables, calculations, etc. I. Taylor, M. O., joint author. II. Title: Production histories of gas-drive reservoirs.
[TN860.P55 vol. 8, no. 5] P O 52–175

U. S. Patent Office. Library
for Library of Congress [3]

NM 0912590 DP

TN871 .M857 Muskat, Morris, 1907–
Физические основы технологии добычи нефти. Сокр. и перер. перевод с английского М. А. Геймана. Москва, Гос. научно-техн. изд-во нефтяной и горно-топливной лит-ры, 1953.
606 (i. e. 605) p. diagrs. 23 cm.
Added t. p. in English.

Oil ...
1. Petroleum engineering. I. Title.
Title transliterated: Fizicheskie osnovy tekhnologii dobychi nefti.

TN871.M857 54–23738

NM 0912591 DLC

Muskat, Elisabeth.
*Ein nach Form zusammengesetztes Fusskelett mit schwerer Arthritis deformans und Plattfuss. 15p. 8° Münch., 1930.

NM 0912592 DNLM PPWI CtY

Muskat, Morris, 1907–
The flow of homogeneous fluids through porous media, by M. Muskat ... with an introductory chapter by R. D. Wyckoff ... 1st ed. New York and London, McGraw-Hill book company, inc., 1937.
xix, 763 p. illus., diagrs. 23½cm. (*Half-title:* International series in physics. F. K. Richtmyer, consulting editor)
"This book was originally begun as a joint undertaking with Mr. Wyckoff, and its plan and much of the material were outlined jointly."—

1. Fluids. 2. Petroleum—Pumping. 3. Gases, Flow of. I. Wyckoff, Ralph Dewey, 1897– II. Title.

37–34148

Library of Congress QC151.M8
[a45f1] 532.5

NBuU NBuC MtBuM OrCS WaS
ICJ MiHM ViU PPD CaBVaU PPAmP PSC PPF PPT CU OrU
NM 0912593 DLC DI NcD NcRS TU PSt OU OCU OCl MB

Chem. lib. QC151 .M8 1946 Muskat, Morris, 1907-
The flow of homogeneous fluids through porous media. With an introductory chapter by R.D. Wyckoff. 1st ed., 2d print. Ann Arbor, Mich., J.W. Edwards, 1946 [c1937]
763p. illus.

1. Fluids. 2. Petroleum. 3. Gases, Flow of. I. Wyckoff, Ralph Dewey, 1897- II. Title.

NM 0912594 NcU CU FTaSU TxU DNAL TU ViU MiU

VOLUME 403

Muskat, Morris, 1907–
... The interpretation of earth-resistivity measurements, by Morris Muskat ... New York, American institute of mining and metallurgical engineers, 1944.
7 p. diagrs. 23cm. (American institute of mining and metallurgical engineers. Technical publication no. 1761. Class G, Petroleum division, no. 224. Class L, Geophysics, no. 103)
"References": p. 7.
1. Electric resistance. 2. Geophysics. I. Title. II. Title: Earth-resistivity measurements.
U. S. Patent office. Libr. for Library of Congress [TN1.A525 no. 1761] P O 46–11

NM 0912595 DP NNC

Muskat, Morris, 1907–
The performance of bottom water-drive reservoirs.
(*In* Petroleum technology. York, Pa., 1938–48. 23 cm. v. 9, no. 5, Sept. 1946. 31 p. diagrs.)
American Institute of Mining and Metallurgical Engineers. Technical publication no. 2060 (Class G, Petroleum technology, Sept. 1946)
Bibliography: p. 28.
1. Petroleum engineering. 2. Fluid dynamics. I. Title. II. Title: Water-drive reservoirs.
[TN860.P55 vol. 9, no. 5] P O 52–159
U. S. Patent Office. Library for Library of Congress [½]

NM 0912596 DP

Muskat, Morris, 1907–
Physical principles of oil production. 1st ed. New York, McGraw-Hill Book Co., 1949.
xv, 922 p. illus. 24 cm. (International series in pure and applied physics)
1. Petroleum engineering. I. Title.
TN871.M85 622.338 49–48197*

OrU CaBVa WaSpG MtBuM OrCS CoDuF
TU NcU MiHM TxU OCl NBPol WaU ICU GU CaBVaU MtU
NM 0912597 DLC PBL PP PPF PSt OClW MB OOxM ICJ

Muskat, Morris, 1907–
Principles of well spacing.
(*In* Petroleum technology. York, Pa., 1938–48. 23 cm. v. 2, no. 3, Aug. 1939. 15 p. diagrs.)
American Institute of Mining and Metallurgical Engineers. Technical publication no. 1086 (Class G, Petroleum Division, no. 90)
Bibliography: p. 15.
1. Petroleum—Well-boring. 2. Oil sands. I. Title: Well spacing.
[TN860.P55 vol. 2, no. 3] P O 51–282
U. S. Patent Office. Library for Library of Congress [½]

NM 0912598 DP

Muskat, Morris, 1907–
... A theoretical analysis of water-flooding networks, by Morris Muskat and R. D. Wyckoff ... New York, American institute of mining and metallurgical engineers, inc., °1933.
30 p. diagrs. 23cm. (American institute of mining and metallurgical engineers. Technical publication no. 507. Class G, Petroleum division, no. 41)
1. Petroleum. I. Wyckoff, Ralph Dewey, 1897– joint author. II. Title.
Library, U. S. Patent Office TN1.A49 P O 34–5
Library of Congress [TN1.A525 no. 507] [2]

NM 0912599 DP

Muskat, Morris, 1907–
The theory of potentiometric models.
(*In* Petroleum technology. York, Pa., 1938–48. 23 cm. v. 11, no. 6, Nov. 1948. 6 p.)
American Institute of Mining and Metallurgical Engineers. Technical publication no. 2490 (Class G, Petroleum technology, Nov. 1948)
Bibliography: p. 6.
1. Petroleum engineering. 2. Fluid mechanics. 3. Machinery—Models. I. Title: Potentiometric models.
[TN860.P55 vol. 11, no. 6] P O 52–219
U. S. Patent Office. Library for Library of Congress [½]

NM 0912600 DP

Muskat, Walter 1893-
Die vermoegensverfuegung als betrugsmerkmal.
Inaug. Diss. Breslau, 1919
Lebenslauf only.

NM 0912601 ICRL DLC

Muskatblüt, F.
Apie žmoniu atstovus. (Kamjie renkami ir kaip jie renkami). Rušiskai paraše F. Muskatblit. Vertė P. Višinskis. Vilnius: J. Zavadzkio spaustuvėje, 1905. 46 p. 16°. (Šviesos bendrove. no. 4.)
1. Russia.—Politics, 1905. 2. Višinskis, P., translator.
N. Y. P. L. October 27, 1913.

NM 0912602 NN

Muskatblüt, F., ed.
1812 годъ въ каррикатурѣ. Москва, Изданіе "Будильника," 1912.

Muskatblut, [Hans] fl.1415-1439.
Lieder Muskatblut's, erster druck, besorgt von dr. E. v. Groote. Cöln, M. Du Mont-Schauberg, 1852.
xviii, 358p. 21cm.

PU
NM 0912604 FU CU InU NIC ViU NN IEN OClW NjP MH

Muškatirović, Jovan, 1763-1809
Príčte iliti po prostomu poslovice těmže sentencie ilíti rečěniia. 2. i oumnoženo izd. V Budivě Grǎde, Pečatana pri Slaveno sěrbskoi pečǎtni Kral. Ounivers Vengerskago, 1807
168 p.

NM 0912605 MH

---

705 MAGI sup. Muskátli; magyar kézimunkaujság. A Magyar iparművészet háziipari melléklete. A Magyar Kir. Áll. Nőipariskola kiadása. 1.-3. évf.; 1931 okt.-1934 júl. Budapest.
3v. illus. 31cm. 10 no. a year.
Issued as a supplement to Magyar iparművészet, and from 1935- issued as a separately paged section in that publication (705/MAGI)

NM 0912606 IU NNC

---

47 M97 **Muskator Geflügelbuch.** Düsseldorf-Hafen, Bergisches Kraftfutterwerk Hermann Schmidt Kom.-Ges. [1954]
128 p.
1. Poultry. Germany. I. Bauer, Heinrich.

NM 0912607 DNAL

Muskats, Paula, ed.
Patiesiba par maizi. Dr. P. Muskats redakcijā. Rigā [Izdevnieciba "Problema"] 1931. 29 p. 20½cm. (Populari-zinātnisku rākstu serija. no. 8.)
806121A. 1. Bread.
N. Y. P. L. April 8, 1935

NM 0912608 NN

Muskau, Hermann Ludwig Heinrich, *Fürst* **von Pückler-** *see* **Pückler-Muskau, Hermann Ludwig Heinrich,** *Fürst* **von,** 1785–1871.

Muske, Ernst [**Friedrich**] 1876–
Die begründung des kulturwerts der verschiedenen sandböden ... [Berlin, Univ.-buchdr. von G. Schade (O. Francke)] 1906.
70, [2] p. 22½cm.
Inaug.-diss.—Berlin.
Lebenslauf.
"Literaturangaben": [1] p. at end.
1. Soils.
12–13999
Library of Congress S598.M93

NM 0912610 DLC CtY PU MiU

Muskegon, Mich.
Annual budget. 19
[Muskegon, Mich., 19 8°.
1. Municipal finance—U. S.—Mich.—Muskegon.
N. Y. P. L. May 27, 1930

NM 0912611 NN

Muskegon, Mich.
Charter of the public schools of the city of Muskegon
see under Michigan. Laws, statutes, etc.

Muskegon, Mich.
Lincoln, Grant, Sherman, Farragut. An account of the gift ...
see under title

Muskegon, *Mich. Administrative Dept.*
Annual report.
[Muskegon]
v. in tables. 29 cm.
1. Muskegon, Mich.—Pol. & govt.
JS13.M967k 352.0774 48–36427*

NM 0912614 DLC NN

Muskegon, Mich. Administrative Dept.
...Quarterly report of the administrative department of the city of Muskegon.
[Muskegon, 28cm.
Reproduced from typewritten copy; cover printed.
Suspended publication with fourth quarter of 1932.
1. Municipal government—U. S.—Mich.—Muskegon.
N. Y. P. L. September 18, 1934

NM 0912615 NN

Muskegon, Mich. Board of education.
Catalogue. 1878/79 80/81; 82/83 84/85 90/91 1914/15 15/16.
Muskegon, Mich., 1878-1916.
7 v. in 4 21-33 cm.
Report for 1915/16 typewritten.

NM 0912616 DHEW

Muskegon, Mich. Board of education.
Financial survey of the public schools of Muskegon, with recommendations for the distribution and maturity dates of forthcoming bonds.
[Muskegon, 1925]
15 p. 24cm.
1. Muskegon, Mich.--Public schools.

NM 0912617 MiU

VOLUME 403

MUSKEGON, Mich. Board of Education.
Official proceedings.

Muskegon, Mich. 27½–28cm.

Reproduced, in part, from typewritten copy.
Includes its Annual report for the year ending June 30th.

1. Education—U.S.—Mich.—Muskegon.

NM 0912618 NN

Muskegon, Mich. Board of education.
Proceedings of the Bd. of education of the Public schools of the city of Muskegon on the occasion of the voluntary retirement...of the honorable David McLaughlin...and on the occasion of his lamented death on Easter morning, March 29, A.D.1891...Chicago, A.C. McClurg and co., 1891.
12 l.

NM 0912619 MiU

Muskegon, Mich. Board of education.
The public schools of the city of Muskegon, Michigan. Directory 1922/23. (Muskegon, Mich., Printed by the students of the printing department of the Muskegon high and Hackley manual training school, 1922.)
1 v. 15½ cm.

NM 0912620 DHEW

Muskegon, Mich. Board of trade.
The advantages and surroundings of Muskegon, Mich.; the material interests of a progressive city; under auspices of the Muskegon Board of trade, December, 1892 ... [Muskegon, Mich., 1892]
116 p. illus. 23cm.

1. Muskegon, Mich.

Library of Congress F574.M9M9 8-24844

NM 0912621 DLC NN

Muskegon, Mich. Board of trade.
Muskegon and its resources. 1824.

NM 0912622 DI-GS

Muskegon, Mich. Chamber of commerce.
Summertime amid Muskegon's lakes... with maps showing lakes and rivers and transportation lines. Muskegon, [c1908]

F574 .M9T92

NM 0912623 DLC

Muskegon, Michigan. Chamber of commerce.
Summertime amid Muskegon's lakes...1924.

NM 0912624 MiU

Muskegon, Mich. Chamber of commerce
see also
Greater Muskegon chamber of commerce.

Muskegon, Mich. Charter commission.

Muskegon, *Mich. Charters.*
Proposed charter of the city of Muskegon. Adopted by the Charter commission July 25, 1919. Approved by the governor of Michigan and submitted to the electors of the city ... [Muskegon, Dana printing company, 1919?]

Muskegon, Mich. Charters.
The charter of the City of Muskegon, Mich. 1901. Approved March 19, 1901. Muskegon, Mich. 1901.
145 p.

NM 0912627 MiU

Muskegon, *Mich. Charters.*
Charter of the city of Muskegon, Michigan. Approved by the electors October 6, 1919. [Muskegon, 1919]
20 p. 23½cm.
"Charter amendment. Adopted by a city election held September 11th 1934, designed to bring the city of Muskegon within the fifteen mill tax limitation as set forth in section 21 of article x. of the constitution of the state of Michigan": folded mimeographed leaf mounted on p. [3] of cover.

I. Title.

Library of Congress JS1159.M87A4 1919 a 37-6908
[3] 352.077457

NM 0912628 DLC NN

JS 1159 .M98 A4 1937
Muskegon,Mich. Charters.
Charter of the city of Muskegon,Michigan,approved by the electors October 6,1919,with amendments adopted by the electors ... [to] April 5th,1937. [Muskegon, 1937]
26 p. 24 cm.

NM 0912629 MiU NN

Muskegon, *Mich. Charters.*
Proposed charter of the city of Muskegon. Adopted by the Charter commission July 25, 1919. Approved by the governor of Michigan and submitted to the electors of the city ... [Muskegon, Dana printing company, 1919?]
23 p. 22½cm.

I. Muskegon, Mich. Charter commission. II. Title.

Library of Congress JS1159.M87A4 1919 352.077457 35-23641

NM 0912630 DLC IU NN

Muskegon, Mich. Citizens centennial association.
..."The passing of the pine." Souvenir program...July 26 to...July 30, 1937. n. imp.
[12] p.

NM 0912631 MiD-B

Muskegon, Mich. City planning commission.
Annual report.

Title varies

Library has 1947, "A year of planning in Muskegon" -

NM 0912632 PPCPC

Muskegon,Mich. Community College.
Catalogue.

Title varies: Bulletin of information.
Issued -1932/33 as its Official publication.

NM 0912633 MiU

Muskegon, Mich. Efficiency Bureau.
...Annual report. 1st-

1921-

[Muskegon, 1922]- 4°.

1. Municipal government—U. S.—Mich. —Muskegon.
N. Y. P. L. October 3, 1928

NM 0912634 NN

Muskegon, Mich. First Baptist church. Ladies' society.
The Muskegon cook book of tested receipts, (total abstinence) Comp. by the Ladies' society, of the First Baptist church, Muskegon, Mich. ... [Muskegon, Mich.] Wanty & Manning, printers and binders, °1890.
128 p. 21cm.
Advertising matter interspersed.
Interleaved.

1. Cookery, American.

Library of Congress TX715.M965 (Copyright 1890: 38470) 8-23708†

NM 0912635 DLC

Muskegon, Mich. Greater Muskegon Camera Club
see Greater Muskegon Camera Club.

Muskegon, Mich. Greater Muskegon chamber of commerce
see
Greater Muskegon chamber of commerce.

Muskegon, Mich. Hackley art gallery.
see
Hackley art gallery, Muskegon, Mich.

Muskegon, Mich. Hackley Hospital
see Hackley Hospital, Muskegon, Mich.
In supplement.

Muskegon, Mich. Hackley Manual Training School
see Hackley Manual Training School, Muskegon, Mich. in Supplement.

Muskegon, Mich. Hackley Public Library
see
Hackley Public Library, *Muskegon, Mich.*

Muskegon, Mich. Ordinances.
Compiled ordinances of the city of Muskegon, containing all ordinances passed by the city of Muskegon in force January 1, 1924. Compiled and indexed under authority of the City Commission, by Edward C. Farmer, city attorney. [Muskegon: City Commission, 1924]. 294 p. 8°.

441163A. 1. Municipal charters and ordinances—U. S.—Mich.—Muskegon. 2. Muskegon, Mich. Law Department. 3. Muskegon, Mich. City Commission.
N. Y. P. L. January 28, 1930

NM 0912642 NN

VOLUME 403

Muskegon, Mich. Ordinances.
Ordinances, city of Muskegon, January 1, 1924, to September 1, 1929. ⌊Muskegon, 1933.⌋ 113 f. 28½cm.

Cover-title.
Reproduced from typewritten copy; cover printed.
Ordinances, Sept. 23, 1929 to June 12, 1933, f. 59–113.

700627A. 1. Municipal charters and ordinances—U. S.—Mich.—Muskegon.
N. Y. P. L. July 13, 1934

NM 0912643 NN

Muskegon, *Mich. Ordinances, etc.*
Zoning ordinance. City of Muskegon, Michigan. Adopted March 9, 1925. ⌊Muskegon, 1925⌋
15, ⌊1⌋ p. fold. map. 23cm.
Folded map mounted on p. ⌊3⌋ of cover.

1. Cities and towns—Planning—Zone system. I. Title.

36-30289

Library of Congress NA9127.M8A4 1925
⌊2⌋ 917.7457

NM 0912644 DLC NN

Muskegon, Mich. Public Library
see
Hackley Public Library, *Muskegon, Mich.*

Coll
MU856b

Muskegon, Mich.--Senior high school
Buds, by the students of the Muskegon senior high school. Edited by the Journalism class of 1930-1931. ⌊Muskegon, Mich., 1931⌋
⌊19⌋p. 21cm.

NM 0912646 RPB

Muskegon. ⌊n.p.⌋, International Pub. Co., 1888
9pts. (chiefly illus.) 36cm.

1. Muskegon, Mich.-Descr. I. International Publishing Company.

NM 0912647 Mi

Muskegon Baptist Association
see Baptists. Michigan. Muskegon Baptist Association.

F574
.M9M85

The Muskegon chronicle.
Centennial [edition] 1937.
[Muskegon, 1937]
1 v. illus. 60cm.

Forms issue of July 10, 1937, of the Muskegon chronicle.

1. Muskegon, Mich.

NM 0912649 DLC

M977.457
M987p

Muskegon chronicle.
Progress edition. 1857-1928. ⌊Muskegon, Mich.⌋ 1928.
1v. illus.,ports. 59cm. (Its May 19, 1928, issue)

1.Muskegon, Mich.-Hist. I.Title.

NM 0912650 Mi MiU

F
574
.M9
M9

The Muskegon chronicle.
Romance of Muskegon,Michigan; 1937,centennial year,by the Muskegon chronicle. ⌊Muskegon, 1937?⌋
⌊166⌋ p. 27½ x 21cm.

1.Muskegon,Mich.--Hist.

NM 0912651 MiU MiD

JS3
.M5M85

Muskegon Co., Mich. Board of supervisors.
Proceedings ... 1916/17-1917/18, 1921/22-1922/23. [Muskegon, 1917-1923]
4 v. 22.5-23.5 cm.

NM 0912652 DLC Mi

HV743
.M95A5
1942

MUSKEGON CO., Mich. Board of supervisors. Welfare committee.
Survey of child care facilities of Muskegon county. Comp. through cooperation of Welfare committee of Board of supervisors, Community chest, Greater Muskegon child guidance institute ... ⌊Muskegon⌋ 1942.
1 v.

1. Children--Charities, protections, etc.--Muskegon co., Mich.

NM 0912653 ICU

W 2
AM5.1
M9H4a

MUSKEGON Co., Mich. Health Dept.
Annual report.
1938-
Muskegon.
v. illus.

Some reports lack title.
1. Public health - Michigan

NM 0912654 DNLM

027
M9875R

Muskegon County Library, Muskegon, Mich.
Report.
Muskegon.
v. illus., tables. 28cm. annual.

Report for 1946 lacks series title.

NM 0912655 IU

Muskegon County Pioneer Society
Annual for the year 1887. Muskegon Chronicle Binding and Printing House. 1887.
1 reel, negative

1. Muskegon Co., Mich.

NM 0912656 MiD-B

Muskegon Heights, *Mich. Charters.*
Charter of the city of Muskegon Heights, Michigan. Adopted November 17, 1921. ⌊Muskegon? 1922?⌋
25 p., 1 l. 22cm.
On cover: ... Adopted February 6, 1922. "Adopted November 17, 1921" inked out.

I. Title.

35-23642

Library of Congress JS1159.M88A4 1921 352.077457

NM 0912657 DLC

M367
M98p

Muskegon Heights Junior Woman's Club.
⌊Program⌋ 1st-
1927-

Muskegon Heights, Mich.
v. 16cm.

1.Muskegon Heights Junior Woman's Club.

NM 0912658 Mi

Muskegon progress.
v. 1

Muskegon, Mich., 1928–
v. illus. (incl. ports.) 25½ – 29cm.

Irregular.
Vol. 2, no. 2 omitted in numbering.
Published by the Greater Muskegon Chamber of Commerce.
Supersedes Greater Muskegon.
Ceased publication.

1. Commerce—U. S.—Mich.—Muskegon. 2. Commerce—Per. and soc. publ.—U. S. I. Greater Muskegon Chamber of Commerce, Muskegon, Mich.
N. Y. P. L. March 26, 1934

NM 0912659 NN

Muskegon Times. d. 1911-1916//
Microfilm

1.Muskegon, Mich.-Newspapers. I.Muskegon, Mich. Newspapers (Microfilm)

NM 0912660 Mi

Muskel. pp. 684-770. 12°. [*Berlin,* 1805.]
Cutting from: Krünitz. Oekon. technol. Encykl., Berl., 1805, pt. 98.

NM 0912661 DNLM

Muskens, Arnold Lodewijk Marie
Bijdrage tot de studie van een laten Narcose-dood.
Utrecht, 1909.
In. Diss.

NM 0912662 ICRL MH-M MiU

Muskens, Georgius Laurentius.
De vocis ἀναλογίας significatione ac usu apud Aristotelem. Groningae, Wolters, 1943.
99 p. diagrs.

Thesis, Nijmegen.
"Bibliographia": p. ⌊1⌋-3.
1. Aristoteles. 2. Analogy.

NM 0912663 NNC CtY OU MH PHC RPB LU ICU

Muskens, Louis Jacob Josef, 1872–
The analysis of the action of the vagus nerve upon the heart. ⌊Boston, 1898⌋
186-188 p. 25 cm.
At head of title: Proceedings of the American academy of arts and sciences, vol. XXXIII, no. 11.—February, 1898.

1. Heart. Vagus nerve.

QP111.M8 63-56701*

NM 0912664 DLC MH

Muskens, Louis Jacob Josef.
L'epilepsie; pathogenie comparee, symptomatologie et traitement. Anvers, De Vos, 1926.
503 p.

NM 0912665 PPC

VOLUME 403

Muskens, Louis Jacob Josef
Epilepsie, vergelijkende pathogenese, verschijnselen, behandeling, door Dr. L. J. J. Muskens, ... Amsterdam, F. van Rossen, 1924.
[4], x, 481, xvi p. illus., diagrs. 25cm.
Bibliographical foot-notes.

NM 0912666 ICJ

Muskens, Louis Jacob Josef
... . Epilepsie; vergleichende Pathogenese, Erscheinungen, Behandlung, von Dr. L. J. J. Muskens, ... Mit 52 Abbildungen. Berlin, J, Springer, 1926.
viii, 395, [1] p. illus. 26½cm. (In Monographien aus dem Gesamtgebiete der Neurologie und Psychiatrie, Heft 47.)
Bibliographical foot-notes.
Contents.—1. Tl. Die experimentelle Untersuchung der myoklonischen Reflexe und der myoklonischen epileptischen Anfälle.—2. Tl. Der Einfluss der Eingriffe im Zentralnervensystem auf die myoklonischen Reflexe und die myoklonischen epileptischen Anfälle.—3. Tl. Die epileptischen Störungen beim Menschen und ihre Behandlung.

NM 0912667 ICJ NNNAM OU MiU OC1W-H

Muskens, Louis Jacob Josef.
Epilepsy, comparative pathogenesis, symptoms, treatment. By L. J. J. Muskens ... foreword by Sir Charles S. Sherrington ... New York, W. Wood and co., 1928.
xiv, 435 p. illus., tables, diagrs. 25½cm.
Bibliographical foot-notes.
Printed in Great Britain.

1. Epilepsy.

A 30-777

Title from William H. Welch Medical Libr. RC395.M98
Printed by L. C.

NM 0912668 MdBJ-W OrU-M CaBVaU OrU DNLM OC1W-H ICJ

W 6
P3
MUSKENS, Louis Jacob Josef, 1872-
De ontwikkeling van het specialisme inde geneeskunde. Haarlem, Bohn, 1906.
27 p.
"Openbare les gehouden op 24 october 1906."

NM 0912669 DNLM

Muskens, Louis Jacob Josef
Over de moderne leer der hartswerking en de functie van hartzenuwen. 19 pp. 8°. Haarlem, de erven F. Bohn, 1897.
Forms no. 4 of: Geneesk. Bl. u. Klin. en Lab. v. de prakt., Haarlem, 1897, iv.

NM 0912670 DNLM

Muskens, Louis Jacob Jozef.
Over reflexen van de hartekamer op het hart van rana. Utrecht, 1896.
In. Diss.

NM 0912671 ICRL CtY MB MH

616.8
M987s
Muskens, Louis Jacob Josef, 1872-
Das supra-vestibuläre system bei den tieren und beim menschen, mit besonderer berücksichtigung der klinik der blicklähmungen, der sogen. stirnhirnataxie, der zwangsstellungen und der zwangsbewegungen ... Amsterdam, N. v. Noord-hollandsche uitgevers-maatschappij [1934]
557p. illus., diagrs., fold.tables.

Bibliographical foot-notes.
1. Nerves, Vestibular. 2. Paralysis, Vestibular. I. Title.

NM 0912672 IU-M CU CtY MnU PPC NIC ICU ICJ

612.886
M987
Muskens, Louis Jacob Josef.
Das supra-vestibuläre system bei den tieren und beim menschen, mit besonderer berücksichtigung der klinik der blicklähmungen, der sogen. stirnhirnataxie, der zwangsstellungen und der zwangsbewegungen, von dr. L.J.J.Muskens ... Amsterdam, N.v. Noord-Hollandsche uitgeversmaatschappij [1935]
xviii, 557 p. illus.,tables(part fold.) diagrs. 26½cm.
Bibliographical foot-notes.
1.Ataxia.2.Equilibrium(Physiology).3.Nystagmus. I.Title.

NM 0912673 CSt

Muskens, Louis Jacob Josef, 1872-
Waarnemingen omtrent de physiologie en pathologie der dwangbewegingen en dwangstanden en daarmede verwante afwijkingen in de innervatie der oogballen. Door dr. L. J. J. Muskens ... Amsterdam, J. Müller, 1902.
24 p. III pl. 27½cm. (Verhandelingen der Koninklijke akademie van wetenschappen te Amsterdam. [Afdeeling voor de wis- en natuurkundige wetenschappen] 2. sectie, deel VIII, n°. 5)
Bibliographical foot-notes.

1. Eye—Movements. 2. Optic nerve.

A 45-1779

Illinois. Univ. Library for Library of Congress Q57.A533 deel 8, no. 5
——— Copy 2. QP476.M9
[3] (508)

NM 0912674 IU NIC DLC OCU

Muskens, P (de Groot)
see
Muskens-de Groot, P

Muskens-de Groot, P
Salim naik Garuda, oleh P. Muskens-de Groot dan S. Suwandi; gambar-gambar dari F. Awui. Djakarta, Pembangunan, 1951.
29 p. illus. 22 cm. (Seri aksi dan teknik, 5)

I. Suwandi, S., joint author. II. Title.

PZ90.I 5M8 56-33788 ‡

NM 0912676 DLC

Muskerry, Mark, pseud.
see
Hingston, James Richard William.

MUSKERRY,William.
Atonement; a romantic drama,in four acts and ten tableaux. London,etc.,S.French,[1872?
Founded on Victor Hugo's Romance 'Les Miserables'.60.
French's acting edition,1555.

NM 0912678 MH

Lilly
PR 5101
.M7 A8
1875
MUSKERRY,WILLIAM
Atonement: a romantic drama in four acts and ten tableaux ... By William Muskerry ... London, S. French; New York, S. French & Son [1875]
60 p. 16.5 cm. (French's Acting Edition. No. 1555)

Printed by J. Miller & Sons.
Author's inscribed presentation copy.

NM 0912679 InU

Muskerry, William.
Atonement; or; Branded for life. A drama... Founded upon Victor Hugo's great romance of "Les misérables," by William Muskerry... [London, 1871] p. [290]-316. 19cm. (The British drama. v. 6.)
"Dicks' British drama. No. 61."
Prompt-book.

1. Drama, English. 2. Prompt-books. I. Hugo, Victor, comte, 1802-1885. Les misérables. II. Title.
N. Y. P. L. December 28, 1944

NM 0912680 NN

MUSKERRY,William.
Atonement,or Branded for life; a drama,in a prologue and four acts. London,J.Dicks,[188-]
Cover serves as title-page.
Cover: Dick's standard plays,160.

NM 0912681 MH InU

B5513

Muskerry, William.
...The babes in the wood, or harlequin Robin Hood, the diamond queen, and the fairy robin redbreasts... [Bristol, I Arrowsmith, 1876]

At head of title: New Theatre Royal, Bristol.

s/cI. Pantomimes. s/cII. Plays. English. 19th century.

NM 0912682 KU

Muskerry, William.
...Book of the words of the new comic Christmas pantomime; for old and young, called Harlequin Beauty and the Beast, by William Muskerry... Performed at the New Theatre Royal... Bristol, Dec. 24th, 1877... Bristol: Published by C. T. Jefferies & Sons, printers[, 1877?]. 56 p. 18½cm.
Incidental music indicated, but not given.
Advertising matter interspersed.

700571A. 1. Drama, English. I. Title: Harlequin Beauty and the Beast.
N. Y. P. L. September 19, 1934

NM 0912683 NN

Lilly
PR 5101
.M7 C5
MUSKERRY,WILLIAM
... Cinderella, or, The little glass slipper ... written and invented by William Muskerry ... Nottingham Stafford and Co. [1886]
32 p. 21 cm.

First edition.
Cover title.
At head of title: Sanger's Grand National Amphi- theatre ... Grand jubilee pantomime, 1886-7.
In orange printed paper wrappers.

NM 0912685 InU

Lilly
PR 5101
.M7 G3
MUSKERRY,WILLIAM
Garrick; or, Acting in earnest. A comedy, in three acts. Being an entirely original adaptation of the celebrated French play on the same subject. By William Muskerry ... London, T. Scott [1874]
35 p. 17 cm.

First edition.
Author's inscribed presentation copy.

NM 0912686 InU

Muskerry, William
Garrick; of, Only an actor; a comedy, in three acts...London, N. Y., Sammuel French, 1886.
39 p.

NM 0912687 OCl MH

Lilly
PR 5101
.M7 G3
1887
MUSKERRY,WILLIAM
Garrick; or, Only an actor. A comedy, in three acts, being an entirely original version of the French and German pieces founded on the same subject. By William Muskerry ... London, S. French, Ltd.; New York, T. H. French [1887]
39 p. 18.5 cm. (French's Acting Edition. No. 1921)

No printer.
In orange printed paper wrappers; series advts. to 2047.

NM 0912688 InU ICU

VOLUME 403

Lilly
PR 5101
.M7 H4
MUSKERRY,WILLIAM
He, she, and it. A matrimonial "scene," in one act. By William Muskerry ... London, S. French, Ltd.; New York, T. H. French ⌊1875?⌋
8 p. 18.5 cm. (French's Acting Edition. No. 2046)

In buff printed paper wrappers; series advts. to No. 2045.

NM 0912689 InU OCl CaBVaU

812
M974h
Muskerry, William.
He, she, and it, matrimonial comedy for 1 male and 1 female. Text and stage-business edited and revised by Pauline Phelps and Marion Short. New York, E. S. Werner, c1906.
11p. 20cm.

NM 0912690 IU RPB

812.08
F876
v.46
no.1
Muskerry, William
He, she, and it; a matrimonial "scene" in one act. New York, French ⌊1910?⌋
8p. D. (Lettered on cover: French's minor plays, v.46 ⌊no.1⌋)

NM 0912691 IaU MH

Muskerry, William.
An imaginary aunt; comedietta, for ladies only, in one act. London: S. French, Ltd., cop. 1908. 28 p. 12°. (French's acting ed. of plays. v. 159 ⌊no 12⌋.)

1. Drama (English). 2. Title.
N. Y. P. L. November 7, 1913.

NM 0912692 NN IU MH OCl RPB

MUSKERRY,William.
Khartoum,or The star of the desert; a new and entirely original spectacular military drama,in nine tableaux. By W.Muskerry & John Jourdain. London,etc.,S.French,[187-]

French's acting edition,1846.

NM 0912693 MH

PR5101
.M56K4
1885
Rare bk
room
MUSKERRY,WILLIAM.
Khartoum! or,The star of the desert. A new and entirely original spectacular military drama,in nine tableaux,by William Muskerry & John Jourdain... London, S.French;⌊etc.,etc.,1885⌋
58 p. 18½cm. (On cover:French's acting edition. ⌊no.⌋1846)

NM 0912694 ICU

Lilly
PR 5101
.M 7 L 4
MUSKERRY,WILLIAM
... Little Boy Blue and Red Riding Hood, or, Harlequin Humpty Dumpty, and the Good Fairy of the four seasons, written expressly for this theatre by William Muskerry and J. C. Seymour ... Bayswater, H. G. Saunders and Son, 1894.
30 p., 1 ℓ. 18 cm.

First edition.

At head of title: Royal West London Theatre ... 1894-95. Grand comic Christmas pantomime.

I. Seymour,J C ,jt. auth.

NM 0912696 InU

Lilly
PR 5101
.M7 L5
MUSKERRY,WILLIAM
... Little Red Riding Hood, or, Harlequin Bluff King Hal, and Herne the Demon hunter of Windsor Forest. Written, invented and related (in prose and worse) by William Muskerry ... ⌊London, W. Spearing, Printer, 1892⌋
48 p. 18 cm.

First edition.
At head of title: Royal Marylebone Theatre ... Christmas 1892-3 ...

NM 0912697 InU

Muskerry, William.
London bridge, 150 years ago
see under Dennery, Adolphe Philippe, 1811-1899.

Muskerry, William.
London bridge, or The mysteries of the old mint; a sensational drama, in a prologue and three acts. London, E. Hastings [18-]

Cover: - Hastings's acting plays, 31.

NM 0912699 MH

Muskerry, William

London Bridge; or, The mysteries of the Old Mint. A sensational drama. In a prologue and three acts. By William Muskerry. ... London, Edward Hastings [1873?; Louisville, Falls City Microcards, 1965?]
47 p. 18 cm. (FCM 25901-2)

Microcard ed. 1 card. 7 1/2 x 12 1/2 cm.

NM 0912700 RPB

Muskerry, William
An odd trick; comedy in one act. London, Samuel French, New York, T. French, 1895.
19 p.

NM 0912701 OCl

PR5101
.M56O2
1896
Rare bk
room
MUSKERRY,WILLIAM.
An odd trick. Comedy in one act. By William Muskerry... London,S.French;[etc.,etc.,1896]
19 p. 18½cm. (On cover:French's acting edition. [no.]2070)

NM 0912702 ICU MH

PR5101
.M56T6
190-
Rare bk
room
MUSKERRY,WILLIAM.
Three blind mice;a predicament. In one scene,by William Muskerry... London,S.French;[etc.,etc.,190-]
15 p. 18½cm. (On cover:French's acting edition. [no.]2301)

NM 0912703 ICU NN

Muskerry, William

Three blind mice; a predicament in one scene. ... London, New York, S. French, c1911; [Louisville, Falls City Microcards, 1965?]
15 p. 19 cm. (On cover: French's acting edition (Late Lacy's), no 2301; FCM 25436)

Microcard ed. 1 card. 7 1/2 x 12 1/2 cm.

NM 0912704 RPB

PR5101
.M56T66
1897
Rare bk
room
MUSKERRY,WILLIAM.
"Thrillby,"a shocker in one scene and several spasms; by William Muskerry... With special songs composed by F.Osmond Carr... London,S.French;⌊etc.,etc.,1897⌋
⌊2⌋,16 p. 18½cm. (On cover:French's acting edition. ⌊no.⌋2095)

"A parody on Paul M.Potter's dramatised version of George Du Maurier's novel 'Trilby'."--Brit.mus. Cat.

NM 0912705 ICU CtY OCl

Lilly
PR 5101
.M7 W7
MUSKERRY,WILLIAM
... Whittington and his cat; Or, Harlequin Gog & Magog & ye faeries belles of Bow; written and invented for this theatre by Mr. William Muskerry ... ⌊Leicester, Willson & Son, 1888⌋
43 p. 18 cm.

First edition.
At head of title: Royal Marylebone Theatre ... 1888-9 ...
In blue printed paper wrappers.

NM 0912706 InU

STC
18305
copy 1
⌊Musket, George⌋ 1583-1645, attrib. author.
The Bishop of London his legacy. Or Certaine motiues of D. King, late bishop of London, for his change of religion, and dying in the Catholike, and Roman Church ... Permissu superiorum ⌊S. Omer, Eng. Coll. press⌋ 1623.
$*^4$, ⌊2d⌋$*3$-4, $2*^4$, A-X^4. (Gathering * cancels the original leaves ⌊2d⌋*1-2.) 4to.
Allison and Rogers, A cat. of Catholic books in English II, no. 555.

NM 0912707 DFo MH NNUT-Mc NNC

Die Muskete.
v.

Wien, 1 f°.
v. illus.

Weekly.
Numbering continuous.
Bd. accompanied by separately paged supp.

1. Wit and humor.—Per. and soc. publ. (Austrian.)
N. Y. P. L. June 15, 1921.

NM 0912708 NN DLC-P4

Die Muskete.
Feldgrauer humor, mit zahlreichen illustrationen hrsg. von der humoristischen wochenschrift "Die Muskete." Wien, M. Perles, 1915.
127, ⌊1⌋ p. illus. 20½cm.

1. European war, 1914- —Humor, caricatures, etc. I. Title.
21-12672

D526.5.M86

NM 0912709 DLC NN CtY

Die Muskete.
Habsburgs mauern; künstlermappe der "Muskete". 12 färbige kunstblätter nach aquarellen von Harry Heusser, Carl Josef [u.a.] [1915?]

NM 0912710 CSt-H

Die Muskete.
Muskete-kalender 1916; hrsg. von der humoristischen wochenschrift "Die Muskete"... Wien, M. Perles ⌊1916⌋
96 p. illus. 20cm.

1. European war, 1914- —Humor, caricatures, etc.
21-12671

D526.5.M862

NM 0912711 DLC

VOLUME 403

Die Muskete.
Muskete-kalender, 1917...hrsg. von der humoristichen wochenschrift "Die Muskete.".... Wien, M. Perles, 1917.
96 p.
"Zweiter kriegskalendar".

NM 0912712 MiU

D526.5 M987

Die Muskete.
Trommelfeuer; mit zahlreichen illustrationen von Josef von Divéky, Fritz Gareis, Rudolf Herrmann, Carl Josef, Fritz Schönpflug, Willy Stieborsky, Hans Strohofer, K. A. Wilke und Géza von Zórád. Herausgegeben von der humoristischen wochenschrift "Die Muskete". Wien, M. Perles, k. u. k. hofbuchhändler, 1916.
128 p. illus. 21cm.
Title vignette.

1. European war, 1914-1918 - Humor, caricatures, etc. I. Title.

NM 0912713 CSt-H

The musketeers', a melodrama in ten tableaux see under Grundy, Sydney, 1848-1914.

Musketeers of the mountains. By one of them [i.e. Charles H. Grandgent?] Cambridge, Mass., 1932.
30 p. plate. 17 cm.
"Privately printed."
Concerns Mt. Desert, Maine.

NM 0912715 MH

MUSKETÖREN, pseud.
Mygg med muskót [av] Musketören [pseud.] [Lahti?] Författarens förlag, 1951] 110 p. 21cm.

1. Essays, Swedish -- Finnish.

NM 0912716 NN

"Musketry" for the battalion, with special reference to the "Mark III, Ross rifle". Vancouver, B.C. Clarke & Stuart co. ltd. n.d.
32p. S.

NM 0912717 CaBViP

Musketry (skill-at-arms) handbook, and B. E. A. musketry score book for general musketry course.. London, Forster Groom & co., 1918.
107 p. illus. 14 cm.
Cover title

NM 0912718 DNW

Musketry (.303 and .22 cartridges) elementary training, visual training, judging distance, fire discipline, range practices, field practices; written by an officer of the regular army and ed. by Capt. E. J. Solano. London, J. Murray, 1915.
xxviii, 260 p. illus., plates. 14½cm. (At head of title: Imperial army series)

1. Gunnery. I. Solano, E. John, ed.

A 17-1085

Title from Forbes Libr. Printed by L. C.

NM 0912719 MNF DNW DLC NN

UD330 .M8 1916

Musketry (.303 and .22 cartridges) elementary training, visual training, judging distance, fire discipline, range practices, field practices; written by an officer of the regular army and ed. by Capt. E. J. Solano. London, J. Murray, 1916.
xxviii, 264 p. illus. 15cm. (Imperial army series)

1. Shooting, Military. I. An officer of the regular army. II. Solano, E. John, ed.

NM 0912720 ViU ICJ

---

632 M94d

Muskett, Arthur E
The diseases of the flax plant (Linum usitatissimum Linn.) By Arthur E. Muskett and John Colhoun, with a foreword by Robert Moore. Belfast, W. & G. Baird, 1947.
112p. illus. (part col.) 25cm.

Includes "References."

1. Flax--Diseases and pests. I. Calhoun, John, joint author.

KMK ScCleU
NM 0912721 IU OrCS MtBC OU CU OCU LU CU CtY NcD

---

f942.61 M97n

Muskett, Charles, ed.
Notices and illustrations of the costume, processions, pageantry, &c., formerly displayed by the corporation of Norwich. Norwich, C. Muskett, 1850.
36p. col. front., 21 pl. (part col.)

On cover: Norwich corporation pageantry.

1. Costume--England. 2. Processions. 3. Pageants--Norwich, Eng. 4. Norwich, Eng.--Hist. I. Title. II. Title: Norwich corporation pageantry.

NM 0912722 IU

Muskett, Charles, *ed.*
Remnants of antiquity in Norwich. Norwich, Privately printed for C. Muskett, 1845.
1 p. l., 8 p. 40 pl. 35cm.
Engr. t.-p.
Plates drawn and lithographed by H. Ninham and descriptions of the plates compiled by W. C. Ewing.
Cover dated 1846.

NM 0912723 DLC

Muskett, Joseph James, 1835–1910, *comp.*
Cambridgeshire church goods. Inventories for the county and the isle of Ely for various years, 1538–1556; transcribed by J. J. Muskett, edited by C. H. Evelyn White. [Norwich, Goose and son, printers, 1943?]
1 p. l., 132 p. 22cm.

1. Cambridgeshire, Eng.—Antiq. 2. Ely, Isle of—Antiq. 3. Church vestments. 4. Church plate—Cambridgeshire, Eng. 5. Church furniture. I. Evelyn-White, Charles Harold, 1851– ed.

46-15317

Library of Congress BR133.G7C3
[2] 247

NM 0912724 DLC

[Muskett, Joseph James] 1835–1910, *ed.*
Evidences of the Winthrops of Groton, co. Suffolk, England, and of families in and near that county, with whom they intermarried. [Boston] Priv. print., 1894–96.
viii, 168 p. 31½cm.
Fifty copies printed, of which this is no. 46.
This volume comprises the first four parts of an exhaustive work, entitled "Suffolk manorial families," and ed. by Joseph James Muskett, assisted by Robert C. Winthrop, jr.

1. Winthrop family. I. Winthrop, Robert Charles, 1834–1905.

9–18114

Library of Congress CS439.W6

NM 0912725 DLC NN NIC MWA MiU MeB NjP MB

---

*CS71 W26M9

Muskett, Joseph James, 1835-1910, comp.
Pedigree of Ward of Suffolk and America. Communicated by J. J. Muskett ... [No imprint, 1890?]
1 folded l. (genealogical chart) 30½cm.

1. Ward family.

NM 0912726 NBuG MH

---

*CS435 S7M8

Muskett, Joseph James, 1835-1910, ed.
Suffolk manorial families, being the county visitations and other pedigrees, edited, with extensive additions, by Joseph James Muskett ... Privately printed. Exeter, William Pollard & co., printers & lithographers, 1894-
__vols. 32cm.

"... Issued, to subscribers only ... the number will be restricted to 250 copies ..."
Analyzed in "American and English genealogies in the Library of Congress"

MdBP DLC OClWHi
NM 0912727 NBuG CU Vi FU OCl MiU NN PHi CtY MH

Muskett, Netta, 1887–
After rain [by] Netta Muskett ... London, Hutchinson & co., ltd. [1931]
3 p. l., 11–303 p. 19½cm.

I. Title.

31–25775

Library of Congress PZ3.M974Af

NM 0912728 DLC

Muskett, Netta, 1887–
Candle in the sun, by Netta Muskett. New York, Liveright publishing corporation [1943]
341 p. 21cm.

I. Title.

[Full name: Netta Rachael Muskett]

43–8872

Library of Congress PZ3.M974Can

NM 0912729 DLC CaBVa PP

Muskett, Netta, 1887-
The Clency tradition. London, Hutchinson [1947?]

NM 0912730 CaBVa

Muskett, Netta, 1887–
Lapptäcket. [Till svenska av Karin Stensland] Stockholm, Fahlcrantz & Cumælius [1946]
272 p. 20 cm.

I. Title.

Full name: Netta Rachael Muskett.

PR6025.U9P38 50–27252

NM 0912731 DLC

Muskett, Netta, 1887–
... Love in amber. London, New York [etc.] Hutchinson & co., ltd. [1942]
211, [1] p. 19cm.

I. Title.

[Full name: Netta Rachael Muskett]

42–20090

Library of Congress PZ3.M974Lo

NM 0912732 DLC

VOLUME 403

Muskett, Netta, 1887-
Red dust. Lond., Hutchinson [1954]
288 p.

NM 0912733 MBU

Muskett, Netta, 1887-
Silver-Gilt. Large type ed. F.A. Thorpe, Artisan House, 1935.
256 p.
1. Sight-saving books. I. Title.

NM 0912734 OEac

4PH Fin 377
Muskett, Netta, 1887-
Uusia polkuja; romaani. [Alkuteos: Open windows. Suomentanut Lea Karvonen] 2. painos. Helsinki, Kustannusosakeyhtiö Tammi [1948]
342 p.

NM 0912735 DLC-P4

RA776 .M86
Muskett, Philip Edward.
The art of living in Australia (together with three hundred Australian cookery recipes and accessory kitchen information by Mrs. H. Wicken) ... London, New York, Eyre and Spottiswoode [pref. 1893]
xxix,431 p.

1. Hygiene. 2. Diet. 3. Cookery, Australian. I. Wicken, Mrs. H., joint author. II. Title.

NM 0912736 CU PPC OrU DNLM

Muskett, Philip E.
The art of living in Australia, (together with three hundred Australian cookery recipes and accessory kitchen information by Mrs. H. Wicken, lecturer on cookery to the Technical College, Sydney). By Philip E. Muskett... London: Eyre and Spottiswoode [1894]. xxix. 431 p. 12°.

4440A. 1. Hygiene (Personal), Australia. 2. Cookery (Australian). 3. Wicken, Mrs. H. P.
N. Y. P. L. April 28, 1921.

NM 0912737 NN NcD OrU TxU DNLM

Muskett, Philip Edward.
Feeding and management of Australian infants. 4 ed., rev., enl. and rearranged. London, Eyre, 1896.
179 p.

NM 0912738 PPC

Muskett, Philip Edward.

The feeding and management of Australian infants in health and in disease. By Philip E. Muskett ... 5th ed. Rearranged, mostly rewritten, and greatly enlarged ... Sydney, London, Empson & son [pref. 1900]
xix, 304 p., 1 l. 19cm.
Preliminary pages include advertising matter.

1. Infants—Nutrition. 2. Infants—Care and hygiene. I. Title: Australian infants in health and disease.

NM 0912739 ViU

Muskett, Philip E
The feeding and management of Australian infants, in health and in disease. 8th ed. Sydney, etc., W.Brooks & co., [1906]

NM 0912740 MH

Muskett, Philip Edward.
The health and diet of children in Australia. 2d ed. Sydney, Edwards, Dunlop; Melbourne, Melville, Mullen & Slade [pref. 1890]
[8,viii]187p. 21cm.

Advertisements: [8]p., prefixed.

1.Child care. 2.Child nutrition. 3.Diet. 4.Cookery. I.Title. II.Title: Australia: the health and diet of children.

NM 0912741 NcD-MC

WS 100 M987p 1891
MUSKETT, Philip Edward
Prescribing and treatment in the diseases of infants and children. Edinburgh, Pentland, 1891.
xii, 293 p.

NM 0912742 DNLM PPC

Tjd11 891m
Muskett, Philip E
Prescribing and treatment in the diseases of infants and children ... Philadelphia, P.Blakiston,son,& co.,1891.
xiip.,1l.,293p. 15cm.
"List of works referred to": p.[xi]-xii.

NM 0912743 CtY DNLM

WS 100 M987p 1892
MUSKETT, Philip Edward
Prescribing and treatment in the diseases of infants and children. 2d ed. rev. and enl. Edinburgh, Pentland, 1892.
xiv, 315 p.

NM 0912744 DNLM PPC

WS 100 M987p 1894
MUSKETT, Philip Edward
Prescribing and treatment in the diseases of infants and children. 3d ed., rev., enl. and rearranged. Edinburgh, Pentland, 1894.
xvii, 334 p.

NM 0912745 DNLM PPJ PPC

Muskheilisvili, Nikolas

see

Muskhelishvili, Nikolai Ivanovich, 1891-

Muskhelishvili, Nikolaĭ Ivanovich, 1891-
Applications des intégrales analogues à celles de Cauchy à quelques problèmes de la physique mathématique, par Nicolas Muschelišvili ... Tiflis, Imprimerie de l'État, 1922.
viii, 157 p., 1 l. diagrs. 20½cm.
Preface in Georgian and in French.
"Édition de l'Université de Tiflis."
"Corrections et additions": slip mounted on half-title.
CONTENTS.—Propositions auxiliaires.—Applications simples à la théorie du potentiel logarithmique et à l'hydrodynamique.—Applications au problème biharmonique fondamental.—Problème à deux dimensions de la théorie de l'elasticité.
1. Mathematical physics. 2. Integrals. I. Title.

29-28415

Library of Congress QC20.M8

NM 0912747 DLC MH ICU GU

Muskhelishvili, Nikolaĭ Ivanovich, 1891-
Курс аналитической геометрии. Изд. 3., испр. и доп. Допущено в качестве учебника для физико-математических факультетов университетов. Москва, Гос. изд-во технико-теорет. лит-ры, 1947.
644 p. diagrs. 23 cm.

1. Geometry, Analytic. I. Title.
Title transliterated: Kurs analiticheskoĭ geometrii.

QA551.M83 1947 51-39451

NM 0912748 DLC CLU

.M87 1935
Muskhelishvili, Nikolaĭ Ivanovich, 1891-
Некоторые основные задачи математической теории упругости; основные уравнения, плоская задача, кручение и изгиб. С предисл. А. Н. Крылова. 2. перер. и доп. изд. Москва, Изд-во Академии наук СССР, 1935.
453 p. diagrs. 25 cm. (Академия наук СССР. Научно-техническая литература)
Bibliography: p. 448-453.

(Series: Akademiíà nauk SSSR. Nauchno-tekhnicheskaíà literatura)
Title transliterated: Nekotorye osnovnye zadachi matematicheskoĭ teorii uprugosti.

QA931.M87 1935 50-48112

NM 0912749 DLC GEU

.M87 1949
Muskhelishvili, Nikolaĭ Ivanovich, 1891-
Некоторые основные задачи математической теории упругости; основные уравнения, плоская теория упругости, кручение и изгиб. 3. перер. и значительно доп. изд. Москва, 1949.
635 p. diagrs. 27 cm.
At head of title: Академия наук СССР.
Errata slip inserted.
Bibliography: p. [621]-628.

Title transliterated: Nekotorye osnovnye zadachi matematicheskoĭ teorii uprugosti.

QA931.M87 1949 50-28547

NM 0912750 DLC

.M87 1954
Muskhelishvili, Nikolaĭ Ivanovich, 1891-
Некоторые основные задачи математической теории упругости; основные уравнения, плоская теория упругости, кручение и изгиб. Изд. 4., испр. и доп. Москва, 1954.
647 p. diagrs. 27 cm.
At head of title: Академия наук СССР.
Errata slip inserted.
Bibliography: p. [630]-640.

Title transliterated: Nekotorye osnovnye zadachi matematicheskoĭ teorii uprugosti.

QA931.M87 1954 55-20761

NM 0912751 DLC

QA 431 M812 1949
Muskhelishvili, Nikolai Ivanovich, 1891-
Singular integral equations; boundary problems of function theory and their application to mathematical physics. Translated by J. R. M. Radok and W. G. Woolnough. 2d ed. Melbourne. Dept. of Supply and Development Aeronautical Research Laboratories, 1949.
xi, 404 p. diagrs. (Translation no. 12)
Translation of the 2d ed., Moscow, 1946.
1. Integral equations. I. Title.

NM 0912752 NBPol MiU NcD RPB CU MtBC IU NNU-W

Muskhelishvili, Nikolaĭ Ivanovich, 1891-
Singular integral equations; boundary problems of function theory and their application to mathematical physics. Translation from the Russian edited by J. R. M. Radok. Groningen, P. Noordhoff, 1953.
447 p. illus. 23 cm.
Translation of the 2d ed., Moscow, 1946.

1. Integral equations. I. Title.

QA431.M813 *517.37 517.38 54—18652 ‡

WU IU
MCM MiHM OU IaU GU ScCleU OClW MU KMK OU ViU WaU OCU PSt OClL OO NRU PU-Math NBC OKentU ScU NBuU NN MH ViU ICU NcU ICJ TU PPL PPF NcD PHC IEN OU OrCS WaS MWiW KEmT MoU CLSU MsU MiEM PPT MnU TxU
NM 0912754 DLC IdU IdPI OrU OrPS CaBVaU NNCU-G CU

Muskhelishvili, Nikolaĭ Ivanovich, 1891-
Some basic problems of the mathematical theory of elasticity: fundamental equations, plane theory of elasticity, torsion, and bending. Translated from the Russian by J. R. M. Radok. Groningen, P. Noordhoff, 1953.
704 p. illus. 25 cm.
Translation of the 3d, rev. and augm. ed., Moscow, 1949.

1. Elasticity.

QA931.M874 *539.2 539.3 54—21814 ‡

MiU MoSU WaSpG OU CtY CoU CaBVaU MtBC OrCS OClW ICU ICJ PPF NcD TU ViU TxU NNC ScCleU WaS MH NN OCU
NM 0912755 DLC IaU CLSU MsSM NIC PBL PPD PSt

VOLUME 403

Muskhelišvili, Nikolos
see
Muskhelishvili, Nikolaĭ Ivanovich, 1891-

Muskie, Edmund S 1914-
see also Maine. Governor, 1955-1958
(Edmund S. Muskie)

Muskingum academy, Marietta, O.
see
Marietta college, Marietta, O.

Muskingum Agricultural and Manufacturing Society.
Report to the Muskingum Agricultural and Manufacturing Society, on the advantages of an experiment farm. Zanesville, Printed by Peters Peters & Pelham, 1829.
1 v. (unpaged) 21 cm.
Hezekiah Niles autograph on front cover.
1. Agricultural experiment stations.
2. Imprints - Zanesville, 1829.

NM 0912759 MdBP

Muskingum Baptist Association
see Baptists. Ohio. Muskingum Association.

QC925 .1 .U6O3M9 (Met)
MUSKINGUM CLIMATIC RESEARCH CENTER, New Philadelphia, O.
Daily totals of precipitation in the Muskingum river basin...Tabulated at Muskingum climatic research center, New Philadelphia, Ohio by Division of climatic and physiographic research, Soil conservation service, U.S. Dept. of agriculture...
Washington, 19
v. 27 cm.

NM 0912761 ICU DNAL

Muskingum climatic research center, *New Philadelphia, O.*
... Hourly precipitation on the upper Ohio and Susquehanna drainage basins ... Jan. 1938-
Washington, 1939-
v. charts. 21 x 31cm. monthly.
Cover-title, Jan.
At head of title, Jan. 1938- : United States Dept. of agriculture, Soil conservation service ...
"Prepared by ... Muskingum climatic research center, New Philadelphia, Ohio, in cooperation with Muskingum watershed conservancy district and Work projects administration."
1. Rain and rainfall—Ohio valley. 2. Rain and rainfall—Susquehanna valley. I. Muskingum watershed conservancy district. II. U. S. Work projects administration. III. U. S. Soil conservation service. IV. Title.
45-29951
Library of Congress QC925.1.U8O36
(2) 551.57

NM 0912762 DLC OU CU

Muskingum climatic research center, New Philadelphia, O.
... Precipitation in the Muskingum river basin. Dec. 1937-Aug. 1938, Oct. 1938-June 1942. [Washington, D.C., 1938-42]
54 nos. in 8 v. maps, tables (part fold.) 27 cm.
Issued at the Muskingum climatic research center, by U.S. Soil conservation service, Division of research. Section of climatic and physiographic research, and Muskingum watershed conservancy district, 1938-July 1939 (April 1939 report); by its Climatic and physiographic division,

(varies slightly) and Muskingum watershed conservancy district, July 1939 (May 1939 report)-June 1942.
Dec. 1937-Jan. 1940 are also called SCS - TT [Technical tables] [no.] 2-27, Feb. 1938-Mar. 1940.
SCS - TT [no.] 1, with title: Detailed information on survey of buffalo grass ... Supplement

to Bureau of plant industry, circular on same subject, by D.A. Savage (dated 5-30-36) is bound with Dec. 1937 (SCS-TT[no.] 2)

NM 0912765 CU

Muskingum climatic research center, *New Philadelphia, O.*
Precipitation on the Muskingum river watershed, Ohio, by 30 minute periods ... Muskingum climatic research center, New Philadelphia, Ohio ...
Washington, 19
v. charts. 22½ x 36½cm. monthly.
Reproduced from type-written copy.

1. Rain and rainfall—Ohio. I. Title.
42-31066
Library of Congress QC925.1.U8O35
(2) 551.5709771

NM 0912766 DLC CU OU DAS

Muskingum college, *New Concord, O.*
Annual catalogue.
Zanesville, O. [etc.]
v. plates, ports. 19-22½cm.
Title varies: 18 -18 Annual circular and catalogue of the officers and students ...
On cover: ... The Muskingum college bulletin ...

CA 9-1313 Unrev'd
Library of Congress LD3571.M6

NM 0912767 DLC NjP Nh MiU OCl PPPrHi NN

Muskingum College, New Concord, Ohio.
By-laws of Muskingum College, New Concord, Ohio, 1892.
8 p.

NM 0912768 OClWHi

Muskingum College, New Concord, Ohio
...Directory of living alumni...New Concord, 1922.
Cover title; 39 p. (Muskingum college, Bulletin, series, 18, no. 9.)
Alumni edition; Leroy Patton,... ed.

NM 0912769 OU

LD3571 .M6a
Muskingum college, New Concord, O.
... Faculty news bulletin.
v.1- 1930 31-
New Concord, O., 1931-
v. tables, diagrs. 28cm.
Caption title.
Mimeographed.

NM 0912770 NNU-W

Muskingum college, New Concord, O.
A hundred years of Muskingum verse; a memento
see under Wilcox, Willis Hamel, ed.

Muskingum college, New Concord, O.
Invitation and program for the 75th anniversary commencement, June, 9-14, 1912. n.p., n.d.

NM 0912772 ODW

Muskingum college, New Concord, O.
The Muscoljuan ...
see under title

Muskingum College, New Concord, Ohio
Songs of "Old" Muskingum College., New Concord, Ohio.
4 leaf folder. in cover.

NM 0912774 OClWHi

Muskingum college, *New Concord, O. Alumni association.*
... Alumni directory, 1935. [New Concord, O., Alumni association of Muskingum college, 1935]
cover-title, 110 p. 1 illus. 23cm. (Muskingum college bulletin [ser. XXXI, no. 6. August, 1935])
"Alumni edition."
H. Dwight Balentine, editor.

1. Muskingum college, New Concord, O.—Registers. I. Balentine, Herman Dwight, ed.
E 39-77
U. S. Off. of educ. Library for Library of Congress LD3571.M61a 1935
(2)

NM 0912775 DHEW PPPrHi PPT OCl

Muskingum College, New Concord, O. Class of 1921.
Second annual letter ... n.p., March, 1923.
45 p.

NM 0912776 OClWHi

Muskingum college, New Concord, O.
Conservatory of music.
Concerts and recitals, 1949-50.
New Concord, Ohio, 1950. [146] p.

NM 0912777 CaBVa

BV1603 .M3 1940 a
Muskingum college, New Concord, O. Dept. of Bible and religion.
FOR OTHER EDITIONS SEE MAIN ENTRY
McCreight, James Lloyd, 1885-
... Syllabus for course 105-106, Life and religion, by James L. McCreight. Rev. ed., 1940. New Concord, O., Mimeographed by Lawrence letter service, 1939 [i. e. 1940]

Muskingum college, *New Concord, O. Faculty.*
A college looks at its program, by R. W. Ogan, L. E. Bixler, Paul E. Clark ... [and others] New Concord, O., Muskingum college [c1937]
x, 326 p. incl. tables. 25 cm.

1. Muskingum college, New Concord, O. 2. Universities and colleges. I. Ogan, Ralph Wilson. II. Bixler, Lorin Earl. III. Title.
LD3571.M62A5 1937 378.771 37—7850

OrPR WaWW IdU-SB OrSaW OrCS OrU CaBVaU LU PHC PPCCH PPT PJB KEmT ScCelU NIC WaS MtU IdU MtBC
NM 0912779 DLC NcD NcRS ODW OClW OU OCU ViU PPD

Muskingum College, New Concord, Ohio.
Union Literary Society.
Constitution and by-laws of the Union literary Society of Muskingum College, revised January, 1885. Printed at the Enterprise Job office.
14 p.

NM 0912780 OClWHi

Muskingum college, *New Concord, O. William Rainey Harper memorial conference,* 1937.
The William Rainey Harper memorial conference held in connection with the centennial of Muskingum college, New Concord, Ohio, October 21-22, 1937, edited by Robert N. Montgomery. Chicago, Ill., The University of Chicago press [1938]
xi, 167 p. front., plates, ports. 21cm.

1. Harper, William Rainey, 1856-1906. 2. Education, Higher—Addresses, essays, lectures. 3. Universities and colleges. 4. Education—Aims and objectives. I. Montgomery, Robert Nathaniel, 1900- ed.
38-11541
Library of Congress LB2301.M8 1937
——— Copy 2.
Copyright A 117063 (3) 378.04

NM 0912781 DLC OrSaW NIC PSC PU ViU ODW OO OU

Muskingum Conservancy District
see Muskingum Watershed Conservancy District.

VOLUME 403

Muskingum co., *O.*
Proceedings at the dedication of the Muskingum county court house on Tuesday, May 1, 1877, including all the addresses delivered. Zanesville, O., Printed for Muskingum county, 1877.
90 p. 22½cm.
On cover: With an appendix containing lists of county officers, members of the bar of the county from 1804–1877, etc.

1. Muskingum co., O. Court house. 2. Muskingum co., O.—Hist. 3. Zanesville, O.—Hist.
Rc–2349 Revised
Library of Congress F497.M9M9

NM 0912783 DLC OC OO OC1WHi

Muskingum county bar association.
... Constitution, by-laws and table of minimum fees. [Zanesville? Ohio, The Courier co.] 1936.
20 p. table. 15.5 cm.

NM 0912784 CtY-L

Muskingum county medical society, Zanesville, O.
Organization, constitution, by-laws, and code of ethics, of the Muskingum county medical society: January 10th, 1843. Zanesville, O., Printed for the Society, by U. P. Bennett, 1843.
12 p. 19 1|2 cm. Pink paper wrappers.
Ms. sig. on front wrapper.

NM 0912785 CSmH

The Muskingum messenger, v. 8. nos., 12-17. nos., 20-21 etc., May 1-29; to Aug 20 th, 1817. Zanesville (Ohio) 1817.

NM 0912786 ODW

Muskingum oil spring petroleum co., Pittsburgh.
«Prospectus». Philadelphia, 1864.
9 p.

NM 0912787 PPL

Muskingum Watershed Conservancy District
Annual report to the Common Pleas Court of Tuscarawas County Conservancy Court.
[New Philadelphia, O.]

NM 0912788 OC1

HC 107
O3 M8
Muskingum Watershed Conservancy District.
A conservation story: Muskingum Conservancy District. [New Philadelphia, Ohio, Muskingum Watershed Conservancy District, 1941]
26 p. illus. 22 cm.
Cover title.

1. Natural resources - Ohio. I. Title.

NM 0912789 OU OC1

Muskingum watershed conservancy district.
QC925
.1
.U8 O 36
Muskingum climatic research center, *New Philadelphia, O.*
... Hourly precipitation on the upper Ohio and Susquehanna drainage basins ... Jan. 1938–
[Washington, 1939–

Muskingum watershed conservancy district.
GB701
.A33
no. 1, 4
U. S. *Soil conservation service.*
... Hydrologic data, North Appalachian experimental watershed, Coshocton, Ohio, 1939– by Hydrologic division, Office of research, Soil conservation service ... Washington, U. S. Govt. print. off., 1941–

Muskingum Watershed Conservancy District.
Muskingum County. New Philadelphia, Ohio, n.d.
27 p. Ill. unb.

NM 0912792 OC1GC

290
M97M
Muskingum Watershed Conservancy District.
Muskingum country. The story of the Muskingum Conservancy District. [New Philadelphia, Ohio, 1955?]
26 p.

1. Water. Conservation. Ohio. 2. Flood c control. Ohio. Muskingum River. 3. Muskingum Watershed Conservancy District.

NM 0912793 DNAL OOxM

627.1
M97o
Muskingum watershed conservancy district.
Official plan for the Muskingum watershed conservancy district. Adopted by the Board of directors, October 8,1934; amended April 15,1935 and revised June 5,1935 ... [Zanesville? O.] 1935.
2v. fold.maps, tables(part fold.)
Mimeographed.

1. Flood dams and reservoirs--Ohio.

NM 0912794 IU

290
M97S
Muskingum watershed conservancy district.
Statement of general plan and purpose. New Philadelphia, O., 1933.
7 p.

NM 0912795 DNAL

Muskingum watershed conservancy district
Working together in the Muskingum valley. New Philadelphia, Ohio? 194-
cover title; 30 p.

NM 0912796 OU

MUSKOFFIAN, John G.
War and education or universal peace. [Columbus,O.,cop.1923].
pp.(4),37.
"Printed 1917,reprinted 1923."

NM 0912797 MH

Muskogee, Indian Territory
see Muskogee, Oklahoma.

M976.6
M97n
Muskogee, Oklahoma.
Negro city directory, including the town of Taft, 1941-1942. Muskogee, 1942.
127p. 22cm.

NM 0912799 DHU

Muskogee, Okla.
Report of the city manager...
see under Muskogee, Okla. City Manager

Muskogee, Okla. Board of education.
Annual report. 1902/03 10/11 12/13 22/23 28/29 30/31 32/33-
Muskogee, Okla., 1903-33.
8 v. 23 cm.
Report 1902/03 Muskogee, Ind. Ter.
Mimeographed. 28/29, 30/31 32/33.
Superseded 1936 by Annual report series. Bulletin no. 1-

NM 0912801 DHEW PPT

Muskogee, Okla. Board of education.
Annual report of the city public schools...
L191
.M8A2

NM 0912802 DLC

L68
M97a
Muskogee, Okla. Board of education.
Annual report of the superintendent of schools. [Muskogee]
23-23½cm.

NM 0912803 CtY

QA135
.M75
1930
Muskogee, Okla. Board of education.
Course of study in arithmetic for elementary schools, grades 1 to 6 inclusive. Muskogee, Okla. [Printed by the Central high press, 1930]
3 p.l., [9]-232, [8] p. illus., (incl. facsims., diagrs. 24 cm. (Its Publication, no. 3)
"The teacher's own page," blank pages for notes at the end of each section.

NM 0912804 DLC

Muskogee, *Okla. Board of Education.*
Impaired hearing; a symposium of considerations, assembled by Baker Bonnell, 1935, for the Board of Education, Muskogee, Oklahoma. [Muskogee, 1935]
4 p. l., 90 numb. l. 29cm.

NM 0912805 ICJ NN

Muskogee (Okla.). Board of Education
Public school activities, Muskogee, Oklahoma. [Muskogee?] 1922. 20 p. illus. 8°.

1. Education, U. S.: Okla.: Muskogee.
N. Y. P. L. June 17, 1924

NM 0912806 NN

Muskogee, Okla. Board of education.
Publications. Muskogee, Okla., Printed by the Central high press, 1930.
1 v. 24 cm.

NM 0912807 DLC

Muskogee, Okl. Central high school.
The Chieftain ...
Muskogee, Okl., Central high school

VOLUME 403

352.073
M974c
1911

Muskogee, Okla. Charters.
... Charter government club of Muskogee, Okla. ... [Muskogee, Okla., Phoenix printing company, 1911?]
31,[1]p. 23½cm.

A proposed charter for the city of Muskogee.

I. Charter government club of Muskogee, Okla.

NM 0912809 TxU

Muskogee, *Okl. Charters.*
Charter ⟨managerial form of government⟩ of the city of Muskogee, Oklahoma. Adopted by the qualified electors at a special election, the twenty-fifth day of February, nineteen hundred twenty. [Muskogee, Press of the Star printery, 1920?]
1 p. l., [2] p. 22½cm.

I. Title.

33-9308

Library of Congress JS1159.M9A4 1920 352.0766

NM 0912810 DLC NN

Muskogee (Okla.), Charters
The charter of the City of Muskogee. Muskogee Prtg. Co. [1910.] 52 p. pap. 24°.

1. Municipal charters and ordinances, U. S.: Okla.: Muskogee.
N. Y. P. L. December 29, 1915.

NM 0912811 NN MH-L

Muskogee, Okl. Charters.

Muskogee, *Okl. Ordinances, etc.*
... Revised general ordinances of Muskogee. Published under authority given by the mayor and City council of Muskogee, under Ordinance no. 1269, passed and approved on the 9th day of January, 1923 ... [Muskogee, Printed by Oklahoma printing company, 1923]

Muskogee (Okla.). City Manager.
Report of the city manager to the City Council. 1920/21–

Muskogee [1921– 8°.
On cover, 1922/23– : Annual report of the city of Muskogee...

1. Municipal government, U. S.: Okla.: Muskogee.
N. Y. P. L. April 24, 1924.

NM 0912813 NN CtY DLC

Muskogee, Okla. Civil Service Commission.
Rules, Civil Service Commission. Muskogee, [1911?]
(2) 10 p. 16 mo.

NM 0912814 MH-L

Muskogee, Okla. First National Bank and Trust Co.
see First National Bank and Trust Co., Muskogee, Okla.

Muskogee, Okla. Grace Episcopal Church. ***Woman's Auxiliary.***
Cook book. Muskogee [°1951]
242 p. 22 cm.

1. Cookery.

TX740.M84 641.5 58-22995 ‡

NM 0912816 DLC

Muskogee, Okla. Henry Kendall college
see Tulsa, Okl. University.

Muskogee, Okla. Joint statehood convention
see Joint statehood convention, Muskogee, Ind. Ter., 1901.

Muskogee, *Okl. Ordinances, etc.*
Ordinances of the city of Muskogee. [Muskogee, 1904]
cover-title, 1 p. l., 99 p. 22½cm.

I. Title.

39-8961

Library of Congress JS1159.M9A5 1904

NM 0912819 DLC

Muskogee, *Okl. Ordinances, etc.*
... Revised general ordinances of Muskogee. Published under authority given by the mayor and City council of Muskogee, under Ordinance no. 1269, passed and approved on the 9th day of January, 1923 ... [Muskogee, Printed by Oklahoma printing company, 1923]
1 p. l., v-xv, [1], 380 p. 23cm.
At head of title: City of Muskogee, Oklahoma.
Cover-title: ... Charter and revised ordinances. 1923. Cliff V. Peery and H. W. Pramer.
"This compilation includes all ordinances up to and including April 24, 1923, and a copy of the city charter."
I. Muskogee, Okl. Charters. II. Peery, Cliff V., comp. III. Pramer, H. W., joint comp. IV. Title.

39-8962

Library of Congress JS1159.M9A3 1923

NM 0912820 DLC IU

Muskogee (Okla.). Park Commissioners Board.
Report...

[Muskogee, 8°.

1. Parks, U. S.: Okla.: Muskogee.
N. Y. P. L. May 10, 1924.

NM 0912821 NN

Muskogee, Okla. Presbyterian Church.
Minutes of session, list of members and baptisms. 1875-1882.
MSS

NM 0912822 PPPrHi

Muskogee, Okla. Public library.
Annual report.
Muskogee, Okla., 19 –
v. illus., tables. 22½cm.

E 37-392

U. S. Off. of educ. Library Z733.M97
for Library of Congress [Z733.M93]

NM 0912823 DHEW NcU OCl NNC

Muskogee Anti-Tuberculosis Association.
The Oklahoma public health surveys. Muskogee
see under Oklahoma Tuberculosis Association.

Muskogee Bar Association.
Proceedings, 1910-11; edited by Ezra Brainerd, Jr., Secretary. Muskogee, n.d.
128 p. Port.

NM 0912825 MH-L

... **Muskogee** city directory, Muskogee, Oklahoma ... –19 ed.]
[Muskogee] M. R. Moore, 190
v. fold. plans. 25cm.
Title varies: 1905-1907, Moore's directory of the city of Muskogee, Indian Territory.
1908-1911, Moore's directory of the city of Muskogee, Oklahoma.
1912-19 Muskogee city directory, Muskogee, Oklahoma.

1. Muskogee, Okl.—Direct. I. Title: Moore's directory of the city of Muskogee, Oklahoma.

8-7813 Revised

Library of Congress F704.M9A18

NM 0912826 DLC CtY ICN

Muskogee commercial club, *Muskogee, Okl.*
Muskogee, Oklahoma, 1910; on navigable river, where oil, gas, agriculture, hardwood, five railroads and three great rivers meet; illustrative and descriptive. Compiled and published by the Muskogee commercial club. Muskogee, Okl. [1910]
[32] p. incl. illus., pl. 20 x 28cm.

1. Muskogee, Okl.

44-50620

Library of Congress F704.M9M92

NM 0912827 DLC

Muskogee Company.
Report.
Wilmington, Del.
v. maps. 23 cm. annual.

HE2791.M982 57-27351

NM 0912828 DLC OCl NN CtY

Muskogee County, Okla. Court House.
Inventory of records in Muskogee County Court House. Prepared by Historical Records Survey for Oklahoma. [1936.]
= *Reproduced typewriting.* [Muskogee, Okla.] 1936. 1 v. [United States. Works Progress Administration. Division of Women's and Professional Projects. Historical Records Survey.] 27 cm.
Typed on one side only of the leaf.

E2980 — T.r. — Historical Records ey. Oklahoma. — Muskogee County, Okla. Archives.

NM 0912829 MB PHi

... **Muskogee County** gazetteer; a directory of Muskogee County, Oklahoma, except Muskogee city ... [v. 1– 1909–
Muskogee, Okl., M. R. Moore, °1908–
v. fold. map. 23½cm.

1. Muskogee Co., Okl.—Direct.

9-19567

Library of Congress F702.M9A18 Copyright

NM 0912830 DLC

44.8
M97

The Muskogee dairyman.
Muskogee, Okla.. Muskogee Dairy Farmers Association.

1. Dairying. Periodicals. 2. Dairy industry and trade. Oklahoma. I. Muskogee Dairy Farmers Association.

NM 0912831 DNAL

VOLUME 403

... Muskogee, Indian Territory. The industrial prodigy of the new Southwest ... Compiled by John H. N. Tindall company, publishers, under the auspices of the Muskogee chamber of commerce. Muskogee, Indian Territory, J. H. N. Tindall company [1904]
160 p. front., illus. (partly col.) plates, ports., maps. 19½ x 28cm.
p. 89-90 mutilated.

1. Muskogee, I. T. I. Tindall, John H. N., company.

Library of Congress F704.M9M19 5-32147

NM 0912832 DLC

Muskogee Missionary Baptist Association
see Baptists. Oklahoma. Muskogee Missionary Association.

Muskogee nation
see
Creek nation.

F704
.M9M93
Muskogee phoenix.
End of the century edition.
Muskogee, I.T., Phoenix printing company [1899]
96 p. 38 cm.

NM 0912835 DLC ICN

The Muskogee phoenix.
Industrial Muskogee. Supplement to the Muskogee phoenix. The growth and development of a ten year old city. May 16, 1909. Muskogee, Okl., 1909.
cover-title, 28 p. illus., plates. 40½cm.

1. Muskogee, Okl.
Library of Congress F704.M9M95 9—27473

NM 0912836 DLC

Muskogee, Seminole, and Wichatah fullblood Indian Baptist association.
Minutes of the ... annual meeting.
[n. p.,
v. 22cm.
Cover-title.
Text in English and Muskoki?

CA 5—2227 Unrev'd
Library of Congress BX6205.M9A3

NM 0912837 DLC

Muskogee telephone directory.
[Muskogee, Okla.: Pioneer Telephone and Telegraph Co., 19 8°.
v.

1. Muskogee, Okla.—Directories.
N. Y. P. L. September 1, 1916.

NM 0912838 NN

RH
H76
Muskogee times. v.1-
1897?-
Muskogee, Indian Territory.
v. illus. 38cm.

KANSAS COLLECTION
Kenneth Spencer Research Library
RH has v.1, no. 45, November 25, 1897, Thanksgiving number.

1. Indians of North America. Periodicals.

NM 0912839 KU-RH

Muskogee Town and Country Club, Muskogee, Okla.
The Muskogee Town and Country Club [organized March 10, 1903] Muskogee [1920]
[30] p. mount. illus. 21 cm.

NM 0912840 OkU

Muskogee union railway.
First mortgage five per cent gold bonds. Muskogee union railway to Illinois trust and savings bank, trustee. Deed of trust. Dated 1904. [n. p., 1904?]
cover-title, 47 p. 25½cm.

1. [Railroads—Mortgages] I. Illinois trust and savings bank, Chicago.
A 19-657
Title from Bureau of Railway Economics. Printed by L. C.

NM 0912841 DBRE

Rare Books and Special Collections Broadsides
Muskoka and Georgian Bay Navigation Company
[Advertisement. Gravenhurst? 1893?]
broadside. illus.
Contains a calendar for 1894.

NM 0912842 CaOTU

Muskoka and Georgian Bay navigation company.
Picturesque Muskoka lakes. Toronto, 1893.

NM 0912843 Nh

Muskoka and Parry sound districts
see Guide book & atlas of Muskoka and Parry sound districts.

Muskoka Cottage Sanitarium, Gravenhurst.
[Circular of the management] Toronto, J.L. Jones [1897?]
1 l. 8°.

NM 0912845 DNLM

Muskoka Cottage Sanatorium, Gravenhurst, Ont.
Report. 1st- 1897/98-
Toronto.
v. illus.
Report year ends Sept. 30.
Issued by the National Sanatarium Association.
I. National Sanitarium Association (Canada)

NM 0912846 DNLM PPC

MUSKOKA GAME AND FISH PROTECTIVE ASSOCIATION.
...Constitution, by-laws... Gravenhurst, Muskoka: The Gravenhurst Banner Print, 1927. 7 p. 14cm.

Cover-title.

779482A. 1. Game—Preservation and protection—Assoc. and org.—Canada—Muskoka.

NM 0912847 NN

The Muskoka Lakes, a place of health and pleasure; the sportsman's paradise. Grand Rapids, J. Bayne Co. [19—]
[2] p., [78] plates. 18 x 23 cm.

1. Muskoka District, Ontario.
F1059.M9M8 49-30098*

NM 0912848 DLC

Muskoka lakes blue book, directory and chart, 1915-
[v. 1]-
Port Sandfield, Muskoka, J. Rogers, °1915-
v. fold. maps. 14 x 23½cm.
Folded maps in pocket.

1. Muskoka District, Ontario—Direct.
22-24412
Library of Congress F1059.M9A18

NM 0912849 DLC CaOTU

Rare Books and Special Collections
Muskoka; land of health and pleasure.
[Toronto? 1896?]
48 (i.e. 52) p. illus., fold. map.

Cover title.
Cover mutilated; nos. 31-34 duplicated in paging.
Includes advertisements.

1. Muskoka (District) - Descr. & trav.

NM 0912850 CaOTU

The Mvskoki imvnaitsv
see under [Fleming, John] 1807-1894.

Muskopf, Marcellus Albert, 1889-
The electrolytic preparation of certain inorganic salts...1915.
1 p.

NM 0912852 OU

A musk-ox hunt. n.p., n.pub., 1883.
illus. O.
Extracted from "Century Magazine."

NM 0912853 CaBViP

Muskrat, Ruth
The serpent. (In intercollegiate literary magazine conference. Young Pegasus, 1926 p. 153-163.)

NM 0912854 OU

Muskrat farming
see under [Edwards, James Louis]

Muskrats and muskrat farming
see under [La Bar, George S]

Muskulus, Walther, 1881-
Beitraege zur behandlung der extrauterin-schwangerschaft.
Inaug. diss. Halle, 1906.

NM 0912857 ICRL MH PU

284.2
M972
Muskus, Claudio F
Razón, significación y realización del plan de fomento pecuario zonificado. [Caracas, Corporación venezolana de Fomento [1947]
24 p.

NM 0912858 DNAL

VOLUME 403

Musladin, Luvia (Henry) 1891–
Henry; history of our family in America, 1620–1950. [Berkeley, Calif., 1950]
154 l. 29 cm.
Typewritten; additions and corrections in ms.

1. Henry family (Robert Henry, fl. 1722)
Full name: Nancy Luvia (Henry) Musladin.

CS71.H523 1950 50-35734

NM 0912859 DLC

Musladin, Nancy Luvia (Henry)
see Musladin, Luvia (Henry) 1891–

Muşlea, Ion, 1899–
... Biblioteca Universităţii din Cluj ... [Bucuresti, E. Marvan] 1930.
18 p. illus. (incl. plan, facsims.) 27cm.
"Extras din 'Boabe de grâu', anul I–n-rul 5."

1. Cluj, Rumania. Universitatea. Biblioteca.

Library of Congress Z840.C65M9 36-25346
[2] 022.3

NM 0912861 DLC

PL 5139 .M99 M39 R16
Musleh bin Haji Mashudi.
Raja bersiong [oleh] Musleh Haji Mashudi. Gambar2 oleh M. Salleh Majid. Singapura, Malaya Pub. House [19-?]
56 p. illus.

I.Hikayat Marong Mahawangsa. II.Title.

NM 0912862 MiU

Musleh Haji Mashudi
see Musleh bin Haji Mashudi.

Muslekh-éd-Din
see Sa'dī.

Musler, Johann, 1502–1555.
D. Joannis Musleri, Oetingensis, In artem notandi signa, hinc indè ex bonis autoribus conqvisita, & ad cellaria argumentorum & L. II. ff. De statu hominum applicanda, qvæ cum notis multorum rogatu jussit tandem imprimi Jo. Fridericus Hekelius. Cygneæ, editoris sumtib. ap. S. Ebelium, 1680.
2 p. l., 29, [1] p. 19½ x 15½cm.

1. Abbreviations. 2. Signs and symbols. I. Heckel, Johann Friederich, d. 1700, ed.

Library of Congress Z111.M85 44-20240

NM 0912865 DLC

Muslera, Timoteo Núñez
see Núñez Muslera, Timoteo.

Muslih ud-Din Sa'di Shirazi
see
Sa'di

Musliheddin Âdil
see
Taylan, Musliheddin Âdil, 1881–1944.

Muslihuttin Adil
see
Taylan, Musliheddin Âdil, 1881–1944.

Muslim ibn al-Walīd, *d.* 823 *or* 4.
Diwan poëtae Abu-'l-Walíd Moslim ibno-'l-Walíd al-Ançárí, cognomine Çarío-'l-ghawání, quem e codice Leidensi edidit, multis additamentis auxit et glossario instruxit M. J. de Goeje. Lugduni-Batavorum, E. J. Brill, 1875.
lxxix p.; 318 p. 30 cm.
Added t. p.: ديوان ابي الوليد مسلم بن الوليد الانصارى الشهير بصريع الغوانى

1. Goeje, Michel Jan de, 1836–1909, ed. II. Title.

PJ7741.M796 1875 57-56301

NM 0912870 DLC MiU ICN OCl NNC MH PPDrop OU

Muslim, Aḥmad
see
Musallam, Aḥmad.

المسلم، مجلة العشيرة المحمدية.
[القاهرة]
v. 22 cm. monthly.
Began publication in 1950 or 1951. Cf. Cairo. Dār al-Kutub al-Miṣrīyah. Qism al-Fahāris al-'Arabīyah wa-al-Ifranjīyah. Fihris al-dawrīyāt, 1961.
Added title: al-Moslem; review of the Mohamedan ashira (family)

1. Islam—Period. I. Title: al-Moslem; review of the Mohamedan ashira (family)
Title transliterated: al-Muslim; majallat al-'ashīrah al-Muḥammadīyah.

BP1.M78 N E 65-408

NM 0912872 DLC OrPS

Muslim Brotherhood (*Egypt*)
see
Jam'īyat al-Ikhwān al-Muslimīn (*Egypt*)

Muslim Chamber of Commerce, *Calcutta.*
Report of the committee.
Calcutta.
v. 25 cm. annual.

1. India—Econ. condit.—Societies, etc.

HF331.M8 56-36243

NM 0912874 DLC NcD

Muslim Chamber of Commerce, *Karachi*
see
Pakistan. Chamber of Commerce.

Muslim-Christian Convocation
see also
Continuing Committee on Muslim-Christian Cooperation.

Muslim-Christian Convocation.
Proceedings. 1st-
1954-
[New York?] Published by the editors, Continuing Committee on Muslim-Christian Cooperation.
v. ports. 30 cm.
Proceedings of the 1st- convocation include the minutes of the meeting of the Executive Board of the Continuing Committee on Muslim-Christian Cooperation.

1. Mohammedanism—Relations—Christianity. 2. Christianity and other religions—Mohammedanism.

BP172.M8 57-46317

NM 0912877 DLC OClW NjPT MH-AH TNJ-R

DU1.I5 1942d v.10:10
Muslim demand for Pakistan, by an Indian Muslim politician ... New York, International secretariat, Institute of Pacific relations [1942]
1 p.l.,16 numb. l. 28cm. (Indian paper no. 10)
Mimeographed.
"Submitted as a document for the eighth conference of the Institute of Pacific relations ... December, 1942."
1.India - Pol. & govt. - 1919- 2.Mohammedans in India. 3.Hindus in India. I.An Indian Muslim politician. II.Title: Pakistan.

NM 0912878 CSt-H ViU

Periodical BP1 .M987
The Muslim Digest; International monthly of Muslim affairs. v.1- 1950-
Durban, South Africa, International Union of Islamic Service, 1950-
v. monthly.
Title varies: Muslim's Digest.
Organ of the World Federation of Islamic Missions.
Title varies.
1. Islam - Periodicals. I. World Federation

NM 0912879 TNJ-R NN DLC

The Muslim Digest
see also The Muslim's digest.

The Muslim economist. v. 1-
Feb. 11, 1949-
Lahore [Pakistan, M. I. Adham, etc.]
v. in 27-32 cm. weekly.

1. Pakistan—Econ. condit.—Period. 2. Economic history—Period.

HC440.5.M8 *330.9547 57-49853

NM 0912881 DLC NNC MiU DNAL NNUN

The MUSLIM economist. v.1, no.3-v.4, no.19; Feb.25, 1949-Mar.17, 1957 (incomplete)
Lahore, Pakistan v. 27-36cm.
Film reproduction. Negative.
Weekly.
Publication suspended between v. 3, no. 2, Aug. 4, 1950 and v. 4, no. 1, Oct. 14, 1956?

"The premier economic weekly of Pakistan."
Ceased publication with v. 4, no. 19, Mar. 17, 1957?

1. Economic history--Per. and soc. publ.--Pakistan.

NM 0912883 NN

4LB 859
Muslim Educational Association of Southern India.
Golden jubilee souvenir of the Muslim Educational Association of Southern India; fifty years of progress from 1902-1952. [ ] 1954.
164 p.

NM 0912884 DLC-P4

Muslim Educational Association of Southern India.
Millenary of Abu Ali Ibn Sina (Avicenna)
see under
Tajuddin, Syed.

VOLUME 403

Muslim Educational Association of Southern India.
Report.
Madras.
v. illus. 25 cm. annual.
Report year ends Mar. 31.

1. Education—India—Societies, etc.

L61.M84 55-44713 †

NM 0912886 DLC

Muslim India and Islamic World
see The Islamic review.

DS480 .83 M87
Muslim India Information Centre.
Bloodshed in India. London [1946?]
8 p.

1. India - Hist. - 1901- 2. Mohammedans in India. I. Title.

NM 0912888 CU

DS480 .83 M875
Muslim India Information Centre.
Fifty facts about Pakistan. London[1946?]
11 p.

1. Pakistan. 2. Mohammedans in India. 3. India - Pol. & govt. - 1919-1947. I. Title.

NM 0912889 CU

DS485 B52M87
Muslim India Information Centre.
Reports on the disturbances in Bihar and the United Provinces (October-November, 1946) [London, 1946?]
19 p.

Cover title.

1. Bihar, India (Province) - Hist. 2. India - Hist. - 1901- 3. Mohammedans in India.

NM 0912890 CU

Muslim league of India
see All-India Moslem league.

Muslim news bulletin.
see under Association of Muslim Students in America.

297.3 M987 1954
The Muslim prayer in English, with illustrations. Also, original Arabic with English transliteration side by side. 10th ed. Secunderabad, Anjuman-e-Tarraqqi-e-Islam, 1954.
ii, 52p. illus., ports. 18cm.

Cover title.

1. Mohammedanism—Prayer-books and devotions. 2. Prayer (Mohammedanism)

NM 0912893 ICarbS

The Muslim prayer with illustrations. 7th ed. Secunderabad-Dn., India, The Injuman-e-Tarraqqi-e-Islam [195-?]
38 p.

Cover title.

NM 0912894 MiD

Muslim Review. Calcutta, India. v. 1-4, no. 1 1926-1929. 4 v. quarterly

NM 0912895 CU-Riv

BP1 .M8
The Muslim review; the only advocate of old Islam ...
Lucknow [Printed and published by Syed Iqbal Husain at the Muslim press, 19
v. plates, ports. 24cm. monthly.

1. Mohammedanism--Period. 2. Civilization, Mohammedan.

NM 0912896 DLC NN

The Muslim review; a Muslim quarterly. v. 10, no. 6- v. 58; June, 1932- Apr./June, 1962 (incomplete) Lucknow. illus. 25 cm.

Vols. 45-58; 1958-Apr./June, 1962 on microfilm (neg.) *XLM-8. 13 sheets. 11 x 15 cm. (NYPL FSN 1655). Irregular. Publication suspended Jan.-June, 1942. Official organ of the Madrasat-ul-waizin, Lucknow. Subtitle varies. Ceased publication with Apr./June, 1962?

1. Islam - Periodicals. (1) Madrasat-ul-waizin, Lucknow.

NM 0912898 NN

The Muslim scientist.
[Fort Collins, Colo., Association of Muslim Scientists & Engineers]
v. illus. 28 cm. 4 no. a year.
Journal of the Association of Muslim Scientists & Engineers.

1. Science — Periodicals. 2. Engineering — Periodicals. 3. Scientists, Muslim—Periodicals. 4. Engineers, Muslim—Periodicals. Association of Muslim Scientists & Engineers.

Q1.M83 505 73-64007

NM 0912899 DLC

The Muslim sunrise.
[Washington, etc., Ahmadiyya Movement in Islam, etc.]
v. in 23 cm. quarterly.
Title varies: -1949, The Moslem sunrise.

1. Ahmadiyya—Period.

BP195.A5M8 56-43665 †

NM 0912900 DLC

BP166.7 .M974
Muslim; the man of God. [Lahore, Islamic Mission, n.d.]
4 ℓ. (unpaged)

Cover title.

1. Man (Islam)

NM 0912901 CtHC

Muslim University, *Aligarh, India*
see Aligarh, India. Muslim University.

The Muslim world; a quarterly review of history, culture, religious & the Christian mission in Islamdom. v. 1- Jan. 1911-
Hartford, Hartford Seminary Foundation.
v. illus. 25 cm.
Title varies: 1911-Oct. 1947, The Moslem world.
Subtitle varies.
Founded and for some years edited by S. M. Zwemer.
Imprint varies: 1911-Oct. 1916, London, Published for the Nile Mission Press by the Christian Literature Society for India.—1917-Oct. 1937, New York, Missionary Review Pub. Co. [etc.]
INDEXES:
Vols. 1-5, Jan. 1911-Oct. 1915. 1 v.
Vols. 1-25, Jan. 1911-Oct. 1935. 1 v.
1. Mohammedanism—Period. 2. Missions—Mohammedans. I. Zwemer, Samuel Marinus, 1867- ed. II. Hartford Seminary Foundation.
DS36.M7 51-39079

MeB TNJ-R MB MnNC PU CtY PPC OrU WaS CaBVaU IaAS FTaSU KyLxCB TNJ MBU FU NcD NjNbS PP PPWe IaAS NN
NM 0912903 DLC TxU NcRS MoSC CoCA WvU IEG NhD GU

The MUSLIM world series.
Cairo, Renaissance bookshop.

NM 0912904 NN

The Muslim year book of India and who's who, with complete information on Pakistan, 1948-49. Comp. by S. M. Jamil with the assistance of Moinuddin Khan. Bombay, Bombay Newspaper Co.
1 v. (various pagings) ports. 23 cm.
"Published ... under the auspices of the All-India Muslim Chamber of Commerce and Industry."

1. Mohammedans in India—Yearbooks. 2. Pakistan—Biog. I. Jamil, S. M., comp.
DS381.M8 915.4 49-5045*

NM 0912905 DLC MiU WaU NSyU

Muslim youth bulletin.
Prophet's birthday number... 19

Port-Louis, Mauritius, 19 nos. illus. 20-21cm.
19 called [no.] and also dated 13
Organ of the Mauritius Muslim youth brigade.
Occasional articles in French.

1. Muhammadanism—Per. and soc. publ.
N. Y. P. L. October 13, 1950

NM 0912906 NN

Muslim Yūnivarsiṭī-i ʻAlīgarh
see
Aligarh, India. Muslim University.

Muslims and the Congress
see under Indian National Congress.

The Muslim's digest. v. 1-
Aug. 1950-
[Durban, Natal] Makki Publications.
v. illus., ports. 19-23 cm. monthly.
Supersedes Five pillars and Pakistan news.
Organ of the International Union of Islamic Service.
The June issues, 1951- are the Ramadan annual, 1951-

1. Mohammedanism—Period. I. International Union of Islamic Service.
BP1.I 553 54-38142

NM 0912909 DLC NN TNJ-R

Muslim's digest.
Ramadan annual.
Durban, Makki Publications.
v. illus., ports. 22 cm. (Makki publication)
Annuals for 1951- are the June issues, 1951- of the Muslim's digest.

1. Mohammedanism—Yearbooks. I. Title.

BP9.M8 54-38143

NM 0912910 DLC

VOLUME 403

The Muslim's digest
see also The Muslim Digest.

Poona 1927
The Muslims of India,Burma and Ceylon...

NM 0912912 NjNbS

المسلمون. المجلد -1؛ ديسمبر 1952-

[Geneva]
v. in 25 cm. 10 no. a year.
Supersedes a publication with same title; v. 1, no. 1 called also 2d ed. in continuance of that publication.
Added title: al-Muslimoun (varies slightly)
Chiefly in Arabic, occasional articles in English.
Issued by al-Markaz al-Islāmī.
Published in Cairo, 1952–
1. Islam—Periodicals. I. al-Markaz al-Islāmī, Geneva. II. Title: al-Muslimoun.
Title romanized: al-Muslimūn.

BP1.M86 71-238038

NM 0912913 DLC

4QC-35 Musmacher, C
Kurze Biographien berühmter Physiker.
Freiburg im Breisgau, Herder, 1902.
280 p.

NM 0912914 DLC-P4 WU ICJ

Musmanno, Michael Angelo, 1897-
Across the street from the courthouse. Philadelphia, Dorrance [1954]
411 p. 24 cm.

1. Communism—U. S.—1917- I. Title.

HX89.M86 335.4 54-8895 ‡

PLF
NM 0912915 DLC GU-L TxU GU FTaSU NN MB PSt OCH

Musmanno, Michael Angelo.
After twelve years [by] Michael A. Musmanno ... New York & London, A. A. Knopf, 1939.
6 p. l., 415 p., 1 l. 22 cm.
An account of the trial and conviction of Nicola Sacco and Bartolomeo Vanzetti for the murder on April 15, 1920, at South Braintree, Massachusetts, of Frederick Albert Parmenter, paymaster, and Alessandro Berardelli, payroll guard. Sacco and Vanzetti were charged on May 5, 1920 with the crime of the murders; indicted on September 14, 1920 and put on trial from May 31 to July 14, 1921, in the Superior court at Dedham, Norfolk county, Massachusetts; Judge Webster Thayer presiding. A verdict of guilty was rendered against the defendants and sentence pronounced on April 9, 1927.

"First edition."

1. Parmenter, Frederick Albert, 1874-1920. 2. Berardelli, Alessandro, d. 1920. I. Sacco, Nicola, 1891-1927, defendant. II. Vanzetti, Bartolomeo, 1888-1927, defendant. III. Massachusetts. Superior court (Norfolk co.) IV. Title.

39-27873

CoU NBuU-L
MB CU AU FMU IU GU OKentU ViU-L MU GU-L FTaSU
NM 0912917 DLC NcD PP MH OU OCl OO PPFr MiU ViU

Musmanno, Michael Angelo.
Ascoltate il fiume; romanzo. [Traduzione dall'inglese di Gilberto Tinacci Mannelli. Firenze] Vallecchi [194-]
469 p. 20 cm.

I. Title.

PS3525.U934L55 50-30472

NM 0912918 DLC

MUSMANNO,Michael Angelo.
Il dibattimento davanti ai giurati nella legge italiana e nella legge Americana.
Roma,"Eloquenza",1925.

pp.31.
"Estratto della Rivista l'Eloquenza,anno XV, fasc.3-4."
"Bibliografia",pp.30-31.

NM 0912919 MH

4DD 2615 Musmanno, Michael Angelo
Dix jours pour mourir; la fin de Hitler d'après les témoins oculaires. Traduction du commandant André Cogniet. Paris, Payot, 1951.
288 p.

(Collection de memoires, etudes et documents pour servir a l'histoire de la guerre)

NM 0912920 DLC-P4

MUSMANNO, MICHAEL ANGELO, 1897-
Does man live again? A debate on immortality between Michael A. Musmanno and Clarence Darrow, held at Carnegie music hall, Pittsburgh, Pennsylvania, December 12, 1932. [n.p., P. Muni, 1933?] 43 p. 23cm.

1. Immortality. I. Darrow, Clarence Seward, 1857-1938. II. Title.

NM 0912921 NN

---

218 M97d Musmanno, Michael Angelo, 1897-
Does man live again? A debate; Judge M. A. Musmanno versus Clarence Darrow. Edited by E. Haldeman-Julius. Girard, Kan., Haldeman-Julius [c1936]
30p. 22cm. (Reviewer's library, no.5)

Cover title.
1. Immortality. I. Darrow, Clarence Seward, 1857-1938. II. Title. (Series)

NM 0912922 IU

Musmanno, Michael Angelo, 1897-
... Il generale Mark W. Clark, l'uomo e il soldato. Con 32 illustrazioni. [Milano] A. Mondadori [1946]
154 p.

NM 0912923 OCl NN

Paterno
D940.921
M974
Musmanno, Michael Angelo.
La guerra non l'ho voluta io. [Firenze] Vallecchi [1947]
418 p.

1. World war, 1939-1945 - Campaigns - Italy. 2. World war, 1939-1945 - Personal narratives, American.

NM 0912924 NNC ICRL OCl MH

Musmanno, Michael Angelo
In zehn Tagen kommt der Tod; augenzeugen berichten über das Ende Hitlers; authentische Darstellung der dramatischen Ereignisse der letzten Wochen im Führerbunker der Reichskanzlei. München, Droemersche Verlagsanstalt [c1950]
432 p. illus., ports., fold. table.

Translation of Ten days to die.

NM 0912925 MiD MH InU IEdS CSt-H

Musmanno, Michael Angelo, 1897-
...Is it possible to execute innocent men? New York, Amer. league to abolish capital punishment [1940] 11 p. 22cm.

"Address...at annual conference of the American league to abolish capital punishment, New York, April 26, 1940."

1. Punishment, Capital. I. American league to abolish capital punishment.
N. Y. P. L. September 28, 1944

NM 0912926 NN Or

Musmanno, Michael Angelo.
The Library for American studies in Italy, by Michael Angelo Musmanno ... [Rome, 1925]
7 p. illus. (incl. port.) 27½cm.
"Abstract from the 'Rivista d'Italia e d'America' nº XIII-XIV—1925."

1. Rome (City) Library for American studies in Italy.

CA 27-225 Unrev'd

Library of Congress Z810.R79M

NM 0912927 DLC MoU MiU

Musmanno, Michael Angelo.
Listen to the river, novel. Wiesentheid [Ger.] Droemersche Verlagsanstalt, 1948.
359 p. 21 cm.

I. Title.

PZ3.M9745Li 48-17882*

NM 0912928 DLC

[**Musmanno, Michael Angelo**] 1897-
... Proposed amendments to the Constitution. A monograph on the resolutions introduced in Congress proposing amendments to the Constitution of the United States of America. Washington, U. S. Govt. print. off., 1929.
xi, 253 p. 24½ cm. ([U. S.] 70th Cong., 2d sess. House. Doc. 551)
"Prepared by M. A. Musmanno."—p. [ii]

1. U. S. Constitution—Amendments. I. Title.

JK168.M8 29-26456

OCl OO DI ICN WaTC WaS OrCS OrU WaU-L NcU
NM 0912929 DLC IdPI NcD ViU-L PU-L PPB MiU ODW

Musmanno, Michael Angelo.
DD247
.H5S66
Something Hitler forgot; memorandum on Hitler's famous car, and other stories ... Written by [Christopher G. Janus and] various hands. Washington, 1948.

Musmanno, Michael Angelo.
Ten days to die. [1st ed.] Garden City, N. Y., Doubleday, 1950.
ix, 276 p. illus., ports. 22 cm.

1. Hitler, Adolf, 1889- I. Title.

DD247.H5M82 923.143 50-8036

PPL NcD MB ICU ViU TxU NSyU PJA Or WaS
NM 0912931 DLC NN CaOTP NmU OrPS CoU GU OCl OClW

DD 247 H67M98 1951 Musmanno, Michael Angelo.
Ten days to die. London, P. Davies [1951]
x, 310 p. illus. 21cm.

1. Hitler, Adolf, 1889-1945. I. Title.

NM 0912932 NIC KU MH

VOLUME 403

Musmanno, Michael Angelo, 1897 -
... The United States of America against Oswald Pohl, August Frank, Georg Loerner ... [and others] Concurring opinion
see under Germany (Territory under Allied occupation, 1945-1955. U.S. Zone) Military Tribunal II. [Supplement]

59
M973
1951
Musmarra, Alfio.
I cereali. Milano, Vallardi [1951]
131 p. (Biblioteca di cultura, 167)

1. Cereals. Italy. I. Biblioteca di cultura, 167.

NM 0912934 DNAL

Musmarra e Pagliai.
Riduttori polivalenti; nuovi metodi matematici applicati ai sistemi ridotti per i concorsi pronostici a due o tre varianti per ogni pronostico, toto calcio-totip. Roma, Tip. I. G. A. R. [19—]
95 p. 16 x 22 cm.

1. Probabilities. I. Title.

GV1302.M77 65-34127 ‡

NM 0912935 DLC

[Musmeci, Ruggero]
... Rvmon, sacrae Romae origines; tragedia in cinqve carmi. 1. ed. Roma, Libreria del Littorio, 1929.
6 p. l., [5] p. (music) cclxvi p., 1 l. 33cm.
Author's pseud., Ignis, at head of title.
"Musiche dei carmi scritte da Maso Guarnaschelli."

1. Romulus, king of Rome—Drama. 2. Rome—Hist.—Aboriginal and arly period—Drama. I. Guarnaschelli, Maso. II. Title.

Library of Congress PQ4829.U8R8 1929 29-19480

NM 0912936 DLC NcD

Musmeci, Zaccaria.
... Don Lorenzo Perosi e le sue opere; con lettera di S. E. il m.° Mascagni. Acireale, [Tipografia editrice xx secolo] 1932.
2 p. l., 7-112 p. 20½cm.

1. Perosi, Lorenzo, 1872-

Library of Congress ML410.P295M8 927.8 35-24554

NM 0912937 DLC

MUSNER, G. B.
Sul monumento a Dante Allighieri in Trento; ode. Venezia, 1896.
ff. 8.
Printed on one side of the leaf only.

NM 0912938 MH NIC

Muśnicki, Józef Dowbor-
see
Dowbor-Muśnicki, Józef, 1867-1937.

In
M974
850R
Musnicki, L N H
Roxolana, the Podolian; a tale of the sixteenth century. [London, 1850?]
53 p. 19 cm.

NM 0912940 CtY MH LNHT

Muśnicki, Nikodem.
Pułtawa; poema epiczne przez Nikodema Musnickiego Societatis Jesu Napisane. Połock: Drukarnia Coll. Soc. Jesu, 1803. 1 p.l., (1)6-214 p. 12°.

1. Poetry (Polish). 2. Title.
N. Y. P. L. June 2, 1914.

NM 0912941 NN

Muśnicki, Zygmunt.
... Przemysł a monopole państwowe. [Część] 1- Warszawa: E. Wende i S-ka, 1915- v. tables. 8°.
Contents: [Część] 1. Monopol zapałczany.

1. Matches.—Trade and statistics, Poland. 2. Matches.—Taxation, Poland.
N. Y. P. L. April 18, 1922.

NM 0912942 NN

Musnier (Olivier). * Sur les hydropisies enkystées des ovaires. 22 pp. 4°. Paris, 1820.

NM 0912943 DNLM

385.065
qM583ZM
Musnier, René
Les messageries nationales fondées le 19 Thermidor an 6 de la République, 1798-1948; histoire d'une société de transports pendant 150 ans. [Paris, Pouzet, 1948]
142 p. illus. (part col.), facsims., col. map, ports. 32 cm.

1. Les Messageries Nationales. 2. Transportation. France. History. I. Title.

NM 0912944 NcD

MUSNIER, Simon.
Jeanne et France; tragédie en trois actes par Simon Musnier et Jean de Metz. Arras, Imprimerie moderne, 1896.

NM 0912945 MH

WB
58223
Musnier, Simon
Jeanne et France; tragédie en trois actes par Simon Musnier et Jean de Metz. Paris, Sueur-Charruey, 1898.
xix, 124 p. 19 cm.

1. Jeanne d'Arc, Saint, 1412-1431 - Drama. I. Metz, Jean de joint author.

NM 0912946 CtY

MUSNIER, SIMON.
Jeanne et France; tragédie en trois actes, par Simon Musnier et Jean de Metz. Ed. bleue. Paris, Sueur-Charruey, 1898. xvii, 122 p. 19cm.
Microfiche (neg.) 3 sheets. 11 x 15cm. (NYPL FSN 12,499)

1. Jeanne d'Arc, Saint, 1412-1431--Drama. 2. Drama, French. I. Title. II. Metz, Jean de, joint author

NM 0912947 NN

Musnier-Desclozeaux, ed.

[Réal, Pierre François, comte] 1757-1834.
Indiscrétions. 1798-1830. Souvenirs anecdotiques et politiques tirés du portefeuille d'un fonctionnaire de l'empire. Mis en ordre par Musnier Desclozeaux. Paris, Dufey, 1835.

Musnier-Desclozeaux, ----, ed.

[Réal, Pierre François] comte, 1757-1834.
... Les indiscrétions d'un préfet de police de Napoléon. Paris, J. Tallandier [°1911]

Musnik, Henry.
Célinda. [Paris] Colbert [1954]
392 p. 23 cm.

I. Title.

PQ2625.U79C4 55-26783 ‡

NM 0912950 DLC

Musnik, Henry.
... Les femmes pirates ... Paris, "Le Masque" [1934]
3 p. l., 9-221 p., 1 l. 18½cm. (Aventures et légendes de la mer [pub. sous la direction de José Germain. 8])
Contents.—Au temps jadis.—Avant-hier. xviii° siècle. Mary Read et Anne Bonney.—Hier. xix° siècle. Mistress Ching, généralissime des "Ladrones".—Chez les pirates djoamis.—La mystérieuse compagne de Benito de Soto.—Aujourd'hui. xx° siècle. Lai-cho San, femme pirate de Macao.

1. Pirates. I. Title.
Library of Congress G535.M8 34-34913
Copyright A—Foreign 25481
[2] 910.4

NM 0912951 DLC TxU NN

Musnik, Henry, tr.

Owen, Harry Collinson, 1882-
... Les rois du crime, traduit de l'anglais par Henry Musnik. Paris, Nouvelle librairie française [1931]

Musnik, Henry.
Service secret; souvenirs et documents d'agents de renseignements. Illus. par Derambure. Paris [Éditions "La France au combat"] °1945.
61 p. illus. 20 cm. (Collection "Passim," no 3)

1. World War, 1939-1945—Secret service—France. I. Title. (Series)

D810.S8M8 51-33366

NM 0912953 DLC

Muso Anglia (pseud.)
Diary of several reports, etc. London, 1704
63p. 12°

NM 0912954 MWA

Muso Duro, Don, pseud.
see Leopardi, Monaldo, conte, 1776-1847.

Musocco, Luigi Alberigo Trivulzio, principe di.
see Trivulzio, Luigi Alberigo, principe di Musocco, 1868-

Musocco, Maddalena Teresa (Cavazzi della Somaglia) principessa di
see Trivulzio, Maddalena Teresa (Cavazzi della Somaglia) principessa.

Muşoiu, P.
... Cum se explică anarhiştiĭ. Ravachol — Vaillant — Emile Henry — Caserio — Declaratiile luĭ etievant: Dreptul de-a judeca. Dreptul la vieaţă. Bucureşti: "Mişcăreĭ Sociale," 1900. 58 p. 16°.

42170A. 1. Anarchism.
N. Y. P. L. December 6, 1922.

NM 0912958 NN

VOLUME 403

Muşoiu, P., and P. Zosin.
...Scoala liberă. Bucureştī: G. Panaitescu, 1897. 15 p. 16°.

42170A. 1. Education. 2. Zosin, P., jt. au.
N. Y. P. L. December 6, 1922.

NM 0912959 NN

Musold, Willy.
... Die organisation der kaliwirtschaft, von dr. Willy Musold. Berlin, R. Hobbing, 1926.
91, [1] p. 24½cm. (Schriften des Instituts für arbeitsrecht an der Universität Leipzig, hrsg. von dr. Erwin Jacobi ... 9. hft.)
"Literatur": p. [89]-91.

1. Potash industry and trade—Germany. I. Title.
Library, U. S. Dept. of Labor L 26-65

NM 0912960 DL NN

Musoles, Diego Zaforteza y
see
Zaforteza y Musoles, Diego.

Musolf, Lloyd D
Federal examiners and the conflict of law and administration. Baltimore, Johns Hopkins Press, 1953.
203 p. 23 cm. (The Johns Hopkins University studies in historical and political science, ser. 70, no. 1)
Bibliography: p. 184-194.

1. Examiners (Administrative procedure)—U. S. 2. Administrative law—U. S. I. Title. (Series)
H31.J6 ser. 70, no. 1 *344 351 53—6489
——— Copy 2.

Wa Or
ViU PSC WaU FU NcU NBuU PSt KMK CoU WaSp WaTC
NM 0912962 DLC WaU-L NN MiU OOxM PU-L MB OO OU PSt

KF
5402
M8
1953a

Musolf, Lloyd D
Federal examiners and the conflict of law and administration. Baltimore, Johns Hopkins Press, 1953. [Ann Arbor, Mich., 1967]
203 p. 23 cm. (The Johns Hopkins University studies in historical and political science, ser. 70, no. 1)
Bibliography: p. 184-194.
Photocopy (positive) made by University microfilms.
Printed on double leaves.

NM 0912963 NBuC

PT919
.P8M9

MUSOLFF, ANDREAS.
Heimatliche sagen und geschichten aus der provinz Posen, für die jugend erzählt von Andreas Musolff... Bromberg, Mittler, 1910-11.
2 v. in 1. illus. 16½cm.

1. Legends--Posen(Province)

NM 0912964 ICU

WLA
M987e
1906

MUSOLINO, A
L'epilessia. Messina, Nicastro, 1906.
176 p.
Contains errata slip.

NM 0912965 DNLM

Musolino, Benedetto, 1809-1885.
Gerusalemme ed il popolo ebreo. Cenni biografici per cura di Francesco Musolino. Pref. del prof. Gino Luzzatto. Roma, La Rassegna mensile d'Israel, 1951.
438 p. facsims., port. 25 cm. (Collana di opere ebraiche e sionistiche, 4)

1. Zionism. I. Title.
DS149.M87 1951 76-281120

NM 0912966 DLC CtY MH OCH NN

Musolino, Benedetto, 1809-1885.
Il prestito di 700 milioni e la riforma delle imposte; discorsi pronunziati alla Camera dei deputati nelle tornate del 27 e 28 febbraio, e 18 marzo 1863. Torino, Tip. del Diritto diretta da C. Bianchi, 1863.
24°.

NM 0912967 MH

Musolino, Benedetto, 1809-1885.
La quistione romana; discorso pronunziato nelle tornate dei 26 e 27 novembre 1872. Roma, presso gli Eredi Botta, 1872.

NM 0912968 MH

MUSOLINO, Benedetto, 1809-1885.
La rivoluzione del 1848 nelle Calabrie; opera inedita di Benedetto Musolino, preceduta da pochi cenni storici sulla sua vita pubblicati dall'avv. Saverio Musolino. Napoli, F. di Gennaro & A. Morano, 1903.

Port.

NM 0912969 MH

Musolino, Benedetto, 1809-1885.
La situazione finanziaria; discorso pronunziato nella tornata dei [!] 18 giugno 1870 in occasione della discussione dei provvedimenti finanziari pel pareggio. Firenze, Tip. Eredi Botta, 1870.
70 p.

NM 0912970 MH

Musolino, Bruno

PQ4829
U784
V6

Le voci del silenzio. Milano, Gastaldi [1950]
62p. 20 cm. (Poeti d'oggi [n.s.] 98)

NM 0912971 RPB

Musolino, G
L'ex-ministero del 28, 1848. Napoli, 1848.
Broadside. f°.

NM 0912972 NN

Musolino, Giovanni.
La Basilica di San Marco in Venezia. Presentazione di Sua Em. il patriarca di Venezia card. Angelo Giuseppe Roncalli. Venezia, F. Ongania [1955]
135 p. 104 illus., 5 col. plates. 25 cm.
Bibliography: p. 131-132.

1. Venice. San Marco (Basilica)
A 56-2216
Harvard Univ. Library for Library of Congress [3]

OrSaW WaU NIC
NM 0912973 MH OrSaW WaS ICA CU OU MB DDO PSt

Musolino, Giovanni
The Basilica of St. Mark in Venice. Venice, Ferdinando Ongania, [n.d.]
302p.117pl.(col.pl.) 24 1/2cm.

Bibliography, p.299.
Original title: "La basilica di San Marco in Venezia."
Translated by John Guthrie.

NM 0912974 OCIMA

Musolino, Giovanni, 1917-

PQ4829
U7844
P63

Poesia di Torcello. Sei disegni di Remigio Barbaro. [Lido-Venezia, Istituto tip. editoriale, 1951]
55p. illus. 19 cm.

NM 0912975 RPB

Musolino, Giuseppe, 1876- defendant.
Requisitoria nella causa contro il bandito Giuseppe Musolino e complici Giovanni Iati ...
see under Italy. Corte di assise, Lucca.

Musolino, il bandito per vendetta; vita—avventure—delitti—arresto—processo e condanna. Con 16 disegni in nero e 4 quadri a colori del pittore Carlo Chiostri. Firenze, A. Salani [°1914]
249 p., 1 l. incl. front., plates, ports. 4 col. pl. 24cm. L. 1.50

1. Musolino, Giuseppe, 1876- 2. Brigands and robbers—Italy.
Library of Congress HV6453.I 83 1914 a 14-15593

NM 0912977 DLC

MUSOLINO; procesos célebres. n.p., [1898 or later].
8°. n.t.p. Ill.
"Folletín de 'El Comercio popular'".

NM 0912978 MH

Lilly
Library
PR 3991
.M 88

Musomania; or, Poets' purgatory ... London, Printed for Baldwin, Cradock, and Joy, 1817.
iv, 120 p. 18.5 cm.

Dedication signed: Jeremiah Jingle.
Bound in the original boards.

I. Jingle, Jeremiah, pseud.

NM 0912979 InU

Musone, Don, pseud.
L'avvenire della stirpe latina. Roma: Tipografia romana, 1907. 76 p., 1 l. 8°.

1. Latin race.—Future. 2. Catholic Church (Roman).—Pro.
N. Y. P. L. September 6, 1913.

NM 0912980 NN

MUSONE, Pietro.
Camõens; dramma lirico in 4 atti di Enrico Golisciani. Musica del Maestro Pietro Musone. Padova, L. Penada, [18-].

pp.35-.

NM 0912981 MH

MUSONE, Pietro.
Camõens; dramma lirico in 4 atti di Enrico Golisciani. Musica del Maestro Pietro Musone. Napoli, G. Nobile, 1873.

pp.35.

NM 0912982 MH

Musoni, Francesco, geographer 551.0945 Q402
... Il bacino plavense. Saggio di geografia fisica e di antropogeografia. Parte I. e II. Padova, Verona, Fratelli Drucker, 1904.
169 p. 1 fold. map. 25cm.
At head of title: F. Musoni.

NM 0912983 ICJ

VOLUME 403

Musoni, Francesco, geographer.
Giovanni Marinelli, geografo ... Udine, 1901.
26 p. 8°.

NM 0912984 DLC

Musoni, Francesco. Pepelùhar: novella popolare slovena. 11 pp. (*Archiv. studio tradiz, popolari*, v. 9, 1890, p. 549.)—Usi e costumi degli **Sloveni veneti.** 9 pp. (*Archiv. studio tradiz. popolari*, v. 9, 1890, pp. 26, 416.)

NM 0912985 MdBP

Musoni, Francesco, geographer
...Gli Sloveni (Iugoslavi occidentali)... Novara: Istituto geografico de Agostini, 1919. 38 p. maps. 8°. ("Quaderni geografici." [Anno 1,] no. 10.)

1. Slovenians. 2. Ser.
N. Y. P. L. December 30, 1925

NM 0912986 NN

GR 15 F66 v.15 no.8 Musoni, Francesco, geographer.
Gli studî di folk-lore in Friuli.
Udine, M. Bardusco, 1894.
40 p. 20cm.

1. Folk-lore--Italy--Friuli.

NM 0912987 NIC

Grl2 M975 A7 Musoni, Giovanni, 16th cent.
Apollo Italicvs...nuper in lucem restitutus ...Ticini [Ex typis Francisci Moscheni] 1551.
30p. 15cm.
Title vignette.
In verse.

NM 0912988 CtY

Musonius, Joachim Georg.
Disputatio Theologica de Benedictione Danis Iisraelitica. Ad Genes. Cap. XLIX Vers. 16...18... Publice ventilandam proposit Joachinus Georgius Musonius Lugduni Batavorum, 1712.
24 p.

NM 0912989 PPDrop

Musonius, Joannes, of Cremona
see Musoni, Giovanni, 16th cent.

Musonius, Johannes Samuel, fl. 1709.
Disputatio Theologica De Tempore at Loco donati Apostolid Spiritus Sanati ... Lugduni Batavorum, A. Elzevier, 1709.
Copinger 3280.5

NM 0912991 PU

B528 .C28 Musonius Rufus, C.

Capelle, Wilhelm, 1871- *ed. and tr.*
Epiktet, Teles und Musonius; Wege zu glückseligem Leben. Zürich, Artemis-Verlag [1948]

Musonius Rufus, C.
Musonius Rufus, "The Roman Socrates," by Cora E. Lutz. New Haven, Yale Univ. Press, 1947.
147 p. 24 cm.
Greek and English on opposite pages.
"Reprinted from Yale classical studies, volume ten."

I. Lutz, Cora Elizabeth, 1906- ed. II. Title: The Roman Socrates.

A48-2771*
Yale Univ. Library
for Library of Congress [2]

NM 0912993 CtY IEG NNC OCU MiU NN CU

Musonius Rufus, C.
Musonius Rufus, "The Roman Socrates," by Cora E. Lutz. New Haven, Yale Univ. Press, 1947.
147 p. 24 cm.
Greek and English on opposite pages.
"Reprinted from Yale classical studies, volume ten."

I. Lutz, Cora Elizabeth, 1906- ed. II. Title: The Roman Socrates.

A48-2771*
Yale Univ. Library
for Library of Congress [2]

NM 0912993 CtY IEG NNC OCU MiU NN CU

Musonius Rufus, C.
C. Musonius Rufus on the higher education of women. [Signed by J. Muir] [Edinburgh? 1879?]
8 p. 12°.
n.-t.-p.

NM 0912994 NN

Musonius Rufus, C.
Mvsonii philosophi opvs de lvxv Graecorvm, ... ab Stephano Nigro congestum.
(In Gronovius, J. Thesavrvs Graecarvm antiqvitatvm. Vol. 8, col. 2465-2528. Lvgdvni Batavorvm. MDCXCIX.)

K241 — Greece. Manners. — Negri, Stefano, ed.

NM 0912995 MB NN DLC

Musonius Rufus, C.

Lauterbeck, Georg, *d.* 1578.
Regentenbuch auffs vleissigst vnd herrlichst von newem vbersehen vnd durch aus corrigiert vnd gebessert. Sampt einer newen vorrede an Fürstliche Durchlauchtigkeit in Preussen ... Es ist auch vber die rede des griechischen philosophi Musonij. dem gemeinen nutz zum besten, hieran gedruckt, die Summa der platonischen lere, von den gesetzen vnd regierung des gemeinen nutzes. Wie die von Johanne Schleydano in latein zusamen gezogen / vnd hernach mit vleis verdeudtschet, durch Georgium Lauterbecken ... Alles mit Römischer Keyserlicher Mayestat befreihung. auff sechs jhar nicht nachzudrucken. [Leipzig, 1561]

Musonius Rufus, C
C. Mvsonii Rvfi reliqviae; edidit O. Hense. Lipsiae, in aedibvs B. G. Tevbneri, 1905.
xxxvi, [2], 148 p. 17½cm. (*Lettered on cover:* Bibliotheca scriptorum graecorum et romanorum Teubneriana)
CONTENTS.—Praefatio.—Dissertationum a Lvcio digestarvm reliqviae.—Fragmenta minora.—Epistvlae spvriae.

I. *Hense, Otto, 1845- ed.
6-8485 Revised
Library of Congress PA3404.M8 1905

PHC PU MiU OCU OO OU
NM 0912998 DLC OrU WaU DDO CU CSt OrPR NcD NjP

---

881 M95 1822 Musonius Rufus, C
C. Musonii Rufi philosophi stoici Reliquiae et Apophthegmata. Cum annotatione edidit J. Venhuizen Peerlkamp ... Harlemi, 1822.
xxiv, vi, 422 p. 22cm.

"Petri Nieuwlandii Dissertatio de Musonio Rufo" ...: p.[1]-137.
I. Peerlkamp, Iacobus Venhuizen, ed.

NM 0912999 IU IEN PU MdBP NjNbS NNF NCH DLC

Musons, Agusti Baranera i
see Baranera i Musons, Agusti, 1895-1914.

Musophilus, pseud.
A new spring shadowed in sundry pithie poems
see Brathwaite, Richard, 1588?-1673.

Musophilus, pseud.
Novissima tvba... 1633
see Brathwaite, Richard, 1588?-1673.

MUSOPHILUS, pseud.
A posie for lovers.

See ROGERS, Thomas, 1660-1694.

Musophilus, pseud.
...Vergnügter poetischer zeitvertreib...... Dressden und Lpz., In verlegung des Autoris, Gedruckt bey Heinrich Christoph Takken, Anno 1717. Bound with Schreiber, Geo. Christoph Proben der Nieder-Sächsischen poesie. 1730.
299, 47 p.

NM 0913004 OClW

Musophilus, pseud.
Vergnügter Poetischer zeitvertreib, Bestehend aus Satyrisch-gluckwundschungs-galant-Sinn-Vermischt-und geistlichen gedichten. Nebst einer kurtzen doch deutlichen Unterweisung zur reinen Poesie.
L. Dresden u. L. 1717, Bound with third: Schreiber, Geo. Christoph Proben and C.
12+302+47 p.

NM 0913005 OClW

Musophilus, Basilius, pseud.
see Holland, Samuel, fl. 1656-1680.

Music M3 M96 1932a Musorgskii, Modest Petrovich, 1839-1881
[Works]
Complete works [of] Modest Mussorgsky. Edited by Paul Lamm. New York, E. F. Kalmus [pref. 1923-39; v. 1, pref. 1932]
score (21 v. in 20) 33 cm.

Most vols. have also special t. p. and introductory matter in Russian and German; v. 17 has special t. p. and introductory matter in Russian and French.

Contents. - v. 1. Szene in der Schenke from Boris Godunov. Szene bei Kromy from Boris Godunov. (Orchestra score) - v. 2. Boris Godunov. (Piano-vocal score) - v. 3. Boris Godunov. (Orchestra score) 4. v. - v. 4. Khovantchina. (Piano-vocal score) - v. 5. Der Jahrmarkt zu Ssorotschinzi. (Piano-vocal score) - v. 6. Der Jahrmarkt zu Ssorotschinzi. (Orchestra score) - v. 7. Marktszene from "Mlada." Zug der Fürsten und Priester from "Mlada"; für Singstimme und Klavier 4 Handen. - v. 8. Jungenlieder, für 1 Singstimme und Klavier. - v. 9-10. Lieder und Gesänge, für 1 Singstimme und Klavier. - v. 11. Der Schaukasten, für 1 Singstimme und Klavier. - v. 12. Die Kinderstube, für 1 Singstimme und Klavier. - v. 13. Ohne sonne, für 1 Singstimme und Klavier. - v. 14. Lieder und Gesänge, für 1 Singstimme und Klavier. -

Continued in next column

VOLUME 403

Continued from preceding column

v. 15. Lieder und Tänze des Todes, für 1 Singstimme und Klavier. - v. 16. Six works for orchestra: Feierlicher Marsch. Marfa's Lied. Nacht. Scherzo. Intermezzo. Hopak. - v. 17. Tableaux d'une exposition, pour piano. - v. 18. Three works for piano, 4 hands: Feierlicher Marsch. Scherzo in B. Intermezzo. - v. 19. Salambo, an unfinished opera. (Vocal score with Russian words) - v. 20. Folk songs, with Russian words. - v. 21. Choral works for voices and piano, with Russian text.

NM 0913012 MeB WaTC

M 3 M97 Musorgskii, Modest Petrovich, 1839-1881.
[Works]
Complete works, ed. by Paul Lamm. New York, Edwin F. Kalmus [1930-1933]
18 v. 33 cm.

1. Music--Collected works.

NM 0913013 NSyU CaBVaU DCU NjR CoU

BROWN MUSIC COLLECTION ed.
M3 .M85 Musorgskiĭ, Modest Petrovich, 1839-1881.
[Collected works]
... Sämtliche werke ... herausgegeben von Paul Lamm ... Moskau, Staatsmusikverlag, R.S.F.S.R; London, Oxford university press, 1931-
v. 29 1/2-36cm.
Title also in Russian.
At head of title: M. Mussorgsky.
Title transliterated: Polnoe sobranie sochinenii.
CONTENTS.—Bd. 1, f.1. Szene in der schenke aus der oper "Boris Godunow," 1932.—Bd. 2. Chowanschtschina. 1931.—Bd. 3, f.1. Der jahrmarkt zu Ssorotschinzi. Klavierauszug mit text, 1933.—Bd. 3, f.2. Der Jahrmarkt zu Ssorotschinzi. Orchester partitur, 1934.—Bd. 4, f. 2. Die heirat. Erster aufzug in vier szenen, 1933.—Bd. 5, f. 1-2. Jugenlieder, 1931.—Bd. 5, f. 3-4. Lieder und gesange, 1933, 1931/III.—Bd. 5, f. 5. Der schaukasten, 1931.—Bd. 5, f. 6. Die kinderstube, 1931.—Bd. 5, f. 7. Ohne sonne, 1931.—Bd. 5, f. 8. Lieder und gesange, 1934.—Bd. 5, f. 9. Lieder und tanze des todes, 1931.—Bd. 5, f. 10. Z apisi narodnykh pesen, chernovye nabroski i drugie materialy, 1939.—Bd. 6. Хоровые произведения. 1939. —Bd. 7, f. 1. Mlada. Feierlicher marsch. Orchesterpartitur, 1931.—Bd. 8. Pièces pour piano, 1939.—Bd. 8, f. 3. Scherzo B. Fur klavier zu 4 handen, 1931/III
I. Lamm, Pavel Aleksandrovich, 1882- ed.

NM 0913016 MB PU-FA

Mus M 3 M87 Musorgskii, Modest Petrovich, 1839-1881.
[Works]
Complete works, edited by Paul Lamm. New York, Kalmus [195-?]
18v. in 15.

Reprint of 1928/34 Moskau, Staatsmusikverlag edition.
Contents: See other Cards.

1. Music - Collected works. I. Lamm, Paul, ed. Main Cat.

Contents.-v.1 Szene in der Schenke from Boris Godunov. Szene bei Kromy from Boris Godunov. Orchestra score.-v.2 Boris Godunov. Piano-vocal score.-v.3 Boris Godunov. Orchestra score.-v.4 Khovantchina, a musical folkdrama. Piano-vocal score.-v.5 Der Jahrmarkt zu Ssorotschinzi. Piano-vocal score.-v.6. Der Jahrmarkt zu Ssorotschinzi. Orchestra score.-v.7 Marktszene from "Mlada". Zug der Fürsten und Priester from "Mlada", für Singstimme und Klavier 4 Händen.-v.8 Jugenlieder, für 1 Singstimme und Klavier.-v.9. Lieder und Gesänge, für 1

Continued in next column

Continued from preceding column

Singstimme und Klavier.-v.10 Lieder und Gesänge, für 1 Singstimme und Klavier.-v.11. Der Schaukasten, für 1 Singstimme und Klavier.-v.12. Die Kinderstube, für 1 Singstimme und Klavier.-v.13. Ohne Sonne, für 1 Singstimme und Klavier.-v.14. Lieder und Gesänge, für 1 Singstimme und Klavier.-v.15. Lieder und Tänze des Todes, für 1 Singstimme und Klavier.-v.16. Six works for orchestra: 1. Feierlicher Marsch. 2. Marfa's Lied. 3. Nacht. 4. Scherzo. 5. Intermezzo. 6. Hopak.-v.17. Tableuv d'une Exposition, pour piano.-v.18.Three works for piano 4 hands: 1. Feierlicher Mar sch. 2. Scherzo in B. 3. Intermezzo.

NM 0913019 FTaSU

Musorgskii, Modest Petrovich, 1839-1881
....Air de Boris Godounow...Mainz-Lpz. B. Schott's soehne [etc., etc., c1926]
2 pts.

At head of title; S. Dushkin. Compositions et transcriptions, violon et piano. no.....21.
Publisher's plate no.: 31494.
Pt. 1. Violin-piano score. Pt. 2. Violin part (in pocket of pt. 1.)

NM 0913020 OCl

Musorgskii, Modest Petrovich, 1839–1881.
Album of eight pieces for the piano, by Modest Moussorgsky. Boston: The Boston Music Co. [1923.] Publ. pl. nos. B. M. Co. 6732–6739. 36 p. f°.

"Edited by Henry Clough-Leighter."
On cover: The Boston Music Company edition, no. 394.
Contents: Impromptu passion. Niania and I. The old castle. The market place at Limoges. Crimean impressions. A tear. The seamstress. At the village.

1. Piano. 2. Clough-Leighter, Henry, 1874– , editor.
N. Y. P. L. November 19, 1923.

NM 0913021 NN IU PPCI PP OCl

Musorgskii, Modest Petrovich, 1839-1881.
1. Albumblatt. 2. Eine Träne. 3. Impromptu passionné. Für Klavier herausgegeben und revidiert von Viktor Hruby. Wien, C.Haslinger [1946?]

Score (7 p) 30 cm.

NM 0913022 MH

Musorgskii, Modest Petrovich, 1835–1881.
Années de jeunesse; recueil de mélodies, de M. Moussorgsky (1857–1865). Revision du texte musical et version française de Louis Laloy... Petrograd: W. Bessel & Cie. [cop. 1923]. Publ. pl. nos. W. 5948^a, 6949–6952, 8004–8015 B. 88 p. front. (port.) f°.

French and Russian words with music for 1 voice with piano acc.

JUILLIARD FOUNDATION FUND.
1. Songs (Russian). 2. Laloy, Louis, 1874–1944, translator. 3. Title.
N. Y. P. L. September 29, 1924

NM 0913023 NN MH

Musorgskii, Modest Petrovich, 1839-1881.
Après la bataille. Ballade. Poème de Golenitchef-Koutousof... Musique de Moussorgski [Piano acc.] Bruxelles, J. Milot, 1898.
3 p. f°. (Chants populaires. No. 1.)

NM 0913024 NN

Musorgskii, Modest Petrovich, 1839-1881
...Aux champignons, melodie [5 pts. in portfolio. Lpz. M. P. Belaieff, n.d.
At head of title-page: Miniatures...Musique arrangée pour orchestre de salon.
Full score lacking.
Contents of portfolio:
violin solo — bass
violin obligato — piano
violincello.

NM 0913025 OCl

M 459 .M975P4 Musorgskiĭ, Modest Petrovich, 1838-1891.
[Pictures at an exhibition. Selections; arr.]
Ballet of the chickens in their shells from "Pictures at an Exhibition." Woodwind quintet. Arranged by Clarke S. Kessler for flute, oboe, Bb clarinet, horn in F and bassoon with score. Chicago, Rubank [c1936]
score (3p.) and 5 parts 31 cm. (Rubank Woodwind Ensemble Library)

1. Wind quintets (Bassoon, clarinet, flute, horn, oboe), Arranged. I. Kessler, Clarke S., ed.

NM 0913026 OKentU INS AAP IU FTaSU

Musorgskii, Modest Petrovich, 1839-1881. No. 4 in **M.406.102
Berceuse de Yeromoushka. Paroles de Nekrassow. Traduction française de M. D. Calvocoressi. Deutsch von A. Bernhard. [Musique de] M. Moussorgsky. [Chant et piano.]
= St. Petersbourg. Bessel & cie. 1908. 3 pp. [Oeuvres vocales ... No. 3.] 35 cm.
The title is repeated in German and Russian.
The text is in French, German and Russian.

E1391 — Double main card. — Musorgski, Modest Petrovitch, 1835-1881. (M1) — Nekrasov, Nikolai Alekseevitch, 1821-1878. (M2) — T.r. Chant. (1) — Cradle songs. (1) — Calvocoressi, Michael D., tr., 1877-. (2) — Bernhard, A., tr. (2)

NM 0913027 MB

Musorgskiĭ, Modest Petrovich, 1839-1881.
... Bilder einer ausstellung. Tableaux d'une exposition. Eine folge von zehn stücken für klavier zu 2 händen... hrsg. von Walter Niemann. Leipzig, Peters [18--]
35 p. 30.5 cm. (Edition Peters no. 3727a)
I. Niemann, Walter, 1876- ed.
II. Main cd. (Music)

NM 0913028 NjP OO NcU

M 24 .M98 P6 19-- Musorgskiĭ, Modest Petrovich, 1839-1881.
[Pictures at an exhibition]
Bilder einer Ausstellung. Tableaux d'une exposition. Eine Folge von zehn Stücken für Klavier zu 2 Händen. Hrsg. von Walter Niemann. Leipzig, C.F.Peters [19--?] Pl.no.10274. score (35 p.) 30 cm. (Edition Peters, no.3727a)

1.Suites (Piano) I.Niemann, Walter, 1876- ed.

NM 0913029 MiU OrP

Musorgskiĭ, Modest Petrovich, 1839-1881.
Bilder einer Ausstellung. Tableaux d'une exposition. Zehn Stücke für Klavier von M. Moussorgsky. Mainz, B. Schott's [c1914] [c1914]
45 p. 30.5 cm.

NM 0913030 PHC PU-FA MH ICU OO OU MB KU

COLLEGE OF SOUTH JERSEY
M24 .M933P53 1924 Musorgskii, Modest Petrovich, 1839-1881.
[Pictures at an exhibition]
Bilder einer Ausstellung. Tableaux d'une exposition. [Pictures from an exhibition] Eine Folge von zehn Stücken für Klavier zu 2 Händen, von M. Moussorgsky, hrsg. von Walter Niemann. New York, Peters [c1924]
35 p. 31 cm. (Edition Peters, nr. 3727a)

1.Suites (Piano) I.Niemann, Walter, 1876-1953, ed. II.Title: Pictures at an exhibition. III.Title: Bilder einer Ausstellung.

NM 0913031 NjR

VOLUME 403

Musorgski, Modest Petrovich, 1839–1881.
[Pictures from an exhibition.]
...Bilder einer Ausstellung. | Tableaux d'une exposition. Quadri d'una esposizione. Pictures from an exhibition. Piano solo. (Otto Singer.) Leipzig[, etc.]: A. J. Benjamin[, 1925]. Publ. pl. no. A. J. B. 7955. 31 p. 31cm. (Die neue Elite-Edition. Nr. 173.)

At head of title: M. Mussorgski.
"Moussorgsky received the inspiration for his composition...from an exhibition of drawings and water colours by the architect V. Hartmann (1874)."

CONTENTS.—Promenade.– Gnomus. Promenade.—Das alte Schloss. Promenade.—Tuileries: Spielende Kinder im Streit.—Bydło. Promenade.—Ballett der Küchlein in ihren Eierschalen.—Samuel Goldenberg and Schmuyle. Promenade.—Der Marktplatz in Limoges.—Catacombae. Con mortuis in lingua mortua.—Die Hütte der Baba-Yaga.—Das grosse Tor von Kiew.

WESLEY WEYMAN COLL.
1. Piano. I. Singer, Otto, 1863–1931, editor. II. Hartmann, Viktor Aleksandrovich, 1834–1873. III. Title. IV. Title: Tableaux d'une exposition. V. Title: Quadri d'una esposizione. VI. Title: Pictures from an exhibition.
N. Y. P. L. January 17, 1935

NM 0913033 NN OrP

786.405 M86p Musorgskii, Modest Petrovich, 1839-1881
[Pictures at an exhibition]
Bilder einer Ausstellung - Tableaux d'une exposition - Pictures from an exhibition. Zehn stücke fur Klavier. Nach dem Urtext hrsg. von Alfred Dreutz. London, Schott & co. [1954] score (45 p.) (Edition Schott 525)

At head of title: Modeste Moussorgsky

NM 0913034 MtBC OClW

Musorgskiĭ, Modest Petrovich, 1839-1881.
[Boris Godunov. Libretto. English & Russian transliterated]
Boris Godounoff, musical folk drama in four acts and nine scenes, with a prologue (after Pushkin and Karamzin) Arranged and orchestrated by N. Rimsky-Korsakoff. In alliteral translation from the Russian by Louis Biancolli, with a transliterated version of the Russian text. [n.p.] Radio Corporation of America (RCA Victor Division, ©1952.
55 p. 18 x 18 cm.

NM 0913035 NcU

M1503 M98B64 1909 Musorgskiĭ, Modest Petrovich, 1839-1881.
[Boris Godunov. Piano-vocal score. French & Italian]
Boris Godounov. Drame musical populaire en 4 actes avec un prologue (d'après Pouchkine et Karamzine) Revue et instrumenté par N. Rimsky-Korsakov. Version française de M. Delines et L.Laloy. Traduzione italiana di M.Delines ed E.Palermi. Paris, W.Bessel, c1909. Pl. no. 6452.
295 p. 31cm.
1.Operas. I. Rimskiĭ-Korsakov, Nikolaĭ Andreevich, 1844-1908, ed. II. Pushkin, Aleksandr Sergieevich, 1799-1837. III.Karamzin, Nikolaĭ Mikhaĭlovich, 1766-1826. IV.Title.

NM 0913036 CSt NcU

Musorgskii, Modest, Petrovich, 1839-1881.
[Boris Godunov. Libretto. English]
Boris Godounov; a national music drama in four acts with a prologue (from Poushkin and Karamzin) New ed., rev. and orchestrated by N. Rimsky-Korakov... Berlin, Breitkopf and Härtel [1910]
79 p.
Operas - Librettos.
1. Boris Godounov, Czar of Russia, 1551?-1605 Drama.

NM 0913037 KMK

M 782.1 M987B Musorgskii, Modest Petrovich, 1839-1881. 1910
[Boris Godunov. Piano-vocal score. English & German]
Boris Godounov, a national musical drama in four acts with a prologue (after Poushkin and Karamzin) Rev. and orchestrated by N. Rimsky-Korsakov. English version by Rosa Newmarch. Petrograd, Bessel, c1910.
293p. port. 31cm.

1. Operas - Vocal scores with piano

NM 0913038 NBC NNU ICN IU NN

Musorgskiĭ, Modest Petrovich, 1839–1881.
[Boris Godunov. Libretto. English & Italian]
Boris Godounov, a musical drama in three acts; music by M. Moussorgsky. New York, ©1911.
51 p. 26cm.
Libretto by the composer.
Based on Pushkin's Boris Godunov.

1. Boris Godunov, czar of Russia, 1551?–1605—Drama. I. Pushkin, Aleksandr Sergeevich. Boris Godunov.
43–49372
Library of Congress ML50.M993B6

NIC MeB NcRS PU NNUT MB NNC
NjP NcD IEdS LNHT MiD OCl IaU NN IU CoU FU CSt OkU
NM 0913039 DLC NN NcU FTaSU ICarbS MoSW OKentU CU

Musorgskiĭ, Modest Petrovich, 1839-1881.
Boris Godounov, a national music drama in four acts with a prologue (from Poushkin and Karamzin) by Modeste Moussorgsky. New ed. rev. and orchestrated by N. Rimsky-Korsakov. English translation by Rosa Newmarch. Leipzig, N.Y., Breitkopf & Härtel, c1919.
293 p. (music) port. 33 cm.

NM 0913040 PSC

Musorgskiĭ, Modest Petrovich, 1839–1881.
[Boris Godunov. Libretto. French]
Boris Godounov; drame musical populaire en quatre actes et neuf tableaux avec un prologue. Paroles françaises de Michel Delines, revues par Louis Laloy. Paris, W. Bessel [1922, ©1908]
72 p. 18 cm.
The libretto, by the composer, is based on Pushkin's Boris Godunov and N. M. Karamzin's History of the Russian Empire. Cf. Loewenberg. Annals of opera.
1. Boris Godunov, Czar of Russia, 1551?–1605—Drama. [2. Operas—Librettos] I. Title.
ML50.M993B63 1922 50–54333

NM 0913041 DLC NcU

782.13M M 974 DB Musorgskiĭ, Modest Petrovich, 1839-1881.
[Boris Godunov. Piano-vocal score. French & Russian]
Boris Godounov; drame musical populaire en 4 actes avec un prologue (d'après Pouchkine et Karamzine) Revu et instrumenté par N. Rimsky-Korsakov (1908) Version française de M. Delines et L. Laloy. Petrograd, New York, W. Bessel; Berlin, Breitkopf & Härtel, ©1922.
293 p. port. 31cm.

NM 0913042 OO

M782.1 M987.b Musorgskii, Modest Petrovich, 1839-1881.
[Boris Godunov. Piano-vocal score. French & Russian]
Boris Godounov; opéra. Nouv. ed., rev., instrumentée par N. Rimsky-Korsakov. Version française de M. Delines et Louis Laloy. Paris [New York] W. Bessel [1923]
285p. 30cm.

I.Rimskii-Korsakov, Nikolai Andreevich, 1884-1908, arr. II.Title.

NM 0913043 IEN

782.15 M987b S B Musorgskii, Modest Petrovich, 1839-1881.
[Boris Godunov. Piano-vocal score. French & Russian]
Boris Godounov, drame musical populaire en 4 actes avec un prologue (d'après Pouchkine et Karamzine) de M. Moussorgsky. Revu et instrumenté par N. Rimsky-Korsakov. Version françaises de M. Delines et L. Laloy. Petrograd, W. Bessel, c1923. Pl. no. W6470B.
215 p. 31cm.

At head of title: Théâtre national de L'Opera.

1. Operas - Piano-vocal score. I. Title.

NM 0913045 FU

M 1503 .M98 B7 1923 Musorgskiĭ, Modest Petrovich, 1839-1881.
... Boris Godounov; drame musical populaire en 4 actes avec un prologue (d'après Pouchkine et Karamzine) de M.Moussorgsky, revu et instrumenté par N.Rimsky-Korsakov (1908). Version française de M.Delines et L.Laloy ... Petrograd, W.Bessel & cie.; [etc.,etc.] c1909/1923.
4 p.ℓ., 293 p. front.(port.) 31 cm.
"Partition chant et piano (texte français et russe)"
Title also in Russian.

NM 0913046 MiU MH

Musorgskiĭ, Modest Petrovich, 1839–1881.
[Boris Godunov. Piano-vocal score. English, French & Russian]
Boris Godounov; drame musical national en 4 actes et un prologue d'après Pouchkine et Karamzine. Version française de Robert Godet et Aloys Mooser. Réduction pour chant et piano conforme à la version originale. Boris Godounov; national music drama in 4 acts and a prologue after Pouchkine and Karamzine. English version by M. C. H. Collet. Vocal and piano score strictly according to the original version. London, J. & W. Chester [©1926]
314 p. illus., ports., facsims. 35 cm.
Libretto by the composer.
1. Operas—Vocal scores with piano. I. Title.
M1503.M996B63 1926 M 56–732

WU PSt NBC CLU
MiU CSt IaU OO ICN MB NN ICU IaU NIC CU AU MeB
NM 0913047 DLC IEN MH CtY OClW NcU ViU KMK CSf

Musorgskiĭ, Modest Petrovich, 1839–1881.
[Boris Godunov. Libretto. English, French & Russian]
Boris Godounov, drame musical. Poème de Pouchkine. Musique de Moussorgsky; version de Rimsky-Korsakov. [Paris] La Voix de son maître [195–]
36 p. illus., ports., facsims. (incl. music) 30 x 31 cm.
The libretto by the composer, is based on Pushkin's Boris Godunov and N. M. Karamzin's History of the Russian Empire. Cf. Loewenberg. Annals of opera.
Intended for use with the recording of the opera (La Voix de son maître FALP 184–187)
1. Boris Godunov, Czar of Russia, 1551?–1605—Drama. [2. Operas—Librettos] I. Title.
ML50.M993B63 55–39104

NM 0913048 DLC OrU

Musorgskiĭ, Modest Petrovich, 1839–1881.
[Boris Godunov. Libretto. English]
Boris Godounov, opera in four acts with a prologue. Arr. and orchestrated by N. Rimsky-Korsakov, English version by Edward Agate. Complete libretto. London, New York, W. Bessel; sole selling agents, Boosey & Hawkes [1950]
51 p. 18 cm.
The libretto, by the composer, is based on Pushkin's Boris Godounov and N. M. Karamzin's History of the Russian Empire. Cf. Loewenberg. Annals of opera.
1. Boris Godunov, Czar of Russia, 1551?–1605—Drama. [2. Operas—Librettos] I. Title.
ML50.M993B62 1950 54–41337

NM 0913049 DLC

VOLUME 403

M
1503
M9
B6

Musorgskiĭ, Modest Petrovich, 1839-1881.
[Boris Godunov. Piano-vocal score. English & German]
Boris Godounov; a national music drama in four acts with a prologue (after Puschkin and Karamsin) by M. Moussorgsky. Arranged and orchestrated by N. Rimsky-Korsakov. Paris, W. Bessel, c1924-1950.
293 p. 31cm.

1. Operas - Vocal scores with piano. I. Title.

NM 0913050 IdU IU FTaSU TxU

Musorgski, Modest Petrovich, 1839–1881.
[Boris Godunov. Vocal score. French & Italian]
...Boris Godounov; drame musical populaire en 4 actes avec un prologue (d'après Pouchkine et Karamzine) de M. Moussorgsky. Revu et instrumenté par N. Rimsky-Korsakov (1908). Version française de M. Delines [pseud.] et L. Laloy... Traduzione italiana di M. Delines [pseud.] ed E. Palermi... Paris, W. Bessel & cie. [1950] c1908–c1909. Pl.no. 6452. 295 p. 31cm.

1. Operas—Vocal scores. I. Karamzin, Nikolaĭ Mikhaĭlovich, 1766–1826. II. Pushkin, Aleksandr Sergeyevich. Boris Godunov. III. Ashkinazi, Mikhail Osipovich, 1851–1914, tr. IV. Laloy, Louis, 1874– , tr. V. Palermi, E., tr. VI. Rimski-Korsakov, Nikolaĭ Andreyevich, 1844–1908. VII. Title.

NM 0913051 NN MB RPB

M
.1503
.M996
B63
1951

Musorgskiĭ, Modest Petrovich, 1839-1881.
[Boris Godunov. Piano-vocal score]
Boris Godounov; a national music drama in four acts with a prologue (after Puschkin and Karamsin) Arr. and orchestrated by N. Rimsky-Korsakov. English version by Edward Agate. Boris Godunow; musikalisches volksdrama in vier Aufzügen und mit einem Prolog... Neue Deutsche Textfassung von Heinrich Möller. Paris, W. Bessel [c1951]
293p. 32cm.

English and German words.

1. Operas. 2. Boris Godunov, Czar of Russia, 1551?-1605. Drama. I. Title.

NM 0913053 OrU NBC CaBVaU

Musorgskii, Modest Petrovich, 1839-1881.
[Boris Godunov. Piano-vocal score. French, German & Russian]
Boris Godounov, opéra en quatre actes et un prologue. Edition originale (1874) version française de M. Delines et L. Laloy. Deutsche Textfassung von Dr. Heinrich Moeller. Paris, W. Bessel & Cie; Wiesbaden, Breitkopf & Härtel [c1952]
score (284 p.)
This edition of the piano-vocal reduction was corrected by Musorgskii.

NM 0913054 OU NN MH MtBC TU CaBVaU

MUSORGSKII, MODEST PETROVICH, 1839-1881.
[BORIS GODUNOV. SCENE IN FRONT OF THE CATHEDRAL OF BASIL THE BLESSED]
Boris Godounov; scène devant la Cathédrale de Basile le Bienheureux à Moscou; fragment de l'opera, version primaire (1869). Scene in front of the Cathedral of Basil the Blessed in Moscow; fragment from the opera, primary version (1869) Paris, W. Bessel, 1953. score (19 p.) 35cm.

For solo voices and chorus (SAATTBB) with piano; acc. originally for orchestra. Words in Russian (L. Laloy) German (O. v. Riesenmann) and English (A. Collingwood).
The sixth scene of the first version, later omitted by the composer.

1. Choral music, Secular (Mixed, 7 pt.)--Keyboard acc.

NM 0913056 NN

Musorgskii, Modest Petrovich, 1839-1881.
[Boris Godunov. Piano-vocal score. Russian]
Boris Godounov; opéra en quatre actes et un prologue. Ed. originale (1874) Wiesbaden, Breitkopf & Härtel [1954]
score (284 p.)
Piano-vocal score.
Text in Russian, French and German.

1. Operas - Vocal scores with piano. 2. Boris Godunov, Czar of Russia, 1551?-1605 - Drama. I. Title.

NM 0913057 MsSM

Mousorgskiĭ, Modest Petrovich, 1839-1881.
... Boris Godounow; drame musical national en 4 actes et 9 tableaux, avec un prologue... Nouv. éd., rev., retouchée et instrumentée par N. Rimsky-Korsakow. Version française de Michel Delines. Paris, W. Bessel & cie., c1908.
293 p. front. (port.)
Title and text in Russian and French.

NM 0913058 IU IaU

782.17
M98br
f

Musorgskiĭ, Modest Petrovich, 1839-1881
[Boris Godunov; acc. arr. piano]
... BorisGodounow; drame musical populaire en 4 actes avec un prologue (d'après Pouchkine et Karamzine) de M. Moussorgsky. Nouvelle éd., rev., retouchée et instrumentée par N.Rimsky - Korsakow; traduction française de Michel Delines [pseud.]... St. Petersbourg, W. Bessel & cie; [etc., etc.] c1908. Publ.pl.no. 6452.
3 p.l., 293 p. front.(port.) 31½cm.
French title preceded by title in Russian.
Words in Russian and French.
1. Operas. I. Rimskiĭ-Korsakov, Nikolaĭ Andreevich, 1844-1908, ed.II.Pushkin, Aleksandr Sergieevich, 1799-1837.III.Karamzin,Nikolaĭ Mikhaĭlovich,1766-1826.

NM 0913059 CSt MB OCU MH PP NN RPB OCl

M1503
.M98B6
1909

Musorgskiĭ, Modest Petrovich, 1839-1881.
[Boris Godunov. Piano-vocal score. French and Russian]
Boris Godounow; drame musical populaire en 4 actes avec un prologue (d'après Pouchkine et Karamzine) Nouv. éd., rev., retouchée et instrumentée par N. Rimsky-Korsakow; traduction française de Michel Delines [pseud.] St. Petersbourg, W. Bessel; Leipzig, New York, Breitkopf & Härtel, c1909.

score (215 p.) 31cm.
Title also in Russian.
Publisher's pl. no.: 6470.

1. Operas—Vocal scores with piano. I. Rimskiĭ-Korsakov, Nikolaĭ Andreevich, 1844-1908, arr. II. Ashkinazi, Mikhail Osipovich, 1851-1914, tr.

NM 0913061 MB

Mussorgski, M[odest Petrovich], 1839-81.
Boris Godounow; dramma musicale popolare in tre atti e sette quadri di M. Moussorgsky. Edizione italiana. Traduzione ritmica di L. Loro. Riduzione per canto e pianoforte. Milano: E. Sonzogno [1910]. 4 p.l., 208 p. 4°.

1. Operas.—Piano and voice. 2. Loro, Livio, translator. 3. Title.
N. Y. P. L. November 15, 1912.

NM 0913062 NN OClW CSt

M33
.M88B64
1910

Musorgskii, Modest Petrovich, 1839-1881.
[Boris Godunov. Piano score]
Boris Godounow. Dramma musicale popolare in tre atti e sette quadri. Riduzione per pianoforte solo di Livio Loro. Milano, E. Sonzogno [1910]
score (112 p.) 30cm.

1. Operas—Piano scores. I. Loro, Livio, arr. II. Title.

NM 0913063 MB

M782.I
M974b

Musorgskii, Modeste Petrovich, 1839-1881.
[Boris Godunov. Piano-vocal score. English & French]

Boris Godunof; an opera in four acts with a prologue, the subject taken from A.S. Pushkin's dramatic chronicle bearing the same title... The complete original text edited in accordance with the autograph manuscripts, including hitherto unpublished scenes, episodes, fragments, and variants, by Paul Lamm. English translation by M.D. Calvocoressi. London, Oxford univ. press c1928.
xxiii,458p. 31cm.

NM 0913064 OrU OrSaW

Musorgski, Modest Petrovich, 1839–1881.
...Boris Godunof; an opera in four acts with a prologue. The libretto translated into English by M. D. Calvocoressi. London: Oxford Univ. Press, 1929. vii, 58 p. 16°.

Libretto. English words.
Text as well as music by Musorgski. Based on the drama by Pushkin, and Karamzin's history of Russia.
"This edition gives in full both the initial version of Boris Godunof (1868–9) and the final version (1872)."
Author's name: M. Mussorgsky, at head of title.

1. Drama, Russian—Translations into English. 2. Drama, English—Translations from Russian. I. Calvocoressi, Michel D., 1877– , translator. II. Title.
N. Y. P. L. May 20, 1930

NM 0913065 NN OCl PU MiD IEN CSt OCU WU

ML
50
M993
B65
1908

Musorgskii, Modest Petrovich,1839-1881
Boris Godunoff; dramma musicale popolare in quattro atti e un prologo da Puskin e Karamsin. Parole e musica de M.P. Mussorgsky, Nuova versione, 1908
80 p.

BORIS GODUNOV, CZAR OF RUSSIA,1551?-1605--DRAMA
OPERAS--LIBRETTOS

NM 0913066 KMK

M
1503
M98B7
1924+

Musorgskiĭ, Modest Petrovich, 1839-1881.
Boris Godunoff; musikalisches Volksdrama in 4 Aufzügen und mit einem Prolog. Klavierauszug mit Text. Deutsche Übersetzung von Max Lippold neu bearbeitet von Dr. Heinrich Möller. Petersburg, W. Bessel; Berlin, Breitkopf & Härtel [1924] Publ. pl. no. W.8118 B.
284 p. 27cm.

1. Operas--Vocal scores with piano. I. Title.

NM 0913067 NIC OCl MH

Musorgskiĭ, Modest Petrovich, 1839–1881.
[Boris Godunov. Libretto. Italian]
Boris Godunoff; dramma musicale popolare in quattro atti e un prologo da Puskin e Karamsin. Parole e musica di M. P. Mussorgsky; traduzione ritmica italiana di Michele Delines ed Enrico Palermi. Milano, Sonzogno [1942, °1908]
56 p. 19 cm.

1. Boris Godunov, Czar of Russia, 1551?–1605—Drama. [2. Operas—Librettos] I. Title.
ML50.M993B65 1942 782.1 51–45038

NM 0913068 DLC

MT100
.M9B25

Musorgskiĭ, Modest Petrovich, 1839-1881.

Lawrence, Robert.
Boris Godunoff, by Modeste Moussorgsky; adapted by Robert Lawrence, illustrated by Alexandre Serebriakoff and Paul Kinnear. New York, Artists & writers guild, inc.; Grosset & Dunlap, distributors [1944]

VOLUME 403

Musorgski, Modest Petrovich, 1839-1881.
[Boris Godunov. Libretto. Italian]
Boris Godunoff; dramma musicale popolare in quattro atti e un prologo da Puskin e Karamsin. Parole e musica di M. P. Mussorgsky. Traduzione ritmica italiana di Michele Delines ed Enrico Palermi. Nuova ristampa. Milano, Casa musicale Sonzogno [1944, c1908] 56 p. 19cm.

NM 0913070 NN

M1004
M98P2
Musorgskiĭ, Modest Petrovich, 1839-1881.
[Boris Godunov. Prologue]
Boris Godunov; opera. Prologue. [San Francisco] Northern California Music Project. Works Project Administration [19--]
85 p. & 58 pts. 27-35°.
Copy made by Northern California Music Project.
Choral scores are for the complete opera.
The prologue was taken from Pushkin and Karamzin; and orchestrated by Rimskiĭ-Korsakov.
1.Overtures. I.Rimskiĭ-Korsakov, Nikolaĭ Andreevich, 1844-1908. II.Title.

NM 0913071 CSt

Musorgskiĭ, Modest Petrovich, 1839-1881.
[Boris Godunov. Libretto. Spanish]
Borís Godunov; drama musical nacional, e 4 actos y en 9 cuadros con un prólogo. Música por M. Musorgsky. Versión española de Alexis Markoff y Juan Gols. Moscou, W. Bessel & Cª.; Berlin, Breitkopf & Härtel... [c1908]
63 p. 19 cm. (Teatro Borrás [Operas] v. 4, no. 7)
I. Markov, Aleksandr Prokof'evich? tr. II. Gols, Juan, joint tr.

NM 0913072 NcU

fM1503
M996B6
1909
Musorgskiĭ, Modest Petrovich, 1839-1881
[Boris Godunov. Piano-vocal score. Italian & Russian]
Boris Godunov; dramma musicale popolare in un prologo e quattro atti (da Pusckin e Karamsin) parole e musica di M. Mussorgski. Nuova ed., riv., ritoccata e strumentata da N. Rimsky-Korsakov (1908) Traduzione italiana di M. Delines et E. Palermi. (Adattazione musicale de G. Pardo) Opera completa. Canto e pianoforte. Pietrogrado, W. Bessel, c1909.
303p. front. (port.) 31cm.
Title also in Russian.

NM 0913074 IaU NN MB

782.1
M98b.R
1938
Musorgskiĭ, Modest Petrovich, 1839-1881
Boris Godunov; an opera in 4 acts and a prologue. Arranged and orchestrated by N.A. Rimsky-Korsakov... Unabridged ed. New York, Affiliated music corporation [1938?]
640p. port. Q.
Added t.-p. and text in Russian.
Libretto is based on Aleksandr Pushkin's historical drama.
Orchestral score.

ICN NN
NM 0913075 IaU FTaSU IU OCl OOxM OU IEN PU MB

M
1500
M987
B73+
Musorgskiĭ, Modest Petrovich, 1839-1881.
[Boris Godounov]
Boris Godunov; an opera in 4 acts and a prologue, by M. P. Musorgsky. Arranged and orchestrated by N. A. Rimsky-Korsakov. Unabridged edition. New York, Affiliated Music Corp. [1939]
score (514 p.) port. 29 cm.
Added t.-p. in Russian.
Printed by a photolithographic process.
German words.
Libretto by the composer. Cf. Loewenberg. Annals of opera.
1. Operas—Vocal scores with piano. I. Rimskiĭ-Korsakov, Nikolaĭ Andreevich, 1844-1908, arr. II. Title.

NM 0913077 CtY-Mus ViU MH ICarbS OrP OrCS OrAshS

ML50
.M993
B614
1948
Musorgskiĭ, Modest Petrovich, 1839-1881.
[Boris Godunov. Libretto. Bulgarian]
Борис Годунов; музика от М. Мусоргски. София, 1948.
65 p. port. 20 cm. (Народна опера)
The libretto, by the composer, is based on Pushkin's Борис Годунов and N. M. Karamzin's История Государства Российского. Cf. Loewenberg. Annals of opera.
1. Boris Godunov, Czar of Russia, 1551?-1605 — Drama. 2. Operas—Librettos. I. Pushkin, Aleksandr Sergeevich. Boris Godunov. II. Title. *Title transliterated: Boris Godunov.*
ML50.M993B614 1948 55-23344

NM 0913078 DLC

Musorgskiĭ, Modest Petrovich, 1839-1881.
[Boris Godunov. Libretto. English]
Boris Godunov; opera in four acts, based on Pushkin. English text by John Gutman. New York, F. Rullman, °1953.
36 p. 20 cm.
On cover: Metropolitan Opera libretto.
1. Opera—Librettos. I. Title.
ML50.M993B62 1953 54-32394

NM 0913079 DLC OKentU IaU FTaSU NN MB NSyU MeB

782.154
M974b
1954
Music
Musorgskiĭ, Modest Petrovich, 1839-1881.
[Boris Godunov. Piano-vocal score. French, German & Russian]
Boris Godunov: narodnaîa muz'ikal'naîa drama v 4th dieĭstvîakh s prologom...
Boris Godunov: opera en quatre actes et un prologue. Edition originale (1874)
Version francaise de M. Delines et L. Laloy. Paris, W. Bessel [1954]
score(284p.) 31cm.
First part of title transliterated from Russian.
Title also in German.

NM 0913080 KU

Musorgskiĭ, Modest Petrovich, 1839-1881.
[Boris Godunov. Piano-vocal score. Russian]
Борис Годунов (по Пушкину и Карамзину); народная музыкальная драма в четырех действиях с прологом. В обработке Н. А. Римского-Корсакова, ред. 1896 г. и 1908 г., с добавлением сцены у Василия Блаженного, ред. П. А. Ламма. Переложение для пения с фортепиано. Москва, Гос. музыкальное изд-во, 1955.
386 p. 30 cm.
1. Operas—Vocal scores with piano. 2. Boris Godunov, Czar of Russia, 1551?-1605—Drama. I. Title. *Title transliterated: Boris Godunov.*
M1503.M996B6 1955 M 58-223

NM 0913081 DLC

Musorgskiĭ, Modest Petrovich, 1839-1881.
[Boris Godunov. Libretto. German]
Boris Godunow; Oper in vier Aufzügen und einem Prolog. [Originalfassung] Die Handlung ist der dramatischen Chronik von A. S. Puschkin, unter Beibehaltung der meisten Verse, entnommen. Nach den Manuskripten des Autors erneut, durchgearbeitet und mit bisher noch nicht veröffentlichten Bildern, Szenen, Fragmenten und Varianten ergänzt von Paul Lamm. Deutsche Textübersetzung von Max Hube. Moskau, Staatsmusikverlag [19—]
101 p. 20 cm.
The libretto, by the composer, is based on Pushkin's Boris Godunov and N. M. Karamzin's History of the Russian Empire. Cf. Loewenberg. Annals of opera.
1. Boris Godunov, Czar of Russia, 1551?-1605—Drama. 2. Operas—Librettos. I. Title.
ML50.M993B64 51-15226

NM 0913083 DLC

*M.125
.61.
Musorgskiĭ, Modest Petrovich, 1839-1881.
[Boris Godunov. Piano-vocal score. English and German]
Boris Godunow; musikalisches Volksdrama in vier Aufzügen und mit einem Prolog (nach Puschkin und Karamsin) Bearb. und instrumentiert von N. Rimsky-Korsakow. Deutsche Übersetzung von Max Lippold; English translation by Rosa Newmarch. Leipzig, New York, Breitkopf & Härtel, °1910.
score (293 p.) 32cm.

Continued in next column

Continued from preceding column

Publisher's pl. no.: 6736.
1. Operas—Vocal scores with piano. I. Rimskiĭ-Korsakov, Nikolaĭ Andreevich, 1844-1908, arr. II. Lippold, Max, tr. III. Newmarch, Rose Harriet (Jeaffreson) 1857-1940, tr.

NM 0913085 MB OrP NIC OO OCl

Musorgskiĭ, M[odest] P[etrovich].
Boris Godunow; musikalisches Volksdrama in vier Aufzügen und mit einem Prolog (nach Puschkin und Karamsin) von M. P. Mussorgsky; bearbeitet und instrumentiert von N. Rimsky-Korssakow; Deutsche Übersetzung von Max Lippold; English translation by Rosa Newmarch. New York: Breitkopf & Härtel, cop. 1910. 3 p.l., 293 p., 1 port. 4°.
CENTRAL CIRCULATION.
1. Title.
N. Y. P. L. February 10, 1915.

NM 0913086 NN

m780.74
M987b
Ed.c
Musorgskiĭ, Modest Petrovich, 1839-1881.
[Boris Godunov. Pf.-vocal score. English & German]
Boris Godunow; musikalisches Volksdrama in vier Aufzügen mit einem Prolog (Nach Puschkin und Karamsin). Bearb.und instrumentiert von N.Rimsky-Korsakow. Deutsche Übersetzung von Max Lippold. Paris, New York, W.Bessel [c1910]
293p. front.(port.) 30cm.
The libretto is by the composer.
1.Operas - Vocal scores with piano. I. Title.

NM 0913087 CLSU

782.1
M98b.V
Musorgskiĭ, Modest Petrovich, 1839-1881
[Boris Godunov. Selections]
...Boris Godunow. English version by Frank V. Van der Stucken... [n.p.] Van der Stucken, c1926.
17p. O.
Caption title.
At head of title: Choral score.
Libretto is based on Aleksandr Pushkin's historical drama.
Unaccompanied.
With this are bound Borodin, A.P. Prince Igor. c1926; and Borodin, A.P. Polovetzian dance and chorus, with baritone solo ad lib., from the opera "Prince Igor." c1910.

NM 0913089 IaU

MUSORGSKIĬ, MODEST PETROVICH, 1839-1881.
[BORIS GODUNOV. FULL SCORE. RUSSIAN]
Boris Godunow. Oper in vier Aufzügen mit Prolog. Revidiert von Boris Assafiew und Paul Lamm. Moskau, Musiksektion des Staatsverlages, 1928. score (4 v. in 2) 36cm.
Title also in Russian.
Libretto based on the drama by Pushkin.
Beethoven Association Fund.
1. Operas--Full scores. I. Pushkin, Aleksandr Sergeyevich. Boris Godunov. II. Lamm, Pavel Aleksandrovich, 1882- , ed. III. Asaf'yev, Boris Vladimirovich, 1884-1949, ed.

NM 0913091 NN

MUSORGSKIĬ, MODEST PETROVICH, 1839-1881.
[BORIS GODUNOV. FULL SCORE. RUSSIAN]
Boris Godunow; Oper in vier Aufzügen mit Prolog. Revidiert von Boris Assafiew und Paul Lamm. Moskau, Musiksektion des Staatsverlages, 1928. score(4 v. in 2). 36cm.
Microfilm (master negative).

NM 0913092 NN

VOLUME 403

M1503 .M98B8 Musorgskiĭ, Modest Petrovich, 1839-1881.
[Boris Godunov. Piano-vocal score. English & German]
Boris Godunow. Arr. and instrumentated by N. Rimsky-Korsakoff. New York, E. F. Kalmus [1946]
293 p. (Kalmus vocal scores)

1. Operas. I. Rimskiĭ-Korsakov, Nikolaĭ Andreevich, 1844-1908. II. Title.

CaBVa
MB PU RPB IaU CaBVaU MtU Wa OrU IEdS IdPI OrSaW
NM 0913093 LU MsU MnCS FTaSU OC1W CLO MH MiU OkU

Musorgskiĭ, Modest Petrovich.
Chanson de Mephistophélès dans la cave d'Auerbach, tirée du Faust de Goethe. Baryton ou basse. Traduction française de M. D. Calvocoressi. Traduction allemande de A. Bernhard. [Musique par] M. P. Moussorgsky. [Avec accompagnement de piano.]
— St.-Pétersbourg. Bessel & cie. 1908. 7 pp. 35 cm.
In French, German and Russian.

L3071 — Double main card. — Musorgski, Modest Petrovitch. (M1) — Goethe, Johann Wolfgang von. Faust. (M2) — T.r. (1) — Songs. With music. (1) — Calvocoressi, Michael D., tr. (2) — Bernhard, A., tr. (2)

NM 0913094 MB

Musorgskiĭ, Modest Petrovich, 1839-1881.
[The nursery]
...Chansons enfantines. Adaptation française de Rodolphe Gaillard. English translation by E. M. Lockwood... London: Augener ltd. [ca. 1915] Publ. pl. no. 14981. 41 p. 30½cm. (On cover: Album series. no. 116.)
For 1 voice with piano acc. French and English words.
Original Russian words by the composer.
CONTENTS.—Raconte-moi, Nounou.—Au coin.—Le hanneton.—Fais dodo, poupée.—La prière du soir.—Sur le dada.—Méchant minet.

1. Children's music—Songs, Russian. I. Title: The nursery.
N. Y. P. L. October 10, 1940

NM 0913095 NN ICU MB OrP NcU

M 1621.4 M8 D4 1930 Musorgskiĭ, Modest Petrovich, 1839-1881.
[Detskaia]
Chansons enfantines. Adaptation française de Rodolphe Gaillard. English translation by E. M. Lockwood. London, Augener [1930?]
score (41 p.) 31 cm.
For voice and piano.
Text in French and English.
1. Song cycles. 2. Songs (Medium voice) with piano.

NM 0913096 CaBVaU

M 1621 .4 .M98N9 Musorgskiĭ, Modest Petrovich, 1839-1881.
[The nursery]
Chansons enfantines [par] M. Moussorgsky. Adaptation française de Rodolfe Gaillard; English translation by E.M. Lockwood. London, Augener [1949?] Pl. no.14981.
41 p. 30 cm.

1. Song cycles. 2. Songs (Medium voice) with piano.

NM 0913097 OkU

Musorgskiĭ, Modest Petrovich, 1839-1881.
Chant du vieillard, Melodie posthume revue par W.G. Karatyguine. Paris, Bessel, c1921.

NM 0913098 PPCI

MUSORGSKII, Modest Petrovich.
Chants et danses de la mort, poésies du comte A.Golenistchew-Koutouzow. [Traduction français de M.D.Calvocoressi, deutsch von A.Bernhard]. Pour soprano ou ténor. St.Pétersbourg, W.Bessel & cie, etc., etc., cop.1903.

f°. pp.33.
At head of title-page: OEuvres vocales, nouvelle éd. rédigée par N.A.Rimsky-Korsakow.

NM 0913099 MH

M 1620 M9804++ Musorgskiĭ, Modest Petrovich, 1839-1881.
Chants et danses de la mort. Paris, Bessel, 1908.
33 p. 35 cm.

1. Songs, Russian. I. Title.

NM 0913100 NIC

M 1621 .4 M98 S9++ Musorgskiĭ, Modest Petrovich, 1839-1881.
[Songs and dances of Death]
Chants et danses de la mort. Poésies du comte A. Golenistchew-Koutouzow. [Traduction française de M. D. Calvocoressi; Deutsch von A. Bernhard] St. Pétersbourg, W. Bessel, c1908-1909.
33 p. 35cm.

French, German and Russian words.

NM 0913101 NIC

Musorgskiĭ, Modest Petrovich, 1839-1881.
[Songs and dances of Death]
Chants et danses de la mort; quatre scènes dramatiques pour une voix avec accompagnement de piano (voix moyenne) [Poésies du comte A. Golenischtchev-Koutouzov; Version française de M. D. Calvocoressi. Paris, W. Bessel [c1911]
29 p. 33 cm.
French and Russian words.
CONTENTS.—Trèpak.—Berceuse.—Sérénade.—Le chef d'armée.
1. Songs (Medium voice) with piano. 2. Song cycles. I. Golenishchev-Kutuzov, Arseniĭ Arkad'evich, graf, 1848-1913. II. Title.

M1621.4.M 62-27461/M

NM 0913102 DLC

Musorgski, Modest Petrovich, 1839-1881.
...Chants et danses de la mort. Poésies du comte A. Golenistchev-Koutouzov... Petrograd, W. Bessell & cie. [etc., etc.] c1921, c1908. Pl.no. 6906-6909. 29 p. 33cm.
For one voice with piano accompaniment.
French and Russian words. French version by Marc Semenoff and Suzanne d'Astoria.
CONTENTS.—Trépak "Tout est silence" (bar. or m.-s.)—Berceuse "L'enfant soupire" (alto)—Sérénade "Douce est la molle nuit" (m.-s. or bar.)—Le chef d'armée "La guerre gronde" (tenor).

495858B. 1. Songs, Russian. I. Golenishchev-Kutuzov, Arseniĭ Arkad'yevich, graf, 1848-1913. II. Song index (9).
N. Y. P. L. June 26, 1950

NM 0913103 NN

Musorgskiĭ, Modest Petrovich.
Le chef d'armée. Paroles du comte A. Golenistchew-Koutouzow. [Musique de] M. Moussorgsky. Traduction française de M. D. Calvocoressi. Deutsch von A. Bernhard. [Chant, avec accompagnement de piano.]
— Leipzig. Breitkopf & Härtel. 1908. 9 pp. [Chants et danses de la mort. 4.] 34½ cm.
In French, German and Russian.

L3071 — Double main card. — Musorgski, Modest Petrovitch. (M1) — Kutusov-Golenishtchev, Arseni Arkadievitch, Graf. (M2) — T.r. Song. (1) — Songs. With music. (1) — Calvocoressi, Michael D., tr., 1877-. (2) — Bernhard, A., tr. (2) — S.r.c.

NM 0913104 MB

Musorgskii, Modest Petrovich, 1839-81 (2)
[Salambo (6) Selections: Choeur oriental. Arr.
Choeur oriental de Salambô; fragment d'un opéra inachevé [pour] voix de femmes. [Traduction française de R.d'Harcourt. Deutsche Übersetzung von M.Lippold] Paris, Bessel [c1909/37] Pl.no.6698

Score (9 p.) (His Oeuvres posthumes pour choeur et orchestre, 3)
For chorus and piano
Words in French and German

NM 0913105 MH

Musorgskiĭ, Modest Petrovich, 1839-1881.
...Chor aus der Tragödie "Odipus" (Tempelszene), f. gem. Stimmen m. Orch.-Begleitung. Klavierauszug... St. Petersburg: W. Bessel & Co., cop. 1909. Publ. pl. no. 6697. 13 p. f°.
Vocal score. French and German.
"Traduction française de Raoul d'Harcourt, deutsche Übersetzung von M. Lippold."
At head of title: M. Moussorgsky. Werke für Gesang. Neue revidierte Ausgabe von N. A. Rimsky-Korsakow... Chöre... 2.

1. Choruses, with orchestra—Vocal score. 2. Sophocles. Œdipus Tyrannus. 3. Rimski-Korsakov, Nikolai Andreyevich, 1844-1908, editor. 4. Harcourt, Raoul d', translator. 5. Lippold, Max, translator. 6. Title: Œdipus.
N. Y. P. L. March 10, 1925

NM 0913106 NN

Musorgskiĭ, Modest Petrovich, 1839-1881.
...Chor aus der unvollendeten Oper "Salambo", für Frauenstimmen m. Orchesterbegleitung. Klavierauszug... St. Petersburg: W. Bessel & Co., cop. 1909. Publ. pl. no. 6698. 9 p. f°.
Vocal score. French and German.
Libretto by the composer based on Flaubert's Salammbô.
"Traduction française de Raoul d'Harcourt, deutsche Übersetzung von M. Lippold."
At head of title: M. Moussorgsky. Werke für Gesang. Neue revidierte Ausgabe von N. A. Rimsky-Korsakow... Chöre... 3.

1. Choruses, with orchestra—Vocal score. 2. Choruses, Women's voices. 3. Flaubert, Gustave, 1821-1880: Salammbô. 4. Rimski-Korsakov, Nikolai Andreyevich, 1844-1908, editor. 5. Harcourt, Raoul d', translator. 6. Lippold, Max, translator. 7. Title: Salambo.
N. Y. P. L. March 17, 1925

NM 0913107 NN

M1503 .M98K4 Musorgskiĭ, Modest Petrovich, 1839-1881.
[Khovanshchina. Piano-vocal score. German & Russian]
Chowanschtschina. Musikalisches Volksdrama nach den Manuskripten des Autors zusammengestellt und hrsg. von Paul Lamm. Deutsche Textübersetzung von Max Hube. Klavierauszug mit Text. Moskau, Staatsmusikverlag R. S. F. S. R.; New-York, Universal Edition, 1931.
371 p. (His Sämtliche Werke, Bd.2)
Universal Edition, No.9313.
Added t. p., in Russian.
1. Operas. I. Title.

NM 0913108 ICU MH NIC OCU MB PU-FA

Musorgskiĭ, Modest Petrovich, 1839-1881.
"Chowantchina." Opéra de M. Moussorgsky. Entr'acte... Instrumentée par N. Rimsky-Korssakow. St. Pétersbourg: W. Bessel et Cie. [190-?] Publ. pl. no. 5718. 11 p. 4°.
Caption-title.
t.-p. reads: Oeuvres posthumes de M. Moussorgskỹ pour orchestre... nº. 9. Entr'acte de l'opéra "Chowantchina..."
Title of opera also transliterated as La Khovanchtchina.
Full score.

1. Orchestra (Full).—Excerpts from opera, etc. 2. Rimski-Korsakov, Nikolai Andreyevich, 1844-1908. 3. Title. 4. Title: La Khovanchtchina.
N. Y. P. L. June 23, 1919.

NM 0913109 NN

VM 3 M 98 v.2 MUSORGSKIĬ, MODEST PETROVICH, 1839-1881.
[Khovantschina] ...Chowanschtschina, musikalisches volksdrama. Nach den manuskripten des autors zusammengestellt und herausgegeben von Paul Lamm. Deutsche textübersetzung von Max Hube. Klavierauszug mit text... Moskau, Staatsmusikverlag, 1932.
371p. (his ...Sämtliche werke... 1928- bd.II)

German and Russian words.
Added t.-p. in Russian.
Plate no.: M. 10266 G. (1932)

NM 0913110 ICN IU

VOLUME 403

Musorgskii, Modest Petrovich.
Les cloches de Moscou. Prélude du 3e tableau (1er acte) de Boris Godounow, opéra . . . [Pour le piano.]
(In L'illustration. Supplément musical. Pp. 23, 24. [Paris.] 1908.)

G8993 — T.r. — Pianoforte. Music.

NM 0913111 MB

*M22 M88C7 Musorgskii, Modest Petrovich, 1839-1881.
Compositions pour piano, par Modeste Moussorgsky. Petersburg, W. Bessel & co.; Leipzig, Breitkopf & Härtel etc., etc., 1880?
1p.l., 88p. front.(port.) 30½cm.

NM 0913112 NBuG

Musorgskiĭ, Modest Petrovich, 1839-1881.
... [Pianoforte compositions] Compositions pour piano... [Oeuvres posthumes] Paris, W. Bessel & cie. [etc., etc., c1911]
31 cm.

NM 0913113 CtY-Mus

M22 .M85B4 1911 Musorgskiĭ, Modest Petrovich, 1839-1881.
[Works]
Compositions pour piano. Edition complète. Petrograd, W. Bessel & Cie ... [ca. 1911]
Pl. no. 1560*.
88 p. 30cm.
Principally arranged by W. G. Karatyguine. The "Tableaux d'une exposition. Promenade" arr. by N. Rimsky-Korsakow.
1. Piano music. I. Karatygin, Viacheslav Gavriilovich, 1875-1925, arr. II. Rimskiĭ-Korsakov, Nikolaĭ Andreevich, 1844-1908, arr.

NM 0913114 ViU OCl

qM786.492 M97bc Musorgskiĭ, Modest Petrovich, 1835-1881.
[Boris Godunov. Coronation scene; arr.]
Coronation scene from "Boris Godounoff." Arranged for two pianos, four-hands by Lee Pattison. New York, G. Schirmer [c1928]
score (17p.) 30cm.

1. Operas--Excerpts--2-piano scores. 2. Piano music (2 pianos), Arranged.

NM 0913115 IU WaPS OO CLSU

M782.1 M987.c Musorgskii, Modest Petrovich, 1839-1881.
[Boris Godounov. Coronation scene]
Coronation scene from Boris Godounov. Vocal score. [London] J. and W. Chester [1922]
Pl. no. J.W.C. 9722a.
score(12p.) 32cm.

With piano accompaniment.

NM 0913116 IEN

M784 M97b 1927 Musorgskiĭ, Modest Petrovich, 1839-1881.
[Boris Godunov. Coronation scene, arr.]
Coronation scene from "Boris Godounov." Chorus for men's voices arr. by G[eorge] W[allace] W[oodworth] Piano accompaniment by F[rank] W. R[eamseyer] Jr. English version by Miriam Chase. [Boston] E. C. Schirmer Music Co., c1927.
score (27p.) 27cm. (Concord series, no. 910)
Caption title.
Two piano accompaniment.

NM 0913117 IU

Musorgskiĭ, Modest Petrovich, 1839-1881.
[Boris Godunov. Coronation scene; arranged]
... Coronation scene from "Boris Godunov" for chorus of mixed voices with solos for tenor and baritone [by] Modest Petrovitch Mussorgsky. English version by Miriam Chase; edited by H. Clough-Leighter ... [Boston] E. C. Schirmer music co., 1938.
26 p. 27cm. (E. C. S. choral music, no. 1185)
Caption title.
Publisher's plate no.: E. C. S. no. 576.
With piano accompaniment.
1. Operas—Excerpts—Vocal scores with piano acc. I. Clough-Leiter, Henry, 1874- ed. II. Chase, Miriam, tr.
44-27581
Library of Congress M1508

NM 0913118 DLC IEdS

Musorgskii, Modest Petrovich, 1839-1881
[Boris Godunov. Coronation scene.]
...Coronation scene from Boris Godunov, arranged for 2 pianos- 4 hands by Pierre Luboshutz. New York, J. Fischer and co., 1941.
8 p.

NM 0913119 OCl

qM788 M97kc Musorgskiĭ, Modest Petrovich, 1839-1881.
[Khovanshchina. Act 4, scene 5; arr.]
Cortège [Entr'acte from the opera "Khovanschina"] Scherzo [for orchestra] Adapted for concert band by Walter Beeler. Combined band score (full and condensed) New York, Omega Music Edition [c1922]
score (39p.) 31cm. (BGA publication)

Cover title.

For band. Cortège originally for chorus and orchestra; Scherzo (1858) originally for orchestra.
Duration: Cortège, about 4 minutes, 15 seconds; Scherzo, about 3 minutes.

NM 0913121 IU

Musorgskiĭ, Modest Petrovich, 1839-1881.
...La couturière...pour la harpe... Arrang. par K. Ssaradgeff. Moskau: Staatsmusikverlag R.S.F.S.R.; Wien [etc.] Universal-Edition A. G., 1931. Publ. pl. no. M. 11863 Г.; U. E. 10125. 7 p. 32cm.

Arranged for harp.
Title in Russian and French. Russian title: Швея.

Carnegie Corp. of New York.
1. Harp—Arr. I. Saradzheva, Kira, arr. I. Title. II. Title: Shveya.
N. Y. P. L. July 1, 1938

NM 0913122 NN

M785.2 M98c Musorgskii, Modest Petrovich, 1839-1881
Cossack dance [by] M. Moussorgsky [and] Sarabande [by] G.F. Händel; transcribed by Charles J. Roberts. C. Fischer [c1933]
2 piano-conductor scores (3 p.) & 16 parts.

1. Orchestral music. I. Title. au.anal: Händel, Georg Friedrich, 1685-1759. Title anal: Sarabande.

NM 0913123 OrP

Musorgskiĭ, Modest Petrovich, 1839-1881.
Cradle-song of the poor. La berceuse du pauvre. (Nekrassow.) French words by Hettange. English version by Henry G. Chapman. [With accompaniment for the pianoforte.]
= [New York.] Schirmer. 1910. 5 pp. [A century of Russian song.] 34.5 cm.

E1143 — T.r. (2) — S.r. — Hettange, ——, tr. — Chapman, Henry Grafton, tr. — Cradle songs.

NM 0913124 MB OU

Musorgskiĭ, Modest Petrovich, 1839-1881.
Crimean dance; adaptation by Gregor Fittelberg. New York, Russian-American Music Publishers, °1946.
score (8 p.) 31 cm.
Caption title.
For string orchestra.
"Duration: 2½ minutes."

1. String-orchestra music, Arranged—Scores. I. Fittelberg, Gregor, arr. II. Title.

M1160.M95C74 49-21550*

NM 0913125 DLC

M785.22 M933k.d Music lib. Musorgskii, Modest Petrovich, 1839-1881.
[Khovanshchina. Dance of the Persian slaves]
... Danse persane de l'opéra Khowantchina ... Instrumentée par N. Rimsky-Korsakow. New York, E. F. Kalmus [n.d.]
score (46p.) 33cm.

Caption title in Russian preceding French title.

I. Title: Dance of the Persian slaves. II. Danse persane.

NM 0913126 NcU

Musorgskii, Modest Petrovich, 1839-1881.
Death and the peasant . . . Trepak. (Count Golenistchew-Koutousow.) English version by Kurt Schindler and H. G. Chapman. French words by Hettange. [Music by] Modest Moussorgsky. From the cycle: "Songs and dances of death." [Song with accompaniment for the pianoforte.]
= [New York.] Schirmer. 1911. 11 pp. [A century of Russian song . . .] 35 cm.

E1542 — Double main card.—Musorgski, Modest Petrovitch, 1835-1881. (M1) — Kutusov-Golenishtchev, Arseni Arkadievitch, Graf. (M2) — T.r. Song. (1) — Songs. With music. (1) — Schindler, Kurt, tr., 1882-. (2) — Chapman, Henry Grafton, tr. (2) — Hettange, ——, tr. (2)

NM 0913127 MB OU

Musorgskii, Modest Petrovich, 1839-1881.
La défaite de Sennachérib. Chœur pour des voix mixtes. [S.A.T.B.] Version française par Jules Ruelle. Instrumenté par N. Rimsky-Korsakow. Réduction pour chant et piano.
— Leipzig. Belaieff. 1893. 19 pp. 33 cm.
The words are in Russian and French.

M7436 — Ruelle, Jules, tr. — Par. Songs. — Rimski-Korsakov, Nikolai Andreievitch, ed., 1844-1908.

NM 0913128 MB

M1533 M98D32c Musorgskii, Modest Petrovich, 1839-1881.
[The defeat of Sennacherib; acc.arr. piano]
The defeat of Sennacherib for mixed voice chorus (S.A.T.B.) and orchestra (or piano) London, Boosey & Hawkes [c1934] Pl.no. H. 14044.
22 p. 26cm. (Winthrop Rogers edition)
Taken from Byron's Hebrew melodies. English version by A.W.Cox.

1.Choruses, Secular (Mixed voices, 4 pts.) - Piano score. I.Cox A W tr. II.Byron, George Gordon Noël Byron, 6th baron, Hebrew melodies.

NM 0913129 CSt AU OCl ICN

m780.47 M987d Musorgskiĭ, Modest Petrovich, 1839-1881.
[The defeat of Sennacherib. Piano-vocal score. English]
The defeat of Sennacherib for mixed chorus (S.A.T.B.) and orchestra (or piano). [Winthrop Rogers ed.] New York, Boosey & Hawkes [c1934]
22p. 27cm.

Cover title.
English version by A.W.Cox.

NM 0913130 CLSU WaU

VOLUME 403

Musorgski, Modest Petrovich, 1839–1881.
...Deux fragments inédits (posthumes) de l'opéra "Boris Godounov." Scène devant la cathédrale à Moscou (sixième tableau de la version primordiale). Scène dans le Kremlin de Moscou (dans sa version primordiale). Partition chant et piano ... Paris: W. Bessel & Cie., cop. 1929. Publ. pl. no. W. 8118 B. (348). 52 p. 4°.

Vocal score. Russian, French and German.
Libretto by Musorgski based on drama by Pushkin and Karamzin's history of Russia.

First performed in 1874.
"Version française de L. Laloy. Deutsch von Oskar v. Riesemann."
Author's name, M. Moussorgsky, at head of title.

JUILLIARD FOUNDATION FUND.

487387A. 1. Operas—Piano and voice. I. Pushkin, Aleksandr Sergyeyevich, 1799–1837. II. Karamzin, Nikolai Mikhailovich, 1766–1826. III. Laloy, Louis, 1874– , translator. IV. Riesemann, Oskar von, 1880– , translator. V. Title: Boris Godunov.
N. Y. P. L. August 6, 1930

NM 0913132 NN

Musorgskii, Modest Petrovitch,
Doucement planait une âme. Paroles du Comte A. Tolstoï. Traduction française de M. D. Calvocoressi. Deutsch von A. Bernhard. [Musique de] M. Moussorgsky. [Chant et piano.]
= St. Petersbourg. Bessel & cie. 1908. 5 pp. [Oeuvres vocales. No. 12.] 35 cm.
The title is repeated in German and Russian.
The text is in French, German and Russian.

E1391 — Double main card. — Musorgski, Modest Petrovitch, 1835–1881. (M1) — Tolstoi, Aleksiei K[o]ntinovitch, Count, 1817–1875. (M2) — T.r. Chant. (1) — Songs. With music. (3) — Calvocoressi, Michael D., tr., 1877–. (2) — Bernhard, A., tr. (2)

NM 0913133 MB

Musorgskii, Modest Petrovich, 1839-1881.
[Khovanshchina. Introduction]
Einleitung (Morgendämmerung an der Moskwa) zur Oper Howantschina (Die Fürsten Howansky) von Modeste P. Mussorgski. Instrumentiert von N. Rimsky=Korsakow. Leipzig, Ernst Eulenburg [c1913]
score (16 p.) (Eulenburgs kleine Partitur-Ausgabe, no.695)

1. Overtures - Scores. I. Rimskii-Korsakov, Nikolai Andreevich, 1844-1908, arr. II. Title: Morgendämmerung an der Moskwa.

NM 0913134 CLU CLO ICN IaU OO ICU NcU OU ViU

Musorgskii, Modest Petrovich,
[Khovanchtchina.] Einleitung (Morgendämmerung an der Moskwa) zur Oper Howantschina (Die Fürsten Howansky.) Instrumentiert von N. Rimsky-Korsakow. [Partitur.]
— Leipzig. Eulenburg. [192–?] 16 pp. [Eulenburgs Kleine Partitur-Ausgabe. No. 695.] 19 cm.

N2736 — T.r. Overture. — Overtures. — [R]imski-Korsakov, Nikolai Andreievitch, ed, 1844–1908.

NM 0913135 MB

Musorgskii, Modest Petrovich, 1839-1881.
En Crimée. Transcription pour violin et piano par Olga Hueber. Vienna, Universal, c1925.

NM 0913136 PPCI

Musorgskii, Modest Petrovich, 1839-1881.
[Enfantines]
Enfantines (songs of the nursery) Paroles française de M. Delines. English version by M.C.H. Collet. New edition revised by N. Rimsky Korsakov. London, Chester; Paris, Rouart, Lerolle, 1907.
32 p. 31 cm.

NM 0913137 NcD

Musorgskiĭ, Modest Petrovich, 1839-1881.
[The nursery]
Enfantines. Nouv. ed. rédigés par N. Rimsky-Korsakow, traduction française de M. Delinco, traduction allemande de A. Bernhard. St. Petersbourg, W. Bessel; Berlin, New York, Breitkopf & Härtel, c1908. Pl. no. 5956-5962.
score (48p.)
Editorially pencilled by O. Downes, English words by George Harris, jr.
1. Song cycles. 2. Songs with piano. I. Rimskii-Korsakov, Nikolaĭ Andreevich, 1844-1908, arr.

NM 0913138 FTaSU MH

Musorgskiĭ, Modest Petrovich, 1839-1881.
[The nursery]
Enfantines; songs of the nursery. Text by M. Moussorgsky; paroles françaises de M. Delines; English version by M. C. H. Collet. New ed. rev. by N. Rimsky-Korsakov. London, J. & W. Chester, Ltd., c1917.
32 p. (Chester series, no.29)

1. Song cycles.

NM 0913139 WaU CtY-Mus MB IU ICN OCl OO OrU

Musorgskiĭ, Modest Petrovich, 1839-1881.
Enfantines (La chambre d'enfants) Sept petites scènes enfantines. Version francaise de M. Delines, pour une voix avec accompagnement de piano (Mezzo-soprano) Paris, W. Bessel [1921]
32 p. 34cm.

1. Songs (Medium voice) with piano. I. Title.

NM 0913140 NIC NN

Musorgskiĭ, Modest Petrovich, 1839–1881.
[Songs. Texts. English]
English texts for the songs of Modeste Moussorgsky (1835–1881) by Henry S. Drinker. Merion, Pa., 1950?]
xxii p. 26 cm.
"The sixty-five solo songs ... in ... chronological sequence."

I. Drinker, Henry Sandwith, 1880– tr.
ML54.6.M9D7 1950 784.81 52–1006

DNLM CoU
WaWW MtU OrU OrP WaT IaU OrSaW NNC CaBVa MH InU
NM 0913141 DLC IdPI MeB WaS ViU NN TxU IEN PSt

Musorgskii, Modest Petrovich, 1839-1881.
Enigmatique. Melodie posthume revue par W.G. Karatyguine. Paris, Bessel, c1921.

NM 0913142 PPCI

Musorgskiĭ, Modest Petrovich, 1839–1881.
[Khovanshchina. Act 4, scene 5; arr.]
Entr'acte to Khovantchina, symphonic transcription. Published from the library of Leopold Stokowski. New York, Broude [1950]
score (15 p.) 31 cm.
At head of title: Musorgsky-Stokowski.
For orchestra; originally for chorus and orchestra.
Duration: about 4 minutes, 15 seconds.
1. Orchestral music, Arranged—Scores. I. Stokowski, Leopold, 1882– arr.
M1060.M97K58 52–32322

NM 0913143 DLC CaBVa NN MB

Musorgskiĭ, Modest Petrovich, 1839-1881.
Entre'acte from act IV from "Khovantschina", by M. P. Musorgsky, arranged by Quinto Maganini ... New York, Edition musicus [c1940]
8p.

Full score.

1. Orchestral music. I. Maganini, Quinto, 1897-

NM 0913144 IU

Musorgskiĭ, Modest Petrovich, 1839-1881.
[The fair at Sorochinsk. Libretto]
La fiera di Sorocinzi. The fair of Sorochintzy, an opera in three acts; words taken from a story by N.V. Gogol. Music by M. Moussorgsky. English version by Edward Agate. New York, F. Rullman, c1930.
36 p.

Italian and English.
The libretto, by the composer, is based on an episode from Gogol's Evenings on a farm near Dekanka. Cf. Loewenberg. Annals of opera.
Scenario of the ballet in the opera ([1] p.) inserted.

NM 0913145 CU IaU NIC NN NjP

Musorgskii, Modest Petrovich, 1839-1881.
[The fair at Sorochinsk, acc. arr. piano]
La foire de Sorotchintzi; opéra comique en trois actes d'après Gogol. Terminé et orchestré par N. Tcherepnine. Version française de Louis Laloy. Partition chant et piano. Petrograd, New York, W. Bessel, c1923.
190 p. port.

Russian and French words.
Libretto by the composer, based on an episode from Gogol's Evenings on a farm near Dekanka. Cf. Loewenberg. Annals of opera.
Also known by titles: Sorochintsy fair; Sorochinskaia iarmarka.

NM 0913146 CU MH NN

Musorgski, Modest Petrovich, 1839–1881.
La foire de Sorotchintzy, musique de M. Moussorgsky, version française de M. Louis Laloy... Paris: W. Bessel & Cie.[,] cop. 1924.] 55 p. 16°.

Libretto. French words.
Libretto by composer based on Gogol's La foire de Sorotchintzy.

JUILLIARD FOUNDATION FUND.

1. Drama, Russian—Translations into French. 2. Drama, French—Translations from Russian. I. Gogol, Nikolai Vasilyevich, 1809–1852: The fair of Sorochintzy. II. Laloy, Louis, 1874– , translator. III. Title.
N. Y. P. L. April 15, 1931

NM 0913147 NN CLU PPCI MB CtY

Musorgskiĭ, Modest Petrovich, 1839–1881.
[The fair at Sorochinsk. Piano-vocal score. French, German & Italian]
La foire de Sorotchintzi; opéra comique in trois actes d'après Gogol, terminé et orchestré par N. Tcherepnine. Version française de Louis Laloy. La fiera di Sorocinzi. Versione ritmica dal russo di Rinaldo Kufferle. [Der Jahrmarkt von Sorotschintzi. Deutsche Textfassung von Heinrich Möller] Paris, W. Bessel, °1924, °1953.
208 p. 32 cm.
Libretto by the composer, founded on an episode from Gogol's Evenings on a farm near Dekanka. Cf. Loewenberg. Annals of opera.
1. Operas—Vocal scores with piano. I. Cherepnin, Nikolaĭ Nikolaevich, 1873–1945. II. Title. III. Title: La fiera di Sorocinzi. IV. Title: Der Jahrmarkt von Sorotschinzi.
M1503.M996F3 1953 M 57–1627

NM 0913148 DLC ICU OrP CSt NcU NIC LU

MUSORGSKIĬ, MODEST PETROVICH, 1839-1881.
[Mlada, excerpt, no.3] Fragmente aus der unvollendeten Oper Mlada. [Nr.]3. Feierlicher Marsch. Orchesterpartitur. Deutsch von D.Ussow. [Herausgegeben von P.Lamm] Wien,Universal Edition,1929.
score(29p.) 36cm. (his Sämtliche Werke. Bd.7, Folge 1)

Title also in Russian.

NM 0913149 ICN

VOLUME 403

A781.9 M975 bd.4, folge 3,4 pt.1-2; bd.8, folge 1
MUSORGSKIĬ, MODEST PETROVICH, 1839-1881.
⌊Mlada. Fragments. Arr.for voice and piano, 4 hands⌋
...Fragmenta aus der unvollendeten oper Mlada... Deutsch von D.Ussow. Moskau, Staatsmusikverlag; Beha,Wien ⌊etc.⌋ Universal edition a.g.,1931
35cm. (Samtliche werke. Bd.IV, folge 3,pt.1-2; bd.VIII,folge.1

In Russian and German, with acc.for piano, 4 hands.
At head of title: ...M.Mussorgsky.
Publ.plate nos.vary.

NM 0913151 PU

Musorgskii, Modest Petrovich, 1839-1881
⌊The fair at Sorotchinski. Selections⌋
Fragments de l'opéra inachevé: La foire de Sorotchintsi. St. Petersbourg, W. Bessel ⌊n.d.⌋
Pl.no.5400.
Score (24 p.)

NM 0913152 OrP

Musorgskii, Modest Petrovich, 1839-1881.
Fragments de l'opéra inachevé: "La foire de Sorotchintsi" (d'après Gogol) rédigés et instrumentés par A.C. Liadow. St. Petersbourgh, W. Bessel et cie., n.d.
cover-title, 15 p.
Full score.
Title-page in Russian.

NM 0913153 IU

VM 1503 M 93k
MUSORGSKIĬ, MODEST PETROVICH, 1839-1881.
⌊Khovantschina⌋ ...Die fürsten Howansky. (Howantschina) Ein musikalisches volksstück in 5 aufzügen von M.P.Mussorgsky (1875-1881) Beendet und orchestriert von N.A.Rimsky-Korsakoff. Deutsche übertragung von Ernst Fritzheim. Klavier-auszug für gesang und pianoforte... Petrograd,Bessel,c1913.
202p.

Title also in Russian. German and Russian words.
Plate no.: W. 8090 B. (1913)

NM 0913154 ICN PBm

Musorgskii, Modest Petrovich
[Kozel.] The goat (a romance of society). Le bouc. Poem [and] music by M. Moussorgsky. Edited by Olin Downes.
= New York. Fischer. 1920. 7 pp. [Superior ed. 5479.] 30.5 cm.
High voice.

E1230 — T.r. Song. (2) — Bouc, Le. — Downes, Edwin Olin, ed.1886-. — Songs. With music.

NM 0913155 MB

M1621 M89G6
Musorgskiĭ, Modest Petrovich, 1839-1881.
[The goat. Russian, German, English]
The goat, a profane story. English version by Edward Agate. Deutsch von August Scholz.] Petrograd, W. Bessel; New York, Breitkopf & Härtel, 1911, 1921.
5 p. 34cm.
Cover title.

1. Songs (Medium voice) with piano. I. Title.

NM 0913156 CoU

Musorgskii, Modest Petrovich.
Gopak. Mainz,Schott,n.d. 5p. (Edition Schott, 07028)

..(Bound with Schumann, R.A. Fantasiestucke fur klavier zweihändig, op.12. 1922)

NM 0913157 CaBVa

M 785.7585 M987f Aa
Musorgskiĭ, Modest Petrovich, 1839-1881.
⌊The fair at Sorochinsk. Gopak; arr.⌋
Gopak ⌊arr. for woodwind quintet by Henry⌋ Aaron. ⌊Wheeling, W.Va., H. Aaron, n.d.⌋
score (⌊7⌋p.) and 5 parts.

1. Operas - Excerpts, Arranged. 2. Wind quintets (Bassoon, clarinet, flute, horn, oboe), Arranged - Scores and parts. I. Aaron, Henry, arr.

NM 0913158 FTaSU

Musorgskiĭ, Modest Petrovich, 1839-1881.
[The fair at Sorochinsk. Gopak; arr.]
Gopak; danse petite-russienne from the opera "La foire de Sorotchintsi, for piano. St. Pétersbourg, W. Bessel, 1901.
5 p. 35 cm.

Caption title.
Originally for orchestra.

1. Piano music, Arranged. 2. Operas - Excerpts, Arranged. I. Title.

M33.5.M95F3

NM 0913159 OrSaW

M781.5 M987g C6
Musorgskiĭ, Modest Petrovich, 1839-1881.
[Gopak; arr.]
Gopak, for the piano. [Edited by Henry Clough-Leighter] Boston, Boston Music Company [c1921]
5p. 30cm.

Originally for voice and orchestral accompaniment.

NM 0913160 CLSU OO ICU

Mus M 1619 V63
Musorgskii, Modest Petrovich
Gopak (Hopak). Version française de J. Sergennois. English version by S.W. Pring. London, J. & W. Chester. c1916.

I. Title. (Series: Vocal music)

NM 0913161 FTaSU

M33.5 M98F14 S6
Musorgskiĭ, Modest Petrovich, 1839-1881.
⌊The fair at Sorochinsk. Gopak; arr.⌋
Gopak; piano solo. ⌊Arr. von⌋ Otto Singer. Leipzig, A.J.Benjamin ⌊c1925⌋
5 p. 29cm. (Musikalisches Universum, 4177

1.Operas - Excerpts, Arranged. 2.Piano music, Arranged. I.Title.

NM 0913162 CSt

Musorgskiĭ, Modest Petrovich, 1839-1881.
Gopak; from the opera "The fair at Sorochinsk." Arr. by Tom Clark. ⌊New York⌋ G.Schirmer, c1926.
⌊3 piano-conductor's scores and 28 parts in portfolio⌋ (Galaxy, no.296)

Caption title.
Arr. for orchestra.

NM 0913163 OCl

A781.9 M975 bd.7, folge 6
MUSORGSKIĬ, MODEST PETROVICH, 1839-1881.
⌊Songs. Gopak. Arr.for voice & orchestra⌋
...Gopak... Hopak; text von L.Mey nach Schewtschenko. Deutsch von D.Ussow... Für 1 singstimme mit orchester... Moskau,Staatsmusikverlag; Beha,Wien, Universal edition a.g., 1931.
20p. 34½cm. (Sämtliche werke,bd.7, folge 6)

Full score, Russian and German text.
At head of title:...M.Mussorgsky.
Publ.plate nos.U.E.10104,M.12012G

NM 0913164 PU

Musorgskiĭ, Modest Petrovich, 1839-1881.
[The fair at Sorochinsk. Gopak; arr.]

Gopak, from The fair at Sorochinsk. Special arrangement by Max Urban for string orchestra or string quartet with optional bass and piano parts; arr. for two violins, viola, cello, bass, piano. New York, Mills Music [1943]
score (12 p.) and parts. 31 cm. (Mills standard and educational music)
Cover title.
Originally for orchestra.
1. String-orchestra music, Arranged—Scores and parts. 2. Operas—Excerpts, Arranged. I. Title.

M1160.M95F3 45-16060 rev*

NM 0913165 DLC

Musorgskii, Modest Petrovich, 1839-1881.
1. Gopak. 2. Kindheitserinnerung: Niania und ich. 3. Kindheitserinnerung: Erster Schmerz. 4. Ein Kinderscherz. Für Klavier herausgegeben und revidiert von Viktor Hruby. Wien, C.Haslinger [1946?]

Score (15 p) 30 cm.

NM 0913166 MH DLC IaU NN

Musorgskii, Modest Petrovich, 1839-1881
Godunov Borisz, népies zenedráma három felvonásban, hét kepben. Puskin és Karamzin utan szoeveget és zenéjét irta, Musszorgski Modeszt; forditotta Hevesi Sandor...Budapest Rozsavoelgyi és tarsa...1913.
46 p.

NM 0913167 OCl

M39 .C
Musorgskii, Modest Petrovich, 1839-1881.

Chernov, K
[Grande fantaisie sur les motifs de l'opéra Boris Godounow, piano]

Grande fantaisie sur les motifs de l'opéra Boris Godounow, pour le piano. St.-Pétersbourg, W. Bessel [n. d.] Pl. no. 7874.

VOLUME 403

qM785.2 M97pg 1941 Musorgskii, Modest Petrovich, 1839-1881.
[Pictures at an exhibition. Great gate of Kiev, arr.]
The great gate of Kiev, from the suite Pictures at an exhibition [no.10] by Modeste Moussorgsky; arr. for orchestra by Bruno Reibold. Chicago, H. T. Fitz Simons [c1941]
score (20p.), piano-conductor score (8p.) and 30 parts. 31cm. (Aeolian band and orchestra library, no.213)
Originally for piano.
1. Orchestral music, Arranged--Scores and parts. I. Reibold, Bruno, arr.

NM 0913169 IU

A781.9 M975 bd.4, folge 2 MUSORGSKIĬ, MODEST PETROVICH, 1839-1881.
[Zhenit'ba. Vocal score]
...Versuch einer dramatischen musik in prosa. Die heirat [Zhenit'ba] ein ganz unglaubliches ereignis in drei aufzügen. Text von N. Gogol. Deutsch von D.Ussow. Musik von M.P. Mussorgsky. 1.aufzug in vier szenen. Moskau, Staatsmusikverlag r.s.f.s.r.; Wien,Leipzig, Universal edition a.g.,1933.
xx,76p. 30cm. (Sämmtliche werke, bd. IV,folge 2)

Added t.-p.in Russian; text in Russian and German.
At head of title: M.Mussorgsky.
Publ.plate nos.U.E.10173,M.13318 Г
Only the first act was completed.

NM 0913171 PU IU PU-FA MB OCl ICN

M1503 .M9826 Musorgskiĭ, Modest Petrovich, 1839-1881.
[Zhenit'ba. Piano-vocal score. German & Russian]
Die Heirat. Musikalisches Lustspiel in 4 Aufzügen. Text nach N. Gogol. Text und Musik des I. Aufzuges von M. Mussorgsky. Text und Musik des II, III und IV. Aufzuges von M. Ippolitov-Iwanov. Deutsch von D. Ussov. Klavierauszug. Moskau, Staatsmusikverlag, 1934.
225 p.
Added t. p., in Russian.
1. Operas. I. Ippolitov-Ivanov, Mikhail Mikhaĭlovich, 1859-1935. II. Title. III. Title: Zhenit'ba.

NM 0913172 ICU

Musorgskii, Modest Petrovich, 1839-1881.
[Zhenit'ba. Piano-vocal score. German]
Die Heirat; Oper in zwei Bildern. Musik des ersten bildes von M. Moussorgsky (1868) Musik des zweiten bildes von A. Tscherepnin (1934) Instrumentiert von A. Tscherepnin. Text von N. W. Gogol. Deutsche Übersetzung von Heinrich Burkard. Klavierauszug mit Gesang. Wien, Universal-Edition, °1938.
146 p. 31 cm. (Universal-Edition, No. 10, 997)
1. Operas—Vocal scores with piano. I. Cherepnin, Aleksandr Nikolaevich, 1899-1945. II. Gogol', Nikolaĭ Vasil'evich, 1809-1852. Zhenit'ba. III. Title.
M1503.M966Z54 1938 42-3457 rev*

NM 0913173 DLC CU KMK FTaSU IU

MUSORGSKII,Modest [Petrovich].
Hopak. [Paroles de L.Mey,version française de J.Sergennois]. Nouvelle éd. Leipzig,M.P. Belaïeff,etc.,etc.,1898.
4°. pp.9. (Romances et chansons,3).

NM 0913174 MH

Musorgskii, Modest Petrovich
Hopak. Translated from the Russian of L. Mey by Constance Purdy. French version by Rodolphe Gaillard. [Music by] Modest Moussorgsky. [Song with accompaniment for the pianoforte.]
= [Boston.] Oliver Ditson Co. 1917. 9 pp. 35 cm.

E1141 — Double main card.—M usorgski, Modest Petrovitch, 1835-1881. (M1)—Mey, Lev Aleksandrovitch, 1822-1862. (M2) — T.r. Song. (1) — Songs. With music. (1) — Gaillard, Rodolphe, tr. (2)— Purdy, Constance, tr. (2)

NM 0913175 MB MdBP IU NN

sVM 38.5 M 98h MUSORGSKIĬ, MODEST PETROVICH, 1839-1881.
[Hopak] Rachmaninoff transcription for piano. Hopak, by M.Moussorgsky... New York, C.Fischer[c1924]
5p. 30½cm.

Plate no.: 23051 - 4.

NM 0913176 ICN

Musorgskii, Modest Petrovich, 1839-1881.
[The fair at Sorochintzy. Hopak]
...Hopak aus der Oper "Der Jahrmarkt von Ssorotschintsi"...für Harfe übertragen von Kira Ssaradschew. Moskau: Staatsmusikverlag R.S.F.S.R.; Wien [etc.] Universal-Edition A. G., 1931. Publ. pl. no. M. 11752 Г.; U. E. 9751. 5 p. 32cm.
Arranged for harp.
Title-page in Russian and German.

1. Harp—Arr. I. Saradzheva, Kira, arr.
N. Y. P. L. CARNEGIE CORP. OF NEW YORK. July 1, 1938

NM 0913177 NN

Musorgskiĭ, Modest Petrovich, 1839-1881.
[The fair at Sorochinsk. Gopak, arranged]
... Hopak. Transcribed for viola and piano by V. Borissovsky ... New York city, International music company [1944]
7 p. *and* pt. 30½ x 23ᶜᵐ.
At head of title: Musorgsky.
Publisher's plate no.: 624.
1. Viola and piano music, Arranged. 2. Operas—Excerpts, Arranged. I. Borisovskiĭ, Vadim Vasil'evich, 1900- arr.
45-16132
Library of Congress M228.M

NM 0913178 DLC

Musorgskiĭ, Modest Petrovich, 1839-1881.
[Gopak, arr.]
Hopak. English words by Edward Sprake, original verses by L. Mey. [Ed. for low voice] Melbourne, Allan, °1947.
8 p. 31 cm. (Allan's master song series)
Caption title.
For voice and piano; acc. originally for orchestra. English words.
1. Songs (Medium voice) with orchestra—Vocal scores with piano. I. Sprake, Edward.
M1614.M95G6 48-18483*

NM 0913179 DLC

Music m781.5 M987g R1 Musorgskiĭ, Modest Petrovich, 1839-1881.
[Gopak, arr.]
Hopak, piano solo. [Arranged for piano by Sergei Rachmaninoff] New York, C.Foley [c1952]
5p. 30cm.

At head of title: Rachmaninoff.

I.Title. II.Rachmaninoff, Sergei, 1873-1943.

NM 0913180 CLSU

A781.9 M975 bd.8, folge 4 MUSORGSKIĬ, MODEST PETROVICH, 1839-1881.
[Intermezzo. Orchestra. B minor. Arranged for piano, 4 hands]
...Intermetstso; Intermezzo... für orchester... für klavier zür 4 händen übertragen von D.Kabalewsky. Moskau, Staatsmusikverlag etc 1931.
21p. 31cm. (Sämtliche werke, bd.VIII, folge 4)

T.-p. in Russian and German.
At head of title: ...M.Mussorgsky.
Publ.plate nos.U.E.10141,M.12195Г

NM 0913182 PU

Musorgskii, Modest Petrovich, 1839-1881.
...Intermezzo (genre classique), arr. par C. Tschernow... St. Pétersbourg: W. Bessel & cie. [etc., etc., 1895] Publ. pl. no. 3747. 19 p. 35cm.
Score: piano I-II.
At head of title: Compositions pour deux piano...

1. Piano—2 pianos, 4 hands—Arr. I. Chernov, K., arr.
N. Y. P. L. CARNEGIE CORP. OF NEW YORK. July 11, 1938

NM 0913183 NN

Musorgskii, Modest Petrovich, 1839-1881.
Intermezzo en si mineur. Transcrit pour piano seul par A. Luzzatti.
— Paris. Hamelle. [191-?] 9 pp. 33½ cm.

M5502 — Luzzatti, A., ed. — Intermezzi. Pianoforte.

NM 0913184 MB

Musorgskii, Modest Petrovich, 1839-1881.
[Khovanshchina. Introduction]
Introduction "À l'aube sur la rivière de Moscou" de l'opéra Khovanchtchina. Instrumentée par N. Rimsky-Korsakov. Paris, New York, W. Bessel [1913]
minature score (16 p.) 19 cm. (Eulenburgs kleine partitur-ausgabe, no. 695)
Cover imprint: E. Eulenburg, Leipzig.

NM 0913185 PU-Music

Musorgskii, Modest Petrovich, 1839-1881.
[Chowantchina.] Introduction de l'opéra „Chowantchina". [Instrumentée par N. Rimsky-Korsakow.]
= St. Pétersbourg. Bessel & cie. [188-?] 11 pp. L. 8°.

G6979 — T.r. — Overtures. — Rimski-Korsakov, Nikolai Andreievitch, ed.

NM 0913186 MB MH

Musorgskiĭ, Modest Petrovich, 1839-1881
Introduction et Polonaise [de Boris Godunov] Instrumenté par N. Rimsky-Korsakow. New York, Kalmus [195-?]
[48 parts in portfolio]

Caption title.
Full score lacking.
For orchestra.

NM 0913187 OCl

VOLUME 403

Musorgskii, Modest Petrovich, 1839–1881.
[Khovanshchina. Introduction]
Introduction (Morning dawn on the river Moskva) to the opera Khovanshchina. Orchestrated by N. Rimsky-Korsakow. London, E. Eulenburg; New York, Eulenburg Miniature Scores [19—] Pl. no. E. E. 6006.
miniature score (16 p.) 19 cm. (Edition Eulenburg, no. 695)
1. Overtures—Scores. I. Rimskii-Korsakov, Nikolai Andreevich, 1844–1908, arr. II. Title: Morning dawn on the river Moskva.
M1004.M99K57 M 54–2282

NM 0913188 DLC NcD AU OCl CaBVaU

Musorgskii, Modest Petrovich, 1839–1881.
[Khovanshchina. Introduction]
... Introduction to the opera "Khovanshtina," orchestrated by N. Rimsky-Korsakov ... New York city, International music company [1944]
16 p. 18½cm.
At head of title: Musorgsky.
Publisher's plate no.: 670.
Miniature score.
1. Overtures—Scores. I. Rimskii-Korsakov, Nikolai Andreevich, 1844–1908, arr.
Library of Congress M1004.M99K5 1944 a 45–18353
[2]

NM 0913189 DLC CaBVa NN ICU ICN NBC OrP

Musorgskii, Modest Petrovich, 1839–1881.
Избранные письма. [Вступ. статья, ред. текста и примечания М. С. Пекелиса] Москва, Гос. музыкальное изд-во, 1953.
237 p. plates, port. 17 cm.
Errata slip inserted.
1. Musicians—Correspondence, reminiscences, etc.
Title transliterated: Izbrannye pis'ma.
ML410.M97A15 54-16363

NM 0913190 DLC OrU NcD

M 1503 M996 F3 1924
Musorgskii,Modest Petrovich,1839-1881.
[The fair at Sorochinsk. Piano-vocal score. Russian & German]
Der Jahrmarkt von Sorotschintzi,komische Oper in 3 Akten von M.Mussorgsky (nach Gogol) Beendet und Orchestriert von N.Tscherepnin. Deutsche Übersetzung von Heinrich Möller. Klavierauszug mit Text. Petrograd, W.Bessel; New York, Breitkopf & Härtel, c1924.
191 p. 31 cm.

NM 0913191 NSyU ICN GU

VM 3 M 98 v.3 pt.1
MUSORGSKIĬ, MODEST PETROVICH, 1839-1881.
[The fair at Sorochinsk] ...Der jahrmarkt zu Ssorotschinzi. Oper in 3 aufzügen nach Gogol. Nach den manuskripten des autors zusammengestellt und herausgegeben von Paul Lamm. Beendigt von W.Schebalin. Deutsche textübersetzung von A.Gabritschewsky und N.William-Wilmont. Klavierauszug mit text... Moskau,Staatsmusikverlag,1933.
261p. (his ...Sämtliche werke... 1928- bd.III, folge 1)
German and Russian words.
Added t.-p. in Russian.
Plate no.: M. 12815 G. (1933)

NM 0913192 ICN

Music FILM M219
Musorgskiĭ,Modest Petrovich,1839-1881.
[The fair at Sorochinsk. German & Russian]
Der Jahrmarkt zu Ssorotschinzi; Oper in 3 Aufzügen nach Gogol. Nach den Manuskripten des Autors zusammengestellt und hrsg.von Paul Lamm. Beendigt und instrumentiert von W.Schebalin. Deutsche Textübersetzung von A.Gabritschewsky und N.William-Wilmont. Orchester Partitur. Moskau, Staatsmusikverlag, 1934.
(His Sämtliche Werke,Bd.III,Folge 2)
Microfilm copy (negative) of original in Library of Congress.
Title and foreword in German and Russian.

NM 0913193 MiU

Musorgskii, Modest Petrovich, *1839-1881.*
Joshua. Chorus for mixed voices (on a Hebrew theme). English version by Henry G. Chapman.
— New York. G. Schirmer, Inc. 1910. 16 pp. [Schirmer's Standard secular choruses. No. 5534.] 26½ cm.
M5229 — T.r. — Part songs. — Jews. — Music. — Chapman, Henry Grafton, tr.

NM 0913194 MB

M784.86 M974j
Musorgskii, Modest Petrovich, 1839-1881.
[Joshua. Piano-vocal score. English]
Joshua; for mixed voice chorus (S.A.T.B.) and orchestra (or piano) Winthrop Rogers ed. New York, Boosey & Hawkes [1909]
20p. 28cm.
1. Choruses, Sacred. I. Title.

NM 0913195 OrU

M783.4 M97j1 1934
Musorgskiĭ, Modest Petrovich, 1839-1881.
[Joshua. Piano-vocal score. English]
Joshua, for mixed voice chorus (S.A.T.B.) and orchestra (or piano) [Winthrop Rogers ed.] New York, Boosey & Hawkes [1934]
20p. 27cm.
Cover title.
English version by A. W. Cox.

NM 0913196 IU

Musorgskii, Modest Petrovich, 1839–1881.
...Josua, Chor für gemischte Stimmen mit Orch.-Begleitung (nach einem hebräisch. Thema). Klavierauszug... St. Petersburg: W. Bessel & Co., cop. 1909. Publ. pl. no. 6696. 17 p. f°.
Vocal score. French and German.
"Traduction française de Raoul d'Harcourt, deutsche Übersetzung von M. Lippold."
At head of title: M. Moussorgsky. Werke für Gesang. Neue revidierte Ausgabe von N. A. Rimsky-Korsakow... Chöre. I.
JUILLIARD FOUNDATION FUND.
1. Choruses, with orchestra—Vocal score. 2. Rimski-Korsakov, Nikolai Andreyevich, 1844-1908, editor. 3. Harcourt, Raoul d', translator. 4. Lippold, Max, translator. 5. Title.
N. Y. P. L. March 10, 1925

NM 0913197 NN

VM 3 M 98 v.5 pt.1-2
MUSORGSKIĬ, MODEST PETROVICH, 1839-1881.
...Jugendlieder; sammlung von lieder und gesängen. Deutsch von D.Ussow... Für 1 singstimme und klavier... Moskau,Staatsmusikverlag,1931.
136p. (his ...Sämtliche werke... 1928- bd.V, folge[!] 1-2)
Russian words for all the songs, and German translations for all but one.
Title also in Russian.
Plate no.: M. 11416 G. (1931)

NM 0913198 ICN OCl

Musorgskii, Modest Petrovich
Jugendlieder. Sammlung von Liedern und Gesängen. Für 1 Singstimme und Klavier. [Von] M. Mussorgsky. Herausgegeben von Paul Lamm.
— Wien. Universal-Edition A. G. 1931. xv, 136 pp. [Sämmtliche Werke. Band 5, Folde 1–2.] 31.5 cm.
The text is in German and Russian.
D9355 — Lamm, Paul Aleksandrovich, ed., 1882-. — Children's songs. — Russia. F.a. Music.

NM 0913199 MB

MUSORGSKII, MODEST PETROVICH. 1839-1881.
[KHOVANSHCHINA. LIBRETTO. FRENCH]
La Khovanchtchina, drame musicale populaire en cinq actes de M. P. Moussorgsky; terminé et orchestré par N. A. Rimsky-Korsakow. Traduction française de R. et M. d'Harcourt. St. Pétersbourg, W. Bessel; Leipzig, New York, Breitkopf & Härtel [c1910] 61 p. port., facsim. 19cm.
I. Harcourt, Raoul d', tr. II. Harcourt, Marguerite (Béclard) d', tr.

NM 0913201 NN ICN OCl

M1503 M8K5 1913
Musorgskiĭ, Modest Petrovich, 1839-1881.
[Khovanshchina. Piano-vocal score. English & French]
La Khovanchtchina; drame musical populaire en cinq actes, de M. P. Moussorgsky. Terminé et orchestré par. N. A. Rimsky-Korsakow. Réduction pour piano et chant conforme à la partition d'orchestre. Traduction française de R. et H. d'Harcourt. Khovanstchina (The Khovanskys); a national drama in 5 acts. English version by Rosa Newmarch. Leipzig, Breitkopf & Härtel, c1913.
202 p. port.
I. Rimskiĭ-Korsakov, Nikolaĭ Andreevich, 1844-1908.

NM 0913202 CU NjP MH OrP

M 782.1 M987kBes
Musorgskiĭ, Modest Petrovich, 1839-1881.
[Khovanshchina. Piano-vocal score. English & French]
La Khovanchtchina, drame musical populaire en cinq actes, de M.P. Moussorgsky; terminé et orchestré par N.A. Rimsky-Korsakov. Réduction pour chant et piano conforme à la partition d'orchestre. Traduction française de R. et M. D'Harcourt; English version by Rosa Newmarch. Moscou, New York, W. Bessel & Cie., c1913. Pl. no. 6720.
202p. port.
French and English in parallel colums.
Libretto by the composer and V.V. Stasov. Cf. Loewenberg. Annals of opera.

NM 0913203 FTaSU NcU OOxM

ML50 .M993K49
Musorgzkii, Modest Petrovitch, 1839-1881
Khovanshchina. Libretto. English
Khovanchtchina (The Khovanskys). A national music drama in five acts by M. Moussorgsky. English version by Rosa Newmarch. New York, G. Ricordi, c1913.
50 p. 23 cm.
Libretto by composer.
1. Operas--Librettos. I. Newmarch, Mrs. Rosa Harriet (Jeaffreson) 1857- trans. Title.

NM 0913204 MB OrP WaSp

qM 1048 .M93K5 1913
Musorgskiĭ, Modest Petrovich, 1839-1881.
[Khovanshchina. Dance of the Persian slaves]
Khovanchtchina; danse des Persanes. [Paris] Bessel, c1913.
score (33 p.) 33 cm.
1. Operas--Excerpts--Scores. 2. Dance music--Scores. 3. Orchestral music--Scores.

NM 0913205 OkU

Musorgskii, Modest Petrovich
Khovanchtchina. (Les princes Khovansky); drame musical populaire en cinq actes de M. P. Moussorgsky. Terminé et orchestré par N. A. Rimsky-Korsakov. Version française de R. et M. d'Harcourt. Version anglaise de Rosa Newmarch. Introduction. Pour piano à 2 ms.
— Petrograd. Bessel & cie. 1913. 5 pp. 34 cm.
N8964 — T.r. Introduction. Pour piano. — Pianoforte. Music.

NM 0913206 MB

VOLUME 403

*M1004.2 M8K4
Musorgskii, Modest Petrovich, 1839-1881.
‹Khovanshchina. Selections. Danse des Persanes›
Khovanchtchina (Les Princes Khovansky); drame musical populaire en cinq actes de M. P. Moussorgsky, terminé et orchestré par N. A. Rimsky-Korsakov. Petrograd, W. Bessel & cie., c1910/13.
33p. 34cm.

NM 0913207 NBuG

Musorgskiĭ, Modest Petrovich, 1839-1881.
[Khovanshchina. Libretto. English]
Khovanchtchina (The Khovanskys) A national music drama in five acts, by M. Moussorgsky. English version by Rosa Newmarch. New York, G. Ricordi & co [ca. 1940, c1913] 50 p. 23cm.

I. Newmarch, Rosa Harriet (Jeaffreson), 1857-1940, tr.

NM 0913208 NN

---

qM785.5 M97k 1945
Musorgskii, Modest Petrovich, 1839-1881.
[Khovanshchina. Introduction]
Khovanchtchina, opera de M. Moussorgsky. Introduction instrumentée par N. Rimsky-Korsakov. Scarsdale, N.Y., E. F. Kalmus [1945?]
20 parts. 31cm.

1. Overtures--Scores. 2. Operas--Excerpts--Parts. I. Rimskii-Korsakov, Nikolai Andreevich, 1844-1908, arr.

NM 0913209 IU OCl CaBVa

Musorgskiĭ, Modest Petrovich.
Khovanshchina; national music drama arranged for voice and piano by N. A. Rimski-Korsakov. St. Petersburg: V. Bessel i Ko. [1883.] 207 p. f°.

NM 0913210 NN

Music ML 50 .M98 K44
Musorgskiĭ, Modest Petrovich, 1839-1881.
‹Khovanshchina. Libretto. French›
Khovantchina (Les princes Khovansky) drame musical populaire en cinq actes. Musique de M.Moussorgsky terminé et orchestré par N.A.Rimsky-Korsakow; paroles françaises de MM.R.et M. D'Harcourt ... Paris, W.Bessel & cie. ‹1910›
64 p. 18 cm.
At head of title: Théatre national de l'opéra.

NM 0913211 MiU OCl CoU

Musorgskiĭ, Modest Petrovich, 1839-1881.
[Khovanshchina. Piano-vocal score. French & Italian]

Khovantchina, drame musical populaire en 5 actes. Terminé et instrumenté par N. Rimsky-Korsakov, version française de R. et M. d'Harcourt. Kovàntscina, dramma musicale popolare in cinque atti. Versione ritmica dal russo di Rinaldo Küfferlé. Paris, Bessel, °1952.
202 p. 31 cm.
Libretto by the composer and V. V. Stasov. Cf. Loewenberg. Annals of opera.
1. Operas—Vocal scores with piano. I. Stasov, Vladimir Vasil'evich, 1824-1906. Khovanshchina. II. Rimskiĭ-Korsakov, Nikolaĭ Andreevich, 1844-1908. III. Title. IV. Title: Kovàntscina.

M1503.M996K5 1952 52-65711

NM 0913212 DLC CaBVa IEN

VM 3 M 98 v.5 pt.6
MUSORGSKIĬ, MODEST PETROVICH, 1839-1881.
[The nursery] ...Die kinderstube; episoden aus dem kinderleben... Für 1 singstimme und klavier. Deutsch von D.Ussow... Moskau,Staatsmusikverlag,1931.
53p. (his ...Sämtliche werke... 1928- bd.V, folge 6)
German and Russian words.
Title also in Russian.
Plate no.: M. 11727 G. (1931)
Contents.--Mit der kinderfrau.--Im winkel.--Der käfer.--Mit der puppe.--Vor dem schlafengehen.--Kater murr. --Ritt auf dem stecken-

NM 0913213 ICN MH

KEPT IN BROWN MUSIC COLLECTION *M3 .M85 Bd.5
‹Enfantines› 1931.
Musorgskii, Modost Potrovich, 1839-1881.
[Songs]
... Dio kinderstubo, episodon aus dom kinderleben ... Für 1 singstimme und klavier; doutsch von D. Ussow. Moskau, Staatmusikvorlag; Wien Leipzig, Universal edition, a.g., 1931.
viii, 9-53 p. 36cm. (Sämtliche werke, hrsg. von Paul Lamm [bd.V, f.6])
At head of title: M. Mussorgsky.
Title also in Russian.
Words in Russian and German.
Title translitor ated: Dotskaîa.

NM 0913214 MB

VM 22 M 98p
MUSORGSKIĬ, MODEST PETROVICH, 1839-1881.
[Piano works] Klavier-Kompositionen. Leipzig,Breitkopf & Härtel[c1911?]
score(2v.in 1) 31cm. (Edition Breitkopf Nr.4204a-b)

Contents.--Tableaux d'une exposition, redigés par N.Rimsky-Korsakow.-- Œuvres posthumes pour piano, revues par W.G.Karatyguine. Pièces diverses pour piano.

NM 0913215 ICN OU

M 22 .M98A2
Musorgskiĭ, Modest Petrovich, 1839-1881.
[Works, piano. Selections]
Klavier-Kompositionen. Leipzig, Breitkopf & Härtel [1952?]
2 v. (Edition Breitkopf, Nr. 4204a-b)

1. Piano music.

NM 0913216 ICU

MUSORGSKI, MODEST PETROVICH, 1839-1881.
[KHOVANSHCHINA. LIBRETTO. ITALIAN]
Kovancina; dramma musicale popolare in cinque atti di M.P.Mussorgski. Finito e orchestrato da N.A. Rimski-Korsakof. Versione ritmica dal russo di Rinaldo Küfferle... Milano, Casa musicale Sonzogno[1948,c1926]
64 p. 19cm.

"Copyright 1926 by W.Bessel & c."
I. Küfferle, Rinaldo, 1903- tr.

NM 0913217 NN

Musorgskii, Modest Petrovich, 1839-1881.
Kovàntscina; dramma musicale popolare in cinque atti. Finito e orchestrato da N.Rimski-Kòrsakof. Versione ritmica dal russo di Rinaldo Küfferle. Paris, Bessel [1925]

202 p. port.
Piano-vocal score. Words in Italian and Russian.

NM 0913218 MH NN

Musorgskiĭ, Modest Petrovich, 1839-1881.
[Khovanshchina. Libretto. Italian]

Kovantscina; dramma musicale popolare in cinque atti di M. P. Mussorgski. Finito e orchestrato da N. A. Rimski-Korsakof; versione ritmica dal russo di Rinaldo Küfferle. Milano, Sonzogno [°1926]
74 p. 19 cm.
Libretto by the composer and V. V. Stasov. Cf. Loewenberg. Annals of opera.
[1. Operas—Librettos] I. Stasov, Vladimir Vasil'evich, 1824-1906. Khovanshchina. II. Rimskiĭ-Korsakov, Nikolaĭ Andreevich, 1844-1908. III. Title.

ML50.M993K5 1926 50-54051

NM 0913219 DLC

Musorgskiĭ, Modest Petrovich
Une larme. [Слеза.]
= Moscou. Jurgenson. [189-?] 3 pp. [Compositions pour piano. No. 3.] 32½ cm.

L9916 — T.r. Pianoforte music. — Pianoforte. Music.

NM 0913220 MB

M 1621 .M98 L7
Musorgskiĭ, Modest Petrovich, 1839-1881.
Lied des Mephistopheles in Auerbachs Keller; für Bariton oder Bass [von] M. Mussorgsky. Leipzig, Breitkopf & Härtel [1952?]
7 p. 33 cm. (Deutscher Liederverlag, Nr. 5932)
Cover title.
For voice and piano; Russian, English and German words.

1. Songs with piano. I. Title.

NM 0913221 DCU

Musorgskiĭ, Modest Petrovich, 1839-1881.
[Songs]
Lieder für eine mittlere stimme von Modeste Moussorgsky. Petersburg, W. Bessel & co.; Leipzig, Breitkopf & Härtel [etc., etc., c1903/21]
1 p.l., 194 p. front. (port.) 30 cm.
French, German and English text.

NM 0913222 CtY

M 1620 M8 L5
Musorgskiĭ. Modest Petrovich, 1839-1881.
[Songs, Selections]
Lieder für eine Singstimme und Klavier. Revision und deutsche Textübersetzung von Hans Schmidt. Leipzig, C.F. Peters [1912?]
59 p.
miniature score (3 v.) 27 cm. (Edition Peters, Nr. 3394)

CONTENTS.-Bd.1. 12 Lieder. -Bd.2. 7 Lieder. - Bd.3. 9 Lieder.

NM 0913223 CaBVaU MH O

Musorgskiĭ, Modest Petrovich, 1839-1881.
[Songs. Selections]
Lieder für eine Singstimme und Klavier. Revision und deutsche Textübersetzung von Hans Schmidt. New York, Peters, c1917 [1923]
3 v. (Edition Peters, 3394 a/c)
Contents. - v.I Lieder und Tänze des Todes; Kinderstube; Hopak. - v. 2-3. Selected songs.
1. Songs with piano.

NM 0913224 LN

Musorgskii, Modest Petrovich, 1839-1881.
Lieder für eine Singstimme und Klavier.
Revision und deutsche Text übersetzung von Hans Schmidt. Frankfurt, C. F. Peters, c.1945.
v. 27cm. (Edition Peters, no. 3394a, no. 3394c,

NM 0913225 OrSaW

VOLUME 403

VM
3
M 98
v.5
pt.4
MUSORGSKIĬ, MODEST PETROVICH, 1839-1881.
...Lieder und gesänge. Deutsch von D.Ussow... Für 1 singstimme und klavier... Moskau,Musiksektion d. staatsverlages,1929.
69p. (his ...Sämtliche werke... 1928- bd.V, folge 4)

German and Russian words.
Title also in Russian.
Plate nos.: M. 8767-68 G (1929); M. 8968-75 G (1929); M. 8977-83 G (1929)

NM 0913226 ICN

---

f784.81 M98ℓ.L Musorgskiĭ, Modest Petrovich, 1839-1881
[Lieder und gesänge]
...Lieder und gesänge...für 1 singstimme und klavier; deutsch von D. Ussow... Moskau, Staatsmusikverlag, 1931-34.
3v. F. (His Sämtliche werke, bd.V, folge 3-4,8; hrsg. von Paul Lamm)

Title-page and text in Russian and German.

Vol.2, "2-е издание."
"Предисловие", v.[1,3] signed Ю. Келдыш.

NM 0913228 IaU MB

Musorgskii, Modest Petrovich.
Lieder und tänze des todes (Chants et danses de la mort) af M. Moussorgsky; tysk og fransk tekst, sopran - tenor. København. Hansen, c1911.
28 p. Q.

NM 0913229 PP

VM
3
M 98
v.5
pt.9
MUSORGSKIĬ, MODEST PETROVICH, 1839-1881.
[Songs and dances of death] ...Lieder und tänze des todes. Text von A.A.Golenischtschew-Kutusow. Deutsch von D.Ussow... Für 1 singstimme und klavier... Moskau,Musiksection d. Staatsverlages,1928.
39p. (his ...Sämtliche werke... 1928- bd.V, folge 9)

German and Russian words.
Title also in Russian.
Plate no.: M. 8389 G. (1928)
Contents.— Wiegenlied.—Serenade.—Tanzlied.—Feldherr tod.

NM 0913230 ICN

Songs & dances of death. 1928.

Musorgskii, Modest Petrovich, 1839–1881.
...Lieder und Tänze des Todes. Text von A. A. Golenischtschew-Kutusow. Deutsch von D. Ussow... Für 1 Singstimme und Klavier. Wien: Universal-Edition, A. G., 1928. Publ. pl. no. U. E. 9250. 39 p. f°.

Russian and German words; music for 1 voice with piano acc.
Title-page in Russian and German.
At head of title: .. Sämtliche Werke. Band V, Folge 9... Herausgegeben von Paul Lamm ..
Contents: 1. Wiegenlied. 2. Serenade. 3. Tanzlied. 4. Feldherr Tod.

1. Songs—Song cycles. 2. Songs, Russian. 3. Golenishchev-Kutuzov, Arsenii Arkad'yevich, graf, 1848- 4. Usov, D., translator. 5. Lamm, Pavel Aleksandrovich, 1882- editor.
N. Y. P. L. July 24, 1929

NM 0913231 NN

A781.9 M975 bd.5, folge 9
MUSORGSKIĬ, MODEST PETROVICH, 1839-1881.
[Songs. Pesni i pliaski smerti]
...Pesni i pliaski smerti... Lieder und tänze des todes. Text von A.A.Golenischtschew Kutusow. Deutsch von D.Ussow... 1.Wiegenlied. 2.Serenade. 3.Tanzlied. 4.Feldherr tod... Für 1 singstimme und klavier. Moskau,Staatsmusikverlag; Berlin,etc.,Universal edition a.g.,1931.
39p. 31cm. (In Musorgskii,M.P. [Songs. Complete ed.] ...Sammlung von liedern und gesäng

Continued in next column

Continued from preceding column

en... 1931. Folge 9)
In Russian and German.
At head of title: ...M.Mussorgsky.
Publ.plate nos.U.L.9250,M.8396.
His Sämtliche werke, bd.V, folge 9.

NM 0913233 PU OrU

Musorgskii, Modest Petrovich
Lieder und Tänze des Todes. [Von] M. Mussorgsky. Text von A. A. Golenischtschew-Kutusow. Deutsch von D. Ussow . . . Für 1 Singstimme und Klavier. Herausgegeben von Paul Lamm. — Wien. Universal Edition A. G. 1931. 39 pp. [Sämtliche Werke. Band 5. Folge 9.] 32 cm.
Contents. — Wiegenlied. — Serenade. — Tanzlied. — Feldherr Tod.
The title is repeated in Russian.
The text is in Russian and German.

E1152 — Double main card.—Musorgski, Modest Petrovitch, 1835-1881. (M1) — Kutusov-Golenishtchev, Arseni Arkadievitch, Graf. (M2) — T.r. (1) — Songs. With music. Colls. (1) — Lamm, Paul Aleksandrovitch, ed., 1882-. (1) — Ussow, D., tr. (2)

NM 0913234 MB OC1

MUSORGSKII, MODEST PETROVICH, 1839-1881.
Little star, where art thou? Revised by W. G. Karatygin. Translated from the Russian of Moussorgsky by Constance Purdy. [Boston] O. Ditson, c1916.
3 p. 35cm.

For low voice and piano.

1. Songs, Russian. I. Karatygin, Vyacheslav Gavrilovich, 1875-1925.

NM 0913235 NN

M786.8 M98
Musorgskii, Modest Petrovich, 1839-1881

March of victory; transcribed by Harold Vincent Milligan. Schmidt c1922.
7 p.

Organ.

NM 0913236 OrP

Musorgskii, Modest Petrovich, 1839–1881.
Marche turque, par M. Moussorgsky... Piano seul... Paris: J. Hamelle[, 1927?]. Publ. pl. no. J. 6048. H. 5 p. f°.

Reprinted from plates of ca. 1910.

MUSIC DIV
JUILLIARD FOUNDATION FUND.

1. Piano—Marches. 2. Title.
N. Y. P. L. October 17, 1928

NM 0913237 NN

MUSORGSKII, MODEST PETROVICH, 1839-1881.
[MLADA. TURKISH MARCH. ARR. FOR PIANO]
Marche turque, As-dur. Arrangée pour piano seul par C. Tchernoff. Pétrograde, W. Bessel [c1911]
7 p. 35cm.

Microfilm.
At head of title: Oeuvres posthumes de M. Moussorgsky pour l'orchestre.

1. Marches (Piano)

NM 0913238 NN

M782.8 M987zxH Music lib.
Musorgskiĭ, Modest Petrovich, 1839-1881.
[Zhenit'ba. Piano-vocal score. French & Russian]
Le mariage, comédie musicale. Paroles de N. Gogol. Edition rédigée par N. Rimsky-Korsakov. Traduction française de Raoul d'Harcourt ... Berlin, New York, Breitkopf & Härtel, c1911.
64p. front. (port.) 32cm.

Title also in Russian; preface, stage directions, etc. in French & Russian.

I. Gogol', Nikolaĭ Vasil'evich, 1809-1852. Zhenit'ba II. Rimskiĭ-Korsakov, Nikolaĭ Andreevich, 1844-1908, ed. III.Title. IV. Title: Le mariage.

NM 0913239 NcU

Musorgskii, Modest Petrovich, 1839–1881.
...Le mariage; comédie musicale, paroles de N. Gogol, édition rédigée par N. Rimsky-Korsakov, traduction française de Raoul d'Harcourt... St. Petersbourg: W. Bessel & Cie, cop. 1911. Publ. pl. no. 5967. 3 p.l., 5–64 p. front. (port.) f°.

t.-p. in French and Russian.
"Moussorgsky in 1868 made an experiment in what he described as 'opera dialogue.' He attempted to set to music, just as it stood, the prose text of Gogol's comedy, 'The matchmaker.' He abandoned the idea after completing the first act." — Grove's Dict. of music and musicians.
Russian and French.
Vocal score.

1. Operas.—Piano and voice. 2. Gogol, Nikolai Vasilyevich, 1809–52. 3. Rimski-Korsakov, Nikolai Andreyevich, 1844-1908, editor. 4. Harcourt, Raoul d', translator. 5. Title.
N. Y. P. L. April 2, 1919.

NM 0913240 NN MH

MUSORGSKII, MODEST PETROVICH, 1839-1881.
[SONGS. SELECTIONS]
Mélodies, pour une voix avec accompagnement de piano. Éd. complète. Paris, W. Bessel [192-] 150 p. port. 30cm.

Electrostatic reproduction, The New York public library.
For voice and piano; Russian and French words.

1. Songs, Russian.

NM 0913241 NN

MUSORGSKII,Modest [Petrovich].
Mélodies,pour une voix avec accompagnement de piano. Paris,W.Bessel & cie.,[cop.1921].

f°. Port.

NM 0913242 MH

Musorgskiĭ, Modest Petrovich, 1839-81 (2)
Mlada (6) Selections: Market scene. Arr.
Mlada. Marktszene; Fragmente aus der unvollendeten Oper. Für Singstimmen und Klavier zu 4 Händen. Deutsch von D. Ussow. Hrsg. von P. Lamm. Mockba, Staatsmusikverlag, 1931
Score (21 p.) (His Sämtliche Werke, Bd.4, Fol.3)
Title page also in Russian. Words in Russian & German

NM 0913243 MH

Musorgskii, Modest Petrovich, 1839-1881.
Mon etoile. Melodie posthume revue par W. G. Karatyguine. Paris, Bessel, c1921.

Musorgskii, Modest Petrovich
The musician's peep-show. Words [and music] by Moussorgsky. For baritone or bass. English version by Rosa Newmarch. Musical satire [with accompaniment for piano]. — Leipzig. Breitkopf & Härtel. 1911. 25 pp. 34½ cm.

L3078 — T.r. Song. — Songs. With music. — Newmarch, Rosa Harriet, tr., 1857-

NM 0913245 MB

VOLUME 403

Musorgskii, Modest Petrovich, 1839-1881.
Musiker portraits (Portraits musicaux)
Klavier album (Album pour piano) Mainz, Schott, n.d.
41 p. (Edition Schott nr. 521)
1. Piano music. I. Musical portraits.

NM 0913246 CaBVa

Musorgskii, Modest Petrovich, 1839-1881.
The Musorgsky reader; a life...
see under Leyda, Jay, ed. and tr.

785.1 M98n 1925
Musorgskiĭ, Modest Petrovich, 1839-1881
...Eine nacht auf dem kahlen berge <Une nuit sur le mont chauve> Konzertfantasie für orchester. Op.posth. Vollendet und instrumentiert von N. Rimsky-Korsakow. Leipzig, Eulenburg [1925?]
87p. D. (Eulenburgs kleine partitur ausgabe, 841)
Tone poem.
Text in German, French and English.
Miniature score.

NM 0913248 IaU PU-FA PPT

MM 785.1 M987N
Musorgskii, Modest Petrovich, 1839-1881.
[Une nuit sur le mont Chauve]
Eine Nacht auf dem kahlen Berg. Night on the Bare Mountain. Beendet und instrumentiert von N. Rimsky-Korsakov. Wien, Wiener Philharmonischer Verlag, 1929.
miniature score(87p.) port. 19cm. (Philharmonia Partituren, Nr.161)

1. Symphonic poems I. Rims kii-Korsakov, Nikolai Andreevich, 1844-1908.

NM 0913249 NBC ViU NcU RPB OU CLO ICN OO MiU NN RPB

Musorgskiĭ, Modest Petrovich, 1839–1881.
9 Lieder für eine Singstimme und Klavier, von M. Moussorgsky. Revision und deutsche Textübersetzung von Hans Schmidt ... Leipzig: C. F. Peters[, 1923]. Publ. pl. no. 10342. 32 p. 4°.
German words; music for 1 voice with piano acc.
On cover: Edition Peters. No. 3394r. Moussorgsky. Lieder. Band III ..
Contents: 1. Mephistos Lied. 2. König Saul. 3. Das Lied vom Dnjepr. 4. Vision. 5. Schöne Sawischna. 6. Ballade. 7. Der Seminarist. 8. Gastgelage. 9. Der Bock.
Bound with his: 12 Lieder. [Bd. 1.] Leipzig[, 1913].

JUILLIARD FOUNDATION FUND.
1. Songs, Russian. 2. Schmidt, Hans, 1854- , editor and translator.
N. Y. P. L. May 21, 1929

NM 0913250 NN

M 1002 .M98N8
Musorgskiĭ, Modest Petrovich, 1839-1881.
Night on a Bald Mountain [by] Modest Mussorgsky. New York, E. F. Kalmus [194-?]
miniature score (87p.) 20cm. (Kalmus miniature orchestra scores, no.286)
Cover title.

1. Symphonic poems - Scores. I. Title.

NM 0913251 DGW NjR MsSM WaTC

MUSORGSKIĬ, MODEST PETROVICH, 1839-1881.
[NIGHT ON BALD MOUNTAIN. ARR. FOR PIANO]
A night on the bald mountain (Kiev) for piano, by M. Moussorgsky. New York, E.B. Marks [1946]
23 p. 30cm. (Classic master series. no.15)
Originally for orchestra.

1. Symphonic poems--Arr. for piano. I. Title.

NM 0913252 NN

M1002 .M98N86
Musorgskiĭ, Modest Petrovich, 1839-1881.
[Une nuit sur le mont Chauve]
Night on the Bare Mountain; une nuit sur le mont Chauve; eine Nacht auf dem kahlen Berg. Orchestrated by N. Rimsky-Korsakoff. London, New York, Boosey & Hawkes [19--]
miniature score (87 p.) (Hawkes pocket scores, no. 653)

1. Symphonic poems - Scores. I. Rimskiĭ-Korsakov, Nikolai Andreevich, 1844-1908, arr.

NM 0913253 CLobS NcD CU-I

Musorgskiĭ, Modest Petrovich, 1839-1881.
[Une nuit sur le mont Chauve]
Night on the Bare Mountain. Arr. by Rimsky-Korsakov. London, E. Eulenburg; New York, Eulenburg Miniature Scores [19—]
miniature score (87 p.) 19 cm. (Edition Eulenburg, no. 841)

1. Symphonic poems—Scores. I. Rimskiĭ-Korsakov, Nikolaĭ Andreevich, 1844-1908, arr. II. Title.
M1002.M98N87 M 55-339

NM 0913254 DLC CaBVaU OrU NjR NIC CLO CU-I MH

Musorgskiĭ, Modest Petrovich, 1839–1881.
[Une nuit sur le mont Chauve; arr.]
Night on the Bare Mountain; witches sabbath [by Musorgsky-Stokowski. n. p., 1940?]
score ([63] p.) 56 cm.
Caption title.
Arranger's ms., in pencil.
Rearrangement of the composer's orchestral score by Leopold Stokowski.
"I have found the original orchestration of Musorgsky in Russia, and have made a new orchestration—embodying what seemed to me to be the most inspired parts of the original Musorgsky and of the later Rimsky-Korsakov orchestrations": arranger's typewritten program note mounted on cover.
Revised p. [61] inserted; p. [62]–[63] in a different hand, in ink, with arranger's additions, in pencil.

1. Symphonic poems, Arranged--Scores. I. Stokowski, Leopold, 1882- arr. II. Title.
ML30.6a.M9N9 M 54–1009

NM 0913256 DLC

Musorgskiĭ, Modest Petrovich, 1839–1881.
[Une nuit sur le mont Chauve]
... Night on the Bare mountain, fantasy. Opus posthumous. Score ... New York city, International music company [1943]
89 p. 18½cm.
At head of title: Musorgsky.
On cover: Terminated and orchestrated by N. Rimsky-Korsakov.
Publisher's plate no.: 616.
Miniature score.

1. Symphonic poems—Scores. I. Rimskiĭ-Korsakov, Nicolaĭ Andreevich, 1844-1908.
Library of Congress M1002.M98N8 1943 a 45-16473

NM 0913257 DLC OrCS MtU IaU PP NcU DCU OkU

Musorgskiĭ, Modest Petrovich, 1839–1881.
[Une nuit sur le mont Chauve; arr.]
Ночь на Лысой горѣ; большая фантазія. Инстр. Э. І. Вольфъ. С.-Петербургъ, В. Бессель [19—] Pl. no. 7385.
score (59 p.) 35 cm.
Symphonic poem.
For band; originally for orchestra.

1. Symphonic poems (Band), Arranged—Scores. I. Title.
Title transliterated: Noch' na Lysoĭ gorĭe.
M1254.M97N88 M 56–1355

NM 0913258 DLC

M1002 .M98N8 1946
Musorgskiĭ, Modest Petrovich, 1839-1881.
[Une nuit sur le mont Chauve]
Noch' na lysoĭ gore, fantaziía dlía orkestra. Une nuit sur le mont Chauve, fantaisie pour orchestre. Achevée et instrumentée par N. Rimsky-Korssakow. Moskva, Gosudarstvennoe Muzykal'noe Izdatel'stvo/Edition de musique de l'état URSS, 1946.
score (76 p.) 30cm.
1. Symphonic poems--Scores. I. Rimskiĭ-Korsakov, Nikolai Andreevich, 1844-1908, arr. I, Title, II, Title: Noch' na Lysoĭ gore.

NM 0913259 MB

Musorgskiĭ, Modest Petrovich
La nuit. Fantaisie. (Ténor.) Traduction française de M. D. Calvocoressi. Deutsch von A. Bernhard. [Avec accompagnement de piano.]
— St. Pétersbourg. Bessel & cie. 1908. 7 pp. 34½ cm.
In French, German and Russian.

L3074 — T.r. — Songs. With music. Calvocoressi, Michael D., tr., 1877-. — Bernhard, A., tr.

NM 0913260 MB

M 785.32 M987n Bu2
Musorgskiĭ, Modest Petrovich, 1839-1881.
[Une nuit sur le mont Chauve]
Une nuit sur le Mont Chauve (Night on the Bare Mountain) Completed and orchestrated by Nikolai Rimsky-Korsakov. Foreword by Gerald Abraham. London, New York, Eulenburg [n.d.] Pl. no. E.E. 6125.
score (87p.)

1. Symphonic poems - Scores. I. Rimskiĭ-Korsakov, Nikolaĭ Andreevich, 1844-1908, arr.

NM 0913261 FTaSU TxDaM

M 1045 .M98 N9 R58
Musorgskii, Modest Petrovich, 1839-1881.
[Une nuit sur le mont Chauve]
Une nuit sur le mont Chauve, fantaisie. Achevée et instrumentée par N.Rimsky-Korsakoff. Paris, J.Hamelle [18--?] Pl.no.J. 7159 H.
score (64 p.) 33 cm.
Caption title.
In portfolio.
1.Symphonic poems--Scores. I.Rimskiĭ-Korsakov, Nikolaĭ Andreevich, 1844-1908. II.Title.

NM 0913262 MiU CtY IU

VM 1002 M 98ni 1886
MUSORGSKIĬ, MODEST PETROVICH, 1839-1881.
[Night on the bare mountain] Une nuit sur le mont chauve. Fantaisie pour orchestre. Oeuvre posthume. Achevée et instrumentée par N. Rimsky-Korsakoff. Partition d'orchestre. St Pétersbourg, B. Bessel & cie [1886]
score(65p.) 28cm.

Caption title in Russian and French.

NM 0913263 ICN MB

VOLUME 403

Musorgskiĭ, Modest Petrovich, 1839–1881.
...Une nuit sur le mont chauve. (Night on the bare mountain. Eine Nacht auf dem Kahlenberg.) Fantaisie de concert pour orchestre, par Modest Moussorgsky. Œuvre posthume. Achevée et instrumentée par N. Rimsky-Korsakov... Petrograd: W. Bessel & Co. [1888.] Publ. pl. no. W. 1538 B. 87 p. 12°.

Full score.

JUILLIARD FOUNDATION FUND.
1. Orchestra (Full).—Symphonic poems. 2. Rimski-Korsakov, Nikolai Andreyevich, 1844–1908. 3. Title. 4. Title: Night on the bare mountain. 5. Title: Eine Nacht auf dem Kahlenberg.
N. Y. P. L. September 2, 1924

NM 0913264 NN

Musorgskiĭ, Modest Petrovich, 1839–1881.
[Une nuit sur le mont Chauve; arranged]
... "Une nuit sur le mont Chauve." Fantaisie de concert ... St. Pétersbourg [etc.] W. Bessel & c^ie; [etc., etc., 1888]
37 p. 35 x 27cm.
At head of title: ... Moussorgsky, M. ...
Publisher's plate no.: 2223.
"Arrangée à deux pianos par P. Ewstafiew."
Score: piano 1-2.
1. Piano music (2 pianos), Arranged. I. Evstaf'ev, Petr Petrovich, d. 1900, arr.
45-29107
Library of Congress M215.M96N8

NM 0913265 DLC

Musorgskiĭ, Modest Petrovich, 1839–1881.
Une nuit sur le mont chauve (Night on the bare mountain) ... Fantaisie de concert pour l'orchestre, par Modeste Moussorgsky. Œuvre posthume. Achevée et instrumentée par N. Rimsky-Korsakov. Partition... Pétrograde: W. Bessel & Cie. [, 1888.] Publ. pl. no. 1538. 64 p. f°.
Full score.
"Instrumentated by Rimsky-Korsakov in 1886. no. 5 of the 'Œuvres posthumes.'" Copyrighted 1920.
347782A
JUILLIARD FOUNDATION FUND.
1. Orchestra, Full—Symphonic poems. 2. Rimski-Korsakov, Nikolai Andreyevich, 1844–1908. 3. Title. 4. Title: Night on the bare mountain.
N. Y. P. L. November 30, 1927

NM 0913266 NN MH

M1002 Musorgskiĭ, Modest Petrovich, 1839-1881.
M98N9 [Une nuit sur le mont Chauve]
m Une nuit sur le mont Chauve. Night on the Bare Mountain. Eine Nacht auf dem Kahlenberg. Fantaisie de concert pour orchestre; instrumentée par N. Rimsky-Korsakov. Londres, New York, W. Bessel[c19--] Pl.no. W. 1538 B.
87 p. 19cm.
Miniature score.
1.Symphonic poems. I. Rimskiĭ-Korsakov, Nikolaĭ Andreevich,1844-1908,arr. II. Title. III. Title: Night on the Bare Mountain. 1.. Title:Eine Nacht auf dem Kahlenberg.

NM 0913267 CSt NBuU

Musorgskii, Modest Petrovich, 1839-1881.
[Une nuit sur le mont chauve]
Une nuit sur le mont chauve. Breitkopf [19--]
score(65p.) & parts.

NM 0913268 OrP

M35 Musorgskiĭ, Modest Petrovich, 1839-1881.
.M8N5 [Night on Bald Mountain; arr.]
Une nuit sur le mont chauve [par] M. Moussorgsky. Paris, J. Hamelle [190-?]
score (23 p.) 35cm.
Caption title.
For piano.
Publisher's pl. no.: J.6051.H.

1. Symphonic poems arranged for piano. 2. Piano music, Arranged.

NM 0913269 MB CtY

---

qM
1002 Musorgskiĭ, Modest Petrovich, 1839-1881.
.M98N8 [Une nuit sur le mont chauve]
1910 Une nuit sur le mont chauve (Night on the Bare mountain); fantaisie de concert pour l'orchestre par Modeste Moussorgsky. Oeuvre posthume. Achevée et instrumentée par N. Rimsky Korsakov. Paris, Bessel [1910?] Pl. no. 1538.
score (64 p.) 34 cm.
1. Symphonic poems--Scores. I. Rimskiĭ-Korsakov, Nikolaĭ Andreevich, 1844-1908, arr.

NM 0913270 OkU

---

qM786.413 Musorgskiĭ, Modest Petrovich, 1839-1881.
M97n [Une nuit sur le mont Chauve; arr.]
Une nuit sur le mont Chauve. (Night on the Bare Mountain) Fantasie de concert pour l'orchestre. Oeuvre posthume achevée et instrumentée par N. Rimsky-Korsakov. Pour piano seul arr. par C. Tchernov. Petrograde, New York, W. Bessel [c1920]
19p. 34cm.

1. Piano music, Arranged. I. Tchernov, C., arr.

NM 0913271 IU MH

Musorgskiĭ, Modest Petrovich, 1839-1881.
...Une nuit sur le mont chauve. Night on the bare mountain - eine nacht auf dem kahlenberg. Fantasie de concert... Instrumentée par N.Rimsky-Korsakov... Londres, Bessel [192-?]
87 p. 18½ cm.

I.Rimskiĭ-Korsakov,Nikolai Andreevich,1844-1908. II.Main cd. (Music)

NM 0913272 NjP CaBVaU WaPS

M209
.M9N5 Musorgskiĭ, Modest Petrovich, 1839-1881.
[Night on Bald Mountain; arr.]
Une nuit sur le mont chauve, par M. Moussorgsky; [transcrit à 4 mains par N. Arziboucheff] Paris, J. Hamelle [192-?]
score (41 p.) 35cm.
Publisher's pl. no.: J. 5706. H.

1. Symphonic poems arranged for piano (4 hands) 2. Piano music (4 hands), Arranged. I. Artsybushev, Nikolaĭ Vasilievich, 1858-1937, arr.

NM 0913273 MB

Musorgskiĭ, Modest Petrovich, 1839–1881.
...Une nuit sur le mont chauve; poème symphonique... arrangé pour piano à 2 mains, par M. Tschernow. Moscou: Section musicale des Éditions d'état, 1929. Publ. pl. no. G. M. 4634 I. M. (2722.) 23 p. f°.
Arranged for piano, 2 hands.
Title-page and cover-title in Russian and French.

1. Orchestra, Full—Arr. for piano, 2 hands. 2. Piano. I. Chernov, K., arranger. II. Title.
N. Y. P. L. June 10, 1931

NM 0913274 NN

MUSORGSKI, MODEST PETROVICH, 1839-1881.
[NIGHT ON BALD MOUNTAIN]
Une nuit sur le mont chauve; fantaisie. Oeuvre posthume de M. Moussorgsky. Achevée et instrumentée par N. Rimsky-Korsakoff. New York, E. F. Kalmus [194-?] score (64 p.) 32cm.

For orchestra.
1. Symphonic poems. I. Rimski-Korsakov, Nikolaĭ Andreyevich, 1844-1908, arr. II. Title: Night on bald mountain. III. Title: Une nuit sur le mont chauve.

NM 0913275 NN

VM MUSORGSKIĬ, MODEST PETROVICH, 1839-1881.
1002 [A night on the bare mountain] Une nuit sur
M 98ni le mont chauve. Fantaisie pour orchestre. Achevée et instrumentée par N.Rimsky-Korssakow. Partition. Moscou,Édition de Musique de l'État,1946.
score(76p.) 30cm.

Cover title in Russian.
Title-page in Russian and French.

NM 0913276 ICN OCl

M1002 Musorgskii, Modeste Petrovich, 1839-1881.
.M9N5 Une nuit sur le Mont Chauve (Night on the Bare Mountain) Completed and orchestrated by Nikolai Rimsky-Korsakov. Foreword by Gerald Abraham. London, Eulenburg [195-]
miniature score(87 p.) 19 cm. (Edition Eulenburg,841)

NM 0913277 NjP

---

m780.3 Musorgskiĭ, Modest Petrovich, 1839-1881.
M987n [The nursery]
Nursery; a cycle of seven songs for voice and piano. Original key. [English translation by Edward Agate; revised by Sergius Kagen. Text and music by Modeste Mussorgsky] New York, International Music Company [c1951]
35p. 27cm.

Russian and English words.
Contents.-With nursey.-In the corner.-The beetle.-With the doll.-Evening prayer.-The hobby horse.-The naughty puss

NM 0913278 NBC NjR AAP IEdS OOxM NIC MShM WaT IdU OrP CLSU TxU OCU NcU CSt FTaSU ICU ICN

Musorgskiĭ, Modest Petrovich
„O, du, Säufer" (aus den Streichen von Pachomytsch). Deutsch von D. Ussow. Vorwort und Redaktion von A. N. Rimsky-Korsakow. [Lied mit Begleitung des Pianoforte.]
= Moskau. Musiksektion des Staatsverlages. 1926. 10 pp. 36 cm.
The text is repeated in Russian.

N8468 — T.r. Lied. — Songs. With ..ic. — Rimski-Korsakov, Nikolai Andreievitch, pref., 1844–1908.

NM 0913279 MB NN

MUSORGSKII,Modest [Petrovich].
OEuvres posthumes;compositions pour orchestre [Score.] No.1-4 (in 1 vol.). [St.Petersburg, etc.],n.d.

1.8°.
Contents:-1.Scherzo (B dur).-2.Intermezzo (H moll).-3.Marche (As dur).-4.Danse.

NM 0913280 MH

Musorgskiĭ, Modest Petrovich, 1839–1881.
..."Oeuvres posthumes" pour le piano. Revues par W. G. Karatyguine... Paris: W. Bessel & Cie. [, cop. 1911.] Publ. pl. no. 6946. 20 p. f°.
Contents: 1. Scherzo. 2-3. Deux souvenirs d'enfance: no. 1. Niania et moi; no. 2. Première punition. 4. Impromptu passionné. 5. Souvenir d'enfance.

JUILLIARD FOUNDATION FUND.
1. Piano. 2. Karatygin, Vyacheslav Gavrilovich, 1875– , editor.
N. Y. P. L. March 11, 1925

NM 0913281 NN ICU ICN

VOLUME 403

VM 3 M 98 v.5 pt.7
MUSORGSKIĬ, MODEST PETROVICH, 1839-1881.
[Sunless] ...Ohne sonne. Gedichte von A.A. Golenischtschew-Kutusow. Deutsch von D.Ussow... Für 1 singstimme und klavier... Moskau, Musik-section d. staatsverlages,1929.
24p. (his ...Sämtliche werke... 1928- bd.V, folge 7)
German and Russian words.
Title also in Russian.
Plate no.: M. 8865-70 G. (1929)
Contents.--In vier wänden.--Ich sah dich in wogender menge.-- Das werk des tages ist vollbracht.--Wie öd.--Elegie.--Am flusse.

NM 0913282 ICN

Musorgskiĭ, Modest Petrovich
Ohne Sonne. [Von] M. Mussorgsky. Gedichte von A. A. Golenischtschew-Kutusow. Deutsch von D. Ussow. Für 1 Singstimme und Klavier. Herausgegeben von Paul Lamm.
— Wien. Universal Edition A. G. 1931. v, 24 pp. [Sämtliche Werke. Band 5. Folge 7.] 32 cm.
Contents. — In vier Wänden. — Ich sah dich in wogender Menge. — Das Werk des Tages ist vollbracht. — Wie öd! — Elegie. — Am Flusse.
The title is repeated in Russian.
The text is in Russian and German.

D5286 — Double main card. — Musorgski, Modest Petrovitch, 1835-1881. (M1) — Kutusov-Golenishtchev, Arseni Arkadievitch, Graf. (M2) — T.r. (1) — Songs. With music. Colls. (1) — Lamm, Paul Aleksandrovitch, ed., 1882-. (1) — Ussow, D., tr. (2)

NM 0913283 MB

Musorgskii, Modest Petrovich, 1839-1881
...Oriental chant. Lamentation. (From the Cantata "Josua Navine") N. Y., G. Schirmer; Boston, Boston, music co., c1910.
Cover title, 3-5 p. (in German and Russian songs, n.d.no. 35)

NM 0913284 OU

A781.9 M975 bd.5, folge 5
MUSORGSKIĬ, MODEST PETROVICH, 1839-1881.
[Songs. Paĕk]
...Paĕk; Der schaukasten. Deutsch von D.Ussow... 1.fassung... 2.fassung... Für 1 singstimme und klavier. Moskau,Staatsmusikverlag; Wien,Leipzig,Universal edition a.g.,1931.
vii,9-60p. 35cm. (In Musorgskii,M.P. [Songs. Complete ed.] folge 5)
T.-p.and text in Russian and German.
At head of title: ...M.Mussorgsky.
Publ.plate nos U.E.10106,M.11859.
His Sämtliche werke, bd.V,folge 5.

NM 0913285 PU

Musorgskiĭ, Modest Petrovich
Peasant cradle-song . . . From the drama "Voyevoda," by Ostrowski. English version by Henry G. Chapman. French version by Hettange. [Music by] Modest Moussorgsky. [With accompaniment for the pianoforte.]
= [New York.] Schirmer. 1911. 7 pp. [A century of Russian song . . .] 30.5 cm.

E1540 — Double main card.— Musorgski, Modest Petrovitch, 1835-1881. (M1) — Ostrovski, Aleksandr Nikolaevitch, 1823-1886. (M2) — T.r. (1) — Cradle songs. (1) — Hettange, ——, tr. (2) — Chapman, Henry Grafton, tr. (2)

NM 0913286 MB

Musorgskii, Modest Petrovich, 1839-1881.
Pesni i pliâski smerti ... Lieder und Tänze des Todes
see his Lieder und Tänze des Todes.

M 786.4 M867P
Musorgskii, Modest Petrovich. 1839-1881.
[Pictures at an exposition]
Pictures at an exposition. London, Augener, n.d.
45p.

NM 0913288 WaT

M24 .M933P52
Musorgskiĭ, Modest Petrovich, 1839-1881.
[Pictures at an exhibition]
Pictures at an exhibition; for piano solo. New York, E. F. Kalmus [19--]
35 p. 31 cm. (Kalmus piano series)

1. Suites (Piano) I. Title.

NM 0913289 NjR

---

*M35 M85P4
Musorgskii, Modest Petrovich, 1839-1881.
[Pictures at an exposition. Arranged]
... Pictures at an exposition. New York, G. Schirmer, inc. [c1922]
1p.l.,45p. 30 1/2cm.
Cover-title.
At head of title: Transcriptions and editions by Harold Bauer.
Arranged for piano solo.
I. Title.
II. Bauer, Harold, 1873- ed.
1. Piano music, Arranged.

RPB WaT OrSaW OrU
NM 0913290 NBuG FU NBC NN MB OCl PP ViU IaU CLU

---

*M1254 .M85P5
Musorgskiĭ, Modest Petrovich, 1839-1881.
... Pictures at an exhibition. Suite in three parts [by] M. Moussorgsky ... Transcribed for the Goldman band by Erik W. G. Leidzén ... New York, Boston, C. Fischer, inc. [c1941-
1 pt. 30 1/2cm. (J 354,
At head of title: Full score.
Publisher's plate nos.: N 437-48,
CONTENTS.--Pt. I.-1. Promenade.--2. The old castle.--3. Tuileries.--4. Bydlo.--5. Ballet of the unhatched chickens.

1. Band music, Arranged--Scores. I. Leidzén, Erik W. G., arr. II. Title. Band music.

NM 0913292 MB

---

qM786.41 M97p 1950
Musorgskiĭ, Modest Petrovich, 1839-1881.
[Pictures at an exhibition]
Pictures at an exhibition. Transcribed for the piano by Harold Bauer. New York, G. Schirmer [c1950]
45p. 31cm.
"Ed. 2131."

NM 0913293 IU DCU NBC OU ViU OO MB

MUSORGSKIĬ, MODEST PETROVICH, 1839-1881.
[PICTURES FROM AN EXHIBITION]
Pictures at an exhibition, for the piano. Authentic edition, with reproductions of the original paintings and analytical foreword by Alfred V. Frankenstein. [Edited by Paul Lamm. Fingered by Isidor Philipp.] New York, International music co. [c1952] 31 p. illus. 31cm.

Continued in next column

Continued from preceding column

The paintings are by V.A. Hartmann.
MOVEMENTS.--Gnomus.--Il Vecchio castello.--Tuileries.--Bydlo.--Ballet of the chicks in their shells.--Two Polish Jews.--Limoges, the market place.--Catacombae.--The hut on fowl's legs.--The great gate of Kiev.

1. Suites (Piano). 2. Art and music. 3. Music and art. I. Hartmann, Viktor Aleksandrovich, 1834-1873. II. Lamm, Pavel Aleksandrovich, 1882- , ed. III. Title.

NM 0913295 NN MiU MsU MB IU

M23 M98P6m
Musorgskiĭ, Modest Petrovich, 1839-1881.
[Pictures from an exhibition]
Pictures from an exhibition for piano solo. New York, E.B.Marks [c1941] Pl.no.11428-29ph.
31 p. 30cm. (Classic master series, no.2)

1.Piano music - 2 hands- I.Title.

NM 0913296 CSt PP

M 1060 .M98P6
Musorgskiĭ, Modest Petrovich, 1839-1881.
[Pictures at an exhibition; arr.]
Pictures from an exhibition. Tableaux d'une exposition. Orchestrated by Walter Goehr. London, Hawkes; New York, Boosey, Hawkes, Belwin [c1942]
score (117 p.)

1. Suites (Orchestra), Arranged. I. Goehr, Walter, 1903- , arr. II. Title. III. Title: Tableaux d'une exposition.

NM 0913297 ICU MB

---

qM 24 .M933-P53 1951
Musorgskiĭ, Modest Petrovich, 1839-1881.
[Pictures at an exhibition]
Pictures from an exhibition. [New York] Marks, c1951.
31 p. 31 cm. (Classic master series, 2)

1. Suites (Piano)

NM 0913298 OkU

BROWN MUSIC COLLECTION
*M3 .M85 Bd.8
Musorgskiĭ, Modest Petrovich, 1839-1881.
[Piano works. Collected]
... Pieces pour piano, redigées par P. Lamm. Moskou, Leningrad, Éditions de musique de l'URSS, 1939.
xvi, 211, [1] p. 30cm. (Oeuvres complètes, rédaction generale: An Alexandrow, P. Lamm et N. Miaskowsky. vol. VIII)
At head of title: M. Moussorgsky.
Added t.-p. in Russian.
Text in Russian; Contents and titles in Russian and French.

Title transliterated: Fortepiannye sochineniia
Publisher's plate no.: M.16612 .
CONTENTS.--Souvenir d'enfance.--Scherzo.-- Jeu d'enfants.--Impromptu passionné.--Sonate (a 4 m. --Niania et moi.--Premiere punition.--Reverie.--La capricieuse.--Intermezzo.--Tableaux d'une exposition.--En Crimée.--Meditation.--Une larme.--La couturière.--En Crimée.--Au village.--Scène de foire.--Hopak.
1. Piano music.

NM 0913300 MB

VOLUME 403

ML410
.M97A2

Musorgskiĭ, Modest Petrovich, 1839–1881.
... М. П. Мусоргский; письма и документы. С приложением подробного комментария, хронографа жизни М. П. Мусоргского, писем, адресованных к нему, неизданной сцены из оперы "Млада," указателей, пяти портретов и снимков с рукописей. Собрал и приготовил к печати А. Н. Римский-Корсаков при участии В. Д. Комаровой-Стасовой. Москва–Ленинград, Государственное музыкальное изд-во, 1932.
vii, ₍1₎, 576, ₍1₎ p., 1 l. illus. (incl. facsims., music) ports. 24½ cm.
At head of title: Государственная публичная библиотека в Ленинграде.

Added t.-p.: M. P. Mussorgsky; briefe und dokumente. Mit ... klavierauszug einer unveröffentlichten szene aus der "Mlada" ...
"Перечень печатных и рукописных источников, на которые имеются ссылки в комментариях к письмам М. П. Мусоргского": p. 547–₍552₎
Music: p. 507–520.

1. Musicians—Correspondence, reminiscences, etc. I. Rimskiĭ-Korsakov, Andreĭ Nikolaevich, 1878– ed. II. Komarova, Varvara Dmitrievna (Stasova) 1862– joint ed. III. Leningrad. Publichnaia biblioteka. *Title transliterated:* M. P. Musorgskiĭ.

ML410.M97A2 927.8 49–30672

NM 0913302 DLC

Musorgskiĭ, Modest Petrovich, 1839–1881.
... Письма к А. А. Голенищеву-Кутузову; комментарии П. Аравина; редакция и вступительная статья Ю. Келдыша. Москва, Ленинград, Государственное музыкальное издательство, 1939.
116, ₍3₎ p. front. (port.) illus. (port., facsims.) 20½cm.
At head of title: М. П. Мусоргский.
Bibliographical foot-notes.
"Неизданная картина из драмы Голенищева-Кутузова 'Царь Василий Иванович Шуйский' ('Смута')": p. 85–₍109₎
I. Golenishchev-Kutuzov, Arseniĭ Arkad'evich, graf, 1848–1913. II. Keldysh, IUriĭ Vsevolodovich, ed. III. Aravin, P. V. *Title transliterated:* Pis'ma k A. A. Golenishchevu-Kutuzovu.

42–43315

Library of Congress ML410.M88A3

NM 0913303 DLC CSt IU

Musorgskiĭ, Modest Petrovich, 1839–1881.
. Письма къ В. В. Стасову. Спб., Русская музыкальная газета ₍1911₎
1 p. l., ii, ₍3₎–166 p. 19cm.
"Дополненіе II. Письма В. В. Стасова къ М. П. Мусоргскому": p. ₍127₎–166, at end.

1. Musicians—Correspondence, reminiscences, etc. I. Stasov, Vladimir Vasil'evich, 1824–1906.

26-23258

Library of Congress

NM 0913304 DLC MH

Musorgskiĭ, Modest Petrovich, 1839–1881.
₍Khovanshchina. Dance of the Persian slaves; arr.₎

Пляска персидок из оперы Хованщина. Переложение для фортепиано в 4 руки. 2. изд. Москва, Гос. музыкальное изд-во Р. С. Ф. С. Р., 1931.
17 p. 32 cm.
For piano, 4 hands; originally for orchestra.

1. Piano music (4 hands), Arranged. I. Title.
Title transliterated: Pliaska persidok.

M209.M95K55 1931 M 56–1354

NM 0913305 DLC

Musorgskiĭ, Modest Petrovich, 1839–1881.
₍Boris Godunov. Polonaise, arranged₎

... Polonaise from the opera "Boris Godunoff" ... New York, E. F. Kalmus orchestra scores, incorporated, °1933.
1 p. l., 26 p. 22½cm. (Kalmus miniature orchestra scores ... No. 83)
At head of title: ... Modest Mussorgsky.
"Rimsky-Korsakov's orchestration, in which the voice parts have been rewritten for orchestral instruments."

1. Operas—Excerpts, Arranged. 2. Polonaises (Orchestra), Arranged—Scores. I. Rimskiĭ-Korsakov, Nikolaĭ Andreevich, 1844–1908, arr.

45-42174

Library of Congress M1506.M9B6 1933 a

NM 0913306 DLC NBuG IaU

M24
M9B4
1941q

Musorgskiĭ, Modest Petrovich, 1839-1881
₍Pictures at an exhibition₎
Quadri di una esposizione, per pianoforte. Edizione critica a cura di Luigi Dallapiccola. Milano, Carish ₍1941₎
48 p. 31 cm

1. PIANO MUSIC I. Dallapiccola, Luigi, 1904- ed. II.T. III.T.: Pictures at an exhibition

NM 0913307 NjP NIC CSt CaBVaU

Musorgskiĭ, Modest Petrovich, 1839–1881.
₍Pictures at an exhibition₎

Quadri di una esposizione, per pianoforte.) ₍Revisione di₎ Alfredo Casella. Milano, New York, G. Ricordi, 1949.
35 p. 32 cm.

1. Suites (Piano)

M24.M986P5 1949 49–27853*

NM 0913308 DLC OrU

Musorgskii, Modest Petrovich, 1839-1881.
Rachmanioff transcription for piano.
Hopak ...
see his Hopak.

Musorgski, Modest Petrovich, 1839–1881.
Romances et chansons avec accompagnement de piano, par M. Moussorgsky... Version française de J. Sergennois... Leipzig: M. P. Belaïeff, 1898. Publ. pl. no. 1157. 30 p. New ed. f°.

Russian and French words with music for 1 voice with piano acc.
Contents: no. 1. "Dis-moi pourquoi." no. 2. Savichna, ma lumière. no. 3. Hopak. no. 4. Chant juif. no. 5. Aux champignons. no. 6. Pirouchka. no. 7. Le bouc.

JUILLIARD FOUNDATION FUND.

1. Songs (Russian)
N. Y. P. L.

November 12, 1923.

NM 0913310 NN NcD MH OU

Music
Score
M
1620
M92R6

Musorgskiĭ, Modest Petrovich, 1839-1881.
[Songs. Selections]
Romances et chansons, avec acc. de piano. Nouvelle edition. Version Francaise de J. Sergennois. London, New York, M. P. Belaieff; agents exclusifs: Boosey & Hawkes [19--] Pl. no. 1157.
30 p. 34 cm.
CONTENTS--French and Russian texts.
1. Songs (Medium voice) with piano.

NM 0913311 IEdS

M
1621
M98R7++

Musorgskiĭ, Modest Petrovich, 1839-1881.
Romances et chansons avec accompagnement de piano. Nouv. ed. Version française de J. Sergennois. ₍Paris₎, M.P. Belaieff, agents exclusifs: Boosey & Hawkes, London New York ₍19--?₎
30 p. 33cm.

Words in Russian and French.

1. Songs (Medium voice) with piano.

NM 0913312 NIC

Musorgskii, Modest Petrovich, 1839-1881
«Songs. complete ed.»
...Sammlung von liedern und gesängen...für 1 singstimme und klavier... «Hrsg. von Paul Lamm... Deutsch von D. Ussow» Moskau, Staatsmusikverlag; Beha, Wien, etc. Universal ed. a. g., 1931-34.
pt. 1-5, 3. (His Sämtliche werke, bd. V, folge 1-5, 8)
Title, introduction, and text of the songs in Russian and German.

NM 0913313 PU-FA

Musorgskiĭ, Modest Petrovich, 1839–1881.
...Sans soleil (baryton ou mezzo-soprano). Poésies du Comte A. Golenistchev-Koutouzov... Petrograd: W. Bessel & Cie., cop. 1908–21. Publ. pl. nos. 5950–5955. 26 p. f°.

French and Russian words with music for 1 voice with piano acc.
"Version française de M. D. Calvocoressi."
At head of title: Modeste Moussorgsky. Scènes lyriques à une voix avec accompagnement de piano. Revues par N. Rimsky-Korsakov.
Contents: 1. Intérieur. 2. Tes yeux dans la foule m'ignorent. 3. Les jours de fête sont finis. 4. L'ennui. 5. Élégie. 6. Sur l'eau.

JUILLIARD FOUNDATION FUND.

1. Songs (Russian). 2. Golenishchev-Kutuzov, Arseniĭ Arkad'yevich, graf, 1848– . 3. Rimski-Korsakov, Nikolai Andreyevich, 1844–1908, editor. 4. Calvocoressi, Michel D., 1877– , translator. 5. Title. 6. Title: Scènes lyriques.
N. Y. P. L.

November 13, 1923.

NM 0913314 NN MH MB

Musorgskii, Modest Petrovich, 1839-1881.
... Scènes lyriques ... rev. par N. Rimsky-Korsakov. Petrograd, c1921.
84 p. front. (port.) 32 cm.
Vocal score with pianoforte accompaniment.

NM 0913315 RPB

---

*M3
.M85
Bd.5
Folge 5

Musorgskiĭ, Modest Petrovich, 1839-1881.
[Songs]
... Der schaukasten. Deutsch von D. Ussow ... Für 1 singstimme und klavier. Moskau, Staatsmusikverlag; Wien, Leipzig, Universal edition, a.g. 1931.
vii, 9-60 p. 36 p. (Sämtliche werke, hrsg. von Paul Lamm [bd.V, f.5])
At head of title: M. Mussorgsky.
Title also in Russian.
Words in Russian and German.
Title transliterated: Raek.
Publisher's plate nos: U.E. 10106; M.11859Г.
1. Songs with piano. 2. Songs, Russian.

NM 0913316 MB NBC IaU ICN

.M85
Bd.8
Folge 3

Musorgskii, Modest Petrovich, 1839-1881.
[Scherzo, orchestra. Arranged]
... Scherzo ... für orchester ... für klavier zu 4 händen übertragen von D. Kabalewsky. Moskau, Wien [etc.] Staatsmusikverlag, R.S.F.S.R., Universal edition, a.g., 1931/III.
15 p. 32cm. (Sämtliche werke, hrsg. von Paul Lamm [bd.VIII, f.3])
At head of title: M. Mussorgsky.
Title also in Russian.
Title transliterated: Skertso.
Publisher's plate nos.: U.E.10147; M.12213Г.
1. Piano music—4 hands—Arrangements. I. Kabalevskiĭ, Dmitri B., 1904- arr. II. Title: Scherzo. Piano, 4 hands.

NM 0913317 MB PU-FA

Musorgski, Modest Petrovich, 1839–1881.
6 Lieder für eine Singstimme und Klavier, von M. Moussorgsky. Revision und deutsche Textübersetzung von Hans Schmidt ... Leipzig: C. F. Peters₍, 1922₎. Publ. pl. no. 10336. 23 p. 4°.

German words; music for 1 voice with piano acc.
On cover: Edition Peters. No. 3791. Moussorgsky. Ohne Sonne...
Contents: 1. In den vier Wänden. 2. Nicht nahmst du mich wahr. 3. Zu Ende ging der lange Tag. 4. Umsonst. 5. Elegie. 6. Auf dem Flusse.
Bound with his: 12 Lieder. ₍Bd. 1.₎ Leipzig₍, 1913₎.

JUILLIARD FOUNDATION FUND.

1. Songs, Russian. 2. Schmidt, Hans, 1854– , editor and translator. 3. Title: Ohne Sonne.
N. Y. P. L.

May 20, 1929

NM 0913318 NN CLSU OrSaW KU CaBVaU

Musorgskiĭ, Modest Petrovich, 1839–1881.
₍Songs. Selections; arr.₎

Sei melodie di Mussorgsky. Realizzazione per canto e orchestra ₍di₎ Igor Markevitch. Versione italiana di M. Tibaldi Chiesa. Milano, Suvini Zerboni ₍1950₎
score (75 p.) 31 cm.
Italian and Russian words.
CONTENTS.—Dormi, dormi, figliuolo del contadin (Спи, усни, крестьянский сын)—L'uccello chiacchierino (Стрекотунья белобока)—Notte (Ночь)—Ove sei, piccola stella? (Где ты, звездочка?)—Il monello (Озорник)—Sul Dnieper (На Днепре)
1. Songs (High voice) with orchestra—Scores.

M1617.M97S65 51–17314

NM 0913319 DLC

VOLUME 403

M
784.3
M987so
F

Musorgskii, Modest Petrovich, 1839-1881.
[Songs. Selections]
Select songs of [Moussorgsky. Edited by Olin Downes] New York, C. Fischer [c1920-23]
score (1v., 5 pieces) (Select songs of Russian composers. Series 2)

Contents.- The goat.- Hopak.- The pilgrim.- The classic.- Song of the flea.

1. Songs (High voice) with piano. 2. Songs (Low voice) with piano. I. Downes, Olin, 1886-1955, ed.

NM 0913320 FTaSU

Musorgskii, Modest Petrovich, 1839-1881.
[Works. Selections, arranged]

... Selected compositions for piano ... N[ew] Y[ork] Edward B. Marks music corporation [1943]

cover-title, 64 p. illus. (port.) 30½cm. (Radio city albums, library no. 38)

At head of title: Moussorgsky.
Principally arranged by Frederick Block.

1. Piano music, Arranged. I. Block, Frederick, 1899 or 1900-1945, arr.

46-18194

Library of Congress M32.8.M85B5

NM 0913321 DLC OCl

M1621
.M88
S4
1907

Musorgskii, Modest Petrovich, 1839-1881.

Le séminariste. Paroles et musique de M. Moussorgsky. Traduction française de R. d'Harcourt. Leipzig, M.P. Belaïeff, 1907.
7p. 33cm.

For low voice (with text in French and Russian) with piano acc.

NM 0913322 NcU

Musorgskii, Modest Petrovich
Serenade. Words by Count Golenistchev-Koutouzov. English version by Rosa Newmarch. [Music by] M. Moussorgsky. For mezzo-soprano or baritone. [With accompaniment for pianoforte.]
— Leipzig. Breitkopf & Härtel. 1911. 7 pp. [Song and dances of death. No. 3.] 34½ cm.

L3070 — Double main card. — Musorgski, Modest Petrovitch. (M1) — Kutusov-Golenishtchev, Arse... Arkadievitch, Graf. (M2) — T.r. Song. (1)— Songs. With music. (1)— Newmarch, Rosa Harriet, tr., 1857-. (2)— S.r.c.

NM 0913323 MB

Musorgskii, Modest Petrovich, 1839-1881.
7 Lieder für eine Singstimme und Klavier, von M. Moussorgsky. Revision und deutsche Textübersetzung von Hans Schmidt ... Leipzig: C. F. Peters[, 1923]. Publ. pl. no. 10341. 25 p. 4°.

German words; music for 1 voice with piano acc.
On cover: Edition Peters. No. 3394a. Moussorgsky. Lieder. Band II ..
Contents: 1. Wiegenlied des Jeromuschka. 2. Der Dünkel. 3. Die Waise. 4. Wiegenlied. 5. Sag warum. 6. Hebräisches Lied. 7. In den Pilzen.
Bound with his: 12 Lieder. [Bd. 1.] Leipzig[, 1913].

1. Songs, Russian. 2. Schmidt, Hans, 1854- , editor and translator.
JUILLIARD FOUNDATION FUND.
N. Y. P. L. May 21, 1929

NM 0913324 NN

MUSORGSKII, MODEST PETROVICH, 1839-1881.
[BORIS GODUNOV. IN THE TOWN OF KAZAN]
The siege of Kazan; ballad from the opera Boris Godounow. English version by Henry G. Chapman. New York, G. Schirmer [c1911] 9 p. 35cm. (A century of Russian song from Glinka to Rachmaninoff)

For baritone voice and piano.
First line: When I stopped at Kazan, that fine old city.
1. Songs, Russian. I. Series: A century of Russian song from Glinka to Rachmaninoff.

NM 0913325 NN

Musorgskii, Modest Petrovich, 1839-1881.
...A sketch book for piano, edited by Thos. F. Dunhill. Impressions de voyage en Crimée. Méditation. Une larme. La couturière. En Crimée. Au village. London: Augener Ltd. [cop. 1915.] Publ. pl. no. 14922. 1 p.l., 29 p. f°.

On cover: Album series, no. 29.

1. Piano. 2. Dunhill, Thomas Frederick, 1877- , editor. 3. Title.
N. Y. P. L. April 9, 1919.

NM 0913326 NN MH NcU OCl MB

qM786.41
M97s
1949

Musorgskii, Modest Petrovich, 1839-1881.
A sketchbook for piano. Edited by Thos. F. Dunhill. London, Augener [1949, c1915]
29p. 32cm. (Album series, no.29)

Contents.- Impressions de voyage en Crimée.- Méditation (Feuillet d'album)- Une larme.- La couturière (Scherzino)- En Crimée (Capriccio)- Au village.

1. Piano music.

NM 0913327 IU

Musorgskii, Modest Petrovich, 1839-1881.
[Sleza; arr.]

Слеза. Москва, Музыкальный сектор Гос. изд-ва, 1930.

score (5 p.) and parts. 34 cm. (Русские трио; современные русские композиции в переложениях для скрипки, виолончели и фортепиано Александра Крейна, № 5)

For violin, violoncello, and piano; originally for piano.

1. Piano trios, Arranged. I. Title. *Title transliterated: Sleza.*

M314.M M 56-1305

NM 0913328 DLC OrU

M1621
M98S65
1911

Musorgskii, Modest Petrovich, 1839-1881.
[Song of the flea]
Song of Mephistopheles in Auerbach's cella from Goethe's Faust. [New rev. ed. by N.A. Rimsky-Korsakov] English translation by Rosa Newmarch. Leipzig, Breitkopf & Härtel, 1911
7 p. 31cm.
Caption title.
For voice and piano.

1. Songs with piano. I. Title: Song of the flea.

NM 0913329 CSt

Musorgskii, Modest Petrovich, 1839-1881.
Song of the flea. Faust; song of Mephistopheles in Auerbach's cellar. New revised edition by N.A. Rimsky-Korsakov. Lpz., Breitkopf, c1911.

NM 0913330 PPCI

Musorgskoii, Modest Petrovich, 1839-1881.
Song of the flea. Faust; song of Mephistopheles in Auerbach's cellar. London, Chester, c1922.

NM 0913331 PPCI

M1621
M8956

Musorgskii, Modest Petrovich, 1839-1881.
[Song of the flea. English, Russian, French German]
Song of the flea (Chanson de la puce, Das Lied vom Floh) New York, C. Fischer [c1923]
9 p. 31cm. (Select songs of Russian composers)
Cover title.
1. Songs (Low voice) with piano. I. Title.

NM 0913332 CoU

Musorgskii, Modest Petrovich, 1839-1881.
Song of the Hebrew maiden. [Music by] Modest Petrovitch Musorgsky. From the Russian of Lyof Alexandrovitch Mey, by Nathan Haskell Dole. Edited by Henry Clough-Leighter. [With pianoforte accompaniment.]
= (*In* Boston Music Company, Boston, publishers. Album of ten songs by Russian composers. Pp. 11-13. Boston. [1914.])
The text is in English and French.
Two copies.

E1371 — Double main card. — Musorgski, Modest Petrovitch, 1835-1881. (M1) — Mei, Lev Aleksandrovitch, 1822-1862. (M2) — Dole, Nathan Haskell, tr., 1852-1935. (2) — Leighter, Henry Clough-, ed., 1874-. (1) — T.r. (1) — Songs. With music. (1)

NM 0913333 MB

Musorgskii, Modest Petrovich, 1839-1881.
Songs; complete edition. London, Bessel, c1908-192
194 p.

NM 0913334 PP

Musorgskii, Modest Petrovich, 1839-1881.
Songs and dances of death. Words by Count A. Golenistchev-Koutouzov.
— Leipzig. Breitkopf & Härtel. 1908-11. 2 v. 34½ cm.
Namely: —
3. Serenade, composed by Moussorgsky. 8053.1025
4. Le chef d'armée, composed by Moussorgsky. 8053.1024

L3071 — T.r.

NM 0913335 MB

Musorgskii, Modest Petrovich, 1839-1881.
[Songs and dances of death]
Songs and dances of death; series of four dramatic songs; revised by N. Rimsky-Korsakov. Words by Count A. Golenistchev-Koutouzov; English version by Rosa Newmarch. Petrograd, New York, W. Bessel, c1908-21.
score (29 p.)
For mezzo-soprano or baritone.
Contents. - 1. Trepak ("Still is the forest") - 2. Cradle song ("Faint sounds of moaing") - 3. Serenade ("Magical tender night") - 4. Field marshal's death ("The battle rages")

NM 0913336 OU

Musorgskii, Modest Petrovich, 1839-1881.
[Songs and dances of Death]

Songs and dances of Death, for voice and piano. Original version [edited by Paul Lamm, text by A. A. Golenishtchev-Kutusov] English adaptation by Marion Farquhar. High. New York, International Music Co. [1951]
34 p. port. 27 cm.
English and Russian words.
CONTENTS.—Lullaby.—Serenade.—Trepak.—Commander-in-chief.
1. Songs (High voice) with piano. 2. Song cycles. I. Golenishchev-Kutuzov, Arsenii Arkad'evich, graf, 1848-1913. II. Title.

M1621.3.M M 53—685

MsSM ScU AAP KyU OOxM NmU TxU OkU ICU NSyU NcU IEN OU IaU OKentU NIC NN IU WaU MB MiU NbCrD NjR OCU KU
NM 0913337 DLC OrSaW OO CaBVa CaBVaU OrP MtBC WaTC

Musorgskii, Modest Petrovich, 1839-1881
Songs and lyric scenes with pianoforte accompaniment. N. rev. ed. by N. A. Rimsky-Korsakov. English versions by Rosa Newmarch... Berlin, Breitkopf and Haertel. c19...
v f4

NM 0913338 OO

Musorgskii, Modest Petrovich
Sternlein, sag' mir an. Für mittlere Stimme. Deutsch von M. Lippold. [Lied, mit Klavierbegleitung.]
— Leipzig. Breitkopf & Härtel. 1911. 3 pp. 34 cm.
In Russian and German.

L3078 — T.r. Song. — Songs. With music. — Lippold, Max, tr.

NM 0913339 MB

VOLUME 403

VM 1621.4 M 98s
MUSORGSKIĬ, MODEST PETROVICH, 1839-1881.
...Sunless. Six songs for mezzo-soprano or baritone. English version by M.C.H.Collet. New edition revised by N.Rimsky-Korsakov. Sans soleil. Six melodies pour mezzo-soprano ou baryton. Version française de M.D.Calvocoressi... London, Chester,c1908.
26p. (Chester series no.25)
At head of title: M.Moussorgsky (A.Golenistchev-Koutouzov)
Plate no.: J. & W.C. 3752 (1908)
Contents.—With in four walls.—You passed me unseen.—The noisy day be sped its flight.—You doll.—Elegy.—By the river

NM 0913340 ICN CtY-Mus IEN

Musorgskiĭ, Modest Petrovich, 1839-1881.
[Sunless]
...Sunless; 6 songs for mezzo-soprano or baritone. Poems by Count Golenistcheff Kutuzoff. English translation by A. Eaglefield Hull... London: Augener ltd. [ca. 1917] Publ. pl. no. 15066. 27 p. 31cm. (On cover: Album series. no. 118.)
For 1 voice with piano acc. English words.
CONTENTS.—Within four walls.—Thine eyes in the crowd now avoid me.—All past the feast-days.—Alas! it is my lonely fate.—Elegy.—On the river.

1. Song cycles. 2. Songs, Russian. I. Golenishchev-Kutuzov, Arseniĭ Arkad'yevich, graf, 1848-1913. II. Title.
N. Y. P. L. October 14, 1940

NM 0913341 NN MB PP

Musorgskii, Modest Petrovich, 1839-1881.
[Sunless]
Sunless; 6 songs for mezzo-soprano or baritone. Poems by Count Golenistcheff Kutuzoff. English translation by A. Eaglefield Hall. London, Augener [ca. 1938]
27 p.
Contents. - 1. Within four walls. - 2 Thine eyes in the crowd now avoid me. - 3. All past the Feast-days. - 4. Alas! it is my lonely fate. 5. Elegy. - 6. On the river.
Pl. no. 15066.

NM 0913342 CLU

MUSORGSKIĬ, MODEST PETROVICH, 1839-1881.
[PICTURES FROM AN EXHIBITION]
Tableaux d'une exposition; série de dix pièces pour piano. St. Petersbourg, W.Bessel [1886?] Pl.no. 1560. 34 p. 35cm.
Title also in Russian.
1. Suites(Piano) I. Title. II. Title: Pictures from an exhibition.

NM 0913343 NN FTaSU

M987p
Musorgskiĭ, Modest Petrovich, 1839-1881.
[Pictures at an exposition]
Tableaux d'une exposition. Pictures at an exhibition. 10 pieces for piano; ed. by O. Thümer. London, Augener [c1914]
score (45 p.) 31cm.

1. Suites (Piano) I. Title. II. Title: Tableaux d'une exposition.

NM 0913344 FU NN IEN

MUSORGSKIĬ, MODEST PETROVICH, 1839-1881.
[PICTURES FROM AN EXHIBITION]
Tableaux d'une exposition. Bilder einer Ausstellung; 10 Originalstücke für Klavier zu zwei Händen von M. Moussorgsky. Paris, New York, W. Bessel [1924?] Pl.no.1560*. 33 p. 31cm. (Universal Edition. Nr. 7301)
For piano.
1. Suites (Piano). I. Title. II. Title: Bilder einer Ausstellung.

NM 0913345 NN PPCI MiU CSt

VM 1060 M 98pi
MUSORGSKIĬ, MODEST PETROVICH, 1839-1881.
[Pictures from an exhibition, arr.] Tableaux d'une exposition. Pictures from an exhibition. Orchestration de Maurice Ravel. Partition d'orchestre. London, Édition russe de musique [c1929]
score(128p.) 36cm.
Ten musical sketches, composed originally for piano, subjects taken from pictures by the Russian architect Hartmann.
Duration: 20 minutes.

NM 0913346 ICN MH

MM 785.1A M987Pr
Musorgskii, Modest Petrovich, 1839-1881.
(Pictures at an exhibition; arr.)
Tableaux d'une exposition (Pictures from an exhibition) Orchestrated by Maurice Ravel. London, E. Eulenburg (c1929)
ivp.,miniature score(151p.) 19cm. (Edition Eulenburg, no.1303)
The original piano score and the orchestral version are printed one above the other.

NM 0913347 NBC

M 1060 M98T1
Musorgskiĭ, Modest Petrovich, 1839-1881.
[Pictures at an exhibition; arr.]
Tableaux d'une exposition. Pictures from an exhibition. Orchestrated by Maurice Ravel. Cuadros de una exposición. Orquestación por Maurice Ravel. London, New York, Boosey & Hawkes [1929]
miniature score (151 p.) 19cm. (Hawkes pocket scores)
1. Suites (Orchestra), Arranged. I. Ravel, Maurice, 1875-1937, arr.

NBuG MH OO MB IEN MiU OrU NbCrD OrSaW CaBVaU OrU IdU MtU IaU CSt ICN OrU CSt ICU MB MH MeB CSt ScU CU-I IU ViU CLSU
NM 0913348 NIC MsSM OCU NIC WaU NcD NcU MiDW AU

Musorgskiĭ, Modest Petrovich, 1839-1881.
[Pictures at an exhibition; arr.]
Tableaux d'une exposition. Symphonic transcription by Leopold Stokowski. [194-?]
score (96 p.) 56 cm.
Arranger's ms., in pencil, of the suite originally for piano. Program notes by the arranger (typescript) mounted on cover. Gift of the arranger, Dec. 28, 1966.

1. Suites (Orchestra), Arranged—Scores. I. Stokowski, Leopold, 1882- arr. II. Title.
ML30.6a.M9P5 M 59-1763
[(M1060.2)]

NM 0913349 DLC

M 1060 M97pr 1942
Musorgskii, Modest Petrovich, 1839-1881.
[Pictures at an exhibition; arr.]
Tableaux d'une exposition. Pictures from an exhibition. Orchestration by Maurice Ravel. London, Boosey & Hawkes [c1942]
min.score ([4],151 p. Hawkes pocket scores, no.32)
Originally for piano.
1. Suites (Orchestra), Arranged. I. Ravel, Maurice, 1875- 1937, arr. II. Title.

NM 0913350 CLU NN MiEM OrP

M1060 .M85P5 1942a
Musorgskii, Modest Petrovich, 1839-1881.
[Pictures at an exhibition; arr.]
Tableaux d'une esposition. Pictures from an exhibition. Orchestrated by Maurice Ravel. London, E. Eulenburg; Eulenburg Miniature Scores, New York, [c1942]
iv p., miniature score (151 p.) 19cm. (Edition Eulenburg, no. 1303)
For orchestra; originally for piano.
1. Suites (Orchestra), Arranged—Scores. I. Ravel, Maurice, 1875-1937, arr. II. Title. III. Title: Pictures from an exhibition.

NM 0913351 MB IEdS

[Pictures at an exhibition] 1947
785.1 M97t
Musorgskii, Modest Petrovich, 1839-1881.
Tableaux d'une exposition. Pictures from an exhibition. Orchestrated by Maurice Ravel. [New York] Boosey & Hawkes, ©1947.
151p. 19cm. (Hawkes pocket scores, no. 32)
Miniature score.
Publisher's plate no. B&H 8716.
Includes origir al piano score.

NM 0913352 LU CLO OrU

MUSORGSKI, MODEST PETROVICH, 1839-1881.
[PICTURES FROM AN EXHIBITION. ARR. FOR ORCHESTRA]
Tableaux d'une exposition; orchestration de Maurice Ravel. Pictures from an exhibition. London, New York, Édition russe de musique-Boosey & Hawkes [195-? c1929] score (128 p.) 36cm.
Originally for piano.
Duration: 29 min.
1. Suites (Orchestra) I. Ravel, Maurice, 1875-1937, arr. II. Title.

NM 0913353 NN

Musorgskii, Modest Petrovich, 1839-1881.
... Tableaux d'une exposition,pour piano. Révision par Lucien Garban. Paris, Durand & cie. [192-?]
1.p.l., 40 p. 30.5 cm. (Edition classique A. Durand & fils, no. 12585)
Publ. no. D. & F. 12,585.
At head of title: M. Moussorgsky.

NM 0913354 CtY-Mus

Musorgskiĭ, Modest Petrovich, 1839-1881.
Tableaux musicals; suite pour orchestre, par M. Moussorgsky... Partition d'orchestre... St. Pétersbourg: W. Bessel & Cie.[, 1900.] Publ. pl. no. 4276. 81 p. new ed. 4°.
Full score.
"Instrumenté par M. Touschmaloff."
t.-p. in French and Russian.
Edition for piano 2 hands, has title: Tableaux d'un exposition.
Contents: 1. Promenade. 2. Il vecchio castello. 3. Ballet de poussins dans leurs coques. 4. Samuel Goldenberg und Schmuyle. 5a. Limoges: Le marché. 5b. Catacombae. 6a. La cabane sur des pattes de poule. 6b. La porte des bohatyrs de Kiew.

DREXEL MUSICAL FUND.
1. Orchestra, Full—Suites. 2. Tushmalov, M. 3. Title.
N. Y. P. L. March 17, 1927

NM 0913355 NN

---

qM786.41 M97t
Musorgskiĭ, Modest Petrovich, 1839-1881.
A tear. Philadelphia, Theodore Presser Co. [n.d.] Pl. no. 23945-2.
3p. 31cm. (Russian composers)

1. Piano music. I. Title.

NM 0913356 IU

---

qM786.41 M97t 1914
Musorgskiĭ, Modest Petrowich, 1839-1881.
A tear (Une larme) [Edited by Hugo Ries. Boston, Boston Music Co. [c1914]
3p. 30cm.

1. Piano music. I. Title.

NM 0913357 IU

VOLUME 403

M786.8
M98t
WaSp
Musorgskii, Modest Petrovich, 1839-1881

A tear (Une larme) arranged by T. Tertius Noble. J. Fischer [c1918]
5 p.

Organ.

1.Noble, Thomas Tertius, 1867-1953, arr. II.Title. III. Title: Une larme.

NM 0913358 OrP WaSp

Musorgskii, Modest Petrovich, 1839-1881.
Tempête. Mélodie posthume révue par W. G. Karatyguine. Paris, Bessel, c1921.

NM 0913359 PPCI

Musorgskii, Modest Petrovich, 1839-1881.
La Tombe. Mélodie posthume révue par W. G. Karatyguine. Paris, Bessel, c1921.

NM 0913360 PPCI

Musorgskii, Modest Petrovich, 1839-1881
...Trepak. "Still is the forest"...for baritone or mezzo-soprano...Berlin, Breitkopf and Harte, c1911.
9 p.

NM 0913361 OO

Musorgskiĭ, Modest Petrovich, 1839-1881.
[Mlada. Turkish march, arranged]

Triumphant march from 'Mlada" by M. Moussorgsky, transcribed for band by Harold E. Green ... [Chevy Chase, Md., °1945]
1 p. l., 20 numb. l. 46½cm.

Photocopy (negative) of manuscript.
Score: band. Originally for orchestra.
Performance time: 4 minutes, 55 seconds.

1. Marches (Band)—Scores. 2. Operas—Excerpts, Arranged. I. Green, Harold E., arr.

Library of Congress M1260.M96M53 46-3314

NM 0913362 DLC

Musorgskii, Modest Petrovich, 1839-1881.
Twenty-five songs by Moussorgsky. [With accompaniment for pianoforte.]
(In Masters of Russian song ... Vol. I. v-xv, 3-199 pp. Decorated title-page. New York. [1917.])

NM 0913363 MB

Musorgskii, Modest Petrovich, 1839-1881.
Versuch einer dramatischen musik in prosa. Die heirat...
see his Die heirat...

VM
22
M 98
MUSORGSKIĬ, MODEST PETROVICH, 1839-1881.
...14 klavier-kompositionen. Compositions pour piano. Leipzig, Breitkopf [c1911]
59p. (Edition Breitkopf. nr.4204)

The first five are posthumous works, revised by V.G.Karatygin.
Plate nos.: 6946, W. 8184 B.
Contents.--Scherzo.--Souvenir d'enfance. no. 1-3.--Impromptu passioné.--Rêvèrie.--Intermezzo. --Une plaisanterie.--En Crimée: Hoursouff, Capriccio.--Méditation.--Une larme.--La couturière.--Au village.

NM 0913365 ICN

Musorgskii, Modest Petrovich, 1839-1881.
Without sunlight. Six songs of gloom (for mezzo-soprano or baritone). Revised by N. Rimsky-Korsakov. Leipzig, Breitkopf, c1921.

NM 0913366 PPCI

Musorgskii, Modest Petrovich, 1839-1881
Wehmütig rauschten die Blätter. Musikalische Erzählung. Von M. Mussorgsky. Nachgelassenes Werk revidirt von W. G. Karatygin. [Für eine Singstimme mit Pianoforte Begleitung.]
= Berlin. Breitkopf & Härtel. 1911. 7 pp. [Lieder und Gesänge ... Nr. 24.] 35 cm.
The title is repeated in Russian.
The text is in Russian and German.

E1389 — T.r. Gesang. — Songs. With music. — Lippold, Max, tr. — Karatygin, Vladislaus Gabrilovitch, ed., 1875-1925.

NM 0913367 MB

Musorgskii, Modest Petrovich, 1839-1881. 8053.1022
Yeremoushka's cradle song. Words by Nekrassov. English version by Rosa Newmarch. Music by M. Moussorgsky. For contralto. [With accompaniment for pianoforte.]
— Leipzig. Breitkopf & Härtel. 1911. 5 pp. 34 cm.

L3071 — Double main card. — Musorgski, Modest Petrovitch. (M1) — Nekrasov, Nikolai Alekseievich, 1821-1878. (M2) — T.r. (1) — Cradle songs. (1) — Newmarch, Rosa Harriet, tr., 1857-. (2)

NM 0913368 MB

Musorgskii, Modest Petrovich.
Zug der fürsten und priester, für singstimmen und klavier zu 4 händen. Moskau, Staatsmusikverlag, 1931.
iv, 5-18 p. F4.

NM 0913369 PP

MUSORGSKII, MODEST PETROVICH, 1839-1881.

Zwei Clavierstücke, von M. Moussorgsky. Leipzig, M.P.Belaieff [189-?] 1v. Pl.no.305. 35cm.

No.1.
No.1 is also numbered 4.
CONTENTS.--1. Ein Kinderscherz.

1. Piano. i. [Title] Clavierstücke.

NM 0913370 NN MB

Musorgskij, Modest Petrovich, 1839-1881.
Zwei Klavierstücke. 1. Ein Kinderscherz. 2. Intermezzo. Von M. Moussorgsky, hrsg. von Walter Niemann... Leipzig: C. F. Peters [1921]. Publ. pl. no. 10275. 11 p. f°.

On cover: Edition Peters. No. 3727b.

JUILLIARD FOUNDATION FUND.

1. Piano. 2. Niemann, Walter, 1876- , editor.
N. Y. P. L. November 13, 1923.

NM 0913371 NN OrP NcU NjP

M
25
.M98
K5
1952
Musorgskiĭ, Modest Petrovich, 1839-1881.
[Ein Kinderscherz]
Zwei Klavierstücke. 1. Ein Kinderscherz. 2. Intermezzo. Von M. Moussorgsky. Hrsg. von Walter Niemann. Leipzig, C. F. Peters [1952?]
Pl. no. 10275.
11 p. 31 cm. (Edition Peters, Nr. 3727b)

1. Piano music. I. Musorgskiĭ, Modest Petrovich, 1839-1881. / Intermezzo, piano. II. Title: Ein Kinderscherz. III. Title: Intermezzo

NM 0913372 DCU

M1620
.M97
1912
Musorgskiĭ, Modest Petrovich, 1839-1881.
[Songs. Selections]

12 [i. e. Zwölf] Lieder fur eine Singstimme und Klavier. Revision und deutsche Textübersetzung von Hans Schmidt. Leipzig, C. F. Peters [Vorwort 1912]
59 p. 28cm. (Edition Peters no. 3394)

1. Songs with piano.

NM 0913373 ViU MH NN MB

Musorgskij, Modest Petrovich, 1839-1881.
12 Lieder für eine Singstimme und Klavier. von M. Moussorgsky. Revision und deutsche Textübersetzung von Hans Schmidt ... Leipzig: C. F. Peters [, 1913]. Publ. pl. no. 9725. 59 p. 4°.

German words; music for 1 voice with piano acc.
On cover: Edition Peters. No. 3394a. Moussorgsky. Lieder. Band I...
Contents: Lieder und Tänze des Todes: 1. Trepak. 2. Wiegenlied. 3. Ständchen. 4. Der Feldherr. Kinderstube: 5. Mit der Njanja. 6. Im Winkel. 7. Der Käfer. 8. Mit der Puppe. 9. Abendgebet. 10. Steckenpferdreiter. 11. Kater Prinz. 12. Hopak.
With this are bound: 7 Lieder [Bd. 2]; 9 Lieder [Bd. 3]; and 6 Lieder [Ohne Sonne]. Leipzig [, 1922-23].

JUILLIARD FOUNDATION FUND.

1. Songs, Russian. 2. Schmidt, Hans, 1854- , editor and translator.
N. Y. P. L. May 21, 1929

NM 0913375 NN

M1620
.M95S4
Musorgskii, Modest Petrovich, 1839-1881.
[Songs. Selections]

12 [zwölf] Lieder für eine Singstimme und Klavier von M. Moussorgsky. Revision und deutsche Textübersetzung von Hans Schmidt ... Frankfurt, New York, C.F. Peters, c1945, c1917.
Pl. no. E.P. 9725.
v. 28 cm. (Edition Peters, Nr. 3394a)

1. Songs with piano. I. Schmidt, Hans Valentin, 1854 1923, ed.

NM 0913376 NjR

Musorgskij, Modest Petrovič
see Musorgskii, Modest Petrovich, 1839-1881.

Musorgskis, Modests
see
Musorgskii, Modest Petrovich, 1839-1881.

Musorhs'kyĭ, Modest Petrovych
see
Musorgskii, Modest Petrovich, 1839-1881.

Musotto, Giovanni.
... Colpevolezza, dolo e colpa ... Palermo, F. Ciuni, 1939-
v. 25½cm.
CONTENTS.—pte. 1. La dottrina della colpevolezza.

1. Guilt (Law) 2. Guilt (Law)—Italy. I. Title.

45-50225

NM 0913380 DLC

VOLUME 403

Musotto, Giovanni.
... Diritto penale ... Palermo, Pantea [1953] -
1 v. 25 cm.
Bibliographical footnotes.
Contents.- v. 1. Parte generale.-

NM 0913381 MH-L

Musotto, Giuseppe.
Sulle nefriti sperimentali da siero antirene. Firenze, Istituto di Patologia Generale [1939]
(Lo Sperimentale. Archivio di Biologia normale e patologica. V. 93, dic. 1939, XVIII, fasc. 6)

NM 0913382 DLC

Musper, Heinrich Theodor, 1895-
Albrecht Dürer; der gegenwärtige Stand der Forschung. Stuttgart, W. Kohlhammer [1952]
351 p. illus. 27 cm.
Bibliographical footnotes.

1. Dürer, Albrecht, 1471-1528.

A 52-8237

Harvard Univ. Library for Library of Congress [1]

NM 0913383 MH OCU CtY NN MB DLC IaU WU

*N 6888 D8M97
Musper, Heinrich Theodor, 1895-
Albrecht Dürer; der gegenwärtige Stand der Forschung. Stuttgart, Europäischer Buchklub [1953]
363 p. 247 illus.(incl.12 col.plates, ports.)

1. Dürer, Albrecht, 1471-1528.

NM 0913384 CLU

ND 588 .D95 M9 1953
Musper, Heinrich Theodor.
Albrecht Dürer, der gegenwärtige Stand der Forschung. 2. Aufl. Stuttgart, W. Kohlhammer [1953]
363 p. 235 plates (incl. ports.), 12 col. plates (incl. ports.) 27 cm.

1. Dürer, Albrecht, 1471-1528.

NM 0913385 DCU MiU CU NcU OCl C

Musper, Heinrich Theodor.
Die Haarlemer blockbücher und die Costerfrage; fest-vortrag gehalten am 26. juni 1938, in der general-versammlung der Gutenberg-gesellschaft im Kurfürstlichen schloss zu Mainz, von Heinrich Theodor Musper. Mainz, Verlag der Gutenberg-gesellschaft, 1939.
[10] p., 1 l. port., facsims. 29cm. (Kleiner druck der Gutenberg-gesellschaft. nr. 34)

1. Printing—Hist.—Origin and antecedents. 2. Coster, Lourens Janszoon, 1370 (ca.)-1439. I. Title.

Library of Congress Z126.3.M95 40-12125
[3] 655.112

NM 0913386 DLC WU NcU NIC PP NN

J18 Se78 941M
Musper, Heinrich Theodor
Heinrich Seufferheld; das radierte Werk. Stuttgart, W. Kohlhammer, 1941.
129 p. 80 plates. 27 cm.

I. Seufferheld, Heinrich, 1866-1940.

NM 0913387 CtY

q761 M975h
Musper, Heinrich Theodor.
Der Holzschnitt in fünf Jahrhunderten. Stuttgart, W. Kohlhammer, 1944.
4p.l.,408p. illus.,7 pl.(part col.) 30cm.

1. Wood-engraving - Hist. 2. Illustrated books. I. Title.

NM 0913388 TxU MH

Musper, Heinrich Theodor.
Die Holzschnitte des Petrarkameisters; ein kritisches Verzeichnis mit Einleitung und 28 Abbildungen. München, Verlag der Münchner Drucke, 1927.
70 p. illus. 30 cm.
"Die vorliegende Arbeit ... ist aus meiner Münchener Dissertation von 1922 (Beitrag zur Forschung über H. W., den Petrarkameister) hervorgegangen."—Vorwort.
Bibliography: p. [19]

1. Weiditz, Hans, 16th cent. 2. Illustrated books—15th and 16th cent. I. Title.

NE1205.W4M8 [096.1] 761 40-22190 rev*

NM 0913389 DLC NN

Musper, Heinrich Theodor, 1895-
... Ein "Ulmer" altar vom ende des 14. jahrhunderts? [Stuttgart, W. Kohlhammer verlag, 1950]
p. 177-194. incl. illus. pl. 27 cm.
"Sonderdruck aus Form und Inhalt. Festschrift für Otto Schmitt zum 60. geburtstag."

NM 0913390 OClMA

Musper, Heinrich Theodor, 1895-
Untersuchungen zu Rogier van der Weyden und Jan van Eyck. Stuttgart, W. Kohlhammer [1948]
111 p. 158 plates. 27 cm.

1. Weyden, Roger van der, 1400 (ca.)-1464. 2. Eyck, Jan van, 1390-1440.

ND673.W4M8 759.9493 49-18608 rev*

NM 0913391 CU NN DLC CSt OU DAU CLU OOxM TxU OClMA NcU

Geology Library QE301 S9 M87
Musper, K A F R
Indragiri en Pelalawan. Weltevreden, Landsdrukkerij, 1928.
vi, 245 p. illus., maps, tables. 24 cm.
"Overdruk uit het Jaarboek van het Mijnwezen in N.I., 56ste jaargang, 1927, Verhandelingen 1ste gedeelte."

1. Sumatra - Geology.

NM 0913392 CtY

Musper, Theodor
see
Musper, Heinrich Theodor, 1895-

PF 3987 M6 1832
Muspilli.
Muspilli; Bruchstück einer althochdeutschen alliterierenden Dichtung vom Ende der Welt. Aus einer Handschrift der königl. Bibliothek zu München hrsg. von J.A. Schmeller. München, G. Jaquet, 1832.
39 p. facsim. 21cm.

"Besonderer Abdruck aus Buchners 'Neuen Beiträgen zur vaterländischen Geschichte, Geographie und Statistik,' Jahrg. 1832, Bd.I."

NM 0913394 NIC CU

Muspilli.
Muspilli, fragment eines althochdeutschen gedichtes... Dorpat, 1846.

NM 0913395 NjP

PF3987 .M934B3
MUSPILLI
...Muspilli;ovvero,L'incendio universale. Versione con introduzione ed appendice del dottore Aristide Baragiola. Strasburgo,Tip.R.Schultz & comp., 1882.
47 p. 21cm.

NM 0913396 ICU OClW MH CLU CU

Muspratt, Edmund Knowles, 1833-
My life and work, by Edmund Knowles Muspratt LL. D., F. C. S., etc. With fifteen illustrations. London John Lane; New York, John Lane company; [etc., etc. 1917.
xi, 320 p. front., plates, ports. 23cm. $2.50

I. Title.

17-3731

Library of Congress CT788.M8A3

NM 0913397 DLC ICJ NcD TxU PP PPA PU-S NN MB

Muspratt, Eric, 1899-
Fire of youth, the story of forty-five years' wandering. London, G. Duckworth [1948]
192 p. port. 23 cm.

1. Adventure and adventurers. I. Title.

G463.M955 910.4 49-13729*

NM 0913398 DLC IEN

MUSPRATT, ERIC, 1899-
Going native [by] Eric Muspratt. London: M.Joseph Ltd. [1936] 256 p. front., plates. 22½cm.

867683A. 1. West Indies—Descr. and trav., 1900- I. Title.

NM 0913399 NN CaBViP GU

Muspratt, Eric, 1899-
Greek seas, by Eric Muspratt ... London, Duckworth [1933]
190 p. illus. (map) 22cm.

1. Mediterranean sea—Descr. & trav. 2. Levant—Descr. & trav. I. Title.

Library of Congress D972.M8 34-19696
[3] 910.4

NM 0913400 DLC CaBViP TU OCl TxU

Muspratt, Eric, 1899-
The journey home, by Eric Muspratt ... London, Duckworth, 1933.
218 p. front. (port.) 22cm.

1. Voyages and travels. 2. Adventure and adventurers. I. Title.

Library of Congress G463.M96 33-9410
Copyright A ad int. 17554 [2] 910.4

NM 0913401 DLC TU CtY NN

VOLUME 403

Muspratt, Eric, 1899-
My South sea island, by Eric Muspratt. London, M. Hopkinson ltd., 1931.
255, [1] p. incl. map. front. (port.) 20cm.

1. San Christoval, Solomon islands. I. Title.

Library of Congress DU850.M8 31-15806
Copyright A ad int. 15155 [3] 919.35

NM 0913402 DLC CU TxU OrStbM CaBViP KU PP CtY TU

919.35 Muspratt, Eric, 1899-
M975m My South sea island. Milwaukee, Red Arrow Books [c1951]
288 p. (Red Arrow Books, 25)

1. San Christoval, Solomon islands.
I. Title.

NM 0913403 WaU

Muspratt, Eric, 1899-
My South sea island, by Eric Muspratt. New York, W. Morrow & co., 1931.
256 p. incl. map. front. (port.) 20½cm.
Illustrated lining-papers.

1. San Christoval, Solomon islands. I. Title.
Library of Congress DU850.M8 1931 31-23330
——— Copy 2.
Copyright A 42168 [3] 919.35

PU MB MiU OCl WaS
NM 0913404 DLC OU OKentU CoU WaE OrP NN NcRS PPGec

919.35
M988m Muspratt, Eric, 1899-
My South Sea island. Harmondsworth, Eng., Penguin Books [1937]
256p. map. 19cm.

1. San Cristoval- Soloman Islands. I. Title.

NM 0913405 IEN

DU850
M8
1942 Muspratt, Eric, 1899-
My South Sea island. Sydney, F. Johnson [1942]
128p. 21cm. (Magpie series)

1. San Christoval, Solomon Islands. Description and travel. I. Title.

NM 0913406 IaU NcU

Muspratt, Eric.
Time is a cheat, by Eric Muspratt. Lond., Duckworth, [1946]. 184 p.

NM 0913407 PU

Muspratt, Eric, 1899-
Wild oats, by Eric Muspratt ... London, Duckworth, 1932.
237 p. front. (port.) 22½cm.
An account of the author's vagabond journey through Europe in 1926.

1. Europe—Descr. & trav. I. Title.
Library of Congress D921.M86 32-24557
Copyright A ad int. 16618 [3] 914

NM 0913408 DLC NN TU IEN

914
M9745w
1944 Muspratt, Eric, 1899-
Wild oats. Melbourne, F. Johnson [1944]
128p. 22cm. (Magpie series, 36)

"An account of the author's vagabond journey through Europe in 1926."

1. Europe - Descr. & trav. I. Title. II. Series.

NM 0913409 TxU DLC

Muspratt, James.
The queen v. Muspratt; [the trial of] James Muspratt, 5th-7th of April, 1838, for creating and maintaining a nuisance within the borough of Liverpool, to the annoyance and injury of the inhabitants thereof. [Liverpool, 1838?]
8°.

NM 0913410 MH

Muspratt, James Sheridan, 1821-1871.
Article on sugar, from Chemistry, theoretical, practical, and analytical, as applied and relating to the arts and manufactures. Glasgow, Mackenzie, n.d.

NM 0913411 PPF

Muspratt, James Sheridan, 1821-1871.
Biography of Dr. Sheridan Muspratt ... and third edition of the influence of chemistry in the animal, vegetable and mineral kingdom, by Dr. Sheridan Muspratt
see under title

Muspratt, James Sheridan, 1821-1871.
The biography of Jean Baptiste Dumas, M.D. New York, lancet, 185-
p. 147-150 8°.
Toner collection

NM 0913413 DLC

Muspratt, James Sheridan, 1821-1871.

Neumann, Bernhard, 1867- ed.
Chemische technologie der anorganischen industriezweige; in verbindung mit dr.-ing. R. Amberg, prof. dr. K. Arndt ... [u. a.] herausgegeben von dr. Bernhard Neumann ... Braunschweig, F. Vieweg & sohn akt.-ges., 1926-27.

Muspratt, James Sheridan, 1821-1871.
Chemistry, theoretical, practical, and analytical. Glasgow, [1860?]
2 v.

NM 0913415 NjP CU NcU CtY PV

Muspratt, James Sheridan, 1821-1871.
Chemistry, theoretical, practical, and analytical, as applied and relating to the arts and manufactures. By Dr. Sheridan Muspratt ... Glasgow, New York [etc.] W. Mackenzie [1860]
2 v. front., illus., ports., tables. 28 cm.
Added t.-p., engraved.
First issued in parts.
Supplementary matter, by Professor Horsford: v. 2, p. [1179]-1186.

1. Chemistry, Technical—Dictionaries. 2. Chemistry—Dictionaries. I. Horsford, Eben Norton, 1818-1893.

5—28946

WaU DSI MWA ICJ ICU NIC DNLM MB
PPL PU-S MiU OCl OCU MiHM ViU PPAmP PPPCPh PV OU
NM 0913416 DLC OClW-H CtY OrCS OrPR ICRL TxU PP

Muspratt,James Sheridan.
Chemistry: theoretical,practical and analytical.
London,1868.
2 v. 4°

NM 0913417 I MdBP PBL NjNbS PPAN

R547.903
M99ee Muspratt, James Sheridan, 1821-1871.
Ergänzungswerk zu Muspratt's Encyklopädischem handbuch der technischen chemie, hrsg.von dr.B.Neumann...dr.A.Binz...dr.F. Hayduck...Braunschweig, F.Vieweg & sohn, 192 -
v. illus. 28 cm.
I. Neumann, Bernhard, 1867- ed.
Title.

NM 0913418 MiU NN

Muspratt, James Sheridan, 1821-1871.
The influence of chemistry in the animal vegetable, and mineral kingdom. London, 1851.

NM 0913419 MH

Muspratt, James Sheridan, 1821-1871.
Influence of chemistry in the animal, vegetal & mineral kingdom, by Dr. Sheridan Muspratt ... <3d ed.>
(*In* Biography of Dr. Sheridan Muspratt ... by a London barrister-at-law. London, 1852. 21½cm. p. [17]-32)

1. Chemistry—Addresses, essays, lectures.
7-37689 Revised
Library of Congress QD22.M8B6

NM 0913420 DLC

Muspratt, James Sheridan, 1821-1871.
On the chemistry of vegetation, by Sheridan Muspratt ... Glasgow, D. Robertson [1846]
16 p. 21½cm.
"I have received permission from Dr. Sheridan Muspratt to publish his series of letters upon the chemistry of vegetation collectedly ... They first appeared in the Glasgow herald, and have since found their way into most of the leading agricultural journals."—Publisher's pref.

1. Agricultural chemistry. I. Title.
29-16060
Library of Congress S585.M8

NM 0913421 DLC DNLM CtY

Muspratt, James Sheridan, 1821-1871.
Theoretische, praktische und analytische chemie in anwendung auf künste und gewerbe. Von Dr. Sheridan Muspratt. Encyklopädie der technischen chemie. Frei bearbeitet von F. Stohmann und Dr. Th. Gerding. Mit zahlreichen in den text eingedruckten holzschnitten von G. Mezger. Deutsche von Herrn Dr. Sh. Muspratt autorisirte ausgabe. Braunschweig, C.A. Schwetschke, 1856-60.
3 v. illus. 27 cm.

NM 0913422 OCU

540.3 Muspratt, James Sheridan, 1821-1871.
M988cG2 Muspratt's Theoretische, praktische und analytische chemie, in anwendung auf künste und gewerbe. Frei bearbeitet von dr. F. Stohmann. ... 2., verb. und verm. aufl. ... Braunschweig, C. A. Schwetschke & sohn, 1863.
v. illus.

[Full name: James Sheridan Muspratt]

NM 0913423 IU-M

VOLUME 403

Muspratt, James Sheridan, 1821-1871.

Muspratt's₍ theoretische, praktische und analytische chemie, in anwendung auf künste und gewerbe. Frei bearbeitet von dr. F. Stohmann ... 2. verb. und verm. aufl. ... Braunschweig, C. A. Schwetschke und sohn (M. Bruhn) 1865-1870.
6 v. illus., tables. 27cm.
Added t.-p., v.1-2: Encyklopädisches handbuch der technischen chemie, von dr. F. Stohmann.
Vol. 3-6: "Fortgesetzt von Bruno Kerl."
Includes bibliographies.
Imperfect: title-page wanting, v. 5.
Translation of: Chemistry, theoretical, practical, and analytical, as applied and relating to the arts and manufactures.
1. Chemistry, Techn[ological]—Dictionaris. 2. Chemistry—Dictionaries. I. Stohmann, Friedrich Carl Adolf, 1832-1897, ed. II. Kerl, Bruno, 1824-1905.

NM 0913424 ViU TU CU PPAmP MH OCU

Muspratt, James Sheridan.
Muspratt's₍ theoretische, praktische und analytische Chemie, in Anwendung auf Künste und Gewerbe; frei bearbeitet von B. Kerl und F. Stohmann. Braunschweig: C. A. Schwetschke und Sohn, 1874-80. 7 v. 3. ed. 4°.

Second title-page reads: Encyklopädisches Handbuch der technischen Chemie...

1. Chemical technology.—Systematic works, 1874-80. 2. Kerl, Bruno, editor. 3. Stohmann, Friedrich Karl August, editor.
N. Y. P. L. December 9, 1911.

NM 0913425 NN RPB CU MH PBL OC OU PU IU

Muspratt, James Sheridan, 1821-1871.
Muspratt's theoretische, praktische und analytische Chemie in Anwendung auf Künste und Gewerbe. ... 4. aufl. Braunschweig F. Vieweg und Sohn, 1888-1915.
11 v. illus., tables, diagrs.
Added title-page: Encyklopädisches Handbuch der technischen Chemie, von F. Stohmann und Bruno Kerl.

NM 0913426 OCl

Muspratt, James Sheridan, 1821-1871.
Muspratt's theoretische, praktische und analytische Chemie in Anwendung auf Künste und Gewerbe. Frei bearbeitet von F. Stohmann...und Bruno Kerl... 4. verb. und ver. Aufl. ... Braunschweig: F. Vieweg und Sohn, 1888-1922. 12 v. illus. 27cm.

Each v. has added t.-p.: Encyklopädisches Handbuch der technischen Chemie... Vol. 6-12 "herausgegeben von H. Bunte."

PPJ MH
NM 0913427 NN NcD NjR ViU OCU PBm FMU CU DNLM OU

Muspratt, James Sheridan, 1821-1871.
Theoretische, praktische und analytische chemie
see also his Ergänzungswerk zu Muspratt's Encyklopädischem handbuch.

Muspratt (James Sheridan). Untersuchung der schwefligsauren Salze. 36 pp. 8°. [*Heidelberg*, 1844.]
Repr. from: Ann. d. Chem. u. Pharm., Heidelb., 1844, l.

NM 0913429 DNLM

Muspratt, James Sheridan, 1821-1871, ed.
FOR OTHER EDITIONS SEE MAIN ENTRY
Plattner, Karl Friedrich, 1800-1858.
The use of the blowpipe in the qualitative and quantitative examination of minerals, ores, furnace products, and other metallic combinations. By Professor Plattner ... and Dr. Sheridan Muspratt ... Illustrated by numerous diagrams ... 3d ed., rev. and further enl. London, J. Churchill, 1854.

Muspratt, Sir Max, bart., 1872-
Gorst, Elliott.
A guide to the Railway rates tribunal, by Elliott Gorst ... with foreword by Sir Max Muspratt, bart. ... London ₍etc.₎ The Solicitors' law stationery society, ltd., 1927.

823.91
M988t

Muspratt, Rosalie
Tales of terror by Rosalie Muspratt (Jasper John) London, H. Walker [1931]
167 p. 19 cm.

NM 0913432 ICarbS

Muspratt, S.F.
....Military situation on the N.W. frontier of India, by Colonel S.F. Muspratt...(Lecture delivered)Wednesday, 22nd November, 1922. London, H. Rees (1922)
cover-title, 16 p. 18½cm. (Aldershot military society(lectures)no.120)

NM 0913433 DNW

Muspratt, Sheridan
see
Muspratt, James Sheridan, 1821-1871.

Egleston
D629.138
M975

Muspratt-Williams, M J
The air pilot of Northern Rhodesia (1951 edition) prepared by M. J. Muspratt-Williams. ₍Lusaka, Printed by the Govt. printer, 1951₎
148 p. illus., maps, tables.

At head of title: Northern Rhodesia.

1. Airports - Rhodesia, Northern. 2. Airways - Rhodesia, Northern. I. Rhodesia, Northern. Dept. of civ[il] aviation. II. Title.

NM 0913435 NNC

Musquetier (H. A.) De praktijk der gezondheidswet (wet van den 21. Juni 1901, Staatsblad No. 157). viii, 42 pp. 8°. *'s-Gravenhage, Gebr. Belinfante*, 1904.

NM 0913436 DNLM

Musquietier, H. A.
De praktijk der woningwet bewerkt.Eerste vervolg, loopende van 1 Maart tot en met 2 December, 1904. 's-Gravenhage, 1904-1905
228 p.

NM 0913437 PU-L

Musquetier, H. A., ed.
Wet tot regeling van het staatstoezicht op de volksgezondheid (Wet van den 21 Juni 1901, Staatsblad no. 157) Met aanteekeningen, ontleend aan de gewisselde stukken in de Staten-Generaal en uitvoeringsbesluiten, bewerkt. 2nd ed. 's-Gravenhage, 1904.
42 p.

NM 0913438 PU-L

Musquetier, H.A.
Wet van den 27. April 1884 (Stbl. no. 96) waarbij met intrekking van de wet van 29. Mei 184 (Stbl. no. 20) nadere bepalingen worden vastgestel
see under Netherlands (Kingdom, 1815- Laws, statutes, etc.

Musquetier, Jan Arnold
... De consensu parentum in nuptias liberorum ... defendet Jan Arnold Musquetier ... Lugduni Batavorum, L. Herdingh et filius, 1820.
2 p.l., 42 p. 19½cm.
Diss.- Leiden.

NM 0913440 MH-L

Musquetier, Jan Daniel
... De stellionatus crimine ... defendet Jan Daniel Musquetier ... Lugduni-Batavorum, P.H. van den Heuvell, 1847.
3 p.l., 48 p. 23cm.
Diss.- Leiden.

NM 0913441 MH-L

Musquinet de la Pagne, Louis Michel, 1745-1794
Bicêtre réformé. Établissement d'une maison de discipline. Ouvrage dédié à M. le comte de Castellane, représentant de la nation à l'Assemblée nationale. Par M. Musquinet de la Pagne... A Paris: Chez Garnéri ₍1789₎ 31 p. 19½cm.

517478A. 1. Prisons—France, 1784.
N. Y. P. L. April 25, 1935

NM 0913442 NN MH

French Rev.

DC
141
F87+
v.258

₍Musquinet de la Pagne, Louis Michel₎ 1745-1794.
Prodige de vertu. Innocence reconnue après 22 ans passés, enchainée par tous les membres dans des cachots... Paris, Trasseux, 1791.
12 p. 22cm.

NM 0913443 NIC

DC
141
F87+
v.17

Musquinet de la Pagne, Louis Michel, 1745-1794.
Réclamations du moderne Prométhée à tous les districts. ₍Paris? 1790₎
21 p. 18cm.

NM 0913444 NIC

[**Musquinet de La Payne, Pierre.**] Réclamations du moderne Prométhée, à tous les districts.
n. t.-p. [1790.] 22h. pp. 21.

NM 0913445 NIC

Beinecke Library
AN44
H8
+M976

The Musquito. v.1-
1841-
Houston.
33-35cm. tri-weekly.

Photostatic copies from originals in University of Texas.
By Geo. H. French.
Each number signed at head of title: Geo. W. Crawford.
Originals printed on colored paper.

NM 0913446 CtY

Musrepov, Gabit Makhmudovich, 1902–
Laul armastusest (Kozõ Korpes ja Bayan Slu); dramaatiline legend neljas vaatuses. ₍A. Drozdovi venekeelse tõlke järgi tõlkinud August Jakobson₎ Tallinn, Ilukirjandus ja Kunst, 1948.
113 p. 20 cm.

I. Title.

PL65.K49M855 54-21222 rev ‡

NM 0913447 DLC NN OCl

VOLUME 403

Musrepov, Gabit Makhmudovich, 1902–
Солдат из Казахстана. Авторизованный перевод с казахского [Степана Злобина, пор ред. Л. Соболева] Москва, Советский писатель, 1950.
232 p. 20 cm.

I. Zlobin, Stepan Pavlovich, tr. II. Title.
Title romanized: Soldat iz Kazakhstana.

PL65.K59M79 50-55192 rev

NM 0913448 DLC

Muss, Max Ludwig Adolf, 1885–
Der bankmässige zahlungsausgleich in Deutschland. Eine studie über theorie und aufbau des deutschen giro- und scheckwesens ... Berlin und Leipzig, W.de Gruyter & co., 1922.
206 p.

Bibliographical foot-notes.

NM 0913449 MH-BA

Muss, Max Ludwig Adolf, 1885–

Pohle, Ludwig, 1869–1926.
Das deutsche wirtschaftsleben seit beginn des neunzehnten jahrhunderts, von prof. dr. Ludwig Pohle, neubearbeitet und ergänzt von prof. dr. Max Muss. 6. aufl. Leipzig und Berlin. B. G. Teubner, 1930.

Muss, Max Ludwig Adolf, 1885–
.... Leopold Bleibtreu (1777–1839) von Dr. Max Muss. ....
184284 Essen, G. D. Baedeker, 1920.
xi, 55, [1] p. 23½cm. (*In* Beiträge zur Rheinisch-Westfälischen Wirtschaftsgeschichte. Heft 1.)
Relates chiefly to Leopold Bleibtreu's connection with the alum industry.

NM 0913451 ICJ

Muss, Max Ludwig Adolf, 1885–
Die Staatliche kreditanstalt des herzogtums Oldenburg. Von dr. Max Muss. Tübingen, H. Laupp, 1913.
v, 123 p. 24cm. (*Added t.-p.:* Zeitschrift für die gesamte staatswissenschaft ... Ergänzungsheft XLV)
Published also as the author's inaugural dissertation, Leipzig, 1913.
"Quellenverzeichnis": p. 121–123.

1. Oldenburg. Staatliche kreditanstalt.

Library of Congress HJ5.Z42 vol. 45 15-5832

NM 0913452 DLC CU ICRL CtY MH PU MiU ICJ NN MB

Muss, Max Ludwig Adolf, 1885–
Die struktur der modernen wirtschaft; ein überblick über die zusammenhänge, die gestaltungen und kräfte in der volkswirtschaft, von dr. Max Muss ... Berlin und Leipzig, Walter de Gruyter & co., 1935.
116 p. 23½cm.
"Bücher-verzeichnis": p. 114–115.

1. Economics. I. Title.

A C 35-1936

Title from N. Y. Pub. Libr. Printed by L. C.

NM 0913453 NN NcD

MUSS, MAX LUDWIG ADOLF, 1885–
Die Wirtschaftskrise in Deutschland; ein Vortrag von Dr. Max Muss... Stuttgart: F. Enke, 1932. 31 p. 23½cm.

675157A. 1. Crises and panics—Germany, 1929–1932.

NM 0913454 NN

Muss (Maximilianus Fridericus Alexander) [1828–]. *De adminiculis diagnosticis eorumque dignitate. 27 pp., 2 l. 8°. *Berolini, F. G. Nietack,* [1856].

NM 0913455 DNLM

Muss-Arnolt, William, 1860- comp.

The American journal of philology ... v. 1– (whole no. 1– Feb. 1880–
Baltimore, The editor; New York and London, Macmillan & co.; [etc., etc.] 1880–19

Muss-Arnolt, William, 1860-
Assyrian and Babylonian literature. Selections.
= [New York. Appleton & Co. 1901.] 3-6, 11-27, 282-371, 445-450 pp. 8°.
The title is on the cover.
Reprinted from Assyrian and Babylonian literature. Selected translations. With a critical introduction by Robert Francis Harper [3023.170].
Contents. — The inscription of Agumkakrime. — Inscription of Tiglath-Pileser I., King of Assyria (about 1100 B.C.). — The Babylonian account of the Creation. — A second Babylonian account of the Creation. — Another account of the fight between Marduk and Tiamat. — Shorter Babylonian legends: The legend of Zu, the storm-bird; The legend of Dibbara, the plague god; Adapa and the south-wind; The story of Etana. — The Gilgamesh narrative, usually called the Babylonian Nimrod epic. — Some other accounts of and references to the Deluge. — Some Babylonian laws. — Some proverbs and sayings.
Inscription of Tiglath-Pileser I., The Babylonian account of the Creation, and The Gilgamesh narrative are catalogued separately.

G1997 — Assyria. Myth. — Babylon. Myth. — T.r.

NM 0913458 MB

PJ 3523 MB

Muss-Arnolt, William, 1860- ed.
Assyrisch-englisch-deutsches Handwörterbuch. Hrsg. von W. Muss-Arnolt. Berlin, Reuther & Reichard; New York, Lemcke & Büchner, 1905.
xiv,1202p. 25cm.
Originally published in two parts; library copy includes original special title-pages.
"Index compendiorum": v.1, p.[xi]-xiv.

1.Assyro-Babylonian language - Dictionaries - English.
2.Assyro-Babylonian language - Dictionaries - German.

PHC
NM 0913459 CLSU TNJ-R OCH OCl CtY MB OCH CLSU IU

CE 33 M8.5

Muss-Arnolt, William, 1860-
The Assyro-Babylonian months and their regents. With special reference to the Old Testament. [Baltimore? Johns Hopkins University? 1892]
34 p. 18 cm.

1. Calendar, Assyro-Babylonian.
2. Astrology, Assyro-Babylonian.
I. Title

NM 0913460 OCH MB PPDrop CtY NjNbS

Muss-Arnolt, William, 1860- ,tr.
The Babylonian account of the creation ...
see under Enuma elish. [Supplement]

Muss-Arnolt, William, 1860–
The Book of common prayer among the nations of the world, a history of translations of the prayer book of the Church of England and of the Protestant Episcopal church of America. By William Muss-Arnolt ... A study, based mainly on the collection of Josiah Henry Benton, LL. D. London [etc.] Society for promoting Christian knowledge; New York, E. S. Gorham, 1914.
xxi, 473 p. 26½cm.
Contains bibliographies.

1. Church of England. Book of common prayer—Translations. 2. Prayer-books—Bibl. I. Benton, Josiah Henry, 1843–1917.

Library of Congress BX5145.M8 19—16948

NN MWA CtY-D PPRETS
NM 0913462 DLC CtY PU PPC PPLT MiU OCl OO MH MB

Muss-Arnolt, William, 1860–

Benton, Josiah Henry, 1843–
The Book of common prayer and books connected with its origin and growth; catalogue of the collection of Josiah Henry Benton ... 2d ed. prepared by William Muss-Arnolt ... Boston, Priv. print. [D. B. Updike] 1914.

Muss-Arnolt, William, 1860–
A concise dictionary of the Assyrian languages by W. Muss-Arnolt ... Berlin, Reuther & Reichard; New York, Lemcke & Büchner; [etc., etc.] 1905.
2 v. 25cm.
Paged continuously.
Issued in 19 parts, 1895–1905.
Assyrian, English and German.
"Index compendiorum": v. 1, p. [xi]–xiv.

1. Assyro-Babylonian language—Dictionaries.

12—37024

Library of Congress PJ3525.M7

OClW NNUT NjP PBm PU PPC NCH PPDrop
NM 0913464 DLC CLSU UU CU NjNbS CtY OCH NcD OO MiU

MUSS-ARNOLT, W. The cuneiform account of the creation and the deluge. (Reprinted from the Biblical world, v.3, p.17-27 and 109-118) 1894. D

NM 0913465 ICN

Muss-Arnolt, William, 1860-
King's Studies in Eastern history.
= [Chicago.] The University of Chicago Press. [1905.] (1), 238-246 pp. 8°.
Reprinted from The American Journal of Semitic Languages and Literatures, July, 1905 [*5026.10.21].
Discusses the Assyrian texts and English translations in King's work. The texts are contained in Annals of the kings of Assyria ... vol. 1 [*3020a.8.1].

G2137 — King, Leonard William. — Assyria. Lang. Etym.

NM 0913466 MB

Muss-Arnolt, William, 1860-
Lexicographical notes.
= [Chicago.] The University of Chicago Press. [1904.] 223-234 pp. 8°.
The title is on the cover.
Reprinted from The American Journal of Semitic Languages and Literatures, vol. 20, July, 1904.
"Based on material shortly to be published as part 18 of the Concise dictionary of the Assyrian language," by the author.

G2004 — Assyria. Lang. Etym.

NM 0913467 MB

Muss-Arnolt, William, 1860–
Maneant sua data libellis: a protest and a plea, by William Muss-Arnolt ...
(*In* The papers of the Bibliographical society of America. Chicago, Ill. [1920] 24½cm. vol. XIII, 1919, pt. 2, p. 128–147)
Portrait of J. H. Benton: facing p. 87 of v. 13.

1. Books—Conservation and restoration. 2. Bookbinding. 3. Church of England. Book of common prayer—Bibliography. I. Benton, Josiah Henry, 1843–1917. II. Title.

U D 31-107

Library of Congress. Card div. Z1008.B51P vol. 13, pt. 2

NM 0913468 OCU OO OU MiU MB PPT

Muss-Arnolt, William, 1860–

Prince, John Dyneley, 1868–
Materials for a Sumerian lexicon, with a grammatical introduction, by John Dyneley Prince ... Letters A–Z, followed by a reference-glossary of Assyrian words. Leipzig, J. C. Hinrichs, 1908.

VOLUME 403

PA191 Muss-Arnolt, William, 1860–
.M9 On Semitic words in Greek and Latin, by W. Muss-Arnolt. [N. Y., Westermann, 1893]
[3], [35]-156 p. 22½cm.
Half-title.
"Extracted from the Transactions of the American philological association, vol. XXIII, 1892."

1. Greek language—Foreign words and phrases. 2. Latin language—Foreign words and phrases.

NM 0913470 ICU OO MiU CtY MB NN

Muss-Arnolt, William, 1860–
On the study of patristic literature.
= [Louisville.] 1896. 37 pp. 8°.
The title is on the cover.
Reprinted from the Seminary Magazine, February-May, 1896.

G2069 — Fathers of the Church.

NM 0913471 MB

FILM 881 H4.Ymu Muss-Arnolt, William, 1860–
The oracles in Herodotus. Baltimore, 1888.

Microfilm copy (negative) of holograph in Johns Hopkins University Library. Made in 1940 by Bibliofilm Service, U.S. Dept. of Agriculture Library.
Collation of the original, as determined from the film: 112 l.
Thesis—Johns Hopkins.
Bibliography: leaves 109-110.

NM 0913472 IU

Muss-Arnolt, William, 1860–
Post-Caroline revision attempts, and the London reprint of the proposed book of 1785/6. By William Muss-Arnolt... Philadelphia, 1915. p. 5-28. 8°.
Caption-title.
"Delivered before the Church Historical Society, April 29, 1915."
Excerpt: Church Historical Soc. Proc. Part 1.

1. Prayer-books.—Church of England. Revision. 2. Prayer-books.—Protestant Episcopal Church in the U. S. A. Revision. 3. Title.
N. Y. P. L. April 15, 1919.

NM 0913473 NN PPPD

Muss-Arnolt, William, 1860–
Puritan efforts and struggles, 1550-1603. A bio-bibliographical study. I.
= [Chicago. University of Chicago Press.] 1919. 345-499 pp. 24 cm.
Reprinted from The American Journal of Theology, July-October, 1919 [*7470.15.23].

L9037 — Puritans. — England, Church of. Liturgy and ritual. Bibl.

NM 0913474 MB

Muss-Arnolt, William, 1860-
Reference-glossary of Assyrian words.
(In Prince, J. D. Materials for a Sumerian lexicon. Pp. 369-414. Leipzig. 1908.)

G8208 — Assyria. Lang. Dict.

NM 0913475 MB

Muss-Arnolt, William, 1860-
Remarks Introductory to a Comparative Study on the Translations of the Deluge Tablets, with special reference to Dr. P. Jensens "Kosmologie". Baltimore, 1892.

["Johns Hopkins University Circulars", Vol. XI, p. 95, 1892.]

NM 0913476 DCU-H

PF 3580 K71eZm Muss-Arnolt, William, 1860-
Semitic and other glosses to Kluge's Etymologisches wörterbuch der deutschen sprache. By Wm. Muss-Arnolt. Baltimore, 1890.
70 p., 1 l.

"Reprinted from the Modern language notes, vol. v, no. 8, 1890."

1. Kluge, Friedrich, 1856-1925. Etymologisches wörterbuch der deutschen sprache.

NM 0913477 CLU PU NNU CtY ICU NNUT

BS410 .B68 New ser. v.11-14 Muss-Arnolt, William, 1860-
Theological and semitic literature; a bibliographical supplement to The American journal of theology, The American journal of semitic languages and literatures, and The Biblical world. (In The Biblical world. Chicago. New ser., v. 11-14, 1896-99)

1. Semitic philology--Bibl. 2. Theology--Bibl. I. Title.

NM 0913478 IEG

Muss-Arnolt, William, 1860–
Theological and Semitic literature for the year[s] 1898[-1901] a supplement to the American journal of theology and the American journal of Semitic languages and literatures, by W. Muss-Arnolt. [Chicago, 1898–1902]
4 v. 23-24cm.
Caption title. Sub-title varies: 1898-99: A bibliographical supplement to the American journal of theology, the American journal of Semitic languages and literatures, and the Biblical world.

1898, issued in 4 parts, with double paging; 1899, in 6 parts numbered I-V (no. 5 duplicated) also double paging. These two in 1 vol. lettered: Semitic and theological literature, 1898 and 1899.
1900-1901: Reprinted from the American journal of theology and the American journal of Semitic languages and literatures, April 1901 and April 1902.

1. Theology—Bibl. 2. Semitic philology—Bibl. I. American journal of theology. Supplement. II. American journal of Semitic languages and literatures. Supplement. III. Biblical world. Supplement. IV. Title. V. Title: Semitic and theological literature.
Library of Congress Z7751.M98 1—6014
——— 2d set. Z7049.S5M9

NM 0913480 DLC NN OCH CU MB NjNbS PU MH MBrZ NjP

Muss-Arnolt, William, 1860–
Urim and Thummim. [Chicago, University of Chicago Press, 1900]
193-224 p. 24 cm.
Cover title.
"Reprinted from the American journal of Semitic languages and literatures, July, 1900. Vol. XVI."

1. Urim and Thummim.
BM657.U7M8 1-1663 rev*

NM 0913481 DLC PPWe

Muss-Arnolt, William, 1860-
The works of Jules Oppert. n.p. [189-?]
p. 523-538. 4°.
Fragment: Beiträge zur semitischen Sprachwissenschaft.

NM 0913482 NN OCH

Mussa, Baudolino.
Il fanciullo; psicologia, educazione. [Milano] Redi [1949]
208 p. 20 cm. (Collana di cultura medica e biologica, 6)

1. Child study. 2. Parent and child. I. Title.
LB1115.M88 52-65814

NM 0913483 DLC DNLM

WS 105 M989i 1948 MUSSA, Baudolino
L'infante; psicologia, educazione. [Milano] Rédi [1948]
129 p. (Collana di cultura medica e biologica, v. 5)
1. Child psychology
2. Children - Management
3. Infants Series

NM 0913484 DNLM

Mussa, Baudolino.
Puerizia; psicologia, educazione. [Torino] Edizioni Minerva medica [1951]
345 p. 22 cm.

1. Child study. I. Title.
LB1115.M884 52-68214 ‡

NM 0913485 DLC

DK268 .S .N6 Mussa, Carlo.
L'Università di Mosca.
Noi siamo stati nell'U. R. S. S. [Di Carlo Mussa et al. Roma] Macchia [1950]

Mussa, Enrico.
Turin. Biblioteca civica.
... Cenni illustrativi. 1° dicembre 1924. Torino, Stab. tip. Villarboito F. & figli, 1924.

WCB M989r 1835 MUSSA, Ferdinando Edoardo
Ragguaglio sul cholera asiatico in Racconigi ai cittadini astesi offerto dal loro compatriota. Asti, Garbiglia, 1835.
33 p.

NM 0913488 DNLM

Mussa, Louis
see Mussa, Luigi.

Mussa, Luigi.
Il letame; natura, preservazione ed uso; monografia per Mussa Luigi ... Genova, Tipi del R. Istituto sordo-muti, 1871.
120 p. illus. 22½cm.

1. Fertilizers and manures.
12-13968
Library of Congress S655.M96

NM 0913490 DLC

Mussa, Luigi Pratique des engrais chimiques suivant le système Georges Ville. Ed. 5. 12°. pp. viii, 134. Paris, 1907. (Bibliothèque du cultivateur.)

NM 0913491 MBH

Mussa, Moisés
see
Mussa Battal, Moisés Héctor, 1900–

VOLUME 403

Mussa, Victor Emanuel, 1853- tr.
M1503
.K76R9
Koczalski, Raul, 1885-
[Rymond. Piano-vocal score. German]

Rymond, oper in 3 akten (6 bildern) Dichtung von Alexander graf Fredro (vater) Ins deutsche übersetzt von V. E. Mussa. Musik von Raoul Koczalski. Vollständiger klavierauszug mit text, bearbeitet von professor E. Le Houitel. Leipzig, P. Pabst. °1902.

BR 135
M8
Mussa, Vincentius.
Regnvm et regia Plutonis. Sive, De inferni et inferorum luadibus dissertatio festiva. Avtore Vincentio Mvssa ... scripta & habita in peccatorum circulo ad aquas coctiles, D. Bernhard. ... Francofvrti, Impensis Iohannis Berneri haered., 1646.
174 p. incl. front. 14 cm

1. Religion - Anecdotes, facetiae, satire, etc. I. Title.

NM 0913494 OU

Mussa Battal, Moisés Héctor, 1900-
Cuestiones mínimas de educación (divulgaciones acerca del proceso educativo, destinadas a los padres de familia y a los maestros) por el profesor Moisés Mussa B. Santiago, Editorial Mentor [1942]
1 p. l., [5]-142, [4] p. 19½cm.

1. Education. I. Title.

44-36586

Library of Congress LB775.M95
[2] 370

NM 0913495 DLC

G370.6
C891
no.4
Mussa Battal, Moisés Hector, 1900-
Las investigaciones científicas en nuestra educación; partes segunda y tercera de Nuestro problema educacional. Santiago, Editorial Nascimento, 1933.
89p. 18cm. (Cuadernos pedagógicas, 4)

1. Education - Chile. I. Title. Series (contents)

NM 0913496 TxU WU MH

LA
561
.M8
Mussa Battal, Moisés Héctor, 1900-
Nuestro problema educacional; sugerencias para llegar a plantearlo y ligera contribución al intento de rosolverlo [sic] Prólogo de Oscar Bustos A. Santiago [de] Chile, Editorial Nascimento, 1932.
82 p. 19 cm. (Cuadernos pedagógicos, no. 3)

1. Education - Chile. I. Title.

NM 0913497 WU MH

Chi
LA
561
.M94
Mussa Battal, Moisés.
...Nuestra problema educacional, por el Dr. Moisés Mussa B...Santiago, Editorial Nascimento, 1933.
2 v. 18 cm.(Cuadernos pedagógicos 3-4)
Contents.-pt.1. Nuestro problema educacional. pt.2-3. Las investigaciones científicas en nuestra educación.

NM 0913498 DPU

Mussa Battal, Moisés Héctor, 1900-
Nuestros alumnos; ensayos de psicopedagogía elemental sobre el niño, el adolescente y el adulto chilenos, y los problemas de su educación, destinados a los futuros y actuales educadores y a los padres de familia; conforme al programa normal. Santiago, Chile, Editorial Mentor, 1943.
341 p. 19 cm.

1. Education. I. Title.
LB775.M953 1943 370 53-56077 ‡

NM 0913499 DLC

Mussa Battal, Moisés Héctor, 1900-
Nuestros alumnos, ensayos de psicopedagogía elemental, destinados a los futuros y actuales educadores y a los padres de familia. Conforme al programa normal. 2. ed., corr. y aumentada. Santiago, Chile, Ediciones Dan-Auta, 1950.
328 p. 19 cm.
Includes bibliographies.

1. Education. I. Title.
LB775.M953 1950 370 50-30603

NM 0913500 DLC

LB775
M9A3
1954
Mussa Battal, Moisés Héctor, 1900-
Nuestros alumnos, ensayos de psicopedagogía elemental, destinados a los futuros y actuales educadores y a los padres de familia. Conforme al programa normal. 3. ed. Santiago, Chile, Ediciones Atlas, 1954.
332 p.
Includes bibliographies.

1. Education. I. Title.

NM 0913501 CU

Mussa Battal, Moisés Héctor, 1900-
Problemas vitales del magisterio chileno; planteamiento de ocho de ellos y aportes a su pronta solución por el prof. Moisés Mussa B., con la contribución intelectual de: Alfredo M. Aguayo, Martí Alpera, L. Burgerstein [y otros] ... Santiago, Chile, Nascimento, 1943.
299 p. tables. 23cm.

1. Teachers—Chile. 2. Teachers.
-27144
Library of Congress LB1775.M85
[3] 371.1

NM 0913502 DLC CU IU TxU DPU

Mussabini, N.G., ed.
Schmidt, Hermann, *economist.*
Foreign banking arbitration: its theory and practice. A handbook of foreign exchanges, bullion, stocks and shares, based upon the new currencies, &c. By Hermann Schmidt. The literary text revised by N. G. Mussabini ... London, E. Wilson, 1875.

Mussabini (Neocles G.)
"La grande idée:" an Anglo-Greek patriotic hymn.
6l. *London: F. W. Potter & Co.,* 1874. 4o.
In: *C. p. v. 396.

NM 0913504 NN

Mussabini, S A.
The complete athletic trainer, by S. A. Mussabini in collaboration with Charles Ranson ... London, Methuen & co. ltd. [1913]
xii, 264 p. front., illus., plates, diagrs. 22½cm.

1. Athletics. 2. Physical education and training. I. Ranson, Charles. II. Title.
A 14-2947
Title from Univ. of Calif. GV341.M85 Printed by L. C.

NM 0913505 CLU WaS MB IaU ICJ NN

Mussabini, S. A.
The Complete athletic trainer. N. Y., Dutton, 1914.
264 p.

NM 0913506 PP CaOTP ODW MiU PU-Penn NjP

Mussabini, S A
... Modern track and field athletics; a guide to correct training, by S. A. Mussabini... London, W. Foulsham & co., limited [1936]
94 p. illus., plates. 15 cm. (Foulsham's sports library)
1. Track-athletics. 2. Athletics.

NM 0913507 CU

Mussabini, S A
Running, walking and jumping, track and field athletics; a book on how to train. London, W. Foulsham & co., ltd. [n.d.]
94 p. illus. 16 cm. (Foulsham's sports library)
1. Running. 2. Walking. 3. Jumping.

NM 0913508 OrU

591.3
M97u
Mussaelianz, Hersilia.
Über die entwicklung der nebenhöhlen der nase ... Bern, 1910.
26p.

Inaug.-diss.--Bern.

NM 0913509 IU

Mussaeus, Allen
see
Mussaeus, Thomas Allen, 1887-

M32
.M8
1879
Mussaeus, Friedrich

The Shenandoah Waltzes (Daughter of the Stars) composed by Friedrich Mussaeus. Washington, D. C., Ellis, °1879.
5 p. 34cm.
Dedicated to K. F. R. Society.

1. Piano music. 2. Waltzes (Piano) I. Title.

NM 0913511 ViU

Mussaeus, Hugo, 1889-
... Die geburtshilfliche Bedeutung der Insertio velamentosa. Berlin, Ebering, 1914.
38 S. 8°.
Berlin, Med. Diss. v. 23. Jan. 1914, Ref. Franz.

NM 0913512 CtY

PF5609
.M9
MUSSAEUS, J.
Versuch einer plattdeutschen sprachlehre, mit besonderer berücksichtigung der mecklenburgischen mundart, von J. Mussaeus. Neu-Strelitz und Neu-Brandenburg, L. Dümmler, 1829.
viii, 85, [1]p. 17cm.

1. Low German language--Grammar. 2. Low German language--Dialects--Mecklenburg.

NM 0913513 ICU CLU CU ICN

VOLUME 403

PS3525 Mussaeus, Thomas Allen, 1887-
.U771D6 Dogwood leaves, by Allen Mussaeus. [n.p., 193- 193-?]
Modern poetry
23 p. 20cm.

NM 0913514 ICU

Mussaeus, Thomas Allen, 1887-
Lines on life, and other poems [by] Allen Mussaeus. Emory University, Atlanta, Banner press [°1936]
63 p. 20½cm. [Verse craft series]

I. Title.
37-1740 Revised
Library of Congress PS3525.U987L5 1936
——— Copy 2.
Copyright A 102558 [r40c2] 811.5

NM 0913515 DLC

Mussaeus, Thomas Allen, 1887-
The lure of cave lore, by Thomas Allen Mussaeus; being a random narrative upon caverns in general and in particular the properties of the Skyline caverns, Front Royal, Virginia; with decorations and sketches by the author and contributed material by Wm. M. McGill ... and other geologists of note. [Strasburg, Va., Printed by Shenandoah publishing house, inc.] 1939.
viii p., 3 l., 65 p. front., 1 illus., plates, map. 24cm.

1. Caves. 2. Skyline caverns, Va. I. Title.
40-4450
Library of Congress GB605.V5M8
——— Copy 2.
Copyright A 137037 [2] 551.44

NM 0913516 DLC

Mussaeus, Thomas Allen, 1887-
The lure of cave lore; being a random narrative upon caverns in general and in particular the properties of the Skyline Caverns, Front Royal, Virginia. With decorations by the author and contributed material by Wm. M. McGill and other geologists of note. Rev. ed. [Limeton? Va., 1950]
57 p. illus., fold. map. 24 cm.

1. Caves. 2. Skyline Caverns, Va. I. Title.
GB605.V5M8 1950 551.44 50-31643

NM 0913517 DLC

PQ1307 Mussafia, Adolfo, 1835-1905, ed.
.M9 Altfranzösische gedichte aus venezianischen handschriften hrsg. von Adolf Mussafia ... Wien, C. Gerold's sohn, 1864.
2 v. in 1. 22½cm.
Each volume has also special t.-p.
Hrsg. ... mit unterstützung der Kaiserl. akademie der wissenschaften.
CONTENTS.—v. 1. La prise de Pampelune.—v. 2. Macaire.

1. French poetry—Old French.

TxU
NM 0913518 ICU MH ICN MB IEN MdBP PU PBm OClW NjP

Mussafia, Adolfo, 1835-1905, ed.
Altfranzösische prosalegenden aus der hs. der Pariser nationalbibliothek fr. 818. Hrsg. von Adolf Mussafia und Theodor Gartner. Mit unterstützung der Kais. akademie der wissenschaften in Wien. 1. theil. Wien und Leipzig, W. Braumüller, 1895.
iv, 232, xxvi p. 24cm.
No more published.
Legends of the apostles and of Saints Martial, Christopher, and Sebastian.
1. Saints. 2. Legends. 3. French prose literature — Old French. I. Gartner, Theodor, 1843-1925, joint ed. II. K. Akademie der wissenschaften, Vienna. III. Paris, Bibliothèque nationale. Mss. (F. 818)
1—18800
Library of Congress PQ1391.M8

NM 0913519 DLC NNH CtY PU PSC OCl OClW NIC

Mussafia, Adolfo, 1835-1905.
Eine altspanische Prosadarstellung der Crescentiasage
see under Crescentia (Spanish)

Mussafia, Adolph, 1835-1905.
Bausteine zur romanischen philologie. Festgabe für Adolfo Mussafia
see under title.

Mussafia, Adolfo, 1835-1905.
Beiträge zur Crescentiasage.
(In Kaiserliche Akademie der Wissenschaften, Vienna. Philosophisch-historische Classe. Sitzungsberichte. Band 51, pp. 589-692; 53, pp. 499-564. Wien. 1865, 1866.)
Contents. — Ueber eine italienische metrische Darstellung der Crescentia-Sage. — Eine altspanische Prosa-Darstellung der Crescentia-Sage.
The second article may also be found on shelf-numbers **D.182.9 and **D.182.17.

H6534 — Crescentia, Saint.

NM 0913522 MB

Bonaparte Collection No.3901 MUSSAFIA, ADOLFO, 1835-1905.
Beiträge zur geschichte der romanischen sprachen... Wien, K.K.Hof- und staatsdruckerei, 1862.
31p. 25cm.

Paged also: [525]-553.
"Aus dem aprilhefte des jahrganges 1862 der Sitzungsberichte der Phil.-hist. classe der Kais. akademie der wissenschaften <XXXIX.bd., s.525> besonders abgedruckt."
Contents.—Die präsensbildung im italienischen.—Über Bonvesin dalla Riva und eine altfranzösische handschrift der K.K.Hofbibliothek.

NM 0913523 ICN MB MH IU

Mussafia, Adolfo, 1835-1905.
Beiträge zur Litteratur der Sieben weisen Meister.
(In Kaiserliche Akademie der Wissenschaften, Vienna. Philosophisch-historische Classe. Sitzungsberichte. Band 57, pp. 37-118. Wien. 1867.)

H6538 — Seven Wise Masters of Rome.

NM 0913524 MB

GR 15 F66 v. 6 no. 1
Mussafia, Adolfo, 1835-1905.
Beiträge zur Litteratur der Sieben weisen Meister. [Wien, 1867]
37-118 p. 24cm.

1. Seven sages.

NM 0913525 NIC

PN687 S4M8
Mussafia, Adolfo, 1835-1905.
Beiträge zur Litteratur der Sieben weisen Meister. Wien, Aus der K. k. Hof- und Staatsdruckerei, in Commission bei K. Gerold's Sohn, 1868.
[37]-118 p.

"Aus dem Octoberhefte des Jahrganges 1867 der Sitzungsberichte der phil.-hist. Classe der kais. Akademie der Wissenschaften <LVII. Bd. S.37> besonders abgedruckt."

NM 0913526 CU

Z 2694 P7M98
Mussafia, Adolfo, 1835-1905.
Ein Beitrag zur Bibliographie der Cancioneros aus der Marcusbibliothek in Venedig. [Wien, 1867]
81-134 p. 25cm.

Detached from Kaiserliche Akademie der Wissenschaften, Philos.-hist. Classe. Sitzungsberichte. Bd. 54.

1. Ballads, Spanish. I. Venice. Biblioteca Nazionale Marciana.

NM 0913527 NIC MB NjP MH NN PU ICN

Mussafia, Adolfo, 1835-1905.
Beitrag zur kunde der norditalienischen mundarten im xv. jahrhunderte, von Adolf Mussafia ...
(In K. Akademie der wissenschaften, Vienna. Philosophisch-historische classe. Denkschriften. Wien, 1873. 30½cm. 22. bd., p. [103]-228)
"Abkürzungen und literatur": p. 226-228.

1. Italian language—Dialects.
A 41-1869
Princeton univ. Library for Library of Congress [AS142.V32 bd. 22]
[3] (063.6)

NM 0913528 NjP OU PU

Mussafia, Adolfo, 1835-1905.
Cinque sonetti antichi tratti da un codice della Palatina di Vienna.
(In Kaiserliche Akademie der Wissenschaften, Vienna. Philosophisch-historische Classe. Sitzungsberichte. Band 76, pp. 379-388. Wien. 1874.)
Sonnets written in Italian.

H5512 — Italy. Lit. Poetry. Colls.

NM 0913529 MB

Mussafia, Adolfo.
I codici della Divina Commedia che si conservano alla Biblioteca imperiale di Vienna ed alla Reale di Stoccarda.
(In Kaiserliche Akademie der Wissenschaften, Vienna. Philosophisch-historische Classe. Sitzungsberichte. Band 49, pp. 141-212. Wien. 1862.)

H6538 — Dante Alighieri. La divina commedia. Manuscripts.

NM 0913530 MB NIC

Mussafia, Adolfo. (Wien, 1865).
Dante Alighieri.

NM 0913531 NIC

Mussafia, Adolfo, 1835-1905.
Darstellung der altmailändischen Mundart nach Bonvesin's Schriften.
(In Kaiserliche Akademie der Wissenschaften, Vienna. Philosophisch-historische Classe. Sitzungsberichte. Band 59, pp. 5-40. Wien. 1868.)

H6547 — Milan, Italy. Lang. — Riva, Buonvicino. Fl. 1291. — Italy. Lang. Dial. Milan.

NM 0913532 MB ICN

PC 1861 M98
Mussafia, Adolfo, 1835-1905.
Darstellung der altmailändischen Mundart nach Bonvesin's Schriften. Wien, K. Gerold's Sohn, 1868.
40 p. 24cm.

1. Italian language--Dialects--Lombardian.

NM 0913533 NIC

VOLUME 403

Bonaparte
Collection MUSSAFIA, ADOLFO, 1835-1905.
No.5236 Darstellung der altmailändischen mundart nach Bonvesin's schriften Wien,K.K.Hof- und staatsdruckerei,1868.
40p. 24½cm.

"Aus dem aprilhefte des jahrganges 1868 der Sitzungsberichte der Philos.-hist. cl. der Kais. akademie der wissenschaften <LIX. bd. s.5> besonders abgedruckt."

NM 0913534 ICN

Mussafia, Adolfo, 1835-1905.
Darstellung der romagnolischen Mundart.
(In Kaiserliche Akademie der Wissenschaften, Vienna. Philosophisch-historische Classe. Sitzungsberichte. Band 67, pp. 653-722. Wien. 1871.)

H6538 — Italy. Lang. Dial. Romagna.

NM 0913535 MB NjP ICN

Bonaparte
Collection MUSSAFIA, ADOLFO, 1835-1905.
No.5539 Darstellung der romagnolischen mundart Wien,K.Gerold's sohn,1871.
72p. 25½cm.

"Aus dem märzhefte des jahrganges 1871 der Sitzungsberichte der Phil-hist. classe der Kais. akademie der wissenschaften (LXVII. bd., s.654) besonders abgedruckt."

NM 0913536 ICN PU

q851P44 Mussafia, Adolfo
EM97 Dei codici Vaticani latini 3195 e 3196 delle Rime del Petrarca; studio. Wien, 1899.
30p. (K. Akademie der wissenschaften in Wien. Philosophisch-historische classe. Denkschriften. Band XLVI. VI)

NM 0913537 IU NN

Mussafia, Adolfo, 1835–1905.
... Dei codici vaticani latini 3195 e 3196 delle rime del Petrarca. Studio di Adolfo Mussafia ... ₍Wien, In commission bei C. Gerold's sohn, 1900₎
30 p. illus. 30½cm. (₍Denkschriften der Kaiserlichen akademie der wissenschaften. Philosophisch-historische classe. 46. bd., abh.₎ vi)

1. Petrarca, Francesco. Mss. (Cod. vat. lat. 3195) 2. Petrarca, Francesco. Mss. (Cod. vat. lat. 3196)

A 41-3378

Princeton univ. Library for Library of Congress [AS142.V32 bd. 46, abh. vi]
₍2₎ (063.6)

NM 0913538 NjP NIC OU OCU MB

Mussafia, Adolfo, 1835-1905.
Del codice Estense di rime provenzali.
(In Kaiserliche Akademie der Wissenschaften, Vienna. Philosophisch-historische Classe. Sitzungsberichte. Band 55, pp. 339-450. Wien. 1867.)

H6547 — Este, Italy. Libraries. — M[anusc]ripts. Provençal. Catalogues. — Provençal literature. Poetry. Bibl.

NM 0913539 MB NN MH

PC Mussafia, Adolfo, 1835-1905.
3308 Del Codice Estense di rime provenzali; relazione. Vienna, I. R. Tip. di Corte e di Stato, 1867.
M98 ₍339₎-450 p. 24cm.

"Tirata a parte dai Rendiconti delle tornate dell' I. R. Academia delle scienze, Classe filosofico-storica, vol. LV, pag. 339."
With this is bound the author's Über die provenzali schen Lieder-Handschriften des Giovanni Maria Barbieri. Wien, 1874.

NM 0913540 NIC MH ICN

Mussafia, Adolfo, 1835-1905.
Sundby, Thor, 1830–1894.
Della vita e delle opere di Brunetto Latini; monografia di Thor Sundby, tr. dall'originale danese per cura di Rodolfo Renier, con appendici di Isidoro del Lungo e Adolfo Mussafia, e due testi medievali latini. Firenze, Successori Le Monnier, 1884.

Mussafia, Adolfo, 1835–1905.
Dra Adolfa Mussafije Talijanska slovnica za početnike. vi. popravljeno izdanje, priredio Prof. I. Krst. Švrljuga. Zagreb: F. Suppan, 1902. 319 p. 6. ed., rev. 8°.

316048A. 1. Italian language—Exercises and readers. 2. Švrljuga, I. Krst., editor.
N. Y. P. L. March 31, 1928

NM 0913542 NN

BS Mussafia, Adolfo, 1835-1905.
1443 Emendationen und Zusätze zur altfranzösischen metrischen Übersetzung des Psalters
F81 ed. Francisque Michel, Oxford 1860. ₍Wien,
M625 K. Gerold's Sohn, 1862₎
33 p. 24cm. (His Handschriftliche Studien, Heft 1)

Caption title; t. p. for series only.
"Aus dem Octoberhefte des Jahrganges 1862 der Sitzungsberichte der phil. Classe der kais. Akademie der Wissenschaften ₍LX. Bd., S. 183₎ besonders abgedruckt."

1. Bible. O. T. Psalms. French (Old French) Paraphrases. 1860. I. Series.

NM 0913544 NIC

Mussafia, Adolfo, 1835-1905.
Handschriftliche Studien.
(In Kaiserliche Akademie der Wissenschaften. Vienna. Philosophisch-historische Classe. Sitzungsberichte. Band 40, pp. 365-395; 42, pp. 276-326; 46, 407-449; 63, pp. 496-528. Wien. 1862-1864.)
Contents. — Emendationen und Zusätze zur altfranzösischen metrischen Übersetzung des Psalters, ed. Francisque Michel. Oxford, 1860. — Zu den altfranzösischen Handschriften der Marcus-Bibliothek in Venedig. — Über die zwei Wiener Handschriften des Breviari d'Amor. — Zum Roman de Troilus des Pierre de Beauvau.
Michel's edition may be found on shelf-number *3411.53.

H6452 — Romance languages. — M[ichel], Francisque Xavier. — Breviari, Lo d'Amors. — Roman de Troilus. — Beauvau, Pierre de. [ ]-1435?

NM 0913545 MB PU

Mussafia, Adolfo.
Handschriftliche studien. Wien, Aus der K. K. hof- und staatsdruckerei, 1862-1885.
3 pts. in 1 v.

NM 0913546 PU MH

PC1109 Mussafia, Adolfo, 1835-1905.
.M93 Italienische sprachlehre in regeln und beispielen für den ersten unterricht bearb. von Adolf Mussafia ... Wien, W. Braumüller, 1860.
₍2₎, iv, 247, ₍1₎ p. 22cm.

NM 0913547 ICU OCU

Mussafia, Adolfo, 1835-1905.
Italienische Sprachlehre ... 2te. Auflage. Wien, 1865.
8°.

NM 0913548 CtY

PC Mussafia, Adolfo, 1835-1905.
1111 Italienische Sprachlehre in Regeln und
M8 Beispielen; für den ersten Unterricht be-
1882 arbeitet von Adolf Mussafia. 16.Aufl., gleichlautend mit der ... 15.Aufl.
Wien, W.Braumüller, 1882.
x,252p. 21cm.

First edition, 1860.

1.Italian language - Composition and exercises. 2.Italian language - Readers. I.Title. LC

NM 0913549 CLSU OCU

Mussafia, Adolfo, 1835-1905.
Italienische Sprachlehre in Regeln und Biespielen für den ersten Unterricht bearbeitet. 18.Aufl. Wien, W.Braumüller, 1883.

NM 0913550 MH

Mussafia, Adolfo, 1835-1905.
Italienische sprachlehre in regeln und beispielen... zwanzigste unveränderte aufl. Wien. Braumüller, 1885.
252 p.

NM 0913551 PP

Mussafia, A₍dolfo₎, 1835-1905.
Italienische sprachlehre in regeln und beispielen. 22e aufl. Wien, W. Braumüller, 1888.
pp. x, 252.

Italian lang-Gram.-Germ.

NM 0913552 MH

PC1111 Mussafia, Adolfo, 1835-1905, ed.
.M85
1893 Italienische Sprachlehre in Regeln und Beispielen. Für den ersten Unterricht bearb. 23. verb. und verm. Aufl. Wien, W. Braumüller, 1893.
vi, 270 p. 21cm.

1. Italian language—Grammar—1870-

NM 0913553 ViU NjP

Mussafia, Adolfo, 1835-1905.
Italienische Sprachlehre in Regeln und Beispielen. Für de ersten Unterricht bearbeit 24. neu durchgesehene Aufl. Wien, etc., W.Braumüller, 1895.

NM 0913554 MH

Mussafia, Adolfo, ed.
Italienische sprachlehre in regeln und beispielen. Ed. 25. Wien, Braumüller, 1898-.
295 p.

NM 0913555 PU

Mussafia, Adolfo, 1835-1905.
Italienische sprachlehre in regeln und beispielen; für den ersten unterricht bearbeitet. Wien und Lps. Wilhelm Braumuller, 1900.
295 p.

NM 0913556 OCICC

VOLUME 403

Mussafia, Adolfo, 1835-1905.
Italienische sprachlehre in regeln und beispielen... 27. aufl. durchgesehen und bearbeitet von E. Maddalena... Wien 1904.
328 p. 24 cm.

NM 0913557 CU

PC1111 Mussafia, Adolfo
.M9 Italienische sprachlehre in regeln und beispielen, für den ersten unterricht bearb. von dr. A. Mussafia ... 28. aufl., durchgesehen und bearb. von dr. E. Maddalena ... Wien und Leipzig, W. Braumüller, 1908.
[1], 328 p. 23cm.
—— Schlüssel zur Italienischen sprachlehre von dr. A. Mussafia ... Nach der 28. aufl., bearb. von dr. E. Maddalena. Wien und Leipzig, W. Braumüller, 1908.
[3], 55 p. 22½cm.

NM 0913558 ICU

Mussafia, Adolfo, 1835-1905.
[Kurze abhandlungen] v.p., 1868-95!
v.p. 22 cm.

NM 0913559 CU

Mussafia, Adolfo,
Lat. ille nel 'Gelindo.'
(In Dai tempi antichi ai tempi moderni . . . Pp. 41-46. Milano. [1904.])
Relates to the dialect of Montferrat, Italy.

F8059 — Italy. Lang. Dial. Montferrat. — Gelindo.

NM 0913560 MB

Mussafia, Adolfo, 1835-1905, ed.
Macaire: ein altfranzösisches gedicht...
see under Macaire.

Mussafia, Adolfo, 1835-1905.
Miscelanea di studi; edita in onore di Adolfo Mussafia ...
see under title

Mussafia, Adolfo, 1835-1904.
Mittheilungen aus romanischen Handschriften.
(In Kaiserliche Akademie der Wissenschaften, Vienna. Philosophisch-historische Classe. Sitzungsberichte. Band 106, pp. 507-626; 110, pp. 355-421. Wien. 1884, 1885.)
Contents. — Ein altneapolitanisches Regimen sanitatis. — Zur Katharinenlegende.

H4088 — Romance literature. Colls. — Catharine, St., of Siena. 1317-1380.

NM 0913563 MB

---

457 Mussafia, Adolfo, 1835-1905.
M97m Mittheilungen aus romanischen handschriften... Wien, C. Gerold's sohn, 1884-1885.
2 v. 24cm.

Contents:- v.1. Ein altneapolitanisches Regimen sanitatis.- v.2. Zur Katharinenlegende.

1. Italian language--Dialects. 2. Regimen sanitatis salernitanum. 3. Catharina, Saint, of Alexandria. Legend.

NM 0913564 LU ICN IU

Mussafia, Adolfo, 1835-1905.
Monumenti antichi di dialetti italiani. (Kais. Akad. d. Wissensch. Philos.-Hist. Cl. Sitzungsb. Bd. 46. p. 113-235. Wien, 1864. 8°.)

NM 0913565 NN

Bonaparte Collection No.5124
MUSSAFIA, ADOLFO, 1835-1905, ed.
Monumenti antichi di dialetti italiani... Vienna, I.R. tipografia di corte e di stato, 1864.
123p. 24½cm.
"Tirati a parte dai Rendiconti delle tornate dell'I. R. Academia delle scienze, Classe filologico-storica, vol.XLVI, pag.113."
Seven religious poems (five of them anonymous) from a 13th century ms. in the Biblioteca nazionale Marciana, Venice. Includes Giacomo da Verona's De Jerusalem celesti, and De Babilonia, civitate infernali.

NM 0913566 ICN PU NIC MH

Mussafia, Adolfo, 1835-1905.
Una particolarità sintattica della lingua italiana dei primi secoli. (In: In memoria di Napoleone Caix e Ugo Angelo Canello, Miscellanea di filologia e linguistica per G. I. Ascoli, C. Avolio [and others] Firenze, Successori Le Monnier, 1886. 4°. p. 255-261)

NM 0913567 NN

Mussafia, Adolfo, 1835-1905.
... Per la bibliografia dei cancioneros spagnuoli; appunti di Adolfo Mussafia ... Wien, In commission bei C. Gerold's sohn, 1900.
1 p. l., 24 p. 31 x 24½cm. (K. Akademie der wissenschaften, Vienna. Philosophisch-historische classe. Denkschriften ... bd. XLVII, II)
An attempt to establish the relationship of the various manuscript cancioneros.

1. Spanish poetry—Early to 1500. 2. Manuscripts, Spanish. I. Title: Cancioneros.
5-11966 Revised
Library of Congress PQ6060.M8

NM 0913568 DLC IaU PU OCU MH

AS 142 V6583++ v.47 pt.2
Mussafia, Adolfo, 1835-1905.
... Per la bibliografia dei cancioneros spagnuoli; appunti di Adolfo Mussafia ... Wien, In commission bei C. Gerold's sohn, 1902.
1 p. l., 24 p. 31 x 24½ cm. (K. Akademie der wissenschaften. Vienna. Philosophisch-historische classe. Denkschriften ... bd. XLVII, II)
An attempt to establish the relationship of the various manuscript cancioneros.

NM 0913569 NIC MB NN

Mussafia, Adolfo, 1835-1905
Pietro Metastasio. Discorso di Adolfo Mussafia. Vienna, Gerold, 1882.
23 p.

NM 0913570 OC1W

Mussafia, Adolfo, 1835-1905, ed.
La prise de Pampelune ...
see under title

Mussafia, Adolfo, 1835-1905.
Reihenfolge der Schriften Ferdinand Wolf's. Wien, K. K. Hof- und Staatsdruckerei, 1866.
28 p. 21cm.

"Aus dem Jahresberichte über die Wirksamkeit der kaiserlichen Akademie der Wissenschaften etc. für das Jahr 1866 besonders abgedruckt."

1. Wolf, Ferdinand Joseph, 1796-1866--Bibl.

NM 0913572 NIC MU CU

AS142 A37 115
Mussafia, Adolfo, 1835-1905
Studien zu den mittelalterlichen Marienlegenden [Wien, 188]
v. 24 cm. (Akademie der Wissenschaften, Vienna--Philosophisch-historische Klasse. Sitzungsberichte. Bd.)

1. Mary, Virgin--Legends. (Series)

NM 0913573 RPB MU IU NIC NcD MB

Mussafia, Adolfo. Wien, 1868.
Sul testo del Tesoro di Brunetto Latini;...

NM 0913574 NIC

Mussafia, Adolfo, 1835-1905.
Sul testo del Tesoro di Brunetto Latini; osservazioni di Adolfo Mussafia.
(*In* K. Akademie der wissenschaften, Vienna. Philosophisch-historische classe. Denkschriften. Wien, 1869. 30½cm. 18. bd., p. 265-334)

1. Latini, Brunetto, 1220-1295. Il tesoro.
A C 37-3268
Princeton univ. Library for Library of Congress [AS142.V32 bd. 18]

NM 0913575 NjP NIC DLC MB MiU

Mussafia, Adolfo. 1884.
Sul testo del Tesoro di Brunetto Latini;...

NM 0913576 NIC

Mussafia, Adolfo, 1835-1905.
Sul testo della Divina commedia, studii di Adolfo Mussafia ... I. I codici di Vienna e di Stoccarda. Vienna, I. R. Tip. di corte e di stato, In commissione presso il figlio di C. Gerold, 1865.
74 p. 24cm.
"Tirati a parte dai Rendiconti delle tornate dell' I. R. Academia delle scienze, classe filosofico-storica, vol. XLIX, pag. 141."
No more published.

1. Dante—Manuscripts. 2. Dante—Criticism, Textual.
1-22145
Library of Congress PQ4435.A2M8

NM 0913577 DLC NjP CtY MiU NIC

Mussafia, Adolfo.
Sull' antica metrica portoghese. 36 pp.
(In Kaiserliche Akademie der Wissenschaften, Vienna. Philosophisch-historische Classe. Sitzungsberichte. Band 133, Abh. 10. Wien. 1896.)

H4088 — Metre. — Portugal. Lang. Prosody.

NM 0913578 MB MU RPB OC1W

AS142 .V311 v. 121
Mussafia, Adolfo, 1835-1905.
Sulla critica del testo del romanzo in francese antico Ipomedon. Studio di Adolfo Mussafia. [Wien, In commission bei F. Tempsky, 1890]
76 p. 25cm. [Sitzungsberichte der Kais. akademie der wissenschaften in Wien. Philosophisch-historische classe. bd. 121, abhandlung 13]
Caption title.

PQ1485 .H48I68M9 —— —— Separate.
Issued with t.-p.

1. Hue de Rotelande, fl. 1170-1190. Ipomedon.

NM 0913579 ICU MB IU

PN 683 M98
Mussafia, Adolfo, 1835-1905.
Sulla leggenda del legno della croce. [Wien, 1869]
165-216 p. 24cm.

Detached from Sitzungsberichte der phil.-histor. Classe der K. Akademie der Wissenschaften, Wien, 1869. Bd. 63.
No. 3 in a vol. lettered: Mussafia. Crescentiasage.

NM 0913580 NIC MB MH

VOLUME 403

GR 15 F66 v.8 no.5 Mussafia, Adolfo, 1835-1905.
Sulla visione de Tundalo.
Vienna, C. Gerold, 1871.
52 p. 24cm.

1. Tundal's vision.

NM 0913581 NIC

Mussafia, Adolfo.
Sulla visione di Tundalo.
(In Kaiserliche Akademie der Wissenschaften, Vienna. Philosophisch-historische Classe. Sitzungsberichte. Band 67, pp. 157-206. Wien. 1871.)

H6538 — Tundalus.

NM 0913582 MB NIC PU

Mussafia, Adolfo.
Sulle versioni italiane della Storia Trojana.
(In Kaiserliche Akademie der Wissenschaften, Vienna. Philosophisch-historische Classe. Sitzungsberichte. Band 67, pp. 297-344. Wien. 1871.)

H6552 — Historia Trojana. — Italy. Lit. Hist.

NM 0913583 MB

PQ4073 .T8M9 Mussafia, Adolfo, 1835-1905.
Sulle versioni italiane della storia trojana; osservazioni e confronti di Adolfo Mussafia ... Vienna, In commissione presso il figlio di C. Gerold, 1871.
50 p. 23½cm.
"Dai Rendiconti delle tornati dell'Imperiale academia delle scienze, classe filosofico-storica, vol. LXVII."

1. Troy—Romances, legends, etc. 2. Italian literature—Early to 1400—Hist. & crit.

NM 0913584 ICJ NjP MdBJ NIC

---

455 M989t IN: main Mussafia, Adolfo, 1835-1905.
Talijanska slovnica za početnike, Adolfa Mussafije. 6. popr. izd. Priredio I. Krst. Svrljuga. Zagreb, Kugli i Deutsch, 1902.
319p. 23cm.

1. Italian language--Grammar. 2. Italian language--Text-books for foreigners--Croatian. I. Title.

NM 0913585 IEN

Mussafia, Adolf.
Ueber Dante Allighieri. Vienna. Wiener Zeitung, 1855.
27 p.

NM 0913586 PU

Mussafia, Adolfo.
Ueber die provenzalischen Liederhandschriften des Giovanni Maria Barbieri.
(In Kaiserliche Akademie der Wissenschaften, Vienna. Philosophisch-historische Classe. Sitzungsberichte. Band 76, pp. 201-266. Wien. 1874.)

H5518 — Barbieri. Giovanni Maria. — Manuscripts. Provençal.

NM 0913587 MB MH

PC 3308 M98 Mussafia, Adolfo, 1835-1905.
Über die provenzalischen Lieder-Handschriften des Giovanni Maria Barbieri; eine Untersuchung. Wien, K. Gerold's Sohn, 1874.
68 p. 24cm.

"Aus dem Februarhefte des Jahrganges 1874 der Sitzungsberichte der Phil.-Hist. Classe der Kais. Akademie der Wissenschaften (LXXVI. Bd., S.201)."
Bound with the author's Del Codice Estens e. Vienna, 1867.

NM 0913588 NIC IU MH PU OCl

P 105 .M3 Mussafia, Adolfo, 1835-1905.
Über die quelle der Altspanischen "Vida de S. Maria Egipciaca". Wien, Aus der K. K. Hof.- und Staatsdruckerei, 1863.
24 p. 24cm.

Bound with Martinez Marina, Francisco. Ensayo histórico-crítico sobre el origen y progresos de las lengua. [Madrid, 1805]
"Aus dem Juni-Hefte des Jahrganges 1863 der Sitzungsberichte der phil.-hist. Classe der kais. Akademie der Wissenschaften."

NM 0913589 WU MH MB

MUSSAFIA, Adolfo.
Über die quelle des altfranzösischen Dolopathos[Aus dem november-heft des jahrganges 1864 der sitzungsberichte der phil.-hist. cl. der kais. K. Akad. der Wissenschaften (XLVIII. bd.) besonders abgedruckt). Wien, 1865.

pp.(2). 22.

NM 0913590 MH OCIW

Mussafia, Adolfo.
Ueber die spanischen Versionen der Historia Trojana.
(In Kaiserliche Akademie der Wissenschaften, Vienna. Philosophisch-historische Classe. Sitzungsberichte. Band 69, pp. 39-62. Wien. 1871.)

H6552 — Historia Trojana. — Spain. Lit. Hist.

NM 0913591 MB

Mussafia, Adolfo, 1835-1905.
Ueber die spanischen versionen der historia trojana. Wien, 1871.

NM 0913592 NjP

Mussafia, Adolfo, 1835-1905.
... Über die von Gautier de Coincy benützten quellen. Von A. Mussafia ... [Wien, In commission bei C. Gerold's sohn, 1896]
58 p. 30½cm. ([Denkschriften der Kaiserlichen akademie der wissenschaften. Philosophisch-historische classe. 44. bd., abh.] I)

1. Gautier de Coincy, 1177?-1236.

Princeton univ. Library for Library of Congress A 41-3366 [AS142.V32 bd. 44, abh. I] [2] (063.6)

NM 0913593 NjP OCU OU MH NN IU MB NIC

Y 752 .E 706 MUSSAFIA, ADOLFO, 1835-1905.
...Über die zwei Wiener handschriften des Breviari d'amor. [Wien,In commission bei K.Gerold's sohn,1864]
43p. 24½cm. (his Handschriftliche studien. hft.III)
Caption title.
Paged also: [407]-449.
"Aisso es sirventes lo qual fetz Matfres": p.41-43.
"Aus dem juni-hefte des jahrganges 1864 der Sitzungsberichte der Phil.-hist. cl. der Kais. akademie der wissenschaften <XLVI.bd., s. 407> besonders abgedruckt."

NM 0913594 ICN

841Au7 Op.Ym Mussafia, Adolfo
Über eine altfranzösische handschrift der k. universitäts-bibliothek zu Pavia Wien, 1870.
74p.

NM 0913595 IU NjP

Mussafia, Adolfo, 1835-1903.
Ueber eine italienische metrische Darstellung der Crescentiasage
see under Crescentia (Italian)

P 105 .M3 Mussafia, Adolfo, 1835-1905
Über eine spanische Handschrift der Wiener Hofbibliothek. Wien, Aus der K. K. Hof- und Staatsdruckerei, 1867.
[83]-124 p. 24cm.

Bound with Martinez Marina, Francisco. Ensayo histórico-crítico sobre el origen y progresos de las lengua. [Madrid, 1805]
"Aus dem Maihefte des Jahrganges 1867 der Sitzungsberichte der philos.-hist. Classe der kais. Akademie der Wissenschaften."

NM 0913597 WU NN OCl

841P613 Or.Ym Mussafia, Adolfo
Zum Roman de Troilus de Pierre de Beauvau. Wien, 1870.
33p.

NM 0913598 IU

Mussafia, Adolfo.
Zur Christophlegende. 78 pp.
(In Kaiserliche Akademie der Wissenschaften, Vienna. Philosophisch-historische Classe. Sitzungsberichte. Band 129, Abh. 9. Wien. 1893.)

H4082 — Christophorus, Saint.

NM 0913599 MB PSC

Mussafia, Adolfo.
Zur Katharinenlegende.
(In Kaiserliche Akademie der Wissenschaften, Vienna. Philosophisch-historische Classe. Sitzungsberichte. Band 75, pp. 227-304. Wien. 1873.)
On an early Veronese translation of the legend of St. Catherine.

H5511 — Catharine, St., of Sienna. 1347-1380.

NM 0913600 MB OCIW PBm MH IU

GR 15 F66 v.8 no.7 Mussafia, Adolfo, 1835-1905.
Zur Katharinenlegende. 1. Wien, K. Gerold, 1874.
80 p. 24cm.

1. Catharina, Saint, of Alexandria. Legend.

NM 0913601 NIC

[Mussafia, Adolfo], 1835-1905.
Zur Katharinenlegende. 69p. Wien, C. Gerold's sohn, 1885.

"Mittheilungen aus romanische handschriften, von Adolf Mussafia."

NM 0913602 OCl

VOLUME 403

840.09
M97z
Mussafia, Adolfo, 1835-1905.
Zur Kritik und Interpretation romanischer Texte. Wien, In Commission bei C. Gerold's Sohn, 1896-1902.
6v. in 1. 25cm. (Sitzungsberichte der Kais. Akademie der Wissenschaften in Wien. Philosophisch-historische Classe. Bd.134-137, 143, 145)

NM 0913603 IU MB CtY OC1W NN NjP CU MU

PC159
.M9
Mussafia,Adolfo,
Zur präsensbildung im romanischen. Von dr.A. Mussafia... Wien,In commission bei C.Gerold's sohn,1883.
77 p. 24½cm.
"Aus dem jahrgange 1883 der Sitzungsberichte der Phil.-hist.classe der K.Akademie der wissenschaften(CIV.bd.,I.hft.,s.3)besonders abgedruckt."

1.Romance languages-Tense.

NM 0913604 ICU IU CoU NjP

PC
640
M98
Mussafia, Adolfo, 1835-1905.
Zur rumänischen Vocalisation. Wien, K. Gerold's Sohn, 1868.
[125]-154 p. 24cm.

"Aus dem Märzhefte des Jahrganges 1868 der Sitzungsberichte der philos.-hist. Cl. der kais. Akademie der Wissenschaften ... "

1. Rumanian language--Phonology.

NM 0913605 NIC NjP ICN MH

Mussafia, Benjamin, ca. 1606-1675.
Binjamin Mussaphia og hans Brevveksling med Otto Sperling Junr., ved Jul. Margolinsky. København: Levin & Munksgaards Forlag, 1923. 20 p. 8°.

Cover-title.
Repr.: Tidsskrift for jødisk Historie og Litteratur. Bind 3, Hefte 5.

498728A. 1. Sperling, Otto, 1602-1681. 2. Margolinsky, Julius, editor.
N. Y. P. L. October 20, 1930

NM 0913606 NN OCH MH

Mussafia, Benjamin, ca. 1606-1675.
...Binjamini Mussaphiæ, aliàs Dionysii dicti... Memoria multa memorabit dies mundi & radicem verbi inventi in lingua sancta. Hoc est, Libellus memorialis continens linguæ Ebrææ radices seu voces primas omnes, derivatas præcipuas; quarum tamen nulla semel posita in una eademq; significatione recurrit: in gratiam Phil-Ebræorum, addita ipsius autoris versione interlineari, publici juris factus curâ & labore Caspari Seidelii... Hamburgi, Typis Jacobi Rebenlini, 1638. 51 p. 19cm.

1. Creation. 2. Hebrew language—Etymology. I. Seidel, Caspar, fl. 1638, tr.
N. Y. P. L. December 15, 1948

NM 0913607 NN

PJ4603
.M8
Hebr
Mussafia, Benjamin, 1606 (ca.)-1675.
זכר רב. קבוצת כלל המלות הנמצאות בכ"ד ספרי הקדש. אורטה קייואי, בדפוס עראב אוגלו בוגום. [Ortakoi, n. d.]

96 p. 23 cm.

1. Hebrew language—Root. I. Title.
Title transliterated: Zekher rav.

PJ4603.M8 59-56445

NM 0913608 DLC

Mussafia, Benjamin, 1606 (ca.)-1675.
זכר רב Memoria multa; hoc est libellus memorialis continens linguae Hebraeae radices. Viennæ, Apud haeredes Heyingeri, 1757.

72 p. 18 cm.
Vocalized text.

1. Hebrew language—Root. I. Title.
Title transliterated: Zekher rav.

52-58649

NM 0913609 DLC

.M8
1804
Hebr
Mussafia, Benjamin, 1606 (ca.)-1675.
זכר רב. הביא: לבית הדפוס, נפתלי הערץ בן אברהם. שקלאוו. [Shklov, 1804]

86 p. 18 cm.

1. Hebrew language—Root. I. Naphtali Herz ben Abraham, of Bychów Stary. II. Title.
Title transliterated: Zekher rav.

PJ4603.M8 1804 57-51307

NM 0913610 DLC

Mussafia, Benjamin, 1606 (ca.)-1675.
זכר רב. עם ביאור אשכנזי [מאת נפתלי הערץ במהור"ר אברהם] וספר טעם זקנים [חיברתי, דוד בלא"א יהודא ליב הלוי דק"ק דובנא] אוסטרהא, ע"י א. קלאהרפיין, תקצ"ה. Въ Острора, 1835.

127 p. 20 cm.

1. Hebrew language—Root. I. Naphtali Herz ben Abraham, of Bychów Stary. II. David ben Judah Loeb, ha-Levi, of Dubno. III. Title.
Title transliterated: Zekher rav.

PJ4603.M8 1835 57-50763

NM 0913611 DLC

Mussafia, Benjamin, 1606 (ca.)-1675.
זכר רב. ווארשא, בדפוס א. לעבענסאהן, תר"ר.
W Warszawie, 1844.

57 p. 17 cm.

1. Hebrew language—Root. I. Title.
Title transliterated: Zekher rav.

PJ4603.M8 1844 57-50761

NM 0913612 DLC

Mussafia, Benjamin, 1606 (ca.)-1675.
. זכר רב. מוסדות הלשון. ומתוקן עתה ע"י יהודא ליב פאראדיסטהאל. ווילנא, בדפוס ש. י. פין [ו]א. צ. ראזענקראנץ, תרכ"ג.
Вильно, 1863.

x, 198 p. 17 cm.

1. Hebrew language—Root. I. Paradiesthal, Judah Loeb, ed. II. Title.
Title transliterated: Zekher rav.

PJ4603.M8 1863 57-50762

NM 0913613 DLC

Mussafia, Benjamin, 1606 (ca.)-1675.
זכר רב. כולל כל שרשי תנ"ך. ועם באור המלות ללשון אשכנז גם באור המלות ללשון רוסיא ע"י נפתלי משכיל לאיתן. ווארשא, בדפוס י. גאלדמאן, תרל"ג. [Warsaw, 1873]

92 p. 19 cm.

1. Hebrew language—Root. I. Maskileison, Naphtali, 1829-1897, ed. II. Title.
Title transliterated: Zekher rav.

PJ4603.M8 1873 57-50764

NM 0913614 DLC

Mussafia, Benjamin, 1606 (ca.)-1675.
זכר רב. העתקתי את הספר ללשון אשכנזית, גם ספחתי מפתח השרשים, ממני יונה וויללהיימער.
Secher rab. Zum Schulgebrauche bearb. und mit einem hebräisch. Wörterbuche versehen von Jonas Willheimer.
Prag, 1868. תרכ"ח.

84 p. 24 cm.
Vocalized text.

1. Hebrew language—Root. I. Willheimer, Jonas, ed. II. Title.
Title transliterated: Zekher rav.

PJ4603.M8 1868 57-54409

NM 0913615 DLC CtY MH

Mussafia, Benjamin, 1606 (ca.)-1675.
זכר רב, בה נמצאו כל שרשי לשון הקדש בלי יתרון ובלי מגרעת. והעתקתיו ללשון איטליא, אני משה יצחק אשכנזי. פאדובה.
[Padova, 1878]

132 p. 23 cm.

Added t. p.: Zecher-rav, poema didascalico; recato in Italiano da Moisè Tedeschi.
"מפתח השרשים": p. [65]-132.

1. Hebrew language—Root. I. Tedeschi, Moses Isaac, 1821-1898, tr. II. Title.
Title transliterated: Zekher rav.

PJ4603.M8 1878 56-49363

NM 0913616 DLC CtY CU OCH

Mussafia, Benjamin Ben Immanuel
see Mussafia, Benjamin, 1606(ca.)-1675.

Mussafia, Giuseppo, 1877-1950.
Tecnica delle assicurazioni incendi. Trieste, Istituto per gli Studi Assicurativi [1953]
viii, 195 p. port. (Quaderni dell'Istituto per gli Studi Assicurativi, no.10)

NM 0913618 MH-BA

4K
Ital.-
271
Mussafia, Guido.
Sulla condizione dei figli naturali nati o concepiti vigendo la legislazione austriaca. Padova, CEDAM, 1936.
22 p.

NM 0913619 DLC-P4

Mussafia, Jacob, 1810-1854.
Damesek Eliezer
see under Papo, Eliezer ben Shem-Tob, d. 1898.

Mussafia, Jacob, 1810-1894, comp.
תשובות הגאונים, אשר העתיק מקובץ כ"י, והגיה אותן והוסיף בהן הערות, יעקב מוסאפיה. ליק, חברת "מקיצי נרדמים," 624 [1864]

44 l. 22 cm.
(ספרים היוצאים לאור בפעם ראשונה ע"י חברת מקיצי נרדמים, שנה 1)

——— הערות ותקונים לס' תשובות הגאונים [ממני שלמה באבער ומאת שלמה זלמן חיים האלבערשטאם] והדיואן [לר"י הלוי אשר יצא לאור בהערות שד"ל, מאת משה הכהן רייכערסאהן] Lyck, M'kize Nirdamim, 1866.
51 p. 23 cm.
BM522.A1M85 1864 Suppl.

1. Responsa—To 1040. 2. Geonic literature. 3. Judah, ha-Levi, 12th cent. Divan. I. Buber, Salomon, 1827-1906. II. Halberstam, Solomon Joachim, 1832-1900. III. Reicherson, Moses, 1827-1903. IV. Title.
Title romanized: Teshuvot ha-ge'onim.

BM522.A1M85 1864 60-58707

NM 0913622 DLC

VOLUME 403

Mussafia, Johann Amadeus
see
Mussafia, Jacob, 1810-1854.

Mussak, Marie Innocentia, Schwester
Geschichte des Frauenklosters Ord.St. Franz (früher das grosse Kloster genannt) zu Dillingen an der Donau, von M.Innocentia Mussak und Victor Mezger. [Überlingen, Prossverein, 1925]
1 f.,iii p., 1 f.,131 p.

NM 0913624 DHN

Mussallem, Solomon.
The Royal Visit and the Fraser Valley reeves...
[New Westminster, Columbia co., ltd., 1939.]
10 p., plate, port., 22cm.

NM 0913625 CaBViPA

Mussamen et intruidament per in olma devoziusa per la dameun, de tadlar et assister à la s. messa con devoziun, de far gl' examen per la confessiun generala à particulara, de prender penetenzia, con biallas oraziuns à suspirs avon è sventer per vergiar. Sondres, 1776.
33 p. 24°.

NM 0913626 NIC

Mussamen et intruidament per in olma devoziusa per la dameun, de tadlar et assister à la s. messa con devoziun, de far gl' examen per la confessiun generala à particulara, de prender penetenzia, con biallas oraziuns à suspirs avon è sventer per vergiar. Bergamo, 1777.
60 p. 24°.

NM 0913627 NIC

BV2851 .A6 Mussani, Ceferino.
Amich, José.
Compendio historico de los trabajos, fatigas, sudores y muertes que los ministros evangelicos de la serafica religion han padecido por la conversion de las almas de los gentiles en las montañas de los Andes, pertenecientes a las provincias del Peru, dedicado al serafico doctor San Buenaventura, escrito por el p. fr. José Amich ... Van en seguida noticias historicas sobre las misiones en la republica de Bolivia, por el p. Ceferino Mussani ... Paris, Rosa y Bouret, 1854.

W 6 P3 v.78 no.5 MUSSAPHIA, Immanuel
Dissertatio medica inauguralis, de hydrope universali ...
Lugd. Bat., Joan. & Herm. Verbeek [1730]
31 p. 19 cm.
Diss. - Leyden.

NM 0913629 DNLM

Mussaphia, Johann Amadeus
see
Mussafia, Jacob, 1810-1854.

Film 12682 Mussard,
Nouvaux principes pour apprendre à jouer de la flutte traversiere avec des idées precises... et raisonnées des principes de musique suivis d'une collection d'airs en duo pour cet instrument. Choisies et arrangés par Mr. Mussard. Paris, Chez l'auteur [1780?]
71p. charts, music.
Microfilm (negative) London, British Museum, 1969. 1 reel.

On reel with Schickhard, J.C. Principes de la flûte. Paris [ca.1720]

1. Flute - Instruction and study - To 1800.
2. Flute music (2 flutes) - To 1800.

NM 0913632 IaU

Mussard, *comp.*
Recueil d'airs, arrangès en duos pour deux flûtes ou violons. Paris, chez le Cn. Mussard [ca. 1780]
parts. 34 cm.
At head of title: XVI.

1. Flute music (2 flutes), Arranged—To 1800. I. Title.
ML30.4c no. 1721 Miller 77-209326
[M288]

NM 0913633 DLC

Mussard, Floyd Everett.
Inventory of art treasures and other museum objects owned or held by Ohio Wesleyan University, 1953. Compiled by Floyd E. Mussard by direction of Donald J. Hornberger. Delaware, Ohio, 1953.
69 l.
An inventory report.
I. Title. II. t: Art treasures and other museum objects owned or held by Ohio Wesleyan University, 1953. III. Hornberger, Donald Jay. IV.O.W.U. Faculty pubs. V.O.W.U. Alumni pubs.

NM 0913634 ODW

HG 231 M8 Mussard, Jean.
Arbeit und Geld; Roman der Währungen. [Zürich,Gutenberg,1943]
282p. 22cm.

1. Money - History. 2. Economics - History.

NM 0913635 MU

Mussard, Jean.
... Finanzielle und wirtschaftliche landesverteidigung. Schaffhausen, Unionsdruckerei ag. [1941]
87 p.

NM 0913636 DLC CSt-H

Mussard, Jean.
...Geld; Roman der Währungen. Zürich: J. Christophe-Verlag, 1938. 328 p. incl. diagrs., facsims., plates. illus. 22cm.
Title on two leaves.

34440B. 1. Money, 1933- 2. Social problems.
N. Y. P. L. March 25, 1940

NM 0913637 NN

Mussard, Jean.
Neue Wege? Versuch zur Formulierung eines modernen Sozialismus. 2. Aufl. Schaffhausen, Unionsdruckerei [194-]
70 p. 22 cm.

1. Socialism. I. Title.
HX354.M8 49-55285*

NM 0913638 DLC

Mussard, Jean.
La Suisse et la paix de demain; considérations sur les problèmes d'après-guerre et la reconstruction de l'Europe. Conférence faite à la Maison de paroisse de Champel-Genève sous les auspices de la Fédération des cercles protestants, le 18 juin 1944. Genève, Éditions Labor et Fides [1944]
35 p. 19 cm.

1. Switzerland—Pol. & govt. 2. Reconstruction (1939-)—Switzerland. I. Title.
A 50-5628
New York. Public Libr. for Library of Congress [2]

NM 0913639 NN

844M97 Oc.p Mussard, Jean, goldsmith
La chanson de Rocati; rabobinée par Iean Mvssard, orfèvre. ... Genève, 1903.
82p.

"Variante du Cé qué lé no, publiée fragmentairement en 1875, par Ph. Plan & aujourd' hui mise en lumière dans son entier avec la traduction & des notes."

NM 0913640 IU

Mussard, Jeanne, b. 1821.
Mieux vaut tard que jamais, par Mme Jeanne Mussard. Paris, L. Hachette et cie, 1861. 285 p. 18cm. [Bibliothèque des chemins de fer]

257070B. 1. No subject. I. Title. II. Ser.
N. Y. P. L. March 29, 1944

NM 0913641 NN

Me65 M975 C6 [Mussard, Pierre] 1627-1686
Les conformitez des ceremonies modernes avec les anciennes. Où il est prouvé par des autoritez incontestables que les ceremonies de l'eglise romaine sont empruntées des payens. Avec un traitté de la conformité ... sous le titre d'Additions de quelques autres conformitez outre les ceremonies ... [Paris?]1667.
5p.l.,303p. 17cm.
1. Catholic church - Doctrinal and controversial works - Protestant authors - 17th cent. cdu cd. for Div. Sch.
I. Title (2)

NM 0913642 CtY ICU NN MH

Mussard, Pierre, 1627-1686.
Conformités des cérémonies modernes avec les anciennes. Où l'on prouve par des autorités incontestables, que les cérémonies de l'Église Romaine sont empruntées des payens . . . Nouvelle édition corrigée, & augmentée de la Lettre écrite de Rome sur le même sujet par Mr. Conyers Middleton.
A Amsterdam, Chez Maynard Uytwerf. MDCCXLIV. (20), 307 pp. 17½ cm., in 12s.
The author's name does not appear on the title-page.
An English edition, with the title Roma antiqua et recens . . . , may be found on shelf-number 3467.69.
The Lettre écrite de Rome is catalogued separately.

L6233 — Roman Catholic Church. Liturgy and ritual.

NM 0913643 MB PPPD

VOLUME 403

[Mussard, Pierre] 1627-1686.
The conformity of antient and modern ceremonies, shewing from indisputable testimonies that the cermonies of the Church of Rome are borrowed from the pagans. [Translated] By James Dupre ... London, Printed for F. Noble.. 1740.
[4], 200 p. 20 cm.
Translation of the author's Les conformitez des cérémonies modernes avec les anciennes ... Leyden, 1667 ...

NM 0913644 CLU-C

BX 1763. M813 [Mussard, Pierre]
The conformity between modern and ancient ceremonies: wherein is proved, by incontestable authorities, that the ceremonies of the Church of Rome are entirely derived from the heathen. With an appendix, shewing the conformity of their conduct toward their adversaries. Now first translated... from the original French ...Leyden ...1667. London, E. Cave, 1745.
xliii,[298]p 20cm
"Table of aut/ hors..." p.[295-298]

NM 0913645 MnCS MH RPB

684.4 M989cog 1695 MUSSARD, Pierre, 1627-
Gruendliche Vorstellung der vorzeiten aus dem Heydenthum in die Kirche eingefuehrten Gebraeuche und Ceremonien. Von dem Weil. Hochgel. Herrn Mussard...in Frantzoesischer Sprache abgefasset aus derselben uebersetzet und mit einigen noethigen Anmerckungen auch einer Vorrede von dem Uhraeltesten Ursprung der Kirchen Ceremonien, auch der in acht zu nehmenden Behutsamkeit so wol bey dero Einfuehrung als Baschaffung versehen. Leipzig, in Verlegung Hieronymus Fried. Hoffmann, Buchh. in Zell,1695.
19p.l.,246,104p. front. 17cm.
Translation of: Les conformites des cérémonies modernes avec les anciennes ...
With this is bound Johannes Muscov's Bestraffter Misbrauch ... 1694.

NM 0913647 MH-AH

[Mussard, Pierre.]
Historia deorum fatidicorum, vatum, sibyllarum, phœbadum, apud priscos illustrium; præposita est dissertatio de divinatione et oraculis. Coloniæ Allobrogum, P. Chovët, 1675.
4°. pp. (6), 249 +. Vign. and plates.

Divination||Title°

NM 0913648 MH NN MdBP CLU-C FU ICN NcD MnU NNNAM

[Mussard, Pierre]
Historia deorum fatidicorum, vatum, sybillarum, phoebadum, apud priscos illustrium: cum eorum iconibus. Præposita est disertatio de divinatione & oraculis. Francofvrti, sumptibus Ludovicj Bourgeat, 1680.
1 p. l., 100 p. 48 pl. 20½cm.

1. Oracles. 2. Divination. I. Title.

Library of Congress BF1750.M9 11—14017

NM 0913649 DLC OClW NjNbS NIC TxU DFo NjP

[Mussard, Pierre]
Roma antiqua & recens, or The conformity of antient and modern ceremonies, shewing from indisputable testimonies, that the ceremonies of the Church of Rome are borrowed from the pagans. Translated from the French ... London: Printed by G. Smith, and sold by J. Brotherton ... Steph. Austin ... and J. Jackson ... 1732.
[4],200 p. 20cm.
Translation of the author's Les conformitez des cérémonies modernes avec les anciennes ...

NM 0913650 CLU-C PPiPT RPB

Mhc7 G35a v.8 Mussard, Pierre
Roma antiqua et recens, or, The conformity of ancient and modern ceremonies, shewing from indisputable testimonies, that the ceremonies of the Church of Rome are borrowed from the pagans. Tr. from the French by James Du Pre ...
(In Gibson, E. Preservative from popery. London,1850. 20½cm. Supplement, v.VIII. p.[107]-238)
Running title: Religious rites of ancient and modern Rome.
Edited by Richard P.Blakeney.

NM 0913651 CtY

[MUSSARD, Pierre.] 1627-1686
Roma antiqua et recens, or The conformity of ancient and modern ceremonies, showing from indisputable tedtimonies that the ceremonies of the church of Rom are borrowed from the pagans. [Translated from the French by James Du Pré.] Reprinted from the édition of 1732. London,1889.

NM 0913652 MH GEU

Mussared, Beatrice, joint author.

Brand, Violet.
Millinery, by Violet Brand ... and Beatrice Mussared ... London, Sir I. Pitman & sons, ltd., 1935.

Mussat, Adrien Jean Baptiste, called Jolly
see Jolly, Adrien Jean Baptiste Mussat, called, 1772-1839.

Mussat (Albert). *De la trachéotomie préventive dans les fractures du larynx. 33 pp. 4°. Paris, 1872.

NM 0913655 DNLM

QK603 .S3 Mussat, Emile Victor, 1833-1902.

Saccardo, Pier Andrea, 1845-1920.
Sylloge fungorum omnium hucusque cognitorum. Digessit P. A. Saccardo. Patavii, sumptibus auctoris, 1882-

QK603 .S3 v.15 Mussat, Émile, 1833-1902.
Synonymia generum, specierum subspecierumque in vol. I-XIV descriptorum. Parisiis, O. Doin, 1901.
viii, 455 p. 25 cm. (Saccardo, Pier Andrea, 1945-1920. Sylloge fungorum ... v. 15)

1. Fungi - Synonyms. i. Saccardo, Pier Andrea, 1845-1920. Sylloge fungorum ... v.15. ii.t.

NM 0913657 NNBG OO PPAN PU-B

MUSSAT, Ernest
Résumé des connaissances mathematiques necessaires dans la pratique des travaux publics et de la construction. Paris, Baudry et cie,.. 1889.
1.3°.
Contents:- pt. i. Notions pratiques de calcul infinitecimal- pt. ii. Etude sommaire des courbes du second degre.- pt. iii. Notions generales. de mecanique.

NM 0913658 MH IU

Mussat, L. Une halte. 26 pp. (Correspondant, n. s. v. 79, 1879, p. 110.)—Trop tard. 30 pp. (Correspondant, n. s. v. 83, 1880, p. 463.)

NM 0913659 MdBP

Mussat, Louise.
Mon roman. Paris, Firmin-Didot, 1889.
(3), 370 p. 12°. [Bibliotheque der mères de famille. 2e série]

NM 0913660 MB

Mussati, Albertini
see Mussato, Albertino, 1261-1329.

Mussato, Albertino, 1261-1329.
L'Eccelinide:... Venezia, 1878.

NM 0913662 NIC

Gr4 91 Mussato, Albertino, 1261-
... Ecerinide; tragedia a cura di Luigi Padrin con uno studio di Giosue Carducci. Bologna,Nicola Zanichelli,1900.
2p.l.,lixp.,2l.,[3]-283p.,1l. 23cm.
Bibliographical foot-notes.

NM 0913663 CtY CSmH MH NjP CU NcD ICN ICU

PQ 4474 .M8 E3 Mussato, Albertino
L'ecerinide. Tradotta in versi italiani e annotata da Manlio Torquato Dazzi. Città di Castello, S. Lapi, 1914.
75 p. 22 cm.

NM 0913664 WU CU MH CtY

875 M97eIb Mussato, Albertino, 126;
Ezzelino; tragedia di Albertino Mussato voltata in versi italiani. Ivrea, Tipografia Garda, 1865.
58p.
Translated by F. Balbi.
"Castellamonte": p.[43]-58.

NM 0913665 IU

Mussato, Albertino, 1261-1329.
Ezzelino. Tragedia latina. Tradotta da Luigi Mercantini. Palermo, I. Mirto, 1868.
32 p. 8°.

NM 0913666 NN

VOLUME 403

Mussati, Albertino. Venezia, 1869.
Ezzelino;...

NM 0913667 NIC

PA 8385 M8 A1 1636 Cage
Mussato, Albertino, 1261-1329.
... Historia augusta Henrici VII. caesaris & alia quae extant opera. Laurentii Pignorii ... necnon Foelicis Osij, & Nicolai Villani, castigationibus, collationibus, & notis illustrata. Quibus ... praemissa sunt Chronica Rolandini, Monaci Paduani, Gerardi Maurisij [etc.] ... Omnia ... nunc primum in lucem edita ... Venetiis, Ex typographia Pinelliana, 1636.
11 pts. in 1 v. [2] 156 [12] 50 [2] 38 [4] 41-89 [1] 94 [2] 112, 10 [2] 140 [8] 42 [2] 169 [3]

22 [2] 108 [44] p. Fo.
Another issue with a new title-page of the 1635 edition.
Liechtenstein library copy.

NM 0913669 DFo ICU ICN IU CLU

Mussato, Albertino.
...Historiae augustae de gestis Henrici VII caesaris libri XVI; De gestis Italicorum post Henricum VII libri XII; ejusdemque Ludovicus Bavarus ad filium; haec omnia Laurentii Pignorii, viri clarissimi spicilegio, nec non Felicis Osii & Nicolai Villani, castigationibus, collationibus & notis sunt illustrata; ed novissima, cum locupletissimis capitum, rerum & verborum indicibus. Lugduni Batavorum P. Vander, 1722.
636 p.

NM 0913670 PHC MdBP MnU

DD3 .G39 Bd. 79-80
Mussato, Albertino, 1261-1329.
Friedensburg, Walter, 1855-1938, tr.
Das leben kaiser Heinrichs des Siebenten. Berichte der zeitgenossen über ihn übersetzt von W. Friedensburg ... Leipzig, Dyksche buchhandlung [1898]

Mussato, Albertino, 1261- Ludovicus Bavarus, 1327-29. 20 pp. (Boehmer, J. F., Fontes rer. German. v. 1, p. 170.)

NM 0913672 MdBP

DG 530 M9
Mussato, Albertino, 1261-1329.
Il principato di Giacomo da Carrara, primo signore di Padova. Narrazione scelta dalle storie inedite di Albertino Mussato. Padova, A. Draghi, 1891.
126 p. facsim. 22 cm.

1. Carrara, Giacomo da, d. 1324. 2. Italy - Pol. & govt. - 1268-1559.

NM 0913673 CU-S ICN NcD MH

Folio DG531 .A2 P3
Mussato, Albertino, 1261-1329.
Sette libri inediti del de gestis italicorum post Henricum VII. Prima edizione diplomatica a cura di Luigi Padrin. Venezia, A spese della società, 1903.
107p. 30cm. (Monumenti storici. Di storia patria. Serie terza. Cronache e diarii, v.3)

1. Italy - Hist. - 1313-1329. I. Padrin, Luigi, ed. II. tle.

TNJ
NM 0913674 NcU PU MH CtY ICU MnU NNC OC1W CU ICN

PA 8135 M9 Cage
Mussato, Albertino, 1261-1329.
... Tragoediae duae, Eccerinis, & Achilleis, cum notis Nicolai Villani ... ut & alia auctoris poëmata, epistolae nimirum, elegi, soliloquia ... Editio novissima, emendatior, & auctior. Lugduni Batavorum, Sumptibus Petri Vander Aa, [1722]
[6] p. 106 col., [3] p. Fo. (Thesaurus antiquitatum et historiarum Italiae, VI, 2, edited by Pieter van der Aa.)

NM 0913675 DFo MnU

Mussatti, James.
Constitutionism; the origin of liberty under the Constitution, by James Mussatti ... Los Angeles, Calif., Richard Blank publishing company [c1935]
3 p. l., 58 p. 30½cm.
"Summary of the decisions of the United States Supreme court declaring acts of Congress unconstitutional, 1803-1935": p. 46-49.
Bibliography: p. 58.

1. U. S.—Constitutional history. 2. Liberty. 3. U. S. Constitution. I. U. S. Supreme court. II. Title.
35—33981
Library of Congress JK271.M84
——— Copy 2.
Copyright A 86887 [3615] 342.739

OC1 NcD OO ViU WaE DN NN OrU
NM 0913676 DLC PSt KEmT Or PP PPL PPD PU-W PV

Mussatti, James.
Constitutionism; the origin of liberty under the Constitution, by James Mussatti ... San Francisco, Calif., American principles, inc. [1941]
3 p. l., 56 p. 28 x 22cm.
"First printing October, 1935 ... Revised edition, February, 1941."
"Summary of decisions of the United States Supreme court declaring acts of Congress unconstitutional, 1803-1941": p. 44-47.

1. U. S.—Constitutional history. 2. Liberty. 3. U. S. Constitution. I. U. S. Supreme court. II. Title.
41-8273
Library of Congress JK271.M84 1941
[3] 342.739

NM 0913677 DLC PPD NNC-L

Mussatti, James.
Hand book for constitutionism, prepared by James Mussatti ... San Francisco, American principles, inc. [1941]
3 p. l., 22, 17, 5, 11 p. 21½cm.
"First printing February, 1941."
Includes bibliographies.

1. U. S. Constitution. 2. U. S.—Pol. & govt. I. Title.
41-12771
Library of Congress JK277.M8
[2] 342.737

NM 0913678 DLC

Mussatti, James.
New deal decisions of the United States Supreme court, by James Mussatti ... Los Angeles, Calif., California publications, 1936.
xi, 84 p. 19cm.

1. U. S. Supreme court. 2. U. S.—Pol. & govt.—1933- 3. Judicial review—U. S. I. Title.
36-21670
Library of Congress JK265.M8
[a44g1] 342.739

NM 0913679 DLC IdU OrU CLU OC1 MB

Mussatti, James, joint author.
Lowrey, Lawrence Tyndale, 1888-
Syllabus in American constitutional history and ideals, by Lawrence T. Lowrey ... and James Mussatti ... Los Angeles, Calif., 1925.

Mussatus, Albertino
see
Mussato, Albertino, 1261-1329.

Mussault, M.
... Histoire du marché à terme sur laines peignées de Roubaix-Tourcoing ... Paris, A. Rousseau, 1909.
xi, 255 p. incl. tables. 25cm.
Thèse—Univ. de Paris.
"Bibliographie": p. [v]-vii.

1. Wool trade and industry—Roubaix, France. 2. Wool trade and industry—Tourcoing, France. 3. Speculation.
11-19672
Library of Congress HD9902.8.R7M8

NM 0913682 DLC ICJ

de Mussay (Joannes Baptista Faustus Alliot). *An spiritus sint ab aëre diversi? 4 pp. 4°. [Parisiis, J. Quillau, 1716.]

NM 0913683 DNLM

Mussayassul, Halil beg
see
Halil beg Mussayassul.

Mussbach, Heinz
Das kündigungsrecht in der haftpflichtversicherung. ... Eisfeld i. Thür., 1937.
85 p.
Inaug. Diss. - Erlangen, 1937.
Verzeichnis der benutzten bücher und schriften.

NM 0913685 DLC

Mussche, Achilles Jozef, 1896-
Aan de voet van het Belfort. Geïllustreerd door Jozef Cantré. Antwerpen, De Sikkel, 1950.
199 p. illus. 22 cm.

1. Weavers—Europe. 2. Textile workers—Europe. 3. Textile industry and fabrics—Europe. I. Title.
HD8039.T4M8 A 51-4537 rev
Harvard Univ. Library for Library of Congress [r54b½]†

NM 0913686 MH NN DLC

Mussche, Achilles Jozef, 1896-
Aan de voet van het Belfort. 2.herziene druk. Antwerpen, De Sikkel, 1954

NM 0913687 MH

CB245 .M87
Mussche, Achilles Jozef, 1896-
De broeder van Hamlet, drie nieuwe monologen Antwerpen, Uitgeverij Ontwikkeling, S.M., 1949.
63 p. 19 cm.

1. Civilization, Occidental. I. Title.

NM 0913688 NjR NNC

Mussche, Achilles, 1896-
...Le chant d'une âme; souvenirs de captivité. Gembloux, J. Duculot, 1946. 62 p. 19cm.
Poems.

NM 0913689 NN

VOLUME 403

4PT Dut. 626 Mussche, Achilles Jozef, 1896-
Christoffel Marlowe of er is een duivel te veel. 2. herziene druk. Antwerpen, Uitgeverij Ontwikkeling, 1955.
106 p.

NM 0913690 DLC-P4 MH MiD NN

Mussche, Archilles Jozef, 1896-
Cyriel Buysse; een studie. Gent, Van Rysselberghe & Rombaut, 1929
100 p. port.

NM 0913691 MH

Mussche, Achilles.
...Gent en zijn etser-teekenaar, de Bruycker. Oude God-Antw.: De Boekengilde Die Poorte [1936] 35 p. 12 p. (incl. ports.) 24cm. (Added t.-p.: Wereldbibliotheek N. V.)
"Die boek is het vierde van de Boekengilde 'Die Poorte', Jaargang 1935-1936."

875663A. 1. Bruycker, Jules de, 1870- . 2. Etchings, Dutch and Flemish. I. Boekengilde "Die Poorte," Antwerp.
N. Y. P. L. April 30, 1937

NM 0913692 NN

Mussche, Achilles J 1896-
Handleiding voor de practijk van het algemeen beschaafd, ten dienste van inrichtingen voor middelbaar en normaal onderwijs, door A. Mussche ... 5. druk ... Brussel, A. de Boeck, 1945.
74 p., 1 l. 21cm.

1. Dutch language—Pronunciation.
PF137.M8 1945 A F 47-4300
Illinois. Univ. Library for Library of Congress [2]†

NM 0913693 IU DLC

Mussche, Achilles, 1896-
Herman Gorter, de weinig bekende; een inleiding door Achilles Mussche. Antwerpen, "Ontwikkeling," 1946. 107 p. 22cm.

1. Gorter, Herman, 1864-1927.
N. Y. P. L. December 6, 1948

NM 0913694 NN

Mussche, Achilles Jozef, 1896- joint author.
Inleiding tot Guido Gezelle
see under
Haantjes, Jacob, 1899-

FLEMISH DUTCH 839.31 M975k Mussche, Achilles Jozef, 1896-
Koraal van den Dood. Brussel, Elsevier [°1953]
41 p.

I. T.

NM 0913696 MiD MH NN

4PT Dut. 1357 Mussche, Achilles Jozef, 1896-
Langzaam adieu; verzen. 's-Gravenhage, A. A. M. Stols [19]
69 p.

NM 0913697 DLC-P4

Mussche, Achilles, 1896-
Nederlandse poëtica, door Achilles Mussche. Brussel, A. de Boeck, 1948. 195 p. 23cm.
"Literatuuropgave," p. 187.

493600B. 1. Poetry. 2. Prosody, Dutch.
N. Y. P. L. April 14, 1950

NM 0913698 NN

Mussche, Achilles Jozef, 1896-
Nederlandsche woordenschat, ten dienste van vierde graden en inrichtingen voor middelbaar onderwijs, door A. Mussche ... Brussel, A. de Boeck, 1944-
v.

NM 0913699 NNC-T IU

Mussche, Achilles Jozef, 1896- ed.
PT6408 .A6 1944 Buysse, Cyriël, 1859-1932.
... Novellen en schetsen; bijeengebracht en ingeleid door Achilles Mussche. [Brussel] Labor [1944]

NA 260 M8 Mussche, H F ed.
Monumenta Graeca et Romana, edited by H.F. Mussche. [Leiden] E.J.Brill [19 -
v.in illus. 30 cm.
Cover title--

1.Architecture,Ancient. I.Title.

NM 0913701 NSyU NIC

MUSSCHE, Jean Henri.
Catalogue des plantes du jardin botanique de la ville de Gand. Gand, [1810]
pp.49
(I. Ghent. Jardin botanique

NM 0913702 MH

Mussche, Jean Henri.
Hortus gandavensis; ou, Tableau général de toutes les plantes exotiques et indigènes, cultivées dans le Jardin botanique de la ville de Gand, avec l'indication des lieux où elles croissent spontanément et en particulier celles qui habitent la province de la Flandre orientale ... précédé d'une notice historique sur l'origine, les progrès et situation actuelle du Jardin, par J. H. Mussche ... Gand, P. F. de Goesin-Verhaeghe, 1817.
3 p. l., 164 p. fold. pl. 18cm.

1. Ghent. Jardin botanique. I. Title.
Agr 16-925
U. S. Dept. of agr. Library for Library of Congress 452M97 [a37b1]

NM 0913703 DNAL NIC MH-A

Mussche, Paul.
La Bulgarie et les intérêts belges. Bruxelles, Edition de "L'Expansion Belge", 1909.
34 p. illus. 4°.
Repr.: L'Expansion Belge.

NM 0913704 NN

Mussche, Paul.
Les jardins clas. Paris, Soc. Française d'Imp. et de Lib., [1904]
3 p.l., 9-194 p. il. 12°.

NM 0913705 NN

Mussche, Robert, 1912-1945.
In memoriam, Robert Mussche (Rudo Reyniers, "Julien," 1912-1945)
see under Thiery, Herman, 1912-

---

*NC7 M9756 En765t Musschenbroek, Jan van, 1687-1748.
... Beschreibung der doppelten und einfachen Luftpumpe nebst einer Sammlung von verschiedenen nüzlichen und lehrreichen Versuchen, welche man mit der Luftpumpe machen kan. Aus dem Französischen übersezt und mit vielen neuen Zusäzen und Kupfern vermehret von M. Johann Christoph Thenn.
Augsburg, bey Eberhard Kletts sel.Wittib 1765.
8°. 7p.l.,150p. 6 fold.plates. 18cm.
At head of title: Johann van Muschenbroek.
Translation of his Beschryving der nieuwe soorten van Luchtpompen.

NM 0913707 MH PU NNC

Musschenbroek, Jan van, 1687-1748.
Beschryving der nieuwe soorten van luchtpompen, zo dubbelde, als enkelde. Benevens eene verzameling van veele aangenaame, en leerryke proeven... [Leiden? 17-]
74, il., 8 p. 4 pl. 4°.

NM 0913708 NN

Musschenbroek, Jan van, 1687-1748.
Beschryving der nieuwe soorten van luchtpompen, zo dubbelde, als enkelde. Benevens eene verzameling van veele aangenaame, en leerryke proeven, welke daarmede kunnen genomen worden. Door Jan van Musschenbroek, door wien deeze pompen gemaakt worden, te Leiden. [Leyden, S. Luchtmans, 1739]
62, 8 p. IV pl. (2 fold.) 26 x 21cm.
Separate from Musschenbroek, Petrus van Beginselen der natuurkunde. Leyden, 1739.
"Lyst der natuurkundige, wiskundige, anatomische, en chirurgische instrumenten, welke by Jan van Musschenbroek, te vinden zyn te Leiden": 8 p. at end.
1. Air-pump. 2. Scientific apparatus and instruments.
I. Title.
Library of Congress QC19.M8 42-35381

NM 0913709 DLC

Musschenbroek, Jan van, *1687-1748*. *5965.171
Description de nouvelles sortes de machines pneumatiques, tant doubles, que simples. Avec un recueil de plusieurs experiences, curieuses & instructives, que l'on peut faire avec ces machines. Par Mr. Jean van Musschenbroek, qui fait lui-même ces pompes à Leiden. [Traduit du hollandois par Mr. Pierre Massuet.] [A Leyden. Chez Samuel Luchtmans . . . 1739.] Plates. 63, 8 pp. 23 cm., in 4s.

This work may also be found in vol. 2 of Petrus van Musschenbroek's Essai de physique: Avec une description de nouvelles sortes de machines pneumatiques . . . par . . . Mr. J. v. M. . . . Leyden, 1739 [*5965.170].
Plates I & II are missing.
With this book are also bound the plates I-XXVIII, and the map from the copy of the Essai de physique of which it was originally part.
A catalogue and price list of the physical, mathematical, anatomical and surgical instruments "chez Jean van Musschenbroek" is included.

NM 0913711 MB InU

Musschenbroek, Jan van, 1687-1748.
QC19 .M945 1751 Rare bk. Musschenbroek, Petrus van, 1692-1761.
Essai de physique, par mr. Pierre van Musschenbroek ... avec une description de nouvelles sortes de machines pneumatiques, et un recueil d'expériences, par mr. J. V. M. Traduit du hollandois, par mr. Pierre Massuet ... A Leyden, Chez S. Luchtmans, 1751

VOLUME 403

*NC7
M9757
736bb

Musschenbroek, Jan van, 1687-1748.
Lyst der natuurkundige, wiskundige, anatomische, en chirurgische instrumenten, welke by Jan van Musschenbroek, te vinden zyn te Leiden.
[Leyden,ca.1740]
4°. 8p. 24.5cm.
Inserted at end of pt.2 of P. van Musschenbroek's Beginsels der natuurkunde, 1739.

NM 0913713 MH

SPECIAL COLLECTIONS
B530
M9722

Musschenbroek, Petrus van, 1692-1761.
Beginselen der natuurkunde, beschreven ten dienste der landgenooten,/door Petrus van Musschenbroek, waar by gevoegd is eene beschryving der nieuwe en onlangs uytgevonden luchtpompen, met haar gebruyk tot veele proefnemingen, door J. V. M. Te Leyden, By Samuel Luchtmans, 1736.
[18], 800, [16], 74, [8] p. plates. 26cm.

NM 0913714 NNC

Musschenbroek, Petrus van, 1692-1761.
Beginsels der natuurkunde, beschreeven ten dienste der landgenooten. Waar by gevoegd is eene beschryving der nieuwe en onlangs uitgevonden luchtpompen met haar gebruik tot veele proefnemingen door J.V.M. 2. Druk. Leyden, S. Luchtmans, 1739.
2 v. in 1 ([24], 900, [19], 62 p.) port., fold. plates, fold. map. 27 cm.
"Beschryving der nieuwe soorten van luchtpompen ... " 62 p. has special half-title page.
I. Title.

NM 0913715 OkU MH

---

*NC7
M9757
762c

Musschenbroek, Petrus van, 1692-1761.
P. v. Musschenbroek Compendium physicae experimentalis conscriptum in usus academicos.
Lugduni Batavorum,apud S.et J.Luchtmans,1762. Academiae typographos.
8°. 2p.ℓ.,515,[1]p. 14 fold.plates. 20cm.
Printer's mark on t.-p.
Edited by Johannes Lulofs.

NM 0913716 MH OkU

---

*NC7
M9757
762cd

Musschenbroek, Petrus van, 1692-1761.
P. v. Musschenbroek Compendium physicae experimentalis conscriptum in usus academicos.
Venetiis,apud Franciscum ex Nicol.Pezzana. MDCCLXIX. Superiorum permisu, ac privilegio.
8°. 400p. 14 fold.plates. 21.5cm.,in case 23cm.
Edited by Johannes Lulofs.
Contemporary white boards; in cloth case.
Plates 2-14 misbound inverted.

NM 0913717 MH DLC

MUSSCHENBROEK, Petrus van.
Compendium physicæ experimentalis. Ed. 2a.
Lugduni Bat. Luchtmans. 1779. (4), 515, (1) pp. Fol. pls.

NM 0913718 MB

QC
19
.M9614
1769
Rare
Book

Musschenbroek, Petrus van, 1692-1761.
Cours de physique experimentale et mathematique, par Pierre van Muss[ch]enbroek, traduit par m. Sigaud de La Fond ... Leyde, Chez Samuel & Jean Luchtmans, 1769.
3 v. 64 (i.e. 65) fold. plates (incl. fold. map) fold. table) 27cm.

Translation of Epitome elementorum physico-mathematicorum.
Errata: v. 3, p. 503-[504]

NM 0913719 GU CtY OU PPiD

MFL.
8262

Musschenbrock, Petrus van, 1692-1761.
Cours de physique expérimentale et mathématique... traduit par M. Sigaud de la Fond... Leyde, chez S. & J. Luchtmans, 1769.
Microfilm copy, made in 1969, of the original in the Library at Les Fontaines, Chantilly, France. Positive.
Negative film in Pius XII Memorial Library, St. Louis University. [Manuscripta, microfilms of rare and out-of-print books. List 79, no.108, Roll 23.3]
Collation of original: 3v.

NM 0913720 WMM

RARE BOOKS

Musschenbroek, Petrus von, 1692-1761
Cours de physique experimentale et mathematique, par Pierre van Mussenbroek. Traduit par M. Sigaud de la Fond. Paris, Bailly, 1769.
3v. illus. 26cm.

NM 0913721 WU

Rare
QC
19
M98
E6+
1769

Musschenbroek, Petrus van, 1692–1761.
Cours de physique experimentale et mathematique, par Pierre van Mussenbroek, traduit par m. Sigaud de La Fond ... Paris, Chez Bauche, 1769.
3 v. LXIV (i. e. 65) fold. pl. (incl. map) fold. tab. 25½ x 19½cm.

Imprint of v. 3: Paris, Chez Guillyn.

NM 0913722 NIC

Musschenbroek, Petrus van, 1692–1761.
Cours de physique experimentale et mathematique, par Pierre van Mussenbroek, traduit par m. Sigaud de La Fond ... Paris, Chez Briasson, 1769.
3 v. LXIV (i. e. 65) fold. pl. (incl. map) fold. tab. 25½ x 19½cm.

1. Physics—Early works to 1800. I. Sigaud-Lafond, Joseph Aignan, 1730–1810, tr. *Translation of* Epitome elementorum physico-mathematicorum.

31–1963

Library of Congress QC19.M96 1769 b 530

NM 0913723 DLC NNE NN MB MH ICJ CtY

QC19
M77

Mussenbroek, Petrus van, 1692-1761.
Cours de physique experimentale et mathematique; traduit par m. Sigaud de la Fond. Paris, Delalain, 1769.
3 v. plates.

1. Physics - To 1800.

NM 0913724 CU

R.B.R. **Musschenbroek, Petrus van, 1692–1761.**
Cours de physique experimentale et mathematique, par Pierre van Mussenbroek, traduit par m. Sigaud de La Fond ... Paris, Chez P. F. Didot, 1769.
3 v. LXIV (i. e. 65) fold. pl. (incl. map) fold. tab. 27 cm.

NM 0913725 NcD ViU PU

---

*NC7
M9757
Eh769sa

Musschenbroek, Petrus van, 1692-1761.
Cours de physique experimentale et mathematique, par Pierre van Mussenbroek, traduit par m. Sigaud de La Fond ...
A Paris,Chez Ganeau,libraire,rue Saint-Severin. M.DCC.LXIX. Avec approbation, & privilege du roi.
4°. 3v. 64 fold.plates,fold.map,fold.tab. 26.5cm.
Also issued with imprints of Guillyn & of Briasson.
Translation of his Introductio ad philosophiam naturalem, which was edited by Johannes Lulofs.
Printer's imprint at end of v.3: De l'imprimerie de Didot.
Dedication by J. W. van Musschenbroek.
Imperfect: lacks prelim. leaf 3 of v.1 ("Avis au relieur"); p.[xlix-lii], v.1, misbound following t.-p. of v.2.

NM 0913727 MH

---

*NC7
M9757
Eh769saa

Musschenbroek, Petrus van, 1692-1761.
Cours de physique experimentale et mathematique, par Pierre van Mussenbroek, traduit par m. Sigaud de La Fond ...
A Paris,Chez Guillyn,libraire,quai des Augustins,près du pont-Saint-Michel.M.DCC.LXIX. Avec approbation, & privilege du roi.
4°. 3v. 64 fold.plates,fold.map,fold.tab. 26cm.
Also issued with imprints of Briasson & of Ganeau.

Translation of his Introductio ad philosophiam naturalem, which was edited by Johannes Lulofs.
Printer's imprint at end of v.3: De l'imprimerie de Didot.
Dedication by J. W. van Musschenbroek.

NM 0913729 MH

Musschenbroek, Petrus van, 1692-1761.
Cours de physique experimentale et mathematique, par Pierre van Mussenbroek, traduit par m. Sigaud de La Fond ... Paris, Savoye, 1769.
3 v. lxiv (i.e. 65) fold pl. (incl. map) fold tab. 25.5 x 19.5 cm.

NM 0913730 OCU

---

van Musschenbroek (Petrus) [1692-
*De aëris præsentia in humoribus animalibus. 1 p. l., 42 pp., 1 l. 4°. *Lugd. Bat., S. Luchtmans,* [1715]. [*Also, in:* P., v. 983.]
Also, in: HALLER. Disp. anat. [etc.] 4°. *Gottingæ,* 1749. iv, 561-618.

NM 0913731 DNLM PPC

Musschenbroek, Petrus van, 1692-
——. *De mente humana semet ignorante. 1 p. l.. 28 pp. 4°. *Lugd. Bat.. S. Luchtmans,* 1740.

NM 0913732 DNLM

4QC
524

Musschenbroek, Petrus van, 1692-1761.
Dissertatio physica experimentalis de magnete, Lugduni Batavorum anno MDCCXXIX edita, nunc vero auditoribus oblata. Viennae, Typis J. T. Trattner, 1754.
283 p., x tables.

NM 0913733 DLC-P4 CU MCM IU NNE ICJ PPAmP

QC183
M8
1754

Musschenbroek, Petrus van, 1692-1761.
... Dissertationes physicae experimentales de tubis capillaribus et attractione speculorum planorum, quas cum assertionibus ex universa philosophia palam propugnatis ... Carolus Frére ... praeside ... Bernardino Erber ... in aula academica ... inscripsit. [Laibach] A.F.Reichhardt [1754]
7 p.ℓ., 84 p. 2 fold. plates. 21cm.

1. Capillarity. I. Frére, Carolus. II. Erber, Bernardin. 1718-1773. SC

NM 0913734 CSt

R13
345

Musschenbroek, Petrus van, 1692-1761.
Elementa Physicae conscripta in usus academicos ... Lugduni Batavorum,apud S.Luchtmans, 1734.
7p.ℓ.,495p. XXI fold.pl.(map,diagrs.) 20½cm.

1.Physics - Early works to 1800. stamped

NM 0913735 CtY OO DNLM MH InU PPAmP OkU

VOLUME 403

Newton Collection
Bender Room
Musschenbroek, Petrus van, 1692-1761.
Elementa physicae conscripta in usus academicos a Petro van Musschenbroek. Editio altera. Lugduni Batavorum, Apud S. Luchtmans, Academiae typographum, 1741.
8 p. l.,600 p. 26 fold.plates(incl.map) 22cm.
Title vignette.

1. Physics - Early works to 1800.

NM 0913736 CSt OkU NNC NNU-W MH

Film 15-10 no.40
Musschenbroek, Petrus van, 1692-1761.
Elementa physicae conscripta in usus academicos a Petro van Musschenbroek. Editio altera. Lugduni Batavorum, apud S. Luchtmans, 1741.
Microfilm copy, made in 1959 of the original in Vatican. Biblioteca vaticana. Positive.
Negative in Vatican. Biblioteca vaticana.
Collation of the original as determined from the film: [16], 600 p. illus.
Mss. notes.

1. Physics--Early works to 1800. (Series: [Manuscripta, microfilms of rare and out-of-print books. List 10, no. 40])

NM 0913738 OU MoSU

Musschenbroek, Petrus van, 1692-1761.
Elementa physicae conscripta in usus academicos ... quibus nunc primum in gratiam studiosae juventutis accedunt ab alienis manibus ubique auctaria & notae, disputatio physico historica de rerum corporearum origine, ac demum de rebus coelestibus tractatus. Neapoli, Typis P. Palumbo, 1745.
2 v. 31 fold. plates. 20 cm.

NM 0913739 OkU MiU

---

x530 M97e 1751
Musschenbroek, Petrus van, 1672-1761.
Elementa physicae conscripta in usus academicos. Quibus nunc primum in gratia studiosae juventutis accedunt ab alienis manibus ubique auctaria & notae, disputatio physico-historica de rerum corporearum origine, ac demum De rebus coelestibus tractatus. Editio altera Neapolitana. Neapoli, Ex typographia B. Gessari, 1751.
2v. illus. 20cm.

Another ed. of author's Epitome elementorum physico-mathematicorum conscripta in usus academicos. Lugduni Batavorum, 1726. Cf. Brit. Mus. Cat., v.167 (1963) column 637.

NM 0913741 IU NNE ICU

QC 19 .M978
MUSSCHENBROEK,PETRUS VAN,1692-1761
Elementa physicae; conscripta in usus academicos. Ed. altera Veneta. Venetiis, Apud Joannem Baptistam Recurti, 1752.
2 v. illus.

1. Physics--Early works to 1800. I. Title.
Math. cds.

NM 0913742 InU

Musschenbroek, Pieter van, 1692-1761
Elementa physicae conscripta in usus academicos a Petro van Musschenbroek. Editio altera ad instar novissimae neapolitanae. Tomus secundus. Venetiis, apud Josephum Bertella, 1752.
287, 167p. folded tabs. 20x14 cm.

NM 0913743 MiDSH

Musschenbroek, Petrus van, 1692-1761.
Elementa physicae conscripta in usus academicos ... quibus nunc primum in gratia studiosae juventutis accedunt ab alienis manibus ubique auctaria & notae, disputatio physico-historica de rerum corporearum origine, ac demum de rebus coelestibus tractatus. Ed. 3, Neapolitana, prioribus emendatior, & correctior ... Neapoli, Ex typographia Johannis-Francisci Paci, Expensis Gregorii, & Michaelis Stasi, 1771.
2 v. 33 fold. p[late]s. 22 cm.

NM 0913744 OkU

Musschenbroek, Petrus van, 1692-1761.
Elementa physicae, conscripta in usus academicos, a Petro van Musschenbroek ... Dissertatio physico-historica de rerum corporearum origine, ac demum de rebus caelestibus tractatus; opera et studio V. CL. Antonii Genuensis. Editio quarta Veneta, anteactis omnibus auctior, atque emendatior ... Bassani, sed prostant Venetiis, Apud Remondini, 1774.
2 v. fold. diagrs. 19 cm.

I. Genovesi, Antonio, 1712-1769.

NM 0913745 OkU

QC19 M96 1744 William Table
Musschenbroek, Petrus van, 1692-1761
The elements of natural philosophy ... By Peter van Musschenbroek ... Translated from the Latin by John Colson ... London, printed for J. Nourse, 1744.
2 v. 26 fold. pl., table 20cm.

1. Physics--Early works to 1800.
I. Colson, John, 1680-1760, tr.

NNE PPL PBa ViW NjP CLU-C MH
NM 0913746 RPB IU PU InU PPAmP OkU NNC ICU NWM

QC19 M78
Musschenbroek, Petrus van, 1692-1761.
Epitome elementorum physico-mathematicorum, conscripta in usus academicos. Lugduni Batavorum, Apud S. Lugtmans, 1726.
374 p.

Duplicate pages bound in.

1. Physics - To 1800.

NM 0913747 CU WU MH

Musschenbroek, Petrus van, 1692–1761.
Essai de physique, par mr. Pierre van Musschenbroek ... avec une description de nouvelles sortes de machines pneumatiques, et un recueil d'expériences, par mr. J. V. M. Traduit du hollandois, par mr. Pierre Massuet ... A Leyden, Chez S. Luchtmans, 1739.
2 v. fold. plates, fold. map, fold. diagrs. 25cm.
Paged continuously.
Numerous errors in paging.
"Liste de diverses machines, de physique, de mathematique, d'anatomie, et de chirurgie, qui se trouvent chez Jean van Musschenbroek, a Leyden" (8 p. at end of vol. II) includes prices.
1. Physics—Early works to 1800. 2. Air-pump. 3. Physical instruments—Catalogs. I. Musschenbroek, Jan van, 1687-1748. II. Massuet, Pierre, 1698–1776, tr. III. Title.
42-34837
Library of Congress QC19.M945 1739

IaU PBa MiU NNE CtY MH NN MB ICJ DNLM
NM 0913748 DLC CU InU CoU PLatS ICU NNC IU NIC

Musschenbroek, Petrus van, 1692–1761.
Essai de physique, par mr. Pierre van Musschenbroek ... avec une description de nouvelles sortes de machines pneumatiques, et un recueil d'expériences, par mr. J. V. M. Traduit du hollandois, par mr. Pierre Massuet ... A Leyden, Chez S. Luchtmans, 1751.
2 v. front. (port.) fold. plates, fold. map, fold. diagrs. 25½cm.
Paged continuously.
"Liste de diverses machines, de physique, de mathematique, d'anatomie et de chirurgie, qui se trouvent chez Jean van Musschenbroek, a Leyden" (8 p. at end of vol. II) includes prices.
1. Physics—Early works to 1800. 2. Air-pump. 3. Physical instruments—Catalogs. I. Musschenbroek, Jan van, 1687–1748. II. Massuet, Pierre, 1698–1776, tr. III. Title.
38-33791
Library of Congress QC19.M945 1751

NM 0913749 DLC OU PPiD NNE MH MdBP PU NcD ViU

MFL. 8263
Musschenbroek, Petrus van, 1692-1761.
Essai de physique... Avec une description de nouvelles sortes d. machines pneumatiques, et un recueil d'expériences, par mr. J.V.M. Traduit du Hollandois par Mr. Pierre Massuet... Leyden, chez S. Luchtmans, 1751.
Microfilm copy, made in 1969, of the original in the Library at Les Fontaines, Chantilly, France. Positive.
Negative film in Pius XII Memorial Library, St. Louis University. [Manuscripta, microfilm of rare and out-of-print books. List 79, no.107, Roll 24.1]
Collation of original: ?-

NM 0913750 WMM

QC19 M9
Musschenbroek, Petrus van, 1692-1761.
Grundlehren der Naturwissenschaft, nach der zweyten lateinischen Ausgabe, nebst einigen neuen Zusätzen des Verfassers, ins Deutsche übersetzt. Mit einer Vorrede ans Licht gestellt von Johann Christoph Gottscheden. Leipzig, Gottfried Kiesewetter, 1747.
802 p., 26 pl. 21cm.

Translation of Elementa physicae, 1734.

1. Physics - Early works to 1800. I. Gottsched, Johann Christoph, 1700-

NM 0913751 OrCS

---

*NC7 M9757 En747g
Musschenbroek, Petrus van, 1692-1761.
Hrn. Peters von Muschenbroek ... Grundlehren der Naturwissenschaft, nach der zweyten lateinischen Ausgabe, nebst einigen neuen Zusätzen des Verfassers, ins Deutsche übersetzt. Mit einer Vorrede ans Licht gestellt von Johann Christoph Gottscheden ...
Leipzig,1747.verlegts Gottfried Kiesewetter, Buchh.in Stockholm.
8°. 19p.ℓ.,[3]-802(i.e.784),[28]p. 25 fold. plates,fold.map. 20.5cm.

Translation of his Elementa physicae.
Numbers 503-520 omitted in paging.

NM 0913753 MH

4QH 310
Musschenbroek, Petrus van, 1692-1761.
Grundlehren der Naturwissenschaft. Nach der 2. lateinischen Ausg., nebst einigen neuen Zusätzen des Verfassers ins Deutsche übers. Mit einer Vorrede ans Licht gestellt von Johann Christoph Gottscheden. Stockholm, G. Kiesewetter, 1747.
802 p.

NM 0913754 DLC-P4 OkU

---

*NC7 M9757 Er747k
Musschenbroek, Petrus van, 1692-1761.
Inledning til naturkunnigheten, den academiska ungdomen til tienst, sammanskrefwen af hr. Peter van Musschenbroek ... och nu på swenska öfwersatt, samt med autores egna tilsatser förökt. Jemte bifogade anmärkningar, af herr S. Klingenstierna ...
Stockholm och Upsala,Hos Gottfried Kiesewetter Trykt hos Lor.Ludw.Grefing.1747.
8°. 6p.ℓ.,610,[18],8p. 25 fold.plates,fold. map. 21cm.

Translation of his Elementa physicae.
"Förteckning på allahanda böcker, hwilka med egen bekostnad äro uplagde af bokhandlaren, Gottfried Kiesewetter ...": 8p. at end.

NM 0913756 TxU MH

---

160 M9891
Musschenbroek, Petrus van, 1692-1761.
Institutiones logicae, praecipue comprehendentes artem argumentandi. Conscriptae in usum studiosae juventutis. Neapoli, Expensis Ignatii Gessari, 1758.
239p. 21cm.

1.Logic. I.Title. LC.

NM 0913757 CLSU PU

VOLUME 403

Musschenbroek, Petrus van, 1692–1761.
Institutiones logicæ, præcipue comprehendentes artem argumentandi, conscriptæ in usum studiosæ juventutis a Petro van Musschembroek. Editio novissima a mendis expurgata. Venetiis, ex typographia Remondiniana, MDCCLXIII.
171 p. 18½cm.

1. Logic. I. Title.
40-21520
Library of Congress BC60.M8

NM 0913758 DLC ICU

Musschenbroek, Petrus van, 1692-1761.
Institutiones physicae conscriptae in usus academicos a Petro van Musschenbroek. Lugduni Batavorum, apud Samuelem Luchtmans et filium, 1748.
4 p. l., 743, [1] p. fold. diagrs., map, plate, tables 20½cm.

Title-page in red and black.
Title-vignette.
1. Physics.

NM 0913759 NNC OkU MH MiU NNE PBa

Musschenbroek, Petrus van, 1692–1761.
Introductio ad philosophiam naturalem auctore Petro van Musschenbroek ... Lugduni Batavorum, apud S. et J. Luchtmans, MDCCLXII.
2 v. illus. (coat of arms) LXIII (*i. e.* 64) fold. pl. (incl. diagrs.) fold. map, fold. tab. 26½cm.
Binder's title: Musschenbro [ek] Physica.
Paged continuously.
Initials and tail-pieces.
Edited by Johannes Lulofs. *cf.* Pref.
Bibliographical foot-notes.

1. Physics—Early works to 1800. I. Lulofs, Johannes, 1711–1768. II. Title.
41-34281
Library of Congress QC19.M965 1762

PPAmP NN CU
NM 0913760 DLC NjP PU DNLM MH KU-M WU CtY ICJ

530
M989i
1768
Musschenbroek, Petrus van, 1692-1761.
Introductio ad philosophiam naturalem. Editio prima italica, pluribus adnotationibus emendata aucta atque illustrata. Patavii, J.Manfrè, 1768.
2v. 64fold.illus.(incl.map) 24cm.

Edited by Johannes Lulofs. cf.Pref.

1.Physics - Early works to 1800. I. Lulofs, Johannes, 1711-1768. ed. [illegible]

NM 0913761 CLSU CU NNE MH

Musschenbroek, Petrus van, 1692-1761.
Natural philosophy. London, 1744.

NM 0913762 PU

Musschenbroeck, Petrus van, 1692-1761, ed.
Dat Oistfriesche landtrecht. 1810
see under East Friesland. Laws, statutes, etc. [supplement]

Musschenbroek, Petrus van.
Oratio de certa methodo philosophiae experimentalis. Trajecti ad Rhenum, apud Guilielmum vande Water, 1723.

53p.

Bound with other papers.

NM 0913764 NNE

Musschenbroek, Petrus van, 1692-1761.
Petri van Musschenbroek, Oratio de sapientia divina. Habita A.D. VIII. Februarii MDCCXLIV ... Lugduni Batavorum, Apud Samuelem Luchtmans, 1744.
33 p. 27 cm.

Bound with the author's Physicae experimentales. Lugduni Batavorum, 1729.

NM 0913765 OkU CLSU

---

*NC7
M9757
729pb
Musschenbroek, Petrus van, 1692-1761.
Petri van Musschenbroek Oratio de sapientia divina. Habita a.D. viii. februarii MDCCXLIV .. Viennae,Pragae et Tergesti,typis et sumtibus Joan.Thomae Trattner,caes.regiaeque aulae typogr.et bibliopolae.[1756?]
4°. 33p. 26.5cm.,in case 28cm.
Inserted following prelim. leaf 4 of his Physicae experimentales, 1756.

NM 0913766 MH

Musschenbroek, Petrus van, 1692–1761.
Petri van Musschenbroek ... Physicæ experimentales, et geometricæ, de magnete, tuborum capillarium vitreorumque speculorum attractione, magnitudine terræ, cohærentia corporum firmorum dissertationes: ut et Ephemerides meteorologicæ ultrajectinæ. Lugduni Batavorum, apud Samuelem Luchtmans, 1729.
5 p. l., 685 p. XXVIII fold. pl. (incl. map) fold. tab., fold. diagr. 25½ x 20cm.
Title vignette: S. Luchtmans' device.
1. Physics—Early works to 1800. 2. Magnetism—Early works to 1800. 3. Capillarity. 4. Statics.
44-22516
Library of Congress QC19.M975

NNE MB NN DAS
NM 0913767 DLC OkU CtY-M NNC OCU NjP PBa CtY MH

530
M989p
Musschenbroek, Petrus van, 1692-1761.
Physicae experimentales et geometricae; de magnete, tuborum capillarium vitreorumque speculorum attractione, magnitudine terrae, cohaerentia corporum firmorum dissertationes: ut et ephemerides meteorologicae ultrajectinae. Viennae, Typis et Sumtibus J.T. Trattner, 1756.
264,33p. fold.illus.,fold.map. 25cm.

Contains also his Oratio de sapientia divina: 33p. at end.

NM 0913768 CLSU InU MH ICJ NN OCU CU

Musschenbroek, Petrus van
... Sistens diplomata quaedam trajectina nondum edita, annotationibus illustrata ... offert Petrus van Musschenbroek ... Trajecti ad Rhenum, A. à Paddenburg, 1788.
3 p.l., ii, [3]-37, [3] p. engr. 26½cm.

Diss.- Utrecht.

NM 0913769 MH-L

Musschenbroek, Petrus van.
Tentamina experimentorum naturalium captorum in Academia del cimento, et ab ejus Academiae secretario conscriptorum ex italico in latinum sermonem conversa; quibus commentarios, nova experimenta, et orationem de methodo instituendi experimenta physica addidit Petrus van Musschenbroek. Lugduni Batavorum, Apud Joan.et Herm.Verbeek, 1731.

2v.in 1. 32 plates, tables.
YA1095

NM 0913770 NNE NN WU DSI PPC PBa NcU DLC

Musschenbroek, Petrus van, 1692-1761.
Tentamina experimentorum naturalium captorum in academia del Cimento sub auspiciis serenissimi principis Leopoldi magni etruriae ducis et ab ejus academiae secretario conscriptorum... Viennae, Pragae, etc., Joannis Thomae Trattner, 1756.

v. p.

NM 0913771 PBa WU CLSU

MUSSCHENBROEK, Pierre van.
See MUSSCHENBROEK, Petrus van, 1692-1761.

Musschenbroek, Samuel Cornelius Jan William, 1827-1883.
Dissertatio juridica inauguralis de quaestione, num in venditione rerum immobilium, majoribus et minoribus aetatis competentium, auctoritate judicis opus sit. Lugduni-Batavorum, n.d.
(8)+31 p.
Inaug.-diss. - Leiden, 1852.

NM 0913773 MH-L

Musschenbroek, Samuel Cornelis Jan Willem van. Getahpertja van Celebes-oostkust. [Haarlem. 1877.] 8°. pp. 11.
"Overgedrukt uit het *Tijdschrift ter bevordering van nijverheid,* dl. xviii, stuk 9."

NM 0913774 MH-A

Wason
NK9503
M98
Musschenbroek, Samuel Cornelis Jan Willem van, 1827-1883.
Iets over de Inlandsche wijze van katoenverven (roodverven, bruinverven, blauwverven, enz.) op Midden-Java, en over de daarbij gebruikte grondstoffen. Naar Javaansche bronnen bewerkt, en met aanteekeningen voorzien. Leiden, E.J. Brill, 1877.
70 p. 23cm.

1. Batik. I. Title.

NM 0913775 NIC MiU

Musschenbroek, Samuel Cornelis Jan Willem van, 1827–1883.
Het vaarwater van de schipbreukelingen van het stoomschip "Koning der Nederlanden", en de kansen op hun behoud, door Mr. S. C. J. W. van Musschenbroek (met twee kaarten.) Uitgegeven van wege het Aardrijkskundig genootschap. Amsterdam, C. L. Brinkman; [etc., etc.] 1881.
28 p. 2 fold. maps. 22½cm.

1. Koning der Nederlanden (Steamship) 2. Indian Ocean. 3. Chagos Islands. 4. Maldive Islands.
29-30136
Library of Congress DU21.M8

NM 0913776 DLC

MUSSCHEMBROEK, W G VAN.
Description of two as yet unknown cane diseases in western Java, 1892; Beschrijving van twee tot disverre in west-Java. Translated from: Soerabaiasche vereeniging suikerfabrikanten. Circulaire no. 42, 1892. 42: 7 l.
Translated by H. A. Kuyper, 1926.
(45) I. Title.

TRANSL 19373

NM 0913777 DNAL

MUSSCHOOT, A.D.
Kunst voor het volk; volksschouwburgen, volksconcerten, door A.D. Musschoot en J. De Wilde. Antwerpen, De Vos & van der Groen, 1899.

Pamphlet.

NM 0913778 MH

Mussè, Claude Louis Michel Milscent de
see Milscent de Mussè, Claude Louis Michel.

VOLUME 403

[Musseau, J C L]
Manuel des amateurs d'estampes,] contenant ... Notice sur la gravure, et conseils aux amateurs pour former une bonne collection d'estampes ... Notice sur les principaux graveurs et amateurs morts et vivans ... Notice sur les différentes manières de graver, usitées jusqu'à ce jour ... Catalogue abrégé des meilleures pièces des bons graveurs, avec leurs prix dans les ventes publiques ... Procédés pour nettoyer les estampes. Par J. C. L. M. Paris, J. L. F. Foucault, 1821.
3 p. l., [3]-242 p., 1 l. 16½cm.
1. Engravers. 2. Engravings—Catalogs. I. Title.
19-18891
Library of Congress NE880.M8

NM 0913780 DLC PP CtY

Mussehl, Frank Edward, 1891-.
Crate-feeding poultry for market. Madison, 1917.
8 p.

NM 0913781 PP

Mussehl, Frank Edward, 1891-.
Graded eggs bring better prices. Lincoln, 1922.
12 p.

NM 0913782 PP

Mussehl, Frank Edward, 1891-.
How to select good layers. Lincoln, 1921.
8 p.

NM 0913783 PP

Mussehl, Frank Edward, 1891–
Influence of the specific gravity of hens' eggs on fertility, hatching power, and growth of chicks. By F. E. Mussehl ... and D. L. Halbersleben ...
(In U. S. Dept. of agriculture. Journal of agricultural research. vol. XXIII, no. 9, p. 717-720. 25cm. Washington, 1923)
Contribution from the Nebraska agricultural experiment station (Nebr.—5)
1. Eggs—[Specific gravity] I. Halbersleben, David L., 1902- joint author.
Agr 23-514
Library, U. S. Dept. of Agriculture 1Ag84J vol. 23

NM 0913784 DNAL OU OCl OO

[Mussehl, Frank Edward] 1891–
... Mash formulas for chicks and poults. The University of Nebraska Agricultural college Extension service and United States Department of agriculture cooperating ... [Lincoln? 1934] 2 l. illus. 22cm.
At head of title: Extension circular 1473. April, 1934.
"By F. E. Mussehl."
1. Poultry—Feeding. I. Nebraska. University. Agriculture college. Extension service. II. United States. Agriculture department.
N. Y. P. L. July 5, 1939

NM 0913785 NN

Mussehl, Frank Edward, 1891–
Nutrient requirements of growing chicks: nutritive deficiencies of corn. By F. E. Mussehl ... J. W. Calvin ... with the cooperation of D. L. Halbersleben and R. M. Sandstedt.
(In U. S. Dept. of agriculture. Journal of agricultural research. vol. XXII, no. 3, p. 139-149. diagrs. 26cm. Washington, 1921)
Contribution from Nebraska agricultural experiment station (Nebr.—4)
Bibliographical foot-notes.
1. Maize [as a feeding stuff] 2. Poultry—[Feeding] I. Calvin, John Willard, 1887- joint author. II. Halbersleben, David L., 1902- joint author. III. Sandstedt, R. M., joint author.
Agr 21-1158
Library, U. S. Dept. of Agriculture 1Ag84J vol. 22

NM 0913786 DNAL OU OO OCl

Mussehl, Frank Edward, 1891- joint author.
Ackerson, Clifton Walter.
Sex differences in the normal growth rate of chicks. By C. W. Ackerson ... and F. E. Mussehl ...
(In U. S. Dept. of agriculture. Journal of agricultural research. v. 40, no. 9, May 1, 1930., p. 863-866. 23½cm. Washington, 1930)

Mussehl, Frank Edward, 1891–
Utilization of calcium by the growing chick. By F. E. Mussehl and R. S. Hill ... and M. J. Blish and C. W. Ackerson ...
(In U. S. Dept. of agriculture. Journal of agricultural research. v. 40, no. 2, Jan. 15, 1930, p. 191-199. diagrs. 23½cm. Washington, 1930)
Contribution from Nebraska agricultural experiment station (Nebr.—10)
Published February 3, 1930.
"Literature cited": p. 198-199.
1. Calcium in the body. [1. Calcium in animal nutrition] 2. Poultry—Anatomy [and physiology] I. Ackerson, Clifton Walter, 1896- joint author. II. Blish, Morris Joslin, 1889- joint author. III. Hill, R. S., joint author.
Agr 30-368
U. S. Dept. of agr. Library for Library of Congress 1Ag84J vol. 40, no. 2 [S21.A75 vol. 40, no. 2] [a39d1] (630.72)

NM 0913788 DNAL OU OCl DLC

Mussehl, Frank Edward, 1891-.
Utilization of proteins by the growing chick, by F. E. Mussehl & C. W. Ackerson. Lincoln, 1931.
19 p.

NM 0913789 PP

PA 6484 M98
Mussehl, Joachim, 1888-
De Lucretiani libri primi condicione ac retractatione. Tempelhofi ad Berolinum, 1912.
182 p. 24cm.
Inaug.-Diss.--Greifswald.
1. Lucretius Carus, Titus--Criticism and interpretation.

NM 0913790 NIC NjP OCU CU DLC ICRL MiU IU MH NN PU CtY CLSU

Mussehl, W.
Verzeichniss und erklärung amerikanischer historischer, geographischer und politischer bei-, spitz- und spott-namen. (Surnames and nicknames.) Bearbeitet von W. Mussehl ... Hoboken, N. J., H. D. Gerdts, 1869
iv, [5]-128 p. 13½cm.
1. English language—Terms and phrases. 2. Names—Dictionaries. 3. Nicknames. I. Title.
22-25280
Library of Congress PE1689.M8

NM 0913791 DLC PPG OO MiU MB

Mussel, Ebenezer.
A catalogue of the curious and valuable library of Ebenezer Mussel, esq; of Bethnal Green, lately deceas'd. [Sold at auction by Langford & son, 30 May & 2 following days, 1766.] [London, 1766]
15p.
Partly priced, with buyers' names.

NM 0914001 MH DFo

Mussel, Walter.
Grosshandwerk und kaufmannsrecht; eine rechtstatsächliche und rechtspolitische untersuchung, von dr. jur. Walter Mussel. Stuttgart, C. E. Poeschel, 1936.
vii, 36 p. 23½cm. (Added t.-p.: Beiträge zur wirtschaftslehre des handwerks ... Hft. 16)
"Literaturverzeichnis": p. 34-36.
1. Artisans—Germany. 2. Industrial laws and legislation—Germany. 3. Corporation law—Germany. 4. Trade-unions—Germany. I. Title.
38-36120

NM 0914002 DLC

... Mussel streams of eastern Oklahoma
see under [Isely, Frederick B 1873-]

Musselburgh, Scotland. Loretto School
see Loretto School, Musselburgh, Scotland.

Musselburgensis, pseud.
A letter to Baillie Smart, of Musselburgh
see under title [supplement]

Musseleck, Georg.
Die regenbogenforelle, *Salmo irideus*. Einführung aus Amerika, aufzucht, verbreitung und bewährung in Deutschland und den nachbarländern. Nach quellenmaterial zusammengestellt und mit erläuterungen versehen, von Georg Musseleck. Köln, Fischschutz-verein, 1902.
2 p. l., 116 p. 22½cm.
Illustrated t.-p.
1. Trout. 2. Fishes—Germany.
A 18-1590
Title from Harvard Univ. Printed by L. C.

NM 0914006 MH MiU CaBVaU

Mussolius, B., joint author.
VG90 .K48
Khanov, A
Организация и боевое применение морской авиации. Москва, Гос. изд-во. Отдел воен. лит-ры, 1929.

Mussell, Jacob.
Taking the lid off, by Jacob Mussell. Caldwell, Id., Priv. print., 1945.
4 p. l., [11]-235 p. 20cm.
1. Theology, Doctrinal—Addresses, essays, lectures. 2. Sects. I. Title.
45-6964
Library of Congress BT15.M8
[5] 230

NM 0914008 DLC IdU

Mussells, Arthur William.
The beautiful isles of Maine, composed and illustrated by Arthur W. Mussells..
[Boston]c1924.
PS3525 .U94B4

NM 0914009 DLC

Musselman, Amos Sentman, 1892–
Osmotic pressure measurements of glucose solutions at 30°, 40°, 50° and 60° ... By Amos Sentman Musselman ... [Gettysburg] Gettysburg compiler print, 1915.
60 p. 23cm.
Thesis (PH. D.)—Johns Hopkins university, 1915.
Biography.
1. Osmosis. 2. Glucose.
15-14963
Library of Congress QD543.M86
Johns Hopkins Univ. Libr.

NM 0914010 MdBJ NIC NN MH PU MiU ICJ DLC

VOLUME 403

Musselman, D[e] L[afayette] 1842-1910.
Business letter writer: a manual of commercial correspondence and punctuation. Containing also practical hints on typewriting and proof-reading ... Rev. ed. Quincy, Ill., D. L. Musselman pub. co., 1901.
112 p. 20cm.
1-23315*—M 2 Oct. 31 Cancel

NM 0914011 DLC

Musselman, De Lafayette, 1842-1910.
Business letter writer; a manual of commercial correspodence andpunctuation Containing also practical hints on typewriting andproof-reading...rev. ed. Quincey, Ill., D. L. Musselman pub. co., 1903.
112 p.

NM 0914012 OFH

[**Musselman, De Lafayette**] 1842-1910.
A business speller; containing a comprehensive and important list of current words, with their pronunciations and definitions ... Quincy, Ill., D. L. Musselman, 1900.
124 p. 15½cm.
By D. L. Musselman and John E. Gill.
1. Spellers. I. Gill, John E., joint author. II. Title.
0-6025 Revised
Library of Congress PE1145.M92

NM 0914013 DLC

Musselman, De Lafayette, 1842-1910, joint author.
McKenna, Llewellyn B.
An improved method of computing interest. By L. B. McKenna, M. A., and D. L. Musselman, M. A. ... [Quincy, Ill., 1890]

Z43 .M98
Musselman, De Lafayette, 1842-1910.
Instructions. Musselman's elegant copy slips... accompanied with pamphlet of instructions, by D.L. Musselman...
[Quincy, Ill., 1877]

NM 0914015 DLC

Musselman, De Lafayette, 1842-1910.
A manual of business letter-writing ... by D. L. Musselman ... Quincy, Ill., Cadogan & Hatcher, printers, 1886.
56 p. 22cm.
1. Commercial correspondence.
1-5532
Library of Congress HF5721.M92

NM 0914016 DLC

Musselman, De Lafayette, 1842-1910.
A manual of business letter-writing ... By D. L. Musselman ... Rev. ed. [Quincy, Ill., Cadogan & Hatcher, printers, 1891]
99 p. 20cm.
1. Commercial correspondence.
1-5533
Library of Congress HF5721.M93

NM 0914017 DLC

Musselman, De Lafayette, 1842-1910.
Musselman's bookkeeping for business colleges, schools, and private instructions. Quincy, Ill., D. L. Musselman [c1909]
73 p. incl. forms. 27cm. $2.00
1. Bookkeeping.
Library of Congress HF5635.M986 9-29837

NM 0914018 DLC

Musselman, De Lafayette, 1842-1910.
Musselman's bookkeeping. College ed. For business colleges, high schools and academies. Quincy, Ill., D. L. Musselman [c1911]
111 p. incl. forms. 27cm. $1.00
1. Bookkeeping.
11-10770
Library of Congress HF5635.M987

NM 0914019 DLC

Musselman, De Lafayette, 1842-1910.
Musselman's complete bookkeeping, a treatise on modern methods of accounting and office practice. Quincy, Ill., D. L. Musselman [c1911]
143 p. illus. 27cm. $1.50
1. Bookkeeping.
Library of Congress HF5635.M9873 11-20295

NM 0914020 DLC ICJ

Musselman, De Lafayette, 1842-1910.
Musselman's letter writer; a manual of commercial correspondence for use in business colleges, normal schools, academies, and high schools. By D. L. Musselman ... Rev. ed. [Quincy? Ill.] 1900.
96 p. 20cm.
1. Commercial correspondence.
Nov. 22, 1900-131
Library of Congress HF5721.M94

NM 0914021 DLC

Musselman, De Lafayette, 1842-1910.
Musselman's new commercial arithmetic; a treatise on the science of numbers and their application to practical commercial computations. Designed as a text book ... By D. L. Musselman ... and Wilton E. White ... Quincy, Ill., Cadogan-Hatcher manufacturing company, 1899.
1 p. l., [xi]-xvi, [17]-479, xvii p. tables, diagrs. 21½cm.
1. Arithmetic, Commercial. I. White, Wilton E., joint author.
99-5112 Revised
Library of Congress QA103.M99

NM 0914022 DLC ICJ

Musselman, D[e] L[afayette] 1842-1910.
Musselman's practical book-keeping. A thorough and comprehensive treatise of the science of accounts ... By D. L. Musselman ... Quincy [Ill.] D. Wilcox & sons, 1879.
203 p. incl. forms. 25½cm.
1. Bookkeeping.
Library of Congress HF5635.M988 7-4644†

NM 0914023 DLC MB

Musselman, D[e] L[afayette] 1842-1910.
Musselman's practical book-keeping. A thorough and comprehensive treatise on the science of accounts... By D. L. Musselman... High school ed. Quincy [Ill.] [D. Wilcox & sons] °1879.
94 p. incl. forms.

NM 0914024 MiD

Musselman, De Lafayette, 1842-1910.
Musselman's practical book-keeping. A thorough and comprehensive treatise of the science of accounts ... By D. L. Musselman ... Rev. ed. [Quincy, Ill., Cadogan & Hatcher, printers] 1891.
218 p. incl. forms. 25½cm.
1. Bookkeeping.
7-4643
Library of Congress HF5635.M989

NM 0914025 DLC

Musselman, De Lafayette, 1842-1910.
Musselman's Practical book-keeping ... Revised edition. Quincy, Ill., Wilcox, 1893.
225 p. 25 cm., in 4 s.

NM 0914026 MB

Musselman, De Lafayette, 1842-1910. L657.02 Q910
Musselman's Practical bookkeeping. A treatise on the science of accounts. Designed for the use of business colleges, schools, academies, private learners, accountants and business men generally. By D. L. Musselman, ... Revised edition. Quincy, Illinois, D. L. Musselman, 1909.
242 p. 25½cm.

NM 0914027 ICJ

Musselman, De Lafayette, joint author.
FOR OTHER EDITIONS SEE MAIN ENTRY
McKenna, Llewellyn B.
... A practical business arithmetic; designed for use in business colleges ... by L. B. McKenna, M. A., and D. L. Musselman, M. A. Quincy, Ill. [Cadogan & Hatcher, printers] 1890.

Musselman, De Lafayette, 1842-1910.
The principles of commercial law... Quincy, Ill., Irwin print. co., c1893.
414 p.

NM 0914029 PP

Musselamn, De Lafayette, 1842-1910, joint author.
Howe, G[ranville] L.
A systematic exposition of the science of accounts embracing a thorough and comprehensive treatise of all branches of book-keeping in the different departments of manufacture, agriculture, navigation, trade and commerce ... in single and double entry. Prepared ... for the ... Gem city business college, by G. L. Howe & D. L. Musselman ... Quincy, Ill., Herald printing company, 1873.

[Musselman, De Lafayette.] 1842-1910.
Typewriting. Quincy, Ill.: D. L. Musselman Pub. Co., cop. 1910. 39 l. ob. 12°.
Leaves printed on one side only.
Text runs parallel with binding.
O'KEEFE COLLECTION.
165225A. 1. Typewriting—Manuals. 2. Title.
N. Y. P. L. April 9, 1925

NM 0914031 NN

VOLUME 403

TD4 M975b Musselman, Edward C
Biblical worship of God in public schools is legal and needed; why and what and how. by E.C. Musselman. La Crosse, Wis., Printed by La Crosse Print. Co., c1949.
16 p. port. 21 cm.

Cover title.

1. Bible in the schools. 2. Worship. I. Title.

NM 0914032 CtY-D

[Musselman, Edward C]
Christian love. Boston, The Stratford company [c1928]
35 p. 25cm. (On cover: The Stratford booklets)
Cover-title: A thesis on Christian love, Rev. E. C. Musselman.

I. Title.

Library of Congress BV4639.M85 28-29983

NM 0914033 DLC

Musselman, Edward C
Jesus we see crowned... To President Rossevel chief commissary in democracy's present defense war, and to fellow citizens, with a simple analysis of such crowning of Jesus as we confessors see [etc.] Wysox, Pa. [1942?]

50 p. 22.5 cm.
Paper cover serves as title-page.
Additional text on paper covers.

NM 0914034 MH

Musselman, Edward C
Jesus we see crowned ... [by] Rev. E. C. Musselman ... Wysox, Pa. [1943?]
cover-title, 47 p. 23cm.
Page 47 is 3d page of cover.
"Jesus and God, Jesus for short; slogan call to victory prayer" (4 p.) inserted.

I. Title.

Library of Congress BR126.M8 43-13156
[2] 282

NM 0914035 DLC

Musselman, Edward C.
A villagge preacher's apology; preaching by what rightand what I may preach... copyright... by E.C. Musselman...
[Geneva, N.Y.] 1924.

BX9178 .M2V5

NM 0914036 DLC

WO 450 M989 Musselman, Florence Jane
The relation of drugs used for obstetrical analgesia to asphyxia of the newborn.
[1], 20 [4] l., 28 cm.

Xerox copy of Thesis, University of Wisconsin, 1938.

1. Obstetric anesthesia. 2. Asphyxia.

NM 0914037 IParkA

Musselman, Henry E.
How to get your publicity releases published. Kalamazoo, Mich., Publicity Advertising (1954)
23 p. illus.

Cover title: The strange free publicity method.

NM 0914038 OCl

MUSSELMAN, HENRY E.
Mail-order dollars. Kalamazoo, Mich., Publicity publications [c1954] 262 p. illus. 28cm.

1. Mail order business. 2. Advertising--Mediums--Mail.

NM 0914039 NN CaBVa

Musselman, Henry E.
Success stories in mail-order, by H. E. Musselman, in collaboration with Joe Salak and John Moran. Kalamazoo, Mich., Publicity publications [c 1953] 167 p. illus. 28cm.

1. Mail order business. 2. Advertising—Mediums—Mail. I. Šalak, Joe. II. Moran, John.

NM 0914040 NN

Musselman, Henry E
Success stories in mail-order, by H.E.Musselman in collaboration with Joe Salak and John Moran. Kalamazoo, Publicity, [c1954] 167p.illus.

NM 0914041 CaBVa

Musselman, Henry Kobler, defendant.
Pennsylvania. *Court of oyer and terminer (Lancaster co.)*
... Opinion [delivered by Judge Champneys, September 30, 1839, upon all the reasons filed in arrest of judgment, and sentence of the court] [Lancaster? Pa., 1839]

Musselman, Henry Kobler, defendant.
The trial of Henry Kobler Musselman and Lewis Willman for the murder of the unfortunate Lazarus Zellerbach; containing the confession of Kobler ... the speech of the attorney general, and the charge of the judge to the jury. Reported by J. F. Reigart. Lancaster, Pa., Forney, 1839.
56, 15 p. 8°.
I. Willman, L.

NM 0914043 NN PP

Musselman, Hugh Thomas, 1874– *ed.*
The national teacher-training institute text-books

Edited by Rev. H. T. Musselman ... Philadelphia, New York [etc.] American Baptist publication society [c1907–
v. 17½ cm.
Introductory book has title: The Baptist teacher-training manual ... Philadelphia [etc.] The Griffith & Rowland press.

I. American Baptist publication society. National teacher-training institute.

BV1533.M8 7—36123

Contents. - Introductory book. The Baptist teacher-training manual. - book 1. The Sunday-school teacher's Bible. - book 2. The Sunday-school teacher's pupils. - book 3. The Sunday-school teacher's pedagogy. - book 4. The Sunday-school teacher's school. Pt. 1, by H.T. Musselman. Pt. 2, by H.E. Tralle. - book 5. Child study for Sunday-school teachers, by E.M. Stephenson and H.T. Musselman. - book 6. The early church by J.W. Conley.

NcD GEU CSaT TxFwSB KyLoS KKcBT OO PU
NM 0914045 DLC NRAB PPAmS PPC OCl PPLT NN DHEW NcD

Musselman, Hugh Thomas, 1874- , ed.

The Youth's world; a paper for boys. v. 1- Jan. 1907-
Philadelphia, American Baptist publication society, 1907-

Musselman, John Ethan.
The effect of various feldspars on the physical propertiesof a sanitary ware body ... by John E. Musselman ... 1929.
2 p.

NM 0914047 OU

MUSSELMAN, JOHN ROGERS, 1890-
THE SET OF EIGHT SELF-ASSOCIATED POINTS IN SPACE ... BALTIMORE, 1916.

NM 0914048 MdBJ

Musselman, John Rogers, 1890–
The set of eight self-associated points in space ... by John Rogers Musselman ... [Baltimore, 1918]
1 p. l., p. [69]–86, 1 l. 31cm.
Thesis (PH. D.)—Johns Hopkins university, 1916.
Vita.
"Reprinted from American journal of mathematics, vol. XL, no. 1, January, 1918."

1. Groups of points.

Library of Congress QA603.M9 18-7768
Johns Hopkins Univ. Libr.

NM 0914049 MdBJ DLC MiU NjP

Musselman, John William, 1912–
Factors associated with the achievement of high school pupils of superior intelligence, by John W. Musselman ... [n. p., 1942]
cover-title, 53–68 p. 25½cm.
Summary of thesis (PH. D.)—Johns Hopkins university, 1943.
"Reprinted from the September, 1942, issue of the Journal of experimental education."
Vita: p. [3] of cover.
Bibliography: p. 67–68.

1. Ability. 2. Precocity. 3. Education—Maryland—Baltimore. 4. Educational psychology. I. Title: Achievement of high school pupils of superior intelligence.

Johns Hopkins univ. Libr. for Library of Congress LC3983.B3M85 A 43–1271
[3]† 371.955

NM 0914050 MdBJ CtY DLC

Musselman, Luther Kyner, 1895–
Natural immunity in the newborn, by Luther K. Musselman ... [St. Louis, 1924]
32 p. diagrs. 25½cm.
"The material used in this paper is from a dissertation presented to the faculty of the Graduate school of Yale university in candidacy for the degree of doctor of philosophy."
Thesis note stamped on t.-p.
"Reprinted from the American journal of obstetrics and gynecology, St. Louis. vol. VIII, nos. 1 and 2, July and August, 1924."
Bibliography: p. 30–32.

1. Immunity. 2. Infants (New-born)

Library of Congress QR181.M85 1924 24-31018
Yale Univ. Libr. [2]

NM 0914051 CtY NIC CU DLC

Musselman, Morris McNeil, 1899–
Get a horse! The story of the automobile in America. [1st ed.] Philadelphia, Lippincott [1950]
304 p. illus., ports. 22 cm.

1. Automobiles—Hist. 2. Automobile industry and trade—U. S. I. Title.

TL23.M8 629.209 50—4556

WaS OrCS WaTC OrP
CU NcRS OCIW MsU OCl CaBVa CaBViP IdU Wa WaSp WaT
NM 0914052 DLC NcGU PP PPD Or FU NN TU MB MiHM

VOLUME 403

Musselman, Morris McNeil, 1899–
The honeymoon is over, a comedy in one act, by M. M. Musselman ... New York, N. Y., Los Angeles, Calif., S. French; ⌊etc., etc.⌋ °1941.
17 p. 19ᶜᵐ.

I. Title.
41-19838 Revised
Library of Congress PS3525.U943H6 1941
⌊r46c2⌋ 812.5

NM 0914053 DLC

Musselman, Morris McNeil, 1899–
I married a redhead, illus. by Paul Galdone. New York, T. Y. Crowell Co. ⌊1949⌋
244 p. illus. 21 cm.

I. Title.
PS3525.U943 I 2 818.5 49-11044*

WaT
NM 0914054 DLC PP OEac CaBVa IdB Or WaE WaS WaSp

Musselman, Morris McNeil, 1899- joint author
PN2287 .M58A3
Menjou, Adolph, 1890–
It took nine tailors, by Adolphe Menjou and M. M. Musselman. New York, Whittlesey House ⌊1948⌋

PS635 .Z9M985 Musselman, Morris McNeil, 1899-
Molly O'Brion-- detective.
Franklin, O., c1931.
1 pam. 12°

NM 0914056 DLC RPB

PS635 .Z9M987 Musselman, Morris McNeil, 1899-
...Read the book.
Syracuse, N.Y., c1931.
1 pam. 12°

NM 0914057 DLC RPB

Musselman, Morris McNeil, 1899–
Second honeymoon. New York, Crowell ⌊1952⌋
247 p. 21 cm.

1. Europe—Descr. & trav.—1945– I. Title.
D921.M87 914 52—1009 ‡

NN WaS WaT
NM 0914058 DLC OCl CaBVa CaBViP Or WaE WaSp TxU

Musselman, Morris McNeil, 1899–
Wheels in his head; father and his inventions, by M. M. Musselman, illustrated by Bill Pause. New York, London, Whittlesey house, McGraw-Hill book company, inc. ⌊1945⌋
2 p. l., 203 p. illus. 21ᶜᵐ.
"First printing."

I. Title.
45-35217
Library of Congress * PS3525.U943W5
⌊7⌋ 818.5

OCl OClW Or OrP OrU WaSp WaT WaS
NM 0914059 DLC NcRS CaBVa CaBViP PP PPD PSt IdB

Musselman, N H.
Mila Whendle. An "unpleasant play."
(*In* Poet lore. Boston, 1901. 25ᶜᵐ. vol. XIII, no. I, p. 22-53)
Signed: N. H. Musselman.

I. Title.
CD 17-423
Library of Congress (Card Division) PN2.P7 vol. 13

NM 0914060 DLC OCl ODW

Musselman, Ruth Ann, 1924–
Attitudes of American travelers in Germany, 1815–1890; a study in the development of some American ideas. Ann Arbor, University Microfilms, 1952.
(⌊University Microfilms, Ann Arbor, Mich.⌋ Publication no. 4321)
Microfilm copy of typescript. Positive.
Collation of the original: 312 l.
Thesis—Michigan State College.
"Bibliographical essay": leaves ⌊293⌋–312.
1. Travelers, American. 2. Germany—Civilization—Hist. 3. Germany—Relations (general) with U. S. 4. U. S.—Relations (general) with Germany. I. Title.
Microfilm AC–1 no. 4321 Mic 54–327

NM 0914061 DLC

Ga QL677.5 M8 Musselman, Thomas Edgar, 1887–
Bird banding at Thomasville, Ga., 1923.
⌊n.p., 1923⌋
442-452 p. illus. 24cm.

From 'The Auk,' vol. XL, no.3, July, 1923.
Cover title.

1. Bird-banding. 2. Birds - Georgia. I. Title.

NM 0914062 GU

598.2 M97b Musselman, Thomas Edgar, 1887–
The birds of Illinois. [Springfield, 1921]
75p. illus.

"Reprinted from the Journal of the Illinois state historical society. Volume XIV, numbers 1 and 2. April-July, 1921."

NM 0914063 IU

Musselman, Thomas Edgar, 1887- joint author.
Duncan, Paul Garfield, 1880–
Lessons in business English, by Paul G. Duncan, M. ACCT. and T. E. Musselman, A. M., M. ACCT. Quincy, Ill., D. L. Musselman ⌊°1914⌋

Musselman, Thomas Edgar, 1887- joint author.
Duncan, Paul Garfield, 1880–
Musselman's business English and letter writer, by Paul G. Duncan, M. ACCT. and T. E. Musselman, A. M., M. ACCT. Quincy, Ill., D. L. Musselman, °1915.

Musselman, Vernon A., joint author.
HF5351 .P737
Price, Ray G
General business for everyday living ⌊by⌋ Ray G. Price ⌊and⌋ Vernon Musselman. New York, Gregg Pub. Division, McGraw-Hill ⌊1954⌋

Musselman, Vernon A
Improving the high school program through unit teaching ⌊by⌋ Vernon A. Musselman and others. ⌊Lexington, University of Kentucky⌋ 1952.
80 p. illus. 22 cm. (Bulletin of the Bureau of School Service, College of Education, University of Kentucky, v. 24, no. 4)

1. Education, Secondary—Curricula.
LB1628.M88 373 52-62926 ‡

MtBC
NM 0914067 DLC MoU PSt PPD PP PSt OCU ViU OClW

⌊**Musselman, Virginia W.**⌋
Home play in wartime; stay at home recreation on a war bond budget. ⌊New York, National recreation association, incorporated, °1942⌋
19 p. illus. 21½ cm.
"Prepared for the National recreation association by Virginia Musselman."
Bibliography: p. 18-19.

1. Games. 2. Amusements. I. National recreation association. II. Title.
GV1201.M9 43-13378 rev

NM 0914068 DLC NIC

PN3151 .M94 Musselman, Virginia W.
Informal dramatics. New York, National Recreation Association [c1952]
32p. 22cm. (The playground series, no.2. Techniques for the leader)
"Prepared for the National Recreation Association by Virginia Musselman."
"Suggested reading": p.32.
1. Amateur theatricals. I. National Recreation Association. II. Title. III. Series: National Recreation Association/Playground series, no.2.

NM 0914069 PSt OrCS InU IEdS PU-PSW

793 M989m
Musselman, Virginia W., comp.
Mixers to music for parties and dances. Selections by Helen Dauncy, Anne Livingston, and Mildred Scanlon. New York, National Recreation Association [n.d.]
51p. 22cm.

1. Games with music. 2. Dancing. I. National Recreation Association. II. Title.

NM 0914070 FU FTaSU

Musselman, Virginia W.
S21 .A74 no. 20
Niederfrank, Evlon Joy, 1904–
Planning recreation for rural home and community ⌊by⌋ E. J. Niederfrank and Virginia Musselman. Washington, U. S. Govt. Print. Off., 1950.

GV14 .5 .M88 Musselman, Virginia W
The playground leader - his place in the program. New York, National Recreation Association [c1952]
32p. 22cm. (The playground series, no.1. Techniques for the leader)
"Prepared for the National Recreation Association by Virginia Musselman."
"Suggested reading": p.31.
1. Recreation leadership. 2. Playgrounds. I. National Recreation Association. II. Title. III. Series: National Recreation Association./Playground series, no.1

NM 0914072 PSt Wa IEdS PPPL PSt AU InU

VOLUME 403

PN 1972 M83 Musselman, Virginia W
Simple puppetry. New York, National Recreation Association [1952]
28 p. illus. 22 cm.
(The playground series, no. 4) (Techniques for the leader)
"Prepared for the National Recreation Association by Virginia Musselman."
Bibliography: p. 28.
1. Puppets and puppet-plays. I. National Recreation Association. II. Title. III. Series. IV. Series: Techniques for the leader.

NM 0914073 IEdS OrCS WaTC InU PSt

Musselman, Virginia W
Storytelling; why, where, when, how. New York, National Recreation Association [1952]
26 p. 22 cm. (The playground series, no. 3) (Techniques for the leader)
"Prepared for the National Recreation Association by Virginia Musselman."
Bibliography: p. 26.
1. Story-telling. 2. Playgrounds. I. National Recreation Association. II. Title. III. Series. IV. Series: Techniques for the leader.

NM 0914074 IEdS TU MiD

[Musselman, Virginia W
[Teen trouble; what recreation can do about it. [New York, 1943]
23, [1] p. illus. 21½ cm.
"Prepared for the National recreation association ... by Virginia Musselman."

1. Adolescence. 2. Recreation. 3. Juvenile delinquency. I. National recreation association. II. Title.

HQ35.M85 362.7 43-9313 rev 2

NM 0914075 DLC PSt

Musselman, W. B., comp.
The Ebenezer Hymnal; for the revival, holiness, prayer and camp meetings. Phila, Hood, c1887.
143 p.

NM 0914076 PPPrHi

BV460 .M8 Musselman, W. B. comp.
English and German gospel songs. Bethlehem, Pa? [1887].

NM 0914077 DLC

C 895 .608 MUSSELMAN, W B comp.
English gospel songs, or; The Ebenezer hymnal. To be used in revival, holiness and general prayer meetings... [Bethlehem, Pa.]c1887.
140p. 15cm.

Without music.
Approved by a committee of the Moravian church.—cf. Preface.

NM 0914078 ICN

Musselmann, S M.
Die neue choral Harmonie, enthaltend die vornehmsten Kirchen Melodien, eingerichtet zum Gebrauche aller christlichen Religionen von jeden Benennungen, und auf drei Stimmen gesetzt. Absonderlich eingerichtet zum öffentlichen Gottesdienste, als: Kirchen, Versammlungen und Singschulen. Komponirt und zusammengetragen von S. M. Musselmann... Harrisburg, Pa.: Hickok und Cantine, 1844. 160 p. 14½ x 23cm.
German words; music for 3 voices. Patent notes.

673875A. N. Y. P. L. 1. Hymns, German. I. Title. October 31, 1933

InGo NBuG
NM 0914079 NN ViHarEM PSt PPeSchw NBuG PNortHi

Mussely, Charles Liévin, 1812-1878, ed.
Courtrai, Belgium. Notre-Dame (Church)
Cartulaire de l'ancienne église collégiale de Notre Dame à Courtrai, pub. sous les auspices de l'administration communale de cette ville, par Charles Mussely ... et Émile Molitor ... Gand, Impr. et lithographie C. Annoot-Braeckman, 1880.

Mussely, Charles Liévin, 1812-1878, ed.
Inventaire des archives de la ville de Courtrai
see under Courtrai, Belgium.

Mussely, Charles Liévin, 1812-1878.
Notice historique sur l'église & la tour de Saint-Martin, à Courtrai, incendiées par la foudre, le 7 août 1862; par Ch. Mussely ... 2. éd. Courtrai, Veuve Mussely-Boudewyn, 1865.
36 p., 1 l. front., pl. 23cm.

1. Courtrai. St. Martin's church.

Library of Congress DH811.C8M9 1-F-3794

NM 0914082 DLC

Jan35 N3 876M Mussely, Charles Liévin, 1812-1878.
La Salle Échevinale de Courtrai; ... étude historique par Charles Mussely en collaboration avec Gustave Mussely. [Gand, Impr. C. Annoot-Braeckman, 1876]
180 p. mounted illus. 26 cm.

"Souvenir de l'inauguration solennelle de ce monument ... le 8 sept. 1875."

NM 0914083 CtY MH

949.3L49 M975 Mussely, Jules
... Geschiedenis van Ledeghem. Brugge, P. van Cappel-Missiaen, 1912.
2 p.l., xxxi, 384 p. plates, ports., fold. map, fold. diagr. 20½cm.

At head of title: Jules Mussely ... en Joris Buysschaert ...
Bibliography: p. xxiii-xxxi.

1. Ledeghem - History. I. Buysschaert, Joris, jt. au.

NM 0914084 NNC

FILM Mussem, Jan van.
Prognosticon d.Ioannis Mvssemij ... super anno ... millesimo quigentesimo quadragesimo quarto ex optimis uetustissimisq; astrologis collectum. Excvdebat Londini Ioannes Mayler ... 1544.
University microfilms no.2690 (case 75,carton 448)
Short-title catalogue no.18317.

1.Almanacs,Latin—England.

NM 0914085 MiU

MUSSEM, Jan van.
Rehtorica, dye edele const van welsegghene, ghenomen ut die oude vermaerdtste rehtorissienen ende orateuren,als Cicero,Quintilianus ende meer andere, etc., Overghestelt vot den Latijne in gemeender Vlaemscher spraken. [Colophon:-Antwerpe, ghepret by die weduwe vantt. Peetersen,1553.

NM 0914086 MH

Mussemius, John
see Mussem, Jan van.

Mussen, Ethel Foladare, 1921-
A study of the relationship between measures of speech reception and measures of proficiency in language. 1954.
125 l.
Thesis - Ohio State University.

NM 0914088 OU

Film 568 Mussen, Ethel Foladare, 1921-
A study of the relationship between measures of speech reception and measures of proficiency in language. Ann Arbor, University Microfilms [1954]
([University Microfilms] Publication no. 12,047)

Microfilm copy of typescript. Positive.
Collation of the original as determined from the film: vii, 125 l. illus.

Film 668

Thesis - Ohio State University.
Abstracted in Dissertation abstracts, v. 15 (1955) p. 1278.
Vita.
Bibliography: leaves 87-92.

1. Communication. 2. Language and languages. I. Title: Measures of speech reception and measures of proficienc in language.

NM 0914090 LU

Mussen, *Sir* Gerald, 1872-
Australia's tomorrow [by] Sir Gerald Mussen. Melbourne, Robertson & Mullens [1944]
4 p. l., 11-122 p. plates. 21½cm.
"First published November, 1944."

1. Australia—Soc. condit. 2. Australia—Economic policy. 3. Australia—Pol. & govt. I. Title.

Library of Congress DU104.M8 [3] 338.994 46-1443

NM 0914091 DLC CtY

Mussen, Gerald, 1872 -
... The humanizing of commerce and industry; the Joseph Fisher lecture in commerce, delivered in Adelaide, 9th May, 1919, by Gerald Mussen, esq. Adelaide, G. Hassell & son, 1919.
32 p. 24½cm.
At head of title: The University of Adelaide.

1. Australia—Soc. condit. 2. Commerce. 3. Industry. I. Title.

Library of Congress HD6971.M8 20-463

NM 0914092 DLC CU TxU DHEW DL CtY

Mussen, J.
De gele draak. Scheut-Brussel, Verkrijgbaar, Scheut Edities [1952]

112 p.

NM 0914093 DCU

VOLUME 403

Mussen, Joseph Missett, 1863–
The Church of St. Mark, A. D. 1792, Niagara-on-the-Lake, Ontario, Canada, by Joseph M. Mussen. Niagara-on-the-Lake, Canada [Printed for the author by the Niagara Advance] 1934.
40 p. incl. front. pl. 21½cm.

1. Niagara, Ont.—Churches, Church of England—St. Mark.
N. Y. P. L. July 14, 1938

NM 0914094 NN NBuG

Mussen, Lambertus Nicolaas Josephus van
Ijzer en staal in Cechoslovakije.
Inaug. diss. Louvaine, 1926.
Bibl.

NM 0914095 ICRL

MUSSENBROEK, Pierre van.
See MUSSCHENBROEK, Petrus van, 1692-1761.

Musser, A M joint author.
Fundamentals of horticulture
see under
Edmond, Joseph Bailey, 1896-

Musser, Amos Milton, 1830-1909, defendant.

Cannon, Angus Munn, *b.* 1834, *defendant.*
The Edmunds law. "Unlawful cohabitation," as defined by Chief Justice Chas. S. Zane, of the territory of Utah, in the trial of Angus M. Cannon, esq., in the third District court, Salt Lake City, April 27, 28, 29, 1885. Full report of the arguments as to the term "cohabitation" in the above law. Reported by John Irvine. Salt Lake City, Utah, Juvenile instructor office, 1885.

Musser, Amos Milton, 1830-1909.
The fruits of "Mormonism." By non-"Mormon" witnesses. Being ... extracts from letters, addresses, lectures, etc., by statesmen, senators, governors ... all non-"Mormons"—about Utah and the "Mormons" ... Compiled and written by Elder A. Milton Musser ... Salt Lake City, Deseret news steam printing establishment, 1878.
35 p. 24cm.

1. Mormons and Mormonism. 2. Utah.

Library of Congress F826.M98 1-Rc-280

NM 0914099 DLC N NjP WHi UU PHi CtY MWA ICN OO

Micro-fiche **Musser, Amos Milton, 1830-1909.**
The fruits of "Mormonism". By non "Mormon" witnesses. Being ... extracts from letters, addresses, lectures, etc., by statesmen, senators, governors ... all non "Mormons"--about Utah and the "Mormons". Salt Lake City, Deseret News Steam Printing Establishment, 1878.
2 sheets. 10.5 x 14.8 cm. ([19th century Amer. lit. & hist. Trans-Mississippi West: ser. C])
Microfiche (negative) of typescript.
Collation of the original: 35 p. 24 cm.
1. Mormons and Mormonism. 2. Utah--History. I. Title

NM 0914100 OOxM

Musser, Amos Milton, 1830-1909.
Malicious slanders refuted!!! A few plain facts plainly spoken, in regard to the pretended "crisis" in Utah!!! in Utah!!! By Elder A. M. Musser. [Manchester, Eng. ? Milennial Star Print., 1878?]
8 p. 22 cm.
Caption title.
"Reprinted from the American issue."
1. Mormons and Mormonism - Doctrinal and controversial works. I. T.

NM 0914101 NjP MH CtY

Musser, Amos Milton, 1830-1909.
Plain facts for patriotic voters. [n.p., 1906?]
[4] p. 23 cm.
Caption title

1. Utah - Politics and government. 2. Electioneering - Utah. 3. Smoot, Reed, 1862-1941.

NM 0914102 NjP

DKLA .47F198 M989 Musser, Amos Milton, 1830-1909.
"Race suicide," infanticide, prolicide, leprocide vs. children. Letters to Messrs. Joseph Smith and Wm. H. Kelley, aggressively defensive. Fruits of "Mormonism" by distinguished non-Mormons. [Salt Lake City? 1904]
58 p. illus. 24 cm.
1. Mormons & Mormonism - Family life.
2. Mormons & Mormonism - Children.

NM 0914103 WHi OClWHi MH

PN1064 .M94 Modern poetry **MUSSER, BENJAMIN FRANCIS, 1889-1951, comp.**
"As the poet says--"; 250 prose comments on the supreme art by 150 creative writers, most of them poets, compiled by Benjamin Musser. New York, Parnassus press, 1931.
63, [1] p. 16½cm.
"Two hundred copies of this little book have been printed, in a limited, signed, Christmas gift edition only ... This copy is number 83."

1. Poetry.

NM 0914104 ICU NN OrU

Musser, Benjamin Francis, 1889-1951.
The beloved mendicant; moments from the life of God's beggar and builder, Father Francis Koch of the Order of friars minor, 1843–1920, by Benjamin Francis Musser ... Manchester, N. H., The Magnificat press [°1943]
140 p. 23cm.
Bibliographical foot-notes.

1. Koch, Francis, father, 1843-1920. I. Title.

Library of Congress BX4705.K62M8 44-1973
[3] 922.273

NM 0914105 DLC PV PRosC DHN

Musser, Benjamin Francis, 1889-1951.
Bensbook, by Benjamin Musser. Oglethorpe University, Ga., Oglethorpe university press [°1931]
181 p. 23½cm.

I. Title.
Library of Congress PS3525.U95B4 1931 32-357
——— Copy 2.
Copyright A 45607 [2] 814.5

NM 0914106 DLC ViU GU NcD FTaSU PP MB

Musser, Benjamin Francis, 1889-1951.
The bird below the waves, by Benjamin Francis Musser (Brother Francis, III O. S. F.) Being his collected spiritual verse from a thirty years' pilgrimage, 1907 to 1937 inclusive, now gathered together as a votive offering to commemorate the anniversary of an April day in 1908. Forewords by Katherine Brégy ... and Father Francis X. Talbot ... Manchester, N. H., The Magnificat press, 1938.
2 p. l., vii-xii, 749 p. 23½cm.

I. Title.
Library of Congress PS3525.U95B5 1938 38-14771
——— Copy 2.
Copyright A 118023 [3] 811.5

NM 0914107 DLC DHN PRosC

Musser, Benjamin Francis, 1889-1951.
Bucolics and caviar, by Benjamin Musser ... Atlanta, E. Hartsock, The Bozart press [°1930]
60 p. 20½ cm.
"Limited edition of three hundred copies."
Poems.

I. Title.
PS3525.U95B8 1930 30-13757

NM 0914108 GAHi DLC MtU NjP ViU NcD AAP MH PPCCH

Musser, Benjamin Francis, 1889-1951, comp.
Canticles for St. Francis, compiled, together with foreword and acknowledgments, a chronology of the Poverello, reference list of Franciscalia, and notes and various indices, by Benjamin Francis Musser (Brother Francis of the Third Order of St. Francis). Manchester, N. H.: The Magnificat Press [1936] viii, 10-242 p. 23½cm.
No. 254 of a limited presentation edition with autograph of author.
"Brief list of authoritative books on St. Francis and his followers," p. 31-33.

873709A. 1. Francis of Assisi, Saint, 1182-1226—Bibl. 2. Francis of Assisi, Saint, 1182-1226—Poetry.
N. Y. P. L. March 18, 1937

NM 0914109 NN PP DHN DCU

Musser, Benjamin Francis, 1889-195.
A chaplet of sanctuaries, by Benjamin Francis Musser ... Manchester, N. H., The Magnificat press [°1934]
67 p. 23½cm.
Poems about the present-day shrines and places of pilgrimage of the Virgin Mary throughout the world.

1. Mary, Virgin—Poetry. 2. Shrines. I. Title.
Library of Congress PS3525.U95C4 1934 34-11613
——— Copy 2.
Copyright A 71420 [2] 811.5

NM 0914110 DLC PP DHN NN

Musser, Benjamin Francis, 1889-1951.
Chiaroscuro, by Benjamin Francis Musser; introduction by Katherine Brégy ... Boston, The Four seas company [°1924]
135 p. front. (port.) 19½cm.
Poems, reprinted in part from various periodicals.

I. Title.
Library of Congress PS3525.U95C5 1924 24-18609

NM 0914111 DLC MB

Musser, Benjamin Francis, 1889-1951, ed.
Contemporary verse. v. 1-25; Jan. 1916-Dec.? 1929. Philadelphia [etc.] 1916-29.

VOLUME 403

Musser, Benjamin Francis, 1889-1951.
De re Franciscana, by Benjamin Francis Musser ... Paterson, N. J., The Franciscan press [c1932]
xii p., 1 l., 88 p. incl. front. (port.) 20cm.
Prose and verse.
CONTENTS.—Everybody's Saint Francis.—A Franciscan correspondence.—A tertiary priest.—The first bishop of Philadelphia.—Brief sketches of great Franciscans.—Little brown verses.
1. Franciscans. I. Title.
Library of Congress BX3601.M8 32-33428
——— Copy 2.
Copyright A 55858 [2] 271.3

NM 0914113 DLC MB PP PPCCH DHN

Musser, Benjamin Francis, 1889-1951.
Diary of a twelve-year-old, transcribed from the early hieroglyphic of Benjamin Musser. Caldwell, Id., The Caxton printers, ltd., 1932.
88 p., 1 l. front. (ports.) 15cm.
I. Title.
Library of Congress PS3525.U95Z5 1932 32-29236
——— Copy 2.
Copyright A 55463 [2] 928.1

NM 0914114 DLC DHN PP IdU ODW OrU

Musser, Benjamin Francis, 1889-1951.
Dipped in aloes, a book of unpleasant poems by Benjamin Musser. Atlanta, E. Hartsock, The Bozart press [c1929]
2 p. l., [3]-49 p. 19cm.
"Limited edition of three hundred copies."
I. Title.
Library of Congress PS3525.U95D5 1929 29-13759

NM 0914115 DLC PU ViU MiU

Musser, Benjamin Francis, 1889-1951.
The end of singing, by Benjamin Musser; musical settings by Charles Howard March, Edward C. Potter, James Neill Northe [and others] ... Manchester, N. H., The Magnificat press, 1935.
xi, 13-129 p. pl. (music) 23½cm.
Poems, four of which are accompanied by music.
I. Title.
Library of Congress PS3525.U95E6 1935 35-17818
——— Copy 2.
Copyright A 87262 811.5

NM 0914116 DLC PP

Musser, Benjamin Francis, 1889-1951
1901 H33543 xM98
Ernest Hartsock: an appreciation. Landover, Md., Dreamland Press, 1931.
53 p., 1 l. ports. 21 cm.
Harris Collection
"This little book is not for sale. Issued in a limited gift edition of two hundred copies signed by the author ... This copy is no. 59."
Contains poetry.
1. Hartsock, Ernest, 1903-1930

NM 0914117 RPB IEN DHN GU

Musser, Benjamin Francis, 1887-1951, ed.
Japm.
The first Japm anthology, selected by readers from the first and second volumes of Japm: the poetry weekly. Atlanta, E. Hartsock, the Bozart press [c1929]

Musser, Benjamin Francis, 1889-1951.
5 poets: Isobel Stone, Edith Mirick, Jewell Miller, Norman Macleod, Benjamin Musser, illustrated by Herbert E. Fouts. New York, H. Harrison [c1929]

Musser, Benjamin Francis, 1889-1951.
Florilegium Mariae; a catena of excerpts from the writings of her devotees early and late. Manchester, Magnificat Press, 1948.
xvii, 548p front(plate) 23cm
List of popes, doctors, authors quoted: p.xiv-xvii.
Bibliographical references on every page.

NM 0914120 MnCS DHN DCU PRosC PV

Musser, Benjamin Francis, 1889-1951.
Franciscan poets, by Benjamin Francis Musser ... frontispiece by the author. New York, The Macmillan company, 1933.
ix p., 1 l., 274 p. front. 20½cm.
"These seventeen papers first appeared in the Franciscan ... and in their present enlarged form, with footnotes and extensive bibliography of Franciscana in the English language, are [here] reprinted."—Author's note.
Bibliography: p. 253-266.
1. Franciscans. 2. Poetry—Hist. & crit. 3. Religious poetry—Hist. & crit. 4. Catholic literature—Hist. & crit. 5. Catholic authors. 6. Franciscans—Bibl. I. Title.
Library of Congress PN1386.M8 33-3716
——— Copy 2.
Copyright A 59014 [5] [245] 808.1

PP PPT PU OCU MiU OO OCl MiU ViU PV
NM 0914121 DLC NcD NIC FTaSU MoU OrP OrU Or DHN

Ex 3012 .667
Musser, Benjamin Francis, 1889-1951, comp.
Golden bow. 168 prose comments on the supreme art by 116 creative writers, most of them poets. New York, Henry Harrison [1934]
59 p. 16 cm.
Limited ed.
1.Poetry. I.Title.

NM 0914122 NjP PPCCH OrU

Musser, Benjamin Francis, 1889-1951, joint ed.
Trent, Lucia, 1897- ed.
How to profit from that impulse; a symposium on contemporary poetic practice and on the creative process, edited by Lucia Trent, Ralph Cheyney [and] Benjamin Musser ... New York, Dean & company, 1928.

Musser, Benjamin Francis, 1889-1951.
Interior castle; sonnets to the saints, by Benjamin Musser. Ontario, Calif., Herald-Silhouettes press, 1937.
2 p. l., vii-xi, 13-92 p. 23½cm.
"Hagiographico-liturgical notes": p. 86-92.
1. Saints—Poetry. I. Title.
Library of Congress PS3525.U95I6 1937 37-12691
——— Copy 2.
Copyright A 107228 [3] 811.5

NM 0914124 DLC PRosC

Musser, Benjamin Francis, 1889-1951.
Kyrie eleison; two hundred litanies, with historico-liturgical introduction and notes by Benjamin Francis Musser ... Manchester, N. H., The Magnificat press, 1944.
xxxv, 300 p. 24cm.
I. Musser, Benjamin Francis, 1889- ed. II. Title.
Library of Congress BX2013.A5 44-51191
[3] 264.023

NM 0914125 DLC PV DHN IaU PRosC

Musser, Benjamin Francis, 1889- 1951.
The marvelous boy, by Benjamin Musser ... North Montpelier, Vt., The Driftwind press [c1937]
68 p. 16½cm. [Driftwind chapbook no. 7]
A poem.
I. Title.
Library of Congress PS3525.U95M3 1937 37-10981
——— Copy 2.
Copyright A 105869 [3] 811.5

NM 0914126 DLC

Musser, Benjamin Francis, 1889-1951, comp.
Morning and night; family prayers for daily use in common. Westminster, Md., Newman Press, 1949.
x, 45 p. 18 cm.
1. Family — Prayer-books and devotions — English. 2. Catholic Church—Prayer-books and devotions—English. I. Title.
BX2170.F3M8 264.02 49-8174*

NM 0914127 DLC

Musser, Benjamin Francis, 1889-1951.
One-man show: end papers and marginalia, by Benjamin Musser ... Oglethorpe University, Ga., Oglethorpe university press, 1932.
x, 11-286 p. 23½cm.
I. Title.
Library of Congress PS3525.U95O6 1932 32-35504
——— Copy 2.
Copyright A 57447 818.5

NM 0914128 DLC ViU AAP OkU CtY

Musser, Benjamin Francis, 1889- 1951.
Outside the walls, tributes to the principle and practice of Roman Catholicism from our friends fuori le mura, by Benjamin Francis Musser. St. Louis, Mo. [etc.] B. Herder, 1914.
viii p., 1 l., 362 p. 21cm.
1. Catholic church—Apologetic works. I. Title.
Library of Congress BX1753.M97 14-15424 Revised

NM 0914129 DLC MB PV OrStbM WaSpG

Musser, Benjamin Francis, 1889-1951.
The passion called poetry, by Benjamin Musser ... Atlanta, Ga., E. Hartsock, The Bozart press [c1930]
84 p. 20½cm.
"Limited edition of three hundred copies."
1. Poetry—Addresses, essays, lectures. I. Title.
Library of Congress PS3525.U95P3 1930 30-13756

NM 0914130 DLC NjP GU NcD MH GoU PPCCH MtU

*SCA .6291 .2
Musser, Benjamin Francis, 1889-1951.
Pierrot. Atlantic City, N.J., Printed for the author by Hewitt & Co. [1924]
82 p. 18cm.
Poems.
No.98 of 100 copies.

NM 0914131 MB MH

VOLUME 403

Musser, Benjamin Francis, 1889-1951.
Poems, 1930-1933, by Benjamin Musser ... Caldwell, Id., The Caxton printers, ltd., 1933.
189 p. 20cm.

33-36058 Revised
Library of Congress PS3525.U95P6 1933
r46c2 811.5

NM 0914132 DLC OrU IdU DHN

Musser, Benjamin Francis, 1889-1951.
Queen of arts, twenty papers treating of poets and poetry, together with four addresses to Third order of St. Francis, by Benjamin Musser. Manchester, N. H., The Magnificat press, 1937.
4 p. l., 11-223 p. 22½cm.

1. Poetry—Addresses, essays, lectures. 2. Franciscans. Third order. I. Title.
37-16176
Library of Congress PN1055.M8
——— Copy 2.
Copyright A 106863 [2] 808.1

NM 0914133 DLC PRosC DHN

Musser, Benjamin Francis, 1889-1951.
Riding at anchor; verses writ in water, by Benjamin Musser ... New York: W. A. Broder[, cop. 1929]. 40 p. 16°.
With autograph of author.

509210A. 1. Poetry, American. I. Title.
N. Y. P. L. January 10, 1931

NM 0914134 NN MH NcD

Musser, Benjamin Francis, 1891-1951, compiler.
Seeds of laurel; 180 prose comments on the supreme art by 120 creative writers, most of them poets, compiled by Benjamin Musser. New York, N. Y.: Parnassus Press, 1932. 70 p. 16½cm.
One of 200 copies printed.

700662A. 1. Poetry. I. Title.
N. Y. P. L. May 2, 1934

NM 0914135 NN OrU RPB

Musser, Benjamin Francis, 1891-1951.
Selected poems [by] Benjamin Musser. New York, H. Harrison [c1930]
94 p. 22½cm.

I. Title.
31-13267
Library of Congress PS3525.U95A6 1930
Copyright A 37395 [2] 811.5

NM 0914136 DLC PP OCl PU MB MtU

PS 3525 U95 S6 1926
Musser, Benjamin Francis, 1889-1951.
Son of Momus, by Benjamin Musser ... Atlantic City, N. J., Printed for the author by Hewitt & Company [1926?]
86 p. 18 cm.
"This edition ... consists of one hundred copies, signed by the author. No. 93."
Author's autograph presentation copy.

NM 0914137 OU

Musser, Benjamin Francis, 1889-1951.
Star-gazer
see under Jeffries, James Graydon, 1901-1936.

Musser, Benjamin Francis, 1889-1951.
Straws on the wind, by Benjamin Musser. Atlanta, Ga., The Bozart press [c1931]
197 p. 20½cm.
"Limited first edition."
Essays.

I. Title.
31-7419
Library of Congress BX890.M85
Copyright A 34917 [2] [244] 814.5

NM 0914139 DLC PP DHN MB

Musser, Benjamin Francis, 1889-1951.
Untamed, by Benjamin Musser. New York, H. Harrison [c1927]
4 p. l., 7-63 p. 23cm.
Poems.

I. Title.
28-7713
Library of Congress PS3525.U95U6 1927

NM 0914140 DLC PP N OCl MB

Musser, Benjamin Francis, 1889-1951.
What is your name? The Catholic church and nomenclature, by Benjamin Francis Musser. Manchester, N. H., The Magnificat press, 1937.
xv, 199 p. 22½cm.
"Acknowledgment": p. [vii]-ix.

1. Names, Personal. I. Title. II. Title: The Catholic church and nomenclature.
37-29633
Library of Congress CS2315.M8
——— Copy 2.
Copyright A 109907 [2] 929.4

NM 0914141 DLC PP DHN

PN 1064 .M823
Musser, Benjamin Francis, 1889-1951, comp.
With the makers; 166 prose comments on the supreme art by 117 creative writers, most of them poets. Compiled by Benjamin Musser. Brooklyn, Parnassus Press, 1933.
67p. 16cm.

1. Poetry. I. Title.

NM 0914142 OrU NjP RPB

Musser, Charles
Poems. [Perrinton, Michigan?] 1900.
221 p. front., port. 19cm.
Privately printed.

NM 0914143 RPB MiD-B MiD

M285 M87M3
Musser, Clair Omar.
Master solo arrangements [for] vibraharp, vibraphone and vibra-celeste. Chicago, Gamble Hinged Music Co [c1941]
4 vols. 31 cm.
Cover title.

1. Vibraphone and piano music. I. Title.

NM 0914144 CoU

qM789.6 M976m
Musser, Clair Omar.
Master solo arrangements [for] vibraharp, vibraphone and vibra-celeste. Folio 1 (grade 3) Chicago, Gamble Hinged Music Co. [c1941]
7p. 31cm.

NM 0914145 IU

M175 M4M9
Musser, Clair Omar
Modern marimba method, by Clair Omar Musser and Paul Yoder. For private or class lessons. Chicago, Neil A.Kjos Music Co., 1938.
32p. illus. 31cm.

1. Marimba – Methods. 2. Marimba music.

NM 0914146 IaU

Musser, Clair Omar, arr.
M1039 .W4P6
Weber, Karl Maria Friedrich Ernst, *freiherr* **von,** 1786-1826.
[Polacca brillante; arranged]
Polonaise brillante [by] C. M. Weber. Transcribed for marimba (piano and orchestra) by Clair Omar Musser ... Chicago, Gamble hinged music co. [c1943]

Musser, Clifford S.
The first known attempt to settle the lower valley. Church records indicate a Scotch-Irish settlement at "Potomak" in Virginia, as being south of the Potomac.
Clipping

NM 0914148 PPPrHi

Musser, Clifford S.
Two hundred years' history of Shepherdstown, written and compiled by Clifford S. Musser ... Shepherdstown, W. Va., Printed by the Independent, 1931.
3 p. l., [iii]-viii p., 1 l., 5-199 p. front., plates, 3 fold. maps. 23½cm.
"Errata": p. [3]

1. Shepherdstown, W. Va.—Hist. I. Title.
31-35527
Library of Congress F249.S5M92
——— Copy 2.
Copyright A 45504 [2] 975.499

NM 0914149 DLC NcD

H 241 M97a 1886
Musser, Daniel
An awakening call to professors of religion. By Daniel Musser. Reprinted by C. Weckesser, Marshalville, O., 1886.
41p. 14cm.
Cover serves as title-page.

NM 0914150 ViHarEM InGo PScM

Musser, Daniel
A Comparison of the Nominal Church with the Scripture Representation of the Church of Chr.
Lancaster, Pa. Elias Barr & Co. Publishers. pp. 56, 8vo.
Reprint: Lancaster 1874.

NM 0914151 PScM PPLT

VOLUME 403

Musser, Daniel.
A comparison of the present nominal church, with the scripture representations of the church of Christ. Lancaster, Pa., E. Barr & Co., 1860.
2 p.l., 525-604 p. 8°.

NM 0914152 NN

Musser, Daniel, joint comp.

Heilman, Samuel P 1842- comp.
The fire companies of Lebanon; paper read before the Lebanon County historical society, June 15, 1906, comp. by S. P. Heilman and Daniel Musser ... [Annville? Pa., 1906]

Musser, Daniel
NON-RESISTANCE ASSERTED: As taught by "Christ and His Apostles". By Daniel Musser.
Lancaster, Pa.: Inquirer Printing Company, 1886. pp. 480, 8vo.

NM 0914154 PScM

Musser, Daniel.
Non-resistance asserted or the kingdom of Christ and the kingdom of this world separated and no concord between Christ and Belial. In two parts. Lancaster, Barr, 1864.
74 p. 22.5 cm.

NM 0914155 PLF OClWHi PPeSchw PHi PScM

BX 8121 M98 1873
Musser, Daniel.
The reformed Mennonite church, its rise and progress, with its principles and doctrines. Lancaster, Pa., Elias Barr & Co., 1873.
608 p. 22cm.

1. Mennonites. I. Title.

NM 0914156 NRAB NIC PSt PPLT InGo PPeSchw PPCS MH

Musser, Daniel.
The Reformed Mennonite church, its rise and progress, with its principles and doctrines. By Daniel Musser. 2d ed. Lancaster, Pa., Inquirer printing and publishing co., 1878.
iv, 5-608 p. 22cm.

1. Reformed Mennonite church.

Library of Congress BX8129.R4M8 1878 5-41199

NM 0914157 DLC PP PPL PPeSchw InGo PScM

Musser, Daniel
Scriptural representation of the Church of Christ, as compared with nominal Christianity. n.p., 1891.
p. 525-604.

NM 0914158 OO

Musser, Dorothy, 1888-

American historical company, inc., *New York.*
Musser and allied families, a genealogical study with biographical notes, compiled and privately printed for Dorothy Musser by the American historical company, inc. New York, 1941

Musser, Francis Reber, d. 1919.
An essay on the opium habit...by F. Reber Musser... [Phila.] 1885.
Thesis, Univ. of Penna.. 1885.

NM 0914160 PU

Musser, Fred.
Christmas tree growers' guide
see under Musser Forests, inc., Indiana, Pa

Musser, Gertrude R.
A survey of the radio as a recreational and educational medium for children between the ages of six and twelve, by Gertrude R. Musser... [Phila.], 1942.
viii, 150 p. tables 28cm.

NM 0914162 PPT

Musser, Glenn L
Atmospheric transmission of solar radiation in the 35 to 75 micron region. Ann Arbor, University Microfilms, 1951.
([University Microfilms, Ann Arbor, Mich.] Publication no. 3296)
Microfilm copy of typescript. Positive.
Collation of the original, as determined from the film: 42 l. diagrs.
Thesis—Pennsylvania State College.
Bibliography: leaf 42.

1. Solar radiation.
Microfilm AC-1 no. 3296 Mic 53-8

NM 0914163 DLC

Musser, Howard Anderson.
Jungle tales; adventures in India, by Howard Anderson Musser, illustrated by Thomas Fogarty. New York, George H. Doran company [c1922]
vi p., 3 l., 13-141 p. front., plates. 19½cm. $1.50
CONTENTS.—Gani.—Tigers—but especially bears.—Dahli the manganese slave.—Boys of the India jungle.—Trapped among crocodiles.—Ballia and the bandit.

I. Title.
Library of Congress PZ3.M975Ju 22-14720

NM 0914164 DLC NcD NN MB

Musser, Howard Anderson.
More jungle tales; adventures in India, by Howard Anderson Musser ... illustrated from photographs and with drawings by Morgan Stinemetz. New York, George H. Doran company [c1923]
xiv p., 2 l., 19-196 p. front., plates. 19½cm. $1.50

I. Title.
Library of Congress PZ3.M975Mo 23-13652

NM 0914165 DLC

Musser, Howard Burton, 1893-
Turf management. Foreword by James D. Standish, Jr. New York, McGraw-Hill [1950]
x, 354 p. illus., map. 25 cm.
"A publication of the United States Golf Association."

1. Golf-links—Construction and care. 2. Lawns. 3. Grasses. I. United States Golf Association.
GV975.M8 635.964 Agr 50—122
U. S. Dept. of Agr. Lib. for Library of Congress 97.6M97 [57n1]†

NM 0914166 DLC MoU CaBVaU CaBVa IdU MtU WaS OrP MtBC Wa PSt MU KMK DNAL FU MiU MiHM NN DNAL MB TU DLC PP

Musser, Howard Burton, 1893-
Turf management. Foreword by James D. Standish, Jr. New York, McGraw-Hill [1950]
x, 354 p. illus., map. 25 cm.
"A publication of the United States Golf Association."
Copy 1: Sixth Printing.
2: Seventh Printing.

NM 0914167 NNBG

Musser, Howard Burton, 1893-
Varieties of alfalfa in Penna., by H. B. Musser & C. J. Irvin. State College, 1933.
8 p.

NM 0914168 PP

Musser, Isaac Taylor

U. S. *Bureau of foreign and domestic commerce (Dept. of commerce)*
Economic survey of waterway, from Cumberland sound, Georgia and Florida, to the Mississippi river. Commodity study. Prepared in the Transportation division, Bureau of foreign and domestic commerce, U. S. Department of commerce ... February 1, 1934. [Washington, 1934]

Musser, Isaac Taylor,
French American trade since 1910. [n. p.] 1928.
418 l. tables (part fold.) 29cm.
Typewritten copy.
Thesis—Univ. of Virginia, 1928.
Bibliography: leaves 417-418.

1. France—Comm.—U. S. 2. U. S.—Comm.—France. I. Title.

NM 0914170 ViU

Musser, John.
... The establishment of Maximilian's empire in Mexico, by John Musser ... Menasha, Wis., George Banta publishing company, 1918.
2 p. l., 100 p. 24cm.
Thesis (PH. D.)—University of Pennsylvania, 1912.
Bibliography: p. 98-100.

1. Maximilian, emperor of Mexico, 1832-1867. 2. Mexico—Hist.—European intervention, 1861-1867.
Library of Congress F1233.M98 18—11153
Univ. of Pennsylvania Libr.

NM 0914171 ViU PBm NjP CU-B CU PU MU CoU Or DLC NIC PPAmP MiU OU OO

F 1233 .M98
Musser, John.
The establishment of Maximilian's empire in Mexico. Menasha, Wis., George Banta Pub. Co., 1918.
100 p.
Library's copy is a xerox reproduction.
Bibliography: p. 98-100.

1. Maximilian, Emperor of Mexico, 1832-1867. 2. Mexico-Hist.-European intervention, 1861-1867. I. Title.

NM 0914172 DAU

Musser, John. 972-M
The establishment of Maximilian's empire in Mexico. Menasha, Wisconsin: The Collegiate Press, 1918. 100 p. 8°.
Bibliography, p. 98-100.

NM 0914173 NN PP

VOLUME 403

Musser, John Herr, 1856-1912.
Address in medicine delivered before the Medical society of the state of Penna. at its forty-second annual session, held in Harrisburg, May 1892. Phila, n. p. n. d.
11 p.

NM 0914174 PU

MUSSER, John Herr, 1856-1912.
Amyloid disease of the liver with an abnormally enlarged left lobe. [Pittsburg?] Murdoch, Kerr & co., [1899?]

pp.6.
"Reprinted from the Pennsylvania Medical journal, May, 1899".

NM 0914175 MBCo MB MdBP PU

MUSSER, John Herr, 1856-1912.
Cancer of the common bile-duct. n.p., [1899?]

pp.4.
"Reprinted from University medical magazine, Sept. 1899".

NM 0914176 MBCo PU MH MdBP MB

Musser, J[ohn] H[err], 1856-1912 and De Forest Willard, M.D.
A case of abscess of the liver following amebic dysentery, with remarks. Philadelphia: University of Pennsylvania Press, 1893. 6 p. 4°.

Repr.: University medical mag. April, 1893. Title from cover.

1. Liver.—Diseases. 2. Willard, De Forest, jt. au.
N. Y. P. L. May 16, 1913.

NM 0914177 NN PU MiU

Musser, John Herr, 1856-1912.
Case of aneurism of the abdominal aorta with thrombosis of the right renal arterry, by John Herr Musser, & J. D. Steele.
4 p.

NM 0914178 PU

MUSSER, John H., and Thomas S. K. MORTON. 3742.12
Case of carcinoma of descending colon; excision and anastomosis; recovery.
= [Phila. Univ. of Penn. press. 1896.] 5 pp. Portr. 8°

NM 0914179 MB

MUSSER, John Herr, 1856-1912.
A case of Malta fever. By J. H. Musser and Joseph Sailer. n.p., [1898?]

pp. 7. 1 diagr.
"Reprinted from the Philadelphia medical journal. Dec. 31, 1898".

NM 0914180 MBCo MB PU

Musser, John Herr, 1856-1912.
Case of tubercular pericarditis; unusual amount of effusion, accidental paracentesis pericardii... [1888.]

NM 0914181 PU

---

ar W 52577 no.9

Musser, John Herr, 1856-1912.
A clinical study of Widal's serum diagnosis of typhoid fever [by] John Herr Musser and John M. Swan. Chicago, American Medical Association Press, 1897.
7 p. 23cm.

Presented to the Section on Practice of Medicine ... of the American Medical Association ... June 1-4, 1897."

I. Swan, John M

NM 0914182 NIC NjP MH MiU MBCo

Musser, John Herr, 1856-1912. 610.4 M97
[Collected papers on medical subjects.]
172529 Reprinted from various medical serials.

NM 0914183 ICJ ICRL

Musser, John Herr.
Collected reprints. Phila., 1881-1911.
2 v. in 1.

NM 0914184 PPC

Film 825 no.5

MUSSER, John Herr, 1856-1912.
Collected reprints. [n. p., 1884]-
v. illus.
Film copy.
Some articles are written in collaboration with other authors.
1. Medicine - Collected works

NM 0914185 DNLM

Musser, J[ohn] H[err], 1856-1912.
The diagnostic importance of fever in late syphilis. [Philadelphia, 1892.] 7 p. 4°.

Repr.: University medical mag. Oct. 1892. Title from cover.

1. Syphilis.
N. Y. P. L. May 14, 1913.

NM 0914186 NN MB MdBP

Musser, John Herr, 1856-1912, ed.

Hoffmann, Friedrich Albin, 1843–
... Diseases of the bronchi, lungs and pleura, by Prof. Dr. Friedrich A. Hoffmann ... Prof. Dr. O. Rosenbach ... Dr. E. Aufrecht ... ed., with additions by John H. Musser ... Authorized translation from the German, under the editorial supervision of Alfred Stengel ... Philadelphia and London, W. B. Saunders & company, 1902.

Musser, John Herr, 1856-1912.
Diseases of the liver, gall bladder, hepatic ducts, and spleen.

[In Hare, Hobart Amory, ed.
A system of practical therapeutics.]

RM101 .H28

NM 0914188 DLC

MUSSER, John Herr, 1856-1912. 37
The essential of the art of medicine.
= [Phila., 1898.] 27 pp. 8°.
Reprinted from Philadelphia medical journal, June 25, 1898.

NM 0914189 MB MdBP PU MiU

Musser, John Herr, 1856–1912, *ed.*
A handbook of practical treatment, by many writers, ed. by John H. Musser ... and A. O. J. Kelly ... Philadelphia and London, W. B. Saunders company, 1911–17.

4 v. illus., plates (part col.) fold. charts. 25½ cm.

Vol. 4 edited by John H. Musser, jr. ... and Thomas C. Kelly.
Contains bibliographies.

CONTENTS.—v. 1. General principles, physical methods, intoxications, blood, lymphatics & ductless glands.—v. 2. Diseases of the circulatory system, infectious diseases, tropical diseases, animal parasites.—v. 3. Constitutional diseases, respiratory, digestive, urinary, nervous & muscular systems.—v. 4. The newest treatment.

—— Complete index to volumes I, II, III and IV of Musser and Kelly's practical treatment. Philadelphia and London, W. B. Saunders company, 1917.

1 p. l., 218 p. 25½ cm.

RC46.M8 Index

1. Medicine—Practice. I. Kelly, Aloysius Oliver Joseph, 1870–1911, joint ed. II. Musser, John Herr, 1883– ed. III. Kelly, Thomas Charles, 1882– ed.

RC46.M8 11—1495

CaBVaU WaU PPMis
PPPH PPPH-I MiU ViU OC1W-H PU PPT-M ICJ ICRL OrPR
NM 0914191 DLC OrU-M NcD-MC MH IdPI DNLM PPC PPCM

Musser, John Herr, 1856–1912, *ed.*
A handbook of practical treatment, by many writers, ed. by John H. Musser ... and A. O. J. Kelly ... Philadelphia and London, W. B. Saunders company, 1917.
4 v. illus., plates (part col.) fold. charts. 25½".
Vol. 4 edited by John H. Musser, jr. ... and Thomas C. Kelly.
Contains bibliographies. "Reprinted June 1917."

NM 0914192 ViU ICRL NIC

MUSSER, John Herr, 1856-1912.
Hemorrhagic diathesis in typhoid fever. By J.H. Musser and Jos. Sailer, n.p., [1899?]

pp. (3).
"Reprinted from Nov. 1899. International medical magazine".

NM 0914193 MBCo

MUSSER, John Herr, 1856-1912
The indications for the use of alcoholic stimulants in typhoid fever. Detroit, Mich William M. Warren, 1900.

pp.5.
"Reprinted from the Therapeutic gazette, Apr , 15, 1900".

NM 0914194 MBCo MdBP

Musser, John Herr, 1856-1912. *3721.61.6
The medical and surgical aspects of the diseases of the gall bladder and bile ducts. Diagnosis of affections of the gall bladder and bile ducts. Charts.
(In Congress of American Physicians and Surgeons. Transactions. 6th session, pp. 121-142. New Haven, 1903.)

F2921 — Gallbladder. — Diagnosis.

NM 0914195 MB

Musser, John Herr, 1856-1912.
—— and Sailer, Joseph. Meralgia paresthetica. n. p. 1900. 8°
—4733

NM 0914196 MdBP MB

Musser (John H.) A modification of the sphygmograph, being a change in the base of the instrument of Pond. 4 pp. 8°. *Philadelphia*, 1884.
Repr. from: Med. & Surg. Reporter, Phila., 1884, I.

NM 0914197 DNLM MiU

VOLUME 403

MUSSER, John H., and J. D. STEELE.
The Myocardium.
= [Phila., 1898.] 7 pp. 8°.
Reprinted from Proceedings of the Pathological society of Philadelphia.

NM 0914198 MB

Musser. John Herr. 1856-1912.
——. Note on pernicious anæmia and chlorosis in the negro. 2 pp. 8°. [Philadelphia, 1891.]

NM 0914199 DNLM MiU

Musser, John Herr, 1856-1912.
R15 .P5 Notes of a case of infections, socalled ulcerati endocarditis, and of a case of acute peridarditis.

[In College of physicians of Philadelphia. Transactions.]

NM 0914200 DLC

Musser, John Herr, 1856-1912.
R15 .P5 Notes of a case of (I) Raynaud's disease, and (II) of gangrene complicating diabetes mellitus.

[In College of physicans of Philadelphia. Transactions. 3d series. v. 8, p. 341-357]

NM 0914201 DLC

Musser, J[ohn] H[err], 1856-1912.
Notes of thirteen cases of tubercular meningitis. n. t.-p. [Philadelphia,] 1886. 8 p. 8°.
Repr.: Medical news, 1886.

1. Meningitis.
N. Y. P. L. November 21, 1912.

NM 0914202 NN

Musser, John Herr, 1856-1912.
Notes on the treatment of peritonitis.
6 p.

(Univ. Med. Mag., Febr. 1889)

NM 0914203 MiU PU

Musser, John Herr, 1856-1912.
Notes on tuberculous pleurisy. Phila., n. p. 1893.
7 p.

NM 0914204 PU

Musser, John Herr, 1856-1912.
Official positions held and contributions to medical literature... Privately printed, 1898.

NM 0914205 PU PPC

Musser, John Herr, 1856-1912.
——. On idiopathic anæmia. A report of three cases, with remarks; and an analysis of the cases hitherto published in America. 31 pp. 8°. Philadelphia, 1885.

NM 0914206 DNLM

Musser (John H[err]) [1856-1912]. On paroxysmal fever, not malarial. pp. 301-315. 8°. *Philadelphia, W. P. Kildare*, 1884.
Cutting [cover with printed title] *from:* Proc. Phila. Co. M. Soc., Phila., 1884, vi.

NM 0914207 DNLM

MUSSER, John Herr, 1856-1912. 3767.
On the disappearance of endocardial murmurs of organic origin.
= [London? 1897?] 6 pp. Sm. 8°.
Reprinted from the British medical journal, October 16, 1897 [*7740.3].

NM 0914208 MB

MUSSER, John Herr, 1856-1912.
On the use of antitoxin in diptheria.
n.p., 1900.

Reprinted from Univ. Med. Mag.

NM 0914209 MBCo MB

Musser, John Herr, 1856-1912.
Peri-caecal inflammation, by John Herr Musser, William Pepper, & T. G. Morton. 1888.

NM 0914210 PU

Musser, John Herr, 1856-1912.
A practical treatise on medical diagnosis for students and physicians. By John H. Musser ... Illustrated with 162 woodcuts and 2 colored plates. Philadelphia, Lea brothers & co., 1894.
viii, [17]-881 p. illus., II col. pl. (incl. front.) 24½cm.

1. Diagnosis.

Library of Congress RC71.M9 1894 1-5535

NM 0914211 DLC ICRL WaSpG OrU-M DNLM PPFML PPT-M PU PPGenH MiU PPPH OU PPC ICJ

Musser, John Herr, 1856-1912.
A practical treatise on medical diagnosis for students and physicians. By John H. Musser ... 2d ed., rev. and enl. Illustrated with 177 woodcuts and 11 colored plates. Philadelphia and New York, Lea brothers & co., 1896.
2 p. l., [vii]-xii, [17]-938 p. illus., XI col. pl. 24½cm.

1. Diagnosis.

Library of Congress RC71.M9 1896 1-5536

NM 0914212 DLC NNC PPJ PPC PU MiU DNLM ICJ OrU-M ICRL

Musser, John Herr, 1856-1912.
A practical treatise on medical diagnosis for students and physicians. By John H. Musser ... 3d ed., rev. and enl. ... Philadelphia and New York, Lea brothers and co. [1899]
xv, [16]-1082 p. illus., XLVIII col. pl., diagrs. 24½cm.

1. Diagnosis.
Library of Congress RC71.M9 1899 0-372 Revised

NM 0914213 DLC PPJ PPC PPWI ViU DNLM MiU OCU ICJ ICRL

Musser, John Herr, 1856-1912.
A practical treatise on medical diagnosis for students and physicians. By John H. Musser ... 4th ed., rev. and enl. ... Philadelphia and New York, Lea brothers & co., 1900.
xi, 17-1105 p. illus., XLIX col. pl. 24½cm.

1. Diagnosis.

Library of Congress RC71.M9 1900 0-6677 Revised

NM 0914214 DLC NcD DNLM PPC PPJ OClW-H ICJ ICRL

Musser, John Herr, 1856-1912.
A practical treatise on medical diagnosis for students and physicians. By John H. Musser ... 5th ed., rev. and enl. Illustrated with 395 wood-cuts and 63 colored plates. Philadelphia and New York, Lea brothers and co., 1904.
xi, 17-1213 p. illus., plates (part col.) 25cm.

1. Diagnosis.

Library of Congress RC71.M9 1904 4-10530

NM 0914215 DLC DNLM NcC PPC PPHa PPJ PPCM OClW-H OU ICJ ICRL

Musser, John Herr, 1856-1912.
A practical treatise on medical diagnosis for students and physicians, by John H. Musser ... 6th ed., rev. by John H. Musser, jr. ... illustrated with 196 engravings and 27 colored plates. Philadelphia and New York, Lea & Febiger, 1913.
viii, [17]-793 p. illus., XXVII col. pl., diagrs. 25cm. $5.00

1. Diagnosis. I. Musser, John Herr, 1883- ed.

Library of Congress RC71.M9 1913 13-22807

NM 0914216 DLC OrU-M DNLM ICRL PPJ PPC OClW-H OU ICJ

Musser, J[ohn] H[err], 1856-1912.
Primary cancer of the gall-bladder and bile-ducts. Philadelphia: W. J. Dornan, 1889. 45 p. 8°.
Repr.: Trans. of the Assoc. of Amer. Physicians, 1889.

1. Gall-bladder (Cancer of). 2. Cancer.
N. Y. P. L. November 8, 1911.

NM 0914217 NN

Musser, John Herr, 1856-1912.
Pseudo-membranous Laryngitis. 1877.

NM 0914218 PU

MUSSER, John Herr, 1856-1912. 577
Renal calculus.
= [Phila., 1898.] 14 pp. 8°.
Reprinted from Philadelphia medical journal, April 16, 1898.

NM 0914219 MB MdBP

MUSSER, John Herr, 1856-1912.
Some cases of dilatation of the stomach.
By John H. Musser and J. Dutton Steele.
n.p., [1900]

pp.16. Illustr.
"Extracted from the American journal of the medical sciences, Feb. 1900".

NM 0914220 MBCo MB

VOLUME 403

Musser, John Herr, 1856-1912,
Universal melanotic sarcomata. Phila., n. p. 1892.
69 p.

NM 0914221 PU

Musser, J[ohn] H[err] 1856-1912.
The uses of fever. The dangers of antipyretics in typhoid fever. Philadelphia, 1892. 8 p. 12°.

Repr.: The Medical news. April 23, 1892.
Title from cover.

1. Fever. 2. Fever (Typhoid).
N. Y. P. L. November 26, 1912.

NM 0914222 NN

Musser, J[ohn] H[err] 1856-1912.
Whooping-cough: its management: its climatic treatment. n. t.-p. [Philadelphia,] 1891. 4 p. 8°.

Repr.: The Climatologist. 1891.

1. Whooping cough.
N. Y. P. L. November 20, 1912

NM 0914223 NN MiU

Musser, John Herr, 1883-1947.
Bibliography: Diseases of the blood, by J.H. Musser and M.M. Wintrobe. (From Tice's Practice of Medicine, 1936?)

NM 0914224 OrU-M

Musser, John Herr, 1883-1947, ed.

Musser, John Herr, 1856-1912, *ed.*
A handbook of practical treatment, by many writers, ed. by John H. Musser ... and A. O. J. Kelly ... Philadelphia and London, W. B. Saunders company, 1911-17.

Musser, John Herr, 1883-1947, *ed.*
Internal medicine; its theory and practice in contributions by American authors, edited by John H. Musser ... Philadelphia, Lea & Febiger, 1932.
xi, 17-1316 p. illus., diagrs. 24½cm.
Includes "References".

1. Medicine—Practice. I. Title.

Library of Congress RC46.M83 32-24847
Copyright A 56003 [3] 616

PPHa OC1W MiU
NM 0914226 DLC MBCo OC1W-H PPC PPJ PPT-M PU PSC

Musser, John Herr, 1883-1947, *ed.*
Internal medicine; its theory and practice in contributions by American authors, edited by John H. Musser ... 2d ed., thoroughly rev. ... Philadelphia, Lea & Febiger, 1934.
xix, 13-1288 p. illus., diagrs. 25½cm.
Includes "References".

1. Medicine—Practice. I. Title.

Library of Congress RC46.M83 1934 34-31825
Copyright A 75380 [3] 616

ICRL PU-Med
NM 0914227 DLC NcD-MC MiU OC1W-H OC1W PPC PPJ

Musser, John Herr, 1883-1947, *ed.*
Internal medicine; its theory and practice in contributions by American authors, edited by John H. Musser ... 3d ed., thoroughly rev. ... Philadelphia, Lea & Febiger, 1938.
1428 p. illus., diagrs. 25½ cm.
Includes bibliographies.

1. Medicine—Practice. I. Title.

RC46.M83 1938 616 38-22794

ViU NcRS OrU-M
NM 0914228 DLC ICRL PPJ PPC PPHa PU-Med PPPH OU

Musser, John Herr, 1883-1947, *ed.*
Internal medicine; its theory and practice in contributions by American authors, edited by John H. Musser ... 4th ed. thoroughly rev. ... Philadelphia, Lea & Febiger, 1945.
1518 p. illus., diagrs. 25½ cm.
Includes bibliographies.

1. Medicine—Practice. I. Title.

U. S. Army Medical Libr. for Library of Congress RC46.M83 1945 S G 45—70
[a49k1]† 616

DLC ViU NcD OrU-M CaBVaU
NM 0914229 DNLM ICRL PPHa PU-Med PPC OU OC1W PPJ

Musser, John Herr, 1883-1947, *ed.*
Internal medicine, its theory and practice. With 80 contributors. 5th ed. edited by Michael G. Wohl. Philadelphia, Lea & Febiger, 1951.
1563 p. illus. (part col.) diagrs. 27 cm.
Includes bibliographies.

1. Medicine—Practice. I. Wohl, Michael Gershon, 1887- ed. II. Title.

RC46.M83 1951 616 51-7684

NM 0914230 DLC ICJ DNLM FTaSU CLSU OrU-M

Musser, John Herr, 1883-1947, ed.

Musser, John Herr, 1856-1912.
A practical treatise on medical diagnosis for students and physicians, by John H. Musser ... 6th ed., rev. by John H. Musser, jr. ... illustrated with 196 engravings and 27 colored plates. Philadelphia and New York, Lea & Febiger, 1913.

Musser, John Herr, 1883-1947.
Some notes on meningococcic meningitis, with special reference to the sugar content of the cerebrospinal fluid, by J.H. Musser and J.H. Watkins.

(In Tulane University of Louisiana. School of Medicine. Clincial papers from the Department of Medicine, Tulane University, New Orleans. [New Orleans? 1931?] 24 cm. p. 35-47)

1. Meningitis, Cerebrospinal. I. Watkins, J H joint author.

NM 0914232 LU

Musser, John Herr, 1883-1947

FOR OTHER EDITIONS SEE MAIN ENTRY

Anders, James Meschter, 1854-
A text-book of the practice of medicine, by James M. Anders ... 14th ed.—with the assistance of John H. Musser, jr. ... Philadelphia and London, W. B. Saunders company, 1920.

MUSSER, JOHN HERR, 1883-1947, comp.

Thirty years after; the story of the Class of 1908, Medicine, of the University of Pennsylvania, in the thirty years that have elapsed since leaving the Medical school. Data compiled by J.H.Musser... New Orleans, Wetzel printing,inc.,1938.
[viii],11-114p. illus.(incl.ports.) 26cm.

NM 0914234 PU DNLM PU-Med PPC

Musser, Joseph White, 1872-1954, ed.
Celestial or plural marriage, a digest of the Mormon marriage system as established by God through the prophet Joseph Smith; compilation and comments by Joseph W. Musser ... [Salt Lake City, J. W. Musser, 1944]
3 p. l., 154 p. illus. (group port.) pl., 14 port. on 1 l. 25cm.

"For the most part, a compilation and rearrangement of the information on the subject published in the Truth magazine, volumes five to seven, inclusive."—Foreword.

1. Marriage. 2. Mormons and Mormonism.—Doctrinal and controversial works. I. Truth. II. Title.

Library of Congress BX8643.C5M8 44-44068
[2] 265.5

NM 0914235 DLC CaBViP WaSp

BX 8643 C5 M8 1970

Musser, Joseph White
Celestial or plural marriage, a digest of the Mormon marriage system as established by God through the prophet Joseph Smith; compilation and comments by Joseph W. Musser. [2d ed. Salt Lake City, J. W. Musser, 1944]
154p. illus.,ports.
"For the most part, a compilation and rearrangement of the information on the subject published in the Truth magazine, volumes five to seven, inclusive."--Foreword.

NM 0914236 UU

F835 P2 ser.4 no.8 x

[Musser, Joseph White]
The law of plural marriage [Salt Lake City, Truth publishing co., 19--]
8 p. 20cm. in cover 27cm. [Pamphlets on Mormonism. ser. 4, no. 8]
Caption title.
Signed: Joseph W. Musser.

NM 0914237 CU-B

Utah Pam v.118 no.47

Musser, Joseph White, 1872-1954.
Michael, our Father and our God; the Mormon conception of deity as thought by the founders of the Church of Jesus Christ of Latter-day Saints. Salt Lake City, Truth Pub. Co. [n.d.]
34p. 26cm.
"Reprint from vol. 3 Truth, nos. 1-6, carefully revised and amplified."

NM 0914238 UU

F835 M906 1945

Musser, Joseph White, ed.
Michael, our father and our God; the Mormon conception of deity as taught by Joseph Smith, Brigham Young, John Taylor, and their associates in the priesthood. Joseph W. Musser, author ... 3d ed. Salt Lake City, Utah, Truth publishing company [1945]
2 p.l.,79 p. 24cm.
"Reprinted from Truth, vol. 3, nos. 1-6 - carefully revised and amplified."

NM 0914239 CU-B WHi

Musser, Joseph W.
Mormonism from its earliest phase to the present time ... First edition. n.p. Northern Farmer and Fancies print. 1895.
[52] p.
Cover title.

NM 0914240 OC1WHi

VOLUME 403

Utah Pam v.115 no.12 Musser, Joseph White, 1872-1954.
The new and everlasting covenant of marriage; an interpretation of celestial marriage, plural marriage, polygamy, by J. W. Musser. Salt Lake City [Truth Publishing Co., n.d.]
87p. 18cm.

Utah Pam v.111 no.13 ---- ---- Supplement, by J. W. Musser with J. L. Broadbent as collaborator. Salt Lake City [Truth Publishing Co., n.d.]
155p. 18cm.

1. Mormon Church--Doctrine--Marriage, Plural. 2. Mormons and Mormonism--Controversial works. 3. Fundamentalist (Truth) I. Broadbent, J L II. Title.

NM 0914242 UU NjP NN

Utah Pam v.117 no.2 Musser, Joseph White, 1872-1954.
An open letter to Heber J. Grant, April 15, 1935 [by J.W. Musser. Salt Lake City, 1935?]
8p. 19cm.

Caption title.
1. Grant, Heber Jeddy, 1856-1945--Criticism. 2. Mormons and Mormonism--Controversial works. 3. Mormon Church--Doctrine--Marriage, Plura' I. Title.

NM 0914243 UU CU-B NN

Musser, Joseph White, 1872-1954.
Priesthood items; extracted from Supplement to the new and everlasting covenant of marriage...2d ed By J.W. Musser and J.L. Broadbent. [Salt Lake City, Utah, Truth Pub. Co., 19--?]
62 p. 20 cm.
Cover title.
1. Marriage. 2. Mormons and Mormonism - Doctrinal and controversial works. I. Broadbent, J L II. T. III. T.: Supplement to the new and everlasting covenant of marriage. IV. T.: New and everlasting covenant of marriage.

NM 0914244 NjP CU-B NN UU

Musser, Karl Bryant, 1888 -
Babcock test for milk and cream. Storrs, 1914.

NM 0914245 PP

Musser, Karl Bryant, 1888-
... Founding a purebred dairy herd ...
(In Western Washington experiment station. Monthly bulletin, v. 7, no. 5, August, 1919)
1. State college of Washington authors, Works of. 2. Dairying. 3. Stock and stock raising.

NM 0914246 WaPS

E639.73 W27bm v.8,no.4 Musser, Karl Bryant, 1888-
... Saving money on feed ...
(In Western Washington experiment station. Monthly bulletin, v. 8, no. 4, July, 1920)

1. State college of Washington authors, Works of. 2. Feeding and feeding stuffs.

NM 0914247 WaPS

Musser, Karl Bryant.
Studies from the survey on the cost of market milk production
see under Connecticut. University.

H 248.4 M97c [Musser, Martin H]
Christian life and doctrine [Lancaster, Pa.] Reformed Mennonite Church [n.d.]

32 [1]p. 15cm.

NM 0914249 ViHarEM

Musser, Morgan Jay.
Analysis of the XY lumber company.

56 LL

NM 0914250 PU

Musser, Paul Howard.
James Nelson Barker, 1784-1858; with a reprint of his comedy, Tears and smiles ... by Paul H. Musser. Philadelphia, 1929.
3 p. l., 230 p. incl. facsim. 21½cm.
Thesis (PH. D.)—University of Pennsylvania, 1929.
Published also without thesis note.
With reproduction of original t.-p. of Barker's Tears and smiles, Philadelphia, 1808.
Bibliography: p. 211-223.
1. Barker, James Nelson, 1784-1858. I. Barker, James Nelson, 1784-1858. Tears and smiles.
Library of Congress PS1065.B8Z7 1929 a 30-5929
Univ. of Pennsylvania Libr.

NM 0914251 PU NIC CaBVaU PPL PU OC1W OC1 MH DLC

Musser, Paul Howard.
James Nelson Barker, 1784-1858; with a reprint of his comedy Tears and smiles, by Paul H. Musser ... Philadelphia, University of Pennsylvania press; London, H. Milford, Oxford university press, 1929.
3 p. l., 230 p. 22cm.
With reproduction of original t.-p. of Barker's Tears and smiles, Philadelphia, 1808.
Issued also as thesis (PH. D.) University of Pennsylvania.
Bibliography: p. 211-230.
1. Barker, James Nelson, 1784-1858. I. Barker, James Nelson, 1784-1858. Tears and smiles.
Library of Congress PS1065.B8Z7 30-4244

MsU TU MB MH MWA NcU NcD TxU KEmT MtU CoU MeB CU-I
NM 0914252 DLC PBa PSC PU PP OO OCU OU OC1 ViU

56.7 M97 Musser, Ralph H, 1890-
Soil conservation as practised by Milwaukee served Ill., Iowa and Mo.
(In The Milwaukee Magazine. Chicago, 1938. 28cm. v.26, no. 8, Nov., 1938. p. 11, 28-29)

1. Soil erosion. Prevention and control. Illinois. 2. Soil erosion. Prevention and control. Iowa. 3. Soil erosion. Prevention and control. Missouri. I. Milwaukee magazine. v.26, no. 8.

NM 0914253 DNAL

Musser, Ralph H 1890-
Use the land and save the soil. [Washington, U. S. Govt. Print. Off., 1949]
16 p. illus. 24 cm. (U. S. Dept. of Agriculture. PA-71)
Contribution from Soil Conservation Service.

1. Soil conservation—U. S. 2. Land [utilization—U. S.] (Series)
[S21.A856 no. 71] Agr 49-696*
U. S. Dept. of Agr. Libr 1Ag84Pro no. 71
for Library of Congress [5*]

NM 0914254 DNAL

F8392 .M989 Musser, Raymond Eugene, 1903-
G. I. railroader. [Romney, W. Va., Hampshire Review print. c., 1945]
134 p. illus., ports. 22½ cm.

1. World War, 1939-1945 - Personal narratives, American.

NM 0914255 WHi

MUSSER, Richard H.
The war in Missouri. From Springfield to Neosho.

Map and port. of Major-General Sterling Prince.
Southern bivouac, 1886, 1. pp.675-685. 745-752.

NM 0914256 MH

Musser, W Daniel.
Vocational training for war production workers; final report. [Washington, 1946]
x, 290 p. illus. 23 cm. (U. S. Office of Education. Bulletin 1946, no. 10)
Bibliography: p. 141-145.

1. Vocational education—U. S. 2. Technical education—U. S. 3. World War, 1939-1945—War work—Schools. I. Title. II. Series.
L111.A6 1946, no. 10 371.425 E 47-23*
——— Copy 2. T73.M87
U. S. Office of Education. Library
for Library of Congress [12]†

NM 0914257 DHEW MiEM PLF CaBVaU WaWW MB DLC

MT155 .S94 Musser, Willard I., joint author.

Swift, Frederic Fay.
The brown book; nationalism in music, music in our country, historical periods in music, types of songs, by Frederic Fay Swift [and] Willard I. Musser. Rockville Centre, N. Y., Belwin, ©1954.

Musser, Willard I
General music in the junior high school
see under
Swift, Frederic Fay, 1907-

99.47 M97 **Musser Forests, inc., Indiana, Pa.**
Christmas tree growers' guide
Indiana, Pa. [195-?]
13 p.

1. Christmas trees. I. Musser, Fred.

NM 0914260 DNAL

Mussert, van
Gezagsondermijning in Indië
see under title

[Mussert, Anton Adriaan] 1894-1946.
De bronnen van het Nederlandsche nationaalsocialisme. Utrecht, Hoofdkwartier N.S.B. [1937]

31 p. 22 cm.

NM 0914262 MH DLC

VOLUME 403

Mussert, Anton Adriaan, 1894–1946.
...Buitenlandsche politiek. Mussert's standpunt. Twee toespraken tot het Nederlandsche volk. 12 Mei 1936. [Utrecht, 1936] 32 p. 20cm.
At head of title: 12 October 1935.

1. Europe—Politics, 1919–
N. Y. P. L. June 12, 1951

NM 0914263 NN

[Mussert, Anton Adriaan] 1864-1946.
Ik geef u rekenschap, zoo staat het met de N.S.B.; rede... Rotterdam, Uitgave Nenasu [1941] 28 p. 23cm.
Signed: Mussert.

1. Fascism—Netherlands.

NM 0914264 NN

Mussert, Anton Adriaan, 1894–1946.
Juist nu het hoofd omhoog. [n. p.] 1944.
30 p. 20 cm.
Cover title.

1. Fascism—Netherlands. 2. World War, 1939–1945—Netherlands. 3. National socialism. I. Title.
A 48–2879*
Harvard Univ. Library for Library of Congress [1]

NM 0914265 MH

Mussert, Anton Adriaan, 1894-1946.
Mussert spreekt tot zijn zwarthemden. Het Nederland van nu en de toekomst van het Nederlandsche volk in Europa, Afrika en Azië; rede, voor de eerste maal uitgesproken in het Concertgebouw te Amsterdam, op 14 October 1939. n.p. [1939]
16 p. illus. 24 cm.
Cover-title.

NM 0914266 MH NN

JN5985 N3M98
Mussert, Anton Adriaan, 1894-1946.
De nationaal-socialistische beweging in Nederland en de cultuur, door Mussert. Rotterdam, NENASU [193-?]
16 p. 23½cm.

1.Nationaal-socialistische beweging der Nederlanden. 2.Netherlands - Civilization.

NM 0914267 CSt-H NN MH

Mussert, Anton Adriaan, 1894–1946.
Neerlands toekomst. [Utrecht] Hoofdkwartier [N. S. B., 194–]
32 p. illus. 21 cm.

1. Netherlands—For. rel.—1830– I. Title.
DJ144.M88 53–39437 ‡

NM 0914268 DLC MH

Mussert, Anton Adriaan, 1894-1946.
Onze strijd voor het nederlandsche volk, rede van den leider, uitgesproken op 11 december 1943 ter herdenking van het 12-jarig bestaan der N.S.B. ... 1943.
23 p.

NM 0914269 DLC

Mussert, Anton Adriaan, 1894–1946, *defendant.*
Het proces Mussert. 's-Gravenhage, M. Nijhoff, 1948.
xii, 344 p. ports. 25 cm. (Rijksinstituut voor Oorlogsdocumentatie. Serie Bronnenpublicaties, nr. 4. Processen nr. 3)
Trial in the Bijzonder Gerechtshof at The Hague and appeal to the Bijzondere Raad van Cassatie.

I. Netherlands (Kingdom, 1815–) Bijzonder Gerechtshof (The Hague) II. Netherlands (Kingdom, 1815–) Bijzondere Raad van Cassatie. (Series)
50–20875

NM 0914270 DLC NN CLSU INS NcD GU OU ICU MiU

DJ286 M9868
[Mussert, Anton Adriaan] 1894-1946.
Rechtsverkrachting, een symbool van het ondergaande stelsel. [Overdruk uit "Volk en vaderland". Utrecht? 1940]
[4] p. 25cm.
Signed: Mussert.

1. Netherlands - Pol. & govt. - 1940-1945. 2. Gerbrandy, Pieter Sjoerds, 1885-

NM 0914271 CSt-H

Mussert, Anton Adriaan, 1894-1946.
Een rede over den arbeidsdienstplicht. Utrecht [1942]
22 p. 22 cm.

NM 0914272 MH

MUSSERT, Anton Adriaan, 1894-1946.
Richtlijnen voor een nederlandsch-belgische overeenkomst. Utrecht, 1927.
31 p.

NM 0914273 MH

4DJ 87
Mussert, Anton Adriaan, 1894-1946.
Rondom de klok 12 December 1936. Amsterdam, De Gildekamer [193]
32 p.

NM 0914274 DLC-P4

Mussert, Anton Adriaan, 1894–1946.
De toekomst van Nederland, redevoeringen gehouden door den Leider der N. S. B. Mussert op 31 Juli 1942 en de Hauptdienstleiter der N. S. D. A. P. Schmidt. [n. p., 1942?]
42 p. 23 cm.

1. Netherlands — For. rel. — Germany. 2. Germany—For. rel.—Netherlands. 3. Netherlands—Pol. & govt. I. Schmidt, official of the Nationalsozialistische Deutsche Arbeiter-Partei. II. Title.
DJ149.G3M8 48–43468 rev*‡

NM 0914275 DLC MH NN CLU

JN5985 N3M99
[Mussert, Anton Adriaan] 1894-1946.
12 [i.e. Twaalf] jaren van strijd voor het Nederlandsche volk; rede van den Leider, uitgesproken op 11 December '43 ter herdenking van het 12-jarig bestaan der N.S.B. [n.p., 1943]
20 p. 21cm.
Cover title.
Signed: Mussert.

1. Nationaal-Socialistische Beweging der Nederlanden. I. Title.

NM 0914276 CSt-H MH

Mussert, Anton Adriaan, 1894–1946.
Vijf nota's van Mussert aan Hitler over de samenwerking van Duitschland en Nederland in een bond van Germaansche volkeren, 1940–1944. 's-Gravenhage, M. Nijhoff, 1947.
140 p. facsims., fold. map. 24 cm. (Rijksinstituut voor Oorlogsdocumentatie. Serie Bronnenpublicaties, nr. 3)

1. Netherlands—Hist.—German occupation, 1940–1945. 2. World War, 1939–1945—Documents, etc., sources. 3. Nationaal-Socialistische Beweging der Nederlanden. I. Hitler, Adolf, 1889– II. Title. (Series)
DJ287.M88 A 49–5249*
Harvard Univ. Library for Library of Congress [1]

NM 0914277 OU NN OCl MH INS PU WU CLSU GU NcD NNC ICU DLC

Mussert, Anton Adriaan, 1894–1946.
Vrij baan voor de toekomst, bijdrage tot de kennis van het wegenvraagstuk. Utrecht, A. Oosthoek, 1931.
81 p. illus. 25 cm.

1. Roads—Netherlands. I. Title.
HE363.N22M8 56–50658 ‡

NM 0914278 DLC

Musserus, Hermannus.
Askēsis physikē de mundo in genere, secundum principia, et affectiones suas, considerato. Argentorati, Excudebat Antonius Bertramus, 1626.
12 l. 4°.

NM 0914279 NN

Musses, Martha Adriana.
Koecultus bij de hindoes.
Inaug. diss. Utrecht, 1920.

NM 0914280 ICRL

Mussestunden. Geschichten und bilder zur unterhaltung und belehrung im häuslichen kreise. Cincinnati, O., M. & R. Burgheim [1877]
2 p. l., 133 p. front., plates. 18½cm.
CONTENTS.—Gerstäcker, F. Die wolfsglocke. Beim mittagstisch zum tode verurtheilt, eine wahre begebenheit.—Maurer, J. C. Die bäuerin von Weng, eine Tyrolergeschichte.—Brentano, F. Der bart des herrn Strippel.—Moser, O. Die weissbiergäste.—Prenzlau, K. v. Kriegers lust und leid, eine geschichte aus dem deutsch-französischen kriege.

1. Short stories, German.
15–24114
Library of Congress PT1338.M8

NM 0914281 DLC OC

W 4 P23 1951 no. 1139
MUSSET, Alexandre Jules Henri, 1925-
Intérêt de l'indoxylémie dans le pronostic de la néphrite chronique azotémique. Paris, 1951.
42 p. (Paris. [Université] Faculté de médecine. Thèse, 1951, no. 1139)
1. Uremia

NM 0914282 DNLM

VOLUME 403

Musset, Alfred de, 1810-1857.
Oeuvres (de Alfred de Musset.) Paris, La Renaissance du livre, n.d.
8v. (Tous les chefs-d'oeuvre de la littérature française)

NM 0914283 OClND

PQ2369 .A2 18— Musset, Alfred de, 1810-1857.
Oeuvres complètes: poesies, contes et nouvelles, comédies et proverbes. Paris, Édition et librairie .18—.
830 p.

NM 0914284 ICU

Musset, Alfred de, 1810-1857.
Œuvres complètes de Alfred de Musset. Édition ornée de 28 gravures d'après les dessins de m. Bida, d'un portrait gravé par m. Flameng d'après l'original de m. Landelle et accompagnée d'une notice sur Alfred de Musset, par son frère ... Paris, Charpentier, 1866.
10 v. front. (port., v. 10) plates. 23½cm.
Vol. 10 has title: Œuvres posthumes de Alfred de Musset ...
CONTENTS.—t. 1-2. Poésies.—t. 3-5. Comédies.—t. 6-7. Nouvelles et contes.—t. 8. Confession d'un enfant du siècle.—t. 9. Mélanges de littérature et de critique.—t. 10. Œuvres posthumes, avec lettres inédites (et) une notice biographique, par son frère.
I. Musset, Paul Edme de, 1804-1880.
[Full name: Louis Charles Alfred de Musset]
35-35850
Library of Congress PQ2369.A1 1866 840.81

NM 0914285 DLC NIC MdBP PU TU CtY IU NN MWiW-C OO

Y 762 .M 9687 MUSSET, ALFRED DE, 1810-1857.
OEuvres complètes de Alfred de Musset. Edition ornée de 28 gravures d'après les dessins de m. Bida, d'un portrait gravé par m. Flameng d'après l'original de m. Landelle et accompagnée d'une notice sur Alfred de Musset, par son frère. Paris, Charpentier, 1866-88.
11v. 23cm.
Vol.10-11 lack general t.-p.
Vol.8,11 published by L.Hebert.
Bookplate of Chalkley Jay Hambleton.

Contents.--t.1-2. Poésies.--t.3-5. Comédies.-t.6-7. Nouvelles et contes.--t.8. Confession d'un enfant du siècle.--t.9. Mélanges de littérature et de critique.--[t.10] OEuvres posthumes.--[t.11 Biographie de Alfred de Musset, sa vie et ses oeuvres, par Paul de Musset, avec fragments inédits en prose et en vers et lettres inédites.

NM 0914287 ICN

Musset, Alfred *i. e.* Louis Charles Alfred de, 1810-1857.
Œuvres de Alfred de Musset, ornées de dessins de M Bida, gravés en taille-douce par les premiers artistes Paris, Charpentier, 1867.
viii, 735, 55, [1] p. front. (port.) plates. 29½cm.
17-14327
Library of Congress PQ2369.A1 1867

NM 0914288 DLC WU ScU TU ICU PHi PP PV CtY OKentU

Musset, Alfred de, 1810-1857.
Oeuvres [Nouv. ed. Paris, Charpentier, 1867]
10 v.
Half-title. Each volume has special t.-p.

NM 0914289 MH

Musset, Alfred de, 1810-1857.
Œuvres de Alfred de Musset ... Paris, A. Lemerre, 1876.
10 v. fronts. (ports., v. 2, 3, 6, 10) 16½cm. (Petite bibliothèque littéraire)
Half-title, v. 1-9: Œuvres complètes ... v. 10: Œuvres posthumes ...
Original covers (with series title?) wanting.
Volume numbering indicated in signatures.
Paul de Musset's "Biographie de Alfred de Musset," Lemerre, 1877, is sometimes regarded as vol. XI of this collection. cf. Vicaire's Manuel.
CONTENTS.—[t. 1] Poésies, 1828-1833.—[t. 2] Poésies, 1833-1852.—[t. 3-5] Comédies et proverbes.—[t. 6] La confession d'un enfant du siècle.—[t. 7] Nouvelles.—[t. 8] Contes et nouvelles.—[t. 9] Mélanges de littérature et de critique.—[t. 10] Œuvres posthumes.
[Full name: Louis Charles Alfred de Musset]
3-25140 Revised
Library of Congress PQ2369.A1 1876
——— Reissue. Without imprint date. PQ2369.A1 1876 a
[r42c2] [841.77] 840.81

NM 0914290 DLC MB CU WaTC TxU MB CtY MiU

Musset, Alfred de, 1810-1857.
Œuvres complètes de Alfred de Musset. Éd. ornée de 28 gravures d'après les dessins de m. Bida, d'un portrait gravé par m. Flameng d'après l'original de m. Landelle, et accompagnée d'une notice sur Alfred de Musset par son frère ... Paris, L. Hébert, 1876-84.
11 v. fronts. (v. 10, 11, ports.) plates. 24½cm.
Vols. 3, 4, and 10 have imprint: Paris, Charpentier, 1876.
Vols. 10 and 11 lack general t.-p.

CONTENTS.—t. 1-2. Poésies.—t. 3-5. Comédies.—t. 6-7. Nouvelles et contes.—t. 8. Confession d'un enfant du siècle.—t. 9. Mélanges de littérature et de critique.—[t. 10] Œuvres posthumes de Alfred de Musset; avec lettres inédites, une notice biographique par son frère, le portrait d'Alfred de Musset gravé par m. Flameng d'après l'original de m. Landelle et une gravure d'après un dessin de m. Bida.—[t. 11] Bibliographie de Alfred de Musset, sa vie et ses œuvres, par Paul de Musset; avec fragments inédits en prose et en vers et lettres inédites, le portrait de Paul de Musset gravé par m. Dubouchet et une gravure d'après un dessin de m. Emile Bayard.
I. Musset, Paul Edme de, 1804-1880.
[Full name: Louis Charles Alfred de Musset]
14-6537 Revised
Library of Congress PQ2369.A1 1884

NM 0914292 DLC NcU

PQ 2369 A1 1877 Musset, Alfred de, 1810-1857
Oeuvres complètes. Éd. ornée de 28 gravures d'après les dessins de Bida d'un port. gravé par Flameng d'après l'original de Landelle et accompagné d'une notice sur Alfred de Musset par son frère. Paris, Charpentier, 1877.
10v. illus. 23cm.
Vol. 10 includes biography of Alfred de Musset by Paul de Musset.
Bibliographical footnotes.
I. Musset, Paul Edme de, 1804-1880

NM 0914293 WU OClW

MUSSET, Alfred de.
CEuvres complètes. Edition accompagnee d'une notice sur Alfred de Musset par son frer P., 1877-79.

10 vol. Plates and port.
1, 2. Poesies. 2 vol. 1877 - 3-5.3-Comedies .3 vol. 1877-6,7.Nouvelles et contes 2 vol. 1879-'77-8.Confession d'un enfant du siecle. 1877-9. Melanges de litterature et de critique. 1877-10.OEuvres posthumes avec lettres inedites ,une notice biographique etc., 1877. 41596.8

NM 0914294 MH CaBVaU NjP

F.C.L. 842.76 M9890s Musset, Alfred de, 1810-1857.
Oeuvres. Paris, G. Charpentier, 1878.
viii, 735, 55 p. 29 cm.

Contents.-Poésies.-Comédies et proverbes.-La confession d'un enfant du siècle.-Nouvelles et contes.-Mélanges de littérature et de critique.-Oeuvres posthumes.

NM 0914295 NcD

PH 4369 .A 1 1879 Q Musset, Alfred de, 1810-1857.
Oeuvres de Alfred de Musset ... Paris, G. Charpentier, 1879.
viii, 735, 55, [1] p. 29cm.

Imperfect: t.-p. mutilated, mended; p. 401-448 wanting; stained.
Contents. - Poésies. - Comédies et proverbes. - La confession d'un enfant du siècle. - Nouvelle et contes. - Mélanges de littérature et de critique. - Oeuvres posthumes.

NM 0914296 MdBJ

PQ2369 .A2 1879 Musset,Alfred i.e.Louis Charles Alfred de,1810-1857.
Oeuvres complètes de Alfred de Musset. Éd. ornée de 28 gravures d'après les dessins de M. Bida,d'un portrait gravé par M.Flameng d'après l'original de M.Landelle et accompagnée d'une notice sur Alfred de Musset par son frère... Paris,Charpentier,1879.
11 v. fronts.(ports.v.10-11) plates. 23½cm.
Vol.10-11 have special t.-p.

NM 0914297 ICU

Musset, Alfred de, 1810-1857.
Oeuvres complètes.Éd. ornée de 28 gravures d'après les dessins de m.Bida, d'un portrait gravé par m.Flameng d'après l'original de M.Landelle et accompagnée d'une notice sur Alfred de Musset par son frère. Paris, Charpentier, 1881.

9 v. illus.

NM 0914298 MH CtY

Musset, Alfred de, 1810-1857.
Oeuvres (de Alfred de Musset)... Paris, G. Charpentier, 1882.
735, 55, [1] p.

NM 0914299 OU PSC MH

Musset, Alfred de, 1810-1867.
Oeuvres de Alfred de Musset; Poésies, Comédies et proverbes, La confession d'un enfant du siècle, Nouvelles et contes, Mélanges de littérature et de critique, Oeuvres posthumes. Paris, Charpentier et Fasquelle [1883]
3 p. l., 792 p., [v]-vii p. front., plates, facsim. 29½cm.

Added engraved t.-p.: Illustrations pour les oeuvres de Alfred de Musset. Aquarelles par Eugène Lami; eaux fortes par Adolphe Lalauze. Paris, Damascène Morgand, 1883.

NM 0914300 NNC NjP ViU RPB MH

PQ 2369 A1 1884 Musset, Alfred de, 1810-1857
Oeuvres complètes. Ed. ornée de 28 gravures d'après les dessins de M. Bida d'un portrait gravé par M. Fleming d'après l'original de M. Landelle et accompagné d'une notice sur Alfred de Musset par son frère. Paris, Edition Charpentier, 1884.
11v. illus. 25cm.
Vol. 11 includes biography of Alfred de Musset by Paul de Musset.
I. Musset, Paul Edme de, 1804-1880

NM 0914301 WU MB OKentU NjP MsSM PV

Musset, Alfred de, 1810-1857.
Oeuvres complètes. Édition ornée de 28 gravures d'après les dessins de M.Bida, d'un portrait gravé par M.Flameng d'après l'original de M.Landelle et accompagnée d'une notice sur Alfred de Musset par son frère. Paris, Charpentier, 1888.

11 v. illus.
Contents:-1-2.Poésies.-3-5.Comédies.-6-7.Nouvelles et contes.-8.Confession d'un enfant du siècle.-9.Mélanges.-10.Oeuvres posthumes.-11. Biographie de Alfred de Musset, sa vie et ses oeuvres, par Paul de Musset.

NM 0914302 MH

VOLUME 403

848 M989 1889 Musset, Alfred de, 1810-1857
Oeuvres complètes... Paris, Charpentier, 1889-91.
5v. illus.,port. Q.

Vol.2-5, pub. by Fasquelle.
Contents: [1] Poésies.- [2] Nouvelles et contes.- [3-4] Comédies et proverbes. Mélanges. 2v.- [5] La confession d'un enfant du siècle. Oeuvres posthumes.

NM 0914303 IaU NcD WaU MB

Musset, [Louis Charles] Alfred de. F848
Œuvres. Paris: Alphonse Lemerre [1890?]. 10 v. 16°.

v. 1-2. Poésies.
v. 3-5. Comédies et proverbes.
v. 6. La confession d'un enfant du siècle.
v. 7. Nouvelles.
v. 8. Contes et nouvelles.
v. 9. Mélanges de littérature et de critique.
v. 10. Œuvres posthumes.

NM 0914304 NN

*PQ2369 A12 1890 Musset, Alfred de, 1810-1857.
Oeuvres de Alfred de Musset. Poésies, comédies et proverbes, La confession d'un enfant du siecle, Nouvelles et contes, Mélanges de littérature et de critique, Oeuvres posthumes. Paris, Librairie Charpentier et Fasquelle [1890?]
vii,792p. 29½cm.

NM 0914305 NBuG

Musset, Alfred de, 1810-1857.
Œuvres complètes de Alfred de Musset. Édition ornée de 28 gravures d'après les dessins de m. Bida, d'un portrait gravé par Flameng d'après l'original de Landelle et accompagnée d'une notice sur Alfred de Musset, par son frère ... Paris, Charpentier, Librairie A. Houssiaux, 1902-1903.
10 v. front. (port., v. 10) plates. 23½cm.
Vol. 10 has title: Œuvres posthumes de Alfred de Musset ...
CONTENTS.—t. 1-2. Poésies.—t. 3-5. Comédies.—t. 6-7. Nouvelles et contes.—t. 8. Confession d'un enfant du siècle.—t. 9. Mélanges de littérature et de critique.—[t. 10] Œuvres posthumes, avec lettres inédites [et] une notice biographique, par son frère.
I. Musset, Paul Edme de, 1804-1880.

NM 0914306 ViU NcGU OClW

Musset, Alfred de, 1810-1857.
Oeuvres complètes (d'Alfred de Musset) ... [Paris, Charpentier, 1906-09]
11 v.

NM 0914307 OCU IdU

PQ 2369 A1 1907a Musset, Alfred de, 1810-1857.
Oeuvres complètes illustrées, Paris, Libraire charpentier et Fasquelle, 1907-
v.

NM 0914308 KMK

Musset, Alfred de, 1810-1857.
Œuvres complètes de Alfred de Musset. Nouvelle édition, revue, corrigée et complétée de documents inédits, précédée d'une notice biographique sur l'auteur et suivie de notes, par Edmond Biré. Ouvrage illustré de 26 héliogravures exécutées d'après les dessins de Maillart... Paris: Garnier frères [1907-].
v. front., plates. 12°.

Contents: [v.] 3. Comédies et proverbes: André del Sarto. Lorenzaccio. Les caprices de Marianne. Fantasio. On ne badine pas avec l'amour. La nuit vénitienne. Barberine.

1. French literature.—Collected works. 2. Biré, Edmond, 1829-1907, editor. 3. Maillart, illustrator.
N. Y. P. L. June 11, 1919.

NM 0914309 NN NNC WaS PSC MiU InU WaU CU

Musset, Alfred de, 1810-1857.
Œuvres de Alfred de Musset ... Illustrations de Henri Pille, gravées à l'eau-forte par Louis Monziès. Paris, A. Lemerre [1907]-11.
10 v. fronts., plates, port. 18½ cm.
CONTENTS.—[t. 1] Poésies, 1828-1833.—[t. 2] Poésies, 1833-1852.—[t. 3-5] Comédies et proverbes.—[t. 6] La confession d'un enfant du siècle.—[t. 7] Nouvelles.—[t. 8] Contes et nouvelles.—[t. 9] Mélanges de littérature et de critique.—[t. 10] Œuvres posthumes.

PQ2369.A1 1907 13—3065

NM 0914310 DLC AU NBC IEdS ViLxW

Musset, Alfred de, 1810-1857.
Oeuvres complètes, nouvelle edition, revue, corrigée et augmentée de documents inédits précédés d'une notice biographique sur l'auteur et suivie, de notes par Edmond Biré, ouvrage illustré de 26 héliogravures d'apres les dessins de Maillart. Paris, Garnier Frs. n. d. [191-?]
8 vols.

NM 0914311 PPT ODW

Musset, Alfred de, 1810-1857.
Oeuvres complètes de Alfred de Musset. Nouvelle éd.revue,corrigée et complétée de documents inédits,précédée d'une notice biographique sur l'auteur et suivi de notes par Edmond Biré. 2e éd. Paris. Garnier frères, [n.d.] [191-?]
9 v. 19cm.

NM 0914312 OrPR

Musset, Alfred de, 1810-1857.
Oeuvres complètes. Paris, Gillequin [1910?]
xii, 586 p.

NM 0914313 MH

PQ2369 .A1 1920 Musset, Alfred de, 1810-1857.
Œuvres complètes. Nouv. éd. rev., corr. et complétée de documents inédits, précédée d'un notice biographique sur l'auteur et suivie de notes par Edmond Biré. Paris, Garnier Freres [1920-
v. 18cm. (Classiques Garnier)
CONTENTS.—t.1. Premières poésies 1829-1835. Contes d'Espagne et d'Italie. Spectacle dans un fauteuil. Poésies diverses. Namouna. 3. ed. [1920] —t.2. Poésies nouvelles: Rolla. Les nuits. Poésies nouvelles. Contes en vers. 1920.—
I. Biré, Edmond 1829-1907, ed.

NM 0914314 ViU

Musset, Alfred de, 1810-1857.
Œuvres complètes de Alfred de Musset ... Notice de F. Baldensperger — notes de R. Doré — illustrations de E. Nourigat, gravées sur bois par Victor Dutertre. Paris, L. Conard, 1922-
v. front., illus., plates. 21½ cm.
Cover of v. 1 dated 1923.

I. Baldensperger, Fernand, 1871- II. Doré, Robert, 1890- ed. III. Nourigat, Émile, illus. IV. Dutertre, Victor, 1850- illus.

PQ2369.A1 1922 840.81 34—32052

NM 0914315 DLC CU-I ScCleU TU CU NcD OU FTaSU WaSpG WaU CtY

Hfe Ms9M Musset, Alfred de, 1810-1857.
Oeuvres de Alfred de Musset; comédies et proverbes. Paris, Alphonse Lemerre [1926]
2 v. port. 16 cm.
Contents.- v.1. La nuit vénitienne. André del Sarto. Les Caprices de Marianne. Fantasio. On ne badine pas avec l'amour barberine.- v.2. Lorenzaccio. Le chandelier. Il ne faut jurer de rien.

NM 0914316 CtY

845M97 I1927 Musset, Louis Charles Alfred de, 1810-1857.
Oeuvres complètes illustrées. Illus. de Charles Martin. Paris, Librairie de France, 1927-29.
10v. illus.(part col.) port. 24cm.

NM 0914317 IU MU OU

842.7 M98o Musset, Louis Charles Alfred de, 1810-1857.
[Oeuvres complètes] Texte établi et annoté par Maurice Allem. [Paris, Gallimard, 1951-57]
3 v. (Bibliothèque de la Pléiade 12, 17, 49)
Contents.-v. 1 Poésies complètes.-v.2 Théatre complèt.-v.3 Oeuvres complètes en prose.

NM 0914318 ODW NRU CoU TU MdU

Musset, Alfred de, 1810-1857.
The complete writings of Alfred de Musset. New York, E. C. Hill company, 1905.
10 v. col. fronts. (incl. 2 port.) plates. 24 cm.
Each volume has also special t.-p. Colored frontispiece repeated in black and white and before the special title-pages.
"One thousand copies have been printed on large paper." This set not numbered.
CONTENTS.—v. 1-2. Poems ... done into English by M. A. Clarke; illustrations by M. Bida, H. Pille.—v. 3. Comedies ... done into English by ... R. Pellissier; illustrations by C. Delort.—v. 4. Comedies ... done into English by ... E. B. Thompson; illustrations by C. Delort ... M. Bida.—v. 5. Comedies ... done into English by M. H. Dey; illustrations by C. Delort.—v. 6. Novels ... done into English by ... R. Pellisier; illustrations by ... M. Bida, Fleming, Cartozzo.—v. 7. Short stories ... done into English by ... R. Pellissier; illustrations by ... M. Bida, H. Pille, F. Flameng.—v. 8. Narration ... The confession of a child of the century, done into English by K. Warren; illustrations by P. L. Jazet, H. Pille.—v. 9. A medley of literature and criticism ... done into English by M. W. Artois; illustrations by ... M. Bida, H. Pille.—v. 10. Posthumes ... done into English by M. W. Artois, S. Seijas; illustrations by H. Pille, C. Landele.
I. Clarke, Marie Agathe, tr. II. Pellissier, Raoul, tr. III. Thompson, Edmund Burke, tr. IV. Dey, Mary Helena, tr. V. Warren, Kendall, tr. VI. Artois, Mary Webb, 1852- tr. VII. Seijas, Simeon, tr.
Full name: Louis Charles Alfred de Musset.

PQ2369.A24 1905 5—29117

NM 0914320 DLC PP-W PPRCl PU PPLas NjP I KyU ViU OrCS PPT KMK MWAC TU

Musset, Alfred de, 1810-1857.
The complete writings of Alfred de Musset ... Rev. ed. New York, Edwin C. Hill company, 1907-
v. fronts., plates. 23cm.

I. Lang, Andrew, 1844-1912, tr. II. Hayden, Charles Conner, tr. III. Clarke, Marie Agathe, tr. IV. Santayana, George, 1863- tr. V. Forman, Emily Shaw, tr. VI. Artois, Mary Webb, 1852- tr. VII. Schneider, Francis A., tr. VIII. Musset, Paul Edme de, 1804-1880.
[Full name: Louis Charles Alfred de Musset]
8—255
Library of Congress PQ2369.A24 1907

NM 0914321 DLC TxU AAP OCl PU ViU

Musset, Alfred de, 1810-1857.
The complete writings of Alfred de Musset ... Revised ed. New York, Privately printed for subscribers only [c1908]
10 v. col.fronts.(v.9-10,ports.) plates. 21½cm.
"Copyright,1908,by James L.Perkins and company."
"One thousand copies of this edition de luxe have been printed. This is copy number 33."
CONTENTS.--v.1-2. Poems [tr.by A.Lang,C.C.Hayden, Marie A.Clarke,George Santayana,Emily S.Forman]--v.3-5. [Comedies,tr.by Raoul Pellissier,E.B.Thompson,Mary H. Dey]--v.6-7. [Tales,tr.by Raoul Pellissier]--v.8. The confession of a child of the century [tr.by Kendall

Continued in next column

VOLUME 403

Continued from preceding column

Warren,--v.9. A medley of literature and criticism [tr.by Mary W.Artois]--v.10. Life [by Paul de Musset] Posthumous works [tr.by Mary W.Artois,F.A.Schneider]

I.Musset,Paul Edme de,1804-1880. [Full name: Louis Charles Alfred Musset]

LU PU
OO RPB FTaSU CoU NBuU TxFTC ViU CSmH MB CaBViP MtU
NM 0914323 MiU FMU PP NcRS OrU CtY OCl ODW OClW

PQ2369
A4
1925
Musset, Alfred de, 1810-1857.
Gesammelte Werke. [Hrsg.] von Alfred Neumann. München, G. Müller, 1925.
5 v.

Translated by Alfred Neumann and others.

Contents. - 1-2. Novellen und Erzählungen. - 3-4. Dramatische Werke. - 5. Gedichte und Biographie.

I. Neumann, Alfred, 1895-1952, ed.

NM 0914324 CU

Musset, Alfred de, 1810-1857.
À quoi rêvent les jeunes filles; comedie en deux actes, par Alfred de Musset, avec les vignettes gravées par Hermann-Paul. Paris: L. Pichon, 1920. 53 p. illus. 4°.

no. 139 of 426 copies printed.

1. Drama (French). 2. Paul, Hermann, illustrator. 3. Title.
N. Y. P. L. December 7, 1921.

NM 0914325 NN WU

PQ2369
.A6
1928
Musset, Alfred de, 1810-1857.
A quoi rêvent les jeunes filles [comédie en deux acte] Paris, A. Girard [1928]
36 p. 19cm. (Collection "La Glaneuse")

NM 0914326 ViU

Musset, Alfred de, 1810-1857.
À quoi rêvent les jeunes filles. La coupe et les lèvres. Les nuits. 10 hors-texte en lithographie de Cura. Paris, Éditions Athêna, 1946.
219 p. (Collection Athêna-luxe)

NM 0914327 DLC

Musset, Alfred de, 1810-1857.
Alfred de Musset. [Lyon] Archat [1946]

2 v. in 1. port. 22 cm.
Contents: - 1. Poésies. - 2.Comédies et proverbes.

NM 0914328 MH DLC

Musset, Alfred de, 1810-1857.
... Alfred de Musset, avec une introduction par Paul Sirven
see his Pages choisies des grands écrivains. Alfred de Musset ...

Musset, Alfred de, 1810-1857.
Alfred de Musset, dramatiste, conteur, poète; selections, edited with introduction, notes, exercises, and vocabulary, by H. Stanley Schwarz ... New York, Prentice-Hall, inc., 1931.
xiii, 277 p. 19½cm.

I. Schwarz, Henry Stanley, 1890- ed.
[Full name: Louis Charles Alfred de Musset]
31-33432
Library of Congress PQ2369.A14 1931
——— Copy 2.
Copyright A 42793 [3] [841.77] 840.81

NM 0914330 DLC

L841.7
M98al
Musset, Alfred de, 1810-1857.
Alfred de Musset: l'oeuvre, le poète. Orné de 15 planches hors texte en couleur, fleurons et culs-de-lampe de L. Deconde. [Edité avec une introd. de Jean d'Aquitaine] Paris, E. Gaillard [1907]
320p. plates, ports. 33cm.

I. Aquitaine, Jean d', ed. II. Title.

NM 0914331 IEN

PQ2373
.P4
Musset, Alfred de, 1810-1857.
Peter, René.
... Alfred de Musset, par René Peter. [Paris] La Bonne presse [1943]

Musset, Alfred de, 1810-1857.
Alfred de Musset, ses plus beaux vers. Paris, Éditions Nilsson [1927] 230 p. 6 col. pl. 24cm. (Collection Lotus)

Running title: Les plus beaux vers d'amours.
Illustrated by Robert Polack.

NM 0914333 NN OCl OClCC PBm

Musset, Alfred de, 1810-1857.
PQ2369
A17
1928
Alfred Musset, ses plus beaux vers. Paris, Editions Nilsson, [1928?]
230p. plates 23 cm. (Collection "Lotus")

Plates are mounted colored prints by Robert Polack.
"Il a été tiré...cent exemplaires."

NM 0914334 RPB

Musset, Alfred de, 1810-1857.
Amours. Paris, Éditions Vineta [1951]
xii, 196 p. 17 cm. (Le Bouquet d'Ophélie, 1)
Introduction signed: Henri Petit.

I. Title.
Full name: Louis Charles Alfred de Musset.
A 52-8062
Illinois. Univ. Library for Library of Congress [1]

NM 0914335 IU

---

*FC8
M9762
D851a
Musset, Alfred de, 1810-1857.
André del Sarto, drame en deux actes et en prose par Alfred de Musset; représenté au théâtre de l'Odéon (second Théâtre français) le mardi 21 octobre 1850.
Paris, Charpentier, libraire-éditeur, 19, rue de Lille. 1851.
60p. 18.5cm.
First published in Un spectacle dans un fauteuil, 2. livraison, t.2 (1834); reprinted in 3 acts in Comédies et proverbes (1840).

Continued in next column

Continued from preceding column

Original printed yellow wrappers, incl. spine strip, preserved; advts. on verso of half-title and on p.[4] of wrappers; booklist (12p.) dated 1er septembre 1851, at end; bound in half green morocco and marbled boards; top edges gilt.

NM 0914337 MH

Musset, Alfred de, 1810-1857.
André del Sarto; drame en deux actes et en prose ... Paris, 1851.
60 p. 12°. [In Bibl. dram., t. 58]

NM 0914338 CtY

Musset, Alfred de, 1810-1857.
... André del Sarto; drame en trois actes. Il ne faut jurer de rien; comédie en trois actes. Paris, Éditions Nilsson [1911]
126, [2] p. 16½ x 9½cm. (On cover: Les 100 chefs d'œuvre qu'il faut lire. 41)
At head of title: Alfred de Musset.
Portrait of author on cover.

NM 0914339 ViU

Musset, Alfred de, 1810-1857.
Andrea del Sarto, tragedia de arte y de amor en dos jornadas, traducción de Cándido Rouco... Barcelona [n.d.]
110p. 20cm.

Microcard copy on 2 cards. Louisville, Ky., Falls City Microcards, 1970.

NM 0914340 OrU

895.48
D7543
v.13
Musset, Alfred de, 1810-1857.
Andrea del Sarto. Ankara, Maarif matbaası, 1943.
79 p. (Dünya edebiyatından tercümeler. Fransiz klâsikleri: 13)

Tr. by Sabiha Yağızlar.

I. Yagizlar, Sabiha tr.

NM 0914341 NNC

---

*FC8
M9762
828d
Musset, Alfred de, 1810-1857.
L'Anglais mangeur d'opium. Traduit de l'anglais par A[lfred]. d. M[usset].
Paris, Mame et Delaunay-Vallée, libraires, rue Guénégaud, n° 25. MDCCC XXVIII.
xvj, [17]-221p. 15.5cm.
A paraphrase, rather than a translation, of De Quincey's Confessions of an English opium-eater.

NM 0914342 MH CtY

844M97
OA
MUSSET, Alfred de, 1810-1857
L'Anglais mangeur d'opium. Tr. de l'anglais et augm. par A.D.M., Alfred de Musset. Avec une notice par M. Arthur Heulhard. Paris, Le Moniteur du bibliophile, 1878.
126p., 1 l. 25 x 20cm.
Title in red and black.
Head and tail pieces; initials.
"La mention traduit de l'anglais, que porte le titre, n'est pas d'une rigoureuse exactitude. D'après Quérard, Supercheries littéraires, tome I, col.

Continued in next column

VOLUME 403

Continued from preceding column

195, l'ouvrage serait 'une traduction abrégée à laquelle l'auteur a ajouté un chapitre de sa façon.' M.Maurice Clouard a mieux déterminé la part d'Alfred de Musset. 'Ce n'est', écrit-il, dans ses Documents inédits sur Alfred de Musset.. 'ni une traduction, ni une imitation, mais une paraphrase du roman anglais de Thomas de Quincey: Confessions of an English opium eater.'" - Vicaire. Manuel de l'amateur de livres.

NM 0914344 MnU MH

Musset, Alfred de, 1810-1857.

Wagstaff, *Mrs.* Blanche (Shoemaker)
Atys, a Grecian idyl, and other poems, by Blanche Shoemaker Wagstaff. New York, M. Kennerley, 1909.

NM 0914345 [illegible]

B45M97 Musset, Alfred de, 1810-1857.
KB45 Auswahl, mit biographischer einleitung und anmerkungen versehen von F. W. Bernhardt. Ber. 1910.
135p. por. (Weidmannsche sammlung französischer und englischer schriftstelles.)

"Anmerkungen" in cover pocket. 24p.

NM 0914346 IU

Musset, Alfred de, 1810-1857.
Barberina; commedia in 3 atti di A. de Musset; versione italiana con un proemio su la "Sala azzurra," a cura di Corrado Tumiati. Venezia: Zanetti[, 1927]. 130 p. illus. 16°.

Illustrated by Beryl Hight Tumiati.

1. Drama, French—Translations into Italian. 2. Tumiati, Corrado, translator. 3. Title.
N. Y. P. L. April 12, 1928

NM 0914347 NN

Musset, Alfred de, 1810-1857.
Barberina; commedia in tre atti. [Traduzione di Corrado Tumiati] Firenze, Sansoni [1943]
67 p. 16 cm. (La Meridiana, 9)

I. Title.
Full name: Louis Charles Alfred de Musset.
PQ2369.B2 I 8 842.76 50-46811

NM 0914348 DLC

Musset, Alfred de, 1810-1857.
Barberine, comedie en trois actes.
Paris, New York, Collection de vieux-colombier, n.d.
64 p.

NM 0914349 OCl

Musset, Alfred de, 1810-1857.
Barberine, comedie en trois actes.
(In his Oeuvres complètes. Nouv. éd. [n.d.] v.3, p.[431]-499)

Microcard edition.

NM 0914350 ICRL

MUSSET, ALFRED DE, 1810-1857.
Barberine; comédie en trois actes, par Alfred de Musset. Paris [etc., 1917] 64 p. 18½cm. (Collection du vieux-colombier.)

Cover-title.

1. Drama, French. 2. Beatrice, queen consort of Mathia Corvinus, king of Hungary, 1457-1508—Drama. I. Title.

NM 0914351 NN

Musset, Alfred de, 1810-1857.
Barberine; comédie en trois actes, par Alfred de Musset. Paris-New York [Édition du Théâtre du Vieux-colombier, 1917]
cover-title, 2 p. l., 3-64 p. 18½cm. (Collection du Vieux-colombier)

I. Title.
[*Full name:* Louis Charles Alfred de Musset]
ca 34-1852 Unrev'd
Library of Congress PQ2369.B2 1917 842.76

NM 0914352 DLC NIC TNJ NBC IaU IU

PQ2369
.B213 Musset, Alfred de, 1810-1857.
Barberine; comedy in three acts. Translated by L.A. Loiseaux. Paris, New York [Édition du Théâtre du Vieux-colombier, 1917]
cover title. 19cm. (Collection du Vieux-colombier)

NM 0914353 MiDW

Musset, Alfred de, 1810-1857.
Barberine. Orhan Veli Kanık tarafından tercüme edilmiştir. Ankara, Maarif Matbaası, 1944.
76 p. 19 cm. (Dünya edebiyatından tercümeler; Fransız klâsikleri, 58)

I. Title.
Full name: Louis Charles Alfred de Musset.
PQ2369.B2T8 N E 62-1509 ‡

NM 0914354 DLC NNC

848
M989Xs Musset, Alfred de, 1810-1857.
Barberine and other comedies. By Alfred de Musset. Chicago, Charles H. Sergel and company [c1892]
295p. 19cm. (Half-title: Barbarine and other comedies.)

OCl ICU NcD PPD IdPI MtU
NM 0914355 LNHT Or OrStbM NcU NNC MB MiD NN MiU

Musset, Alfred de, 1810-1857.
... Barberine. Lorenzaccio ... [Strasbourg, Heitz; New York, G. E. Stechert & co.; etc., etc., 1912]
188 p. 15cm. (*Added t.-p.:* Bibliotheca romanica. 165-167. Bibliothèque française. Le théâtre d'Alfred de Musset)
"Notice" (p. [5]-13) signed: Hubert Gillot.

I. Gillot, Hubert, 1875- ed. II. Title: Barberine. III. Title: Lorenzaccio.
[*Full name:* Louis Charles Alfred de Musset]
13-11438 Revised
Library of Congress PQ2369.B2 1912

NM 0914356 DLC CU OCl OClW

Musset, Alfred de, 1810-1857.
The beauty-spot, by Alfred de Musset. New York, Brentano's [c1888]
2 p. l., 75 p. 16cm.

I. Title.
[*Full name:* Louis Charles Alfred de Musset]
44-27719
Library of Congress PZ3.M976Be

NM 0914357 DLC CtY NN NBuG OO MiU

Musset, Alfred de, 1810-1857.
The beauty spot. (In French short stories of the 19th and 20th centuries, 1933. p. 89-120)

A translation of La mouche.

NM 0914358 OU

843.7
M989
CE **Musset, Alfred de, 1810-1857.**
The beauty spot and other stories. Translated by Kendall Warren. Chicago, C. H. Sergel [1892]
290p.
Contents.--The beauty spot.--Frederic and Bernerette.--Titian's son.--Croisilles.--Adventures of a white blackbird.
I. Title. II. Musset, Alfred de, 1810-1857. La mouche.

NM 0914359 ICarbS OClW PPD WU

Musset, Alfred de, 1810-1857.
Die beiden Geliebten. München, G. Müller [n.d.]
120 p.

NM 0914360 WaU WaS

PQ
2369
D45G4
1921 Musset, Alfred de, 1810-1857.
Die beiden Geliebten. Deutsch von Hans Jacob. München-Pullach, Süva Süddbayerische Verlagsanstalt, 1921.
160 p. 17cm. (Novellen in Gelb, Bd. 5)

Translation of Les deux Maîtresses.

NM 0914361 CoFS

Musset, Alfred de, 1810-1857.
Die beiden geliebten.
Leipzig, C. Weller, c1926.

120 p. illus.

NM 0914362 WaS

PQ2369
.A3S65 Musset, Alfred de, 1810-1857.
Bekenntnisse eines Kindes seiner zeit. [Für die Deutsche Bibliothek übersetzt und eingeleitet von Mario Spiro] Berlin, Deutsche Bibliothek [n.d.]
303 p. 18 cm.

I. Title. II. Spiro, Mario, tr.

NM 0914363 TU

VOLUME 403

Musset, Alfred de, 1810-1857.
Bettine, comedie en un acte.
(In his Oeuvres complètes. Nouv. éd. [n.d.] v.4, p.[393]-458)
Microcard edition.

NM 0914364 ICRL

---

*FC8 M9762 851b
Musset, Alfred de, 1810-1857.
Bettine, comédie en un acte et en prose, par Alfred de Musset. Représentée pour la première fois, à Paris, au théâtre du Gymnase le jeudi 30 octobre 1851.
Paris, Charpentier, libraire-éditeur, 17, rue de Lille. 1851.
71p. 19cm.
Original printed yellow wrappers, incl. spine strip, preserved; advts. on verso of half-title and on p.[4] of wrappers; bound in half green morocco and marbled board.

NM 0914365 MH WU IEN NRU CtY

Musset, Alfred de, 1810-1857.
Bettine. Ummadık taş baş yarar (On ne saurait penser à tout) Yaşar Nabi Nayır tarafından tercüme edilmiştir. Ankara, Maarif Matbaası, 1944.
109 p. 19 cm. (Dünya edebiyatından tercümeler; Fransız klâsikleri, 58)

I. Musset, Alfred de. Ummadık taş baş yarar. II. Title.
Full name: Louis Charles Alfred de Musset.

PQ2369.B4T8 N E 63-2490 ‡

NM 0914366 DLC NNC

Musset, Alfred de, 1810-1857.
...Billeder og Vers. Inhold: Digt af Tom Kristensen. Seks Digte af Alfred de Musset til George Sand, ved Sophus Claussen. Billedfortegnelse. Udgivet af Poul Uttenreitter til Sophus Claussens Udstilling. København, 1928. 8 l. illus. (port.) 8°.
At head of title: Sophus Claussen.
One of 400 copies printed.

390364A. 1. Poetry, French. 2. Claussen, Sophus Niels Christen, 1865- , translator. 3. Uttenreitter, Poul, editor. 4. Kristensen, Tom, 1893-
N. Y. P. L. January 7, 1929

NM 0914367 NN

Musset, Alfred de, 1810-1857.
El candelero; comedia en tres actos. Madrid, 1927]
p. 49-84. 20 cm.
At head of title: Alfredo de Musset.

NM 0914368 NcU

Musset, Alfred de, 1810-1857.
Un caprice, comedie en un acte.
(In his Oeuvres complètes. Nouv. éd. [n.d.] v.4, p.[131]-177)
Microcard edition.

NM 0914369 ICRL

Musset, Alfred de, 1810-1857.
Un caprice. Comédie par Alfred de Musset. Boston: De Vries, Ibarra & Co. [18—.] 56 p. 12°.
Eight scenes.

1. Drama (French). 2. Title.
N. Y. P. L. October 5, 1916.

NM 0914370 NN

---

*FC8 M9762 D847c
Musset, Alfred de, 1810-1857.
Un caprice, comédie en un acte et en prose par Alfred de Musset.
Paris, Charpentier, libraire-éditeur, 17, rue de Lille, 1847.
3p.l., [3]-68p. 18.5cm.
On cover: Representée au Théâtre français, le 27 novembre 1847.
First published in Comédies et proverbes (1840).
Original printed yellow wrappers, incl. spine strip, preserved; advts. on p.[4] of wrappers; booklist (12)p. at end; bound in half green morocco and marbled boards.
Another copy. 18cm.
Original printed yellow wrappers preserved; bound in blue morocco with red morocco doublures gilt edges.
Illustrated with 14 original water-color drawings by Paul Avril.
From the library of Amy Lowell; contains Robert Hoe's booklabel.

NM 0914372 MH CtY

PQ 2369 .C28
Musset, Alfred de, 1810-1857
Un caprice; comédie en un acte et en prose.
3. éd. Paris, Charpentier, 1848.
68 p. 18cm.

NM 0914373 WU MH

Musset, Alfred de, 1810-1857.
Un caprice, comédie en un acte et en prose. 12 pp.
(In Semaine littéraire du Courrier des États-Unis. Vol. 5. New York. 1848.) No. 12 in *6671.2.5

NM 0914374 MB

PQ2369 C28 1866
Musset, Alfred de, 1810-1857
Un caprice, comédie. Boston, De Vries, Ibarra [1866]
56 p. 21 cm. (Collection De Vries. French series)

NM 0914375 MeB MH

MUSSET, Alfred de, 1810-1857.
Un caprice; comedie. New York, Leypoldt & Holt, etc., etc., 1869.
pp. 56. 41596.29

NM 0914376 MH NN CtY PBm

---

815 M989 ca
Musset, Alfred de, 1810-1857.
Un caprice. Comédie par Alfred de Musset. Boston, De Vries, Ibarra & co. [1875?]
56 p. 20cm. (On cover: Collection De Vries. French series)

NM 0914377 CU

Musset, Alfred de, 1810-1857.
Un caprice. Comédie, par Alfred de Musset. New York: H. Holt and Co., [, 1896.] 56 p. 12°.
In eight scenes.

1. Drama, French. 2. Title.
N. Y. P. L. November 10, 1926

NM 0914378 NN MiD NIC PP PPT

842.76 Ocap 19--
Musset, Alfred de, 1810-1857.
Un caprice; comédie. New York, Henry Holt [19--]
56p. 19cm.

NM 0914379 KU

Musset, Alfred de, 1810-1857.
Un caprice, comédie. New York, H. Holt [1912?]
56 p. 19cm.

NM 0914380 ViU

Musset, Alfred de, 1810-1857.
...Un caprice; comédie en un acte. Paris: Payot et Cie., [1913.] 108 p. 48°. (Bibliothèque miniature. [no.] 6.)

1. Drama, French. 2. Title.
N. Y. P. L. February 17, 1926

NM 0914381 NN OO

Musset, Alfred de, 1810-1857.
A caprice; comedy in one act. [New York, Rosenfield, n. d.]
40 l. 28cm.
Typescript.

NM 0914382 NN

Musset, Alfred de, 1810-1857.
A caprice, a comedy in one act, by Alfred de Musset. Translated from the French by Anne Grace Wirt.
(*In* Poet lore. Boston, 1922. 25½[cm]. vol. XXXIII, no. 3, p. 395-419)

I. Wirt, Anne Grace, tr. II. Title.
[*Full name:* Louis Charles Alfred de Musset]

Library of Congress (Car sion) PN2.P7 vol. 33 CD 25-25

NM 0914383 DLC OCl MB NN

---

tPQ2369 C37G5 1870
Musset, Alfred de, 1810-1857.
Eine Caprice; Lustspiel in einem Aufzug. Deutsch von G. Ritter. Leipzig, P. Reclam jun. [187-]
37 p. 14cm. [Universal-Bibliothek, 626]

I. Ritter, G., tr. II. Title.

NM 0914384 CU NN

Musset, Alfred de, 1810-1857.
Les caprices de Marianne, comédie en deux actes.
(In his Oeuvres complètes. Nouv. éd. [n.d.] v.3, p.[225]-276)
Microcard edition.

NM 0914385 ICRL

Musset, Alfred de, 1810-1857.
... Les caprices de Marianne, comedie en deux actes. Lorenzaccio, drame en cinq actes. Il faut qu'une porte soit ouverte ou fermee, proverbe en un acte. Paris, Nilsson, n.d.
187 p., col. plates.

NM 0914386 OCl

VOLUME 403

Musset, Alfred de, 1810-1857.
...Les caprices de Marianne; comédie en deux actes. Paris, Calmann-Lévy [185-?] p. 104-155. 19cm.

"Représentée pour la première fois à Paris, le 14 juin 1851, à la Comédie-Française."

1. Drama, French. I. Title.
N. Y. P. L. November 25, 1947

NM 0914387 NN MH PSC CtY

*FC8 M9762 D851c
Musset, Alfred de, 1810-1857.
Les caprices de Marianne, comédie en deux actes, en prose, de m. Alfred de Musset; représentée pour la première fois, à Paris, sur le théâtre de la République (Comédie française), le 14 juin 1851.
Paris, Charpentier, libraire-éditeur, 19, rue de Lille. 1851.
60p. 18.5cm., in case 19.5cm.
First published in Un spectacle dans un fauteuil, 2. livraison, t.1 (1834).

Original printed yellow wrappers; advts. on verso of half-title and on p.[4] of wrappers; in yellow cloth case with black morocco label on spine.

NM 0914389 MH CtY IEN

845M97 Ocap
Musset, Louis Charles Alfred de, 1810-1857.
Les caprices de Marianne, comédie en deux actes Paris, Éditions parisiennes, 1906.
72p. illus. 21cm. (His OEuvres complètes, Comédies et proverbes)

"Publiée en 1833, représentée en 1851."

NM 0914390 IU WaU MA

Musset, Alfred de, 1810-1857.
Les Caprices de Marianne, comédie en deux actes, en prose ... avec un avertissement et une introduction par G. Michaut. n. p., n. p. [introd. d. 1908]
lx, 79 p. S.
[Title page missing]

NM 0914391 NcD

PQ 2369 .C3 1910
Musset, Alfred de, 1810-1857
Les caprices de Marianne; [comédie en deux actes, en prose] Ed. critique avec un avertissement et une introduction par Gustave Michout. Paris, Société d'Edition Française et Etrangère, 1910.
79 p. 18 cm.

NM 0914392 WU CaBVaU

Musset, Alfred de, 1810-1857.
Les caprices de Marianne; drame lyrique ... d'apres A. de Musset
see under Bretagne, Pierre, 1881-

Musset, Alfred de, 1810-1857.
Les caprices de Marianne. Mise en scène et commentaires de Gaston Baty; musique de André Cadou. Paris, Éditions du Seuil [1952]
142 p. plates, plans. 18 cm. (Collection "Mises en scène")
"Musique de scène" (for harpsichord, 2 mandolins, guitar, violin and voices): p. 107-142.

I. Baty, Gaston, 1885- II. Cadou, André, 1885- III. Title.
Full name: Louis Charles Alfred de Musset.

PQ2369.C3 1952 842.76 54-20405

NM 0914394 IEN NIC CSt TxU OrSaW IaU MiU WaU IU CoU CaBVaU DLC NBuU CU RPB NN CtY NRU PSC OO PSt

Musset, Alfred de, 1810-1857.
... Les caprices de Marianne & Fantasio; comédies, avec avant-propos et notes. New York Didier [194-?]
2 p.l., 7-135 p. 17 cm. [Les OEuvres éternelles ... pub. sous la directon de Michel Berveiller, III]
Imprint on mounted label.

NM 0914395 MiU

Musset, Alfred de, 1810-1857.
... Les caprices de Marianne & Fantasio; comédies, avec avant-propos et notes. México, D. F., Ediciones Quetzal, 1942.
2 p. l., 7-135 p. 17cm. [Les Œuvres éternelles ... pub. sous la direction de Michel Berveiller, III]

I. Title. II. Title: Fantasio.
[Full name: Louis Charles Alfred de Musset]
43-9284
Library of Congress PQ2369.C3 1942
[2] 842.76

NM 0914396 DLC

[MUSSET, Alfredo de] 1810-1857.
El capricho; comedia en un acto y en verso. Traducida libremente del frances el M. de S. Madrid, D.E. Aguardo, 1864.
pp.56.

NM 0914397 MH

PQ6218 .S6 v.35
Musset, Alfred de, 1810-1857.
Un capricho; comedia en un acto de Alfredo Musset, arreglada [y traducida] a la escena española por Francisco López y López. Madrid [El Teatro y Administración Lírico-Dramática] 1871.
23p. 20cm.

Translation of Un caprice.
Vol. 35 no. 11 in a collection with binder's title: Spanish plays; Comedias y dramas, v. 8.
i. López y López, Francisco ii. Title.

NM 0914398 FMU OO

Musset, Alfred de, 1810-1857.
Los caprichos de Mariana & Fantasio; comedias. Texto francés con traducción española de Felipe G. Ascot. [México, E[diciones] Q[uetzal] 1942.
243 p. port. 18 cm. (Las Obras eternas, 3. Sección Clásicos franceses)

I. Title. II. Title: Fantasio. (Series: Colección Las Obras eternas. Sección Clásicos franceses)
Full name: Louis Charles Alfred de Musset.
PQ2369.C3S7 842.76 50-42153

NM 0914399 DLC

Musset, Alfred de, 1810-1857.
Los caprichos de Mariana y otras comedias. Traducidas por Pedro Salinas. Madrid, Jiménez-Fraud [n.d.]
371 p. 16 cm.
Contents: Los caprichos de Mariana.- Fantasio.- Barberina.- La noche veneciana.

NM 0914400 NcU

Musset, Alfred de, 1810-1857.
Carmosine, comédie en trois actes.
(In his Oeuvres complètes. Nouv. éd. [n.d.] v.4, p.[305]-392)

Microcard edition.

NM 0914401 ICRL

Musset, Alfred de, 1810-1857.
Carmosine; comedy in three acts; published in 1850, presented in 1865. [New York, Rosenfield, n. d.] 1 v. (various pagings) 27cm.

Typescript.
Imperfect: all after Act 1 wanting.

1. Drama—French—Translations into English. 2. Drama—Promptbooks and typescripts. I. Title.

NM 0914402 NN

MUSSET, Alfred de, 1810-1857
Carmosine. Proverbe en trois actes
(Cut from Courrier des États-Unis. Semaine littéraire. Vol. 2, pp. 116-142. N. Y., 1846.) No. 2 in 6672.4
Same. (In same.) No. 6 in *6671.2.

NM 0914403 MB

Musset, Alfred de, 1810-1857.
Carmosine; proverbe, en trois actes, par M. Alfred de Musset. [New York: C. Lassalle, 1853] p. [116]-142. 24cm. [Semaine littéraire du Courrier des États-Unis]

Caption-title.

177703B. 1. Drama, French. I. Semaine littéraire du Courrier des États-Unis. II. Title.
N. Y. P. L. March 29, 1943

NM 0914404 NN

*FC8 M9762 D865c
Musset, Alfred de, 1810-1857.
Carmosine, comédie en trois actes, en prose par Alfred de Musset; représentée pour la première fois, a Paris, sur le théatre impérial de l'Odéon, le 7 novembre 1865.
Paris, Charpentier, libraire-éditeur, 28, quai de l'École, 28, 1865.
88p. 19cm.
First published in Comédies et proverbes (1853).
Original printed yellow wrappers preserved; advts. on p.[4] of wrappers; bound in half blue morocco and marbled boards.

NM 0914405 MH IEN

PQ2369 .Z5C3 1920
Musset, Alfred de, 1810-1857.
... Carmosine. Cambridge [Eng.] University press, 1920.
[5] 80 p. (Half-title: Cambridge plain texts)

NM 0914406 ICU

Musset, Alfred de, 1810-1857.
Carmosine. Cambridge, Eng., Univ. Press, 1927
80 p. (Cambridge plain texts)

NM 0914407 MH

Musset, Alfred de, 1810-1857.
Carmosine. Louison. Yaşar Nabi Nayır tarafından tercüme edilmiştir. Ankara, Maarif Matbaası, 1944.
188 p. 19 cm. (Dünya edebiyatından tercümeler; Fransız klâsikleri, 57)

I. Musset, Alfred de. Louison. II. Title.
Full name: Louis Charles Alfred de Musset.
PQ2369.C35T8 N E 63-1342 ‡

NM 0914408 DLC NNC

VOLUME 403

Musset, Alfred de, 1810-1857.
Catalogue des livres composant la bibliothèque de mm. Alfred et Paul de Musset. La vente aura lieu les vendredi 7 et samedi 8 octobre 1881... Paris, Labitte, 1881.
cover-title, 39 p. 23 cm.
283 items.

NM 0914409 NjP

Musset, Alfred de, 1810-1857.
Centenaire d'Alfred de Musset (1810-1910)
see under "Les Mussettistes".

Musset, Alfred de, 1810-1857.
Le chandelier, comédie en trois actes.
(In his Oeuvres complètes. Nouv. éd. [n.d.] v.4. 66p.)
Microcard edition.

NM 0914411 ICRL

---

*FC8
M9762
D848c

Musset, Alfred de, 1810-1857.
Le chandelier; comédie in 3 actes par Alfred de Musset; représentée pour la première fois, à Paris, au Théâtre-historique, le jeudi 10 aout 1848.
Paris, Charpentier, libraire-editeur, 17, rue de Lille, faubourg Saint-Germain. 1848.
72p. 18.5cm.
First published in Comédies et proverbes (1840).
Original printed yellow wrappers, incl. spine strip, preserved; advts. on p.[4] of wrappers; booklist (12p.) dated septembre 1847, at end; bound in half red morocco and marbled boards; top edges gilt.

NM 0914412 MH CtY

---

*FC8
M9762
D848cb

Musset, Alfred de, 1810-1857.
Le chandelier, comédie en trois actes par Alfred de Musset; représentée pour la première fois, à Paris, au Théâtre-historique, le jeudi 10 aout 1848 et a la Comédie-française, le samedi 29 juin 1850.
Paris, Charpentier, libraire-éditeur, 17, rue de Lille, 1850.
72p. 19cm.
Revised text, as performed at the Comédie française; the play was first published in Comédies et proverbes (1840).
Original printed yellow wrappers, incl. spine strip, preserved; advts. on p.[4] of wrappers; bound in half dark green morocco and marbled boards.

NM 0914414 MH

Musset, Alfred de, 1810-1857.
Le chandelier; comédie en trois actes et sept tableaux, par Alfred de Musset... Paris: Charpentier et Cie., 1872. 72 p. New ed. 16°.

1. Drama (French). 2. Title.
N. Y. P. L. May 27, 1920.

NM 0914415 NN PPL PSC

Musset, Alfred de, 1810-1857.
Le chandelier; comédie en trois actes. Avec introduction et notes. Paris, A.G.Nizet [1946]
xvii, 77 p. 19 cm.

NM 0914416 MH

Musset, Alfred de, 1810-1857.
The chandelier (Le chandelier) of Alfred de Musset. Translated by W. H. H. Chambers. (In: A. Bates, The drama. London, 1903. 8°. v. 9, p. 173-220.)

1. Drama (French). 2. Chambers, W. H. H., translator. 3. Title.
N. Y. P. L. April 12, 1915.

NM 0914417 NN

Musset, Alfred de, 1810-1857.
Le chandelier.
For operas based on this work
see
Carabella, Ezio, 1891-
Il candeliere.

Musset, Alfred de, 1810-57
Les chefs-d'oeuvre lyriques. Choix et notice de A. Dorchain. Paris, Perche, 1907
xxviii, 127 p.

NM 0914419 MH

KC 9489

Musset, Alfred de, 1810-1857.
Les chefs-doeuvre lyriques. Choix et notice de Auguste Dorchain. Paris, A.Perche, etc., etc., 1907.
Half-title: Les chefs-d'oeuvre de la poésie lyrique française.
Cover: Gowans's international library, 106.

NM 0914420 MH

PQ
2369
.A17
1907b

Musset, Alfred de, 1810-1857.
Les chefs-d'oeuvre lyriques de Alfred de Musset. Choix et notice de Auguste Dorchain. [2. éd.] Paris, A. Perche, 1907.
xxviii, 127 p. 15cm. (Gowans's international library, no. 10)

I. Dorchain, Auguste, 1857-1930, ed.

NM 0914421 INS

PQ2369
.A17
1908

Musset, Alfred de, 1810-1857.
Les chefs-d'oeuvre lyriques de Alfred de Musset. Choix et notice de Auguste Dorchain. Paris, A. Perche; Bruxelles, Spineux & cie [etc.] 1908.
xxvi, 1 l., 127 p. 15cm. (Half-title: Les chefs-d'oeuvre de la poésie lyrique française)
"Troisième édition, avec corrections aux pp.v, vi, xxii, et 23, November, 1908."
On cover: Gowans's international library.
I. Dorchain, Auguste, 1857-1930.

NM 0914422 OCU

MUSSET, Alfred de, 1810-1857.
Les chefs-d'oeuvre lyriques; choix et notice de Auguste Dorchain. Paris, A.Perche, etc., etc., 1912.

24°.
(Gowans's international library)
At head of half- title:-Les Chefs-d'oeuvre de la poesie lyrique française, XII.

NM 0914423 MH

PQ 2369
.A17
1919

MUSSET, ALFRED DE, 1810-1857
Les chefs-d'oeuvre lyriques de Alfred de Musset; choix et notice de Auguste Dorchain. Paris, A. Perche, 1919
26, 127 p. (Les Chefs d'oeuvre de la poesie lyrique française, 12)

I. Dorchain, Auguste, 1857-1930.

NM 0914424 InU OCIW

Musset, Alfred de, 1810-1857.
... Choix de poèms et de poésies. Paris [etc.] Nelson [18-?]
vi, [7]-183 p. 9cm.
1. Bibliography. Microscopic and miniature editions.

NM 0914425 MnU

Musset, Alfred de, 1810-1857.
Choix de poésies [par] A. de Musset. Montréal, B. Valiquette [194-]
201 p. 21cm.

[Full name: Louis Charles Alfred de Musset]
44-45050
Library of Congress PQ2369.A17
[2] 841.77

NM 0914426 DLC MoSU

Musset, Alfred de, 1810-1857.
Choix de poésies. N. Y., Brentano's [194-]
201 p. 21 cm.

NM 0914427 PV WaSpG

Musset, Alfred de, 1810-1857.
... Choix de poésies; illustrations de Horacio Butler. Buenos Aires, Viau [1943]
4 p. l., 11-299 p., 4 l. incl. front., 2 pl. 26cm.

I. Butler, Horacio, 1897- illus.
[Full name: Louis Charles Alfred de Musset]
46-15879
Library of Congress PQ2369.A17 1943
[2] 841.77

NM 0914428 DLC NN DPU

Musset, Alfred de, 1810-1857.
Comedias e proverbios. Traducção de Gustavo Barroso (João de Norte) Rio de Janeiro, Garnier, 1924.
2 v. D.

NM 0914429 NcD

Musset, Alfred de, 1810-1857.
Comedies by Alfred de Musset: translated and edited, with an introduction, by S. L. Gwynn. London, New York, W. Scott [1890]
xxii p., 3 l., [3]-199, [1] p. 18cm. (Half-title: The Camelot series. Ed. by Ernest Rhys)
Contents. — Barberine. — Fantasio. — No trifling with love. — A door must be either open or shut.

I. Gwynn, Stephen Lucius, 1864-1950, ed. and tr.
[Full name: Louis Charles Alfred de Musset]
43-40713
Library of Congress PQ2369.A235
[2]

ICN ViU MH TxU PBa OCl ViLxW CtW
NM 0914430 DLC ScU CU IU NBuU CaBVaU CtY OOxM MB

VOLUME 403

848.77
M97cd Musset, Alfred de, 1810-1857.
Comedies. Translated and edited, with an introd. by S. L. Gwynn. London, New York, W. Scott [1891]
xxii,199 p. 18cm. (The Camelot series)

Contents.- Barberine.- Fantasio.- No trifling with love.- A door must be either open or shut.

I. Gwynn, Stephen Lucius, 1864- tr.

NM 0914431 MiDW PPL

Musset, Alfred de, 1810-1857.
Comedies. Translated and edited, with an introduction, by S. L. Gwynn. London, Scott [1892?]
xxii, 199 p. (Camelot series)

Contents.--Barberine.--Fantasio.--No trifling with love.--A door must be either open or shut.

NM 0914432 NNC

845M97
L099 Musset, Louis Charles Alfred de, 1810-1857.
Comedies: translated and edited, with an introd. by S. L. Gwynn. London, New York, W. Scott [1902]
xxii, 199p. 18cm.

Contents.- Barberine.- Fantasio.- No trifling with love.- A door must be either open or shut.

NM 0914433 IU

Musset, Alfred de, 1810-1857.
... Comédies et nuits; edited, with introduction, notes and vocabulary, by Hugh A. Smith ... New York and London, Harper & brothers, 1932.
xiv, 278 p. 19½cm.
"First edition."

I. Smith, Hugh Allison, 1873- ed. II. Title.
[Full name: Louis Charles Alfred de Musset]

Library of Congress PQ2369.A14 1932 32-11662
Copyright A 49743 [2] 842.76

NM 0914434 DLC ICarbS MoU

---

*FC8
M9762
840c Musset, Alfred de, 1810-1857.
Comédies et proverbes, par Alfred de Musset ...
Paris,Charpentier,libraire-éditeur,29,rue de Seine.1840.
2p.l.,536p.,1l. 18cm. (Bibliothèque Charpentier)
Contents: André del Sarto.--Lorenzaccio.--Les caprices de Marianne.--Fantasio.--On ne badine pas avec l'amour.--La nuit vénitienne.--La quenouille de Barberine.--Le chandelier.--Il ne faut jurer de rien.--Un caprice.

NM 0914435 MH CtY WU IEN

Musset, Alfred de, 1810-1857.
Comédies et proverbes. Paris, Charpentier, 1848.
537 pp.

NM 0914436 MH OCl MB NN

Musset, Alfred de, 1810-1857.
Comédies et proverbes, par Alfred de Musset ... Paris, Charpentier, 1851.
539 (1) p. 12°.

NM 0914437 NN MH

Musset, Alfred dr.
Comedies et proverbes. Serile edition complete. Paris, Charpentier, 1853.
2 vols.

NM 0914438 MiU CtY PPL PP

Musset, Alfred de, 1810-1857.
Comédies et proverbes d'Alfred de Musset. Seule éd. complète, rev. et cor. par l'auteur ... Paris, Charpentier, 1856.
2 v. 18cm.

I. Title.
[Full name: Louis Charles Alfred de Musset]
12-28364 Revised
Library of Congress PQ2369.A19 1856

NM 0914439 DLC CU MB NN

842
M98c
1857 Musset, Alfred de, 1810-1857.
Comédies et proverbes. Seule éd. complète, rev. et cor. par l'auteur. Paris, Charpentier, 1857.
2v. 18cm.

NM 0914440 NcU InU

Musset, Alfred de, 1810-1857.
Comédies et proverbes d'Alfred de Musset. Seule éd. complète, rev. et cor. par l'auteur ... Paris, Charpentier, 1859.
2 v. 18½cm.

I. Title.
[Full name: Louis Charles Alfred de Musset]
12-28997 Revised
Library of Congress PQ2369.A19 1859

NM 0914441 DLC WaTC

Musset, Alfred de, 1810-1857.
Comédies et proverbes d'Alfred de Musset. Seule éd. complète, rev. et cor. par l'auteur ... Paris, Charpentier, 1861.
2 v. 18.5 cm.

NM 0914442 CtY ICU PPL

PQ
2369
A19
1867 Musset, Alfred de, 1810-1857.
Comédies et proverbes. Paris, Charpentier, 1867.
2 v. 19cm. (His Oeuvres complètes)

PPL MH I
NM 0914443 NIC OrU ViLxW IEN NcD TU NN PBm PHC

Musset, Alfred de, 1810-1857.
... Comedies et proverbes ... Paris, G. Charpentier, 1877.
2 v. in 1.

NM 0914444 OCU

Musset, Alfred de, 1810-1857.
... Comédies et proverbes ... Paris, G. Charpentier, 1878.
3 v. 18cm.
First published in 1840.
CONTENTS.--t.1.La nuit vénitienne; ou,Les noces de Laurette. André del Sarto. Les caprices de Marianne. Fantasio. On ne badine pas avec l'amour. Barberine.--t.2.Lorenzaccio. Le chandelier. Il ne faut jurer de rien.--t.3.Un caprice. Il faut qu'une porte soit ouverte ou fermée. Louison. On ne saurait penser à tout. Carmosine. Bettine.

NM 0914445 MiU MWelC PHC NjP NN

Drama
PQ2369
A19
1880 Musset, Alfred de, 1810-1857.
... Comédies et proverbes ... Paris, Ernest Flammarion [1880?]
_vols. 18½cm.

Contents. t. 1. André del Sarto.-Lorenzaccio.-Los caprices de Marianne.-Fantasio.-On ne badine pas avec l'amour.-La nuit vénitienne.-Barberine.

NM 0914446 NBuG IEdS PU

MUSSET, Alfred de, 1810-1857.
Comedies et proverbes. P., 1882.

3 vol.
The cover has the date 1881 in the imprint.

NM 0914447 MH

MUSSET, Alfred de, 1810-1857.
Comédies et proverbes. Tom.II. Paris, G. Charpentier, 1882.

19 cm.
Cover reads: "1884".
Contents:-[i] Lorenzaccio.-[ii] Le chandelier [iii]- Il ne faut jurer de rien.

NM 0914448 MH ViU

Musset, Alfred de, 1810-1857.
Comédies et proverbes. Paris, G. Charpentier, 1884.
3 v.

NM 0914449 NNC ViU

Musset, Alfred de, 1810-1857.
Comedies et proverbes. Paris, G.Charpentier et cie., 1884-87.

3 v.

NM 0914450 MH

Musset, Alfred de, 1810-1857.
... Comédies & proverbes ... Paris, G. Charpentier et F. Fasquelle, 1886-91 [v. 1, '91]
3 v. fronts. (ports.) plates. 11½ cm. (Half-title: Petite bibliothèque-Charpentier)
Vols. 2-3 have imprint: Paris, G. Charpentier et cie.
Vol. 1: Avec un portrait de l'auteur, gravé par m. Alph. Leroy d'après la lithographie de Gavarni et une eau-forte de m. Lalauze d'apres Bida; v. 2: Avec un portrait de l'auteur, gravé par m. Alph. Lamothe d'après le buste de Mezzara et une eau-forte de m. Lalauze d'après Bida; v. 3: Avec un portrait de l'auteur, gravé par m. Monziès (copie d'une photographie d'après nature), une eau-forte de m. Abot représentant le tombeau d'Alfred de Musset et une eau-forte de m. Lalauze d'après Bida.

I. Gavarni, Guillaume Sulpice Chevallier, known as, 1804-1866, illus. II. Bida, Alexandre, 1813-1895, illus.
[Full name: Louis Charles Alfred de Musset]
PQ2369.A19 1886 49-35298

NM 0914451 DLC WaU ViU OCl

VOLUME 403

Musset, Alfred de, 1810-1857.
... Comédies et proverbes ... Paris, Charpentier, 1891-92.
3 v. 19 cm.

NM 0914452 ViLxW MH

Musset, Alfred de, 1810-1857.
Comédies et proverbes. Paris, Bibliothèque-Charpentier, 1895, '92.
3 v. 18 cm.
Imperfect: vol. 1, pp. 73-84 wanting.

NM 0914453 MH PBm

Musset, Alfred de, 1810-1857.
Comédies et proverbes. Paris, Charpentier, 1896.
v. 19cm. (His Oeuvres complètes)
Contents: v. 1
v. 2.
v. 3. Un caprice.-Il faut qu'une porte soit ouvert ou fermée.-Louison.-On ne saurait penser à tout.-Carmosine.-Bettine.

NM 0914454 IdPI

MUSSET, Alfred de, 1810-1857.
Comédies et proverbes. Paris, E.Fasquelle, 1897-99.
3 vol.

NM 0914455 MH PP

Musset, Alfred de, 1810-1857.
Comedies et proverbes. Paris, Lib. des bibliophiles, E.Flammarion, succ. [19- ?]
2 v.
At head of title: OEuvres.
Cover: Nouvelle bibliothèque classique des Éditions Jouaust.

NM 0914456 MH

Musset, Alfred de, 1810-1857.
...Comedies et proverbes; introduction par Alphonse Séché. Edition lutetia... Paris, New York, Nelson, [19--]
2 v. fronts. (ports.) 16.5cm.

NM 0914457 OrSaW OCIW

Musset, Alfred de, 1810-1857.
Comedies et proverbs. Paris, 1900.
2v.

NM 0914458 PHC

Musset, Alfred de, 1810-1857.
... Comédies et proverbes ... Paris, Eugène Fasquelle, 1900-1902.
3 v. 18½cm. (Bibliothèque-Charpentier)

NM 0914459 ViU OOxM

Musset, Alfred, 1810-1857.
Comédies et proverbes d'Alfred de Musset.
Paris, Charpentier, 1902.
3 v. 18.5 cm.

NM 0914460 NcD

PQ2369 .A14 1906
Musset, Alfred de, 1810-1857.
Comédies et proverbes. Paris, Éditions Parisiennes, 1906.
2 v. in 1. illus. 20 cm. (His Œuvres complètes)
CONTENTS.—[v.1] Il faut qu'une porte soit ouverte ou fermée; proverbe en un acte. La nuit vénitienne; comédie en un acte.—[v.2] On ne saurait pense a tout; proverbe en un acte.

NM 0914461 ViU

Musset, Alfred de, 1810–1857.
...Comédies & proverbes; avec...une eau-forte de M. Lalauze d'après Bida... Paris: Petite bibliothèque-Charpentier, 1906. 3 v. fronts. (ports.), plates. 32°.
Contents: Tome 1. Avant-propos. La nuit vénitienne. André del Sarto. Les caprices de Marianne. Fantasio. On ne badine pas avec l'amour. Barberine. Tome 2. Lorenzaccio. Le chandelier. Il ne faut jurer de rien. Tome 3. Un caprice. Il faut qu'une porte soit ouverte ou fermée. Louison. On ne saurait penser à tout. Carmosine. Bettine.

457144-6A. 1. Drama, French.
N. Y. P. L. May 27, 1930

NM 0914462 NNC IdU ODW NN

PQ2369 .A1 1906 t.3-5
Musset, Alfred de, 1810-1857.
...Comédies et proverbes... Paris, Charpentier, 1906-07.
3v. 18cm. [His Oeuvres complètes... t.3-5]
Contents. - t.1. La nuit vénitienne. André del Sarto. Les caprices de Marianne Fantasio. On ne badine pas avec l'amour. Barberine. - t.2. Lorenzaccio. Le chandelier. Il ne faut jurer de rien. -
t.3. Un caprice. Il faut qu'une porte soit ouverte ou fermée. Louison. On ne saurait penser a tout. Carmosine. Bettine

NM 0914464 OCU

Musset, Alfred de, 1810-1857.
Comédies et proverbes. Paris, Calmann-Lévy [1907?]

NM 0914465 MH

PQ2369 A19 1907
Musset, Alfred de, 1810-1857.
Comédies et proverbes d'Alfred de Musset.
Paris, Charpentier, 1907.
2 v. 19cm.

NM 0914466 GU PBm PU PP

Musset, Alfred de, 1810-1857.
...Comédies et proverbes... Paris, Larousse [1907]
3 v. front. 19½cm.

NM 0914467 MdBJ OCU PBm IU ScU

Musset, Alfred de, 1810-1857.
Comédies et proverbes. [Vol. I] Illustrations de Henri Pille, gravées à l'eau-forte par Louis Monziès. Paris, A.Lemerre, 1907.
plates. 19 cm.
At head of title: Oeuvres de Alfred de Musset [vol. 3]

NM 0914468 MH PSC

Musset, Alfred de, 1810–1857.
...Comédies et proverbes... [Tome] 1– Paris: M. Bauche, 1908– v. front., illus. 24cm. (Édition illustré des chefs-d'œuvre de la littérature.)
CONTENTS.—1. Lorenzaccio. On ne badine pas avec l'amour. Il faut qu'une porte soit ouverte ou fermée. Une nuit vénitienne.—

196516B. 1. Drama, French.
N. Y. P. L. April 15, 1943

NM 0914469 NN

Musset, Alfred de, 1810-1857.
Comédies et proverbes. Illustrations de Henri Pille; gravées à l'eau-forte par Louis Monziès. Paris, Lemerre, 1908.
401 p. illus. 19½cm. (His Oeuvres)

NM 0914470 OO OCIW

Musset, Alfred de, 1810-1857.
... Comédies et proverbes... Paris, E. Flammarion [1909]
2 v. 19cm. (On cover: Les meilleurs auteurs classiques français et étrangers)

NM 0914471 ViU

PQ2369 A19 1909
Musset, Alfred de, 1810-1857.
Comédies et proverbes. Paris, Renaissance du livre, J. Gillequin [1909?]
3 v. (Tous les chefs-d'oeuvre de la littérature française [v. 96-98])
Contents.- t.1. La nuit vénitienne. André del Sarto. Les caprices de Marianne. Fantasio. On ne badine pas avec l'amour. Barberine.- t.2. Lorenzaccio. Le chandelier. Il ne faut jurer de rien.- t.3. Un caprice. Il faut qu'une porte soit ouverte ou fermée. Louison. On ne saurait penser à tout. Carmosine. Bettine.

NM 0914472 CU NcU PU PBm

Musset, Alfred de, 1810-1857.
... Comédies et proverbes ... Londres, J. M. Dent & sons, ltd; Paris, É. Mignot [1912]
3 v. 17½cm. (On cover: Tous les chefs-d'œuvre de la littérature française. [v. 96-98])
CONTENTS.—t. 1. La nuit vénitienne. André del Sarto. Les caprices de Marianne. Fantasio. On ne badine pas avec l'amour. Barberine.—t. 2. Lorenzaccio. Le chandelier. Il ne faut jurer de rien.—t. 3. Un caprice. Il faut qu'une porte soit ouverte ou fermée. Louison. On ne saurait penser à tout. Carmosine. Bettine.
I. Title.
[Full name: Louis Charles Alfred de Musset]
14—22977
Library of Congress PQ1103.T6 vol. 96-98

NM 0914473 DLC DAU CU

VOLUME 403

Musset, Alfred de, 1810-1857.

... Comédies et proverbes ... Paris, Bibliothèque Larousse [1912]
3 v. front. 19½cm.
"Douzième mille."
CONTENTS.—t. 1. La nuit vénitienne. André del Sarto. Les caprices de Marianne. Fantasio. On ne badine pas avec l'amour. Barberine.—

NM 0914474 ViU NNC

Musset, Alfred de, 1810-1857. F842-M
Comédies et proverbes. Paris: Bibliothèque-Charpentier, 1913- v. 12°.
v. 1. La nuit vénitienne. André del Sarto. Les caprices de Marianne. Fantasio. On ne badine pas avec l'amour. Barberine.
v. 2. Lorenzaccio. Le chandelier. Il ne faut jurer de rien.
v. 3. Un caprice. Il faut qu'une porte soit ouverte ou fermée. Louison. On ne saurait penser à tout. Carmosine. Bettine.

NM 0914475 NN

Musset, Alfred de, 1810-1857.
Comédies et proverbes. Paris, E. Fasquelle, 1913-1914.
2 v.

NM 0914476 MiD

Musset, Alfred de, 1810-1857.
Comédies et proverbes. Paris, E.Flammarion [1917?]

2 v. 19 cm.
"Les meilleurs auteurs classiques français et étrangers."

NM 0914477 MH

---

848 M976cX
Musset, Alfred i.e. Louis Charles Alfred de, 1810-1857
...Comédies et proverbes... Paris, La renaissance du livre [192 ?]
3v. 17cm. (On cover: Tous les chefs-d'oeuvre de la littérature français)

At head of title: Alfred de Musset.

NM 0914478 LU MA

Musset, Alfred de, 1810-1857.
Comédies et proverbes. Paris, Larousse [192-?]
2 v. illus.

NM 0914479 NNC

PQ2369 A19 1921
Musset, Alfred de, 1810-1857
Comédies et proverbes. Paris, Librairie des bibliophiles, E. Flammarion, successeur [1921]
2 v. (His Oeuvres complètes, v. [3])

Nouvelle bibliothèque classique.

NM 0914480 GEU

PQ 2369 A19 1923
Musset, Alfred de, 1810-1857.
Comédies et proverbes. Paris, Garnier [1923]
2v. 19cm. (His Oeuvres complètes; nouv. éd., rev., corr. et complétée... par Edmond Biré, t.3-4)

I. Biré, Edmond, 1829-1907. ed. II. Title.

NM 0914481 NBuC

---

842 M98c 1921
Musset, Alfred de, 1810-1857.
Comédies et proverbes. Introd. par Alphonse Séché. Paris, Nelson [1921?]
2v. ports. 17cm. (Edition Lutetia)

Includes bibliography.
Contents.-t.1. La nuit vénitienne. André del Sarto. Les caprices de Marianne. Fantasio. On ne badine pas avec l'amour. Barberine. Lorenzaccio.-t.2. Le chandelier. Il ne faut jurer de rien. Un caprice. Il faut qu'une porte soit ouverte ou fermée. Louison. On ne saurait penser a tout. Carmosine. Bettine.

NM 0914483 NcU MoU CtY

PQ 2369 A19 1926
Musset, Alfred de, 1810-1857.
Comédies et proverbes. Paris, Larousse [-]
v. plates, port. 20cm

Contents:

t.3. Il faut qu'une porte soit ouverte ou fermée.- Louison.- On ne saurait penser à tout.- Carmosine.- Bettine.

NM 0914484 C

Musset, Alfred de, 1810-1857.
... Comedies et proverbes ... Paris, A. Lemerre, 1926.
3 v.

(His Oeuvres ... [t. 3-5])

NM 0914485 OCU PSC

PQ 2369 A19 1926
Musset, Alfred de, 1810-1857.
Comédies et proverbes. Notes de Robert Doré. Illustrations de Emile Nourigat. Gravées sur bois par Victor Dutertre. Paris, L. Conard, 1926-1935.
4v. illus. 21cm. (His Oeuvres complètes)

Contents.- v.1. La nuit Vénitienne. André del Sarto. Les caprices de Marianne. Fantasio. On ne badine pas avec l'amour.- v.2. Lorenzaccio. La quenouille de Barberine. Le chandelier.- v.3 On ne saurait penser à tout. Carmosine. Bettine. Le songe d'Auguste. L'âne et le ruisseau.- v.4. Il ne faut jurer de rien. Un caprice. Il faut qu'une porte soit ouverte ou fermée. Louison.

I. Doré, Robert, 1890- ed.

NM 0914487 MU ViU LU MH

---

840 M989 rd.6
Musset, Alfred de, 1810-1857.
Comédies et proverbes. Paris, E.Flammarion [1927]
2v. 19cm. (On cover: Les meilleurs auteurs classiques français et étrangers)
CONTENTS.-t.1.André del Sarto. Lorenzaccio. Les caprices de Marianne. Fantasio. On ne badine pas avec l'amour. La nuit vénitienne. Barberine.-t.2.Le chandelier. Il ne faut jurer de rien. Un caprice. Il faut qu'une porte soit ouverte ou fermée. Louison. On ne saurait penser à tout. Carmosine. Bettine.

I.Title.

NM 0914488 CLSU

342.76 M989OG
Musset, Alfred de, 1810-1857.
Comédies et proverbes: Lorenzaccio; Le chandelier; Il ne faut jurer de rien. Illus. de Henri Pille, gravées à l'eau-forte par Louis Monziès. Paris, A. Lemerre, 1927.
401 p. illus. 19 cm. (His Oeuvres [4])

I. Title: Lorenzaccio. II. Title: Le

NM 0914489 NcD

Musset, Alfred, 1810-1857.
... Comédies et proverbes ... Paris, Bibliothèque Larousse [1928-29]
3 v. fronts., plates, ports., facsims. 19-21 cm.
Volume 3 has no date.

NM 0914490 RPB

Musset, Alfred de, 1810-1857.
Comédies et proverbes... Paris, E. Flammarion [1930]
2 v.

NM 0914491 MiD

PQ 2369 .A19 1931
Musset, Alfred de, 1810-1857
Comédies et proverbes. Publiés avec une introd. par Jacques Copeau. Paris, A la Cité des livres, 1931.
2 v. 19cm.

NM 0914492 WU MH

Musset, Alfred de, 1810-1857.
Comédies et proverbes ... Notes de Robert Doré illustrations de Émile Nourigat, gravées sur bois par Victor Dutertre. Paris, L. Conard, 1933-36.
4 v. (Oeuvres complètes)

NM 0914493 OCl

MUSSET,Alfred de,1810-1857.
Comédies et proverbes. Introduction par Alphonse Séché. Paris,etc.,Nelson,1934.

2 vol. 16 cm. Fronts.(ports).
"Édition Lutetia."

NM 0914494 MH

Musset, Alfred de, 1810-1857.
... Comédies et proverbes. Texte établi et présenté par Pierre Gastinel. Paris, Société Les Belles lettres, 1934-
v. 20½ cm. (Les Textes français. Collection des universités de France, pub. sous le patronage de l'Association Guillaume Budé)
On cover: Œuvres complètes de A. de Musset.
CONTENTS.—t. 1. La nuit vénitienne; ou, Les noces de Laurette. André del Sarto. Les caprices de Marianne. Fantasio. Notices, notes et variantes.
I. Gastinel, Pierre, ed. II. Title.
Full name: Louis Charles Alfred de Musset.
PQ2369.A19 1934a 842.76 A C 35-1342
Yale Univ. Library for Library of Congress [a55d½]†

NM 0914495 CtY WaU NN OU OCU DLC

PQ2369 .A19 1935
Musset, Alfred de, 1810-1857.
... Comédies et proverbes 1849-1857 ... notes de Robert Doré, illustrations de Émile Nourigat gravées sur bois par Victor Dutertre. Paris. L. Conard, 1935.
2 p.l., 446 p., 1 l. incl. illus., pl. 21½cm.
(His Oeuvres complètes ...)
"Il a été tiré de cet ouvrage: 25 exemplaires numérotés (51 à 75) sur japon impérial."
CONTENTS.—On ne saurait penser a tout.—Carmosine.—Bettine.—Faustine.—Le songe d'Auguste.—L'ane et le ruisseau.—Projets.—APPENDICES: I. Le distrait, par Carmontelle. II. Extrait de la XCVII[e] nouvelle du "Decaméron" de Boccace.—Additions: I. Rolla et le grand prêtre. II. Le chandelier.

NM 0914497 ViU

VOLUME 403

Musset, Alfred, 1810-1857.
... Comédie et proverbes ... Paris, Garnier frères [1935]
v. 19 cm. (At head of title: Oeuvres ... [III])

NM 0914498 RPB

F
842
M97cG
Musset, Alfred de, 1810-1857.
... Comédies et proverbes: On ne badine pas avec l'amour. La nuit vénitienne. Barberine. Le chandelier. Il ne faut jurer de rien ... Paris Librairie Gallimard [1936]
v (At head of title: Génie de la France Oeuvres de Musset)

NM 0914499 WaPS NNC CoU

PQ
2369
.A19
1936
Musset, Alfred De, 1810-1857.
Comédies et proverbes. Introduction par Alphonse Séché. Paris, Nelson, 1936-37.
2v. ports. 17cm. (Édition Lutetia)

NM 0914500 OrU OCl

Musset, Alfred de, 1810-1857.
... Comédies et proverbes, édition établie par Edmond Biré, révue et complétée par Maurice Allem ... Paris, Garnier frères [1942]
2 v. 19 cm. (On cover: Classiques Garnier)
"Bibliographie": v. 1, p. [xxii]-xxvii.
CONTENTS.—I. Comédies et proverbes: André del Sarto. Lorenzaccio. Les caprices de Marianne. Fantasio. On ne badine pas avec l'amour. La nuit vénitienne. Barberine Le chandelier.—II. Comédies et proverbes: Il ne faut jurer de rien. Un caprice. Il faut qu'une porte soit ouverte ou fermée. Louison. On ne saurait penser à tout. Carmosine. Bettine. Théâtre complémentaire: Faire sans dire. L'habit vert. La matinée de don Juan (fragment) Théâtre posthume: La quittance du diable. Le songe d'Auguste. L'âne et le ruisseau. Fragments.

I. Biré, Edmond, 1829-1907, ed. II. Allemand, Maurice, 1872- ed. III. Title.
Full name: Louis Charles Alfred de Musset
PQ2369.A19 1942 842.76 45—31787

NM 0914502 DLC MiU

Musset, Alfred de, 1810-1857.
... Comédies et proverbes ... Préface d'André Maurois ... Montréal, Can., Les Éditions Variétés [1945]
2 v. 18½cm.

I. Title.
[Full name: Louis Charles Alfred de Musset]
46-2573
Library of Congress PQ2369.A19 1945
[2] 842.76

NM 0914503 DLC NN NNC

842
M98co
Musset, Alfred de, 1810-1857.
Comédies et proverbes. [Lyon, France] Archat [1946]
294 p. 23cm. ([His Works] 2)
Contents.-Lorenzaccio.-On ne badine pas avec l'amour.
1. French language--Text. I. Title.

NM 0914504 C

Musset, Alfred de, 1810-1857
Comédies et Proverbes. Preface de Alexandre Arnoux ... Édition illustrée, annotée par Raymond Jean. [Lyon] Audin, 1949.
2v. 23cm. (Les Grands Maitres")

NM 0914505 InStme

Musset, Alfred de, 1810-1857.
Comédies et proverbes. Texte établi et présenté par Pierre Gastinel. Paris, Société des belles Lettres, 1952-57.
4 v. 20cm. (Les textes français)
On cover: Oeuvres complètes de A. de Musset.

I. Gastinel, Pierre, ed.

NM 0914506 NNC CaBVaU NcD PSC NcU IU

Musset, Alfred de, 1810-1857.
A comedy and two proverbs. English version by George Graveley [pseud.] St. Albans, Herts., W. Cartmel [1955]
99 p. 19 cm.
CONTENTS.—Caprice.—A door should be either open or shut.—It's impossible to think of everything.
Full name: Louis Charles Alfred de Musset.
PQ2369.A234 842.76 55-37250 ‡

NM 0914507 DLC IEN OClW ViU NN CU

PQ2369
.C686
1944
Musset, Alfred de, 1810-1857.
La confesión de un hijo del siglo; novela. Traducción directa del francés de Ricardo Gil. Texto integro, de acuerdo con el original. [2. ed.] Buenos Aires, Editorial Sopena Argentina [1944]
122 p. 22 cm. (Biblioteca mundial Sopena)
Translation of La confession d'un enfant du siècle.

NM 0914508 MB

Musset, Alfred de, 1810-1857.
La confession d'un enfant du siecle.
Paris, Gillequin, n.d.
227 p.

NM 0914508-1 OClW NcU PPL PU

Musset, Alfred de, 1810-1857.
La confession d'un enfant du siècle. Paris, Éditions Nilsson [n.d.]
268p. illus. 23cm.

NM 0914509 PSt CoU

Musset, Alfred de, 1810-1857.
...Confession d'un enfant du siècle. Illustrations hors-texte de J. M. Breton. Paris, Société d'édition française & étrangère [n.d.]
248 p.

NM 0914510 PU

Musset, Alfred de, 1810-1857.
La confession d'un enfant du siècle, par Alfred de Musset ... Paris, Félix Bonnaire, 1836.
2v. 21cm. (Publications de la Revue des deux mondes)
First edition.

NM 0914511 CtY MH InU MWiW-C

Musset, Alfred de, 1810-1857.
La confession d'un enfant du siecle. New ed. Par. Charpentier, 1840. 305 p.

NM 0914512 PU

Musset, Alfred de, 1810-1857.
La confession d'un enfant du siècle, par Alfred de Musset. Nouv. éd., rev. et corr. Paris, Charpentier, 1852.
344 p. 18 1/2 cm.

NM 0914513 LU

Musset, Alfred de, 1810-1857.
La confession d'un enfant du siècle...Paris, 1854.

NM 0914514 PPL

Musset, Alfred de, 1810-1857.
La confession d'un enfant du siècle, par Alfred de Musset. Nouv. éd. Paris, Charpentier, 1859.
2 p. l., 353 p. 18½cm.

I. Title.
[Full name: Louis Charles Alfred de Musset]
12-28995 Revised
Library of Congress PQ2369.C6 1859

NM 0914515 DLC ScU OCl

Musset, Alfred de, 1810-1857.
La confession d'un enfant du siècle, par Alfred de Musset. Nouv. éd. Paris, Charpentier, 1862.
2 p. l., 353 p. 18½cm.

NM 0914516 CU

MUSSET, Alfred de.
La confession d'un enfant du siecle.
Nouvelle ed., Paris, 1864.
On cover the date is 1865.

NM 0914517 MH

Musset, Alfred de, 1810-1857.
La confession d' un enfant du siècle. Paris, Charpentier, 1867.
553 p.

NM 0914518 ViLxW NcD TU

MUSSET, Alfred de, 1810-1857.
La confession d'un enfant du siecle.
Nouvelle ed., P., 1867.

NM 0914519 MH CtY OClW

Musset, Alfred de, 1810-1857.
La confession d'un enfant du siècle. Paris, 1878.

NM 0914520 NjP

VOLUME 403

Musset, Alfred de, 1810-1857.
La confession d'un enfant du siècle... Nouv. éd. Paris, G. Charpentier, 1880. 2p. l., 355p. 18cm.

NM 0914521 MWelC NcD NNC

PQ2369 .C6 1884
Musset, Alfred de, 1810-1857.
La confession d'un enfant du siècle. Nouv. éd. Paris, G. Charpentier, 1884.
355 p. 19cm.

NM 0914522 ViU MH

Musset, Alfred de, 1810-1857.
... La confession d'un enfant du siècle, avec un portrait de l'auteur, dessiné à la sanguine par Eugène Lami, fac-simile par m. Legenisel et une eau-forte de m. Lalauze d'après Bida. Paris, G. Charpentier et c^ie, 1887.
2 p. l., 469 p. front. (port.) pl. 11½ cm. (Half-title: Petite bibliothèque-Charpentier)
I. Lami, Louis Eugène, 1800-1890, illus. II. Bida, Alexandre, 1813-1895, illus. III. Title.
[Full name: Louis Charles Alfred de Musset]
PQ2369.C6 1887 49-35299

NM 0914523 DLC NN

845M97 Oc1887
Musset, Alfred de, 1810-1857.
La confession d'un enfant du siècle, par Alfred de Musset. Nouv. ed. Paris, G. Charpentier et c^ie, 1887.
355p.

NM 0914524 IU MH

MUSSET, Alfred de, 1810-1857. *2691.4
La confession d'un enfant du siècle [et] Œuvres posthumes.
— Paris. Charpentier & Fasquelle. 1891. (3), 279, 208 pp. Illus.
[Œuves complètes. 5.] L. 8°.

NM 0914525 MB WaU MtU

Musset, Alfred de, 1810-1857.
La confession d'un enfant du siècle. Nouv. éd. Paris, Bibliothèque-Charpentier, 1891.
355 p. (His Oeuvres complètes)

NM 0914526 MH MiU ViU DCU-IA

Musset, Alfred de, 1810-1857
La confession d'un enfant du siècle.
Par. Ancienne maison Quantin, 1891.

NM 0914527 MA

PQ2369 C6 1893
Musset, Alfred de, 1810-1857
La confession d'un enfant du siècle. Avec un portrait de l'auteur, dessiné à sanguine par Eugène Lami, fac-similé par M. Legenisel et une eau-forte de M. Lalauze d'après Bida. Paris, G. Charpentier et E. Fasquelle, 1893.
469 p. illus. 11 cm. (Petite bibliothèque Charpentier)

NM 0914528 RPB

843 M9758c 1
Musset, Alfred de, 1810-1857.
La confession d'un enfant du siècle. Nouvelle éd. Paris, Bibliothèque-Charpentier, 1895.
355 p. 19 cm.

NM 0914529 KyU MH

MUSSET, Alfred de, 1810-1857. 679
La confession d'un enfant du siècle. Nouvelle édition.
— Paris. Charpentier. 1899. (3), 355 pp. 12°.

NM 0914530 MB PHC OOxM

MUSSET, Alfred de, 1810-1857.
La confession d'un enfant du siècle.
Nouvelle éd. Paris, E. Fasquelle, 1899.

NM 0914531 MH

848 M97c
Musset, Alfred de, 1810-1857.
Confession d'un enfant du siècle. Paris, Librairie Gründ [19--]
254 p. 19cm. (La Bibliothèque précieuse)

NM 0914532 AU OrU

848 M976cnX
Musset, Alfred, i.e. Louis Charles Alfred, 1810-1857.
...La confession d'un enfant du siècle. Paris, La renaissance du livre [19 ?]
227p. 17cm. (On cover: Tous les chefs-d'oeuvre de la littérature francaise)
At head of title: Alfred de Musset.

NM 0914533 LU DLC PSC

PQ2369 .C6y 1905
Musset, Alfred de, 1810-1857.
La confession d'un enfant du siècle.
Nouv. éd. Paris, Charpentier, 1905.
355 p. 17 cm.

NM 0914534 OCU MH

Musset, Alfred de, 1810-1857.
La confession d'un enfant du siècle, par Alfred de Musset.
Nouv. éd. Paris, Charpentier, 1906.
355 p. 18 cm.

NM 0914535 KyLoU IdU OCU

Musset, Alfred de, 1810-1857.
... La confession d'un enfant du siecle. Paris, M. Bauche, 1908.
138 p.
(On cover: Edition, illustree des chefs-d'oeuvre de la litterature)

NM 0914536 OCU

845M97 Oc1908
Musset, Alfred de, 1810-1857.
La confession d'un enfant du siècle. Paris, Larousse [1908]
203p. illus., port. 20cm.

NM 0914537 IU PV InStme

Musset, Alfred de, 1810-1857.
... La confession d'un enfant du siecle ... Paris, L'edition moderne, Librairie Ambert [1909?]
126 p. illus.

NM 0914538 OO

Musset, Alfred de, 1810-1857.
... La confession d'un enfant du siecle. Paris, Larousse [1909]
203 p.

NM 0914539 OCU

Musset, Alfred de, 1810-1857.
...La confession d'un enfant du siècle...Paris, Charpentier, 1910.
360 p.

NM 0914540 PBm WaS

Musset, Alfred de, 1810-1857.
... La confession d'un enfant du siecle.
Paris, E. Fasquelle, 1910.
360 p.
(Oeuvres completes illustrees.)

NM 0914541 OU

Musset, Alfred de, 1810-1857.
La confession d'un enfant du siècle; intro. de Auguste Dorchian. Paris, A. Perche, 1910.
xxxviii, 349p., front.

NM 0914542 OClW

Musset, Alfred de, 1810-1857.
... La confession d'un enfant du siècle. Londres, J. M. Dent & sons, ltd; Paris, É. Mignot [1912]
2 p. l., 227, [1] p. 17½ cm. (On cover: Tous les chefs-d'oeuvre de la littérature française. [v. 93])
I. Title. Full name: Louis Charles Alfred de Musset.
PQ1103.T6 vol. 93 14-22996

NM 0914543 DLC CU NcU

Musset, Alfred de, 1810-57
La confession d'un enfant du siècle. Paris, Flammarion [1912]

NM 0914544 MH CaBVa Or

Musset, Alfred de, 1810-1857.
... La confession d'un enfant du siecle. Paris, A. Lemerre [1925]
391 p.
(His Oeuvres ... [t. 6])

NM 0914545 OCU

VOLUME 403

Musset, Alfred de, 1810–1857.
...La confession d'un enfant du siècle; texte accompagné d'une introduction, d'une bibliographie et d'une suite d'ouvrages à consulter par Émile Henriot. Orné, en gravures originales au burin, d'un frontispice et d'un portrait par Ouvré. Paris: Éditions Bossard, 1926. xxxii, 348 p. front. (port.), pl. 12°.

no. 419 of 1600 copies printed.
At head of title: Les meilleures œuvres dans leur meilleur texte.
Bibliography, p. [345]–348.

337012A. 1. Fiction, French. 2. Sand, George, pseud. of Mme. A. L. A. D. Dudevant, 1804–1876—Fiction. 3. Henriot, Émile, 1889– , editor. 4. Ouvré, Achille, engraver. 5. Title.
N. Y. P. L. December 21, 1927

NM 0914546 NN PU IaU WU WaU ICU DCU

PQ2369 .C6
Musset, Alfred de, 1810-1857.
... La confession d'un enfant du siècle. Paris, Librairie Garnier frères [1930?]

2p.l.,362p. 18½cm. (Oeuvres complètes de Alfred de Musset, nouvelle édition, revue, corrigée et augmentée de documents inédits précédée d'une notice biographique sur l'auteur et suivi de notes par Edmond Biré. VII)

NM 0914547 NBuG

Musset,Alfred de,1810-1857.
... La confession d'un enfant du siècle. Paris, Garnier frères [1931]
2 p.l.,362 p. 19cm. (On cover: Classiques Garnier)
At head of title: Oeuvres complètes de Alfred de Musset; nouvelle édition,revue,corrigée et augmentée de documents inédits précédée d'une notice biographique sur l'auteur et suivi de notes par Edmond Biré. VII.

I.Biré,Edmond,1827-1907, ed. II.Title.

NM 0914548 MiU PSC

Musset, Alfred de, 1810-1857.
... La confession d'un enfant du siècle ... Paris, Hilsum [1933]
2 v. in 1. 18cm. (Génie de la France)

Oeuvres de Alfred de Musset.

NM 0914549 OO

Musset, Alfred de, 1810-1857.
La confession d'un enfant du siècle. Paris, R.Simon [c.1934]

284 p. 18.5 cm.

NM 0914550 MH

Musset, Alfred de, 1810–1857.
...La confession d'un enfant du siècle; illustrations en couleurs de A.-E. Marty. Paris: L'Édition d'art H. Piazza [1936] 398 p. incl. col'd pl. col'd illus. 19cm. (Half-title: Œuvres de Alfred de Musset. Tome 12.)

Title vignette.

983948A. 1. Fiction, French. I. Title.
N. Y. P. L. July 19, 1939

NM 0914551 NN IU

PQ2369 .C6 1937
Musset, Alfred de, 1810-1857.
... La confession d'un enfant du siècle, notes de Robert Doré, illustrations de [illegible] gravées sur bois par Victor Dutertre. Paris, L. Conard, 1937.
2 p.l., 394 p., 1 l. incl. illus., pl. 21½cm. (His Oeuvres complètes ...)
"Il a été tiré de cet ouvrage: 25 exemplaires numérotés (51 à 75) sur japon impérial."

I. Doré, Robert, ed. II. Title.

NM 0914552 ViU MH MU OCl

Musset, Alfred de, 1810-1857.
La confession d'un enfant du siècle. Illustrations de Jean Robichon. Introduction de Roger Joxe. [Lille, etc., Nord éditions, 1945]

304 p. 17 cm. (Classiques de France)

NM 0914553 MH

Musset, Alfred de, 1810-1857
La confession d'un enfant du siècle. Nouv. ed., introd., notes et variantes par Maurice Allem [pseud.] Paris, Garnier [1947]
345 p. 19 cm. (Classiques Garnier)

Includes bibliography.

NM 0914554 WU

Musset, Alfred de, 1810–1857.
The confession of a child of the century, by Alfred de Musset; tr. by Kendall Warren. Chicago, C. H. Sergel and company [°1892]
2 p. l., 7–354 p. 19cm. (*On cover:* The medallion series)

I. Warren Kendall, tr. II. Title.
[*Full name:* Louis Charles Alfred de Musset]
7-32291 Revised
Library of Congress PZ3.M976Co

NM 0914555 DLC ViU PPL OClW

Musset, Alfred de, 1810–1857.
... The confession of a child of the century. Ten etchings. Philadelphia, Printed by G. Barrie & son [°1899]
6 p. l., 7–379 p. 20 pl. (incl. front.) 22½cm. (*Half-title:* ... Roman contemporain. Romancists. [v. 2])
Series title also at head of t.-p.
"Of this edition printed on Japanese vellum paper, only one thousand complete copies are printed for sale." This copy not numbered.
"This edition of The confession of a child of the century has been completely translated by T. F. Rogerson, M. A. The etchings are by Eugene Abot and drawings by Paul-Leon Jazet."
Each of the ten etchings is represented by duplicate plates, one on vellum paper and one mounted.
I. Rogerson, T. F., tr. II. Title.
[*Full name:* Louis Charles Alfred de Musset]
0-1633
Library of Congress PZ3.M976Co 3

NM 0914556 DLC MH MoSW

Musset, Alfred de, 1810-1857.
The confession of a child of the century; translated by T. F. Rogerson. Phila., Rittenhouse press, c1899.
377 p.

NM 0914557 PP

Musset, Alfred de, 1810-1857.
The confession of a child of the century, by Alfred de Musset.
London, Paris, Walpole Pr., 1901.
3 p.l.,379 p. front.,plates. 22 cm.
"Printed for subscribers only."

I. Title.
[*Full name:* Louis Charles Alfred de Musset]

NM 0914558 NjP

Musset, Alfred de, 1810–1857.
... Confession of a child of the century (Confession d'un enfant du siècle) by Alfred de Musset. Crowned by the French academy. With a preface by Henri de Bornier ... and illustrations by P. Jazet. [Ed. de luxe] Paris, Maison Mazarin [°1905]
3 p. l., v–xiv p., 1 l., 311 p. front. (port.) 3 pl. 23 cm. (*Added t.-p.:* The immortals, masterpieces of fiction ...)
Series title also at head of t.-p.
Series title within ornamental border in gold and colors.
"Of the Mazarin edition of The immortals there have been printed twelve hundred and forty registered and numbered sets." This copy not numbered.
I. Title.
Full name: Louis Charles Alfred de Musset.
PZ3.M976Co 5 5—36293

NM 0914559 DLC OClW NBC AAP

Musset, Alfred de, 1810-1857.
The confession of a child of the century. New York, Bigelow, Smith & co. [c.1908]

341 p. front. 19.5 cm.
"Library of classical romantic realism."

NM 0914560 MH MB PPD PP

Musset, Alfred de, 1810-1857.
Confession of a child of the century ... New York, Current literature publishing co., 1908.
xiv, 311 p. front. (port.) 2 pl.

(Masterpieces of French fiction ...)

NM 0914561 OCl

---

848 M976cnYb
Musset, Alfred de, 1810-1857.
Confession of a child of the century (Confession d'un enfant du siècle)... With a preface by Henri Bornier... New York, Current Literature publ. co., c1910.
xiv,311p. front. (port.) 20cm.

I. Bornier, Henri, vicomte de, 1825-1901, ed.

NM 0914562 LU NcD OO MsU NNC OU MiU CU

Musset, Alfred de, 1810-1857.
Confession of a child of the century (Confession d'un enfant du siecle ... Crowned by the French academy. With a preface by Henri de Bornier ... New York, Current literature pub. co., 1922.
xiv, 311 p. incl. front. (port.)

(The French immortals, v. 13)

NM 0914563 OO OU

Musset, Alfred de, 1810-1857.
The confession of a child of the century. Translated by T. F. Rogerson. London, The Lorraine Press, 1926 [c1899]
377p. front.

At head ot title: Romancists.

I. Rogerson, T F tr.

NM 0914564 ScU

Musset, Alfred de, 1810-1857.
Confession of a child of the century. (Confession d'un enfant du siecle)...With a preface by Henri de Bornier...N. Y., Wm. H. Wise, 1927.
311 p.

NM 0914565 PBa

Musset, Alfred de, 1810-1857.
Contes, par Alfred de Mussett...Paris, Larousse, n. d. 371 p.

NM 0914566 PV

Musset, Alfred, de, 1810-1857.

Contes: Mimi Pinson - Pierre et Camille - Le secret de Javotte - Histoire d'un merle blanc - La mouche. Paris, Librairie Gründ [n.d.]

219 p. 19 cm. (La Bibliothèque précieuse)

NM 0914567 CaBVaU

VOLUME 403

Musset, Alfred de, 1810-1857.
Contes. Vienne, Manz [n.d.]
333 p. 19 cm. (Collection Manz)
Contents.- Croisilles.- Pierre et Camille.- Le secret de Javotte.- La mouche.- Histoire d'un Merle Blanc.- Mimi Pinson.

NM 0914568 CaBVaU WaS MtU IdPI

*FC8 M9762 854c
Musset, Alfred de, 1810-1857.
Contes par Alfred de Musset ...
Paris, Charpentier, libraire-éditeur, 39, rue de l'Université. 1854. L'auteur et l'éditeur de cet ouvrage se réservent le droit de le traduire ou de le faire traduire en toutes les langues.
2p.ℓ., 371, [1]p. 18.5cm., in case 20cm.
The first 2 pieces appeared first with 2 pieces by Paul de Musset under the title Nouvelles (1848); La mouche and the Lettres are here first published.

Contents: Pierre et Camille.--Le secret de Javotte.--La mouche.--Histoire d'un merle blanc.--Mimi Pinson.--Lettres de Dupuis et Cotonet au directeur de la Revue des deux-mondes.
Original printed yellow wrappers; advts. on verso of half-title, and on p.[4] of wrappers; in cloth case.

NM 0914570 MH

Musset, Alfred de, 1810-1857
Contes... Paris, Charpentier, 1857.
371 p. 18cm.
Contents.-La mouche.-Pierre et Camille.-Mademoiselle Mimi Pinson.-Le secret de Javotte.-Le Merle blanc.-Lettres sur la littérature.

NM 0914571 NcD

848 M976coXL
Musset, Alfred de, 1810-1857.
Contes. Paris, Bibliothèque Larousse ⌜186-?⌝
187 p. port. 20 cm.
With this is bound:- His Nouvelles ⌜18--?⌝ - His La confession d'un enfant du siècle ⌜19--?⌝
Contents:- Croisilles.- Pierre et Camille.- Le secret de Javotte.- La mouche.- Histoire d'un merle blanc.- Mimi Pinson.

NM 0914572 LU

Musset, Alfred de, 1810–1857.
Contes, par Alfred de Musset ... Paris, Charpentier, 1860.
2 p. l., 371, ⌜1⌝ p. 18½cm.
CONTENTS.—Pierre et Camille.—Le secret de Javotte.—La mouche.—Histoire d'un merle blanc.—Mimi Pinson.—Lettres de Dupuis et Cotonet au directeur de la Revue des deux-mondes.

I. Title.
⌜Full name: Louis Charles Alfred de Musset⌝
12–28992
Library of Congress PQ2369.A15 1860

NM 0914573 DLC PPL MB

Musset, Alfred de, 1810-1857.
Contes. (La Mouche. Pierre et Camille. Mdlle. Mimi Pinson. Le Secret de Javotte. Le Merle blanc. Lettres sur le Littérature) Paris, 1865.
12°.

NM 0914574 CtY

Musset, Alfred de, 1810–1857.
... Contes ... Paris, Charpentier, 1867.
2 p. l., 371, ⌜1⌝ p. 18½cm.
CONTENTS.—Pierre et Camille.—Le secret de Javotte.—La mouche.—Histoire d'un merle blanc.—Mimi Pinson.—Lettres de Dupuis et Cotonet au directeur de la Revue des deux-mondes.

I. Title.
⌜Full name: Louis Charles Alfred de Musset⌝
12–28991 Revised
Library of Congress PQ2369.C7 1867

NM 0914575 DLC OClW MB DAU TU NIC

Musset, Alfred de, 1810-1857.
Contes. Paris, La renaissance du livre ⌜1867?⌝
216 p.
CONTENTS: -Croisilles. -Histoire d'un merle blanc. Pierre et Camille. -Les frères Van Buck. -Le secret de javotte. -Mimi Pinson. -La mouche.

NM 0914576 DAU

Musset, Alfred de, 1810-1857.
... Contes ... Paris, G. Charpentier, 1877.
2 p. l., 371 ⌜1⌝ p.

NM 0914577 OO PPL

Musset, Louis Charles Alfred de.
Contes. Paris: G. Charpentier, 1879. 315 p. 12°.
Contents: Croisilles. Pierre et Camille. Le secret de Javotte. La mouche. Histoire d'un merle blanc. Mimi Pinson.

NM 0914578 NN MWelC MH

PQ2369 C7 1880
Musset, Alfred de, 1810-1857
Contes. Paris, Librairie des bibliophiles, E. Flammarion ⌜188-?⌝
349 p. 17 cm. (His Oeuvres)
Nouvelle bibliothèque classique.
Contents. - Pierre et Camille. - Le secret de Javotte. - La mouche. - Histoire d'un merle blanc. - Mimi Pinson. - Lettres de Dupuis et Cotonet au directeur de la Revue des deux-mondes.

NM 0914579 MeB NBuU WaWW

PQ 2369 C7 1881
Musset, Alfred de, 1810-1857.
Contes ... Paris, Charpentier, 1881.
313 p. 19cm.
Contents.--Croisilles.--Pierre et Camille.--Le secret de Javotte.--La Mouche.--Histoire d'un merle blanc.--Mimi Pinson.

NM 0914580 NIC

PQ2369 .C7 1883
Musset, Alfred de, 1810-1857.
Contes. Paris, G. Charpentier, 1883.
313 p. 19cm.
CONTENTS.—Croisilles.—Pierre et Camille.—Le secret de Javotte.—La mouche.—Histoire d'un merle blanc.—Mimi Pinson.

NM 0914581 ViU MH MiU PU

Musset, Alfred de, 1810-1857.
Contes. Paris, G.Charpentier et cie., 1887.
313p.

NM 0914582 MH PBm

Musset, Alfred de, 1810-1857.
Contes: Croisilles. Pierre et Camille. Le secret de Javotte. La mouche. Histoire d'un merle blanc. Mimi Pinson. Paris, Charpentier, 1892.
313 p.

NM 0914583 NNC PPL

Musset, Alfred de, 1810-1857.
Contes. Paris, Charpentier, 1897.
313 p. 19 cm.

NM 0914584 OCU

MUSSET, Alfred de, 1810-1857.
Contes. Paris, E. Fasquelle, 1897.

NM 0914585 MH

843.7 M989 C4
Musset, Alfred de, 1810-1857.
Contes. Paris, Bibliothèque Larousse ⌜19--⌝
187p. 20cm.
Contents.-Croisilles.-Pierre et Camille.-Le secret de Javolle.-La mouche.-Histoire d'un merle blanc.-Mimi Pinson.

NM 0914586 ICarbS

Musset, Alfred de, 1810-1857.
Contes. Paris, Librairie des bibliophiles [19- ?]
349 p. (His Oeuvres)
Nouvelle bibliothèque classique.

NM 0914587 MH

848 M976coX
Musset, Alfred de, 1810-1857.
...Contes... Paris, La renaissance du livre [19 ?]
216p. 17cm. (On cover: Tous les chefs-d'oeuvre de la littérature français)
At head of title: Alfred de Musset.
Contents:- Croisilles.- Histoire d'un merle blanc.- Pierre et Camille.- Les frères Van Buck.- Le secret de Javotte.- Mimi Pinson.- La mouche.
1. Short stories, French.

NM 0914588 LU

Musset, Alfred, 1810-1857.
... Contes ... Paris, Charpentier, 1900.
313 p. 18.5 cm.

NM 0914589 NcD

Musset, Alfred de, 1810-1857.
Contes. Paris, Fasquelle, 1900.
313 p.
(On cover: A. de Musset. Oeuvres completes)

NM 0914590 OOxM PHC

Musset, Alfred de, 1810-1857
Contes. Paris, E. Fasquelle, 1907.
313p.

NM 0914591 ScU

VOLUME 403

PQ2369
C7
1907

Musset, Alfred de, 1810-1857
Contes. Paris, Garnier frères [1907]
380 p. 19 cm. (His Oeuvres complètes; nouv. éd., rev., corr. et complétée de documents inédits précédée d'une notice biographique et suivie de notes par Edmond Biré)

Contents. - Pierre et Camille. - Le secret de Javotte. - La mouche. - Histoire d'un merle blanc. - Mimi Pinson. - Lettres de Dupuis et

Cotonet au directeur de la Revue des deux-mondes.

I. Biré, Edmond, 1829-1907, ed. II. Title

NM 0914593 MeB NSyU

Musset, Alfred de, 1810-1857.
... Contes ... Paris, E. Fasquelle, 1908.
2 p. l., 350 [2] p.

(Oeuvres completes illustrees)

NM 0914594 OU

845M97
K1909

Musset, Louis Charles Alfred de, 1810-1857.
Contes. Paris, Larousse [1909]
187p. illus., port. 20cm.

Contents.- Croisilles.- Pierre et camille.- Le secret de Javotte.- La mouche.- Histoire d'un merle blanc.- Mimi Pinson.

NM 0914595 IU

Musset, Alfred de, 1810-1857.
... Contes: Croisilles—Histoire d'un merle blanc—Pierre et Camille—Les frères van Buck—Le secret de Javotte—Mimi Pinson—La mouche. Londres, J. M. Dent & sons, ltd; Paris, É. Mignot [1911]
2 p. l., 7-216 p. 17½cm. (*Lettered on cover:* Tous les chefs-d'œuvre de la littérature française. [v. 95])

14-22976

Library of Congress PQ1103.T6 vol. 95

NM 0914596 DLC

PQ2369
.C7
1911

Musset, Alfred, 1810-1857.

Contes. Paris, J. Gillequin [1911?]
216 p. 18cm. (La Renaissance du livre. 92)
Imprint on cover: Paris, É. Mignot.
CONTENTS.—Croisilles.—Histoire d'un merle blanc.—Pierre et Camille.—Les frères vam Buck.—Le secret de Javotte.—Mimi Pinson.—La mouche.

NM 0914597 ViU PU OC1W NcU

Musset, Alfred de, 1810-1857.
... Contes ... Paris, Larousse [c1913]
187 p.

NM 0914598 OCU

Musset, Alfred de, 1810-1857.
Contes. Paris, E. Flammarion [1929]

349 p. (Les meilleurs auteurs classiques, français et étrangers)

NM 0914599 MH

Musset, Alfred de, 1810-1857.
... Contes: La mouche - Pierre et Camille - Mademoiselle Mimi Pinson - Le secret de Javotte - Le merle blanc - Lettres sur la littérature. Paris, Librairie des bibliophiles, E. Flammarion, successeur [1930?]
2p.ℓ., 340 p., 1ℓ. (Verso of half-title: Nouvelle bibliothèque classique des éditions Jouaust. Oeuvres completes d'Alfred de Musset)

NM 0914600 WaPS

Musset, Alfred de, 1810-1857.
... Contes ... Paris, Garnier frères [1933]
2 p.ℓ., 380 p., 1 ℓ. 19cm. (On cover: Classiques Garnier)
At head of title: Oeuvres complètes de Alfred de Musset; nouvelle édition, revue, corrigée et complétée de documents inédits, précédée d'une notice biographique sur l'auteur et suivi de notes par Edmond Biré. VI.
CONTENTS.—Pierre et Camille.—Les secret de Javotte.—Histoire d'un merle blanc.—Mimi Pinson.—La mouche.—Lettres de Dupuis et Cotonet au Directeur de la "Revue des deux mondes".
I. Biré, Edmond, 1827-1907. ed.

NM 0914601 MiU

PQ
2369
C7
1948

Musset, Alfred de, 1810-1857.
Contes. Nouv. éd. Introd., notes et variantes par Maurice Allem. Paris, Garnier [1948]
xi, 185 p. 19 cm. (Classiques Garnier)

Includes bibliography.
Contents.- Pierre et Camille.- Le secret de Javotte.- La mouche.- Histoire d'un merle blanc.- Mimi Pinson.- Les frères Van Buck.- Les fleurs des bois.

I. Allemand, Maurice, 1872-1957, ed.

NM 0914603 CU-S

---

*FC8
M9762
830c

Musset, Alfred de, 1810-1857.
Contes d'Espagne et d'Italie, par m. Alfred de Musset ...
Paris, A. Levavassour, libraire, au Palais-royal; Urbain Canel, libraire, rue J.-J. Rousseau, n. 16. 1830.
viij, 238p. 20.5cm.
First work to appear under the author's name; published 2 Jan. 1830 in an edition of 500 copies.
In this copy p.21-22, 27-28, 75-76, 95-96, and 207-208 are can- cel leaves; Vicaire

(V, 1238) and Carteret (II, 188) record p.21-22, 75-78, and 207-208 as cancels.
In verse.
Contents: Don Paez.--Les marrons du feu.--Portia.--Chansons et fragmens.--Mardoche.
Another copy. 22.5cm.
Inserted is A.L.s. (Alfred de M[usset].) to his uncle M. Desherbiers; n.p., 7 (?) Jan. 1830; 1s. (3p.); defending the style of these poems.
From the library of Amy Lowell.

NM 0914605 MH CtY NjP

PQ2369
C8
1947

Musset, Alfred de, 1810-1857
... Contes d'Espagne et d'Italie.
[Paris] "Les Phares", 1947.
2p.ℓ., vii-xiii, [1], 133p., 1ℓ.
17cm. (Les Phares ... Série française-VIII)

NM 0914606 RPB

Musset, Alfred de, 1810-1857.
Contes d'espagne et d'italie. [Paris] Au Moulin de Pen-Mur, 1948.
230 p. 21 cm.

NM 0914607 IEdS

MUSSET, Alfred de, 1810-1857.
Contes et nouvelles. Avec un portrait de l'auteur gravé par Waltner d'après une aquarelle faite spécialement pour ce volume par Eugène Lami et deux eaux-fortes de M. Lalauze d'après Bida. Paris, Petite bibliothèque-Charpentier, 1902.

12 cm. Ports.
Half-title: Petite bibliothèque-Charpentier.

NM 0914608 MH

Musset, Alfred, 1810-1857.
... Contes et nouvelles ... Paris, A. Lemerre, 1925.
351 p.

(His Oeuvres ... [t. 8])

NM 0914609 OCU

843
M9758co

Musset, Alfred de, 1810-1857.
Contes et nouvelles. Illustrations de Charles Martin. Paris, Librairie de France, 1929.
2 v. illus. (part col.) 24 cm.
(His Oeuvres complètes illustrées)

NM 0914610 KyU

845M97
KT32

Musset, Alfred de, 1810-1857.
Contes et nouvelles, publiés avec une introduction par Jérome et Jean Tharaud. Paris, Le Girouette, 1948-
v. 19cm.

NM 0914611 IU

MUSSET, Alfred de, 1810-1857.
La coppa e la labbra; poema drammatico. [Translated by] Leopoldo Tiberi. Perugia, tip. umbra, 1883.

32°. pp. 95.
Catalogued from the cover.

NM 0914612 MH

PQ2412
.A4M8
1904

Musset, Alfred de, 1810-1857.

Sand, George, *pseud. of Mme. Dudevant,* 1804-1876.
Correspondance de George Sand et d'Alfred de Musset; publiée intégralement et pour la première fois d'après les documents originaux, par Félix Decori; avec dessins d'Alfred de Musset et fac-similés d'autographes. Nouv. éd. Bruxelles, E. Deman, 1904.

Musset, Alfred de, 1810-1857.
... Correspondance (1827-1857) recueillie et annotée par Léon Séché. Avec un portrait de Musset en héliogravure et des reproductions de dessins et d'autographes. Paris, Société dv Mercvre de France, 1907.
293, [1] p. illus. (facsims.) 18½cm.
Without portrait. ("Il a été fait ... une tirage in-18 qui ne contient pas le portrait."—Talvart, Fiche bibl. française)
I. Séché, Léon, 1848-1914, ed.
[*Full name:* Louis Charles Alfred de Musset]

32-30220

Library of Congress PQ2370.A2 1907 928.4

OCU OC1 NN NcD CU OrPR CtY IdU CaBVaU
NM 0914614 DLC CtY MH NjP ICU PBm PSC PU NIC MiU

VOLUME 403

Musset, Alfred de, 1810-1857.
La coupe et les lèvres.

For operas based on this work
see
Puccini, Giacomo, 1858-1924.
Edgar.

Canoby, Gustave, 1830?-1888?
La coupe et les lèvres, drame lyrique.

Musset,Alfred de,1810-1857.
... La coupe et les lèvres,On ne badine pas avec l'amour,Un caprice,Rappelle-toi,Rondeau. Paris, Librairie de la Bibliothèque nationale, 1908.
190,[2] p. 14½cm. (Bibliothèque nationale; collection des meilleurs auteurs anciens et modernes [347])

NM 0914616 MiU

PQ 2369 C7 19--?
Musset, Alfred de,1810-1857
Croisilles. Edited by S. Tindall. New York Thomas Y. Crowell & company. [18--?]
64 p.

NM 0914617 KMK

Musset, Alfred de, 1810-1857.
Croisilles.
Bierstadt, Oscar Albert, 1850- tr.
Idle time tales ... Tr. from the French by O. A. Bierstadt. Chicago and New York, Rand, McNally & company, 1891.

845M97 LF39
Musset, Alfred de, 1810-1857.
Cuentos. La traducción ha sido hecha por Luis Fernández Ardavín. Madrid, Calpe, 1919-
v. in 16cm. (Colección Universal, no.72 y 73, 336)

NM 0914619 IU

Musset, Alfred de, 1810-1857.
Cuentos: Mimi Pinsón.- El lunar.- Croisilles.- Pedro y Camila. [1. ed.] Buenes Aires, Espasa-Calpe Argentina [1944]
152 p. 18 cm. (Colección austral, 492)

NM 0914620 OU

Musset, Alfred de, 1810-1857. **T.98.16
De la tragédie à propos des débuts de Mademoiselle Rachel. 1838.
(In Biographie anecdotique de Mlle Rachel. Pp. 55-70. Bruxelles. 1858.)

J401 — Félix, Élisabeth Rachel. 1821-1858. — Tragedy.

NM 0914621 MB

Musset, Alfred de, 1810-1857.
Obligado, Carlos, 1890- tr.
... De los grandes romanticos; poemas de Vigny, Lamartine, Hugo y Musset; versiones castellanas. [Buenos Aires, "Buenos Aires", cooperativa editorial limitada [etc.] 1923.

Underground Dutch
Musset, Alfred de, 1810-1857.
Een deur moet open zijn of dicht. Naar het Fransch door Jan Prins [pseud.] Antwerpen, A. Donker, 1941.
23p. 27cm.

I. Schepp, Christiaan Louis, 1876-1948, tr.

NM 0914623 IEN

Musset, Alfred de, 1810-1857.
Een deur moet open zijn of dicht; naar het Fransch door Jan Prins [pseud.] Antwerpen, A. Donker, 1941 [i.e. 1943]
23p. 27cm.

Jong. 585.
500 copies.
Translation of: Il faut qu'une porte soit ouverte ou fermée.

NM 0914624 IEN

Hfe ms31t 5
Musset, Alfred de, 1810-1857.
... Deux chroniques inédites ... [n.p.] Imprimé spécialement,1896.
13p. 22½cm. ([His Oeuvres inédites, no.5])
"Tiré à dix exemplaires, no 8."
Contents. - Gustave III, chronique théatrale. - Procès de M.E.de La Roncière.

NM 0914625 CtY MB

---

*FC8 M9762 840d
Musset, Alfred de, 1810-1857.
Les deux maitresses, par Alfred de Musset ... Paris,Dumont,éditeur,Palais-royal,88,au Salon littéraire.1840.
2v. 19cm.
Vol.2 has title: "Frédéric et Bernerette ...". The volumes are without a general title but are numbered "1" & "2" on the title-pages. The divisional title to Margot, in v.2, reads "Croisilles", by error.
This collection was published in a single 12mo volume in 1841 with the general title: Nouvelles de Alfred de Musset.
Contents: v.1. Les deux maitresses. Emmeline. Le fils du Titien.--v.2. Frédéric et Bernerette. Croisilles. Margot.
Imperfect: in v.2, p.[1-2], probably a divisional title to the 1st piece, wanting.

NM 0914627 MH

Typ 915 28.5870
Musset, Alfred de, 1810-1857.
Les deux maitresses, par A. de Musset. Illustrations de V. Choukhaeff.
Editions de la Pléiade,J.Schiffrin,2,rue Huyghens,MCMXXVIII,Paris.
4p.ℓ.,11-149,[1]p.,2ℓ.incl.front.,col.illus., col.plates. 24cm.,in box 25.5cm.
"Achevé d'imprimer le cinq juin mil neuf cent vingt-huit, sur les presses du maitre imprimeur Couloumа, a Argenteuil, H. Barthélemy, directeur."
"Il a été tiré de cet ouvrage 13 exemplaires, numérotés de 1 a 13, sur japon impérial, contenant une suite d'illustrations en couleurs et une en noir; 20 exemplaires, numérotés de 14 a 33, sur Hollande Van Gelder, contenant une suite en noir; 330 exemplaires, numérotés de 34 a 363, sur vélin a la cuve des manufactures Blanchet frères et Kléber, fabriqué spécialement et filigrané au nom de l'éditeur; il a été tiré en plus 15 exemplaires, numérotés de i a xv, hors série et non mis dans le commerce, dont 5 sur japon impérial (i a v), 5 sur hollande (vi a x) et 5 sur vélin a la cuve (xi a xv). Exemplaire no 155."
Original printed cream wrappers; in publisher's box.

NM 0914630 MH IEN

Musset, Alfred de, 1810-1857.
Le diable à Paris. Les Parisiennes à Paris—Alfred de Musset—de Balzac—G. Sand—Ch. Nodier—P. J. Stahl—Léon Gozlan—Taxile Delord—Laurent Jan—Eugène Guinot. Paris, Michel Lévy frères, 1857.

PQ2369 A17 1880
Musset, Alfred de, 1810-1857.
Dichtungen, übers. von Otto Baisch. Bremen, J. Kühtmann, 1880.
239 p.

I. Baisch, Otto, ed.

NM 0914632 CU OC1W IEN

Musset, Alfred de, 1810-1857.
Dichtungen; uebersetzt von Otto Baisch. Ed. 2. Norden, Fischer, 1885.
239 p.

NM 0914633 PU

PQ 2369 A3E9 1923
Musset, Alfred de, 1810-1857.
Dichtungen. Ins deutsche übertragen von Herbert Eulenberg. Berlin, Propylaen-Verlag, 1923.
198p. 23cm.
CONTENTS. - Sonett an den Leser. - Aus den Liedern in Musik zu setzen. - Rolla. - Die Nächte. - Mardoche. - Die Kastanien im Feuer. - Portia. - Namouna.

I.Eulenberg, Herbert, 1876-1949, tr.

NM 0914634 CLSU

Musset, Alfred de, 1810-1858.
Discours prononcés... 27 mai 1852...
see under
Académie française, Paris.

Hfe ms21
Musset, Alfred de, 1810-1857.
... Dissertation en latin.
(In France. Université. Faculté de philosophie. Annales des concours généraux ... Paris,1828. 21cm. p.315-319)
"Second prix" au Concours de 1827."

NM 0914636 CtY

PQ2369 .F25T8 Orien Turk
Musset, Alfred de.
Don Juan'in bir sabahi.
Musset, Alfred de, 1810-1857.
Yap da söyleme (Faire sans dire) ve Don Juan'ın bir sabahı (Une matinée de Don Juan) Sabahattin Eyüboğlu tarafından tercüme edilmiştir. Ankara, Maarif Matbaası, 1943.

Musset, Alfred de, 1810-1857.
A door must be either open or shut, a proverb; [play] Illustrated by Alistair Grant. [London] Rodale Press [1955]
44 p. col. illus. 21 cm. (Miniature books)

I. Title.
Full name: Louis Charles Alfred de Musset.

PQ2369.I 5E5 842.76 58-47715

NM 0914638 DLC KU MsU LU PP WaSpG

VOLUME 403

HQ463 .G37 Delta

Musset, Alfred de, 1810-1857, supposed author.

Dos noches de placer. México, Editorial Selección [195-]

NM 0914639 (illegible)

MUSSET, ALFRED DE, 1810-1857.
La du amatinoj. La kapricoj de Mariano; tradukis Jan van Schoor. Antwerpen, Eldonejo "La Verda velo" [19-] 109 p. 19cm.

Mrs. Dave H. Morris collection.

1. Esperanto--Books in. 2. Drama, French--Translations into Esperanto.

NM 0914640 NN

Musset, Alfred de, 1810-1857.
Emmelina. Le due amanti. Racconti di Alfredo Musset. Milano, E. Sonzogno, 1885.
96 p. 16°. (Biblioteca universale. no. 138)

NM 0914641 NN

Musset, Alfred de, 1810-1857.
...Emmeline; Novelle. Vorwort von Helmut Müller. Frankfurt a.M., Siegel-Verlag [1947] 83 p. 15cm.

"Die deutsche Übertragung besorgte Ernst Bluth."

I. Bluth, Ernst, 1893- , tr. II. Title.
N. Y. P. L. July 25, 1950

NM 0914642 NN DLC

Musset, Alfred de, 1810-1857.
La esperanza en Dios. Traducción de Antonio Sellen. Habana, M.Soler y Almohalla, 1883.
19 p. 17.5 cm.
"Publicado en la 'Revista de Cuba'."

NM 0914643 MH

Musset, Alfred de, 1810-1857.
Fantasio, comédie en deux actes.
(In his Oeuvres complètes. Nouv. éd. [n.d.] v.3, p.[277]-328)
Microcard edition.

NM 0914644 ICRL

*FC8 M9762 D866f

Musset, Alfred de, 1810-1857.
Fantasio, comédie en trois actes, en prose d'Alfred de Musset; représentée pour la première fois sur le Théatre-français le 18 aout 1866 par les comédiens ordinaires de l'empereur.
Paris, Charpentier, libraire-éditeur, 23, quai de l'École. 1866.
4p.ℓ.,50p. 19cm.
Preface signed by the editor: Paul de Musset.
First separate edition; text revised by the editor from the original published in Un spectacle dans un fauteuil, v.2 (1834).
Original printed yellow wrappers preserved; advts. (1 leaf) at end, and on p.[4] of wrappers; bound in half red morocco and marbled boards; top edges gilt.

NM 0914646 MH NN NjP

Musset, Alfred de, 1810-1857.
Fantasio, comédie. Avec une notice biographique, une notice historique et littéraire, des notes explicatives, des jugements, un questionnaire sur la pièce et des sujets de devoirs, par Henri Chabot. Paris, Larousse [1934]
55p. 17cm. (Classiques Larousse)
With this are bound the author's Il ne faut jurer de rien. Paris [1936] Lorenzaccio. Paris [1936] On ne badine pas avec l'amour. Paris [1937]

NM 0914647 IEN CaBVaU NSyU

Musset, Alfred de, 1810-1857.
Fantasio. Un caprice; notice et notes, par Ch. M. des Granges. Paris, Baier, 1883-1887.
95 p.

NM 0914648 OClND

Musset, Alfred de, 1810-1857.
Fantasio; un caprice, notice et notes par Ch.-M.Des Gruges a [sic.] Paris, Hatier [1925] 95p.
On cover: Les classiques pour tous, no.12.

NM 0914649 CaBVa PU OClCC OClW

PQ2369 .Z5F2 1929

Musset, Alfred de, 1810-1857.
... Fantasio. Un caprice. Notice et notes par Ch.-M. Des Granges. Paris, A. Hatier, 1929.
95 p. (On cover: Les classiques pour tous, no.72)

NM 0914650 ICU

Musset, Alfred de, 1810-1857.
Fantasio, a proverb. From the French of Alfred de Musset [by Barnet Phillips]. For private circulation. Paris, 1853.

NM 0914651 PPL PU

Musset, Alfred de, 1810-1857.
Fantasio ... [n.p.] For private circulation [189-?]

NM 0914652 PU

*XQ .927 .M97F

Musset, Alfred de, 1810-1857.
Fantasio, a comedy in two acts, by Alfred de Musset; translated by Maurice Baring [Haarlem] The Pleiad, 1927.
57, [1] p. col.front., illus., col.plate. 28cm.
Designed by Frederic Warde.
Plates and illustrations by Fernand Giauque.
Composed and printed by Joh. Enschedé en Zonen.
No.364 of 550 copies.
Purple cloth, gilt stamped on spine.

NM 0914653 MB OrPR NBuG ICN

Hfe ms040

Musset, Alfred de, 1810-1857.
Fantasio, a comedy in two acts by Alfred de Musset; translated by Maurice Baring. [Haarlem] The Pleiad, 1929.
57,[1]p. col.front.,illus.,col.plate. 28cm.
"Of this Pleiad book, designed by Frederic Warde, five hundred and fifty copies have been printed, of which five hundred are for sale. The twelve illustrations, ten in lithography and two hand-coloured, have been made by Mr.Fernand Giauque ... Composed and printed by Joh.Enschedé en zonen, Haarlem, Holland. [In ms.:] 43."
In ms. on lin- ing paper: Maurice Baring. 1929.

NM 0914654 CtY IaU MnU PSC

Musset, Alfred de, 1810-1857.
Fantasio; a comedy in two acts, by Alfred de Musset, translated by Maurice Baring. [London:] The Pleiad, 1929. 57(1) p. col'd front., illus., col'd pl. 4°.

Colophon: Of this Pleiad book, designed by Frederic Warde, five hundred and fifty copies have been printed, of which five hundred are for sale. The twelve illustrations, ten in lithography and two hand-coloured, have been made by Mr. Fernand Giauque. The Lutetia type used for the text, designed by Mr. J. van Krimpen, has been composed and printed by Joh. Enschedé en Zonen, Haarlem, Holland. [no.] 36.

441822A. 1. Drama, French. 2. Baring, Hon. Maurice, 1874- , translator. 3. Giauque, Fernand, illustrator. 4. Title.
N. Y. P. L. December 30, 1929

NM 0914655 NN IEN NBuG

Musset, Alfred de, 1810-1857.
Fantasio, a comedy in two acts, by Alfred de Musset, translated by Maurice Baring. [New York] The Pleiad, 1929.
57, [1] p. col. front., illus., col. pl. 28 cm.
"Five hundred and fifty copies have been printed ... The twelve illustrations, ten in lithography and two hand-coloured, have been made by Mr. Fernand Giauque ... Printed by Joh. Enschedé en zonen, Haarlem, Holland, 265."

I. Baring, Hon. Maurice, 1874-1945, tr. II. Giauque, Fernand, illus. III. Title.

PQ2369.F3E5 46-34098

NM 0914656 DLC WaU CU ScU MsU

Musset, Alfred de, 1810-1857.
Fantasio. Translated by Maurice Baring.
(In Bentley, E.R. From the modern repertoire. Series one. [1949] p.4-28)

NM 0914657 MH

Musset, Alfred de, 1810-1857.
Fantasio, comedia en dos actos ... [Madrid, 1927]
p. 59-84. 20 cm.

NM 0914658 NcU

Musset, Alfred *i. e.* **Louis Charles Alfred de,** 1810-1857.
... Fantasio; El candelero; traducción de Tomás Borrás, ilustraciones de Fontanals. Madrid [Imp. J. Pueyo] 1918.
208, [1] p. col. front., plates. 12 x 9½cm. (Colección Palma, 8)
Title in green, within ornamental border.
At head of title: A. de Musset.
Half-title: Biblioteca estrella.

I. Borrás, Tomás, tr. II. Title. III. Title: El candelero.

Library of Congress PQ2369.F3[?]7 19-12314

NM 0914659 DLC MH

Musset, Alfred de, 1810-1857.
Fantasio. İzzet Melih Devrim tarafından tercüme edilmiştir. Ankara, Maarif Matbaası, 1944.
58 p. 19 cm. (Dünya edebiyatından tercümeler; Fransız klâsikleri, 55)

I. Title.
Full name: Louis Charles Alfred de Musset.

PQ2369.F3T8 NE 62-1510 ‡

NM 0914660 DLC NNC

Musset, Alfred de, 1810-1857.
Fantasio.

For a musico-dramatic work based on this see Offenbach, Jacques, 1819-1880. Fantasio.

VOLUME 403

Musset, Alfred *i. e.* **Louis Charles Alfred de, 1810-1857.**
... Le fils du Titien. Croisilles. Illustrations de Paul Chabas, gravées par L. Rousseau ... Paris, A. Lemerre, 1894.
3 p. l., [3]-188 p., 1 l. incl. illus., plates. 15cm. (*On cover:* Collection Lemerre illustrée)

I. Title.

18-15443

Library of Congress PQ2369.F5 1894

NM 0914662 DLC KyLoU NN MH

Musset, Alfred de, 1810-1857.
Le fils du Titien. Mimi Pinson. Par Alfred de Musset. Leipzig: Insel-Verlag [192-?] 83 p. 16½cm. (On cover: Pandora. no. 36.)

125303B. 1. Fiction, French. I. Title. II. Title: Mimi Pinson.
N. Y. P. L. August 15, 1941

NM 0914663 NN MH WaPS

Musset, Alfred de, 1810-1857.
For a soldier burial. (Pour les funérailles d'un soldat)
see under Boulanger, Lili, 1893-1918.

---

*FC8 M9762 840d v.2

Musset, Alfred de, 1810-1857.
Frédéric et Bernerette, par Alfred de Musset ...
Paris, Dumont, éditeur, Palais-royal, 88, au Salon littéraire. 1840.
3p.l., [3]-318p. 19cm. (Vol.2 of his Les deux maitresses, Paris, 1840)
The divisional title to Margot reads "Croisilles", by error.
Contents: Frédéric et Bernerette. Croisilles. Margot.
Imperfect: 3d prelim. leaf (p.[1-2]) probably a divisional title to the 1st piece, wanting.

NM 0914665 MH

Musset, Alfred de, 1810-1857.
Frédéric et Bernerette. Illustrations de Myrbach. Paris, Alphonse Lemerre, 1893.
Plates and other illustr.
Cover: Collection Lemerre illustrée.
"30 exemplaires sur papier du Japon. N°. 14. [Signed]: A. L."

NM 0914666 MH OClW MiU

MUSSET, Alfred de, 1810-1857.
Frederic et Bernerette. Avec 33 illustrations composées et gravées sur bois par J. Boullaire.
26 cm. Front. and other wdcts.
Colophon: Achevé d'imprimer par J. & J. Vaucher ... à Paris le 15 avril 1928.

NM 0914667 MH

Musset, Alfred de, 1810-1857.
... French fiction: Honore de Balzac, George Sand, Alfred de Musset ...
see under title

Musset, Alfred de, 1810-1857, supposed author.
Gamiani; dos noches de voluptuosidad
see under title [supplement]

Musset, Alfred de, 1810-1857, supposed author.
... Gamiani, nella traduzione de Antonio Volini
see under title [supplement]

Musset, Alfred *i. e.* **Louis Charles Alfred de, 1810-1857, supposed author.**
Gamiani, ou Deux nuits d'excès, par A D M ... En Hollande, 1866.

PQ2369 .A45 1871

Musset, Alfred de, 1810-1857.
Gedichte von Alfred de Musset. Aus dem französischen... Berlin, A. Duncker, 1871.
lxvii, [1], 118, [1] p. 15½cm.
Contains an introductory essay on Musset by the anonymous translator (p. [v]-lvii)

NM 0914672 OCU

Musset, Alfred de, 1810-1857.
Lehrs, Max, 1855- tr.
Gedichte von Musset, Sully Prudhomme, Verlaine und Maeterlinck, übertragen von Max Lehrs. Berlin, J. Bard, 1912.

Musset, Alfred de, 1810-1857.
La genèse de Lorenzaccio
see under Dimoff, Paul, ed.

Musset, Alfred de, 1810-1857
Leopardi, Giacomo, *conte,* 1798-1837.
Giacomo Leopardi összes lyrai versei. Alfred de Musset válogatott költeményei. Mindkét költőt fordította Radó Antal. Budapest, Lampel R. (Wodianer F. és fiai) [1904]

PR 1271 L51 v.2

Musset, Alfred de, 1810-1857.
A good little wife. A comedy, in one act. Translated and adapted from "Un caprice." London, Lacy [18--]
22 p. 18cm.
No. 11 in vol. lettered: Farces. Lacy's edition. Vol. 2.

I. Musset, Alfred de, 1810-1857. Un caprice--English. II. Title.

NM 0914676 NIC

Musset, Alfred de, 1810-1857.
A good little wife. A comedy, in one act. Translated and adapted from "Un caprice" by Alfred de Musset. London, S. French; New York S. French & son [18--?]
22 p. 18.5 cm. (Lacy's acting edition)

NM 0914677 CtY

MUSSET, Alfred de, 1810-1857.
A good little wife; a comedy, Translated and adapted from "Un Caprice", London, etc., S. French, [1847?]
nar. 12°. pp. 22.
On cover:- Lacy's acting edition, 253.

NM 0914678 MH

MUSSET, Alfred de, 1810-1857.
A good wife; a comedy. Translated and adapted from "Un Caprice". London, T.H. Lacy, [1847?]
nar. 12°. pp. 22. Front.
On cover: Lacy's acting edition, 253.

NM 0914679 MH PU

845M97 OcaE

Musset, Alfred de, 1810-1857.
A good little wife, a comedy in one act. Translated and adapted from "Un caprice." London, T. H. Lacy [185-?]
22p. 18cm.
"First performed at the Théâtre français, November 27th, 1847."

NM 0914680 IU

Musset, Alfred de, 1810-1857.
The green coat; a comedy in one act, by Alfred de Musset and Emile Augier; tr. from the French by Barrett H. Clark ... New York, S. French; [etc., etc.] °1914.
21 p. 18½cm. (*On cover:* French's international copyrighted ... edition of the works of the best authors, no. 296)

I. Augier, Émile *i. e.* Guillaume Victor Émile, 1820-1889, joint author. II. Clark, Barrett Harper, 1890- tr. III. Title.
[*Full name:* Louis Charles Alfred de Musset]
15-2912 Revised

Library of Congress PQ2369.H3E53

NM 0914681 DLC OU OrP CaBVaU Or OClh PU

---

842 M98hxC

Musset, Alfred de, 1810-1857.
The green coat, a comedy in one act, by Alfred de Musset and Emile Augier; translated by Barrett H. Clark. New York, S. French [c1915]
19p. 19cm. (The world's best plays by celebrated European authors)

I. Augier, Emile, 1820-1889, jt. author.

UU NcD MiU NNC
NM 0914682 NcU MeB NN CU MtU Or OrCS OrPR OrP

Musset, Alfred de, 1810-1857.
L'habit vert; proverbe en un acte, en prose [par] Alfred de Musset et Émile Augier. Paris, Calmann-Lévy [18--]
35 p. 19 cm.
"Représenté pour la première fois, à Paris, sur le Théâtre des Variétés le 23 février 1849."

I. Augier, Émile, 1820-1889, joint author. II. Title.
Full name: Louis Charles Alfred de Musset.

PQ2369.H3 53-53637

NM 0914683 DLC

---

*FC8 M9762 849h

Musset, Alfred de, 1810-1857.
L'habit vert; proverbe en un acte par mm. Alfred de Musset et Emile Augier. Représenté pour la première fois à Paris, sur le théâtre des Variétés, le 23 février 1849 ...
[Paris, 1849]
34p. 18.5cm. (On cover: Bibliothèque dramatique. Théâtre moderne)
Imprint on cover: Michel Lévy frères ... Paris. - 1849.
Original printed wrappers wanting; series title and imprint from reproduction in Carteret II, p.204.

NM 0914684 MH CtY

VOLUME 403

Musset, Alfred de, 1810–1857.
L'habit vert, proverbe en un acte et en prose, par Alfred de Musset et Émile Augier. Paris, Michel Lévy frères, 1851.
2 p. l., 34 p. 18 cm.

I. Augier, Émile, 1820–1889, joint author. II. Title.
Full name: Louis Charles Alfred de Musset.

PQ2369.H3 1851 20—11431

NM 0914685 DLC ViU

MICROCARD
842 Musset, Alfred de, 1810-1857.
L'habit vert; proverbe en un acte et en prose, par Alfred de Musset et Émile Augier. Paris, Michel Lévy frères, 1851.
34p. 18cm.
Microcard copy on 1 card. Louisville, Ky., Falls City Microcards, 1966.

I. Title. Green card. II. Augier, Émile, 1820-1889, jt. auth.

NM 0914686 OrU ICRL

Musset, Alfred de, 1810-1857.
... L'habit vert, proverbe en un acte et en prose, par Alfred de Musset et Émile Augier, représenté pour la première fois, a Paris, sur le Théatre des variétés, le 23 février 1849. ₍Paris, Michel Lévy, frères ₍1853₎
7 p. illus. 28½cm. (Théatre contemporain illustré. ₍2.sér.₎ 9ᵉ et 10ᵉ livraisons. ₍ptie. 2₎)
Caption title.

NM 0914687 ViU

PQ 2369 .H3 Musset, Alfred de, 1810-1857
L'habit vert; proverbe en un acte, en prose ₍par₎ Alfred de Musset et Émile Augier. Nouv éd. Paris, M. Lévy, 1867 ₍cover 1866₎
35 p. 19cm.

I. Augier, Émile, 1820-1889, joint author

NM 0914688 WU MH

Musset, Alfred de, 1810-1857 & Augier, Emile.
L'habit vert; proverbe en un acte en prose. New ed. Par., 1889.
35 p.

NM 0914689 PBm

Musset, Alfred de, 1810-1857.
L'habit vert ...
see also in Augier, Emile, 1820-1889.
Theatre complet.

Musset, Alfred de, 1810–1857.
Bir heves (Un caprice) İlhan Ertuğ tarafından tercüme edilmiştir. Ankara, Maarif Matbaası, 1944.
54 p. 18 cm. (Dünya edebiyatından tercümeler; Fransız klâsikleri, 54)

I. Title.
Full name: Louis Charles Alfred de Musset.

PQ2369.C28T8 N E 63-2497 ‡

NM 0914691 DLC NNC

Musset, Alfred de, 1810–1857.
Hikâyeler (Contes) Yaşar Nabi Nayır tarafından tercüme edilmiştir. Ankara, Maarif Matbaası, 1943.
271 p. 19 cm. (Dünya edebiyatından tercümeler; Fransız klâsikleri, 49)
CONTENTS.—Pierre'le Camille. — Javotte'un sırrı. — Ben.—Bir ak karatavuğun hikâyesi.—Mimi Pinson.

I. Title.
Full name: Louis Charles Alfred de Musset.

PQ2369.A58 N E 62-1576

NM 0914692 DLC NNC

MUSSET, Alfred de, 1810-1857.
Histoire d'un merle blanc. Cambridge, Mass., J. Wilson, [18--]
np.31.
Cover serves as title page.

NM 0914693 MH CtY NN

*FC8 M9762 853h Musset, Alfred de, 1810-1857.
Histoire d'un merle blanc par Alfred de Musset, suivi de l'Oraison funèbre d'un ver a soie et de A quoi tient le coeur d'un lézard par P. J. Stahl (Hetzel)
Paris, Collection Hetzel, Blanchard, libraire-éditeur, 78, rue Richelieu, 78, 1853.
95p. 15.5cm.
Original white wrappers printed in rose (incl. spine strip) preserved; bound in red morocco; edges gilt.

NM 0914694 MH

Musset, Alfred de, 1810-1857. 6671.1
Histoire d'un merle blanc. Illus.
(In Vie privée et publique des animaux. Pp. 391-421. Paris. 1868.)

NM 0914695 MB

845M97 Oh189- .Musset, Alfred de, 1810-1857.
... Histoire d'un merle blanc. Cambridge, University bookstore, C. W. Sever 189-?
cover-title, 31p.

NM 0914696 IU

Musset, Alfred de, 1810–1857.
Histoire d'un merle blanc, par Alfred de Musset. Edited by Agnès Cointat and H. Isabelle Williams ... New York, H. Holt and company, 1898.
iv, 50 p. 17ᶜᵐ.

I. Cointat, Agnes, ed. II. Williams, Helen Isabelle, joint ed.
₍Full name: Louis Charles Alfred de Musset₎
C—164

Library of Congress PQ2369.H5 1898

NM 0914697 DLC ViU NjP MiU ODW OCl NN PSC

Musset, Alfred, 1810-1857.
Histoire d'un merle blanc. Paris, Les editions Paris, Les editions Parisiennes, 1906.
68 p.

NM 0914698 PSC

Musset, Alfred de, 1810-1857.
Historien om en vit trast. Översättning av Lily Vallquist. Originaletsningar av Jean Couy. ₍Stockholm₎ Bibliofila klubben, 1952.
62p. plates. 26cm.
"Upplaga 225 exemplar ... Detta exemplar innehaller 6 etsningar. ₍Nr.₎51"
Plates signed by the illustrator.
Translation of L'histoire d'un merle blanc.

NM 0914699 IU

Musset, Alfred de, 1810-1857.
Il faut qu'une porte soit ouverte ou fermée, proverbe en un acte.
(In his Oeuvres complètes. Nouv. éd. ₍n.d.₎ v.4, 1.₍179₎-205)
Microcard edition.

NM 0914700 ICRL

Musset, Alfred de, 1810–1857.
Il faut qu'une porte soit ouverte ou fermée; proverbe en un acte. Paris, Calmann-Lévy ₍18—₎
₍195₎-221 p. 19 cm.
"Publié en 1845, représenté pour la première fois, le 7 avril 1848, à la Comédie-Française."

I. Title.
Full name: Louis Charles Alfred de Musset.

PQ2369.I 5 53-53346

NM 0914701 DLC

*FC8 M9762 848i Musset, Alfred de, 1810-1857.
Il faut qu'une porte soit ouverte ou fermée, proverbe par Alfred de Musset. Représenté au Théâtre-français, le 7 avril 1848.
Paris, Charpentier, libraire-éditeur, 17, rue de Lille, faubourg Saint-Germain. 1848.
36p. 18.5cm., in folder 20cm.
Original printed yellow wrappers; advts. on p.[4] of wrappers; booklist (12p.) inserted at end; in cloth folder.

NM 0914702 MH NjR CtY

PQ 2369 .I5 Musset, Alfred de, 1810-1857
Il faut qu'une porte soit ouverte ou fermée; proverbe. Paris, Charpentier, 1849.
36 p. illus. 19cm.

NM 0914703 WU

Musset, Alfred de, 1810-1857.
Il faut qu'une porte soit ouverte ou fermée. Proverbe ... Paris, Charpentier, 1851.
36 p. 12°.
Bound with: Musset ([L. C.] A. de) Poésies ... 1840-1841. Paris, 1851. 2. ed. 12°.

NM 0914704 NN

Rare PN 6111 Al+ v.5 Musset, Alfred de, 1810-1857.
Il faut qu'une porte soit ouverte ou fermée; proverbe. Représenté au Théâtre-Français, le 7 avril 1848. Nouv. éd., rev. et corr. Paris, Charpentier, 1853.
[165]-189 p. 19cm.

NM 0914705 NIC

VOLUME 403

PQ 2369 I5 1861
Musset, Alfred de, 1810-1857
Il faut qu'une porte soit ouverte ou fermée proverbe. Nouv. éd., revue et corrigée. Paris, Charpentier, 1861.
36 p. 19cm.

NM 0914706 WU

MUSSET, ALFRED DE, 1810-1857.
Il faut qu'une porte soit ouverte ou fermée; proverbe, par Alfred de Musset. Représenté au Théâtre français, le 7 avril 1848. Nouvelle édition, revue et corrigée... Paris: Charpentier, 1865. 36 p. 18cm.

700578A. 1. Drama, French. I. Title.

NM 0914707 NN

MUSSET, Alfred de.
Il faut qu'un porte soit ouverte ou fermee proverbe dramatique. With notes by Gustave Masson. London, etc., 1876.

NM 0914708 MH

MUSSET, ALFRED DE, 1810-1857.
Il faut qu'une porte soit ouverte ou fermée. Proverbe en un acte. Pourvu de notes et d'un petit vocabulaire par A. W. Kastan. Berlin, Friedberg & Mode, 1881. 30 p. 15cm. (Théâtre francais. Collection Friedberg & Mode. no. 102)

Electrostatic reproduction, Micro photo, inc., Cleveland, O. Schwimmer-Lloyd Coll.
1. Drama, French. I. Kastan, A.W., ed. II. Title.

NM 0914709 NN

Musset, Alfred de, 1810-1857.
... Il faut qu'une porte soit ouverte ou fermée; proverbe dramatique, par Alfred de Musset. With grammatical and explanatory notes by Gustave Masson ... London, Paris, Hachette & c[ie]; Boston, C. Schoenhof, 1886.
1 p. l., 29 p. 18[cm]. (Hachette's French classics)

I. *Masson, Gustave, 1819-1888, ed. II. Title.
[Full name: Louis Charles Alfred de Musset]
Library of Congress PQ2369.I 5 1886 40-28774

NM 0914710 DLC CtY

Musset, Alfred de, 1810-1857.
Il faut qu'une porte soit ouverte ou fermée; proverbe dramatique. Ed. with grammatical and explanatory notes by Gustave Masson. New ed. London, Hachette, 1901.
29 p. (Hachette's French classics)

NM 0914711 MH

11596.35.2 Musset, Alfred DE. Il faut qu'une porte soit ouverte ou fermée; proverbe en un acte. — La nuit vénitienne; comédie en un acte. Paris. 1906. 12°. pp. 72. *Port. of Mme. Arnould-Plessy*, and *plates*. (Œuvres complètes: comédies et proverbes.)

NM 0914712 MH

Musset, Alfred de, 1810-1857.
...Il faut qu'une porte soit ouverte ou fermée. On ne saurait penser à tout. Le saule. Les voeux stériles. Octave. Les secretes pensées de Rafaël. Namouna. Rolla. Sur trois marches de marbre rose. Chanson. Sonnet. Adieu, Suzon. Paris, Librairie de la Bibliothèque nationale, 1908. (Bibliothèque nationale)

NM 0914713 PU

Musset, Alfred de, 1810-1857
Il faut qu'une porte soit ouverte ou fermée; proverbe dramatique. Edited with grammatical and explanatory notes by Gustave Masson. New ed. London, Hachette, 1910
29 p. (Hachette's French classics, ser. 1.)

NM 0914714 MH

Musset, Alfred *i. e.* Louis Charles Alfred de, 1810-1857..
Il faut qu'une porte soit ouverte ou fermée (A door should be open or shut); comédie en un acte, par Alfred de Musset. (Literal translation by André Tridon) New York, The International college of languages [c1916]
35 p. 23[cm].
French and English on opposite pages.

I. Tridon, André, 1877- tr. II. Title. III. Title: A door should be open or shut.
Library of Congress PQ2369.I 5 1916 16-13347

NM 0914715 DLC

Musset, Alfred de, 1810-1857.
Il ne faut jurer de rien, proverbe en trois actes.
(In his Oeuvres complètes. Nouv. éd. [n.d.] v.4, p.[67]-130)
Microcard edition.

NM 0914716 ICRL

Musset, Alfred de, 1810-1857.
Il ne faut jurer de rien, comédie en trois actes [Publiée en 1836, représentée pour la première fois ... 1848 ...] Paris, Librairie Stock [1836?]
71 p. (Les classiques de théatre français)

NM 0914717 CU

Musset, Alfred de, 1810-1857.
Il ne faut jurer de rien; comédie en trois actes et en prose, ... Paris, 1848.
72 p. 12°. [In, Bibl. dram., t. 9]

NM 0914718 CtY

Musset, Alfred de, 1810-1857.
... Il ne faut jurer de rien. Paris, Payot & Cie., [19--?]
109 p., 1 l. Te. (Bibliothèque miniature [64])
In box.

NM 0914719 OO

845M97 Oi.d
Musset, Louis Charles Alfred de, 1810-1857.
... Il ne faut jurer de rien, comédie en trois actes; texte conforme à l'adaptation dramatique de 1848, avec les variantes du texte original de 1836. Notice et notes par Ch.-M. Des Granges. Paris, Hatier [1921?]
64p. (On cover: Les classiques pour tous. no.33)
At head of title: A. de Musset.
I. Des Granges, Charles Marc, 1861- ed.

NM 0914720 IU OClCC PU

Musset, Alfred de, 1810-1857.
... Il ne faut jurer de rien, comédie en trois actes, publiée en 1836, représentée en 1848, avec une notice biographique, une notice littéraire et des notes explicatives par René Vaubourdolle ... Paris, Hachette [c1922]
56p. 18cm. (Collection René Vaubourdolle)
On cover: Auteurs classiques; collection René Vaubourdolle.

I. Vaubourdolle, René, ed. II. Title.
Printed by the Wesleyan University Library, 1937

NM 0914721 CtW WaT

Musset, Alfred de, 1810-1857.
...Il ne faut jurer de rien; comédie en trois actes. Texte conforme à l'adaptation dramatique de 1848 avec les variantes du texte original de 1836. Notice et notes par Ch.-M. Des Granges. Paris, Hatier [1932] 64 p. 18cm. (Les classiques pour tous. no. 33.)

1. Drama, French I. Des Granges, Charles Marc, 1861- II. Title.
N. Y. P. L. November 20, 1947

NM 0914722 NN

Hfe ms24u
Musset, Alfred de, 1810-1857.
... Il ne faut jurer de rien, comédie avec une notice biographique, une notice historique et littéraire, des notes explicatives, des jugements, un questionnaire sur la pièce et des sujets de devoirs, par Jacques Nathan ... Paris, Librairie Larousse[1936]
63,[1]p. incl.front. 17½cm. (Classiques Larousse)

NM 0914723 CtY PWcS NNC IEN

Musset, Alfred de, 1810-1857.
Il ne faut jurer de rien; mise en scène et commentaires de Douking. Paris, Éditions du Seuil [1947].
126 p. illus. 18 cm. (Collection "Mises en scène")

I. Douking, ——, ed. II. Title. (Series)
PQ2369.I 54 1947 48-18579*

NM 0914724 PSC CtY PSt OCU MiU OO OkU CaBVaU DLC TxU VtMiM NIC CSt WaU NBuU CoU IaU

PQ 2369 I54 1949
Musset, Alfred de, 1810-1857.
... Il ne faut jurer de rien. Illustrations de R. Peynet. [Paris?]Éditions du Bélier[1949]
4p.*l*.,11-74p.,1*l*. col.illus. 25cm.
"Justification du tirage: ... 23 exemplaires sur pur fil d'Annonay, comprenant chacun une gouache en coulers [signed by the artist] et une suite de gravures [on 22*l*.], numérotés de 8 a 30 ... Exemplaire n° 14."
I. Peynet, Raymond, 1908- illus. II. Title.

NM 0914725 MU

Musset, Alfred de, 1810-1857.
Bir kapı ya açık durmalı ya kapalı (Il faut qu'une porte soit ouverte ou fermée) Oktay Rifat ve O. Veli Kanık tarafından tercüme edilmiştir. Ankara, Maarif Matbaası, 1943.
31 p. 19 cm. (Dünya edebiyatından tercümeler; Fransız klâsikleri, 41)

I. Title.
Full name: Louis Charles Alfred de Musset.
PQ2369.I 5T8 N E 63-2468 ‡

NM 0914726 DLC NNC

VOLUME 403

Musset, Alfred de, 1810-1857.
Kaprysy Marianny; komedia w dwóch aktach. ⌈Przełożył⌉ Tadeusz Żeleński (Boy) Warszawa⌉ Państwowy instytut wydawniczy ⌈1951⌉
63 p.

I. Żeleński, Tadeusz, 1874-1942, tr.

NM 0914727 NNC MB

Musset, Alfred de, 1810-1857.
Komedie. Przełożył i wstępem opatrzył Tadeusz Żeleński (Boy) ⌈Warszawa⌉ Państwowy instytut wydawniczy, 1949.
458 p.

I. Zeleński, Tadeusz, 1874- tr.

NM 0914728 NNC

Musset, Alfred de, 1810–1857.
لا مزاح فى الحب ⌈تاليف⌉ الفريد دى موسيه. تعريب أديب يوسف. حلب، مطبعة سعد ⌈المقدمة 1950⌉
172 p. 20 cm.
Translation of On ne badine avec l'amour.

I. Title.
Title romanized: Lā muzāḥ fī al-ḥubb.

PQ2369.O5A5 1950 N E 68-2629

NM 0914729 DLC

Musset, Alfred de, 1810–1857.
Lek ej med kärleken! Komedi i tre akter av Alfred de Musset. Översättning av Hjalmar Söderberg. Radiobearbetning: Hjalmar Gullberg. Stockholm, 1936. 54 p. 18½cm. (Radiotjänsts teaterbibliotek. ⌈nr.⌉ 17.)

990346A. 1. Drama, Radio, French. I. Söderberg, Hjalmar Emil Fredrik, 1869- , tr. II. Gullberg, Hjalmar, 1898- III. Title. IV. Ser.
N. Y. P. L. June 13, 1939

NM 0914730 NN

Musset, Alfred de, 1810-1857. 4679a.157
Lettres.
(In Séché, Léon. La jeunesse dorée sous Louis-Philippe. Pp. 331-352. Paris. 1910.)
The title in the table of contents is Douze lettres nouvelles.

NM 0914731 MB

Musset, Alfred de, 1810-1857.

Microfilm 17396 PQ

Sand, George, *pseud. of Mme.* **Dudevant,** 1804-1876.
... Lettres à Alfred de Musset et à Sainte-Beuve. Introduction de S. Rocheblave. 3. éd. Paris, Calmann Lévy, 1897.

Musset, Alfred de, 1810-1857.

*FC8 M9762 910ℓ

... Lettres d'amour à Aimée d'Alton (madame Paul de Musset) suivies de poésies inédites 1837-1848 avec une introduction et des notes par Léon Séché. Portrait d'Aimée d'Alton d'après le biscuit de Barre, de madame Paul de Musset, d'Alfred de Musset par lui-même d'Alfred de Musset par David d'Angers, dessins et autographes.
Paris, Mercvre de France, xxvi, rve de Condé, xxvi, MCMX.
282, [2]p. front., ports., facsims. 25.5cm., in case 26cm.

Continued in next column

Continued from preceding column

"Tirage spécial à vingt exemplaires sur papier vélin des manufactures d'Arches réservé pour: [device of Les XX] nº xvii." There were also 58 copies on Holland paper, 8 on Japan & 8 on China, as well as a trade edition.
"Généalogie et états de service du général Alexandre d'Alton": p.280-282.
Unbound sheets with 2 printed wrappers (one on yellow paper, imprint as on t.-p., advts. on p.[4]; the other on decorated paper matching the case, imprint "Imprimé pour les XX ..."); in publisher's decorated board slip case.

NM 0914735 MH NcU ViU NN

Musset, Alfred de, 1810–1857.
... Lettres d'amour à Aimée d'Alton (Mme. Paul de Musset) suivies de poésies inédites, 1837–1848, avec une introduction et des notes par Léon Séché ... 6. éd. Paris, Mercvre de France, 1910.
279 p., 2 l. front. (port.) illus. (2 facsim.) 18½cm.

1. Musset, Mme. Aimée Irène (d'Alton) 1811–1881. I. Séché, Léon, 1848–1914, ed.
⌈*Full name:* Louis Charles Alfred de Musset⌉
21-3203

Library of Congress PQ2370.A2 1910

NM 0914736 DLC

Musset, Alfred de, 1810-1857.
... Lettres d'amour à Aimée d'Alton (Madame Paul de Musset) suivies de poésies inédites 1837-1848, avec une introduction et des notes par Léon Séché ... 7. éd. Paris, 1910.
279 p. front. (port.) 18 cm.

NM 0914737 CU

841.6 M9882MLm

Musset, Alfred de, 1810-1857.
Lettres d'amour à Aimée d'Alton(Madame Paul de Musset) Suivies de poésies inédites 1837-1848. Avec une introd. et des notes par Léon Séché. 8. éd. Paris, Mercvre de France, 1910.
279 p. port., facsims. 18cm.

NM 0914738 CSt

Musset, Alfred de, 1810-1857.
... Letters d'amour à Aimée d'Alton (Madame Paul de Musset)... avec une introd. et des notes par Léon Séché... Neuviéme éd. Paris. M. de France, 1910.
279 p.

NM 0914739 MiU OCl PPL CtY

Musset, Alfred de, 1810–1857.
... Lettres d'amour à Aimée d'Alton (Mme. Paul de Musset) suivies de poésies inédites, 1837–1848, avec une introduction et des notes par Léon Séché ... 11. éd. Paris, Mercvre de France, 1910.
282 p., 2 l. front. (port.) illus. (2 facsim.) 18½cm.

NM 0914740 ICIU NcD

Musset, Alfred de, 1810-1857.
Lettres d'amour à Aimée d'Alton (Mme. Paul de Musset) suivies de poésies inédites, 1837-1848, avec une introd. et des notes par Léon Séché, 12. éd. Paris, Mercvre de France, 1910.
282 p. illus., port. 19cm.

NM 0914741 MiDW IU OClW

Musset, Alfred de, 1810-1857.
Lettres de Dupuis et Cotonet...
Paris, Les éditions Parisiennes, 1907.
2 v.
(Oeuvres completes D'Alfred de Musset. Mélanges de littèrature et de critique)

NM 0914742 MtU

Musset, Alfred de, 1810-1857.

Hfe ms31t 3

... Lettres inédites ... [n.p.] Imprimé spécialement, 1896.
3p.ℓ., [3]-34p. incl. front. (facsim.) illus., ports. 22½cm. ([His Oeuvres inédites, no.3])
"Tiré à quatorze exemplaires, no 10."

NM 0914743 CtY

---

*FC8 M9762 896ℓ

Musset, Alfred de, 1810-1857.
... Lettres inédites ...
[Paris?] Imprimé spécialement, 1896.
2p.ℓ., [3]-34p. front., ports. 22.5cm., in case 24cm.
"Tiré à quatorze exemplaires. nº [in ms.] 13."
One of 5 Musset pieces published in 1896, in limited editions, by Maurice Clouard.--cf. Carteret II, 209.
Original printed yellow wrappers; in cloth case.

NM 0914744 MH

Musset, Alfred de, 1810-1857
Lorenzaccio; drame en cinq actes.
Paris, Éditions Nilsson, n.d.
126p.

NM 0914745 OCl

Musset, Alfred de, 1810-1857.
Lorenzaccio, drame en cinq actes.
(In his Oeuvres complètes. Nouv. éd. ⌈n.d.⌉ v.3, p.⌈51⌉-223)

Microcard edition.

NM 0914746 ICRL

Z239.4 L32M8

Musset, Alfred de, 1810-1857.
Lorenzaccio; drame. Décoration d'Albert Maignan. Paris, Société des livres, 1895.
4 p.ℓ., 276 p., 2ℓ. col. illus. 24cm.
"Achevé d'imprimer ... sur les presses a bras de Lahure le 10 Septembre 1895 au nombre de 115 exemplaires pour les amis des livres."
"Exemplaire Nº 57 ⌈imprimé pour⌉ Monsieur le Docteur Bougard."

I. Maignan, Albert Pierre, 1845-1908, illus.

NM 0914747 CSt

MUSSET, Alfred de, 1810-1857. 6699a.58
Lorenzaccio. Drame mis à la scène, en cinq actes par Armand d'Artois.
Paris. Ollendorff. 1898. (10), 180 pp. 12°.

NM 0914748 MB NjP

Musset, Alfred de, 1810-1857. 41596.26
Lorenzaccio; drame mis à la scène en cinq actes par Armand d'Artois. 2e éd. Paris, P. Ollendorff, 1898.
pp. (10), 180.

NM 0914749 MH IU

Musset, Alfred de, 1810-1857.
Lorenzaccio; drame en cinq actes. Paris, 1907. (Comédies et proverbes)

NM 0914750 ODW

VOLUME 403

Musset, Alfred de, 1810-1857. Lorenzaccio.

Moret, Ernest.
... Lorenzaccio; drame lyrique en quatre actes et onze tableaux, d'après Alfred de Musset. Paris, Heugel, °1920.

---

*FC8 M9762 D895&e
Musset, Alfred de, 1810-1857.
Lorenzaccio; drame en cinq actes par Alfred de Musset. Hors-texte en couleurs de Barte. René Kieffer, éditeur, 18, rue Séguier, Paris [1926]
3p.ℓ., 5-177p. col.plates. 24cm., in case 25.5cm.
"Cette édition de Lorenzaccio imprimée par Ducros & Colas ... a Paris, en janvier mille neuf cent vingt-six ..."
Edition of 550 copies: 50 on Japon with a set of the engravings in black & an unpublished aquarelle; 500 on vélin blanc. This copy is no.532 on vélin blanc.
First published in Un spectacle dans un fauteuil, 2. livraison, t.1 (1834).
Original printed beige wrappers (incl. spine strip) preserved; bound by M. Garcia in elaborately inlaid purple calf; lavender moire doublures; marbled fly-leaves; top edges gilt; in cloth case.

NM 0914753 MH

Musset, Alfred de, 1810-1857.
Lorenzaccio, by Alfred de Musset; edited, with an introduction, notes and vocabulary, by Thomas Rossman Palfrey ... and Paul Emile Jacob ... New York, H. Holt and company [°1933]
xxxiii, 198, liv p. front. 17cm.
I. Palfrey, Thomas Rossman, ed. II. Jacob, Paul Émile, 1891- joint ed. III. Title.
[Full name: Louis Charles Alfred de Musset]
Library of Congress PQ2369.L6 1933 33-7409
——— Copy 2.
Copyright A 60745 [3] 842.76

NM 0914754 DLC MoU OrSaW

---

*Musset, Alfred de, 1810-1857. Lorenzaccio.

Dimoff, Paul, ed.
... La genèse de Lorenzaccio; textes publiés avec introduction et notes par Paul Dimoff. Paris, E. Droz, 1936.

Musset, Alfred de, 1810-1857.
Lorenzaccio, drame. Avec une notice biographique, une notice historique et littéraire, des notes explicatives, des jugements, un questionnaire sur la pièce et des sujets de devoirs, par Jacques Nathan. Paris, Larousse [1936]
119p. illus. 17cm. (Classiques Larousse)
With the author's Fantasio. Paris [1934]
I. Nathan, Jacques, ed.

NM 0914756 IEN OCl

Musset, Alfred de, 1810-1857.
... Lorenzaccio, edited by Phyllis E. Crump ... [Manchester, Eng.] Manchester university press, 1941.
xiv, 128 p. 18½cm. (French classics. General editor: Eugène Vinaver)
I. Crump, Phyllis Eirene, ed. II. Title.
[Full name: Louis Charles Alfred de Musset]
Library of Congress PQ2369.L6 1941 43-10890
[2] 842.76

NM 0914757 CtY DLC MH CU OrU CaBVaU OU PU IU ICU NNC

Musset, Alfred de, 1810-1857.
... Lorenzaccio, présenté par Jacques Copeau. Lyon, IAC [°1942]
1 p. l., xxviii, 117 p. 11 x 8½ cm. (On cover: Les Chefs d'œuvre français)
I. Copeau, Jacques, 1879- ed. II. Title.
[Full name: Louis Charles Alfred de Musset]
PQ2369.L6 1942 842.76 47-42128

NM 0914758 DLC

Musset, Alfred de, 1810-1857.
Lorenzaccio, ed. by Phyllis E. Crump. Manchester, Eng., Univ. Press, 1950.
(French classics)

NM 0914759 NcU

Musset, Alfred de, 1810-1857.
Lorenzaccio; drame. [2. éd.] Paris, L'Arche [1953, °1952]
76 p. plates. 18 cm. (Collection du répertoire du Théâtre national populaire, 6)
I. Title. (Series: Paris. Théâtre national populaire du Palais de Chaillot. Collection du repertoire, 6)
Full name: Louis Charles Alfred de Musset.
PQ2369.L6 1953 57-31745

NM 0914760 DLC CaBVaU TxU

D844M97 S7
Musset, Alfred de, 1810-1857.
Lorenzaccio; drame, avec une notice biographique, une notice historique et littéraire, des notes explicatives, des jugements, un questionnaire sur la pièce et des sujets de devoirs, par Pacques Nathan. Paris, Larousse [1954]
120 p. illus. (Classiques Larousse)
I. Nathan, Jacques, ed.

NM 0914761 NNC

Musset, Alfred de, 1810-1857.
Lorenzaccio: Schauspiel in fünf Akten, unter Zugrundelegung des gleichnamigen Drama, von A. de Musset ... 1908
see under Herz, Fritz.

MUSSET, ALFRED DE, 1810-1857.
Lorenzaccio. Traduzione di Raul Radice. [Bologna] L. Cappelli [1955] 249 p. 20cm. (Teatro di tutto il mondo. 11)
1. Drama, French—Translations into Italian. I. Radice, Raul, tr.

NM 0914763 NN

Musset, Alfred de, 1810-1857.
Lorenzaccio; drama en cuatro actos. Original de Alfred de Musset, adaptado á la escena española por J. Jurado de la Parra. Madrid: R. Velasco, 1915. 4 p.l., 64 p. 8°.
On cover: Sociedad de autores españoles.
1. Drama (French). 2. Jurado de la Parra, J., translator. 3. Title.
N. Y. P. L. September 14, 1915.

NM 0914764 NN ICarbS MH

Musset, Alfred de, 1810-1857.
Lorenzaccio; drama en cuatro actos, original, adaptado a la escena española por J. Jurado de la Parra. Madrid [Imprenta moderna] 1919.
[32] p. 21 cm. ([La novela cómica] año 4, 27 abr. 1919, núm. 151)
Caption title.
I. Jurado de la Parra, José. II. Title.

NM 0914765 OCU

Musset, Alfred de, 1810-1857.
Lorenzaccio; drama en cuatro actos. Original de Alfred de Musset. Adaptado a la escena española por J. Jurado de la Parra. [Madrid, Imprenta moderna, 1919]
[32]p.
Microcard edition.

NM 0914766 ICRL

Musset, Alfred de, 1810-1857.
... Lorenzaccio. Traducción de Tomás Borrás. Dibujos de Barradas. Madrid [Estrella] 1921.
4 p. l., 11-240, [1] p., 1 l. col. front., plates. 12 x 9½cm. (Half-title: Colección palma)
At head of title: A. de Musset.
I. Borrás y Bermejo, Tomás, 1891- tr. II. Title.
[Full name: Louis Charles Alfred de Musset]
Library of Congress PQ2369.L6S7 22-12852

NM 0914767 DLC

Musset, Alfred de, 1810-1857.
Lorenzaccio. İzzet Melih Devrim tarafından tercüme edilmiştir. Ankara, Maarif Matbaası, 1944.
190 p. 19 cm. (Dünya edebiyatından tercümeler; Fransız klâsikleri, 56)
I. Title.
Full name: Louis Charles Alfred de Musset.
PQ2369.L6T8 N E 62-1578 ‡

NM 0914768 DLC NNC

Musset, Alfred de, 1810-1857.
Louison, comedie en deux actes.
(In his Oeuvres complètes. Nouv. éd. [n.d.] v.4, p.[207]-251)
Microcard edition.

NM 0914769 ICRL

---

*FC8 M9762 849ℓ (A)
Musset, Alfred de, 1810-1857.
Louison, comédie en deux actes et en vers par Alfred de Musset; représentée au Théâtre français, le 22 février 1849.
Paris, Charpentier, libraire-éditeur, 17, rue de Lille. 1849.
4p.ℓ., [3]-63p. 18.5cm., in case 20cm.
Original printed yellow wrappers; advts. on p.[4] of wrappers; in cloth case.
Another copy. 18.5cm.
Original wrappers as above (incl. spine strip) preserved; bound in half red morocco and marbled boards.

NM 0914770 MH CtY WU CLSU

Musset, Alfred de, 1810-1857.
Louison. Comédie en deux actes et en vers. Bielefeld: Velhagen & Klasing, 1849. 52 p. 32°. (Théâtre français. Série 10, livraison 8.)
1. Drama (French). 2. Title.
N. Y. P. L. September 12, 1912.

NM 0914771 NN

VOLUME 403

Musset, Alfred de, 1810-1857
Louison. Comédie en deux actes et en vers.
Bielefeld, Velhagen & Klasing, 1849. 52 p.
32°. (Théâtre français. Série 10, livraison 6.)

Film reproduction. Master negative. Original discarded.
Positive in *Z-149.

NM 0914772 NN

840 M989 tM.S3 Musset, Alfred de, 1810-1857.
El lunar. Traducción de Joaquin Gallardo.
Barcelona, E. Domenech, 1911.
236p. 19cm.

NM 0914773 CLSU

Musset, Alfred de, 1810–1857.
El lunar de madame Pompadour, por Alfredo de Musset; traducción de Felipe Silva. Buenos Aires, Editorial Nova, 1943.
157 p. front. (port.) 20½cm. (Serie romántica, dirigida por Lorenzo Varela)
"Margot": p. [73]–157.
I. Silva, Felipe, tr. II. Title. III. Title: Margot. *Translation of* La mouche.
[Full name: Louis Charles Alfred de Musset]
45–12026
Library of Congress PQ2369.M6S7
[2] 843.79

NM 0914774 DLC DPU

Musset, Alfred de, 1810-1857.
... Mademoiselle Mimi Pinson; profil de grisette. Paris, E. Didier, 1853.
94 p. 15cm.
I. Title.
12–28993
Library of Congress PQ2369.M3 1853

NM 0914775 DLC

PQ 2369 .M3 Musset, Alfred de, 1810-1857
Mademoiselle Mimi Pinson; profil de grisette, suivi de Conseils a une parisienne, Marie, Rappelle-toi, Adieu, Suzon. Paris, Collection Hetzel, 1853.
93 p. 16 cm.

NM 0914776 WU MH

Hfe ms26p Musset, Alfred de, 1810-1857
... Mademoiselle Mimi Pinson, profil de grisette. Eaux-fortes en couleurs par François Courboin. Paris, Les Cent Bibliophiles, 1899.
2p.ℓ., 74p., 1ℓ. col.illus. 20cm.
At end are bound proofs of the illustrations, in black and white.
Original paper covers bound in.
Bound in olive levant morocco, inlaid, green silk doublure, gilt edges. Bound by Ch.Meunier, 1900.

NM 0914777 CtY

Hfe ms31 Musset, Alfred de, 1810-1857.
Margot ... Translated by E.de V.Vermont.
New York, etc., Brentano's, c1888,
2p.ℓ., 9-311p. 17½cm.
Contents.- A few words about Musset. - Margot. - The beauty-spot. - Croisilles. - Valentin's wager.

I.Valcourt-Vermont, Edgar de tr.
x.Vermont

NM 0914778 CtY

Musset, Alfred *i. e.* **Louis Charles Alfred de, 1810–1857.**
... Margot; novela, traduccion de Manuel Abril. [Madrid? °1918]
196, [1] p. 14½ x 11½cm. (*On verso of half-title:* Coleccion femina. (2)) pes. 3.50
Title and series title in brown, within ornamental borders; head and tail pieces.
At head of title: Alfredo de Mvsset.
Half-title: Biblioteca estrella.
I. Abril, Manuel, tr. II. Title.
19–12244
Library of Congress PQ2369.M47

NM 0914779 DLC

860.8 N935 v.2 no.82 Musset, Alfred de, 1810-1857.
Margot. [Madrid, Ediciones Cid, c1954]
80 p. 16 cm. (La Novela del sábado, año 2, núm.82)
Spanish translation.

NM 0914780 MiU

Musset, Alfred de, 1810–1857.
Marianne'in kalbi (Les caprices de Marianne) Sabahattin Eyüboğlu ve Bedrettin Tuncel tarafından tercüme edilmiştir. [Ankara] Maarif Matbaası, 1942.
77 p. 19 cm. (Dünya edebiyatından tercümeler; Fransız klâsikleri, 7)
I. Title.
Full name: Louis Charles Alfred de Musset.
PQ2369.C3T8 N E 63–1364 ‡

NM 0914781 DLC

Musset, Alfred de, 1810–1857.
... Meisjesdroomen; comedie in 2 bedrijven, 9 tafreelen. In de vertaling van H. Salomonson. Tooneelbewerking van Frank Luns. Uitgegeven bij gelegenheid der opvoeringen door de Amsterdamsche Studenten-Tooneel-Vereeniging, Zomer, 1918. [Amsterdam: B. Bunders, 1918.] 30 p. 4°.
One of 605 copies printed.
Translated from his: A quoi rêvent les jeunes filles, first published 1832.
1. Drama (French). 2. Salomonson, H., translator. 3. Luns, Frank. 4. Title.
N. Y. P. L. July 9, 1919.

NM 0914782 NN

Musset, Alfred de, 1810–1857.
...Mélanges de littérature et de critique. Paris: Charpentier, 1867. 308 p. 16°.
Contents: Un mot sur l'art moderne. Salon de 1836. De la tragédie à propos des débuts de Mlle. Rachel. Reprise de Bajazet. Concert de Mlle. Garcia. Débuts de Mlle. Pauline Garcia. Préface de la première édition des contes d'Espagne et d'Italie. Le tableau d'église. Faire sans dire. Une matinée de don Juan. Mélanges.
138095A. 1. Essays, French.
N. Y. P. L. January 13, 1925

NM 0914783 NN NcD CtY CU NBuT CaBVaU MdBWA PPL PHC ViLxW OClW MiU MH OCU

Musset, Alfred de.
Mélanges de littérature et de critique. Nouvelle éd. Paris, G. Charpentier, 1879.
pp. (4), 404.

NM 0914784 MH NNC MWelC MB

PQ2369 .A1 1882 v.9 Musset, Alfred de, 1810-1857.
(Alfred de Musset) Mélanges de littérature et de critique. Nouvelle éd. Paris, G. Charpentier, 1883.
2 p.l., 404 p. 19cm. (Lettered on cover: Oeuvres de A. de Musset [v. 9])

NM 0914785 ViU

Musset, Alfred de, 1810-1857
Mélanges de littérature et de critique. Paris, Charpentier, 1887.
404p.
Contents
Préface de la première édition des Contes d'Espagne et d'Italie. Tableau d'église. Mélanges publiés dans le journal le temps. Une matinée de Don Juan. Un mot sur l'art moderne. Salon de 1836. Lettres de Dupuis et Cotonet. Faire sans dire. De la tragédie a propos des débuts de Mademoiselle Rachel. Reprise de Bajazet. Concert de Mademoiselle Garcia. Debuts de Mademoiselle Pauline Garcia. Lettre au National. Discours de réception a l'Academie francaise. Discours au Havre.

NM 0914786 OCl ScU MH PBm

MUSSET, Alfred de, 1810-1857. *2691.4
Mélanges de littérature et de critique. Illus.
(In his Comédies et proverbes. Pp. 251-516. Paris. [1890?])

NM 0914787 MB

Musset, Alfred de, 1810-1857.
Mélanges de littérature et de critique
Par. Charpentier, 1894.

NM 0914788 MA

MUSSET, Alfred de, 1810-1857.
Mélanges de littérature et de critique.
Nouvelle éd. Paris, G. Charpentier et E. Fasquelle, 1894.

NM 0914789 MH

Musset, Alfred de, 1810-1857.
... Mélanges de littérature et de critique.
Nouv. éd. Paris, Charpentier, 1899.
404 p. 19 cm.

NM 0914790 NNCoCi TxLT PHC OClW OOxM NcD

Musset, Alfred de, 1810-1857.
Mélanges de littérature et de critique. Paris, Librairie des bibliophiles [19- ?]
344 p. (His Oeuvres)
Nouvelle bibliothèque classique.

NM 0914791 MH

PQ2369 M44 Musset, Alfred de, 1810-1857.
Melanges de litterature [et de critique]
Paris, Garnier [1908]
2v. 18cm. (His Oeuvres complètes, v.8,9)

NM 0914792 IaU

Musset, Alfred de, 1810-1857.
... Mélanges de littérature et de critique. Nouvelle édition. Paris, Charpentier, 1909.
398 p. [His Oeuvres completes ... t. 9]

NM 0914793 OCU

Musset, Alfred de, 1810-1857.
Melanges de litterature et de critique. Paris, Lemerre, 1909.
398 p.

NM 0914794 PSC PU

Musset, Alfred de, 1810-1857.
...Mélangen de littérature et de critique
... Paris, E. Fasquelle, 1910.
382 p. (Oeuvres complètes illustrées d'Alfred de Musset)

NM 0914795 OU

VOLUME 403

Musset, Alfred de
Mélanges de littérature et de critique; notices et notes par Ferran. Paris, Hatier (1921) (Classiques pour tous).

NM 0914796 OClW

Musset, Alfred de, 1810-1857.
... Mélanges de littérature et de critique... Paris, A. Lemerre ₍1925₎
436 p. (His Oeuvres ... ₍t. 9₎)

NM 0914797 OCU

Musset, Alfred de, 1810-1857.
... Mélanges de littérature et de critique. Paris, Librairie des bibliophiles, E. Flammarion, successeur [1930?]
2p.ℓ., 344 p. (Verso of half-title: Nouvelle bibliothèque classique des éditions Jouaust. Oeuvres completes d'Alfred de Musset)

NM 0914798 WaPS

Musset, Alfred de, 1810-1857.
M1621 .D
Doin, Gaston, 1879-
Mélodies romantiques. Sur des poésies de A. de Musset et de Ch. Baudelaire. Paris, A. Leduc ₍1950₎

Musset, Alfred de, 1810-1857.
Men moet nergens op zweren. "Proverbe" (Spreekwoord) of blijspel in één bedrijf. Door Alfred de Musset. Vertaling van Carry van Bruggen. Amsterdam: Van Holkema & Warendorf, 1917. (Groot-Nederland. Dramatisch bijvoegsel. April 1917.)

1. Drama (French). 2. Title. 3. Bruggen, Carry van, editor.
N. Y. P. L. August 25, 1921.

NM 0914800 NN

Musset, Alfred de, 1810-1857.
La merle blanc. "His master's voice," B.9548.
1 s. 10 in.
2RX92 v.2
(In Anthology of ₍French₎ poetry and prose, spoken by Emile M.Stéphan. ₍195-?₎ v.₍2₎, s.₍5₎)
Text, in French, tipped in.

1.Prose readings.

NM 0914801 CU

Musset, Alfred de, 1810-1857.
...Mimi Pinson, profil de grisette. Paris: Les Éditions parisiennes, 1906. 69 p. illus. 20cm. (Œuvres complètes. Contes.)

NM 0914802 NN

PQ2369 .C3F6
Musset, Alfred de, 1810-1857.
Mimi Pinson, seguit de Frederic i Bernadeta i El fill del Tizià. Traducció de M. Font. Barcelona, Les Ales Esteses [192-]
194 p. (Col.lecció popular de Les Ales Esteses, 5)

I. Font, Melcior, tr. II. Title.

NM 0914803 ICU

Musset, Alfred de, 1810-1857.
Mimi Pinson, tradução de Clovis Ramalhete. São Paulo, Livraria Martins ₍1945₎
204 p. 18 cm. (Coleção Excelsior ₍8₎)
CONTENTS.—Mimi Pinson.—História de um melro branco.—Croisilles.—Pierre e Camille.—Frédéric e Bernerette.

I. Ramalhete, Clovis, tr. II. Title. III. Series.
Full name: Louis Charles Alfred de Musset.

PQ2369.A57R3 843.79 48-16855*

NM 0914804 DLC

843.7 M79
Musset, Alfred de, 1810-1857.
A modern man's confession. Translated by G.F. Monkshood. London, Greening [n.d.]
xi, 299 p. illus. (The Lotus library)

Translation of La confession d'un enfant du siècle.

NM 0914805 CaOTP CaBVaU

845M97 OcEc
Musset, Alfred de, 1810-1857.
A modern man's confession. Translated by G. F. Monkshood ₍pseud.₎ London, Greening, 1908.
xiii, 299p. col.port. 18cm. (The Lotus library)

Translation of La confession d'un enfant du siècle.

NM 0914806 IU ViU

Musset, Alfred de, 1810-1857.
A modern man's confession, by Alfred de Musset; translated by G. F. Monkshood ₍pseud.₎. New York: Brentano₍, 191-?₎. xi, 299 p. 16°. (The lotus library.)

214165A. 1. Fiction, French. 2. Clarke, William James, translator. 3. Title.
N. Y. P. L. July 21, 1926

NM 0914807 NN

848 M976cnYm
Musset, Alfred de, 1810-1857.
A modern man's confession... Translated by G.F. Monkshood. New York, Brentano's, 1912.
xiii, 299p. front.(port.) 18cm.

I. Clarke, William James, 1872- tr.

NM 0914808 LU N

Musset, Alfred de, 1810-1857.
Morceaux choisis, avec une introduction et des notes, par Jacques Porcher. 2. éd.
Paris, Librairie d'éducation nationale ₍1907₎
655 p. port. (Collection Alcide Picard)

I. Porcher, Jacques ed.

NM 0914809 NNC

Musset, Alfred de, 1810-1857.
Morceaux choisis; avec une introduction et des notes par Joachim Merlant. Paris, Didier, 1917.
532 p. illus., ports. (La littérature française illustree. Collection moderne de classiques)

NM 0914810 WaU IU NcD MH

845M97 KM54 1924
Musset, Louis Charles Alfred de.
Morceaux choisis. Avec une introd. et des notes par Joachim Merlant.
2.ed. Paris, 1924.
532p. front., plates, ports., facsim. (La littérature française illustrée. ...)

NM 0914811 IU

848 M989 M564
Musset, Alfred de, 1810-1857.
Morceaux choisis. Avec une introd. et des notes par Joachim Merlant. Paris, H. Didier, 1928.
532p. illus. (La littérature française illustrée)

I. Merlant, Joachim, 1875-1919, ed.

NM 0914812 FTaSU

845M97 KB77
Musset, Alfred de, 1810-1857.
Le Musset des jeunes filles. Poésie; théâtre. Préf. par Adolphe Brisson. Paris, Bibliothèque des "Annales politiques et littéraires," 1907.
256p. 16cm.

Bibliography: p.18.

NM 0914813 IU RPB NIC CtY

PQ 2369 .N975
Musset,Alfred de,1810-1857.
Die Nächte; deutsche Nachdichtung von Irene Kafka. Originalradierungen von Christian L. Martin. Wien, A.Wolf ₍1920₎
61,₍1₎ p. illus. 17 cm.
"Dieses Werk wurde ... in einer Auflage von 1500 Exemplaren bei der Gesellschaft für Graphische Industrie hergestellt."

I.Kafta,Irene,tr. II.Martin,Christian Ludwig,1890- illus. III.Title.

NM 0914814 MiU MtU NjP MtU

PQ2369 .O 566 1951
Musset, Alfred de, 1810-1857.
Nie igra się z miłością; komedia w trzech aktach. ₍Warszawa₎ Państwowy Instytut Wydawn. ₍1951₎
90 p. 20 cm.
Translation of On ne badine pas avec l'amour.

NM 0914815 MB NNC

POLISH 842 M976n
Musset, Alfred de, 1810-1857
Nie igra się z miłością; komedia w trzech aktach. Przeł. Tadeusz Boy-Żeleński. Opracowała Lidia Łopatyńska. Wrocław, Zakład Narodowy im. Ossolińskich ₍1953₎
xlix, 88 ₍1₎ p. (Biblioteka narodowa. Seria II, no. 74)

Translation of On ne badine pas avec l'amour.
Bibliography: p. ₍xlviii₎-xlix.

NM 0914816 MiD CU MH

PQ2369 .I 5466 1951
Musset, Alfred, 1810-1857.
Nie trzeba się zarzekać; komedia w trzech aktach. ₍Przełożył Tadeusz Żeleński (Boy). Warszawa₎ Państwowy Instytut Wydawn. ₍1951₎
87 p. 20 cm.
Translation of Il ne faut jurer de rien.

I. Żeleński, Tadeusz, 1874-1941, tr. II. Title.

NM 0914817 MB

VOLUME 403

Musset, Alfred de, 1810-1857.
Ninon
see under Franck, César Auguste, 1822-1890.

Musset, Alfred de, 1810-1857.
... No hay burlas con el amor. La noche veneciana. Traducción de G. Martínez Sierra. Ilustraciones de Fontanals. Madrid [Biblioteca estrella] 1918.
175 p. front., plates. 12 x 9½cm. (Colección palma, t. 7)

I. Martinez Sierra, Gregorio, 1881- tr. II. Title. III. Title: La noche veneciana.
[Full name: Louis Charles Alfred de Musset]
20-2691
Library of Congress PQ2369.O5S8

NM 0914819 DLC

Musset, Alfred de, 1810-1857.
No hay burlas con el amor; comedia en tres actos. Traducción de Gregorio Martínez Sierra. Madrid, Prensa moderna, 1926.
58p. 17cm. (El Teatro moderno, núm. 66)

NM 0914820 NcU

Micro-card
Musset, Alfred de, 1810-1857.
No hay burlas con el amor, [por] Alfredo de Musset; comedia en tres actos. Traducción de Gregorio Martínez Sierra. Madrid, Prensa Moderna, 1926. [Louisville, Ky., Falls City Microcards, 1965]
1 card. [Four Centuries of Spanish Drama]
Microprint copy.
Collation of the original: 58 p. 17 cm.

NM 0914821 LU ICRL MoU OrU

Musset, Alfred de, 1810-1857.
Las noches de Alfredo de Musset, precedida del estudio de dicho poeta por A. Lamartine. Version castellana en verso por Guillermo Velmonte. Madrid: [Imp. y Lit. de la "Bibl. Universal,"] 1882. 179 p. 24°. (Biblioteca universal.—Coleccion de los mejores autores antiguos y modernos, nacionales y extranjeros. tomo 76.)

1. Poetry (French). 2. Velmonte, Guillermo, translator.
N. Y. P. L. August 12, 1911.

NM 0914822 NN

Musset, Alfred de, 1810-1857.
...Nouvelles... Paris, J. Gillequin & Cie, n. d.

NM 0914823 PU NcU

PQ2369 A15
Musset, Alfred de, 1810-1875
Nouvelles de Alfred de Musset. Paris, Librairie des Biliophiles, [n.d.]
352 p. 18 cm.

CONTENTS.-Les deux maîtresses.- Emmeline.- Le fils du Titien.-Frédéric and Bernerette.- Croisilles.-Margot.

NM 0914824 NcRS MH

848 M976coXL
Musset, Alfred de, 1810-1857.
Nouvelles. Paris, Bibliothèque Larousse [18--?]
207 p. 20 cm.

Bound with:- His Contes [186-?] - His La confession d'un enfant du siècle [19--?]
Contents:- Les deux maîtresses.- Emmeline.- Le fils du Titien.- Frédéric et Bernerette.- Margot.

NM 0914825 LU

843.7 M98no
Musset, Alfred de, 1810-1857.
Nouvelles, par Alfred et Paul de Musset. Paris, V. Magen, 1848.
383p. 22cm.

I. Musset, Paul Edme de, 1804-1880, joint author II. TITLE.

NM 0914826 IEN

Musset, Alfred de, 1810-1857.
Nouvelles Les deux Maitresses, Emmeline, Le Fils du Titien, Frederic et Bernerette, Croisilles, Margot. Paris, 1852.
358 p.

NM 0914827 MiU IaU

PQ2369 .A15 1855
Musset, Alfred de, 1810-1857.
Nouvelles, par Alfred de Musset ... Paris, Charpentier, 1855.
2 p. l., 371, [1] p. 18 1/2cm.
CONTENTS.—Les deux maitresses.—Emmeline.—Le fils du Titien.—Frederic et Bernerette.—Croisilles.—Margot.

NM 0914828 MB PU

Musset, Alfred de, 1810-1857.
Nouvelles par Alfred de Musset... Paris: Charpentier, 1857. 2 p.l., 371 (1) p. 12°.
Contents: Les deux maitresses. Emmeline. Le fils du Titien. Frédéric et Bernerette. Croisilles. Margot.

NM 0914829 NN MH

Musset, Alfred de, 1810-1857.
Nouvelles de Alfred de Musset ... Paris, Charpentier, 1860.
2 p. l., 371, [1] p. 18½cm.
CONTENTS.—Les deux maitresses.—Emmeline.—Le fils du Titien.—Frédéric et Bernerette.—Croisilles.—Margot.

I. Title.
[Full name: Louis Charles Alfred de Musset]
12-28094
Library of Congress PQ2369.A15 1860 a

NM 0914830 DLC

Musset, Alfred de, 1810-1857.
Nouvelles. Paris, Charpentier, 1861.
371 p.

NM 0914831 WaU CaOOCC

Musset, Alfred de, 1810-1857.
Nouvelles ... Paris, Charpentier, 1866.
2 p.l., 371, [1] p. 18.5 cm.

NM 0914832 NcD

PQ 2369 N7 1867
Musset, Alfred de, 1810-1857.
Nouvelles. Paris, Charpentier, 1867.
371 p. 19cm. (His Oeuvres complètes)

Contents.--Les deux maîtresses.--Emmeline.--Le fils du Titien.--Frédéric et Bernerette.--Croisilles.--Margot.

NM 0914833 NIC PHC MH TU

Musset, Alfred de, 1810-1857.
Nouvelles. Les deux maitresses. Emmeline. Le fils du Titien. Frédéric et Bernerette. Croisilles. Margot. Paris [Corbeil] 1877.
12°.

NM 0914834 CtY PP

Musset, Alfred de, 1810-1857.
Nouvelles. Paris: G. Charpentier, 1881. 351 p. 12°.
Contents: Les deux maitresses. Emmeline. Le fils du Titien. Frédéric et Bernerette. Margot.

NM 0914835 NN

PQ2369 .A1 1882 v.6
Musset, Alfred de, 1810-1857.
... Nouvelles. Paris, G. Charpentier et cie, 1883.
2 p. l., 350 p., 1 l. 18½cm. (Lettered on cover: Oeuvres de A. de Musset [v. 6])
CONTENTS.—Les deux maîtresses.—Emmeline.—Le fils du Titien.—Frédéric et Bernerette.—Margot.

NM 0914836 ViU

Musset, Alfred de, 1810-1857.
... Nouvelles. Paris, G. Charpentier et cie, 1887.
2 p. l., 350 p., 1 l. 18½cm.
CONTENTS.—Les deux maitresses.—Emmeline.—Le fils du Titien.—Frédéric et Bernerette.—Margot.

[Full name: Louis Alfred de Musset]
30-28675
Library of Congress PQ2369.N7 1887 843.79

NM 0914837 DLC DCU-IA ScU

Musset, A[lfred] de, 1810-1857.
Nouvelles. Les deux maitresses; Emmeline; Le fils du Titien; Frédéric et Bernerette; Pierre et Camille. Nouvelle édition, illustrée de un portrait gravé par Burney d'après une miniature de Marie Moulin et de 15 compositions de F. Flameng et O. Cortazzo gravées à l'eau-forte par Mordant et Lucas. Paris: L. Conquet, 1887. 3 p.l., (1)4-388 p., 1 l., 5 pl., 1 port. 35 extra pl. 4°.

no. 150 of 150 copies on large wove paper. Initialed by the publisher.
Illustrations: frontispiece portrait of the author, 5 head-pieces, 5 plates, and 5 tail-pieces, with 32 plate proofs of the same in two states, and a cancelled plate for "Emmeline," also in three states. In all, 51 illustrations.
Binding, by Carayon, 1897, three-fourths olive green crushed levant morocco, gilt. Back tooled and lettered; in the center, the monogram of Mr. Spencer. With marbled end papers and rough edges; gilt top Original covers bound in.

SPENCER COLLECTION.
1. Fiction (French). 2. Moulin, Marie, illustrator. 3. Flameng, François, illustrator. 4. Cortazzo, Oreste, illustrator. 5. Burney, François Eugène, engraver. 6. Mordant, Daniel, engraver. 7. Lucas, Louis, engraver. 8. Title.
N. Y. P. L. August 10, 1914.

NM 0914839 NN

MUSSET, Alfred de, 1810-1857.
Nouvelles. Paris, G. Charpentier e E. Fasquelle, 1896.

NM 0914840 MH PP

VOLUME 403

Musset, Alfred de, 1810-1857.
... Nouvelles. Paris, Garnier frères [19--]
389 p. 19 cm. (Oeuvres complètes. Nouv. éd. revue ... par Edmond Biré. v)

NM 0914841 PV

848 M976nX Musset, Alfred de, 1810-1857
...Nouvelles... Paris. La renaissance du livre [19 ?]
230p. 17cm. (On cover: Tous les chefs-d'oeuvre de la littérature française)
At head of title: Alfred de Musset.
Contents:- Emmeline.- Les deux maitresses.- Frédéric et Bernerette.- Le fils du Titien.-Margot.
1. Short stories, French.

NM 0914842 LU

Musset, Alfred de, 1810-1857.
Nouvelles de Alfred de Musset ... Paris, Charpentier, 1900.
350 p. 18.5 cm.

NM 0914843 NcD PHC

Musset, Alfred de, 1810-1857.
... Nouvelles ... Paris, Charpentier, 1907.
350 p. [His Oeuvres complètes ... t. 6]

NM 0914844 OCU

Musset, Alfred de, 1810-1857.
Nouvelles. Paris, E. Fasquelle, 1907.
350 p. 19cm. (Bibliothèque-Charpentier)
CONTENTS.—Les deux maitresses.—Emmeline.—Le fils du Titien.—Frédéric et Bernerette.—Margot.

NM 0914845 ViU

845M97 K1908a Musset, Alfred de, 1810-1857.
Nouvelles. Paris, Larousse [1908]
207p. illus., port. 20cm.
Contents.- Les deux maîtresses.- Emmeline.- Le fils du Titien.- Frédéric et Bernerette.- Margot.

NM 0914846 IU

Musset, Alfred i. e. Louis Charles Alfred de, 1810-1857.
... Nouvelles: Emmeline—Les deux maîtresses—Frédéric et Bernerette—Le fils du Titien—Margot. Londres, J. M. Dent & sons, ltd; Paris, E. Mignot [1912]
2 p. l., 7-230 p. 17½cm. (Lettered on cover: Tous les chefs-d'œuvre de la littérature française. [v. 94])
14-22975
Library of Congress PQ1103.T6 vol. 94

NM 0914847 DLC OC1W DAU

PQ2369 .N7 1912 Musset, Alfred de, 1810-1857.
Nouvelles: Emmeline—Les deux maîtresses—Frédéric et Bernerette—Le fils du Titien—Margot. Paris, Renaissance du Livre [1912?]
230 p. 18cm. (Tous les chefs-d'œuvre de la littérature française. 93)

NM 0914848 ViU

Musset, Alfred de, 1810-1857.
... Nouvelles ... Paris, Larousse [1913]
207 p.

NM 0914849 OCU

Musset, Alfred de, 1810-1857.
Nouvelles... Paris: Ernest Flammarion [, 1918]. 353 p. 12°.
Contents: Les deux maitresses. Emmeline. Le fils du Titien. Frédéric et Bernerette. Croisilles. Margot.

NM 0914850 NN

Musset, Alfred de, 1810-1857.
... Nouvelles ... Paris, Garnier frères [1926]
2 p.l.,389 p.,1 l. 19cm. (On cover: Classiques Garnier)
At head of title: Oeuvres complètes de Alfred de Musset; nouvelle édition, revue, corrigée et complétée de documents inédit, précédée d'une notice biographique sur l'auteur et suivi de notes par Edmond Biré. V.
CONTENTS.—Emmeline.—Les deux maîtresses—Frédéric et Bernerette.—Le fils du Titien.—Margot.—Croisilles.
I. Biré, Edmond, 1827-1907, ed.

NM 0914851 MiU

F 843 M97nF Musset, Alfred de, 1810-1857.
... Nouvelles; Les deux maitresses - Emmeline - Le fils du Titien - Frédéric et Bernerette - Croisilles - Margot. Paris, Librairie des bibliophiles, E. Flammarion, successeur [1927?
2 p. l., 352 p., 2 l. (Verso of half-title: Nouvelle bibliothèque classique des éditions Jouaust. Oeuvres completes d'Alfred de Musset)

NM 0914852 WaPS PU

Musset, Alfred de, 1810-1857.
Nouvelles. Illustrations de Jean Robichon. Introduction de Roger Joxe. [Lille-Paris, Nord édition, 1946]
v. 1 illus. 19 cm. (Classiques de France)

NM 0914853 MH

PQ 2369 N7 1948 Musset, Alfred de, 1810-1857.
Nouvelles. Introd., notes et variantes par Maurice Allem [pseud.] Nouv. éd. Paris, Garnier [1948]
xvii,383 p. 19cm.
Contents.-Les deux maîtresses.-Emmeline.-Le fils du Titien.-Frédéric et Bernerette.-Croisilles.-Margot--Notes.

NM 0914854 NIC OKentU WaSpG CtY WU NcU ODW

Musset, Alfred de, 1810-1857.
... Nouvelles & contes; avec un portrait de l'auteur gravé par M. Waltner d'après une aquarelle faite spécialment pour ce volume par Eugène Lami et deux eauxfortes de M. Lalauze d'après Bida. Paris, G. Charpentier, 1881.
2 p. l., 470 p., 1 l. front. (port.) 2 pl. 11½ cm. (Half-title: Petite bibliothèque-Charpentier)
CONTENTS.—Les deux maitresses.—Frédéric et Bernerette.—Le fils du Titien.—Histoire d'un merle blanc.—Mimi Pinson.—La mouche.
PQ2369.A15 1881 19—12049

NM 0914855 DLC

MUSSET, Alfred de, 1810-1857.
Nouvelles & contes. Paris, G.Charpentier et cie,1883.
32°. Port. and plates.
(Petite bibliotheque- Charpentier)

NM 0914856 MH MiU

MUSSET, Alfred de, 1810-1857. *2691.4
Nouvelles et contes.
— Paris. Fasquelle. [1890?] (3), 512 pp. Illus. [Œuvres complètes. 2.] L. 8°.
Contents. — Les deux maitresses. — Emmeline. — Le fils du Titien. — Frédéric Bernerette. — Margot. — Croiselles. — Pierre et Camille. — Le secret de Javotte. — La mouche. — Histoire d'un merle blanc. — Mimi Pinson.

NM 0914857 MB

PQ 2369 A15 1939 Musset, Alfred de, 1810-1857.
Nouvelles et contes. Notes de Robert Doré.. Illustrations de Émile Nourigat. Gravées sur bois par Victor Dutertre. Paris, Conard, 1939- v. illus. 21cm. (His oeuvres complètes)
Contents.- v.1. Emmeline. Les deux maitresses Frédéric et Bernerette. Le fils du Titien. Margot. L'anglais mangeur d'opium.- v.2. Croisilles. Histoire d'un merle blanc. Pierre et Camille. Le secret de Javotte. Mimi Pinson. La mouche. Le roman par lettres. Un boulevard parisien. Le poète déchu. Les frères Van Buck.
I. Doré, Robert, 1890- ed.

NM 0914859 MU PSt OC1

841.7 M98p.6 Musset, Alfred de, 1810-1857.
Nouvelles poesias. Edition complète. Boston, De Vries, Ibarra & cie [n. d.]
2 v. 11 x 7cm.
Vol.2 has title: Dernières poesias.

NM 0914860 IEN

Musset, Alfredo de, 1810-1857.
Novellas; trad. de Salvador de Mendonca. Rio de Janeiro, 1876.
382p.

NM 0914861 DCU-IA

Musset, Alfred de, 1810-1857.
Novelle e racconti, a cura di Maria Ortiz. [Milano] Bompiani [1945]
xxvi, 328 p. 21 cm. (Il Centonovelle; novelliere antico e moderno, v. n. 19)
Full name: Louis Charles Alfred de Musset.
PQ2369.A46 50-31987

NM 0914862 DLC

Musset, Alfred de, 1810-57
Novelleja. Suomentanut Martti Vuori. Helsinki, Kustannusyhtiö Osmo [1907]
145 p.

NM 0914863 MH

Musset, Alfred de, 1810-1857.
La nuit vénitienne; comédie en un acte.
(In Le théâtre d'Alfred de Musset. Comédies et proverbes. Strasbourg [1906] p.[33]-56)
Microcard edition.

NM 0914864 ICRL OrU

VOLUME 403

fPQ 2369 N8 1913
Musset, Alfred de, 1810-1857.
La nuit venitienne. Fantasio. Les caprices de Marianne. Illustrations de U.Brunelleschi. Paris, H.Piazza [1913] 138p. illus.,col.mounted plates. 31cm.

NM 0914865 CLSU MH CLCM NBuG NN

Musset, Alfred de, 1810-1857.
La nuit vénitienne, ou Les noces de Laurette.
(In his Oeuvres complètes. Nouv. éd. [n.d.] v.3, p.[399]-430)
Microcard edition.

NM 0914866 ICRL

Musset, Alfred de, 1810-1857.
... La nuit Vénitienne, ou Les noces de Laurette; comédie en un acte ... Berlin, Weidmann, 1930.
40p. 17.5cm. (Ecrivains d'hier et d'aujourd'hui. 2)

NM 0914867 NBC

Musset, Alfred, 1810-1857
Les nuits... Paris, Nilsson, n.d.
128 p.
Contents: Les nuits.- Rolls.- Le saule.- Don Paez.- Conseils à une parisienne.- Sur troin marches de marche rose.

NM 0914868 OCl OClh

Hfe msl3t
Musset, Alfred de, 1810-1857.
... Les nuits. Paris,A.Lemerre[1920]
2p.l.,ii,116p. 11½cm. (Petite collection rose)
Includes other poems.

NM 0914869 CtY OO

Musset, Alfred de, 1810-1857.
... Les nuits. Frontispiece composé et gravé au vernis mou par William Fel ... [Vignette] Paris, Librairie des amateurs, A. Ferroud. - F Ferroud, successeur, 1922.
54, [2] p. front. 23cm.
Author's name at head of title.
Head and tail pieces; col. vignette.
Original paper cover has also col. vignette.
Binding signed: A[nnie] G[arnett], Foster.
CONTENTS.—La nuit de mai.—La nuit de décembre.—La nuit d'août.—La nuit d'octobre.
I. Fel, William, engr. II. Title.

NM 0914870 ViU

Musset, Alfred de, 1810-1857.
... Les nuits. [Montagnola di Lugano, Officina Bodoni, 1924]
55, [1] p. 29½cm.
"Cette édition a été tirée ... à 5 exemplaires sur peau de vélin et à 225 exemplaires sur vélin de cuve des papeteries du Marais."
I. Title.
[Full name: Louis Charles Alfred de Musset]
44-46053
Library of Congress PQ2369.N8 1924

NM 0914871 DLC NN ICU ICN IEN

Musset, Alfred de, 1810-1857.
Les nuits. Illus. de Jean-A. Mercier. Paris, L'Edition d'art H. Piazza [1946]
82 p. col. illus., col. plates.

NM 0914872 OU OCl

L841.7 M98n 1896 IN: spec
Musset, Alfred de, 1810-1857.
Les nuits, et Souvenir. Portrait d'après David d'Angers, interprété par Florian. Illus. de A. Gérardin, gravées par Florian. Paris, É. Pelletan, 1896.
101p. illus., plates, port. 35cm.
In portfolio.
500 copies. "...23 exemplaires, de 3 à 25...contenant une aquarelle originale, une double d'épreuves d'artiste signées..."
No. 9.

NM 0914873 IEN

Musset, Alfred de, 1810-1857. F841-M
Les nuits, Lettre à Lamartine. Paris: Les Éditions Parisiennes, 1916. 72 p. illus., port. 8°.

NM 0914874 NN OClh

Musset, Alfred de, 1810-1857.
Les nuits; Lettre à Lamartine; Les caprices de Marianne; Il ne faut jurer de rien; Simone; Dupont et Durand. Paris: Librairie de la Bibliothèque nationale, 1908. 1 p.l., (1)4-191(1) p. 24°. (Bibliothèque nationale; collection des meilleurs auteurs anciens et modernes.)
Author's name at head of title.
1. French literature.—Misc. 2. Title. 3. Series.
N. Y. P. L. August 6, 1918.

NM 0914875 NN NBuG

Musset, Alfred de, 1810-1857.
Les nuits, symphonie
see under Carraud, Gaston Michel, 1864-1920.

Musset, Alfred de, 1810-1857
Octave; confession d'un enfant du siècle; tr. de Sotir Nasse.

NM 0914877 OCl

840 M989 r
Musset, Alfred de, 1810-1857.
L'oeuvre de Alfred de Musset; extraits choisis et annotés à l'usage de la jeunesse par un ancien professeur de l'Université. Éd.précédée d'une notice biographique par Paul de Musset et d'un portrait de l'auteur d'après Ch.Landelle. Paris, G.Charpentier, 1887.
xxxvi,548p. port. 18cm.
CONTENTS.-Premières poésies.-Poésies nouvelles.-Confession d'un enfant du siècle.-Comédies et proverbes.-Nouvelles et contes.-Mélanges de littérature et de critique.-Oeuvres posthumes.
I.Musset, Paul Edme de, 1804-1880.

NM 0914878 CLSU MWelC ICU

Musset, Alfred de, 1810-1857.
Oeuvre; extraits choisis et annotes a l'usage de la jeunesse par un ancien professeur de l'Universite, ed. precedee d'une notice biographique par Paul de Musset. Paris, Charpentier, 1903.
548 p.

NM 0914879 PSC

Hum PQ 2369 A14 1938
Musset, Alfred de, 1810-1857.
L'OEuvre de Musset. Extraits présentées par Pierre Salomon. [Paris] Hachette [c1938]
126p. illus. (Classiques France)
I. Salomon, Pierre, ed.

NM 0914880 FTaSU

PQ1181 .A4
Musset, Alfred de, 1810-1857.
Amplecas, Germain, comp.
L'œuvre libertine des poètes du XIXe siècle: Alfred de Musset [et al.] Paris, Bibliothèque des curieux, 1918.

Musset, Alfred de, 1810-1857.
... Œuvres choisies de Alfred de Musset; poésie, théâtre, roman et critique, avec études et analyses par Paul Morillot ... Paris, Librairie C. Delagrave [1907]
2 p. l., 413 p. 16½cm.
At head of title: 6e mille.
I. Morillot, Paul, 1858- ed.

NM 0914883 MiU NcD

PQ2369 .A14 1912
Musset, Alfred de, 1810-1857.
Oeuvres choisies par Jean Giraud. Paris, Librarie Hachette, 1912.
lx, 303 p. 19 cm.

NM 0914884 TU RWoU NcD OO

Musset, Louis Charles Alfred de. F848-M
Oeuvres choisies; poésie, théatre, roman et critique, avec études et analyses par Paul Morillot. Paris: Librairie Delagrave[, 1917]. 413 p. 16°.

NM 0914885 NN

Musset, Alfred de, 1810-1857.
Oeuvres choisies de Alfred de Musset; poésie, théatre, roman et critique, avec études et analyses, par Paul Morillot ... Paris, Delegrave, 1920.
413 p. 16 cm.

NM 0914886 PBm PSt

Musset, Alfred de, 1810-1857.
Oeuvres choisies. Poesie, theatre, Roman et critique, avec etudes et analyses par Paul Morillot. Paris, Delagrave, 1930.

NM 0914887 PRosC

Musset, Alfred de, 1810-1857.
Oeuvres choisies; poesie, théatre, roman et critique, avec études et analyses par Paul Morillot. Paris, Delagrave, 1934.
412 p.

NM 0914888 WaU

Musset, Alfred de, 1810-1857.
... Œuvres choisies disposées d'après l'ordre chronologique, avec une biographie, des notes critiques, grammaticales, historiques, des notices et des illustrations documentaires, par Jean Thomas ... [et] Michel Berveiller. Paris, A. Hatier, 1932.
699 p., 1 l. incl. front. (port.) illus. 18½cm. (Collection d'auteurs français d'après la méthode historique, pub. sous la direction de Ch.-M. Des Granges)
"Tableau chronologique de la vie et des œuvres de Musset, avec les principaux synchronismes historiques et littéraires": p. [9]-16.
"Bibliographie": p. [17]-19.
1. *Musset, Alfred de, 1810-1857. I. Thomas, Jean, ed. II. Berveiller, Michel, joint ed.
[Full name: Louis Charles Alfred de Musset]
33-3392
Library of Congress PQ2369.A14 1932 a
[2] [841.77] 840.81

NM 0914889 DLC MWAC NBC CLSU

VOLUME 403

PQ 2369 A14 1947
Musset, Alfred de, 1810-1857.
Œuvres choisies disposées d'après l'ordre chronologique, avec une biographie, des notes critiques, grammaticales, historiques, des notices et des illustrations documentaires, par Jean Thomas ... [et] Michel Berveiller. 3d ed. Paris, A. Hatier, 1947.
699p. illus. 18cm. (Collection d'auteurs francais d'après la méthode historique, pub. sous la direction de Ch.-M. Des Granges)
1. Musset, Alfred de, 1810-1857. I. Thomas, Jean, ed. II. Berveiller, Michel, jt. ed.

NM 0914890 MU

Musset, Alfred de, 1810-1857.
... Œuvres complémentaires, réunies et annotées par Maurice Allem. Paris, Mercvre de France, 1910.
436 p. 18½cm.
CONTENTS.—Préface.—Complément aux Poésies.—Poésies attribuées à Alfred de Musset.—Complément aux Comédies et proverbes.—Complément aux Contes et nouvelles.—Complément aux Mélanges de littérature et de critique.—Supplément à la Correspondance.
I. Allem, Maurice, ed.
12-23157
Library of Congress PQ2369.A14 1910

NM 0914891 DLC CtY MiU NcD NcU FU OrPR IU WaU

Hfe ms9w
Musset, Alfred de, 1810-1857.
Oeuvres complètes en prose. Texte établi et annoté par Maurice Allem. [Paris, Éditions de la Nouvelle revue française, 1938]
1102p. 18cm. (Bibliothèque de la Pléiade, 49)
Bibliography: p.[1095]-1100.
I. Allem, Maurice ed. II.Ser.

NM 0914892 CtY MH MiU TxHU

Musset, Alfred de, 1810-1857.
Œuvres complètes en prose. Texte établi et annoté par Maurice Allem. [Paris, Gallimard, 1951]
1102 p. 18 cm. (Bibliothèque de la Pléiade, 49)
Includes bibliographical references.
I. Allemand, Maurice, 1872- ed.
[PQ2369.A15] 64-9151/CD
Printed for Card Div. Library of Congress [1]

NM 0914893 IaU CaBVaU IdPI OU FTaSU OCl NcGU OClW PPLas MB NN NcU CoU

*A.6292 .1 no.1
Musset, Alfred de, 1810-1857.
Oeuvres inédites qui ne figureront pas dans les éditions de ses oeuvres complètes. Tiré à vingt-quatre exemplaires, no. 20. [Paris?] Imprimé spécialement, 1896.
1 v. (various pagings). illus. 23cm.
CONTENTS.—Oeuvres de jeunesse.—Pièces satiriques.—Alfred de Musset et Ulric Guttinguer.—La quittance du diable.—Le Roman par lettres.—Mélanges en prose.—Lettres.
With this is bound his Deux chroniques inédites, 1896.
Bound in crushed red morocco, by Gruel.

NM 0914894 MB

Musset, Alfred de, 1810-1857.
Œuvres posthumes de Alfred de Musset. Paris, Charpentier, 1860.
2 p. l., 248 p. 18½ cm.
I. Title.
PQ2369.A14 1860 12—28493

NM 0914895 DLC PPL NN MB MH

Musset, Alfred de, 1810-1857.
... Oeuvres posthumes. Paris, Charpentier, 1867.
2 p. l., 248 p. 18½cm.
With his Mélanges de littérature et de critique. 1867.

NM 0914896 MiU NcD NIC TU INS PPL CtY OClW

Musset, Alfred de, 1810-57
Oeuvres posthumes. Avec lettres inédites & une notice biographique par son frère. Paris, Charpentier, 1877
vii, 340 p. illus. [His Oeuvres complètes, 10]

NM 0914897 MH

Musset, Alfred de, 1810-1857.
...Oeuvres posthumes. Paris, G. Charpentier, 1878. 2p.l.,262p. 18cm.

NM 0914898 MWelC

Musset, Alfred de, 1810-1857.
Oeuvres posthumes. Paris, 1879.

NM 0914899 NjP

Musset, Alfred de, 1810-1857.
Œuvres posthumes [de] Alfred de Musset. Paris: G. Charpentier, 1881. 2 p.l., 262 p. 12°.
Charles-Quint au monastère de Saint-Just... Le songe d'Auguste... Un souper chez Mademoiselle Rachel. Le poète et le prosateur. Faustine. L'âne et le ruisseau. Lettres.
1. French literature.—Collected works.
N. Y. P. L. February 18, 1915.

NM 0914900 NN

Musset, Alfred de, 1810-1857.
OEuvres posthumes. Avec lettres inédities [and] une notice biographique par son frère. Paris, Charpentier, 1881.
vii, 340 p. illus.

NM 0914901 MH

PQ 2369 A14 1884
Musset, Alfred, 1810-1857
Œuvres posthumes. Paris, Charpentier, 1884.
262 p. illus.

NM 0914902 KMK

844M97 M56
Musset, Alfred de, 1810-1857.
Œuvres posthumes. Paris, Charpentier, 1887.
262 p.

NM 0914903 NNC MH

MUSSET, Alfred de, 1810-1857. No. 2 in *2691.4.
Œuvres posthumes.
[Paris. Charpentier & Fasquelle. 1891.] 208 pp. Illus Œuvres complètes. 1.] L. 8°.

NM 0914904 MB

Musset, Alfred de, 1810-1857
... Oeuvres posthumes. Paris, Bibliothèque-Charpentier, 1892.
2 p.l., 262 p.

NM 0914905 TxLT

MUSSET, Alfred de, 1810-1857.
Oeuvres posthumes. Paris, E. Fasquelle, 1897.
41596.14.10

NM 0914906 MH OOxM PHC

Musset, Alfred de, 1810-1857.
... Œuvres posthumes. Paris, E. Flammarion [19—]
3 p. l., 334 p. 18½cm. (On cover: Les meilleurs auteurs classiques français et étrangers)
[Full name: Louis Charles Alfred de Musset]
37-36026
Library of Congress PQ2369.A14
[2] 840.81

NM 0914907 DLC MH FMU FTaSU PU

Musset, Alfred de, 1810-1857
Oeuvres posthumes. Paris, Fasquelle, 1903.
262p.

NM 0914908 OClW

Musset, Alfred de, 1810-1857.
Oeuvres posthumes. Paris, E. Fasquelle, 1906.
262p.
Contents.-[Poesies diverses].-Le songe d'Auguste.-Un souper chez Mademoiselle Rachel.-Le poete et le prosateur.-Faustine.-Ane et le Ruisseau.-Lettres.

NM 0914909 ScU IdU

844 M976oe
Musset, Alfred de, 1810-1857.
Oeuvres posthumes. Paris, Charpentier, 1909.
365p. illus., port. 21cm. (His Oeuvres complètes illustrées)

NM 0914910 OrU OU

Musset, Alfred i. e. Louis Charles Alfred de, 1810-1857.
... Œuvres posthumes: Poésies diverses. Un souper chez Mlle Rachel. Faustine. L'ane et le ruisseau. Lettres. Illustrations de Henri Pille, gravées à l'eau-forte par Louis Monziès. Paris, A. Lemerre, 1911.
3 p. l., [3]-279 p., 1 l. front., plates. 19cm. (Œuvres de Alfred de Musset)
12-11852
Library of Congress PQ2369.A1 1907

NM 0914911 DLC PSC

Musset, Alfred de, 1810-1857.
... Oeuvres posthumes ... Paris, A. Lemerre [1925]
277p. (His Oeuvres ... t. 1-)

NM 0914912 OCU

VOLUME 403

F
848
M97oF
Musset, Alfred, i.e. Louis Charles Alfred de, 1810-1857.
... Oeuvres posthumes. Paris, Librairie des bibliophiles, E. Flammarion, successeur [1928?]
2p.l., 334 p., 1l. (Verso of half-title: Nouvelle bibliothèque classique des éditions Jouaust. Oeuvres completes d'Alfred de Musset)

NM 0914913 WaPS

Musset, Alfred de, 1810-1857.
On ne badine pas avec l'amour, comédie en trois actes.
(In his Oeuvres complètes. Nouv. éd. [n.d.] v.3, p.[329]-397)
Microcard edition.

NM 0914914 ICRL

PQ2369
06
Musset, Alfred de, 1810-1857.
On ne badine pas avec l'amour, comédie en trois actes [Publiée en 1834, représentée pour la première fois ... 1861 ...] Paris, Librairie Stock [1834?]
72 p. (Les classiques du théatre français)

NM 0914915 CU

*FC8
M9762
D861o
Musset, Alfred de, 1810-1857.
On ne badine pas avec l'amour, comédie en trois actes, en prose par Alfred de Musset; représentée pour la première fois, a Paris, sur le Théatre-français par les comédiens ordinaire de l'empereur, le 18 novembre 1861.
Paris,Charpentier,libraire-éditeur,quai de l'École,28,1861. Tous droits réservés.
105p. 19cm.
First published in Un spectacle dans un fauteuil, 2. livraison, t.2 (1834).

Original printed yellow wrappers, incl. spine strip, preserved; advts. (1 leaf) at end, and on p.[4] of wrappers; booklist (12p.) dated mai 1861, and advt. of Revue nationale ([4]p.) inserted at end; bound in half dark blue morocco and marbled boards; top edges gilt.

NM 0914917 MH NN CtY CU ICU

Rare
PQ
2369
.0 5
1904
Musset, Alfred de, 1810-1857.
On ne badine pas avec l'amour; proverbe en 3 actes. Orné d'une couverture illustrée et de 35 lithographies originales par Louis Morin. Paris, Librairie L. Conquet, L. Carteret et Cie, 1904.
126,[4],vii,[1]p. col.illus. 26.8cm.
With two additional illustrated title-pages.
"Deux cents exemplaires de grand luxe sur papier vélin de Marais à la forme. No. 48."
Marbled boards with brown morocco half-binding. Restored spine lettered in gold.
Signed binding: "J. Caravon".

I. Morin, Louis, 1855-1938, illus. II. Title.

NM 0914919 ScU

PQ
2369
05
1920
Musset, Alfred de, 1810-1857.
On ne badine pas avec l'amour; comédie en trois actes. Edition suivie de notes et de variantes ornée de compositions décoratives, par George Barbier, gravé sur bois par Georges Aubert. Paris,G. Crès,1920.
187p. illus. 21cm. (Le Théatre d'Art)

I. Barbier, George, ed.

NM 0914920 MU KMK

845M97
Oo1922
Musset, Alfred de, 1810-1857.
On ne badine pas avec l'amour. Paris, Bibliothèque Rhombus, 1922.
76p. 15cm.

NM 0914921 IU InAndC-T

PQ
2369
05
1928
Musset, Alfred de, 1810-1857.
On ne badine pas avec l'amour. Evanston, Ill., Northwestern University, 1928.
104 p. 16cm.

NM 0914922 NIC MB PU IU CtY ICN CU ViU WaU MH MiU

MUSSET, ALFRED DE, 1810-1857.
On ne badine pas avec l'amour, [by] Alfred de Musset. (In: Comfort, W.W., editor. French romantic plays. New York[, cop. 1933]. 17cm. p. 531-616.)

657453A. 1. Drama, French. I. Title.

NM 0914923 NN

MUSSET, ALFRED DE, 1810-1857.
On ne badine pas avec l'amour, par Alfred de Musset. (In: Grant, E.M., editor. Chief French plays of the nineteenth century. New York[, etc.], 1934. 21cm. p. 367-404.)

722180A. 1. Drama, French. I. Title.

NM 0914924 NN

PQ2369
O5
1937a
Musset, Alfred de, 1810-1857.
On ne badine pas aver l'amour. Avec une notice biographique, une notice historique et litteraire, des notes explicatives, des jugements, un questionnaire et des sujets de devoirs, par Henri Chabot. Paris, Librairie Larousse [1937?]
75 p. illus. 17cm. (Classiques Larousse)

I. Chabot, Henri, ed.
II. Title.

NM 0914925 CoU MoU IEN

843
M975o
pam
cop
Musset, Alfred de, 1810-1857.
On ne badine pas avec l'amour, avec une notice biographique, une notice historique et littéraire, des notes explicatives, des jugements, un questionnaire sur la piece et des sujets de devoirs, par Henri Chabot. Paris, Librairie Larousse; New York, F. S. Crofts, °1941.
70 p. front. 17cm.

NM 0914926 OrCS

Musset, Alfred de, 1810-1857.
On ne badine pas avec l'amour. Illus. de R. Peynet. [Paris] Editions du Bélier, 1944.
87p. col. illus. 26cm.

NM 0914927 IEN

SPEC. COLL.
PQ
2369
05
1946
Musset, Alfred de, 1810-1857.
On ne badine pas avec l'amour. Illustrations de R. Peynet. [Paris]Éditions du Bélier,1946.
3p.l.,13-87p.,1l. col.illus.,col.plates 28cm.
"Il a été tiré: 1800 exemplaires ... numérotés de 1 a 1780 et de I à XX. Exemplaire N° 1,472."

I. Peynet, Raymond, 1908- , illus.

NM 0914928 MU

Drama
PQ2369
06
Musset, Alfred de, 1810-1857.
... Alfred de Musset's On ne badine pas avec l'amour and Fantasio. Edited with introduction and notes by Walter Herries Pollock. Oxford, At the Clarendon press, 1884.
4p.l.,136p. 17cm. (Clarendon press series)

NM 0914929 NBuG NNC NjP OC1W

Musset, Alfred de, 1810-1857. 41596.24
On ne badine pas avec l'amour, and Fantasio; edited, with introduction and notes, by Walker Herries Pollock. Oxford, 1892.
pp. (8), 136. (Clarendon press series.)

NM 0914930 MH MBU OC1

Hfe
ms27b
Musset, Alfred de, 1810-1857.
... Alfred de Musset's On ne badine pas avec l'amour, and Fantasio; ed. with introduction and notes, by Walter Herries Pollock. Oxford,At the Clarendon press,1900.
4p.l.,136p. 17cm. (Clarendon press series)
"The progress of French comedy",p.9-29 is by George Saintsbury.

NM 0914931 CtY MH

PQ2369
06
1918
Musset, Alfred de, 1810-1857.
On ne badine pas avec l'amour and Fantasio; ed. with introduction and notes by Walter Herries Pollock. Oxford, Clarendon press, 1918.
136 p.
Dramas.

NM 0914932 CU

PQ
2369
.05
1954
Musset, Alfred de, 1810-1857
On ne badine pas avec l'amour and Fantasio. Edited with introd. and notes by Walter Herries Pollock. Oxford, Clarendon Press [1954]
136 p. 18 cm.
"First ed. 1884."

NM 0914933 WU

Musset, Alfred de, 1810-1857.
On ne badine pas avec l'amour. Un caprice. Il faut qu'une porte soit ouverte ou fermée. Paris, Nilsson [1908]
126 p. 17 cm. (Les 100 chefs d'oeuvre qu'il faut lire, 14)

I. Title. II. Title: Un caprice. III. Title: Il faut qu'une porte soit ouverte ou fermée.

NM 0914934 CaBVaU

VOLUME 403

Musset, Alfred de, 1810-1857.
On ne saurait penser a tout, proverbe en un acte.
(In his Oeuvres complètes. Nouv. éd. ⌈n.d.⌉ v.4, p.⌈253⌉-303)
Microcard edition.

NM 0914935 ICRL

Musset, Alfred de, 1810-1857.
... On ne saurait penser à tout; proverbe dramatique par Alfred de Musset. With grammatical and explanatory notes by Gustave Masson ... London, Paris, Hachette & cie; Philadelphia, J. B. Lippincott & co., 1876.
2 p. l., 56 p. 18cm. (Hachette's French classics)

I. *Masson, Gustave, 1819-1888, ed. II. Title.
⌈Full name: Louis Charles Alfred de Musset⌉
40-23775
Library of Congress PQ2369.O55 1876

NM 0914936 DLC PP MB OrP

Hfe
ms30j
Musset, Alfred de, 1810-1857.
On ne saurait penser à tout; proverbe dramatique. With grammatical and explanatory notes by Gustave Masson. 2d ed. London, Hachette, 1887.
56p. 18cm. (Hachette's French classics)

NM 0914937 CtY

Musset, Alfred de, 1810-1857.
Pages choisies. Avec une notice biographique, une notice historique et littéraire, des notes explicatives, des jugements, un questionnaire et des sujets de devoirs, par C.-A. Fusil. Paris, Larousse [1934]
2v. in 1. illus. 17cm. (Classiques Larousse)

Contents.- I. Poésie.- II. Prose.

NM 0914938 IEN PWcS

Musset, Alfred de, 1810-1857
Pages choisies des grands écrivains.
· Alfred de Musset. Ed. par G. Robertet. Paris, Colin, 1894.
xxxvi, 548 p. 18½cm. (Lectures littéraires)

"Tableau chronologique des oeuvres complètes d'Alfred de Musset". p. xxxv -xxxvi.

I. Robertet. Georges, 1852-1888, ed.

NM 0914939 NcD MiU NcU

Musset, Alfred de, 1810-1857.
Pages choisies des grands écrivains.
Alfred de Musset, avec une introduction par Paul Sirven. Paris, Colin, 1896.
314 p. (Lectures litteraires)

NM 0914940 MtU

Musset, Alfred de, 1810-1857.
Pages choisies des grands ecrivains. Paris, Colin, 1904.
314 p.

NM 0914941 PPCCH

Musset, Alfred de, 1810-1857.
Pages choisis des grands ecrivains.
⌈Alfred de Musset⌉ avec une introduction par Paul Sirven. Cinquième édition. Paris: A. Colin, 1906. xi, 314 p. 18cm.

At head of title: Lectures littéraires.

605829A. 1. French literature—Misc. I. Ser.
N. Y. P. L. February 10, 1934

NM 0914942 NN OO

Musset, Alfred de, 1810-1857.
Pages choisies des grands ecrivains.
Alfred de Musset, avec une introduction par Paul Sirven. 6. ed. Paris, Colin, 1909.
314 p.

NM 0914943 OOxM

814
M989
1921
Musset, Alfred de, 1810-1857.
... Pages choisies des grands écrivains. Alfred de Musset. Avec une introduction par Paul Sirven. Paris, A.Colin, 1921.
xi,314p. 18cm.
At head of title: Lectures littéraires.
8.éd.

NM 0914944 CU

Musset, Alfred de, 1810-1857.
—Pages choisies.—Introduction par Paul Sirven. Paris, 9ème éd., 1925. 326 p.
Série des Grands écrivains.

NM 0914945 RWoU

Musset, Alfred de, 1810-1857.
Pages inédites: Agnès; Rolla et le grand prêtre; Mémoires d'outre-cuidance. (Minerve française. Paris, 1919. 8°. Tome 3, p. 321-333.)

Signed: Alfred de Musset.
Introductory note, by Maurice Allem.

1. Poetry (French). 2. Drama (French). 3. Allem, Maurice.
N. Y. P. L. April 8, 1920.

NM 0914946 NN

HQ463
.G35
Delta
Musset, Alfred de, 1810-1857, supposed author.
Passions' evil ⌈by⌉ A. de M. Translated into English by Audiart. Paris, Olympia Press ⌈1953⌉

Musset, Alfred de, 1810-1857.
... Pierre et Camille, par Alfred de Musset. Edited, with English notes, by O. B. Super ... Boston, D. C. Heath and company, 1890.
iii, 57 p. 19cm. (Heath's modern language series)

I. Super, Ovando Byron, 1848- ed. II. Title.
⌈Full name: Louis Charles Alfred de Musset⌉
12-28980 Revised
Library of Congress PQ2369.P4 1890

NM 0914948 DLC WaS OrP MtU NIC PU OO ViU PP

Musset, Alfred de, 1810-1857.
Pierre et Camille. Edited, with English notes, by O.B.Super. Boston, D.C.Heath and co., 1894.

"Heath's modern language series."

NM 0914949 MH

Musset, Alfred de, 1810-1857.
...Pierre et Camille, (par Alfred de Musset.) Ed., with English notes, by O.B. Super... Boston, D.C. Heath and company, 1896.
57 p. (Heath's modern language series)

NM 0914950 MiU

Musset, Alfred de, 1810-1857. 2689.112
Pierre et Camille. [Conte.] Par Alfred de Musset. Edited, with English notes, by O. B. Super.
= Boston. Heath & Co. 1897. (1), 57 pp. [Heath's Modern language series.] 18½ cm.

NM 0914951 MB

Musset, Alfred de, 1810-1857.
... Pierre et Camille, par Alfred de Musset. Ed., with English notes, by O. B. Super ... Boston, D. C. Heath and company, 1901.
iii, 57 p. 16 cm. (Heath's modern language series)

I. Super, Ovando Byron, b. 1848, ed. II. Title.
PQ2369.P4 1901 17—10409

NM 0914952 DLC PRosC

PQ2474
.D5
Musset, Alfred de, 1810-1857. Pierre et Camille.

Vigny, Alfred Victor, comte de, 1797-1863.
Alfred de Vigny: Un dialogue inconnu. Alfred de Musset: Pierre et Camille. Berlin, A. Juncker ⌈1947⌉

Musset, Alfred de, 1810-1857.
...Podwójna miłość. Tłumaczył Edward Żeleński. Lwów ⌈etc.⌉ Nakładem i drukiem księgarni W. Zukerkandla ⌈189-⌉ 151 p. 14½cm.

882340A. 1. Fiction, French. I. Żeleński, Edward, tr. II. Title.
N. Y. P. L. March 22, 1938

NM 0914954 NN

842.76
M989PP
Musset, Alfred de, 1810-1857.
Poèmes choisis, door J. A. A. van Kervel. Zwolle, W. E. J. Tjeenk Willink, 1896.
viii, 184, iv p. 20 cm.

I. Kervel, J. A. A. van, ed.

NM 0914955 NcD

Musset, Alfred de, 1810-1857.
... Poèmes choisis, edited by Phyllis E. Crump ... ⌈Manchester⌉ Manchester university press, 1931.
xxxvi, 164 p. 19cm. (Modern language texts. French series: modern section)
Bibliography: p. 161-164.

I. Crump, Phyllis Eirene, ed.
⌈Full name: Louis Charles Alfred de Musset⌉
32-3174
Library of Congress PQ2369.A17C7
——— Copy 2. ⌈3⌉ 841.77

NM 0914956 DLC OrU MH ICU WU CU

VOLUME 403

*FC8
M9762
835p
Musset, Alfred de, 1810-1857.
Poésies d'Alfred de Musset.
Bruxelles.E.Laurent,imprimeur-éditeur,place de Louvain,n.547.1835.

388p. 10.5cm.
Contents: Contes d'Espagne et d'Italie.--Un spectacle dans un fauteuil.--Poésies diverses: Les voeux stériles. Octave. Les secrètes pensées de Rafaël. Suzon. Rolla.

NM 0914957 MH

PQ
2369
.A17
1867
Musset,Alfred de,1810-1857.
... Poésies. Nouv.éd. ... Paris,Charpentier, 1867.
2 v.in 1. front.(port.) 14cm.

NM 0914958 MiU OCU OCl ViU MH PPL PP OClW

MUSSET, Alfred de, 1810-1857. *2691.41
Poésies. [1829-1852.]
— Paris. Charpentier & cie. 1889. (5), 528 pp. Illus. Portr.
[Œuvres complètes. 1.] L. 8°.
Contents. — Contes d'Espagne et d'Italie. — Spectacle dans un fauteuil. — Poésies diverses. — Namouna. — Rolla. — Les nuits. — Poésies nouvelles. — Contes en vers.

NM 0914959 MB

Musset, Alfred de, 1810-1857.
Poésies. Introduction par Émile Faguet. Édition Lutetia. Paris, etc., Nelson [189-?]

346 p. port. 16 cm.
Paper-jacket: Les classiques français, 15.

NM 0914960 MH

Musset, Louis Charles Alfred de. 1810-1857. 6709a.50
Poésies.
(In Both-Hendriksen, Louise. La triade française . . . Pp. 3-36. Boston. 1891.)

NM 0914961 MB

PQ
2369
.A17
19--
Musset, Alfred de, 1810-1857.
Poésies, par Alfred de Musset. Introd. par Émile Faguet. Paris, Nelson [19--]
346p. illus. 17cm. (Édition Lutetia)

NM 0914962 KU FTaSU

Musset, Alfred de, 1810-1857.
...Poésies. Paris, Payot & Cie., [19--?]
128 p. Te. (Bibliothèque miniature [17])

In box.

NM 0914963 OO

Hum
PQ
2369
A17
1900
Musset, Alfred de, 1810-1857.
Poésies. Introd. par Émile Faguet. Paris, Nelson [1900?]
346p. (Les classiques français)

NM 0914964 FTaSU

Musset, Alfred de, 1810-1857
Poésies. In Both-Hendriksen, Louise, ed. La triade francaise. 1906, c1897.
p.3-36.

NM 0914965 OCl

Musset, Alfred de, 1810-1857
Poésies. Illus.de H.Pille. Paris, Lemerre, 1907

2 v.

NM 0914966 MH

845M97
KF13
Musset, Louis Charles Alfred de.
Poésies. Introduction par Émile Faguet. Paris [1914]
346p. front.(port.) (Édition Lutetia)

NM 0914967 IU

Musset, Alfred de, 1810-1857.
Poésies de Alfred de Musset. Paris, Le Livre français, H. Piazza [1925]
2 p. l., [ix]-xvi, 182, [2] p. port. 21cm. (Les chefs-d'œuvre de la poésie française. v. 3)
Title within ornamental border; title vignette; head and tail pieces.
Preface signed: Albert Pauphilet.
"Il a été tiré de cet ouvrage 250 exemplaires sur papier japon, et 2550 exemplaires sur vélin pur fil. Exemplaire nº. 605."

I. Pauphilet, Albert, ed.
[Full name: Louis Charles Alfred de Musset]
26-1431
Library of Congress PQ2369.A17 1925

NM 0914968 DLC CtY NcD OrSaW PRosC PV CSt

845M97
K1926
Musset, Louis Charles Alfred de, 1810-1857.
Poésies, 1833-1852: Rolla, Les nuits, Poésies nouvelles, Contes en vers. Illus. de Henri Pille, gravées à l'eau-forte par Louis Monziès. Paris, A. Lemerre, 1926.
334p. front. 19cm. (His Oeuvres)

NM 0914969 IU OCU

Musset, Alfred de, 1810-1857.
Poésies. Paris,A.Lemerre[1930-37, cover:1926]
2v. port. 16cm. (His Oeuvres complètes [v.1-2]
Contents. - [v.1] 1828-1832. Contes d'Espagne et d'Italie. Poésies diverses. Spectacle dans un fauteuil. Namouna. - [v.2] 1833-1852. Rolla. Les nuits. Poésies nouvelles. Contes en vers.

NM 0914970 CtY

Musset, Alfred de, 1810-1857.
Poésies. Paris,Gründ[1935] 253p.

NM 0914971 CaBVa

PQ
2369
.A17
1937
Musset, Alfred de, 1810-1857.
Poésies. Paris, Librairie Gründ [1937]
253p. 19cm. (La Bibliothèque précieuse)

NM 0914972 KU

Musset, Alfred de, 1810-1857.
Poésies, par Alfred de Musset; introduction par Émile Faguet ... Édition lutetia. Paris, New York [etc.] Nelson, 1938.
xxii p., 1 l., [25]-346 p. front. (port.) 16 cm.
[Full name: Louis Charles Alfred de Musset]

NM 0914973 OrSaW

Musset, Alfred de, 1810-1857.
... Poésies. Paris, Librairie Gründ [1939]
2 p.l., 7-253 [1] p. 18 cm. (La bibliothèque precieuse)

NM 0914974 PSt

841
M989
Musset, Alfred de, 1810-1857.
Poésies. [Lyon, France] Archat [1946]
144 p. port. 23cm. ([His works] 1)

NM 0914975 C

848
M99
1949
Musset,Alfred de,1810-1857.
Poésies. [Paris] Hachette [1949]
380 p. 19 cm. (Collection du flambeau)
Edited by Jean Le Maire.

NM 0914976 MiU IaU ScU InStme CtY PCM

PQ
2369
.A17
1862
Musset, Alfred de, 1810-1857.
Poésies, 1828-1833. Contes D'Espagne et d'Italie. Poésies diverses--Spectacle dans un fauteuil. Namouna. Paris, Librairie Alphonse Lemerre [1862?]
406 p. 17 cm. (Oeuvres complètes de Alfred de Musset)

NM 0914977 WU PHC MU OCU

PQ
2369
.A17
1876
Musset, Alfred de, 1810-1857.
Poésies, 1828-1833. Paris, Lemerre [1876?]
2 v. (His Oeuvres complètes)
Vol. 2, 1833-1852.

NM 0914978 MoU PP ViLxW

Musset, Alfred *i. e.* Louis Charles Alfred de, 1810-1857.
... Poésies d'Alfred de Musset (1828-1833) (Premières poésies) ... Strasbourg, J. H. E. Heitz (Heitz & Mündel); New-York, G. E. Stechert & co.; [etc., etc., 1908]
2 p. l., 280 p. 15cm. (Bibliotheca romanica 55-58. Bibliothèque française)
"Notice" signed: H. G.
Contents.—Contes d'Espagne et d'Italie.—Poésies diverses.—Un spectacle dans un fauteuil (1ère livraison)—Namouna.
I. G., H., ed.
8—33420
Library of Congress PQ2369.A17

NM 0914979 DLC PBm OCl CU

Musset, Alfred de, 1810-57
Poésies, 1828-33; premières poésies. [Strasbourg, Heitz, 1909]

280 p. (Bibliotheca romanica, 55-58)

NM 0914980 MH OClW

Musset, Alfred de, 1810-1857.
Poésies choisies de Alfred de Musset; edited by C. Edmund Delbos ... Oxford, Clarendon press, 1906.
xxiii, 185 p. front. (port.) 17½cm. (*Half-title:* Oxford higher French series; edited by Leon Delbos)

I. Delbos, C. Edmund, ed.
[*Full name:* Louis Charles Alfred de Musset]
W 7-172 Revised
Washington, D. C. Pub. libr. for Library of Congress [r38b2]

NM 0914981 DWP MoU IdPI PV

VOLUME 403

WA 13839 Musset, Alfred de, 1810-1857.
[Poésies choisies de] Alfred de Musset.
Paris, Éditions de L'Abeille d'Or [1927?]
157 p. illus. (Les Roses de France. Collections des Poetes)

NM 0914982 CtY

PQ2639 .A17 1936 Musset, Alfred de, 1810-1857.
Poésies choisies. Notice et notes par A. Ferran. Paris, Librairie Hatier [1936]
63p. 18cm. (Les Classiques pour tous, 75)

NM 0914983 NBC PU PPCI OC1JC

PQ 2369 A17 Musset, Alfred de, 1810-1857.
Poésies. Comédies. / Paris, Hachette [n.d.]
306 p. 18 cm.
Contents.-Les nuits.-Rolla.-Poésies.-Les caprices de Marianne.-On ne badine pas avec l'amour.-Le chandelier.-Il ne faut jurer de rien.-Il faut qu'une porte soit ouverte ou fermée.

MH DLC-P4 RWoU
NM 0914984 VtMiM MiD NBuU PPT PSC PPD PRosC NN

*FC8 M9762 840p Musset, Alfred de, 1810-1857.
Poésies complètes de Alfred de Musset.
Paris, Charpentier, libraire-éditeur, 29, rue de Seine. 1840.
2p.ℓ., iip., 2ℓ., [3]-436p. 17.5cm.
First state of the table: "A quoi rêvent les jeunes filles" omitted; "Namouna" misprinted as "Romance"; no errata at end.
Contents: Contes d'Espagne et d'Italie.-- Poésies diverses: Les voeux stériles. Octave. Les secrètes pensées de Rafaël. Pâle étoile du soir. Chanson. A Pépa. A Juana.--Un spectacle dans un fauteuil.--Poésies nouvelles: Rolla. Une bonne fortune. Lucie. La nuit ... (4 poèmes). Lettre à m. de Lamartine. A la Malibran. L'espoir en Dieu. A la mi-carême. Dupont et Durand. Au roi, après l'attentat de Meunier. Sur la naissance du comte de Paris. Idylle. Silvia.

NM 0914986 MH PU ViU WU

*FC8 M9762 840pa Musset, Alfred de, 1810-1857.
Poésies complètes de Alfred de Musset ...
Paris, Charpentier, libraire-éditeur, 29, rue de Seine. 1840[1841]
2p.ℓ., iip., 2ℓ., [3]-436p. 18cm., in case 19.5cm.
Imprint on cover dated 1841.
First state of the table: "A quoi rêvent les jeunes filles" omitted; "Namouna" misprinted as "Romance"; no errata at end.
Contents: Contes d'Espagne et d'Italie. Poésies diverses. Un spectacle dans un fauteuil. Poésies nouvelles.
Original printed yellow wrappers; advts. on verso of half-title & (dated June 1841) on p.[4] of wrappers; in cloth case.

NM 0914988 MH

Musset, Alfred *i. e.* **Louis Charles Alfred de, 1810-1857.**
Poésies complètes de Alfred de Musset. **Nouvelles** éditions, rev., cor. et très-augmentées ... **Paris, Charpentier, 1844.**
vi p., 2 l., [3]-424 p. 18cm.
CONTENTS.—Contes d'Espagne et d'Italie.—Poésies diverses.—Un spectacle dans un fauteuil.—Poésies nouvelles.

19-958

Library of Congress PQ2369.A17 1844

NM 0914989 DLC

Hfe Ms9Y Musset, Alfred de, 1810-1857.
Poésies complètes. Nouv. éd., rev., corr. et très augm. Paris, Charpentier, 1847.
419 p. 18 cm.
Contents. - Contes d'Espagne et d'Italie. - Poésies diverses. - Un spectacle dans un fauteuil. - Poésies nouvelles.

NM 0914990 CtY

Musset, Louis Charles Alfred de, 1810-1857.
Poésies complètes. Nouvelles éd., rev., corr. et très-augm.
Paris, Charpentier, 1849.
419 p.
Contents.-Contes d'Espagne et d'Italie.-Poésies diverses.-Un spectacle dans un fauteuil.-Poésies nouvelles.

NM 0914991 CaOTP

Musset, Alfred de, 1810-1857.
... Poésies complètes ... Texte établi et annoté par Maurice Allem. [Paris, Éditions de la Nouvelle revue française, 1933]
3 p. l., [5]-732 p., 1 l. 18cm. [Bibliothèque reliée de la Pléiade. 12]
At head of title: A. de Musset.
"Note bibliographique": p. [721]-726.

I. Allem, Maurice, ed.
[*Full name:* Louis Charles Alfred de Musset]
34-32054
Library of Congress PQ2369.A17 1933
[2] 841.77

NM 0914992 DLC PBm OC1W TU

Musset, Alfred de, 1810-1857.
Poésies complètes. Paris, J. Gilbert [1947]
520 p. (Chefs-d'oeuvre littéraires [17])
Contents.--Premières poésies.--Poésies nouvelles.--Poésies diverses.--Poésies posthumes.

NM 0914993 NNC MoU

MUSSET, ALFRED DE, 1810-1857.
Poésies complètes. Texte établi et annoté par Maurice Allem.
[Paris, Gallimard, 1951] 732 p. 18cm. [HIS: Œuvres complètes. 1.]
"Bibliothèque de la pléiade. 12."
Bibliography, p. 721-726.

I. Allem, Maurice, ed.

NM 0914994 NN OU MH MB

Musset, Alfred de, 1810-1857.
Poesies nouvelles, 1833-1851. Paris, Calmann-Lévy, n.d.
293 p.

NM 0914995 MtU

PQ 2369 A17a Musset, Alfred de, 1810-1857.
Poésies nouvelles, 1836-1852.
Paris, E. Flammarion, [n.d.]
316 p. 18 cm.

NM 0914996 MU NcU PU

Musset, Alfred de, 1810-1857.
Poésies nouvelles de Alfred de Musset. 1836-1852-. Nouv. ed. Paris, Garnier, n. d.
281 p.

NM 0914997 PPCCH

Musset, Alfred de
Poésies nouvelles, 1836 a 1852... Paris, Gillequin, n.d.
230 p. D.

NM 0914998 OC1W PU NcU

N 841.77 L2 Musset, Alfred de, 1810-1857.
Poésies nouvelles, par Alfred de Musset. Bruxelles, Mme. Laurent, 1840.
146, [1] p., 2ℓ. 11x6½cm.
With this is bound: Tastu, Mme. Amable (Voïart) Poésies nouvelles. 1835.

NM 0914999 N

*FC8 M9762 850p Musset, Alfred de, 1810-1857.
Poésies nouvelles de Alfred de Musset (1840-1849.
Paris, Charpentier, libraire-éditeur, 19, rue de Lille, 1850.
2p.ℓ., 170, [2]p. 18cm.
Page 139 misnumbered 129.
First printing of all the poems except the fragment of Le Saule.

NM 0915000 MH NN CtY DLC

Musset, Alfred de, 1810-1857.
Poésies nouvelles (de Alfred de Musset-) 1836-1852-Nouv. éd. Paris Charpentier, 1852.
3 p. l., [3]-298 p.

NM 0915001 MiU

Musset, Alfred de, 1810-1857.
Poesies nouvelles; Rolla- Les nuits contes en vers. Paris, Gallimard, 1854.
238 p. (Genie de la France)

NM 0915002 PPCCH

Musset, Alfred de, 1810-1857.
Poesies nouvelles, 1836-52. New ed. Paris, Charpentier, 1857.
281 p.

NM 0915003 PU

Musset, Alfred de, 1810-1857.
Poésies nouvelles de Alfred de Musset—1836-1852—Nouv. éd. Paris, Charpentier, 1859.
2 p. l., 281 p. 18½cm.

[*Full name:* Louis Charles Alfred de Musset]
12-28496 Revised
Library of Congress PQ2369.A17 1859

NM 0915004 DLC DAU

PQ2369 .A17 1860 **Musset, Alfred de, 1810-1857.**
Poésies nouvelles, 1836-1852.
Nouv. éd. Paris, Charpentier, 1860.
283 p. 17cm.

NM 0915005 MB

VOLUME 403

Musset, Alfred de, 1810-1857.
Poesies nouvelles...Nouv. ed. Paris, Charpentier, 1864.
283 p.

NM 0915006 PSC

Musset, Alfred de, 1810-1857.
Poésies nouvelles de Alfred de Musset, 1836-1852. Nouv. éd. Paris, Charpentier, 1865.
2 p. l., 283 p. 18cm.

[Full name: Louis Charles Alfred de Musset]
33-39070
Library of Congress PQ2369.A17 1865 841.77

NM 0915007 DLC OCU PP-W

Musset, Alfred de, 1810-1857.
Poésies nouvelles de Alfred de Musset, 1836-1852. Nouv. éd. Paris, Charpentier [1865?]
324 p. 19 cm.

NM 0915008 KyLoU

Musset, Alfred de, 1810-1857.
Poésies nouvelles de Alfred de Musset, 1836-1852. Nouv. éd. Paris, Charpentier; Cleveland, Cobb, Andrews & co., 1867.
2 p. l., 297 p. 18cm.

[Full name: Louis Charles Alfred de Musset]
38-21188
Library of Congress PQ2369.A17 1867 a
[2] 841.77

NM 0915009 DLC NIC NcD NNC PP PU OClW CU PPYH NjP MH NN

PQ 2369 A17 1878 Musset, Alfred de, 1810-1857.
Poésies nouvelles, 1836-1852. Paris, G.Charpentier, 1878.
324p. 18cm.

NM 0915010 CLSU

MUSSET, ALFRED DE, 1810-1857.
...Poésies nouvelles, 1836-1852. Nouvelle édition. Paris: G. Charpentier [1879?] 324 p. 18cm.

951289A. 1. Poetry, French.

NM 0915011 NN MB

Musset, Alfred de, 1810-1857.
... Poésies nouvelles, 1836-1852. Nouv. éd. Paris, G. Charpentier [188-]
2 p. l., 324 p. 18½cm.
"Bibliothèque-Charpentier."

NM 0915012 CtY

Musset, Alfred de, 1810-1857.
...Poésies nouvelles, 1836-1852. Nouv. éd. Paris,G.Charpentier, 1880. 2p.l.,324p. 18cm.

NM 0915013 MWelC NN

Musset, Alfred de, 1810-1857.
... Poésies nouvelles, 1836-1852. Nouv. éd. Paris, G. Charpentier [1882]
2 p. l., 324 p. 18½cm.
"Bibliothèque-Charpentier."

[Full name: Louis Charles Alfred de Musset]
43-47083
Library of Congress PQ2369.A17 1882

NM 0915014 DLC ViU

PQ2369 .A17 1883 Musset, Alfred de, 1810-1857.
Poésies nouvelles, 1836-1852. Nouv. éd. Paris, G. Charpentier [1883?]
324 p. 19cm.

NM 0915015 ViU

PQ2369 .A2 1885 MUSSET,ALFRED DE,1810-1857.
...Poésies nouvelles,1836-1852. Nouv.éd. Paris,G. Charpentier et cie.,1885.
[3],324 p. 18cm.

NM 0915016 ICU MB GEU CtY MH NjR

MUSSET,Alfred de,1810-1857.
Poésies nouvelles,1836-1852. Avec un portrait de l'auteur,réduction de l'eau-forte de Léopold Flameng d'après le tableau de Landelle et une eau forte de M.Lalauze d'après Bida. Paris, G.Charpentier et Cie,1886.

12 cm. Port.
Half-title:Petite bibliothèque-Charpentier.

NM 0915017 MH

Musset, Alfred de, 1810-1857.
Poésies nouvelles, 1836-1852. Nouvelle éd. Paris, G.Charpentier et cie., 1887.

NM 0915018 MH PHC PP

Musset, Alfred de, 1810-1857.
Poésies nouvelles 1836-1852. Nouvelle éd. Paris, Bibliothèque-Charpentier, 1891.

NM 0915019 MH

Musset, Alfred de, 1810-1857.
... Poésies nouvelles, 1836-1852, avec un portrait de l'auteur, réduction de l'eau-forte de Léopold Flameng, d'après le tableau de Landelle, et une eau-forte de m. Lalauze d'après Bida. Paris, G. Charpentier et E. Fasquelle, 1891.
2 p. l., 324 p. front. (port.) pl. 11½ cm. (Petite bibliothèque-Charpentier)

I. *Landelle, Charles, 1821-1908, illus. II. Bida, Alexandre, 1813-1895, illus.
[Full name: Louis Charles Alfred de Musset]
PQ2369.A17 1891 49-38640

NM 0915020 DLC CtY MiU MH

PQ2369 A17 1894 Musset, Alfred de, 1810-1857
Poésies nouvelles, 1836-1852. Avec un portrait de l'auteur, réduction de l'eau forte de Léopold Flameng d'après le tableau de Landelle et un eau-forte de M. Lalauze d'après Bida. Paris, G. Charpentier et E. Fasquelle, 1894.
324 p. illus., port. 11 cm. (Petite bibliothèque Charpentier)

NM 0915021 RPB PBm MH DCU-IA NjP MH

Musset, Alfred de, 1810-1857.
...Poésies nouvelles de Alfred de Musset, 1836-1852. Nouv. éd. Paris, Charpentier, 1896.
2 p. l., 324 p. 18cm.

NM 0915022 ViU

Musset, Alfred de, 1810-1857.
... Poésies nouvelles, 1836-1852. Nouv. éd. Paris, E. Fasquelle, 1897.
2 p. l., 324 p. 18cm.

Bibliothèque-Charpentier.
[Full name: Louis Charles Alfred de Musset]
37-23694
Library of Congress PQ2369.A17 1897
[2] 841.77

NM 0915023 DLC NBuG PHC

Musset, Alfred de, 1810-1857.
... Poésies nouvelles, 1836-1852, avec un portrait de l'auteur, réduction de l'eau-forte de Léopold Flameng, d'après le tableau de Landelle, et une eau-forte de m. Lalauze d'après Bida. Paris, E. Fasquelle, 1898.
2 p. l., 324 p. front. (port.) pl. 11½ cm. (Petite Bibliothèque-Charpentier)

NM 0915024 CU

Musset, Alfred de, 1810-1857.
... Poésies nouvelles, 1836-1852. Nouv. éd. Paris, E. Fasquelle, 1899.
2 p. l., 324 p. 18½cm.
"Bibliothèque-Charpentier."

NM 0915025 ViU MH

Musset, Alfred de, 1810-1857. F841-M
Poésies nouvelles, 1836-1852. Paris: Bibliothèque Larousse [, 19—?]. 191 p. front., pl., port. 12°.

NM 0915026 NN CoU

Musset, Alfred de, 1810-1857.
Poésies nouvelles, 1836-1852. Paris, Librairie de bibliophiles [19- ?]

316 p. (His Oeuvres)
Nouvelle bibliothèque classique.

NM 0915027 MH

Musset, Alfred de. 1810-1857.
... Poésies nouvelles de Alfred de Musset--1836-1852--Nouv. éd. Paris, Charpentier, 1900.
324 p. 18-1/2cm.

NM 0915028 OOxM CtY

PQ 2369 .A17 1902 Musset, Alfred de, 1810-1857.
Poésies nouvelles, 1836-1852.
Paris, E. Fasquelle, 1902.
324p. port. 12cm. (Petite bibliothèque-Charpentier)

NM 0915029 KU ViU NjP CtY

VOLUME 403

Musset, Louis Charles Alfred de, 1810-1857.
...Poésies 1833-1852. Rolla. Les nuits. etc.
Paris, Librairie A. Lemerre, «1902».

NM 0915030 PU

Musset, Alfred de, 1810-1857.
... Poésies nouvelles 1836 à 1852: Rolla. Les nuits. Poésies nouvelles. Contes en vers. Paris, Charpentier, 1904.
324 p. D.

NM 0915031 NcD

Musset, Alfred de, 1810-1857.
Poésies nouvelles, 1836-1852...
Paris, 1905.

NM 0915032 ODW

MUSSET, Alfred de, 1810-1857.
Poésies nouvelles, 1836-1852. Nouvelle éd.
Paris, Bibliothèque-Charpentier, 1906.
19 cm.

NM 0915033 MH

Musset, Alfred de, 1810-1857
Poésies nouvelles, 1836-1852. Nouv. éd.
Paris, E. Fasquelle, 1906.
324p.

NM 0915034 ScU

845M97 K1907a Musset, Louis Charles Alfred de, 1810-1857.
Poésies nouvelles, 1836-1852. Paris, Larousse «1907»
191p. illus., port. 20cm.

NM 0915035 IU NN

PQ2369 .A17 1907 Musset, Alfred de, 1810-1857.
Poèsies nouvelles, 1883-1852. Illus. de Henri Pille, gravées a l'eau-forte par Louis Monziés. Paris, A. Lemerre ⌊1907?⌋
354 p. front. 19cm.

CONTENTS.—Rolla. Les Nuits. Poésies nouvelles. Contes en Vers.

NM 0915036 ViU OCl

Musset, Alfred de, 1810-1857
Poésies nouvelles, 1836-1852...Paris, Librairie Charpentier et Fasquelle, 1908.
386p. il. por.

At head of title: Oeuvres complètes illustrées d'Alfred de Musset.

NM 0915037 OCl OClW

Musset, Alfred de, 1810-1857.
... Poésies nouvelles «ser. 2»
1836-1852. Paris, E. Flammarion «1909»
316 p.

NM 0915038 OCU

Musset, ⌊Louis Charles⌋ Alfred de. F841-M
Poésies nouvelles, 1836-1852. Paris: Ernest Flammarion ⌊1910?⌋. 316 p. 12°. (Les meilleurs auteurs classiques.)

NM 0915039 NN

Musset, Alfred de, 1810-1857.
... Poésies nouvelles 1836 à 1852: Rolla—Les nuits—Poésies nouvelles—Contes en vers. Londres, J. M. Dent & sons, ltd.; Paris, E. Mignot ⌊1913?⌋
2 p. l., 7-230 p. 17½cm. (*On cover:* Tous les chefs-d'œuvre de la littérature française. ⌊v. 92⌋)

⌊*Full name:* Louis Charles Alfred de Musset⌋
15—658

Library of Congress PQ1103.T6 vol. 92

NM 0915040 DLC

Musset, Alfred de, 1810-1857.
Poésies nouvelles, 1836-1852. Londres: J. M. Dent, ⌊1913⌋
259 p. port. 17cm. (Collection Gallia)

NM 0915041 ViU PSt OCl PU MH

Musset, Alfred de, 1810-1857
... Poésies nouvelles: Les nuits.-Lettre a Lamartine. Paris, Les éditions parisiennes, 1916.
72 p., front. (port.), illus.

NM 0915042 OCl

PQ2369 A17 1919 Musset, Alfred de, 1810-1857.
Poésies nouvelles, 1836-1852. Paris, J. M. Dent et fils «1919»
259p. port. 17cm. (Collection Gallia)

NM 0915043 NBuG

Musset, Alfred de, 1810-1857.
... Poésies nouvelles «ser. 2.»
1836-1852 Paris, Larousse #1920»
191 p. With his Premiere poésies.
Paris «1920»

NM 0915044 OCU

PQ2369 .A17 1923 Musset, Alfred de, 1810-1857.
... Poésies nouvelles, 1833-1852: Rolla - Les nuits - Contes en vers. Notice de F. Baldensperger - Notes de R. Doré; illustrations de E. Nourigat, gravées sur bois par Victor Dutertre. Paris, L. Conard, 1923.
2 p.l., 414 p. illus., plates. 21½cm. (Half-title: His Oeuvres complètes)
Title vignette.
Series note also at head of title.
"Il a été tiré de cette édition: 50 exemplaires numérotés (1 à 50) sur papier de chine. 25 exemplaires numérotés (51 à 75) sur japon impérial."
I. Baldensperger, Fernand, 1871- , ed.
II. Doré, Robert. ⌊Full name: Louis Charles Alfred de Musset⌋

NM 0915045 ViU OCl MU MH

Musset, Alfred de, 1810-1857.
...Poesies nouvelles de Alfred de Musset, 1836-1852.
Paris, Flammarion, «1924»
312 p.

NM 0915046 PPT

---

848 M976poX Musset, Alfred, i.e. Louis Charles Alfred, 1810-1857.
...Poésies nouvelles 1836 a 1852... Paris, La renaissance du livre [1926]
230p. 17cm. (On cover: Tous les chefs-d'oeuvre de la littérature français)

At head of title: Alfred de Musset.
Contents:- Rolla.- Les nuits.- Poésies nouvelles.- Contes en vers.

1. French poetry.

NM 0915047 LU CtY IU

Musset, Alfred de, 1810-1857.
...Poésies nouvelles, 1833-1852... Illustrations de Charles Martin. Paris: Librairie de France, 1928. 484 p. illus. (part col'd.) 23cm. (His: Œuvres complètes illustres. ⌊no. 2⌋)

CONTENTS.—Rolla.—Les nuits.—Poésies nouvelles.—Contes en vers.—Poésies posthumes.—Complément aux poésies.

NM 0915048 NN

Musset, Alfred, i.e. Louis Charles Alfred de, 1810-1857.
... Poésies nouvelles, 1836-1852. Paris, Librairie des bibliophiles, E. Flammarion, successeur ⌊1931?⌋
2p.l., 316 p. (Verso of half-title: Nouvelle bibliothèque classique des éditions Jouaust. Oeuvres completes d'Alfred de Musset)

NM 0915049 WaPS

MUSSET, ALFRED DE, 1810-1857.
Poésies nouvelles. Texte établi et annoté par André Piot. Paris, Editions de Cluny [1947] xii, 279 p. 18cm. (Bibliothèque de Cluny. v. 15)

I. Piot, André, ed.

NM 0915050 NN

PQ 2369 A17 1948 Musset, Alfred de, 1810-1857.
Poésies nouvelles. [Paris?] Au Moulin de Pen-mar, 1948.
267 p. 22 cm. djg

NM 0915051 IEdS

PQ2369 .A17 1955 **Musset, Alfred de, 1810-1857.**
Poésies nouvelles, 1836-1852; suivies des Poésies Complémentaires et de Poésies Posthumes avec avertissement, relevé des variantes et notes par Maurice Allem. Paris, Garnier Frères [1955?]
ix, 387 p. 19cm.

NM 0915052 MB

3274 .9 .366 .8 Musset, Alfred de, 1810-1857.
The poet and the muse (being a version of Alfred de Musset's 'La nuit de mai', La nuit d'août', and 'La nuit d'octobre') with an introduction by Walter Herries Pollock. London, Bentley, 1880.
32 p. 18½cm.

I. Pollock, Walter Herries, 1850-1926, tr. II. Title.

NM 0915053 NjP MH

VOLUME 403

*FC8
M9762
896p

Musset, Alfred de, 1810-1857.
... Le poëte déchu; fragment inédit. Portrait charge de l'auteur par lui-même ...
[Paris?] Imprimé spécialement 1896.
[16] p. front. (port.) 22cm., in folder 23.5cm.
Dated at end: 1839.
"Tiré à dix-huit exemplaires. nº [in ms.] 5."
One of 5 Musset pieces published in 1896, in limited editions, by Maurice Clouard.--cf. Carteret II, 209.
Original printed orange wrappers; in cloth folder.

NM 0915054 MH CtY

Musset, Alfred de, 1810-1857.
La Pompadour
see under Moor, Emanuel, 1863-1931.

Musset, Alfred de, 1810-1857.
Uma porta deve estar aberta ou fechada. Proverbio. [In one act.] Traduzido do francez por A[ntonio] P[edro] Lopes de Mendonça. [Lisboa, J. G. de Sousa Neves] 1860.
10 p. 12° (Theatro de sala. no. 1)
n.t.-p.

NM 0915056 NN

PQ
2369
A16b

Musset, Alfred de, 1810-1857.
Premières poésies, 1828-1833. Berlin, Internationale Bibliothek GMBH [n.d.]

283 p. (Bibliothèque Française, v. 12)

NM 0915057 WaTC

841
M989
F581

Musset, Alfred de, 1810-1857.
Premières poésies, 1829-1835. Paris, E. Flammarion [n.d.]
362p. front. (port.) plate. (Oeuvres)

NM 0915058 FTaSU PU NN PPT CtY WaPS

Musset, Alfred de, 1810-1857
Premières poésies, 1829-1835. Contes d'Espagne et d'Italie - Spectacle dans un fauteuil - F55- sies diverses - Namouna. Paris, Garnier, n.d.
364p.

At head of title: Oeuvres complètes de Alfred de Musset; nouvelle édition rev... par Edmond Biré. I.

NM 0915059 OCl

Musset, Alfred de, 1810-1857.
...Premières poésies, 1829 à 1835...
Paris, Gillequin, n.d.
279 p. D.

NM 0915060 OClW PU

Musset, Alfred de, 1810-1857.
... Premières poésies 1829 à 1835: Contes d'Espagne et d'Italie.- Spectacle dans un fauteuil.- Poésies diverses.- Namouna. Paris, La Renaissance du livre.
279 p. (Tous les chefs-d'oeuvre de la littérature française)

NM 0915061 DLC

Musset, Alfred de, 1810-1857.
Premières poésies...1829-1835—Nouv. éd.
Paris, Charpentier, 1852.
[3]-356 p.

NM 0915062 MiU

MUSSET, Alfred de, 1810-1857.
Premieres poesies. P., 1852.

NM 0915063 MH

Musset, Alfred de, 1810-1857.
Premieres poesies; contes d'espagne et d'Italie poesies diverses, un spectacle dans un fauteuil.
Paris, Hilsum, 1854. 2v.

NM 0915064 PPCCH

Musset, Alfred de, 1810-1857.
Premières poésies de Alfred de Musset—1829-1835—Nouv. éd. Paris, Charpentier, 1858.
3 p. l., [3]-356 p. 18½cm.

I. Title.

[Full name: Louis Charles Alfred de Musset]

Library of Congress PQ2369.A17 1858 12-28491

NM 0915065 DLC PU OO ViU NcD DAU

Musset, Louis Charles Alfred de.
Premières poésies. 1829-1835. Nouvelle édition.
= Paris. Charpentier. 1861. (3), 356 pp. 12°. 2667.54
The date on the cover is 1862.

NM 0915066 MB

Musset, Alfred de, 1810-1857.
Premières poésies de Alfred de Musset—1829-1835—Nouv. éd. Paris, Charpentier, 1861-62.
2 v. 18cm.
Imperfect: v. 1, p. 3-10 wanting.

I. Title.

[Full name: Louis Charles Alfred de Musset]
12-28495 Revised

Library of Congress PQ2369.A17 1861

NM 0915067 DLC

Hfe
ms15b

Musset, Alfred de, 1810-1857.
Premières poésies de Alfred de Musset - 1829-1835 - Nouv. éd. Paris, Charpentier, 1863.
3p.ℓ., [3]-356p. 18cm.

NM 0915068 CtY

Musset, Louis Charles Alfred de.
Premières poésies 1829-1835. New ed.
Par. Charpentier, 1865.
356 p.

NM 0915069 PP-W

Musset, Alfred de, 1810-1857.
... Premières poésies—1829-1835—Nouv. éd. Paris, Charpentier, 1867.
3 p. l., [3]-356 p. 18cm.

I. Title.

[Full name: Louis Charles Alfred de Musset]

Library of Congress PQ2369.A17 1867 8-32278 Revised

NIC NNC NN
NM 0915070 DLC PRosC MtU ScU CtY PP PPL NjP NcD

MUSSET, Alfred de, 1810-1857.
Premières poésies, 1829-1835. Avec un portrait de l'auteur gravé par Waltner, d'après le médaillon de David D'Angers et une eau-forte de Laluze d'après Bida. Paris, G. Charpentier, 1879.

12 cm. Front.
Half-title: Petite bibliotheque-Charpentier.

NM 0915071 MH

Musset, Louis Charles Alfred de. F841-M
Premières poésies, 1829-1835. Paris: G. Charpentier, 1880. 392 p. 16°.

NM 0915072 NN PHC MWelC

Musset, Alfred de, 1810-1857.
Premières poésies, 1829-1835. Paris, G. Charpentier, 1881.
392 p. 18 cm.

NM 0915073 CtY MH

Musset, Alfred de, 1810-1857.
Premières poésies, 1829-1835. Paris, G. Charpentier, 1884.
392 p. 19cm.

NM 0915074 ViU CtY PSC MH TU PPD

PQ2369
.A2
1885a

MUSSET, ALFRED DE, 1810-1857.
...Premières poésies, 1829-1835. Paris, G. Charpentier et cie., 1885.
[3], 392 p. 18cm.

NM 0915075 ICU MB

Musset, Alfred de, 1810-1857.
Premières poésies, 1829-1835. Paris, G. Charpentier et cie., 1887.

392 p. 18.5 cm.

NM 0915076 MH

MUSSET, Alfred de, 1810-1857.
Premières poésies, 1829-1835. Avec un portrait de l'auteur gravé par M. Waltner d'après le médaillon de David d'Angers et une eau-forte de M. Lalauze d'après Bida. Paris, G. Charpentier et Cie, 1887.

12 cm. Port. and plate.
Half-title: Petite bibliothèque Charpentier.
41596.12.10

NM 0915077 MH CtY MiU

VOLUME 403

Musset, Alfred de, 1810–1857.
... Premières poésies, 1829–1835, avec un portrait de l'auteur gravé par m. Waltner après le médallion de David d'Angers et une eau-forte de m. Lalauze d'après Bida. Paris, G. Charpentier et c^ie, 1890.
2 p. l., 394 p. front. (port.) pl. 11½ cm. (*Half-title:* Petite bibliothèque-Charpentier)

I. David d'Angers, Pierre Jean, 1788–1856, illus. II. Bida, Alexandre, 1813–1895, illus.
[*Full name:* Louis Charles Alfred de Musset]

PQ2369.A17 1890 49–35297

NM 0915078 DLC MH CaOTP

Musset, Alfred, 1810-1857.
Premières poésies, 1829-1835. Paris, Bibliothèque-Charpentier, 1891.

392 p. (His Oeuvres complètes)

NM 0915079 MH DCU-IA CU

MUSSET, Alfred de, 1810-1857.
Premières poésies. P., 1894.

NM 0915080 MH PBm

PQ2369 A17 1896 Musset, Alfred de, 1810-1857.
... Premieres poesies - 1829-1835.
Paris, Charpentier, 1896.
3p.l.,[3]-392p. 18cm.

NM 0915081 NBuG MH NNC

[PQ2369 A17 1899 Musset, Alfred de, 1810-1857.
Premières poésies, 1829-1835. Avec un portrait de l'auteur gravé par Waltner d'aprés le médaillon de David d'Angers et une eau-forte de Lalauze d'aprés Bida. Paris, Petite Bibliothèque-Charpentier, 1899.
394 p. illus. 12cm.

NM 0915082 CU PU MH

Musset, Alfred de, 1810–1857.
... Premières poésies—1829–1835—Nouv. éd. Paris, E. Fasquelle, 1899.
3 p. l., [3]-392 p. 18½cm.

Bibliothèque-Charpentier.

NM 0915083 ViU MH OOxM NjP

Musset, Alfred de, 1810-1857.
Premières poésies, 1829-1835. Paris, Librairie de bibliophiles [19- ?]

362 p. (His Oeuvres)
Nouvelle bibliothèque classique.

NM 0915084 MH

Martin Y 762 M 9695 MUSSET, ALFRED DE, 1810-1857.
Premières poésies, 1829-1835. Nouvelle édition. Paris, Charpentier, 1901.
392p. 19cm.

NM 0915085 ICN PHC

Musset, Alfred de, 1810-57
Premières poésies, 1829-1835. Nouv.ed. Paris, Bibliothèque-Charpentier, 1903

392 p.

NM 0915086 MH

PQ2369 .A17y 1904 Musset, Alfred de, 1810-1857.
Premieres poesies, 1829-1835. Nouv. éd. Paris, Charpentier, 1904.
392 p. 17 cm.

NM 0915087 OCU NcD

Musset, Alfred de, 1810-1857.
Premières poésies, 1829-35...
Paris, 1905.

NM 0915088 ODW

Musset, Alfred de, 1810-1857.
Premières poésies, 1829-1835. Avec un portrait de l'auteur gravé par Waltner d'après le médaillon de David d'Angers et une eau-forte de LaLauze d'après Bida. Paris, E.Fasquelle, 1906.

"Petite bibliothèque Charpentier."

NM 0915089 MH

PQ 2369 Alm Musset, Alfred de, 1810-1857
... Premières poésies. Poésies nouvelles. Contes et comédies en prose. Appendice: Documents biographiques et bibliographiques, avec une notice ... 4.éd.
Paris, Mercvre de France, 1907.
x,464p.,1l. front.(port.) 18½cm. (Collection des plus belles pages)
Bibliographie: p.455-462.

[Full name: Louis Charles Alfred de Musset]

NM 0915090 NRU

845M97 £1907b Musset, Alfred de, 1810-1857.
Premières poésies, 1829-1835. Paris, Larousse [1907]
240p. illus. 20cm.

NM 0915091 TU CoU NN InU

Musset, Alfred de, 1810-1857.
...Premières poésies; 1829-1835... Paris, Charpentier, 1908.
418 p. illus. port.

NM 0915092 MiD PP

Musset, Alfred de, 1810-1857.
...Premières poésies, 1829-1835 ... Paris, E. Fasquelle, 1908.
3 p. l., 3-418 p. (Oeuvres complètes illustrées d'Alfred de Musset)

NM 0915093 OU

Musset, Alfred *i. e.* **Louis Charles Alfred de,** 1810–1857.
... Premières poésies 1829 à 1835: Contes d'Espagne et d'Italie—Spectacle dans un fauteuil—Poésies diverses—Namouna. Londres, J. M. Dent & sons, ltd.; Paris, É. Mignot [1911]
2 p. l., 7–279 p. 17½cm. (*Lettered on cover:* Tous les chefs-d'œuvre de la littérature française. [v. 91])
"Alfred de Musset," signed Léo Larguier: p. 7–11.

15–13290

Library of Congress PQ1103.T6 vol. 91

NM 0915094 DLC

Musset, Alfred de, 1810-1857.
...Première poésies [ser. 1] 1829-1835.
Paris, Larousse [1920]
240 p.

NM 0915095 OCU

848 M976-X Musset, Alfred i.e. Louis Charles Alfred, 1810-1857.
...Premières poésies 1829 a 1835... Paris, La renaissance du livre [1921]
279p. 17cm. (On cover: Tous les chefs-d'oeuvre de la litterature française)

At head of title: Alfred de Musset.
Contents:- Contes d'espagne et d'italie.- Spectacle dans un fauteuil.- Poésies diverses.- Namouna.

1. French poetry.

NM 0915096 LU

PQ 2369 A17 1922 Musset, Alfred de, 1810-1857.
Premières poésies, 1828-1833. Contes d'Espagne et d'Italie. Poésies diverses. Un spectacle dans un fauteuil. Notice de F. Baldensperger. Notes de R. Doré. Illustrations de E. Nourigat. Gravées sur bois par Victor Durtertre. Paris. L. Conard, 1922.
464p. illus. 21cm. (His Oeuvres complètes)

I. Doré, Robert, 1890- ed.

NM 0915097 MU OCl MH ViU

Musset, Alfred, 1810-1857.
Premières poésies, 1829-1835. Paris, Librairie des Bibliophiles, E. Flammarion, successeur [1925]
3 p. l. [3]-362p. 18cm. (Nouvelle bibliothèque classique des éditions Jouaust)

At head of title: Oeuvres.

NM 0915098 FMU

Musset, Alfred de, 1810–1857.
...Premières poésies, 1828–1833... Illustrations de Charles Martin. Paris: Librairie de France, 1927. ix, 407 p. illus. (part col'd.) 23cm. (His: Œuvres complètes illustrées. [no. 1])

Contents.—Contes d'Espagne et d'Italie.—Poésies diverses.—Spectacle dans un fauteuil.—Namouna.

NM 0915099 NN

Musset, Louis Charles Alfred de.
...Premieres poésies, 1829-1835...Paris, Garnier frères 1928.
364 p.

NM 0915100 PHC

VOLUME 403

PQ 2369 .A17 1938x
Musset, Alfred de, 1810-1857.
Premières poésies, 1829-1835; avec introd., avertissement, relevé des variantes et notes, par Maurice Allem. Paris, Garnier [c1938] xliv,339p. 19cm. (Classiques Garnier)
Bibliography: p.[xxxv]-xxxvii.
I. Allemand, Maurice, 1872- ed. II. Title.
NM 0915101 KU

848 M99pr 1950
Musset,Alfred de,1810-1857.
Premières poésies,1829-1835. Avec introd., avertissement,relevé des variantes et notes par Maurice Allem. Paris, Garnier frères [1950] xliii,338 p. (Classiques Garnier: Collection "Minerve")
Includes bibliography.
I.Allemand,Maurice,1872- ed. II.Title.
NM 0915102 MiU

Musset, Alfred de, 1810-1857.
... Una puerta ha de estar abierta o cerrada. Buenos Aires, Imprenta y casa editora "Coni," 1946.
50 p., 6 l. incl. facsims. 18½cm.
At head of title: Facultad de filosofía y letras de la Universidad de Buenos Aires. Instituto de estudios franceses. Director: José A. Oría. Alfredo de Musset.
With facsimile of t.-p. of ed. published, Buenos Aires, 1886.
Drama, translated by Domingo Faustino Sarmiento. cf. Introd.
I. Sarmiento, Domingo Faustino, pres. Argentine republic, 1811-1888, tr. II. Buenos Aires. Universidad nacional. Instituto de estudios franceses. III. Title.
[Full name: Louis Charles Alfred de Musset]
PQ2369.I 5S7 842.76 46-23530
NM 0915103 DLC CtY MnU DPU MH

Musset, Alfred, 1810-1857.
... Quatre comédies, par Alfred de Musset ... ed. with an introduction and notes by Raymond Weeks ... New York, Oxford university press, American branch; [etc., etc.] 1916.
xii, 301 p. front. (port.) 18½cm. (Oxford French series by American scholars. General editor: R. Weeks)
CONTENTS.—Le caprices de Marianne.—Barberine.—On ne saurait penser à tout.—Bettine.
I. Weeks, Raymond, 1863- ed. II. Title: Les caprices de Marianne. III. Title: Barberine. IV. Title: On ne saurait penser à tout. V. Title: Bettine.
[Full name: Louis Charles Alfred de Musset]
Library of Congress PQ2369.A19W4 16-25163
NM 0915104 DLC ICarbS AU TU CaBVa PPT ViU OCl

PQ2369 .A19W4 1936
Musset, Alfred, 1810-1857.
Quatre comedies, edited with an introduction and notes by Raymond Weeks. New York, Oxford University Press [c1936]
xii, 301 p. port. 19cm. (Oxford French series by American scholars. General editor: R. Weeks)
CONTENTS.—Les caprices de Marianne.—Barberine.—On ne saurait penser a tout.—Bettine.
I. Weeks, Raymond, 1863- ed. II. Title: Les caprices de Marianne. III. Title: Barberine. IV. Title: On ne saurait penser a tout. V. Title: Bettine. VI. Series.
NM 0915105 MB

Hfe ms31t 4
Musset, Alfred de, 1810-1857.
... La quittance du diable, pièce en trois tableaux. Portrait d'Alfred et de Paul de Musset enfants d'après Dufaut ... [n.p.] Imprimé spécialement,1896.
35p. front.(ports.) 22½cm. ([His Oeuvres inédites, no.4])
"Tiré à vingt-deux exemplaires, no 13."
NM 0915106 CtY

Musset, Alfred de, 1810-1857.
La quittance du diable; pièce en trois tableaux, mêlée de chant. [With an introduction by M. Allem.] (Revue politique et littéraire. Paris, 1914. 4°. Année 52, sem. 1, p. 545-556, 577-582.)
1. Drama (French). 2. Title. 3. Allem, Maurice, editor.
N. Y. P. L. August 3, 1914.
NM 0915107 NN

MUSSET, Alfred de, 1810-1857.
Rappelle-toi; [Forget me not. Translated by Albert S. Cook.] n.p., n. d.
pp.(3).
Without title page. Caption title.
NM 0915108 MH

PQ 2369 .A17B3
Musset, Alfred de, 1810-1857.
Recueil de poesies choisies par C. Helene Barker. New York, 1904.
133 p. 15 cm. (Collection "Allis")
I. Barker, Clara Helene, 1868- ed. II. Title
NM 0915109 OKentU

Musset, Alfred de, 1810-1857.
Un rêve, ballade par Alfred de Musset. Cent cinquante vers inconnus, avec note bibliographique, suivie d'une notice des portraits du poète. Paris, P. Rouquette, M DCC LXXV [i. e., 1875]
22 p. front. (port.) 23cm.
NM 0915110 NNC WU MH

PQ 2369 +R5
Musset, Alfred de, 1810-1857
Le Rhin allemand. Avec la musique de Félicien David. Réponse à la chanson de Becker. Illus. décoratives de André Domin. Paris, Crès, 1917.
31p. illus., music. 26cm.
I. David, Félicien, 1810-1876 II. Title
NM 0915111 WU

Musset, Alfred de, 1810-1857.
Rolla. Compositions de Georges Desvallières, reproduites en couleurs par Fortier et Marotte. Paris, A. Romagnol, 1906.
56 l. col. illus., col. plates. 29cm. (Collection des dix)
No. 172 of 300 copies.
I. Desvallières, Georges Olivier, 1861-1950, illus. II. Title.
NM 0915112 NNC

848 M989ro 1912
Musset, Alfred de, 1810-1857.
Rolla; frontispice dessiné par O.D.V. Guillonnet, gravé a l'eau-forte par E. Pennequin; ornements décoratifs de Léon Lebèque. Paris, Ferroud, 1912.
39p. front. O.
Poem.
Added engr. t.-p.
NM 0915113 IaU

PQ2369 R6G5
Musset, Alfred de, 1810-1857.
Rolla; eine Dichtung in fünf Gesängen. Deutsch von Ludwig Ganghofer. Wien, C. Konegen, 1883.
48 p.
I. Ganghofer, Ludwig Albert, 1855-1920, tr. II. Title.
NM 0915114 CU PU WU

PQ2369 R6S7
Musset, Alfred de, 1810-1857.
Rolla; pequeño poema. Traducción en verso de Angel R.Chaves. Madrid, Dirección de la España Literaria, 1876.
63p. 19cm.
Translation of Rolla.
NM 0915115 IaU NNH

Musset, Alfred de, 1810-1857.
... Rolla. Tr. de Rodolfo Rivarola. Buenos Aires, Imp. libr. y litog. La Patria, 1879. 26 p. 16cm.
1. No subject. I. Rivarola, Rodolfo, 1857- tr. II. Title.
N. Y. P. L. December 29, 1944
NM 0915116 NN

845M97 KN59
Musset, Alfred de, 1810-1857.
... Rolla; Les nuits; La coupe et les lèvres; Portia. Paris, Éditions Nilsson 191-?]
248p.
At head of title: Alfred de Musset.
Illus. lining-papers.
I. Title: Rolla. II. Title: Les nuits. III. Title: La coupe et les lèvres. IV. Title: Portia
NM 0915117 IU

PZ 3 .M976 Ro
Musset, Alfred de, 1810-1857.
Roman contemporain. Philadelphia, G. Barrie [c1900]
373 p. illus. 22cm. (Chefs-d'oeuvre du roman contemporain)
NM 0915118 WU

Hfe ms31t 1
Musset, Alfred de, 1810-1857.
... Le roman par lettres, fragment inédit. Dessin par Alfred de Musset ... [n.p.] Imprimé spécialement,1896.
26p. front.(facsim.) 22½cm. ([His Oeuvres inédites, no.1])
"Tiré à vingt-cinq exemplaires, no 16."
NM 0915119 CtY MH

Musset, Alfred de, 1810-1857.
Romances of Paris, translated from the French by Keene Wallis. Girard, Haldeman-Julius,c1927.
64p.
(Little blue book, no.404.)
DLC: YA 27849
NM 0915120 DLC

Musset, Alfred de, 1810-1857.
Rondeau
see under Debussy, Claude, 1862-1918.

VOLUME 403

Musset, Alfred de, 1810-1857.
Les roses de France [by] Alfred de Musset. Paris, l'Abeille D'Or [n.d.,] 157 [1] p. port. 11½cm. (Collection des poetes)

NM 0915122 PSt

Musset, Alfred de, 1810-1857.
Şamdancı (Le chandelier) Sabahattin Eyuboğlu ve Bedrettin Tuncel tarafından tercüme edilmiştir. [Ankara] Maarif Matbaası, 1942.
103 p. 19 cm. (Dünya edebiyatından tercümeler; Fransız klâsikleri, 6)

I. Title. *Full name:* Louis Charles Alfred de Musset.

PQ2369.C48T8 N E 63-1366 ‡

NM 0915123 DLC

Musset, Alfred de, 1810-1857.
Das Schönpflästerchen. Aus dem Französischen von Ludwig Schneegans.
(In Novellenschatz des Auslandes. Bd. 2, p. 65-127. München [1872])

NM 0915124 MB OU PPG

Musset, Alfred de, 1810-1857.
Un secret
see under Alary, Giulio Eugenio Abramo, 1814-1891.

Musset, Alfred de, 1810-1857.
...Le secret de Javotte. La mouche... Paris: M. Camus & Cie [, 19—?]. 48 p. 8°. (La publication littéraire moderne. Tome 1, v. 2.)
At head of title: La littérature française. Tous les grands écrivains.

1. Fiction, French. 2. Title. 3. Title: La mouche.
N. Y. P. L. November 22, 1927

NM 0915126 NN

Musset, Alfredo de, 1810-1857.
O segredo de Javotte, conto por... trad. de Salvador de Mendonca.
Rio de Janeiro, 1875.
142p.

NM 0915127 DCU-H

Musset, Alfred de, 1810-1857.
A selection from the poetry and comedies of Alfred de Musset; ed. with an introduction and notes by L. Oscar Kuhns ... Boston, Ginn & company, 1895.
xxxvii, 282 p. front. (port.) 19cm. (*On cover:* International modern language series)
Text in French.
Bibliography: p. [xxxv]-xxxvii.

I. Kuhns, Levi Oscar, 1856- ed.
[*Full name:* Louis Charles Alfred de Musset]
12-37032 Revised

Library of Congress PQ2369.A14 1895

OrP OrPR OkU
CU ViU WaTC MtU MH-Ed C OU NjP OO OC1W MiU OC1
NM 0915128 DLC MsU NcD PP PHC PSC PWcS PPD PPLT

Musset, Alfred de, 1810-1857.
A selection from the poetry and comedies of Alfred de Musset; edited, with an introduction and notes, by L. Oscar Kuhns. Boston: Ginn & Co., 1903. xxxvii, 282 p., 1 port. 16°. (International modern language series.)

NM 0915129 NN

Musset, Alfred de, 1810-1857.
A selection from the poetry and comedies of Alfred De Musset. Edited with an introduction and notes by L. Oscar Kuhns. Boston, Ginn & co. 1904.

NM 0915130 MH

Musset, Alfred de, 1810-1857. 4488-M
Selections [from] Alfred de Musset; edited with introduction, notes, exercises, and vocabulary by H. Stanley Schwarz. New York: Prentice-Hall, Inc. [cop. 1931] 277 p. 12°.

1. French language—Texts. 2. Author card in French catalogue.
N. Y. P. L. March 10, 1937

NM 0915131 NN

Musset, Alfred de, 1810-1857.
Selections from the prose & poetical works of Alfred de Musset...with...notes & a biographical sketch of the author, by Gustave Masson. 4th ed. London, Paris, Boston, Lib. Hachette, 1886,
11+2+233p

NM 0915132 MiU

Musset, Alfred de, 1810-1857.
Selections from the prose and poetry of Alfred de Musset. New York, Hurd and Houghton, 1870.
224 p. 18 cm.

Full name: Louis Charles Alfred de Musset.

PQ2369.A24 1870 53-51181 ‡

NM 0915133 DLC CtY NBuC ViU OC1 PPL PP PBm MH RPB

Musset, Alfred de, 1810-1857
Der Sohn des Tizian, Novelle. Aus dem Französischen übersetzt von M. M. Mielsen. Berlin, Weltgeist-bücher [n.d.]
53 p.

NM 0915134 WaU

Musset, Alfred de, 1810-1857.
Un souper chez Mademoiselle Rachel (1839). La servante du roi. Paris: Les Éditions parisiennes, 1906. 64 p. front., illus. 20cm. (Œuvres complètes d'Alfred de Musset. Œuvres posthumes.)

1. Rachel, Élisabeth Félix, called, 1821?-1858—Drama. 2. Poetry, French. 3. Drama, French. I. Title. II. Title: La servante du roi.
N. Y. P. L. December 29, 1942

NM 0915135 NN

Rare Book
Hpsa
1fe
ms21f

Musset, Alfred de, 1810-1857.
Un spectacle dans un fauteuil; par Alfred de Musset. Paris, Librairie d'Eugène Renduel, 1833.
4p.l., [5]-288p. 2l. 22cm
On cover: Alfred de Musset, Un spectacle dans un fauteuil. Publié par Eugène Renduel.
Below imprint: Cabinet de lecture de Mme. Cruzel, à Agen. On vento chez P. Noubel.
Contents.- Au lecteur. - Dédicace (à M. Alfred T***). - La coupe et les lèvres, poème dramatique. - A quoi rêvent les jeunes filles, comédie. - Namouna, conte oriental.

NM 0915136 CtY MH

---

*FC8
M9762
834s

Musset, Alfred de, 1810-1857.
Un spectacle dans un fauteuil, par Alfred de Musset. [Seconde livraison.] Prose ...
Paris, Librairie de la Revue des deux mondes, 6, rue des Beaux-arts. Londres, Bailliere, 219, Regent-street. 1834.
2v. 20.5cm.
On half-titles: Seconde livraison.
Contents: t.1. Lorenzaccio. Les caprices de Marianne. Note de Lorenzaccio: Fragment du livre xv des Chroniques florentines.--t.2. André del Sarto. Fantasio. On ne badine pas avec l'amour. La nuit vénitienne, ou Les noces de Laurette.

NM 0915138 MH

Hfe
ms21l

Musset, Alfred de, 1810-1857.
Un spectacle dans un fauteuil; La coupe et les lèvres; poème dramatique en 5 actes. A quoi rêvent les jeunes filles; comédie en 2 actes. Paris, A. Fayard [19--?]
96p. 17cm. (Les Meilleurs livres)

NM 0915139 CtY

PN6033
.B6
no. 181

Musset, Alfred *i. e.* Louis Charles Alfred de, 1810-1857.
Spielt nicht mit der liebe! Schauspiel in drei aufzügen von Alfred de Musset. Eine venetianische nacht; oder, Laurettas hochzeit. Charakterbild in einem aufzug von Alfred de Musset. Deutsch von Hermann von Löhner. Halle a. d. S., O. Hendel [188-]
75 p. front. (port.) 18cm. (*On cover:* Bibliothek der gesamt-litteratur des in- und auslandes. no. 181)

NM 0915140 ICU

Musset, Alfred de, 1810-1857.
Spowiedź dziecięcia wieku. Przeł. i wstępem opatrzył Boy [pseud.] Warszawa, Instytut Wydawniczy "Biblioteka Polska," 1920.
xxxii, 330 p. 25 cm. (Bibljoteka Boy'a, t. 60)
Bound with Staff, Leopold. Południca. Warszawa, 1920

I. Title. *Full name:* Louis Charles Alfred de Musset.

PG7158.S7P6 52-58182

NM 0915141 DLC

Musset, Alfred de, 1810-1857.
... Still think of me (Rappelle-toi!)
see under Giammona, Antonio.

Musset, Alfred de, 1810-1857.
Story of a white blackbird.
Tales of to-day and other days, from the French ... tr. by E. P. Robins. New York, Cassell publishing company [°1891]

---

*Musset, Alfred de, 1810-1857.
The story of a white blackbird.
.. French fiction: Honoré de Balzac, George Sand, Alfred de Musset, Alphonse Daudet, Guy de Maupassant ... New York, P. F. Collier & son [°1917]

Musset, Alfred de, 1810-1857. 2259.238
The story of a white blackbird.
(*In* Morley, Christopher, translator. Two fables. Pp. 1-55. Plate. Garden City, N. Y. 1925.)

NM 0915145 MB MH PV PJB

VOLUME 403

843 M98txV Musset, Alfred de, 1810-1857.
Tales from Alfred de Mussett. Edited and translated by E. de V. Vermont. New York, Bretano's, 1909 c1888.
311p. 16cm.

Contents.-Margot.-The beauty-spot.-Croisilles.-Valentin's wager.

1. Valcourt-Vermont, Edgar de, ed. and tr.

NM 0915146 NcU WaS

Musset, Alfred de, 1810-1857.
Tales of to-day and other days, from the French
see under title

Musset, Alfred de, 1810-1857.
Textes dramatiques inédits, présentés par Jean Richer. Paris, Nizet, 1953.
xiii, 200 p. front. 19 cm.
Errata slip inserted.
CONTENTS.—Les textes dramatiques des Archives nationales: André del Sarto. Les caprices de Marianne. Bettine. Carmosine.—Variantes inédites: Fantasio. On ne badine pas avec l'amour.

I. Richer, Jean, 1915- ed.
Full name: Louis Charles Alfred de Musset.

PQ2369.A19 1953 A 54-3720
Illinois. Univ. Library for Library of Congress [1]†

CaBVaU
NN CU DLC IEN NcD WaU ViU ICU TNJ FU AU CaQMM KU
NM 0915148 IU GEU MH OU FTaSU PU OCU TxU RPB IaU

Musset, Alfred de, 1810-1857.
Théâtre. Avec un introd. par Jules Lemaître, dessins de Charles Delort, gravés par Boilvin. Paris, Librairie des bibliophiles, 1889-91.

4 v. illus.
Limited ed.: 150 cop., no.72.

NM 0915149 MH MdBP PU MB WaU TU

Musset, Alfred de, 1810-1857.
... Le théâtre d'Alfred de Musset. Comédies et proverbes: La nuit vénitienne. André del Sarto. Les caprices de Marianne. Fantasio. On ne badine pas avec l'amour. Strasbourg, Heitz; New-York, Lemcke & Buechner; [etc., etc., 1906]
225 p. 15cm. (Bibliotheca romanica. 26-28. Bibliothèque française)
"Notice" (p. [5]-30) signed: H. G. [i. e. H. Gillot]
I. Gillot, Hubert, 1875- ed. II. Title: La nuit vénitienne. III. Title: André del Sarto. IV. Title: Les caprices de Marianne. V. Title: Fantasio. VI. Title: On ne badine pas avec l'amour.
[*Full name:* Louis Charles Alfred de Musset]
7-15887 Revised
Library of Congress PQ2369.A19 1906

NM 0915150 DLC OCl OClW ICarbS CU MH

Musset, Alfred de, 1810-1857.

Romilly, Édouard.
... Théâtre ... Paris, E. Figuiere, 1926.

Musset, Alfred de, 1810-1857.
Théâtre. [Paris, Hachette, c1954]
2v. 19cm. (Collection du flambeau)

Forewards, appendices, and notes by Pierre Salomon.

I. Salomon, Pierre.

NM 0915152 MWelC IU CU MtBC MtU

Musset, Alfred de, 1810-1857.
Théâtre choisi, avec une notice de Léon Guichard. [Beyrouth, Les Lettres Françaises, 1943-
v. (Les classiques français. XIXe)

NM 0915153 DLC

PQ 2369 A19 1940 Musset, Alfred de, 1810-1857.
... Théâtre choisi; introduction et notes de m. Henri Guillemin. Genève, Milieu du monde [194-?]
578 p., 1 l. 13½cm. (Half-title: Collection classique du Milieu du monde; textes intégraux publiés sous la direction de m. Henri Guillemin ... 5)

Contents.- Introduction.- Les caprices de Marianne.- Fantasio.- Lorenzaccio.- On ne badine pas avec l'amour.- Le chandelier.- Il ne faut jurer de rien.- Un caprice.- Carmosine.

1. Guillemin, Henri, ed.

NM 0915155 CLU

Musset, Alfred de, 1810-1857.
... Théâtre complet: comédies et proverbes, théâtre complémentaire, théâtre posthume ... Texte établi et annoté par Maurice Allem. [Paris, Éditions de la Nouvelle revue française, 1934]
894 p. 18cm. [Bibliothèque de la Pléiade. 17]
At head of title: A. de Musset.
"Note bibliographique": p. [883]-892.

I. Allem, Maurice, ed.
[*Full name:* Louis Charles Alfred de Musset]
34-32053
Library of Congress PQ2369.A19 1934
[2] 842.76

NM 0915156 DLC PBm NcGU NBC CaBVaU

PQ2369 A19 1947 Musset, Alfred de, 1810-1857.
Théâtre complet: comédies et proverbes, théâtre complémentaire, théâtre posthume. Texte établi et annoté par Maurice Allem. [Paris, Gallimard, 1947]
894 p. [Bibliothèque de la Pléiade. 17]

Bibliography: p. [883]-892.

1. Allem, Maurice, 1872- ed.

NM 0915157 CU CLU

Y 762 .M 979 MUSSET, ALFRED DE, 1810-1857.
Théâtre complet. Texte établi et annoté par Philippe Van Tieghem. Présentation par Jean Sarment. Paris, Les Éditions nationales, c1948.
492p. illus., ports., facsims. 23cm. (Les classiques verts)

NM 0915158 ICN PU KU CSt MWelC RPB WaWW

PQ 2369 .A19 1952 Musset, Alfred de, 1810-1857.
Théâtre complet; comédies et proverbes, théâtre complémentaire, théâtre posthume. Texte établi et annoté par Maurice Allem pseud. Bruges, Imprimerie Sainte Catherine, 1952.
894 p. 18 cm. (Bibliothèque de la Pléiade, 17)

I. Allemand, Maurice, 1872- ed.

OClW NN
NM 0915159 DCU IdPI CaOTP OrU CaBVaU MB PP OU N

PQ 2369 .A19 1953 Musset, Alfred de, 1810-1857.
Théâtre complet. Texte établi et annoté par Philippe Van Tieghem. Présentation par Jean Sarment. Paris, Éditions Magnard [1953]
500 p. illus., ports. 23 cm. (Les classiques verts)

NM 0915160 MiU DAU

Musset, Alfred de, 1810-1857.
... Three novelettes and Valentine's wager, a comedy, by Alfred de Musset. Translated by E. de V. Vermont. New York, Paris [etc.] Brentano's [c1888]
311 p. incl. front. (port.) 17cm. (Gems from the French [v. 1])
CONTENTS.—A few words about Musset.—Margot.—The beauty-spot.—Croisilles.—Valentin's wager.

I. Valcourt-Vermont, Edgar de, tr. II. Ser.

CtY CFIS
NM 0915161 ViU NBuG NIC OCU MH PPD MiU OCU OClW

Musset, Alfred de, 1810-1857.
...Three novelettes: Margot, The beauty-spot, Croisilles; and a comedy in three acts: Valentine's wager; translated into English and preceded by a few words about Musset by E. de V. Vermont... New York: Brentanos, 1889. 311 p. incl. front. (port.) 16°. (Brentano's romantic library.)

298886A. 1. Fiction, French. 2. Drama, French—Translations into English. 3. Valcourt-Vermont, Edgar de, translator. 4. Title: Margot. 5. Title: The beauty-spot. 6. Title: Croisilles. 7. Title: Valentine's wager.
N. Y. P. L. June 22, 1927

NM 0915162 NN RPB NBuG

Musset, Alfred de, 1810-1857.
Three plays, by Alfred de Musset: Fantasio — On ne badine pas avec l'amour — Carmosine. Edited by Claudine I. Wilson... London: T. Nelson and Sons, Ltd.[, 1929.] xviii, 19-250 p. front. (port.) 16°. ("Modern studies" ser. no. 49.)

457540A. 1. Drama, French. 2. Title: Fantasio. 3. Title: On ne badine pas avec l'amour. 4. Title: Carmosine.
N. Y. P. L. February 21, 1930

NM 0915163 NN FTaSU MH CaBVa

PQ 2369 .A19 1929 Musset, Alfred de, 1810-1857
Three plays. Edited by Claudine I. Wilson. London, New York, T. Nelson c1951.
250 p. illus. 17 cm.
"First issued in this series June 1929. Reprinted ... 1951."
Contents.- Fantasio.- On ne badine pas, avec l'amour.- Carmosine.

I. Wilson, Claudine Isabel, ed. II. Title: Fantasio. III. Title: On ne badine pas avec l'amour. IV. Title: Carmosine.

NM 0915164 WU

Musset, Alfred de, 1810-1857.
Tizianello; bozzetto di Erik Lumbroso
see under Mancinelli, Luigi, 1848-1921.

Musset, Alfred de, 1810-1857.
... Tizianello; eine novelle in das deutsche übertragen von Victor Schuler, mit 6 radierungen von F. Heubner. München, Rösl, 1920.
55 p. plates. 30.5 cm.
No. 3 of an edition of, 40 copies on special paper; plates signed by the artist.
I. Schuler, Victor, tr.
Orig. title: Le fils du Titien.

NM 0915166 NjP

VOLUME 403

*Musset, Alfred de, 1810-1857.

Gomes, Pedro Antonio, *ed. and tr.*
Tres poemas: I. Rôlla, por A. de Musset. II. Atta-Troll, por H. Heine. III. O intermezzo, por H. Heine. Traducção de P. A. Gomes Junior. Rio de Janeiro, B. L. Garnier, 1875.

Musset, Alfred de, 1810-1857. FOR OTHER EDITIONS SEE MAIN ENTRY
Both-Hendriksen, Louise, *ed.*
... La triade française: De Musset, Lamartine, Victor Hugo; petit recueil de poésies, par Louise Both-Hendriksen. A l'usage des classes supérieures. Boston, D. C. Heath & co., 1898.

Musset, Alfred de, 1810-1857.
... Trois comédies: Fantasio; On ne badine pas avec l'amour; Il faut qu'une porte soit ouverte ou fermée; ed. by Kenneth McKenzie ... Boston, D. C. Heath & co., 1901.
xiv, 144 p. front. (port.) 16½cm. (Heath's modern language series)
I. McKenzie, Kenneth, 1870- ed. II. Title: Fantasio. III. Title: On ne badine pas avec l'amour. IV. Title: Il faut qu'une porte soit ouverte ou fermée.
[Full name: Louis Charles Alfred de Musset]
1-11788
Library of Congress PQ2369.A19M3

PPT WaE FTaSU MoU MH NjP CaBVaU MtU OC1ND OC1W OC1 OrSaW NjP OCU PBm PWcS PV PHC UU
NM 0915169 DLC ICarbS NIC CU ViU OC1Ur ODW MiU OO

Musset, Alfred de, 1810-1857.
... Trois comédies: Fantasio; On ne badine pas avec l'amour; Il faut qu'une porte soit ouverte ou fermée; ed. by Kenneth McKenzie ... Boston, D. C. Heath & co., [1901]
xiv, 144 p. front. (port.) 16½cm. (Heath's modern language series)
"Second edition. In reprinting ... several slight corrections have been made."
I. McKenzie, Kenneth, 1870- ed. II. Title: Fantasio. III. Title: On ne badine pas avec l'amour. IV. Title: Il faut qu'une porte soit ouverte ou fermée.

NM 0915170 OU

Musset, Alfred de, 1810-1857.
Trois comédies: Fantasio, On ne badine pas avec l'amour, Il faut qu'une porte soit ouverte ou fermée. Edited by Kenneth McKenzie. Boston, D.C.Heath & co., 1905.
xiv, 144 p. (Heath's modern language series)

NM 0915171 MH PU

Musset, Alfred de, 1810-1857.
Trois comédies: Fantasio; On ne badine pas avec l'amour; Il faut qu'une porte soit ouverte ou fermée. Edited by Kenneth McKenzie. Boston, D.C.Heath & co., 1908.
"Heath's modern language series."

NM 0915172 MH NjP

Musset, Alfred de, 1810-1857.
...Trois comédies: Fantasio; On ne badine pas avec l'amour; Il faut qu'une porte soit ouverte ou fermée; ed. by Kenneth McKenzie. Boston, N. Y., D. C. Heath and co., 1912.
144 p.

NM 0915173 PSt MH-Ed

Musset, Alfred de, 1810-1857.
Trois comedies, ed. by Kenneth McKenzie with notes and vocabulary. N. Y., Heath, c1923.
183 p.

NM 0915174 PPCCH

Musset, Alfred de, 1810-1857.
... Trois comédies: Fantasio; On ne badine pas avec l'amour; Il faut qu'une porte soit ouverte ou fermée; notes and vocabulary by Kenneth McKenzie ... Boston, New York [etc.] D. C. Heath and company [c1932]
xv, 183 p. front. (port.) 1 illus., plates. 17cm. (Heath's modern language series)
I. McKenzie, Kenneth, 1870- ed. II. Title: Fantasio. III. Title: On ne badine pas avec l'amour. IV. Title: Il faut qu'une porte soit ouverte ou fermée.
[Full name: Louis Charles Alfred de Musset]
32-23111
Library of Congress PQ2369.A19M3 1932
Copyright A 54582 [4] 842.79

OrPS PPSJ
NM 0915175 DLC OU OC1CC OC1 DHEW PPT PV OrCS

PQ 2369 M94 T76
Musset, Alfred de, 1810-1857.
Trois drames: André del Sarto; Lorenzaccio; La coupe et les lèvres. Leipzig, Insel-Verlag [n.d.]
333 p. (Bibliotheca mundi)

I. Title: André del Sarto. II. Title: Lorenzaccio. III. Title: La coupe et les lèvres.

NM 0915176 CaBVaU MNS

Musset, Alfred de, 1810-1857.

Morley, Christopher Darlington, 1890- *ed. and tr.*
Two fables, translated by Christopher Morley. Garden City, N. Y., Doubleday, Page & company. 1925.

Musset, Alfred de, 1810-1857.
... The two mistresses; Emmeline; The son of Titian; Frederic and Bernerette; Pierre and Camille ... Philadelphia, G. Barrie & son [1900]
2 p. l., 5-373 p. front. (port.) 6 pl. 23cm. (Half-title: Roman contemporain. Romancists. [v. 5])
Series title also at head of t.-p.
Engravings in two states.
"Of this edition, printed on Japanese vellum paper, only one thousand complete copies are printed for sale." This copy not numbered.
"This edition of the Nouvelles has been completely translated by Gertrude Fosdick. The etchings are by Fr. Eugene Burney, P.-Louis-Prosper Lucas, Daniel Mordant, after a miniature by Marie Moulin and drawings by Oreste Cortazzio and Francois Flameng."
I. Fosdick, Mrs. Gertrude (Christian) tr. II. Title.
[Full name: Louis Charles Alfred de Musset]
Library of Congress PZ3.M976Tw 3 0-6026 Revised

NM 0915178 DLC NjP PP MoSW MH

Mussett, Alfred de, 1810-1857.
The two mistresses; Emmeline; The son of Titian; Frédéric and Bernerette; Pierre and Camille. Translated by Gertrude Christian Fosdick. London, The Lorraine press, 1926 [c1900]
370p. illus. 21cm. (Romancists)

I. Fosdick, Mrs. Gertrude (Christian), tr.

NM 0915179 ScU

Musset, Alfred de. Ummadık taş baş yarar.

PQ2369 .B4T8 Orien Turk
Musset, Alfred de, 1810-1857.
Bettine. Ummadık taş baş yarar (On ne saurait penser à tout) Yaşar Nabi Nayır tarafından tercüme edilmiştir. Ankara, Maarif Matbaası, 1944.

Musset, Alfred de, 1810-1857
Vallomás; La confession d'un enfant du siècle; fordította Fállay Miklós. Génius kiadás, n.d.
xvi, [342p.] (Nagy írók--nagy írások, v.5)

NM 0915181 OC1

Musset, Alfred de, 1810-1857.
Die verhängnissvolle perrücke ...
see under Cornelius, Auguste, 1826-1890.

Musset, Alfred de, 1810-1857.
Verloren und gewonnen. Comödie in drei Acten nach A. de Musset (il ne faut jurer de rien) ... bearbeitet von L. Lauser. Wien, Die „Steyrermühl", 1877.
74 p. 8°.

NM 0915183 NN

---

*Musset, Alfred de, 1810-1857.
Baudelaire, Charles Pierre, 1821-1867.
... Vers latins, avec trois poèmes en fac-simile suivis de compositions latines de Sainte-Beuve et Alfred de Musset; introduction et notes par Jules Mouquet. Paris, Mercvre de France, 1933.

Musset, Alfred de, 1810-1857.
Die von und zu Croiselles. Übertragen von Th. von Riba. Lübeck, Wessel, [n.d.]
65p. (Aus galanter Zeit)

NM 0915185 ICRL

Musset, Alfred de, 1810-1857.
Voyage on il vous plaira, 1843
see under Johannot, Tony, 1803-1852.

SPECIAL COLLECTIONS B844M97 Y 1852
Musset, Alfred de, 1810-1857.
Voyage où il vous plaira, par Alfred de Musset et P.-J. Stahl (Hetzel); vignettes par Tony Johannot. Paris, Marescq; New York, Roe Lockwood, 1852.
60 p. illus., plates. 30cm. (Les chefs-d'oeuvre de la littérature et de l'illustration)

I. Hetzel, Pierre Jules, 1814-1886, as jt. au. II. Title.

NM 0915187 NNC CtY

Musset, Alfred de, 1810-1857.
Voyage ou il vous plaira. Paris, Marescq, 1855.
60 p.

NM 0915188 PU PP NjP

PQ 2369 .V9 1856
Musset, Alfred de, 1810-1857.
Voyage ou il vous plaira, par Alfred de Musset et P.-J.Stahl (Hetzel); vignettes par Tony Johannot ... Paris, Marescq et cie, 1856.
2 p.l., 60 p. front., illus. (incl. music) plates. 31½cm. [Les chefs-d'oeuvre de la littérature et de l'illustration]
With this is bound Nodier, C. Contes. [185-?]

1. Voyages, Imaginary. I. Hetzel, Pierre Jules, 1814-1886. II. Johannot, Tony, 1803-1852, illus. III. Title.
[Full name: Louis Charles Alfred de Musset]

NM 0915189 MiU

VOLUME 403

4PQ
Fr-
1268
Musset, Alfred de, 1810-1857.
Die weisse Amsel. [Deutsch von Egon A. Krauss. Ulm, Aegis-Verlag, 1948]
93 p. (Aegis-Zweisprachenreihe, Nr. 19)

NM 0915190 DLC-P4

PQ2369
.H513
Musset, Alfred de, 1810-1857
The white blackbird. Translated by Julian Jacobs. London, The Rodale Press, 1955.
55p. illus. 19cm. (Miniature books)

I. Grandville, Jean Ignace Isadore Gerard, called, 1803-1847, illus. II. Title. S

NM 0915191 PSt LU NNC RPB ScU

Musset, Alfred de, 1810-1857.
Wovon die jungen Mädchen träumen. Liebesspiel in zwei Aufzügen, von Alfred de Musset. Verdeutscht von C. Bentlage. Leipzig: P. Reclam jun. [1875.] 53 p. 24°. (Universal-Bibliothek. [Nr.] 682.)

1. Drama (French). 2. Bentlage, C., translator. 3. Title.
N. Y. P. L. October 28, 1915.

NM 0915192 NN PU PPL

Musset, Alfred de, 1810-1857.
Yap da söyleme (Faire sans dire) ve Don Juan'ın bir sabahı (Une matinée de Don Juan) Sabahattin Eyüboğlu tarafından tercüme edilmiştir. Ankara, Maarif Matbaası, 1943.
29 p. 19 cm. (Dünya edebiyatından tercümeler; Fransız klâsikleri, 42)

I. Musset, Alfred de.—1810-1857. Don Juan'ın bir sabahı. II. Title.

PQ2369.F25T8 N E 63-1365 rev

NM 0915193 DLC

Musset, Alfred de, 1810-1857.
Bir zamane çocuğunun itirafları (La confession d'un enfant du siècle) Yaşar Nabi Nayır tarafından tercüme edilmiştir. Ankara, Maarif Matbaası, 1944.
359 p. 18 cm. (Dünya edebiyatından tercümeler; Fransız klâsikleri, 59)

I. Title.

Full name: Louis Charles Alfred de Musset.

PQ2369.C6T8 N E 63-2496 ‡

NM 0915194 DLC NNC

Musset, Alfred de, 1810-1857.
Zpověď dítěte svého věku; přeložil Jaroslav Starý. Praha, R. Škeřík, 1922.
206 p. 20 cm. (Edice Symposion; svazek 3)
English translation of title: Confession of a child of the century. Translated by Jaroslav Stary.

NM 0915195 IEdS

Musset, Alfred de, 1810-1857.
Zwischen Thür und Angel. Dramatische Kleinigkeit, von Alfred de Musset. Deutsch von Sigmund Menkes. Leipzig: P. Reclam jun. [1873.] 36 p. 24°. (Universal-Bibliothek. [Nr.] 417.)

1. Drama (French). 2. Menkes, Sigmund, translator. 3. Title.
N. Y. P. L. October 28, 1915.

NM 0915196 NN

YA
16495
Musset, Charles.
Influence Présumée de la Rotation de la Terre sur la Forme des Troncs d'Arbre; Toulouse, Ch. Douladoure, 1868.

NM 0915197 DLC

Musset, Charles.
Nouvelles recherches anatomiques et physiologiques sur les oscillaires. Toulouse, Typ. de Bonnal & Gibrac, 1862.
28 p. 3 plates. 28 cm.
Thèse - Univ. de Bordeaux.
With author's autograph.
1. Oscillatoria.

NM 0915198 CU

Musset, Charles.
Nouvelles recherches expérimentales sur l'hétérogénie, ou génération spontanée. 44 pp., 1 pl. 4°. Toulouse, Bonnal & Gibrac, 1862.

NM 0915199 DNLM

Musset, Franz Joseph
Dissertatio inauguralis juridica exhibens specimen I. commentationis de jure pignoris legato secundum jus romanum, leges germanicas, et codicem Napoleonis, quam ... defendet ... Franciscus Josephus Musset ... Heidelbergae, typis J. Engelmanni, 1810.
3 p.l., 30 p. 25cm.
Inaug.-diss. - Heidelberg.
Bibliographical footnotes.

NM 0915200 MH-L

---

*Musset, Georges, 1844-1928, ed.

Delayant, Léopold, 1806-1879.
Bibliographie rochelaise. Œuvre posthume de Léopold Delayant ... Publiée par ordre du Conseil municipal. La Rochelle, Typ. A. Siret, 1882.

Musset, Georges, 1844-1928.
[Catalogue des manuscrits de la Bibliotheque de] La Rochelle
see under La Rochelle. Bibliothèque municipale.

MUSSET, Georges, 1844-1928.
La Charente-Inferieure avant l'histoire dans la legende. La Rochelle, l'auteur etc., etc., 1885.
Map.
"Publication de la Societe litteraire de La Rochelle".

NM 0915203 MH

Musset, Georges, 1844-1928.
La cosmographie ...
see under Alfonce, Jean i.e. Jean Fonteneau, known as, 1483?-1557?.

MUSSET, Georges, 1844-1928.
La coutume de Royan au moyen-age. La Rochelle, 1905.

NM 0915205 MH-L

F.029
M989d
Musset, Georges, 1844-1928.
Dominique de Gourgues, 1572, par M. G. Musset. Paris, Imp. nationale, 1915.
8 p. 25cm.
"Extrait du Bulletin philologique et historique [jusqu'a 1715], 1914."
"Références": p.8.

1. Gourgues, Dominique de, 1530?-1593.

NM 0915206 FU

Musset, Georges, 1844-1928
Les églises romanes de Rioux et de Rétaud (Charente-Inférieure). Caen, Imp.Delesques, 1906
19 p. illus., plates
Extrait de Bulletin monumental, année 1906
1. Rétaud, France. Eglise. 2. Rioux, France. Eglise

NM 0915207 MH

Musset, Georges, 1844-1928.
Les faïenceries rochelaises. La Rochelle, 1888.
204 p. illus., 20 col. plates. 31 cm.
Plates accompanied by transparent sheets with explanatory letterpress.

1. Pottery—La Rochelle. I. Title.
Full name: Paul Louis Eutrope Georges Musset.

NK4098.L3M8 61-57163

NM 0915208 DLC NN MH OU MdBWA

4TL
272
Musset, Georges, 1844-1928
Glanes rochelaises, l'aérostation en Aunis et en Poitou. La Rochelle, Impr. E. Martin, 1909.
19 p.

NM 0915209 DLC-P4

Musset, Georges, 1844-1928.
Glossaire des patois et des parlers de l'Aunis et de la Saintonge, par Georges Musset ... avec la collaboration de Marcel Pellisson et Charles Vigen ... La Rochelle, Imprimerie Masson fils & c[ie], 1929-
v. plates. 23[cm].
"Préambule", tome 1, signed: M. P. [i. e. Marcel Pellisson]
"Notice biographique et bibliographique": t. 2, p. [v]-xxiii; t. 3, p. [v]-vii.
1. French language—Dialects—Saintonge. 2. French language—Dialects—Aunis. I. *Pellisson, Marcel, 1849- II. Vigen, Charles Jean Baptiste, 1854-1928. III. Title.
[Full name: Paul Louis Eutrope Georges Musset]
A 31-1459
Title from N. Y. Pub. Libr. Printed by L. C.

CtY
NM 0915210 NN WaU ICN OU IU MH GU LU CU CLU NcD

Musset, Georges, 1844-1928
J.-B. Le Moyne de Bienville. Paris, Impr. nationale, 1902.
7 p. geneal. table
"Extrait du Bulletin de géographie historique et descriptive, no. 2, 1902."

1. LE MOYNE DE BIENVILLE, JEAN BAPTISTE, 1680-1768?

NM 0915211 MiD MiU-C LNHT

Musset, Georges, 1844-1928
La Rochelle et ses ports. Illustrations de E. Couneau. La Rochelle, Siret, 1890
158 p. illus.

NM 0915212 MH

VOLUME 403

Musset, Georges, 1844-1928.
Manuscrits de la Bibliothèque de La Rochelle
see under La Rochelle. Bibliothèque municipale.
[Catalogue des manuscrits de la Bibliothèque de] La Rochelle.

HF1418 M98
Musset, Georges, 1844-1928.
Note sur les ports francs et les zones franches; la nécessité de leur création à La Rochelle-Pallice. La Rochelle, Imp. Masson, 1905.
16 p. 23cm.

1. Free ports and zones. 2.Free ports and zones - La Pallice

NM 0915214 CSt

Musset, Georges, 1844-1928.
Les ports francs; etude historique. Par. Leroux, 1904. 121 p.

NM 0915215 PU

971.801 M989r
Musset, Georges, 1844-1928.
Les Rochelais à Terre-Neuve, 1500-1550. Paris, E. Leroux, 1893.
32 p. 26cm.

Cover title.
"Estrait du Bulletin de géographie, 1892."
Owner's name in ms. on lining paper: Henry Harrisse.

1. Newfoundland - Hist. 2. French in Newfoundland. I. Title.

NM 0915216 FU MiU-C

Musset, G[eorges] i. e. Paul Louis Georges, 1844-1928.
... Les Rochelais à Terre-Neuve, 1500-1789. La Rochelle, Chez l'auteur, 1899.
2 p. l., 135 p. 18½cm.

Subject entries: 1. Newfoundland—Hist. 2. French in Newfoundland. 3. Fisheries—Newfoundland.

Library of Congress, no F1123.M98.

NM 0915217 DLC

MUSSET, Georges, 1844-1928.
Traite des usages locaux ayant force de loi dans le departement de la Charente-Inferieure. Rochelle, A.Foucher, 1893.

NM 0915218 MH

Musset, Georges, 1844-1928.
Le 'voyage' en Louisiane
see under Franquet de Chaville.

Musset (H.-J.-M.-Hyacinthe). *Sur la nostalgie. 41 pp. 4°. Paris, 1830, No. 292, v. 237.

NM 0915220 DNLM PPC

WL M989t 1840
MUSSET, H J M Hyacinthe
Traité des maladies nerveuses ou névroses, et en particulier de la paralysie et de ses variétés, de l'hémiplégie ... Paris, Appert, 1840.
416 p.
Bound with Bordes-Pagès, J. A. Rapport sur l'histoire et les propriétés thérapeutiques. Toulouse, 1850.

NM 0915221 DNLM NNC-M

MUSSET, H. J. H. Hyacinthe.
Traité des maladies nerveuses ou nevroses et en particulier de la paralysie et de ses variétés, de l'hémiplégie, de la paraplégie, de la chorée ou danse de Saint-Guy de l'epilepsie, d'hystérie des nevralgies internes et externes, de la gastralgie, etc. Paris, Bailliere, 1844.
416 p.

NM 0915222 PU PPC

KH30 M976h
Musset, Henri
Histoire du Christianisme, spécialement en Orient. Harissa-Liban, Imp. Saint Paul, 1948-49.
3 v. col. maps (fold.) 23 cm.

Vol. 2 has imprint: Jérusalem, Impr. des pp. franciscains.
Includes bibliographies.
Contents.- 1. Des origines-1453.- 2. 1453-1789.- 3. 1789- 1947.

NM 0915223 CtY-D DDO MBtS InStme NjPT

MUSSET, J.A.
Über die konstitution des kondensations-produktes aus orcin and acetessigester. Inaug. diss., Tübingen, 1902.

NM 0915224 MtBC

W 4 M79 v.4 no.27
MUSSET, Jacques René
Dissertatio therapeutica de missione sanguinis in pleuritide vera ... Monspelii, Apud Joannem-Franciscum Picot, 1778.
15 p. 24 cm.
Diss. - Montpellier.

NM 0915225 DNLM

Musset, Joseph Mathurin, 1754-1828.
Compte rendu des dépenses qu'il a faites pendant sa mission dans les départemens. [Paris, Impr. nat., an 3, i.e. 1795]
4 p. 22 cm.

NM 0915226 NIC

Musset, Joseph Mathurin, 1754-1828.
Compte rendu par J. M. Musset envoyé dans les départemens. [Paris, Impr. nat., an 3, i.e. 1795]
2 p. 22 cm.
An account of his expenses.

NM 0915227 NIC

Musset, Juan J. de.
Poesias del iltmo. Sr. D. Juan J. de Musset. Habana, Imp. Del "Avisador Commercial" Amargura 30 Esquina á Cuba, 1891.
Author's autograph copy.

NM 0915228 NNH

Case J 22 .608
MUSSET, LOUIS.
Discours sur les remonstrances et reformations de chacun estat, & declaration de l'obeïsance du peuple aux roys & princes: & de l'amour & dilection, charge & deuoir desdicts seigneurs enuers le peuple, par toutes les nations chrestiennes. Paris, N. Chesneau, 1582.
[12], 171, [1] l. 17cm.

Title vignette (printer's device) Initials, head-pieces.
Bound by Petit.

NM 0915229 ICN

FILM 9114(1)
Musset, Louis.
Discovrs svr les remonstrances et reformations de chacun estat, & declaration de l'obeïssance du peuple aux roys & princes: & de l'amour & dilection, charge & deuoir desdicts seigneurs enuers le peuple, par toutes les nations chrestiennes. Par M. Louys Mvsset ... Paris, Nicolas Chesneav, 1582.
[12], 171, [1] l.
Microfilm (negative) Paris, Bibliothèque nationale, Service photographique, 1967. 1 reel.

1. State, The. 2. Monarchy.

NM 0915230 MiU

Musset, Louis Charles Alfred de
see
Musset, Alfred de, 1810-1857.

Musset, Lucien
Les destins de la propriète monastique durant les invasions normandes (IX-XI's) l'exemple de Jumièges.

(In Congrès scientifique du XIII contenaire de Jumièges, Rouen, 1954. vol. 1, pp. 49-55).

NM 0915232 PLatS

Musset, Lucien.
Les peuples scandinaves au Moyen Age. [1. éd.] Paris, Presses universitaires de France, 1951.
viii, 342 p. maps (part fold.) 23 cm.
Bibliography: p. [323]-329.

1. Scandinavia—Hist. 2. Scandinavia—Civilization. 3. Civilization, Medieval. I. Title.

DL46.M85 52—35975

LU GU WaU CaBVaU OrU IdU OKentU PSt NN OU OCU NcD OrU ScU NcGU CLSU NjNbS
NM 0915233 DLC TxU OO ICN CtY MH TU ICU MnU UU

MUSSET, LUCIEN.
Les plus anciennes chartes du prieuré de Saint-Gabriel (Calvados). Une nouvelle charte de Robert le Magnifique pour Fécamp. (IN: Société des antiquaires de Normandie. Bulletin. Caen. 23cm. t. 52 (1952/54) p. [117]-153)

"Actes inédits du XIe siecle, I-II"
Bibliographical footnotes.
1. Saint-Gabriel, France (Priory). 2. Robert I, duke of Normandy, d. 1035. 3. Fécamp, France--Hist.--Sources.

NM 0915234 NN

MUSSET, LUCIEN.
Le site mérovingien de Saint-Martin à Mondeville (Calvados); fouilles du capitaine G. Caillaud (1913-1917). (IN: Société des antiquaires de Normandie. Caen. Bulletin. Caen. 22cm. t. 57 (1963-64) p. [146]-188. illus.)

Bibliographical footnotes.

1. Mondeville, France--Archaeology.

NM 0915235 NN

VOLUME 403

Musset, M. G.
see Musset, Georges, 1844-1928.

Musset, Marie Rose.
... La responsabilité sportive et le règlement de jeu; étude critique de jurisprudence ... par Marie-Rose Musset. Lyon, Imprimerie des beaux-arts, C. Annequin, 1938.
254 p., 1 l. 24½cm.
Thèse—Univ. de Lyon.
"Bibliographie": p. [245]-248.

1. Sports—France. 2. Legal responsibility—France. I. Title.
42-30047

NM 0915237 DLC CtY

Musset, Paul Edme de, 1804–1880.
Œuvres de Paul de Musset. Originaux du xviiᵉ siècle ... Paris, A. Lemerre, 1880–82.
2 v. front. (port.) 16½cm.
CONTENTS.—[1. t.] Le cheval de Créqui. Mademoiselle Paulet. Le marquis de Mariamé et la reine Christine. Un homme amiable en 1615. Le poète Gombauld. Les précieuses. Le maréchal de Gassion.—[2. t.] Un favori de Monsieur. Chamillart. Le duc de Coïlin. Un mauvais sujet en 1645. Michel Lambert. L'avocat Patru.

I. Title: Originaux du xviiᵉ siècle.
F-1817
Library of Congress PQ2374.M2O4 1880

NM 0915238 DLC INS MH IU CtY PV LU

Musset, Paul Edme de, 1804–1880.
Anne Boleyn ... Paris, Calmann Lévy, 1885.
2 v. 12°. (Bibliothèque contemporaine)
Cover dated: 1886.
1-F-1818

NM 0915239 DLC PPL MB

845M976 Musset, Paul Edme de, 1804-1880.
Ob1850 La bavolette. Bruxelles, 1850.
133p.

NM 0915240 IU

PQ 2374 M976B3
Musset, Paul Edme de, 1804-1880.
La Bavolette, par Paul de Musset. Paris, Lévy, 1856.
306 p.

Contents.- La Bavolette.- Fleuranges.- Deux mois de séparation.

I. Title. II. Title: Fleuranges. III. Title: Deux mois de séparation.

NM 0915241 CLU

Musset, Paul Edme de, 1804–1880.
La Bavolette, par Paul de Musset. Nouv. éd. Paris, Michel Lévy frères, 1863.
2 p. l., 306 p., 1 l. 19cm.
CONTENTS.—La Bavolette.—Fleuranges.—Deux mois de séparation.

I. Title.
1-F-1816
Library of Congress PQ2374.M2B4 1863

NM 0915242 DLC CU

PQ 2370 M98
Musset, Paul Edme de, 1804-1880.
Biographie de Alfred de Musset; sa vie et ses oeuvres... avec fragments inédits en prose et en vers et lettres inédites. Le portrait de Paul de Musset gravé par M. Dubouchet et une gravure d'après un dessin de M. Émile Bayard. Paris, Charpentier, 1877.
372 p. illus. 24cm.

1. Musset, Alfred de, 1810-1857.

NM 0915243 NIC OU MH MiU NjP OClW

Musset, Paul Edme de, 1804–1880.
Biographie de Alfred de Musset; sa vie et ses œuvres, par Paul de Musset. 2. éd. Paris, G. Charpentier, 1877.
2 p. l., 372 p. 18½cm.

1. *Musset, Alfred de, 1810–1857. I. Title.
12–28989
Library of Congress PQ2370.M7 1877

NM 0915244 DLC OrPR OKentU PPD PU PPL ViU NN

Musset, Paul Edme de, 1804-1880.
Biographie de Alfred de Musset; sa vie et ses auvres. 3 ed. Paris, Charpentier, 1877.
372 p.

NM 0915245 PHC

Musset, Paul Edme de, 1804-1880
Biographie de Alfred de Musset; sa vie ses oeuvres. Paris: G. Carpentier, 1877. 372 p. 4. ed. 16°.

1. Musset, Louis Charles Alfred de.
N. Y. P. L. September 20, 1932

NM 0915246 NN PV

MUSSET, Paul Edme de, 1804-1880.
Biographie de Alfred de Musset, sa vie et ses oeuvres. 5e ed., Paris, G. Charpentier, 1877.

NM 0915247 MH NcU

844M97 BM1
Musset, Paul Edme de, 1804-1880.
Biographie de Alfred de Musset. Paris, Lemerre, 1877.
190 p. port.

NM 0915248 NNC

Musset, Paul Edme de, 1804–1880.
Biographie de Alfred de Musset, par Paul de Musset. Paris, A. Lemerre, 1877.
2 p. l., 361, [2] p. 16cm. [Petite bibliothèque littéraire]
Original covers, with series title? wanting.
Uniform with the Œuvres de Alfred de Musset, Paris, A. Lemerre, 1876, 10 vols., and sometimes regarded as vol. XI of that collection.

1. *Musset, Alfred, 1810–1857.
18–5972
Library of Congress PQ2370.M7 1877

NM 0915249 DLC OrSaW TU IU NcD CtY NjP PU NBC ViU

PQ2370 M7 1881
Musset, Paul Edme de, 1804-1880
Biographie de Alfred de Musset; sa vie et ses oeuvres, par Paul de Musset. Avec fragments inédits en prose et en vers, et lettres inédites. Le portrait de Paul de Musset gravé par M. Dubouchet et une gravure d'après un dessin de Émile Bayard. Paris, Charpentier, 1881.
372 p. port. 24 cm.

1. Musset, Alfred de, 1810-1857.

NM 0915250 MeB MH CtY

Hfe ms46c
Musset, Paul Edme de, 1804-1880.
Biographie de Alfred de Musset. Avec une eau-forte de M.Manesse d'apres un dessin de E.Blanchon. Paris,G.Charpentier,1884.
365p. front. 20cm.

NM 0915251 CtY MsSM

PQ 2370 .M7 1884
Musset, Paul Edme de, 1804-1880
Biographie de Alfred de Musset; sa vie et ses oeuvres, par Paul de Musset. Avec fragments inédites en prose et en vers et lettres inédites. Le port. de Paul de Musset gravé par M. Dubouchet et une gravure d'après un dessin de M. Émile Bayard. Paris, Charpentier, 1884.
372 p.

1. Musset, Alfred de, 1810-1857. I. Title.

NM 0915252 INS PBm MU

---

848 M976Zm
Musset, Paul Edme de, 1804-1880.
Biographie de Alfred de Musset; sa vie et ses oeuvres, par Paul de Musset; avec fragments inédits en prose en vers et lettres inédit... Paris, [G.] Charpentier, 1888.
2p. l., 372p.[1] l., front. (port.), 1 plate. 22½cm.

1. Musset, Alfred de, 1810-1857.

NM 0915253 LU

PQ 2370 M7 1888
Musset, Paul Edme de, 1804-1880.
Biographie de Alfred de Musset; sa vie et ses oeuvres, par Paul De Musset. Avec fragments inédits en prose et en vers et lettres inédites. Le portrait de Paul De Musset gravé par M. Dubouchet et une gravure d'après un dessin de M. Émile Bayard. Paris, L. Hébert, 1888.
372 p. illus., port. 24 cm.

1. Musset, Alfred, de, 1810-1857.

NM 0915254 CU-S

Musset, Paul Edme de, 1804-1880.
Biographie de Alfred de Musset; sa vie et ses oeuvres. 7.éd. Paris, Charpentier [1890]

NM 0915255 MH OU

Musset, Paul Edme de, 1804-1880.
Biographie (de Alfred de Musset;) sa vie et ses oeuvres, par Paul de Musset. Nouv. éd. Paris, G. Charpentier [1909]
372 p. [Oeuvres complètes d'Alfred de Musset ... t. 11]

NM 0915256 OCU

VOLUME 403

Musset, Paul Edme de, 1804–1880.
The biography of Alfred de Musset. Tr. from the French of Paul de Musset, by Harriet W. Preston ... Boston, Roberts brothers, 1877.
vi, 318 p. 18½cm.

1. *Musset, Alfred, 1810-1857. I. Preston, Harriet Waters, 1843– tr. II. Title.

12—28990

Library of Congress PQ2370.M72

NM 0915257 DLC WaS Wa MoU CU WaU NIC NjP MiU PP MdBP

[Musset, Paul Edme de] 1804–1880.
Les Biscéliais. [New York: C. Lassalle, 1853] p. [179]–205. 24cm. [Semaine littéraire du Courrier des États-Unis]

Caption-title.
Signed: Paul de Musset.

177701B. 1. Fiction, French. I. Semaine littéraire du Courrier des États-Unis. II. Title.
N. Y. P. L. December 21, 1942

NM 0915258 NN

Musset, Paul Edme de, 1804-1880.
Le bracelet. Bruxelles, 1840.
12°.

NM 0915259 CtY

Musset, Paul Edme de, 1804–1880.
Le bracelet, par Paul de Musset. Paris, Calmann Lévy, 1883.
2 p. l., 308 p. 19cm.

I. Title.

1-F-1447

Library of Congress PQ2374.M2B6 1883

NM 0915260 DLC CU

Musset, Paul Edme de, 1804–1880.
...La chèvre jaune. Par Paul de Musset. Bruxelles: Meline, Cans et Cie., 1848. 247 p. 16°.

At head of title: Souvenirs de Sicile.
Bound with his: L'esprit mal fait, suivi de Un mot pour rire. Bruxelles, 1841. 16°.

1. Fiction, French. 2. Title.
N. Y. P. L. April 25, 1925

NM 0915261 NN

Musset, Paul Edme de, 1804–1880.
...La chèvre jaune, souvenirs de Sicile. Par M. Paul de Musset. (Courrier des États-Unis. Semaine littéraire. New York, 1848. 4°. [Série] L, no. 1. p. 1–44.)

34984A. 1. Fiction (French). 2. Semaine littéraire du Courrier des États-Unis. 3. Title.
N. Y. P. L. April 27, 1922.

NM 0915262 MH PPCCH

Musset, Paul Edme de, 1804–1880.
La chèvre jaune; histoire sicilienne suivie du Cavalier servant et du Procès de Pascal Zioba, par Paul de Musset. Paris, Calmann Lévy, 1883.
2 p. l., vi, 283 p., 1 l. 19cm.

I. Title. II. Title: Le cavalier servant. III. Title: Procès de Pascal Zioba.

1-F-1439

Library of Congress PQ2374.M2C4 1883

NM 0915263 DLC CU

Musset, Paul Edme de, 1804-1880.
Christine, roi de Suède; comédie en trois actes, en prose. Paris, 1857.
63 p. 12°. [In Bibl. dram., t. 145]

NM 0915264 CtY

Musset, Paul Edme de, 1804-1880.

Musset, Alfred de, 1810–1857.
The complete writings of Alfred de Musset ... Rev. ed. New York, Edwin C. Hill company, 1907–

DG426 M8 1845
Musset, Paul Edme de, 1804-1880.
Course en voiturin (Italie et Sicile) Paris, V. Magen, 1845.
2 v.

1. Italy - Descr. & trav. - 1801-1860. 2. Sicily (Island) - Descr. & trav. I. Title.

NM 0915266 CU CtY

[MUSSET, Paul Edme de, 1804-1880.
Le déjeuner de Molière. [Avec Louis XIV. Paris, 1865]

pp.(26).
Cut from "Les plumes d'or, romans et nouvelles", 1865, 265-290.

NM 0915267 MH

---

*AC85 H8395 Zz876m
Musset, Paul Edme de, 1804-1880.
Les dents d'un turco, par Paul de Musset. Suivi de Le dernier des Valérius, par Henri James.
Paris, 1876. Naumbourg a/S., chez G. Paetz, libraire-éditeur.
1p.l., [5]-147, [1]p. 14.5cm.
Both stories are reprinted from the Revue des deux mondes.
From the library of William Dean Howells.

NM 0915268 MH

PQ 2374 .M2 D4
Musset, Paul Edme de, 1804-1880.
Le dernier abbé; illustré de dix-neuf compositions par Ad. Lalauze. Préface par Anatole France. Paris, A. Ferroud, 1891.
xvi, 64 p, 1 l. front., illus., plates. 25 cm.
"Imprimé par Georges Chamerot."
"Nos 1 à 210. Exemplaires sur papier du Japon ou grand vélin d'Arches ... No 86."
"Parut dans la Revue des Deux Mondes du 1er novembre 1840."--Préf.
Bound by Gruel.
I. France, Anatole, 1844-1924. II. Title.

NM 0915269 MiU

Musset, Paul Edme de, 1804-1880.
Le dernier duc de Guise. Bruxelles, Hauman et ce., 1839.

240 p. 16 cm.

NM 0915270 MH

Musset, Paul Edme de, 1804-1880.
Le dernier Duc de Guise. Bruxelles, Société belge de librairie, 1839.

240 p. 16 cm.

NM 0915271 MH

Musset, Paul Edme, de, 1804-1880.
Deux mois de séparation. Le dernier abbé. Le teneur de livres. Par P. de Musset. Bruxelles, Meline, Cans et compagnie, 1841.
[4], 219, [2] p. 16 cm.
I. Title. II. Title: Le dernier abbé. III. Title: Le teneur de livres.

NM 0915272 NNC

Musset, Paul Edme de, 1804–1880.
En voiturin; voyage en Italie et en Sicile, par Paul de Musset. Paris, Calmann Léyy [!] 1890.
2 p. l., 314 p. 19cm.

1. Italy—Descr. & trav. 2. Sicily—Descr. & trav. I. Title.

F-1441

Library of Congress DG427.M96

NM 0915273 DLC

Musset, Paul Edme de, 1804-1880.
L'enfant du siècle, Alfred de Musset
see under Henriot, Émile, 1889-

Musset, Paul Edme de, 1804-1880.
L'enlèvement, comédie en deux actes, melée de couplets; par M. Paul, représentée, pour la première fois...le 4 aout 1832. Paris, Barba, 1832.
38 p.

NM 0915275 PU

Musset, Paul Edme de, 1804–1880.
Extravagants et originaux du XVIIe siècle, par M. Paul de Musset... Paris: Charpentier, 1865. 400 p. 18cm.

Contents.—Madame de La Guette.—Le chevalier Plénoches.—Mademoiselle de Gournay.—M. de Guise, le dernier.—Benserade.—Boutteville et Deschapelles.

820566A. 1. La Guette, Catherine (Meurdrac) de, 1613–1680? 2. Plénoches, chevalier, fl. 1640. 3. Gournay, Marie de Jars de, 1566?–1645. 4. Guise, Henri II de Lorraine, duc de, 1614–1664. 5. Benserade, Isaac de, 1613–1691. 6. Bouteville, François Montmorency, comte de Luxe, seigneur de, 1600–1627. 7. Des Chappelles, François de Rosmadec, comte, d. 1627.
N. Y. P. L. May 24, 1937

NM 0915276 NN NIC NNU-W WU

Musset, Paul Edme de, 1804–1880. 396.092 M975
Femmes de la régence; galerie de portraits, par Paul de Musset.
162610 Troisième édition, revue et corrigée. Paris, Charpentier, 1848.
[4], 403 p. 18cm.
Contents.—Madame de Verrue.—La duchesse de Berry.—Mademoiselle Quinault.—Madlle de Lespinasse.—Madame de Tencin.

NM 0915277 ICJ NNC

Musset, Paul Edme de. 1804–80.
Femmes de la Régence: galerie de portraits. 4 éd., revue et corrigée. Paris, 1858. 12°.
4777

Contents.
Berry, M. C. F. L. de B., *Duchesse* de.
Lespinasse, *Mlle.* C. F.
Quinault, *Mlle.* J. F.
Tencin, *Mme.* C. A. G. de.
Verrue, J. d'A. de L., *Comtesse* de.

NM 0915278 MdBP

MUSSET, Paul Edme de, 1804-1880.
Lui et elle. 2e ed., Paris, Naumbourg, G. Paetz, 1859.

24°.
(Bibliothèque choisie; collection des meilleurs romans français, 309)

NM 0915279 MH

VOLUME 403

Musset, Paul Edme de, 1804–1880.
Lui et elle, par Paul de Musset. **Paris, Charpentier, 1860.**
4 p. l., 238 p. 17½cm.

I. Title.

Library of Congress PQ2374.M2L7 1860 12—29429

NM 0915280 DLC WaU NcD NcU IU ViU PP

Musset, Paul Edme de, 1804-1880.
Lui et elle ... 7. éd. Paris, 1871.

NM 0915281 NjP

Musset, Paul Edme de, 1804-1880.
Lui et elle. Ed. 8. Par. Carpentier 1873.
238 p.

NM 0915282 PU

MUSSET,Paul Edme de, 1804-1880.
Lui et elle. 9e éd. Paris,Charpentier et Cie, 1875.

18 cm.

NM 0915283 MH INS

MUSSET, Paul [Edme], de,1804-1880.
Lui et elle. 10e ed. Paris, G. Charpentier, 1877.

NM 0915284 MH PU PPL

Musset, Paul Edme de, 1804-1880.
Lui et elle. 11. éd. Paris, G. Charpentier, 1880 .1860.
238p. 19cm.

NM 0915285 OrU

Musset, Paul Edme de, 1804-1880
Lui et elle. 12d éd. Paris, Charpentier, 1880.
238 p. 19 cm.

NM 0915286 WU

Musset, Paul Edme de, 1804-1880.

... Lui et elle. Nouvelle éd. Paris, G. Charpentier, 1883.
4 p.l., 238 p. 19cm.
At head of title: Paul de Musset.

NM 0915287 ViU OCU PBm NjP NBuG MH PSC IaU

848 M977L **Musset, Paul Edme de, 1804-1880.**
Lui et elle. Paris, A. Lemerre, 1885.
210 p. 17 cm. (Oeuvres de Paul de Musset)

NM 0915288 LU OU CtY CU

845M976 OLEt Musset, Paul Edme de, 1804-1880.
He and she. Translated by Ernest Tristan and G. F. Monkshood. London, Greening, 1910.
248p. 18cm.

NM 0915289 IU PU

Musset, Paul Edme de, 1804–1880.
He and she, by Paul de Musset, translated by G. F. Monkshood [pseud.]. New York: Brentano's, 1912. 248 p. 16°.

1. Fiction, French. I. Clarke, William James, translator.

NM 0915290 NN N NjR

Musset, Paul Edme de, 1804–1880.
... Histoires de trois maniaques. **Paris, Charpentier et cie, 1876.**
2 p. l., 293 p., 1 l. 19cm.
CONTENTS.—Les dents d'un Turco.—Histoire d'un diamant.—Don Fa-Tutto.

I. Title.

Library of Congress PQ2374.M2H5 1876 1-F-1443

NM 0915291 DLC CtY OU

Musset, Paul Edme de, 1804–1880.
Jean le Trouveur. **Bruxelles, Meline, Cans et cie; [etc., etc.] 1849.**
3 v. in 1. 14½cm.

I. Title.

Library of Congress PQ2374.M2J4 1849 12-28987

NM 0915292 DLC

Musset, Paul Edme de, 1804-1880.
Juan el Trovador; novela escrita en Frances por Pablo de Musset. Matanzas, Imp. de gobierno por S.M.Y. De Martina, 1850.

NM 0915293 MH

Musset, Paul Edme de, 1804-1880.

The last Abbé. With illus. by Ad. Lalauze. Pref. by Anatole France. [Luxembourg ed.] London, Grolier Society, [n.d.]

161 p. illus. 25 cm. (Beaux arts classics)

"The mouche", p. 79-161.

I. Title. II. Title: The Mouche.

NM 0915294 CaBVaU OrU ICarbS PP

Hfh mu203 **Musset, Paul Edme de, 1804-1880**
The last abbé; with illus. by Ad. Lalauze, preface by Anatole France. [Salon éd.] Paris, Société des beaux arts[189-?]
xvii,161p. col. front., illus., plates. 26cm.
No. 230 of an ed. of 550 copies for England and America.

I. Title (1)
II. Lalauze, Adolphe, 1838-1906, illus.

NM 0915295 CtY CSmH

Musset, Paul Edme de, 1804–1880.
Lauzun. Par M. Paul de Musset ... **Bruxelles, L. Hauman et cie, 1836.**
2 v. 15½cm.

1. Lauzun, Antonin Nompar de Caumont, duc de, 1633-1723—Fiction. I. Title.

Library of Congress PQ2374.M2L4 1836 18-17871

NM 0915296 DLC CtY

Musset, Paul Edme de, 1804–1880.
Lauzun, par Paul de Musset. **4. éd., rev. et cor. Paris, Charpentier et cie, 1873.**
2 p. l., iii, 417 p. 19cm.

I. Title.

Library of Congress PQ2374.M2L4 1873 F-1445

NM 0915297 DLC OU

Musset, Paul Edme de, 1804-1880.
Lettres de Paul de Musset à Madame Jaubert. [1953]
see Henriot, Émile, 1889-
L'enfant du siècle, Alfred de Musset.

Musset, Paul Edme de, 1804-1880.
Mlle Voland [et Diderot].
— [Paris, 186-?] 149-170 pp. 8°.

E3468 — Diderot, Denis. — Voland, Louise Sophie.

NM 0915299 MB

Musset, Paul Edme de, 1804–1880.
Le maître inconnu, par Paul de Musset. **Paris, Calmann Lévy, 1882.**
2 v. 19cm.
On cover: Nouv. éd.

I. Title.

Library of Congress PQ2374.M2M3 1882 1-F-1440

NM 0915300 DLC CU

Musset, Paul Edme de, 1804-1880, tr.

Gozzi, Carlo, *conte,* 1722–1806.
Mémoires de Charles Gozzi ... **écrits par lui-même.** Traduction libre par Paul de Musset. **Paris, Charpentier, 1848.**

Musset, Paul Edme de, 1804-1880.
Mignard et Rigaud. Brux., 1839.
2 tom. 12°.

NM 0915302 CtY

Musset, Paul Edme de, 1804–1880.
Mr. Wind and Madam Rain. By Paul de Musset. Translated, with permission of the author, by Emily Makepeace. With illustrations by Charles Bennett. London, S. Low, son, & co., 1864.
112 p. illus. 19cm.

Gleeson White, p. 123.
Title vignette.
Illustrations: wood engraved frontispiece, by Swain, 3 plates and 24 illustrations in text.

NM 0915303 NN IU

VOLUME 403

Musset, Paul Edme de, 1804–1880.
Mr. Wind and Madam Rain. By Paul De Musset. Translated, with permission of the author, by Emily Makepeace. With illustrations by Charles Bennett. New York, Harper & brothers, 1864.
126 p. incl. front., illus., plates. 17½cm.

I. Makepeace, Emily, tr. II. Title.

Library of Congress 32-6958
——— Copy 2. PQ2374.M2M62 1864 843.89

OClh
NM 0915304 DLC CaBVaU OKentU MB NBuU CU OLak OCl

Musset, Paul Edme de, 1804–1880.
Mr. Wind and Madam Rain, by Paul de Musset; tr. by Emily Makepeace. With illustrations by Charles Bennett. New York and London, G. P. Putnam's sons, 1905.
xiv p., 1 l., 151 p. incl. front., illus., plates. 22cm.

I. Makepeace, Emily, tr. II. Title.

Library of Congress PZ8.M976M 5—32384

NM 0915305 DLC WU MB CoU

Musset, Paul [Edme] de, 1804-1880. 1
Mr. Wind and Madam Rain, translated by Emily Makepeace; with illustrations by Charles Bennett. New York: G. P. Putnam's Sons, 1907. xiv p., 1 l., 151 p. illus., pl. 8°.

NM 0915306 NN

Musset, Paul Edme de, 1804–1880.
Mr. Wind and Madam Rain, by Paul de Musset; tr., with permission of the author, by Emily Makepeace; with illustrations by Charles Bennett. New York and London, Harper & brothers [1908]
126 p. incl. illus., plates. front. 18½cm.

I. Makepeace, Emily, tr. II. Title.

Library of Congress PZ8.M976M 9—35180

NM 0915307 DLC PPL

Musset, Paul Edme de, 1804-1880.
Monsieur le vent et Madame la pluie... Paris, Hetzel, 1846.
115 p. front.,illus. 20 cm.

NM 0915308 NjP

Musset, Paul Edme de, 1804-1880.
Monsieur le Vent et Madame la Pluie, par Paul de Musset. Vignettes par Gérard Séguin. Bruxelles: J. Hetzel et Cie., 1854. iii, 115 p. illus. 12°.

272278A. 1. Juvenile literature—Fiction, French. 2. Title.
N. Y. P. L. May 12, 1927

NM 0915309 NN WU

Musset, Paul Edme de, 1804-1880.
Monsieur le Vent et madame la Pluie; vignettes par Gérard Séguin. Paris, J. Hetzel c1879.
127 p. illus. 20cm. (Petite bibliothèque blanche d'éducation et de récréation)

NM 0915310 NNC

Musset, Paul Edme de, 1804–1880.
Monsieur le Vent et Madame la Pluie, by Paul de Musset; ed., with introduction, notes and vocabulary, by George O. Lory ... direct method exercises, by Jacob Greenberg ... New York, H. Holt and company [1921]
iii p., 1 l., 153 p. illus. 17cm. $0.72

I. Lory, George O., ed. II. Greenberg, Jacob. III. Title.

Library of Congress PQ2374.M2M6 1921 21-12536

NM 0915311 DLC OrSaW OrCS MU OCl

Musset, Paul Edme de, 1804-1880.
The mouche; with illustrations by Ad. Lalauze; preface by Philippe Gille. [London, Grolier society, n.d.]
161 p. illus. O.

NM 0915312 PP

Musset, Paul Edme de, 1804-1880.
Notice sur la vie de Gustave Ricard. Suivie du catalogue des œuvres de Ricard exposées à l'École des beaux-arts, le 1er mai 1873.
= Paris. Gauthier-Villars. 1873. (1), 37 pp. 8°.

E2352 — Ricard, Louis Gustave.

NM 0915313 MB MnU

Musset, Paul Edme de, 1804–1880.
La nouvel Aladin, suivi de La Frascatane, du Biscéliais et de La Saint-Joseph, par Paul de Musset. 2. éd. rev. et cor. Paris, Charpentier, 1853.
2 p. l., 343, [1] p. 19cm.
On cover: 1876.

I. Title. II. Title: Le Bisceliais. III. Title: La Frascatane. IV. Title: La Saint-Joseph.

Library of Congress PQ2374.M2N7 1853 1-F-1438

NM 0915314 DLC NBuU NB OU

PQ2374 M2N7 1870
Musset, Paul Edme de, 1804-1880.
Nouvelles italiennes et siciliennes. 3.éd.,rev.et corr. Paris, Charpentier, 1870.
352 p.

NM 0915315 CU

Musset, Paul Edme de, 1804-1880 FOR OTHER EDITIONS SEE MAIN ENTRY

Musset, Alfred de, 1810-1857.
Œuvres complètes de Alfred de Musset. Édition ornée de 28 gravures d'après les dessins de m. Bida, d'un portrait gravé par m. Flameng d'après l'original de m. Landelle et accompagnée d'une notice sur Alfred de Musset, par son frère ... Paris, Charpentier, 1866.

Musset, Paul Edme de, 1804-1880.
Originaux du XVIIe siècle. 3.éd. rev. et corrigée ... Paris, 1848.
18 cm.
Contents: Les précieuses- Mademoiselle Paulet.-Un homme aimable en 1645.- Le premier favori de Monsieur (Gaston d'Orléans) - Le marquis de Dangeau- Le duc de Collin - Michel Lambert - Chamillart- Le cheval de Créqui Un mauvais sujet en 1645 - Le marquis de Mariamé et la reine Christine - Le maréchal de Gassion- Le poëte Gombauld- L'avocat Patru.

NM 0915317 CtY

DC121.8 A2M85
Musset, Paul Edme de, 1804-1880.
Originaux du XVIIe siècle: galérie de portraits. 5. éd. rev. et corr. Paris, Charpentier, 1866.
394 p. 19cm.

1. France - Hist. - Bourbons, 1589-1789 - Biog. I. Title.

NM 0915318 CoU

Musset, Paul Edme de, 1804-1880
Paris et les Parisiens au XIXe siècle; mœurs, arts et monuments. Texte par MM. Alexandre Dumas, Théophile Gautier, Arsène Houssaye, Paul de Musset, Louis Énault et Du Fayl; illustrations par MM. Eugène Lami, Gavarni et Rouargue. Paris, Morizot, 1856.

Musset, Paul Edme de, 1804–1880.
...Puylaurens, par Paul de Musset. (Courrier des États-Unis. Semaine littéraire. New York, 1848. 4°. [Série] L, no. 1. p. 201–293.)

34984A. 1. Fiction (French). 2. Semaine littéraire du Courrier des États-Unis. 3. Title.
N. Y. P. L. April 27, 1922.

NM 0915320 NN

Musset, Paul Edme de, 1804–1880.
Puylaurens, par Paul de Musset. Nouv. éd. Paris, Calmann Lévy, 1882.
2 p. l., 320 p. 19cm.

I. Title.

Library of Congress PQ2374.M2P8 1-F-1442

NM 0915321 DLC CU

Musset, Paul Edme de, 1804-1880.
La revanche de Lauzun; comédie en quatre actes, en prose. Paris, 1856.
viii, 76 p. 12°. [In Bibl. dram., t. 125]

NM 0915322 CtY

Musset, Paul Edme de, 1804-1880.
Samuel, roman serieux, par M. Paul de Musset ... Paris, E. Renduel, 1833.
xx, [21]-448 p. 18½cm.

NM 0915323 MiU

Musset, Paul Edme de, 1804-1880.
Samuel ... Bruxelles, Delevingne et Callewaert, 1837.
2 v. 15 cm.

NM 0915324 CtY

Musset, Paul Edme de, 1804–1880.
Samuel, par Paul de Musset. Paris, Calmann Lévy 1884.
2 p. l., x, [11]-318 p., 1 l. 19cm.

I. Title.

Library of Congress PQ2374.M2S3 1884 F-1446

NM 0915325 DLC CU

VOLUME 403

Musset, Paul Edme de, 1804-1880
Sinjoro vento kaj Sinjorino pluvo.
Tradukita de Paul Champion. Paris,
Presa Esperantista societo, 1907.
123p.

Esperanto.

NM 0915326 OC1

Musset, Paul Edme de. 1804-1880.
Les souffrances d'un scarabée. Illus.
(In Vie privée et publique des animaux. Pp. 225-246. Paris. 1868.)

NM 0915327 MB

Musset, Paul Edme de, 1804-1880.
Table de nuit, équipées Parisiennes. Par. Levy, 1884.
326 p. (Bibliotheque contemporaine)

NM 0915328 PU WaTC

Musset, Paul Edme de, 1804-1880.
La table de nuit, équipées parisiennes, par Paul de Musset ... Paris, Calmann Lévy, 1890.
2 p. l., xi, [13]-326 p. 19cm.
CONTENTS.—Rodolphe.—Ce que veut une femme, Dieu le veut.—Le précepteur.—Les facéties d'un homme mort.—La main malheureuse.—L'homme perplexe.

I. Title.

F-1444 Revised

Library of Congress PQ2374.M2T3 1890

NM 0915329 DLC CU

MUSSET, Paul Edme de, 1804-1880
Le Vomero. 341-363 pp.
(In Courrier des États-Unis. Semaine littéraire. Vol. 9. N. Y. 1851.)

NM 0915330 MB

Musset, Paul Edme de, 1804-1880.
Voyage En Italie et En Sicile.
Paris. 1851.

NM 0915331 OC1StM

Musset, Paul [Edme] de, 1804-1880.
Voyage pittoresque en Italie, partie septentrionale, par M. Paul de Musset. Illustrations de MM. Rouargue frères. Paris, Belin-Leprieur et Morizot [1854]
viii, 544 p. front., 22 pl. (partly col.) 27cm.

Subject entries: Italy—Descr. & trav.

4-2287

Library of Congress, no. DG426.M98.

NM 0915332 DLC

Musset, Paul Edme de, 1804-1880.
Voyage pittoresque en Italie, partie méridionale, et en Sicile, par M. Paul de Musset. Illustrations de MM. Rouargues frères. Paris: Morizot, 1856. 524 p. front., plates (part col'd). 27cm.

Cover-title: Italie, méridionale, et Sicile.
Title vignette.
The plates are line engravings; some are hand-colored.
Bound in black cloth with designs in gilt and colors on sides and spine, that on front cover, signed: Liebherre; on spine: Liebherre. Lenègre, rel.
With stamp of Biblioteka M. V. Rodzyanko, Us-Toporok.

1459B. 1. Italy—Descr. and trav., 1850-1875. 2. Sicily—Descr. and trav., 1800-1900. I. Title.
N. Y. P. L. November 1, 1940

NM 0915333 NN CU MdBP CtY

MUSSET, Paul Edme de, 1804-1880.
Voyage pittoresque en Italie, partie méridionale, et en Sicile. Nouv. éd.
Paris. Morizot. 1865. (3), 524 pp. 23 pl. 8°.

NM 0915334 MB MH

Musset, Paul Louis Eutrope Georges
see
Musset, Georges, 1844-1928.

Musset (Pitre). *Des kystes de l'ovaire, de leur traitement. 51 pp. 4°. Paris, 1864, No. 9.

NM 0915336 DNLM

MUSSET, Raymond.
De la séparation de fait entre époux.
Montpellier, 1917.

Thèse --- Montpellier.

NM 0915337 MH-L CtY

Musset, René.
... L'élevage du cheval en France. Précédé d'une bibliographie de l'élevage du cheval en France du XVIIe siècle à nos jours, suivi d'études sur l'élevage du cheval dans le Perche, le Boulonnais et la Basse-Normandie. Préface du comte Henry de Robien ... Paris, Librairie agricole de la maison rustique, 1917.
xxiii, [1], 232 p. incl. maps. 24½cm.
Thèse—Sorbonne, Paris.
"Bibliographie": p. 1-50.

1. [France]—Horses. 2. Horses—Bibliography. I. Robien, Henry, comte de.

Agr 20-253

Library, U. S. Dept. of Agriculture 42M97

NM 0915338 DNAL CtY CU OU ICJ MH

PQ 2625 U84 P5

Musset, René.
Pierre Dumet, le réfractaire. Berne,
Wyss, 1918.
257p. 21cm.

NM 0915339 WU

Musset, René, 1881-
... Le Bas-Maine, étude geographique, avec 84 figures et cartes dans le texte, 1 planche de cartes en couleur hors texte, 7 planches de reproductions photographiques hors texte. Paris, A. Colin, 1917.
2 p. l., 496 p. illus., VII pl., fold. map, diagrs. 25cm.
"Liste des cartes, ouvrages et articles utilisés": p. [465]-487.

I. Title.

G S 18-324

Library, U. S. Geological Survey 504(540) M97

NM 0915340 DI-GS LU CtY CU NN MiU

Musset, René, 1881-
... Le blé dans le monde ... Paris, Berger-Levrault, 1923.
x, 199, [1] p. maps (2 fold.) fold. diagr. 22½cm.
At head of title: Les matières premières dans le monde. Production—transport—mise en œuvre.

1. Wheat.

Agr 26-541

Library, U. S. Dept. of Agriculture 59M972

NM 0915341 DNAL NN MiU

Musset, René, 1881-
... La Bretagne, par René Musset ... 12 cartes. Paris, A. Colin, 1937.
216 p. illus. (maps, plans) 17cm. (Collection Armand Colin (Section de géographie) no 205)
"Bibliographie sommaire": p. [203]-208.

1. Brittany—Descr. & trav.

38-6685

Library of Congress DC611.B848M93
Copyright A—Foreign 37317
[3] 914.41

NM 0915342 DLC OkU CtY OC1

DC611 B848M87 1948 Earth Sciences Library

Musset, René, 1881-
La Bretagne. 3. éd., revue, corrigée et mise à jour. Paris, A. Colin, 1948.
211 p. maps, plans. (Collection Armand Colin (Section de géographie) no 205)
Includes bibliography.

1. Brittany (Province) - Descr. & trav.

NM 0915343 CU

Musset, René, 1881- **Fr 1277.19**
L'église de France au XVIIe siècle; le trône et l'autel. Paris, Pages libres, 1904.
pp. 93 +. (Études sur l'histoire politique de l'église catholique, 4.)

France—Church and religious affairs. 17th cent.||Series

NM 0915344 MH CU OU TxU WU NcD PSC WMM

Musset, René, 1912 -
L'hystérotomie abdominale comme méthode d'interruption de la gestation avant la periode de viabilité du foetus. Paris, Librairie le François, 1942.
124

Thèse.

NM 0915345 DNLM CtY MnU

[Musset, Victor Donatien de] 1768-1832.
Anecdotes inédites pour faire suite aux Mémoires de madame d'Épinai, précédées de l'examen de ces mémoires. Paris, Baudouin frères, 1818.
115 p. 22 cm.

1. Épinay, Louise Florence Pétronille Tardieu d'Esclavelles, marquise d', 1726-1783. I. Title.

DC135.E7M8 16-25089 rev

NM 0915346 DLC ICJ NIC

S412 M83

Musset, Victor Donatien de, 1768-1832.
Bibliographie agronomique, ou, Dictionnaire raisonné des ouvrages sur l'économie rurale et domestique, et sur l'art vétérinaire ... par un des collaborateurs du Cours complet d'agriculture-pratique. Paris, D. Colas, 1810.
xxiv, 459 p.

1. Agriculture - Bibl. 2. Agriculture - France. I. Title.

NM 0915347 CU MiEM IaAS CtY MH-BA NN

[Musset, Victor Donatien de] 1768-1832.
Chronique française; par un anglais ... Paris, Pelicier [etc.] 1820.

NM 0915348 PU

VOLUME 403

B45M977 Musset, Victor Donatien de, 1768-
K1826 1832
Contes historiques. Paris, 1826.
398p.

NM 0915349 IU

[Musset, Victor Donatien de] 1768-1832.
Histoire de la vie et des ouvrages de J.-J. Rousseau, composée de documents authentiques, et dont une partie est restée inconnue jusqu'à ce jour; d'une biographie de ses contemporains, considérés dans leurs rapports avec cet homme célèbre; suivie de lettres inédites ... Londres, M. Bossange, 1821.
2 v. 21 cm

NM 0915350 OU

[Musset, Victor Donatien de] *called* **Musset-Pathay**, 1768-1832.
Histoire de la vie et des ouvrages de J.-J. Rousseau, composée de documents authentiques, et dont une partie est restée inconnue jusqu'à ce jour; d'une biographie de ses contemporains, considérés dans leurs rapports avec cet homme célèbre; suivie de lettres inédites ... Paris, Pélicier [etc.] 1821.
2 v. 21cm.

1. Rousseau, Jean Jacques, 1712-1778.

11-34906

Library of Congress PQ2043.M8

PBm ICJ MH MNS
NM 0915351 DLC OrPR CaBVaU NjR TNJ NcD CtY PU

Musset, Victor Donatien de, *called* **Musset-Pathay**, 1768-1832.
Histoire de la vie et des ouvrages de J.-J. Rousseau. Nouv. éd., augm. de lettres inédites à Madame d'Houdetot ... Paris, Chez J. L. J. Brière [etc.] 1822.
2 v. 21½cm.

1. Rousseau, Jean Jacques, 1712-1778.

NM 0915352 ICU KU MH NN OCU

PQ Musset, Victor Donatien de, called Musset-
2043 Pathay, 1768-1832.
M98 Histoire de la vie et des ouvrages de
1827 J.-J. Rousseau. Nouvelle ed. Paris, P. Dupont, 1827.
473 p. 22cm.

MdBP NjP MH NN
NM 0915353 NIC MiU OrPR MH-AH CU TU NSchU NNC PBm

4-DC Musset, Victor Donatien de, called
931 Musset-Pathay, 1768-1832.
Historische Erzählungen aus den Pariser Salons. Deutsch bearb. von Friedrich Gleich. Leipzig, C. Focke, 1827-
v. 2

NM 0915354 DLC-P4

[Musset, Victor Donatien de]
1768-1832.
Notice des principaux écrits relatifs a la personne et aux ouvrages de J.J. Rousseau.
(In Rousseau, Jean Jacques. Oeuvres. 1827.
v. 1, p. [1]-xlvij)

NM 0915355 OU

[Musset, Victor Donatien de] 1768-1832.
Nouveaux mémoires secrets pour servir à l'histoire de notre temps. Paris, Brissot-Thivars, 1829.
457 p. 21 cm.
At head of title: 1828.

1. France—Hist.—Restoration, 1814-1830. I. Title.

DC259.5.N6 15-20097 rev

NM 0915356 DLC NN MiU NcD IaU NjP

FOR OTHER EDITIONS SEE MAIN ENTRY

Musset, Victor Donatien de, called Musset-Pathay, 1768-1832.
Rousseau, Jean Jacques, 1712-1778.
Œuvres complètes de J. J. Rousseau, avec des notes historiques ... Paris, F. Didot frères, fils et c^ie, 1864.

DC Musset, Victor Donatien de, called Musset-Pa-
130 thay, 1768-1832.
R31M97 Recherches historiques sur le cardinal de Retz; suivies des portraits, pensées et maximes extraits de ses ouvrages, par V.-D. Musset-Pathay. Paris, D. Colas, 1807.
xii,347 p.

1. Retz, Jean François Paul de Gondi, Cardinal de, 1613-1679. I. Title.

NM 0915358 CLU MB MdBP MnU

Musset, Victor Donatien de, 1768-1832, *ed.*
Relations des principaux siéges faits ou soutenus en Europe par les armées françaises depuis 1792; rédigées par MM. les officiers-généraux et supérieurs du Corps impérial du génie qui en ont conduit l'attaque ou la défense; précédées d'un Précis historique et chronologique des guerres de la France depuis 1792 jusqu'au traité de Presbourg en 1806, par V. D. Musset-Pathay ... Paris, Magimel, 1806.
vii, [1], 586 p., 1 l. incl. tables. 30½ cm. *and* atlas of xx (*i. e.* 21) fold. plans. 28 cm.
Extends to 1797 only.
"L'impression de ce recueil fut arrêtée par Napoléon, qui les éloges accordés à Moreau avaient choqué."—Nouvelle biographie générale. *cf.* also Larousse.
1. Sieges. 2. France—Hist.—Revolution. History, Military. 3. France—Hist.—Revolution. I. Title.
DC220.M9 4-8851 rev

NM 0915359 DLC MiU NWM NN MnU

Musset, Victor Donatien de, called Musset-Pathay, 1768-1832.
Réponse à la lettre de M. Stanislas de Girardin, sur la mort de J. J. Rousseau; par V. D. Musset-Pathay. Paris, P. Dupont, 1824.
76 p. 22cm.

NM 0915360 NNC WU

Musset, Victor Donatien, 1768-1832.
Suite au Mémorial de Sainte-Hélène ...
see under [Grille, François Joseph] 1782-1853?

Musset, Victor Donatien de,
1768-1832, ed.
Vie militaire et privée de Henry IV, d'après ses lettres inédites au baron de Batz...
see under Henri IV, King of France, 1553-1610.

Musset, Victor Donatien de, 1768-1832

Frotier de la Messelière, *Comte* **Louis Alexandre**, 1710-1777.
Voyage à Pétersbourg, ou Nouveaux mémoires sur la Russie, par M. de La Messelière. Précédé du Tableau historique de cet empire jusqu'en 1802, par V. D. Musset-Pathay. Paris, Chez la Ve Panckoucke [etc.] an XI.—1803.

DQ [Musset, Victor Donatien de] 1768-1832
22
M9 Voyage en Suisse et en Italie, fait avec
1800 l'Armée de réserve. Par V. D. M. auteur de
SPEC COLL. l'Anglais cosmopolite ... A Paris, Chez Moutardier, An IX. - Septembre 1800.
viii,320p. 21 1/2cm.

1. Switzerland - Descr. & trav. 2. Italy - Descr. & trav. I. Title.

NM 0915364 MU

Musset-Pathay, Victor Donatien de Musset, called
See
Musset, Victor Donatien de, 1768-1832

Mussett, Arthur Thomas.
Flavor deterioration associated with the lipid phase of whole milk powder. Ann Arbor, University Microfilms, 1950.
([University Microfilms, Ann Arbor, Mich.] Publication no. 2278)
Microfilm copy of typescript. Positive.
Collation of the original, as determined from the film: 62 l.
Thesis—Pennsylvania State College.
Bibliography: leaves 57-62.

1. Milk, Dried.
Microfilm AC-1 no. 2278 Mic 51-408

NM 0915366 DLC

QD405 Mussett, Johann Alexander
.M9 Ueber die konstitution des kondensationsprodukten aus orcin und acetessigester.
Tuebingen, 1902.
39p.
Inaug. diss. Tuebingen.

NM 0915367 DLC PU

Mussetter, William.
Manual of reconnaissance for triangulation. Washington, U. S. Govt. Print. Off., 1941.
v, 100 p. illus., tables. 23 cm. (U. S. Coast and Geodetic Survey. Special publication, no. 225)
This manual revises somewhat the treatment of the subject of reconnaissance as given in Special publication no. 93, "Reconnaissance and signal building," and Special publication no. 120, "Manual of first order triangulation."

1. Triangulation. I. Title. (Series)

QB311.M8 1941 526.31 41-50366 rev*

NM 0915368 DLC WaWW

"Les MUSSETTISTES."
Centenaire d'Alfred de Musset (1810-1910)
Exposition d'autographes, de portraits et d'éditions d'Alfred de Musset, appartenant à la Bibliothèque nationale. Catalogue des objects exposés. Paris, Société anonyme de publications periodiques. [1910?]

pp.12, Port. 41596.2.5

NM 0915369 MH

Mussey, Mrs. Abigail (Messer), 1811-
Life sketches and experience. Cambridge, 1866.
vi, [7]-227 p. front. (port.) 18 cm.
Contains poetry.

NM 0915370 RPB MH MWA

Mussey, Barrows
see Mussey, June Barrows, 1910-

VOLUME 403

[Mussey, Benjamin B]
A Letter to Rev. Frederick T. Gray: being strictures on two sermons, preached by him on Sunday, November 29, 1841, at the "Bulfinch street church". By a proprietor of said church. Boston, B. B. Mussey, 1842.
62 p. 21½cm.

1. Boston. Bulfinch place church. 2. Gray, Frederick Turell, 1804–1855. I. Title.
6-38943 rev.
Library of Congress BX9861.B7B93 1842 a

NM 0915372 DLC NN NcD MB

Mussey, Benjamin B., Boston, pub.

Facts involved in the Rhode Island controversy, with some views upon the rights of both parties. Boston, B. B. Mussey, 1842.

Mussey, Charles Frederick, 1826–1903.
The mighty fallen. A discourse occasioned by the assassination of President Lincoln, delivered in the Presbyterian church, Batavia, N. Y., Sunday morning, April 23d, 1865. By Charles F. Mussey, pastor ... Batavia, Printed by D. D. Waite, 1865.
14 p. 22cm.

1. Lincoln, Abraham, pres. U. S., 1809–1865—Addresses, sermons, etc. I. Title.
12-21902
Library of Congress E457.8.M988

NM 0915374 DLC

Mussey, Mrs. Ellen (Spencer) 1850-1936, ed.

The American monthly magazine ... v. 1–42; July 1892–June 1913. Washington, D. C., National society, D. A. R. [1892–1910]: New York [1911–13]

Mussey, Ellen (Spencer) 1850-1936, ed.
Souvenir program of the Women's citizens committee
see under Washington, D. C. Women's citizens' committee, 1902.

Mussey, F. D
Enthusiasm. Poem read at the seventy-fifth commencement of Middlebury College, Vt.
(In- The Rutland daily globe, July 21, 1875)

NM 0915377 RPB

Mussey, George L.
Summons and trial [for contempt of the Church & untruthfulness] before the Congregational Church, Rutland, Vt., Oct. 30th, 1863, with bird's eye view of the witnesses used on trial; also his experience in getting a mutual and ex-parte council. Reported by Moses Burbank. Rutland, 1864.
48 p.

NM 0915378 MH-L

Mussey, Henry Raymond, 1875–1940.
The Christian science censor, by Henry Raymond Mussey. New York: The Nation [1930] 46 p. 18½cm.

"A Nation feature, February–March, 1930."

EDMUND LESTER PEARSON COLL. Purchased for J. S. Billings Mem. Coll.
1. Censorship, Literary—U. S. 2. Christian science. I. Nation, New York.
N. Y. P. L. May 3, 1940

NM 0915379 NN WHi

Mussey, Henry Raymond, 1875–1940
Combination in the mining industry: a study of concentration in Lake Superior iron ore production ... New York, 1905.
1 p. l., 5–169 p. fold. map, fold. diagr. 24½cm.
Thesis (PH. D.)—Columbia University.
Bibliographical footnotes.
Vita.

1. Iron mines and mining—Superior, Lake.
G S 5-1045
Library, U. S. Geol. survey

NM 0915380 DI-GS NIC CU NN

Mussey, Henry Raymond, 1875–
... Combination in the mining industry: a study of concentration in lake Superior iron ore production, by Henry Raymond Mussey ... New York, The Columbia university press, the Macmillan company, agents; [etc., etc.] 1905.
167 p. fold. map, fold. diagr. 25cm. (Studies in history, economics and public law, ed. by the Faculty of political science of Columbia university, vol. XXIII, no. 3)

1. Iron mines and mining—Superior, Lake. 2. Trusts, Industrial—U. S. I. Title.
5—21580
Library of Congress H31.C7
——— Copy 2. HD2769.M73M9

OO ICJ MB NjP NcD MU WaS OrU Or CaBVaU ViU
NM 0915381 DLC OrPS CoU GU PU PP PPT MiU OU OCl

Mussey, Henry Raymond, 1875-1940.
Combination in the mining industry: a study of concentration in lake Superior iron ore production. New York, The Columbia university press, the Macmillan company, agents; [etc., etc.] 1905.
167 p. fold. map, fold. diagr. (Studies in history, economics and public law, ed. by the Faculty of political science of Columbia university, vol. XXIII, no. 3)
Microfiche

NM 0915382 PSt

Mussey, Henry Raymond, 1875– *ed.*
... Economic conditions of winning the war; a series of addresses and papers presented at the annual meeting of the Academy of political science in the city of New York, December 14–15, 1917, ed. by Henry Raymond Mussey. New York, The Academy of political science, 1918.
vi (*i. e.* iv), 172 p. 23cm. (Proceedings of the Academy of political science in the city of New York. vol. VII ... no. 4)

labor policy and its implications for the solution of American war problems, by C. N. Hitchcock. Labor adjustment under war conditions, by V. E. Macy. Organized labor and the war, by Hugh Frayne.—Welfare of soldiers and sailors: Provision for the care of the families and dependents of soldiers and sailors, by Julia C. Lathrop. Soldiers' and sailors' compensation, indemnity and insurance, by L. S. Rowe. The Red cross home service, by W. F. Persons. The Commission on training camp activities, by R. B. Fosdick.

1. European war, 1914–1918—Economic aspects—U. S. 2. European war, 1914–1918—Finance—U. S. 3. European war, 1914–1918—U. S. I. Title. II. Title: Winning the war, Economic conditions of.
18—9090
Library of Congress HC106.2.M8
——— Copy 2. H31.A4

NM 0915384 DLC PSt NcD MiU OU OCl OO DL PBm ICJ

Mussey, Henry Raymond, 1875-1940.
The economic position of women
see under Academy of political science, New York.

Mussey, Henry Raymond, 1875–1940.
Economic principles and modern practice, by Henry R. Mussey and Elizabeth Donnan ... Boston, New York [etc.] Ginn and company [1942]
viii, 840 p. incl. tables, diagrs. 24 cm.
"Suggested readings" at end of each part.

1. Economics. I. Donnan, Elizabeth, joint author. II. Title.
42—14330
Library of Congress HB171.5.M99
[50o1] 330.1

MiU WaS CaBVaU MtU OrPR WaE MB
NM 0915386 DLC ViU OCl OClJC MB PLF NcD CU OU

Mussey, Henry Raymond, 1875–1940.
Economic principles and modern practice, by Henry R. Mussey and Elizabeth Donnan ... Boston, New York [etc.] Ginn and company [°1944]
viii, 840, 44 p. incl. tables, diagrs. 22cm.
"America at war": p. 1–42 at end.
"Suggested readings" at end of each part.

1. Economics. I. Donnan, Elizabeth, joint author. II. Title.
45-2099
Library of Congress HB171.5.M99 1944
330.1

NM 0915387 DLC NIC PWcS TU PPT PPD OCU

Mussey, Henry Raymond, 1875–1940.
Economic principles and modern practice, by Henry R. Mussey and Elizabeth Donnan ... 2d ed. Boston, New York [etc.] Ginn and company [1947]
x, 834 p. diagrs. 23½cm.
"Suggested readings": p. 813–825.

1. Economics. I. Donnan, Elizabeth, 1883– joint author.
HB171.5.M99 1947 330.1 47-4092

NM 0915388 DLC WaS WaSpG IdPI MtBuM DNAL CU PJB

Mussey, Henry Raymond, 1875–
Eight-hour theory in the American Federation of Labor, [by] Henry Raymond Mussey. (In: Economic essays, contributed in honor of John Bates Clark. New York, 1927. 8°. p. 229–243.)

Caption-title.

1. Labor—Hours of—U. S.
N. Y. P. L. July 6, 1928

NM 0915389 NN

Mussey, Henry Raymond, 1875–
The "fake" instalment business; being an outline of its development, an account of the revival of imprisonment for debt and of the other outrages practiced by dealers under cover of the law, together with suggestions for the destruction of the "fake" trade, by Henry R. Mussey ... New York, The University settlement society, 1903 [*i. e.* 1936]
45, [1] p. 22½cm.
"Reproduced, 1936, by the Russell Sage foundation by permission of the original publishers."
1. Instalment plan. I. Russell Sage foundation, New York. II. University settlement society of New York. III. Title.
A 38-1169
Columbia univ. Library for Library of Congress [2]

NM 0915390 NNC ICJ MiU MH ICU OCl NN

Mussey, Henry Raymand, 1875-

National conference on the foreign relations of the United States, *Long Beach, N. Y.*, 1917.
... The foreign relations of the United States ... ed. by Henry Raymond Mussey and Stephen Pierce Duggan. New York, The Academy of political science, Columbia university. 1917.

VOLUME 403

Mussey, Henry Raymond, 1875–
... Is commerce war? Reprinted with permission of the Columbia university quarterly, September, 1915. By Henry Raymond Mussey ... New York city, American association for international conciliation ⌊1916⌋
14 p. 19½cm. (International conciliation ⌊pub. by the American association for international conciliation⌋ Special bulletin ... Jan., 1916)

1. Competition, International. I. Title.
17-14376
Library of Congress JX1907.A8 no.98 a

NM 0915392 DLC Or CaBVaU OU PU

Mussey, Henry Raymond, 1875- ed.
Academy of political science, *New York.*
... Labor disputes and public service corporations; a series of addresses and papers presented at the annual meeting of the Academy of political science in the city of New York, November 22–23, 1916; ed. by Henry Raymond Mussey. New York, The Academy of political science, 1917.

Mussey, Henry Raymond, 1875- ed.
National conference on war economy, *New York,* 1918.
... National conference on war economy; a series of addresses and papers presented at the National conference on war economy held under the joint auspices of the Bureau of municipal research and the Academy of political science in the city of New York, July 5–6, 1918, ed. by Henry Raymond Mussey. New York, The Academy of political science, 1918.

Mussey, Henry Raymond, 1875- ed.
Academy of political science, *New York.*
... Reform of the criminal law and procedure. New York, The Academy of political science, 1911.

Mussey, Henry Raymond, 1875- ed.
Academy of political science, *New York.*
... The reform of the currency, ed. by Henry Raymond Mussey. New York, The Academy of political science, 1911.

Mussey, Henry Raymond, 1875-1940.
Unemployment; a practical program. by Henry Raymond Mussey. New York city. League for independent political action. ©1930.
12 p. 20½cm.

1. Unemployed—U. S.
Library of Congress HD5724.M88 30-18134
——— Copy 2.
Copyright A 23940 ⌊2⌋ 331.137973

NM 0915397 DLC OrU WHi PU PPFr MiU OO CU DL

Mussey, Jean, 1644–1712.
La Lorraine ancienne et moderne; ou, L'ancien duché de Mosellane, véritable origine de la maison royale et du duché moderne de Lorraine, avec un abregé de l'histoire de chacun de ses souverains, par Mre. Jean Mussey... ⌊Longwy,⌋ 1712. 379 (1) p., 9 l. geneal. table. 16°.

J. S. BILLINGS MEM. COLL.
182731A. 1. Lorraine—Kings and rulers.
N. Y. P. L. June 12, 1925

NM 0915398 NN CtY MH

⌊**Mussey, June Barrows**⌋ 1910–
The amateur magician's handbook, by Henry Hay ⌊pseud.⌋ Photographs by Audrey Alley. New York, Crowell ⌊1950⌋
331 p. illus. 25 cm.
"Biography and bibliography": p. 311–319.

1. Conjuring. I. Title.
GV1547.M845 793.8 50-8462

NM 0915399 LU TxU OCl PP TU MB DLC CaBVa CaBViP Or WaE WaS WaT WaSp

---

PZ3 .L9115 Be
Mussey, June Barrows, 1910- tr.
Lothar, Ernst, *pseud.*
Beneath another sun. ⌊Translated by Barrows Mussey. 1st ed.⌋ Garden City, N. Y., Doubleday, Doran, 1943.

DD256 .A6 1948
Mussey, June Barrows, 1910- tr.
FOR OTHER EDITIONS SEE MAIN ENTRY
Andreas-Friedrich, Ruth.
Berlin underground, 1939–1945. Tr. by Barrows Mussey, with an introductory note by Joel Sayre. London, Latimer House ⌊1948⌋

Mussey, June Barrows, 1910– *ed.*
... Best American humor of today, edited by J. B. Mussey. ⌊New York⌋ A. & C. Boni ⌊1935⌋
301 p. incl. illus., plates. 21cm. (Bonibooks)
Published 1931 under title: The cream of the jesters.

1. American wit and humor. I. Title.
35-8954 Revised
Library of Congress PN6161.M93 1935
⌊r38c2⌋ 817.50822

NM 0915402 DLC OrU OCl

Mussey, June Barrows, 1910– *ed.*
The best American wit and humor, edited by J. B. Mussey. Cleveland, O., New York, N. Y., The World publishing company ⌊1941⌋
301 p. illus. 21cm.
Published 1931 under title: The cream of the jesters.
"Tower book edition. First printing, July, 1941."

1. American wit and humor. I. Title.
42-14968
Library of Congress PN6161.M93 1941
⌊3⌋ 817.50822

NM 0915403 DLC OClJC OEac WaT ICU CLU NcRS OKentU

PZ3 .M739 Cap
Mussey, June Barrows, 1910- tr.
Molnár, Ferenc, 1878–
... The captain of St. Margaret's, by Ferenc Molnar, translated by Barrows Mussey. New York, Duell, Sloan and Pearce ⌊1945⌋

Mussey, June Barrows, 1910- tr.
Borchardt, Hermann, 1888–
The conspiracy of the carpenters; historical accounting of a ruling class, by Hermann Borchardt, translated by Barrows Mussey; foreword by Franz Werfel ... New York, Simon and Schuster, 1943.

Mussey, June Barrows, 1910– *ed.*
The cream of the jesters, edited by J. B. Mussey. New York, A. & C. Boni, inc. ⌊©1931⌋
301 p. incl. illus., plates (1 double) 24cm.
Published 1935 under title: Best American humor of today.

1. American wit and humor. I. Title.
31-31765 Revised
Library of Congress PN6161.M93
——— Copy 2.
Copyright A 44583 ⌊r38k2⌋ 817.508

NM 0915406 OCl OO DLC Or OrU GU FU OU OrCS PP MiU MB

PN6161 .M93 1931
Mussey, June Barrows, 1910- ed.
The cream of the jesters, edited by J.B. Mussey. New York, Tudor Pub. Co. ⌊1931⌋
301 p. incl. illus., plates (1 double) 24 cm.
Published 1935 under title: Best American humor of today.
1. American wit and humor. I. Title.

NM 0915407 TU NcC LU

Mussey, June Barrows, 1910- ed.
The cream of the jesters, edited by J. B. Mussey. New York, Tudor Pub. Co. ⌊1936⌋
301 p. illus. 24cm.
Published 1935 under title: Best American humor of today.

NM 0915408 ViU CoU NIC OOxM OO MH NcRS MiU

Mussey, June Barrows, 1910- ed.
The cream of the jesters, edited by J. B. Mussey. New York, Tudor publishing company ⌊1939⌋
301 p. incl. illus. plates (1 double) 24cm
Published 1935 under title: Best American humor of today.

NM 0915409 OU

GV1547 .C9
Mussey, June Barrows, 1910- ed.
Cyclopedia of magic based on the writings and performances of Annemann, Blackstone, Cardini, De Biere, De Kolta, Devant, Downs, Erdnase, Farelli, Gibeon, Goldin, Goldston, Herrmann, Hertz, Hilliard, Hoffmann, Houdini, Hugard, Kellar, Leipzig, the Maskelynes, Mulholland, Lang Neil, Okito, Robert-Houdin, Roterberg, Sachs, Thurston, and many others. Henry Hay ⌊pseud.⌋ editor. Special contributions by Henry Blanchard ⌊and others⌋ Illus. with 42 photos. by Audrey Alley, ports., and over 350 line drawings. Philadelphia, D. McKay Co. ⌊1949⌋

Mussey, June Barrows, 1910- tr.
Hauser, Heinrich, 1901–
The folding father, by Heinrich Hauser, translated by Barrows Mussey; pictures by Tibor Gergely. Boston, New York, Lothrop, Lee & Shepard company, ©1942.

Mussey, June Barrows, 1910- joint tr.
Regler, Gustav, 1898–
The great crusade, by Gustav Regler; with a preface by Ernest Hemingway; translated by Whittaker Chambers and Barrows Mussey. New York, Toronto, Longmans, Green and co., 1940.

Mussey, June Barrows, 1910- ed. and tr.
Fischer, Ottokar.
Illustrated magic, by Ottokar Fischer, with an introduction by Fulton Oursler and an unpublished chapter by the late Harry Kellar ... Translated and edited by J. B. Mussey and Fulton Oursler. New York, The Macmillan company, 1931.

VOLUME 403

Mussey, June Barrows, 1910–
Imprint collecting.
(*In* The Colophon. New York, 1930–40. 27 cm. pt. 16 [no. 8] (1934) [8] p.)

1. Book collecting. I. Title.
[Z1007.C71 pt. 16, no. 8] A 53–2148

Grosvenor Library for Library of Congress [2]

NM 0915414 NBuG

Mussey, June Barrows, 1910– tr.

D811 .5 .P842

Pury, Roland de.
... Journal from my cell, translated from the French by Barrows Mussey, with an introduction by Paul Geren. New York and London, Harper & brothers [1946]

Mussey, June Barrows, 1910– tr.

Bojer, Johan, 1872–
The king's men, by Johan Bojer; translated from the Norwegian by Barrows Mussey. New York, London, D. Appleton-Century company, incorporated, 1940.

Mussey, June Barrows, 1910–

Franke, Simon, 1880–
The last of the Zuider Zee; translated from the Dutch of S. Franke; illustrated by Pol Dom. New York, Stackpole sons [°1937]

Mussey, June Barrows, 1910– tr.

Hauser, Heinrich, 1901–
Last port of call, a novel by Heinrich Hauser; translated from the German by Barrows Mussey. New York city, Stackpole sons [°1938]

[**Mussey, June Barrows**] 1910–
Learn magic, by Henry Hay [*pseud.*] Illustrations by Hans Jelinek. Garden City, N. Y., Garden City publishing co., inc. [1947]
viii, 279 p. illus. 21½cm.
"First edition."
Includes bibliographies.

1. Conjuring. I. Title.
GV1547.M847 793.8 47–2127

PU CU
NM 0915419 DLC CaBVa CaBViP Or WaT WaS PSt TxU

[**Mussey, June Barrows**] 1910–
Learn magic, by Henry Hay [pseud.] Illus. by Hans Jelinek. New York, Perma Giants [1949, °1947]
viii, 279 p. illus. 21 cm.
Includes bibliographies.

1. Conjuring. I. Title.
GV1547.M847 1949 793.8 49–48189*

NM 0915420 DLC

Mussey, June Barrows, 1910– tr.

Nietzsche, Friedrich Wilhelm, 1844–1900.
The living thoughts of Nietzsche, presented by Heinrich Mann ... New York, Toronto, Longmans, Green and co., 1939.

Mussey, June Barrows, 1910– joint tr.
FOR OTHER EDITIONS SEE MAIN ENTRY

Spinoza, Benedictus de, 1632–1677.
The living thoughts of Spinoza; presented by Arnold Zweig ... New York, Toronto, Longmans, Green and co., 1939.

Mussey, June Barrows, 1910– tr.

Tolstoĭ, Lev Nikolaevich, *graf*, 1828–1910.
The living thoughts of Tolstoi, presented by Stefan Zweig ... New York, Toronto, Longmans, Green and co., 1939.

Mussey, June Barrows, 1910– tr.

Voltaire, François Marie Arouet de, 1694–1778.
The living thoughts of Voltaire, presented by André Maurois ... New York, Toronto, Longmans, Green and co., 1939.

Mussey, June Barrows, 1910–
Magic, by Barrows Mussey, illustrated with photographs of the author's hands by Margaret Hawthorn. New York, A. S. Barnes and company [1942]
5 p. l., 3–83 p. illus., 22 pl. on 14 l. 21cm. (The Barnes idle hour library)
Bibliography: p. 83.

1. Conjuring.
42–50809
Library of Congress GV1547.M85
[15] 793.8

PP TU OCl OClh
NM 0915425 DLC CaBVa Or OrP WaS CU TxU NcC PSt

Mussey, June Barrows, 1910– tr.

Salminen, Sally, 1906–
Mariana, by Sally Salminen; translated by Barrows Mussey. New York, Toronto, Farrar & Rinehart, inc. [°1940]

Mussey, June Barrows, 1910– tr.

Ludwig, Emil, 1881–
The Mediterranean, saga of a sea, by Emil Ludwig. New York, London, Whittlesey house, McGraw-Hill book company, inc. [1942]

Mussey, June Barrows, 1910– tr.

Mahrt, Haakon Bugge, 1901–
Northern sunrise, a novel by Haakon Mahrt; translated by Barrows Mussey. New York, Reynal & Hitchcock [°1939]

Mussey, June Barrows, 1910–

Bonsels, Waldemar, 1881–
Notes of a vagabond; ways of men, by Waldemar Bonsels, translated from the German by J. B. Mussey. New York, A. & C. Boni, 1931.

Mussey, June Barrows, 1910–
Old New England, by Barrows Mussey, with hundreds of old engravings. New York, A. A. Wyn, inc. [1946]
127, [1] p. incl. front., illus. (incl. ports., maps) 30½ cm.

1. New England—Hist. 2. New England—Descr. & trav.—Views. 3. New England—Soc. life & cust. I. Title.
F5.M8 917.4 47—127

ViU CU TU MiU CSt CaBVa OrP OrU WaE WaS
NM 0915430 DLC PSt PP PWcS PPPD MH MB OClW GU

Mussey, June Barrows, 1910–
Old New England miscellany. Excerpts from biographies of a past generation: as quoted by Barrows Mussey in We were New England: drawings by Ray J. Holden. [Windham, Conn., 194–?]
"Printed for the International association of printing house craftsmen by Edmund Thompson at Hawthorn house, Windham, Ct. Hazelbourne paper furnished by the Hurlbut paper company. Illustration in full-tone collotype by the Meriden gravure co.

NM 0915431 CtY

Mussey, June Barrows, 1910– tr.

Salten, Felix, 1869–
Perri, by Felix Salten ... translated by Barrows Mussey; with a foreword by Donald Culross Peattie; drawings by Ludwig Heinrich Jungnickel. Indianapolis, New York, The Bobbs-Merrill company [°1938]

Mussey, June Barrows, 1910–
The pinchpenny bibliophile.
(*In* The New colophon. New York. 28 cm. v. 1, pt. 4 (1948) p. 383–393. illus.)

1. Book collecting.
[Z1007.C72 vol. 1, pt. 4] A 52–4174

Grosvenor Library for Library of Congress [2]

NM 0915433 NBuG

Mussey, June Barrows, 1910– tr.

Kraus, René.
The private and public life of Socrates, by René Kraus; translated by Barrows Mussey. New York, Doubleday, Doran & co., inc., 1940.

Mussey, June Barrows, 1910– tr.

Bengtsson, Frans Gunnar, 1894–
Red Orm, by Frans Bengtsson, translated by Barrows Mussey. New York, C. Scribner's sons, 1943.

Mussey, June Barrows, 1910– tr.

Rauschning, Hermann, 1887–
The redemption of democracy, the coming Atlantic empire, by Hermann Rauschning. New York, Alliance book corporation [°1941]

Mussey, June Barrows, 1910–
The renegade bibliophobe.
(*In* The Colophon. New York, 1930–40. 24 cm. new ser., v. 3, no. 2 (1938) p. 181–187)

1. Publishers and publishing—Bibl.
[Z1007.C71 new ser., vol. 3, no. 2] A 52–3899

Grosvenor Library for Library of Congress [2]

NM 0915437 NBuG

Mussey, June Barrows, 1910– tr.

PZ3 .S762 Ro

Spoelstra, C 1901–
Roll back the sea, a novel by A. den Doolaard [pseud.] Tr. from the Dutch by Barrows Mussey, illus. by Kees Bantzinger. New York, Simon and Schuster, 1948.

VOLUME 403

PZ3 .G549 Sh

Mussey, June Barrows, 1910- tr.

Göransson-Ljungman, Kjerstin Gertrud Elisabeth, 1901-
... The shining sea, translated from the Swedish by Barrows Mussey. New York, Sheridan house [1943]

Mussey, June Barrows, 1910- tr.

Ihering, Georg Albrecht von.
Ski gang, by George Herring; with 36 drawings by Susanne Ehmcke. Brattleboro, Stephen Daye press [c1936]

Mussey, June Barrows, 1910- ed. and tr.

Casteret, Norbert.
... Ten years under the earth, by Norbert Casteret; preface by E. A. Martel; translated and edited by Barrows Mussey. New York, The Greystone press [c1938]

Mussey, June Barrows, 1910- *comp.*
Terry clock chronology, comp. by Barrows Mussey and Ruth Mary Canedy, for Charles Terry Treadway. Bristol, Conn., C. T. Treadway, c1948.

30 l. map. 22 x 28 cm.
"Sources": p. iv-v.

1. Terry, Eli, 1772-1852. 2. Terry family (Samuel Terry, 1632?-1730?) 3. Clock and watch making—Connecticut. I. Canedy, Ruth Mary, 1922- joint comp. II. Treadway, Charles Terry, 1877- III. Title.

CS71.T329 1948 48-4762*

NM 0915442 DLC PP DSI

Mussey, June Barrows, 1910- tr.

Hauser, Heinrich, 1901-
Time was; death of a Junker, by Heinrich Hauser, translated by Barrows Mussey. New York, Reynal & Hitchcock, inc. [c1942]

Mussey, June Barrows, 1910-
Vermont heritage, a picture story; illus. with over 170 old engravings from the Museum Society, Brattleboro, Vt. New York, A. A. Wyn, 1947.

64 p. illus., ports., map. 24 cm.

I. Title.
F50.M8 1947a 974.3 47-5979*

NM 0915444 DLC OrP OrU KEmT WaU OFH Mi MB

Mussey, June Barrows, 1910-
Vermont heritage, a picture story; illus. with over 170 old engravings from the Museum Society, Brattleboro, Vt. State ed., with a chapter on Vermont government, by Doris E. Robbins. New York, A. A. Wyn, 1947.

80 p. illus., ports., map. 24 cm.

1. Vermont—Hist. 2. Vermont—Soc. life & cust. 3. Vermont—Descr. & trav.—Views. I. Robbins, Doris E. II. Title.
F50.M8 1947 974.3 47-5991*

NM 0915445 DLC FMU NcRS

Mussey, June Barrows, 1910- *ed.*
We were New England; Yankee life by those who lived it; edited by Barrows Mussey. New York, Stackpole sons [c1937]

5 p. l., 9-411 p. incl. front. (map) illus. 23½cm.
A collection of passages from the autobiographies of New Englanders. cf. 3d prelim. leaf.
"Who we were": p. 399-404.

1. New England—Biog. 2. New England—Soc. life & cust. 3. Autobiographies. I. Title. II. Title: Yankee life by those who lived it.
37-38292
Library of Congress F3.M87
[a41n2] 917.4

PPL NIC WaS Wa IdU CaBVaU
NM 0915446 DLC WaU CU MiU MeB PU PP OU OOxM NN

Mussey, June Barrows, 1910- tr.

Gudmundsson, Kristmann, 1902-
... Winged citadel, translated from the Norwegian by Barrows Mussey. New York, H. Holt and company [c1940]

PZ3 .L9115 Wo

Mussey, June Barrows, 1910- tr.

Lothar, Ernst, *pseud.*
A woman is witness; a Paris diary. Translated by Barrows Mussey. [1st ed.] Garden City, N. Y., Doubleday, Doran, 1941.

Mussey, June Barrows, 1910- tr.

Heydenau, Friedrich.
... The wrath of the eagles, a novel of the Chetniks, translated by Barrows Mussey. New York, E. P. Dutton & co., inc., 1943.

Mussey, June Barrows, 1910- *ed.*
Yankee life by those who lived it. [1st Borzoi ed., rev.] New York, A. A. Knopf, 1947.

viii, 543, v p. illus. 25 cm.
A collection of passages from the autobiographies of New Englanders.
First published in 1937 under title: We were New England.
Bibliographical references included in "Yankee lives" (p. [533]-543)

1. New England—Biog. 2. New England—Soc. life & cust. 3. Autobiographies. I. Title.
F3.M87 1947 917.4 47-11791*

Mi MiU OFH MH IU CU TxU PP
NM 0915450 DLC IdU Or OrP WaS WaT MeB WaU NcGU

Mussey, June Barrows, 1910-
Young Father Time; a Yankee portrait. New York, Newcomen Society in North America, 1950.

43 p. illus., port. 24 cm.

1. Terry, Eli, 1772-1852. I. Title.
TS140.T4M8 926.81 51-265

NM 0915451 DLC DSI

Mussey, Mrs. Mabel Hay (Barrows), 1873- ed.
One hundred hymns of brotherhood and social aspiration. Edited by Mabel Hay Barrows Mussey. New York, Chicago, Survey associates, Incorporated, 1914.
30 cm.
Issued as a number of the Survey, v. 31, no. 14, p. 383-417, January 3, 1914.
110 hymns (a few accompanied with music)

NM 0915452 NNUT

Mussey, Mabel Hay Barrows, 1873- comp.

Social hymns of brotherhood and aspiration. New York, A. S. Barnes Co., 1914.
x, 113 p. 22cm.

1. Hymns. I. Title.

MB MH RPB NBuG
NM 0915453 ViU ICRL NNUT MWelC NcD PPLT OO OU OCl

Mussey, Orville D
Flood of June 1949 in Stokesville-Bridgewater area. Prepared in cooperation with the Geological Survey, U. S. Dept. of the Interior. Charlottesville, 1950.

20 p. illus., map. 23 cm. (Virginia. Dept. of Conservation and Development. Division of Water Resources. Bulletin no. 10)

1. North River, Va.—Floods. 2. Bridgewater, Va.—Flood, 1949. 3. Stokesville, Va.—Flood, 1949. I. Title. (Series)
GB1227.N6M8 551.57 A 50-9600
Virginia. State Library for Library of Congress [2]†

NM 0915454 Vi ViU DLC

Mussey, Orville D
Major storage reservoirs of Virginia. Prepared in cooperation with the Geological Survey, U. S. Dept. of the Interior. Charlottesville, 1948.

23 p. illus., map. 23 cm. (Virginia. Conservation Commission. Division of Water Resources and Power. Bulletin no. 9)

1. Reservoir. 2. Dams. 3. Water-storage—Virginia. I. U. S. Geological Survey. (Series)
TD395.M87 628.13 A 48-5186*
Virginia. State Library for Library of Congress [2]†

NM 0915455 Vi PPD ViU DLC

R676 M976W

MUSSEY, Orville D
Water requirements of the pulp and paper industry; a study of the manufacturing processes with special emphasis on future water requirements.
Washington. U.S. Govt. print. off. 1955. illus. diagrs.(1 fold in pocket) tables.
([U.S.] Geological survey. Water-supply paper 1330-A)

First of a series of reports on water requirements of selected industries.
Bibliography: p.67.

NM 0915457 WaS

Mussey, Osgood.
Review of Ellwood Fisher's lecture, on the North and the South. By Osgood Mussey. Cincinnati, Wright, Fisher & co., printers, 1849.

98 p., 1 l. 22½cm.
On cover: Cincinnati, H. W. Derby & co., publishers.

1. Southern states. 2. Fisher, Ellwood, 1808-1862. Lecture on the North and the South. 3. U. S.—Econ. condit. 4. Slavery in the U. S.—Controversial literature—1849.
4-7081
Library of Congress E416.F55

OOxM NN CSmH
NM 0915458 DLC OCU NIC OU TxU NjP MWA PHi PHC

Mussey, R[euben] D[elavan] 1833-1892
An address delivered before the Society of the Army of the Cumberland, at its seventeenth reunion, September 16, 1885, Grand Rapids, Michigan. Also, remarks at the banquet. By R. D. Mussey. Cincinnati, R. Clarke & co., 1886.

16 p. 23cm.

Subject entries: U. S.—Hist.—Civil war—Regimental histories—Army of the Cumberland.
3-4881
Library of Congress, no. E493.2.M98.

NM 0915459 DLC OClWHi

VOLUME 403

Mussey, Reuben Delevan, 1833–1892.
Address of the retiring president, Gen. R. D. Mussey, of the Garfield guard of honor, November 9, 1885. [n. p., 1885]
cover-title, 8 p. 23½cm.

1. Garfield, James Abram, pres. U. S., 1831–1881. I. Garfield guard of honor.
10-30669
Library of Congress E687.M98

NM 0915460 DLC OClWHi MB

Mussey, Reuben Delevan, 1833–1892.

Herring & Sampson.
Before the Spanish American commission. In re claim of J. G. Delgado, no. 12. Reply to brief of advocate for Spain. Herring & Sampson, attorneys for claimant. R. D. Mussey, of special counsel. T. J. Durant, advocate for the United States. [Washington? 1873?]

Mussey, R[euben] D[elevan] 1833–1892.
Business as a learned profession. An address by Gen. R. D. Mussey, delivered before the Washington business college, June 18, 1873. Washington, Chronicle publishing company, 1873.
7 p. 23cm.

1. Business.
7-8430†
Library of Congress HF5391.M9

NM 0915462 DLC PPL

Mussey, R[euben] D[elevan] 1833–1892.
... "The loyal women of 1861–'65." Response to the last regular toast at the Army of the Cumberland banquet, in the Music hall, Cincinnati, October 25, 1883, by General R. D. Mussey. [Washington? 1883?]
6 p. 23½cm.
Caption title.

1. U. S.—Hist.—Civil war—Hospitals, charities, etc.
7-9641
Library of Congress E649.M98

NM 0915463 DLC OClWHi

Mussey, Reuben Delevan, 1833-1892.

U. S. *Commission for United States colored troops.*
Orders relating to colored men and colored troops. [Nashville, 1863]

Mussey, Reuben Dimond, 1780–1866.
An address on ardent spirit, read before the New-Hampshire Medical Society, at their annual meeting, June 5, 1827. By R. D. Mussey... Hanover [N. H.]: Printed by T. Mann, 1828. 24 p. 8°.
In: VTZ p. v. 91, no. 5.

1. Temperance.—Addresses, essays, lectures.
BLACK TEMPERANCE COLL.
N. Y. P. L. June 6, 1918.

NM 0915465 NN DNLM MnU RPB MBCo MH CtY MB Nh

MUSSEY, Reuben Dimond, 1780-1866.
An address on ardent spirit, before the New Hampshire Medical Society at their annual meeting, June 5, 1827. Boston, Perkins & Marvin, 1829.
17 cm. pp.16.

NM 0915466 MH DNLM CtY-M PPC CtY MB

WZ 270 M989a 1818
MUSSEY, Reuben Dimond, 1780-1860
An address read to the medical class at Dartmouth College, December 1, 1818 ... Hanover, N. H., Charles Spear, 1818.
24 p. 21 cm.
"Suggestions relative to the duties which physicians owe to themselves, to their medical brethren, and to society."

NM 0915467 DNLM PHi MH Nh CtY PU NNNAM MWiW

B570
Mussey, Reuben Dimond, 1780-1866.
An address read to the medical class at Dartmouth College, December 1, 1818. Hanover, N. H., Printed by Charles Spear, 1818.
24 p. [With: Young, J. R. An experimental inquiry into the principles of nutrition and the digestive process. 1803]
Microcopy of the original.

NM 0915468 WaU

Mussey, Reuben Dimond, 1780–1866.
Alcohol in health and disease. A lecture, introductory to the fourth annual course of the Miami medical college, at Cincinnati, October 15, 1855, by R. D. Mussey ... Cincinnati, T. Wrightson & co., printers, 1856.
19 p. 23½cm.

1. Alcohol—Physiological effect. I. Title.
35-35152
Library of Congress QP915.A3M8

NM 0915469 DLC OHi DNLM

WZ 270 M989an 1837
MUSSEY, Reuben Dimond, 1780-1866
Anatomical cabinet, belonging to R. D. Mussey, M. D., professor of surgery in the Medical College of Ohio [from 1837 to 1851] Printed for the use of pupils. [Cincinnati? not before 1837]
20 p. 22 cm.
Caption title: Catalogue of museum.

NM 0915470 DNLM

Mussey, Reuben Dimond, 1780-1866.
Animalcula in the atmosphere of cholera patients. n.p., n.d.

NM 0915471 Nh

Mussey, Reuben Dimond, 1780–1866.
An essay on the influence of tobacco upon life and health. By R. D. Mussey ... Boston, Perkins & Marvin, 1836.
48 p. 16cm.

1. Tobacco habit.
7-34681
Library of Congress RC371.T6M95 1836

NM 0915472 DLC PU OO PPL OCl CU MBCo Nh DNLM

Mussey, Reuben Dimond, 1780-1866.
An essay on the influence of tobacco upon life and health. By R. D. Mussey ... A new ed., enl. by the author. New-York, American tract society [1836]
64 p. 20cm.

NM 0915473 MB Nh MBCo MH NcD NN DNLM

RC371 .T6M95 1839 Toner Coll.
Mussey, Reuben Dimond, 1780-1866.
An essay on the influence of tobacco upon life and health. By R.D. Mussey ... 2d ed. Boston, Perkins & Marvin, 1839.
48 p. 16½cm.

1. Tobacco habit.

NM 0915474 DLC MH

Mussey, Reuben Dimond, 1780–1866.
An essay on the influence of tobacco upon life and health. By R. D. Mussey ... 3d ed. Cincinnati, G. L. Weed, 1839.
48 p. 16½cm.

1. Tobacco habit.
35-38194
Library of Congress RC371.T6M95 1839

NM 0915475 DLC DNLM

RC371 .T6M95 1841 Toner Coll.
Mussey, Reuben Dimond, 1780-1866.
An essay on the influence of tobacco upon life and health. By R.D. Mussey ... 4th ed. Cincinnati, Weed & Wilson, 1841.
48 p. 16½cm.

1. Tobacco habit.

NM 0915476 DLC OCU

Mussey, Reuben Dimond, 1780–1866.
An essay on the influence of tobacco upon life and health. By R. D. Mussey ... New ed., enl. by the author. New York, American tract society [1854]
64 p. 15½cm.

1. Tobacco habit.
7—34682
Library of Congress RC371.T6M95

NM 0915477 DLC ICJ

QP165 .M85 Toner Coll.
Mussey, Reuben Dimond, 1780-1866.
Experiments and observations on cutaneous absorption. By Reuben D. Mussey ... Philadelphia, The press of T.& G. Palmer, 1809.
16 p. 21½cm.
"From the Philadelphia medical and physical journal, conducted by Professor Barton."

1. Absorption (Physiology) 2. Cutaneous glands. 3. Skin I. Title: Cutaneous absorption, Experiments and observations on.

NNNAM NcD-MC
NM 0915478 DLC MBCo MH PPAmP PPAN PPL DNLM

Mussey, Reuben Dimond, 1780–1866.
Health: its friends and its foes. By R. D. Mussey ... Boston, Gould and Lincoln; New York, Sheldon and company; [etc., etc.] 1862.
xii, [13]-368 p. incl. front. (port.) illus. 19cm.

1. Hygiene.
6-29612†
Library of Congress RA776.M95

Nh OClW-H
NM 0915479 DLC OrU-M KyU ICRL PPC PPL NN ICJ MB

VOLUME 403

RA776 .M95 1863 Mussey, Reuben Dimond, 1786-1866.
Health: its friends and its foes. By R. D. Mussey ... Boston, Gould and Lincoln; New York, Sheldon and company, [etc., etc.] 1863.
xii, [13]-380 p. incl. front. (port.) illus. 19 1/2cm.

1. Hygiene.

NM 0915480 MB OKentU PPC Nh

QTA M989h 1866 MUSSEY, Reuben Dimond, 1780-1866
Health: its friends and its foes. Boston, Gould and Lincoln, 1866.
380 p. illus., port.

NM 0915481 DNLM

RD47 .M96 1851 Toner Coll. Mussey, Reuben Dimond, 1780-1866.
An introductory lecture delivered at the opening of the thirty-second session of the Medical college of Ohio, October 15, 1851, by R.D. Mussey ... Cincinnati, Printed by Marshall & Langtry, 1852.
23 p. 23½cm.

1. Surgery--Addresses, essays, lectures.

NM 0915482 DNLM DLC OClWHi CSmH NN

Mussey, Reuben Dimond, 1780-1866.

Stowe, Calvin Ellis, 1802-1886.
A letter to R. D. Mussey, M. D., on the utter groundlessness of all the millennial arithmetic, by C. E. Stowe ... Cincinnati, J. B. Wilson, 1843.

N 973.361 1807 M989 Mussey, Reuben Dimond, 1780-1866.
An oration, together with an address to the Ipswich Light Infantry, pronounced in the second parish at Ipswich, (Mass.) on the anniversary of American independence, July 4, 1807. Salem [Mass.] Printed by J. Cushing, 1807.
24 p. 24 cm.

1. Fourth of July orations. 2. Amer. impr.

NM 0915484 N PHi RPB MH

Mussey, Reuben Dimond, 1780-1866.
Prize essay on ardent spirits, and its substitutes as a means of invigorating health ... By Reuben D. Mussey ... Washington [D. C.] D. Green, 1837.
cover-title, p. 13-65. 15cm.
First published in 1835 in Temperance prize essays, by Drs. Mussey and Lindsly.

1. Alcohol—Therapeutic use. I. Title.

35-38195

Library of Congress RM426.A3M8

NM 0915485 DLC OO DeU DNLM MBCo

Mussey, Reuben Dimond, 1780-1866.

Temperance prize essays. By Drs. Mussey and Lindsly. Washington [D. C.] D. Green. 1835.

Mussey, Reuben Dimond, 1780-1866.
The trials and rewards of the medical profession: an introductory lecture, delivered at the opening of the first session of the Miami medical college, at Cincinnati, October 3d, 1852, by R. D. Mussey ... Cincinnati, Printed by T. Wrightson, 1853.
24 p. 23cm.

1. Physicians. 2. Quacks and quackery. I. Title.

34-40812

Library of Congress R737.M8

NM 0915487 DLC OHi OU PU CSmH MB NN OClWHi DNLM

MUSSEY, Reuben Dimond, 1780-1866.
What shall I drink?
American tract co., Boston. [186-?] 35 pp. 16°.

NM 0915488 MB DNLM OO

L618.04 M977

Mussey, Robert Daniel, 1884-
[Collected papers on gynecology and obstetrics]

NM 0915489 ICJ

Mussey, Robert Daniel, 1884-

FOR OTHER EDITIONS SEE MAIN ENTRY

Adair, Fred Lyman, 1877- *ed.*
Maternal care complications; the principles of management of some serious complications arising during the antepartum, intrapartum, and postpartum periods, approved by the American committee on maternal welfare, inc. ... Prepared by R. D. Mussey, M. D., P. F. Williams, M. D. [and] F. H. Falls, M. D.; F. L. Adair, M. D., editor. Chicago, Ill., The University of Chicago press [1941]

Mussey, Virginia Tier (Howell)
see **Howell, Virginia,** 1910-

Mussey (William Heberden) [1818-82]. Anæsthesia. Non-fatal accidents from anæsthetic agents, with observations. 8 pp. 8°. *Cincinnati,* 1853.
Repr. from: West. Lancet, Cincin., 1853, xiv.

NM 0915492 DNLM

MUSSEY, William Heberden, 1818-1882. 5890a.37
A case of fracture of the os innominatum; and death in connection with the administration of sulphuric ether.
[Cincinnati. Stevens. 1861.] 8 pp. Illus. 8°.
From the Cincinnati lancet and observer [*7790a.6.1861].

NM 0915493 MB DLC

Mussey, William Heberden, 1818-1882.
A Memorial sketch of William Heberday Mussey M.D.
see under Hartwell, Edward Mussey, 1850-1922.

Mussey, W[illiam] H[eberden] 1818-1882.
Report on surgery; a paper read before the Ohio state medical society, at its annual meeting held at Delaware, June, 1868, by W. H. Mussey ... Cincinnati, A. Abraham, print., 1868.
cover-title, 16 p. illus. 22½cm.
"An instrument for keeping the jaws apart during operations in the mouth or throat": p. 15-16.
"From the Cincinnati lancet and observer."

1. Surgery—Addresses, essays, lectures.

7-8806†

Library of Congress RD47.M98

NM 0915495 DLC DNLM OClWHi NN

Mussey, William Heberden, 1818-82.
———. Successful double ovariotomy. 7 pp. 8°. [n. p., 1867, vel subseq.]

NM 0915496 DNLM

Mussey, William P., joint author.
[Harper, C D]
The pictorial base ball album ... Chicago, Mussey & Harper, °1888.

Mussey medical and scientific library
see Cincinnati. Public library.

Law Mussfeld, Richard, joint author.

FOR OTHER EDITIONS SEE MAIN ENTRY

Werner-Meier, Werner, 1890-
Die Gemeinnützigkeit im Wohnungswesen; Wohnungsgemeinnützigkeitsgesetz vom 29. Februar 1940 nebst Durchführungsvorschriften und einschlägigen sonstigen Vorschriften, erläutert von Werner-Meier [und] Draeger, unter Mitwikung von Mussfeld. 2. Aufl. Berlin, C. Heymann, 1941.

Mußfeld, Richard: Das gerichtliche Steuerstrafverfahren. [Maschinenschrift.] VII, 87 S. 4°. — Auszug: Breslau 1925: "Merkur." 2 Bl. 8°
Breslau, R.- u. staatswiss. Diss. v. 12. Mai 1925 [U 25.759

NM 0915500 ICRL

Mussfeld, Richard, ed.
Gesetz über Arbeitsvermittlung und Arbeitslosenversicherung
see under Germany. Laws, statutes, etc.

Mussfeld, Richard, joint author.

Reimer, Ernst.
Die kaufmännischen schiedsgerichte Deutschlands; ihre gestaltung und ihr verfahren, von dr. Ernst Reimer ... und dr. Richard Mussfeld ... auf anregung der Industrie- und handelskammer zu Berlin. Berlin, C. Heymann, 1931.

Mussfeld, Richard, *ed.*
Das lexikon des kaufmanns, ein praktisches nachschlagebuch für jedermann: unter mitarbeit von sachverständigen, herausgegeben von dr. jur. Richard Mussfeld. Berlin, Ullstein [°1932]
5 p. l., [15]-455 p. incl. tables. 17cm.

1. Commerce—Dictionaries.

33-463

Library of Congress HF1001.M88
Copyright A—Foreign 18076
[3] 650.3

NM 0915503 DLC NcD

MUSSGER, EDUARD, ed.
Sonniges Alpenland. 1. T. Kärnten und Osttirol; Bilder, Gedichte und geschichtliche Erläuterungen in deutscher, englischer, französischer und italienischer Sprache [Geschichte: Hermann Braumüller, Gedichte von Wilhelm Rudnigger. 1. Aufl.] Klagenfurt, Eigenverlag "Sonniges Alpenland" [c1952] 194 p. illus. 25cm.
No more published.
1. Carinthia—Descr. and trav. 2. Tyrol—Descr. and trav. I. Braumüller, Hermann II. Rudnigger, Wilhelm, 1921- III. Mussger, Eduard.

NM 0915504 NN

VOLUME 403

W 4
H46
1940

Mussgnug, Emmi (Kipphan) 1911-
Eine Trendelenburgsche Operation bei verkanntem Koma hepaticum. Heidelberg, Brausdruck, 1940.
14 p.
Inaug.-diss. - Heidelberg.
Bibliography: p. 14.

NM 0915505 DNAL

Mussgnug, Ernst Wilhelm, 1906-
Verwaltungskontrolle. [Heidelberg] 1946.
vi, 171 l. 30 cm.
Typewritten (carbon copy)
Inaug.-Diss.—Heidelberg.
Vita.
Bibliography: leaves 164-170.

50-27780

1. Administrative law—Germany. I. Title.

NM 0915506 DLC

MUSSGNUG, Franz, 1891-
Über verbindungen des wismuts. Anhang; über einige verbindungen des hexamethylentetramins. Inaug. diss., München, V. Höfling, 1918.

"Lebenslauf", at end.

NM 0915507 MH-C PU CtY MiU OCU

W
13
M989m
1951

MUSSGNUG, Günter, ed.
Medizinisches Lexikon für Jedermann. Köln, Kiepenheuer [1951]
851 p.
1. Medicine - Dict. - German
2. Medicine - Popular works

NM 0915508 DNLM

W
13
M989m
1953

MUSSGNUG, Günter, ed.
Medizinisches Lexikon für Jedermann. [Taschenausg.] [Köln] Kiepenheuer [1953]
220 p. (Kiwi Taschenbücher. Reihe Wissen, 1)
1. Medicine - Dict. - German
2. Medicine - Popular works

NM 0915509 DNLM

Mussgnug, Günter.
Medizinisches Lexikon für jedermann. [Taschenausg. Frankfurt/M., Im Verlag Das Goldene Vlies, 1955]
220 p. 18 cm. (Ullstein Bücher, Nr. 90)

1. Medicine—Dictionaries—German. 2. Medicine, Popular. I. Title.
R121.M95 58-49017

NM 0915510 DLC

W
13
M989m
1955

MUSSGNUG, Günter, ed.
Medizinisches Lexikon für Jedermann. [2., verb. Aufl.] Köln, Kiepenheuer & Witsch [1955]
548 p. illus.
1. Medicine - Dict. - German
2. Medicine - Popular works

NM 0915511 DNLM

Musshelius, Jacobus, respondent.
Discursus moralis de errore populari circa mores
see under Colberg, Ehregott Daniel, 1659-1698. [supplement]

Musshoff, Hugo. 590.7 Q301
51981 Das Terrarium und seine Bewohner. Ein kurzer illustrierter Ratgeber für Terrarienfreunde. Von Hugo Musshoff. Mit zahlreichen Abbildungen zumeist nach photographischen Aufnahmen. Berlin, F. Pfenningstorff, [1903].
99 p. incl. front., 29 illus. 20½cm. (On cover: Bibliothek für Sport & Naturliebhaberei. Bd. 5.)

NM 0915513 ICJ

Mussi, Antonio, 1751-1810.
De animi affectu in theologicis disciplinis tractandis oratio...12 Dec. 1788. Ticini, Monast. S. Salvatoris, n. d.
46 p.

NM 0915514 PU

Mussi, Antonio, 1751-1810.
Discorso sulle arti del disegno ... Pavia, Galeazzi, 1798.

NM 0915515 MBMu PPAmP

PJ 4545 Mussi, Antonio, 1751-1810.
M8
Disegno di lezioni e di ricerche sulla lingua ebraica. Pref. recitata nella adunanza della R. Università di Pavia il dì XXI. di marzo l'a. MDCCXCII, da Antonio Mussi. Aggiuntavi la versione del I. Cantico di Mosè dall'ebr. in versi ital., e lat., con note. Pavia, Bolzani [1792?]
219 p. 21 cm.

1. Hebrew language. I. Title. II. Title: Cantico di Mosè.

NM 0915516 OU PPDrop OCH

Mussi, Antonio, 1751-1810.
Jefte. Tragedia, con note di Antonio Mussi. Milan, 1805. 2 tom.

NM 0915517 PPL

Mussi, Antonio, 1751-1810.
Poesie pittoriche. Pavia, Bolzani, n. d. 60 p.

NM 0915518 PPAmP

Mussi, Francesco Cazzamini
see
Cazzamini-Mussi, Francesco, 1888-

Mussi, Giovanni de'
see
Mussis, Giovanni de, 15th cent.

Z
6620.
I8
M8

Mussi, Giuseppi.
Francia ed Italia, ossia i manoscritti Francesi delle notre biblioteche con istudj di storia, letteratura e d'arte Italiana di Carlo Morbio. Milano, Ricordi, 1873.
XLVIII, 322p facsims 25cm

1. Manuscripts, French. 2. Manuscripts - Italy.
3. Libraries - Italy. I. Title.

NM 0915521 MnCS

PQ
4353
L8M97

Mussi, Luigi.
Dante, i Malaspina e la Lunigiana; conferenza letta nel Seminario vescovile di Massa il dì XIV settembre 1921. Massa, Tip. G. Mannucci, 1922.
34 p.
Cover title.
Bibliographical footnotes.
1. Dante - Homes and haunts - Lunigiana.
2. Malaspina family. I. Title.

NM 0915522 CLU

Mussi, Luigi.
Massa di Lunigiana e le sue antiche ville. Massa, Tip.E. Medici, 1951. 28 p. 25cm.

Bibliography, p.25-28.

1.Lunigiana, Italy. 2.Massa, Italy (City).

NM 0915523 NN

Mussi, Paolo, tr.

[Michiel, Marcantonio] 1486?-1552.
The Anonimo; notes on pictures and works of art in Italy made by an anonymous writer in the sixteenth century; translated by Paolo Mussi; edited by George C. Williamson, LITT. D. London, G. Bell and sons, 1903.

Mussi, Pietro Domenico de
see Mussis, Petrus Dominicus de.

Mussi, Ubaldo
——. Metodo per sterilizzare i vegetali verdi crudi. 7 pp. 8°. Firenze, G. Civelli, 1901.

NM 0915526 DNLM

Mussi, Ubaldo
——. Metodo sollecito e pratico per la sterilizzazione dell' acqua e dei recipienti di vetro 12 pp. 8°. Firenze, G. Civelli, 1901.

NM 0915527 DNLM

Mussi (Ubaldo). Ricerche chimico-legali sull' avvelenamento acuto per cocaina. 10 pp. 8°. Firenze. 1888.

NM 0915528 DNLM

Mussi, Ubaldo
——. Sulla disinfezione dei tubi e serbatoi dell' acqua potabile di Firenze. 4 pp. 8°. Firenze, G. Civelli, 1894.

NM 0915529 DNLM

VOLUME 403

Mussi, Vittorio.
Corso di lingua inglese. Reggio: Torreggiani e Comp., 1863.
2 v. in 1. 12°.

NM 0915530 NN

VERT FILE MUSIC 21
Mussi da Lodi, Giulio.
Il primo libro delle canzoni da sonare a due voci. Venezia, A.Vincenti, 1620.
3 parts.
Photocopy of 1620 ed.

1.Music--Manuscripts--Facsimiles.

NM 0915531 NSyU

MUSSI GALLARATI, GIULIO
Processo ed istruzioni pratiche intorno alla formazione dei vini de tino ... Milano, G. Silvestri, 1834. xii, 227 p. 17cm.

1. Wine making. t, 1834.

NM 0915532 NN

Mussia! Erzählung eines frühen Lebens
see under [Tagger, Theodor], 1891-1958.

Mussigk, Gottfried, respondent.
... An jus naturae et qvatenus cadat in bruta...
see under Beier, Adrian, 1634-1712, praeses.

Müssīh, Alfrīd dī
see
Musset, Alfred de, 1810-1857.

Mussik, F A.
Skizzen aus dem leben des sich in Amerika befindenden deutschen tondichters Anton Philipp Heinrich. Nach authentischen quellen bearb. von F. A. Mussik. Prag, Druck von G. Haase söhne, 1843.
51, [1] p. 21½cm.

1. Heinrich, Anton Philipp, b. 1781.

9-10767

Library of Congress ML410.H45M87

NM 0915536 DLC

WB 65160
Mussik, Viktor
Výlet do středoveku; reportáž z Habeše. V Praze, Nákladem Československé Grafické Unie, 1935.
67 p. illus. 21 cm.

1. Ethiopia - Descr. & trav. - 1900-

NM 0915537 CtY

DS508 M87
Mussik, Viktor
Žlutí nastupují. V Praze, Nákladem Československé Grafické Unie, 1936.
232 p. illus., maps, ports. 21 cm. (Zeme a lidé, sv. 102)

1. East (Far East) - Descr. & trav. - 1925-1950. 2. East (Far East) - Politics. I. Title

NM 0915538 CtY

Mussil, Edgar, 1912-
Das personelle Mitbestimmungsrecht. München, 1953.
xv, 165 l. 30 cm.
Typescript (carbon)
Inaug.-Diss.—Munich.
Vita.
Bibliography: leaves iv-xii.

1. Employees' representation in management—Germany (Federal Republic, 1949-) 2. Works councils—Germany (Federal Republic, 1949-) I. Title.

55-44760

NM 0915539 DLC

Western Americana Zc52 +856mu
Mussina, Jacob, plaintiff.
... Jacob Mussina, and Simon Mussina, against John C. Watrous, Samuel A. Belden, Charles Stillman, Elisha Basse, Robert H. Hord, and William Alling. Complaint. New York, Baker & Godwin, book and job printers, 1856.
cover-title, 40 p. 26 cm.
At head of title: Supreme Court, City & County of New York.
Over title to lands in Brownsville, Tex.
Original wrapper

NM 0915540 CtY

Mussina, Simon.
Argument of J.L. Jernegan, before the Supreme Court of New York, Jan., 1858
see under Jernegan, Joseph L.

Western Americana Zc52 859mu
[Mussina, Simon]
Judge John C. Watrous and the New York Land Company. [Galveston? 1859]
4p. 22cm.

Caption title.
Printed in two columns.

1. Watrous, John Charles, 1806-1874. 2. New York and Texas Land and Emigration Association. I. Title. Imprint cd.: Texas. Galveston. 1859.

NM 0915542 CtY TxU

Mussinan, Ferd [inand] Johann Baptist.
Palästina... Würzburg: C. W. Becker, [183-?].
180p.

NM 0915543 OCH

4UB-59
Mussinan, Ferdinand Johann Baptist.
Technik der Heeres-Ausrüstung, bezüglich auf Leder, Sättel, Geschirre und Magazinirung, zur Hilfe und Ersparniss für militärisch-organisirte Corps, sowie für Pferdebesitzer und mit Leder umgehende Gewerbe. München, J.J. Lentner, 1842.
248 p.

NM 0915544 DLC-P4

Mussinan, Joseph Anton von, 1766-1837.
Bayerns Gesetzgebung. München, 1835.
8°.

NM 0915545 CtY

MUSSINAN, Joseph Anton von, 1766-1837.
Denkrede auf Georg Karl von Sutner; geleser in der offentlichen sitzung der k. b. Akademie der Wissenschaften am 28 marz 1837. Munchen, C.M.Schriften, 1837.

NM 0915546 MH

F 394 .596
MUSSINAN, JOSEPH ANTON von, 1766-1837.
Geschichte der französischen Kriege in Deutschland besonders auf baierschem Boden in den Jahren 1796, 1800, 1805 and 1809. Sulzbach, J.E. Seidel, 1822.
2v. fold.maps, fold.tables. 21cm.

Contents.—I.Theil, den Feldzug von Jahr 1796, nebst den wichigsten Ereignissen bis zum Schluss des Jahrs 1799 enthaltend.—II.Theil, den Feldzug vom Jahr 1800 enthaltend.

NM 0915547 ICN

Mussinan, Joseph Anton von, 1766-1837. Ger 9365.3
Geschichte des Löwler Bundes unter dem bairischen herzog Albert IV vom jahre 1488 bis 1495. München, J. Lindauer, 1817.
pp. xvi, 158 +.

Bavaria-Hist. 0-1805

NM 0915548 MH

Mussinan, Joseph Anton von, 1766-1837.
1766-1837
Geschichtliche Uebersicht und Darstellung des bayerischen Staatsschuldenwesens in Verbindung mit besonderen Betrachtungen über das Schuldenbudget und den Gesetzentwurf für die III. Finanzperiode 18³¹/37 von Joseph Ritter von Mussinan ... München, 1831.
67 p., 1 l. tables. 19cm.

NM 0915549 MH-L

Mussinan, Joseph Anton von, 1766-1837
Ueber das schicksal Straubings und des baierischen waldes während des dreissig jahrigen krieges vom Oktober 1633 bis April 1634, von Joseph von Mussinan... Franz Seraph Lerno, 1813.
xxxii, 128 p. 19cm.

1. Thirty years' war, 1618-1648 2. Straubing, Germany. History.

NM 0915550 NcD

Mussinan, Joseph von,
see
Mussinan, Joseph Anton von, 1766-1837.

VOLUME 403

Mussini, Cesare.
... Alessandro Tassoni (1565-1635) Torino [etc.] G. B. Paravia & c. [1939]
127, [1] p. 19½cm. (Scrittori italiani, con notizie storiche e letterarie)
Portrait of Tassoni on paper cover.
"Le opere": p. 125; "Bibliografia": p. 126-127.

1. Tassoni, Alessandro, 1565-1635.

A C 40-1826

Harvard univ. Library
for Library of Congress [2]

NM 0915552 MH OU

PQ4472 Mussini, Cesare
J3 Jacopone da Todi; vita spirituale e
Z95 poetica. Torino, L'Aquila [1950]
127p. 25 cm.

NM 0915553 RPB NN MWelC WU

BX 2431 M989m 1912
MUSSINI, Cirillo
Memorie storiche sui Cappuccini emiliani. [2. ed.] Parma, Zafferri, 1912.
2 v. ports.
Vol. 2 has subtitle: I Cappuccini e la peste bubbonica negli anni 1629-31.
Vol. 2 without edition statement.
Author's name given as P. Cirillo da Bagno on v. 2.

1. Capuchins. Provincia Lombardia ed Emilia 2. Plague - Italy

NM 0915555 DNLM

Mussini, Fanny Vanzi-
see Vanzi-Mussini, Fanny.

X 718935 .608
MUSSINI, G.
Venetismi o provincialismi più comuni nel veneto, raccolti per uso degli studiosi e delle scuole. Reggio-Emilia, Tip. Ariosto, 1889.
52p. 22cm.

NM 0915557 ICN

Mussini, Gilbert.
La sécurité sociale en Algérie. Alger, Librairie Ferraris, 1950.
211 p. 24 cm.

1. Insurance, Social—Algeria. I. Title.

HD7242.A5M8 52-23011 ‡

NM 0915558 DLC NN CtY MH-L

Mussini, Luigi, 1813-1888.
Scritti d'arte di Luigi Mussini, pittore. Firenze, Successori Le Monnier, 1880.
228 p. 19cm.

1. Art - Addresses, essays, lectures.

NM 0915559 NNC ICU NcD

Mussini, Natale, 1765-1837.
[Canons, 3 voices, op. 6]
Sei canoni ... composti da N. Mussini ... Opera VI. Berlino, A. M. Schlesinger [1819]
8 p. 28 x 33cm.
Publisher's plate no.: 493.

1. Canons, fugues, etc. (Vocal)

46-31598

Library of Congress M1603.M

NM 0915560 DLC

M 287 M989++ 5. liv.
Mussini, Natale, 1765-1837.
[Duos concertans, violins, 5. livraison]
Trois grands duos concertans pour deux violons. 5me. livraison de duos. Berlin, A. M. Schlesinger [1812?] Pl. no. 49.
2 parts. 34cm.

1. Violin music (2 violins)

NM 0915561 NIC

MUSSIO, ANTONIO. Institutione di vivere morale et Catolico del capitanio...Padoa, Griffio, 1563. 170 l.
YA 3572

NM 0915562 DLC

JG .MU
Mussio, John King
We the people. Notre Dame, Ind., Ave Maria Press [1949]
22 p. 15 cm.

1. Democracy.

NM 0915563 WHi

Mussio, Santiago E
Treinta y Tres, *Uruguay (Dept.) Comisión de instrucción primaria.*
Informe ... presentado al ... inspector nacional por el inspector departamental ...
Montevideo, 18[illegible]

Mussio Barreto, Julio C
... La escrituración judicial y algunos de sus problemas. Montevideo, Impresora "Moderna," 1942.
110, [2] p. 20cm.

1. Authentication—Uruguay.

44-14928

NM 0915565 DLC

Mussio Barreto, Julio C
... Manual para la actuaría ... Montevideo, C. García & cía., 1945.
168 p. 25cm.
"Nociones teórico-prácticas de la actuaría. — Actuarios. — Escrituración judicial.—Decretos y disposiciones vigentes.—Notificaciones.—Ordenamiento de las leyes, decretos, reglamentos y acordadas vigentes de aplicación frecuente en la actuaría.—Formularios de distintas actuaciones, que constituyen casos frecuentes del examen general de notariado."

1. Clerks of court—Uruguay. 2. Notaries—Uruguay. I. Uruguay. Laws, statutes, etc.

46-17664

NM 0915566 DLC

R558 .M3U7 1937
Mussio, Fournier, Juan César, 1890-
Uruguay. *Ministerio de salud pública.*
... Acto académico, realizado el 15 de marzo de 1937, en el Salón de actos públicos en honor del profesor dr. Gregorio Marañón, organizado por los ministerios de salud pública e instrucción pública y previsión social. Discursos pronunciados por el ministro de salud pública doctor Juan César Mussio Fournier; por don Carlos Reyles y por el profesor dr. Gregorio Marañón. Montevideo, Talleres gráficos Institutos penales, 1937.

Mussio Fournier, Juan César, 1890-
... El aparato cardiovascular en las insuficiencias tiroideas, por los doctores J. C. Mussio Fournier ... José M. Cerviño ... [y] Juan J. Bazzano ... Barcelona-Buenos Aires, Salvat editores, s. a., 1944.
2 p. l., [7]-159 p. illus., diagrs. 23cm. (Manuales de medicina práctica. [64])
"Primera edición, 1944."
"Bibliografía": p. [151]-159.

1. Thyroid gland—Diseases. 2. Myxedema. 3. Heart—Diseases. I. Cerviño, José M., 1900- joint author. II. Bazzano, Juan J., joint author. III. Title.

45-18005

Library of Congress RC657.M8
[3] 616.44

NM 0915568 DLC MBCo

Mussio-Fournier, Juan César, 1890-
[Collected papers on medicine]

NM 0915569 ICJ

Mussio Fournier, Juan César, 1890-
Discursos pronunciados en el homenaje ofrecido al profesor Emilio Sergent, el 22 de setiembre de 1937
see under title

Mussio Fournier, Juan César, 1890-
... Estudios de clínica médica. Montevideo, "Casa A. Barreiro y Ramos", s. a., 1929.
347 p., 1 l. illus., 3 col. pl., diagrs. 25cm.
At head of title: J. C. Mussio Fournier.
Date on cover: 1930.
"Bibliografía" at end of sections.

1. Medicine, Clinical. I. Title.

30-20677

Library of Congress RC61.M8

NM 0915571 DLC CtY MiU

Mussio Fournier, Juan César, 1890-
... Hombres e ideas. Montevideo [Impresora uruguaya, s. a.] 1939.
167 p., 3 l. 27½cm.
"Este volumen está constituído, en su mayor parte, por discursos pronunciados durante mis gestiones ministeriales en las carteras de Instrucción pública (del 20 de marzo de 1931 hasta el 20 de febrero de 1932) y Salud pública (del 2 de octubre de 1936 hasta el presente)"—p. [5]

I. Title.

42-29986

Library of Congress F2709.M8
[2] 046

NM 0915572 DLC TxU NcU NN DPU MH

WK 24 M989L 1942
MUSSIO FOURNIER, Juan César, 1890-
Labor de la Clínica e Instituto de Endocrinología de Montevideo. Montevideo, Rosgal, 1942.
32 p.
1. Montevideo. Universidad. Facultad de Medicina. Instituto de Endocrinología

NM 0915573 DNLM

VOLUME 403

Mussio Fournier, Juan César, 1890–
... Mensaje a América. Montevideo, Talleres gráficos de institutos penales, 1941.
36 p. incl. port. 21½cm.

1. America—Civilization. I. Title.
42-22051
Library of Congress E19.M88
[2]

NM 0915574 DLC IU MiU TxU NcU PU

LE71 .M575 1931
Mussio Fournier, Juan Cesar, 1890–
Uruguay. *Ministerio de instrucción pública y previsión social.*
Mensaje a la Asamblea general y proyecto de ley de estatuto universitario presentado por el ministro de instrucción pública dr. Juan C. Mussio Fournier. Montevideo, Imprenta nacional, 1931.

Mussio Fournier, Juan César, 1890–
... Piel y anexos y glándulas endocrinas, por los doctores J. C. Mussio Fournier ... Raúl A. Piaggio Blanco ... y José M. Cerviño ... Barcelona–Buenos Aires, Salvat editores, s. a., 1944.
192 p. illus. 23cm. (Manuales de medicina práctica. [63])
"Primera edición, 1944."
"Bibliografía": p. [185]–192.

1. Glands, Ductless—Diseases. 2. Skin—Diseases. I. Piaggio Blanco, Raúl A., 1905– joint author. II. Cerviño, José M., 1900– joint author. III. Title.
45-18004
Library of Congress RC648.M8
[3] 616.4

NM 0915576 DLC ICJ MBCo

Mussio Fournier, Juan Cesar, 1890–
Uruguay. *Ministerio de salud pública.* ***División de higiene.***
... El problema de la leche. Representación elevada a la h. Cámara por el ministro de salud pública, dr. J. C. Mussio Fournier, con el informe del director de higiene, dr. Rafael Schiaffino. [Montevideo] Imp. Administración de lotería, 1940.

Mussio Fournier, Juan César, 1890–
Tratado de endocrinología clínica. [Colaboradores: A. S. Albrieux et al.] Buenos Aires, G. Kraft [1950]
2 v. illus., diagrs. 27 cm.
Includes bibliographies.

1. Endocrinology.
A 51-6324
Rochester. Univ. Libr. for Library of Congress QP187.M8
[1]

NM 0915578 NRU NIC DNLM

Mussipons
see Pont-à-Mousson, France.

Mussis, *Giovanni de, 15th cent.*
Chronicon Placentinum ab anno 222 usque ad annum 1402...nunc primum prodit ex manuscripto codice bibliothecae Estensis. n.p. n.d.
1 v.

NM 0915580 PU MdBP CtY

Mussis, Johanne de.
see
Mussis, Giovanni de, 15th cent.

Mussis, Petrus Dominicus de
Formvlarivs instrvmentorvm egregii cavsidici D. Petri Dominici de Mvssis ... opus aurum, & perutile, in quo modi, formae, series instrumentorum quorum libet, miro artificio elucubratae, ad quam libet materiam amplissime colliguntur, doctoribus, notariis, procuratoribus cuiuscunq; generis, tam ecclesiasticis, quàm laicis nedum utile, quinimo necessarium, ac mercatoribus non minus proficuum. Cui adiectum est copiosissimum indicem, ut omnes facilius, & commodius, determinationes causarum, formas, capitulaq; omnia comperire queant. Venetiis [Dominicus Lilius Venetus excudebat, sumptibus D. Molchioris Sessa, 15-?]
6 p.l., 288 [i.e.,289], [1] numb. l. 21½ cm.

NM 0915583 NNC

MUSSIS, Petrus Dominicus de.
Formularium instrumentorum. . . Postrema ed. a Leonardo a Lege recognitum. Venetiis, 1572.

NM 0915584 MH-L NNC

Mussius (Petrus). *De tracheotomia et laryngotomia. 7 pp. 4°. *Genuæ*, 1809. [P., v. 2148; 2152.]

NM 0915585 DNLM

Mussla, Erich.
Einfluss von organischen stoffen, insbesondere von gründüngung, auf den stickstoff- und sonstigen nährstoffhaushalt des bodens. diagr.
Landw. vers. stat. bd. 112, p. 115–159. Berlin, 1931.
"Literatur": p. 158–159.

1. Green manuring. 2. Soils—[Nitrogen content]
Agr 32-183
Library, U. S. Dept. of Agriculture 105.SI.23 bd. 112
Library of Congress [S7.L293 bd. 112]

NM 0915586 DNAL OU

Mussler, Werner.
Gewerkschaften und Wirtschaftsplanung. Berlin, Freie Gewerkschaft Verlagsgesellschaft, 1948.
31 p. illus. 21 cm.
Errata slip inserted.

1. Trade-unions—Germany. 2. Germany—Economic policy—1945– I. Title.
HC286.5.M8 49-52723*

NM 0915587 DLC NN

Mussler, Werner.
Die volkseigenen Betriebe; Entstehung, Organisation, Aufgaben. Berlin, Freie Gewerkschaft, 1948.
128 p. illus. 21 cm.

1. Government ownership—Germany (Democratic Republic, 1949–) I. Title.
HD4175.M85 50-34835

NM 0915588 DLC NN MH CtY

MUSSLER, Wilhelm Julius, 1901-
Die Türkei; volkswirtschaftliche studien. Inaug.-diss., Freiburg i.Br. n.p., [1929].

"Literatur-verzeichnis", pp.128-135.
"Lebenslauf", at end.

NM 0915589 MH FTaSU DLC CtY PU MiU ICRL

99.551 M97
Mussman, Albert H
Forestry: a modern investment frontier.
[n.p., 1940?]
149 l.

1. Forest management. Missouri. 2. Forestry. Economics. I. Hammar, Conrad Harold, 1897- joint author. II. Missouri. University. College of Agriculture. Dept. of Agricultural Economics. III. U.S. Bureau of Agricultural Economics.

NM 0915590 DNAL

Thesis 64
Mussman, Michael Angelo
The proposed amendments to the Constitution of the United States from 1889 to 1921. Doctor of Juristic Science dissertation (History) Washington, The American University, 1923.

1. U.S. Constitution-Amendments. I. Title.

NM 0915591 DAU

Mussmann, Adolf.
Das plattdeutsche schrifttum in der Hannoverschen stadtbibliothek. Nach seinem vortrage im Kestner-museum, von Ad. Mussmann ... Hannover, E. Geibel, 1909.
cover-title, 12, [2] p. 22 cm.
1. Low German literature - Addresses, essays, lectures. I. Hanover, Ger. (City) Stadtbibliothek.

NM 0915592 CU

QD341 .P5M9
Mussmann, Friedrich.
Ueber o-kresolderivate.
Freiburg, 1892.
44p.
Inaug. diss. Freiburg.

NM 0915593 DLC

Mussmann, Heinrich, 1905-
Über chirurgische komplikationen bei solitärniere ... Göttingen, 1930.
32 p.

NM 0915594 MiU

Mussmann, Heinz Gottfried.
Das Minderheitenschutzverfahren vor dem Völkerbund, seine Mängel und sein Zusammenbruch. [Essen] Essener Verlagsanstalt, 1939.
vi, 143 p. 24 cm. (Volkslehre und Nationalitätenrecht in Geschichte und Gegenwart. 3. Reihe: Das Nationalitätenrecht der Gegenwart. b. Systematische Darstellungen. Bd. 2)
Issued also as inaugural dissertation, Münster.
"Schrifttumsverzeichnis": p. [135]–143.

1. Minorities. 2. League of Nations. I. Title. II. Series.
JC311.M8 1939 323.1 47-40020*

NM 0915595 DLC NNC MH IU

B2949 .4M95D
Mussmann, Johann Georg, 1798-1833.
...De idealismo; seu, Philosophia ideali... Berolini, G. Reimer, 1826.
viii, 48p. 26cm.
Diss.-Berlin.

1. Idealism. I. Title.

NM 0915596 NNU-W MH DNLM ICU

VOLUME 403

Mussmann, Johann Georg, 1798-1833.
De logicae ac dialecticae notione historica ...
Berolini, 1828.

NM 0915597 CtY IEN PU NjP

B2949 .4M95G Mussmann, Johann Georg, 1798-1833.
Grundlinien der logik und dialektik, zum gebrauch bei mündlichen vorträgen, entworfen von dr. Johann George Mussmann. Berlin, Mylius, 1828.
vi, [2], 184p. 21½cm.

1. Logic. 2. Philosophy.

NM 0915598 NNU-W IEN NjP

B2949 .4M95 .G2 Mussmann, Johann Georg, 1798-1833.
Grundriss der allgemeinen geschichte der christlichen philosophie, mit besonderer rücksicht auf die christliche theologie entwickelt von d. Johann George Mussmann... Halle, F. Ruff, 1830.
x, 244p. 21cm.

1. Christianity. 2. Philosophy and religion. 3. Philosophy - History.

NM 0915599 NNU-W PPLT MH IU

Mussmann, Johann Georg, 1798-1833.
Immanuel Kant. Eine Gedächtnissrede, gehalten vor einer Versammlung akademischer Bürger am 12ten Februar 1822, von J. G. Mussmann. Halle: Auf Kosten des Verfassers, 1822. 2 p.l., 62 p. 8°.

1. Kant, Immanuel, 1724-1804.
N. Y. P. L. May 13, 1919.

NM 0915600 NN NNU-W

BD 422 G3 M85 Mussmann, Johann Georg, 1798-1833.
Lehrbuch der Seelenwissenschaft, oder Rationalen und empirischen Psychologie, als Versuch einer wissenschaftlichen Begründung derselben, zu akademischen Vorlesungen bestimmt. Berlin, Mylius, 1827.
312p. 21cm.

1. Soul 2. Self 3. Psychology
I. Title II. Title: Rationalen und empirischen Psychologie

NM 0915601 WU MH NNU-W

HF5549 .A2N27 no. 80 Mussmann, William W.
National Industrial Conference Board.
Communication within the management group. New York [1947]

HF5549 .A2N27 no. 124 Mussmann, William W.
National Industrial Conference Board.
Developments in supervisory training [by William W. Mussmann, Division of Personnel Administration] New York [1952]

HF5549 A2N27 no. 131 Mussmann, William W.
National Industrial Conference Board.
Employee induction [by William W. Mussmann, Division of Personnel Administration] New York [1953]

HF5549 .A2N27 no. 140 Mussmann, William W.
National Industrial Conference Board.
Management development, a ten-year case study [by William W. Mussmann] New York [1953]

HF5549 .A2N27 no. 77 Mussmann, William W.
National Industrial Conference Board.
Techniques of conference leadership. [By William W. Mussmann and Wilbur M. McFeely] New York [1946]

BS 2695 M98 Mussner, Franz, 1916-
Christus, das All und die Kirche. Studien zur Theologie des Epheserbriefes. Trier, Paulinus-Verlag, 1955.
xv, 175 p. 23cm. (Trierer theologische Studien, 5)

Habilitationsschrift--Munich.

1. Bible. N.T. Ephesians--Criticism, interpretation, etc. I. Title. II. Series.

NM 0915607 NIC TxDaM CtY-D NjPT PPWe TxFTC CtHC

Mussner, Franz, 1916-
Ζωή; die Anschauung vom "Leben" im vierten Evangelium unter Berücksichtigung der Johannesbriefe. München, 1949.
xiv, 291 l. 30 cm.
Typescript (carbon)
Inaug.-Diss.—Munich.
Bibliography: leaves viii-xiv.

1. Life. 2. Bible. N. T. John—Theology. 3. Bible. N. T. Epistles of John—Theology. I. Title. *Title transliterated: Zōē.*

BS2601.M8 55-24309

NM 0915608 DLC

Mussner, Franz, 1916-
Ζωή; die Anschauung vom "Leben" im vierten Evangelium unter Berücksichtigung der Johannesbriefe. Ein Beitrag zur biblischen Theologie. München, K. Zink, 1952.
xv, 190 p. (Münchener theologische Studien. I. Historische Abt., 5.Bd.)
Includes bibliography.

1. Bible. N.T. John—Theology. 2. Life. 3. Future life. Series.

MH-AH
NNUT CtY-D NjPT MBtS NcD MH-AH TNJ-R MiU TxDaM
NM 0915609 ICU NNC IMunS IEG NIC MH RPB PSt

Musso, Alfonso.
La nuova tecnica di gioco nei concorsi totocalcio e totip; sistemi a rotazione periodica. [Modena, Stab. poligrafico Artioli, 19]
142 p.

NM 0915610 DLC

Musso, Alfonso.
Il sistema catenario "Eureka!" Modena, Società tip. modenese, 1949.
32 p. 25 cm.

1. Gambling. 2. Probabilities. I. Title.

A 50-6041

Illinois. Univ. Library for Library of Congress [2]

NM 0915611 IU

Musso, Alfred
An investigation of strains in the rolling of metal. A.M.E. Transactions Vol. 41, 1919
P. 961 to 971

NM 0915612 OCIW

793.32 M989r Musso, Amalia (Prof.)
Raccolta di danze espressive e di figurazioni ritmiche adatte per feste scolastiche. Con illustrazioni. Aggiunta di Progressioni di Gimnastica Ritmica, per piccole e giovani italiane e per balilla. Torino, S. Lattes & C. [1930]
vii, 227p. illus. 20cm.

1. Dancing. I. Title.

NM 0915613 NcU

Musso, Cornelio, bp., 1511-1575.
Delle prediche quadragesimali del Rmo. Monsor. Cornelio Mvsso ... sopra l'epistole & Euangeli correnti, per i giorno di quaresima, e per li du primi giorni di pasqua ... Vientia, De'Givnti, 1592.
2 v. 24 cm.

NM 0915614 PBL

Musso, Cornelio, *bp.*, 1511-1575.
Oratio r. p. d. Cornelij episcopi bitontini: tertia dominica aduentus in Cōcilio tridentino habita. [Romæ, 1545?]
4 l. 21cm.
No. 6 in a volume lettered: Hieronimi Albani et aliorum opera varia.
Caption title.
Title vignette.

1. Trent, Council of, 1545-1563.

Library of Congress BX830.1545.H5 no. 6 43-37635

NM 0915615 DLC

Case 4A 1338 MUSSO, CORNELIO, bp., 1511-1575.
Predica del Reverendo Monsignor Cornelio Vescovo di Bitonto. Fatta in Padova nella chiesa del Santo l'ottaua di Pasqua dell'anno MDLIII sopra l'Euangelio corrente. Nellaquale si tratta gran parte della Giustificatione, & della Remissione de peccati... In Venetia, al segno del Pozzo, 1553.
37 l. 21cm.
Signatures: A-H^4, I^6 (I$_6$ blank)

Printer's device on t-p.
Preface by Andrea Arrivabene.
Historiated initials.
Armorial bookplate: Ex libris Liechtensteinianis.

NM 0915617 ICN

BX 1756 M8 P8 1553 Cage Musso, Cornelio, bp., 1511-1575.
Predica ... fatta in Trento nella chiesa de' Tedeschi, presente tutto il Sacro Concilio & molti de Protestanti il di XXIIII di Marzo ... MDLII. Sopra l'euangelio & l'epistola della feria ... In Venetia, 1553.
32 l. A-D^8. 8vo.

NM 0915618 DFo

VOLUME 403

Case
4A
623

MUSSO, CORNELIO, bp.,1511-1575
Predica del Rever. Padre F. Cornelio Vescovo di Bitonto, fatta in Trento, per la impresa contra Lutherani. [Roma, M.V.Dorico & Luigi fratelli Bresciani] [1546?]
[24]p. 21cm.
Signatures: Unsigned^2,A-B^4,C^2.
Error in foliation: B_2 signed B_3.
At end of dedication: Da Trento, il IIII. di Settembre, dal XLVI.

Colophon: Stampata in Roma per M.Valerio Dorico & Luigi fratelli Bresciani.
Title vignette.
Cover title.

NM 0915620 ICN

Musso, Cornelio, bp., 1511-1575
Prediche del reverendissimo monsignor Cornelio, vescovo di Bitonto, fatte in diversi tempi, et in diversi lvoghi. Nelle qvali si contengono moltisanti, & euangelici precetti, non meno utili, che necessari alla interior fabrica dell'huomo christiano. Vinegia, G. G. de' Ferrari, 1556.
[30], 614 p. 17 cm.
Title vignette: initials.

NM 0915621 CU-S ICN

WT5
M989
P
1560

Musso, Cornelio, bp., 1511-1575.
Prediche del Reverendiss.Monsig.Cornelio Mvsso ... Fatte in diversi tempi, et in diversi lvoghi ... In Vinegia,Appresso Gabriel Giolito de' Ferrari,1560.
12p*l*.,478p.,1*l*. 16cm.
Title vignette; initials, head and tail-pieces.

NM 0915622 NNUT ICU

WT5
M989
P
1560

Musso, Cornelio, bp., 1511-1575
Prediche del Reuerendo Mons.Cornelio Musso ... fatte in Vienna ... il giorno di San Giacomo apostolo, & il giorno della Madonna della neue. L'anno MDLX. In Venetia,per Gio.Varisco & compagni,1561.
32numb.*l*. 16cm. [Bound with his Prediche ... fatte in diversi tempi. In Vinegia,1560]
Title vignette.

NM 0915623 NNUT

Bennecke Library
1972
356

Musso, Cornelio, Bp., 1511-1575.
Prediche sopra il simbolo de gli Apostoli, le due dilettioni, di Dio, e del prossimo, il sacro Decalogo, & la passione di nostro Signor Giesu Christo, descritta da S.Giouanni Euangelista. De R.mo Mon.o Cornelio Mvsso vescovo di Bitonto. Predicate in Roma la quaresima l'anno M D XLII. nella chiesa di S.Lorenzo in Damaso, sotto il ponteficato di Paolo Terzo. Nellequali, copiosamente si dichiara quanto si appartiene alla istitutione christiana. Non piv stampate. In Venetia, Nella stamperia de' Giunti, 1590.
40 p.*l*., 631 p. incl.front.(port.), illus. 24 cm.
Signatures: *^{4}(*$_4$ front.)a-i^{4}A-Qq^{8}Rr^4.
Edited by Marino Moro.- cf. A' lettori.
Imperfect: damp-stained.

1. Sermons, Italian, 2. Hugo, Harold - Bookplate. I. Moro, Marino, 16th cent., ed.

NM 0915626 CtY

Musso, Cornelio, bp., 1511-1575.
Il primo [secondo] libro delle prediche. Vinetia, 1572.
2v.

NM 0915627 WU

Case
C
9936
.608

MUSSO, CORNELIO, bp., 1511-1575
Il terzo libro delle prediche. Di nuouo riordinata - Vinegia,Appresso i Gioliti, 1580.
[40],567,[1]p. woodcuts. 16cm.
Printer's device on t.-p.; initials, headpieces.

NM 0915628 ICN

Case
6A
179

MUSSO, CORNELIO, bp., 1511-1575.
Synodus bitvntina... totam fere eccle-siasticam disciplinam sermonibus, constitvtionibvs... Venetiis, apud Iolitos, 1579.
[12]401 p. port. 31 cm.
Printer's device on t.-p.
Historiated initials.
Head- and tail-pieces.
Colophon:Venetiis, apud Iolitos.
Signatures: A^6,A-Z^8(F^3 signed E^3)Aa-Bb^8,

NM 0915629 ICN

Mussó (Enrico). Nevralgie e reumatismi curati coll' elettricità e specialmente col jodoformio. 24 pp. 8°. *Torino, Roux & Favalle*, 1881.

NM 0915630 DNLM

Musso, Erminia Chizzali-
see Chizzali-Musso, Erminia.

MUSSO, F.
L'organisation du placement des travailleurs. Rennes,1924.
Thèse --- Rennes.

NM 0915632 MH-L CtY

Musso, Giacomo.
La elettrificazione ferroviaria. Roma, Collegio degli ingegneri ferroviari italiani, 1952.
117 p. illus. 31 cm.
At head of title: Corso di lezioni per gli allievi ispettori delle ferrovie dello Stato.

1. Railroads—Italy—Electrification. I. Title.

TF858.I 8M87 74-205421

NM 0915633 DLC

Musso, Giacomo Andrea, 1830-
La scienza amministrativa, considerata in relazione ad un codice del diritto amministrativo degli Italiani, per Giacomo Andrea Musso. 3. ristampa ... Firenze, Tipografia editrice dell' associazione, 1875.
xii, [3]-143 p. 24cm. (On cover: Biblioteca dell' impiegato italiano—v. 3 ...)
Bibliographical foot-notes.

1. Administrative law—Italy. 2. Administrative law. I. Title.

27-28002

NM 0915634 DLC

Musso (Giovanni)
Le acque potabili della città di Lodi, con nozioni intorno alla scelta delle acque potabili ed alla interpretazione dei risultati annalitici. 46 pp. 8°. *Lodi, C. Dell' Avo*, 1881.
By Giovanni Musso and Angelo Bignamini.

NM 0915635 DNLM

637.7
M97c

Musso, Giovanni.
Il cacio; tecnologia, chimica e microbiologia generale del caseificio ... Torino etc. Unione tipografico-editrice, 1887.
63p. incl.illus., tables.
Cover-title.

1. Cheese.

NM 0915636 IU DNLM

Musso, Giovanni
L' influenza della suggestione nell' ipnosi isterica. Nota clinica e sperimentale. 40 pp. 8°. *Milano, F. Vallardi*, [1888].
Forms no. 6 of: Collezione italiana di letture sulla medicina, Milano, 4. s.
By Giovanni Musso and E. Tanzi.

NM 0915637 DNLM

WA
100
qM989v
1889

MUSSO, Giovanni
La vigilanza sanitaria sull'annona ed i laboratorii chimici per l'analisi delle sostanze alimentari e le ricerche sulle condizioni igieniche dei comuni. Torino, Unione tip.-editrice, 1889.
vii, 141 p. illus.

NM 0915638 DNLM

Musso, Giovanni Andrea.
Introduzione allo studio della sociologia generale. Roma, 1954.
143 p. 21 cm.
Bibliography: p. 139-143.

1. Sociology.

A 56-1985

Wisconsin. Univ. Libr.
for Library of Congress [8]

NM 0915639 WU

Musso, Giuseppe.
... Particolari di costruzioni murari e finimenti di fabbricati ... Torino [etc.] G. B. Paravia e comp., 1885-87.
2 v. 32½cm. *and* 2 portfolios of 1 fold. col. pl. 45½cm.
At head of title: Musso e Copperi, costruttori.
CONTENTS.—pte. 1. Opere muratorie.—pte. 2. Opere di finimento ed affini.

1. Building. 2. Masonry. I. Copperi, Giuseppe, joint author.

10-28689

Library of Congress TH145.M8

NM 0915640 DLC

Musso, Giuseppi
Sul verme delle olive detto Kairon o musca olaeo. Albenga, 1848.

NM 0915641 NjP

VOLUME 403

4K 1441 Musso, Giuseppe Domenico
L'arbitrato come procedura pacifica e la sua natura giuridica nella Società delle Nazioni. Roma, A. F. Formiggini, 1934.
123 p.

NM 0915642 DLC-P4

Musso, Giuseppe Domenico.
...La Cina ed i Cinesi, loro leggi e costumi... Milano: U. Hoepli, 1926. 2 v. facsims., maps, plates (part col'd), ports., tables. 8°.
Continuous paging.
Part of plates printed on both sides.
Bibliography, v. 2, p. [1435-]1446.

J. S. BILLINGS MEM. COLL.
1. Law—China. 2. Constitutions—China. 3. China.
N. Y. P. L. July 11, 1927

NM 0915643 NN MiU-L NIC MH

Musso, Giuseppe Domenico.
..L'individuo e le minoranze come soggetti del diritto internazionale. Roma, Formiggini, 1937.
215 p. 25½ cm.
"Bibliografia": p.[11]-13.

1.Persons(Law) 2.Minorities. 3.International law and relations.

NM 0915644 NjP

Musso, Giuseppe Domenico.
... La protezione minoritaria e la sovranità. Esame della questione nei rapporti italo-jugoslavi. Roma: A. F. Formiggini, 1936. 183 p. 25½cm.
"Bibliografia," p. [15]-17.

927801A. 1. Italians in Yugoslavia. 2. Slavs, South, in Italy. I. Italy. Treaties. II. Yugoslavia. Treaties.
N. Y. P. L. April 29, 1938

NM 0915645 NN

PQ4829 U82 S68 Musso, Giuseppe Maria
Soste nel tempo. Poesie. Disegni di Felice Casorati. [Modena] Guanda [1951]
57p. illus. 20 cm.

NM 0915646 RPB

4BF 532 Musso, J Ricardo, 1917-
En los límites de la psicología, desde el espiritismo hasta la parapsicología. B[ueno]s Aires, Editorial Periplo, [1954]
331 p.

NM 0915647 DLC-P4 NN

Musso, Jean Claude, 1914-
... Sur la fréquence des empoisonnements criminels et accidentels en Algérie. Réformes techniques, législatives et administratives ... par Musso Jean-Claude ... [Alger, G. Charry, 1943]
9 p.l., 3-86 p. mounted illus. 24½cm.
Thèse - Algiers.
At head of title: Université d'Alger. Faculté mixte de médecine et de pharmacie.

Année 1943 - N° 1.
"Bibliographie": p. 83-84.

NM 0915649 MH-L CtY

MUSSO, L.
Contribution à l'etude des levures algeriennes, [Thèse, Paris]. Laval, L. Barneoud & cie imprimeurs, 1913.

Plates.
"Index bibliographique" pp.94-98.

NM 0915650 MH-C CtY

Musso, L.A.
Guthrie, Frederick Bickell.
... The relation of fertilisers to soil fertility. By F. B. Guthrie. Sydney, W. A. Gullick, government printer. 1913.

Musso, Luigi. No. 3, 4 in *8050a.748.4
2 morceaux pour le violon avec accompagnement de piano. [Partition et parties séparées. Arrangées par A. Gunkel.]
= Boston. The B. F. Wood Music Co. 1893. 2 v. 34 cm.
Contents. — Berceuse. — Élégie.
Vol. 1 contains the scores. Vol. 2 contains the violin parts.

L.7368 — T.r. (2 in contents.) — Violin. Music. — Gunkel, Adolf, ed.

NM 0915652 MB

Musso, Luigi.
Sopra gli aeroliti caduti il giorno 29 febbraio 1868, nel territorio di Villanova e Motta dei Conti, Piemonte, circondario di Casale. Memorie dei professori Agostino Goiran, Antonio Bertolio, Arturo Zanneti, Luigi Musso. Torino, Tip. e lib. S. Giuseppe, Collegio degli artigianelli, 1868.

WAA M989m 1899 MUSSO, Luigi Alberto
Manuale pratico per l'ispezione delle derrate alimentari secondo le leggi e regolamenti aventi vigore in Italia. Torino, Unione tip. editrice, 1899.
viii, 344 p.
I. Italy. Laws, statutes, etc.

NM 0915654 DNLM

DG 861.7 .M8 Musso, Matteo
Illustrazione del Pantheon Siciliano nel Tempio di S. Domenico in Palermo. Palermo, Stab. tip. Virzì, 1910.
xxviii, 203 p. plates, 1 fold. plan.

1. Sicily - Biog. 2. Palermo. Tempio di S. Domenico. I. Title.

NM 0915655 DGU

Musso, Robert, 1892-
... La radiumthérapie des fibromyomes utérins. .... Lyon, 1920.
134 p. 25.5 cm.
Thèse - Univ. de Lyon.

NM 0915656 CtY

Musso (Victor). *Sur l'étiologie, le diagnostic et les caractères anatomiques des anévrysmes du cœur. 26 pp. 4°. Paris, 1827, No. 164, v. 209.

NM 0915657 DNLM PPC

Musso-Bocca, Angela.
... Erba amara, romanzo. Lugano-Bellinzona, Istituto editoriale ticinese, 1940.
3 p. l., 9-273 p., 1 l. 19cm.

I. Title.
PQ4829.U79E7 A F 47-4142
Yale univ. Library for Library of Congress [3]†

NM 0915658 CtY IU DLC

PC4689 .M87 Musso y Fontes, José
Diccionario de las metáforas y refranes de la lengua castellana. Barcelona, N. Ramírez, 1876.
284p. 22cm.

1. Spanish language - Figures of speech. 2. Spanish language - Terms and phrases. I. Title.

NM 0915659 NcU CU OCU

Musso y Valiente, José, 1785-1838.
A los Españoles en sus discordias civiles. [Poema] (In Academia española. Memorias vol. 3, p. 225-229. Madrid, 1879)

NM 0915660 MH

N3450 .M23 Rare Bk Coll Musso y Valiente, José, 1785-1838.
Madrazo, José de, 1781-1859.
Coleccion lithographica de cuadros del Rey de España, el señor don Fernando VII. Obra lithographiada por hábiles artistas bajo la direccion de Jose de Madrazo. Madrid, Real Establecimiento Lithographico, 1826-32.

DP 214.5 .M989 MUSSO Y VALIENTE, JOSÉ, 1785-1838
Discurso gratulatorio al Señor don Fernando VII, rey de las españas, por haber jurado la constitución política de esta monarquía. Madrid, Ibarra, 1821.
44 p.
9 blank leaves at end of text.
1. Spain--Constitutional History. 2. Fernando VII, King of Spain, 1784-1833. 3. Spain--Hist.--Fernando VII, 1813- 1833

NM 0915662 InU

Musso y Valiente, José. 1785-1838. Poesías. 3 pp. (Cueto, L. A. de, Poet. lir. del siglo 18, v. 3, p. 794: Bibliot. de autor. españ.)

NM 0915663 MdBJ

Mussolineide; poema di rivendicazione sociale. autore... No. pub. [193?]
297 p. 1 l.

NM 0915664 MiD

Mussolini, Arnaldo, 1885-1931.
Scritti e discorsi di Arnaldo Mussolini. Ed. definitiva ... Milano, U. Hoepli, 1934-
v. ports. 22½cm.
Contents.—I. Vita di Sandro e Arnaldo.

DG575.M79A3 47-33251

NM 0915665 DLC MnU NNC CSt-H NN DCU MH IEN

VOLUME 403

DG575 M6A43
Mussolini, Arnaldo, 1885-1931.
Ammonimenti ai giovani e al popolo. Roma, Libreria del Littorio, 1931.
69 p. port. 20cm.
Contents.- In memoria, di Giorgio Berlutti.- Messaggio di S. E. Starace. - Arnaldo. - Ai giovani. - Al popolo. - Il testamento.
1.Fascism - Italy. 2. Youth - Italy. I. Berlutti, Giorgio, 1889- ed. II. Title.

NM 0915666 CSt-H

Mussolini, Arnaldo, 1885-1931.
Die Arbeitsverfassung, Einleitung und Betrachtungen von Arnaldo Mussolini
see under Italy. Laws, statutes, etc.

Mussolini, Arnaldo, 1885-1931.
... Azione fascista (articoli del 1929) a cura di Valentino Piccoli. Milano, Casa editrice "Alpes", 1930.
4 p. l., [11]-355 p., 1 l. 20cm.

1. Fascism—Italy. 2. Europe—Politics—1914- I. Piccoli, Valentino, 1892- ed. II. Title.
33-9488
Library of Congress DG571.M7 945.09

NM 0915668 DLC MU TxU OCl NcU NcD MH

Law
Mussolini, Arnaldo, 1885-1931, ed.
Partito nazionale fascista. Gran consiglio.
La Carta del trabajo; introducción y comentario de Arnaldo Mussolini (con tres apéndices) Roma, Istituto poligrafico dello Stato, Libreria, 1933.

DG575 M6A2
Mussolini, Arnaldo, 1885-1931.
Carteggio Arnaldo-Benito Mussolini, premessa e note di Duilio Susmel. Firenze, La Fenice [1954]
328 p. ports., facsims. 23cm.
1. Fascism - Italy. I. Mussolini, Benito, 1883-1945. II. Susmel, Duilio, ed. III. Title.

NM 0915670 CSt-H NN CLU NIC MH ICU

DG 571 M718
Mussolini, Arnaldo, 1885-1931
Commenti all'azione; articoli del 1927. A cura di Valentino Piccoli. Milano, Edizioni Alpes, 1929.
402p. 20cm.
1. Fascism - Italy 2. Fascism - Addresses, essays, lectures 3. Italy - Pol. & govt. - 1922-1945 - Addresses, essays, lectures I. Piccoli, Valentino, 1892- ed. II. Title

NM 0915671 WU MiD MH

Mussolini, Arnaldo, 1885-1931.
Commento alla Carta del lavoro. Milano, Federazione provinciale fascista dei commercianti, 1928.
79 p. port. 24 cm. (Biblioteca del commerciante, v. 2)
Includes text of the Carta del lavoro.

1. Labor laws and legislation—Italy. I. Italy. Laws, statutes, etc. Carta del lavoro. II. Title.
55-50458

NM 0915672 DLC CSt-H MB

Italy. Laws, statutes, etc.
Commento alla Carta del lavoro
see under Mussolini, Arnaldo, 1885-1931.

Mussolini, Arnaldo, 1885-1931.
La conciliazione (1923-I-1931-IX E.F.) Milano, U.Hoepli, 1935.
298 p. 22 cm. (His Scritti e discorsi. Ed. definitiva, 3)

NM 0915674 MH

Mussolini, Arnaldo, 1885-1931.
Conscience and duty; introductory speech given at the inauguration of the III battling year of the School of Mistica Fascista Sandro Mussolini. Tr. by Gina Dogliotti-Frati. Milano [194-]
27 p. 20 cm. (Handbooks of the School of Fascist Mystics Italico Mussolini)
"Edition of the Fascist Students Association and of the Fascist Institute of Culture."
1. Fascism — Addresses, essays, lectures. 2. Fascism — Italy. I. Title. (Series: Milan. Scuola di mistica fascista. Handbooks)
DG571.M723 945.091 60-41133

NM 0915675 DLC

Mussolini, Arnaldo, 1885-1931.
Coscienza e doverse. [Prolusione detta per l'inaugurazione del III anno di battaglia della "Scuola di mistica fascista Sandro Mussolini." Milano] Gruppo universitario fascista d dell' Istituto fascista di cultura [1932]
10 p. port. 22 cm. (Quaderni della Scuola di mistica Sandro Mussolini)
Film reproduction. Negative.

Edizioni del Gruppo universitario fascista e dell'Istituto fascista di cultura. Ser. C, n. 1.
Cover title.

1. Fascism--Italy. 2. Fascism--Addresses, essays, lectures. I. Scuola di mistica fascista, Milan. II. Partito nazionale fascista. Gruppo universitario fascista Milano. III. Istituto nazionale di cultura fascista. Milan.

NM 0915677 NN

Mussolini, Arnaldo, 1885-1931.
... Coscienza e dovere ... [Milano, Off. graf. Littorio, 1941]
2 p. l., [7]-22, [2] p. front. (port.) 20cm. (Quaderni della Scuola di mistica fascista Sandro Italico Mussolini)
"50° migliaio."

1. Fascism—Addresses, essays, lectures. 2. Fascism—Italy. I. Title.
44-15630
Library of Congress DG571.M72
[2] 945.09

NM 0915678 DLC

Mussolini, Arnaldo, 1885-1931.
... Coscienza e dovere; discorso pronunziato in Milano per l'inaugurazione della Scuola di mistica fascista, con una traduzione latina di Tommaso Frosini ... 2. ed. riveduta. Capodistria, Arti grafiche R. Pecchiari [1941]
2 p. l., 7-77 p., 1 l. 2 pl. (incl. front.) ports. 24½cm.
Italian and Latin on opposite pages.

1. Fascism—Addresses, essays, lectures. 2. Fascism—Italy. I. Frosini, Tommaso, tr. II. Title.
45-41578
Library of Congress DG571.M72 1941 a
[2] 945.09

NM 0915679 DLC NN

Mussolini, Arnaldo, 1885-1931.
I discorsi, 1928-1931. Milano, U.Hoepli, 1934.
209 p. 22 cm. (His Scritti e discorsi. Ed. definitiva, 2)

NM 0915680 MH

Mussolini, Arnaldo, ed.
Mussolini, Benito, 1883-
... Diuturna; scritti politici raccolti e ordinati da Arnaldo Mussolini e Dino Grandi, prefazione di Vincenzo Morello. 1914 ... 1922. Milano, Imperia, 1924.

1548 .19 .6665
Mussolini, Arnaldo, 1885-1931
Fascismo e civiltà (1923-I - 1931-IX E.F.) Milano, Hoepli, 1937
224 p. port. 23 cm (His Scritti e discorsi... ed. definitiva, 5)
"La compilazione e la revisione di questo volume sono state curate" di Valentino Piccoli
1. FASCISM - ITALY - ADDRESSES, ESSAYS, LECTURES 2. ITALY - POLITICS AND GOVERNMENT - 1922-1945 - ADDRESSES, ESSAYS, LECTURES I. Piccoli, Valentino, 1892- ed.

NM 0915682 NjP

338.945 M97f
Mussolini, Arnaldo, 1885-1931.
... Il fascismo e le corporazioni, con prefazione di Giuseppe Bottai, a cura di Valentino Piccoli. Roma [etc.] Augustea, 1931.
107p. (Quaderni d'attualità. IV)

1. Industry and state--Italy. 2. Fascism--Italy. 3. Corporate state. I. Piccoli, Valentino, 1892- ed. II. Title.

NM 0915683 IU CU CSt-H NcD

Mussolini, Arnaldo, 1885-1931.
...Forlì. Roma: "Edizioni Tiber," 1929. 194 p. plan, plates, ports. 12°. (Storie municipali d'Italia. [no.] 1.)
Bibliography, p. 191-192.

564960A. 1. Forli, Italy (city)—Hist. I. Ser.
N. Y. P. L. February 24, 1932

NM 0915684 NN RPB MH

Mussolini, Arnaldo, 1885-1931.
... Le forze dominanti. Firenze, R. Bemporad & figlio [1928]
3 p. l., [9]-56 p., 1 l. 22cm. (*Half-title:* Quaderni fascisti ... [XVI])
"Lezione tenuta all' Istituto fascista di coltura di Milano, la sera dell' otto marzo 1928, anno VI."
CONTENTS.—Le forze dominanti.—L'oro e la politica dell' America.—L'imperialismo inglese.—La Francia democratica e massonica.—Il bolscevismo.—La forza dominante: il fascismo.—Valore morale e sociale del fascismo.—La religione.—La supremazia italiana.
1. World politics. 2. Fascism. I. Title.
30-2794
Library of Congress DG571.A2Q3 no. 16

NM 0915685 DLC PP NN

HD7892 .A5 1933 a
Mussolini, Arnaldo, 1885-1931, ed.
Italy. *Laws, statutes, etc.*
Labour charter; introduction and comment by Arnaldo Mussolini (with three appendices) Roma, Istituto poligrafico dello stato, Libreria, 1933.

VOLUME 403

Mussolini, Arnaldo, 1885-1931.
La lotta per la produzione (1925-III - 1931-X E.F.) Milano, U.Hoepli, 1937.

381 p. port. 22 cm. (His Scritti e discorsi. Ed. definitiva, 4)

NM 0915687 MH

DG571 M9847

Mussolini, Arnaldo, 1885-1931.
Orientamenti e battaglie (articoli del 1928) a cura di Valentino Piccoli. Milano, Edizioni "Alpes," 1929.
422 p. 20cm.

1. Fascism - Italy. 2. Italy - Pol. & govt. - 1922-1945. I. Piccoli, Valentino, 1892- ed. II. Title.

NM 0915688 CSt-H NNC MH WU

DG 571 M91

Mussolini, Arnaldo, 1881-1931.
Polemiche e programmi (articoli del 1926) a cura di Valentino Piccoli e con prefazione di Augusto Turati. Milano, Alpes, 1928.
xi, 379 p. 20cm.

1. Italy--Pol. and govt.--1922-1945. 2. Fascism--Italy.

NM 0915689 NIC MH

HC562 .C6

Mussolini, Arnaldo, 1885-1931.

Corni, Guido, 1883-
... Problemi coloniali. ⌊Milano, Tipografia del "Popolo d'Italia"⌋ 1933.

DG571 M385

Mussolini, Arnaldo, 1885-1931.
... Verso il nuovo primato; discorsi raccolti da Valentino Piccoli. Milano, Edizioni "Alpes", 1929.
168 p., 4 l. 20ᶜᵐ.

Speeches delivered in 1928 and 1929.

1.Italy - Pol. & govt. - 1922- 2. Fascism - Italy I.Piccoli, Valentino, 1892- ed. II.Title.

NM 0915691 CSt NNC MH WU

Mussolini, Arnaldo, 1885-1931.
... Vita di Sandro e di Arnaldo
see his Scritti e discorsi di Arnaldo Mussolini, I.

Mussolini, Arnaldo, 1885-1931.

see also

Fondazione Arnaldo Mussolini "Fedeli alla terra".

Mussolini, Benito, 1883-1945.
Scritti e discorsi di Benito Mussolini. Ed. definitiva ... Milano, U. Hoepli, 1934-39.

12 v. fronts. (ports.) 22½ cm.

Vols. 1-10 edited by Valentino Piccoli, v. 11-12, by Carlo Ravasio.

CONTENTS.—I. Dall' intervento al fascismo (15 novembre 1914-23 marzo 1919)—II. La rivoluzione fascista (23 marzo 1919-28 ottobre 1922)—III. L'inizio della nuova politica (28 ottobre 1922-31 dicembre 1923)—IV. Il 1924.—V. Dal 1925 at 1926.—VI. Dal 1927 al 1928.—VII. Dal 1929 al 1931.—VIII. Dal 1932 al 1933.—IX. Dal gennaio 1934 al 4 novembre 1935.—X. Dell' impero (novembre 1935-XIV-4 novembre 1936-XV E. F.) —XI. Dal novembre 1936 al maggio 1938. —XII. Dal giugno 1938 al novembre 1939.

—— —— Indice analitico-alfabetico degli argomenti, dei concetti e dei nomi contenuti nei volumi I-XII degli "Scritti e discorsi" e nella "Vita di Arnaldo" (a cura di Carlo Ravasio e Bruno Damiani) Milano, U. Hoepli, 1940.

1 p. l., 5-147 p. 22½ cm.

DG575.M8A15 Index

1. Italy—Pol. & govt.—1914-1945. I. Piccoli, Valentino, 1892- ed. II. Ravasio, Carlo, 1897- ed. III. Damiani, Bruno.

DG575.M8A15 945.09 33—36601

CaBVaU PU CtY
NM 0915695 DLC TNJ FTaSU CU ICU MH NN NcD OU NNC

Mussolini, Benito, 1883-1945.
Opera omnia; a cura di Edoardo e Duilio Susmel. Firenze, La Fenice ⌊1951-62⌋

35 v. facsims. 23 cm.

CONTENTS.—1. Dagli inizi all'ultima sosta in Romagna (1 dicembre 1901-5 febbraio 1909)—2. Il periodo trentino verso la fondazione de "La Lotta di classe" (6 fabbraio 1909-8 gennaio 1910)—3. Dalla fondazione de "La Lotta di classe" al primo complotto contro Mussolini (9 gennaio 1910-6 maggio 1911)—4. Dal primo complotto contro Mussolini alla sua nomina a direttore dell' "Avanti!" (7 maggio 1911-30 novembre 1912)—5. Dalla direzione dell' "Avanti!" alla vigilia della fondazione di "Utopia" (1 dicembre 1912-21 novembre 1913)—6. Dalla fondazione di "Utopia" alla vigilia della fondazione de "Il Popolo d'Italia." (22 novembre 1913-14 novembre 1914)—7. Dalla fondazione de "Il Popolo d'Italia" all'intervento (15 novembre, 1914-24 maggio 1915)—8. Dall'intervento alla crisi del ministero Boselli (25 maggio 1915-17 giugno 1917)—9. Dalla crisi del Ministero Boselli al Piave (18 giugno 1917-29 ottobre 1917)—10. Dal Piave al Convegno di Roma (30 ottobre 1917-12 aprile 1918)—11. Dal Convegno di Roma agli armistizi (13 aprile 1918- 12 novembre 1918)—12. Dagli armistizi al discorso di piazza San Sepolcro (13 novembre 1918-23 marzo 1919)—13. Dal discorso di piazza San Sepolcro alla marcia di Ronchi (24 marzo 1919-13 settembre 1919)—14. Dalla marcia di Ronchi al secondo Congresso dei fasci (14 settembre 1919-25 maggio 1920)—15. Dal secondo Congresso dei fasci al Trattato di Rapallo (26 maggio 1920-12 novembre 1920—16. Dal Trattato di Rapallo al primo discorso alla Camera (13 novembre 1920-21 giugno 1921)—17. Dal primo discorso alla Camera alla Conferenza di Cannes (22 giugno 1921-13 gennaio 1922)—18. Dalla Conferenza di Cannes alla marcia su Roma (14 gennaio 1922-30 ottobre 1922)—19. Dalla marcia su Roma al viaggio negli Abruzzi (31 ottobre 1922-22 agosto 1923)—20. Dal viaggio negli Abruzzi al delitto Matteotti (23 agosto 1923-13 giugno 1924)—21. Dal delitto Matteotti all'attentato Zaniboni (14 giugno 1924-4 novembre 1925)—22. Dall'attentato Zaniboni al discorso dell'Ascensione (5 novembre 1925-26 maggio 1927)—23. Dal discorso dell'Ascensione agli accordi del Laterano (27 maggio 1927-11 febbraio 1929)—24. Dagli accordi del Laterano al dodicesimo anniversario della fondazione dei fasci (12 febbraio 1929-23 marzo 1931)—25. Dal dodicesimo anniversario della fondazione dei fasci al Patto a Quattro (24 marzo 1931-7 giugno 1933)—26. Dal Patto a Quattro all'inaugurazione della provincia di Littoria (8 giugno 1933-18 dicembre 1934)—27. Dall'inaugurazione della provincia di Littoria alla proclamazione dell'impero (19 dicembre 1934-9 maggio 1936)—28. Dalla proclamazione dell'impero al viaggio in Germania (10 maggio 1936-30 settembre 1937)—29. Dal viaggio in Germania all'intervento dell'Italia nella seconda guerra mondiale (1 ottobre 1937-10 giugno 1940) —30. Dall'intervento dell'Italia nella seconda guerra mondiale al discorso al Direttorio nazionale del P. N. F. del 3 gennaio 1942 (11 giugno 1940-3 gennaio 1942)—31. Dal discorso al Direttorio nazionale del P. N. F. del 3 gennaio 1942 alla liberazione di Mussolini (4 gennaio 1942-12 settembre 1943)—32. Dalla liberazione di Mussolini all'epilogo la Repubblica sociale italiana (13 settembre 1943-28 aprile 1945)—33. Opere giovanili (1904-1913)—34. Il mio diario di guerra (1915-1917) La dottrina del fascismo (1932) Vita di Arnaldo (1932) Parlo con Bruno (1941) Pensieri pontini e sardi (1943) Storia di un anno (1944) (il tempo del bastone e della carota)—35. Aggiunte: scritti e discorsi, lettere, telegrammi, messaggi, cronologia essenziale dal 13 settembre 1943 al 28 aprile 1945.

1. Italy—Pol. & govt.—20th cent. 2. Fascism—Italy.

DG575.M8A13 52-33616 rev 2

IaU MU NjP NcGU MH RPB InU
NM 0915700 DLC IU NcD NNC TNJ MiEM FU CU NN TxU

945.09 M977 ATF1

Mussolini, Benito, 1883-1945.
Oeuvres et discours. Traduction de Maria Croci. Éd. définitive. ⌊Paris⌋ Flammarion ⌊1935-
v. 22cm.
Vol. 2 translated by Maria Croci and Mario Amato.
Translation of Scritti e discorsi.
CONTENTS.--1. Campagne pour l'intervention de l'Italie. Mon journal de guerre. Naissance du fascisme.--2. Vie de mon frère Arnaldo, précédée du Livre de Sandro Mussolini (mon neveu) par Arnaldo. --3. Fascisme et Parlement. Fiume et la Dalmatie. La politique européenne. La marche sur Rome.

5. 1924, année cruciale. L'affaire Matteotti. La retraite sur l'Aventin.--6. Le fascisme au pouvoir. Défense de la lire. L'Italie et l'Allemagne. L'organisation corporative.

Continued in next column

Continued from preceding column

8. Les accords du Latran. La crise économique.--9. La doctrine du fascisme. La crise. Reconstruction de l'Europe. L'etat corporatif.--10. La question d'Autriche. L'accord franco-italien. Préparatifs et débuts de la guerre d'Ethiopie.--11. La victoire d'Ethiopie. Fondation du nouvel Empire Romain.

NM 0915703 TxU CSt-H

DG575 M8A36

Mussolini, Benito, 1883-1945.
Schriften und reden. Autorisierte Gesamtausgabe. ⌊Zürich, Rascher, 1934-
⌊v.1, 1935⌋
v. ports.

NM 0915704 CU MH NN ICU CtY NNC ICRL

Mussolini, Benito, 1883-1945.
... Gli accordi del Laterano, discorsi al Parlamento. Roma, Libreria del Littorio ⌊1929⌋
4 p. l., 133 p. facsims. (1 fold.) 21½ᶜᵐ.

1. Concordat of 1929. 2. Roman question. 3. Church and state in Italy. I. Title.

31-19730

Library of Congress BX1545.M8 1929
⌊2⌋ 262.132

NM 0915705 DLC CU-L NNC DS

Mussolini, Benito, 1883-1945.
... Gli accordi del Laterano, discorsi al Parlamento. (2. ed. con appendice) Roma, Libreria del Littorio ⌊1929⌋
4 p. l., 164 p. facsims. (1 fold.) 21½ᶜᵐ.

1. Concordat of 1929. 2. Roman question. 3. Church and state in Italy. I. Title.

31-19731

Library of Congress BX1545.M8 1929 a
⌊2⌋ 262.132

NM 0915706 DLC WaS NcD NSyU OCH CSt-H NN

DG575 M7A1114 v.8

Mussolini, Benito, 1883-1945.
... Les accords du Latran. La crise économique. Paris, Flammarion ⌊1939⌋
248 p., 3 l. 21½ᶜᵐ. (Édition définitive des oeuvres et discours de Benito Mussolini, VIII)

1.Concordat of 1929. 2.Roman question. 3. Church and state in Italy. 4.Economic conditions. I. Title. II.Title: La crise économique.

NM 0915707 CSt-H

Mussolini, Benito, 1883-1945
Agricoltura e bonifiche. A cura e con pref. di Paolo Orano. Roma, Casa editrice Pinciana, 1937
202 p. (Le direttive del Duce sui problemi della vita nazionale)

NM 0915708 MH

Mussolini, Benito, 1883-1945
Agricoltura e bonifica. A cura e con pref. di Paolo Orano. Roma, Casa editrice pinciana, 1940
226 p. (His Ordini, consegne, direttive sui problemi della vita italiana ed internazionale, 5)

NM 0915709 MH NcD

VOLUME 403

Mussolini, Benito, 1883-1945.
L'agricoltura e i rurali. Discorsi e scritti di Benito Mussolini, con introduzione di A. Serpieri. Roma, Libreria del Littorio [1931]
258 p. 24½cm.
"La battaglia del grano": p. [127]-178.

1. Agriculture—Economic aspects. 2. Agriculture—Italy. [1, 2. Agriculture—Economic aspects—Italy] I. Title: Battaglia del grano.
Agr 32-1256
Library, U. S. Dept. of Agriculture 281.176M97

NM 0915710 DNAL NIC IEN CU

Mussolini, Benito, 1883-1945.
. . . Ai lavoratori della nuova Italia; commento di G. Bastianini. Roma: Libreria del Littorio[, 192-]. 40 p. illus. 12°.
Addresses delivered in 1922 and 1923.

537542A. 1. Labor—Italy, 1923. I. Bastianini, Giuseppe, 1899?-
N. Y. P. L. July 24, 1931

NM 0915711 NN

Mussolini, Benito, 1883-1945.
. . . Ai lavoratori della nuova Italia; commento di G. Bastianini. Roma: G. Berlutti [1923]. 45 p. illus. 12°. (I discorsi del giorno. no. 5.)

1. Labor, Italy, 1922-23. 2. Fascisti. 3. Series.
N. Y. P. L. August 31, 1923.

NM 0915712 NN CSt-H

Mussolini, Benito, 1883-
... La amante del cardenal, novela; traducción de Héctor Licudi. Madrid, Editorial España, 1930.
2 p. l., 7-263, [1] p. 18cm.
The Italian original was published serially, 1909, in La Vita trentina, weekly supplement of Il Popolo, under title: Claudia Particella, l'amante del cardinale. cf. Prólogo.

I. Licudi, Héctor, tr. II. Title.
31-15633
Library of Congress PQ4829.U85C55 853.91

NM 0915713 DLC FMU

Mussolini, Benito, 1883-

Bedeschi, Sante, 1882-
... Anni giovanili di Mussolini; con 21 lettere di cui 2 riprodotte in autografo e una tavola fuori testo. Milano, A. Mondadori [1939]

Mussolini,Benito,1883-
... Un anno di governo fascista; discorsi pronunciati alla Camera ed al Senato,con commenti di A.de Marsanich. Roma, G.Berlutti [1923]
3 p.l.,[3]-173 p. 20cm.
Tail-pieces.
Six speeches,delivered November 16,1922 to July 15, 1923.
CONTENTS.—Programma di governo.—Il fascismo e la nazione.—La politica della nuova Italia.—La coscienza storica del fascismo.—I diritti della rivoluzione nazionale.—Fascismo e parlamentarismo.
1.Fascism—Italy. I.Marsanich,Alfredo de,ed.

NM 0915715 MiU NcD NN MH NIC IEN

Mussolini, Benito, 1883-
...La antikva Romo surmare; prelego farita la 5an de oktobro 1926 en la Salono de la notarioj en Perugia al la gestudentoj de la "Regia università italiana per stranieri". Tagliamento, Esperantista presejo A. Paolet, S. Vito, 1928.
67, [1]p., 3., front. (port.)

NM 0915716 OCl

MUSSOLINI, BENITO, 1883-1945.
La antikva Romo surmare. S. Vita al Tagliamento, A. Paolet, 1928. 67 [3] p. port. 22cm.
Film reproduction. Positive.
"Prelego farita la 5an de Oktobro 1926 en la Salono de la notarioj en Perugia al la gestudentoj de la 'Regia Università italiana per stranieri'"
Bibliography, p.[69].
Mrs. Dave H. Morris Collection
1. Esperanto--Books in.

NM 0915717 NN

Mussolini, Benito, 1883-

Bonacci, Giovanni.
... Attività economica e progressi italici nell' economia mondiale, ad uso delle scuole medie e professionali. 4. ed., con l'illustrazione de lo stato corporativo e de l'economia italiana per diagrammi. Firenze, "Rivista delle arti grafiche", 1928.

Mussolini, Benito, 1883-
Audacia; da scritti e discorsi di Benito Mussolini, per i giovani degli istituti militari. Roma, A cura del Ministero della guerra, 1936.
185 p., 1 l. incl. front. (port.) illus., plates, facsim. 24cm.
CONTENTS.—La guerra.—La ricostruzione.—L'impero.

1. Partito nazionale fascista. 2. Italy—Politics and government—1914- —Addresses, essays, lectures. 3. European war, 1914-1918—Italy. I. Italy. Ministero della guerra. II. Title.
A 40-1826
Hoover library, Stanford univ. for Library of Congress [2]

NM 0915719 CSt-H

It
M989a
1939
Mussolini, Benito, 1883-1945.
Audacia; da scritti e discorsi de Benito Mussolini, per i giovani degli istituti militari. Roma, A cura del Ministero della guerra, 1939.
234p. illus., facsim., port. 23cm.

1. Partito nazionale fascista. 2. Italy--Politics and government--1914- 3. European war, 1914-1918--Italy. I. Italy. Ministero del[la g]uerra. II. Title.

NM 0915720 IEN

Mussolini, Benito, 1883-1945.
... Auslandszeugnisse über Italiens kriegsführung, 1915-1918, vorwort zum buche des generals der kavallerie Adriano Alberti. Roma, Novissima [1933?]
19 p. 24cm.
"Übersetzt von Rolf Schott."

1. European war, 1914-1918—Italy. I. Alberti, Adriano, 1870- Testimonianze straniere sulla guerra italiana 1915-1918. II. Schott, Rudolf, 1891- tr. III. Title.
45-22481
Library of Congress D569.A2M93

NM 0915721 DLC

Mussolini, Benito, 1883-1945
L'autarchia. A cura e con pref. di Paolo Orano. Roma, Casa editrice pinciana, 1940

186 p. (His Ordini, consegne, direttive sui problemi della vita italiana ed internazionale, 4)

NM 0915722 MH NcD

Mussolini, Benito, 1883-1945
L'aviazione fascista. A cura e con prefazione di Paolo Orano. Roma, Casa editrice Pinciana, 1937

158 p. (Le direttive del Duce sui problemi della vita nazionale)

NM 0915723 MH PP

945.09
O65
v.14
[Mussolini, Benito] 1883-1945
Aviazione imperiale, a cura e con prefazione di Paolo Orano. Roma, Pinciana, 1940.
166 p. 19cm. (Ordini, consegne, direttive del Duce sui problemi della vita italiana ed internazionale. 14)

NM 0915724 NcD MH

Mussolini, Benito, 1883-1945.
L'aviazione negli scritti, nella parola, nell' esempio del Duce. 2. ed. A cura del Ministero dell' aeronautica. [Milano, Arti grafiche Navarra, s. a.] 1937.
2 p. l., 7-192, [16] p. illus. (incl. facsims.) 27½cm.

1. Aeronautics—Italy. I. Italy. Ministero dell' aeronautica.
46-34716
Library of Congress TL526.I 8M9 [3] 629.130945

NM 0915725 DLC MnU MH

338.1731
M989b
Mussolini, Benito, 1883-1945.
La battaglia del grano. Roma, Libreria del Littorio [1928]
63p. 20cm.

1. Grain. Italy. I. Title.

NM 0915726 IEN

Mussolini, Benito, 1883-1945
Battaglie giornalistiche. A cura di Alberto Malatesta. Roma, Formiggini, 1927

134 p. (Polemiche)

NM 0915727 MH PU

Mussolini, Benito, 1883-1945.
Il Biellese e le sue massime glorie
see under title

Mussolini, Benito, 1883-1945.
Bilanz der Ersten Dreissig Kriegsmonate. Rede des Duce vom 2. Dezember 1942 - XXI. Rom, "Novissima," 1942.

30 p.

RPB
NM 0915729 NN CU MH ICU CtY MdBJ NNC OCU WU IEN

Mussolini, Benito, 1883-1945
Bilanz der ersten dreissig kriegsmonate. Rede des Duce vom 2. Dezember 1942-XXI. Roma, "Novissima", Anno XXI [1943]

30 p. 20cm.

NM 0915730 MH-L

VOLUME 403

Mussolini, Benito, 1883–1945.
Bilanz über 30 monate krieg, der Duce in seiner rede vom 2. dezember 1942. ⌈Roma, Tipografia F. Failli ⌈1942?⌉
32 p. 20½cm.

1. World war, 1939-1945—Italy. I. Title.
45-30763
Library of Congress D742.I 7M813
⌈2⌉ 940.5345

NM 0915731 DLC

Mussolini, Benito, 1883-1945 F940.9-m
Campagne pour l'intervention de l'Italie. Mon journal de guerre. Naissance du fascisme; traduction de Maria Croci. ⌈Paris⌉ Flammarion ⌈pref. 1933⌉ 379 p. 8°. (Édition définitive des œuvres et discours, 1.)

1. Titles. 2. European war— Personal narratives. 3. Fascism.
N. Y. P. L. April 10, 1936

NM 0915732 NN

940.918 Mussolini, Benito, 1883-1945.
M97cFc Campagne pour l'intervention de l'Italie: mon journal de guerre; naissance du fascisme. Traduction de Maria Croci. ⌈Paris⌉ Flammarion ⌈1935⌉
379p. 22cm. (His Œuvres et discours, v.1)

1. European War, 1914-1918--Personal narratives, Italian. 2. Fascism--Italy.

NM 0915733 IU

Mussolini, Benito, 1883-

Forzano, Giovacchino, 1884–
... Campo di Maggio; dramma in tre atti. Firenze, G. Barbèra, 1931.

Mussolini, Benito, 1883–1945.
The cardinal's mistress, by Benito Mussolini, translated by Hiram Motherwell. New York, A. & C. Boni, 1928.
xvi p., 1 l., 232 p. 19½cm.
NR

I. Motherwell, Hiram, 1888– tr. II. Title.
28—19750
Library of Congress PZ3.M978Ca

WaTC WaSpG OCU OCl OKentU FMU CU MB TNJ
NM 0915735 DLC OWorP NcU NNC ViU PPYH MtU CaBVaU

Mussolini, Benito, 1883-
The cardinal's mistress, by Benito Mussolini, translated by Hiram Motherwell. London ⌈etc.⌉ Cassell and company, ltd. ⌈1929⌉
229, ⌈1⌉ p.

NM 0915736 MiU

PQ4829 Mussolini, Benito, 1883-1945.
.U9C1 The cardinal's mistress. Translated by Hiram
M9 Motherwell. New York, A. and C. Boni ⌈1930⌉
xiv, 232 p.
Translation of Claudia Particella, l'amante del cardinale.

I. Motherwell, Hiram, 1888-1945, tr. II. Title.

NM 0915737 ICU OrU

PQ
4829
.U8
C4
1942
Mussolini, Benito, 1883-1945.
The cardinal's mistress. Translated by Hiram Motherwell. Allahabad, Kitabistan ⌈1942⌉
199 p.

Translation of Claudia Particella, l'amante del cardinale; grande romanzo dei tempi del Cardinale Emanuel Madruzzo.

I. Motherwell, H Hiram, 1888- tr.

NM 0915738 NNC

Mussolini, Benito, 1883-1945.
Carteggio Arnaldo-Benito Mussolini

see under

Mussolini, Arnaldo, 1885-1931.

Mussolini, Benito, 1883-1945.
...Cavour (Villafranca), Schauspiel in drei akten.
see under
Forzano, Giovacchino, 1884-

Mussolini, Benito, 1883-1945.
...Les cent jours (Campo di maggio).
see under
Forzano, Giovacchino, 1884-

UB785
.I 8A5
1942
Mussolini, Benito, 1883–1945.

FOR OTHER EDITIONS SEE MAIN ENTRY

Italy. *Laws, statutes, etc.*
... Codici penali militari di pace e di guerra ... (1. ristampa dell'edizione 1941–XIX, di cui alla circ. 457 G. M. 1941–XIX, disp. 30) Roma, Istituto poligrafico dello stato, Libreria, 1942.

Mussolini, Benito, 1883–
... Colloqui con Mussolini. Traduzione di Tomaso Gnoli. Milano, A. Mondadori ⌈1932⌉
4 p. l., 13–221, ⌈1⌉ p., 1 l. 20½cm. (⌈"Le Scie," collana di epistolari, memorie, biografie e curiosità⌉)
At head of title: Emilio Ludwig.

I. Ludwig, Emil, 1881– II. Gnoli, Tomaso, 1874– tr.
42-44185
Library of Congress DG575.M8A464

PU CU
NM 0915743 DLC MiD MH NNC NN OO MWelC PLatS CaBVaU

Mussolini, Benito, 1883–1945.
Colloqui con Mussolini; riproduzione delle bozze della prima edizione con le correzioni autografe del Duce. ⌈Di⌉ Emil Ludwig. ⌈Unica traduzione autorizzata dal tedesco di Tomaso Gnoli. Milano⌉ Mondadori ⌈1950⌉
lii p., 224 l. 22 cm.
Includes an introd. written by Emil Ludwig in 1946, originally published in the Sabato del Lombardo (anno II, n. 13–14, marzo-aprile 1947) which he had requested to be included in the reprinting of this title.
I. Ludwig, Emil, 1881–1948. II. Title.
DG575.M8A464 1950 51-31507

NM 0915744 DLC ICRL

Mussolini, Benito, 1883-

Comitati d'azione per la universalità di Roma.
Constitution and functions of the corporations. Edited by the Committees of action for the universality of Rome. ⌈Roma, Stab. tip. Centrale, 1934?⌉

Mussolini, Benito, 1883–1945.
... Conversaciones con Mussolini; traducción directa del alemán por Gonzalo de Reparaz (hijo) Con 8 grabados. Barcelona, Editorial Juventud, s. a. ⌈1932⌉
222, ⌈2⌉ p. front., ports. 19cm.
At head of title: Emil Ludwig.
"Primera edición ⌈española⌉ diciembre 1932."
"Los diálogos siguientes se desarrollaron del 23 de marzo al 4 de abril de 1932, casi a diario, en el Palazzo Venezia de Roma."—p. 11.

I. Ludwig, Emil, 1881– II. Reparaz, Gonzalo de, 1901– tr. III. Title. *Translation of* Mussolinis gespräche mit Emil Ludwig.
45-25006
Library of Congress DG575.M8A466
⌈2⌉ 923.245

NM 0915746 DLC

MUSSOLINI, BENITO, 1883-1945.
Le corporazioni, a cura e con pref. di Paolo Orano. Roma, Casa editrice pinciana, 1937. 210 p. 18cm. (Le Direttive del Duce sui problemi della vita nazionale)

Film reproduction. Negative.

1. Corporate state--Italy. I. Orano, Paolo, 1875- , ed.

NM 0915747 NN

Mussolini, Benito, 1883-1945.
HD3616 The corporate state. Speech delivered at
I8M9892b the National Council of Corporations by the Head of the Italian government. ⌈London, E. Ercoli, 1933⌉
15 p. 21cm.

1. Industry and state - Italy. 2. Corporate state. 3. Labor laws and legislation - Italy. 4. Fascism - Italy. 5. Industrial laws and legislation - Italy. I. Title.

NM 0915748 CSt-H OrPR PU

Mussolini, Benito, 1883–1945.
... The corporate state. With an appendix including the Labour charter, the text of laws on syndical and corporate organizations and explanatory notes. Firenze, Vallecchi ⌈1936⌉
3 p. l., 9–139 p., 1 l. 21½ cm.
Half-title: Speeches on the corporate state.
Bibliography: p. 135–139.

1. Corporate state. I. Italy. Laws, statutes, etc.
37—11201
Library of Congress HD3616.I 83M8 1936
⌈a49k½⌉ 338.70945

OOxM WaU CU IdU MtBC WaSpG WaS
NM 0915749 DLC OrU CtY PHC PSC PBm OCU OO OCl NN

Mussolini, Benito, 1883–
... The corporate state. 2d ed. Florence, Vallecchi ⌈1938⌉
279 p. 19cm.
Half-title: Speeches on the corporate state.
Appendix: The Labour charter and its application. Syndical organization in Italy. The corporation. Text of the Law on corporations. The twenty-two corporations and their councils. Bibliography (p. 271–278)

1. Industry and state—Italy. 2. Corporate state. 3. Labor laws and legislation—Italy. 4. Italy—Pol. & govt.—1914– I. Italy. Laws, statutes, etc.
40-32649
Library of Congress HD3616.I 83M8 1938
⌈5⌉ 338.70945

MnU NN NcU NcD N OrU LNHT DNAL
NM 0915750 DLC CU OKentU TxDaM IaU TU PU-W CtY

Mussolini, Benito, 1883–
La corporation; discours du Duce sur la constitution des corporations; Assemblée du Conseil national des corporation, 14-11-1933-XII. ⌈Bologna, Grafiche Nerozzi, 1935⌉
⌈22⌉ p., 1 l. 27 x 23cm.
French, English and German.

1. Trade and professional associations—Italy.
43-21804
Library of Congress HD6709.M77
⌈2⌉ 331.880945

NM 0915751 DLC

VOLUME 403

Mussolini, Benito, 1883-1945.
Le corporazioni. ⌜Roma, 1933?⌝
cover-title, 15 p. 25cm. (⌜Italy, M⌝ilizia, V⌜olontaria per le, S⌝icurezza, N⌜azionale, Quaderni di cultera e propaganda. ser. B. no. 1)
"A cura dell'Ufficio Stampa e Propaganda del Comando Generale della Milizia."

1. Corporations—Italy. I. Italy. Comando Generale della Milizia. Ufficio Stampa e Propaganda. II. Title. III. Ser.

NM 0915752 ViU

HD3616 I3M987
Mussolini, Benito, 1883-1945.
Le corporazioni, a cura e con pref. di Paolo Orano. Roma, Casa editrice pinciana, 1937.
210 p. 18cm. (Le Direttive del Duce sui problemi della vita nazionale)

1. Corporate state. 2. Industry and state - Italy. I. Title.

NM 0915753 CSt-H NN

MUSSOLINI, BENITO, 1883-1945.
Le corporazioni, a cura e con pref. di Paolo Orano. Roma, Casa editrice pinciana, 1937. 210 p. 18cm. (Le Direttive del Duce sui problemi della vita nazionale)
Film reproduction. Negative.

1. Corporate state--Italy. I. Orano, Paolo, 1875- , ed.

NM 0915754 NN

945.09 065 v.7
⌜Mussolini, Benito⌝ 1883-1945
Le corporazioni, a cura e con prefazione di Paolo Orano. Roma, Pinciana, 1940.
216 p. 19cm. (Ordini, consegne, direttive del Duce sui problemi della vita italiana ed internazionale. 7)

NM 0915755 NcD MH

Mussolini, Benito, 1883-1945.
"Le corporazioni", discorso del Duce al Senato del Regno, 13 gennaio 1934, a. XII. [Roma] Confederazione nazionale fascista del credito e della assicurazione.
14 p.

NM 0915756 DLC

[MUSSOLINI, BENITO] 1883-
...Le corporazioni nelle parola del Duce. Roma [Stabilimento tip. soc. editrice "Il Lavoro fascista," 1935] 43 p. 24cm. (Collana di propaganda e studi. [n.] 1.)

1. Corporate state—Italy. I. Title. II. Ser.

NM 0915757 NN

DG595 .C5C6
Mussolini, Benito, 1883-
Costanzo Ciano; commemorazione del Duce e dei presidenti del Senato e della Camera dei fasci, scritti di Ansaldo, Biadene, Biscioni ⌜ed altri⌝ ... A cura e con prefazione del senatore Angelo Chiarini. Roma, Pinciana ⌜1940⌝

Mussolini, Benito, 1883-
... Dall' intervento al fascismo (15 Novembre 1914 - 23 Marzo 1919) Milano, Hoepli, 1934.
5 p.ℓ., 7-383 p. port. 22 cm. (Scritti e discorsi di Benito Mussolini, edizione definitiva, I)

NM 0915759 NNCoCi

⌜Mussolini, Benito⌝ 1883-
... Demografia, razzismo; a cura e con prefazione di Paolo Orano. Roma, Casa editrice pinciana, 1940.
200 p. 19cm. (Ordini, consegne, direttive del Duce sui problemi della vita italiana ed internazionale. ⌜15⌝)
"Estratto dai testi ufficiali ⌜nella edizione definitiva degli Scritti e discorsi di Benito Mussolini⌝"—p. ⌜2⌝

1. Italy—Population. 2. Italy—Race question. 3. Jews in Italy. I. Orano, Paolo, 1875- ed. II. Title.
44-252
Library of Congress HB3599.M8
⌜3⌝ 312

NM 0915760 DLC MH

⌜Mussolini, Benito⌝ 1883-
Diario della volontà, tratto dagli scritti del Duce ... Firenze, R. Bemporad & figlio ⌜1927⌝
3 p. l., ⌜ix⌝-xi, 72 p. 22cm. (*Half-title:* Quaderni fascisti ... ⌜1⌝)

1. European war, 1914-1918—Italy. I. Title.
30-2807
Library of Congress DG571.A2Q3 no. 1

NM 0915761 DLC

Mussolini, Benito, 1883-1945.
... La dichiarazione e lo storico discorso del Duce. Una politica al servizio di un'etica, di Nazareno Mezzetti. Roma, Industria tipografica romana ⌜1934?⌝
1 p. l., ⌜9⌝-36 p. front. (port.) 21½cm.
At head of title: Confederazione nazionale sindacati fascisti del credito e delle assicurazioni.

1. Trade and professional associations—Italy. 2. Italy—Pol. & govt.—1922- I. Mezzetti, Nazareno, 1882- II. Confederazione fascista dei lavoratori delle aziende del credito e della assicurazione.
45-53686
Library of Congress HD3616.I 83M78

NM 0915762 DLC

PT2382 Z5M8
Mussolini, Benito, 1883-1945
Die Dichtung Klopstocks von 1789-1795 übers von Heinrich Lütcke nebst vier zeitnahen Oden des Dichters. Weimar, Gesellschaft der Bibliophilen, 1944.
29p. 21cm.
"Die vom Duce autorisierte Übersetzung. ...aus den "Pagine Libere" vom 1.11.1908..."

I. Klopstock, Friedrich Gottlieb, 1724-1803.

NM 0915763 IaU InU

Mussolini, Benito, 1883-1945.
... La difesa nazionale, a cura e con prefazione di Paolo Orano. Roma, Casa editrice pinciana, 1936.
211 (*i. e.* 217) p. 19½cm. (*His* Antologia degli scritti e discorsi)

1. Italy. Esercito. 2. European war, 1914-1918—Italy. I. Orano, Paolo, 1875- ed. II. Title.
45-52162
Library of Congress UA740.M85
⌜2⌝ 355

NM 0915764 DLC

[Mussolini, Benito, 1883-1945]
La difesa nazionale. A cura e con prefazione di Paolo Orano. Roma, Casa editrice Pinciana, 1937.
218 p. 19 cm. (Le direttive del Duce; sui problemi della vita nazionale)

NM 0915765 MH PP

BL2776 .D6
Mussolini, Benito, 1883-1945.
... Dio e patria nel pensiero dei rinnegati: Mussolini, Tancredi ⌜e⌝ Hervé ... New York, Libreria sociale italiana, G. Popolizio ⌜1924?⌝
133 p.
At head of title: Seconda edizione ⌜i.e., of pt.1 only?⌝
Preface to first ed. of pt.1, dated 1904, signed Benito Mussolini.
Contents.--pt. I. Contradittori Mussolini-Taglialatela: Dio non esiste.--pt. II. Contradittorio Tancredi-Rev. Bug- gelli: Dio nel cristianesimo, per Libero Tancredi.--pt.III. Patria e patriottismo: Che cosa è la patria? La religione della patria, per Gustavo Hervé. Mussolini e il militarismo, per Benito Mussolini. Appendice: Un proletario a Mussolini.

NM 0915767 ICU CSt-H NcD

JV2218 M991
Mussolini, Benito, 1883-1945.
Diritti e interessi dell'Italia in Africa Orientale: le dichiarazioni del Duce; i discorsi del sottosegretario Lessona al Parlamento. ⌜Roma⌝ Edizioni dell'Istituto coloniale fascista, 1935.
31 p. 24cm.

1. Italy - Colonies - Africa, East. 2. Africa, Italian East - Pol. & govt. I. Lessona, Alessandro, 1891- II. Istituto italiano per l'Africa. III. Title.

NM 0915768 CSt-H NNC NN

Mussolini, Benito, *1883-1945*
Discorsi.
(*In* Gorgolini, Pietro. La rivoluzione fascista. Pp. 91-144. Torino. 1923.)

NM 0915769 MB

Mussolini, Benito, 1883-*1945*
...I discorsi agl' Italiani; commento di Antonello Caprino, copertina del pittore Mario Barberis. Roma: G. Berlutti ⌜1923⌝. 104 p. 8°. (I discorsi del giorno. Serie 2, no. 1-2.)

1. Fascisti. 2. Series.
N. Y. P. L. April 25, 1924.

NM 0915770 NN MH ICU

DG575 M7A10
Mussolini, Benito, 1883-
... Discorsi dal Banco di deputato; a cura di Alberto Malatesta. Milano, Casa editrice "Alpes", 1928.
3 p.l., 169,⌜1⌝ p., 2 l. 19cm.

1. Italy - Pol. & govt. - 1914- 2. Fascism - Italy. I. Malatesta , Alberto, 1879- ed.

NM 0915771 CSt-H PLatS

VOLUME 403

Mussolini, Benito, 1883–
... Discorsi dal banco di deputato, a cura di **Alberto Malatesta.** Milano, Alpes, 1929.
4 p. l., 3–178 p., 3 l. 20cm.
CONTENTS.—Il primo discorso parlamentare, XXI giugno 1921.—Per i fatti di Sarzana, XXII luglio 1921.—Contro il ministero Bonomi, XXIII luglio 1921.—Politica interna e revisione dei trattati, I dicembre 1921.—Contro la mozione Celli, XVII febbraio 1922.—Contra il ministero Facta, XIX luglio 1922.
1. Italy—Politics and government—1914– I. Malatesta, Alberto, 1879– ed. II. Title.
A 31-466
Title from N. Y. Pub. Libr. Printed by L. C.

NM 0915772 NN NIC NjP PP MB

Mussolini, Benito, 1883–
...I discorsi del Duce al Consiglio nazionale delle corporazioni ₍e₎ al Senato del regno e la legge sulla costituzione e sulle funzioni delle corporazioni. Milano: Ravagnati, 1934. 156 p. 18cm.
At head of title: Istituto fascista di cultura in Milano.
1. Labor—Jurisp.—Italy, 1934. 2. Corporate state—Italy. I. Istituto fascista di cultura in Milano. II. Italy. Statutes.
N. Y. P. L. September 27, 1938

NM 0915773 NN

Mussolini, Benito, 1883–1945.
Discorsi del 1925₍–1930₎ Milano, Alpes, 1926–31.
6 v. 20 cm. (*His* ₍La nuova politica dell'Italia, v. 4₎–9)
1. Italy—Pol. & govt.—1914–1945.
DG575.M8A149 945.09 31-2993 rev 2*

MH NN PU CSt-H OU
NM 0915774 DLC CaOTP MB TU NIC CU PLatS PP NNU-W

Mussolini, Benito, 1883-1945.
Discorsi del 1926. 5. ed. Milano, Alpes, 1928.
395 p.
1. Italy—Pol. & govt.—1914-1945.
I. Title.

NM 0915775 CaOTP

Mussolini, Benito, 1883–
... I discorsi della rivolvzione, prefazione di Italo Balbo. Milano, Imperia ₍°1923₎
61 p., 1 l. port. 25½cm.
1. Italy—Pol. & govt.—1914– 2. Fascism—Italy. I. Title.
23-8466 Revised
Library of Congress DG575.M8A3

NM 0915776 DLC WaS MnU GU MH CtY MB NjP

DG
575
.M7
A36
1923
Mussolini,Benito,1883-1945.
I discorsi della rivoluzione. Pref.di Italo Balbo. 2.ed.con l'aggiunta del primo discorso di Mussolini,Presidente del Consiglio. Milano, Imperia,Case editrice del Partito Nazionale Fascista ₍1923₎
106 p. port.
1.Italy--Pol.& govt.--1914-1945. 2.Fascism--Italy. I.Title.

NM 0915777 MiU MH NNC MH

DG575
.M9A12
1927
Mussolini, Benito, 1883-
... I discorsi della rivoluzione. Milano, "Alpes", 1927.
₍5₎, 133, ₍4₎ p.
1. Italy--Pol. & govt.--1914- 2. Fascism--Italy.

NM 0915778 ICU IaU CtY MH

DG
575
M8
A201
Mussolini, Benito, 1883-1945.
I discorsi della rivoluzione.
Milano, Alpes, 1928.
134 p. 19cm.
1. Italy--Pol. & govt.--1914-1945.
2. Fascism--Italy. I. Title.

NM 0915779 NIC PLatS

945.09
M989di
Mussolini, Benito,1882-
I discorsi della rivoluzione.
Milano,Edizioni "Alpes",1920.
135p. 20cm.

NM 0915780 IEN

Mussolini,Benito,1883-
... Discorsi parlamentari; discorsi pronunciati alla Camera ed al Senato,con commenti di A.de Marsanich. Roma, G.Berlutli ₍1923₎
165 p. 19½cm.
Tail-pieces.
On cover: 2.ristampa.
Six speeches,delivered November 16,1922 to July 15, 1923. First published with title: Un anno di governo fascista.
1.Fascism--Italy. I.Marsanich,Alfredo de, ed.

NM 0915781 MiU MH

Mussolini, Benito, 1883–
... Discorsi politici, prefazione di Michele Terzaghi. Milano, Esercizio tipografico del "Popolo d'Italia", 1921.
203 p., 1 l. front. (port.) 21½cm. (Biblioteca di propaganda e cultura fascista. ser. 1, n. 1)
At head of title: Fasci italiani di combattimento.
1. Italy—Pol. & govt.—1914– 2. Partito nazionale fascista. I. Title.
23-9212
Library of Congress JN5657.F3M83

NM 0915782 DLC CaOTP TU NIC MU PPT NN ICJ IU

329.945
M989d
Mussolini, Benito, 1883-1945.
Discorsi, scelti da Balbino Giuliano.
Bologna, N. Zanichelli, 1933.
xxi,331p.
1. Partito nazionale fascista. 2. Italy--Politics and government--1914- I. Title.

NM 0915783 IEN

MUSSOLINI, BENITO, 1883–
...Discorsi, scelti da Balbino Giuliano. Nuova edizione. Bologna: N.Zanichelli, 1935. xxi, 347 p. 21½cm.
817455A. 1. Italy—Politics, 1922–1933. I. Giuliano, Balbino, 1879– , ed.

NM 0915784 NN

329.945
M989d
1936
Mussolini, Benito, 1883-1945.
Discorsi, scelti da Balbino Giuliano. Nuova ed. Bologna, N. Zanichelli, 1936.
xxi, 360p.
1. Partito nazionale fascista. 2. Italy-Politics and government--1914- I. Title.

NM 0915785 IEN

Mussolini, Benito, 1883-1945
...Discorsi, scelti da Balbino Giuliano.
Nuova ed. Bologna, N. Zanichelli, 1937.
xxi, 360p. 22cm.

NM 0915786 IaU

Mussolini, Benito, 1883-1945
Discorsi, scelti da B.Giuliano. Nuova ed.
Bologna, Zanichelli, 1939
xxi, 414 p.

NM 0915787 MH

Mussolini, Benito, 1883–1945.
... Discorsi, scelti da Balbino Giuliano. Nuova ed. Bologna, N. Zanichelli, 1942.
1 p. l., ₍v₎–xxi p., 1 l., 414 p. 21½cm.
Speeches made from Sept. 20, 1922 to July 20, 1939.
1. Italy—Pol. & govt.—1922– I. Giuliano, Balbino, 1879– ed.
45-33853
Library of Congress DG575.M8A322 1942
₍2₎ 945.09

NM 0915788 DLC CLU NcD NN

Mussolini, Benito, 1883-1945.
Discorsi sulla politica economica italiana nel primo decennio. [Roma] A cura dell'Instituto italiano di credito marittimo [1932]
131p. 23cm.
1. Italy--Economic policy--Addresses, essays, lectures. 2. Fascism. I. Istituto italiano di credito marittimo, Rome. II. Title.

NM 0915789 IEN

DG
571
M98
1932
Mussolini, Benito, 1883-1945.
Discorsi di Benito Mussolini sulla politica economica italiana nel primo decennio. Edito a cura dell'Istituto italiano di credito marittimo.
₍Verona, A. Mondadori, 1932₎
131 p. 22cm.
1. Italy--Pol. & govt.-1914-1945.

NM 0915790 NIC MH

MUSSOLINI, BENITO, 1883-1945.
Discorsi sulla politica economica italiana nel primo decennio. [Roma] Edito a cura dell'Istituto italiano di credito marittimo [1933] 131 p. 23cm.
1. Economic history—Italy, 1918- . 2. Economic planning—Italy. I. Istituto italiano di credito marittimo, Rome.

NM 0915791 NN

VOLUME 403

D945.09F
M974
Mussolini, Benito, 1883-
Discorsi di Benito Mussolini sulla politica economica italiana nel primo decennio. Edito a cura dell'Istituto italiano di credito marittimo. [Verona, Mondadori, 1933]
4 p. l., 11-131, [5] p. 22½cm.

1. Italy - Economic policy. 2. Italy - Economic conditions - 1918- I. Istituto italiano di credito marittimo.

NM 0915792 NNC NcD

Mussolini, Benito, 1883-
Discorso del Duce agl' italiani, pronunziato dal balcone di Palazzo Venezia all' Italia e al mondo alle 22, 30 del 9 maggio XIV per la proclamazione dell' Impero fascista. Commento di Bruno Spampanato. Roma, Edizioni di politica nuova, 1936.
15 p. 19½cm.

1. Italo-Ethiopian war, 1935-1936—Addresses, sermons, etc. I. Spampanato, Bruno, 1902-
45-45500
Library of Congress DT387.8.M79

NM 0915793 DLC

HD3616
I8M991
[Mussolini, Benito] 1883-1945
Il discorso del duce al Consiglio nazionale delle corporazioni, XIV novembre - a.XII. [Roma] Edizioni dei Comitati d'azione per la universalità di Roma [1933]
12 p. 24cm
In double columns.
"Il messagio del duce" signed: Mussolini.

1. Industry and state - Italy. 2. Corporate state. I. Title.

NM 0915794 CSt-H

Mussolini, Benito, 1883-1945.
Discorso del due dicembre. Roma, Novissima, anno XXI [1943]
30 p. 21 cm. (Collezione dei grandi discorsi; a cura del Ministero della cultura popolare)

1. World War, 1939-1945—Italy. 2. World War, 1939-1945—Addresses, sermons, etc. I. Series: Italy. Ministero della cultura popolare. Collezione dei grandi discorsi.
D743.9.M85 A F 48-1297*
California. Univ. Libr. for Library of Congress [2]†

NM 0915795 CU NN DLC

Mussolini, Benito, 1883-
... Discorso dell' Ascensione: il regime fascista per la grandezza d' Italia, pronunciato il 26 maggio 1927 alla Camera dei deputati. [Roma, Milano, Libreria del Littorio] anno V era fascista [1927]
80 p. 18cm.

1. Italy—Pol. & govt.—1914- I. Title.
30-[?]9
Library of Congress DG571.M84

NM 0915796 DLC CaOTP CtY MiU MH

Mussolini, Benito, 1883-1945.
... Il discorso della riscossa (Milano 16 dicembre XXIII) 1944.
18 p. (I Discorsi del giorno, a cura del Ministero della cultura popolare, 18)

NM 0915797 NN

Mussolini, Benito, 1883-1945.
Il discorso della riscossa. Venezia, Edizioni pópolari, 1944.
71 p. 17cm.

1. World war, 1939-1945—Italy —Addresses, sermons, etc.

NM 0915798 NN NcD

DG571
M994
Mussolini, Benito, 1883-1945.
Il discorso di Mussolini in occasione della chiusura della XXVII Legislatura, 8 dicembre 1928 - anno VII. Milano, Ravagnati, 1928.
11 p. 24cm. (Collezione dell'Istituto fascista di cultura in Milano, n.37)

1. Italy - Pol. & govt. - 1922-1945. 2. Italy - For. rel. - 1922-1945. I. Title.

NM 0915799 CSt-H

DG571
M999
Mussolini, Benito, 1883-1945.
Discorso pronunciato alla Camera dei deputati sul bilancio dell'interno nella seduta del 26 maggio 1927, anno V del quale la Camera ha per acclamazione deliberata l'affissione nell'albo di tutti i comuni del regno.
(In Torino, rivista mensile municipale. supplemento. 32cm. 19 p. Torino, 1927)
Detached copy.

1. Italy - Pol. & govt. - 1922-1945. I. Title.

NM 0915800 CSt-H

Mussolini, Benito, 1883-
Discorso tenuto alla Camera dei deputati da s. e. il capo del governo on. Mussolini nella memorabile seduta del 26 maggio 1934-XII e. f. [Milano, Industrie grafiche P. Vera, 1934]
cover-title, 31, [1] p. incl. port. 17cm.
"Dal 'Corriere della sera' del 27 maggio 1934-XII e. f."

1. Italy—Econ. condit.—1918-
35-25075
Library of Congress HC305.M77
[2] 330.945

NM 0915801 DLC NN OCl CSt-H

MUSSOLINI, Benito, 1883-
Discours de 1930. Genève, Georg & cie., s.a., [1930?].
21 cm.
"Traduit de l'italien par Y.B."

NM 0915802 MH

Mussolini, Benito, 1883-
... Discurso de Mussolini sobre la constitucion de las corporaciones (Asamblea del Consejo nacional de las corporaciones—14 de noviembre 1933-XII) Extracto de la Hoja de informaciones corporativas n. 11—noviembre de 1933-XII. Roma, Tip. de C. Colombo, 1933.
24 p. 21½cm.
At head of title: Ministerio de las corporaciones del reino de Italia.

1. Trade and professional associations—Italy. I. Italy. Ministero delle corporazioni.
35-25076
Library of Congress HD6709.M8
[2] 331.880945

NM 0915803 DLC

Mussolini, Benito, 1883-
Discurso de s. e. Benito Mussolini, pronunciado en la Cámara de diputados de Italia, el 26 de mayo de 1927 (traducción) Lima, Tip. R. Varése, 1927.
43 p. port. 21cm.

1. Italy—Pol. & govt.—1914- *Translation of:* Discorso dell' ascensione.
44-49065
Library of Congress DG571.M743

NM 0915804 DLC

Mussolini, Benito, 1883-1945.
Discursos da revolução. Pref. de Italo Balbo. Tradução de Francisco Morais. [Coimbra] Coimbra Editora, 1933.

NM 0915805 MH

Mussolini, Benito, 1883-
... Diuturna, 1914-1922; scritti polemici ed educativi scelti, ordinati e commentati per la gioventù. Con 12 illustrazioni fuori testo. Milano, Casa editrice Imperia [1924]
230 p., 1 l. plates, ports., maps. 19cm. (Collezione di autori italiani e stranieri scelti e annotati per uso delle scuole medie)
Imprint covered by label: Milano, Casa editrice "Alpes."

1. Italy—Pol. & govt.—1914- 2. Social ethics. I. Title.
45-42856
Library of Congress DG575.M8A3325

NM 0915806 DLC

Mussolini, Benito, 1883-
... Diuturna; scritti politici raccolti e ordinati da Arnaldo Mussolini e Dino Grandi, prefazione di Vincenzo Morello. 1914 ... 1922. Milano, Imperia, 1924.
3 p. l., [ix]-xxii p., 1 l., 475, [5] p. 21cm.

1. Italy—Pol. & govt.—1914- I. Mussolini, Arnaldo, ed. II. Grandi, Dino, 1895- joint ed. III. Title.
24-9463
Library of Congress DG575.M7A33

PPT IaU MiU NN
NM 0915807 DLC CaOTP NIC FU NjN NNC PLatS CtY

Mussolini, Benito, 1883-1945. I 320.8-M
Diuturna; scritti scelti ed annotati per la gioventu'. Milano: Alpes, 1929. 298 p. front. 12°.

NM 0915808 NN CU OU CtY

Mussolini, Benito, 1883-1945.
Dizionario mussoliniano; mille affermazioni e definizioni del Duce; scelte e disposte in ordine alfabetico di soggetto a cura di Bruno Biancini. Presentazione di Giorgio Pini. Milano, U. Hoepli, 1939.
viii, 195 p.

NM 0915809 NNC

Bm14g
M970
939b
Mussolini, Benito, 1883-
Dizionario mussoliniano; 1500 affermazioni e definizioni del duce su 1000 argomenti. Scelte e disposte in ordine alfabetico di soggetto a cura di Bruno Biancini. Presentazione di Giorgio Pini. 2.ed.aggiornata. Milano, U.Hoepli, 1940.
viii, 239p. 19½cm.

NM 0915810 CtY

VOLUME 403

Mussolini, Benito, 1883–
Dizionario mussoliniano; 1500 affermazioni e definizioni del Duce su 1000 argomenti, scelte e disposte in ordine alfabetico di soggetto a cura di Bruno Biancini. Presentazione di Giorgio Pini. 3. ed. accresciuta. Milano, U. Hoepli, 1942.
viii, 262 p. 19½cm.

I. Biancini, Bruno, ed. II. Title.
44-47712
Library of Congress DG575.M8A335 1942
[2] 308.1

NM 0915811 DLC NN NcD CU

Mussolini, Benito, 1883-1945.
La Doctrina del Fascismo. 2a Edicion. Traduccion de A. Dabini. Florencia, Vallecchi, [1938]
78 p.

NM 0915812 NN

DG571 N7513
Mussolini, Benito, 1883-1945.
The doctrine of fascism by Benito Mussolini. From the Enciclopedia Italiana, vol. XIV. [n.p.] [n.d.]
18, 31, [290]-304 p. 23cm.
Cover title: Readings on fascism: Mussolini, Rocco, Gentile.
"The English translation of the 'Fundamental Ideas' is by Mr. I.S. Munro, reprinted by his kind permission from 'Fascism to World-Power (Alexander Maclehose, London, 1900)'."

NM 0915813 CoU

Mussolini, Benito, *1883*– 3563.440
The doctrine of fascism.
= [Rome? 1934?] 18 pp. 24 cm.
Reprinted from the Enciclopedia italiana, vol. 14.
Translated by I. S. Munro and reprinted from his Through fascism to world-power.

D7952 — Munro, Ion S., tr. — Fascism.

NM 0915814 MB MH

Mussolini, Benito, 1883–
... The doctrine of fascism. Firenze, Vallecchi [1935]
3 p. l., 9-63 p. 21cm.
Italian original published in vol. XIV (1932) p. 847-851, of the Enciclopedia italiana.

1. Fascism—Italy.
37-3342
Library of Congress DG571.M752
——— Copy 2.
[3] 945.09

NM 0915815 DLC MtU MU OOxM CU OClW WaTC PPT OCl OrPR

Mussolini, Benito, 1883–
... The doctrine of fascism. Firenze, Vallecchi [1936]
64 p. 18½cm.
Italian original published in vol. XIV (1932) p. 847-851 of the Enciclopedia italiana.

1. Fascism—Italy.
37-23492
Library of Congress DG571.M752 1936
[3] 945.09

NM 0915816 DLC MtU OrU WaU

Mussolini, Benito, 1883–
... The doctrine of fascism; traslation [!] by E. Cope. 2d ed. [Firenze, Vallecchi [1937]
3 p. l., 9-65 p. 19cm.
Italian original published in vol. XIV (1932) p. 847-851, of the Enciclopedia italiana.

1. Fascism—Italy. I. Cope, E., tr.
40-33916
Library of Congress DG571.M753 1937
[2] 945.09

NM 0915817 DLC ICU

Mussolini, Benito, 1883–
... The doctrine of fascism; translation by E. Cope. 3d ed. [Firenze, Vallecchi [1938]
3 p. l., 9-65 p. 19cm.
Italian original published in the Enciclopedia italiana, v. 14 (1932) p. 847-851.

1. Fascism—Italy. I. Cope, E., tr.
45-46085
Library of Congress DG571.M753 1938
[2] 945.09

NM 0915818 DLC PP NIC IaU NcD NSyU NcU CtY LNHT NN MH IU MiU

FILM 7041
Mussolini, Benito, 1883–
... The doctrine of fascism; translation by E. Cope. 3d ed. [Firenze, Vallecchi [1938]
3 p. l., 9-65 p. 19cm.
Italian original published in the Enciclopedia italiana, v. 14 (1932) p. 847-851.
Microfilm (negative) Washington, Library of Congress Photoduplication Service, 1966. 1 reel.

NM 0915819 MiU

Mussolini, Benito, 1883–1945.
Doktrin des Fascismus. Zürich, Rascher, 1934.
39 p. 21 cm.
"Ein Vorabdruck aus dem VIII. Band der gesammelten 'Reden und Schriften' Benito Mussolinis."—p. 5.

1. Fascism—Italy. 2. Italy—Pol. & govt.—1914–1945.
DG571.M755 1934 335.64 A 48-6092*
Columbia Univ. for Library of Congress Libraries [1]†

NM 0915820 NNC CSt-H DLC

Mussolini, Benito, 1883–
... La dottrina del fascismo, con una storia del movimento fascista, di Gioacchino Volpe. Milano-Roma, Treves-Treccani-Tumminelli, [1932.
3 p. l., 133, [1] p. 22½cm. (Biblioteca della Enciclopedia italiana. 1)
La dottrina del fascismo was originally published in the Enciclopedia italiana, v.14 (1932) p.847-851.

NM 0915821 TxU

Mussolini, Benito, 1883–
... La dottrina del fascismo, con una storia del movimento fascista, di Gioacchino Volpe. Milano-Roma, Treves-Treccani-Tumminelli, 1933.
3 p. l., 133, [1] p. 22½cm. (Biblioteca della Enciclopedia italiana. 1)

1. Fascism—Italy. 2. Italy—Pol. & govt.—1914– I. Volpe, Gioacchino, 1876– II. Title.
33-19835
Library of Congress DG571.M75
[3] 945.09

NM 0915822 DLC NIC NN MWiW-C

Mussolini, Benito, 1883-1945.
La dottrina del fascismo, con vna storia del movimento fascista, di Gioacchino Volpe. Nvova ristampa aggiornata. Roma, Istitvto della Enciclopedia italiana [1934]
154 p. (Collana della Enciclopedia italiana. Serie prima. 1)

NM 0915823 NNC MH

Mussolini, Benito, 1883–1945.
... La dottrina del fascismo. Storia, opere ed istituti, a cura di A. Marpicati, M. Gallian, L. Contu; cinquantaquattro tavole fuori testo. Milano, U. Hoepli, 1935.
vii p., 2 l., 3-316 p., 1 l. illus. (incl. ports., facsims.) 17½cm. (*Half-title:* Collezione Hoepli)
La dottrina del fascismo was originally published in the Enciclopedia italiana, v. 14 (1932) p. 847-851.
CONTENTS.—La dottrina del fascismo, di Benito Mussolini.—Storia del fascismo, di Marcello Gallian.—Istituti ed opere del regime, di Arturo Marpicati.—Appendice legislativa, di Luigi Contu.
1. Fascism—Italy. 2. Italy—Pol. & govt.—1914– I. Marpicati, Arturo, 1891– II. Gallian, Marcello, 1902– III. Contu, Luigi, 1901– IV. Italy. Laws, statutes, etc. V. Title.
45-25977
Library of Congress DG571.M75 1935
[2] 335.6

NM 0915824 DLC IaU NjP NN NNC

Mussolini, Benito, 1883-
La dottrina del fascismo... Firenze, G. C. Sansoni, 1936.
79 p.

NM 0915825 OCl

Mussolini, Benito, 1883–
... La dottrina del fascismo; seguita da una appendice a cura di L. Contu: Le leggi del regime fascista. Milano, U. Hoepli, 1936.
115 p. 19cm.

NM 0915826 ViU CSt

Mussolini, Benito, 1883–1945.
La dottrina del fascismo. Roma, Istituto della Enciclopedia italiana, XV [1936]
39 p. 24 cm.
Originally pub. in v. 14 (1932) p. 847-878, of the Enciclopedia italiana.

1. Fascism—Italy. 2. Italy—Pol. & govt.—1914–1945.
DG571.M75 1936 335.64 48-37360*

NM 0915827 DLC

Mussolini, Benito, 1883–
... La dottrina del fascismo, con comento a cura di Alfredo Giovannetti. Torino [etc.] G. B. Paravia & c. [1937] iv, 62 p. 21cm.
"Prima ristampa."
"Il testo de 'La dottrina del fascismo'... è ricavato dal volume XIV della 'Enciclopedia italiana.'"
"La personalità di Benito Mussolini," p. 47-62.

1. Fascism—Italy. I. Giovannetti, Alfredo, ed.
N. Y. P. L. October 4, 1940

NM 0915828 NN

Mussolini, Benito, 1883–
... La dottrina del fascismo, con introduzione e commento di Ernesto Bignami. Milano, Edizioni Bignami, 1939.
xxiii, 114 p., 3 l. 18cm.
Originally published in v. 14 (1932) p. 847-851, of the Enciclopedia italiana.
"Bibliografia": p. [115]

1. Fascism—Italy. 2. Italy—Pol. & govt.—1914– I. Bignami, Ernesto, ed. II. Title.
45-42809
Library of Congress DG571.M75 1939
[2] 945.09

NM 0915829 DLC

VOLUME 403

MUSSOLINI,Benito,1883-
La dottrina del fascismo. Commento di Ersilio Costa. Milano,etc.,Soc.anon.ed.Dante Alighieri, Albrighi,Segati & C.,1939.
19 cm. pp.viii,49,(2).

NM 0915830 MH

335.6
M989do.2 Mussolini, Benito, 1883-
La dottrina del fascismo. Annotata a cura di G.Esposito; seguita da una appendice a cura di L.Contu: Le leggi del regime fascista. 2. ed. Milano, U.Hoepli, 1939.
124p. 19cm.

1. Fascism. Italy. I. Partito nazionale fascista. I. Title.

NM 0915831 IEN MH

Mussolini, Benito, 1883-1945.
... La dottrina del fascismo. Con commento di E. Paolo Lamanna. Firenze, Le Monnier, 1940.
79 p. 21 cm.

1. Fascism. Italy. 2. Italy. Pol. & govt. 1914-1945. I. Lamanna, Eustacio Paolo, 1885-1967. II. Title.

NM 0915832 NcD

Mussolini, Benito, 1883–
... La dottrina del fascismo. Introduzione e commento di Giuseppe Cottone. Firenze, "La Nuova Italia" ⌊1940⌋
4 p. l., ⌊11⌋–94 p., 1 l. 20cm.
On cover: Terza edizione.
Originally published in vol. XIV (1932) p. 847–878 of the Enciclopedia italiana.

1. Fascism—Italy. 2. Italy—Pol. & govt.—1914– I. Cottone, Giuseppe, ed. II. Title.

41-17468
Library of Congress DG571.M75 1940
⌊2⌋ 945.09

NM 0915833 DLC

Mussolini, Benito, 1883–1945.
... La dottrina del fascismo, con esposizione e note di commento del prof. avv. Enzo Brundy, ad uso delle scuole medie secondo gli ultimi programmi ministeriali, autorizzate dal Ministero per la cultura popolare. 2. ed. Napoli, Rondinella Alfredo, 1940.
55, ⌊1⌋ p. 17cm. (*On cover:* "Gli Appunti dello studente italiano." ⌊15⌋)
Originally published in v. 14 (1932) p. 847–851, of the Enciclopedia italiana.
1. Fascism—Italy. 2. Italy—Pol. & govt.—1914– I. Brundy, Enzo, ed. II. Title.
45-30720
Library of Congress DG571.M75 1940 b
⌊2⌋ 335.64

NM 0915834 DLC

Mussolini, Benito, 1883–1945.
... La dottrina del fascismo; commento filosofico del prof. Pietro Eusebietti. 2. ed. con l'aggiunta del commento pedagogico: Scuola imperiale fascista ... Torino ⌊etc.⌋ Società editrice internazionale ⌊1940⌋
x p., 1 l., 113, ⌊1⌋ p. 19½cm.
Originally published in vol. XIV (1932) p. 847–878 of the Enciclopedia italiana.

1. Fascism—Italy. 2. Italy—Pol. & govt.—1914– I. Eusebietti, Pietro, ed.
45-30054
Library of Congress DG571.M75 1940 a
⌊2⌋ 335.64

NM 0915835 DLC

Mussolini, Benito, 1883-1945.
... La dottrina del fascismo, con introduzione e commento di Ernesto Bignami. Milano, Edizioni Bignami, 1942.
xxiii, 114 p., 3 l. 18 cm.
Originally published in v. 14 (1932) p. 847-851, of the Enciclopedia italiana.
"Bibliografia": p. [115]
1. Fascism. Italy. 2. Italy. Pol. & govt. 1914- I. Bignami, Ernesto, ed. II. Title.

NM 0915836 NcD

Mussolini, Benito, 1883–1945.
... La dottrina del fascismo. Commenti e note a cura di G. Esposito. Appendice: Le leggi del regime fascista. 3. ed. riveduta. Milano, U. Hoepli, 1942.
vii, 133 p. 19½cm.
"Le leggi del regime fascista, a cura del dott. Luigi Contu": p. ⌊51⌋–133.
Originally published in v. 14 (1932) p. 847–851, of the Enciclopedia italiana.

1. Fascism—Italy. 2. Italy—Pol. & govt.—1914– I. Esposito, Giuseppe, ed. II. Contu, Luigi, 1901– ed. III. Italy. Laws, statutes, etc. IV. Title.
45-17755
Library of Congress DG571.M75 1942
⌊2⌋ 335.64

NM 0915837 DLC NcD CtY

DG571
M9895 Mussolini, Benito, 1883-1945.
La dottrina del fascismo; con una storia del movimento fascista di Gioacchino Volpe. Roma, Istituto della Enciclopedia italiana, XX ⌊1942⌋
154 p. 23cm. (Collana della Enciclopedia italiana, pte.1, 1)
Reprinted from the Enciclopedia italiana.
1. Fascism - Italy. I. Volpe, Gioacchino, 1876- II. Title.

NM 0915838 CSt-H

Mussolini, Benito, 1883–1945.
... La dottrina del fascismo, con introduzione di Antonio Aliotta ... 2. ed. Roma, Perrella ⌊1942⌋
1 p. l., ⌊5⌋–19, xxxiv p., 1 l. 21cm.
Originally published in Enciclopedia italiana, v. 14 (1932) p. 847–851.

1. Fascism—Italy. 2. Italy—Pol. & govt.—1914– I. Aliotta, Antonio, 1881– ed. II. Title.
[DG571.M] 335.64 A 47-686
Harvard univ. Library
for Library of Congress ⌊2⌋

NM 0915839 MH

945.09
M989DQ Mussolini, Benito, 1883-1945.
La dottrina del fascismo. Introduzione, commenti e note a cura di Camilla Valsania. Torino, Gambino ⌊1942⌋
118 p. 20 cm.

1. Fascism. Italy 2. Italy. Pol. & govt. 1914-1945. I. Valsania, Camilla, ed. II. Title.

NM 0915840 NcD MH

DG571
.M74 Mussolini, Benito, 1883-1945.
Dottrina politica e sociale del fascismo. ⌊n.p.⌋ Gioventu fascista ⌊1930?⌋
15p.
Cover title.

1. Facism - Italy. 2. Italy - Pol. & govt. - 1914- I. Title.

NM 0915841 NcU

DG571
.M758 Mussolini, Benito, 1883-1945.
Dottrina politica e sociale del Fascismo. Edito a cura della direzione del Partito nazionale fascista. ⌊Milano, Tip. del "Popolo d'Italia," 1932⌋
30p. port.

1. Facism - Italy. I. Partito nazionale fascista. II. Title.

NM 0915842 NcU

Mussolini, Benito, 1883–
... Dottrina politica e sociale del fascismo. ⌊Roma⌋ Edito a cura della Direzione del Partito nazionale fascista ⌊1932⌋
30, ⌊1⌋ p. incl. port. 17½ x 13cm.
At head of title: Mussolini.

1. Fascism—Italy. I. Partito nazionale fascista.
43-41774
Library of Congress DG571.M758
⌊2⌋ 335.64

NM 0915843 DLC

945.09
M989
DOB Mussolini, Benito, 1883-1945.
A doutrina do fascismo. Roma, Novissima [1937]
60 p. 19 cm.

1. Fascism. Italy. 2. Italy. Pol. & govt. 1914-1945. I. Title.

NM 0915844 NcD

Mussolini, Benito, 1883-1945.
A doutrina do fascismo. Roma, Novissima [1941?]

NM 0915845 MH

Mussolini, Benito, 1883-1945.
I doveri del fascista; precetti di Mussolini
see under title

Mussolini, Benito, 1883–
...Il Duce ai Balilla; brani e pensieri dei discorsi di Mussolini, ordinati e illustrati per i bimbi d'Italia. Roma: Libreria del Littorio, 1930. 191 p. plates, ports. 8°.
At head of title: Vito Perroni.

567682A. 1. Italy—Politics, 1922–1931. 2. Economic history—Italy, 1918– . I. Perroni, Vito, editor.
N. Y. P. L. May 27, 1932

NM 0915847 NN

DG572
M988 Mussolini, Benito, 1883-1945.
Il Duce nel primo annuale della guerra, 10 giugno XIX. Roma, A. Staderini ⌊1941⌋
23 p. 21cm. (Collezione dei grandi discorsi a cura del Ministro della cultura popolare)

1. World War, 1939-1945 - Italy. I. Title.

NM 0915848 CSt-H

VOLUME 403

Mussolini, Benito, 1883–
... Il Duce nel v annuale delle sanzioni, rapporto alle gerarchie provinciali del partito, 18 novembre 1940–XIX ... ⌈Roma, Tumminelli & c., 1940⌉
16 p. 21½cm. (Collezione dei grandi discorsi a cura del Ministero della cultura popolare)
Documenti del tempo.

1. World war, 1939– —Italy.
Library of Congress D763.I 8M8 44-52392
⌈2⌉ 940.5345

NM 0915849 DLC NN

HC305 M988
Mussolini, Benito, 1883-1945.
Economia fascista, a cura e con pref. di Paolo Orano. Roma, Casa editrice pinciana, 1937.
152 p. 18cm. (Le Direttive del Duce sui problemi della vita nazionale)

1. Italy - Economic policy. 2. Italy - Econ. condit. - 1922-1945. I. Title.

NM 0915850 CSt-H NN MH CtY

LC93 I8M89
Mussolini, Benito, 1883-1945.
Educazione nazionale, a cura e con pref. di Paolo Orano. Roma, Casa editrice pinciana, 1937.
191 p. 19cm. (Le Direttive del Duce sui problemi della vita nazionale)

1. Education and state - Italy. I. Title.

NM 0915851 CSt-H MH

945.09 O65 v.8-10
⌈Mussolini, Benito⌉ 1883-1945
Educazione nazionale, a cura e con prefazione de Paolo Orano. Roma, Pinciana, 1940.
3 v. 19cm. (Ordini, consegne, direttive del Duce sui problemi della vita italiana ed internazionale. 8-10)

NM 0915852 NcD MH

Mussolini, Benito, 1883-1945
Der endsieg ist unser! Die rede des Duce vom 23 Februar 1941 XIX ⌈Roma, Tumminelli & c., 1941⌉
15, ⌈1⌉ p. 20cm.

NM 0915853 MH-L

DG571 M854
Mussolini, Benito, 1883-1945.
Entretien avec Mussolini (septembre 1933) [par] Henri Massis. [Abbeville, Impr. F. Paillart, 1937]
30 p. (Les Amis d'Edouard, no.166)

1. Fascism - Italy. I. Massis, Henri, 1886-

NM 0915854 CU WU

DG575 M8A463
Mussolini, Benito, 1883-1945
Entretiens avec Mussolini⌈par⌉ Emil Ludwig. Traduits de l'allemand par Raymond Henry. Paris, A. Michel ⌈1932⌉
251 p. 20 cm.

1. Fascism - Italy. I. Ludwig, Emil, 1881-1948. II. Henry, Raymond tr.

NM 0915855 MeB NcU

Mussolini, Benito, 1883–

Oriani, Alfredo, 1852–1909.
... Gli eroi, gli eventi, le idee; pagine scelte. 5. ed. Prefazione di Luigi Federzoni. Bologna, L. Cappelli ⌈1940⌉

Mussolini, Benito, 1883–
Es spricht der Duce. Le relazioni italo-germaniche nei discorsi e scritti di Mussolini, tradotti in tedesco e commentati dal prof. Franco Conci ... Brescia, G. Vannini, 1940.
130 p., 2 l. 21½cm.
"Deutsch-italienisches wörterverzeichnis": p. ⌈97⌉–130.

1. Italy—For. rel.—Germany. 2. Germany—For. rel.—Italy. I. Conci, Franco, ed. and tr. II. Title.
Library of Congress DG571.M763 44-49017
⌈2⌉ 327.450943

NM 0915857 DLC

⌈**Mussolini, Benito**⌉ 1883–1945.
L'espansione coloniale; prefazione di Paolo Orano. Roma, Casa editrice Pinciana, a.–XIV ⌈1936⌉
2 p. l., 7–194, ⌈2⌉ p. 19cm. (*On cover: Le Antologie mussoliniane*)
Selected speeches and articles.

1. Italy—Emig. & immig. 2. Italy—For. rel. 3. Italy—Colonies. I. Orano, Paolo, 1875– ed. II. Title.
Library of Congress JV8131.M8 1936 45-50691
⌈2⌉ 325.345

NM 0915858 DLC NjP NN CU

Mussolini, Benito, 1883–
... L'espansione coloniale. A cura e con prefazione di Paolo Orano. Roma, Casa editrice Pinciana, 1937.
194 p., 1 l. 18½cm. (*His Le direttive del Duce sui problemi della vita nazionale*)
"Paolo Orano ha esaminato l'edizione definitiva degli scritti e discorsi di Benito Mussolini ... ed ha estratto dai testi ufficiali ... questi passi tematici che riguardano questo volume."—p. ⌈2⌉

1. Italy—Colonies. 2. Italy—Population. I. Orano, Paolo, 1875– ed.
A C 37-2625
New York. Public library for Library of Congress ⌈2⌉

NM 0915859 NN NcD MH CU

Mussolini, Benito, 1883-1945.
L'espansione coloniale. A cura e con pref. di Paolo Orano. Roma, Casa editrice pinciana,1940
210 p. (His Ordini, consegne, direttive sui problemi della vita italiana ed internazionale, 3)

NM 0915860 MH NcD

Mussolini, Benito, 1883-1945
Espiritu de la revolucion fascista; antologia de los escritos y discursos.Recopilada por G.S.Spinetti Bilbao, La Editorial Vizcaina [1940]
xvi, 237 p. port. (Coleccion Cardenal Albornoz. Ser.B, v.1)

NM 0915861 MH

Mussolini, Benito, 1883–
... El estado corporativo, y un apendice con la carta del trabajo, los principales textos legislativos y algunas indicaciones sobre el ordenamiento sindical-corporativo. Firenze: Vallecchi ⌈1936⌉ 142 p. 21cm.
Five speeches delivered 1933–1936.
"Bibliografia esencial," p. 139–142.

910444A. 1. Corporate state—Italy.
N. Y. P. L. December 14, 1937

NM 0915862 NN CLSU CSt-H

HD3616 I8M9924 ed.2
Mussolini, Benito, 1883-
... L'état corporatif; traduit par Jean Chuzeville. 2. éd. Florence, Vallecchi ⌈1938⌉
303 p. 19cm.
Translation of the author's Lo stato corporativo, which is a new and enlarged edition of his Quattro discorsi per lo stato corporativo.
"Appendice ⌈incl. laws and lists of organizations⌉": p.⌈113⌉-292.
"Bibliographie sommaire": p.⌈293⌉-302.
1.Industry and state - Italy. 2.Corporate state. 3.Labor laws and legislation Italy. 4.Italy Pol. & govt. - 1914-

NM 0915863 CSt-H

Mussolini, Benito, 1883–
... Falando com Bruno. Lisboa, Portugália editora ⌈1942?⌉
3 p. l., 9–186 p., 1 l. XLIV pl. (incl. ports., map, facsims.) on 22 l. 24cm.
"Traduzido do italiano pela sr.ª d. Maria Lippi Pereira."—Leaf at end.

1. Mussolini, Bruno, 1918–1941. I. Lippi Pereira, Maria, tr. II. Title.
Library of Congress DG575.M8A34 44-22927
⌈2⌉ 923.545

NM 0915864 DLC

Mussolini, Benito, 1883–1945.
The fall of Mussolini, his own story. Tr. from the Italian by Frances Frenaye; ed. and with a pref. by Max Ascoli. New York, Farrar, Straus, 1948.
212 p. map. 22 cm.
Translation of Il tempo del bastone e della carota.

1. World War, 1939–1945—Italy. 2. Italy—Hist.—1922–1945—Sources. I. Frenaye, Frances, 1912– tr. II. Ascoli, Max, 1898– ed. III. Title.
DG575.M8A542 940.5345 48—10400*

OrP OrU MeB NBuU PSt WaT OrPR WaS WaE Wa TxU ICU MB NIC CaBVa CaBViP CaBVaU MiU MtBC Or OrCS
NM 0915865 DLC CSt-H CoU PSC PU PBm PLF OU MiU ViU

Mussolini, Benito, 1883–
Der faschismus; philosophische, politische und gesellschaftliche grundlehren, von Benito Mussolini; übersetzt und eingeleitet von dr. Horst Wagenführ ... 5. tausend. München und Berlin, Beck ⌈°1933⌉
viii p., 2 l., 40, ⌈1⌉ p. 22½cm.

1. Fascism—Italy. 2. Italy — Pol. & govt. — 1914– I. Wagenführ, Horst, tr. II. Title. *Translation of* La dottrina del fascismo.
Library of Congress DG571.M755 1933 34-15091
Copyright A—Foreign 24299
⌈2⌉ 945.09

NM 0915866 DLC CU ICU MH NN

Mussolini, Benito, 1883–
... Fascism; doctrine and institutions. Rome, "Ardita" ⌈1935⌉
2 p. l., 7–313 p. 21cm.
At head of title: Mussolini.
Bibliography: p. ⌈293⌉–307.
CONTENTS.—The doctrine of fascism.—The fundamental laws of fascism.
"The doctrine of fascism" is a translation of an article originally published in vol. XIV (1932) p. 847–51, of the Enciclopedia italiana.
1. Fascism—Italy. 2. Partito nazionale fascista. I. Italy. Laws, statutes, etc., 1900– (Victor Emmanuel III)
Library of Congress DG571.M764 36-4079
——— Copy 2. ⌈10-5⌉ 335.6

NcU NcD OCU DL ViU ICJ NN IU
NM 0915867 DLC Or FMU NIC MiU MsU CU CtY PU PSC

VOLUME 403

Mussolini, Benito, 1883–
... Le fascisme; doctrine, institutions. Paris, Denoël et Steele ⌜1933⌝
4 p. l., ⌜11⌝–229 p., 1 l. 18½cm.
At head of title: Mussolini.
"5e édition."
"En mettant à la disposition du public de langue française l'exposé de la doctrine fasciste, tel que Mussolini l'a rédigé pour l'Encyclopédie italienne, et en le faisant suivre du texte même des lois principales du régime fasciste, les traducteurs ont entendu combler une grave lacune de la littérature politique."—Foreword, signed: Les traducteurs.
1. Fascism—Italy. 2. Italy—Politics and government.
A C 34-442
Title from N. Y. Pub. Libr. Printed by L. C.

NM 0915868 NN MB OKentU OU LU

Mussolini, Benito, 1883-
...Le fascisme; doctrine, institutions.
Paris, Denoël et Steele ⌜1934⌝
⌜11⌝-239, ⌜1⌝ p.
At head of title: Mussolini.
"4e édition."

NM 0915869 MiU

Mussolini, Benito, 1883-1945.
Il fascismo e l'Italia; pagine scelte dalle opere di Benito Mussolini; presentate ai giovani da S. E. Belluzzo. Rome: Libreria del Littorio⌜, 192–?⌝. 302 p. pl., port. 12°.
1. Fascisti.
N. Y. P. L. March 7, 1930

NM 0915870 NN

Mussolini, Benito, 1883-1945.
El fascismo e l'Italia; pagine scelte dalle opere di Benito Mussolini, presentate ai giovani da s. e. Belluzzo. 2. ed. ⌜Roma⌝ Libreria del Littorio ⌜1926?⌝
3 p.l., 11-309, ⌜1⌝ p. plates, ports. 18½cm.
1. Fascism—Italy. I. Belluzzo, Giuseppe, 1876-
II. Title.

NM 0915871 ViU

DG571
M986

Mussolini, Benito, 1883-1945.
Il fascismo è l'Italia; pagine scelte dalle opere di Benito Mussolini presentate ai giovani da S. E. Belluzzo. Roma, Libreria del Littorio, VII ⌜1929⌝
xiv,301,⌜1⌝ p. plates,ports. 19cm.
1.Italy - Pol. & govt. - 1922-1945. 2.Fascism-Italy. I.Belluzzo, S E ed.
II.Title.

NM 0915872 CSt-H PLatS

Mussolini, Benito, 1883–
... Fascismo e popolo. Desegni di: T. Polazzo. Roma, Edizioni di Italia e fede, 1933.
3 p. l., 9–267 p., 1 l., x, ⌜2⌝ p. illus. 22cm.
At head of title: Giulio de' Rossi dell' Arno.
Each article preceded by illustrated half-title.
"Breve compendio di dottrina fascista tessuto esclusivamente con frasi e pensieri tratti dai discorsi e dagli scritti del Duce."
"Note" (p. i–x) gives the source of each quotation.
1. Fascism—Italy. I. Rossi, Giulio de, 1877– comp.
A C 33-4011
Title from N. Y. Pub. Libr. Printed by L. C.

NM 0915873 NN

Mussolini, Benito, 1883– 1945.
El fascismo expuesto por Mussolini; recopilación e introducción de Edmundo González-Blanco. Madrid, Agencia general de librería y artes gráficas ⌜1934⌝
2 p. l., ⌜7⌝–304 p., 3 l. 19cm.
"Obras de Edmundo González-Blanco": p. ⌜305⌝–⌜307⌝
1. Fascism. I. González Blanco, Edmundo, ed. II. Title.
34-42689
Library of Congress DG571.M765
⌜2⌝ 335.6

NM 0915874 DLC

Mussolini, Benito, 1882–
Il fascismo in azione; discorso tenuto al Teatro Costanzi il 23 marzo 1924 ai sindaci convenuti in Roma. (In his: La pace sociale e l'avvenire d'Italia. Roma: G. Berlutti⌜, 1924⌝. p. ⌜118–⌝141. 12°.)
168762A. 1. Italy—Politics, 1923– 1924.
N. Y. P. L. March 3, 1925

NM 0915875 NN

Mussolini, Benito, 1883-1945.
Il fascismo nel pensiero di Mussolini. Firenze: Carpigiani e Zipoli, 1922. 16 p. 8°.
1. Fascisti. 2. Title.
N. Y. P. L. February 1, 1924.

NM 0915876 NN

DG571
M9867

⌜Mussolini, Benito⌝ 1883-1945.
Il fascismo, raccolta di aforismi e temi per propaganda, compilata da M. Leva. ⌜A cura dell'Ufficio propaganda del Partito nazionale fascista⌝ Roma, Tip. Selecta, 1923.
20 p. 17cm.
"Raccolta di pensieri di Benito Mussolini."
"Premessa."
1. Fascism - Italy. I. Partito nazionale fascista. Ufficio propaganda. II. Leva, M comp. III. Title

NM 0915877 CSt-H

Mussolini, Benito, 1883–1945.
El fascismo, su doctrina, fundamentos y normas legislativas en el orden sindical corporativo, económico y político; prólogo y epílogo de d. José Antonio Primo de Rivera y d. Julio Ruiz de Alda. Versión española por V. P. S. (autorizada por su autor) Madrid, Librería de San Martín ⌜1934⌝
283 p., 1 l. 19½cm.
"Normas legislativas del estado fascista": p. ⌜101⌝–268.
1. Fascism—Italy. 2. Italy—Pol. & govt.—1914– I. S., V. P., tr. II. V. P. S., tr. III. Italy. Laws, statutes, etc. *Translation of* Dottrina del fascismo.
45-25927
Library of Congress DG571.M756
⌜2⌝ 335.64

NM 0915878 DLC

Mussolini, Benito, 1883-1945.
Fianco a fianco; fino alla vittoria ...
see under Araldi, Vinicio, 1914- ed.

⌜**Mussolini, Benito**⌝ 1883–1945.
La fondazione dell' impero nei discorsi del duce alle grandi adunate del popolo italiano, con una traduzione latina di Nicola Festa ... Napoli, Editrice Rispoli anonima ⌜1937⌝
49 p., 1 l. front., plates (2 double) 24cm.
Speeches of October 2, 1935, May 5 and May 9, 1936.
1. Italo-Ethiopian war, 1935–1936—Addresses, sermons, etc.
I. Festa, Nicola, 1866– tr. II. Title.
45-52894
Library of Congress DT387.8.M793

NM 0915880 DLC NcD

Mussolini, Benito, 1883–
... Foreign evidence on the war at the Italian front, 1915–1918; a preface to the book by Gen. Adriano Alberti. Roma, Novissima ⌜1933?⌝
20 p. 24cm.
"Translation by E. Cope."
1. European war, 1914–1918—Italy. I. Alberti, Adriano, 1870– Testimonianze straniere sulla guerra italiana, 1915–1918. II. Cope, Eduardo, tr. III. Title.
A 41-797
Northwestern univ. Libr.
for Library of Congress ⌜2⌝

NM 0915881 IEN CaBViP CSt CtY PU IU

Mussolini, Benito, 1883–
... Foreign testimony on the Italian war, 1915–1918; preface to the book by General Adriano Alberti, army corps commander. ⌜Roma⌝ L⌜ibreria⌝ d⌜ello⌝ s⌜tato, 1934?⌝
15 p. 24½cm.
1. European war, 1914–1918—Italy. I. Alberti, Adriano, 1870– Testimonianze straniere sulla guerra italiana 1915–1918.
36-22582
Library of Congress D569.A2M92 940.345

NM 0915882 DLC CtY MB

Mussolini, Benito, 1883-1945
Le forze civili. A cura e con pref. di Paolo Orano. Roma, Casa editrice pinciana, 1940
123 p. (His Ordini, consegne, direttive sui problemi della vita italiana ed internazionale, 11)

NM 0915883 MH NcD

Mussolini, Benito, *1883–* 6302.41
The Four Power Pact. Speech in the royal Senate, the 7th of June 1933-XI.
= Firenze. Stianti. 1933. 14 pp. 30.5 cm.
The four powers are England, France, Germany, and Italy.

NM 0915884 MB

D443.3
M9892

Mussolini, Benito, 1883-
The four power pact; speech of H.E.Benito Mussolini,head of the Italian government, in the Royal Senate the 7th of June 1933-XI. Roma, Società anonima poligrafica italiana, 1933.
22 p. 19cm.
1.Four power peace pact, 1933. 2.Europe - Politics, 1914-

NM 0915885 CSt-H ICU ICN

HD
3616
I83M83

Mussolini, Benito, 1883-
Four speeches on the corporate state. ⌜Roma⌝ L⌜ibraria⌝ d⌜ello⌝ s⌜tato, 1934?⌝
35 p.
CONTENTS.--On the corporate state.--On the law of corporations.--To the workers of Milan.--Before the Assemby of the Council of Corporations.
1. Industry and state--Italy. 2. Fascism--Italy. 3. Industrial laws and legislation--Italy. 4. Corporate state.

NM 0915886 NmU

Mussolini, Benito, 1883–
... Four speeches on the corporate state; with an appendix including the Labour charter, the text of laws on syndical and corporate organisations and explanatory notes. ⌜Roma⌝ "Laboremus", 1935.
3 p. l., 9–126 p., 1 l. 21cm.
Bibliography: p. 123–126.
1. Industry and state—Italy. 2. Fascism—Italy. 3. Labor laws and legislation—Italy. 4. Industrial laws and legislation—Italy. 5. Corporate state. I. Italy. Laws, statutes, etc.
36-12400
Library of Congress HD3616.I 83M8
—— —— Copy 2. ⌜10-5⌝ 338.70945

NM 0915887 DLC CU MtU IdU NIC NcD NcU CtY DNAL PPT OU OCU OCl ODW MiU ViU NN OrU TU

VOLUME 403

PQ4831 .E4S83
Mussolini, Benito, 1883-1945.
Negri, Ada, 1870-1945.
Frühdämmerung; die Geschichte einer Jugend. Mit einer Würdigung des Buches von Benito Mussolini. [Ins Deutsche übertragen von Kurt Stieler] München, F. Bruckmann [1938]

MUSSOLINI, BENITO, 1883-1945.
Gedanken und Worte; hrsg., übers. und mit dem Versuch einer "Psychologie des Staatsmanns" kommentiert von Hans Kafka. Leipzig, R.A. Höger, 1935 [c1934]
333 p. port. 20cm.

1. Fascism--Italy. I. Kafka, Hans, ed. II. Kafka, Hans.

NM 0915889 NN WU OU

DG 575 .M8 A35
Mussolini,Benito,1883-1945.
Geheimer Briefwechsel Mussolini-Dollfuss; mit einem Vorwort von Adolf Schärf,erläuternder Text von Karl Hans Sailer. Anhang: Aus den Memoiren Starhembergs. 2.unveränderte Auflage. [Wien] Verlag der wiener Volksbuchhandlung [1949]
72 p. 22 cm.

1.Austria--For.rel.--Italy. I.Dollfuss, Engelbert,1892-1934. II.Sailer,Karl Hans. III. Title.

NM 0915890 MiU IU CSt-H NN

Mussolini, Benito, 1883-
... Der geist des faschismus; ein quellenwerk, herausgegeben und erläutert von Horst Wagenführ; mit einem bildnis Mussolinis. München, C. H. Beck, 1940.
viii, 121 p. front. (port.) 22cm.
"Vierte, durchgesehene und erweiterte auflage der im jahre 1933 erschienenen autorisierten deutschen ausgabe 'Benito Mussolini, Der faschismus (das faschistische manifest)'."

1. Fascism—Italy. 2. Italy—Pol. & govt.—1914- I. Wagenführ, Horst, 1903- tr. II. Title. *Translation of* La dottrina del fascismo.

Library of Congress DG571.M755 1940 41-13099
[2] 945.09

TxU WU IU NcD N
NM 0915891 DLC ICU OU NNC OCU WU TxDaM FU MnU LU

Mussolini, Benito, 1883-1945.
... Der geist des faschismus, ein quellenwerk, herausgegeben und erläutert von Horst Wagenführ. Mit einem bildnis Mussolinis ... [München, C. H. Beck, 1941]
vi, 121 p. front. (port.) 21cm. (Tornisterschrift des Oberkommandos der Wehrmacht, Abt. Inland. [Hft. 38])
"Sonderausgabe des 1940 in der C. H. Beck'schen verlagsbuchhandlung, München, veröffentlichten gleichnamigen werkes, der 4. erweiterten auflage der im jahre 1933 erstmals erschienenen autorisierten deutschen ausgabe 'Benito Mussolini: Der faschismus (Das faschistische manifest)'."
"Übersichten" (bibliographies) : p. 111-117.
1. Fascism—Italy. 2. Italy—Pol. & govt.—1914-1945. I. Wagenführ, Horst, 1903- tr. II. Title. *Translation of* La dottrina del fascismo.
DG571.M755 1941 335.64 47-4337

NM 0915892 DLC CtY MdBJ NNA

Mussolini, Benito, 1883-1945.
... Der geist des faschismus; ein quellenwerk, herausgegeben und erläutert von Horst Wagenführ. Mit einem bildnis Mussolinis. München, C. H. Beck, 1943.
viii, 122 p. front. (port.) 22½cm.
"Fünfte, durchgesehene auflage der im jahre 1933 erschienenen autorisierten deutschen ausgabe 'Benito Mussolini, Der geist des faschismus (das faschistische manifest)'."
"Übersichten" (bibliographies) : p. [111]-117.

1. Fascism—Italy. 2. Italy—Pol. & govt.—1914-1945. I. Wagenführ, Horst, 1903- tr. II. Title. *Translation of* La dottrina del fascismo.
DG571.M755 1943 335.64 A F 47-4510
Harvard univ. Library for Library of Congress [2]†

NM 0915893 MH IaU GU CU IEN CtY DLC

Mussolini, Benito, 1883-1945.
... Geschichte eines jahres, enthüllungen über die tragischen ereignisse zwischen dem 25. juli und dem 8. september 1943. Mailand, Mondadori [1945]
2 p. l., [vii]-viii p., 2 l., 288 p., 1 l. incl. facsims. 22cm.
"Übersetzung von Hermann Ellwanger und Sylvia Wiesel."
"1. ausgabe."

1. World war, 1939-1945—Italy. I. Ellwanger, Hermann, tr. II. Wiesel, Sylvia, joint tr. III. Title.
45-21209
Library of Congress DG575.M8A544
[2] 940.5345

NM 0915894 DLC NcU NcD CtY NN MH ICU

Mussolini, Benito, 1883-1945
Giovanni Huss, il veridico. Roma, Podrecca e Galantara [1913]

119 p. illus. (Collezione storica de I martiri del libero pensiero, 8 [i.e. 7])

NM 0915895 MH CU-L NNC

Mussolini, Benito, 1883-1945.
Giovanni Huss, il veridico. Roma, Edinac [1948]
124 p. illus., port. 20 cm. (Collezione storica de I Martiri del libero pensiero, no. 8)

1. Hus, Jan, 1369-1415.
BX4917.M78 922.44371 52-22153

NM 0915896 DLC ICU NN MH CtY MH-AH

Mussolini, Benito, 1883-
Partito nazionale fascista.
... Il Gran consiglio nei primi dieci anni dell' era fascista. Roma, "Nuova Europa" [1933]

Mussolini, Benito, 1883-1945.
Habla el Duce, de escritos y discursos de Benito Mussolini; selección y traducción de R. Gay de Montellá. Salamanca, U. S. I. [1937?]
1 p. l., 5-93 p., 1 l. 22cm.

1. Italy—Pol. & govt.—1922- I. Gay de Montellá, Rafael, 1882- tr. II. Title.
45-33849
Library of Congress DG575.M8A336
[2] 945.09

NM 0915898 DLC

Mussolini, Benito, 1883-
... Hablo con Bruno. Buenos Aires, Editorial La Mazorca [1942]
3 p. l., 9-134, [2] p. plates, ports. 20½cm.
"Traducción del italiano por Francisco di Giglio."

1. Mussolini, Bruno, 1918-1941. I. Giglio, Francisco di, tr. II. Title.
44-36792
Library of Congress DG575.M8A342
[2] 923.545

NM 0915899 DLC

Mussolini, Benito, 1883-1945.
... "Hablo con Bruno"; traducción de Juan Beneyto, prólogo del teniente general Moscardó. Madrid, Candiani, 1943.
2 p. l., 9-201, [1] p. front., illus. (incl. ports., map, facsims.) 22cm.

1. Mussolini, Bruno, 1918-1941. I. Beneyto Pérez, Juan, tr. II. Title.
45-11005
Library of Congress DG575.M8A3418
[2] 923.545

NM 0915900 DLC

Mussolini, Benito, 1883-
... "Hasta la victoria, y aún más allá." Discurso pronunciado el 2 de diciembre de 1942. [n. p., 1943?]
24 p. illus. (ports.) 21½cm.

1. World war, 1939- —Italy. 2. World war, 1939- —Addresses, sermons, etc.
A 44-4494
Harvard univ. Library for Library of Congress [3]

NM 0915901 MH

DG575 M7A564 ed.2
Mussolini, Benito, 1883-1945.
... Histoire d'une année (le temps du bâton et de la carotte) Montreux, Éditions de l'Aigle, 1945.
288 p. 19cm.
On cover: 2me édition.
Translated by Paul Gentizon.- cf. Avant-propos.

1.World war, 1939-1945 - Italy. 2.World war, 1939-1945 - Addresses, sermons, etc. I.Gentizon,Paul, tr. II.Title.

NM 0915902 CSt-H

Mussolini, Benito, 1883-1945.
Historia de un año. [6. ed. rev.] Madrid, Ediciones y Publicaciones Españolas [1945]
224 p. 23 cm. (Colección "Temas actuales," 1)
Published 1944 in "Corriere della sera" of Milan. *cf.* p. [5]

1. World War, 1939-1945 — Italy. 2. World War, 1939-1945 — Addresses, sermons, etc. I. Series: Temas actuales, 1.
D763.I 8M83 47-26600*

NM 0915903 DLC

D 763 I8 M832 1945 LAC
Mussolini, Benito, 1883-1945.
Historia de un año. [8. ed. rev.] Madrid, Ediciones y Publicaciones Españolas [1945]
224p. 23cm. (Colección "Temas actuales," 1)

1. World War, 1939-1945 - Italy. 2. World War, 1939-1945 - Addresses, sermons, etc. I. Series: Temas actuales, 1. Sp.: Taracena Flores Collection.

NM 0915904 TxU ICU

D735 .H55
Mussolini, Benito, 1883-1945.
Hitler, Adolf, 1889-
Hitler e Mussolini, lettere e documenti. [Ed. italiana, con introd. e note di Vittorio Zincone. 1. ed. Milano, Rizzoli [1946]

Mussolini, Benito, 1883-1945.
Homenaje de la industria y el comercio argentino a s.e. Benito Mussolini
see under title

Mussolini, Benito, 1883-1945.
Forzano, Giovacchino, 1884-
Hundert tage (Campo di Maggio) Drei akte in neun bildern, von Benito Mussolini und G. Forzano. Berlin [etc.] P. Zsolnay, 1933.

VOLUME 403

Mussolini, Benito, 1883-1945.
"Ich rede mit Bruno." [Die Übertragung aus dem Italienischen besorgte Heinrich Reisinger. Bearbeitung von Ernst Ed. Berger. Einzige deutsche autorisierte Ausg.] [Essen] Essener Verlagsanstalt, 1942.
160 p. illus., ports., map. 25 cm.

1. Mussolini, Bruno, 1918-1941. I. Reisinger, Heinrich, tr. II. Berger, Ernst Eduard, 1904- ed. III. Title.
DG575.M8A339 A F 48-1733*
New York. Public Libr. for Library of Congress [2]†

NM 0915908 NNC OCU MiU WU CSt-H IU OU GEU DLC CoU NN CaBVaU ICRL NcD CU MH ICU CtY MdBJ

Mussolini, Benito, 1883-
...Ieri, oggi, domani... Mantova: Paladino[, 1927]. 47 p. 4°. ("Mussolinia." fasc. 24.)

1. Italy—Social conditions. 2. Ser.
N. Y. P. L. September 26, 1928

NM 0915909 NN

Mussolini, Benito, 1883-
Italy. *Istituto centrale di statistica.*
... Insediamento del Consiglio superiore di statistica—20 dicembre 1926. Discorsi di s. e. il capo del governo, on. Benito Mussolini, primo ministro, e del prof. Corrado Gini, presidente del Consiglio superiore e dell' Istituto centrale di statistica. Roma, Tipografia Failli, 1927.

Mussolini, Benito, 1883-1945.
The institution of the corporations. Speech of the Head of government in the Senate
see under Italy. Ministero delle corporazioni.

[MUSSOLINI, Benito, 1883- .]
Intervista concessa dal duce a Ward Price del "Daily Mail", 24 agosto XIII [1935]. n.p., n.d.

Manifold copy. f°. ff.5.
"Given me by Mussolini in September as an accurate statement of his position at the time. G.R.B.R. [Gertrude R.B.Richards]. - inserted manuscript note.

NM 0915912 MH

Mussolini, Benito, 1883-1945.
... L'Italia deve conquistare l'indipendenza economica. Roma, Unione editoriale d'Italia [1937?]
33, [1] p. 21cm.
CONTENTS.—Il piano regolatore dell' economia italiana; discorso pronunciato ... il 23 marzo 1936.—Autarchia economica; discorso pronunciato ... l' 11 maggio 1937.

1. Italy—Economic policy. I. Title.
HC305.M775 A F 47-2575
Harvard univ. Library for Library of Congress [2]†

NM 0915913 MH DLC

Mussolino, Benito, 1883-
Bonacci, Giovanni.
... L'Italia economica e la volontà della stirpe, con discorsi di Benito Mussolini ... Firenze, Rivista delle arti grafiche, 1928.

DG498 M988
Mussolini, Benito, 1883-1945.
L'Italia nel mondo; discorso tenuto al Senato da S.E. Mussolini il 5 giugno 1928 - anno VI. Roma, Libreria del Littorio [1928]
98 p. 19cm.
At head of title: Partito nazionale fascista.

1. Italy - For. rel. - 1922-1945. I. Partito nazionale fascista. II. Title.

NM 0915915 CSt-H PP NN

Mussolini, Benito, 1883-1945, *ed.*
Italia, Roma e Papato; a cura di Benito Mussolini, con introduzione di Luigi Federzoni. Roma, Libreria del Littorio [1929]
v. 22 cm.
On cover: Libreria del Littorio, 1929—VII.

1. Church and state in Italy. 2. Catholic church in Italy. I. Title.
BR876.M8 A 30-88 rev
Peabody Inst., Baltimore. Library for Library of Congress [r30c2]†

NM 0915916 MdBP PLatS MiU IEN NN DLC

DG498 .T516
Mussolini, Benito, 1883-1945.
Tittoni, Tommaso, 1855-1931.
Italiens Aussenpolitik. Vorwort von Benito Mussolini. Einzige berechtigte deutsche Übersetzung von Adolf Dresler. München, A. Dresler, 1928.

DG571 M9882
Mussolini, Benito, 1883-1945.
Italy before the looking-glass. [London] Art & Book Co. [1928]
32 p. 22cm.
Cover title.
Translation of: Discorso dell'Ascensione: il regime fascista per la grandezza d'Italia, pronunciato il 26 maggio 1927 alla Camera dei deputati.

1. Italy - Pol. & govt. - 1914-1945. 2. Fascism - Italy. I. Title.

NM 0915918 CSt-H

Mussolini, Benito, 1883-
... Italy yesterday, to-day and to morrow, speech by H. E. Benito Mussolini in the Italian Chamber of deputies on the Ministry of the interior, May 1927 - year V. Roma, Tipografia italica, 1927.
64 p. 17cm.

At head of title: U. P. E.
Volume of pamphlets with binder's title: U. P. E. pamphlets.

1. Fascism - Italy. 2. Italy - Politics and government - 1922-

NM 0915919 NNC ICN

Mussolini, Benito, 1883-
Italy's rebirth; Premier Mussolini tells of fascismo's purposes. By Edward Price Bell ... [Chicago, The Chicago daily news co., 1924]
13, [1] p. illus. (port., facsim.) 19½cm. (*On cover:* The Chicago daily news reprints, no. 13)

1. Partito nazionale fascista. I. Bell, Edward Price, 1869- II. Title.
Library of Congress DG575.M7A4 24-31802

NM 0915920 DLC MtU OrU OU AAP CU OC OO MH NN

Mussolini, Benito, 1883-1945.
Jag talar med Bruno. [Till svenska av Karin Alin] Stockholm, Medéns förlag [1942]
160 p. 20 cm.

1. Mussolini, Bruno, 1918-1941. I. Title.
DG575.M8A344 52-54915 ‡

NM 0915921 DLC

Mussolini, Benito, 1883-1945.
John Huss, by Benito Mussolini; translated by Clifford Parker. New York, A. & C. Boni, 1929.
vi, 225 p. 19½ cm.

1. Hus, Jan, 1369-1415. I. Parker, Clifford Stetson, 1891- tr. II. Title.
BX4917.M8 29—28340

NM 0915922 NjPT MBrZ DLC Or MU PP PU OO OCl NN WaU MiU

Mussolini, Benito, 1883-
... John Huss, the veracious. New York, Italian book co. [c1939]
151 p. plates, ports., facsim. 19½cm.

1. Hus, Jan, 1369-1415. 40-14102
Library of Congress BX4917.M82
——— Copy 2.
Copyright [2] 922.44371

NM 0915923 DLC WaTC FTaSU NcD CtY TNJ-R MBU-T

Mussolini, Benito, 1883-1945.
Der Korporationsstaat. Übers. von Rodolfo Schott. 2. Ausg. Florenz, Vallecchi [1938]
317 p. 20 cm.
First German edition published under title: Über den Korporativstaat.

1. Trade and professional associations—Italy. 2. Corporate state. I. Italy. Laws, statutes, etc.
HD3616.I 83M83 1938 52-53892 ‡

NM 0915924 DLC NNC CU MH

HD3616 .I 83F63
Mussolini, Benito, 1883-1945.
Fossati, Eraldo, *ed.*
Korporative wirtschaftstheorie, mit beiträgen von S. E. Benito Mussolini, prof. dr. Giuseppe Bottai, prof. dr. Arrigo Serpieri ... [u. a.] Herausgegeben von prof. dr. Eraldo Fossati, Jena, G. Fischer, 1938.

HD3616 I8M9913
Mussolini, Benito, 1883-
...Korporativer staat. Mit einem anhang: Die geistigen grundlagen des korporations-systems, von Wilhelm Reich. Zürich, Rascher & cie., a.-g., 1934.
26 p. 22cm.
Translation of Mussolini's speech of November 14, 1933 at the assembly of the National council of corporations.

1. Industry and state - Italy. 2. Corporate state. I. Reich, Wilhelm, 1897- II. Title.

NM 0915926 CSt-H MH CU NcD

HD4190 M989
Mussolini, Benito, 1883-1945.
I lavori pubblici, a cura e con pref. di Paolo Orano. Roma, Casa editrice pinciana, 1937.
147 p. 19cm. (Le Direttive del Duce sui problemi della vita nazionale)

1. Italy - Public works. I. Title.

NM 0915927 CSt-H

VOLUME 403

Mussolini, Benito, 1883-1945
Lavori pubblici. A cura e con pref. di Paolo Orano. Roma, Casa editrice pinciana, 1940
155 p. (His Ordini, consegne, direttive sui problemi della vita italiana ed internazionale, 6)

NM 0915928 MH NcD

DG575 .M8 A3 Mussolini, Benito, 1883-1945.
Das Leben Arnaldos, wie sein Bruder es sieht. [Deutsche Übertragung von Alice Schneider-Didam und Matilde Fondelli. Revidiert und eingeleitet von Wilhelm Reich] Leipzig, Rascher [c1934]
154p. 19cm.
Translation of Vita di Arnaldo.
1. Mussolini, Arnaldo, 1885-1931. I. Title.

NM 0915929 PSt

DG575 M7A63 Mussolini, Benito, 1883-1945.
Lecturae Ducis; tre commenti [di] Ezio M. Gray. Roma, Edizioni "Latium" [1942]
76, [4] p. 22cm. (Collana "Problemi europei." 3)
Bibliography: p. [77]
1. Fascism - Italy - Addresses, essays, lectures. I. Gray, Ezio Maria, 1885- ed.

NM 0915930 CSt-H

Mussolini, Benito, 1883-
... Lectures fascistes, extraits des discours de Benito Mussolini. Libro di lettura per le scuole medie ... Roma, Casa editrice Ausonia [1939]
179 p., 2 l. 20cm.
At head of title: Giovanni Bianco.
1. Fascism—Italy. I. Bianco, Giovanni, ed. and tr. II. Title.
45-41576
Library of Congress DG575.M8A337
[2] 945.09

NM 0915931 DLC

Pam. Coll. Mussolini, Benito, 1883-1945.
De leer van het fascisme. Roma, Novissima [193-?]
70 p. 19 cm.
1. Fascism. Italy. I. Title.

NM 0915932 NcD

Mussolini, Benito, 1883-1945.
Die Lehre des Faschismus. Rom, Novissima [193-?]
86 p.

NM 0915933 CU NN

Mussolini, Benito, 1883-1945.
Die Lehre des Faschismus. Firenze, Vallecchi [1935]

NM 0915934 MH

Mussolini, Benito, 1883-1945.
... Die lehre des faschismus. 3. ausg. Deutsche übertragung von Rolf Schott. Florenz, Vallecchi [1938]
3 p. l., 9-84 p. 19cm.
1. Fascism—Italy. 2. Italy—Pol. & govt.—1914- I. Schott, Rudolf, 1891- tr.
46-29954
Library of Congress DG571.M7545 1938
[2] 335.64

NM 0915935 DLC NN ICU CtY ICarbS ICRL NNC

DD247 .H5A37 Mussolini, Benito, 1883-1945.
Hitler, Adolf, 1889-
Les lettres secrètes échangées par Hitler et Mussolini. Introduction de André François-Poncet. [Paris] Éditions du Pavois [1946]

HC305 M986 Mussolini, Benito, 1883-1945.
Le linee del piano regolatore dell'economia corporativa per una più alta giustizia sociale. [Testo del discorso pronunciato all'Assemblea nazionale delle corporazioni il 23 marzo 1936. A cura della Confederazione fascista dei lavoratori dell'industria. Roma, Stab. tip. Il Lavoro fascista, 1936]
15 p. 19cm.
"Supplemento a 'Il Lavoro fascista' num. 90."
1. Italy - Economic policy. I. Confederazione fascista dei lavoratori dell'industria. I. Il Lavoro fascista. Supplement.

NM 0915937 CSt-H

Mussolini, Benito, 1883-
City bank farmers trust company, *New York.*
The Locarno treaties, their importance, scope and possible consequences. [New York, c1926]

Mussolini, Benito, 1883-1945.
Die Mätresse des Kardinals [berechtigte Übersetzung von Eva Mellinger] Berlin, Eden-Verlag [c1930]
203 p.

NM 0915939 CtY MH NN ICU CU PU OCU

U255 .I8A8 1934 Mussolini, Benito, 1883-1945.
Associazione nazionale volontari della guerra 1915-1918, *Rome.*
... Le manovre dell' anno XII e il discorso del Duce. Roma [Stab. tipografico centrale, 1934]

Mussolini, Benito, 1883-1945.
Mein Kriegstagebuch. [Hrsg. und übers. von Egon Cäsar conte Corti] Zürich, Amalthea-Verlag [c1930]
223 p. plate, ports. 21 cm.
1. European War, 1914-1918—Personal narratives, Italian. 2. European War, 1914-1918—Campaigns—Italo-Austrian.
D569.A2M88 940.48145 51-52685

NM 0915941 DLC MH CU NcRS ICRL

Mussolini, Benito, 1883-1945.
Mémoires de Mussolini, 1942-1943 (al tempo del bastone e della carotta [!]) tr. de l'italien par C. Noël. Paris, R. Julliard [1948]
254 p. 19 cm. (Sequana)
1. World War, 1939-1945—Italy. 2. Italy—Hist.—1922-1945—Sources.
DG575.M8A543 940.5345 49-15389*‡

NM 0915942 DLC PU OU NNUN PPT TxU

Mussolini, Benito, 1883-1945.
Memoirs, 1942-1943, with documents relating to the period. Translated by Frances Lobb. Introd. by Cecil Sprigge. Edited by Raymond Klibansky. London, G. Weidenfeld & Nicolson, 1949.
xxviii, 320 p. 22 cm.
Translation of Il tempo del bastone e della carota.
Bibliography: p. 286-295.
1. World War, 1939-1945 — Italy. 2. Italy — Hist. — 1922-1945 — Sources.
DG575.M8A5423 940.5345 50-24007

KEmT IaU PSt NcD ViU NRU IEN MB MH ICU
NM 0915943 DLC GU NBC CaBViP CaBVaU MtU InU CoU

Mussolini, Benito, 1883-1945.
...Messaggi e proclami. Milano: Libreria d'Italia per la diffusione del libro italiano all' estero, 1929. x, 224 p. 24cm. (Italia nuova; pagine di politica fascista. v. 3.)
522881A. 1. Italy—Politics, 1921-1929. 2. Fascisti. I. Ser.
N. Y. P. L. January 9, 1934

NM 0915944 NN MU CSt NNC MH MdBP

Mussolini, Benito, 1883-1945.
Un messaggio di d'Annunzio al popolo italiano
see under Annunzio, Gabriele d', 1863-1938.

Mussolini, Benito, 1883-1945.
La mia vita. Roma, Faro, 1947.
225 p. plates, facsims. (Collezione storica. 3)

NM 0915946 NNC NcD IEN NjP MH CSt-H NN MnU MB

Mussolini, Benito, 1883-
... Il mio diario di guerra (1915-1917) con 10 illustrazioni fuori testo. Milano, Imperia [c1923]
5 p. l., [13]-238 p. plates, ports., facsims. 20cm.
1. European war, 1914-1918—Personal narratives, Italian. 2. European war, 1914-1918—Campaigns—Italo-Austrian.
23-8370 Revised
Library of Congress D569.A2M85

NM 0915947 DLC MH PLatS CtY OO NN MB

Mussolini, Benito, 1883-
... Il mio diario di guerra, MCMXV-MCMXVII ... Roma, Libreria del Littorio [c1930]
4 p. l., 11-249, [1] p., 1 l. plates, ports. 22cm.
1. European war, 1914-1918—Personal narratives, Italian. 2. European war, 1914-1918—Campaigns—Italo-Austrian.
31-20731
Library of Congress D569.A2M85 1930
[2] 940.481

NM 0915948 DLC NcU TxU MU

VOLUME 403

Mussolini, Benito, 1883-1945.

DG575 .M8K57 Hebr

Kolitz, Zvi, 1913-
(Mussolini)
מוסוליני. אישיותו ותורתו (מאת) צבי קוליץ. תל-אביב. תבל (1936)

Mussolini, Benito, 1883-1945.
...Mussolini ai combattenti d' Italia; commento e note di M. Ponzio di San Sebastiano. Roma: G. Berlutti [1923]. 62 p. 12°. (I discorsi del giorno. no. 8.)

1. Fascisti. 2. Ponzio di San Sebastiano, M., editor. 3. Series.
N. Y. P. L. April 9, 1924.

NM 0915950 NN MH

Mussolini, Benito, 1883-1945.
Mussolini alla vigilia della sua morte e l'Europa
see under Pascal, Pierre, 1890-

Mussolini, Benito, 1883-1945.
Mussolini antibolscevico; testi riuniti da Asvero Gravelli. Roma, Latinitatinitá [1945]
37 p. facsims. 21 cm. (Documenti per la storia)
1. Communism - Russia. 2. Communism - Russia - Anti-communist literature. I. Gravelli, Asvero, 1904- ed. II. Title.

NM 0915952 CSt-H

Mussolini, Benito, 1883-1945.
Mussolini antibolscevico; testi riuniti da Asvero Gravelli, con 10 documenti inediti. Roma, Latinità [1951] (Collana "Documenti per la storia")

1.Bolshevism. Italian. I.Gravelli, Asvero, 1904- , ed.

NM 0915953 NN

Mussolini, Benito, 1883-1945.
Mussolini as revealed in his political speeches (November 1914-August 1923) selected, translated and edited by Barone Bernardo Quaranta di San Severino. London & Toronto, J. M. Dent & sons, ltd.; New York, E. P. Dutton & co., 1923.
xxviii, 375, [1] p. front. (port.) illus. (facsim.) 22 cm.

1. Italy—Pol. & govt.—1914-1945. 2. Fascism—Italy. I. Quaranta di San Severino, Bernardo, barone, 1870-1934, ed. and tr. II. Title.
DG575.M8A35 24—26195

OrU Or
MiU OU OCU LU ViU IU NN OO MH ICU MB MtU MtBC
NM 0915954 DLC NIC NjR NcD PBm PU OCl OOxM

PQ4815 .O75C35 1954

Mussolini, Benito, 1883-1945.

Forzano, Giovacchino, 1884-
Mussolini, autore drammatico, con facsimili di autografi inediti. Campo di Maggio, Villafranca, Cesare. Firenze, G. Barbèra, 1954.

Mussolini, Benito, 1883-1945.
... Mussolini (avec extraits de discours, d'articles, d'oeuvres de Mussolini accompagnés de commentaires) Paris, Editions J. Mezerette [1939]
see under Mezerette, Jean.

Mussolini, Benito, 1883-
Mussolini contre Hitler; textes authentiques de Mussolini, recueillis et présentés par Philippe de Zara. Paris, F. Sorlot [1938]
2 p. l., [7]-125 p., 1 l. 19cm.
"Textes échelonnés depuis ... août 1914 jusqu'au lendemain de l'anschluss."—p. 8.
"Sources": leaf at end.

1. Italy—For. rel.—1914- I. Zara, Philippe de, 1893- ed. II. Title.
40-1675
Library of Congress DG575.M8A45
[2] 945.09

NM 0915957 DLC CaBVaU NN CU

Mussolini, Benito, 1883-1945.
Mussolini contro il mito di demos, dagli "Scritti e discorsi" del Duce; a cura e con prefazione di Edgardo Sulis. Milano, U. Hoepli, 1942.
149 p., 1 l. 17½cm. (*Half-title:* Collezione Hoepli "riepiloghi")

1. Fascism. I. Sulis, Edgardo, 1903- ed. II. Title.
45-16626
Library of Congress JC481.M85
[2] 945.09

NM 0915958 DLC CtY NcD

JC 481 M878 LAC

Mussolini, Benito, 1883-1945.
Mussolini define el facismo. Prólogo por Fernando Ortúzar Vial. [Santiago, Empresa Letras] 1933.
53p. 18cm.

1. Fascism. I. Title. Sp.: Taracena Flores Collection.

NM 0915959 TxU CSt-H

Mussolini, Benito, 1883-
Mussolini e la sua opera. La politica sociale; raccolta di discorsi e scritti di Benito Mussolini, con uno studio introduttivo di C. Arena. Roma: Libreria del Littorio[, 1928?]. 222 p. 8°.

424062A. 1. Trades unions—Italy. 2. Employers—Assoc. and org.—Italy. 3. Professional associations—Italy. 4. Italy—Govt., 1927-1929. 5. Arena, Celestino, editor.
N. Y. P. L. September 19, 1929

NM 0915960 NN

Mussolini, Benito, 1883-
Mussolini parle; des discours et des écrits de Benito Mussolini, réunis et traduits en français par Suzanne Dauguet-Gérard ... Paris, Plon [1928]
3 p. l., ix, 326 p., 1 l. front. (port.) 20cm.

1. Italy—Pol. & govt.—1914- I. Dauguet-Gérard, Suzanne, ed. and tr. II. Title.
29-25943
Library of Congress DG571.M77

NM 0915961 DLC PRosC OU RWoU

Mussolini, Benito, 1883-
... Mussolini; son programme. Sa doctrine ...
see under Mascarel, Arnold, ed.

Mussolini, Benito, 1883-1945.
Mussolini und sein Fascismus
see under Gutkind, Kurt Sigmar, 1896- ed,

Mussolini, Benito, 1883-
Mussolinis gespräche mit Emil Ludwig; mit 8 bildtafeln. Berlin [etc.] P. Zsolnay [c1932]
231, [1] p. front., ports. 20½cm.
"1.-20. tausend."

I. Ludwig, Emil, 1881- II. Title. 32-34083
Library of Congress DG575.M8A46
Copyright A—Foreign 17962
[2] 923.245

NM 0915964 DLC OrP IEN CtY NIC NcD NBC PU CU NN

Mussolini, Benito, 1883-1945.
Mussolini's gesprekken met Emil Ludwig, geautoriseerde vertaling van Titia Jelgersma. Arnhem, Van Loghum Slaterus, 1932.
180 p. ports. 21 cm.

I. Ludwig, Emil, 1881-1948. II. Title.
DG575.M8A4612 48-42747*‡

NM 0915965 DLC TU

Mussolini, Benito, 1883-1945.
... My autobiography; translated together with a foreword by Richard Washburn Child ... London, Hutchinson & co., ltd. [1928]
292 p. front., plates, ports. 25½ cm.

1. Italy—Politics and government—1914- I. Child, Richard Washburn, 1881-1935, tr.
[DG575.M8A] A 30—38
Peabody Inst., Baltimore. for Library of Congress Library [a66d½]

NM 0915966 MdBP CaBVaU OrSaW LU NcU ICN MdBP

Mussolini, Benito, 1883-1945.
My autobiography, by Benito Mussolini, with a foreword by Richard Washburn Child ... New York, C. Scribner's sons, 1928.
xix p., 1 l., 318 p. front., plates, ports. 21½ cm.

1. Italy—Pol. & govt.—1914- I. Child, Richard Washburn, 1881-1935.
DG575.M8A2 1928 28—25560

OrU OrCS
WaSpG OrPR OrStbM CaBVa OrPS MtU CaBViP CaBVaU
Or IdU OrP WaS DN ViU DAL MB NN WaU OU NSyU PP
MoU NIC KyLx TU MiU KEmT MeB WaE WaSp IdU-SB
NM 0915967 DLC NBuC CoU OClW OU OO OCl NcD NjN

DG575 M7A22

Mussolini, Benito, 1883-
My autobiography, by Benito Mussolini. Translated together with a foreword by Richard Washburn Child... [London, Hurst & Blackett, ltd., 1937]
292 p. front. (port.) 22½cm. (The Paternoster library, no.4)
"17th thousand". "First published September 1928."

1. Italy - Politics and government - 1914- 2. Fascism - Ita ly. I. Child, Richard Washburn, 1881- tr.

NM 0915968 CSt-H

---

*IC9 M9774 Eg928md

Mussolini, Benito, 1883-1945.
My autobiography, by Benito Mussolini, with a foreword by Richard Washburn Child, former ambassador to Italy ...
New York, Charles Scribner's sons, 1938.
xixp., 1l., 318p. plates, ports. (incl. front.) 21.5cm.
Title vignette; publisher's device on verso of t.-p.
Original green cloth.
Inscribed: Ambassador Child's copy which,

Continued in next column

VOLUME 403

Continued from preceding column

together with his copy of the typescript, corrected by the author, was purchased by me [and presented to the Harvard library]. H B V P [i.e. Halsted B. Vander Poel].

NM 0915970 MH

Mussolini, Benito, 1883–
My autobiography, by Benito Mussolini, with a foreword by Richard Washburn Child ... With specially authorised additions by arrangement and approval of Il Duce, bringing it up to the year 1939. London, Hutchinson & co., ltd. [1939]
354 p. incl. front. (port.) 22cm.
"First published September 1928 ... Revised edition April 1939." "23rd thousand."

1. Italy—Pol. & govt.—1914– I. Child, Richard Washburn, 1881–1935.
40-11441
Library of Congress DG575.M8A2 1939
[3] 923.245

NM 0915971 DLC WaTC NcU MH CtY NNC PPDrop

Mussolini, Benito, 1883–
My diary, 1915–17, by Benito Mussolini; translated from the Italian by Rita Wellman. Boston, Small, Maynard and company [c1925]
xix p., 4 l., 3–195 p. incl. front. ports. 19½cm.

1. European war, 1914–1918—Personal narratives, Italian. 2. European war, 1914–1918—Campaigns—Italo-Austrian. I. Wellman, Rita, 1890– tr.
25—5366
Library of Congress D569.A2M87

NM 0915972 DLC OrCS OrU NBuHi PPL OCl MB

Mussolini, [Benito], 1883-1945.
[My twenty-four hours]; ... a series of articles on his daily life and work by Benito Mussolini, as told to Thomas B. Morgan ... [Montreal, Que.The Montreal Star]n.d.
7p.O.

NM 0915973 CaBViP

Mussolini, Benito, 1883–
Napoleon: the hundred days, a play by Benito Mussolini and Giovacchino Forzano; adapted from the Italian for the English stage, by John Drinkwater. London, Sidgwick & Jackson, ltd. [1932]
96 p. 19cm.
"First published in 1932."

1. Napoleon I—Elba and the 100 days—Drama. I. Forzano, Giovacchino, 1884– joint author. II. Drinkwater, John, 1882– tr. III. Title.
32-29541
Library of Congress PQ4829.U85N32 1932
[5] 852.91

NM 0915974 DLC CaBVaU CU MnU

D945.09F
M973
Mussolini, Benito, 1883-
... "La nazione di fronte e se stessa"; discorso pronunciato alla Camera dei deputati nella tornata del 26 maggio 1927. [Roma?; U[fficio di] p[olitica] e[conomica, 1927]
68 p. 21cm.
1. Italy - Politics and government - 1922-

NM 0915975 NNC CSt MH

Mussolini, Benito, 1883-1945
Nazione militare. A cura e con pref. di Paolo Orano. Roma, Casa editrice pinciana, 1940
228 p. (His Ordini, consegne, direttive sui problemi della vita italiana ed internazionale, 13)

NM 0915976 MH NcD

Mussolini, Benito, 1883–
... The new order; speech delivered by the "Duce" at the meeting of the National council of corporations on November 14th, 1933–XII. [London? 1933?]
31 p. 17½cm.
At head of title: Mussolini.
"Organization of the corporations deliberated by the Grand council of fascism": p. [27]–31.
Another English edition (Roma, 1935) has title: Signor Mussolini's speech at the assembly of the National council of corporations (14th November an. XII)

1. Industry and state—Italy. 2. Corporate state. I. Title.
A 41-397
Hoover library, Stanford univ. HD3616.I 8.M9912
for Library of Congress [2]

NM 0915977 CSt-H NN MoU

Mussolini, Benito, 1883–
...La nuova politica dell' Italia. IV edizione. v. Milano: Casa editrice "Alpes", v. 20cm.

1. Italy—For. rel., 1922– 2. Italy—Politics, 1922– 3. Fascism—Italy.
N. Y. P. L.

NM 0915978 NN MH

Mussolini, Benito, 1883–
La nuova politica dell' Italia. Discorsi pronunziati da s. e. Benito Mussolini, presidente del consiglio, alla Camera dei deputati ed al Senato del regno il 16, 17 e 27 novembre 1922. Roma, Tipografia del Senato, 1922.
39 p. 21cm.

1. Italy—Pol. & govt.—1914– 2. Fascism—Italy. I. Title.
25-17976 Revised
Library of Congress DG575.M8A47
[r39b2] 945.09

NM 0915979 DLC

DG575
M8A147
Mussolini, Benito, 1883-1945
La nuova politica dell'Italia...
[v.1]-3, [1922-24] Milano, 19 -1926.
3v. 19cm.

His "Discorsi", 1922-24. Succeeding volumes were published under title: Discorsi.
Editor: A Giannini.
Vol.1-2, ed.4, 1928.

1. Italy. Pol. & Govt. 1914-1945. 2.
2. Fascism. Italy I. Giannini, Amedeo, 1886- ed. II.Title.

NM 0915980 IaU

Mussolini, Benito, 1883–
... La nuova politica dell' Italia, discorsi e dichiarazioni a cura di Amedeo Giannini. Milano, "Imperia," 1923–
v. 25cm (v. 2: 20cm)

1. Italy—Pol. & govt.—1914– 2. Fascism—Italy. I. Giannini, Amedeo, 1886– ed. II. Title.
24-4794 Revised
Library of Congress DG575.M8A147
[r44c2] 945.09

NM 0915981 DLC WaS NN NIC PPT

Mussolini, Benito, 1883–
... La nuova politica dell' Italia, discorsi e dichiarazioni a cura di Amedeo Giannini ... Milano, "Alpes" [1923?]–26.
3 v. 20cm.

1. Italy—Pol. & govt.—1914– 2. Partito nazionale fascista. I. Giannini, Amedeo, 1886– ed. II. Title.
32-6876
Library of Congress DG571.M8 1923 a
[2] 945.09

NM 0915982 DLC NcU MU CtY MiU

Mussolini, Benito, 1883-1945 **I 945-M**
La nuova politica dell' Italia; discorsi e dichiarazioni a cura di Amedeo Giannini. Milano: Alpes, 1928. 3 v. 12°.

1. Title. 2. Fascisti. 3. Italy—Govt. and politics.
N. Y. P. L. December 28, 1933

NM 0915983 NN PLatS MH PP OCl

Mussolini, Benito, 1883– 2719.131
La nuova politica dell' Italia. Vol. 9.
— Milano. Edizioni "Alpes." 1931. 1 v. 19 cm., in 8s.
Each work is catalogued separately.

NM 0915984 MB

Mussolini, Benito, 1883–
... Il nuovo stato unitario italiano; con quattro autografi. Milano, A. Mondadori, 1927.
2 p. l., 7–110, [1] p., 1 l. 22½cm. (On cover: Πολιτεία, biblioteca di cvltvra politica e sociale)
Contents.—La salute fisica del popolo italiano e della razza.—L'assetto amministrativo della nazione.—Le direttive politiche dello stato fascista.

1. Italy—Pol. & govt.—1914– 2. Italy—Statistics, Vital. I. Title.
28-13936
Library of Congress JN5455.1927.M8

NM 0915985 DLC WaS

Bml4g
M971
942x
Mussolini, Benito, 1883-1945.
Oğlumla konuşuyorum(Parlo con Bruno). Ceviren: Yaşar Çimen. [Istanbul]Yaşar Çimen Yayimi[1943]
115p. 18cm.

NM 0915986 CtY

Mussolini, Benito, 1883-1945.
Ordini, consegne, direttive del Duce sui problemi della vita italiana ed internazionale. A cura e con pref. di Paolo Orano. Roma, Casa editrice pinciana, 1937–40.
15 v. in 14. 19 cm.
Vol. 1–2 also has title: Le direttive del Duce sui problemi della vita nazionale. Lo Stato fascista.
"Estratto dai testi ufficiali [nella edizione definitiva degli Scritti e discorsi di Benito Mussolini]"
Contents.—1–2. Lo Stato partito.—3. L'espansione coloniale.—4. L'autarchia.—5. Agricoltura e bonifiche.—6. Lavori pubblici.—7. Le corporazioni.—8–10. Educazione nazionale.—11. Le forze civili.—12. Politica estera.—13. Nazione militare.—14. Aviazione imperiale.—15. Demografia, razzismo.
1. Italy. I. Orano, Paolo, 1875– ed. II. Title. III. Title: Le direttive del Duce sui problemi della vita nazionale.
DG575.M8A48 44-251 rev*

NM 0915987 DLC MH IaU

Spec.
WDG
1
Mussolini, Benito, 1883-1945.
An outlook on life [by Benito] Mussolini. [Translated by P.R.M. London, The Poligrapic, 193-?]
46 p. 16.7 cm.
Printed wrappers.

1. Fascism - Italy - Addresses, essays, lectures. I. Title.

NM 0915988 CtU

VOLUME 403

Mussolini, Benito, 1883-
... La pace sociale e l'avvenire d'Italia; discorsi pronunciati dall'ottobre 1923 all' aprile 1924. Roma, G.Berlutti [1924]
2 p.l., [7]-168 p. 20½cm.
"Commento" (p.[5]-15) signed: Giovanni Marchi.
CONTENTS.—Nel primo anniversario della marcia su Roma.—L'avvenire d'Italia.—Per la ricostruzione sociale.—Il fascismo e il parlamento.—Inaugurazioni e commemorazioni.

1.Fascism—Italy. I.Marchi,Giovanni.

NM 0916001 MiU NIC CLSU NN

Mussolini, Benito, 1883-1945
La pace sociale e l'avvenire d'Italia; discorsi pronunciati dall'ottobre 1923 all'aprile 1924. Roma, Berlutti [1924]

182 p.

NM 0916002 MH

DG575 .M8 A338 Mussolini, Benito, 1883-1945.
Parlo con Bruno. Milano, "Il Popolo d'Italia," 1941.
166p. illus., map.

1. Mussolini, Bruno, 1918-1941. I. Title.

NM 0916003 NcU NN

Mussolini, Benito, 1883-
... "Parlo con Bruno." Milano, U. Hoepli, 1942.
1 p. l., 7-146 p. front., illus. (map) plates, ports., facsims. 22½cm.

1. Mussolini, Bruno, 1918-1941. I. Title.
44-53311
Library of Congress DG575.M8A338
[2] 923.545

NM 0916004 DLC MnU GU MH CLU NN CU NcD IEN

Mussolini, Benito, 1883-
La parola che incide e costruisce; brani tratti dai discorsi di Benito Mussolini. Firenze, R. Bemporad & figlio [1927]
3 p. l., [9]-72 p. 22cm. (Half-title: Quaderni fascisti ... [VI])

I. Title.
30-2804
Library of Congress DG571.A2Q3 no. 6

NM 0916005 DLC

Mussolini, Benito, 1883-
... Paroles italiennes. Paris: E. Figuière, 1928. 236 p. 24°. (Les paroles du XXe siècle.)

502780A. 1. Italy—Politics, 1922- 1928. 2. Fascisti.
N. Y. P. L. January 5, 1931

NM 0916006 NN OO

D443.3 M989 f Mussolini, Benito, 1883-
... Il Patto di collaborazione e d'intesa dello quattro potenze occidentali, discorso pronunziato al Senato del regno nella seduta del 7 giugno 1933-IX. A cura della presidenza del Senato del regno. [Roma, Tipografia del Senato, 1933]
16 p. 34x24½cm.

1.Four power peace pact, 1933. 2.Europe - Politics, 1914- I.Italy. Parlamento. Senato.

NM 0916007 CSt-H NN

Mussolini, Benito, 1883-
Pensieri e motti di Benito Mussolini, scelti per cura di Alfredo Capobianco. fasc. 2- Melfi: Edizione M. del Secolo, 1927- no. 12°.

1. Italy—Politics, 1922- 2. Fascisti. I. Capobianco, Alfredo, editor.
N. Y. P. L. November 29, 1930

NM 0916008 NN

Mussolini, Benito, 1883-
Il pensiero di Benito Mussolini; pensieri scelti dai discorsi, a cura di Ezio Maria Gray. Milano, Edizioni "Alpes", 1927.
3 p. l., 11-247, [1] p., 3 l. 20cm.
5110 copies printed. "5000 esemplari su carta vergata candida corrente ... numerati da 0111 a 5110. Esemplare nº 0848."
CONTENTS.—La vita nazionale.—Istituzioni, partiti e politica interna.—Sul fascismo.—I problemi del lavoro.—L'esercito, la guerra, la vittoria.—Problemi di espansione e politica estera.—Gli uomini.—I paesi.—Miscellanea.

I. Gray, Ezio Maria, 1885- ed. II. Title.
35-10245
Library of Congress DG575.M8A5 945.09

NM 0916009 DLC IEN PP NIC MU

MUSSOLINI, BENITO, 1883-
...Il pensiero di Mussolini nelle opere di Mussolini. Treviso: S.a.Tipografia editrice trevigiana, 1936. vii, 247 p. 20cm.

At head of title: Pietro Pavan.
On cover: Seconda edizione.

891642A. 1. Fascism—Italy. I. Pavan, Pietro.

NM 0916010 NN

Mussolini, Benito, 1883-1945.
Per la resurrezione d'Italia; i discorsi del Duce dalla fondazione della repubblica alla diana di Milano, a cura di Umberto Guglielmotti. [1. ed. Milano] Mondadori [1945]
116 p. 22 cm.

1. World War, 1939-1945—Italy. 2. World War, 1939-1945—Addresses, sermons, etc. I. Guglielmotti, Umberto, 1892- ed. II. Title.
A 48-6256*
Harvard Univ. Library for Library of Congress [1]

NM 0916011 MH

Film 1647 Mussolini, Benito, 1883-1945
Personal papers of Benito Mussolini; together with some official records of the Italian Foreign Office and the Ministry of Culture, 1922-1944, received by the Dept. of State. [Washington, D. C., National Archives Microfilm Publishers, 1950]
reels

Microfilm (positive)
"These records were accessioned by the National Archives and Records Service from the Dept. of State on Job nos. 449-232 on February 28, 1950."
Contents.- Reel 1. Data sheets for Job No. 1-54; 101-178; and 215-331.

1. Mussolini, Benito, 1883-1945 - Bibliography. I. Title.

NM 0916013 TNJ OrPS NjP ICRL WU

Mussolini, Benito, 1883-1945.
La politica demografica, a cura e con pref. di Paolo Orano. Roma, Casa editrice pinciana, 1937.
188 p. 19cm. (Le Direttive del Duce sui problemi della vita nazionale)

1. Italy - Population. 2. Italy - Statistics, Vital. I. Title.

NM 0916014 CSt-H NN NcD CtY

[Mussolini, Benito, 1883-1945]
Politica estera, A cura e con prefazione di Paolo Orano. Roma, Casa Editrice Pinciana, 1937

239 p. (Le direttive del Duce sui problemi della vita nazionale)

NM 0916015 MH

Mussolini, Benito, 1883-1945
Politica estera. A cura e con pref. di Paolo Orano. Roma, Casa editrice pinciana, 1940

232 p. (His Ordini, consegne, direttive sui problemi della vita italiana ed internazionale, 12)

NM 0916016 MH NN NcD

Mussolini, Benito, 1883-

Squadrilli, Edoardo.
... Politica marinara e impero fascista. [Roma, Stabilimento tipografico del genio civile, 1937]

DG575 M7A59 Mussolini, Benito, 1883-1945.
La politica sociale; raccolta di discorsi e scritti di Benito Mussolini, con uno studio introduttivo di C. Arena. Roma, Libreria del littorio [1928]
222 p. 22cm. (Mussolini e la sua opera)

1. Fascism. 2. Fascism - Italy. 3.Mussolini, Benito, 1883-1945. I.Arena, Celestino, ed. II.Title.

NM 0916018 CSt-H

Mussolini, Benito, 1883-
The political and social doctrine of fascism [by] Benito Mussolini; an authorized translation by Jane Soames. 2d impression. London, L. and Virginia Woolf at the Hogarth press, 1933.
26 p. 18½cm. (On cover: Day to day pamphlets, no. 18)
"Translation of an article contributed by the Duce in 1932 to the fourteenth volume of Enciclopedia italiana."—p. [5]

1. Fascism. I. Soames, Jane, tr. II. Title.
34-8186
Library of Congress DG571.M76 1933 a
[5] 335.6

NM 0916019 IaU KU NBuU OO OU MU NN MB IU DLC WaWW OrPR OrCS MiU CU OKentU OrPS

Mussolini, Benito, 1883-
... The political and social doctrine of fascism, by Benito Mussolini. Aims and policies of the fascist régime in Italy, by Beniamino de Ritis ... Worcester, Mass., New York city, Carnegie endowment for international peace, Division of intercourse and education [1935]
2 p. l., 3-25 p. 19½cm. (International conciliation ... January, 1935, no. 306)
The first article is an authorized English translation of one contributed by Mussolini to the Enciclopedia italiana in 1932, the second is an address delivered before the Institute of public affairs at the University of Virginia, July 3, 1934.
1. Fascism. 2. Fascism—Italy. I. Ritis, Beniamino de, 1889- II. Title. III. Title: Aims and policies of the fascist régime in Italy.
35-840
Library of Congress JX1907.A8 no.306
[15] (341.6082) 335.6

NM 0916020 DLC CaBVaU OrPR WaU-L MiU OU OCl PHC

VOLUME 403

Mussolini, Benito, 1883–1945.
... Die politische und soziale doktrin des faschismus. Leipzig, R. Kittler ₍1933₎
39 p. 20ᶜᵐ.
Italian original published in Enciclopedia italiana, v. 14 (1932) p. 847–851.
"Autorisierte übertragung aus dem Italienischen von Sels-Geviba."
1. Fascism—Italy. I. Sels-Geviba, L., tr. II. Title.
DG571.M7613 335.64 A F 47-5001
Columbia univ. Libraries for Library of Congress ₍2₎†

NM 0916021 NNC NN DLC

Mussolini, Benito, 1883-1945
Preludio al Machiavelli. Nel IV centenario di Niccolò Machiavelli. Milano, Tip. Popolo d'Italia, 1927
11 p.
At head of title:Circolo fascista di cultura politica "Giacomo Venezian"

NM 0916022 MH

HM216 .A4 1942
Mussolini, Benito, 1883-1945.
Aliotta, Antonio, 1881–
... Il problema morale e la dottrina del fascimo, ad uso dell'ultima classe dei licei classici e scientifici. 3. ed. Roma, Perrella ₍1942₎

Mussolini, Benito, 1883-1945.
Het proces Mussolini
see under Foot, Michael, 1913-

Mussolini, Benito, 1883-
... Programma di governo; commento di Giuseppe Bottai. Roma, G. Berlutti [1922]
2 p.l., [7]-50 p. 17.5 cm. (I discorsi del giorno; collezione diretta da G. Bottai. [no. 1]
Head and tail pieces by Mario Barberis.
Contents. - Commento. - Programma di governo. - Politica estera. - Politica interna. - I pieni poteri.

NM 0916025 CSt;J

Mussolini, Benito, 1883–
...Programma di governo; commento di Giuseppe Bottai. Roma: G. Berlutti ₍1923₎. 50 p. illus., port. 12°. (I discorsi del giorno. no. 1.)
Portrait on cover.
1. Fascisti. 2. Series.
N. Y. P. L. August 29, 1923.

NM 0916026 NN

Mussolini, Benito, 1883-1945.
Promise and performance, what Mussolini said and what he did
see his The words and the deeds of Mussolini.

DG 575 .M75 A434
Mussolini, Benito, 1883-1945.
... Quatre discours sur l'état corporatif, suivis d'un appendice contenant la Charte du travail, les principaux textes de lois et quelques aperçus sur l'organisation syndicale corporative. ₍Roma₎ "Laboremus", 1935.
130 p. 20½ cm.
"Bibliographie sommaire": p.₍125₎-130.
1. Industry and state--Italy. 2. Corporate state. I. Italy. Laws, statutes, etc.

NM 0916028 MiU ICarbS NNC

Mussolini, Benito, 1883-1945.
Quattro discorsi per lo stato corporativo. n.p., L.D.S. [1933?]
35 p.

NM 0916029 MH

945.091 M989 CS
Mussolini, Benito, 1883-1945.
Quatro discursos sobre el estado corporativo, y un apendice con la carta del trabajo, los principales textos legislativos y algunas indicaciones sobre el ordenamiento sindical-corporativo. ₍Roma₎ "Laboremus", 1935.
128p.
Translation of Quattro discorsi per lo stato corporativo.
Includes bibliography.
1. Industry and state—Italy. 2. Fascism—Italy. 3. Labor laws and legislation—Italy. 4. Corporate state. I. Italy. Laws, statutes, etc. II. Mussolini, Benito, 1883-1945. Quattro discorsi per lo stato corporativo.

NM 0916030 ICarbS

DG498 .T5
Mussolini, Benito, 1883-1945.
Tittoni, Tommaso, 1855–1931.
... Questioni del giorno: Tunisia—Abissinia—Bessarabia—Libia—Jugoslavia—Albania; con prefazione di Benito Mussolini. Milano, Fratelli Treves, 1928.

Mussolini, Benito, 1883-1945.
Die Rede Mussolinis über die Begründung der Korporationen (Tagung des Nationalrats der Korporationen - 14. November 1933 - XII)... Rom, Carlo Colombo, 1933.
27 p.

NM 0916032 NN

Mussolini, Benito, 1883-1945.
Reden; eine Auswahl aus den Jahren 1914 bis Ende August 1924, mit einer Einleitung von Fred C.Willis. Herausgegeben von Max H.Meyer. Leipzig, K.F.Koehler, 1925.

NM 0916033 MH NN CU CSt-H IEN

Mussolini, Benito, 1883–1945.
... Il regime fascista è autorità, ordine e giustizia; discorso pronunciato il 14 settembre all' Assemblea del partito. Roma, Libreria del Littorio, a. VII ₍1929₎
42, ₍1₎ p. 19½ᶜᵐ.
At head of title: Mussolini.
1. Italy—Pol. & govt.—1922–1945. 2. Partito nazionale fascista.
JN5455 1929.M8 A F 47-1342
Harvard univ. Library for Library of Congress ₍3₎†

NM 0916034 MH CSt-H MdBP DLC

Mussolini, Benito, 1883-
Italy. *Consiglio dei ministri.*
... Relazione sull' uso dei poteri straordinari per la riforma dei tributi e della pubblica amministrazione presentata dal presidente del Consiglio dei ministri, ministro dell' interno (Mussolini) ... Roma, Tip. della Camera dei deputati, 1924.

Mussolini, Benito, 1883-
Roma antica sul mare. Mantova, Edizioni Paladino [1926].
27 p. port. 25 cm.
"Mussolinia,14."

NM 0916036 MH

Mussolini, Benito, 1883–
...Roma antica sul mare. Mantova: Paladino₍, 1926₎. 32 p. 8°. ("Mussolinia." fasc. 21.)
1. Sea power—Rome, Ancient. 2. Ser.
N. Y. P. L. December 4, 1928

NM 0916037 NN NjP

Mussolini, Benito, 1883–
... Roma antica sul mare, lezione tenuta il 5 ottobre 1926 nella Sala dei notari di Perugia agli inscritti alla Regia università italiana per stranieri. Milano, A. Mondadori ₍1926₎
2 p. l., 7–82 p., 6 l. plates, facsims. 23ᶜᵐ. (*On cover:* Πολιτεία, biblioteca di cvltvra politica e sociale)
"Bibliografia": 2d leaf at end.
1. Rome—History, Naval. 2. Rome—Navy.
31-3005
Library of Congress DG89.M8 937

NM 0916038 DLC NcU NN MB ViU

Mussolini, Benito, 1883–
Roma antica sul mare; lezione tenuta da s. e. Mussolini all' Università per gli stranieri a Perugia il 5 ottobre 1926. Edito a cura dell'Ufficio del capo di stato maggiore della r. marina (Ufficio storico). Roma, 1926. 19 p. charts, maps. obl. 16°.
Bibliography, p. 19.
1. Navy, Roman—Hist. 2. Italy. Stato maggiore, Corpo di.
N. Y. P. L. September 19, 1928

NM 0916039 NN

Mussolini, Benito, 1883–
Beniti Mussolini Romae laudes, latine reddidit Vincentius Ussani. Roma, Comitati d'azione per la universalità di Roma, 1934.
ix p., 1 l. incl. front. (port.) 21ᶜᵐ.
1. Rome (City) I. Ussani, Vincenzo, 1870– ed. II. Comitati d'azione per la universalità di Roma.
45-42971
Library of Congress DG575.M8A27

NM 0916040 DLC

Mussolini, Benito, 1883–1945.
... Scritti e discorsi adriatici ... Raccolti e ordinati da Edoardo Susmel. Milano, U. Hoepli, 1942–
v. 22½ᶜᵐ.
"Non sono qui compresi gli scritti e i discorsi adriatici contenuti nella Definitiva, di cui questa raccolta è il necessario complemento."—v. 1, p. v.
CONTENTS.—v. 1. Dalla neutralità al Piave.—v. 2. Dal Piave alla vittoria.
1. European war, 1914–1918—Territorial questions—Italy. 2. Adriatic sea. I. Susmel, Edoardo, 1887– ed.
46-42356
Library of Congress D651.I 6M8 ₍2₎ 940.31424

NM 0916041 DLC NcD IU NN FTaSU CaBVaU

Mussolini, Benito, 1883-1945.
Selected political addresses of Benito Mussolini; translations, notes and rhetorical analysis [dissertation]
see under Iezzi, Frank, 1924-

VOLUME 403

DG575 M7A58
Mussolini, Benito, 1883-1945.
I servizi civili, a cura e con pref. di Paolo Orano. Roma, Pinciana, 1937.
103 p. 19cm. (His Le Direttive del Duce sui problemi della vita nazionale)
Chiefly speeches before Fascist organizations on functions of the government.

I.Italy - Pol. & govt. - 1922-1945. 2. Fascism - Italy. I.Orano, Paolo, 1875- ed.

NM 0916043 CSt-H NN

Mussolini, Benito, 1883–
... Sette anni di regime fascista; discorso pronunciato il 10 marzo–VII all' assemblea quinquennale. Roma, Libreria del Littorio [1928]
31, [1] p. 18½cm.
At head of title: Mussolini.

1. Italy—Pol. & govt.—1914– I. Title.
30-218
Library of Congress DG571.M86

NM 0916044 DLC CtY

Mussolini, Benito, 1883–
... Sette anni di regime fascista; discorso pronunciato il 10 marzo–VII all'assemblea quinquennale. Rome, Libreria del Littorio [1929]
2 p. l., [3]–32, [1] p. 19½cm.
At head of title: Mussolini.

1. Italy—Pol. & govt.—1914– I. Title.
45-41586
Library of Congress DG571.M86 1929

NM 0916045 DLC

Mussolini, Benito, 1883–
... Sintesi della dottrina fascista, brani degli "Scritti e discorsi" del Duce ordinati per i gerarchi e gli studiosi. 3. ed., riv. dell' antologia mussoliniana "Spirito della rivoluzione fascista." Milano, U. Hoepli [1940]
x p., 2 l., [3]–347, [1] p. 20½cm.
At head of title: G. S. ed E. Spinetti.

1. Fascism—Italy. 2. Italy—Pol. & govt.—1914– I. Spinetti, Gastone Silvano, 1908– ed. II. Spinetti, E., joint ed. III. Title.
41-27876
Library of Congress DG575.M8A535 1940
[2] 945.09

NM 0916046 DLC

Mussolini, Benito, 1883–1945.
Sintesi; raccolta di brani di scritti e discorsi di Mussolini, ordinati secondo un criterio logico in ordine cronologico [a cura di] E. Spinetti. [Bologna] Cappelli [1950]
366 p. 22 cm. (Testimoni per la storia del "nostro tempo," collana di memorie diari e documenti, 14)
Originally published in 1937 under title: Spirito della rivoluzione fascista.

1. Fascism—Italy. 2. Italy—Pol. & govt.—1914-1945. I. Title.
DG575.M8A535 1950 52-27007 ‡

NM 0916047 DLC CSt-H NN MH MB

HX266 J41M98
Mussolini, Benito, 1883-1945.
..Socialismo e difesa armata della patria nel pensiero di Giovanni Jaurès. Milano, Università commerciale L. Bocconi, 1917.
cover-title, 16 p. 14½cm
At head of title: Unione generale degli insegnanti italiani. Comitato lombardo.
A discussion of Jaurès work "L'organisation socialiste et la France; l'armée nouvelle."

1. Jaurès, Jean Léon, 1859-1914. L'organisation socialiste et la France; l'armée nouvelle. I. Unione generale degli insegnanti italiani. Comitato lombardo. II. Title.

NM 0916048 CSt-H NN

Mussolini, Benito, 1883–
Signor Mussolini's speech at the assembly of the National council of corporations (14th November an. XII). Edited by the Committees of action for the universality of Rome. [Roma, Stab. tip. centrale, 1935?]
23, [1] p. 24cm.

1. Industry and state—Italy. 2. Fascism—Italy. 3. Corporate state. I. Comitati d'azione per la universalità di Roma. II. Italy. Laws, statutes, etc.
S D 36-49
U. S. Dept. of state. Library for Library of Congress HD3616.I 83M81 [2]

NM 0916049 DS

Mussolini, Benito, 1883–
Speech delivered by H. E. Benito Mussolini to the National guild assembly, convened on the Capitol hill in Rome, March 23rd, 1936–XIV, F. E. [New York, Reprinted by American Italian union, 1936]
24 p. 23½cm.

1. Italy. Parlamento. Camera dei fasci e delle corporazioni. 2. Italy—Economic policy. I. American Italian union, New York.
39-12813
Library of Congress DG575.M8A53
——— Copy 2. [2] 945.09

NM 0916050 DLC

Mussolini, Benito, 1883–
Speech delivered by the Duce at the quinquennial assembly of the regime. Edited by the Committees of action for the universality of Rome. [Roma, Stab. tipografico "Europa", 1935?]
18 p., 1 l. 24cm.

1. Italy — Politics and government — 1914– 2. Fascism — Italy. I. Comitati d'azione per la universalità di Roma.
S D 36-48
U. S. Dept. of state. Library for Library of Congress DG571.M94 [3]

NM 0916051 DS

DT387.8 M989
[Mussolini, Benito] 1883–
The speech pronounced by the Duce at the opening of parliament 7th december 1935 xiv. Roma, Società nazionale "Dante Alighieri" [1935]
cover-title, [4] p. 24½cm

1.Italo-Ethiopian war, 1935-1936. 2. Sanctions (International law)

NM 0916052 CSt-H

Mussolini, Benito, 1883–
Mussolini's speech to the National guild assembly, Rome, March 23nd, [sic] 1936. [Rome? 1936] 4 p. 28cm.
Caption-title.

1. Italy—Politics, 1936.
N. Y. P. L. November 10, 1939

NM 0916053 NN CtY CSt-H

Mussolini, Benito, 1883–
Speeches of Benito Mussolini on the Italian economic policy during the first decennium, edited by the Istituto italiano di credito marittimo, Rome. [Verona, Printed by the Casa editrice A. Mondadori, 1932]
4 p. l., 11-149, [1] p., 3 l. 23cm.
Translated by Mario Hazon.

1. Italy—Economic policy. 2. Fascism—Italy. I. Istituto italiano di credito marittimo, Rome. II. Hazon, Mario, 1885– tr.
34-5159
Library of Congress HC305.M8
[5] 330.945

NM 0916054 DLC WU OrPR TxU NcRS CtY ICJ NN NjP

[Mussolini, Benito] 1883-1945.
"Spezzeremo le reni alla Grecia", discorso pronunciato dal duce il 18 novembre 1940-XIX al gerarchi provinciali del fascismo nel 5° anniversario delle sanzioni. Tirana [A cura della direzione generale per la stampa, propaganda e turismo] 1940.
8 p.

NM 0916055 DLC

Mussolini, Benito, 1883-1945.
Spirito della rivoluzione fascista; antologia degli "Scritti e discorsi" a cura di G.S.Spinetti. Unica edizione autorizzata. Milano, U. Hoepli, 1937.
316 p. 19 cm.

NM 0916056 MH

Mussolini, Benito, 1883–
... Spirito della rivoluzione fascista; antologia degli "Scritti e discorsi" a cura di G. S. Spinetti. 2. ed. Milano, U. Hoepli [1938]
viii, 321 p., 1 l. 19½cm.
At head of title: Mussolini.
Errata slip inserted.

1. Fascism—Italy. 2. Italy—Pol. & govt.—1914– I. Spinetti, Gastone Silvano, 1908– ed. II. Title.
40-18148
Library of Congress DG575.M8A535 1938
[2] 945.09

NM 0916057 DLC NBuU NN

Mussolini, Benito, 1883–1945.
... Spirito della rivoluzione fascista; antologia degli "Scritti e discorsi," a cura di G. S. ed E. Spinetti. 4. ed. Milano, U. Hoepli, 1940.
xi, [1], 456 p., 2 l. 20½cm.
At head of title: Mussolini.

1. Fascism—Italy. 2. Italy—Pol. & govt.—1914– I. Spinetti, Gastone Silvano, 1908– ed. II. Spinetti, E., joint ed. III. Title.
45-52034
Library of Congress DG575.M8A535 1940 a
[2] 945.09

NM 0916058 DLC InU CtY

Mussolini, Benito, 1883–1945.
... Spirito della rivoluzione fascista; antologia degli "Scritti e discorsi," a cura di G. S. ed E. Spinetti. 4. ed. Milano, U. Hoepli, 1942.
xii, 472 p. 19½cm.
At head of title: Mussolini.
"Appendice di aggiornamento": p. [457]–472.

1. Fascism—Italy. 2. Italy—Pol. & govt.—1914– I. Spinetti, Gastone Silvano, 1908– ed. II. Spinetti, E., joint ed. III. Title.
45-16659
Library of Congress DG575.M8A535 1942
[2] 945.09

NM 0916059 DLC NcD

Mussolini, Benito, 1883–
... Lo stato corporativo; con una appendice contenente la carta del lavoro, i principali testi legislativi e alcuni cenni sull' ordinamento sindacale-corporativo. Firenze, Vallecchi [1936]
3 p. l., 9-142 p., 1 l. 21½cm.
New and enlarged edition of the author's Quattro discorsi per lo stato corporativo.
"Bibliografia essenziale": p. [137]–142.
Published also in English under title: The corporate state. (Firenze, Vallecchi [1936])
1. Industry and state—Italy. 2. Fascism—Italy. 3. Labor laws and legislation—Italy. 4. Industrial laws and legislation—Italy. 5. Corporate state. I. Italy. Laws, statutes, etc. II. Title.
A C 37-68
Yale univ. Library for Library of Congress [3]

NM 0916060 CtY OCl

VOLUME 403

Mussolini, Benito, 1883–1945.
... Lo stato corporativo, con un'appendice contenente la carta del lavoro, i principali testi di legge, note riassuntive su l'organizzazione sindacale corporativa. 2. ed. Firenze, Vallecchi [1938]
293 p. 19ᶜᵐ.
"Bibliografia essenziale": p. [283]–292.

1. Trade and professional associations. 2. Corporate state. I. Italy. Laws, statutes, etc.
46–37127
Library of Congress HD3616.I 83M785 1938

NM 0916061 DLC

Mussolini, Benito, 1883-1945
Lo Stato fascista. A cura e con pref. di Paolo Orano. Roma, Casa editrice pinciana, 1937
308 p. (His Ordini, consegne, direttive sui problemi della vita italiana ed internazionale, 1-2)
Cover title: Lo Stato partito

NM 0916062 MH CSt-H NN CtY

[Mussolini, Benito,] 1883–1945.
Lo stato fascista (circolare del Duce ai prefetti d' Italia del 5 gennaio 1927); (discorso del Duce alle Camera dei deputati del 25 maggio 1927), a cura della Federazione provinciale fascista delle cooperative di Napoli. Napoli: Unione tipografica Combattenti[, 1927?]. 55 p. port. 8°.
Cover-title.

513284A. 1. Italy—Govt., 1927. 2. Federazione provinciale fascista delle cooperative di Napoli. 3. Title.
N. Y. P. L. February 5, 1931

NM 0916063 NN CSt-H

945.09
O65
v.1-2
[Mussolini, Benito] 1883-1945
Lo stato partito, a cura e con prefazione di Paolo Orano. Roma, Pinciana, 1937.
308 p. 19cm. (Ordini, consegne, direttive del Duce sui problemi della vita italiana ed internazionale. 1-2)

NM 0916064 NcD

Mussolini, Benito, 1883-

Negri, Ada, 1870–
... Stella mattutina, romanzo, con una presentazione di Benito Mussolini. [Milano] A. Mondadori [1940]

Mussolini, Benito, 1883-

Die **stellung** Italiens zum internationalen konflikt; rede des grafen Galeazzo Ciano, minister für auswärtige angelegenheiten, 16. dezember 1939–XVIII, mit dokumenten im anhang ... Basel, Birkhäuser [1940]

Mussolini, Benito, 1883–1945.
... Storia di un anno (il tempo del bastone e della carota) [Milano] Mondadori [1944]
223 p., 4 l., v–xxxviii p., 3 l. incl. facsims. 22ᶜᵐ.
"1ª edizione: novembre 1944."

1. World war, 1939–1945—Italy. 2. Italy—Hist.—1922–1945—Sources.
DG572.M8 47–1657

NM 0916067 DLC GU

Mussolini, Benito, 1883-1945.
... Storia di un anno (il tempo del bastone e della carota) [Milano] Mondadori [1944]
223 p., 4 l., v-xxxviii p., 3 l. incl. facsims. 22 cm.
"1ª edizione: novembre 1944 ... 2ª edizione: dicembre 1944".
1. World war, 1939-1945. Italy.
2. Italy. Hist. 1922-1945. Sources.

NM 0916068 NcD

DG572
.M8
1945
Mussolini, Benito, 1883-1945.
Storia di un anno; il tempo del bastone e della carota. [3. ed. Milano] Mondadori [1945]
223, xxxvii p. incl. facsims. 22cm.

1. World War, 1939-1945—Italy. 2. Italy—Hist.—1922-1945—Sources. I. Title.

NM 0916069 MB PLatS MH NNC CtY

UA740
M989
Mussolini, Benito, 1883-
...Sul disarmo. On disarmament. Sur le desarmement. Über die abrüstung. Zurigo (Svissera) Segretariato dell'Internazionale operaia socialista [1930]
7 p. 23ᶜᵐ
Text and imprint in Italian, English, French and German.
"Mussolini's speech at Florence."

1.Italy - Defenses. 2. Fascism - Italy. I. Title. II. Title: On disarmament. III. Title: Sur le desarme ment. IV. Title: Uber die abrüstung.

NM 0916070 CSt-H

DD247
.H5A737
Mussolini, Benito, 1883-1945.

Hitler, Adolf, 1889–
Tajna pisma, Hitler–Mussolini, 1940–1943. Priredio, preveo i predgovor napisao: Bogdan Krizman. Pogovor napisao André François-Poncet. Zagreb, Novinarsko izdavačko poduzeće [1953]

Mussolini, Benito, 1883–
Talks with Mussolini, by Emil Ludwig; translated by Eden & Cedar Paul; with eight illustrations. London, G. Allen & Unwin ltd. [1932]
223, [1] p. front., ports. 20ᶜᵐ.

I. Ludwig, Emil, 1881– ed. II. *Paul, Eden, 1865– tr. III. Paul, Cedar, joint tr. IV. Title.
33–575
Library of Congress DG575.M8A462
Copyright A ad int. 17189 [3] 923.245

NM 0916072 DLC NN PPD NNC

Mussolini, Benito, 1883–1945.
Talks with Mussolini, by Emil Ludwig; translated from the German by Eden and Cedar Paul ... Boston, Little, Brown, and company, 1933.
viii, 229, [1] p. front., ports. 22 cm.

I. Ludwig, Emil, 1881–1948, ed. II. *Paul, Eden, 1865– tr. III. Paul, Cedar, joint tr. IV. Title.
DG575.M8A462 1933 923.245 33—2310

DAU OOxM MiU OCU OU NN MB CoU ICU KyLx NIC
NM 0916073 DLC CaBVaU WaT Or WaS OrP GU PSC PP

Mussolini, Benito, 1883–
... Tempi della rivoluzione fascista. Milano, "Alpes", 1930.
5 p. l., 13–245, [1] p., 3 l. 20ᶜᵐ.
"Articoli apparsi su Gerarchia, dal 1920 al 1928."—4th prelim. leaf.

1. Fascism—Italy. 2. Partito nazionale fascista. I. Title.
35-11262
Library of Congress DG571.M87
[2] 945.09

NM 0916074 DLC NN IEN

Mussolini, Benito, 1883-1945.
Il tempo del bastone e della carota. Storia di un anno (ottobre 1942-settembre 1943) [Milano, 1944]
47 p.
"Supplemento del "Corriere della sera" n. 190 del 9-8-1944-XXII.

NM 0916075 NNC ICU MH CSt MiU CaOTP

Mussolini, Benito, 1883–1945.
Testamento politico di Mussolini. [Dettato, corr., siglato da lui, il 22 aprile 1945. Roma] Tosi [1948]
48 p., facsim.: 10, [1] p. port. 18 cm.
"Il documento ha la forma di una intervista ... che Mussolini concesse ... a Gian Gaetano Cabella."

I. Cabella, Gian Gaetano. II. Title.
DG575.M8A546 945.09 49–14566*

NM 0916076 DLC NcD NN

Mussolini, Benito, 1883–
... Testimonianze straniere sulla guerra italiana 1915–1918; prefazione al libro del generale di c. d'a. Adriano Alberti. Roma, Società anonima poligrafica italiana, 1934.
31 p. 18ᶜᵐ.

1. European war, 1914–1918—Italy. I. Alberti, Adriano, 1870– Testimonianze straniere sulla guerra italiana 1915–1918. II. Title.
35–14052
Library of Congress D569.A2M9
—— Copy 2. [3] 940.345

NM 0916077 DLC NN IEN

*IO9
M9774
911t
Mussolini, Benito, 1883-1945.
... Il Trentino: veduto da un socialista, note e notizie.
[La Rinascita del Libro, casa editrice italiana di A.Quattrini, Firenze 1911.
104p. 20cm., in case 21cm. (On cover: Quaderni della Voce, 8)
Original printed white wrappers; in cloth case.

NM 0916078 MH OCU

Mussolini, Benito, 1883–1945.
Über den korporativstaat, mit einem anhang, enthaltend die Carta del lavoro, die hauptsächlichsten gesetzestexte und einige angaben über die syndikalistisch-korporative einrichtung. Firenze, Valecchi [1936]
3 p. l., 9–159 p. 21ᶜᵐ.
Issued also in English.
"Verzeichnis der hauptsächlichen litteratur": p. [149]–155.
CONTENTS.—Über den korporativstaat.—Über das Gesetz der korporationen.—Die rede an die arbeiter von Mailand.—Ansprache bei der einsetzung der zweiundzwanzig korporationsräte.—Die im wirtschaftsplan der korporationen vorgesehen linien zur herbeiführung einer höheren sozialen gerechtigkeit.—Anhang.
1. Trade and professional associations—Italy. 2. Corporate state. I. Italy. Laws, statutes, etc.
46–37126
Library of Congress HD3616.I 83M83

NM 0916079 DLC NNC

VOLUME 403

Mussolini, Benito, 1883-1945.
...Gli ultimi discorsi di Benito Mussolini (dalla radio di Monaco: settembre 1943 alla prefettura di Milano: 23 aprile 1945). Roma ["Latinità," 1945?]
64 p. illus. 21cm. (Documenti per la storia)

1. Italy—Politics, 1943-1945.

NM 0916080 NN

940.9345 M97u
Mussolini, Benito, 1883-1945.
Gli ultimi discorsi di Benito Mussolini (settembre 43, aprile 45) Roma, Danesi 1948.
49 p. 24cm. (Documenti storici, 1)

1. World War, 1939-1945—Addresses, sermons, etc. 2. World War, 1939-1945—Italy. (Series)

NM 0916081 IU NN MB MH ICU NjP

Mussolini, Benito, 1883-1945.
Gli ultimi discorsi di Benito Mussolini (dalla radio di Monaco, settembre 1943, alla Prefettura di Milano, 23 aprile 1945) Roma, Latinità [1950?]
64 p. illus., port. 22 cm. (Documenti per la storia)

1. World War, 1939-1945—Addresses, sermons, etc. 2. World War, 1939-1945—Italy.
DG575.M8A345 50-57223

NM 0916082 DLC CaOTP

DG575 .M8A17
Mussolini, Benito, 1883-1945.
Venticinque scritti e un discorso di Benito Mussolini, da lui proibiti (1915-1919) [a cura di] Edoardo Susmel. Milano, Edizioni del Milione [1950]
197 p. 8 facsims. 21 cm. (L'Italia d'oggi: biblioteca minima in quaderni; testimonianze, documenti e memorie di vita italiana, 2)

I. Susmel, Edoardo, 1887- ed.
A 52-2360
Harvard Univ. Library for Library of Congress [1]

NM 0916083 MH RPB DLC PBm NN

DG571 M992
Mussolini, Benito, 1883-1945.
Il viatico per l'anno IX; discorso pronunciato il 27 ottobre VIII, nel Salone della vittoria ai direttorii delle federazioni provinciali fasciste. Roma, Libreria del Littorio [1926]
24 p. 18cm.

1. Italy - Pol. & govt. - 1922-1945. 2. Fascism - Italy. I. Title.

NM 0916084 CSt-H

Mussolini, Benito, 1883-1945.
A vida de Arnaldo, Tradução de Francisco Morais. Coimbra [Imp. na Tip. da Coimbra editora, 1935]
142 p. (Prosadores italianos contemporaneos)

NM 0916085 MH

945.091 M989 CG
Mussolini, Benito, 1883-1945.
Vier Reden über den Korporativstaat. Mit einem Anhang enthaltend die Carta del Lavoro, die hauptsächlichsten Gesetzestexte und einige Angaben über die syndikalistisch-korporative Einrichtung. [Roma, "Laboremus", 1935.
136p.

Translation of Quattro discorsi per lo stato corporativo.
Bibliography: p. 133-136.

1. Industry and state--Italy. 2. Fascism--Italy. 3. Labor laws and legislation--Italy. 4. Industrial laws and legislation--Italy. 5. Corporate state. I. Title. II. Mussolini, Benito, 1883-1945. Quattro discorsi per lo stato corporativo.

NM 0916087 ICarbS

Mussolini, Benito, 1883-1945.
... Der Viermächte-pakt, rede im italienischen Senat, sitzung des 7 juni 1933 a. xi°. [Berlin, Buchdruckerei A. Radeke, 1933]
cover-title, 15, [1] p. 21cm.

1. Four power peace pact, 1933.
45-34940
Library of Congress D450.M82 [2] 940.52

NM 0916088 DLC

D443 M989
Mussolini, Benito, 1883-
Der viermächtepakt; senatsrede des italienischen regierungschefs exzellenz Benito Mussolini am 7.juni a.XI. Roma, Società anonima poligrafica italiana, 1933.
24 p. 19cm.

1.Four power peace pact, 1933. I.Title.

NM 0916089 CSt-H

Mussolini, Benito, 1883-
... Vita di Arnaldo. Milano [Tipografia del "Popolo d'Italia"] 1932.
124 p., 10 l. incl. port., facsims. 21½cm.

1. Mussolini, Arnaldo, 1885-1931.
A C 33-2282
Title from Rochester Univ. DG575.M97m Printed by L. C.

NM 0916090 NRU NjP NcU CtY OU OCl NN

Mussolini, Benito, 1883-1945.
Vita di Arnaldo. Milano, U. Hoepli, 1938. 111 p. 18cm.

1. Mussolini, Arnaldo, 1885-1931.

NM 0916091 NN

Mussolini, Benito.
Vita di Benito Mussolini
see under Begnac, Ivon de, 1913-

Mussolini, Benito, 1883-1945, joint author.
Mussolini, Arnaldo, 1885-1931.
... Vita di Sandro e di Arnaldo. Milano, U. Hoepli, 1934.

DG575 M7A57
Mussolini, Benito, 1883-1945.
Viva il capomastro! Dagli scritti, discorsi e colloqui di Benito Mussolini [redatore Isidoro Pagnotta] In appendice: Viva l'imbianchino (le promesse di Hitler) Cuneo, "Pamfilo" editore, 1945.
101 p. 25cm.

1.Fascism - Italy. 2.Italy - Pol. & govt. - 1922- I.Pagnotta, Isidoro, ed.

NM 0916094 CSt-H MH

MUSSOLINI, BENITO, 1883-1945.
Vivo de Arnaldo; el la Itala: K. Kalocsay. Budapest, "Literatura mondo," 1934. 106 p. facsims. 20cm.

Mrs. Dave H. Morris collection.
1. Esperanto--Books in.

NM 0916095 NN

Mussolini, Benito, 1883-1945.
Vom Kapitalismus zum korporativen Staat; Reden und Gesetze. Eingeleitet, übertragen und erläutert von Erwin von Beckerath, Erich Röhrbein [und] Ernst Ed. Berger. Köln, Petrarca-Haus, Kommissionsverlag Deutsche Verlags-Anstalt Stuttgart, 1936.
190 p. 24 cm. (Veröffentlichungen des Petrarca-Hauses. 3. Reihe: Übersetzungen, 1)

1. Trade and professional associations—Italy. 2. Labor laws and legislation—Italy. I. Beckerath, Erwin von, 1889- ed. II. Italy. Laws, statutes, etc.
55-51943 ‡

NM 0916096 DLC NN MH CU ICU CtY WU NNC

Mussolini, Benito, 1883-
Vomere e spada; pensieri e massime raccolti dagli scritti e discorsi di Benito Mussolini, a cura di Lena Trivulzio della Somaglia. Unica edizione autorizzata. Milano, U. Hoepli, 1936.
5 p. l., 3-141 p., 2 l. 23cm.

I. Trivulzio, Maddalena Teresa (Cavazzi della Somaglia) principessa 1873- II. Title.
38-32126
Library of Congress DG575.M8A55 [2] 308.1

NM 0916097 DLC OU NN ViU NjP

Mussolini, Benito, 1883-1945
Vomere e spada; pensieri e massime raccolti dagli scritti e discorsi, a cura di L.Trivulzio della Somaglia. 2d ed., aumentata. Milano, Hoepli, 1937
159 p.

NM 0916098 MH IEN

Mussolini, Benito, 1883-1945.
The words and the deeds of Mussolini. [Roma, Laboremus, 1937?]
95 p. 23½cm.

Cover-title: Promise and performance; what Mussolini said and what he did.

1. Fascism - Italy. 2. Italy - Politics and government - 1922- I. Title.

NM 0916099 NNC LNHT NCH MH

VOLUME 403

VAULT
FOLIO
M1613.3 Mussolini, Cesare, b.1735.
.M87
N4 Six new songs and six minuets. With a new pastoral air by the same properly adapted for ye guittar & mandolin. With accompanyments for the harpsichord & violin. Four of these songs are with the primo secondo voice and basso, the other two with the primo voice & basso. And four of these minuets are with the primo secundo and basso, the other two with the primo and basso. London, Printed and sold by the author «ca.1750» score («16»p.) 33cm.

NM 0916100 NcU

Bra
PN
6222
.M9
Mussolini, Gioconda.
Os "Pasquins" do litoral norte de São Paulo e suas peculiaridades na ilha de São Sebastião. [São Paulo, Departamento de Cultura, 1950]
68 p. 23 cm.

"Obras citadas:" p. 68.
"Separata da Revista do Arquivo, 134."

NM 0916101 DPU

GT675
.S35
Mussolini, Gioconda, joint author.

Schaden, Egon.
Povos e trajes da América Latina ⌊por⌋ Egon Schaden e Gioconda Mussolini. Com gravuras inéditas de Belmonte. ⌊São Paulo⌋ Edições Melhoramentos ⌊1947⌋

DG575
M8M984
Mussolini, Rachele (Guidi) 1892-
Ma vie avec Benito. Paris, Société française des éditions du Cheval ailé ⌊1948⌋
254,⌊5⌋ p. fronts.,plates,ports. 19cm.
Pub. also in Italian with title La mia vita con Mussolini.

1.Mussolini, Benito, 1833-1945.

NM 0916103 CSt-H

Mussolini, Rachele (Guidi) 1892–
Mein Leben mit Benito. Zürich, Thomas Verlag ⌊©1948⌋
259 p. 21 cm.

1. Mussolini, Benito, 1883–1945.

DG575.M8M833 923.245 51-24906

NM 0916104 DLC PU NjP MB

Mussolini, Rachele (Guidi) 1892–
La mia vita con Benito. ⌊1. ed. Milano⌋ A. Mondadori ⌊1948⌋
288 p. illus., ports. 21 cm.

1. Mussolini, Benito, 1883–1945. I. Title.

DG575.M8M83 923.245 49-21895*

NM 0916105 DLC MH NN OCl TxU

Mussolini, Vittorio, 1916–
... Bomber über Abessinien. München, Beck ⌊1937⌋
148 p. front., plates, ports. 20cm.
"Die originalausgabe dieses buches trägt den titel Voli sulle ambe. Die übertragung aus dem italienischen besorgte F. Gasbarra."

1. Italo-Ethiopian war, 1935–1936—Aerial operations. 2. Italo-Ethiopian war, 1935–1936—Personal narratives, Italian. I. Gasbarra, F., tr. II. Title.

Library of Congress DT387.8.M83 38-22921
Copyright A—Foreign 39177
⌊3⌋ 963

NM 0916107 DLC ICU NN CtY MH CU NNC WU ICRL

D792
.I8A52
Mussolini, Vittorio, 1916- ed.

Italy. *Centro fotocinematografico della R. Aeronautica.*
Nei cieli di guerra; ventennale della R. Aeronautica. ⌊Milano–Roma, S. a. grafitalia già Pizzi & Pizio, 1942?⌋

Mussolini, Vittorio, 1916–
... Voli sulle ambe. Firenze, G. C. Sansoni, 1937.
3 p. l., ⌊9⌋–154 p., 1 l. front. (port.) plates. 23cm.

1. Italo-Ethiopian war, 1935–1936—Aerial operations. 2. Italo-Ethiopian war, 1935–1936—Personal narratives, Italian. I. Title.

Library of Congress DT387.8.M8 38-3267
⌊2⌋ 963

NM 0916109 DLC MH OCl CtY NcD

Mussolini, der Vatikan und die Minderheiten
see under [Bier, Wilhelm]

Mussolini e il fascismo. Roma, O. Daffinà ⌊©1929⌋
viii, 408 p. col. front., illus. (incl. facsims.) ports. 36 x 28cm.
Introduction by Augusto Turati, articles by Alfredo Rocco and others.
"Distribuì e coordinò la materia Oreste Daffinà."

1. Mussolini, Benito, 1883– 2. Fascismo—Italy. 3. Italy—Pol. & govt.—1914– I. Turati, Augusto, 1888– II. Rocco, Alfredo, 1875– III. Daffinà, Oreste, ed.

Library of Congress DG575.M8M85 29-22810

NM 0916111 DLC CaBVaU

Mussolini e le corporazioni, con uno scritto di S.E. il conte Suardo e il testo completo della legge e del regolamento sindacale. Mantova, Edizioni Paladino [1926?]

71 p. ports., table. 24.5 cm.
At head of title: "Mussolinia", Biblioteca di coltura fascista.

NM 0916112 MH

Mussolini e lo sport. Mantova, Edizioni Paladino VI [1928].

70 p. ports., illus. 24 cm.
"Mussolinia,33."
Contents.- Mussolini e lo sport, by Carlo dall'Ongaro.- L'operadi Benito Mussolini per l'unificazione delle direttive dello sport italiano, by Francesco Carli.

NM 0916113 MH

Mussolini en España: Santander, presa del fascismo. Madrid, Ediciones Españolas, 1937

22 p.

1. Fascism - Santander, Spain. I. Santander, presa del fascismo

NM 0916114 MH

Mussolini-Hitler ...
see under Dörr, Eugen.

Mussolini, il governo, i fascisti
see under Musacchio, Cesare Annibale.

Mussolini parle
see under Mussolini, Benito, 1883-

JC481
M989
Mussolini; una visione della vita. ⌊Roma? Soc. an La Poligrafica, 193-⌋
46 p. 17cm.

1. Fascism - Italy. 2. Mussolini, Benito,1883- 3. State, The.

NM 0916118 CSt-H MB

Mussolini und sein Gefolge ...
see under Romanus, Junius, pseud.

Mussolini; une vision de la vie. n.p., n.p., n.d. 48p.

NM 0916120 OClW

...Mussolini y el fascismo
see under [López Fuchet, Leopoldo]

"Mussolinia."
fasc.

Mantova, 192 8°.
nos. illus.

Monthly (irregular).
fasc. also called Anno
fasc. 23 incorrectly called fasc. 25.
fasc. are 2d ed.; fasc. is 2d ed. of fasc.
Edited and published by F. Paladino.

1. Fascisti—Per. and soc. publ.
N. Y. P. L. October 3, 1928

NM 0916122 NN

⌊Musson, *abbé*⌋
Ordres monastiques; histoire extraite de tous les auteurs qui ont conservé à la postérité ce qu'il y a de plus curieux dans chaque ordre. Enrichie d'un très-grand nombre de passages des mêmes auteurs; pour servir de démonstration que ce qu'on y avance est également véritable & curieux ... Berlin, 1751.
7 pts. in 5 v. 17cm.
Each volume has special t.-p.
"Table des auteurs cités": t. 1, p. 158–168.

Contents.—t. 1. Traités préliminaires. Origine des moines. Histoire universelle des Carmes. L'état de l'Ordre des Carmes pendant les douze premiers siècles de l'église. Renaissance de l'Ordre des Carmes sous S. Albert.—t. 2. Religieux de la Congrégation de S. Paul, Camaldules, Cisterciens, Fontevraud, Bénédictines réformées, le Calvaire, la Merci, Mathurins, Prémontrés.—t. 3. Franciscains; sçavoir, les Mineurs, Minimes, Capucins, & Récolets.—t. 4. Frères Prêcheurs, Religieux de S. Antoine, Chanoines réguliers, Augustins, Frères de la charité, doctrine chrétienne, &c.—t. 5. Compagnie de Jesus, Pères missionnaires ou Lazaristes.
2-24455

NM 0916124 DLC DFo

Musson, abbé.
Ordres monastiques
see also Crome, Ludwig Gottlob.
Pragmatische geschichte der vornehmsten mönchsorden.

S471
.S55W6
Musson, A. L., joint author.

Worzella, Wallace William, 1906–
Proposed program for agricultural technical assistance for Somalia, by W. W. Worzella and A. L. Musson. Rome, 1954.

VOLUME 403

Musson (Achille). *Du torticolis. 50 pp. 4°. Paris, 1867. No. 69.

NM 0916127 DNLM PPC

Musson, Alexander Franks Noverre
Stage sets for Maeterlinck's play Pelleas and Melisande ... by A.F. Noverre Musson. «Columbus» The Ohio state university, 1932.
2 p.

NM 0916128 OU

Musson, Alfred Edward.
The Congress of 1868; the origins and establishment of the Trades Union Congress. [London, Trades Union Congress] 1955.
48 p. illus. 22 cm.

1. Trades Union Congress. 2. Trade-unions—Gt. Brit. I. Title.

HD8383.T734 56—40022 ‡

CtY NBC NN ICU MiU OkU
NM 0916129 DLC MiEM KU CU IU TxU TU FU ScU NcD

Musson, Alfred Edward.
The Typographical Association; origins and history up to 1949. London, New York, Oxford University Press, 1954.
550 p. 23 cm.

1. Typographical Association.

Z120.M87 331.88155 56-347 ‡

PBL MH NcU
TxFTC N TxU NN NcD LU InU CSt MiU OCl OOxM PBL PP
DAU MdBP CLSU ICN NIC MB IU ICU MiD MH NNC ViU CU
NM 0916130 DLC OrU CaBVaU PSt ScU CaOTP GU MoSW AU

Musson, André, joint author.

MT870 .D373

Delamorinière, Hugues.
La lecture de la musique; leçons de solfège à une voix par Hugues Delamorinière et André Musson. Paris, Durand, °1942–

Musson, Bennet.
Maisie & her dog Snip in fairyland, by Bennet Musson ... New York and London, Harper & brothers, 1903.
v, [1] p., 1 l., 165 p. col. front., illus., 7 col. pl. 22 x 18cm.

I. Title. 3-25726

Library of Congress PZ8.M98Mai

NM 0916132 DLC

Musson, Bennet.
Turn to the right, by Bennet Musson, from the play by Winchell Smith and John E. Hazzard. New York, Duffield and company, 1917.
3 p. l., 291 p. 19½cm.

I. Smith, Winchell, 1871–1933. Turn to the right. II. Hazzard, John Edward, 1881– III. Title.

Library of Congress PZ3.M98T 17—18357

NM 0916133 DLC PP

Musson, Bennet.
Turn to the right, by Bennet Musson, from the play by Winchell Smith and John E. Hazzard. New York, Grosset & Dunlap [c1917]
3 p.l., 291 p. 19.5 cm.
Illustrated with scenes from the play.

NM 0916134 TxU

Musson, Charles Tucker.
Book-keeping for farmers and orchardists [1893]

NM 0916135 DNAL

Musson, Charles Tucker, joint author.

Cleland, John Burton.
... The food of Australian birds. An investigation into the character of the stomach and crop contents. A summary of work done by J. B. Cleland ... J. H. Maiden ... W. W. Froggatt ... E. W. Ferguson ... C. T. Musson ... Sydney, W. A. Gullick, government printer, 1918.

Musson, Charles Tucker.

Richmond, N. S. W. Hawkesbury agricultural college.
... Nature studies. Suggestions for teachers. By C. T. Musson ... and W. M. Carne ... Nature studies leading up to physics. By Cuthbert Potts ... and M. S. Benjamin ... Sydney, W. A. Gullick, government printer, 1913.

Musson, Charles Tucker.
On certain shoot-bearing tumours of eucalypts and angophoras
see under Fletcher, Joseph James.

Musson, Charles Tucker.
... Seeds and seed testing for farmers. By C. T. Musson ... Sydney, W. A. Gullick, government printer, 1913.
36 p. illus. 24cm. (New South Wales. Dept. of agriculture. Farmers' bulletin, no. 73)
"References in 'Agricultural gazette' to seed testing, good seed, &c.": p. 36.

1. Seeds—[Testing and examination]

Agr 14-361

Library, U. S. Dept. of Agriculture 23N47F no. 73

NM 0916139 DNAL

S594 .5 .M8

Musson, Charles Tucker
...Soil temperature at Hawkesbury agricultural college, Richmond, N.S.W.
[Sydney] 1901
"From Agricultural gazette of N.S. Wales, June 1901]

NM 0916140 DLC DAS

Musson, C[harles] T[ucker]
... A statistical note on variations in the flowers of *Anguillaria dioica*, R. Br. By C. T. Musson, F. L. S. (Abstract.) [Sydney, 1898]
[2] p. 22cm.
From the Proceedings of the Linnean society of New South Wales, 1898, part 4, October 26th.

1. Variation (Biology) 2. Anguillaria dioica.

Library of Congress QH406.M97 6-17138†

NM 0916141 DLC

ZM 791.1 M977f

Musson, Clettis V
Fire magic. Chicago, Ireland Magic Co., 1952.
44p. illus.,port. 22cm.

NM 0916142 TxU

ZM q791.1 M977m

Musson, Clettis V
Musson's magic. Chicago, Nelmar System [193-?]
2p.l.,10l. 28cm.(in folder: 32cm.)

NM 0916143 TxU

ZM 133 M977t

Musson, Clettis V
Thirty-five weird and psychic effects. [n.p., Chas. C. Eastman, c1937]
cover-title, 39,[1]p. 23cm.

NM 0916144 TxU CU

Musson, Clettis V
Thirty-five weird and psychic effects, by Clettis V. Musson... [Newburyport, Mass., c1937] 39 p. 22cm.

HOOKER COLLECTION.

1. Legerdemain.
N. Y. P. L. May 6, 1949

NM 0916145 NN

MUSSON, EDITH M.
The rebellion of Pamela; a comedy. Manchester, A. Heywood [1952] 31 p. 19cm. (White house community dramas, no. Cm 25)

1. Drama, English. I. Series. II. Title.

NM 0916146 NN

[**Musson, Eugene**]
Letter to Napoleon III on slavery in the southern states, by a creole of Louisiana. Tr. from the French. London, W. S. Kirkland & co., 1862.
2 p. l., 128 p. 21cm.
Signed: Eugene Musson. Dated: Paris, March 4th, 1862.
"Extracts from speeches on the slavery question delivered by John C. Calhoun, in the Senate of the United States, from 1836 to 1850": p. [115]-128.

1. Slavery in the U. S.—Controversial literature—1862. 2. Slavery in the U. S.—Condition of slaves. I. Calhoun, John Caldwell, 1782–1850. II. Title.

Library of Congress E449.M982 19-7298

NM 0916147 DLC CtY OClWHi PU

[**Musson, Eugène**]
Lettre à Napoléon III sur l'esclavage aux états du Sud, par un créole de la Louisiane. Paris, Dentu, 1862.
vii, 160 p. 24cm.
Signed: Eugène Musson.

1. Slavery in the U. S.—Controversial literature—1862. 2. Slavery in the U. S.—Condition of slaves. I. Calhoun, John Caldwell, 1782–1850. II. Title.

Library of Congress E449.M98 11—10152

NM 0916148 DLC NIC NjP PU MWA MH MB

Zan M977 943v

Musson, Flora E
Voices of spring ... Port-of-Spain, Trinidad, B.W.I.,Guardian commercial printery,1943.
39p.incl.port. 23cm.
Poems.

NM 0916149 CtY

VOLUME 403

Musson, J Windsor.
Organized discussion, by J. Windsor Musson ... Bognor Regis, Sussex, J. Crowther, ltd. [1945]
68 p. 19½cm.
"Books for reference and further reading": p. 65-68.

1. Forums (Discussion and debate) I. Title.
45-5210
Library of Congress LC6515.M82
[3] 374.24

NM 0916150 DLC CtY

Musson, J Windsor.
Reading & reasoning, a course in intelligent reading and comprehension of the spoken and written word ... By J. Windsor Musson ... [Bognor Regis, Eng.] J. Crowther [1944]
70 p. diagrs. 18½cm.

1. Reasoning. 2. English language—Rhetoric. I. Title.
44-47848
Library of Congress BC177.M8
[2] 160

NM 0916151 DLC CtY

Slavery
HF
2651
S824
W51
Musson, John P.
A letter to ministers, suggesting improvements in the trade of the West Indies and the Canadas; in which are incidentally considered, the merits of the East and West India sugar question, reasons in favour of the independence of Spanish America, and a liberal and practical plan of forwarding slave emancipation. London, J.M. Richardson, 1825.
109 p. 22cm.
No. 4 in a vol. lettered: West India sugar.

NM 0916152 NIC MH

Musson, *Mrs.* Louise (Walbridge)
The Frau von Colson's Christmas eve, by Louise Walbridge Musson. Kansas City, Mo., The Rust-Craft shop [c1908]
3 p. l., [9]-53 p., 1 l. 16cm.

8-17248* Cancel
Library of Congress PZ7.M977F

NM 0916153 DLC NBuU ViU

Musson, Margaret.
Aggrey Achimota. Ibadan, Oxford University Press [1954] 58 p. illus.

1. Aggrey, James Emman Kwegyir, 1875-1927. 2. Yoruba language - Texts. (TITLE)

NM 0916154 NN

Musson, Margaret.
Aggrey of Achimota, by M. Musson, with foreword by A. G. Fraser ... London and Redhill, United society for Christian literature [1944]
55, [1] p. 18½cm. (*Half-title:* Africa's own library, no. 7)
"First published 1944."

1. Aggrey, James Emman Kwegyir, 1875-1927. I. United society for Christian literature, London.
45-5782
Library of Congress E185.97.A24
[3] 922

NM 0916155 DLC

BV
3625
.I82
H3
Musson, Margaret
Prophet Harris; the amazing story of Old Pa Union Jack. Wallington, Surrey, Religious Education Press [1950]
111 p. illus. 20 cm. (The Pioneer series)

1. Harris, William Wadé. 2. Missions - Ivory Coast. I. Title.

NM 0916156 WU

Musson, Matthijs, firm, Antwerp.
Na Peter Pauwel Rubens
see under Denucé, Jean, 1878-1944.

Musson, Pierre, 1561-1637
see Mousson, Pierre, 1561-1637.

Musson, Samuel Paynter, comp.
FOR OTHER EDITIONS SEE MAIN ENTRY
The Handbook of Jamaica for 188
comprising historical, statistical and general information concerning the island; comp. from official and other reliable records ... Jamaica, Govt. print. off.; London, E. Stanford, 188 -19

Musson, Spencer C
Around St. Malo. Painted by J. Hardwicke Lewis, described by Spencer C. Musson. London, Black [1912]
175 p. illus.

1. Saint-Malo, France--Descr. & trav. I. Lewis, J. Hardwicke, illus.

NM 0916160 CaOTP

914.41
M989a
Musson, Spencer C.
Around St. Malo, painted by J. Hardwicke Lewis, described by Spencer C. Musson. London, A.& C. Black [1917]

viii, 175 p. col.front., 19 col. plates, fold. map. 23cm.
"Published 1912 under the title of La Côte d'émeraude. Re-issued 1917, as Around St.Malo".

1.Brittany - Description. 2.Normandy - Description. I. Lewis,John Hardwicke, 1840-1927, illus. II.Title.

NM 0916161 CSt CLSU

Musson, Spencer C.
La Côte d'émeraude, painted by J. Hardwicke Lewis, described by Spencer C. Musson ... London, A. and C. Black, 1912.
viii, 175, [1] p. col. front., 19 col. pl., fold. map. 23cm.
Plates accompanied by guard sheets with descriptive letterpress.

1. Brittany—Descr. & trav. 2. Normandy—Descr. & trav. I. Lewis, John Hardwicke, 1841- illus. II. Title.
16-20511
Library of Congress DC611.B848M95

NM 0916162 DLC GU FMU PU-FA NN

Musson, Spencer C.
... The Engadine, by Spencer Musson. London, A. & C. Black, limited [1924]
vii, [1], 9-64 p. col. front., illus. (2 maps) col. plates. 23cm. (Beautiful Europe)
One of the colored plates mounted on cover.
"This little book is mainly an abridgment of The Upper Engadine (A. and C. Black, 1906)"—p. 10.

1. Engadine—Descr. & trav.
25-3245
Library of Congress DQ841.E5M75

NM 0916163 DLC PU NN

Musson, Spencer C.
Sicily; painted by Alberto Pisa, described by Spencer C. Musson. London, A. & C. Black, 1911.
xii, 311, [1] p. mounted col. front., 47 mounted col. pl., fold. map. 23cm.
Each plate accompanied by guard sheet with descriptive letterpress.

1. Sicily—Descr. & trav. I. Pisa, Alberto, illus.
16-14956
Library of Congress DG862.5.M85

NN MB
NM 0916164 DLC WaS Or NIC OrPS FMU CSt CtY OCU

Musson, Spencer C.
The Upper Engadine, painted by J. Hardwicke Lewis, described by Spencer C. Musson; with 24 full-page illustrations in colour. London, A. and C. Black, 1907.
3 p. l., ix-xii, 211, [1] p. 24 col. pl. (incl. front.) fold. map. 20cm. (*Half-title:* Black's smaller series of beautiful books)
"Published September 1907."

1. Engadine—Descr. & trav. I. Lewis, John Hardwicke, 1841-1927, illus. II. Title.
8-21791
Library of Congress DQ841.E5M8

ODW MB NN
NM 0916165 DLC GU CLSU IaU PHC OCU MiU OO OCl

Musson, Susan
The unmarried mother: a few notes for student health visitors, by Susan Musson...(London, National council for the unmarried mother and her child, 1936)
3, (1) p. 24½cm.

NM 0916166 DL

Musson-Genon, René
Application des méthodes rhéographiques à l'étude des trajectoires électroniques planes, compte tenu de la charge d'espace. Paris,1947
Thèse - Univ. de Paris.

NM 0916167 CtY

76-01
J6618xm
Musson Book co., limited, Toronto.
E. Pauline Johnson (Tekahionwake) Poetess. Toronto, Musson Book co., limited, 1913.
1 p., 3 l. illus., port. 26 cm.

Illus. t.-p.
Contains facsimile of "And he said fight on (Tennyson)."

1. Johnson, Emily Pauline, 1862-1913.

NM 0916168 RPB CaBViP

Musson Book co., ltd., Toronto.
Musson's improved lumber and log book 1905 for ship and boat builders ...
see under title

VOLUME 403

Mussoni, Albert, O.S.B., 1837-
De origine status monastici tractatus; cui additur in Appendice brevis dilucidatio Epistolae Apostolicae nuperrime directae ad Monasteria O.S.B. in Austria. Augustae Vindel., M. Huttler, 1889.
24p. 21cm. (₍Pamphlets₎, v. 13)

NM 0916170 PLatS KAS

HV4091 T4
Mussoni, Georg.
Fonde und Stiftungen der Landeshauptstadt Salzburg. Salzburg, 1890.
85 p. 21cm.
Bound with Tettinek, Johann Ernest. Die Armen-Versorgungs-und Heilanstalten im Herzogthume Salzburg. Salzburg, 1850.

1. Salzburg - Charities. I. Title.

NM 0916171 CSt

MUSSONI, Giuseppe.
Il commercio dello zafferano nell'Aquila e gli statuti che lo regolavano. Aquila, S. Simeone 1906.
24 cm.
"Estratto dal Bollettino di Storia Patria Abruzzese, anno XVIII, serie 2a Puntata XV."

NM 0916172 MH

Musson's cyclopaedia of music and musicians covering the entire period of musical history from the earliest time to the season of 1909-10 ...
see under De Bekker, Leander Jan, 1872-1931.

Musson's French-English, English-French dictionary ...
see under Kettridge, Julius Ornan.

Musson's improved lumber and log book 1905 for ship and boat builders, lumber merchants, sawmill men, farmers and mechanics, based on J.M. Scribner's log book ... and on Doyle's rule. Rev. illus. ed. Toronto, The Musson book co., limited [1905]
vii, [8]-189 p. illus., tables. 13.5 cm.

NM 0916175 CaBVaU

Mussoorie, India. National Academy of Administration.
Journal.
[Mussoorie]
v. maps. 25 cm. quarterly.
English or Hindi.

1. India—Pol. & govt.—1947- —Period. 2. Public administration—Period.

JQ201.M83 SA 64-8357

NM 0916176 DLC NSyU MiU

Mussoorie, India. National Institute of Community Development.
Report.
[Mussoorie?]
v. 25 cm. annual.

1. Community development—India—Study and teaching.

HN683.5.M88 SA 66-5791

NM 0916177 DLC NSyU MiU

Mussoorie and Landour (India) Union Church.
Annual report...1879. Mussooria, Himalaya Chronicle press, 1879.
(pam)

NM 0916178 PPPrHi

Mussot, Auguste Jean François
See
Arnould, Auguste Jean François, 1803-1854.

Mussot, Jean François, *called* Arnould
see
Arnould, Jean François Mussot, 1743-1795.

Mussot, Pierre, 1792-1855
Commentaires des six lecons de l'école du cavalier à cheval... Par., Leblanc, 1822.
342 p.

NM 0916181 PU-V

Mussot, Pierre, 1792-1855.
Commentaires historiques et élémentaires sur l'équitation et la cavalerie; ou Revue des progres obtenus dans l'art équestre depuis l'époque de sa renaissance. Paris, Correarc, 1854.
255 p.

NM 0916182 PU-V NWM

Mussot, Pierre, 1792-1855.
Des compagnies, pelotons et sections hors rang: Examen de leux utilité relative et des raisons qui militent pour leur suppression. Paris, 1851.
45 p. 8°.

NM 0916183 CtY

SF 765 .M8
Mussot, Pierre, 1792-1855.
Manuel d'hippiatrique, d'équitation et d'hygiène, à l'usage de tous; ou, Etude de la connaissance intérieure et extérieure du cheval, de son instruction et de son emploi, de sa conservation en l'état de santé, de sa reproduction, de son élevage et de son remplacement ... Par P. Mussot ... Paris, Librairie militaire, maritime et polytechnique de J. Corréard, 1856.
2 v. illus. 22 cm.
Running and spine titles: Manuel d'équitation.
"Ire division. De la connaissance du cheval".
Three more divisions were projected but not published. Cf. Mennessier de la Lance.
Plates wanting from 2. ptie.; only a small portion of one remains.

Stamps of "Bibliothèque du 6e regt de dragons".
CONTENTS. -1. partie. Connaissance de l'intérieur du cheval. Anatomie et physiologie. -2. partie. Connaissance de l'extérieur du cheval.

1. Horses - Anatomy. 2. Horses - Physiology. 3. Horses.

NM 0916185 MiEM

Mussot (Pierre-Alphonse). * Propositions de médecine. 20 pp. 4°. Paris, 1833, No. 301, v. 265.

NM 0916186 DNLM

Mussott Campbell, Alfredo.
Sistema de contabilidad para la fabricación de fertilizantes. México, 1955.
102 p. illus. 24 cm.
Tesis (contador público y auditor)—Universidad Nacional Autónoma de México.
Includes bibliography.

1. Fertilizer industry—Accounting. I. Title.

HF5686.F4M8 59-48331 ‡

NM 0916187 DLC

Mussotter, Anton, 1883- Ueber Luftembolie vom Sinus sigmoideus aus. Tübingen 1910: Laupp. 29 S. 8°
Tübingen, Med. Diss. v. 22. Jan. 1911, Ref. v. Bruns
[Geb. 3. Sept. 83 Munderkingen; Wohnort: Krefeld; Staatsangeh.: Württemberg; Vorbildung: Gymn. Ehingen Reife M. 04; Studium: München 5, Berlin 1, Tübingen 4 S.; Coll. 1. Juni 10; Approb. 1. Jan. 11.] [U 11. 4371

NM 0916188 ICRL CtY

Mussotter, Otto, 1902-
Ueber blutgruppenverteilung bei geisteskrankheiten.
Inaug. diss. Tuebingen, 1930.
Bibl.
18 p.

NM 0916189 ICRL OU

Musste es so kommen? Von Hohenschwangau bis schloss Berg. Die bayrische regentschafts-katastrophe. Von einem unterrichteten [!]. Annaberg, J. van Groningen, 1886.
pp. 90. Port.

Ludwig II, king of Bavaria

NM 0916190 MH

The mussulman
see under Madden, Richard Robert, 1798-1886.

Mussy, Blanchet de
see Blanchet de Mussy.

Mussy, François Guéneau de
see Guéneau de Mussy, François, 1774-1857.

Mussy, Henri Guéneau de
see Guéneau de Mussy, Henri, 1814-1892.

WR M989c 1892
MUSSY, Jean
Contribution à l'étude des érythèmes infectieux, en particulier dans la diphtérie. Paris, Steinheil, 1892.
90 p.
Issued also as thesis, Univ. of Paris.

NM 0916195 DNLM

VOLUME 403

Mussy (Jean-Jules-Louis) [1877-]. * De la radiographie stéréoscopique par la méthode des réseaux. 45 pp. 8°. *Nancy*, 1904, No. 4.

NM 0916196 DNLM

Mussy, Noël Guéneau de
see Guéneau de Mussy, Noël, 1813-1885.

---

*FC6 M7335 Za878m

Mussy, P de
... L'amour poète ou Corneille chez Molière comédie-idylle (musique de Lulli) ... Rouen.——— Imprimerie E.Cagniard, rue Jeanne-Darc, 88.15 janvier 1878.
67,[1]p. 26cm.
At head of title: P. de Mussy.
Title vignette with initials "B P".
"Tiré a douze exemplaires numérotés. No [in ms.]11."
Inspired by the collaboration of the two poets in writing "Psyché."

Original printed gray wrappers preserved; bound in half tan cloth and marbled boards.
Inserted at p.61 are 2 cancel leaves paged 57-60 containing revised text of p.61-64, in which the first speech of Lena has 16 additional lines.

NM 0916199 MH CtY InU

Mussy, Philibert Guéneau de,
See
Guéneau de Mussy, Philibert.

PK 2141 .E3 M99

Must, comp.
Must musings, or English words in Indian tunes. [1st ed. Ahmedabad, Kamlashankar Gopalshankar Bhachech] 1922.
216 p. illus.

1. Hindi poetry--Translations into English.

NM 0916201 MiU

---

ar W 7003

Must, Gustav, 1908-
Der Aquativ in den ostseefinnischen Sprachen. [Helsinki, Suomalaisen Kirjallisuuden Seuran Kirjapainon Oy., 1954]
6 p. 25cm.

Caption title.
Reprinted from the Suomalais-ugrilaisen seuran aikakauskirjasta, 57 (1954).

1. Finnish language--Grammar. I. Title.

NM 0916202 NIC

---

821 M978m

Must, John.
The martyr of Hadleigh. A dramatic poem. Founded on the martyrdom of Rowland Taylor, L. L. D., archdeacon of Exeter, and rector of Hadleigh, Suffolk. Suffered, February 9, 1555. Sudbury, Printed for the author by G. W. Fulcher, 1839.
80p. 20cm.

1. Taylor, Rowland, d.1555--Poetry. I. Title.

NM 0916203 IU MH CtY

Must God annihilate the wicked? Being a reply to the main arguments of Dr. Joseph Parker, with some thoughts on universal salvation. A tract for the people, by a modern apostate. Leamington, A. Wilson, [187-]
38 p. 18.5 cm.

NM 0916204 MH

Must musings, or English words in Indian tunes
see under Must, comp.

Must Protestantism adopt Christian Science?
see under [Hegeman, James Winthrop] d. 1925.

Must the war go on?
see under Flanders, Henry, 1826-1911.

Must this go on?
see under Evening News, London.

Must we abandon hope of a golden age? [Allegheny, Pa.: Watch Tower Bible & Tract Society, 1898]
8 p. 12°. (Old Theology Quarterly. no. 41)

NM 0916209 NN

Must we have food surpluses? As food surpluses come back should we: 1. Eat them up at home? 2. Send them overseas? 3. Refuse to produce them? Washington, National Planning Association, Agriculture Committee on National Policy, 1949.

viii, 47 p. 20 cm. (Planning pamphlets, no. 66)

"A report of discussion in the NPA Agriculture Committee on National Policy."

1. Surplus agricultural commodities—U. S. 2. Agriculture and state—U. S. I. National Planning Association. Agriculture Committee on National Policy. (Series)

HC101.N352 no. 66 49-4902 rev

NM 0916210 DLC

Must we imprison little children?
see under Juvenile law reform league.

Must we trust Japan?
see under
New Zealand Institute of International Affairs.

Musta kirja
see
Åbo, Finland. Domkyrkan.
Registrum ecclesiae Aboensis.

Musta'ān, Ḥusayn Qulī.
داروغهٔ اصفهان، شرلوك هلمس ایران. بقلم كاظم مستعان السلطان «هوشی دریان» [تهران، —19 .i. e. 19— 13]

102 p. illus. 25 cm.

Authorship attributed to Musta'ān al-Sulṭān Ḥusayn Qulī by Kh. Mushār; cf. his Mu'allifīn-i kutub-i chāpī-i Fārsī va 'Arabī, v. 2 (1962) col. 941.

I. Title. II. Title: Sharlūk Hulms-i Irān.
Title romanized: Dārūghah-'i Iṣfahān.

PK6561.M83D3 74-223004

NM 0916214 DLC

Musta'ān al-Sulṭān, Kāẓim
see
Musta'ān, Ḥusayn Qulī.

Musta'ān al-Sulṭān Ḥusayn Qulī Hūshī Darbān
see
Musta'ān, Ḥusayn Qulī.

Mustacchia, Nicolò.
... Shelley e la sua fortuna in Italia. Catania, V. Muglia, 1925.
134 p., 1 l. 18½cm.
"Bibliografia": p. [133]-134.

1. Shelley, Percy Bysshe, 1792-1822.

26-16429

Library of Congress PR5431.M8

NM 0916217 DLC NcD CtY MiU OU IU

Mustacesco, Corrine, 1894-
... Les hémorragies œsophagiennes et gastriques par rupture veineuse au cours de la cirrhose alcooloque ... Paris, 1925.
24 cm.
Thèse - Univ. de Paris.
Bibliographie: p. [107]-112.

NM 0916218 CtY

Mustad, Ole.
Abscheidungspotential des eisens aus...
Inaug. diss. Techn.Hochs., Dresden, 1908 (Leipzig)

NM 0916219 ICRL

DR558 .M8M5

MUSTAFA, PAŞA, 1765-1808.

Miller, Anatoliĭ Filippovich, 1901-
Мустафа паша Байрактар; Оттоманская империя в начале XIX века. Москва, 1947.

Mustafa, son of Sulaiman I, sultan of the Turks.
Mustapha, A tragedy ...
see under Mallet, David, 1705?-1765.

VOLUME 403

Muṣṭafā, Aḥmad ʻAbd al-Raḥīm
The domestic and foreign affairs of Egypt from 1876 to 1882, by Ahmed Abdel-Rehim Mustafa
2 v. (574 l.) on 1 reel
Thesis - London, Univ., 1955
Microfilm, negative, of copy in the University of London, Library

NM 0916222 MH

Muṣṭafā, Aḥmad ʻAbd al-Raḥīm.
توفيق الحكيم: افكاره، آثاره ؛تاليف؛ احمد عبد الرحيم مصطفى. الحلمية الجديدة ؛بمصر؛ المطبعة النموذجية ؛١٩٥٢؛ ؛1952؛
150 p. 25 cm.
Bibliography: p. ؛149؛-150.
1. al-Ḥakīm, Tawfīq.
Title transliterated: Tawfīq al-Ḥakīm: afkāruh, āthāruh.
PJ7828.K52Z8 N E 64-1967

NM 0916223 DLC

Mustafa, Ali
Cem; 4 perde dram. İstanbul, Ahmet Halit Kitaphanesi, 1931
94 p.

NM 0916224 MH

Mustafā, Bairakdār
see Mustafā, paşa, 1765-1808.

Mustafa, Celâloğlu.
... Osmanlı imparatorluğunun yükselme devrinde, Turk ordusunun savaşları ve devletin kurumu, iç ve dış siyasası, yazan: Celâl oğlu Mustafa; türkçeleştiren: emekli bnb. Sadettin Tokdemir. İstanbul, Askerî matbaa, 1937.
1 p. l., ؛a؛-b, ؛a؛-b, 257 p. 26½ cm.
At head of title: (Tabakatülmemalik ve derecatülmesalik) "107 sayılı Askeri mecmua ilâhkasıdır."
1. Sulaiman I, the Magnificent, Sultan of the Turks, 1494-1566. I. Tokdemir, Sadettin, tr. II. Askeri mecmua. Supplement.
U4.A65 1937, vol. 2, no. 107 Suppl. 49-39859

NM 0916226 DLC

Mustafa, Ghulam.
মরু-দুলাল. ؛লেখক؛ গোলাম মোস্তফা. ؛প্রথম সংস্করণ؛ ঢাকা, মুসলিম বেঙ্গল লাইব্রেরী ؛1949؛
6, 178 p. 19 cm.
In Bengali.
An abridged ed. of the author's Biśvanabi.
1. Muḥammad, the prophet. I. Title.
Title transliterated: Maru-dulāla.
BP75.M882 S A 64-494

NM 0916227 DLC NSyU

Mustafa, Hājī Hasan
see Hasan Mustafa, Hājī.

Muṣṭafā, Ibrāhīm, ed.
(al-Munṣif)
PJ6131 .I 23 Orien Arab
Ibn Jinnī, Abū al-Fatḥ ʻUthmān, *d.* 1002.
المنصف، شرح ابي الفتح عثمان بن جني النحوى الكتاب التصريف لابي عثمان المازني النحوى البصرى. بتحقيق ابراهيم مصطفى ؛و؛عبد الله امين. ؛الطبعة 1؛ مصر، مصطفى البابي الحلبي ؛1954- ؛

Muṣṭafā, Ismāʻīl
see
Ismāʻīl Muṣṭafā, *al-Falakī,* 1824 *or* 5-1901.

Muṣṭafā, Jalāl al-Dīn ʻAlī, 1922-
QE328 .A45 1954a
Egypt. *al-Misāḥah al-Jiyūlūjīyah al-Miṣrīyah.*
Geology of Abu Diab district, by M. S. Amin ؛and؛ G. A. Moustafa. Cairo, Govt. Press, 1954.

Muṣṭafā, Jalāl al-Dīn ʻAlī, 1922-
Egypt. *al-Misāḥah al-Jiyūlūjīyah al-Miṣrīyah.*
Geology of Gebel "el 'Ineigi" district, by G. A. Moustafa ؛and others؛ Cairo, Éditions universitaires d'Égypte, 1955.

Mustafa, Kara
see
Kara Mustafa, 1634-1683.

Muṣṭafā, Maḥmūd.
اعجام الاعلام، يهدى الى ما يصعب التهدى الى ضبطه من اعلام الاناسى والبلاد وغيرهما، مع التعريف بهذه الاعلام تعريفا يكشف غامضها ويلم باطراف ما عرف عنها، تجد به نحو ١٠٠٠ علم من اعلام الاناسى والمواضع. تاليف محمود مصطفى. مصر، 1935.
5, 249 p. maps. 24 cm.
At head of title: اول كتاب تخرجه جماعة دار العلوم باقرار لجنتها العلمية
1. Names, Arabic—Dictionaries. I. Title.
Title transliterated: Iʻjām al-aʻlām.
PJ6173.M8 N E 68-1944

NM 0916234 DLC

Muṣṭafā, Maḥmūd Maḥmūd.
شرح قانون العقوبات، القسم الخاص: الرشوة، التزوير، الحريق، القتل والضرب والجرح، جرائم العرض، جرائم الاعتبار، السرقة والنصب وخيانة الامانة، الاتلاف وانتهاك حرمة ملك الغير. تاليف محمود محمود مصطفى. الطبعة الاولى. الاسكندرية، دار نشر الثقافة، ١٩٤٨ ؛1948؛
605 p. 25 cm.
1. Criminal law—Egypt. I. Title.
Title transliterated: Sharḥ qānūn al-ʻuqūbāt, al-qism al-khāṣṣ.
N E 63-1721

NM 0916235 DLC

Muṣṭafā, Maḥmūd Maḥmūd.
شرح قانون تحقيق الجنايات، تاليف محمود محمود مصطفى. الطبعة 1. الاسكندرية، مطبعة دار نشر الثقافة، 1947.
723 p. 24 cm.
Bibliographical footnotes.
1. Criminal procedure—Egypt. I. Title.
Title transliterated: Sharḥ qānūn taḥqīq al-jināyāt.
N E 66-303

NM 0916236 DLC

Muṣṭafā, Marʻī
see
Marʻī, Muṣṭafā, 1902-

Muṣṭafā, Muʻawwaḍ Muḥammad.
الميراث فى الشريعة الاسلامية، تاليف معوض محمد مصطفى ؛و؛محمد محمد سعفان. الطبعة 2. القاهرة، دار الفكر العربي، 1946.
159 p. 25 cm.
Distributor's name: مكتبة الانجلو المصرية stamped on t. p.
1. Inheritance and succession (Islamic law) I. Saʻfān, Muḥammad, joint author. II. Title.
Title romanized: al-Mīrāth fī al-sharīʻah al-Islāmīyah.
76-232326

NM 0916238 DLC

Mustafa, Münim
Cepheden cepheye, 914-918. İstanbul, Ege Basım Evi, 1940
v. illus.

NM 0916239 MH

1823 .667
Muṣṭafā, Muḥammad.
Beiträge zur Geschichte Ægyptens zur Zeit der türkischen Eroberung. Bonn, 1935.
32 p. 23 cm.
Inaug.-Diss. - Bonn.
1.Egypt - Hist.- 640-1882.

NM 0916240 NjP CtY ICRL

Muṣṭafā, Muḥammad, ed.
DT96 .I 8275 Orien Arab
Ibn Iyās, 1448-*ca.* 1524.
Die Chronik des Ibn Ijās, in Gemeinschaft mit Moritz Sobernheim hrsg. von Paul Kahle und Muhammed Mustafa. Istanbul, Staatsdruckerei, 1931-

---

Muṣṭafā, Muḥammad.
N6260 .C33
Cairo. Matḥaf al-Fann al-Islāmī.
Le Musée de l'art arabe au Caire ؛par Mohamed Moustapha, conservateur du Musée arabe. Le Caire, 1949؛

Muṣṭafā, Muḥammad.
The Museum of Islamic Art, a short guide
see under Cairo, Matḥaf al-Fann al-Islāmī.

Muṣṭafā, Muḥammad.
The National Museum of Arab Art in Cairo
see under Cairo. Matḥaf al-Fann al-Islāmī.

Muṣṭafā, Muḥammad.
Turkish prayer rugs; ؛translated into English by Abd El-Rahman F. Mohamed؛ Cairo, 1953.
78 p. illus., map. 25 cm. (Collections of the Museum of Islamic Art, 1)
Bibliography: p. 73.
1. Rugs, Turkish. 2. Carpets. I. Title. (Series: Cairo. Matḥaf al-Fann al-Islāmī. Collections, 1)
NK2809.T8M8 745.52643 57-48464

NM 0916245 DLC ICU NNC

VOLUME 403

Muṣṭafā, Muḥammad 'Izzat, joint author.

NK1530 .Y8 Orien Arab

Yūsuf, Aḥmad Aḥmad. (Khulāṣat ta'rīkh...)
خلاصة تاريخ الطرز الزخرفية والفنون الجميلة، تاليف احمد احمد يوسف ومحمد عزت مصطفى. [مصر، ١٩٤٨؟ 1948?]

Muṣṭafa, Mustanṣir
see Muṣṭafa Mustanṣir.

Mustafa, Omar Mamdouh.
Le Soudan egyptien. Neuville-sur-Saone, Imp. Guérin frères, 1931.
Thèse - Lyon.
"Bibliographie", p. [243]-245.

NM 0916248 MH

Mustafá, Sa'id
see Mustapha, Seid.

Mustafa, Saiyid Kalbe.
A commentry [sic] on the influx from Pakistan (control) act, 1949, with exhaustive notes, uptodate rules and case law. Also containing useful information about passports, visas and pilgrim passes etc. Lucknow, Peoples Law Book House, 1952.
vii, 128 p. forms. 23 cm.

1. Refugees, East Indian—Legal status, laws, etc. 2. Passports—India. I. India (Republic) Laws, statutes, etc. Influx from Pakistan (control) act, 1949. 1952. II. Title.

72-212759

NM 0916249 DLC MH-L

Mustafa, Sayid Ghulam, 1918–
Towards understanding the Muslims of Sind. [Karachi, Darul Mussanifeen, 194–]
142 p. 18 cm.

1. Muslims in Sind. I. Title.

DS485.S6M8 S A 64-7955

NM 0916250 DLC

Muṣṭafā 'Abd al-Laṭīf, *al-Saḥartī*
see
al-Saḥartī, Muṣṭafā 'Abd al-Laṭīf.

Muṣṭafā 'Abd al-Rāziq, 1886–1947.
الامام الشافعى [تاليف] مصطفى عبد الرازق. [القاهرة] لجنة ترجمة دائرة المعارف الاسلامية [١٩٤٥ 1945.]
127 p. 20 cm. (اعلام الاسلام، ١٢)

1. al-Shāfi'ī, Muḥammad ibn Idrīs, 767 or 8-820. I. Title. (Series: A'lām al-Islām, 12)
Title transliterated: al-Imām al-Shāfi'ī.

60-24024

NM 0916252 DLC

Muṣṭafā al-Dīwānī
see
al-Dīwānī, Muṣṭafā.

Muṣṭafā al-Ghalāyīnī
see
al-Ghalāyīnī, Muṣṭafā.

Muṣṭafā al-Gharābī, 'Alī
see al-Gharābī, 'Alī Muṣṭafā.

Muṣṭafā al-Ḥifnāwī
see
al-Ḥifnāwī, Muṣṭafā.

Muṣṭafā al-Khālidī
see
al-Khālidī, Muṣṭafā.

Muṣṭafā al-Naḥḥās
see
al-Naḥḥās, Muṣṭafā, 1876–1965.

Muṣṭafá al-Qabbānī
see
al-Qabbānī, Muṣṭafá.

Muṣṭafā al-Qūnī
see
al-Qūnī, Muṣṭafā Maḥmūd.

Muṣṭafā al-Saqqā
see
al-Saqqā, Muṣṭafā.

Muṣṭafā al-Ṣayyād
see
al-Ṣayyād, Muṣṭafā.

Muṣṭafā al-Shihābī
see
al-Shihābī, Muṣṭafā.

Muṣṭafá al-Shūrbajī
see
al-Shūrbajī, Muṣṭafá.

Muṣṭafā al-Ṭabāṭabā'ī
see
al-Ṭabāṭabā'ī, Muṣṭafā.

Muṣṭafá al-Tafrīshī
see
al-Tafrīshī, Muṣṭafá ibn al-Ḥusayn, fl. 1606.

Muṣṭafā 'Alī al-Hilbāwī
see
al-Hilbāwī, Muṣṭafā 'Alī.

Mustafa Aly elTawil.
... Beitrag zur Verbreitung der Tuberkulose in Ober-Aegypten auf Grund der Ergebnisse von 4216 Untersuchungen nach v. Pirquet ... Zürich, 1926.
23 cm.
Inaug.-diss. - Zürich.
"Literatur": p. 36.

NM 0916268 CtY

Muṣṭafā 'Āmir
see
Amer, Mustafa.

Mustafa Anwar
see
Anwar, Mustafa.

Muṣṭafā Bayram
see
Bayram, Muṣṭafā, 1919-

Mustafa Çelebi
see
Çelebi, Mustafa. Fehim, *d.* 1648.

Mustafa-el-Tobib
see
Rohlfs, Gerhard, 1831-1896.

Muṣṭafā Fahmī, 1909–
see
Fahmī, Muṣṭafā, 1909–

Muṣṭafā Farrūkh
see
Farrūkh, Muṣṭafā, *d.* 1957.

Muṣṭafā Ghālib
see
Ghālib, Muṣṭafā.

Mustafa Hamid.
See
Hamid, Mustafa.

Mustafa Hulûsi, Giritli, tr.
Dehşetli hata; facia beş perde
see under title

VOLUME 403

Muṣṭafá ibn ʻAbd al-Qādir al-Qabbānī
see
al-Qabbānī, Muṣṭafá.

Muṣṭafa ibn ʻAbd Allāh
see
Kâtib Çelebi, 1608 *or* 9-1657.

Muṣṭafā ibn ʻAbd Allāh, *al-Tafihnāwī*
see
al-Tafihnāwī, Muṣṭafā ʻAbd Allāh.

Muṣṭafá ibn Abī ʻAbd Allāh al-Ṭāʼī
see
al-Ṭāʼī, Muṣṭafá ibn Muḥammad, 1725 or 6-1778.

Mustafa ibn Ahmed Sadri, called Sheikh Vefa
see Wafa, Shaikh.

OK (per DS 5 Feb.75)

Mustafá ibn Hasan al-Jannabi
see al-Jannabi, Mustafá ibn Hasan, d. 1590. [Supplement]

Muṣṭafá ibn al-Ḥusayn al-Tafrīshī
see
al-Tafrīshī, Muṣṭafá ibn al-Ḥusayn, fl. 1606.

Muṣṭafā ibn Ibrāhīm, *fl.* 1731.
تحفة العوامل. ‚الاستانة، دار الطباعة العامرة، ١٢٥٦ ‚1840.‛

244 p. 20 cm.

Caption title.
Title, p. 3: تحفة الاخوان

1. Birgivi, d. 1573. al-ʻAwāmil al-jadīdah. I. Title. II. Title: Tuḥfat al-ikhwān.
Title transliterated: Tuḥfat al-ʻawāmil.

PJ6151.B5A95 1840 N E 62-159

NM 0916284 DLC

Muṣṭafā ibn Muḥammad, *al-Ḳabbānī*
see
al-Qabbānī, Muṣṭafā ibn Muḥammad.

Muṣṭafá ibn Muḥammad al-Ṭāʼī
see
al-Ṭāʼī, Muṣṭafá ibn Muḥammad, 1725 or 6-1778.

Muṣṭafā Jalāl al-Dīn ʻAlī, 1922-
Egypt. *al-Misāḥah al-Jiyūlūjīyah al-Miṣrīyah.*
Geology of Abu Mireiwa district, by G. A. Moustafa & A. M. Abdalla. Cairo, Les Éditions universitaires d'Égypte, 1954.

Muṣṭafā Jawād
see
Jawād, Muṣṭafā.

Muṣṭafā, Kamāl.
على ماهر باشا، المثل الأعلى للأمة والوطن والصحافة والأدب. بقلم كمال مصطفى. ‚القاهرة‛ مكتب نشر المؤلفات العلمية والاعلانات التجارية ‚المقدمة 1938‛

465, 5 p. ports. 25 cm.
Bibliography: p. [42]

1. Māhir, ʻAlī, 1883?-1961.
Title romanized: ʻAlī Māhir Bāshā.

DT107.2.M33M8 N E 68-1115

NM 0916289 DLC

Mustafa Kamal, pasha, 1880-1938.
see Atatürk, Kamâl, Pres. Turkey, d. 1938.

Muṣṭafā Kamāl Ṭāhā
see
Ṭāhā, Muṣṭafā Kamāl.

Mustafa Kamel, pasha.
see
Mustafa Kamil, pasha, [1874]-1908.

Muṣṭafā Kāmil
see
Kāmil, Muṣṭafā.

Muṣṭafā Kāmil, 1874-1908.
دفاع المصري عن بلاده، مصطفى كامل باشا والانكليز. مجموعة تشتمل على مقالات وخطب صاحب اللواء في لوندره وغيرها. مصر، مطبعة اللواء، 1906.

124 p. 24 cm.

1. Egypt—Pol. & govt.—1882-1952. I. Title.
Title romanized: Difāʻ al-Miṣrī ʻan bilādih.

DT107.6.M78 N E 68-2594

NM 0916294 DLC MH

Muṣṭafā Kāmil, 1874-1908.
Egyptian-French letters addressed to Mme Juliette Adam, 1895-1908 [by] Moustafa Kamel Pasha. 1st ed. Cairo, The Moustafa Kamel School [1909]
351 p. illus., ports., facsims. 20 cm.
Added t. p.: وسائل مصرية فرنسية، وهى الخطابات الخصوصية التى ارسلها المرحوم مصطفى كامل باشا فى حياته الى مدام جوليت آدم، الكاتبة الفرنسية الشهيرة. ترجمها على فهمى كامل.
English and Arabic on opposite pages.
Edited by Juliette Adam.
English translation by F. Ryan.
1. Egypt—Pol. & govt.—1882-1952. 2. Egypt—For. rel. I. Adam, Juliette, 1836-1936, ed. II. ʻAlī Fahmī Kāmil, tr. III. Ryan, F., tr.
DT107.6.M8 9-32414 rev*
——— Copy 2. Bound with the author's What the National Party wants. Cairo [1907?] L. C. copy imperfect: p. 349-351 wanting. DT43.M813

NM 0916295 DLC

Muṣṭafā Kāmil, Pasha, 1874-1908.
Égyptiens et Anglais. [Préface de Madame Adam. 2e édition.] — Paris. Perrin & cie. 1906. 330, (1) pp. 16°.

G2241 — Great Britain For. rel. Egypt. T.r. — Egypt. For. rel. Great Britain. — Adam, Juliette Camille Ambroisine, prefacer.

NM 0916296 MB

Muṣṭafā Kāmil, 1874-1908.
[al-Masʼalah al-Sharqīyah]
كتاب المسئلة الشرقية، تاليف مصطفى كامل. الطبعة 1. مصر، مطبعة الآداب، 1898.

352 p. 24 cm.

1. Eastern question. I. Title: al-Masʼalah al-Sharqīyah.
Title romanized: Kitāb al-masʼalah al-Sharqīyah.

D374.M84 74-212759

NM 0916297 DLC

Muṣṭafā Kāmil, 1874-1908.
خطابة بطل الوطنية المرحوم مصطفى كامل باشا، التى القاها بتياترو زيزينيا بمدينة الاسكندرية فى مساء يوم الثلاثاء ١٥ رمضان سنة ١٣٢٥ (٢٢ اكتوبر سنة ١٩٠٧) ‚القاهرة؟ ١٩٠٧؟‛ [1907?]

64 p. 19 cm.

Bound with the author's What the National Party wants. Cairo [1907?]

1. al-Ḥizb al-Waṭanī (Egypt) I. Title.
Title transliterated: Khiṭābat Baṭal al-waṭanīyah.

DT43.M813 59-34955

NM 0916298 DLC

Muṣṭafā Kāmil, 1874-1908.
Khiṭābat baṭal al-waṭanīyah
see also Dhikrā Muṣṭafā Kāmil al-thālithah ʻasharah.

Muṣṭafā Kāmil, 1874-1908.
Lettres égyptiennes françaises adressées à Mme Juliette Adam, 1895-1908 [par] Moustafa Kamel pacha. 1. éd. Au Caire, École Moustafa Kamel [1909]
351 p. illus., ports., facsims. 19 cm.
Bound with the author's What the National Party wants. Cairo [1907?]
Added t. p.: رسائل مصرية فرنسية، وهى الخطابات الخصوصية التى ارسلها المرحوم مصطفى كامل باشا فى حياته الى مدام جوليت آدم الكاتبة الفرنسية الشهيرة. ترجمها على فهمى كامل.
French and Arabic on opposite pages.
Edited by Juliette Adam.
1. Egypt—Pol. & govt.—1882-1952. 2. Egypt—For. rel. I. Adam, Juliette, 1836-1936, ed. II. ʻAlī Fahmī Kāmil, tr.

DT43.M813 59-55239

NM 0916300 DLC ICU UU NN CU

Muṣṭafā Kāmil, 1874-1908.
al-Masʼalah al-sharqīyah
see also [ʻAlī Fahmī Kāmil]
Muṣṭafā Kāmil Bāshā.

Muṣṭafā Kāmil, pasha, [1874]-1908.
Le péril anglais. Conséquences de l'occupation de l'Égypte par l'Angleterre, par Moustafa Kamel... Paris: [A. Lanier,] 1899. 22 p. 2. ed. 8°.

1. Egypt.—Foreign and political relations. 2. Title.
N. Y. P. L. February 15, 1923.

NM 0916302 NN

VOLUME 403

Mustafā Kāmil, 1874-1908.
Le péril anglo-égyptien; conséquence de l'occupation de l'Egypte par l'Angleterre, par Moustafa Kamel. Paris, Impr. G.Camprozer, 1895

16 p.

NM 0916303 MH

Muṣṭafá Kāmil, 1874–1908.
الشمس المشرقة، تأليف مصطفى كامل. الطبعة 1. ‏[القاهرة]
مطبعة اللواء 1904-.

v. ports. 20 cm.

1. Japan. I. Title.
Title romanized: al-Shams al-mushriqah.

DS882.5.M76 70-280010

NM 0916304 DLC

Muṣṭafā Kāmil, 1874–1908.
What the National Party wants; speech delivered on 22nd October 1907 in the Zizinia Theatre at Alexandria by Moustafa Kamel Pasha. Cairo, Printed by The Egyptian Standard [1907?]
36 p. 19 cm.
Translation of خطابة بطل الوطنية (transliterated: Khiṭābat Baṭal al-waṭanīyah)
Bound with the author's خطابة بطل الوطنية. ‏[القاهرة؟ 1907?] Paris. Peace Conference, 1919. Egypt. Egyptian national claims. [Liverpool? 1919]; the author's Egyptian-French letters. Cairo [1909]; Margueritte, V. La voix de l'Égypte. Paris [1919], and the author's Lettres égyptiennes françaises. Au Caire [1909]
1. al-Ḥizb al-Waṭanī (Egypt)

DT43.M813 59-55242

NM 0916305 DLC NN

Muṣṭafā Kāmil Munīb
see
Munīb, Muṣṭafā Kāmil.

Mustafa Kazim Riza
see Riza, Kazim, 1905-

Mustafa Kemal, *paşa*
see
Atatürk, Kamâl, *Pres. Turkey, d.* 1938.

Mustafa Kemal, Ghazi, paşa
see Atatürk, Kamâl, Pres. Turkey, d. 1938.

Mustafa Khan, Ghulam
see Khan, Ghulam Mustafa.

Mustafa Khan Fath
see Fateh, Moustafa Khan.

Muṣṭafā Luṭfī al-Manfalūṭī
see
al-Manfalūṭī, Muṣṭafā Luṭfī, 1876?-1924.

Muṣṭafā Mu'min
see
Mu'min, Muṣṭafā.

Mustafa, Mustansir.
Über Stieldrehung normaler Adnexe. Zusammenstellung von 61 Fällen aus der Weltliteratur. Hinzufügung einer eigenen Beobachtung. München, Salesian. Offizin, 1928.
61 p. 8°.
Author's name at head of title: Mostafa Montasir.
Inaug.-diss. - München.

NM 0916314 PPWI CtY

Mustafa - Na'im, called Na'ima
see Naima, Mustafa, 1652-1715.

Mustafa Naim Efendi
see
Naima, Mustafa, 1652–1715.

Mustafa Naima
see
Naima, Mustafa, 1652–1715.

Muṣṭafā Najīb
see
Najīb, Muṣṭafā.

Mustafa Namik
see
Namik, Mustafa.

Muṣṭafā Naẓīf
see
Naẓīf, Muṣṭafā.

Mustafa Nihat Özön
see
Özön, Mustafa Nihat

Mustafa Nuri
see
Nuri, Mustafa.

Mustafa Nuri, Anil
see
Anil, Mustafa Nuri.

Mustafa paşa, Alemdar
see
Mustafa, *paşa,* 1765–1808.

Muṣṭafā pasha, *Bairaḳdār*
see
Mustafa, *paşa,* 1765–1808.

Mustafa Ragıp.
İttihat ve Terakki tarihinde esrar perdesi; Yakup Cemil niçin ve nasıl öldürüldü? İstanbul, Akşam Kitaphanesi, 1933 [cover 1934]
638 p. ports. 26 cm. (Akşam Kitaphanesi neşriyatı, 17)

1. Ittihad ve Terakki Cemiyeti. 2. Yakup Cemil, d. 1916. I. Title.

DR584.M86 78-248973

NM 0916326 DLC

Mustafa Reşit Belgesay
see
Belgesay, Mustafa Reşit, 1889–

Muṣṭafā Ṣabrī, 1860 *or* 61–1954
see
Ṣabrī, Muṣṭafā, 1860 *or* 61–1954.

Muṣṭafā Ṣādiq al-Rāfi'ī
see
al-Rāfi'ī, Muṣṭafā Ṣadiq, *d.* 1937.

Mustafa Şekip Tunç
see
Tunç, Mustafa Şekip.

Mustafa Sulaiman
see
Sulaiman, Mustafa.

Muṣṭafā Surūr
see
Surūr, Muṣṭafā.

Muṣṭafá Ṭammūm
see
Ṭammūm, Muṣṭafá.

Muṣṭafá Wahbī al-Tall
see
al-Tall, Muṣṭafá Wahbī, 1899-1949.

Mustafa Yeşil
see Yeşil, Mustafa.

VOLUME 403

Muṣṭafā Zaidī
see
Zaidī, Muṣṭafā, 1930-

Muṣṭafā Zayd
see
Zayd, Muṣṭafā.

Muṣṭafā Zaytūn
see
Zaytūn, Muṣṭafā.

Mustafaev, Rustam.
Майсторът на високи добиви от памук—два пъти герой на социалистическия труд Шамама Хасанова. ₍Превел от руски Я. Стоевски. София₎ Народна младеж ₍1952₎
65 p. 17 cm.

1. Cotton growing. 2. Khasanova, Shamama. I. Title.
Title transliterated: Maĭstorŭt na visoki dobivi ot pamuk.

SB251.A93M82 59-38244 ‡

NM 0916339 DLC

Muṣṭafavī, Ḥasan.
(Majmū'ah-i qiṣṣah'hā-yi shīrīn)
مجموعه قصه‌های شیرین ، تاریخی ، اخلاقی ، علمی ، فلسفی ، انتقادی. نوشته حسن مصطفوی. طهران ، کتابفروشی بوذرجمهری مصطفوی ₍1953 or 4₎ .1373
125 p. 22 cm.
1. Exempla, Islamic.

I. Title.

BP188.2.M87 74-200755

NM 0916340 DLC

Muṣṭafavī, Muḥammad Taqī.
هگمتانه، آثار تاریخی همدان و فصلی درباره ابو علی سینا. تالیف محمد تقی مصطفوی. چاپ 1. ₍تهران؟₎ ۱۳۳۲ ₍1953₎
18, 278 p. illus., fold. map, ports. 22 cm.

1. Hamadan, Iran. I. Title.
Title transliterated: Hagmatānah, āṡār-i tārīkhī-i Hamadān.

DS325.H3M8 N E 67-801

NM 0916341 DLC

Muṣṭafavī, Raḥmat.
(Ma'shūqah va dūst)
معشوقه و دوست ₍از₎ رحمت مصطفوی. ₍تهران ، 1328 i. e. 1949 or 50₎
182 p. 22 cm.
CONTENTS: معشوقه و دوست. — چشمهای سیاه ایران خانم. — شانزه لیزه. — فرنگی احساسات ندارد.

I. Title.
PK6561.M833M3 1949 73-220888

NM 0916342 DLC

Mustafin, Gabiden.
Караганда; роман. Авторизованный перевод с казахского К. Горбунова. Москва, Советский писатель, 1953.
481 p. 21 cm.

I. Title. *Title transliterated:* Karaganda.
PL65.K49M84 54-35406 ‡

NM 0916343 DLC

Mustafin, Gabiden.
Миллионер; роман. Перевод с казахского. ₍Москва₎ Советский писатель, 1949.
190 p. 21 cm.

I. Title. *Title transliterated:* Millioner.
PL65.K59M797 51-16139

NM 0916344 DLC

Mustafin, Gabiden.
Миллионер; повесть. Авторизованный перевод с казахского. ₍Литературная обработка перевода Ю. Либединского₎ Москва, Гос. изд-во худож. лит-ры, 1951.
188 p. illus. 21 cm.

I. Title. *Title transliterated:* Millioner.
PL65.K49M88 1951 52-38325 ‡

NM 0916345 DLC

Mustafin, Gabiden.
Шиганак Берсиев; повесть. Перевод с казахского, под ред. Ст. Злобина. ₍Москва₎ Советский писатель, 1947.
278 p. 17 cm.

I. Zlobin, Stepan Pavlovich, ed. ₍II. Title.₎
Title transliterated: Shiganak Bersiev.
PL65.K59M8 49-16035*

NM 0916346 DLC

Musta'idd Khān, Muḥammad Sāqī, d. 1724.
The history of the first ten years of the reign of Alemgeer
see under [Muḥammad Kāẓim ibn Muḥammad Amīn] d. 1681.

Muṣta'idd Khan, Muhammad Saqi, d. 1724.
...ماثر عالمكيرى بتصحيح احمد على...
[...Ma'āṣir i 'Ālamgīrī bitaṣḥīḥ Aḥmad 'Alī...]
[A history of the reign of Aurangzib]
[2],3,[1],8,550,68p. Kalkata, Asiatic society of Bengal, 1871. (Bibliothca indica, v.66)

Persian text.
Contains new ser., nos.195, 210, 220, 232-3, 289
Contains the book-plate of Ch. Schefer.

NM 0916348 OC1

Musta'idd Khān, Muḥammad Sāqī, d. 1724.

Maāsir-i-'Ālamgiri; a history of the emperor Aurangzib-'Ālamgir, reign 1658-1707 A.D., of Sāqi Must'ad Khan. Translated into English and annotated by Jadu-Nath Sarkar. Calcutta, Royal Asiatic Society of Bengal, 1947.
vii, 350 p. (Bibliotheca Indica)

"The history of the first ten years of Aurangzib's reign was written ... by Mirzā Muhammad Kāzim, under the title of Ālamgir-nāmah ... Sāqi Musta'd Khan ... completed the history ... entitled Maāsir-i-'Ālamgiri." - cf. p.v.

1.Aurangzib, emperor of Hindustan, 1619-1707. 2.Mogul empire 3. India - Hist. I.Sarkar, Sir Jadunath, 1870- II.Bibliotheca Indica III.Title IV.Title:Alamgir-namah

NM 0916350 HU WaU OC1 NcD MH ICU

GV1201 .M94

Mustain, Nelle M.
Pleasant hours of amusement and entertainment ... by Nelle M. Mustain ... Chicago, Ill., H. J. Smith publishing co. ₍1902₎
1 p. l., 5-411 p. front. (port.) illus., pl. 24½cm. 2-25721†
Issued also under title: Popular amusements for in and out of doors ...

Library of Congress, no. Copyright.

NM 0916351 DLC

Mustain, Nelle M.
Popular amusements for in and out of doors, embracing nine books in one volume ... By Nelle M. Mustain ... ₍Chicago? °1902₎
411 p. incl. front. (port.) illus., plates. 24½cm.
Issued also under title: Pleasant hours of amusement and entertainment.

1. Amusements. 2. Games. 3. Sports. I. Title.
4-34052
Library of Congress
——— Copy 2. GV1201.M95

NM 0916352 DLC

---

790 M991p 1903

Mustain, Nelle M.
Popular amusements for in and out of doors, embracing nine books in one volume. Springfield, Mass., Hampden [c1903]
411p. illus.,plates,port. 25cm.
Issued also under title: Pleasant hours of amusement and entertainment.

1.Amusements. 2.Games. 3.Sports. I.Title.

NM 0916353 CLSU

CWB M972m

Mustaine, Mrs. A
The prince and princess of Tallahassee [Tallahassee, Fla., Rose Printing Co.] c1946.
57 p. 19cm.

1. Murat, Achille, prince, 1801-1847.
2. Murat, Mrs. Catherine (Willis) Gray.
3. Murat family. I. Title.

NM 0916354 FU NcU

Musta'jab ibn Hafiz Rahmat, khan bahadur.
see Muhammad Mustajāb ibn Hāfiz Rahmat Khān. (Supplement)

Mustajab Khan, d. 1833.
see Muḥammad Mustajāb ibn Hāfiz Rahmat Khān. (Supplement)

Mustajab, Muhammad
see Muḥammad Mustajāb ibn Hāfiz Raḥmat Khān. (Supplement)

Mustajāb Khān, Muḥammad
see
Muḥammad Mustajāb ibn Ḥāfiz Raḥmat Khān. (Supplement)

VOLUME 403

Mustajoki, Arvo.
Messungen der wahren spezifischen wärme der KCl-KBr-Mischkristalle im Temperaturbereich 50 ... 450° C. Helsinki, 1951.
47, [1] p. diagrs. 25 cm.
Thesis—Helsingfors.
Bibliography: p. [48]

1. Specific heat. 2. Potassium chloride. 3. Potassium bromide.
QC295.M8 58-17096

NM 0916359 DLC ICRL NIC OrU

Mustakallio, Eero
... Untersuchungen über die M-N=, A_1-A_2= und O-A-B= blutgruppen in Finnland. Akademische abhandlung von Eero Mustakallio ... Helsinki, 1937.
185 p. incl. tables, diagrs. 24½cm. (Societas medicorum fennica "Duodecim", Helsingfors. Acta. Ser. A, t. 20, n. 4)

At head of title: Aus dem Sero-bakteriologischen institut der Universität Helsinki, vorstand; prof. dr. med. Osv. Streng.

Summaries in English, French and German.
"Literaturverzeichnis": p. [177]-181.

1. Blood groups.

NM 0916361 NNC OU CtY

Mustakallio, Joh
Matka Jäämeren rannalle kesällä 1882. Kuopiossa, Kuopion uudessa kirjapainossa, 1883
121 p.

NM 0916362 MH

Mustakallio, Jooseppi
Pienoiskuwa Ondongasta, kirjoittanut Joos.Mustakallio. Helsingissä, Suomen Lähetysseura, 1903
119 p. illus.

NM 0916363 MH

W 1 SU591 no. 29 1952
MUSTAKALLIO, Kimmo K
Circumcaval ureter with special reference to the persistent periureteric venous ring. Helsinki, 1952.
21 p. illus. (Suomalaisen Tiedeakatemian Toimituksia, sar. A. 5. Medica-anthropologica, 29)
1. Ureter - Abnormalities Series: Suomalainen Tiedeakatemia, Helsingfors. Toimituksia, sar. A. 5. Medica- anthropologica, 29

NM 0916364 DNLM

W 1 AN452 v. 33 1955 Suppl. 1
MUSTAKALLIO, Kimmo K
Selective inhibition patterns of succinic dehydrogenase and local necrobiosis in tubules of rat kidney induced by six mercurial diuretics, by Kimmo K. Mustakallio and Antti Telkkä. Helsinki, 1955.
16 p. illus. (Annales medicinae experimentalis et biologiae Fenniae, v. 33, supplementum 1)
1. Diuretics & diuresis 2. Kidneys - Effects of drugs I. Telkkä, Antti Series

NM 0916365 DNLM

W 1 AN3095 v. 35 Suppl. 2
MUSTAKALLIO, M J
On congenital sincipital encephalocele and its treatment, with special reference to the structure of the wall. Helsinki, 1946.
56 p. illus. (Annales chirurgiae et gynaecologiae Fenniae, v. 35. Supplementum 2)
1. Brain - Hernia Series

NM 0916366 DNLM NNC

W 1 SU591 no.8
Mustakallio, M J
On the appearance of elastic tissue in the A. basialis of the human fetus. Helsinki, 1946.
43 p. illus. (Suomalaisen Tiedeakatemian Toimituksia ... sar.A. 5, Medica-anthropologica. 8)

Bibliography: p. [40]-43.

1. Basilar artery

NM 0916367 DNLM

W 1 SU591 no. 42 1954
MUSTAKALLIO, M J
On the histogenesis of elastic tissue in the human common carotid artery, by M. J. Mustakallio and Antti Telkkä. Helsinki, Suomalainen Tiedeakatemia, 1954.
16 p. illus. (Suomalaisen Tiedeakatemian Toimituksia, sar. A. 5, Medica-anthropologica, 42)
1. Carotid artery I. Telkkä, Antti

Series: Suomalainen Tiedeakatemia, Helsingfors. Toimituksia, sar. A. 5, Medica-anthropologica, 42

NM 0916369 DNLM

W 4 H48 1944
Mustakallio, M. J
Osteologische Untersuchungen über den Unterkiefer der Finnen. Helsinki, 1944.
p. [39]-192. illus.

Akademische Abhandlung - Helsinki.
Reprinted from Acta Societatis medicorum fennicae "Duodecim", ser. A., t. 24, fasc. 2.

1. Finns - Craniology 2. Jaws

NM 0916370 DNLM CtY

W 1 SU591 no. 24 1951
MUSTAKALLIO, Matti
Anthropologische Untersuchung von Bewohnern Süd-Ostbottniens, von Matti Mustakallio und Antti Telkkä. Helsinki, 1951.
133 p. illus. (Suomalaisen Tiedeakatemian Toimituksia, sar. A. 5, Medica-anthropologica, 24)
1. Anthropometry - Finland I. Telkkä, Antti Series: Suomalainen Tiedeakatemia, Helsingfors. Toimituksia, sar. A. 5, Medica-anthropologica, 24

NM 0916371 DNLM

W 1 AN3095 v. 35 Suppl. 3
MUSTAKALLIO, Sakari, 1899-
Cutaneous cancer in Finland; a clinical and radio-therapeutic study of 1068 cases. Helsinki, 1946.
95 p. illus. (Annales chirurgiae et gynaecologiae Fenniae, v. 35. Supplementum 3)
1. Skin - Cancer Series

NM 0916372 DNLM NNC

QZ 200 M991k 1952
MUSTAKALLIO, Sakari, 1899-
Kräftsjukdomarna, av Sakari Mustakallio. Övers. från finskan enligt 3. förbättrade uppl. av. O. W. v. Nandelstadh. Helsingfors, Söderströms [1952]
83 p. illus. (Lärobok för sjukskoterskor) QZ200 M991k
1. Neoplasms Series

NM 0916373 DNLM

al-Mustakill
see al-Mustaqill.

Mustakoff, Georgi.
Das blutbild bei experimenteller rattenrachitis. München, 1926.
10 p.
Inaug.-diss. - Munich.

NM 0916375 PPWI CtY

Mustakoff, Iwan, 1887- Dipl.-Ing.: Beiträge zur Kenntnis der Pyridinfarbstoffe. Borna-Leipzig 1915: Noske. 55 S. 8°
Dresden TeH., Diss. v. 16. Febr. 1915, Ref. König, v. Meyer
[Geb. 5. Juli 87 Rachovo; Wohnort: Dresden; Staatsangeh.: Bulgarien; Vorbildung: G. Reife 07; Studium: Dresden 11 S.; Dipl.: Chem. Rustschuk; Dr.-Prüf. 16. Febr. 15.] [U 15. 2539

NM 0916376 ICRL

Law
Mustakov, G.
Bulgaria. *Laws, statutes, etc.*
Упктване върху приложението на Закона за привилегиитѣ и ипотекитѣ, съ измѣненията му, въ свързка съ измѣненията на Закона за нотариуситѣ. Съставили: Г. Мустаковъ, Н. Мустаковъ. София, И. К. Божиновъ, 1910.

Law
Mustakov, N.
Bulgaria. *Laws, statutes, etc.*
Упктване върху приложението на Закона за привилегиитѣ и ипотекитѣ, съ измѣненията му, въ свързка съ измѣненията на Закона за нотариуситѣ. Съставили: Г. Мустаковъ, Н. Мустаковъ. София, И. К. Божиновъ, 1910.

Law
Mustakova, Dora.
Чекътъ, като вътрешно и международно платежно срѣдство, споредъ сравнителното чеково право; сравнително изследване чековитѣ закони. [София] 1939.
386 p. 23 cm.

1. Checks. I. Title.
Title transliterated: Chekŭt, kato vŭtreshno i mezhdunarodno platezhno srѣdstvo.
55-47771 ‡

NM 0916379 DLC

Mustala, Niilo, 1893- , ed.
Käkisalmen kirja. Julkaissut Niilo Mustala. [Käkisalmi? Lahden kirjapaino- ja sanomalehti-oy., 1948] 195 p. illus. 25cm.

537996B. 1. Käkisalmi, Finland.
N. Y. P. L. February 16, 1951

NM 0916380 NN DLC-P4 MH

VOLUME 403

4HV 379
Mustala, Paavo
Rikollisten huoltoa kahdeksan vuosikymmenen ajalta. Vankeusyhdistys vuosina 1870-1949. Helsinki, Vankeusyhdistys [1950]
92 p.

NM 0916381 DLC-P4 MH

Mustamaa, Eia
Salopolttajat; kolminäytöksinen kansannäytelmä. [3.painos. Hämeenlinna] Karisto, 1930
48 p. (Seuranäytelmiä, 106)

NM 0916382 MH

المستمع العربي. السنة ‎[1.]–؛ 7 ابريل 1940–
[لندن، هيئة الاذاعة البريطانية]
v. illus. 32-24 cm.
Two no. a month, 1940-Sept. 1950; monthly, Oct. 1950-
Added title, May 1940- : Arabic listener.
Unnumbered and undated supplements accompany some numbers.
No more published after vol. 12?
I. British Broadcasting Corporation. II. Title: Arabic listener.
Title romanized: al-Mustami' al-'Arabī.
AP95.A6A7 45-43249

NM 0916383 DLC MH

The Mustang hunters; or, The trapper's bride, by the author of "Black Bill, trapper". New York, George Munro, [1872]
100p
(Munro's ten cent novels, no.223.)
(Dime Novel Collection - PZ 2)

NM 0916384 DLC

Mustang tracks. New York, Published by G.W. Westbrook, 1854.
[7] p. 14 cm.
Cover title.

NM 0916385 RPB

Mustang waltz. ... [For pianoforte.] No. 47 in *8050a.614
= [New York. 184-?] (1) f. 22½ cm.
L5162 — Waltzes.

NM 0916386 MB

MUSTANGERS.
Year book. 1944 -
[Pendleton, Ore., Author, 1944 -
v. illus.

NM 0916387 Or

Mustanoja, Tauno F
Englantia aikuisille. T. F. Mustanoja — Elsa Vuorinen... Helsingissä, Otava [1946] 134 p. illus. 20cm.
——— Englantia aikuisille sanaluettelo... Helsingissä, Otava [1946] 51 p. 20cm.
Bound with the above.
389464B. 1. English language—Textbooks for foreigners, Finnish. I. Vuorinen, Elsa, jt. au.
N. Y. P. L. March 23, 1949

NM 0916388 NN InU

PR1992 .H55 1948
Mustanoja, Tauno F., ed.
How the good wife taught her daughter.
The good wife taught her daughter, The good wyfe wold a pylgremage [and] The thewis of gud women. Ed. by Tauno F. Mustanoja. Helsinki, 1948.

Mustanoja, Tauno F., ed.
Myne awen dere sone ...
see under title

Mustanoja, Tauno F ed.
Les neuf joies Nostre Dame
see under title

Al-Mustansir
al-sijillāt al-Mustansiriya. Correspondance de l'Imam Al-Mostançir. Editée, préfacée par A.M. Magued. Caire, Librairie Dar al-Fikr al-'Arabī, 1954.
234 p. 24 cm.
Cover title.

NM 0916392 OCH

Mustansir, Mustafa
see Mustafa Mustansir.

BJ 1608 M99p
Mustansir Billāh, Jalal al-Din, 15th cent.
Pandiyat-i jawanmardi; or, Advices of manliness. Edited in the original Persian and translated into English by W.Ivanow. Leiden, Published for the Ismaili Society by successors of E.J.Brill, 1953.
19,97,102p. illus. 22cm. (Ismaili Society's series of texts, translations and monographs. Ser.A, no.6)
"A collection of instructive religious and moral advices and maxims." Cf.Introd.
1. Maxims. 2. Conduct of life. I. Ivanov, Vladimir Alekseevich, ed. and tr. II. Title. III. Title: Advices of manliness.

NM 0916395 NRU ICU OCl CU CtY NNC

Mustansir Billāh, Nizari Ismaili Imam, 15th cent.
see
Mustansir Billāh, Jalal al-Din, 15th cent.

WASON DS 646 .23 M97
Mustapa, Hasan, 1852-1930.
Bab adat2 oerang Priangan djeung oerang Soenda lian ti eta, karangan Hadji Hasan Moestapa. Batawi, Kantor Tjitak Kangdjĕng Goepĕrnĕmen, 1913.
198 p. 22cm.
Published also in Dutch under title: Over de gewoonten en gebruiken der Soendaneezen.
1. Sundanese. 2. Ethnology--Indonesia--Djawa Barat. 3. Djawa Barat, Indonesia--Soc. life & cust. I. Title.

NM 0916397 NIC

Mustapa, Hasan, 1852-1930.
Dangding; opatwelas pupuh, duarewu saratus dalapanpuluh pada, tapakrasa budjangga Sunda. [Djakarta, 19
v. 34 cm.
Cover title of v. 4: Gendingan dangding.
I. Title. II. Title: Gendingan dangding.
PL5454.M8D3 76-940154

NM 0916398 DLC CU

Wason DS611 K82 v.5
Mustapa, Hasan, 1852-1930.
Over de gewoonten en gebruiken der Soendaneezen, door Hadji Hasan Moestapa; uit het Soendaasch vertaald en van aanteekeningen voorzien door R. A. Kern. 's-Gravenhage, M. Nijhoff, 1946.
xiv, 290 p. 25cm. (Verhandelingen van het Koninklijk Instituut voor de Taal-, Land- en Volkenkunde van Nederlandsch-Indië, deel 5)
Translation of the author's: Bab adatadat oerang Priangan djeung oerang Soenda lian ti eta. Batavia, Landsdrukkerij, 1913.

NM 0916400 NIC

Mustapää, P., *pseud.*
see Haavio, Martti Henrikki, 1899-

Mustapha I, *Sultan of the Turks*
see
Muṣṭafā I, *Sultan of the Turks*, 1591-1638.

Mustapha filius Hussein Algenabii
see al-Jannabi, Mustafá ibn Hasan, d. 1590. [Supplement]

Mustapha Ekrem
see Ekrem, Mustafa.

Mustapha Kemal, *paşa*
see
Atatürk, Kamâl, *Pres. Turkey, d.* 1938.

Mustapha Mahoui, 1904-
see Mahoui, Mustapha, 1904-

Mustapha, Cara
see
Kara Mustafa, 1634-1683.

Mustapha, Haji Khalfa
see Kâtib Celebi, 1608 or 9-1657.

VOLUME 403

Mustapha, Ismaiel, effendi
see Ismā'īl Muṣṭafa, al-Falakī, 1824 or 5-1901.

Mustapha, Seid.
Diatribe sur l'état actuel de l'art militaire, du génie et des sciences, à Constantinople. Publiée d'après l'edition originale, avec quelques notes qui ont paru necessaires pour l'intelligence de l'ouvrage, par. L. Langlès. Par. 1810.
8vo.

I. Langlès, Louis Mathieu, 1763-1824, ed.

NM 0916408 NN

Mustapha Kemal, Ghazi, paşa
see Atatürk, Kamâl, Pres. Turkey, d. 1938.

Mustapha. Jardin d'essai du Hamma.

Brichet, Julien, 1881-
... Le figuier et les figues "de Cosenza". Rapport de mission en Italie, par m. J. Brichet ... Alger, Ancienne imprimerie V. Heintz, 1937.

61.5 M97 Mustapha. Jardin d'essai du Hamma.
Index seminum Horti experimentalis Hammae. 1/...
[Algiers?]

1. Seeds. Exchange lists.

NM 0916411 DNAL

Mustapha. A tragedy. 1739, 1743, 1760, 1774?, 1776
see under [Mallet, David] 1705?-1765.

Mustapha. A tragedy. 1814
see under [Neale, Cornelius]

Mustapha et Zéangir...
see under [Chamfort, Sébastien Roch Nicholas, called] 1740?-1794.

[Mustapha, the son of Solymann the Magnificient]
see under [Orrery, Roger Boyle] 1st earl of, 1621-1679.

Mustapich, José María.
... La constitución de las sociedades anónimas. Buenos Aires, Revista del notariado, 1945.
4 p. l., 11-29 p., 1 l. 26½cm.
Bibliographical foot-notes.

1. Corporation law—Argentine republic. I. Revista del notariado.

45-19499

Library of Congress

NM 0916416 DLC

Mustapich, José María.
... Escrituras públicas en el proyecto de reformas al Código civil. Legislación, doctrina y jurisprudencia ... Prólogo del dr. Hugo Alsina ... Buenos Aires, G. Kraft ltda., 1941.
3 p. l., [9]-332 p., 1 l. 23cm.
"Premio 'José María Moreno,' años 1939-1940, del Colegio de escribanos."
"Bibliografía": p. [15]-18.

1. Legal instruments—Argentine republic. 2. Notaries—Argentine republic. I. Title.

41-26865

NM 0916417 DLC

Mustapich, José María.
... El principio de la autenticidad en el derecho inmobiliario; función del escribano. Buenos Aires, Seminario de investigaciones de derecho notarial, Colegio de escribanos, 1944.
67 p. 27cm.

1. Land titles—Registration and transfer. 2. Land titles—Registration and transfer—Argentine republic. I. Colegio de escribanos de Buenos Aires.

45-19500

NM 0916418 DLC

Mustapich, José María.
... Principios generales de la responsabilidad civil de los escribanos ... Buenos Aires, V. Abeledo, 1936.
138 p. 23cm.
"Premio 'José María Moreno' del Colegio nacional de escribanos."
"Obras de consulta": p. [133]-135.

1. Notaries—Argentine republic. I. Title.

39-15105

NM 0916419 DLC

Mustápich, José María.
Tratado teórico y práctico de derecho notarial. Buenos Aires, EDIAR [1955]-57.
3 v. maps. 24 cm.
Errata slip inserted in v. 3.
Bibliography: v. 3, p. [487]-507.
CONTENTS.—t. 1. El instrumento público.—t. 2. El oficial público.—t. 3. Temática jurídica-notarial.

1. Notaries—Argentine Republic. 2. Legal instruments—Argentine Republic.

58-49262

NM 0916420 DLC MH-L CtY-L CLL

---

al-Mustaqill. anno 1-
magg. 1944-
[Roma] Editoriale I. T. L. O.
no. in v. illus. 31 cm. monthly.
Italian and Arabic.
Publication of the Istituto orientale.

1. Oriental studies—Period. I. Istituto orientale, Rome.

DS41.I 823 54-16263 rev

NM 0916421 DLC CSt-H

PN 6110 P3 M85 Mustard, pseud.
Palestine parodies; being the Holy Land in verse and worse. Written by Mustard, with the assistance of Cress, and illus. by Blass. Tel-Aviv, Azriel Press, 1938.
xi, 181 p. illus. 21 cm.

"Printed for private circulation."

1.Parodies. I.Title.

NM 0916422 CNoS MH

Mustard, Alice Helen.
Cereal breakfast foods; a study of the manufacture and cost on basis of composition and portion, by Alice H. Mustard and M. Faith McAuley. Wash., A.H.E.A. n.d. 3p. (Circular 4)

NM 0916423 PPD

GA 130 M887 1950 Mustard, C A ed.
By map and compass; an introduction to orienteering. Edited for Canadian Schools and youth organizations by C.A. Mustard. Toronto: Macmillan Co. of Canada, 1950.
64 p. illus. 21 cm.
Maps in pocket.
1. Maps. 2. Compass. I. Title.a.

NM 0916424 CaBVaU OO

Spec. LD 1486 .M87 Mustard, David Lewis, 1835-1900.
Diary, 1852-1853.
1v. (unpaged)

Typescript.
Daily entries made while Mustard was a student at Delaware College, Newark, Del.

1. Delaware. University. Delaware College - Hist. - Sources. 2. Newark, Del. - Hist. - Sources.

NM 0916425 DeU

Mustard, Harry Stoll, 1889-1966.

Commonwealth fund. *Child health demonstration committee.*
Cross-sections of rural health progress; report of the Commonwealth fund child health demonstration in Rutherford county, Tennessee, 1924-1928, Harry S. Mustard, M. D., director, Rutherford county demonstration. New York, The Commonwealth fund, Division of publications, 1930.

Mustard, Harry Stoll, 1889-1966.
Government in public health [by] Harry S. Mustard ... New York, The Commonwealth fund, 1945.
xvi p., 2 l., 219 p. 2 facsim. (incl. front.) diagrs. 21½ cm. (Studies of the New York Academy of medicine, Committee on medicine and the changing order)
"References" at end of each chapter except the last.

1. Hygiene, Public—U. S. I. Commonwealth fund. II. Title.
RA445.M3 614.0973 S G 45—25
U. S. Armed Forces for Library of Congress Medical Library [a53z2]†

WaS OrPR OrP Or WaSpG CaBVaU OrSaW Wa WaTC MtBC OrU OrU-M CaBViP OrCS ICRL DAU OC1W PU PBm ViU TxU NcC NcD CoU MU DLC
NM 0916427 DNLM CoU CU MU TxU ICRL DNAL PU-Med OU

Mustard, Harry Stoll, 1889-1966
An introduction to public health, by Harry S. Mustard ... New York, The Macmillan company, 1935.
xi p., 1 l., 250 p. 24cm.
Bibliography at end of each chapter.

1. Hygiene, Public.

35-33158

Library of Congress RA425.M8
—— Copy 2.
Copyright A 89055 [5] 614

CaBVaU OrU-D NcD DL NNC-M NN IdU Wa MtBC WaS OrU OrCS OrU-M OOxM
NM 0916428 DLC ICRL LU DAU NIC PBm PP MiU OCl OU

Mustard, Harry Stoll, 1889-1966
An introduction to public health, by Harry S. Mustard. N. Y., Macmillan, 1936.
250p.

NM 0916429 PU-PSW CaBViP

VOLUME 403

Mustard, Harry Stoll, 1889-1966.
An introduction to public health, by Harry S. Mustard... N. Y., The Macmillan co., 1939.
250 p.

NM 0916430 PU-Hyg

Mustard, Harry Stoll, 1889-1966.
An introduction to public health, by Harry S. Mustard ... New York, The Macmillan company, [1941]
xi p., 1 l., 250 p. 24 cm.
Bibliography at end of each chapter.

1. Hygiene, Public.

NM 0916431 ViU

RA 425 .M913 1942 MUSTARD, HARRY STOLL, 1889-1966.
An introduction to public health. New York, Macmillan [1942]
250 p.

1. Hygiene--Public. I. Title.
Optom. cds.

NM 0916432 InU

Mustard, Harry Stoll, 1889-1966.
An introduction to public health, by Harry S. Mustard ... 2d ed. New York, The Macmillan company, 1944.
ix p., 1 l., 283 p. 22 cm.
"References" at end of each chapter except chapter VII.

1. Hygiene, Public.

S G 44—260

U. S. Army Medical Libr. for Library of Congress RA425.M8 1944 [a48v2]† 614

NM 0916433 Wa CaBViP OCU OU DLC TU IdU MtBC MtU OrCS OrU-M OrU OrSaW DNLM Or CaBVaU PPWM NcGU PU ViU OCl

---

Mustard, Harry Stoll, 1889-1966.
An introduction to public health, by Harry S. Mustard ... 2d ed. New York, The Macmillan company, 1945.
ix p., 1 l., 283 p. 22cm.
"References" at end of each chapter except chapter VII.
"Reprinted March 1945."

NM 0916434 ViU PPCCH PU-D PSt TxU MiDP NcD OClW

Mustard, Harry Stoll, 1889-1966.
An introduction to public health. 2nd ed.
New York, Macmillan, 1948.
283p.

NM 0916435 ICRL

Mustard, Harry Stoll, 1889-1966.
An introduction to public health. 3d ed. New York, Macmillan, 1953.
315 p. 22 cm.

1. Hygiene, Public.

RA425.M8 1953 614 53—9393 ‡

NM 0916436 IdPI OrU-M WaS WaSpG MtBC OrP Or PPT OCU ViU ICU TU MB MiU PPT-M ScU PPHa DNLM OrCS CaBViP DLC MsU CaBVaU PPD PV PP NcU OOxM OU

Mustard, Harry Stoll, 1889-1966.
An introduction to public health. 3d ed. New York, Macmillan, 1955.
315 p. 22 cm.

NM 0916437 OCl

Mustard, Harry Stoll, 1889-1966.
Lecture notes... Public health institute, Department of health and welfare, Victoria, British Columbia, March 26-30, 1951.
n.p., n.p., n.d.
29 p. Q.

NM 0916438 CaBViP

Mustard, Harry Stoll, 1889-1966.
... Outline of rural health administration in Rockbridge County, Virginia, by H. S. Mustard, assistant surgeon, United States Public health service ... Washington, Govt. print. off., 1920.
22 p. incl. 1 illus., forms. 23½cm.
Reprint no. 613 from the Public health reports, v. 35, no. 40, October 1, 1920 (p. 2309-2328)
Running title: Rural health administration in Virginia.

1. Rockbridge Co., Va.—Sanit. affairs. 2. Hygiene, Rural. I. U. S. Public health service. Public health reports. Reprint 613. II. Title. III. Title: Rural health administration in Virginia.

20-27521

Library of Congress RA447.V8M8

NM 0916439 DLC

Mustard, Harry Stoll, 1889-1966.
Prática sanitária rural. Tradução da Sociedade Brasileira de Higiene, rev. por E. Jansen de Mello. Rio de Janeiro, Impr. Nacional, 1947.
xx, 498 p. illus. 25 cm. ([Rio de Janeiro] Instituto Nacional do Livro. Biblioteca científica brasileira. Série B, 2)
"Errata": [4] p. inserted.
Bibliographies at end of each chapter.

1. Hygiene, Rural. I. Title. (Series)

RA427.M815 614 50-1751

NM 0916440 DLC TxU

Mustard, Harry Stoll, 1889-1966.
... Series of addresses [at the 1951 Institute for provincial public health workers] n.p., n.p., 1951.
44 p. sq. Q.

NM 0916441 CaBViP

Mustard, Harry Stoll, 1889-1966.
Rural health practice, by Harry S. Mustard ... New York, The Commonwealth fund; London, H. Milford, Oxford university press, 1936.
xviii, 603 p. incl. illus., tables, diagrs. 24cm.
Bibliography at end of each chapter.

1. Hygiene, Rural. I. Title.

37—2401

Library of Congress RA427.M8 [a41f1] 614

NM 0916442 OrU-M CaBVaU MtBC PBm PP OCl OO OU NN ViU DL PU CaBViP IdU WaS Or DLC DAU ICRL MU IaU KEmT MtU NcRS NcD

Mustard, Harry Stoll, 1889-1966.

Pennsylvania. University. *Bicentennial conference.*
... The university and public health statesmanship, by Arthur P. Hitchens, Harry S. Mustard, Waller S. Leathers [and] Charles-Edward A. Winslow. Philadelphia, University of Pennsylvania press, 1941.

Mustard, Helen Meredith, 1906–
The lyric cycle in German literature, by Helen Meredith Mustard ... New York, King's crown press, 1946.
5 p. l., 275, [1] p., 1 l. diagr. 23cm. (*Half-title:* Columbia university Germanic studies, ed. by R. H. Fife. New ser., no. 17)
Thesis (PH. D.)—Columbia university, 1945.
Published also without thesis note.
Vita.
Bibliography: p. [257]-269.

1. German poetry—Hist. & crit. I. Title.

PT581.C8M8 1946a 831.09 A 47-1899

Columbia univ. Libraries for Library of Congress [6]†

NM 0916444 NNC OrU DLC

Mustard, Helen Meredith, 1906–
The lyric cycle in German literature, by Helen Meredith Mustard. New York, King's crown press, 1946.
5 p. l., 275, [1] p. diagr. 23cm. (*Half-title:* Columbia university Germanic studies, ed. by R. H. Fife. New ser., no. 17)
Issued also as thesis (PH. D.) Columbia university.
Bibliography: p. [257]-269.

1. German poetry—Hist. & crit. I. Title.

PT581.C8M8 (430.82) 831.09 47-1421
——— Copy 2. PD25.C6 new ser., no. 17

NM 0916445 DLC IdU

Mustard, M. P.
see Mustard, Wilfred Pirt, 1864-1932.

Mustard, Mary I
Library ABC's. Toronto, Longmans, Green, 1948.
83 p. illus. 21 cm.
"A guide to greater appreciation and use of the library by young people."
Bibliography: p. [75]-80.

1. Library science—Juvenile literature. 2. Libraries and readers. 3. School libraries. I. Title.

A 49-3870*

Chicago. Univ. Libr. for Library of Congress [2]

NM 0916447 LU NN NNC MiD ICU CaBVaU Or CaBViP CaBVa PU-Penn PPPL

820.8 M991y Mustard, Norah Elizabeth, comp.
A year in the garden; an anthology in prose and verse. With six illustrations in colour by Ellen Warrington. London, C. Palmer and Hayward [1916]
192p. col. illus.

NM 0916448 ICarbS NIC

MPr M Mustard, Robert Alexander, 1913–
Fundamentals of first aid. 1st ed. [Ottawa] Published and approved by the Priory of Canada of The Most Venerable Order of the Hospital of St. John of Jerusalem, 1955.
116 p. illus. (part col.)

NM 0916449 CaOTU DNLM CaBViP

Mustard, Wilfred Pirt, 1864-1932.
Classical echoes in Tennyson, by Wilfred P. Mustard ... New York, The Macmillan company; London, Macmillan & co., ltd., 1904.
3 p. l., [xi]-xvi, 164 p. 18½cm. (*Half-title:* Columbia university studies in English, vol. III)

1. Tennyson, Alfred Tennyson, 1st baron, 1809-1892. I. Title.

4—32194

Library of Congress PR5586.M8

NM 0916450 OCU OU MB OrU WaSpG PSC PU MtU PP WaS WaWW DLC CU NjP MeB ViU NcRS NN NIC MiU OCl

VOLUME 403

MUSTARD, Wilfred Pirt, 1864-1932.
Dante and Statius. Baltimore, Md., Johns Hopkins Press, [1924]

Pamphlet.
Cover serves as title page.
At head of title:- Modern Language Notes, Feb. 1924, Vol. XXXIX, no.2.

NM 0916451 MH

PA8556 .D3 1928 Mustard, Wilfred Pirt, 1864-1932, ed.

Pius II, *pope*, 1405-1464.
Aeneae Silvii De cvrialivm miseriis epistola, edited, with introduction and notes, by Wilfred P. Mustard ... Baltimore, The Johns Hopkins press; London, H. Milford, Oxford university press, 1928.

[MUSTARD, Wilfred Pirt, 1864- 1932.
E. K's[Edward Kirke's] classical allusions. [Baltimore, Johns Hopkins press, 1919]

pp.(11).
From Modern Language Notes, 1919, XXXIV, pp.193-203.
Signed:- M.P. Mustard.

NM 0916453 MH

PA8520 .G4E3 Mustard, Wilfred Pirt, 1864-1932, ed.

Geraldini, Antonio, 1449?-1489.
The eclogues of Antonio Geraldini, edited, with introduction and notes, by Wilfred P. Mustard ... Baltimore, The Johns Hopkins press, 1924.

Mustard, Wilfred Pirt, 1864-1932, ed.

Baptista *Mantuanus*, 1448-1516.
The eclogues of Baptista Mantuanus, ed., with introduction and notes, by Wilfred P. Mustard ... Baltimore, The Johns Hopkins press, 1911.

PA8450 .A8E4 1918 Mustard, Wilfred Pirt, 1864-1932, ed.

Andrelinus, Publius Faustus, *d.* 1518?
The eclogues of Faustus Andrelinus and Ioannes Arnolletus; edited, with introduction and notes, by Wilfred P. Mustard ... Baltimore, The Johns Hopkins press, 1918.

Mustard, Wilfred Pirt, 1864-1932, ed. FOR OTHER EDITIONS SEE MAIN ENTRY

Cayado, Henrique, *d.* 1508.
The eclogues of Henrique Cayado; edited, with introduction and notes, by Wilfred P. Mustard ... Baltimore, The Johns Hopkins press; London, H. Milford, Oxford university press, 1931.

Mustard, Wilfred Pirt, 1864-1932.
English tours of Haverford college cricket elevens 1896-1900., newspaper clippings from the Philadelphia Public Ledger, June 16, 1896-Aug. 18, 1896 & July 4, 1900- Aug. 21, 1900.
94p.
By Wilfred Pirt Mustard, and others.

NM 0916458 PHC

Mustard, Wilfred Pirt, 1864-1932.
The etymologies in the Servian Commentary to Vergil. By Wilfred P. Mustard. n.p., n.p., n.d.
37 p. O. (In, Collected monographs. V. 56)

NM 0916459 NcD

Y 672 .V 896 MUSTARD, WILFRED PIRT, 1864-1932.
The etymologies in the Servian commentary to Vergil... Colorado Springs, Gazette printing co., 1892.
37p. 24cm.

Thesis (Ph.D.)—Johns Hopkins university, 1892.
"Reprinted from Colorado college studies, vol.III."

NM 0916460 ICN MiU PU PHC MB OCU MH MdBP

Mustard, Wilfred Pirt, 1864-1932.
Homeric echoes in Matthew Arnold's 'Balder Dead'.
(In Studies in honor of Basil L. Gildersleeve. Pp. 19-28. Baltimore. 1902.)

G5181 — Arnold, Matthew. 1822-1888. — Homer. Biog. and crit.

NM 0916461 MB OO

Mustard, Wilfred Pirt.
...Later echoes of the Greek bucolic poets.
Balt., 1909.
245p.

NM 0916462 PHC

Mustard, Wilfred Pirt, 1864-1932.
Lodowick Bryskett and Bernardo Tasso.
[Reprinted from the American Journal of Philology Vol. XXXV, 1914]
18 p. O. (In, Collected monographs. V. 279)

NM 0916463 NcD

MUSTARD, W[ilfred] P[irt], 1864-1932.
Notes on Lyly's Eupheus. Baltimore, The Johns Hopkins press, 1918.

pp.(9).
Modern language notes, vol. 33, no.6, pp. 334-342.

NM 0916464 MH NjP

MUSTARD, Wilfred P[irt], 1864- 1932.
Notes on the Tragedy of Nero. [Iowa City, 1922]

pp.(6).
"Reprinted from Philological Quarterly, vol. I, no. 3, July,1922", pp.173-178.

NM 0916465 MH

Mustard, Wilfred Pirt, 1864- 1932.
On the Eclogues of Baptista Mantuanus, by Professor Wilfred P. Mustard... [Boston, 1910.] (1)152-183 p. 8°.

Caption-title.
Repr.: Amer. Philological Assoc. Transac. v. 40, 1910.
With bibliographical foot-notes.

1. Baptista Mantuanus, 1448-1516. Eclogues.
N. Y. P. L. March 21, 1918.

NM 0916466 NN NcD OO

MUSTARD, Wilfred Pirt, 1864-1932.
On the eight lines usually prefixed to the Horat. Serm. i. 10. Colorado Springs, 1893.

pp.14.
"Reprinted from Colorado college studies, vol. iv." Class 9415.20

NM 0916467 MH NjP OCU NIC CU

PA8570 .S3A75 Mustard, Wilfred Pirt, 1864-1932, ed.

Sannazaro, Jacopo, 1458-1530.
The piscatory eclogues of Jacopo Sannazaro, ed., with introduction and notes, by Wilfred P. Mustard ... Baltimore, The Johns Hopkins press, 1914.

---

423 +1 Mustard, Wilfred Pirt, 1864-1932.
Poor Richard's poetry.
(In The Nation. New York, 1906. 30½cm. v.82, p.239,279)
On the sources for the poems published in Franklin's Poor Richard, 1733-1758.

NM 0916469 CtY

Mustard, Wilfred Pirt, 1864-1932.

Ovidius Naso, Publius.
Stories from Ovid's Metamorphoses, ed. for the use of schools by Rev. John Bond, M. A., and Arthur S. Walpole, M. A. With notes, exercises and vocabulary; rev. for use in American schools by Wilfred P. Mustard ... New York and London, Macmillan and co., 1893.

Mustard, Wilfred Pirt, 1864-1932.
Studies in honor of Basil L. Gildersleeve
see under title

Mustard, Wilfred Pirt, 1864-1932, ed.
Studies in the Renaissance pastoral
see under title

MUSTARD, Wilfred Pirt, 1864-1932.
Tennyson and Homer. n.p., [1900].

pp.(11).
"Reprinted from the American Journal of Philology, Vol.XXI. No.2. pp.[143]-153."
Presentation copy with author's autograph.

NM 0916473 MH NcD

MUSTARD, Wilfred Pirt, 1864-1932.
Tennyson and Virgil. Baltimore, The Lord Baltimore Press, The Friedenwald Co., [1899].

pp.11.
"Reprinted from the American Journal of Philology, Vol.XX, No.2, April, May, June, 1899."
Presentation copy with author's autograph.

NM 0916474 MH NcD NjP ICN

PR 508 V4M99 Mustard, Wilfred Pirt, 1864-1932.
Virgil's Georgics and the British poets. [Baltimore, 1908]
32 p. 23cm.

Detached from the American journal of philology, v. 29, no. 1.

1. Vergilius Maro, Publius. Georgica. 2. English poetry--History and criticism. I. Title.

NM 0916475 NIC NN PHC MH NcD

VOLUME 403

Mustard, William Henry.
A survey of the janitorial service of Ohio ... by William H. Mustard ... 1929.
6p.

NM 0916476 OU

MUSTARD and Cress; their surprising adventures and the downfall of Burdock. London, Seeley, Jackson, and Halliday, [1879].
sm.4°. 48 p. 24 colored plates and other illustr.
Original paper covers bound in.

NM 0916477 MH

Mustard—cultivated.
(*In* U. S. Patent office. Report, 1844, p. 325-326. 23cm. Washington, 1845)
From the Farmers' cyclopedia.

1. Mustard.

Agr 14-643

Library, U. S. Dept. of Agriculture 1Ag84 1844

NM 0916478 DNAL

Mann
SF 481 Z99R no. 96

Mustard feeding for fowls. [Sidney, Australia 1910?]
11 p.

1. Poultry. - Feeding and feeding stuffs.

NM 0916479 NIC

Mustard leaves
see under [Balch, Elise Willing] 1853-1913.

Am Serial

The Mustard seed. v.1, no.1-10; June 1941-Mar. 1942? Indianapolis, Fellowship Press.

No more published.

NM 0916481 IEN

Mustard seed garden manual of painting.
See
Chieh tzŭ yüan hua chuan.

Mustard seed of the Pacific. The work of the Sisters of the Sacred Hearts in the Hawaiian Islands. Published by the Class of '34 of the Sacred Hearts Academy on the occasion of the diamond jubilee, 1859-1934.

10-75 p. illus., plates, (part. col.) 28 cm.

1. Sisters of the Sacred Hearts and of Perpetual Adoration. I. Honolulu. Sacred Hearts Academy.

NM 0916483 PLatS

Mustardé, John Clark.
... The sun stood still. London, The Pilot press ltd. [1944]
240 p. front. (port.) pl. 19cm.
At head of title: J. C. Mustardé.
An account of life in Italian prisoner-of-war camps in North Africa and Italy.

1. World war, 1939- —Personal narratives, English. 2. World war, 1939- —Prisoners and prisons, Italian. I. Title.

44-6438

Library of Congress D805.I 8M8 1944
[4] 940.547245

NM 0916484 DLC CtY OCl

D 805 M991s 1945

MUSTARDÉ, John Clark
The sun stood still. London, Pilot Press [1945]
240 p. illus., port.

1. World War - 1939-1945 - Prisons
Title

NM 0916485 DNLM

Mustaufī, Ḥamd Allāh
see
Ḥamd Allāh Mustawfī Qazvīnī, *fl.* 1330-1340.

Mustaufī, Hamd Allāh, al-Kazwīnī
see Ḥamd Allāh Mustawfī Qazvīnī, fl. 1330-1340.

Mustaufi al Kazvini, Hamd Allah
see Ḥamd Allāh Mustawfī Qazvīnī, fl. 1330-1340.

Mustawfī, ʻAbd Allāh, *d.* 1950 *or* 51.
شرح زندگانی من، یا تاریخ اجتماعی واداری دورهٔ قاجاریه.
نویسنده: عبد الله مستوفی. [تهران] کتابفروشیٔ محمد علی
علمی، ۱۳۲٤– [1945–
v. illus., ports. 24 cm.
CONTENTS. — جلد 1. از آقا محمد خان تا آخر ناصر الدین شاه — جلد 2. از سلطنت مظفر الدین شاه تا قرارداد وثوق الدوله با انگلیس — جلد 3، قسمت 1. از کابینه قرارداد وثوق الدوله تا سقوط سید ضیاء الدین.

1. Iran—Soc. condit. I. Title. II. Title: Tārīkh-i ijtimāʻī va idārī-i dawrah-i Qājārīyah.
Title transliterated: Sharḥ-i zindigānī-i man.

HN733.M8 N.E 64-2748

NM 0916489 DLC MiU PU NNC

HN 733 M82

Mustawfī, ʻAbd Allāh, *d.* 1950 *or* 51.
شرح زندگانی من، یا تاریخ اجتماعی و اداری دورهٔ قاجاریه.
نویسنده عبد الله مستوفی. چاپ 2. تهران، کتابفروشی
زوار [19
v. illus., ports. 25 cm.
CONTENTS. — جلد 1. از آقا محمد خان تا آخر ناصر الدین شاه — جلد 2. از سلطنت مظفر الدین شاه تا قرارداد وثوق الدوله با انگلیس —

1. Iran—Social conditions. I. Title. II. Title: Tārīkh-i ijtimāʻī va idārī-i dawrah'i Qājārīyah.
Title romanized: Sharḥ-i zindigānī-i man.

HN733.M82 75-217103
ST

NM 0916490 DLC NNC WU

Mustawfī, Abdullāh
see Mustawfī, 'Abd Allāh, d. 1950 or 51.

Mustawfī, Aḥmad.
(Jughrāfiyā-yi ʻumūmī)
جغرافیای عمومی، تألیف احمد مستوفی. تهران، چاپخانه
دانشگاه –1953 or 4] .–1332
v. illus. 25 cm. (انتشارات دانشگاه تهران (189
Includes bibliographies.
CONTENTS: جلد 1. کلیات. —

1. Geography. I. Title. II. Series: Teheran. Dānishgāh. Intishārāt, 189

G115.M99 74-211334

NM 0916492 DLC

Mustawfī, Hūshang.
سایه‌ای از گذشته، برنامه‌های رادیوئی [از]
هوشنگ مستوفی. [تهران] بنگاه مطبوعاتی صفیعلیشاه
i. e. 19 [13
v. 23 cm.

I. Title.
Title romanized: Sāyah-'ī az guzashtah.

PK6561.M838S2 74-207543

NM 0916493 DLC

Mustawfī, Hamd Allah, al-Kazwīnī
see Ḥamd Allāh, Mustawfī-Qazvīnī, fl. 1330-1340.

Mustawfī Qazvīnī, Ḥamd Allāh
see
Ḥamd Allāh Mustawfī Qazvīnī, *fl.* 1330-1340.

Mustawfi'i- Qazwini, Hamdu'llah
see Ḥamd Allāh, Mustawfī-Quazwīnī, fl. 1330-1340.

HD 8055 .A5 M8

Muste, Abraham John, 1885-1967.
The A. F. of L. in 1931. New York City, published by National Executive Committee of the Conference for Progressive Labor Action [1931?]
32 p. 19 1/2 cm.
Stamp of "Traveling Library, Affiliated Schools for Workers ... New York City".

1. American Federation of Labor. I. Title.

NM 0916497 MiEM NN IU DL MH

MUSTE, ABRAHAM John, 1885-1967.
...The automobile industry and organized labor, by A.J. Muste. Issued by the Christian Social Justice Fund... Baltimore, Md. [1935] 59 p. incl. tables. 20½cm.

872233A. 1. Automobile workers—U.S. I. Christian Social Justice Fund, Baltimore.

NM 0916498 NN OCl

MUSTE, ABRAHAM JOHN, 1885-1967.
The automobile industry and organized labor. League for industrial democracy, 1936.
48 p. (New frontiers, v.4, no.5, Sept., 1936)

NM 0916499 Or

VOLUME 403

Muste, Abraham John, 1885- 1967.
... The automobile industry and organized labor, by A. J. Muste. Baltimore, Md., Issued by the Christian social justice fund [1936]
59 p. 20½cm.

1. Automobile industry and trade—U. S. 2. Trade-unions—U. S. I. Christian social justice fund, Baltimore. II. Title.

Library of Congress HD9710.U52M8 39-528
[3] 331.881292

NM 0916500 DLC NNC NcU NcD MiEM CU DL CtY IU

D 844 M86 Muste, Abraham John, 1885–1967.
The camp of liberation. [London, Peace News Ltd., 1954]
16p. 21cm. (A Peace News pamphlet)

NM 0916501 PPT NN

Muste, Abraham John, 1885-1967.
Conscription and conscience. [Philadelphia, Pa., American friends service committee, 193-]
9 p. 23 cm.

NM 0916502 MH

355.2 M97c Muste, Abraham John, 1885-1967.
Conscription and conscience [by] A. J. Muste. [Philadelphia, Pa., American friends service committee, 1944]
cover-title, 9p.

1. Conscientious objectors. 2. Military service, Compulsory. I. Title.

NM 0916503 IU NNC

Muste, Abraham John, 1885- 1967.
Fellowship and class struggle, by A. J. Muste... New York, Fellowship of reconciliation [1930] 23 p. 23cm.
"An address at the annual conference of the Fellowship of reconciliation, Haverford, Pa., Sunday, Sept. 15, 1929."
"Reprinted from World unity for April and May, 1930."
"Literature available," p. 3.

1. Classes, Social. I. Fellowship of reconciliation.
N. Y. P. L. November 30, 1945

NM 0916504 NN Or

Muste, Abraham John, 1885-1967.
Gandhi and the H-bomb; how nonviolence can take the place of war. [New York, Fellowship Publcations, 1950]
20 p.

NM 0916505 MH

Muste, Abraham John, 1885- 1967.
How to deal with a dictator. New York, Fellowship Publications [1954]
32 p. illus. 22 cm.

1. Pacifism. I. Title.

JX1963.M8456 55-42984 ‡

NM 0916506 DLC NN OBlC-M

Muste, Abraham John, 1885-1967.
I. The kind of unionism that will not organize the basic industries. II. The kind of unionism that will organize the basic industries. III. The organization of the textile industry. By A. J. Muste ... New York city, Allied printing trades council [1927]
32 p. 20cm.
I. and II. reprinted from Labor age, issues of April and May, 1927, respectively; III. reprinted from The Textile worker, issue of August, 1926.
"Issued on the recommendation of the Research committee of Brookwood labor college (Katonah, N. Y.)"
1. Trade-unions—U. S.

NM 0916507 MiU NN IU MiEM WaS

Pam. Coll. 19210 Muste, Abraham John, 1885-1967.
Korea: spark to set a world afire? ... War ... appeasement ... or a third alternative? [New York, Fellowship of reconciliation, 1950]
31 p. 19 cm.

1. Korea. History. War and intervention, 1950-1953 I. Title

NM 0916508 NcD

331.87 M9781 Muste, Abraham John, 1885-1967.
Labor between the devil and the deep sea; or, What happens when the union cooperates with management. [New York, 1929]
16p.

Reprinted from Labor age, November, 1928.

NM 0916509 IU

Muste, Abraham John, 1885- 1967.
Non-violence in an aggressive world, by A. J. Muste. New York, London, Harper & brothers [1940]
5 p. l., 211 p. 20cm.
"First edition."
"Selected bibliography": p. 204-205.

1. Pacifism. 2. War and religion. 3. Evil, Non-resistance to. I. Title.
40-27406
Library of Congress JX1953.M85
[a44d2] 172.4

NM 0916510 NRCR ViU OCl OU NcD IdU WaS OrP WaSp Or OrU MtU CaBVaU DLC CaBVaU MiU FMU IU MH PSC PP WHi

Muste, Abraham John, 1885- 1967.
Not by might; Christianity, the way to human decency. New York, Harper [1947]
xiii, 227 p. 21 cm.

1. Peace. I. Title.

BR115.P4M8 261 47-12403*

NM 0916511 OBlC-M DLC WaT PSC NcD MB Or IdB TNJ KyWAT

Muste, Abraham John, 1885-1967.
Of holy disobedience. Wallingford, Pa., Pendle Hill, 1952.
34 p. 19 cm. (A Pendle Hill pamphlet, no. 64)

1. Conscientious objectors. I. Title.

UB341.M85 355.22 52-1568 ‡

NM 0916512 DLC MsU NN PSC-Hi CLU

331.87 M978p Muste, Abraham John, 1885-1967.
I. Peace or pep? II. Whose job? [New York, 1929?]
16p.

Reprinted from Labor age, January and February, 1928, respectively.

NM 0916513 IU NN

331.87 M978s Muste, Abraham John, 1885-1967.
The South as labor's battleground. [New York, 1929]
8p.

Reprinted from Labor age, August, 1928.

NM 0916514 IU

Muste, Abraham John, 1885-1967.
Still more about Brookwood college; a reply to the statement issued by President William Green of the American federation of labor on January 26, 1929. (New York city, 1929)
12 p. 21 cm.

NM 0916515 DL

Muste, Abraham John, 1885- 1967.
Total war or total pacifism? By A. J. Muste... New York, Fellowship of reconciliation [1942?] 11 p. 23cm.

1. World war, 1939-1945—Peace. I. Fellowship of reconciliation.
Gt. Br.
N. Y. P. L. January 19, 1948

NM 0916516 NN OrU

Muste, Abraham John, 1885-1967.
Wage peace now! One human family, the Mblotov-Eden Pact, the U.S. as policeman, what of the Far East?, American's opportunity, take the initiative from Hitler. New York, Fellowship of Reconciliation [1942?]
32 p. 21 cm. (In Pamphlets on post-war planning. v. 3, no. 5)
Cover title.
Bibliography: p. 31-32.
1. World war, 1941-1945. Peace

NM 0916517 OrU NN MH NRCR

BX7615 .P42 no.15 Muste, Abraham John, 1885-1967.
War is the enemy ... New York, Pub. for the Fellowship of reconciliation [1941?]
36 p. (Pendle Hill pamphlet no.15)

1. War--Addresses, essays, lectures.

NM 0916518 ICU

Muste, Abraham John, 1885- 1967.
War is the enemy, by A. J. Muste. Published for the Fellowship of reconciliation ... New York, N. Y. ... [Wallingford, Pa., Pendle Hill, 1942]
36 p. 19cm. (Pendle Hill pamphlet, no. 15)

1. War. 2. Pacifism. I. Fellowship of reconciliation (United States) II. Title.
46-35827
Library of Congress JX1963.M8458
[3] 172.4

NM 0916519 DLC NNC MsU NN CtY OrU PHC

SM70 M978w Muste, Abraham John, 1885-1967.
What the Bible teaches about freedom; a message to the Negro churches, by A.J. Muste. [New York] Fellowship of Reconciliation [1943]
15 p. 23 cm.

At head of title: What can we do NOW about Jim Crow?

1. Negroes - Religion. 2. Church and race problems - U.S. I. Title. II. Title: What can we do NOW about Jim Crow?

NM 0916520 CtY-D

VOLUME 403

Muste, Abraham John, 1885-1967.
Where are we going? By A. J. Muste. New York, N. Y.: The Fellowship of reconciliation [1941] 23 p. 21cm.

1. European war, 1939- — Peace terms. I. Fellowship of reconciliation. II. Title.
N. Y. P. L. December 31, 1941

NM 0916521 NN MH CtY CSt-H

Muste, Abraham John, 1885-1967
Where are we now? American radicalism and the impact of recent Soviet developments. [New York, Liberation, 195-] 16 p. 20cm.

Cover title.

1. United States—For. rel.— Russia, 1945- . 2. Russia—For. rel.—U. S., 1945- . I. Liberation.

NM 0916522 NN

Muste, Abraham John, 1885-1967.
Which party for the American worker? By A. J. Muste. [New York, 1935] 31 p. 20cm.

1. Bolshevism—U. S. 2. Workers party of the United States.
N. Y. P. L. March 10, 1944

NM 0916523 NN WHi MiEM NNC N MH

331.87 M978w
Muste, Abraham John, 1885-1967.
Workers' education: un-American, atheistic and red? [New York, 1929]
8p.

Reprinted from Labor age, July, 1928.

NM 0916524 IU

Muste, Abraham John, 1885-1967
The world task of pacifism [by] A. J. Muste ... Wallingford, Pa., Pendle Hill [1941]
40 p. 19cm. (Pendle Hill pamphlet, no. 13)

1. Pacifism. 2. War and religion. I. Title.
41-13564
Library of Congress JX1963.M846
[a44r41e1] 172.4

NM 0916525 DLC MsU ODW PHC

PQ 6020 Y9 M8
Musté, Agustín.
Yxart y sus obras; estudio biográfico-crítico. Tarragona, F. Arís, 1897.
166 p. port. 21 cm.

On cover: Tarragona. Yxart, 1852-1895.
"Obras de D. José Yxart": p. [156]-166.

1. Yxart Moragas, José, 1852-1895.

NM 0916526 CU-S MnU MH IU CU

Musté, Buenaventura Bassegoda
see Bassegoda Musté, Buenaventura, 1896-

Hvc44 M97
Musteikis, A comp.
70 gražių pasakaičių jauniems skaitytojams. Surinko A.Musteikis ... Vilnius,J. Rinkevičiaus ir A.Vėgėlis isleidimas,1912.
64p. 17½cm.

1. Lithuanian fiction - Collections.
I. Title.

NM 0916528 CtY

Musteikis, Antanas, 1900- ed.
Lietuvos žemės ūkis ir statistika. Redagavo A. Musteikis. [Dillingen] Mūsų kelias [1948]
143 p. illus., map. 15 cm.

1. Lithuania—Stat. I. Title.
HA1448.L5M8 65-76925

NM 0916529 DLC

630.9475 M975
MUSTEIKIS, ANTANAS, 1900- ed.
Lietuvos žemės ūkis ir statistika. Redagavo A.Musteikis. [Dillingen] Mūsų kelias, 1948.
233,143p. illus.,maps. 15cm.

NM 0916530 PU

Musteikis, Antanas, 1914-
Nationality problem in the Baltic States under the Soviet Union. [Washington, Photoduplication Service, Library of Congress, 1955]
([National Committee for a Free Europe. Mid-European Studies Center. Research documents, no.] 307)
Microfilm copy (positive) of typescript.
Collation of the original, as determined from the film: 118 l.
Bibliography: leaves 117-118.

1. Nationalism—Baltic States. 2. Baltic States—For. rel.—Russia. 3. Russia—For. rel.—Baltic States. I. Title. (Series: Free Europe Committee. Mid-European Studies Center. Research documents, no. 307)
Microfilm 2551 no. 307 DR Mic 59-7796

NM 0916531 DLC

LD3907 .G7 1954 .M95
Musteikis, Antanas, 1914-
Religious fluctuations during the period of the Reformation in Lithuania.
202p.
Thesis (Ph.D.) - N.Y.U., Graduate School, 1954.
Bibliography: p.191-202.

NM 0916532 NNU-W

Musteikis, Antanas, 1914-
Resentment and resistance in Lithuania. [Washington, Photoduplication Service, Library of Congress, 1955]
([National Committee for a Free Europe. Mid-European Studies Center. Research documents, no.] 308)
Microfilm copy (positive) of typescript.
Collation of the original, as determined from the film: 23 l.

1. Anti-communist movements—Lithuania. I. Title. (Series: Free Europe Committee. Mid-European Studies Center. Research documents, no. 308)
Microfilm 2551 no. 308 DR Mic 59-7795

NM 0916533 DLC

Mustel, Alphonse, 1873-
... L'orgue-expressif ou harmonium ... Dessins autographiés de Aug. Schindeler, préface par Alex. Guilmant ... Paris, Mustel père & fils, 1903.
2 v. illus., facsim. 33 x 25 cm.
"Historie documentaire et anecdotique de l'harmonium: v. 1, p. [9]-68.
CONTENTS.—t. I. Ses qualités artistiques, son rôle, ses applications, ses ressources. Son origine, sa structure, son tempérament musical.—t. II. Méthode. Exercises et études en collaboration avec Joseph Bizet.

1. Reed-organ—Methods. I. Bizet, Joseph. II. Title.
4—9305
Library of Congress MT202.M94

NM 0916534 DLC MH WU CtY

Mustel, Alphonse, 1873-
L'orgue-harmonium, par Alphonse Mustel ...
(In Encyclopédie de la musique et dictionnaire du Conservatoire ... Paris [1913-31. 29½cm. 2. ptie. [v. 2] (1926) p. [1375]-1400 incl. illus., tables, diagrs.)

1. Reed-organ—Hist. 2. Reed-organ—Construction.
A 44-2471
Newberry library for Library of Congress ML100.E5 pt. 2, vol. 2

NM 0916535 ICN DLC

Mustel, Nicolas-Alexandre.
Mémoire sur les pommes de terre et sur le pain économique ... Nouvelle éd. Rouen, De l'imp. de v[e] L. Dumesnil & Montier, 1793.
51 p. 22 cm.

NM 0916536 DLC

Mustel, Nicolas-Alexandre.
Supplement au mémoire du Citoyen Mustel. Rouen, L. Dumesnil & Moniter, IIe an de la République Française. [i. e. 1793?]
viii, 62 p. 22 cm.

NM 0916537 DLC

Mustel, Nicolas-Alexandre.
Traité théoretique et pratique de la végétation, contenant plusieurs expériences nouvelles & démonstratives sur l'économie végétale & sur la culture des arbres: par m. Mustel ... Paris, Chez les libraires; Rouen, Le Boucher, 1781-84.
4 v. III fold. pl. 21cm.

1. Trees. [1. Arboriculture] 2. Bontany, [Physiological and structural]
Agr 21—846
U. S. Dept. of agr. Library for Library of Congress 463.3M97 [a41b1]

NM 0916538 DNAL NNBG MB WU CtY MH-A

Mustelier, Gustavo Enrique, 1880-
... La extincion del negro: apuntes politico sociales. Habana, Impr. de Rambla, Bouza y ca., 1912.
65 p. 19½ x 10½cm.

1. Negroes in Cuba. 2. Cuba—Race question. I. Title.
20-23483
Library of Congress F1789.N3M99

NM 0916539 DLC DPU

Z 664 T93 no.4
Mustelin, Olof, 1924-
Akademibibliotekets handskriftssamling; en kortfattad orientering. [Åbo, Åbo tidnings och tryckeri, 1954]
19 p. 22cm. (Skrifter utg. av Åbo akademis Bibliotek, 4)

Cover title.

1. Manuscripts--Finland--Turku. 2. Turku, Finland. Akademi (1918-) Biblioteket. I. Title.

NM 0916540 NIC KU

DK 465 A2T96 v.4
Mustelin, Olof, 1924-
Svante Dahlström, 14.X.1953. Åbo, 1953.
68 p. port. 21cm. (Skrifter utg. av Historiska samfundet i Åbo, 4)

"Professor Svante Dahlströms tryckta skrifter; bidrag till en bibliografi, av Olof Mustelin": p. [9]-55.

1. Dahlström, Svante--Bibliography.

NM 0916541 NIC

Mustellonte, Felipe, *pseud.*
see Machuca Figueroa, Felipe, 1914-

VOLUME 403

Muster, Adelaida, tr.

Vigny, Alfred Victor, *comte* de, 1797-1863.
... Laura, prólogo de J. M. Miquel y Vergés, traducción de Adelaida Muster ... México, D. F., Compañía general editora, s. a., 1940.

Muster, Alfred, 1908-
Die wirkung prothetischen druckes auf narbenkeloide im gesicht ... Kassel, 1932.

NM 0916544 MiU CtY DNLM

---

ar V 4263
Muster, F
Die Geschichte in der Volkschule. Köln, C. Roemke, 1876.
78 p. 19cm.
"Von der Diesterweg-Stiftung in Berlin prämiirte Concurrenzschrift."

1. History--Study and teaching.

NM 0916545 NIC MH

MUSTER, Karl, 1900-
Das weltbild Conrad Ferdinand Meyers. Inaug.-diss., Frankfurt am Main. Kassel, Kasseler buchdruckerei und stempelfabrik, 1927.
pp. (4), 91.
"Literaturübersicht", pp. 86-90.
"Lebenslauf", p. 91.

NM 0916546 MH PU

Zeta S21H 953M
Muster, Wilhelm
Vom Nutzen der Flaschenpost; oder, Der Umweg uber Westindien. [Zürich] Alpha Presse [1953]
[29] p. col. illus. 27cm.
No. 67 of an ed. of 100 copies, signed by the author and publisher.

1. Gulf Stream. I. Title (1)
Res. for shelf cd.

NM 0916547 CtY

Mustér, Switzerland
see Disentis, Switzerland. (Benedictine abbey)

Rare E 635 M8
The Muster. [Charleston, Published by the South Carolina Tract Society; printed by Evans & Cogswell, no. 3 Broad street, 186-]
4 p. 18 cm. ([South Carolina Tract Society. Publication] no. 101)

Caption title.
Crandall, M.L. Confederate imprints, p. 802, no. 4769.

1. Judgment Day--Addresses, essays, lectures. I. Series.

NM 0916549 LU CSmH GU Vi

Muster altdeutscher Leinenstickerei
see under Lessing, Julius, 1843-1908, ed.

Muster and pay rolls, Pennsylvania militia. 1790-1800. [Harrisburg, Pa., Harrisburg publishing company, state printer, 1907]
1 p. l., 836 p. 21½cm. (*Added t.-p.:* Pennsylvania archives; sixth series, vol. v)
Half-title.

1. Pennsylvania—Militia.
28-4050
Library of Congress F146.P41 6th ser. vol. 5
—— Copy 2. F153.M98

NM 0916551 DLC MiU OClWHi ViU

Muster der überklugen frantzösischen würthschafft..
see Echantillon de l'oeconomie raffinée...

Pamph. v.535
Das MUSTER eines rechtschaffenen Edelmanns in den Pflichten gegen Gott gegen dem Naechsten und gegen sich selbst; in Englischer Sprach beschrieben durch den Auctorem von der gantzen Pflicht des Menshchen, und nunmehro in das Teutsche uebersetzet ... Nuernberg, bey Peter Conrad Monath, 1721.
18p.*l.*, 272p. front. (engr. illus.) 16.5cm.

NM 0916553 MH-AH

Muster neuzeitlicher flächenverzierung; entwürfe für spitzen, gardinen, teppiche, möbel-und kleiderstoffe, sowie für flächendecoration im allgemeinen. 14 tafeln in lichtdruck. Dresden, Gilbers'sche verlagsbuchhandlung [1899?]
14 plates. 49.5 cm.

NM 0916554 NBuG

The muster roll and equipment of the expedition of Francisco Vázquez de Coronado
see under [Cuebas, Juan de] fl. 1540.

Shakespeare Collection PR 4735 .H9 1867 .12
A muster roll of able men at Stratford-on-Avon and its neighbourhood, in the twenty-eighth year of King Henry the Eighth. Now first printed from the original manuscript. London [Chiswick press, printed by Whittingham and Wilkins] 1867.
17, [1] p. 14½cm.
In manuscript, p. [18]: Ten copies only. Number six. [Signed]: J.O.H. [i.e. James O. Halliwell]
Anonymous armorial book-plate, with motto: Sub robore virtus.

1. Warwickshire, Eng.--Hist.--Sources. I. Halliwell-Phillipps, James Orch 1820-1889, ed.

NM 0916556 MiU

Muster roll of Captain Oliver Hunt's company. Gorham, Maine, May 5, 1795. From the original document in the archives of the ... society.
(*In* Collections and proceedings of the Maine historical society. Portland, 1898. 23½cm. 2d ser., v. 9, p. 425-427)

1. Hunt, Oliver. 2. Massachusetts infantry. Hunt's company, 1795.
A 15-1258
Title from Bangor Pub. Libr. Library of Congress F16.M33

NM 0916557 MeBa NIC

A muster roll of Capt. Roderick Random's company of the twentieth Pennsylvania regiment of foot, in service of the United States, commanded by Colonel John Hampden. [Philadelphia, 1777]
[2] p. 22 x 35 cm.
Designed as model for filling out muster-roll forms for Pennsylvania militia.
Not in Evans or Hildeburn.

NM 0916558 PU

Muster roll of citizen soldiers at North Point and Fort M'Henry, Sept. 12 and 13, 1914.
Balt., n. d. 96p.

NM 0916559 PHi

Muster roll of first regiment, Georgia volunteers, 1861
see under Georgia Infantry. Oglethorpe Light Infantry, 1856-

Muster roll of Major James Burd's company of the Augusta regiment of foot from the 10th of May, 1757 to the 23rd of November, 1758.
16p.

NM 0916561 PPAmP

[Muster roll of 2d company in Groton]
In folder marked miscellanies.

NM 0916562 RPJCB

---

*Defoe 30 .720 .A10M
A muster-roll of the B[ishop]. of B[a]ng[o]r's seconds. In a collection of poems, panegyricks, garlands and characters: composed in honour of the B[ishop] of B[a]ng[o]r [Benjamin Hoadly], by the principal of his Lordship's seconds, in the present controversie: viz. deists, atheists, Arians, freethinkers, blasphemers, church-levellers, town bully's, ballad-makers, &c. ... With a letter to his L[ordshi]p's booksellers.

By a curate of Middlesex. London, Printed for Tho. Bickerton, 1720.
40 p. 19cm.

1. Hoadly, Benjamin, Bp. of Winchester, 1676-1761. I. A curate of Middlesex.

NM 0916564 MB CtY

A Muster roll of the company in her majesties service under the command of [John Lane] Captain... [Boston, 1708]

NM 0916565 RPJCB

Muster roll of the manse
see under [Cameron, Duncan] ed.

VOLUME 403

F867W522 .0495 B 4 Muster roll of West Point Guards, organized April 26, 1861, West Point, Troup County, Ga.

(In Chattahoochee Valley Historical Society, Bull. 4, Nov. 1959, p. 46-47)

1. U.S. - History - Civil War - Regimental histories - Georgia infantry - 4th, Co. D. - Registers, lists etc.

NM 0916567 WHi

E263 .M3M4 1972 Muster rolls and other records of service of Maryland troops in the American Revolution, 1775-1783.

Maryland Historical Society.

Muster rolls and other records of service of Maryland troops in the American Revolution, 1775-1783. Published by authority of the State, under the direction of the Maryland Historical Society. Baltimore, Genealogical Pub. Co., 1972.

???

Muster and pay rolls of the war of the revolution 1775-1783.

New York historical society.

Muster and pay rolls of the war of the revolution, 1775-1783. [New York, Printed for the Society, 1916]

[Muster rolls, etc., 1743-1787] Harrisburg, Pa., Harrisburg publishing company, state printer, 1906.

10 v. 21½cm. (Pennsylvania archives; fifth series, vol. I-VIII; sixth series, vol. I-II)

CONTENTS.

5th ser. v. 1. Officers and soldiers ... of the province of Pennsylvania, 1744-1765.—Indian traders, 1743-1775.—Ships registers [etc.]—Muster rolls of the Pennsylvania navy, 1776-1779.—Letters of marque, 1776-1782.

v. 2. Col. William Thompson's battalion of riflemen, June 25, 1775-July 1, 1776.—First-Sixth Pennsylvania battalion, Oct. 27, 1775-March 20, 1777—Pennsylvania rifle regiment, Col. Samuel Miles, March 6, 1776.—The musketry battalion, Col. Samuel J. Atlee, March 6, 1776.—The state regiment of foot, Cols. John Bull, Walter Stewart, March 1-Nov. 12, 1777.—The Pennsylvania line, from July 1, 1776, to Nov. 3, 1783.

v. 3. Continental line. Fifth-Thirteenth Pennsylvania, Jan. 1, 1777-Jan. 1, 1783—Additional regiment[s] 1776-1783.

v. 4. Continental line. The Invalid regiment, Col. Lewis Nicola, June 20, 1777-1783.—Soldiers who received depreciation pay.—Abstracts of pension applications.—List of "soldiers of the revolution who received pay for their services".—Enlistments under Major James Moore, Lieut. Col. Josiah Harmer [etc.]

v. 5-8. Muster rolls relating to the associators and militia of the county of Bedford [to the county of Northumberland, alphabetically by counties]

6th ser. v. 1. Muster rolls relating to the associators and militia of the city [and county] of Philadelphia.

v. 2. Muster rolls relating to the associators and militia of the county of Washington, [Westmoreland, and York]

F146.P41 5th-6th ser. vol. 1-2

——— [Index to fifth series] Harrisburg, Pa., Harrisburg publishing company, state printer, 1907.

2 v. 21½cm. (Pennsylvania archives; sixth series, vol. xv, pt. 1-2)

Running title.

1. U. S.—Hist.—Revolution—Regimental histories—Pennsylvania. 2. Pennsylvania—Hist.—Revolution—Sources. 3. U. S.—Hist.—Revolution—Registers, lists, etc. 4. Pennsylvania—Militia.

28-4056

Library of Congress F146.P41 6th ser. vol. 15, pt. 1-2

——— Copy 2. E263.P4M7 Index

NM 0916572 DLC MiU OClWHi OO ViU

Muster rolls of the Pennsylvania navy, 1776-1779.

(In Pennsylvania archives. Harrisburg, 1906. 21½cm. 5th ser., v. 1, p. 415-609)

1. Pennsylvania—Navy. 2. U. S.—Hist.—Revolution—Registers, lists, etc.

28-4053

Library of Congress F146.P41 5th ser. vol. 1

——— Copy 2. E263.P4M7 vol. 1

NM 0916573 DLC

Muster rolls of the Pennsylvania volunteers in the war of 1812-1814, with contemporary papers and documents. Volume I. Harrisburg, L. S. Hart, state printer, 1880.

1 p. l., xxiv, 805 p. front. (port.) 22cm. (Added t.-p.: Pennsylvania archives; second series ... vol. XII)

Additional muster rolls and other papers of the war of 1812-1814 are to be found in Pennsylvania archives, 6th series, v. 7, Harrisburg, 1907.

1. Pennsylvania—Hist.—War of 1812—Sources. 2. U. S.—Hist.—War of 1812—Regimental histories—Pa. 3. Pennsylvania—Militia. I. Egle, William Henry, 1830-1901, joint ed.

8-32218 Revised

Library of Congress F146.P41 2d ser., vol. 12

——— Copy 2. E359.5.P3M8

NM 0916574 DLC MiU OO OClWHi

Muster rolls of the Pa. Volunteers in the war of 1812-1814, with contemporary papers and documents. Harrisburg, 1883. v. 1, 2.

NM 0916575 PPL

[Muster rolls of the Pennsylvania volunteers, in the war of 1812-1814, with pay rolls, etc. Harrisburg, Pa., Harrisburg publishing company, state printer, 1907]

1 p. l., 964 p. 21cm. (Pennsylvania archives; 6th series, vol. VII)

Half-title: War 1812-1814.

Supplements the Muster rolls published in Pennsylvania archives, 2d series, v. 12, Harrisburg, 1880.

1. U. S.—Hist.—War of 1812—Regimental histories—Pa. 2. Pennsylvania—Militia. 3. Pennsylvania—Hist.—War of 1812—Sources. 4. U. S.—Hist.—War of 1812—Registers, lists, etc.

15-8142 Revised

Library of Congress F146.P41 6th ser., vol. 7

——— Copy 2. E359.5.P3M9

NM 0916576 DLC MiU ViU

Muster rolls of the Vermont regiments mustered into the service of the United States since the commencement of the rebellion. Carefuly comp. from the muster rolls in the hands of the state officers. Rutland, G. A. Tuttle, 1862.

[106] p. 16½ x 7½cm.

1. U. S.—Hist.—Civil war—Regimental histories—Vt. 2. Vermont—Militia. I. Tuttle, George A., Rutland, Vt., pub.

18-23781

Library of Congress E533.3.M99

NM 0916577 DLC WHi MnHi MB

Muster und Proben der deutschen Dichtkunst see under Stuss, J.C.

PF 3495 .M99 MUSTER ZU BRIEFEN IN DEM NEUESTEN GESCHMACKE, zum Gebrauche eines Jeden ohne Rücksicht des Standes noch Geschlechtes. Wien, J. T. von Trattner, 1796.

234 p.

1. Letter-writing—German.

NM 0916579 InU

---

rare bk. coll. ff NK 1340 M87 also have rare bk.

Muster zu Zimmer-Verzierungen und Ameublements. Leipzig, Voss und Leo, 1793.

[4] p. 6 col. plates. 42 cm.

Plate 5 lacking.

——— [Supplement. Leipzig, Voss und Leo, 1793]

[10] p. 24 col. plates. 42 cm.

T.p. and plate 24 lacking.

1. Furniture. 2. Interior decoration.

NM 0916580 NcGU

[Muster-alphabete der höheren calligraphie see under [Köhler, August] calligrapher.

Wing ZW 15 .607 MUSTER-alphabete verschiedener Schriftarten in den neuesten Formen. Heft II. Leipzig, R. Bauer, ca. 1885.

11 l. 15x22cm.

Cover title.

NM 0916582 ICN

Die Musterbeschreibungen der Tauben. [2. Aufl.] München, S. Jürgens, 1951.

224 p. illus. 21 cm.

1. Pigeons.

QL696.C6M8 1951 Agr 51-105

U. S. Dept. of Agr. Libr. for Library of Congress 47.2M97 Ed. 2 [2]†

NM 0916583 DNAL NIC DLC

Die Musterbeschreibungen der Tauben. [3. Aufl.] 1954.

232 p.

NM 0916584 MoU

HC281 .A1M9 (Ge) MUSTERBETRIEBE deutscher wirtschaft. bd.1- ... Leipzig, J.J.Arnd; [etc., etc.] 1928-

v. fronts.(incl.ports.)illus.,plates(part col.) maps,tables,forms,diagrs. 22½cm.

Title varies: Deutsche Grossbetriebe

1.Germany--Indus.

NM 0916585 ICU DAU CU

Eine Musterbibliothek ausgestellt auf der Panama-Pacific Internationalen Ausstellung in San Francisco. 1915. N. Y., 1915.

32 p.

NM 0916586 PPDrop

Musterblätter für Möbeltischlerei. 162 Tafeln, 78 Detailblätter. [Published by Gerlach & Schenk, Budapest.]

The plates have the Hungarian title, Mintalapok.

In folio case.

NM 0916587 CtY

Muster-blätter neuester schrift-arten für Maler, Schildschreiber, Lakirer, Schreiblehrer etc. 4. verb. aufl. I. heft. Stuttgart, Konrad Wittwer [1869]

cover-title, [12] plates (part col.) 22 x 30 cm.

1. Alphabets.

NM 0916588 NNC

VOLUME 403

NC 1509 .G7

Musterbook[s]
Chicago, 1921-

NM 0916589 DLC

Musterbuch für bildhauer; eine sammlung von grabmälern, kaminen, plastischen ornamenten, etc. aus allen stilen. Vollständig in 25 lieferungen à 8 tafeln. ... Stuttgart, Engelhorn [1890?]

100 plates. 35cm.

Title within ornamental border.

NM 0916590 NBuG DPO

Musterbuch für bildhauer; eine sammlung von Grabmälern, Kaminen, plastischen Ornamenten etc. aus allen Stilen. Stuttgart, Verlag von J. Engelhorn [1881]
[4] p. 202 plates. 38cm.

Imperfect; lacks plates 3, 11, 14, 27, 31, 35, 40, 44, 52, 59, 63, 69, 72, 82, 99, 116-117, 123-125, 132, 141, 150, 165, 181, 190.

1. Decoration and ornament. 2. Sculpture.

NM 0916591 NNC

MUSTERBUCH für Kunstschlosser.
Stuttgart. Engelhorn. [1885.] 122 pl. F°.

NM 0916592 MB

Musterbuch für Möbeltischler. Stuttgart, J. Engelhorn, [1882]
2 l. 202 pl. f°.

NM 0916593 NN DP

Musterbuch venetianischer Nadelarbeiten von 1558. Berlin, E. Wasmuth, 1883.
[4] p., facsim.: [1] p. 37 plates. 24 cm.
Original t. p. reads: Bellezze de recami, et dessegni, opera nova. In Venetia, 1558.

1. Needlework—Patterns.

NK9152.B4 1883 61-55341

NM 0916594 DLC

Das Musterbuch von Wolfenbüttel, mit einem fragment aus dem nachlasse Fritz Rückers, hrsg. von Hans R. Hahnloser. Wien, Gesellschaft für vervielfältigende kunst, 1929.
28 p. illus. (facsims.) 39.5 cm.
I. Wolfenbüttel, Herzog-August Bibliothek. II. Hahnloser, Hans Robert, ed.

NM 0916595 NjP DDO ICU PBm

Musterbuch zur Amtskassenordnung der Reichsfinanzverwaltung...
see under Germany. Reichsfinanzministerium.

Musterbücher für weibliche Handarbeit. Herausgegeben von der Redaction der Modenwelt. Erste Sammlung. .... Dritte Auflage. Berlin, F. Lipperheide, 1879.
Vol. 1. plates. 31cm.

NM 0916597 ICJ

Muster-charte für angehende kaufleute. Gesammlet auf der reise durchs leben von einem kaufmanne. Weimar, Gedruckt und verlegt bei den Gebrüdern Gädicke, 1804.
2 p.l., 367 p. 16.5 cm.

NM 0916598 MH-BA

Mustered out — now look out. [New York: Amer. Temperance Union, 186-?] 3(1) p. 12°.
Caption-title.
In: VTZ p. v. 131, no. 8.

1. Temperance.—Addresses, essays, lectures. BLACK TEMPERANCE COLL.
N. Y. P. L. December 19, 1918.

NM 0916599 NN

Muster-Einrichtung für zinkographische Anstalten
see under Beek, H. van. [Supplement]

Musterle, Friedrich.
... Zur anatomie der umwallten zungenpapillen der katze und des hundes ... Mit 3 figuren auf taf. I. Berlin, Druck von L. Schumacher, 1903.
25 p. pl. 22½cm.
Inaug.-diss.—Bern.
"Sonder-abdruck aus dem Archiv f. wissensch. u. prakt. tierheilk. bd. 30. 1904."
"Literatur": p. 23-24.

1. Tongue.

Library of Congress QL946.M98 6-41330

NM 0916601 DLC CU DNLM

Musterle, Hans, 1906-
Nachuntersuchungen bei mit freier kostwahl behandelten diabeteskranken kindern ... Giessen, 1937.

NM 0916602 MiU

Musterlehrmittelverzeichnisse für die landwirtschaftlichen Berufs- und Fachschulen.
see under
Germany. Reichsministerium für Wissenschaft, Erziehung und Volksbildung.

Mustermann, Henry William.

RK270 .G74 1945

Greenfield, Abraham Lincoln, 1898-1941.
Principles and practice of X-ray technic and interpretation, by H. W. Mustermann ... Considerably enl. and entirely rev. ed. of the work [X-ray technic and interpretation of dental roentgenograms] of the late Dr. A. L. Greenfield ... Brooklyn, N. Y., Dental items of interest publishing co., incorporated; [London] Henry Kimpton's medical publishing house, 1945.

Mustermesse, *Leipzig*
see Leipzig. Messe.

Mustern, Mosiah.
Copie einer so zu sagen handschriftlichen Sammlung von Mosiah Mustern ...
25 p.

NM 0916606 PPF

F745 M978 1879

Muster-Ornamente aus allen stilen in historischer Anordnung; nach Originalaufnahmen von Jos. Durm [et al.] Stuttgart, J. Engelhorn [1879]
[2]p. 300 plates 35cm.

Issued in 25 parts.

1. Decoration and ornament. Hist. I. Durm, Josef, 1837-

NM 0916607 KU

NK1175 f.M9

Muster-ornamente aus allen stilen in historischer anordnung. Nach originalaufnahmen von Jos. Durm, Fr. Fischbach, A. Gnauth ... u. a. Stuttgart, J. Engelhorn [1879-81]
1 l. 303 pl. 35cm.
Issued in 25 parts.

1. Decoration and ornament. 2. Design, Decorative. 3. Art objects.

NM 0916608 ICU PU

Muster-Ornamente aus allen Stilen in historischer Anordnung. Nach Originalaufnahmen von Jos. Durm, Fr. Fischbach [etc.]. 2te Auflage.
Stuttgart. Engelhorn. [1883, 84.] 303 plates. 34½ cm.

L3297 — Decoration. — Style. In art.

NM 0916609 MB

Muster-Ornamente aus allen Stilen in historischer Anordnung. Nach Originalaufnahmen von Jos. Durm, Fr. Fischbach, A. Gnauth [et al.] Stuttgart, J. Engelhorn [189-?]
4 p. 303 plates. 34 cm.
1. Architecture - Details. 2. Decoration and ornament, Architectural.

NM 0916610 MdBP

918.16 M978r

Musterreiter-Club, Pôrto Alegre, Brazil.
Riograndenser Musterreiter. Hrsg. vom Musterreiter-Club in Porto Alegre, Staat Rio Grande do Sul, Brasilien. Porto Alegre, C. Reinhardt [1913]
xii, 192p. illus.(1 col.) ports. 28cm.

1. Germans in Rio Grande do Sul, Brazil (State) 2. Rio Grande do Sul, Brazil (State)--Descr. & trav. I. Title.

NM 0916611 IU

VOLUME 403

Musters, Anselme.
La souveraineté de la Vierge, d'apres les ecrits mariologiques de Barthélemy de los Rios, O.E.S.A.
214 p. 20 cm.
Thesis (S.T.D.)—Pontificio Istituto "Angelicum", Rome.

1. Blessed Virgin Mary - Doctrinal. 2. Rios, Bartolomé de los, fl. 1640.

NM 0916612 IMunS PU

MUSTERS, Caroline Anne Chaworth. *4575.1
A cavalier stronghold: a romance of the vale of Belvoir. By Mrs. Chaworth Musters. With illus.
London: Simpkin, Marshall, Hamilton, Kent & co. 1890. (7), 397 pp. 8°.

NM 0916613 MB IU

Musters, George Chaworth, 1841–1879.
At home with the Patagonians: a year's wanderings over untrodden ground from the straits of Magellan to the Rio Negro. By George Chaworth Musters ... London, J. Murray, 1871.
xx, 322 p., 1 l. incl. front., illus., plates, 2 maps (1 fold.) 22cm.
"A partial vocabulary of the Tsoneca language as spoken by the northern Tehuelches": p. [319]-322.

1. Patagonia—Descr. & trav. 2. Tzoneca language—Glossaries, vocabularies, etc. I. Title.
4—11439
Library of Congress F2936.M99

NM 0916614 DLC CaBVaU WaS WaBeW MeB CaOTP TxU PBL CtY PPL PPFr OFH NjP MdBP MWA NN

Musters, George Chaworth, 1841–1879.
At home with the Patagonians: a year's wanderings over untrodden ground from the straits of Magellan to the Rio Negro, by George Chaworth Musters ... 2d ed. ... London, J. Murray, 1873.
xix, 340 p. incl. front., illus. 5 pl., 2 maps (1 fold.) 19cm.
"A partial vocabulary of the Tsoneca language as spoken by the northern Tehuelches": p. [337]-340.

1. Patagonia—Descr. & trav. 2. Tzoneca language—Glossaries, vocabularies, etc.
16-14557
Library of Congress F2936.M991

NM 0916615 DLC PU-Mu NcD MeB CU CtY OC1W DN NN

Musters, George Chaworth, 1841-1879.

Many lands and many people. With one hundred and forty-seven illustrations. Philadelphia, J. B. Lippincott & co., 1880.

Musters, George Chaworth, 1841-1879.
Unter den Patagoniern. Wanderungen auf unbetretenem boden von der Magalhãesstrasse bis zum Rio Negro. Autorisirte vollständige ausg. für Deutschland. Aus dem englischen von J. E. A. Martin. 2. aufl. Wohlfeile volksausg. Jena, 1877.
341p. front., plates, 2 maps. (Added t.-p.: Bibliothek geographischer reisen und entdeckungen älterer und neuerer zeit. 11.bd.)

NM 0916617 IU PU

Musters, George Chaworth, 1841–1879.
Vida entre los Patagones; un año de excursiones por tierras no frecuentadas, desde el estrecho de Magallanes hasta el río Negro, por G. Ch. Musters ...
(In La Plata. Universidad nacional. Biblioteca centenaria. Buenos Aires, 1911. 28cm. t. 1, p. [127]-392. plates, fold. map)
Translation by Arturo Costa Alvarez of the author's At home with the Patagonians. London, 1873.
"Apéndice. Vocabulario parcial de la lengua tsoneca según se habla por los Tehuelches del Norte": p. [389]-392.
The first part of the volume (p. [1]-126) contains a Spanish translation of Thomas Falkner's A description of Patagonia, from the edition of 1774.
1. Patagonia—Descr. & trav. 2. Tzoneca language—Glossaries, vocabularies, etc. I. Costa Alvarez, Arturo, 1870– tr.
15-11556
Library of Congress F2936.F22
——— Copy 2. F2936.M992

NM 0916618 DLC FU KU CU LNHT

MUSTERS, George Chaworth, 1841-1879.
Vida entre los Patagones, un ano de excursiones por tierras no frecuentadas, desde el Estrecho de Magallanes hasta el Rio Negro.

Plates and folded maps.

(In FALKNER, Thomas, 1707-1784. Descripcion de la Patagonia, 1911, pp.127-392.

NM 0916619 MH

Musters, J L Chaworth.
Some notes on the Norwegian finwhales, by J. L. Chaworth-Musters ... Trondheim, I kommission hos F. Bruns bokhandel, 1931.
10 p. incl. tables. 23½cm. (Det Kgl. Norske videnskabers selskabs skrifter 1931, nr 4)

NM 0916620 ICJ

Musters, John Chaworth, 1838–1887, comp.
Hunting songs and poems. Collected by John Chaworth Musters. [Nottingham, R. Allen and son, limited, printers, ca. 1876]
iv, 194 p. front. (port.) 18cm.
Frontispiece is a mounted photograph.

1. Hunting songs. I. Title.
17-25567
Library of Congress PR1195.H9M8

NM 0916621 DLC CtY

Musters, Mrs. Lina Chaworth comp.
Book of hunting songs and sport. Collected by Mrs. Chaworth Musters, and dedicated to the Right Hon. Earl Ferrers ... [Nottingham, R.Allen and son, limited, printers] 1885.
3p.l., 206p. front. 18cm.
Poetry and prose.
The frontispiece is a mounted photograph.
Lettered on spine: Hunting songs and sport. L.C.M. Second series.
Extra-illustrated with clippings of poems and illustrations.

NM 0916622 CtY

Mustersammlung aus deutschen Klassikern geordnet nach den Bedürfnissen unterer, mittlerer und oberer Klassen der verschiedenen Schulanstalten Deutschlands, in drei Cursus gestellt und herausgegeben von mehrern Lehrern der Bürgerschule zu Leipzig. Leipzig, C.Heinrich, 1825-27.
v. 1-2

Each vol. has individual t.p.
Contents:-1. Sammlung von Denksprüchen, Liedern, Fabeln. 2.Aufl.-2. Sammlung von Gebeten, Liedern, poetischen Erzählungen und Fabeln.

NM 0916623 MH

Muster-sammlung für bautischler ...
see under Krug, Eduard.

Mustersammlung von Holzschnitten aus Englischen, Nordamerikanischen Französischen und Deutschen Blättern. Berlin, Lipperheide, 1885-88.
v.p. il. F°.

NM 0916625 00

Musterschule, Frankfurt-am-Main
see
Frankfurt-am-Main. Musterschule.

Die MUSTERSCHULE des Thorabundes; Eindrücke eines Beobachters. Heidelberg, Verlag des Thorabundes, 1917.

18 cm. pp.8.
Cover serves as title-page.
Refers to the Talmudschule des Thorabundes in Heidelberg.

NM 0916627 MH

Musterstatut für Kreditgenossenschaften mit beschränkter Haftpflicht, nach dem Genossenschaftsgesetz vom 1. Mai 1889, nebst dem Formulare einer Beitrittserklärung. Leipzig, Druck von G. Reusche [1889?]
31 p. 19 cm.
Bound with Andrimont, Léon d'. Le crédit agricole. Liége, 1888. 22 cm.

1. Agricultural cooperative credit associations—Germany.
HG2041.A65 56-48485

NM 0916628 DLC

Muster-statut fuer produktiv-genossenschaften mit beschraenkter haftpflicht.
Hannover, 1902.

NM 0916629 DLC

Musterstatuten: Personalfürsorgestiftung, Genossenschaft, GmbH., A. G. Zürich, Juris-Verlag, 1952.
51 p. 21 cm.

1. By-laws—Switzerland.
56-29489

NM 0916630 DLC NNU

Ein Muster-Theater auf der Landstrasse.
Wien, Ch.Reisser & M.Werthner, 1882.
14p. 21cm.

1.Theaters - Construction.

NM 0916631 CLSU

De Musterung, oder, Gehannes Fiulbaum un syn Suhn, Lustspiel in sauerländischer Mundart ...
see under [Grimme, Friedrich Wilhelm] 1827-1887.

VOLUME 403

Muster-verträge, eine zusammenstellung bewährter vertragsentwürfe für alle im kaufmännischen leben vorkommenden fälle
see under [Faberé, Josef] ed.

Muster-vorlage für einen agentur-vertrag, mit text und erläuterung der neuen gesetzlichen bestimmungen (art. 418a-418v OR.) Zürich, Verlag Organisator [1950?]
24 p.

NM 0916634 NNC

Musterzeichnungen für zimmermaler und lackirer. 20 tafeln gr. querquart ... Darmstadt, M. Frommann, 1846.
1 p.l., 20 fold.pl.(1 col.) 25cm.

1. House decoration, Industrial.

NM 0916635 DP

Muster-zeitung für färberei
see Leipziger färber-zeitung.

Muster-zeitung für färberei, bleicherei, druckerei, appretur und farbenfabrikation
see
Leipziger färber-zeitung.

Musti, Antonio.
...Lo spettacolo in Italia; raccolta coordinata ed aggiornata delle norme legislative, regolamentari e ministeriali in materia di: pubblica sicurezza, tasse di concessioni governative, bollo e imposta entrata, diritti erariali e demaniali, procedura per la definizione delle infrazione.. Torino [etc.] Società editrice internazionale, 1950. 241 p. 21cm.

611116B. 1. Amusements—Jurisp.—Italy. 2. Amusements—Taxation—Italy.

NM 0916638 NN

PG3893 .R8R6

Mustiatsa, P., ed.
Роійсько-український словник. [Відп. редактор П. Мустяца] Київ, Вид-во Академії наук УРСР, 1937.

MUSTIELES, Jacinto M[arí]a 1887-
Breviari romantic (del llibre del somniador) Poesia- proleg den Josep Carner,portada de Juli Antonio, i dibuiros de K-Hito,Pertegas, Amoros i Carreres. [Valencia, A.Lopeg i ca., 1913].

Plates.

NM 0916640 MH ICU

MUSTIELES, Jacint[o] M[aria] 1887-
Flama; poesíes. Barcelona, "Biblioteca Valencia", 1916.

pp.70-.

NM 0916641 MH

Mustieles, Jacinto María, 1887-
La vida del libro, por Jacinto M.ª Mustieles. Ilustraciones de Joan d'Ivori. [Barcelona] Cámara oficial del libro de Barcelona, 1934.
37 p. illus. 18cm. [Folletos del "Día del libro"]

1. Books. I. Title.
[Full name: Jacinto María Mustieles Perales]
35-20067
Library of Congress Z4.M89
[2] 010

NM 0916642 DLC

Mustieles Perales, Jacinto María
see
Mustieles, Jacinto María, 1887-

Mustiels, José Bellver
see
Bellver, Mustiels, José.

Mustière, Henry.
Blagues commémoratives; extraits concentrés du carnet de guerre d'un officier bougrement super-rieur, par Henry Mustière ...préface par Paul Reboux. Meulan: A. Réty, 1921. 252 p. 12°.

1. European war, 1914-18.—Humor, caricatures, etc.
N. Y. P. L. October 9, 1922.

NM 0916645 NN

PQ2625 U8G3

Mustière, Henry.
La gazette de Sire Hanau; satire. Paris, Les Étincelles [1929]
64 p. 19cm.

NM 0916646 GU

Mustière, Henry.
... La nouvelle Franciade;-ou, Le pou bolchevik, histoire du premier grenadier de France. Amiens, E. Malfère, 1921.
2 p. l., 7-126 p., 1 l. 19cm. (Bibliothèque du hérisson (œuvres nouvelles))
fr. 7.50

1. France, Anatole, 1844- —Satire. I. Title.
22-5320
Library of Congress PQ2625.U8N7 1921

NM 0916647 DLC

N5610 .M8

Mustilli, Domenico.
L'arte del mondo classico [Napoli] A. Morano [1950]
107 p. plates. 25cm.

"Sostituisce 'Disegno storico dell'arte classica' ed.nel 1944 e scritto in collaborazione con il prof, C.Tropea".- premessa.

NM 0916648 OCU

Mustilli, Domenico.
... La ceramica attica del VI e V sec. a.C. Anno accademico ... 1934-1935. Edizione controllata dal G. U. F. dell' urbe. [pt. 1]-2 Roma, Libreria Castollani [1935]
2 v. in 1. 27 cm.
In portfolio.
At head of title: R. Universita' degli studi di Roma.
Part 2 without title-page.
Reproduced from type-written copy, with printed title-page.

Continued in next column

Continued from preceding column

1. Pottery, Greek - Hist. 2. Vases, Attic. I. Rome. Università.

NM 0916650 CU

Mustilli, Domenico.
... L'iconografia e l'epopea di Augusto nella glittica; con 4 tavole fuori testo. [Roma] Istituto di studi romani, 1938.
16 p. IV pl. on 2 l. 24½cm. (Qvaderni Avgvstei. Studi italiani, VI)
Bibliographical foot-notes.

1. Augustus, emperor of Rome, B. C. 63-A. D. 14. 2. Gems. 3. Cameos. I. Title.
40-36434
Library of Congress N7589.A8M8
[2] 736

NM 0916651 DLC NN

Mustilli, Domenico.
...Il Museo Mussolini. Roma, La Libreria dello stato, XVI. E. F. [1938] xvi, 202 p. 123 pl. 36cm.
"A cura del Reale istituto d'archeologia e storia dell' arte."
"Copyright 1939."

354647B. 1. Art, Classical—Museums and collections—Italy—Rome. I. Rome (City). Museo Mussolini. II. Reale istituto d'archeologia e storia dell' arte, Rome.
N. Y. P. L. December 4, 1946

NM 0916652 NN NjP

PC 6606 .M9 M9 1939 Q

Mustilli, Domenico.
... Il Mvseo Mvssolini. Roma, La Libreria dello stato [c1939]
4 p.l., xiii-xvi, 202 p., 3 l. CXXIII pl. 35cm.

Title vignette.
"A cvra del Reale istitvto d'archeologia e storia dell'arte sotto gli avspici del Governatorato di Roma".
"Elenco delle riviste e delle opere i cui titoli sono riportati con abbreviazioni nel testo": p. xv-xvi.

NM 0916653 MdBJ MH NNC MiU OCU CSt WU

Mustilli, Domenico.
La necropoli tirrenica di Efestia. (In: Regia scuola archeologica di Atene. Annuario. Bergamo, 1942. v. 15-16 (1932-1933), p. [1]-278. illus.)
Bibliographical footnotes.

1. Ephesus—Archaeology. 2. Pottery, Greek—Ephesus.
N. Y. P. L. November 9, 1948

NM 0916654 NN

Mustilli, D[omenico]
Olympia. Napoli, Luigi Loffredo, [1945?]
2v.

NM 0916655 ICRL

Mustin, Henry Croskey, 1874-1923.
The naval aeroplane.
(In Stirling, Yates. Fundamentals of naval service. Pp. 166-175. Philadelphia. [1917.])

L1814 — T.r. — Flying machines. Military and naval.

NM 0916656 MB

VOLUME 403

Mustin, John Burton.
The poisonous properties of the Rhus. 1868.

NM 0916657 PU

Mustin, Maurice, ed.

Monmouth Co., *N. J. Board of chosen freeholders.*
A sketch of Monmouth County, New Jersey, 1683–1929, issued by the Monmouth County Board of chosen freeholders through the cooperation of the public-spirited persons and firms named on the last page. Edited and compiled by M. Mustin ... Camden, N. J., M. Mustin co., °1929.

Mustin, Maurice, ed.

Warren co., *N. J. Board of chosen freeholders.*
Warren county, New Jersey, 1931, issued by the Board of chosen freeholders of Warren county ... Edited and compiled by M. Mustin ... ͵Burlington, N. J.͵ °1931.

Mustinger (Joh. Casparus). *De articulationibus artuum. 2 p. l., 54 pp. sm. 4. *Argentorati, lit. D. Maagii.* 1712.

NM 0916660 DNLM

Mustinger (Joh. Casparus). *De luxationibus. 36 pp., 1 l. sm. 4°. *Argentorati, lit. D. Maagii.* [1713].

NM 0916661 DNLM

WZ 240 G997 1566

[MUSTIO] **physician.**
... Μοσχίωνος Περὶ γυναικείων παθῶν, id est, Moschionis ... De morbis muliebribus liber unus: cum Conradi Gesneri ... scholiis & emendationibus, nunc primum editus opera ac studio Caspari Wolphii ... Continentur hoc libro quae ad gravidarum & puerperarum, itemque infantium curam pertinent CLXII. distincta capitibus multa: quaedam etiam nova atque a veteribus antehac nunquam tradita: pręterea medica nonnulla alia autoris incerti. Ex Bibliotheca Augustana. Basileae, Per Thomam Guarinum, 1566.
[7], 63 p. 23 cm. [Gynaeciorum, hoc est, de mulierum ... affectibus & morbis, libri ... aliquot. Basileae, 1566. [v. 2]]

"Remedia quaedam autoris incerti, quae post Moschionis librum scripta reperimus": p. 46-50.

I. Gesner, Konrad, 1516-1565, ed. II. Wolf, Caspar, 1532-1601

NM 0916663 DNLM PPC NRU IEN CU-M MnU

Mustio, physician.
ΜΟΣΧΙΩΝΟΣ ΠΕΡΙ ΓΥΝΑΙΚΕΙΩΝ ΠΑΘΩΝ ΒΙΒΛΙΟΝ.
(In Gynaeciorvm... 1597, p.1-26, 1 illus.)
This treatise derived from Soranus of Ephesus, was edited by Conrad Gesner and Caspar Wolff.
The illustration is a woodcut of the uterus, with ovaries, copied from Vesalius' Epitome, 1543.
"In Moschionis... De affectibvs mvliebribvs ... Conradi Gesneri Annotationes": p.24-26.
Most of this work is translated into Latin in the treatise immediately following: Harmonia gynaeciorum (p.27-41)

NM 0916664 CtY-M

Mustio, physician.
...De mulierum passionibus liber, quem ad mentem manuscripti graeci in Bibliotheca Caesareo Regia Vindobonensi asservati, tum propriis correctionibus emendavit, additaque versione latina edidit F.O. Dewez. Viennae, Apud Rud. Gräffer, 1793.
x, [12], 240 p. illus. 20.3 cm.

Title in Greek precedes Latin title: Peri gynaikeiōn pathōn.
Text in Latin follows Greek text.
"Annotationes et correctiones in graecum Moscionis textum": p. 110[i.e. 210]-240.

1. Gynecology--[Early works--18th cent.] I. Dewez, Frank Oliver, ed. II. Title.

NM 0916665 ICJ PPC IEN MH CU-M CtY-M DDO DNLM IU ICU NNNAM NNC

Mustlaff, Hugh, pseud.

see

Snoddy, George Wade.

Musto, A. A.
A note on steam ploughing. Bombay: Gov. Central Press, 1913. 1 p.l., ii, 50 p., 4 pl. 8°. (Bombay, presidency. Agriculture Dept. Bull. 54.)

1. Plowing.
N. Y. P. L. March 16, 1916.

NM 0916667 NN

Musto, Carlo.
... L'accidente d'automobile e la responsabilità civile. Dalla rivista Diritto e giurispr., 1916, nn. 19 e 20. Napoli, Stab. tipogr. Diritto e giuris., 1917.
2 p. l., ͵7͵–94 p. 27cm.

1. Automobiles—Accidents. 2. Automobiles—Laws and regulations—Italy. ͵2. Motor vehicles—Italy͵ ͵3. Accidents—Italy͵ I. Title.

28–24014

NM 0916668 DLC

Musto, Carlo.
... L'aeromobile, diritto e legislazione; con prefazione del prof. sen. Alberto Marghieri. ͵Napoli, pref. 1926͵
cover-title, 3 p. l., ix p., 1 l., ͵11͵–244 p. 23½cm. (Quaderni aeronautici, vol. v)
At head of title: Associazione italiana di aerotecnica (A. I. D. A.) Sezione di Napoli ...
Label, mounted on cover: Deposito presso la Libreria intern. Paravia—Treves—Napoli, e altre filiali dell' A. L. I.
"Bibliografia": p. ͵233͵–240.

1. Aeronautics—Italy—Laws and regulations. I. Title.

32–16491

Library of Congress ͵2͵ 387.7

NM 0916669 DLC MH

Musto, Carlo.
... Il diritto commerciale nei suoi odierni atteggiamenti economici (dalle aziende alle corporazioni) Napoli, A. Morano ͵1930͵
295 p. 21½cm.
"Indice bibliografico": p. ͵9͵–15.

1. Commercial law—Italy. 2. Corporation law—Italy. 3. Trusts, Industrial—Italy—Law. 4. Industry and state—Italy. I. Title.

35–23690

NM 0916670 DLC

Musto, Carlo.
... Manuale di legislazione aeronautica. Napoli, Detken & Rocholl, 1934.
70 p., 5 l. 17½cm.

1. Aeronautics—Italy—Laws and regulations. I. Title.

35–19352

Library of Congress ͵2͵ 387.70945

NM 0916671 DLC MH CtY

Musto, Carlo.
... Società anonime; eccesso di potere, azione di responsabilità. Napoli, A. Morano ͵1930͵
94 p., 1 l. 24½cm.
"Bibliografia": p. ͵7͵–10.

1. Corporation law—Italy. 2. Stock companies—Italy. I. Title.

35–30919

NM 0916672 DLC

Musto, David F
The youth of John Quincy Adams. (In Proceedings of the American Philosophical Society. Vol. 113, no. 4, August 15, 1969, p. 269-282, facsim.)

"Read April 20, 1968"

NM 0916673 MHi

PQ4829 U83 T7

Musto, Michele M.
Le tre sorelle ͵romanzo͵ Vicenza, Ed. Paoline ͵1953͵
317 p. 20 cm. (I libri del focolare, 20)

NM 0916674 RPB

Musto, Pasquale.
Orazione funebre pel maresciallo di campo de reali eserciti, Paolo Pronio, recitata nella Real Basilica di S. Francesco di Paola il 10 giugno 1853. Napoli, Reale tip. militare, 1853.
(3), 20 p.

NM 0916675 MH

Musto, Raffaelo.
... La odierna evoluzione dello stato democratico, prefazione del prof. Paolo Laband. Napoli, Detken e Rocholl, 1911.
xvi, 258, ͵2͵ p., 1 l. 19cm.

1. State, The. 2. Democracy. 3. Individualism.

14–13953

Library of Congress JC423.M85

NM 0916676 DLC ICJ

Musto, Raffaelo.
... Sulle organizzazioni operaie; studio sociologico-giuridico. Napoli, 1907.
25 cm.

NM 0916677 CtY

VOLUME 403

Musto Sian, Juberli.
... Suspiros (versos) [Asunción del Paraguay, Imprenta nacional, 1944]
141 p., 1 l. 21cm.

I. Title.

A 45-3879

New York. Public library for Library of Congress [2]

NM 0916678 NN CtY

Law

Mustoe, Nelson Edwin, 1896- joint author.

FOR OTHER EDITIONS SEE MAIN ENTRY

Davies, Clement Edward, 1884-
Agricultural law and tenant right [by] Clement E. Davies and N. E. Mustoe. 4th (enl.) ed., with chapters on the practice of tenant right valuation, and on agricultural law generally, by N. E. Mustoe and Raymond H. Wood. London, Estates Gazette [1948?]

Mustoe, Nelson Edwin, 1896- comp.
The Agricultural marketing acts and schemes, containing the texts of the Agricultural marketing acts, 1931-1933, the Wheat act, 1932, the Cattle industry (emergency provisions) act, 1934, the agricultural marketing schemes, and the byelaws of the Wheat commission, by N. E. Mustoe ... London, The Estates gazette, ltd. [1935]
xiv p., 1 l., 440 p. 22cm.

1. Farm produce—Marketing. 2. Agriculture, Cooperative—Gt. Brit. 3. Wheat trade—Gt. Brit. 4. Cattle trade—Gt. Brit. I. Gt. Brit. Laws, statutes, etc. II. Gt. Brit. Wheat commission. III. Title. IV. Title: The Wheat act, 1932. V. Title: Cattle industry (emergency provisions) act, 1934.

36-9599

Library of Congress HD9011.6.M8
[5] 338.10942

NM 0916680 DLC CU NcD CtY

Mustoe, Nelson Edwin, 1896-
Bankruptcy, liquidation and receivership, by N. E. Mustoe ... with accounts by W. A. Kieran ... London, Butterworth & co., ltd., 1939.
lix, 490, 17, [1] p. 22½cm.

1. Bankruptcy—Gt. Brit. 2. Stock companies—Gt. Brit. 3. Corporation law—Gt. Brit. 4. Receivers—Gt. Brit. I. Kieran, W. A. II. Title.

40-1328

NM 0916681 DLC MH-L

Law

Mustoe, Nelson Edwin, 1896- FOR OTHER EDITIONS SEE MAIN ENTRY

Tory, John Edward.
The complete valuation practice (Tory and Mustoe) 2d ed., by H. Brian Eve ... and N. E. Mustoe ... London, The Estates gazette, ltd. [1944]

Mustoe, Nelson Edwin, 1896-
The complete valuation practice. 4th ed. by N. E. Mustoe, H. Brian Eve and Bryan Anstey. London, Estates Gazette, ltd., 1955.
xix, 395 p. 21 cm.
First ed., 1938, by J. E. Tory.

1. Real property—Valuation—Gt. Brit. I. Tory, John Edward. The complete valuation practice. II. Title.

333.332 58-29457

NM 0916683 DLC GU-L CtY-L

Mustoe, Nelson Edwin, 1896-
Estate agents' commission; a concise and complete exposition of the law relating thereto, by N. E. Mustoe ... and John Stevenson ... London, The Estates gazette, ltd. [pref. 1931]
xi, 135, iv, xiii-xvi p. 22cm.
Blank pages for "Memoranda" (iv, xiii-xvi at end)

1. Real estate business. I. Stevenson, John, joint author. II. Title.

35-32675

NM 0916684 DLC

Mustoe, Nelson Edwin, 1896-
Excess profits tax and N. D. C., by N. E. Mustoe ... London, Sir I. Pitman & sons, ltd., 1942.
xxxii, 418 p. fold. tables. 22½cm.

1. Excess profits tax—Gt. Brit. 2. Taxation—Gt. Brit.—Law. 3. World war, 1939- —Finance—Gt. Brit. I. Title. II. Title: National defence contribution.

42-50966

Library of Congress HJ4708.A6M8
[3] 336.243

NM 0916685 DLC

Mustoe, Nelson Edwin, 1896-
Executors and administrators. London, Butterworth, 1933.
xxxii, 190, 17 p. 23 cm.

1. Executors and administrators—Gt. Brit.

51-50954

NM 0916686 DLC

Mustoe, Nelson Edwin, 1896-
Executors and administrators, by N. E. Mustoe ... 2d ed. by the author, with executorship accounts by W. A. Kieran ... London, Butterworth & co. (publishers), ltd.; Toronto, Butterworth & co. (Canada) ltd.; [etc., etc.] 1935.
xxxv, 290, 18, [2] 22cm.
"Questions and exercises": p. [261]-290.

1. Executors and administrators—Gt. Brit. I. Kieran, William Aloysius.

36-12008

Library of Congress [2] 347.6

NM 0916687 DLC

Mustoe, Nelson Edwin, 1896-
Executors and administrators, by N. E. Mustoe ... 3d ed. by the author, with executorship accounts by W. A. Kieran ... London, Butterworth & co., ltd., 1939.
xxxvii, 301, 19, [1] p. 22½cm.
"Questions and exercises": p. [271]-301.

1. Executors and administrators—Gt. Brit. I. Kieran, William Aloysius.

40-9683

NM 0916688 DLC

Mustoe, Nelson Edwin, 1896-
Executors and administrators, by N. E. Mustoe ... 4th ed., by the author, with executorship accounts by W. A. Kieran ... London, Butterworth & co., ltd., 1945.
xxxvi, 270 p. 22cm.
Bibliographical foot-notes.
"Questions and exercises": p. 227-250.

1. Executors and administrators—Gt. Brit. I. Kieran, William Aloysius.

45-6447

NM 0916689 DLC CtY

Mustoe, Nelson Edwin, 1896-
Executors and administrators. 5th ed. With executorship accounts, by J. J. Walsh. London, Butterworth, 1952.
xliv, 299 p. 23 cm.

1. Executors and administrators—Gt. Brit.

52-35407

NM 0916690 DLC GU-L NBuU-L CaBVaU

Mustoe, Nelson Edwin, 1896-
Guide to income tax. London, Butterworth, 1952.
xv, 339 p. 22 cm.

1. Income tax—Gt. Brit.—Law. I. Title.

336.24 52-32792

NM 0916691 DLC

HJ4707
.A5
1945 a

Mustoe, Nelson Edwin, 1896- ed.

Gt. Brit. *Laws, statutes, etc.*
The Income tax act, 1945, by N. E. Mustoe ... with examples by S. W. Rowland ... London, Butterworth & co., ltd.; [etc., etc.] 1946.

Mustoe, Nelson Edwin, 1896-
Income tax on land and buildings; a handbook on the law and practice of income tax as it affects real property, by N. E. Mustoe ... London, The Estates gazette, ltd. [etc.] 1932.
xx, 144 p. 22cm.

1. Income tax—Gt. Brit. 2. Land—Taxation

Agr 36-350

Library, U. S. Dept. of Agriculture 284.5M97 [HJ4707.M]

NM 0916693 DNAL

Mustoe, Nelson Edwin, 1896-
Income tax on landed property. 2d, much enl., ed. London, Estates Gazette [1949?]
xliv, 478 p. 22 cm.
Includes legislation.
"Former edition ... under the title: Income tax on land and buildings."

1. Income tax—Gt. Brit. I. Gt. Brit. Laws, statutes, etc. II. Title.

336.244 50-37509

NM 0916694 DLC

Mustoe, Nelson Edwin, 1896-
The law and organization of the British civil service, by N. E. Mustoe ... London, Sir I. Pitman & sons, ltd., 1932.
xix, 199 p. 22cm.

1. Civil service—Gt. Brit. I. Title.

32-32533

Library of Congress [3] 351.10942

MH-L
NM 0916695 DLC OU NcD CtY PPT MiU ViU ICU IU

VOLUME 403

Mustoe, Nelson Edwin, 1896–
Profits tax. London, Pitman [1950]
xxxvi, 467 p. 26 cm.

1. Business tax—Gt. Brit.
336.243 51-4414

NM 0916696 DLC

Law
Mustoe, Nelson Edwin, 1896– ed.
Taxation reports.
[London, Taxation Pub. Co. and Gee (Publishers)]

NM 0916697 DLC

[Muston, A.]
Etude sur les romanciers contemporains de la Suisse romande. n.p. [18-]

NM 0916698 NjP

Muston, A.
Recherches anthropologiques sur le pays de Montbeliard
see under Muston, Etienne, supposed author.

Muston, Alexis, pseud., 1810-1888.
A complete history of the Waldenses and their colonies. Tr. from the French. London, 1875.
2 v.

NM 0916700 RP MBU-T OClStM MiU

PQ 2375 M8 F4
Muston, Alexis, pseud, 1810-1888.
Les feuilles sibyllines; recueil de poésies. Paris, Ab. Cherbuliez, 1831.
172p. 20cm.

NM 0916701 WU

Muston (Alexis) 1810-1888.
La Gossen opprimée: histoire jusqu'ici inconnue des églises vaudoises du Pragela depuis les temps les plus anciens jusqu' à leur extinction. 269 pp. *Paris: M. Ducloux & Cie,* 1850. 12°.

NM 0916702 NN

IP53 M99
Muston, Alexis, 1810-1888
Histoire complète des Vaudois du Piémont et de leurs colonies, composée en grande partie sur des documents inédits ... suivie d'une bibliographie des ouvrages anciens et modernes qui traitent des Vaudois et des manuscrits, en langue romane, ou ils ont exposé leurs doctrines, par Alexis Muston ... Paris, C. Meyrueis et ce. [1851]
4v. 19cm.
Imprint date from cover of v.4.

NM 0916703 NNUT MH

Muston [Alexis] 1810-1888.
Histoire d'un village
see under Muston, Etienne, supposed author.

BX4881 .M92
Muston, Alexis, 1810-1888.
Histoire des Vaudois, des vallées du Piémont, et de leurs colonies depuis leur origine jusqu'à nos jours, par Alexis Muston ... Tome premier ... Paris, [etc.] Chez F. G. Levrault, 1834.
xx, 527, [1] p. fold. map, 6 facsim. 21½cm.
"La suite n'a pas paru, mais l'ouvrage tout entier a été repris sur un autre plan et avec plus de matériaux et de critique dans 'l'Israël des Alpes'."—Lorenz. Catalogue générale.

1. Waldenses.

NM 0916705 ICU NN

IP52 M99 H
Muston, Alexis, 1810-1888.
... Histoire populaire des Vaudois, enrichie de documents inédits, par Alexis Muston. Paris, A l'agence de la Société des écoles du dimanche, 1862.
xi, 400p. 19cm. (Bibliothèque des écoles du dimanche)

NM 0916706 NNUT IEG NjP MH NjR CtY MB

Muston, Alexis, 1810-1888.
L'Israël des Alpes; première histoire complète des Vaudois du Piémont et de leurs colonies, composée en grande partie sur des documents inédits, avec l'indication des sources et des autorités, suivie d'une Bibliographie raisonnée... Paris, M. Ducloux, 1851.
5 v. in 4. 18cm.

"Sources et autorités" at head of each chapter.

NM 0916707 NjPT ICN DNC NN NRU

Muston, Alexis, 1810-1888.
L'Israël des Alpes; histoire des Vaudois et de leurs colonies. New ed. Par, Bonhoure, 1879.
v.

NM 0916708 PU

Muston, Alexis, 1810-1888.
The Israel of the Alps. A complete history of the Vaudois of Piedmont, and their colonies... Glasgow, Blackie, n. d.
Pam.

NM 0916709 PPPrHi PPGratz

BX4881 .M9 H4
Muston, Alexis, 1810-1888.
The Israel of the Alps: a history of the persecutions of the Waldenses. Tr. from the French ... by William Hazlitt ... London, Ingram, Cooke, 1852.
[1], vii, [1], 312 p. front., illus., plates, map.
Added t.-p., illus.

1. Waldenses.

NM 0916710 ICN OrU ICRL NcD ICMcC GEU DLC ICU CtY N ViU PU OO OClW PHC PP GEU MB

MUSTON, Alexis, 1810-1888.
The Israel of the Alps; a history of the persecutions of the Waldenses. Translated from the French by William Hazlitt. 2d ed., London, Ingram, Cooke and Co., 1853.

Plates and map.
Added illustrated title page.

NM 0916711 MH PU MBrZ WaTC

BX 4881 M991iEm 1857
Muston, Alexis, 1810-1888.
The Israel of the Alps; a complete history of the Vaudois of Piedmont, and their colonies: prepared in great part from unpublished documents. Translated by John Montgomery. Glasgow, Blackie, 1857.
2v., plates, fold. maps. 24cm.

Translation of L'Israël des Alpes.

1. Waldenses. I. Title.

NM 0916712 ICMcC GDC PPRETS PPG PPPrHi MBrZ PPL

BX 4881 .M993
Muston, Alexis, 1810-1888.
The Israel of the Alps. A complete history of the Waldenses of Piedmont, and their colonies; prepared in great part from unpublished documents. By Alexis Muston ... tr. by the Rev. John Montgomery, A.M. ... London and Glasgow [etc.] Blackie and son, 1866.
2 v. fronts., plates (1 fold.) 2 fold. maps. 22½cm.
Added title-pages, engraved.
"Historical and documentary bibliography": v.2, p. [397]-489.
"The work, as now issued ... possesses ... the character of a second edition ... The plates are chiefly ... from sketches by Dr. Muston."--v.1, p.xix.

1. Waldenses. I. Montgomery, John, tr. II. Title.

NM 0916714 MSohG MiU NRCR IEG ICN NjNbS MWelC NN PP

Muston, Alexis, 1810-1888.
The Israel of tne Alps. A complete history of the Waldenses and their colonies; prepared in great part from unpublished documents. By Alexis Muston... translated by the Rev. John Montgomery... with a documentary appendix on the origin of the Waldenses, by the translator. London: Blackie & Son, 1875. 2 v. fold. maps, pl. 8°.
Engraved title-pages also.
Bibliography, v. 2, p. 397-489.

1. Waldenses.—History. 2. Montgomery, John, translator. 3. Title.
N. Y. P. L. September 2, 1915.

NM 0916715 MiD CtY ICN NjP PPPD PHi GEU NN WaS MnCS IEdS NIC NjPT OO MiD-B

DQ 738 .M97
Muston, Alexis, 1810-1888.
Les Méhémites; ou, L'expulsion, l'exil et le retour des Vaudois dans leur patrie, de 1686 à 1690. Paris, M. Ducloux, 1850.
158 p.

1. Vaud (Canton)--Hist. 2. Persecution--Switzerland. I. Title.

NM 0916716 MiU NN

QE697 .M97
Muston, [Alexis] 1810-1888.
... La terre du froid; par M. le Dr Muston ... Montbéliard, Imprimerie et lithographie V. Barbier, 1888.
242 p. 30 pl. 24½cm. (Mémoire de la Société belfortaine d'émulation)
Plates 1-3 folded; pl. numb. i-xxviii, 2 unnumb. pl.
2-17634

NM 0916717 DLC

BV2595 .W2M9
[MUSTON, ARTURO] comp.
Riassunto storico della evangelizzazione valdese durante i primi cinquant' anni di libertà, 1848-1898. Pinerolo, Tip. Chiantore-Mascarelli, 1899.
111 p. 22½cm.
"Compilato da A. Muston-G. Bonnet-E. Meynier per incarico del Comitato di evangelizzazione."

1. Waldenses--Missions. 2. Missions--Italy.

NM 0916718 ICU NNUT

Muston, C. N. B., comp.

Edinburgh. Royal Scottish museum.
... Catalogue of loan collection of line & mezzotint engravings ... Edinburgh, Printed by Neill and company, for H. M. Stationery off., 1879.

VOLUME 403

Muston, C. N. B.

[Bragge, William] 1823-1884.
... Guide to the loan collection of objects connected with the use of tobacco and other narcotics ... Edinburgh, Printed by Neill and company for H. M. Stationery off., 1880.

Muston, Christopher Ralph.
Recognition in the world to come; or, christian friendship on earth perpetuated in heaven. Lond. 1830.
12mo.

NM 0916721 NN

Muston, Christopher Ralph
Recognition in the world to come; or, Christian friendship on earth perpetuated in heaven. 4th and revised edition. London, J. Hatchard and Son, 1840.

xii, 438 p.

1. Heaven. I. Title. II. Cd., Sem. III. Cd., UC. IV. Cd., NUC.

NM 0916722 CLamB DLC

Muston, Christopher Ralph.
Sermons preached at the British Episcopal Church, Rotterdam. Lond., Hatchard, 1837.
503p.

NM 0916723 PPPD

RARE BOOK DEPT.

Muston, Edward.
An analysis of the art of dyeing, and an essay on light and colour. London, 1830.

Author's presentation copy, inscribed to "Mr. Roberts".

NM 0916724 WU

Muston (Étienne). *Du goitre. 36 pp. 4°. Paris. 1845. No. 156. v. 435.

NM 0916725 DNLM PPC

F 39908 .6 MUSTON, ÉTIENNE, supposed author.
Histoire d'un village... Montbéliard, Barbier frères, 1882.
2v. 22cm.

—— Supplément a L'histoire d'un village. Documents concernant le village de Beaucourt et environs. Montbéliard, Barbier frères, 1882.
361p. 22cm.

NM 0916726 ICN MH

Muston, Etienne, supposed author.
Recherches anthropologiques sur le pays de Montbeliard. 1866.

NM 0916727 IaU

Muston, W. H.
"Over there," the story of a sky pilot, by W. H. Muston... [Yoakum, Tex.: Bankers Prtg. Co., cop. 1923.] 207 p. illus. 8°.

1. European war, 1914-1918—Personal narratives, American.
N. Y. P. L. July 14, 1926

NM 0916728 NN TxU

Muston, *Eng.* (*Leicestershire*)
The parish register of Muston, in the county of Leicester, for the years 1561-1730. Transcribed and ed. by Thos. M. Blagg, F. S. A. Newark [Eng.] Printed by S. Whiles, 1908.
4 p. l., 117, xix p. $22\frac{1}{2}$cm.
No. 39 of a limited edition of 40 copies.

1. Registers of births, etc.—Muston, Eng. (Leicestershire) I. Blagg, Thomas Mathews, ed.

10-8441

Library of Congress CS436.M8

NM 0916729 DLC NcD FU NN

Mustonen, Alli
Äidinkielen kirja. Helsingissä, Kustannusosakeyhtiö Otava [1930]

224 p. illus.

NM 0916730 MH

Mustonen, Juuso.
Inkerin suomalaiset seurakunnat; liitteenä kartta nimihakemistoineen, toimittanut Juuso Mustonen. Helsinki, Suomalaisen kirjallisuuden seura, 1931.
85, [1] p., 1 l. fold. map. 23cm. (*Half-title:* Suomalaisen kirjallisuuden seuran Toimituksia 191. osa)
Bibliographical references: p. 6.

1. Ingermanland—Religion. I. Title.

33-15213

Library of Congress PH105.S8 pt. 191
[2] (494.541082) 284. 1474

NM 0916731 DLC

MUSTONEN, KERTTU.
Maaäidin lapset, kirj. Kerttu Mustonen, kuvitt. Maire Könni. [Helsinki] Könni [194-] [16] p. col. illus. 25cm.

Cover title.

1. Juvenile literature--Poetry, Finnish. I. Könni, Maire, illus. II. Könni, Maire.

NM 0916732 NN

Mustonen, Kerttu, joint ed.
Tuhanten rantain partahilla

see under

Salmela, Alfred, 1897- ed.

Mustonen, Martti.
...Tuotekauppa, maatalous-, luonnon- ja keräilytuptteiden kaupan ohjekirja. Helsingissä, Pellervo-seura, 1946. 380 p. illus. 22cm.

399441B. 1. Agricultural products—Marketing—Finland.
N. Y. P. L. January 28, 1949

NM 0916734 NN

Mustonen, Matti A
Jumalattomuusliike ja taistelevien jumalattomien liitto Neuvosto-Venäjällä; Neuvostovenäläisten lähteiden pohjalla. Jyvaskylä [Gummerus] 1941

298 p. illus.

NM 0916735 MH DLC-P4

Mustonen, O. A. F., pseud.
see Lönnbohm, Anders Oskar Ferdinand.

MUSTONEN, PEKKA.
Tuupovaarasta Tukholmaan; Petsamon Pekan ihmeellinen matka. Porvoo, Helsinki, W. Söderström [1955] 177 p. illus., ports. 19cm.

1. Finland—Descr. and trav., 1900- 2. Stockholm—Descr. 3. Farmers—Finland—Petschenga.

NM 0916737 NN

Mustoph (Antonius Fridericus). *De usu aquarum medico. 21 pp., 1 l. 8°. Gottingæ, H. M. Grape, [1793].

NM 0916738 DNLM

Mustopo.
Pantja yuda, resep perdjoangan rakjat Indonesia. Djakarta, Endang [1952]
60 p. illus. 18 cm.

1. Civics, Indonesian. I. Title.

JQ777.M8 55-39787 ‡

NM 0916739 DLC

LE49 Oe8 Xm97h Mustorp, H
Hauglanere i Østfold [av] H. Mustorp. Oslo, Lutherstiftelsens Forlag, 1930.
368 p. ports. 20 cm.

"Mellem-Borgesyssels fellesforening eller Østre Østfold krets av indremisjonen": p. [353]-368.

1. Østfold, Norway - Church history. 2. Norway - Church history. 3. Home missions - Norway. 4. Hauge, Hans Nielsen, 1771-1824. I. Title.

NM 0916740 CtY-D

Mustoxidi, André
see
Moustoxydes, Andreas, 1785-1860.

Mustoxidi, T M
see
Moustoxydēs, Theodosios Mauroeidēs.

Mustoxidi, Theodore Mavroidi, 1893-
see Moustoxydēs, Theodosios Mauroeidēs

Mustoxydes, Andreas
see Moustoxydes, Andreas, 1785-1860.

VOLUME 403

AC Mustroph, Erich, 1904-
831 Die exportlage der deutschen eisenerzeugenden und -verarbeitenden industrie. ... Greifswald, 1934. 53 p.
Inaug. Diss. - Greifswald, 1934.
Lebenslauf.
Bibliography: p. 4-5.

NM 0916745 ICRL CtY PU NNC MiU

A Mustur Roll of the evill Angels embatteld against St. Michael
see under Brathwaite, Richard, 1588?-1673.

Mustytrash, Sir Prywell, pseud.
The tragicall historie of the Lady Alice of Hawarden, and her true knight Sir Lionelle, a metricall romaunt, now first made publicke, by yt worthie literate persoune Sr. Prywell Mustytrash, kt., one of ye poursuivants at armes to ye Queen's Highnesse. Printed by ye successors of William Caxtone, at their house in ye abbaye, at ye citie of Westminster. 1567. [London? 1820?] viii, 9-32 p. 19cm.

NM 0916747 NN

Musu, Aldo M
Il metodo Agazzi. "Il posto nel mondo." [Firenze] Marzocco-Bemporad [1952]
58 p. 19 cm. (Cultura professionale del maestro. Serie A: Metodologia)

1. Agazzi, Carolina, 1870-1945. 2. Agazzi, Rosa, 1866-1951. I. Title.
LB775.A4127M8 54-16731 ‡

NM 0916748 DLC

Musu, Giuseppe.
... Alias Pintus, romanzo. [Firenze, Vallecchi [1943]
374 p.

NM 0916749 DLC

MUSU, MARISA.
La lotta della gioventù per la democrazia [di] Marisa Musu [e] Enrico Berlinguer. [Roma, Centro diffusione stampa del P.C.I., 1947] 63 p. 17cm.

Film reproduction. Positive.

1. Youth movement--Italy. 2. Bolshevism--Italy. I. Berlinguer, Enrico.

NM 0916750 NN NcD

Musu, Raimondo.
...Stilla a stilla...cronache di prigionia, ottobre 1915–marzo 1918. Torino: S. Lattes & C. [1920?] vi, 238 p. 12°.

1. European war, 1914-18.—Prisoners and prisons (Austrian). 2. European war, 1914-18.—Personal narratives (Italian). 3. Title.
N. Y. P. L. December 4, 1922.

NM 0916751 NN MH

Musu-Boy, Roberto.
... Lo zinco, con 10 incisioni e 4 tavole; caratteri e proprietà dello zinco — minerali di zinco — metallurgia — produzione dello zinco per elettrolisi—leghe—miniere—usi dello zinco—lo zinco in lamiere—fabbricazione del bianco di zinco—litopono. Milano, U. Hoepli, 1909.
2 p. l., [vii]-xiv p., 1 l., 219 p. illus., 4 fold. col. diagrs. 15½cm. (At head of title: Manuali Hoepli)

1. Zinc.
G S 19-396
Library, U. S. Geological Survey 435 M97

NM 0916752 DI-GS OC1 OC1W ICJ MB

Musu gamtos. Supplement.
Girios.

NM 0916753 DLC

MŪSŲ kalendorius.
Dillingen a.d.Donau.

NM 0916754 PU

Mūsų Kelias; Lithuanian newspaper "Our Way." vasario 12-spalių 20,27,1948-gegužės 25, birželio 1-liepos 15,1949; metai 4, nr. 7-57,59-metai 5, nr. 41,43-53 (119-169,171-231,233-243) Dillingen/D., Germany.

Film reproduction. Positive, and master negative.
Semiweekly (weekly, Feb. 12-June 24, 1948)

I. Title: Our way.

NM 0916755 NN

Mūsu mājas viesis.
19

Rīgā: Izdevēja Centrala savienība "Turiba," 19 34–35cm.
v. diagrs., illus. (incl. plans, ports.)

Weekly.
Various irregularities in numbering and dates.
Editor : 19 Jānis Blumbergs.

1. Periodicals—Latvia. I. Blumbergs, Jānis, 1886- , ed.
N. Y. P. L. February 23, 1940

NM 0916756 NN

Mūsu nākotne; laikraksts skolātjiem un vecākiem.
Gads

Rīgā, 192 4°.
v. illus. (incl. ports.)

Semi-monthly.
Individual issues lack gads numbering.
Published by the Latvijas skolotaju saveeniba.

1. Education—Per. and soc. publ.—Latvia. I. Latvijas skolotaju saveeniba.
N. Y. P. L. March 19, 1931

NM 0916757 NN

Musu sachmatai. no. 1- 1947-
Detmold,

Lithuanian text.

NM 0916758 OC1

Mūsų tautosaka.
[Tomas] 1-

Kaunas, 1930 8°.
v.

Published by Kaunas. Lietuvos universitetas. Humanitarinių mokslų fakultetas. Tautosakos komisija.

1. Folk lore—Lithuania. I. Kaunas. Lietuvos universitetas. Humanitarinių mokslų fakultetas. Tautosakos komisija.
N. Y. P. L. April 14, 1933

NM 0916759 NN MoU InU MH CU

Mūsu tēvijas sargs; mēnešraksts politiski-sabiedriskai dzīvei.
Gads

Rīgā [193 27cm.
v.

Subtitle varies slightly.

1. Societies, National and patriotic—Latvia.
N. Y. P. L. September 20, 1935

NM 0916760 NN

20
M97 Mūsų žemė. v.[1]
[1920]-
Kaunas [Svietimo Komisija prie Žemės Ukio ir Valstybės Turtų Ministerijos]

1. Lithuania. Agriculture. Periodicals. I. Lithuania. Svietimo Komisija prie Zemės Ukio ir Valstybės Turtų Ministerijos.

NM 0916761 DNAL

Mūsų žinynas; karo mokslo ir istorijos žurnalas ... t. [1]-
1921-
Kaunas, Leidžia Krašto apsaugos ministerijos Karo mokslo skyrius [etc.] 1921-
v. illus., ports., maps, diagrs. 27cm.
Three numbers were issued in 1921; bimonthly, 1922- ; monthly, 192
Vol. 1, no. 1-2 have title: Mūsų žinynas; karo, mokslo ir literatūros žurnalas.
Editors: 1921- Vytautas Steponaitis (with J. Lanskoronskis, 1926)
Includes "Kritika ir bibliografija" and other bibliographical material.
1. Lithuania—Army—Period. 2. Lithuania — History, Military. 3. Military art and science—Period. I. Lithuania. Karo mokslo skyrius.
Library of Congress U4.M8 40-36990

NM 0916762 DLC NN

---

al-Mus'ūdī, d. 956?

DS451
.G46
Gildemeister, Johann, 1812-1890.
Scriptorum arabum de rebus indicis loci et opuscula inedita. Ad codicum parisinorum leidanorum gothanorum fidem recensuit et illustravit Ioannes Gildemeister. Fasciculus primus. Bonnæ, H. B. König, 1838.

Musul'bas.

Microfilm
Slavic
69
AC
Kommunisticheskaia partiia Ukrainy. *Khar'kovskiĭ oblastnoĭ komitet.*
Про підсумки перевірки партійних документів в Харківській обласній організації КП(б)У. Постанова іх пленуму Харківського обкому КП(б)У на доповідь секретаря Обкому КП(б)У т. Мусульбаса. [Харків] Соціалістична Харківщина, 1936.

Musulin, Alexander, 1904-
Grundlagen und Entwicklung der jugoslavischen Getreideproduktion... von Alexander Musulin... Zemun: M. Mladjan, 1931. 126 p. incl. tables. 22½cm.

Dissertation, Erlangen, 1931.
Lebenslauf.
Bibliography, p. 119-126.

637327A. 1. Grain—Trade and stat.—Yugoslavia, 1920-1930.
N. Y. P. L. May 29, 1933

NM 0916765 NN PU ICRL CtY MH PU MiU

VOLUME 403

Diss. 378 N.U. 1954
Musulin, Boris, 1929-
Quantum mechanical calculations of energies associated with systems of hydrogen atoms.
Ph.D. — Northwestern University.
1.Quantum theory. 2.Hydrogen. I.Title.
NM 0916766 IEN

D 764 .M9
Musulin, Heinrich Maria
Was geschah in Stalingrad; wo sind die Schuldigen? ₍von₎ Heinrich Maria Waasen ₍pseud. Zell am See, Salzburg₎ Mirabell, 1950.
79 p. illus. 23 cm. (in binder, 25 cm.)
1. Stalingrad, Battle of, 1942-1943. 2. World War, 1939-1945 - Campaigns - Russia. I. Title.
NM 0916767 WU

Musulin, Janko von, 1916-
Degen und Waage; Schicksal und Gesetz europäischer Politik ₍von₎ Janko Musulin. Wien, Verlag für Geschichte und Politik ₍1954₎
300 p. 21 cm.
1. Europe—History. I. Title.
D217.M85 55-58600 ‡
NM 0916768 DLC ICU NN MH NcD NIC

Musulin, Katharina
see Jakschits-Musulin, Katharina.

RC648 .H77
Musulin, Natalija, joint author.
Hurxthal, Lewis M
Clinical endocrinology ₍by₎ Lewis M. Hurxthal and Natalija Musulin. Philadelphia, Lippincott ₍1953₎

Musulin, Nikola, 1827-1903
Pravda i sloboda ili testamenat vladike Njeguša. [By] Nikola Musulin Gomirac. Beograd, Prosvete, 1897
294 p. port.
NM 0916771 MH

MUSULIN, Stjepan.
Češka gramatika i uputa u češko trgovačko dopisivanje. Zagreb,1924.
NM 0916772 MH

Musulin, Stjepan
Poljaci u Gundulićevu "Osmanu". Zagreb, Jugoslavenska akademija znanosti i umjetnosti, 1950
illus.
"Poseban otisak iz 281.knjige Rada Jugoslavenska akademije znanosti i umjetnosti. Odjel za jezik i književnosti, knjiga 4" p.101-207
1. Gundulić, Ivo Fran, 1588-1638. Osman
NM 0916773 MH NcD

Musulin, Stjepan, 1885- tr.
Masaryk, Thomáš Garrigue, pres. Czechoslovak republic, 1850-
... Borba za samoodredjenje (nova Evropa i slavensko-stajalište) Preveo St. Musulin. ₍Zagreb, Izdaje nakladni odio Jugoslovenskog novinskog d. d., 1920₎

Musulin, Stjepan, 1885-tr.
Masaryk, Tomáš Garrigue, pres. Czechoslovak republic, 1850-
... Rusija i Evropa studije o duhovnim strujama u Rusiji ... Preveo S. Musulin. Izdaje nakladni odio jugosl. novin. d. d. Zagreb, Tisak "Poligrafije" graf. zavoda jug. nov. d. d., 1923-

---

Musulin, Stjepan, 1885- tr.
Żeromski, Stefan, 1864-1925.
... Vjerna rijeka. Priča. Preveo Stjepan Musulin. U Zagrebu, Izdala Matica hrvatska, 1914.

Musulin von Gomirje, Alexander, freiherr, 1868-
... Das haus am Ballplatz; erinnerungen eines österreich-ungarischen diplomaten ... München, Verlag für kulturpolitik, 1924.
309, ₍1₎ p., 1 l. 23½cm.
At head of title: Freiherr von Musulin.
1. Austria—For. rel.—20th cent. 2. European war, 1914-1918. I. Title.
Library of Congress DB90.M8A3 25-20596
NM 0916777 OCl PBm DLC ViU TNJ IaU OrStbM NcD CtY NN MiU

Musulman, Zelim
A parallel between Muhamed and Sosem. London, 1732
47p. 8°
NM 0916778 MWA

Musulman painting. ₍n. p., n. d.₎
117 p. 25 cm.
1. Painting, Mohammedan.
ND198.M8 55-34391 ‡
NM 0916779 DLC

Musul'manin. Moussoulmanine. Paris
1910, No. 1-25, Feb. 12 - Dec.28; 1911, no.1-24, Jan. 15- Nov.18
Began publication in 1908
Microfilm, positive, of negative held by Service International de Microfilms, Paris
NM 0916780 MH

Les Musulmans français et la guerre. Adresses et témoignages de fidélité des chefs musulmans et les personnages religieux. I. Afrique occidentale, II. Algérie et Tunisie, III. Maroc. Paris: E. Leroux, 1914. 5 p.l., (1)10-389 p. 8°. (Revue du monde musulman. v. 29.)
Text in Arabic and in French.
1. Muhammadans, Africa (North). 2. European war, 1914- .—Influence and results, Muhammadan countries.
N. Y. P. L. April 26, 1917.
NM 0916781 NN

Les musulmans un example aux chrétiens...
see under [Urquhart, David] 1805-1877.

Musum, Einar, ed.
Verdalsboka; en bygdebok om Verdal. Trondhjem, Nidaros og Trøndelagens trykkeri, 1930-56.
illus., ports. 23 cm.
Bind 2 A, 3-5.
Vol. 2, "redigert ved ... Johs. Dahl."
Imprint varies slightly.
Contents. - Bind 2 A. Kulturhistorie. - 1956. - Bind 3-5. - Gårds- og slekts-historie.
1. Verdal, Norway. 2. Farms-Norway-Verdal. 3. Verdal, Norway-Genealogy. I. Dahl, Johannes, 1872- ed. II. Title. III. Musum, Einar.
NM 0916784 NN

Z8502 .8 .B5
Musumarra, Carmelo.
Bibliografia leopardiana. Firenze, L. S. Olschki, 1931-

Musumarra, Carmelo.
La prima raccolta di canti popolari siciliani; canti di Comiso raccolti da G. Leopardi Cilia. ₍Catania₎ Università di Catania, Biblioteca della Facoltà di lettere e filosofia, 1948.
93 p. 24 cm. (Università di Catania. Biblioteca della Facoltà di lettere. 2)
"I canti": p. ₍43₎-93.
Bibliographical footnotes.
1. Sicilian ballads and songs. I. Leopardi Cilia, Giuseppe, 1792-1864. II. Title. (Series: Biblioteca della Facoltà di lettere, Università di Catania. 2)
PQ4196.S5M8 A 51-7398
Harvard Univ. Library for Library of Congress ₍1₎†
NM 0916786 MH CtY IEN MiU NIC IaU NN WaSpG DLC

4PQ Sp.-229
Musumarra, Carmelo.
Saggio sulle operette morali di Giacomo Leopardi. Catania, G. Crisafulli [1948]
78 p.
NM 0916787 DLC-P4 NN CU

Musumeci, Angelo.
Sur un cas d'association de sarcome et epitheliome du col de l'uterus; resultats de la curietherapie. Paris, Vigot, 1922.
22p.
NM 0916788 PPC CtY

Musumeci, Cosimo.
La pedagogia kantiana; spiegata agli alunni degli istituti magistrali. Firenze, Bemporad, ₍c1927₎.
150 p.
NM 0916789 PU

MUSUMECI, Francesco.
Un ballo a Dante. Parole e musica. [Roma? 18..?]
obl. 4°. pp.(2). 5.
NM 0916790 MH

VOLUME 403

Musumeci, Giuseppe.
... Conversazione italiana-inglese. Manuale di conversazione inglese ad uso degli italiani. A handbook for learning Italian (for the use of English-speaking people) Palermo, Libreria Agate [1943?]
98 p., 1 l. 18cm.

1. Italian language—Conversation and phrase books. 2. English language—Conversation and phrase books—Italian. I. Title.
45-16134
Library of Congress PC1121.M8 [2] 458.242

NM 0916791 DLC

Musumeci, Mario.
Discorso e componimenti poetici in occasione del ritorno in patria dell' esimio maestro di musica Vincenzo Bellini, recitati nella gran sala della casa comunale di Catania nel 18 marzo 1832. Catania, Nuova tip. dei fratelli Sciuto, 1832.

Musumeci, Mario.
Ragionamento intorno alle sfavorevoli espressioni di Dante per Federico III re de Sicilia, comentate in due articoli del vol. xlv e xlvi dell'Antologia, 1832; opera postuma. Catania, 1864.
25+(1) p. 8°.
In Berlinghieri, D., Notizie delgi Aldobrandeschie...

NM 0916793 RPB

4BX Cath. 698 Musumeci, Ottavio
Ha pianto la Madonna a Siracusa. Siracusa, Marchese arti grafiche, 1954.
333 p.

NM 0916794 DLC-P4 DCU

Musumeci (Pancrazio). Rendiconto statistico delle malattie oculari curate dal 1° gennaro 1872 al 31 decembre 1874. 80 pp. 8°. *Messina, 1875.*

NM 0916795 DNLM

955 Musumeci, Santo Mauro
Parole di poesia. Liriche. Roma, Angelo Signorelli editore [1955]
97 p. 24 cm.

NM 0916796 RPB

Musumeci, Urbino Venerina.
... L'insegnamento del comporre. Vittoria, Stab. tip. popolare, 1916.
24 p. 21cm.

1. Italian language—Composition (and exercises) I. Title.
E 17-510
Library, U. S. Bur. of Education LB1577.I 8M9

NM 0916797 DHEW

Musumeci, Vittorio.
Il valore dei rilievi istologici nella interpretazione e la diagnosi di dermatosi bollose primitive (pemfigo volgare, morbo di Dühring, eritema essudativo multiforme ed epidermolisi bollosa) [Torino] Edizioni Minerva medica [1953]
81 p. illus. 25 cm. (Minerva dermatologica. Collana monografica)
Bibliography: p. 79-81.

1. Skin—Diseases. I. Title.
A 54-1469
Temple Univ. Library for Library of Congress RL231M86 [2]

NM 0916798 PPT DNLM

Musurgia vocalis
see under Nathan, Isaac, 1792-1864.

PA3318 .B85 Musurillo, Herbert Anthony, ed.
Acta Alexandrinorum.
The acts of the pagan martyrs. Acta Alexandrinorum. Edited with commentary by Herbert A. Musurillo. Oxford, Clarendon Press, 1954.

Musuro, Marco
see
Musurus, Marcus, abp. of Malvasia, ca. 1470-1517.

Musuros, Markos
see
Musurus, Marcus, 1470-1517.

Musurus, Konstantinos
see Mousouros, Constantinos.

Musurus, Marcus, abp. of Malvasia, 1470 (ca.)-1517.
Marci Musuri Cretensis Ad Leonem X. Carmen, Platonis operibus ab ipso recognitis, et ab Aldo primum impressis, praefixum. Recensuit, et Latine nunc primum vertit, J.F., n.d.
26 p. 20.5 cm. (Bound with: An essay on the different nature of accent and quantity... by John Foster)

NM 0916804 NcD

Musurus, Marcus. 1470?-1517.
Marci Musuri Cretensis [ad Leonem X. carmen, . . . recensuit, et Latine nunc primum vertit, J[ohn] F[oster].
[Eton. 1762.] 26 pp. 19 cm. No. 2 in 4989.20
Same. (In Foster, J. An essay on . . . accent and quantity . . . 3d edition. Pp. 213-235. London. 1820.) **G.3852.5
The title in this edition is Ad Leonem X. Elegia.

K2265 — Foster, John, King's College, Cambridge, ed. and tr. 1731-1774.

NM 0916805 MB

Munckerus, Philippus, fl. 1680, ed. and tr.
Carmen admirandum in Platonem
see under Musurus, Marcus, abp. of Malvasia, 1470 (ca.)-1517.

MUSURUS, Marcus, abp. of Malvasia, 1470(ca.)-1517.
Carmen admirandum in Platonem; una cum versione Latina, nunc editum a Philippo Munckero. Amstelodami, typis & sumptibus J. Junii, 1676.
4°. pp.(32). 40.
Greek and Latin texts.
MLm 1008.30

NM 0916807 MH

Musurus, Marcus, abp. of Malvasia, 1470 (ca.)-1517, tr.
De Ero & Leandro
see under Musaeus.

Musurus, Marcus, ed.
Deipnosophistou
see under Athenaeus.

Musurus, Marcus, abp. of Malvasia, 1470(ca.)-1517. FOR OTHER EDITIONS SEE MAIN ENTRY
Lactantius, Lucius Caecilius Firmianus.
L. Coelii Lactantii Firmiani Diuinarũ institutionum lib. VII. De ira Dei liber I. De opificio Dei liber I. Epitome in libros suos, liber acephalos.
Carmen de | phœnice. | resurrectione Dominica. | passione Domini.
Omnia ex castigatione Honorati Fasitelij Veneti pristinæ integritati restituta. Lvgdvni, apud Ioannem Tornæsium, & Gul. Gazeium, M. D. LVI.
OTHER EDITIONS UNDER AUTHOR

Musurus, Marcus, abp. of Malvasia, 1470(ca.)-1517, ed.
Epistolae diversorum philosophorum oratorum [et] rhetorum
see under title

Musurus, Marcus, apb. of Malvasia, 1470(ca.)-1517, ed.
Epistolai diaphorōn philosophōn, rhētorōn, sophistōn
see under title

Musurus, Marcus, apb of Malvasia, 1470 (ca.)-1517.
Æsopus.
Aesopi Phrygis Fabvlae graece et latinè, cum alijs opusculis, quorum index proxima refertur pagella. Basileæ, per Ioannem Heruagium, anno M.D.XLIIII.

Musurus, Marcus, abp. of Malvasia, ca. 1470-1517.
The Greek elegiac poem addressed to Leo X
see in Foster, John, 1731-1774.
An essay on the different nature of accent and quantity.

Musurus, Marcus, Abp. of Malvasia, 1470 (ca.)-1517, ed.
Leksikon
see under Hesychius, of Alexandria.

VOLUME 403

Incun. X .M8 Rosenwald Coll.

Musurus, Marcus, Abp. of Malvasia, 1470 (ca)-1517, tr.

Musaeus.

Opusculum de Herone et Leandro. Greek and Latin. Venice, Aldus Manutius, Romanus ₍before Nov. 1495; 1497?₎

Musurus, Marcus, abp. of Malvasia, 1470 (ca.)-1517, ed.

Gregorii Nazanzeni ... Orationes Lectissimae XVI

see under Gregorius Nazianzus, Saint, patriarch of Constantinople.

PA4264 .A2 1516 Rare bk. Coll.

Musurus, Marcus, abp. of Malvasia, 1470 (ca.)-1517.

Pausanias.

Παυσανίας. Pavsanias. ₍*Colophon:* Venetiis, in aedibvs Aldi, et Andreae soceri, mense ivlio. M.D.XVI₎

Musurus pasha, D.C.L.

see Mousouros, Constantinos.

Musurus, Marcus. *Circa* 1470-1517. Praefationes et Graecae et Latinae, Epistolae, Carmen in Platonem. 31 pp. (Hesychius *Alexandrinus, Lexicon,* v. 5, p. 58.)

NM 0916820 MdBP

Musy (A.-J.) * Du pneumothorax dans la fièvre typhoïde. 34 pp., 1 l. 8°. *Paris,* 1900, No. 560.

NM 0916821 DNLM

Musy, Alfred.

L'industrie du sucre de betterave au Canada. Par Alfred Musy... ₍Berthierville?₎ Cie d'imprimerie de Berthier, 1897. 50 p. incl. tables. 12°.

416563A. 1. Sugar, Beet—Stat.—Canada.
N. Y. P. L. June 15, 1929

NM 0916822 NN

Musy, Edmond, 1898-

... Sur un cas de gigantisme avec syndrome surajoute d'acromégalie localisée et fixée ... Alger, 1924.

24 cm.

Thèse - Univ. d'Alger.

NM 0916823 CtY

Musy, Francis.

Le droit formel de l'interdiction dans le canton de Fribourg. Fribourg, 1948.

xiv, 147 p. 23 cm.

Thèse—Fribourg.
Bibliography: p. ₍xi₎-xiii.

1. Interdiction (Civil law)—Fribourg (Canton) I. Title.

50-22129

NM 0916824 DLC NIC

MUSY, JEAN.

...Mouthe, histoire du prieuré et de la terre seigneuriale; neuf bois gravés par Robert Fernier... Pontarlier (Doubs), 1930. 2 v. in 1. illus., plans, plates. 20cm. (Les éditions de la gentiane bleue. [Tome 5.])

Tome 1 is no. 278, tome 2, no. 277 of 300 copies printed. Bibliography at end of each chapter.

608730A. 1. Monasteries—France—Mouthe. I. Fernier, Robert, illustrator. II. Ser.

NM 0916825 NN

Musy, Jean Marie, 1876-

Les bases de l'organisation économique de l'Europe, par Jean-Marie Musy ...

(*In* Hague. Academy of international law. Recueil des cours, 1936, II. Paris, 1936. 24½cm. v. 56, p. ₍531₎-₍583₎ port.)

"Notice biographique": p. ₍533₎

1. Europe—Economic conditions—1918- 2. Economic policy. I. Title.

A 37-683

Carnegie endow. int. peace. Library JX1295.A3A24 v. 56
for Library of Congress [JX74.H3 vol. 56]

₍2₎ (341.082)

NM 0916826 DGW-C

MUSY, JEAN MARIE, 1876-

...Die Schweiz in der gegenwärtigen Krise. Inflation oder Deflation. Olten: O. Walter A.-G., 1932. 32 p. 23cm.

714918A. 1. Inflation and deflation—Switzerland, 1932. 2. Crises and panics, 1929-1932.

NM 0916827 NN MH

MUSY, JEAN MARIE, 1876-

...La Suisse dans la crise actuelle. Inflation ou déflation. Genève: A. Jullien, 1932. 31 p. 23½cm.

At head of title: J.-M. Musy...

642183A. 1. Inflation and deflation—Switzerland. 2. Economic history—Switzerland.

NM 0916828 NN

Musy, Jean Marie, 1876-

... La Suisse devant son destin. Extraits des conférences, données par l'ancien conseiller fédéral Musy à Lausanne, Neuchâtel, Nyon, Fribourg, Orbe, Vevey et Genève, novembre et décembre 1940, janvier et février 1941. Montreux, Imprimerie nouvelle Ch. Corbaz, s. a., 1941.

2 p. l., ₍7₎-132 p. 19½cm.

At head of title: J.-M. Musy.

1. Switzerland—Pol. & govt.—1815- I. Title.

46-29417

Library of Congress DQ69.M8

₍2₎ 949.4

NM 0916829 DLC NcD

Musy (Jules-Joseph). * L'acide salicylique et le salicylate de soude. 52 pp., 1 pl. 4°. *Paris,* 1877, No. 113.

NM 0916830 DNLM

Musy, Louis.

Les incidences économiques de la sécurité sociale. Fribourg, 1954.

155 p. 24 cm.

Thèse—Fribourg.
Bibliography: p. 147-152.

1. Insurance, Social. 2. Public welfare. 3. Full employment policies. I. Title.

HD7091.M87 56-23267

NM 0916831 DLC MH

Musy, Louisa.

Tout ira bien; ₍roman vaudois₎ Lausanne, Spes, ₍1940₎

169 p. 20 cm.

I. Title.

PQ2625.U83T6 843'.9'12 74-189819
MARC

NM 0916832 DLC MB

MUSY, Théobald.

Vergleichende untersuchungen über den einfluss der massage auf das verhalten von tusche im auge. Inaugural-dissertation, Basel, Berlin, S. Karger, 1914.

Plates.

NM 0916833 MBCo MiU CtY

209(900) qUn33pr «no.449»

Musya, Kinkiti

Destructive earthquakes that originated from the Kwansai district (Kyoto-Osaka area) in the past, by K. Musya. «Tokyo?, n.d.» 4,2,«2» l. 30 cm. (U.S. Geological Survey. «Pacific Geological Surveys. Reports, no.449»)

Typewritten ms. (Carbon copy)

Includes bibliography.

1.Earthquakes-Japan. I.Title.

NM 0916834 DI-GS

209(900) qUn33pr «no.446»

Musya, Kinkiti tr.

Recent volcanic activity; miscellaneous Translations by K. Musya. «Tokyo, 1954» 20 l. maps. 30 cm. (U.S. Geological Survey. «Pacific Geological Surveys. Reports, no.446»)

Handwritten ms.

1.Volcanoes-Japan. I.Title.

NM 0916836 DI-GS

209(900) qUn33pr «no.447»

Musya, Kinkiti tr.

Volcano Aso eruption, 1953-1954. Translated by Kinkiti Musya. «Tokyo, 1954?» 9 p. 30 cm. (U.S. Geological Survey. «Pacific Geological Surveys. Reports, no.447»)

Handwritten ms.

1.Volcanoes-Japan. I.Title.

NM 0916837 DI-GS

Muszack, Georg, 1883-

Ueber die Haftung einer Regierung für Schäden, welche Ausländer gelegentlich innerer Unruhen in ihren Landen erlitten haben. Strassburg, 1905.

66 p.

Inaug.-diss. Heidelberg.

Bibl.

NM 0916838 ICRL MH IU CtY RPB

Műszaki Egyetem, *Budapest*

see

Budapest. Műszaki Egyetem.

VOLUME 403

PZ 69 .M8 P6
Muszałówna, Kazimiera.
Pod olimpijskim sztandarem. Wyd. 4. Warszawa, Nakł. Gebethnera i Wolffa [1937]
68 p. illus. 18 cm. (Polska i świat współczesny; bibljoteka młodzieży, 21)

NM 0916840 WU

PZ 69 .M8 Z5
Muszałówna, Kazimiera
Zimowi olimpijczycy, 1936. Warszawa, Nakł. Gebethnera i Wolffa [1936]
103 p. illus. 18 cm. (Polska i świat współczesny; bibljoteka młodziezy, 41)

NM 0916841 WU

HD6664 .P839
Muszalski, Edward, tr.
Price, John, 1901–
... Brytyjskie związki zawodowe, z przedmową Ernesta Bevina; tłumaczył dr. Edward Muszalski ... Londyn, Wydane dla The British council przez The British publishers guild [1943]

Muszalski, Edward.
... Prawo cywilne obowiązujące w b. Królestwie kongresowem; prawo osobowe i familijne, prawo rzeczowe. Zwięzły podręcznik. Warszawa, Nakł. Księgarni F. Hoesicka, 1932.
426 p. 23cm.
"Literatura": p. 17–22.
"Wykaz chronologiczny ustaw i przepisów, pozostających w związku z prawem cywilnem, wzmiankowanych w tej pracy": p. [404]–415.

1. Civil law—Poland. I. Title.

37-25710

NM 0916843 DLC

Muszalski, Edward.
... Rozpoczęcie i wypowiedzenie wojny w prawie państwowem i prawie narodów ... z przedmową prof. dr. Zygmunta Cybichowskiego ... Warszawa, F. Hoesick, 1926.
178 p. 24cm. (Wydawnictwo Seminarjum prawa publicznego Uniwersytetu warszawskiego, nr. 6)
Thesis—Warsaw.
Added t.-p.: Le commencement et la déclaration de guerre en droit constitutionnel et en droit des gens.
"Literatura": p. [13]–20.

1. War, Declaration of. 2. War (International law) I. Title.

CA 31-1027 Unrev'd

Library of Congress JX4552.M8 341.3

NM 0916844 DLC MH-L

MUSZAR, Adam, 1905–
Beitrag zur anatomie und pathologie des hufbeins, insbesondere der hufbeinäste. Inaug.-diss. München, J. Gotteswinter, 1930.
pp. 51. Diagr. and other illustr.
"Lebenslauf", p. 51.
"Literaturverzeichnis", pp. 44–45.
Agric Files

NM 0916845 MH PPWI

Muszka, Antal, 1719–1790, praeses.
Hungary. *Laws, statutes, etc.*
Werböczius illustratus: sive Decretum tripartitum juris consuetudinarii inclyti regni Hungariæ, a magistro Stephano de Werbőcz ... olim compilatum ... nunc primum in paragraphos distinctum, & notis, ac observationibus juridicis ... illustratum ... Tyrnaviæ, typis academicis Societatis Jesu, 1753.

4DK Rus 544
Muszka, Imre
Ott voltunk a nagy Sztálin 70-ik születésnapján, irták: Muszka Imre [et al. Budapest] Magyar-Szovjet Társaság Kiadója új Magyar Könyvkiado [1950]
30 p.

NM 0916847 DLC-P4

Muszkał-Muszkowski, Jan
see
Muszkowski, Jan, 1882–1953.

WB 342 M987t 1923
MUSZKAT, Alexander, 1880–
Technik der Inhalationstherapie. Berlin, Springer, 1923.
iv, 111 p. illus.

NM 0916849 DNLM

Muszkat, Alexander, 1880–
Ueber Huefgelenksresection bei Arthritis deformans. Inaug. diss. Freiburg, 1904. Bibl.

NM 0916850 ICRL

Muszkat (Arthur) [1865–]. * Das Wahrscheinlichkeitsgesetz und seine Störungen in Messungsreihen der rothen Blutkörperchen. 38 pp., 1 l. 8°. *Breslau, P. Schatzky,* 1889.

NM 0916851 DNLM CU

Muszkat, Maks.
רער פארפאלגטער, דראמאטישער עטיוד אין דריי אקטן.
ווארשע, פארלאג "יידיש בוך." 1932 .[Warszawa]
72 p. 19 cm.

I. Title. *Title transliterated:* Der farfolgter.

PJ5129.M8F3 59-57081 ‡

NM 0916852 DLC

Muszkat, Maks.
... La lutte contre la criminalité adolescente dans la législation pénale polonaise contemporaine ... par Maks Muszkat ... Nancy, Imprimerie G. Thomas, 1936.
1 p. l., [5]–112 p. 24½cm.
Thèse—Nancy.
"Bibliographie": p. [109]–110.

1. Criminal law—Poland. 2. Juvenile delinquency—Poland. I. Title.

42-42638

NM 0916853 DLC MH CtY

Muszkat, Marian
see
Mushkat, Marion.

Muszkat, Moritz.
Die Emissions- und Notirungs-Steuer als Ersatz für die beabsichtigte Börsensteuer-Verdoppelung... Berlin, C. Heymann, 1893. 30 p. illus. 21cm.

1. Stock exchange—Taxation—Germany. 2. Securities—Taxation—Germany.

NM 0916855 NN

Z5814 .A24S6
Muszkowski, Jan, 1882–1953.
Skarżyńska, Janina.
Bibljografja oświaty pozaszkolnej (1900–1928), pod redakcją J. Muszkowskiego i H. Radlińskiej w opracowaniu J. Skarżyńskiej. Warszawa, Nakł. Ministerstwa Wyznań Religijnych i Oświecenia Publicznego; Skład główny w Instytucie Oświaty Dorosłych, 1929.

Muszkowski, Jan, 1882–1953
... Bibljoteka ordynacji Krasińskich w latach 1844–1930. Przemówienie wygłoszone w skróceniu na inauguracji nowego gmachu dnia 2-go grudnia 1930 roku. Warszawa, Nakł. Ordynacji Krasińskich, 1930.
21 p. 22½cm.

1. Warsaw. Bibljoteka ordynacji Krasińskich.

34-38133

Library of Congress Z818.W27M9 027.4475

NM 0916857 DLC NN

Muszkowski, Jan, 1882–1953.
Exposition du livre et de la gravure polonaise, nov.-déc. 1925
see under Musée du livre, Brussels.

LF4401 .C5A24
Muszkowski, Jan, 1882–1953, ed.
Warsaw. Uniwersytet.
Kalendarz uniwersytecki. rocz. 1– 1915/16–
Warszawa, F. Hoesick.

Z2521 M991
Muszkowski, Jan, 1882–1953.
... Katedra bibliografji w Szkole głownej warszawskiej. Referat wygłoszony na posiedzeniu Związku bibliotekarzy polskich w dniu 17 lutego 1918 r. Warszawa, E. Wende i spółka [etc., etc.] 1918.
32 p. 20½cm
Bibliographical foot-notes.
1. Bibliography, National- Polish. I. Title.

NM 0916860 CSt-H NN

Muszkowski, Jan, 1882–1953.
Książka polska zagranicą (w językach obcych) literatura, plastyka, muzyka. Le livre polonais à l'étranger (en langues étrangères) littérature, arts, musique, 1900/1933. Wystawa, listopad/grudzień. Exposition, novembre/décembre 1933. Warszawa, Varsovie [Drukarnia narodowa w Krakowie, 1933]

Z2529 .Z88
Muszkowski, Jan, 1882–1953.
Związek bibliotekarzy polskich. *Koło warszawskie.*
... Książka w bibliotece, katalog informacyjny; praca zbiorowa pod redakcją Wandy Dąbrowskiej ze współudziałem Jana Muszkowskiego ... Warszawa, Nakł. Polskiego towarzystwa wydawców książek i Związku księgarzy polskich, 1934.

Muszkowski, Jan, 1882–1953.
... O międzynarodowej statystyce druków. Warszawa, Drukarnia "Rola" J. Buriana, 1926.
15, [1] p. 19½cm.
"Odbitka w 100 egzemplarzach z 'Grafiki polskiej,' rok 1926, zesz. I."

1. Books—Stat. I. Title.

43-20161

Library of Congress Z278.M8

NM 0916863 DLC

VOLUME 403

Muszkowski, Jan, 1882- 1953, ed.

Przewodnik księgarski: wspólny katalog nakładców polskich, firm wydawniczych, władz i urzędów państwowych i komunalnych, instytucyj naukowych, kulturalnych, oświatowych i społecznych, oraz nakładców prywatnych ... Redakcja: dr. Jan Muszkowski ... Warszawa, Druk. W. Łazarskiego [1925-26]

Muszkowski, Jan, 1882-1953.
Spartacus, eine stoffgeschichte ... vorgelegt von Jan Muszkat-Muszkowski ... Leipzig, Gedruckt in der offizin des Xenien-verlags, 1909.
226 p., 1 l. plates. 19½cm.
Inaug.-diss.—Leipzig.
Vita.
"Die umwandlungen, welche der Spartacusstoff in der bearbeitung verschiedener deutscher dichter in ... ca. 130 jahren erfahren hat."
"Literatur": p. [219]-224.

1. German poetry—Hist. & crit. 2. Spartacus, d. B. C. 71.

34-9112

Library of Congress PT509.S7M8 1909 830.9

NM 0916865 DLC CtY PU ICU IU MH

Muszkowski, Jan, 1882-1953.
Spartacus, eine stoffgeschichte, von Jan Muszkat-Muszkowski. Leipzig, Xenien-verlag, 1909.
226 p. plates. 19½cm.
Issued also as inaugural dissertation, Leipzig.
"Die umwandlungen, welche der Spartacusstoff in der bearbeitung verschiedener deutscher dichter in ... ca. 130 jahren erfahren hat."
"Literatur": p. [219]-224.

1. German poetry—Hist. & crit. 2. Spartacus, d. B. C. 71.

34-40982

Library of Congress PT509.S7M8 1909 a 830.9

NM 0916866 DLC NjP

Muszkowski, Jan, 1882-1953.
Sumienie ruchu. Warszawa: E. Wende i Ska. [1912.] 4 p.l., 214 p. 8°.
Author's name at head of title.

1. Essays (Polish). 2. Title.
N. Y. P. L. October 25, 1915.

NM 0916867 NN

Muszkowski, Jan, 1882-1953.
Sur la statistique des imprimés. Par J. Muszkowski (Varsovie) [Genève, Imprimerie A. Kundig, 1931]
[35]-40 p. 26½cm.
Caption title.
Reprinted from the International library committee's Actes, 4me sess. Genève, 1931.

1. Books—Statistics.

44-19974

Library of Congress Z278.M82

NM 0916868 DLC

Muszkowski, Jan, 1882-1953.
Tygodnik illustrowany najstarsza ze współczesnych ilustracyj w Polsce, 1859-1934. Warszawa [Wyd. staraniem Informacji prasowej polskiej] 1935.
78 [1] p. illus. ports. (Half-title: Bibljoteka prasowa polska, zeszyt 10)

NM 0916869 MiD

Muszkowski, Jan, 1882-1953.
...Tygodnik illustrowany; najstarsza ze współczesnych ilustracyj w Polsce, 1859-1934. Warszawa, 1935. 78 p. illus. (incl. ports.) 17cm. (Bibljoteka prasowa polska. Zeszyt 10.)
At head of title: Jan Muszkowski.
"Odbitka z numeru 51/52 Tygodnika illustrowanego z dnia 23 grudnia 1934 r."

890144A. 1. Tygodnik illustrowany. I. Ser.
N. Y. P. L. June 16, 1937

NM 0916870 NN

Muszkowski, Jan, 1882-1953.
Z dziejów firmy Gebethner i Wolff, 1857-1937, opracował Jan Muszkowski. Warszawa, 1938.
3 p. l., 3-86, [2] p. incl. front., ports. illus. (facsims.) plates (incl. ports., facsims.) diagrs., fold. tables. 20½cm.

Tables in cover-pocket.

1. Gebethner & Wolff, firm, publishers, Warsaw.

NM 0916871 NNC CU MH

Z
4
.M9

Muszkowski, Jan, 1882-1953
Życie książki. Warszawa, Naszej Księgarni, 1936.
346 p. 21 cm.

Title and table of contents also in French

1. Books - Hist. 2. Printing - Hist.
I. Title.

NM 0916872 WU

Muszkowski, Jan, 1882-1953.
Życie książki. Wyd. 2. ilustrowane i rozsz. Kraków, Wiedza-Zawód-Kultura, 1951.
467 p. illus., plates, ports., map, facsims. 22 cm.
Bibliographical references included in "Przypisy" (p. [405]-438)

1. Books—Hist. 2. Printing—Hist. I. Title.

Z4.M9 1951 54-37292

NM 0916873 DLC TU MiU IU CLU CSt MH

Muszkowski, Jan Muszkat
see Muszkowski, Jan, 1882-1953.

Muszyńska-Zygmańska, Janina.
...Wielkopolska w powstaniu kościuszkowskim. Poznań, Księgarnia ziem zachodnich, 1947. 189 p. ports., maps. 21cm.
Bibliography, p. 178-181.

1. Poland—Hist.—Second partition, 1793. 2. Kościuszko, Tadeusz Andrzej Bonawentura, 1746-1817.

NM 0916875 NN ICU MH

Muszynski, Carl.
Die terrainlehre in verbindung mit der darstellung, beurtheilung und beschreibung des terrains vom militärischen standpunkte. Von Carl Muszynski ... und Eduard Přihoda ... Mit 21 holzschnitten und einem atlas von XXIX tafeln. Wien, L. W. Seidel & sohn, 1872.
xv, 329, 178, xii p., 1 l. incl. illus., tables. 22½cm.
Pub. in two parts.
—— XXIX tafeln zur Terrainlehre von oberstlieutenant Muszynski und hauptmann Přihoda. Wien, L. W. Seidel & sohn, 1872.
1 p. l., 29 pl. incl. maps. 45 x 32cm.
In pocket; plates numbered I-XIV, XVI-XXX.
1. Military topography. I. Přihoda, Eduard, 1832-1904, joint author.

10-19055-6

Library of Congress UG470.M9

NM 0916876 DLC

Muszyński, Franz.
Der Charakter. Seine Verwurzelung in der menschlichen Natur, sowie seine Ausreifung und Auswirkung im Lichte des christlichen bezw. modernen Idealismus. Paderborn, F. Schöningh, 1910.
1 p.l., 281 p. 8°.

NM 0916877 NN

Muszyński, Franz.
Die Temperamente. Ihre psychologisch begründete Erkenntnis und pädagogische Behandlung. Von Franz Muszyński. Paderborn, F. Schöningh, 1907.
xii, 274 p. 23½cm.

NM 0916878 ICJ NN ICRL

Muszyński, Franz
Unsere Leidenschaften; der Mensch in seinen innern Kämpfen, Siegen und Niederlagen. 2.Aufl., verb. und erheblich erweitert. Paderborn, Schöningh, 1926.
xxiii, 504 p.

NM 0916879 MH

462.82
M97

Muszyński, Jan Kazimierz, 1884-
Dalsze obserwacje nad sztucznym zakażeniem kwitnącego żyta sporyszem. [Warszawa] 1951.
7 p.

1. Rye as culture media. 2. Ergot.

NM 0916880 DNAL

QV
752
qM991f
1954

MUSZYŃSKI, Jan Kazimierz, 1884-
Farmakognozja. Wyd. 2., przejrz. i popr. Warszawa, Państwowy Zakład Wydawn. Lekarskich, 1954.
2 v. in 1. illus.
1. Pharmacognosy

NM 0916881 DNLM

Muszyński, Jan, Kazimierz, 1884- ed.
Farmakopea Polska
see under title

396
M97K

Muszyński, Jan Kazimierz, 1884-
Kolchicyna, jej charakter, własności i działanie. [Łódź? 1946?]
20 p.

1. Colchicine.

NM 0916883 DNAL

71
M97

Muszyński, Jan Kazimierz, 1884-
Początki aptekarstwa i zielarstwa na ziemiach ZSRR. [Warszawa] 1952.
15 p.

1. Herbs.

NM 0916884 DNAL

VOLUME 403

QV 25 M987p 1951
MUSZYŃSKI, Jan Kazimierz, 1884-
Podręcznik do mikroskopowego rozpoznawania surowców leczniczych. Warszawa, Państwowy Zakład Wydawn. Lekarskich, 1951.
331 p. illus.
1. Botany - Medical 2. Pharmacognosy - Laboratory manuals

NM 0916885 DNLM

Arnold Arb.
Muszyński, Jan Kazimierz, 1884-
Roślinne leki ludowe. [Warszawa] Ludowa Spółdzielnia Wydawnicza [1953]
112 p. illus.

NM 0916886 MH

QV 766 M991r 1954
MUSZYŃSKI, Jan Kazimierz, 1884-
Roślinne leki ludowe. [Wyd. 1.] [Warszawa] Ludowa Spółdzielnia Wydawnicza [1954]
112 p. illus.
1. Botany - Medical

NM 0916887 DNLM DNAL

W 6 P3
MUSZYŃSKI, Jan Kazimierz, 1884-
Roślinne leki ludowe. [Wyd. 2.] Warszawa, Ludowa Spółdzielnia Wydawnicza, 1955.
112 p. illus.
1. Botany - Medical

NM 0916888 DNLM

---

396 M97R
Muszyński, Jan Kazimierz, 1884-
Rutyna i surowce pyronowe i pyranowe. [Warszawa?] 1949.
48 p.

1. Pyran. 2. Ruta.

NM 0916889 DNAL

---

396 M97S
Muszyński, Jan Kazimierz, 1884-
Sporysz i próby jego sztucznej hodowli. [Lodz? 1947?]
7 p.

1. Ergot.

NM 0916890 DNAL

QV 766 M991u 1948
MUSZYŃSKI, Jan Kazimierz, 1884-
Uprawa i zbiór roślin leczniczych. Wyd. 2. Łódź, Poligrafika [1948]
146 p.
1. Botany - Medical

NM 0916891 DNLM

---

71 M97W
Muszyński, Jan Kazimierz, 1884-
Widoki i możliwości rozwoju zielarstwa w Polsce. Warszawa, 1937.
18 p.

1. Drug plants. Poland.

NM 0916892 DNAL

QV 766 M991z 1946
MUSZYŃSKI, Jan Kazimierz, 1884-
Ziołolecznictwo i leki roślinne, fytoterapia. Łódź, Poligrafika, 1946.
264 p.
1. Botany - Medical 2. Herbalism

NM 0916893 DNLM DNAL

QV 766 M991z 1949
MUSZYŃSKI, Jan Kazimierz, 1884-
Ziołolecznictwo i leki roślinne, fytoterapia. Wyd. 3., przejrz. i uzupełnione. Łódź, Polska Agencja Wydawnicza [1949]
276 p.
1. Botany - Medical 2. Herbalism

NM 0916894 DNLM ICJ

---

396 M97 Ed.4
Muszyński, Jan Kazimierz, 1884-
Ziołolecznictwo i leki roślinne (fytoterapia). 4. wyd. Warszawa, Ginter [1951]
278 p.

1. Botany, Medical. Poland. 2. Aromatic plants. 3. Medicine. Formulae, receipts, prescriptions. 4. Pharmacy.

NM 0916895 DNAL

QV 766 M991z 1954
MUSZYŃSKI, Jan Kazimierz, 1884-
Ziołolecznictwo i leki roślinne, fitoterapia. Wyd. 5. uzup. Warszawa. Państwowy Zakład Wydawn. Lekarskich, 1954.
196 p.
1. Botany - Medical 2. Herbalism

NM 0916896 DNLM DNAL MiD

QV 766 M991zi 1949
MUSZYŃSKI, Jan Kazimierz, 1884-
Ziołowa apteczka domowa. Łódź, Polska Agencja Wydawnicza [1949]
161 p. illus.
Contains errata slip.
1. Botany - Medical 2. Herbalism

NM 0916897 DNLM

Muszyński, Zbigniew.
Wynalazczość pracownicza w planie sześcioletnim. Warszawa, Państwowe Wydawn. Techniczne [1952]
42 p. illus. 21 cm. (Biblioteka planu sześcioletniego)

1. Poland—Economic policy. I. Title.
HC337.P7M8 55-23424 ‡

NM 0916898 DLC

Muszyński von Arenhort, Oskar.
Militär-topographische beschreibung der Mandschurei. Wien, etc. L. Weiss, 1905.
pp. (4), 103. Map.

Military geog.–Manchuria

NM 0916899 MH

MUT, Conrad.
See MUTIANUS RUFUS, Conrad.

Mut, Antonio
see Mut y Mandilego, Bartolomé Antonio.

Mut, D. W., pseud.
see Dunkel, Werner. [supplement]

Mut, Konrad
see
Mutianus Rufus, Conradus, 1471-1526.

Bonaparte Collection No.4614
MUT, TOMAS.
Entremes d'en Roacó Florit y na Faldó... Palma, Viuda Umbert, 1857.
40p. 16cm.

NM 0916904 ICN

Mut, Vicente, 1614-1687, joint author.

[Dameto, Juan Bautista, 1554-1633.
The ancient and modern history of the Balearick Islands; or of the kingdom of Majorca: which comprehends the islands of Majorca, Minorca, Yviça, Formentera and others. With their natural and geographical description. Translated from the original Spanish. London, Printed for W. Innys, 1716.

Case U 26 .608
MUT, VICENTE, 1614-1687.
Arqvitectvra militar. Primera parte de las fortificaciones regvlares, y irregvlares ... En Mallorca, En la impr. de F. Oliuer, 1664.
[4], 158(i.e.160)p. 3 fold. plans. 21cm.

Imperfect: t.-p. mutilated and mended without loss of text.
Errors in paging: p. 56 and 125 repeated in numbering; p. 79 numbered 97.

NM 0916906 ICN

Mut, Vincente, 1614-1687.
Historia general del reino de Mallorca
see under Dameto, Juan Bautista, 1554-1633.

Mut, Vincente, 1614-1687.
La historia general del reyno balearico
see under Dameto, Juan Bautista, 1554-1633.

4K. 4419
Mut, Vicente, 1614-1687
El principe en la gverra y en la paz; copiado de la vida del Emperador Iustiniano. Madrid, I. Sanchez, 1640.
200 p.

NM 0916909 DLC-P4 MH

VOLUME 403

x B
C5694m
Mut, Vicente, 1614-1687.
Vida de la venerable madre soror Isabel Cifra, fvndadora de la Casa de la Edvcacion de la civdad de Mallorca. Mallorca, La Viuda Piza, 1655.
[12], 136p. 20cm.

1. Cifra, Isabel, Madre, 1467-1542.

NM 0916910 IU

Mut y Mandilego, Bartolomé Antonio.

; Diagnóstico de las enfermedades del corazón ... 2.ed., corr. y aum.

NM 0916911 CU

Mut y Mandilego, Bartolomé Antonio.

*—— ... La enfermera; resumen de los conocimientos más indispensables para la buena asistencia de los enfermos ... 2.ed. compl. refund. Madrid, Hijos de Reus, 1917-18. 3v. 17cm.

Madrid, Hijos de Reus, 1915. 504p. illus., diagrs. 23cm.

NM 0916912 CU

Mut y Mandilego, Bartolomé, Antonio.
Resumen del tratamiento de las enfermadades del corazón. Madrid, Reus, 1920.
274 p.

NM 0916913 PPC

831.08
M992
Mut; Gedichte junger Oesterreicher.
London, Jugend Voran, 1943.
48p. 19cm.

1. German poetry. Austrian authors. 2. Austrian poetry (German) 3. German poetry. 20th cent. Collections

NM 0916914 IEN

Muta, Mario, d. 1636, ed.
Capitula Regni Siciliae
see under Sicily. Laws, statutes, etc.

Muta, Mario, d. 1636. FOR OTHER EDITIONS SEE MAIN ENTRY

Palermo. Laws, statutes, etc.
Commentaria Marii Mvta...in antiqvissimas... S.P.Q.P. consvetvdines, tam a...Alexandro IIII. pont. max. qvam a...hispaniarum regibus confirmatas, & demum ab...Carolo V. imperatore...approbatas. Qvibvs praecise qvamplvra vtrivsqve hesperia, totiusq; Siciliae regni consuetudinum capita concordant, cum summarijs, & addictionibus, ab eodem aucthore factis, & in vnum collectis per Petrum la Muta aucthoris fratrem, & repertorio tù capitum tum etiam materiarum copiosissimo. Ac...regis Ludouici de non renun-

tiandis ipsius consvetvdinibus priuilegio. Panhormi, Sumptibus Francisci de Laurentio, ex Typographia Decij Cyrilli, 1644.

Muta, Mario, d. 1636.
Law

Sicily. Curia regis.
Decisiones novissimae Magnae regiae cvriae, svpremiq. magistratvs regni Siciliae, sedis quidem, nedum criminalis, & ciuilis, sed praeterae causarum delegarum, in qvibvs, praeter nonnvllas fevdales qvaestiones, ac delictorum, beneficiorum, censuum, fideicommissorum, vltimarumq. voluntatum materias, omnes fere quotidianae controuersiae, quae in foro versantur, iuris cum ratione deciduntur, quas ipsarum decisionum exactissime primus indicat elenchus. Nunc primum in lu[ce] editae...Mario Mvta...av-

thore. Cvm svmmariis, ac dvpplici, tvm argvmentorvm, tum materiarum indice locupletissimo. Panormi, apud Io. Baptistam Maringum, 1635.

La Muta di Portici
see under Auber, Daniel François Esprit, 1782-1871.

---

*EC75
A100
777m2
The mutability of human life; or, Memoirs of Adelaide, marchioness of Melville. By a lady. In three volumes ...
London, Printed for J. Bew, in Pater-noster-row. 1777.

12°. 3v. 18cm.

NM 0916921 MH CtY PU

11279
THE| Mutable and wauering e-| ftate of France, from the yeare of our Lord| 1460, vntill the yeare 1595.| The great Battailes of the French Nation, as| well abroad with their forraigne enemies, as| at home among themfelues, in their| ciuill and inteftine warres;| With an ample declaration of the feditious and tre-| cherous practifes of that viperous brood of| Hifpaniolized Leaguers.| Collected out of fundry, both Latine, Italian, and| French Hiftoriogra- ers.| LONDON| Printed by Thomas Creede.| 1597.
[31.142]
Colophon.

Unsigned^2, A^4, B-M^6, N^4. Fo. 25.4x17.7cm.
Title within border of type ornaments.
Stained; wormholed; title-page mended.
Dedicated to Julius Caesar, by the compiler, sig. unsigned 2r.
19th century half calf.

—— —— Another copy.
26.4x18.6cm.

Stained; wormholed; title-page and other leaves mended.
Bookplate of W. T. Smedley.
Cloth.

—— —— Another copy.
24.5x17.8cm.
Stained; title-page mounted.
Bookplates of Caldicote, W. T. Smedley, and

V. Duchataux, 1887; autograph of Wm. Herbert. 18th century half calf.

NM 0916925 DFo

Z944.02
M98
The MUTABLE and wauering estate of France, from the yeare of our Lord 1460 vntill the yeare 1595. The great battailes of the French nation... with an ample declaration of the seditious and trecherous practises of that viperous brood of Hispaniolized leaguers. Collected out of sundry, both Latine, Italian, and French historiographers. London, Printed by T. Creede, 1597.
2 p.l., 148 p. 25cm.

Continued in next column

Continued from preceding column

Title within ornamental border.
Imperfect: much trimmed; part of pagination wanting; several leaves mutilated.
Running title: The mvtabilitie of France.
1. France. History. 1328-1589. I. Title: The mvtabilitie of France.

NM 0916927 MnU CSmH ICN CtY DFo

DQ419
.5
.M8
Mutach, Abraham Friedrich von, 1765-1831.
... Revolutions-geschichte der republik Bern 1789-1815. Herausgegeben von Hans Georg Wirz. Bern und Leipzig, Gotthelf-verlag, 1934.
xxxi, 465, [3] p. incl. geneal. tables. pl., ports. 26cm.
At head of title: A. Friedrich von Mutach.
Half-title: Revolutions-geschichte der republik Bern, verfasst und mit aktenstücken erläutert durch Abraham Friedrich von Mutach ...
Issued on the occasion of the one-hundredth anniversary of the University of Bern. cf. "Zum geleite."
Biography of the author, signed by the editor: p. [vii]-xxii.
"Aktenstücke (vom herausgeber ausgewählt aus den beilagen und der aktensammlung des verfassers und ergänzt durch dokumente des Staatsarchivs und des familienarchivs v. Mülinen in Bern)": p. [424]-446.
"Quellen und literatur": p. [464]-465.
1. Bern (Canton)—History. I. Wirz, Hans Georg, 1885- ed.
A C 35-2255
Title from N. Y. Pub. Libr. Printed by L. C.

NM 0916928 NN MU

Mutach (Alfred) von. Beitrag zur Genese der congenitalen Cystennieren. [Bern.] 43 pp., 2 pl. 8°. *Berlin*, 1895.
Repr. from: Arch. f. path. Anat. [etc.], Berl., 1895, cxlii.

NM 0916929 DNLM

QP321
M98
1910
Mutach, Aloys von
Experimentelle Beiträge über das Verhalten quergestreifter Musculatur nach myoplastischen Operationen. Berlin, L. Schumacher, 1910.
58 p. 1 fold. plate. 23cm.

Thesis-Bern.
Reprinted from Archiv für klinische Chirurgie, Bd. 93.
Bibliography: p. 57-58.

NM 0916930 NNC-M

4K
11284
Mutach, Samuel
Substantzlicher Underricht von Gerichts- und Rechts-Sachen. Worinnen nach dem Methodo der Justinianischen Institutionen, so weit sich hat thun lassen der Statt Bern fürnehmste Justiz-Gesatz und Ordnungen eingebracht werden, auch wo über eine Materi die Bernischen Gesatz keine Meldung thun, kürtzlich beygefügt wird, was die allgemeinen Rechten darüber versehen. Denen so in dem Studio

juridico einen Anfang machen wollen, zu etwelcher Anleitung und Erleichterung, zusammen getragen. Bern, In Verlag dess Author, und zu finden bey D. Tschiffeli, 1709.
227 p.

NM 0916932 DLC-P4 OU

Mutafarrij, ——, ed. and tr.

Tāhir al-Ḥaddād.
... "Notre femme dans la loi et dans la société", traduction analytique de m. Mutafarrij ... Paris, P. Geuthner, 1935.

VOLUME 403

DR 281 D6M98a

Mutafchiev, Petur , 1883-1943.
Die angebliche Einwanderung von Seldschuk-Türken in die Dobrudscha im XII Jahrhundert. София, Печ. Книпеграфъ, 1943.
128 p. map. Българска академия на наукитѣ и изкуства, кн. LXVI - 1)
At foot of title: Peter Mutafčief.

1. Dobrudja - Hist. 2. Turks - Hist. I. Title. II. Series: Bulgarska akademiia na naukitie i izkustvata. Kniga.

NM 0916934 CLU DDO

949.6 M98bFk

Mutafchiev, Petur, 1883-1943.
Bulgares et roumains dans l'histoire des pays danubiens. ⌜Traduction française par Mlle. T. Kirkov⌝ Sofia, Édition G. Danov, 1932.
390p. 21cm.

At head of title: P. Mutafčiev.
Bibliographical footnotes.

1. Bulgarians. 2. Rumanians. 3. Danube Valley--Hist. I. Title.

NM 0916935 IU CSt IaU DDO InU

Mutafchiev, Petur, 1883-1943.
Encore sur Dobrotica. Sofiia, "Grafika", 1931.

11 p.
29565 "Extrait de l'Annuaire de l'Université de Sofia. Faculté historico-philologique. Vol. 27, 1931."

NM 0916936 DDO

DR67 .M8 1943

Mutafchiev, Petŭr, 1883-1943.
Istoriia na bŭlgarskiia narod. ⌜Sofiia⌝ Khemus ⌜1943-1944⌝
2 v. illus., facsims. 22 cm. (His Sŭchineniia, t. 1-2)

Includes bibliographies.
Contents.- t. 1. Purvo bŭlgarsko tsarstvo. 2. izd. - t. 2. Bulgariia pri shishmanovtsi.

1. Bulgaria - Hist. I. Title.

NM 0916937 NjR CSt MH

Mutafchiev, Petŭr, 1883-1943.
История на българския народ. София, Хемус, 1944-48.
2 v. illus., facsims. 21 cm. (*His* Съчинения, т. 1-2)

Vol. 1: 3d ed., 1948; v. 2, 2d ed., 1944.
Vol. 2, in old orthography: "Съ добавка 'България при Шишмановци' отъ Ив. Дуйчевъ."

1. Bulgaria—Hist. I. Dulchev, Ivan. II. Title.
Title transliterated: Istoriia na bŭlgarskiia narod.

DR67.M8 52-25039 rev

NM 0916938 DLC CaBVaU

Mutafchiev, Tsviatko Khr.
По въпроса за анодното окисление на алуминия и неговите сплави. Варна, Фонд научни издания, 1948.
⌜73⌝-77 p. diagr. 23 cm.

Cover title.
Title also in German; summary in German.
Detached from Годишник на Варненския университет, Технически факултет. Том 2, 1946-47.

1. Aluminum. I. Title.
Title transliterated: Po vŭprosa za anodnoto okislenie na aluminiia.

QD181.A4M8 51-36986 rev

NM 0916939 DLC

Mutafchiev, Tsviatko Khr
По въпроса за електрохимическото окисление на етиловия алкохол до оцетна киселина. Варна, Фонд научни издания, 1948.
⌜79⌝-109 p. diagrs. 23 cm.

Cover title.
Title also in German; summary in German.
Detached from Годишник на Варненския университет, Технически факултет. Том 2, 1946-47.

1. Glycols. 2. Oxidation, Electrolytic. I. Title.
Title transliterated: Po vŭprosa za elektrokhimicheskoto okislenie na etiloviia alkokhol.

TP156.O9M8 51-37055

NM 0916940 DLC

Mutafoff, Christo.
Zur geschichte des rechts auf arbeit, mit besonderer rücksicht auf Charles Fourier. Von dr. C. Mutafoff. Bern, K. J. Wyss, 1897.
2 p. l., 142 p. 8°. (Berner beiträge zur geschichte der nationalökonomie. nr. 10)

1-22764

NM 0916941 DLC ICRL CU OU NN ICJ

Mutafova, Fani Popova-
see
Popova-Mutafova, Fani, 1902-

Mutafschieff, Zw
see **Mutafchiev, Tsviatko Khr**

Mutaftschieff, Kiril, 1899-
Untersuchungen ueber das aufschliessen von tricalciumphosphat und ueber die doppelte umsetzung von primaerem calciumphosphat und chlorkalium in waessriger loesung.
Inaug. diss. - Branschweig, 1928.

NM 0916944 ICRL

Mutaguchi, Minoru, 1925- joint author.
Shotokuzei kaigi
see under Ishikawa, Keiichi.

Muṭahhar ibn Ṭāhir al-Maqdisī
see
al-Maqdisī, Muṭahhar ibn Ṭāhir, *fl.* 966.

Muṭahharī, Murtaẓā, ed.
Uṣūl-i falsafah-i ravish-i ri'ālism
see under al-Ṭabāṭabā'ī, Muḥammad Ḥusayn, 1903 or 4-

Mutai, Risaku, 1890-
(Basho no ronrigaku)
場所の論理學 務臺理作著 ⌜東京⌝ 弘文堂書房 ⌜昭和22 i.e. 1947⌝
12, 290 p. 22 cm. (新哲叢書 第4編)

1. Identity (Logic) 2. Negation (Logic) 3. Transcendental logic. 4. Self (Philosophy) I. Title.

BC199.I4M88 71-797529

NM 0916948 DLC

Mutai, Risaku, 1890-
(Gendai rinri shisō no kenkyū)
現代倫理思想の研究 務臺理作著 ⌜東京⌝ 未來社 ⌜1954⌝
299 p. 22 cm.

1. Humanistic ethics—Addresses, essays, lectures. I. Title.

BJ1360.M87 1954 72-803138

NM 0916949 DLC

B29 .G36 Orien Japan

Mutai, Risaku, 1890-
(Gendai tetsugaku no kiso mondai)
現代哲學の基礎問題 務臺理作博士記念論文集 ⌜編者 坂崎侃 東京 弘文堂 昭和26 i. e. 1951⌝

Mutai, Risaku, 1890-
科學·倫理·宗教—人類の幸福のために—務臺理作著 東京 培風館 昭和30 ⌜1955⌝
3, 251 p. 19 cm. (黎明叢書 7)
Bibliography: p. 249-250.

1. Science. 2. Ethics. 3. Religion. I. Title.
Title romanized: Kagaku, rinri, shūkyō.

PL509.M8 J 60-2840
Harvard Univ. Chinese-Japanese Library 1462
for Library of Congress ⌜3⌝†

NM 0916951 MH-HY DLC

B5244 .N56N57 Orien Japan

Mutai, Risaku, 1890- ed.
(Nishida Kitarō)
西田幾多郎 ⌜編著代表·務臺理作等 東京⌝ 大東出版社 ⌜昭和23 i.e. 1948⌝

Mutai, Risaku, 1890-
哲學とはなにか 共同討議·務臺理作⌜等⌝ 弘文堂編集部編 東京 弘文堂 昭和24 ⌜1949⌝
10, 295 p. 19 cm. (現代のシンポジウム)
Colophon inserted.

1. Philosophy—Introductions. I. Title.
Title romanized: Tetsugaku to wa nani ka.

BD28.M8 J 67-925

NM 0916953 DLC

Mutain, François Daniel.
Theses medicae, de natura, usu & abusu caffé ...
see under Le Fèvre, Jean François, praeses.

---

al-Mutalammis al-Ḍuba'ī, Jarīr ibn 'Abd al-Masīḥ, 6th cent.
Die Gedichte des Mutalammis, Arabisch und Deutsch, bearb. von K. Vollers, Leipzig, J. C. Hinrichs; Baltimore, Johns Hopkins Press, 1903.
88 p. 25 cm.
Includes bibliographical references.

I. Vollers, Karl, 1857-1909, ed. II. Title.

PJ7696.M77A6 1903 56-50492

NM 0916955 DLC NjP NN

VOLUME 403

Mutaliyār, A S Muttaiyā
see
Muthiah Mudaliar, A S

Mutaliyār, K Namaccivāya
see
Namaccivāya Mutaliyār, K

Mutaliyār, Kalattūr Vētakiri
see
Vedagiri Mudaliar, Kalattur.

Mutaliyār, Kāñci Nākaliṅka
see
Nagalinga Mudaliar, Kanchi.

Mu'tamar al 'Ālam al-Islāmī, Mecca, 1926.
Congrès du monde musulman à la Mecque
see under Sékaly, Achille.

al-Mu'tamar al-Amīrikī lil-Thaqāfah al-Islāmīyah, *Princeton, N. J., and Washington, D. C., 1953*
see
Colloquium on Islamic Culture in its Relation to the Contemporary World, *Princeton, N. J., and Washington, D. C., 1953.*

al-Mu'tamar al-'Arabī al-Awwal fī Amarīkā. al-Lajnah al-Tanfīdhīyah al-Dā'imah.
[al-Kitāb al-akhḍar. Spanish & Arabic]
الكتاب الاخضر. بوينوس ايرس، المؤتمر العربي الأول في امريكا، اللجنة التنفيذية الدائمة - .19
v. ports. 23 cm.
Cover title.
Added cover title: Primer Congreso Panarábigo en América. Comité Ejecutivo Permanente. Libro verde.
CONTENTS:
2. في مسائل لبنان وسورية وفلسطين. —
1. Syria—Politics and government—Congresses. 2. Lebanon—Politics and government—Congresses. 3. Palestine—Politics and government—1929-1948—Congresses. I. Title. II. Title: Libro verde.
DS63.M817 73-206565

NM 0916962 DLC

al-Mu'tamar al-'Arabī, *1st, Paris, 1913.*
المؤتمر العربى الأول المنعقد فى القاعة الكبرى للجمعية الجغرافية بشارع سن جرمن فى باريس من يوم الاربعاء ١٣ رجب سنة ١٨/١٣٣١ حزيران سنة ١٩١٣ الى يوم الاثنين ١٨ رجب سنة ٢٣/١٣٣١ حزيران سنة ١٩١٣. صدر عن اللجنة العليا لحزب اللامركزية بمصر. مصر، مطبعة البوسفور، 1913.
221, 5 p. ports. 25 cm.
Arabic or French.
1. Nationalism—Arab countries—Congresses. I. Ḥizb al-Lāmarkazīyah. al-Lajnah al-'Ulyā. II. Title.
Title romanized: al-Mu'tamar al-'Arabī al-awwal.
DS63.6.M87 1913 N E 68-3432

NM 0916963 DLC ICU

al-Mu'tamar al-'Arabī al-Awwal fī Amarīkā. al-Lajnah al-Tanfīdhīyah al-Dā'imah.
Libro verde
see its
al-Kitāb al-akhḍar.

al-Mu'tamar al-'Arabī al-Qawmī, Blūdān, Syria, 1937.
المؤتمر العربي القومي في بلودان، ١٩٣٧. عني بجمعه وتدقيقه فؤاد خليل مفرج. دمشق، المكتب العربي القومي للدعاية والنشر [يطلب من مكتبة عرفة بدمشق] 1937؟
5, 187 p. illus. 25 cm.
1. Palestine—Politics and government—1929-1948—Congresses. I. Mufarrij, Fu'ād Khalīl, ed. II. Title.
Title romanized: al-Mu'tamar al-'Arabī al-Qawmī fī Blūdān.
DS126.M83 72-225611

NM 0916965 DLC

Mu'tamar al-Āthār fī al-Bilād al-'Arabīyah, *Damascus, 1947.*
مؤتمر الآثار فى البلاد العربية المنعقد فى دمشق، صيف ١٩٤٧. القاهرة، مطبعة جامعة فؤاد الأول، ١٩٤٨ [1948]
4, 259 p. plates, ports. 25 cm.
At head of title: جامعة الدول العربية. الادارة الثقافية
1. Near East—Antiq.—Congresses. I. League of Arab States. al-Idārah al-Thaqāfīyah.
Title transliterated: Mu'tamar al-Āthār fī al-Bilād al-'Arabīyah.
DS56.M86 1947 59-36723

NM 0916966 DLC

Mu'tamar al-Batrūl al-'Arabī
see
Arab Petroleum Congress.

Mu'tamar al-Bitrūl al-'Arabī
see
Arab Petroleum Congress.

Mu'tamar al-Idārah al-'Āmmah al-'Arabī, *1st, Beirut, 1954.*
مؤتمر الادارة العامة العربي ١٩٥٤، برعاية دائرة الادارة العامة في الجامعة الاميركية في بيروت. [بيروت 1955؟]
68, 19 p. 24 cm.
Added t. p.: Arab Public Administration Conference 1954.
Arabic or English.
1. Arab countries—Politics—Conferences. I. American University of Beirut. Dept. of Public Administration.
Title romanized: Mu'tamar al-Idārah al-'Āmmah al-'Arabī 1954.
JQ1850.A55 1954 77-244537

NM 0916969 DLC DS MH OU

Mu'tamar al-Idārah al-'Āmmah al-'Arabī. *2d, Cairo, 1955.*
مؤتمر الادارة العامة العربى، القاهرة، ١٩٥٥. [بيروت، مطابع دار الكشاف، ١٩٥٥ ؟ 1955؟]
55 p.; 19 p. 25 cm.
Added t. p.: Arab Public Administration Conference, Cairo, 1955.
1. Near East—Politics—Congresses.
Title transliterated: Mu'tamar al-Idārah al-'Āmmah al-'Arabī, al-Qāhirah, 1955.
JN1758.M8 1955 59-49549

NM 0916970 DLC

al-Mu'tamar al-'Ilmī al-'Arabī. *1st, Alexandria, 1953.*
The First Arab Science Congress, Alexandria, 1-8 September 1953, Egypt. [Giza?] Cairo University Press, 1955.
280 p. illus., diagrs., tables. 24 cm.
Includes bibliographies.
1. Science—Congresses.
Q101.M8 1953 N E 62-1740 rev

NM 0916971 DLC CU OrPS MiU ViU CLSU NSyU

al-Mu'tamar al-'Ilmī al-'Arabī, *2d, Cairo, 1955.*
المؤتمر العلمي العربي الثاني، ٥-١٢ سبتمبر ١٩٥٥، القاهرة: مصطلحات المواد الاجتماعية: التاريخ، الجغرافيا، الفلسفة، التربية. [القاهرة] جامعة الدول العربية، الادارة الثقافية [1955؟]
146 p. 15 x 22 cm.
Cover title.
English-Arabic.
1. Arabic language—Glossaries, vocabularies, etc. I. Title. II. Title: Muṣṭalaḥāt al-mawādd al-ijtimā'īyah.
Title romanized: al-Mu'tamar al-'Ilmī al-'Arabī al-Thānī.
PJ6680.M8 1955 N E 68-3508

NM 0916972 DLC

Mu'tamar al-Iqtiṣād al-Zirā'ī, 1st, Cairo, 1952.
(Buḥūth wa-tawṣīyāt)
بحوث وتوصيات مؤتمر الاقتصاد الزراعى الأول المنعقد بدار الجمعية الملكية للاقتصاد السياسى والتشريع والاحصاء بالقاهرة، فى المدة من ٢٤ الى ٢٨ مارس ١٩٥٢. المشاكل الاقتصادية والاجتماعية الريفية الكبرى فى مصر. القاهرة، مكتبة الانجلو المصرية، 1952.
243 p. group port. 24 cm.
Organized by al-Jam'īyah al-Miṣrīyah lil-Iqtiṣād al-Zirā'ī.
Includes bibliographies.
1. Agriculture—Economic aspects—Egypt—Addresses, essays, lectures. I. al-Jam'īyah al-Miṣrīyah lil-Iqtiṣād al-Zirā'ī. II. Title.
HD2123 1952.M87 73-211857

NM 0916973 DLC

al-Mu'tamar al-Iqtiṣādī, *1st, Cairo, 1946.*
المؤتمر الاقتصادى الأول المشمول بالرعاية الملكية السامية بالقاهرة، ١٨ - ٢١ ابريل سنة ١٩٤٦. [القاهرة، نادى التجارة الملكى 1946]
[12] v. in 1. 28 cm.
CONTENTS.—العلاقات الاقتصادية بين الدول العربية — سياسة الاقتصاد الزراعى — السياسة الصناعية — سياسة النقل — السياسة التجارية والجمركية — الاهداف القومية للضرائب — شئون التعاون — السياسة المالية العامة — الروابط الاقتصادية بالسودان — السياسة النقدية — سياسة التعليم الفنى فى مصر — رفع مستوى المعيشة.
1. Arab countries—Economic policy—Congresses. I. Title.
Title romanized: al-Mu'tamar al-Iqtiṣādī al-Awwal.
HC498.M76 1946 N E 68-3634

NM 0916974 DLC

al-Mu'tamar al-Islāmī
see
Islamic Congress.

Mu'tamar al Khilāfah, Cairo, 1926.
Congrès général islamique du Khalifat
see under Sékaly, Achille.

Mu'tamar al-Maghrib al-'Arabī, *1st, Cairo, 1947.*
مؤتمر المغرب العربى المنعقد بالقاهرة من ١٥ الى ٢٢ فبراير سنة ١٩٤٧. [القاهرة] مكتب المغرب العربى [1947]
76 p. illus. 21 cm.
1. Africa, North—Politics.
Title romanized: Mu'tamar al-Maghrib al-'Arabī.
DT177.M8 1947 N E 68-1761

NM 0916977 DLC

Mu'tamar al-Mūsīkā al-'Arabīyah, *Cairo, 1932.*
Recueil des travaux du Congrès de musique arabe qui s'est tenu au Caire en 1932 (hég. 1350) sous le haut patronage de S. M. Fovad Ier, roi d'Égypte. Le Caire, Impr. nationale, Boulac, 1934.
xii, 711 p. plates (1 col.) ports. 28 cm.
At head of title: Royaume d'Égypte. Ministère de l'instruction publique.
Contributions in French or Arabic.
Includes music.
1. Music—Congresses. 2. Folk-music, Arabic—Hist. & crit. 3. Folk-music, Arabic. I. Egypt. Wizārat al-Tarbiyah wa-al-Ta'līm.
ML37.A7M8 58-53909

NM 0916978 DLC DDO ICU

VOLUME 403

al-Mu'tamar al-Nisā'ī al-Sharqī, *Cairo, 1938.*
المرأة العربية وقضية فلسطين : المؤتمر النسائى الشرقى المنعقد بدار جمعية الاتحاد النسائى المصرى بالقاهرة من ١٥ الى ١٨ اكتوبر سنة ١٩٣٨ للدفاع عن فلسطين. مصر، المطبعة العصرية، [1938]
285 p. illus., facsims., ports. 28 cm.

1. Palestine—Politics and government—Congresses. I. al-Ittiḥād al-Nisā'ī al-Miṣrī. II. Title.
Title romanized: al-Mar'ah al-'Arabīyah wa-qaḍīyat Filasṭīn.

DS126.M85 75-235873

NM 0916979 DLC

---

al-Mu'tamar al-Qawmī al-'Arabī, Blūdān, Syria, 1937
see
al-Mu'tamar al-'Arabī al-Qawmī, Blūdān, Syria, 1937

---

al-Mu'tamar al-Sūrī al-Filasṭīnī. *Executive Committee*
see
al-Mu'tamar al-Sūrī al-Filasṭīnī. *al-Lajnah al-Tanfīdhīyah bi-Miṣr.*

---

al-Mu'tamar al-Sūrī al-Filasṭīnī. *al-Lajnah al-Tanfīdhīyah bi-Miṣr.*
الهياج السياسى فى سورية فى شهر ابريل/نيسان سنة ١٩٢٢ وما قيل فيها. مصر، المؤتمر السورى الفلسطينى، اللجنة التنفيذية بمصر، [1922?]
56 p. 26 cm. (Its 1 (النشرة))

1. Syria—Politics and government. I. Title. (Series: al-Mu'tamar al-Sūrī al-Filasṭīnī. al-Lajnah al-Tanfīdhīyah bi-Miṣr. al-Nashrah, 1)
Title romanized: al-Hiyāj al-siyāsī fī Sūrīyah.

DS98.M9 no. 1 78-238029

NM 0916982 DLC

---

al-Mu'tamar al-Sūrī al-Filasṭīnī. *al-Lajnah al-Tanfīdhīyah bi-Miṣr.*
النشرة. -1.
مصر، المؤتمر السورى الفلسطينى، اللجنة التنفيذية بمصر، [1922?-
v. 26 cm.

1. Syria—Politics and government. 2. Palestine—Politics and government.
Title romanized: al-Nashrah.

DS98.M9 77-239015

NM 0916983 DLC

---

al-Mu'tamar al-Thaqāfī al-'Arabī.
المؤتمر الثقافى العربى. الاعمال. المؤتمر الاول- ١٩٤٧-
القاهرة، مطبعة لجنة التاليف والترجمة والنشر.
v. in 24 cm.
Began publication with proceedings of the first congress, 1947.
Sponsored by جامعة الدول العربية، الادارة الثقافية
Proceedings of the first conference issued in 2 parts.

1. Education—Arab countries—Congresses. I. League of Arab States. al-Idārah al-Thaqāfīyah.
Title transliterated: al-Mu'tamar al-Thaqāfī al-'Arabī.

L107.M8 N E 63-1185

NM 0916984 DLC UU NSyU

---

al-Mu'tamar al-Thaqāfī al-'Arabī. *1st, Beit Meri, Lebanon, 1947.*
المواد الاجتماعية: تقرير الجغرافيا، تقرير التربية الوطنية، تقرير التاريخ. القاهرة، جامعة الدول العربية، الامانة العامة، 1947.
74 p. 25 cm.

1. Education—Arab countries—Congresses. I. League of Arab States. al-Amānah al-'Āmmah. II. Title.
Title romanized: al-Mawādd al-ijtimā'īyah.

L107.M812 1947 N E 68-3157

NM 0916985 DLC

---

al-Mu'tamar al-Waṭanī al-'Āmm li-Jam'īyāt al-Ābā wa-al-Mudarrisīn
see
National Congress of Parents and Teachers.

Mu'tamar Asālīb al-Tarbiyah al-Ḥadīthah, *Cairo, 1945.*
مؤتمر اساليب التربية الحديثة، فبراير ١٩٤٥: بحوث المؤتمر وقراراته. القاهرة، رابطة خريجى معهد التربية [1946?]
237 p. 22 cm.

1. Teaching—Congresses. I. Rābiṭat Khirrījī Ma'had al-Tarbiyah. II. Title: Buḥūth al-Mu'tamar wa-qarārātuh.
Title romanized: Mu'tamar Asālīb al-Tarbiyah al-Ḥadīthah.

L106 1945.C35 72-248950

NM 0916987 DLC

Mu'tamar Bulūdān, 1937
see
al-Mu'tamar al-'Arabī al-Qawmī, Blūdān, Syria, 1937.

Mu'tamar li-Baḥth Tadrīs al-'Ulūm, Cairo, 1941
see
Mu'tamar Tadrīs al-'Ulūm, Cairo, 1941.

---

al-Mu'tamar li-Ṭalabat Shamāl Ifrīqiyā al-Muslimīn
see
Mu'tamar Ṭalabat Shamāl Ifrīqiyā al-Muslimīn.

---

al-Mu'tamar lil-Āthār fī al-Bilād al-'Arabīyah.
المؤتمر للآثار فى البلاد العربية. اعمال المؤتمر الاول- ١٩٤٧-
القاهرة، جامعة الدول العربية، الادارة الثقافية.
v. illus., plates, maps. 25 cm.
Began publication with vol. for the first congress, held at Damascus in 1947.

1. Arab countries—Antiq.—Congresses. I. League of Arab States. al-Idārah al-Thaqāfīyah.
Title transliterated: al-Mu'tamar lil-Āthār.

DS56.M86 N E 62-1699

NM 0916991 DLC

Mu'tamar lil-Thaqāfah al-Islāmīyah, *Princeton, N. J., and Washington, D. C., 1953*
see
Colloquium on Islamic Culture in its Relation to the Contemporary World, *Princeton, N. J., and Washington, D. C., 1953.*

Mu'tamar Tadrīs al-'Ulūm, Cairo, 1941.
مؤتمر تدريس العلوم، بحوثه، قراراته. القاهرة، مطبعة لجنة التاليف والترجمة والنشر، 1942.
15, 203 p. 31 cm.
At head of title: رابطة التربية الحديثة
Includes bibliographical references.

1. Science—Study and teaching (Secondary)—Addresses, essays, lectures. I. Rābiṭat al-Tarbiyah al-Ḥadīthah.
Title romanized: Mu'tamar Tadrīs al-'Ulūm.

Q181.M94 1941 73-208406

NM 0916993 DLC

Mu'tamar Ṭalabat Shamāl Ifrīqiyā al-Muslimīn, 1st, Tunis, 1931.
(Nashrat maḥāḍir jalasāt Mu'tamar Ṭalabat Shamāl Ifrīqiyā al-Muslimīn)
نشرة محاضر جلسات مؤتمر طلبة شمال افريقيا المسلمين، تونس سنة ١٩٣١. تونس، المطبعة الاهلية، [1931?]
123 p. illus. 25 cm.
At head of title: جمعية طلبة شمال افريقيا المسلمين بفرنسا

1. Education—Africa, North—Congresses. I. Jam'īyat Ṭalabat Shamāl Ifrīqiyā al-Muslimīn bi-Faransā. II. Title.

LA1501.M86 1931 73-221235

NM 0916994 DLC

Mutamenti governativi nella città di Pesaro.
see under [Bertuccioli, Luigi]

---

al-Mu'tamid, *king of Seville,* 1039–1095.
The poems of Mu'tamid, king of Seville, rendered into English verse by Dulcie Lawrence Smith, with an introduction ... London, J. Murray, 1915.
60 p. 17cm. (*Half-title:* The wisdom of the East series, ed. by L. Cranmer-Byng [and] Dr. S. Kapadia)

I. Smith, Dulcie Lawrence, tr.

Library of Congress PJ7741.M8A26 15—22731

PBm MB NN OrCS
NM 0916996 DLC CLSU IU CU DGU CU OO OCl NcD PU

---

al-Mu'tamid, king of Seville, 1039–1095.

García Gómez, Emilio, 1905– *ed. and tr.*
... Qasidas de Andalucía, puestas en verso castellano. Madrid [Plutarco, talleres gráficos] 1940.

---

al-Mu'tamid 'alá Allāh, King of Seville
see
al-Mu'tamid, King of Seville, 1039–1095.

---

al-Mu'tamid ibn 'Abbād, King of Seville
see
al-Mu'tamid, King of Seville, 1039–1095.

2272 .695 .323 al-Mutanabbi, Abu-al-Ṭayyib Aḥmad ibn-al-Ḥusayn, 915 or 16-965.
Carmen Abu'ltajjib Ahmed ben Alhosain Almotenabbii, quo laudat Alhosainum Benjshak Altanuchitam... cum scholiis edidit, latine vertit... Antonius Horst. Bonnae, Typis regiis arabicis in officina Thormanni, 1823.
55 p. 28 cm.

NM 0917000 NjP TxDaM OCl PU NjP

---

al-Mutanabbī, Abū al-Ṭayyib Aḥmad ibn al-Ḥusayn, 915 *or* 16–965.
Mutanabbii carmina cum commentario Wāḥidii, ex libris manu scriptis qui Vindobonae, Gothae, Lugduni Batavorum atque Berolini asservantur, primum edidit, indicibus instruxit, varias lectiones adnotavit Fr. Dieterici. Berolini, E. S. Mittler, 1861.
2 v. (xiii, 879 p.) 27 cm.
Added t. p.: ديوان ابى الطيب المتنبى، وفى اثناء متنه شرح الامام العلامة الواحدى، واربعة فهارس تاليف فريدرخ ديتريصى.

I. al-Wāḥidī, 'Alī ibn Aḥmad, d. 1075 or 6. II. Dieterici, Friedrich Heinrich, 1821–1903, ed. III. Title: Dīwān.

PJ7750.M8A6 1861 For locations see Un 60-35234

ICU NcD MH
NM 0917001 DLC MB CtY OCl NNU PU PPDrop ICN MiU CU

VOLUME 403

al-Mutanabbī, Abū al-Ṭayyib Aḥmad ibn al-Ḥusayn, 915 or 16–965.
[Dīwān]
كتاب العرف الطيب في شرح ديوان ابي الطيـــب ، لناصيف اليازجي اللبنانـــي. بيروت ، مطبعـــة القديس جاورجيوس .1882 [i. e. 1887]

712 p. 22 cm.

Text of the diwan is vocalized.

I. al-Yāzijī, Nāṣīf, 1800–1871. II. Title: al-'Arf al-ṭayyib fī sharḥ Dīwān Abī al-Ṭayyib.

Title romanized: Kitāb al-'arf al-ṭayyib fī sharḥ Dīwān Abī al-Ṭayyib.

PJ7750.M8A6 1887 74–235944

NM 0917002 DLC

---

al-Mutanabbī, Abū al-Ṭayyib Aḥmad ibn al-Ḥusayn, 915 *or* 16–965.
Der Dîwân des Motenebbi nach der Ausgabe 'Okbarî (Bûlaq 1287) <mit Vergleichung der edd. Jazydjy (Beyrouth) und Wâhîdî (Berlin).> Stuttgart, 1940–
v. port. 25 cm. (Beiträge zur arabischen Poësie (Übersetzungen, Kritiken und Aufsätze) [von Oskar Rescher] 3–
German translation, including 'Ukbarī's commentary, by Oskar Rescher.
"Ein Nachruf auf Hoca İsmail Efendi" (v. 1, p. i–v) signed: O. Y. R. [i. e. Oskar Y. Rescher]
Bibliographical foot-notes.
CONTENTS.—t. 1. Qâfije Alif-Râ'.
1. İsmail, Efendi, d. 1939? I. al-'Ukbarī, 'Abd Allāh ibn al-Ḥusayn, 1143 or 4–1219. II. Rescher, Oskar, 1883– ed. and tr. III. Title.
PJ7750.M8D54 892.71 44–53580 rev 2*

NM 0917003 DLC

---

al-Mutanabbi, Abu al-Tayyib Ahmad ibn al-Husayn, 915 or 16-965.
Extraits du Diwan d'Abou't tayyb Ahmed ben-Hosain Almotenabby.
(In Grangeret de Lagrange, J. B. A., editor and translator. Anthologie arabe. Pp. 1–24; 3–43. [Paris.] 1828.)

K5186 — Arabia. Lang. Works in Arabic.

NM 0917004 MB

PJ7750
M8A45
1824

al-Mutanabbi, Abu al-Tayyib Ahmad ibn al-Husayn, 915 or 6-965.
Motenebbi, der grösste arabische Dichter. Zum ersten Mahle ganz übers. von Joseph von Hammer. Wien, J.G.Heubner, 1824.
lvi,427 p. 22cm.

I.Hammer-Purgstall, Josef, Freiherr von, 1774-1856, tr.

NM 0917005 CSt PU OCl MH NNU WU NNC OCU ICU

---

al-Mutanabbī, Abū al-Ṭayyib Aḥmad ibn al-Ḥusayn, 915 or 16-965.
... Al Mutanabbi; recueil publié à l'occasion de son millénaire
see under Damascus. Institut français.

2272
.695
.1765

al-Mutanabbī, Abū-al-Ṭayyib Aḥmad ibn al-Ḥusayn, 915-965.
Proben der arabischen Dichtkunst in verliebten und traurigen Gedichten, aus dem Motanabbi, Arabisch und Deutsch, nebst Anmerkungen. Leipzig, 1765.
94 p. 21 cm.

Dedication signed: Johann Jacob Reiske.

NM 0917006 NjP ICU PU OCl CU

---

al-Mutanabbī, Abū al-Ṭayyib Aḥmad ibn al-Ḥusayn, 915 or 16-965.
Proben aus Motenebbi
see under Hammer-Purgstall, Joseph, freiherr von, 1774-1856.

---

al-Mutanabbī, Abū al-Ṭayyib Aḥmad ibn al-Ḥusayn, 915 *or* 16–965.
Rubyiat [i. e. Rubiyat] of Abu-Tayb-al-Mutanabi translated into English verse by Amin Beder, el-Schweirie. [St. Petersburg, Fla., P. K. Smith] ©1945.

79 p. port. 21 cm.

At head of title: ابو الطيب المتنبى
"The biography of Abu-Tayb al-Mutanabbi, by Amin Beder": p. 9-21.
"Intaha" (p. 76–79) includes poems by the translator.

I. Beder, Amin, ed. and tr. II. Title: Rubiyat.

PJ7750.M8R83 892.71 45–20936 rev 3*

NM 0917008 DLC MiU

---

al-Mutanabbī, Abū al-Ṭayyib Aḥmad ibn al-Ḥusayn, 915 *or* 16–965.
شرح ديوان المتنبى، وضعه عبد الرحمن البرقوقى. الطبعة الثانية. مصر، المكتبة التجارية الكبرى، ١٣٥٧–
/١٩٣٨– [1938–

v. 25 cm.
Includes bibliographical references.
CONTENTS.— الجزء الاول: سيرة المتنبى. شراح المتنبى. قافية الهمزة – قافية الدال —

I. al-Barqūqī, 'Abd al-Raḥmān, ed.
Title transliterated: Sharḥ dīwān al-Mutanabbī.

PJ7745.M85 1938 59–44143

NM 0917009 DLC

---

al-Mutanabbi, Ahmad ibn al-Husain, called
see
al-Mutanabbi, Abu al-Tayyib Ahmad ibn Husayn,915 or 16-965.

... Al Mutanabbi; recueil publié à l'occasion de son millénaire
see under Damascus. Institut français.

Mutaner, Ramon.
Chronica del rey don Iaume. Barcelona, Iaume Cortey, 1562.
Salvá 3076.

NM 0917012 NNH

Mutantur, Tempora.
The Millenium; or, the American consummation of equality. n. p., 1870.

20 p.

NM 0917013 PHi

---

al-Muṭarrizī, Nāṣir ibn 'Abd al-Sayyid, 1144–1213.
كتاب المغرب فى ترتيب المعرب، لابى الفتح ناصر بن عبد السيد بن على المطرزى الفقيه الحنفى الخوارزمى. الطبعة الاولى. حيدرآباد الدكن، مطبعة مجلس دائرة المعارف النظامية، ١٣٢٨.
[1910]

2 v. in 1. 26 cm.

1. Arabic language—Dictionaries. I. Title: al-Mughrib fī tartīb al-mu'rib.
Title transliterated: Kitāb al-mughrib.

PJ6620.M88 60–25474

NM 0917014 DLC

Mutart, Marie.

North Carolina. *Office of the superintendent of public instruction.*
... Home series ... Raleigh, N. C., State superintendent of public instruction, 1939–40.

MUTART, MARIE
Our home, our family, our friends; twenty reading lessons for adult students. Raleigh, N. Carolina, State supt. of pub. inst., 1939.
23 p. (North Carolina - Public instruction, Dept. of. Publication no.214)

By Marie Mutart and M. C. Moore.

NM 0917016 Or

581.1592
M992

Mutation research in plants; dedicated to the memory of Herman Nilsson-Ehle. [Contributions by Åke Gustafsson and others. Stockholm, 1954]
[359]-642p. illus. (Acta agriculturae Scandinavica, v.4:3)

Includes bibliographies.

1. Botany - Variation. I. Nilsson-Ehle, Herman, 1873-1949. II. Gustafson, Åke, 1919- III. ser. x: Ehle, Herman Nilsson, 1873-1949

NM 0917017 FTaSU OU RPB

---

al-Mutawakkil, Caliph, 821-861.

'Alī ibn Sahl Rabban, *al-Ṭabarī, 9th cent.*
The book of religion and empire, a semi-official defence and exposition of Islam, written by order at the court and with the assistance of the Caliph Mutawakkil (A. D. 847–861) by Ali Tabari. Arabic text edited from an apparently unique ms. in the John Rylands Library, Manchester. By A. Mingana. Manchester, University Press; New York, Longmans, Green, 1923.

The Mutawakkilī
see under al-Suyūṭī, 1445-1505.

Mutatus Polemo. The horrible stratagems of the Jesuits, lately practised in England, during the civil wars, and now discovered by a reclaimed Romanist; imployed before as a workman of the mission from His Holiness. Wherein the royalist may see himself outwitted and forlorn, while the Presbyterian is closed with, and all to draw on the holy cause ... Also a discovery of a plot laid for a speedy invasion. By A. B., novice ... Published by special command. London, Printed for R. White, 1650.
4 p. l., 39, 33–40 p. 19½cm. [*With* Goad, Thomas, supposed author. The friers chronicle. London, 1623]
"Epilogue to the author": p. 33–40 at end.
1. Jesuits—Controversial literature. I. B., A., novice. II. A. B., novice.
[r45b2] 6–17176 Revised
Library of Congress BX2439.A1T7 no. 1

NM 0917020 DLC CLU-C MnU CU-L MH CtY ICN

Mutatus Polemo. The horrible stratagems of the Jesuits, lately practised in England, during the civil-wars, and now discovered by a reclaimed Romanist: imployed before as a workman of the mission from His Holiness. ... Also a discovery of a plot laid for a speedy invasion. By A. B., novice. ... London, Pr. for Robert White, 1650.

1 reel.
Film reproduction of item 23, v. 229, of the Sutro collection of tracts.

I. A. B., novice. II. Title.
Gerould: 2215.
Thomason, I: 811.

NM 0917021 CSmH CtY MHi NNUT-Mc

Mutawallī, 'Abd al-Ḥamīd.
محاضرات عن مشكلة اصلاح نظام الانتخاب فى مصر، القاها عبد الحميد متولى. القاهرة، دار النشر للجامعات المصرية، 1953.

55 p. 24 cm.

1. Election law—Egypt. I. Title.
Title transliterated: Muḥāḍarāt 'an mushkilat iṣlāḥ niẓām al-intikhāb.

N E 65–1760

NM 0917022 DLC

---

al-Mutawallī, Badr
see
'Abd al-Bāsiṭ, Badr al-Mutawallī

VOLUME 403

al-Mutawallī, Muḥammad ibn Aḥmad, *d.* 1895 *or* 6.
فتح المعطى وغنية المقرى فى شرح مقدمة ورش المصرى، تأليف محمد بن أحمد بن عبد الله الضرير الشهير بالمتولى. راجعه وحققه وكتب مقدمته زيدان أبو المكارم حسن. الطبعة الأولى.
[مصر، مكتبة القاهرة] ١٩٤٧/١٣٦٧ [1947]
16, 175 p. 22 cm.
Cover title.
1. Warsh al-Miṣrī, ʻUthmān ibn Saʻīd, 728 or 9–812 or 13. 2. Koran—Criticism, interpretation, etc. I. Zaydān Abū al-Makārim Ḥasan, ed. II. Title.
Title transliterated: Fatḥ al-muʻṭī wa-ghunyat al-muqrī.
BP130.1.W3M8 60–34371

NM 0917024 DLC NNC

---

al-Mutawwakil ʻalá Allāh, Jaʻfar, Caliph
see
al-Mutawakkil, Caliph, 821-861.

Die Mu' taziliten oder die freidenker im Islâm
see under Steiner, Heinrich, 1841-1889.

MUTCH, Alexander.
Robert Burns from a soldier's standpoint. Aberdeen, The Rosemount press, 1915.
pp.22. Port.
Title taken from cover.

NM 0917027 MH CaBVaU

Mutch, Andrew.
"Pro ecclesia et pro Patria." Giving sermon preached in the Bryn Mawr Pres. Ch. April 21, 1918.
n.p. 1918.
(pam)

NM 0917028 PPPrHi

HD 9506 A3C27
Mutch, Douglas A
Brief on taxation on the Ontario metal mining industry, 1907-1941. Prepared for the Ontario Mining Association by Douglas A. Mutch in collaboration with Balmer Neilly. Toronto, 1943.
69, 9, 5 leaves.

HD 9506 A3C27 Sched.
---- ------ Schedules to accompany brief. Toronto, 1943.
1 v. (various pagings) tables.

NM 0917029 CaOTU

Mutch, Edward, *comp.*
Light for my path, a scriptural guide for conduct, selected and arr. by Edward Mutch and Verna Mutch. [1st ed.] New York, Exposition Press [1955, °1954]
113 p. 21 cm.
1. Bible—Indexes, Topical. I. Mutch, Verna, joint comp. II. Title.
BS432.M8 220.2 54–12285 rev ‡

NM 0917030 DLC OCl

---

448 M98
Mutch, J R
Keratoconus experimentally produced in the rat by vitamin A deficiency. [n.p., 1939?]
[7] p.

NM 0917031 DNAL

Mutch, James Robert, 1901–
Genealogy of the Mutch family, by James Robert Mutch. Charlottetown [Can.] Printed by the Patriot job print, 1929.
94 p. incl. front. 2 pl. (incl. ports.) 29ᶜᵐ.
Blank pages at end for additions.
1. Mutch family.
35–30098
Library of Congress CS71.M98 1929

NM 0917032 DLC CaOTP CaBVaU OCIWHi

Mutch, James S.
Whaling in Ponds Bay. (Boas anniversary volume. New York, 1906. 4°. p. 485-500, 1 pl.)
1. Whales and whaling, Ponds Bay.
N. Y. P. L. April 10, 1914.

NM 0917033 NN

BF 871 .M97
Mutch, Leslie R
Complete phrenological markings and written delineation of the character and talents of [Louise Janette Konold] as marked by Leslie R. Mutch ... [Elroy, Wis., 1893]
1 p.l., 15, [1] l. illus. 22 cm.
Name of subject on t.p., in manuscript.
First and last leaves in letterpress; remainder in manuscript.
1. Phrenology.

NM 0917034 MiU

Mutch, Nathan.
Cocaine, being a paper read before Ye sette of odd volumes ... London, Huggins and co., 1924.

NM 0917035 NNNAM

Mutch, Nathan, 1886–
Lane, *Sir* **William Arbuthnot,** *bart.*, 1856–
The operative treatment of chronic intestinal stasis, by Sir W. Arbuthnot Lane ... 4th ed., rev. and enl. London, H. Frowde; Hodder & Stoughton, 1918.

Mutch, Nathan, 1886–
Royal society of medicine, *London.*
Ten post-graduate lectures delivered before the Fellowship of medicine at the house of the Royal society of medicine 1919–1920. With a preface by the Right Hon. Sir Clifford Allbutt ... London, J. Bale, sons & Danielsson, ltd., 1922.

Beinecke Library 1973 487
Mutch, Robert S
Poems and sonnets, by Robert S. Mutch. With introduction by the late Rev. John Barclay, Greenock. Glasgow, Morison Brothers, 1896.
136 p. 19 cm.

NM 0917038 CtY

---

821 L445Bm
Mutch, T D
The early life of Henry Lawson. [Sydney, 1933]
[273]-317p. ports., map, geneal. table. 21cm.
Caption title.
In a whole number of the Journal and proceedings of the Royal Australian Historical Society, v.18, pt.6.
"Read before the Society, September 27, 1932."
1. Lawson, Henry Archibald Hertzberg, 1867-1922.

NM 0917039 TxU

BS432 .M8
Mutch, Verna, joint comp.
Mutch, Edward, *comp.*
Light for my path, a scriptural guide for conduct, selected and arr. by Edward Mutch and Verna Mutch. [1st ed.] New York, Exposition Press [1955, °1954]

Mutch, W E S
An introduction to the survey of private forestry costs in England and Wales
see under
Oxford. University. Imperial Forestry Institute.

Mutch, W. J.
Heimskringla or sagas of the Norse Kings.
From: New England Magazine, Nov., 1889.

NM 0917042 PPAmSwM

Mutch, W J
Spinoza three centuries after. [1932]
347-351 p. 25cm.
From the Homiletic Review, vol. 104, no. 5, November, 1932.
1. Spinoza, Benedictus de, 1632-1677.

NM 0917043 NNC

919.43 M922ma 1907
MUTCH, William
A manual of Scottish ecclesiastical history, from the introduction of Christianity to the present date. Aberdeen, W. Mutch, 1907.
[22]255[5]p. 22.5cm.
"Compiled chiefly from Dr. Grub's Ecclesiastical history of Scotland..."
I. Grub, Georg, the older
An ecclesiastical history of Scotland.
1. Scotland. Church history.

NM 0917044 MH-AH

Mutch, William A.
FOR OTHER EDITIONS SEE MAIN ENTRY
Bairnsfather, Bruce, 1887–
The Bairnsfather case as tried before Mr. Justice Busby, defence by Bruce Bairnsfather, prosecution by W. A. Mutch. New York and London, G. P. Putnam's sons, 1920.

Mutch, William James, 1858–
Christian teachings; arranged for convenient use in the instruction of the young, by William James Mutch, PH. D. New Haven, Conn. [Press of C. C. Treat] 1899.
63 p. 15ᶜᵐ.
1. Catechisms, English. I. Title.
0–65 Revised
Library of Congress BT1031.M9
Copyright 1899: 72233 [r38b2] -238

NM 0917046 DLC PU OO

Mutch, William James, 1858–
Graded Bible stories, by William James Mutch ... Ripon, Wis., Christian nurture [1914]
582 p. col. front., plates (part col.) 20ᶜᵐ. $1.50
I. Bible. Selections. English. II. Title.
14–1692

NM 0917047 DLC PU OO

VOLUME 403

Mutch, William James, 1858–
Graded Bible stories, by William James Mutch ... New York, George H. Doran company [1922]
4 v. fronts., plates. 19½cm.
CONTENTS.—v. 1. Grades 1 and 2, for ages five to seven.—v. 2. Grades 3 and 4, for ages seven to ten.—v. 3. Grades 5 and 6, for ages nine to twelve.—v. 4. Grades 7 and 8, for ages eleven to fourteen.

1. Bible stories. I. Title.
22-8147 Revised
Library of Congress BS546.M8

NM 0917048 DLC ODW NN

Mutch, William James, 1858–
History of the Bible, arranged for use as a text-book. New Haven, Conn. [1901]
70 p. 16°.
1-29943

NM 0917049 DLC OO MH

Mutch, William James, 1858-
History of the Bible. Arranged for use as a text book. 3rd ed. Boston, Pilgrim press [c1912]
93 p. 19.5 cm.

NM 0917050 NRCR

Mutch, William James, 1858-
Junior Bible lessons. I.-XXVI. Patriarchs. Ripon, Wis., Christian nurture, 1901.
67 p.

NM 0917051 PPABP

Mutch, William James, 1858–
Samuel, Saul and David; a course of study on the books of Samuel, by William James Mutch ... Ripon, Wis., Christian nurture [1907]
1 p. l., 144 p. 23½cm.

1. Bible. O. T. Samuel—Study—Text-books. 2. Bible—Study—Text-books—O. T. Samuel. I. Title.
7-24566
Library of Congress BS1325.M8
Copyright A 183323 [a38b1] 222.4

NM 0917052 DLC

Mutch, William James, 1858–
The testing of a soul. By William James Mutch ... New Haven, C. C. Treat, 1899.
86 p. 18cm.

1. Bible. O. T. Job—Criticism, interpretation, etc. 2. Bible—Criticism, interpretation, etc.—O. T. Job. I. Title.
99-3178 Revised
Library of Congress BS1415.M8
Copyright 1899: 17487 [r32b2] 223.1

NM 0917053 DLC

Mutch, William Warren, 1904–
[Fine structure in the *K* absorption edge of gallium, by W. W. Mutch] [New York, 1935–36]
2 pt. diagrs. 27 x 20cm.
Title from the Commencement program of Yale university. Each part has caption title only.
Thesis (PH. D.)—Yale university, 1936.
Part one without thesis note.
From Physical review, v. 48, Sept. 15, 1935 and v. 50, Aug. 1, 1936.
CONTENTS.—Fine structure in the *K* X-ray edge of gallium.—Fine structure in the *K* X-ray absorption edge of gallium.
1. Gallium. 2. Absorption spectra.
42-3076
Library of Congress QC462.G35M8

NM 0917054 DLC

Mutchler, Andrew Johnson.
Beetles of the genera saperda and obera known to occur in New Jersey. Trenton, 1923.
26p.
By A. J. Mutchler and H. B. Weiss.

NM 0917055 PP

Mutchler, Andrew Johnson.

Leng, Charles William, 1859–
Catalogue of the *Coleoptera* of America, north of Mexico, by Charles W. Leng ... Mount Vernon, N. Y., J. D. Sherman, jr., 1920.

S9.206 / 981
Mutchler, Andrew Johnson.
... Coleoptera from the Galapagos islands ... [New York,1938]
19p. illus. 24½cm. (American museum novitates, no.981)
Caption title.

NM 0917057 CtY

S9.206 / 507
Mutchler, Andrew Johnson.
... Genotype designations of the genera Hydrophilus and Hydrochara ... [New York, 1931]
3p. 24cm. (American museum novitates, no.507)
Caption title.

1. Hydrophilus. 2. Hydrochara. x.ser.^

NM 0917058 CtY

S9.206 / 418
Mutchler, Andrew Johnson.
... A Japanese weevil, Calomycterus setarius Roelofs, which may become a pest in the United States ... [New York,1930]
3p. illus. 24cm. (American museum novitates, no.418)
Caption title.

1. Calomycterus setarius. x.ser.^

NM 0917059 CtY

Mutchler, Andrew Johnson.
Leaf-beetles of the genus Galerucella known to inhabit New Jersey, by A. J. Mutchler & H. B. Weiss. Trenton, 1926.
16p.

NM 0917060 PP

S9.206 / 686
Mutchler, Andrew Johnson.
... New species of Carabidae from Puerto Rico ... [New York,1934]
5p. 24cm. (American museum novitates, no.686)
Caption title.

1. Carabidae - Puerto Rico. x.ser.

NM 0917061 CtY

S9.206 / 106
Mutchler, Andrew Johnson.
... A new species of Cicindelidae from Cuba ... [New York,1924]
3p. illus. 24cm. (American museum novitates, no.106)
Caption title.

1. Cicindela acuniae. x.ser.^

NM 0917062 CtY PPAmE

S9.206 / 63
Mutchler, Andrew Johnson.
... Notes on West Indian Lampyridae and Cantharidae (Coleoptera) with descriptions of new forms ... [New York,1923]
cover-title,9p. 1 illus. 24cm. (American museum novitates, no.63)

1. Lampyridae - West Indies.
2. Cantharidae - West Indies. x.ser.^

NM 0917063 CtY PPAmE

S9.206 / 924
Mutchler, Andrew Johnson.
... Three new species of Tytthonyx from Cuba ... [New York,1937]
5p. illus. 24cm. (American museum novitates, no.924)
Caption title.

NM 0917064 CtY

Mutchler, Andrew Johnson.
Wood-boring beetles of the genus agrilus known to occur in New Jersey. Trenton, 1922.
20 p.
By A. J. Mutchler, and H. B. Weiss.

NM 0917065 PP

Mutchler, Clarence Rollin.
An evaluation according to generally accepted modern educational theory of the methods used in selected elementary schools of reporting pupil progress to parents and guardians. Ann Arbor, University Microfilms, 1949.
([University Microfilms, Ann Arbor, Mich.] Publication no. 1445)
Microfilm copy of typewritten ms. Positive.
Collation of the original, as determined from the film: 67 l.
Thesis—Pennsylvania State College.
Bibliography: leaves 66-67.
1. School reports.
Microfilm AC-1 no. 1445 Mic 50-32

NM 0917066 DLC

Mutchler, Fred.
... A course of study for the preparation of rural school teachers, nature study, elementary agriculture, sanitary science, and applied chemistry, by Fred Mutchler and W. J. Craig ... Washington, Govt. print. off., 1912.
23 p. 23cm. (U. S. Bureau of education. Bulletin, 1912, no. 1. Whole number 469)

1. Teachers, Training of—[Rural schools] 2. Rural schools. 3. [Normal courses] I. Craig, William James, joint author. II. Title.
E 12-247
U. S. Off. of educ. Library L111.A6 1912, no. 1
——— Copy 2. LB1739.M9
for Library of Congress L111.A6 1912, no. 1

NM 0917067 DHEW CaBVaU PU PBm DLC ICJ MB

QL1 / .I6 / no.53d
MUTCHLER, FRED
Myxomycetes of Lake Winona. (In Indiana univ.--Biological station--Winona Lake. Reports,1902,p.21-26. 1903)

Contributions from the Zoological laboratory of Indiana univ.,no.53d.

NM 0917068 InU

Mutchler, Fred.
On the structure and biology of the yeast plant (*Saccharomyces cerevisiae*) ... Boston [1905]
cover-title, p. [13]-50. pl. 24½cm.
Thesis (PH. D.)—Clark university, Worcester, Mass., 1905.
Reprinted from the Journal of medical research, vol. XIV, no. 1 (new ser., vol. IX, no. 1) p. 13-50, November, 1905.
Bibliography: p. 48-49.

1. Yeast.
Agr 6-179
Library, U. S. Dept. of Agriculture

NM 0917069 DNAL NN OU PSC IdU

VOLUME 403

Mutchler, John, *comp.*
Manual and calendar of the city councils of Easton, Penna. for 1903-4. Comp. by John Mutchler, city clerk. [Easton, Pa., Express print, 1903?]
45 p. 11½cm.

1. Easton, Pa.—Pol. & govt.

9-33015†

Library of Congress JS853.E3A13

NM 0917070 DLC

Mutchler, Willard Hammond, 1903–
... Corrosion of metals used in aircraft, by Willard Mutchler ...
(R P 1316, *in* U. S. National bureau of standards. Journal of research of the National bureau of standards. Washington, U. S. Govt. print. off., 1940. 23½cm. July, 1940, v. 25, no. 1, p. 75-82 incl. tables. plates, diagrs.)
"References": p. 81-82.

1. Corrosion and anti-corrosives. 2. Aeroplanes—Materials. I. Title.

40-26979

Library of Congress QC1.U52 vol. 25, no. 1
——— Copy 2. T1.U42 vol. 25, no. 1
[5] (506.173) 620.18

NM 0917071 DLC OU PPD

Mutchler, Willard Hammond, 1903–
...The effect of continuous weathering on light metal alloys used in aircraft, by Willard Mutchler. [Washington, U. S. Govt. print. off.] 1939.
cover-title, 1, [1], 27 p. incl. illus., tables, diagrs. 29cm. ([U. S.] National advisory committee for aeronautics. Report no. 663)
"An investigation of the corrosion of light metal alloys used in aircraft ... has for its purpose the study of the causes of corrosion in aluminum-rich and magnesium-rich alloys together with the development of methods for its prevention."—Summary.
"The paper may be considered as a supplement to N. A. C. A. Report no. 490."—p. 1.
"References": p. 23.
1. Corrosion and anti-corrosives. 2. Aluminum alloys. 3. Magnesium alloys. 4. Aeroplanes—Materials. I. Title. II. Title: Light metal alloys used in aircraft.

39-26921 Revised

Library of Congress TL521.A33 no. 663
——— Copy 2. TL699.M4M8
[r40e2] (629.1306173) 629.13428

NM 0917072 DLC

Mutchler, Willard Hammond, 1903-
Methods for the identification of aircraft tubing of plain carbon steel and chronium-nolybdenun steel, by W.H. Mutchler & R.W. Duzzard. Washington, 1930.
27 p.

NM 0917073 PP

Mutchler, Willard Hammond, 1903-
... The weathering of aluminum alloy sheet materials used in aircraft, by Willard Mutchler. [Washington, U. S. Govt. print. off.] 1934.
cover-title, 35 p. incl. illus., tables, diagrs. 29cm. ([U. S.] National advisory committee for aeronautics. Report, no. 490)
"References": p. 32-33.

1. Aluminium alloys. 2. Aeroplanes—Materials. I. Title.

34-28064

Library of Congress TL521.A33 no. 490
——— Copy 2. TL699.A6M8
[3] (629.13061) 629.13428

NM 0917074 DLC PP

MUTCHLER, WILLIAM, 1831-1893.

U. S. *53d Cong., 2d sess.,* 1893-1894.
Memorial addresses on the life and character of William Mutchler, a representative from Pennsylvania, delivered in the House of representatives and in the Senate, Fifty-third Congress, first session. Published by order of Congress. Washington, Govt. print. off., 1893.

Mutchmore, Samuel Alexander, 1832-1898.
Backsliding; the first of a series of practical discourses on duties not done to be issued monthly from the Alexander Pulpit, by Rev. S. A. Mutchmore, D. D. Phila., 1873.
16 p.

NM 0917076 PHi

Mutchmore, Samuel Alexander, 1832-1898.
History of the Cohocksink Presbyterian church from the exodus to the dedication of the temple. With a sermon, preached on the occasion of the dedication, by the Pastor, the Rev. S.A. Mutchmore, January 19, 1868. Philadelphia, De Armond & Goodrich, printers, 1868.
31 p. 23 cm.

NM 0917077 NjPT PPPrHi

[Mutchmore, Samuel Alexander] 1832-1898.
Mites against millions; or, Childhood against the world. How a church was built and paid for through a bequest of 4.41. Philadelphia, Presbyterian publishing company, 1883.
v, 182 p. illus. 19 cm.

1. Philadelphia, Pa. - Churches.
2. Philadelphia, Pa. Memorial Presbyterian Church. I. Title.

NM 0917078 MoKU PPPrHi OO PPeSchw DLC

Wason
BV3150
M98

Mutchmore, Samuel Alexander, 1832-1898.
The moghul, Mongol, mikado and missionary. Essays, discussions, art criticisms, political institutions history, religions, railway systems, fortifications and defences of India, Afghanistan, China and Japan. Philadelphia, Presbyterian Publishing Co., 1891.
2 v. in 1. 20cm.

1. Missions--East (Far East) 2. Missions--India. I. Title.

NM 0917079 NIC NN PPPrHi CtY-D

041
F144
v.28
no.19

Mutchmore, Samuel Alexander, 1832?-1898.
Thought and action: the perfection of true greatness, illustrated in the life and character of John Calvin. An address to the graduates from the Chamberlain literary society, of Centre college, Danville, Ky ... September 8, 1856. Cincinnati, J. D. Thorpe, 1857.
30p.

[Fahnestock pamphlets, v.28, no.19]
Published by request of the society.

NM 0917080 IU PPPrHi

Mutchmore, Samuel Alexander, 1832-1898
A visit of Japheth to Shem and Ham. By Samuel A. Mutchmore, D. D. New York, R. Carter and brothers, 1899.
569, 11, [1] p. front., plates. 19½cm.

1. Europe — Descr. & trav. 2. Levant — Descr. & trav. 3. Missions. I. Title.

4-26555

Library of Congress D975.M97

NM 0917081 DLC ICarbS PPDrop

Mutchmore, William I
The digestive enzymes and food of the wax moth (Galleria mellonella) ... by William I. Mutchmore ... [Columbus] The Ohio state university, 1932.
2 p.

NM 0917082 OU

AC901
.M5

Mute, Charles.
Catalogue of the materia medica, and of pharmaceutical preparations. Boston, Printed by Giles El Weld, 1817.
35 p. (Miscellaneous pamphlets, 419:1)

NM 0917083 DLC

MUTÉ, S.
Cathédrale de Bourges. Bourges, S. Muté, [1923?-1929?]

27.5 - 28 cm. 7 vol. Plates.
Photographs are signed: S.Muté.

NM 0917084 MH

Muté, S.
Cathédrale de Bourges. Album no. 1- Bourges [, 1924- v. plates. 4°.

1. Cathedrals—France—Bourges. 2. Title.
N. Y. P. L. January 18, 1929

NM 0917085 NN OO DSI NjP OU

Slavery
E
441
M46
v.285
no.12

The Mute and the blind. Vol. IV, no. 8. Trenton, N.J., 1862.
[56]-63 p. 35 x 26cm.

May anti-slavery pamphlets, v. 285.
In slavery broadside box.

NM 0917086 NIC

The mute Christian under the smarting rod
see under [Brooks, Thomas] 1608-1680.

The Mute may speak. A new system of teaching the deaf and dumb. [anon] Washington, National republican, 1884.
4 p. 12°. (From National Republican, Nov. 28, 1884)
[Toner Excerpts]

NM 0917088 DLC

Wason
HS295
T6M09

Muteau, Alfred, of the French Navy.
Une société secrète en Indo-Chine, par Alfred Muteau ... Paris, P. Arnould, 1887.
2 p. l., 57 p., 1 l. 19cm.

1. The Triad Society.

NM 0917089 NIC

Muteau, Alfred, 1850-1916, ed.

Société internationale pour l'étude des questions d'assistance, *Paris.*
Relevé des vœux émis par les Congrès d'assistance (Paris, 1889;—Lyon, 1894;—Genève, 1896;—Rouen, 1897) et par la Société internationale pour l'étude des questions d'assistance (1889-1898) Établi conformément aux instructions de la Société internationale par Alfred Muteau ... Paris, Au siège de la Société, 1898.

MUTEAU, Charles François Thérèse, 1824-1910.
L'assistance hospitalière et le secret professionnel; rapports présentés a la Société internationale pour l'étude des questions d'assistance les 22 novembre 1895 et 24 février 1896. Paris, 1896.

pp.55. 4o.

NM 0917091 MH-L

VOLUME 403

1513 .226 .66 Muteau, Charles François Thérèse, 1824-1910.
La Bourgogne à l'Académie française de 1665 à 1727. Dijon, Picard, 1862.
182 p. 23 cm.

Contents.- Bussy-Rabutin.- Bossuet.- Valon de Mimeure.- De La Monnoye.- Languet de Gergy.

1.Burgundy - Biog. 2.Academie française, Paris. I.Title.

NM 0917092 NjP

Muteau,Charles François Thérèse,1824-1910.
Les clercs à Dijon; note pour servir à l'histoire de la Bazoche ... Dijon, J.Picard; [etc., etc.] 1857.
70 p.,1 l. 21½cm.
No.6 in [Guizot collection of pamphlets. v.30] (Binder's title: Mélanges. Histoire de France)

1.Gilds--France--Dijon. I.Title. II.Title: Bazoche.

NM 0917093 MiU NN

Muteau, Charles Francois Thérèse, 1824-1910, tr.

Ancillon, Johann Peter Friedrich, 1767-1837.
De l'esprit des constitutions politiques et de son influence sur la législation, par J.-P.-F. Ancillon; ouvrage tr. de l'allemand par C. M., docteur en droit. Paris, A. Delhomme, 1850.

4K Fr.-84 Muteau, Charles François Thérèse, 1824-1910.
De la responsabilité civile (Articles 1382 et suivants du Code civil) Étude morale et juridique examen de la doctrine et de la jurisprudence.
Paris, Chevalier-Marescq, 1898.
636 p.

NM 0917095 DLC-P4 CtY MH

Muteau, Charles François Thérèse, 1824-1910.
Du secret professionnel, de son étendue et de la responsabilité qu'il entraine d'après la loi et la jurisprudence; traité théorique et pratique à l'usage des avocats, avoués, notaires, ministres du culte, médecins, pharmaciens, sages-femmes et de toutes autres personnes dépositaires, par état ou profession, des secrets qu'on leur confie, par Ch. Muteau ... Paris, Marescq aîné, 1870.
xvi, 565 p. 22cm.

1. Professional ethics. 2. Criminal law—France. I. Title.

29-15554

NM 0917096 DLC DNLM LU MH

Muteau, Charles François Thérèse, 1824-1910.
Les écoles et collèges en province depuis les temps les plus reculés jusqu'en 1789, par Charles Muteau ... Dijon, Impr. Darantiere, 1882.
xlv, 601 p., 1 l. 22½cm.

1. Education—France—[Dijon] 2. [Education—Dijon, France]

E 10-2099 Revised 2

Library, U. S. Bur. of Education LA715.D5M9

NM 0917097 DHEW MiU ICU OrU NcD CtY OCl OU MH

MUTEAU,Charles Francois Therese, 1824-1910.
Examen juridique du projet de création d'asiles spéciaux et des autres mesures préventives et répressives propres a combattre le fléau de l'alcoolisme mémoire présenté a la Société internationale pour l'étude des questions d'assistance (mai-juin 1895). Paris,1895.
pp.60+(1). 4°.

NM 0917098 MH-L

Muteau, Charles François Thérèse, 1824-1910.
Galerie bourguignonne, par Ch. Muteau ... et Joseph Garnier ... Dijon, J. Picard; Paris, A. Durand, 1858-60.
3 v. 14½cm.
Biographie des "hommes nés en Bourgogne pour les temps antérieurs à 1789, et dans le département de la Côte-d'Or pour la periode suivante."—Préf.

1. Burgundy—Biog. I. Garnier, Joseph François, 1815-1903, joint author. II. Title.

11-28582

Library of Congress DC611.B775M8

NM 0917099 DLC

Muteau, Henri.
... L'évolution économique au point de vue agricole d'un département français [Côte d'Or] dans le cours du dernier demi-siècle. ... Par Henri Muteau. ... Paris, Librairie générale de droit & de jurisprudence, 1906.
[4], 206 p. 25½cm.
Thèse—Univ. de Paris.
"Index bibliographique," p. [203]-204.

NM 0917100 ICJ

MUTECH chemical engineering journal.
Manchester [Eng.] no. illus. 22cm.

Two issues a year.
"Published by the Manchester university, Faculty of technology union, Chemical engineering society."

1. Chemistry--Per. and soc. publ. I. Manchester college of science and technology, Manchester, Eng. Chemical engineering society.

NM 0917102 NN

Muteham, Wilfred A
Aids to pharmaceutical chemistry. [1st ed.] London, Baillière, Tindall and Cox, 1951.
347 p. 17 cm. (Students aids series)

1. Chemistry, Medical and pharmaceutical. I. Title.

RS403.M8 615 52-524 ‡

NM 0917103 DLC IdPI CaBVaU DNAL TxU NcU

QV 740 M992p 1950 MUTEHAM, Wilfred A
Pharmacy. London, Pitman [1950]
2 v. (Definitions and formulae for students)
Contents.— [pt.] 1. Definitions.— [pt.] 2. Formulae and posology.
1. Drugs 2. Formularies

NM 0917104 DNLM

Mutel, Alfred. No. 3 in **M.267.15
Le mariage au cliché. Opéra-comique en 1 acte. Paroles de MM. E. Didier et E. Roger. Musique de Alfred Mutel. Partition, chant et piano.
Paris. Girod. [1869.] (3), 68 pp. L. 8°.

E6799 — Didier, Édouard, and E. Roger. — Jt. auth. — Operas.

NM 0917105 MB

Mutel, Auguste.
—— Atlas. Paris, etc. 1834. obl. 16°. 95 plates.
The cover has the date "1837."

NM 0917106 MH-A

Mutel, Auguste, 1795-1847.
Cours d'algebre à l'usage des aspirants a l'ecole polytechnique et des ecoles d'artillerie et de marine. 2me edition. Par. 1848.
8vo.

NM 0917107 NN

Q160 .M8 1837 Mutel, Auguste, 1795-1847.
Cours de cosmographie, rédigé selon le programme de l'Université; par A. Mutel ... Paris, Lyon, Librairie classique de Perisse frères, 1837.
viii, 238, [2] p. IV fold. pl. 21½cm.
p. 238 wrongly numbered 328.

1. Cosmography.

NM 0917108 ViU

Mutel, Auguste, 1795-1847.
Cours de Cosmographie redigé selon le programme de l'universite, et n'employant que les nouvelles mesures. Ouvrage adopté par l'Université. Troisième edition. Par. 1847.
8vo.

NM 0917109 NN

Mutel, Auguste, 1795-1847.
Cours de statistique, à l'usage des aspirants à l'ecole polytechnique, et dés écoles d'artillerie et de marine. Par. 1843.
8vo.

NM 0917110 NN

Mutel, Auguste, 1795-1847.
Cours de statique à l'usage des aspirants à l'Ecole polytechnique et des écoles d'artillerie et de Marine... Par.,Perisse, 1843.
227 p.

NM 0917111 PU

Mutel, Auguste, 1795-1847.
Flore du Dauphiné, ou, Description succincte des plantes croissant naturellement en Dauphiné ou cultivées pour l'usage de l'homme et des animaux, précédée d'un précis de botanique, de l'analyse des genres et de leur tableau d'après le système de Linnée; par A. Mutel ... Grenoble, Prudhomme; [etc., etc.] 1830.
2 v. in 1. 4 fold. pl. 18½cm.

1. Botany—Dauphiné. [1. Dauphiné, France—Botany]

Agr 25-113

Library, U. S. Dept. of Agriculture 459.5M98D

NM 0917112 DNAL MH-A

Mutel, Auguste, 1795-1847.
Flore du Dauphiné, ou Description succincte des plantes croissant naturellement en Dauphiné ou cultivées pour l'usage de l'homme et des animaux, avec l'analyse des genres et leur tableau d'après le système de Linnée; par feu A. Mutel ... 2. éd., entièrement refondue. Paris, Lacroix et Baudry; [etc., etc., pref. 1848]
2 v. 16½cm.
2. ptie.: Analyse et tableau des genres, par A** B**.

1. Dauphiné, France. Botany.

Agr 10-1536

Library, U. S. Dept. of Agriculture 459M98F

NM 0917113 DNAL MH-G

VOLUME 403

Mutel, A[uguste] 1795-1847.
Flore française destinée aux herborisations, ou Description des plantes croissant naturellement en France, ou cultivées pour l'usage de l'homme et des animaux, avec l'analyse des genres et leur tableau d'après le système de Linné ... Par A. Mutel. Paris, Strasbourg, Chez F. G. Levrault, 1834-37.
4 v. in 2. 15½cm. and atlas of 95 pl. 15½ x 24cm.
——— Table générale et supplément final. Paris, Strasbourg, Chez F. G. Levrault, 1838.
2 p. l., 189, [1] p. 15½cm.
1. France. Botany.
Agr 6-180-1
Library, U. S. Dept. of Agriculture 459M98

NM 0917114 DNAL CU TxU MH MH-A

YA: 16239 Mutel, Auguste, 1795-1847.
Mémoire sur Plusieurs Orchidées Nouvelles ou Peu Connues, avec des observations sur les caracteres génériques. n.p., n.d.

NM 0917115 DLC

Mutel, D Ph.
Asgil, ou, Les dangers de la guerre civile, drame en trois actes et en prose ... Paris, Barba [etc.] 1819.
2 p.ℓ., 40 p. 22cm.
No.6 in volume lettered Drames et mélodrames [v.2]

NM 0917116 MiU

QVB M992d 1831 MUTEL, D. Ph.
Dei veleni considerati sotto il rapporto della medicina pratica e della medicina legale. 1. versione italiana del dottore F. M. Milano, Molina, 1831.
558 p. (Biblioteca di medicina e chirurgia pratica. Classe medica)

Translation of Des poisons considérés sous le rapport de la médecine pratique et de la médecine légale.
Imperfect: p. 1-16 wanting.

NM 0917118 DNLM

4-RA1201 M87 Mutel, D Ph
Des poisons considérés sous le rapport de la médecine pratique et de la médecine légale, par D.-Ph. Mutel. Paris, Ferra, 1830.
xiv, 560 p.

1. Poisons. I. Title.

NM 0917119 CU DNLM KyU

UH M992e 1846 MUTEL, D Ph.
Elementos de higiene militar. Tr. al castellano por Antonio Navarro Zamorano. Madrid, González, 1846.
2 v. in 1.
Translation of Eléments d'hygiène militaire.

NM 0917120 DNLM

Mutel, D. Ph.
——. La guillotine, ou réflexions physiologiques sur ce genre de supplice. 32 pp. 8°. *Paris, Paulin*, 1834.

NM 0917121 DNLM

8014 .698 .66 Mutel, D Ph
Vie d'Antoine-Augustin Parmentier.
Paris, Huzard, 1819.
136 p. 22 cm.

1. Parmentier, Antoine Augustin, 1737-1813.

NM 0917122 NjP MH CtY-M

Mutel, François Camus-
see Camus-Mutel, Francois.

[MUTEL, G ustave Charles Marie] 1854-1933, ed. and tr.
Documents relatifs aux martyrs de Corée.
Hongkong, Imp. de Nazareth, (Societé des Missions-Etrangères de Paris), 1924-25.

2 vol. 22 cm.
At head of title: Mission de Seoul.
Contents: 1.1839 et 1846.- 11.1866.

NM 0917124 MH

BX1666 K6M8 [Mutel, Gustave Charles Marie] 1854-1933, ed & tr
Mission de Soeul; documents relatifs aux martyrs de Corée de 1839 et 1846. Hongkong, Imprimerie de Nazareth (Société des missions-étrangères de Paris) 1924.
vii, 145 p.

Preface signed: G. Mutel, Vic. Apost. de Seoul.
Contents.- Annales du Grand conseil (1839) Journal de la Cour (1839) - Annales du règne de Hen-tjong (1839-1846) - Annales du Grand conseil (1846) - Journal de la Cour (1846)

NM 0917125 CU CSt

Mutel, Gustave Charles Marie, 1854-1933.
Syŏnggyo Kamnyak
see under title

Mutel, Gustav Charles Marie, 1854-1933.
Yesu chi'gyo sap'ae
see under Bible. Korean. Selections. 1911.

MUTEL, Jean.
Diagnostic et traitement de l'appendicite chez les tuberculeux pulmonaires. Paris, 1912.

[132 p.]

NM 0917128 MBCo

Mutel, Maurice Gustave, 1886-
Les stries olfactives chez l'homme, par M. Mutel ... (Laboratoire d'anatomie de la Faculté de médecine de Nancy) Avec quatre figures dans le texte.
(*In* Archives d'anatomie, d'histologie et d'embryologie. Strasbourg, 1923. 25cm. v. 2, p. [195]-205. illus.)

1. [Stria olfactoria]
A C 39-498
Minnesota. Univ. Library for Library of Congress [2]

NM 0917129 MnU

Mutel, Maurice Gustave, 1886-
.... Traitement du pied bot varus équin congénital chez l'enfant. ... Par Mutel, Maurice-Gustave, ... Nancy, Impr. A. Barbier, 1911.
187 p. v pl. 24½cm.
Thèse — Univ. de Nancy.
"Index bibliographique," p. [179]-184.
114557

NM 0917130 ICJ ICRL

Mutel, Maurice Gustave, 1886-
La veine rénale rétro-aortique, par Mutel ... [et] Fourche ... Avec sept figures dans le texte.
(*In* Archives d'anatomie, d'histologie et d'embryologie. Strasbourg, 1922. 25cm. v. 1, p. [437]-450. illus.)
"Travail du Laboratoire d'anatomie de la Faculté de médecine de Nancy."
"Bibliographie": p. 450.

1. Veins, [Renal] I. Fourche, Robert, 1898- joint author.
A C 37-607 Provisional
Minnesota. Univ. Library for Library of Congress [2]

NM 0917131 MnU

Mutel, Philippe
see Mutel, D. Ph.

W 4 L99 1952/53 no. 63 MUTEL, Serge, 1923-
45 accouchements par les voies naturelles après césarienne segmentaire au cours d'une précédente gestation. Lyon, 1953.
58 p. (Lyons. [Université] Faculté de médecine et de pharmacie. Thèse, 1952/53, no. 63)
1. Cesarean section - Complications

NM 0917133 DNLM

Mutelet, F.
... Programmes officiels des écoles primaires élémentaires, interprétation — divisions — emplois du temps, à l'usage des instituteurs, des institutrices et des candidats au certificat d'aptitude pédagogique. 2. éd., rev. Paris, Hachette et cie, 1910.
2 p. l., 264, [4] p. 19cm.
At head of title: F. Mutelet ... A. Dangueuger ...

1. Elementary education—France. I. Dangueuger, A., joint author. II. France. Ministère de l'instruction publique et des beaux-arts.
E 11-1239
Library, U. S. Bur. of Education LB1564.F8M8

NM 0917134 DHEW

Mutelet, F.
... Programmes officiels des écoles primaires élémentaires, interprétation—divisions—emplois du temps, à l'usage des instituteurs, des institutrices et des candidats au certificat d'aptitude pédagogique. 3. éd., rev. Paris, Hachette et cie, 1911.
2 p. l., 264, [4] p. 19cm.
At head of title: F. Mutelet ... A. Dangueuger ...

1. Elementary education—France. I. Dangueuger, A., joint author. II. France. Ministère de l'instruction publique et des beaux-arts.
E 12-1073
Library, U. S. Bur. of Education LB1564.F8M81

NM 0917135 DHEW

Mutelet, F.
... Programmes officiels des écoles primaires élémentaires. Interprétation — divisions — emplois du temps, à l'usage des instituteurs, des institutrices et des candidats au certificat d'aptitude pédagogique. 4. éd., rev. Paris, Hachette et cie, 1912.
2 p. l., 264, [4] p. 19cm.
At head of title: F. Mutelet ... A. Dangueuger ...

1. Elementary education—France. I. Dangueuger, A., joint author. II. France. Ministère de l'instruction publique et des beaux-arts.
E 13—1507
U. S. Off. of educ. Library for Library of Congress LB1564.F8M82 [a41b1]

NM 0917136 DHEW

Mutelet (Marie-Léon-Camille) [1873-].
*Contribution à l'étude de la tuberculose diffuse chez l'enfant (à l'exclusion de la tuberculose miliaire aiguë). 104 pp. 8°. *Nancy*, 1898, No. 10.

NM 0917137 DNLM

VOLUME 403

Mutelet, Marius.
Metz en 64 images à pleine page par 37 artistes, avec texte explicatif, et 115 biographies de peintres, dessinateurs et sculpteurs. Précédé de Mon étape messine, par Nicolas Untersteller. Metz, Librairie Mutelet, 1951.
142 p. illus. 32 cm.

1. Metz—Descr.—Views. 2. Artists.

NC248.M8A49 53-30486 ‡

NM 0917138 DLC NN

MUTELET, MARIUS.
Metz romantique; 112 illus. avec texte explicatif. Préf. de Raymond Mondon. Metz, M. Mutelet, 1954. xv, 143 p. illus. 27cm.

450 copies printed.
"Bibliographie sommaire, en particulier d'ouvrages illustrés et principales suites de gravures," p. 129-133.
1. Architecture—France—Metz. 2. Metz—Views.

NM 0917139 NN

Mutén, Alexander.
August Bondesons berättarkonst; studier över Bondesons folklivsberättelser. [Göteborg, Gumpert, 1947]
106 p. 22 cm.

1. Bondeson, August Leonard, 1854-1906.

PT9736.B5Z8 54-28719 ‡

NM 0917140 DLC NN MnU CU TxU

Mutén, Alexander.
... 30 stunden schwedisch für anfänger, von Alex. Mutén ... unter mitarbeit von studienrätin Lotte Maybaum. 3. durchgesehene und verb. aufl. Berlin-Schöneberg, Langenscheidtsche verlagsbuchhandlung (G. Langenscheidt) [1941]
xv, 171 p. 19½ᶜᵐ. (Langenscheidts kurz-lehrbücher)

1. Swedish language—Grammar. I. Maybaum, Lotte, joint author. II. Title.

Library of Congress PD5111.M8 1941 46-37321
[2] 439.75

NM 0917141 DLC CtY ICU NcD ICRL

PD5111
M8
1953
Mutén, Alexander
30 [i.e. Dreissig] Stunden Schwedisch für Anfänger von Alex. Mutén, unter Mitarbeit von Lotte Maybaum. [6., durchgesehene und verb. Aufl.] Berlin-Schöneberg, Langenscheidt [1953]
xv, 175 p. (Langenscheidts Kurzlehrbücher)

1. Swedish language - Grammar. I. Maybaum, Lotte, joint author. II. Title.

NM 0917142 CU

281.173
M98
Mutén, Robert.
Norrländska studiegårdar; räkenskapsutdrag och monografier på uppdrag av styrelsen för kungl. Lantbrukshögskolan och statens lantbruksförsök. Norrtälje, Norrtelje tidningsboktryckeri aktiebolag, 1954.
200 p.

NM 0917143 DNAL NN

al-Mutenabbî
see al-Mutanabbî, Abū-al-Ṭayyib Aḥmed ibn al-Ḥusayn, 915-965.

Mutende; the African newspaper of Northern Rhodesia.
[Lusaka]
v. illus., ports. 45 cm. semimonthly.
In English and Nyanja.

AP9.M8 48-39196*‡

NM 0917145 DLC

Muter, Allan F.
Economic handling of Arizone tailing dumps. 1904.

NM 0917146 OCIW

Muter, Mrs. Dunbar Douglas
see
Muter, Elizabeth (McMullin) "Mrs. D. D. Muter."

Muter, Elizabeth (McMullin) "Mrs. D. D. Muter."
My recollections of the Sepoy revolt (1857-58) by Mrs. Muter; with seventeen illustrations and a plan of Meerut cantonment at the time of the mutiny. London, John Long limited, 1911.
5 p. l., [xiii]-xiv p., 1 l., [17]-266 p. front., plates, ports., fold. plan. 22½ᶜᵐ.

1. India—Hist.—Sepoy rebellion, 1857-1858.

12-1441

Library of Congress DS478.M8

NM 0917148 DLC PPL MB OrP CU MiU

Muter, Elizabeth (McMullin) "Mrs. D. D. Muter."
Travels and adventures of an officer's wife in India, China, and New Zealand. By Mrs. Muter, wife of Lieut.-Colonel D. D. Muter ... London, Hurst and Blackett, 1864.
2 v. 19ᶜᵐ.

1. India—Descr. & trav. 2. China—Descr. & trav. 3. New Zealand—Descr. & trav.

5-29031

Library of Congress G463.M99
[r21e1]

NM 0917149 DLC CLU MB PPL

Muter, George.
The address of George Muter and Benjamin Sebastian, two of the judges of the Court of Appeals, to the free men of Kentucky. Lexington, Printed by John Bradford, 1795.
48 p. 18 cm.
Only known copy?
In case.

NM 0917150 KyU

Muter, Gladys Nelson.
About bunnies. N. Y., Volland, c1924.

NM 0917151 PBa

Muter, Gladys Nelson.
The duck's adventure. N. Y., Volland, c1927.

NM 0917152 PBa

PZ7
.M97M
1925
Muter, Gladys Nelson.
Mother let me do it; illustrated by Maginel Wright Barney. [1st ed.] Joliet, P. F. Volland Co. [1925]
[36] p. col. illus. 19cm. (Volland "sunny book" series)

NM 0917153 ViU

QV
M992a
1866
MUTER, John, 1841-1912.
The alkaline permanganates, and their medicinal uses. London, Churchill, 1866.
48 p.

NM 0917154 DNLM OCIW-H

Muter, John, 1841-1912.
Analytical chemistry. 4th ed. Phila., P. Blakiston's son & co., 1906.

NM 0917155 PPWD

Muter, John, 1841-1912.
Introduction to analytical chemistry; being the practical portion of the author's work on pharmaceutical & medical chemistry now issued separately for convenience in laboratory use ... 2nd ed. London, Baxter, pref., 1878.
216 p.

NM 0917156 PPPCPh

Muter, John, 1841-1912.
Introduction to analytical chemistry; being the practical portion of the author's work on pharmaceutical and medical chemistry, now issued separately for convenience in use and arranged on the principle of the course of laboratory instruction at the South London school of pharmacy. 3. ed. Phila., Blakiston, 1882.
216 p.

NM 0917157 PPC

Muter, John, 1841-1912.
Introduction to analytical chemistry; being the practical portion of the author's work on pharmaceutical & medical chemistry now issued separately for convenience in laboratory use ... Manual of analytical chemistry, qualitative and quantitative inorganic and organic... 3rd ed. enl. Phila., Blakiston, 1887.
211 p.

NM 0917158 PPPCPh

QV
725
M992i
1874
Muter, John, 1841-1912.
An introduction to pharmaceutical and medical chemistry, theoretical and practical; arranged on the principle of the course of lectures on chemistry, as delivered at the South London School of Pharmacy. London, Offices of the School [1874]
xiii, 785 p.

NM 0917159 DNLM DP

Muter, John, 1841-1912.
An introduction to pharmaceutical and medical chemistry [2nd ed.] London, W. Baxter [1879]
398p.

NM 0917160 ICRL PPPCPh

Muter, John, 1841-1912.
An introduction to pharmaceutical and medical chemistry. Part I, Theoretical and descriptive [Part II, Practical and analytical] arranged on the principle of the course of lectures on chemistry as delivered at the South London School of Pharmacy. 2d. ed., Re-arranged. London, W. Baxter; Philadelphia, P. Blakiston, 1880.
2v. in 1. illus.

NM 0917161 ICRL

VOLUME 403

QV M992k 1878
MUTER, John, 1841-1912
A key to organic materia medica; written for the students of the South-London School of Pharmacy. 2d ed. rev. & re-arranged. London, School Offices, 1878.
xxxiv, 480, [xxxv]-lxxix p.

NM 0917162 DNLM PPWa WU

RS 154 .M99 1886
Muter, John, 1841-1912.
A key to organic materia medica, written for the students of the South-London school of pharmacy. By Dr. John Muter ... 7th ed. London, Published at the school offices, by W. Baxter, secretary, 1886.
3 p. ℓ., [ix]-xxxiv p., 1 ℓ., 480, [38], 8, [xxxv]-lxxix p. incl. tables 19 cm.
"The South London school of pharmacy, its objects, premises, syllabus of lectures, regulations and terms. By William Baxter ... 4th ed.-revised to January, 1879": 8 p. inserted at end.

NM 0917163 MiU

QD M992m 1887
MUTER, John, 1841-1912
A manual of analytical chemistry; qualitative and quantitative, inorganic, and organic, arranged on the principle of the course of instruction given at the South London Central Public Laboratory and the South London School of Pharmacy.
3d ed. enl. Philadelphia, Blakiston, 1887.
xii, 200 p. illus.
4th ed. has title: A short manual of analytical chemistry.

NM 0917164 DNLM MiU PPC ViU ICJ

MUTER, John, 1841-1912.
On the alkaline permanganates as test of the sanitary condition of water and air, and as purifiers of the same, with the view of showing their true chemical position and value and pupularizing their employment. Inaug.-diss. Rostock, Adler's heirs, 1868.
pp. 33.

NM 0917165 MH-C ICRL

Muter, John, 1841-1912.
Pharmaceutical and medical chemistry (practical and analytical). Arranged on the principle of the course of instruction given in the laboratories of the South London School of Pharmacy. 2. ed., re-arranged. xi, 216 pp. 8°. *Philadelphia, P. Blakiston*, 1881.

NM 0917166 DNLM PPC

Muter, John, 1841-1912.
Short manual of analytical chemistry. 3d ed., enl. Philadelphia, Blakiston, 1887.
200p. illus.

NM 0917167 ICRL OCU

Muter, John, 1841-1912.
Short manual of analytical chemistry; qualitative and quantitative, inorganic and organic. Arranged on the principle of the course of instruction given at the South London school of pharmacy. 4th ed. Phila., Blakiston, 1890.
200 p.

NM 0917168 PPC

Muter, John, 1841-1912.
Short manual of analytical chemistry, Qualitative & quantitative, inorganic & organic---- Phila. Blakiston. 1891.
12+205p. O.

NM 0917169 OO PPF MtBC

Muter, John, 1841-1912.
A short manual of analytical chemistry, qualitative and quantitative--inorganic and organic. By John Muter... 5th ed. Simpkin, Marshall, Hamilton, Kent and co., ltd. 1892.
212p. illus., fold. tables.

NM 0917170 MiHM CU

Muter, John, 1841-1912.
A short manual of analytical chemistry; qualitative and quantitative--inorganic and organic... 6th ed. Lond., Simpkin, Marshall, Hamilton, Kent, 1895.
213 p. illus. table, diagrs.

NM 0917171 MiD

Muter, John, 1841-1912.
A short manual of analytical chemistry, qualitative and quantitative -- inorganic and organic. 2d American ed., adapted from the 8th British ed. Philadelphia, P. Blakiston, Son & Co., 1898.
228p. illus.

NM 0917172 ICRL OrU-D OrCS MB MiU OCl PPC

---

543 M992s 1903
Muter, John, 1841-1912.
A short manual of analytical chemistry, qualitative and quantitative--inorganic and organic, following the course of instruction given in the laboratories of the South London School of Pharmacy. 9th ed. London, Baillière, Tindall, & Cox, 1903.
xiv, 235p. illus. 26cm.

1. Chemistry, Analytic. ✓LC.

NM 0917173 CLSU

Muter, John, 1841-1912.
A short manual of analytical chemistry, qualitative and quantitative—inorganic and organic. By John Muter ... 4th American ed. ... Philadelphia, P. Blakiston's son & co., 1906.
xiii, 242 p. illus., fold. tables. 25cm.
The chapters relating to the analysis of drugs based upon the eighth revision (1905) of the United States pharmacopœia.

1. Chemistry, Analytic. [1. Chemistry—Analysis]

Agr 9—1462

U. S. Dept. of agr. Library for Library of Congress 387M98S [a45g1]

NM 0917174 DNLM PPLas MiU OU ViU DNAL

Muter, John, 1841-1912.
A short manual of analytical chemistry; qualitative and quantitative, inorganic and organic ... 9th ed. Lond., Bailliere, 1910.
Illus. O.
English ed.

NM 0917175 CaBViP

Muter, John, 1841-1912.
A short manual of analytical chemistry, qualitative and quantitative-inorganic and organic. By John Muter ... 5th American ed ... Philadelphia, P. Blakiston's son & co., 1911.
xiii, 242 p. illus, fold. tables. 25cm
The chapters relating to the analysis of drugs is based upon the eighth revision (1905) of the United States pharmacopoeia.

1. Chemistry, Analytic. [1. Chemistry-Analysis]

NM 0917176 OClW OrU-D PPFr

Muter, John, 1841-1912.
A short manual of analytical chemistry; qualitative and quantitative, inorganic and organic; sixth American edition, edited by J. Thomas. Philadelphia: P. Blakiston's Son & Co., 1917. 237 p. illus., tables (some fold.). 8°.

CENTRAL CIRCULATION.

1. Chemistry.—Analytic.
N. Y. P. L. August 22, 1919.

NM 0917177 NN

Muter, Robert * De hepatitide chronica. 1 p. l., 28 pp. 8°. *Edinburgi, R. Allan*, 1813. [P., v. 864.]

NM 0917178 DNLM

Muter, Robert.
Practical observations on the lateral operation of lithotomy; and on various improved and new modes of performing this operation: together with remarks on the recto vesical operation. By Robert Muter ... New-York. E. Bliss & E. White, 1824.
viii, [9]-107 p. front., pl. 24½cm.

1. Lithotomy.

34-28757

Library of Congress RD581.M8

NM 0917179 DLC DNLM PPC PPGenH

WW M992p 1811
MUTER, Robert
Practical observations on various novel modes of operating on cataract, and of forming an artificial pupil. London, Underwood, 1811.
ix, 115 p.

NM 0917180 DNLM PPPH PPC NBuG

Mutermilch (Jules). Trachoma. 15 pp. 8°. *Nashville, A. B. Gray & Son*, 1893.
Repr. from: Ophth. Rec., Nashville, 1892-3, ii.

NM 0917181 DNLM PU

Mutermilch, Leonard.
Uwagi o rospporzadzeniu z d. 14. 5. 1924 r. i przepisach uzupelniajacych "O przerachowaniu zobowiazan prywatno-prawych. Warszawa, 1925.
68 p. (Remarks about the decree of May 14, 1924 on "Settling of private obligations.")

NM 0917182 MH-L

Mutermilch, Stéfan, 1878- joint author.

Agasse-Lafont, Édouard, 1877-
Dictionnaire des examens de laboratoire, donnant tous les renseignements nécessaires classés par ordre alphabétique. I. Indications d'après les maladies, syndromes, intoxications, etc. II. Prélèvements: instrumentations et techniques. III. Nomenclature et exposé succinct des réactions, méthodes, tests et épreuves diverses. IV. Tableaux synoptiques concernant les différents liquides organiques, les secrétas et les excrétas (constantes biologiques). Par les drs E. Agasse-Lafont, A. Grimberg, S. Mutermilch. Paris, Vigot frères, 1938.
xiv p., 1 l., 447 p. illus., diagrs. 24cm.

Mutermilch, Wacław Bojomir.
...Chrześcijaństwo a bolszewizm. Warszawa: F. Wyszynski i S-ka, 1920. 16 p. 12°.

1. Bolshevism. 2. Socialism and Christianity.
N. Y. P. L. February 21, 1921.

NM 0917184 NN

VOLUME 403

Mutermilch, Wacław Bojomir.
...Czy socjalizm polski jest naprawdę polskim? Warszawa: M. Arct, 1919. 16 p. 8°.

1. Socialism, Poland.
N. Y. P. L. March 10, 1921.

NM 0917185 NN

Mutermilch, Wacław Bojomir.
...Parakletyzm; (epoka ducha świętego) a kwestja żydowska. Warszawa: [Nakladem autora,] 1920. 20 p. 8°.

1. Jewish question.
N. Y. P. L. April 6, 1921.

NM 0917186 NN

Mutermilch, Wacław Bojomir.
...L'unique salut. Varsovie, 1920. 15 p. 12°.
Cover-title.

1. Jews.—Anti-Semitic writings. 2. Federation (Universal). 3. Church and state.
N. Y. P. L. June 7, 1922.

NM 0917187 NN

Mutersbaugh, Gordon Henry.
The corrosive action of dilute solutions of magnesium salts ... by Gordon Henry Mutersbaugh ... 1923.
1 p.

NM 0917188 OU

MUTERT, Adolf, 1869-
Beitrag zur kenntnis der wirkung des strychninchlormethylat. Kiel, 1894.

NM 0917189 MBCo CtY DNLM

Mvtetarvm. Divinitatis liber primvs qvæ qvinqvæ absolvtæ vocibvs ex mvltis præstantissimorvm mvsicorvm academiis collectæ svnt. [Mediolani, I. A. Castellioneus, e impensis B. Calusci, 1543]
5 parts. 16 x 23 cm.
Twenty-three motets for cantus, altus, quintus, tenor and bassus.
White mensural notation.
The composers named are: Her. Math. Vuer, Courtois, Tugdual, Io. Richafort, Phinot, Io. Lupi, Adrien Viullaert, Maistre Ian, Morales, Brumen, Hilaire penet and Claudin.
Sotheby & Co., Oct. 17-18, 1949 (Landau) no. 325.
1. Part-songs, Sacred—To 1800.
M1490.M982 50-47038

NM 0917190 DLC

Mutgé y Saurí, Gerardo.
...Eulogio Florentino Sanz, autor del drama «Don Francisco de Quevedo» Barcelona, 1950. 49 p. 18cm. (Torrell de Reus)

1. Sanz, Eulogio Florentino, 1825?-1881.

NM 0917191 NN

Muth, ——, of Donaueschingen, Germany.
Die häusliche Bürstenfabrikation im badischen Schwarzwald. (In Verein fuer Socialpolitik. Schriften. 41. Pp. 65-78. Leipzig, 1889.)

E2466 — Brushes. — Baden, Grand Duchy. Manuf. — Industry, Household.

NM 0917192 MB

Muth (Adolf). *Ueber die Resorptionsfähigkeit des Uterus im Wochenbett. 32 pp. 8°. Giessen, W. Keller. 1882.

NM 0917193 DNLM

Muth, Albert.
...Ueber den abortus arteficialis beim rind durch enukleation des Corpus luteum graviditatis und pseudograviditatis... Alfeld (Leine), 1933.
44 p. illus. 22cm.
Inaug.-diss. - Tierarztl. hochschule, Hannover.
"Literatur": p. 43-44.

NM 0917194 DNAL

W 4
M22
1953

MUTH, Anneliese, 1925-
Über die Grenzen einer psychosomatischen Medizin, unter besonderer Berücksichtigung der Bedeutung psychodiagnostischer Test-Methoden. Mainz [1953?]
54 ℓ.
Inaug.-Diss. - Mainz.
1. Psychosomatic medecine

NM 0917195 DNLM

Muth, Arno, 1916-
Die Konzentration und Entflechtung der Eisen- und Stahlindustrie im Ruhrgebiet. [München] 1950.
vi, 234 l. diagrs. 31 cm.
Typescript (carbon copy)
Inaug.-Diss.—Munich.
Vita.
Bibliography: leaves 232-234.

1. Iron industry and trade—Ruhr River and Valley. 2. Steel industry and trade—Ruhr River and Valley. I. Title.
HD9523.7.R8M8 51-28624

NM 0917196 DLC

Muth, August, 1888-
Ein eigenartiger fall von unbemerkter geburt.
Inaug.diss. Marburg, 1919.
Bibl.

NM 0917197 ICRL CtY DNLM

Muth, Carl
see
Muth, Karl, 1867-1944.

Muth, Charles F
Foul brood, and a new cure. [Cincinnati, 1884]
6p.
Caption title.
Bound with: Muth, C. F. Practical hints to bee-keepers. 1881.

NM 0917199 IU

Muth, Chester William, 1922-
The normal and cyclic esters of o-benzoylbenzoic acid types. III. Tri-and tetra-methyl derivatives ... 1949.
87 numb. l.
Thesis (Ph.D.) - Ohio state university, 1949.

NM 0917200 OU

Muth, Don.
Elijah, the man who went to heaven. Illus. by author. Mountain View, Calif., Pacific Press Pub. Association, °1954.
unpaged. illus. 29 cm.

1. Elijah, the prophet.
BS580.E4M8 221.92 55-16782 ‡

NM 0917201 DLC MB OClTem

Muth, Edwin Aloysius, 1911-
Possible seeds of democracy within the Middle Ages. Washington, 1952.
179 l. 30 cm.
Thesis (M. A.)—Georgetown University.
Includes bibliography.

1. Democracy. 2. Middle Ages. I. Title.
JC421.M94 52-44761 ‡

NM 0917202 DLC

PT2625
.U85
.R8

Muth, Frank.
Ruf in die Nacht. Bad Cannstatt, Cantz Stuttgart .1952.
85p. 25cm.

NM 0917203 NNU

WB
22724

Muth, Frank
Ruf in die Nacht. [Wien] Europäischer Verlag, 1955.
Poems.

NM 0917204 CtY

Muth, Franz, 1869-
Essig und Essigessenz, von ... Franz Muth ...
(In Chemisch-technische Untersuchungsmethoden. 8. Aufl. Bd. 5, p. 339-376. 1934)

NM 0917205 ICJ

Muth, Franz, 1869- *ed.*
Die praxis des obstbaues, auf grund wissenschaftlicher forschung und praktischer erfahrung, unter mitwirkung von prof. dr. Karl Kroemer ... gartenbaudirektor G. Kerz ... gartenbaudirektor P. Lange ... geh. justizrat E. Lieber ... diplomlandwirt u. obstbaulehrer E. Junge jr. ... herausgegeben von dr. Fr. Muth ... und E. Junge ... Mit 218 textabbildungen. Berlin, P. Parey, 1937.
xii, 528 p. illus., diagrs. 24½cm. (*Half-title:* Pareys handbücher des praktischen gartenbaues, 12. bd.)
"Gesetzeskunde im obstbau und obsthandel": p. 494-523.
Includes bibliographies.
1. Fruit-culture. 2. Fruit-culture—Germany. 3. Botany—Morphology. 4. Botany—Physiology. 5. Agricultural laws and legislation—Germany. I. Junge, Erwin, 1871- joint ed. II. Title.
Library of Congress SB357.M8 37-10279
Copyright A—Foreign 34915
[3] 634

NM 0917206 DLC

Muth, Franz, 1869-
43873 Die Tätigkeit der Bakterien im Boden. Vortrag, gehalten im Naturwissenschaftlichen Verein zu Karlsruhe am 24. April 1903, von Dr. Franz Muth .... Mit Abbildungen. Karlsruhe i. B., W. Jahraus, 1903.
58, [2] p. 20 illus. 23½cm.
"Sonderabdruck aus dem XVI. Band der Verhandlungen des Naturwissenschaftlichen Vereins."

NM 0917207 ICJ

Muth, Franz, 1869-
Untersuchungen über die entwickelung der inflorescenz und der blüthen, sowie über die angewachsenen achselsprosse von *Symphytum officinale* ... München, Druck von V. Höfling, 1902.
61 p. 7 pl. 23cm.
Habilitationsschrift—Technische hochschule, Karlsruhe.
Sonderabdruck aus "Flora oder Allgem. bot. zeitung," ergänzungsband 1902.

1. Symphytum officinale. 2. Botany—Embryology.
Library of Congress QK643.S9M8 7-1351

NM 0917208 DLC PPF MiU DNLM

Muth, Franz, 1869-
Wein, von ... Franz Muth ...
(In Chemisch-technische Untersuchungsmethoden. 8. Aufl. Bd. 5, p. 213-338. tables, diagrs. 1934)

NM 0917209 ICJ

VOLUME 403

Muth, Franz, 1869-
Zur entwickelungsgeschichte der skrophulariaceen-bluete.
Inaug. Diss. Tuebingen, 1898 (Stuttgart)

NM 0917210 ICRL

Muth, Franz, 1905-
Edmund Husserl und Martin Heidegger in ihrer Phänomenologie und Weltanschauung...von Franz Muth... Temeswar I.: Schwäbische Verlags-Aktiengesellschaft, 1931. 83 p. 22½cm.

Inaugural-Dissertation—München, 1931.
Lebenslauf.

875606A. 1. Husserl, Edmund, 1859- 2. Heidegger, Martin, 1889- 3. Phenomenalism.
N. Y. P. L. April 20, 1937

NM 0917211 NN CtY-D PU WU NNC

Muth, Franz Alfred, 1839-1890.
Die deutsche sage; eine literarhistorische studie. [1],218-248p. Frankfurt a. M. und Luzern, A. Foesse nachfolger, 1888. (Frankfurter zeitgemässe broschüren, new ser., v.9, pt.11)

Cover-title.

NM 0917212 OCl CU

*XF .2438 .M8H3 Muth, Franz Alfred, 1839-1890.
Haideröslein. Ein Liederstrauss. [1. Ausg.] Würzburg, L. Wörl, 1870.
viii, 124 p. 14cm.

NM 0917213 MB

Muth, Franz Alfred, 1839-1890.
Scintillae et effata St. Ignatii. Die Weisheit in der zelle, oder Betrachtungen über kernsprüche des heiligen Ignatius, auf alle tage des jahres verteilt, aus dem lateinischen übersetzt ... von Franz Alfred Muth und Josef Michels. 2 verb. aufl. Regensburg, Alfred Coppenrath, 1884.
vi, 451 p. 15 cm.

NM 0917214 PLatS

Muth, Franz Alfred, 1839-1890.
Waldblumen; dritte, durchaus ausgewählte und reich vermehrte auflage. Paderborn, Ferdinand Schöningh, 1885.
408p.

NM 0917215 OClJC

Muth, Fridolin.
Gepanzerter Westen. Berlin, P. Schmidt, 1939.
148 p. plates, maps. 25 cm.
"Quellennachweis": p. [4]

1. Siegfried Line. 2. World War, 1939-1945—Campaigns—Western. I. Title.

D756.M9 49-57684*

NM 0917216 DLC NN MiU MH

Muth, Fridolin.
Moselland; ein Bildbericht von Frid Muth und Herbert Ahrens, mit einem Geleitwort von Gustav Simon. Hrsg. vom Gaupresse- und Gaupropagandaamt Moselland. München, H. Hoffmann [1942]
112 p. (p. 13-112 plates) port. 27 cm.

1. Moselle River and Valley—Descr. & trav.—Views. I. Ahrens, Herbert, 1906- joint author.

DD801.M7M8 A 53-736

Harvard Univ. Library for Library of Congress [1]†

NM 0917217 MH IU NN NcD CtY DLC

Muth, Fridolin.
Stahl aus Luxemburg, ein bildbuch der "ARBED" von dr. F. Muth, dr. L. Muth, und K. Schraudenbach. München, H. Hoffmann [c1942]
111 p.

NM 0917218 DLC

Muth, Fridolin.
... Das wesensgefüge der deutschen zeitschrift; versuch einer vorgeschichte der deutschen zeitschrift. Würzburg, Konrad Triltsch verlag, 1938.
v, 75 p. plates. 23cm. (Zeitung und leben; schriftenreihe, hrsg. von univ.-prof. dr. Karl d'Ester ... bd. 53)
At head of title: ... Dr. Frid Muth.
Issued also as the author's thesis, Munich.
"Literaturverzeichnis": p. 73-75.

1. Journalism—Germany. I. Title.

A C 39-642

New York. Public library for Library of Congress [2]

NM 0917219 NN MH DLC

Muth, Friedhelm, 1923-
Die Entwicklung der deutschen Warenhaus-Aktiengesellschaften zwischen 1939 und 1951 im Spiegel ihrer Bilanzen. [Mannheim] 1954.
129 p. diagrs., tables. 21 cm.
Inaug.-Diss.—Wirtschaftshochschule, Mannheim.
Vita.
Bibliography: p. 125-127.

1. Department stores—Germany. I. Title.

HF5465.G4M8 56-21593

NM 0917220 DLC MH-L DNAL

Muth, Friedrich
Anhang für die provinz Schlesien
see under
Altenburg, Oskar, 1843-

Muth, Friedrich.
Johann Christian Carl Loewe, ein vergessener schlesischer land- und volkswirt.
Landw. jahrb. bd. 57, p. 79-106. Berlin, 1922.

1. Loewe, Johann Christian Carl, 1758-1807.

Agr 23-721

Library, U. S. Dept. of Agriculture 18123 bd. 57 [2]

NM 0917222 DNAL ICJ

Muth, Friedrich: Die Zinsscheine. [Maschinenschrift.] 90 S. 4°. — Auszug: (Emden) [1922]: (Emder Zeitung). 2 Bl. 8°
Breslau, R.- u. staatswiss. Diss. v. 15. Aug. 1922 [U 22. 1168

NM 0917223 ICRL

Muth, Friedrich, 1860-
Die beurkundung und publikation der deutschen koenigswahlen bis zum ende des fuenfzehnten jahrhunderts.
Inaug. Diss. Goettingen, 1881 (Duderstadt)

NM 0917224 ICRL CtY MH

AC831 G56 1909 Muth, Friedrich, 1860-
Geschichte des Königlichen Gymnasiums zu Glogau, 1708-1908. Glogau, 1909.
72 p.
"1909. Progr.-No. 265."
Programmschrift - Königliches Evangelisches Gymnasium, Glogau.

1. Glogau - Schools.

NM 0917225 CSt

ar W 54738 no.7 Muth, Fritz.
Die Haftung des Emissionshauses unter besonderer Berücksichtigung der Prospekthaftung gemäss § 203 HGB. und § 45 BG. Frankfurt am Main, Buchdr. R. Walther, 1928.
64 p. 23cm.

Inaug.-Diss.--Erlangen.

NM 0917226 NIC PU

MUTH, Fritz.
Über solche koordinatensysteme auf flächen bei denen die eine schar von parameterkurven auf der andern gleiche stücke abschneidet. Inaug.-diss. München. Augsburg, J.P.Himmer, 1912.

pp.54+. Math Files.

NM 0917227 MH RPB ICRL

Muth, Fritz, arr.
Quintett für 5 Blasinstrumente, nach einem Klaviertrio
see under Haydn, Joseph, 1732-1809.

Muth, Georg Friedrich.
Der Erfahrungsunterricht; seine erkenntnistheoretische Begründung und seine praktische Durchführung in der Grundschule. Versuch einer Neubegründung des Anschauungsunterrichts im Geiste Pestalozzis. Von Dr. Georg Friedrich Muth...mit... einem Beiheft von 29 Tafeln. Langensalza: H. Beyer & Söhne, 1927. xi, 144 p. plates. 8°. (Pädagogisches Magazin. Heft 1100.)
"Beiheft" in pocket.
Erziehungswissenschaftliche Arbeiten. Heft 5.
Bibliographical footnotes.

1. Object teaching. 2. Ser.
N. Y. P. L. August 18, 1927

NM 0917229 NN

Muth, Georg Friedrich.
Stilprinzipien der primitiven tierornamentik bei Chinesen und Germanen, von Georg Friedrich Muth; mit 504 abbildungen auf 68 tafeln. Leipzig, R. Voigtländer, 1911.
ix, 122 p., 1 l., 128 p. illus. 23½cm. (Added t.-p.: Beiträge zur kultur- und universalgeschichte ... 15. hft.)
Illustrations called: tafel I-LXVIII.

1. Design, Decorative — Animal forms. 2. Decoration and ornament, Chinese. 3. Decoration and ornament, Germanic.

11-18059

Library of Congress NK1555.M8

NM 0917230 DLC MiU CU PU

Muth, Gerda, *pseud.*
see
Wachsmuth, Gerda, 1912-

Muth, Günter, 1927-
Die rechtliche Stellung der Deutschen Bundesbahn im Anwendungsbereich des Personenbeförderungsgesetzes. [Mainz? 195-]
xii, 148 p. 30 cm.
Diss.—Mainz.
Vita.
Bibliography: leaves v-x.

1. Germany (Federal Republic, 1949-) Bundesbahn.

55-24760

NM 0917232 DLC

QD191 .M8 Muth, Heinrich, fl. 1895.
Ueber einige cyanhaltige doppelsalze des silbers und quecksilbers.
Bern, 1895.
36p.
Inaug. diss. Bern.

NM 0917233 DLC DNLM CtY

VOLUME 403

Muth, Heinrich.
Das ausnahmerecht. Versuch einer rechtsvergleichenden darstellung. ₍Von₎ Heinrich Muth. Emsdetten, H. & J. Lechte, 1932.
3 p. l., 137, x p. 22cm.
"Schrifttum": p. i-ix at end.

1. Dictators. 2. Executive power—Germany. 3. Germany—Constitutional law. 4. Constitutional law. I. Title.
35-11789
Library of Congress JN3961.M8
₍2₎ 342.43

NM 0917234 DLC MH-L

Muth, Hermann, 1915–
Untersuchungen über die Reststrahl-Reflexionsbande von Kaliumbromid (K Br) ₍Frankfurt am Main₎ 1941.
41 p. illus. 21 cm.
Inaug.-Diss.—Frankfurt am Main.
Lebenslauf.
"Literaturverzeichnis": p. 40.

1. Spectrum, Infra-red. 2. Potassium bromide.
QC457.M88 57-55768

NM 0917235 DLC

Muth (Hieronymus) *Ein Fall von Magenkrebs bei einem 24jährigen Manne. 21 pp. 8°. *Würzburg, Becker, 1894.*

NM 0917236 DNLM

Muth, J.
Veterum philosophorum de summo bono sententiae cum doctrina Christi comparatae. n.p., 1852.

NM 0917237 NjP

Muth, J. Friedrich.
Vorbereitung auf den schönsten Tag des Lebens; oder, Vertrauliche, mit interassenten Erzählungen und belehrenden Beispielen untermischte Unterhaltungen für Erstcommunicanten. Autorisirte Bearbeitung nach dem Französischen von J. Friedr. Muth. 2. Aufl. Mainz, F. Kirchheim, 1880.
viii, 265 p. 15 cm.

NM 0917238 PLatS

Muth, Johann Christoph Friedrich Guts-
see Guts-Muth, Johann Christoph Friedrich, 1759-1839.

BX 8023 S11 M99
Muth, Johann Peter.
Das evangelische Stift St. Arnual in Saarbrücken, lokalkirchliches Eigentum der evangelisch-lutherischen Kirchengemeinden der ehemaligen Grafschaft Saarbrücken. Ein Beitrag zur Entwicklung des rheinisch-evangelischen Kirchenvermögensrechts. Strassburg, J. H. Ed. Heitz, 1908.
xx,470 p. 23cm.

1. Saarbrücken. Sankt Arnual (Evangelisches Stift) I. Title.

NM 0917240 NIC CBGTU NjP

BR 857 T7M8
Muth, Johann Peter.
Welschnonnenkloster; eine kirchenrechtliche Studie zur Entwicklung des Instituts der religiösen Genossenschaften unter dem Französischen Konsulat und ersten Kaiserreich. Strassburg, J.H. Heitz, 1907.
viii, 248 p. 22cm.

At head of title: Die Kongregation unserer lieben Frau von Trier.

1. Treves--Church history. 2. Canon law. 3. Monasticism and religious orders for women. 4. Napoléon I, Emperor of the French, 1769-1821. I. Tit'

NM 0917241 CBGTU

Muth, Johannes Franz Seraph.
Der kampf des heidnischen philosophen Celsus gegen das christentum. Mainz, F. Kirchheim, 1899.
pp. xx, 229.

Celsus, the Epicurean

NM 0917242 MH PPPD DDO

Muth, Joseph.
Die mysterien der alten, insbesondere die Eleusinien. Wiesbaden, Riedel, 1842.
31 p.

NM 0917243 PU

Muth, Julius Bernhard, 1841–
Über das verhältniss von Martin Opitz zu Dan. Heinsius ... von J. Bernhard Muth. Leipzig, Druck von C. G. Naumann, 1872.
30 p., 1 l. 21cm.
Inaug.-diss.—Leipzig.
Vita

1. Opitz, Martin, 1597-1639. 2. Heinsius, Daniel, 1580-1655.
16-1545
Library of Congress PT1756.M8

NM 0917244 DLC NjP NIC ViU MH-AH CU PHC

Muth, Karl, 1867-1944, ed.
Alte und neue welt. Illustriertes katholisches familienblatt zur unterhaltung und belehrung ...
Einsiedeln ₍Schweiz₎ Benziger & co.; ₍etc., etc.₎

AP30 .H67
Muth, Karl, 1867-1944, ed.
Hochland.
München ₍etc.₎ Kösel-Verlag ₍etc.₎

Muth, Karl, 1867-1944.
Die literaturische aufgaben der deutschen Katholiken gedanken Üb. Katholischen belletristik. Mainz, 1899.

NM 0917247 WU

Muth, Karl, 1867-1944.
Religion, Kunst und Poesie. (Festschrift Georg von Hertling zum siebzigsten Geburtstage am 31. Aug. 1913 dargebracht. Kempten, 1913. f°. p. 403-414.)

1. Religion. 2. Art. 3. Poetry.
N. Y. P. L. January 8, 1914.

NM 0917248 NN

Muth, Karl, 1867-1944.
... Schöpfer und magier. Leipzig, Jakob Hegner, 1935.
4 p. l., 11-195, ₍1₎ p. 19½cm.
CONTENTS.—Einleitung.—Klopstock.—Goethe.—Stefan George.

1. Klopstock, Friedrich Gottlieb, 1724-1803. 2. Goethe, Johann Wolfgang von, 1749-1832. 3. George, Stefan Anton, 1868-1933. I. Title.
A C 36-746
Title from Wellesley College. Printed by L. C.

NM 0917249 MWelC CLSU OrStbM UU NcD CtY OClND

830.4 M938s
Muth, Karl, 1867-1944.
Schöpfer und Magier; drei essays. ₍Nachwort von Clemens Heselhaus. 2. Aufl.₎ München, Kösel-Verlag ₍1953₎
268 p. 20cm.

Contents.- Klopstock.- Goethe.- George.

1. Klopstock, Friedrich Gottlieb, 1724-1803. 2. Goethe, Johann Wolfgang von, 1749-1832. 3. George, Stefan Anton, 1868-1963. I. T.

NM 0917250 ICarbS CaBVaU InU IU CoU GU OU NcU MiDW CU MH MiU NN ICU CtY WaU IEN TxU

Muth, Karl, 1867-1944.
Spinoza-Renaissance. ₍1933₎
₍346₎-351 p. 25cm.

A review of Stanislaus von Dunin-Borkowski's Spinoza nach dreihundert Jahren.
From Hochland, Januar 1933.

NM 0917251 NNC

Muth, Karl, 1867-1944.
Steht die katholische Belletristik auf der höhe der Zeit? ₍Eine literarische Gewissensfrage von Veremundus ₍pseud.₎ Mainz, F. Kirchheim, 1898₎ 82 p. 24cm.

1. Catholic literature, German—Hist. and crit., 19th cent. 2. German literature—Hist. and crit., 19th

NM 0917252 NN MiU

PT89 .M88
Muth, Karl, 1867-1944.
Die Wiedergeburt der Dichtung aus dem religiösen Erlebnis: Gedanken zur Psychologie des katholischen Literaturschaffens von Karl Muth. Kempten, J. Kösel, 1909.
172p.

1. German literature - Catholic authors. I.Title.

NM 0917253 NcU TU WU NNC NhD InU TU CU MoU

Muth, Konrad
see
Mutianus Rufus, Conradus, 1471-1526.

4D-1158
Muth, L
Kreuzweg nach Frankreich; Luxemburger berichten über ihre Erlebnisse auf Landstrassen und in Gefängnissen. Luxemburg, Moselfränkischer Zeitungsverlag [194
78 p.

NM 0917255 DLC-P4

Muth, Ludwig.
Kleist und Kant; Versuch einer neuen Interpretation. Köln, Kölner Universitäts-Verlag, 1954.
83 p. 23 cm. (Kantstudien. Ergänzungshefte, 68)
Diss.—Mainz.
"Literaturverzeichnis": p. 79-81. "Quellenangabe": p. 82-83.

1. Kleist, Heinrich von, 1777-1811. 2. Kant, Immanuel, 1724-1804. (Series: Kant-Studien. Ergänzungshefte, 68)
[B2750.K28 no. 68] A 55-4953 rev
Duke Univ. Library for Library of Congress ₍r55c2₎

NM 0917256 AU TxU PHC IaU NIC CtY OCU OU PPT PBm CLSU OrPR NcD GU CaBVaU NBuU CU-D OO FU ViU ScU

NA7741 .T5W4
Muth, Max, joint author.
Wehnemann, Paul.
Thüringer Burgen, burgenbaukundlicher und geschichtlicher Überblick, Chronik der einzelnen Burgen, von Paul Wehnemann und Max Muth. Mit 117 Bildern von Günther Beyer und anderen und mit einer Übersichtskarte. Weimar, A. Duncker ₍©1932₎

VOLUME 403

Muth, Otto Herbert, 1906- joint author.

Simms, Bennett Thomas, 1888–
... The establishment and maintenance of herds of cattle free from Bang's disease (infectious abortion) by B. T. Simms and O. H. Muth. Corvallis, Agricultural experiment station, Oregon state agricultural college, 1934.

Muth, Otto Herbert, 1906–
Scours in Oregon calves [by] O. H. Muth [and] J. N. Shaw. Corvallis, Oregon state system of higher education, Agricultural experiment station, Oregon state college, 1943.
10 p. illus. 23cm. (Oregon. Agricultural experiment station, Corvallis. Station circular 154)

1. Calves—Diseases. 2. Coccidiosis. I. Shaw, James Niven, 1890– joint author. II. Title.

A 44-996

Oreg. st. agr. coll. Library for Library of Congress [S105.E33 no. 154] [3] (630.72)

NM 0917259 OrCS

Muth, Otto Herbert, 1906- joint author.

[Shaw, James Niven] 1890–
... Some diseases of Oregon fish and game, and identification of parts of game animals. Corvallis, Agricultural experiment station, Oregon state agricultural college, 1934.

Muth, Otto Herbert, 1906- joint author.

Shaw, James Niven, 1890–
... Studies of parasites in Oregon sheep on irrigated pasture, by J. N. Shaw [and] O. H. Muth. Corvallis, Oregon state system of higher education, Agricultural experiment station, Oregon state college, 1946.

BD 30 .M98
Muth, Peter.
Elementa philosophiae scholasticae, auctore philosophiae professore in Collegio Manhattanensi. Neo-Eboraci, Ex Typis N.Y.C. Protectory, 1897-
v. 19 cm.

"Copyright 1897 Peter Muth."
Contents.--Pars prior: Logica. Philosophia realis, seu Metaphysica.

1. Philosophy. I. Title.

NM 0917262 DCU

Muth, Peter, ed.
English literature; a manual for academies high schools, and colleges ...
see under Brothers of the Christian Schools.

Muth, Peter, 1860-
Grundlagen für die geometrische Anwendung der Invariantentheorie. Mit einem Begleitworte von M. Pasch. v,[1],131, [1] p. O. Leipzig: B. G. Teubner, 1895.

NM 0917264 ICJ NjP WaU CU LU MiU PBm

Muth, Peter, 1860-
Theorie und Anwendung der Elementartheiler. xvi,236 p. Q. Leipzig: B. G. Teubner, 1899.

NM 0917265 TU RPB NjP MiU OCU OU NcU PBm FMU CaBVaU NcRS ICJ PSC NN CtY NcD DCU CU NcWsW MoU

Muth, Peter, 1860–
Ueber ternäre formen mit linearen transformationen in sich selbst ... Giessen, Druck von W. Keller, 1890.
25, [1] p. 28½ x 22½cm.
Inaug.-diss.—Giessen.
Lebenslauf.

1. Transformations (Mathematics) 2. Forms, Ternary.

4—26722

Library of Congress QA601.M98

NM 0917266 DLC

Muth, Reuben H.
Poisoned wounds. 1855.

NM 0917267 PU

Muth, Richard von, 1848-1902.
Die abstammung der Baiuwaren. Von dr. Richard von Muth... St. Pölten, Verlag des verfassers, 1900.
15 p. 22 cm.
"Separatabdruck aus dem XXV. Jahresberichte des N.-ö landes-lehrerseminars in St. Pölten für das schuljahr 1899-1900."
1. Bavarians.

NM 0917268 CU

Muth, Richard von, 1848-1902.
Das bairische volksrecht: eine rechtshistorische abhandlung. Krems, 1870.
22 p.
"Separatabdruck aus dem siebenten Jahresberichte der n.ö. landesoberrealschule zu Krems a.d. Donau."

NM 0917269 MH-L

PF5282 .M94
Muth, Richard von, 1848-1902.
Die bairisch-österreichische mundart, dargestellt mit rücksicht auf den gegenwärtigen stand der deutschen dialectforschung von Richard v. Muth. Wien, A. Hölder [1873]
46 p. 22cm.
"Separatabdruck aus dem x. Jahresberichte der Nied. österr. landesoberrealschule in Krems a.-d. Donau."

1. German language—Dialects—Bavaria. 2. German language—Dialects—Austria.

NM 0917270 ICU MH CU InU CLU PU

PT1589 M8
Muth, Richard von, 1848-1902.
Einleitung in das Nibelungenlied. Paderborn, F. Schöningh, 1877.
425 p. 21cm.

1. Nibelungenlied - Criticism, interpretation, etc. I. Title.

NM 0917271 InU PU PBm GU CU MH NN OCl OCU MiU NjP NIC ICarbS

PT1589 .M8 1907
Muth, Richard von, 1848-1902.
Einleitung in das Nibelungenlied. 2. aufl. Hrsg. mit des verfassers nachtraegen und mit literarischen nachweisen bis zur gegenwart von J. W. Nagl. Paderborn, F. Schöningh, 1907.
x, 501 p. 22 cm.

1. Nibelungenlied. I. Nagl, Johann Willibald, 1856-1918, ed. II. Title.

NM 0917272 MH NjP NIC DLC-P4 TU OrU OrPR CaBVaU CU KMK ICU MiU PSt

---

Muth, Richard von, 1848-1902.
Excurse zu den Nibelungen, von Richard von Muth. n.p., n.p., n.d.
c.p. Q. (In, Collected monographs. V. 72)

NM 0917273 NcD

AC831 W52 1883 Stack
Muth, Richard von, 1848-1902.
Grillparzers Technik, ein Essay. Wiener-Neustadt, 1883.
36 p.
Programmschrift - Niederösterreichische Landes-Ober-Realschule, Wiener-Neustadt.
Accompanies Schulnachrichten.

1.Grillparzer, Franz, 1791-1872.

NM 0917274 CSt

830.6 A313s 1880 Bd.95 s.613
Muth, Richard von, 1848-1902.
Heinrich von Veldeke und die Genesis der romantischen und heroischen Epik um 1190. Eine kritische abhandlung. Wien, In Commission bei C. Gerold's Sohn, 1880.
70 p. 23cm. (Sitzungsberichte der phil.-hist. Classe der kais. Akademie der Wissenschaften, xcv. Bd., S.613)

1. Heinrich von Veldeke, 12th cent. 2. Romanticism.

NM 0917275 FU MB CtY

AC831 W52 1896 Stack
Muth, Richard von, 1848-1902.
Lose Skizzen zur Geschichte der deutschen Dichtung in Österreich von den Ausklängen der Romantik bis zum Durchdringen des Realismus. Wiener-Neustadt, 1896.
52 p.
Programmschrift - Niederösterreichische Landes-Oberrealschule, Wiener-Neustadt.
Accompanies Schulnachrichten.

1.Austrian poetry (German) 2.German poetry - Austrian authors.

NM 0917276 CSt MnU

X 9497 6
MUTH, RICHARD VON, 1848-1902.
Mittelhochdeutsche metrik. Leitfaden zur einführung in die lectüre der classiker... Wien, A.Hölder,1882.
130p. 23cm.

NM 0917277 PU CtY OClW NNU-W ICN CU-S InU MiDW OrU NIC MH PBm NcD

Muth, Richard von, 1848-1902.
Mittelhochdeutsches Lesebuch; Einleitung, Flexionslehre, Lehr- und Lesestoff, Anmerkungen, Wien, A.Hölder, 1873.

NM 0917278 MH PU OClW

Muth, Richard von, 1848-1902.
Der Mythus vom Markgrafen Rüdiger.
*3340.3.85
(In Kaiserliche Akademie der Wissenschaften, Vienna. Philosophisch-historische Classe. Sitzungsberichte. Band 85, pp. 265-280. Wien. 1877.)
Ruediger of Bechelaren, a hero of the Nibelungenlied is identified with Ruedigen, Margrave of Poechlain, Austria.

I15524 — Ruediger, Margrave of Poechlain, Austria.

NM 0917279 MB CU MH

VOLUME 403

MUTH, Richard von, 1848-1902.
Über eine schichte älterer im epos nachweisbarer Nibelungenlieder; mit einem excurse über die innere geschichte des xiv.liedes. Wien, 1878.

pp. 42.
"Aus dem feb.hefte des jahrg.1878.der Sitzungsber.der Phil.-hist.classe der Kais. Akad.der wiss.(LXXXIX.Bd.,S.633) besonders abgedruckt."

NM 0917280 MH CaBVaU CU-S

831.09
M992u
1878
Muth, Richard von, 1848-1902.
Untersuchungen und Excurse zur Geschichte und Kritik der deutschen Heldensage und Volksepik. Wien, K. Gerold's Sohn, 1878.
34 p. 24cm.
"Aus dem Julihefte des Jahrganges 1878 der Sitzungsberichte der phil.-hist. Classe der kais. Akademie der Wissenschaften (XCI. Bd., S. 223) besonders adgedrukt ."
1. Epic poetry, German. 2. Heldensage.

NM 0917281 FU

Muth, Robert
Humanismus und Wissenschaft. Innsbruck, F. Rauch, 1946.

24 p.

Schriftenreihe Ewiger Humanismus - 4. Heft.)

NM 0917282 NNC-T CtY

Muth, Robert, *ed.*
Natalicium Carolo Jax septuagenario a. D. VII kal. Dec. MCMLV oblatum. Redegit Ioannes Knobloch. Innsbruck, Selbstverlag des Sprachwissenschaftlichen Seminars der Universität Innsbruck, 1955-56.
2 v. illus., port., fold. maps (in pocket) 24 cm. (Innsbrucker Beiträge zur Kulturwissenschaft, Bd. 3-4)
Includes bibliographies and bibliographical footnotes.

1. Jax, Karl. I. Title.

AC30.M85 57-28540 rev

NcD MoSU CLU
NM 0917283 DLC CSt LU RPB ICU CU MH NIC IaU MiU

BL619
.O6M8
Muth, Robert.
Träger der Lebenskraft; Ausscheidungen des Organismus im Volksglauben der Antike. Wien, R. M. Rohrer, 1954 [©1953]
xiii, 184 p. 22 cm.
"Literatur": p. vi-xi.

1. Folk-lore, Greek. 2. Folk-lore, Roman. 3. Excretion (in religion, folk-lore, etc.) I. Title.
A 55-1651

Harvard Univ. Library for Library of Congress [1]

NM 0917284 MH LU PSt NN ICU OU DDO DLC

Muth, Robert.
Universitas, einst und jetzt. Wien, A. Sexl, 1948.
64 p. 21 cm.
"Anmerkungen" (bibliographical): p. 55-64.

1. Education, Higher. I. Title.

LB2325.M8 50-18819

NM 0917285 DLC

AC30
.M6
Muth, Robert, joint ed.

Moser, Simon, *teacher of philosophy, ed.*
Wissenschaft und Gegenwart; Internationale Hochschulwochen des Österreichischen College, Alpbach-Tirol, 25. August bis 10. September 1945, hrsg. unter Mithilfe von Robert Muth. Innsbruck, Tyrolia [1946]

MUTH, Walter, 1876-
Zur kenntnis des pulegens. Inaug.-diss. Leipzig. Resswein i.S., 1903.

NM 0917287 MH-C PU CtY

Muth, Walter, 1908-
Die rechtshängigkeit im deutschen strafprozess. ... 1933. 81 p.
Inaug. Diss. -Tübingen, 1933.
Lebenslauf.
Bibliography.

NM 0917288 ICRL

Muth, Werner
Rechtsmängel bei der veräusserung, insbesondere teilung von geschäftsanteilen einer gesellschaft mit beschränkter haftung und die möglichkeit ihrer heilung im wege der zusammenlegung. ... Würzburg, 1936. 67 p.
Inaug. Diss. - Erlangen, 1936.
Schrifttum.

NM 0917289 ICRL

Muth, Zacharias Conradus, respondent.
De abortus violent modis et signis
see under Alberti, Michael, 1682-1757, praeses.

Muthalib Mohjiddin, A
see
Mohjiddin, A Muthalib.

Muthalib Pohan, Abd
see
Pohan, Abd Muthalib.

---

al-Muthallath
see
Triadon.

Muthammah, Evangeline Thillayampalam
See
Thillayampalam, Evangelina-Muthammah, 1895-

WA
12356
Muthanna, I M
History warns! Decentralise or balkanise. [1st ed.] Pollibetta, Coorg, Tiny Spot, 1955.
117p. (The New Year brochure)

1. State governments - India. I. Title (1)

NM 0917295 CtY CU DLC-P4 CaBVaU

Muthanna, I M
A tiny model state of South India. [1st ed.] Pollibetta, Coorg, Tiny Spot, 1953.
xii, 362 p. illus., ports., maps, tables. 23 cm.
Bibliography: p. [ix]

1. Coorg—Hist. I. Title.

DS485.C69M85 954.85 60-41816

NM 0917296 DLC NSyU CaBVaU NN CtY CU NIC ICU WaU

---

al-Muthannā, Maktabat, *Bagdad*
see
Maktabat al-Muthannā, *Bagdad.*

Muthanna Bookshop, *Bagdad*
see
Maktabat al-Muthannā, *Bagdad.*

---

al-Muthanna Library, *Bagdad*
see
Maktabat al-Muthannā, *Bagdad.*

(al-Muthaqqaf al-'Arabī)
المثقف العربي. السنة [١٠]–
شباط ١٩٦٩–
[بغداد]
v. illus. 24 cm.
Frequency varies.
Added titles, 1969- : al-Muthaqaf al-Arabi. The Arab intellectual (varies slightly)
Vols. for 1969-Sept./Oct. 1970 issued by Wizārat al-Thaqāfah wa-al-I'lām; for Nov. 1970- by Wizārat al-I'lām.
I. Iraq. Wizārat al-Thaqāfah wa-al-I'lām. II. Iraq. Wizārat al-I'lām. III. Title: al-Muthaqaf al-Arabi. IV. Title: The Arab intellectual.

AP95.A6M87 74-641105

NM 0917300 DLC

BF637
I 5M8
Muthard, John Edward, 1917-
The relative effectiveness of larger units used in interview analysis. [Columbus, Ohio, Ohio State University, 1952.
263 l. 22cm. (Doctoral dissertation series)
Thesis - Ohio State University.
Vita.
Xeroxed copy, Ann Arbor, University Microfilms, 1970.
1. Interviewing. I. Title.

NM 0917301 GU OU

Muthard, William M
Democracy in America [by] William M. Muthard ... Stanley M. Hastings ... [and] Cullen B. Gosnell ... New York, T. Nelson and sons, 1940.
xvi, 623 p. illus. 22 cm. (*Half-title:* Nelson social studies series)
"Additional readings" at end of each chapter.

1. U. S.—Pol. & govt.—Handbooks, manuals, etc. 2. Democracy. I. Hastings, Stanley Miller, 1889- joint author. II. Gosnell, Cullen Bryant, joint author. III. Title.
40-32728

Library of Congress JK274.M93
[a51f½] 342.73

NM 0917302 DLC FU PU

Muthard, William M.
Democracy in America [by] William M. Muthard ... Stanley M. Hastings ... [and] Cullen B. Gosnell ... New York and Chicago, Newson & Company [c1942]
xvi 623p. illux. 22cm (Half-title: Newson social studies series)
"Additional readings" at end of each chapter.

1.U.S.-Pol. & govt. 2.-Democracy. 1.Hastings, Stanley Miller, 1889- joint author. 11. Gosnell, Cullen Bryant, joint author. 111. Title.

NM 0917303 OCU

VOLUME 403

Muthard, William M
Democracy in America. Rev. ed. ₍By₎ William M. Muthard ... Stanley M. Hastings ... ₍and₎ Cullen B. Gosnell ... New York, Newson & company, 1944.
xvi, 623 p. incl. front., illus. 20½cm. (*Half-title:* Newson social studies series; A. C. Bining, general editor)
Bibliography: p. 606-608.

1. U. S.—Pol. & govt. 2. Democracy. I. Hastings, Stanley Miller, 1889- joint author. II. Gosnell, Cullen Bryant, joint author. III. Title.

44-9951
Library of Congress JK274.M93 1944
₍4₎ 342.73

NM 0917304 DLC

Muthard, William M
Democracy in America. Rev. ed. ₍By₎ William M. Muthard ... Stanley M. Hastings ... ₍and₎ Cullen B. Gosnell ... New York, Newson & company, 1946.
xvi, 623 p. incl. front., illus., diagrs. 21cm. (*Half-title:* Newson social studies series; A. C. Bining, general editor)
"Additional readings" at end of each chapter. Bibliography: p. 606-608.
1. U. S.—Pol. & govt. 2. Democracy. I. Hastings, Stanley Miller, 1889- joint author. II. Gosnell, Cullen Bryant, joint author. III. Title.
JK274.M93 1946 342.73 47-1841
© 10Dec46; 2c 16Feb47; publisher; A10479.

Library of Congress ₍4₎

NM 0917305 DLC ICJ

Muthard, William M
Democracy in America. Revised ed. [By] William M. Muthard, Stanley M.Hastings [and] Cullen B.Gosnell. New York, Newson and co., 1947.
xvi, 623 p. illus. 20 cm. (Newson social studies series)

NM 0917306 MH

Muthard, William M
Democracy in America ₍by₎ William M. Muthard, Stanley M. Hastings ₍and₎ Cullen B. Gosnell. Rev. ed. New York, Newson, 1949.
xvi, 623 p. illus. 21 cm. (Newson social studies series)

1. U. S.—Pol. & govt.—Handbooks, manuals, etc. 2. Democracy. I. Title.
JK274.M93 1949 342.73 49-7901*‡

NM 0917307 DLC OrPS MoU PU PU-Penn

Muthard, William M
Democracy in America ₍by₎ William M. Muthard, Stanley M. Hastings ₍and₎ Cullen B. Gosnell. 5th ed. New York, Van Nostrand ₍1951₎
xvi, 623 p. illus. 21 cm.
Bibliography: p. 606-608.

1. U. S.—Pol. & govt.—Handbooks, manuals, etc. 2. Democracy. I. Title.
JK274.M93 1951 342.73 51-5271

NM 0917308 DLC MB MU

Muthel, John Godefroy
see Müthel, Johann Gottfried, 1728-1788.

358.1
M983
Muther, Alfred.
Das Gerät der leichten Artillerie vor, in und nach dem Weltkrieg. Berlin, Bernard & Graefe, 1925-43.
5 v. in 7. plates. 25cm.
Vol. 3 and 5 have title: Das Gerät der Artillerie...
Includes bibliographies.
Contents.- 1. T. Feldgeschütze.- 2.T. Infanteriegeschütze, Tankabwehr und Tankbestückung.- 3. T. Hammer.Das Gerat der Gebirgsartillerie vor, in und nach dem Weltkrieg.- 4. T. Flugabwehrwaffen. 2 v.- 5.T. Schirmer, Hermann. Das Gerat der schweren Artillerie vor, in und nach dem Weltkrieg. 2
1. Artillery.

NM 0917310 MnU DLC-P4 MH

Muther, Ferdinand Friedrich Albert, 1838-1867.
In fr. VI. commvnia praediorvm commentatio. Avctore Ferdinando Frid. Alb. Mvther ... Erlangae, prostat apvd Andream Deichert, 1858.
3 p. l., 67, ₍1₎ p. 22½cm.

1. Real property (Roman law) 2. Servitudes (Roman law) I. Title.
33-33010

NM 0917311 DLC ICRL MH

PA
6296
.D7
M8
Muther, Heinrich
Beiträge zur Emendation von Ciceros Büchern De oratore. Coburg, Druck der Dietz'schen Hofbuchdruckerei, 1885.
24 p.
At head of title: Einladungsschrift des Gymnasiums Casimirianum zu der öffentlichen Prüfung und Schlussfeier am 30. und 31. März und 1. April 1885.

NM 0917312 NNC MH NjP PU CtY

Muther, Heinrich.
... Beiträge zur erklärung und zur emendation der Horazischen episteln ... Coburg, Dietz, 1864.
1 p.l., 31 p. 21 cm.
Programm - Herzogliches gymnasium, Coburg (Stiftungsfeier)

NM 0917313 CU ICU NIC NjP

Muther, Heinrich.
Beiträge zur kritik und zur erklärung der Horaz. Satire I, 3. ₍n.p.₎ 1871

NM 0917314 NjP NIC PU

Muther, Heinrich.
Über die Komposition der ersten Philippischen Rede des Demosthenes. [n.p.] 1887.
17 p.
Programm - Gymnasium Casimirianum, Coburg.

NM 0917315 NjP

Muther, Heinrich.
Ueber die Tiresiasscene in Sophokles' König Oedipus. [n.p.] 1890.
24 p.
Programm - Gymnasium Casimirianum, Coburg.

NM 0917316 NjP

MUTHER, Heinrich.
Ueber die composition des ersten und des fünften buches von Ciceros Tusculanen. [Prog.] Coburg,[1862].
sm.4°. pp.38.

NM 0917317 MH PU NjP

JX
1396
M98
Muther, Jeannette E
Geopolitics and World War II, by Jeannette E. Muther. Seattle, Bureau of International Relations, University of Washington, 1947.
40 l. 28cm. (Washington (State) University. Bureau of International Relations. Bulletin no. 7)
Bibliography: leaves 38-40.
1. World War, 1939-1945. 2. Geopolitics. 3. World politics - 20th century. 4. Title.

NM 0917318 NNC-L WaT DPU IdU

Muther, Ludwig.
₍Das klingende Herz der Wachau₎
Das klingende Herz der Wachau. Wien, S. Stanberg ₍1936?₎ Pub. no. 496.
45 p. 16 cm.
Unacc. melodies.

1. Songs, German. 2. Wachau Valley—Songs and music. I. Title.
M1736.M9K5 M 54-1761

NM 0917319 DLC IaU NN

Muther, Ludwig.
₍Lieder aus der goldenen Wachau; arr.₎
Lieder aus der goldenen Wachau; die schönsten Wachauerlieder. Für Zither (Wienerstimmung) bearb. von Johann Pickart. Wien, S. Stanberg ₍194-?₎ Pl. no. M.ST. 497.
20 p. 31 cm.
For zither, with superlinear words; originally for voice and piano.
1. Zither music, Arranged. I. Title.
M138.M8L5 51-27635

NM 0917320 DLC NRU NN

Muther, Ludwig.
₍Lieder aus der goldenen Wachau₎
Lieder aus der goldenen Wachau; die schönsten Wachauerlieder. ₍Gesang und Klavier₎ Wien, S. Stanberg ₍°1943₎
27 p. 31 cm.
For voice and piano.

1. Songs with piano. 2. Wachau Valley—Songs and music. I. Title.
M1620.M96L5 51-49947

NM 0917321 DLC NN NRU

Muther, Ludwig.
₍Lieder aus der goldenen Wachau; arr.₎
Lieder aus der goldenen Wachau; die schönsten Wachauer-Lieder. Für Gesang und Gitarre gesetzt von Hans Muther. Wien, S. Stanberg ₍°1944₎
30 p. 19 cm.
For voice and guitar; acc. originally for piano.

1. Songs with guitar. 2. Wachau Valley—Songs and music. I. Title.
M1623.M8L5 51-49960

NM 0917322 DLC NRU NN

Muther, Richard.
Practical plant layout. With a foreword by Harold B. Maynard. 1st ed. New York, McGraw-Hill, 1955.
363 p. illus. 29 cm.

1. Factories—Design and construction. I. Title.
TS155.M7995 658.23 53-12434 †

NN ScCleU PPD OCl CaBVaU CaBVa OrCS WaS WaT OrPS MtU Or MiU NcRS PV OClW OOxM NcG NcD PPPTe PLF PP PU-W OU MB ICJ NN TxU MtBC OrP Wa
NM 0917323 DLC MsU ViU FTaSU NSyU ScU WaSpG PSt

Muther, Richard.
Production-line technique, by Richard Muther ... with a foreword by Erwin Haskell Schell. 1st ed. New York and London, McGraw-Hill book company, inc., 1944.
ix, 320 p. incl. illus., forms (1 fold.) diagrs. 23 cm.
"Executive reading" at end of most of the chapters.

1. Factory management. I. Title.
44-41866
Library of Congress TS155.M8
₍a49y2₎ 658.5

OrU WaS WaT
PSt ViU PPD NcD CaBVa MiHM ICJ TU MtBC MtU OrCS
NM 0917324 DLC NIC CLU CoU UU NcRS TxU OCl OCU OU

VOLUME 403

Muther, Richard, 1860–1909.
Die ältesten deutschen bilder-bibeln. Bibliographisch und kunstgeschichtlich beschrieben von dr. Richard Muther. München, M. Huttler, 1883.
2 p. l., 68 p. 27½cm.

1. Bible—Picture Bibles. 2. Wood-engraving. 3. Illustrated books—Bibles. 4. Printing—Hist.—Germany.

2—6163

Library of Congress Z7771.I 3M9

NM 0917325 DLC MiD CtY MiU ICJ MH MB

Muther, Richard, 1860–1909.
Anton Graff; ein beitrag zur kunstgeschichte des achtzehnten jahrhunderts, von Richard Muther. Leipzig, E. A. Seemann, 1881.
4 p. l., 128 p. front. (port.) 23½cm. (On cover: Beiträge zur kunstgeschichte. IV)
With Schultz, A. Die legende vom leben der jungfrau Maria ... Leipzig, 1878.
Bibliographical foot-notes.

1. Graff, Anton, 1736–1813.

13-23104

Library of Congress N25.B4

NM 0917326 DLC ICRL CSt NIC CU

Muther, Richard, 1860–1909.
...Aufsaetze über bildende Kunst; in drei Bänden hrsg. von Hans Rosenhagen. Berlin: J. Ladyschnikow Verlag, G.m.b.H., 1914. 3 v. 8°.
Contents: Bd. 1. Künstler und Werke. Bd. 2. Betrachtungen u. Eindrücke. Bd. 3. Bücher und Reisen.

1. Art—Essays and misc. 2. Rosenhagen Hans, 1858– editor.
N. Y. P. L.

NM 0917327 NN PPiU IEN InU MiU

Muther, Richard. 1860–1909.
Die belgische Malerei im neunzehnten Jahrhundert.
— Berlin. Fischer. 1904. 109 pp. Portraits. Plates. 8°.

F3712 — Nineteenth Century. F. a. Paint. — Belgium. F. a. Paint.

NM 0917328 MB NN ICN PSt CSt

759.9493 Muther, Richard, 1860-1909.
M992p3 Die belgische Malerei im neunzehnten
1909 Jahrhundert. Berlin, S.Fischer, 1909.
108p. plates. 21cm.

1.Painting, Belgian - History. I.Title.
LC.

NM 0917329 CLSU DLC-P4 MH OCl ICU

708.33 Muther, Richard, 1860-1909.
B455 Der Cicerone in der Kg.Gemäldegalerie in
M Berlin. Mit einer allgemeinen Einleitung über Kunst und Kunstverständniss und einer kurzen Geschichte der malerischen Auffassungen und Technikon von Georg Hirth. ₍München, G.Hirth₎ 1889.
₍xxxviiii₎, 371p. illus. 15cm. (Der Cicerone in den Kunstsammlungen Europa. 2.Bd.)

NM 0917330 OrU

Muther, Richard. 1860–1909.
Der Cicerone in der Münchner Alten Pinakothek. 5. Auflage.
— München. Hirth. 1898. ix, (1), 302 pp. Illus. Portraits. [Der Cicerone in den Kunstsammlungen Europas. Band 1.] 16°.
The fourth edition of this work, by Hirth and Muther, may be found on shelf-number F.A.Ref.5.6 (4079a.46).

G4108 — Paintings. Catalogues. — S.r. — Pinakothek, Munich.

NM 0917331 MB MiD MH MA NN CtY PU

708.32 Muther, Richard, 1860-1909.
M925 Der Cicerone in der Münchner alten Pinakothek
M 6.aufl. München, G. Hirth, 1907.
ix, 302p. illus. 16cm. (Der Cicerone in den Kunstsammlungen Europas, I)

1. Munich, Pinakothek, Alte. 2. Paintings. Munich. I. Title II. Series.

NM 0917332 OrU

Muther, Richard, 1860–1909.
... Courbet, von Richard Muther; mit sechzehn vollbildern in tonätzung. Berlin, Marquardt & co. ₍1908₎
2 p. l., 63 p. 16 pl. (incl. front., ports.) 16½cm. (Half-title: Die kunst ... hrsg. von R. Muther. 48. bd.)
Series title also at head of t.-p.
Title within ornamental border.
"Verzeichnis der hauptwerke": p. 62–63.

1. Courbet, Gustave, 1819–1877.

8-18751

NM 0917333 DLC

ND 50 MUTHER,RICHARD,1860-1909
.M997 Dějiny malířství. Přeložil L. Bílý.
V Praze, Nakl. Jana Laichtera, 1904.
792 p. illus.,ports. (Laichterov výbor nejlepších spisu poučných, kniha 23)

1. Painting--Hist.

NM 0917334 InU OCl

Muther, Richard, 1860–1909.
Die deutsche bücherillustration der gothik und frührenaissance (1460–1530) von Richard Muther ... München & Leipzig, G. Hirth, 1884.
2 v. in 1. illus. (incl. facsims.) 38cm.
Titles within ornamental borders; initials; head and tail pieces.
Vol. 1. text; v. 2. illustrations.

1. Illustrated books—15th and 16th cent.—Bibl. 2. Wood-engraving—Germany — Hist. 3. Printing — Hist. — Germany. 4. Incunabula — Bibl. 5. Incunabula—Facsimiles. 6. Bibliography—Rare books. I. Title.

Library of Congress Z1023.M992 1—18776
₍a24e1₎

NN MH
KU InU GU MiU NcU NSyU OU OCU CtY PU PP OCl OO ICJ
NM 0917335 DLC IaU OOxM CU ViU CoU MiD CLSU MoU

Muther, Richard, 1860-1909.
Die deutsche Bücherillustration der Gothik und Frührenaissance (1460-1530) München, G. Hirth, 1922.
2 v. in 1. illus. 38 cm.
Full blind stampted pig skin; remains of clasps.
1. Illustrated books - 15th and 16th cent. - Bibl. 2. Printing - Hist. - Germany. 3. Incunabula - Bibl. 4. Incunabula - Facsimiles. 5. Bibliography - Rare books. I. Title.

NM 0917336 CSt PHC PPDrop

Muther, Richard, 1860-1909
A festőművészet története; fordította Lengyel Géza. Függelékül: Magyar képirás irta Lyka Károly. Budapest, Revai, n.d.
₍2 v. in 1.₎

History of painting.

NM 0917337 OCl

Muther, Richard, 1860–1909.
... Francisco Goya, von Richard Muther. Mit einer kunstbeilage in lichtdruck und sechzehn vollbildern in ton-ätzung. ₍Berlin₎ Bard, Marquardt & cº ₍1904₎
4 p. l., 61, ₍1₎ p., 1 l. mounted front., plates, ports. 16½cm. (Half-title: Die kunst ... hrsg. von R. Muther. 30. bd.)
Series title also at head of t.-p.
Title within ornamental border.
"Verzeichnis der hauptwerke Goyas": p. ₍62₎

1. Goya y Lucientes, Francisco José de, 1746–1828.

Library of Congress ND813.G7M83 29-7439

NM 0917338 DLC MH PBm NIC CSt GU

Muther, Richard, 1860–1909.
Francisco de Goya, by Richard Muther ... London, A. Siegle, 1905.
4 p. l., 63 p. front., plates, ports. 16½cm. (Half-title: The Langham series; an illustrated collection of art monographs; ed. by Selwyn Brinton (vol. XIII))
"Catalogue of Goya's principal works": p. ₍62₎–63.

6-33517

NM 0917339 DLC MH MiU OCl PP NN Or OKentU FMU

Muther, Richard, 1860–1909.
Francisco de Goya, by Richard Muther... New York: C. Scribner's Sons, 1905. 63 p. plates. 16°. (The Langham series of art monographs. v. 13.)
"Catalogue of Goya's principal works," p. 62–63.

HUNEKER COLLECTION.
18598A. 1. Goya y Lucientes, Francisco José de, 1746–1828.
N. Y. P. L. November 29, 1921.

NM 0917340 NN PPPM MB

Muther, Richard, 1860–1909.
Francisco de Goya, por Ricardo Muther ... traducido del inglés por Eugenio Alvarez Dumont. Madrid, Sáenz de Jubera hermanos, 1909.
62 p. mounted front. (port.) plates. 17½cm. (Half-title: Monografías de arte universal. vol. 1)

1. Goya y Lucientes, Francisco José de, 1746–1828. I. Alvarez Dumont, Eugenio, 1864– tr.

Library of Congress ND813.G7M85 33-16166
₍2₎ ₍759.6₎ 927.5

NM 0917341 DLC

Muther, Richard, 1860–1909.
Geschichte der englischen malerei, von Richard Muther; mit einhundertdreiundfünfzig abbildungen im text. Berlin, S. Fischer, 1903.
400 p. illus. 24cm.

1. Painting—Gt. Brit.—Hist. 2. Painters, British.

3-18548

Library of Congress ND464.M8

NM 0917342 DLC CtY MB NIC MWiCA

Muther, Richard, 1860-1909.
Geschichte der malerei. Neudruck.
Leipzig, G.J. Göschen, 1899-1906.
5 v. 16 cm. (Sammlung Göschen. [107-111])
Contents.- I. Das mittelalter. Die nachblüte des mittelalterlichen stils im quattrocento. Natur und antike. Künstlerverzeichnis.- II. Die kirchliche reaction.Die germanische malerei des reformationszeitalters. Künstlerverzeichnis.- III. Der triumph der sinnlichkeit in Italien. Das majestätische und titanische. Die vereinigung der stile. Venedigs und Spaniens kampf gegen Rom. Künstlerverzeichnis.- IV. Italien. Spanien. Flandern.Holland. Verzeichnis.- V. Das ende der holländischen malerei. Die aristokratische kunst Frankreichs. Der sieg des bürgertums. Künstlerverzeichnis.

NM 0917344 FMU

ND50 Muther, Richard, 1860-1909.
M87 Geschichte der malerei; von Richard Muther.
1900 Neudruck. Leipzig, G. J. Göschen, 1900-05.
5 v. 16cm. (Sammlung Göschen. ₍107-111₎)

This set is made up of various editions.

NM 0917345 GU

VOLUME 403

Muther, Richard, 1860–1909.
... Geschichte der malerei; von Richard Muther. Neudruck. Leipzig, G. J. Göschen, 1902.
5 v. 16cm. (Sammlung Göschen. [107–111])
Contents.—I. Das mittelalter. Die nachblüte des mittelalterlichen stils im quattrocento. Natur und antike. Künstlerverzeichnis.—II. Die kirchliche reaktion. Die germanische malerei des reformationszeitalters. Künstlerverzeichnis.—III. Der triumph der sinnlichkeit in Italien. Das majestätische und titanische. Die vereinigung der stile. Venedigs und Spaniens kampf gegen Rom. Künstlerverzeichnis.—IV. Italien. Spanien. Flandern. Holland. Verzeichnis.—V. Das ende der holländischen malerei. Die aristokratische kunst Frankreichs. Der sieg des bürgertums. Künstlerverzeichnis.
1. Painting—Hist.
Library of Congress ND50.M85 3—6652

NM 0917346 DLC MB TNJ MiU OCl

WA 15302

Muther, Richard, 1860–1909
... Geschichte der malerei; von Richard Muther. Neudruck. Leipzig, G. J. Göschen, 1900-1903.
5 v. 16cm. (Sammlung Göschen. [107-111])
Contents.—I. Das mittelalter. Die nachblüte des mittelalterlichen stils im quattrocento. Natur und antike. Künstlerverzeichnis.—II. Die kirchliche reaktion. Die germanische malerei des reformationszeitalters. Künstlerverzeichnis.—III. Der triumph der sinnlichkeit in Italien. Das majestätische und titanische. Die vereinigung der stile. Venedigs und Spaniens kampf gegen Rom. Künstlerverzeichnis.—IV. Italien. Spanien. Flandern. Holland. Verzeichnis.—V. Das ende der holländischen malerei. Die aristokratische kunst Frankreichs. Der sieg des bürgertums. Künstlerverzeichnis.
1. Painting - Hist.

NM 0917347 CtY

Muther, Richard, 1860-1909.
Geschichte der Malerei. Leipzig, G. J. Göschen, 1904-06.
5 v. (Sammlung Göschen, 107-111)

NM 0917348 MH

Muther, Richard, 1860–1909.
Geschichte der malerei, von Richard Muther ... Leipzig, K. Grethlein, 1909.
3 v. front., illus. (incl. ports.) 24½cm.
Contents.—bd. I. Italien bis zu ende der renaissance.—bd. II. Die renaissance im Norden und die barockzeit.—bd. III. 18. und 19. jahrhundert.
1. Painting—Hist.
Library of Congress ND50.M87 9-32645

NM 0917349 DLC OWorP MeB OrCS PBm PPDrop NN MB

ND50 M84 1912 Arch. Library

Muther, Richard, 1860-1909.
Geschichte der Malerei. 2. Aufl. Berlin, Neufeld & Henius, 1912.
3 v. illus., ports.
Contents.- Bd. 1. Italien bis zum Ende der Renaissance.- Bd. 2. Die Renaissance im Norden und die Barockzeit.- Bd. 3. 18. und 19. Jahrhundert.
1 Painting - Hist.

NM 0917350 CU PPLT

ND50 M87 1920

Muther, Richard, 1860-1909.
Geschichte der Malerei. 3. Aufl. Berlin Carl P. Chryselius, 1920.
3 v. front., illus. (incl. ports.) 25cm.
CONTENTS.- Bd. I. Italien bis zu Ende der Renaissance.- Bd. II. Die Renaissance im Norden und die Barockzeit.- Bd. III. 18. und 19. Jahrhundert.
1. Painting - History.

NM 0917351 GU MoU

Muther, Richard, 1860-1909.
Geschichte der malerei, von Richard Muther ... IV. aufl. Berlin, Carl P. Chryselius'scher verlag, 1922.
3 v. front., illus. (incl. ports.) 24½cm
Contents-bd. I. Italien bis zu ende der renaissance-bd. II. Die renaissance im Norden und die barockzeit.-bd. III. 18 und 19. Jahrhundert.
1. Painting-Hist.

NM 0917352 OCl WaU

ND50 .M82 1926

Muther, Richard, 1860-1909.
Geschichte der Malerei. 5. Aufl. Berlin, C. P. Chryselius, 1926.
3v. illus. (incl. ports.) 24cm.
Contents.- Bd. 1. Italien bis zu Ende der Renaissance.- Bd. 2. Die Renaissance im Norden und die Barockzeit.- Bd. 3. 18. und 19. Jahrhundert.
1. Painting - Hist.

NM 0917353 FMU

Muther, Richard, 1860-1909.
Geschichte der malerei im XIX. jahrhundert von Richard Muther ... München, G. Hirth, 1893-94.
3 v. illus., ports. 26½cm.
"Literatur" at end of each volume.
1. Painting—Hist.

MdBP NjP
NM 0917354 MiU PPPM NBuG MH FTaSU CU MoU MWiCA

Muther, Richard, 1860-1909.
Hans Burgkmair.
1884.

NM 0917355 NIC

Muther, Richard, 1860–1909.
The history of modern painting, by Richard Muther ... London, Henry and co., 1895–96.
3 v. illus., plates, ports. 27cm.
Vol. 1 tr. by Ernest Dowson, G. A. Greene and A. C. Hillier; vols. 2 and 3, by A. C. Hillier.
Bibliography: v. 1, p. 557–586; v. 2, p. 775–804; v. 3, p. 805–830.
1. Painting—Hist. I. Dowson, Ernest Christopher, 1867–1900, tr. II. Greene, George Arthur, 1853–1921, joint tr. III. Hillier, Arthur Cecil, joint tr.
Library of Congress ND160.M9 4–11695

MiU OClW OClSA OClStM FU CU PP CaBVaU CaBVa OrP
NM 0917356 DLC NBuU ViU PHC MWiCA NcU MdBP CtY

MUTHER, Richard, 1860-1909.
The history of modern painting.
N. Y. Macmillan & co. 1896. 3 v. Illus. Portrs. Pls. L.8°

NM 0917357 MB CSmH NjNbS MH CtY PP-W OO

Muther, Richard, 1860–1909.
The history of modern painting, by Richard Muther ... Rev. ed., continued by the author to the end of the XIX century. London, J. W. Dent & co.; New York, E. P. Dutton & co., 1907.
4 v. col. fronts., illus., plates (part col.) ports. 26 cm.
Bibliography at end of each volume.
"Index of artists": v. 4, p. 403–444.
1. Painting—Hist.
ND160.M92 8—3624

MtU IdU WaSp OrPR OrCS OrU CaBVaU AU Wa WaS WaWW MdBWA MiU OCl OCU PU PSC TU ViU NjP NcD DAU CU NN
NM 0917358 DLC CaBVa WaChenE NjP CaBViP MB ICN CtY

Muther, Richard, 1860–1909.
The history of painting from the fourth to the early nineteenth century, by Richard Muther ... Authorised English edition tr. from the German and ed. with annotations by George Kriehn ... New York and London, G. P. Putnam's sons, 1907.
2 v. fronts., plates, ports. 22½cm.
Paged continuously.
1. Painting—Hist. I. Kriehn, George, 1868– ed. and tr.
Library of Congress ND50.M9 7—11026

NBuU MB NcD WaE CoU IdU OrPR MtHi OrMonO Or WaS I CaBVaU NRCR OU OCl MiU OClW CtY NjP NcD FMU MWiCA
NM 0917359 DLC DHEW WaSpG MtBC NjNbS PU NNH ViU NN

Muther, Richard, 1860-1909.
J.F. Millet. Berlin, [1904]
(6), 72 p. Plates. sq. 16°. (Die Kunst, 17)
"Verzeichnis der hauptwerke," p. 69-72.

NM 0917360 MH

Muther, Richard, 1860–1909.
... J. F. Millet, von Richard Muther. 2. aufl., mit zwei photogravüren und zehn vollbildern in tonätzung. [Berlin] Bard, Marquardt & co. [1907]
3 p. l., 72 p. front., 11 pl. 16½cm. (*Half-title:* Die kunst ... hrsg. von R. Muther. 17. bd.)
Series title also at head of t.-p.
Title within ornamental border.
"Verzeichnis der hauptwerke": p. 69–72.
7–17052

NM 0917361 DLC KyLoU

Muther, Richard, 1860–1909.
Ein Jahrhundert französischer Malerei. Berlin, S. Fischer, 1901.
323 p. illus., ports. 24 cm.
1. Painting, French—Hist. I. Title.
ND547.M8 1–11118 rev

NM 0917362 DLC OO MB MH-FA NcD NIC MdU CU

Muther, Richard, 1860–1909.
Jean François Millet; by Richard Muther ... London, A. Siegle, 1905.
4 p. l., 70 p. front., 11 pl. (*Half-title:* The Langham series; an illustrated collection of art monographs; ed. by Selwyn Brinton, v. 11)
Title in green and black.
Principal works: p. 68–70.
1. Millet, Jean François, 1814–1875.
W 6–154* Cancel
Washington, D. C. Public Library

NM 0917363 DWP OClMA Wa WaS OCl OO PBm PPL

Muther, Richard, 1860-1909.
Jean François Millet; by Richard Muther... London, Siegle, Hill & co., 1910.
7-,p. (Half-title: The Langham series; an illustrated collection of art monographs; ed. by Selwyn Brinton, v. 11)
Title in green and black.
2d impression.

NM 0917364 MiU

Muther, Richard, 1860-1909, ed.
Die Kunst; sammlung illustrierter monographien
see under title

ND 623 .L5M93 1903

Muther, Richard, 1860-1909.
Leonardo da Vinci. Mit vielen vollbidern. Berlin, Brandussche Verlagsbuchhandlung [1903?]
63 p. illus. 19 cm. (Die Kunst Sammlung brandus)
1. Leonardo da Vinci, 1452-1519. I. Title

NM 0917366 OKentU CU

VOLUME 403

Muther, Richard, 1860–1909.
... Leonardo da Vinci, von Richard Muther. **Mit zwei photogravüren und acht vollbildern in tonätzung. 2. unveränderte aufl.** Berlin, J. Bard ⌈1904⌉
4 p. l., 61 p., 1 l. mounted front., illus., 8 pl. (1 mounted) port. 16½cm. (*Half-title:* Die kunst ... hrsg. von R. Muther. 9. bd.)
Series title also at head of t.-p.
Title within ornamental border.
"Verzeichnis der im text besprochenen werke Leonardos": p. 60.
1. Leonardo da Vinci, 1452–1519.
29-7453
Library of Congress ND623.L5M93 1904
NM 0917367 DLC CSt MB MH

Muther, Richard, 1860– 1909.
... Leonardo da Vinci, von Richard Muther. 3. aufl., mit zehn vollbildern in tonätzung. ⌈Berlin⌉ Bard, Marquardt & co. ⌈1907⌉
3 p. l., 61 p. front., illus., plates, port. 16½cm. (*Half-title:* Die kunst ... hrsg. von R. Muther. 9. bd.)
Series title also at head of t.-p.
Title within ornamental border.
7-17053
NM 0917368 DLC OO MiU PBm

ND 623 .L5 M95 MUTHER,RICHARD,1860-1909
Leonardo da Vinci. Berlin, Brandus ⌈1922⌉
63 p. plates. (Die Kunstsammlung Brandus, v. 9)
1. Leonardo da Vinci, 1452-1519. 1. Leonardo da Vinci, 1452-1519
NM 0917369 InU

Muther, Richard, 1860–1909.
Leonardo da Vinci, by Richard Muther. London, Siegle, Hill & co., 1907.
xii, 69, ⌈2⌉ p. incl. front., illus. 9 pl. 16½cm. (*Half-title:* The Langham series; an illustrated collection of art monographs, ed. by S. Brinton. ⌈vol. XIX⌉)
1. Leonardo da Vinci, 1452–1519.
Library of Congress ND623.L5M9 8—6679
NM 0917370 DLC NjP PPT

MUTHER, RICHARD, 1860-1909.
Lucas Cranach. Berlin, Brandus [19- ?] 49 p. 20 plates. 19cm. (Die Kunst-Sammlung-Brandus. Bd. 1)
1. Cranach, Lucas, 1472-1553. I. Die Kunst-Sammlung-Brandus.
NM 0917371 NN

ND 588 C8 M8 Muther, Richard, 1860-1909.
Lucas Cranach. Berlin, Brandus ⌈190-?⌉
49 p. plates. 18½cm. (Die Kunst Sammlung Brandus, Bd.1)
1. Cranach, Lucas, 1472-1553.
NM 0917372 IdU CSt

Muther, Richard, 1860–1909.
... Lucas Cranach, von Richard Muther. Berlin, J. Bard ⌈1902⌉
4 p. l., 64 p., 1 l. mounted front., 6 pl. (2 mounted) 16½cm. (*Half-title:* Die kunst ... hrsg. von R. Muther. 1. bd.)
Series title also at head of t.-p.
Title within ornamental border.
"Verzeichnis der hauptwerke": p. 61–64.
1. Cranach, Lucas, 1472–1553.
Library of Congress ND588.C8M8 29-7438
NM 0917373 DLC NIC WU MH PBm

Muther, Richard, 1860–1909.
Lucas Cranach. 2e, unveränderte aufl. Berlin, J. Bard, [1904].
pp. (6), 64. Port. and plates. (Die kunst, 1.)
Cranach||CB 3: 325
NM 0917374 MH

Muther, Richard, 1860-1909, ed.
Hirth, Georg, 1841–1916, *ed.*
Meister-holzschnitte aus vier jahrhunderten, hrsg. von Georg Hirth und Richard Muther. München & Leipzig, G. Hirth, 1893.

Muther, Richard, 1860-1909.
Die Muther hetze. Ein beitrag zur psychologie des neides und der verläumdung. München & Leipzig, 1896. YA23074
42p.
NM 0917376 DLC

Muther, Richard, 1860–1909.
Die Muther Hetze; ein Beitrag zur Psychologie des Neides und der Verläumdung, von Richard Muther. 2. Aufl. München ⌈etc.⌉ G. Hirth, 1896. 32 p. 24cm.
1. Goethe, Johann Wolfgang von. 2. Volbehr, Theodor, 1862-1931.
N. Y. P. L. March 24, 1948
NM 0917377 NN MH-FA

Muther, Richard, 1860-1909.
... La peinture belge au XIXe siècle, tr. par Jean de Mot... Bruxelles, Misch, 1904.
10, 137 p. plates. 20 cm.
1. Painting in Belgium - Hist.
I. Mot, Jean de, tr.
NM 0917378 NjP

Muther, Richard. 1860–1909.
Problems of the study of modern painting. Translated from the German by George Kriehn.
(In Congress of Arts and Science . . . St. Louis, 1904. Vol. 3, pp. 653-662. Boston. 1906.)
G1843 — Kriehn, George, tr. — Fine arts. Painting.
NM 0917379 MB

Muther, Richard, 1860-1909,
Quatre siècles de gravure sur bois
see under Hirth, Georg, 1841-1916.

Muther, Richard, 1860-1909.
Rembrant; ein künstlerleben. Berlin, E. Fleischel & Co., 1904.
(4), 51 p. Port. and plates. 1.8°.
NM 0917381 MH

4ND-128 Muther, Richard, 1860-1909.
Rembrandt; ein Künstlerleben. Berlin, E. Fleischel, 1921.
50 p.
NM 0917382 DLC-P4

Muther, Richard, 1860–1909.
Rembrandt. [Berlin], Bard, Marquardt & co. [1906].
sq. 16°. pp. (4), 56. Ports. and plates. (Die kunst, 40.)
Rembrandt||CB 3: 325
NM 0917383 MH WU

Muther, Richard, 1860–1909.
Rembrandt, by Richard Muther; tr. by Francis F. Cox. London, Siegle, Hill & co., 1910.
4 p. l., 74 p. front., illus., plates, ports. 16 x 12½ cm. (*Half-title:* The Langham series; an illustrated collection of art monographs. ⌈vol. XXII⌉)
"List of publications relating to Rembrandt and his works": p. ⌈69⌉–74.
1. Rembrandt Hermanszoon van Rijn, 1606–1669. I. Cox, Francis F., tr.
Library of Congress ND653.R4M8 12—18781
NM 0917384 DLC NBuG FU Or MiU OCl MdBWA

MUTHER,RICHARD,1860-1909.
Rembrandt van Ryn. Berlin, Brandus ⌈19—⌉
46 p. plates. (Die Kunst-Sammlung Brandus, v. 40)
1. Rembrandt Harmenszoon van Rijn, 1606-1669.
1. Rembrandt Harmenszoon van Rijn, 1606-1669.
NM 0917385 InU

Muther, Richard, 1860–1909.
... Die renaissance der antike, von Richard Muther; mit einer photogravure und acht vollbildern in tonätzung. Berlin, J. Bard ⌈1903⌉
3 p. l., 67 p., 1 l. mounted front., 8 pl. 16½cm. (*Half-title:* Die kunst; sammlung illustrierter monographien, hrsg. von R. Muther. 8. bd.)
Series title in part at head of t.-p.
Title within ornamental border.
"Urteile der presse über Die kunst": p. 65–67.
1. Art and mythology. 2. Painting—Italy. I. Title.
Library of Congress N7760.M83 34-24527
——— Copy 2. ⌈2⌉ 759.5
NM 0917386 DLC NjP

Muther, Richard, 1860–1909.
... Die renaissance der antike, von Richard Muther; mit einer photogravüre und acht vollbildern in tonätzung. 2. aufl. ⌈Berlin⌉ Bard, Marquardt & co ⌈1904⌉
4 p. l., 64 p. mounted front., 8 pl. 16½cm. (*Half-title:* Die kunst; sammlung illustrierter monographien, hrsg. von R. Muther. 8. bd.)
Series title also at head of t.-p.
Title within ornamental border.
1. Art and mythology. 2. Painting—Italy. I. Title.
40-16709
Library of Congress N7760.M83 1904
NM 0917387 DLC CSt MH

Muther, Richard, 1860-1909.
... Sammlungen Richard Muther [und] Ludwig Hevesi
see under Miethke, firm, art dealers, Vienna.

Muther, Richard, 1860-1909.
N2335 .A6 1904a **Munich. Schack-galerie.** FOR OTHER EDITIONS SEE MAIN ENTRY
Schack-galerie in München, im besitz Seiner Majestät des deutschen kaisers, königs von Preussen. 9. aufl., mit 56 autotypischen abbildungen. München ⌈G. Hirth⌉ 1904.

Muther, Richard, 1860-1909.
N2335 .A62 **Munich. Schack-galerie.**
Schack gallery in Munich, in the possession of His Majesty the German Emperor, King of Prussia. 1st ed. With 43 autotypical reproductions. Munich ⌈G. Hirth verlag, g. m. b. h.⌉; London ⌈etc.⌉ W. S. Manning, 1911.

VOLUME 403

N
27
.M8
Muther, Richard, 1860 - 1909
Studien...herausgegeben und eingeleitet von Hans Rosenhagen. Berlin, Erich Reiss, 1925.

4 p.l., 11 - 658 [2] p. 22½ cm.

I. Rosenhagen, Hans, 1858 - II. Title.

NM 0917391 DNGA

Muther, Richard, 1860–1909.
... Studien und kritiken. [Wien] Wiener verlag [1900–01]
2 v. 21cm.
Each volume has also special t.-p.
Vol. I: 3. aufl.; vol. II: 4. aufl.
Articles on art, reprinted in part from various periodicals.

1. Art.

25-6751

Library of Congress N27.M8

MB PPiU
NM 0917392 DLC IEN MiU MoU CLSU NcU CaBVaU ICU IU

Muther, Richard, 1860–1909.
... Velasquez, von Richard Muther; mit zwei photogravüren und zehn vollbildern in tonätzung. Berlin, J. Bard [1903]
4 p. l., 78 p. mounted front., plates (1 mounted) 16½cm. (*Half-title:* Die kunst; sammlung illustrierter monographien, hrsg. von R. Muther. 23. bd.)
Title within ornamental border.
Short series title at head of t.-p.
Imprint on back cover: Berlin, Bard, Marquardt & c°.
"Verzeichnis der hauptwerke": p. 76–78.

1. Velázquez, Diego Rodríguez de Silva y, 1599–1660.

33-2266

Library of Congress ND813.V4M8 1903 [927.5] 759.6

NM 0917393 DLC NBuG MH

Muther, Richard, 1860– 1909.
... Velasquez, von Richard Muther. 2. aufl., mit einer photogravüre und elf vollbildern in tonätzung. [Berlin] Bard, Marquardt & co. [1907]
4 p. l., 78 p. front., 11 pl. (incl. ports.) 16½cm. (*Half-title:* Die kunst; sammlung illustrierter monographien. Hrsg. von R. Muther. 23. bd.)
Series title also at head of t.-p.
Title within ornamental border.
"Verzeichnis der hauptwerke": p. 76–78.
"Bard" canceled in imprint.

7-22834

NM 0917394 DLC CSt

Muther, Richard, 1860-1909, ed.

Die Zeit. Wiener wochenschrift für politik, volkswirtschaft, wissenschaft und kunst. v. -40; 29. okt. 1904.
Wien -04]

Muther, Theodor, 1826-1878.
Anna Sabinus.
39p.

NM 0917396 PPLT

Muther, Theodor, 1826–1878.
Aus dem universitäts- und gelehrtenleben im zeitalter der reformation. Vorträge von d. Theodor Muther. Erlangen, A. Deichert, 1866.
xii, 499 p. 19cm.
Bibliographical references included in "Anmerkungen" (at end of each chapter)
Contents.—Vorträge: Bilder aus dem mitelalterlichen universitätsleben. Zur verfassungsgeschichte der deutschen universitäten. Politische und kirchliche reden aus dem anfange des 16. jahrhunderts. Ausgang des Petrus Ravennas. D. Christoph Kuppener. D. Hieronymus Schürpf. D. Johann Apel. Anna Sabinus.—Beilagen: Schriften des Petrus Ravennas. Quellen der biographie Chr. Kuppeners. Nachtrag zur biographie d. Chr. Kuppeners. Zur biographie von H. Schürpf. Die schriften Johann Apels und ihre ausgaben.
1. Learning and scholarship—Germany. 2. Universities and colleges—Germany. 3. Reformation.
Library of Congress AZ664.M8 42-44301

ICU PPeSchw IU CU ViU
NM 0917397 DLC CU IaU NIC IEG NcU OCl OClW MH ICN

MUTHER, Theodor, 1826-1878.
De origine processus provocatorii ex lege diffamari quem vocant commentatio. Erlangae, 1853.

NM 0917398 MH-L IEN CtY ICRL

MUTHER, Theodor, 1826-1878.
Doctor Johann Apell: ein beitrag zur geschichte des deutschen jurisprudenz im sechzehnten jahrhundert. Königsberg, 1861.

(2)+90 p.

NM 0917399 MH-L

Muther, Theodor, 1826-1878.
Johannes Urbach, von Dr.Th.Muther. Nach dessen hinterlassenen Papieren bearb.und herausgegeben von Ernst Landsberg. Breslau, W.Koebner, 1882.
vi, 63 p. 24cm. (Untersuchungen zur deutschen Staats- und Rechtsgeschichte ... 13)

1.Auerbach, Johannes, fl.1405. I.Landsberg, Ernst, 1860-1927. Series

NM 0917400 MiU-L DLC-P4 IU CtY PU MH

MUTHER, Theodor, 1826-1878.
Die ersitzung der servituten mit besonderer berücksichtigung der wegservituten. Erlangen, 1852.

4+72 p.

NM 0917401 MH-L

4K
Ger.
2045
Muther, Theodor, 1826-1878.
Die Gewissensvertretung im gemeinen Deutschen Recht, mit Berücksichtigung von Particulargesetzgebungen, besonders der Sächsischen und Preussischen. Erlangen, A. Deichert, 1860.
334 p.

NM 0917402 DLC-P4 MH-L

Law
Muther, Theodor, 1826-1878.
Auerbach, Johannes, fl. 1405.
Ioannis Vrbach processvs ivdicii qui panormitani ordo ivdiciarivs a mvltis dicitvr ex recognitione Theodori Mvnther. Halis Saxonvm, typis et impensis Orphanotrophaei, 1873.

Muther, Theodor, 1826-1878, ed.

Jahrbuch des gemeinen deutschen rechts ... 1.-6. bd.; 1857-63. Leipzig, S. Hirzel, 1857-63.

MUTHER, Theodor, 1826-1878.
Die reform des juristischen unterrichtes: eine akademische antrittsvorlesung. Weimar, 1873.

23 p.

NM 0917405 MH-L

Muther, Theodor, 1826–1878.
Der reformationsjurist d. Hieronymus Schürpf. Ein vortrag gehalten im april 1858 zu Königsberg i. Pr. von prof. d. Theodor Muther. Erlangen, A. Deichert, 1858.
48 p. 19½cm.

1. Schurff, Hieronymus, 1481–1554. I. Title.

33-6392

NM 0917406 DLC

Muther, Theodor, 1826–1878.
Römisches und kanonisches recht im deutschen mittelalter. Ein populärer vortrag gehalten zu gunsten des Rostocker hülfsvereins am 20. februar 1871 in der aula des universitätsgebäudes von d. Theodor Muther. Rostock, E. Kuhn, 1871.
51, [1] p. 19cm.

1. Roman law—Hist. 2. Canon law—Hist. 3. Law—Germany—Hist. & crit. [3. History of law—Germany]

14-1271

NM 0917407 DLC CU

Muther, Theodor, 1826–1878.
Sequestration und arrest im römischen recht. Von d. Theodor Muther ... Leipzig, S. Hirzel, 1856.
xii, 419, [1] p. 21cm.
"Einleitung" contains bibliography.

1. Arrest (Roman law) 2. Criminal law (Roman law) I. Title.

33-77

NM 0917408 DLC NIC

Muther, Theodor, 1826–1878.
Zur geschichte der rechtswissenschaft und der universitäten in Deutschland. Gesammelte aufsätze von d. Theodor Muther. Jena, H. Dufft, 1876.
viii, 428 p. 23cm.
Contents.—Römisches und canonisches recht im deutschen mittelalter.—Der Occultus erfordensis und seine bedeutung für die geschichte der jurisprudenz in Deutschland.—Allerlei zu Otto Stobbe's Quellengeschichte des deutschen rechts.—Zur geschichte der mittelalterlichen rechtsliteratur für "pauperes" und "minores".—Die juristen der Universität Erfurt im 14. und 15. jahrhundert.—Cölner rechtsgutachten über die Brüder und Schwestern vom gemeinschaftlichen leben aus dem jahre 1398.—Neuer beitrag zur verfassungsgeschichte der deutschen universitäten.—Doctor Conrad Lagus.—Kleiner beitrag zur vorgeschichte der sächsischen constitutionen.—Zur literaturgeschichte der civilprocesses.—Beilagen. I. Deutsche rechtsstudenten auf ausländischen hochschulen bis 1500.—II. Quellen der biographie des Conrad Lagus.
1. Law—Germany—Hist. & crit. 2. Universities and colleges—Germany.
Library of Congress [a25c1] 14-1283

NM 0917409 DLC NIC MoS CtY PPPD MH

Muther, Theodor, 1826–1878.
Zur geschichte des römisch-canonischen prozesses in Deutschland während des vierzehnten und zu anfang des fünfzehnten jahrhunderts. Festschrift namens und im auftrage der Rostocker juristen-facultät verfasst von d. Theodor Muther. Rostock, Universitäts-buchdr. von Adler's erben, 1872.
viii p., 1 l., 82 p. 25cm.
"Herrn Carl Georg von Wächter ... zu seinem fünfzigjährigen doctorjubiläum am 16. juli 1872."

1. Civil procedure—Germany—Hist. 2. Wächter, Karl Joseph Georg Sigismund von, 1797–1880. I. Rostock. Universität. Juristische fakultät. II. Title.

13-24368

NM 0917410 DLC CtY

Muther, Theodor, 1826–1878.
Zur lehre von der römischen actio, dem heutigen klagrecht, der litiscontestation und der singularsuccession in obligationen. Eine kritik des Windscheid'schen buchs: "Die actio des römischen civilrechts, vom standpunkte des heutigen rechts" von d. Theodor Muther. Erlangen, A. Deichert, 1857.
viii, 198 p. 21½cm.

1. Civil procedure (Roman law) 2. Windscheid, Bernhard Joseph Hubert, 1817–1892. Die actio des römischen civilrechts. I. Title.

39-29550

NM 0917411 DLC CLL MH CtY

VOLUME 403

Muther-Widmer, Maria.
...Wie stellen wir Frauen uns zum Frauenstimmrecht ein? Luzern, Hrsg. vom Schweizerischen katholischen Frauenbund, 1946. 16 p. 23cm.

1. Woman—Suffrage—Switzerland. I. Schweizerischer katholischer Frauenbund.
N. Y. P. L. October 3, 1949

NM 0917412 NN

Muthesius, Carl,
see Muthesius, Karl, 1859-1929.

Muthesius, Ehrenfried, 1891–
Logik der polyphonie, beiträge zu einer philosophischen musiktheorie, von Ehrenfried Muthesius. Berlin, Junker und Dünnhaupt, 1934.
3 p. l., 137 p. 24½cm. (*Half-title:* Episteme, arbeiten zur philosophie und zu ihren grenzgebieten, hrsg. von N. Hartmann, R. Kroner und J. Stenzel. 3. hft.)
Bibliography included in "Anmerkungen" (p. 136-137)

1. Music—Philosophy and esthetics. 2. Music—Theory. 3. Counterpoint. I. Title.
Library of Congress ML3817.M9 34-6429
[2] 781.1

NM 0917414 DLC CU OCl

Law
Muthesius, Hans, 1885– ed.
Germany (*Federal Republic, 1949–*) *Laws, statutes, etc.*
Bundesrechtliche Grundlagen der öffentlichen Fürsorgepflicht [von] Hans Muthesius. 5. neu bearb. Aufl. Köln, Heymann, 1955.

Muthesius, Hans, 1885–
Das Erfordernis besonderer Genehmigung bei Anlagen nach der Reichsgewerbeordnung. Borna-Leipzig: R. Noske, 1909. viii, 76 p. 8°.
Doctoral dissertation, Jena.
Bibliography, p. vii-viii.
Gift of the University.

1. Investments.—Jurisprudence, Germany.
N. Y. P. L. PUBLIC LIBRARY December 30, 1910.

NM 0917416 NN MH PPAmP ICRL

Muthesius, Hans, 1885–
Fürsorgerecht, von dr. Hans Muthesius ... Berlin, J. Springer, 1928.
xii, 184 p. 25cm. (*Added t.-p.:* Enzyklopädie der rechts- und staatswissenschaft ... xxxib)
"Literaturverzeichnis": p. [177]-180.

1. Public welfare—Germany—Law. I. Title.
28-28936

NM 0917417 DLC TU PBm DL NN

Law
Muthesius, Hans, 1885– ed.
Germany (*Federal Republic, 1949–*) *Laws, statutes, etc.*
Reichsjugendwohlfahrtsgesetz, erläutert von Hans Muthesius. Stuttgart, Kohlhammer, 1950.

Law
Muthesius, Hans, 1885– ed.
Germany. *Laws, statutes, etc.*
Reichsjugendwohlfahrtsrecht, eine Sammlung von Gesetzen und Gesetzesstellen zusammengestellt von Hans Muthesius. Textausgabe. 2. verm. und verb. Aufl. des Heftes 2a "Reichsgesetz für Jugendwohlfahrt (RJWG)" Berlin, Urban & Schwarzenberg, 1948.

Law
Muthesius, Hans, 1885– ed.
Germany. *Laws, statutes, etc.*
Reichsrechtliche Grundlagen der öffentlichen Fürsorgepflicht; zusammengestellt und erläutert von Hans Muthesius. 3., verm. und verb. Aufl. Berlin, Urban & Schwarzenberg, 1949.

Muthesius, Hans, 1885–
Brucker, Ludwig, 1888– *ed.*
Die sozialversicherung nach dem neuesten stand der gesetzgebung; systematische darstellung des sozialversicherungsrechts und einführung in die praxis. Lehrbuch für sozialversicherungsbeamte und studierende des sozialversicherungsrechts. Herausgegeben von syndikus Ludwig Brucker ... unter mitwirkung von dr. Muthesius ... Hans Süss ... dr. Lutz Richter ... [u. a.] Berlin, R. Hobbing, 1928-31.

HV275 **Muthesius Hans,** 1885–
.M94 Die wohlfahrtspflege; systematische einführung auf grund der fürsorgepflichtverordnung und der reichsgrundsätze, von dr. Hans Muthesius ... Berlin, J. Springer, 1925.
vii, 148 p. 21cm.
"Literaturverzeichnis": p. [146]

1. Social service—Germany. 2. Charity laws and legislation—Germany.

NM 0917422 ICU

Muthesius, Hans, 1885–
Die wohlfahrtspflege auf grund der fürsorgepflichtverordnung und der reichsgrundsätze; systematische einführung von dr. Hans Muthesius ... 2. aufl. Berlin, J. Springer, 1928.
viii, 131, [1] p. 21cm.
"Literaturverzeichnis": p. [126]-128.

1. Charities—Germany. 2. Charity laws and legislation—Germany. I. Title.
——— Copy 2. HV275.M9 L 29-79

NM 0917423 DL OU

Muthesius, Hermann, 1861–1927.
Der Deutsche nach dem kriege, von dr.-ing. Hermann Muthesius ... München, F. Bruckmann, a.-g., 1915.
63, [1] p. 24½cm. (*Added t.-p.:* Weltkultur und weltpolitik; deutsche und österreichische schriftenfolge ... Deutsche folge. 4) mk. 1

1. European war, 1914-1918—Germany. 2. Pangermanism. I. Title.
Library of Congress D445.W4 folge 4 26-24079

NM 0917424 DLC

Muthesius, Hermann, 1861–1927.
Der Deutsche nach dem kriege, von dr. ing. Hermann Muthesius ... 2. aufl. München, F. Bruckmann, a. g., 1916.
63, [1] p. 24½cm. (*Added t.-p.:* Weltkultur und weltpolitik; deutsche und österreichische schriftenfolge ... Deutsche folge. 4)

1. European war, 1914-1918—Germany. 2. Pangermanism. I. Title.
Library of Congress D515.M87 1916 27-15416

NM 0917425 DLC NN NjP CtY OU

Muthesius, Hermann, 1861-1927.
NK951 Deutsches kunstgewerbe und bauschaffen nach
M9 dem kriege; vortrag, gehalten am 2. Februar 1916 im Verein für deutsches kunstgewerbe zu Berlin ... Berlin, E. Wasmuth a.-g. [1916?]
19 p. 22 x 22 cm.
"Sonderdruck aus "Wasmuths Monatshefte für baukunst."
1. Art industries and trade--Germany. 2. Architecture--Germany. 3. Industrial arts I. Title.

NM 0917426 CSmH

Muthesius, Hermann, 1861–1927.
Die einheit der architektur; betrachtungen über baukunst, ingenieurbau und kunstgewerbe, von Hermann Muthesius; vortrag, gehalten am 13. februar 1908 im Verein für kunst in Berlin. Berlin, K. Curtius, 1908.
63 p. 19½cm. (*On cover:* Kultur und leben. bd. 2)

1. Architecture. I. Title.
14-7666
Library of Congress NA2563.M8

NM 0917427 DLC

Muthesius, Hermann, 1861–1927.
Die englische baukunst der gegenwart; beispiele neuer englischer profanbauten, mit grundrissen, textabbildungen und erläuterndem text von Hermann Muthesius ... Leipzig und Berlin, Cosmos, 1900.
xiii, 174 p. illus., 110 pl. 50 x 37cm.

1. Architecture—Gt. Brit. I. Title.
3-15873
Library of Congress NA967.M8

NM 0917428 FU PSt ICarbS MiU OCl PPPD MB DLC OKentU TxU NcD ViU NIC MoU WaU CU

W MUTHESIUS, HERMANN, 1861-1927.
3945 Das englische haus; entwicklung, bedingungen,
.6 anlage, aufbau, einrichtung und innenraum... Berlin, E. Wasmuth, 1904.
3v. 32cm.

Contents.—bd.1. Entwicklung des englischen hauses.—bd.2. Bedingungen, anlage, gärtnerische umgebung, aufbau und gesundheitliche einrichtungen des englischen hauses.—bd.3. Der innenraum des englischen hauses.

NM 0917429 ICN ICarbS TU

Muthesius, Hermann, 1861–1927.
Das englische Haus. Entwicklung, Bedingungen, Anlage, Aufbau, Einrichtung und Innenraum. Von Hermann Muthesius. In 3 Bänden. Berlin, E. Wasmuth, 1904–1905.
3 vol. illus. incl. plans. 32cm.

NM 0917430 ICJ PU-FA MH OClW ICU ICN MiU NcD

\+
NA7328 Muthesius, Hermann, 1861-1927.
.M8 Das englische haus; entwicklung, bedingungen, anlage, aufbau, einrichtung und innenraum. Von Hermann Muthesius... 2. durchgesehene aufl. Berlin, E. Wasmuth, 1908-
v. illus., plans. 33½cm.
Contents.-bd.I. Entwicklung des englischen hauses.

1. Architecture, Domestic - England. I. Title.

NM 0917431 NNU-W

NA Muthesius, Hermann, 1861-1927.
7328 Das englische Haus; Entwicklung, Bedingungen,
M87 Anlage, Aufbau, Einrichtung und Innenraum. 2. durchgesehene Aufl. Berlin, E. Wasmuth, 1908-1910.
1908 3v. illus., plans. 32cm.
\+

1. Architecture, Domestic - England. I. Title.

NM 0917432 MU

VOLUME 403

NA 7328 .M8 Muthesius, Hermann, 1861-1927.
Das englische Haus; Entwicklung, Bedingungen, Anlage, Aufbau, Einrichtung und Innenraum. 2. durchgesehene Aufl. Berlin, E. Wasmuth, 1908-11.
3 v. illus.

Each vol. has also spectial t. p.
Vol. 2, 1904.

#Architecture, Domestic--Gt. Brit.
#Interior decoration--Gt. Brit.
Das englische Haus.

NM 0917434 MoU KyU IEN OU OOxM NIC GU OCl CLSU

NA +7328 +M8 E5 Muthesius, Hermann, 1861-1927.
Das englische Haus; Entwicklung, Bedingungen, Anlage, Aufbau, Einrichtung und Innenraum. [2., durchgesehene Aufl.] Berlin, E. Wasmuth, 1910.
3v. illus. 32cm.

1. Architecture, Domestic - Gt. Brit.
I. Title

NM 0917435 WU

CB478 M88 Muthesius, Hermann, 1861-1927
Handarbeit und Massenerzeugnis. Berlin, E.S. Mittler, 1917.
30 p. (Technische Abende im Zentral-institut für Erziehung und Unterricht, 4.Heft)

1. Technology and civilization. 2. Machinery in industry.

NM 0917436 CU

Muthesius, Hermann, 1861-1927.
Haus eines Kunstfreundes
see under Mackintosh, Charles Rennie, 1868-1928.

Muthesius, Hermann, 1861-1927.
Der Innenraum des englischen Hauses. Berlin, Ernst Wasmuth, 1905. (Das englische Haus. v.3.)
728.38

NM 0917438 MiGr

Muthesius, Hermann, 1861-1927.
Kann ich auch jetzt noch mein Haus bauen? Richtlinien für den wirklich sparsamen Bau des bürgerlichen Einfamilienhauses unter den wirtschaftlichen Beschränkungen der Gegenwart mit Beispielen. München, F. Bruckmann, 1920.
170 p. illus., plan. 20 cm.
1. Architecture, Domestic - Germany.
2. Architecture - Designs and plans. I. Title.

NM 0917439 MdU NNC

NA9199 M86 Arch. Library Muthesius, Hermann, 1861-1927.
Kleinhaus und Kleinsiedlung. München, F. Bruckmann, 1918.
385 p. illus., plans, diagrs.

"Anhang: Gartenstädte und Siedlungen ähnlicher Art": p. 363-373.
Includes bibliographies.

1. Cities and towns - Planning - Germany. 2. Architecture, Domestic - Germany. 3. Labor and laboring classes - Dwellings. I. Title.

NM 0917440 CU NNC

Muthesius, Hermann, 1861-1927.
Kleinhaus und Kleinsiedlung. 2. vermehrte und teilweise ganz neu bearbeitete Auflage.
— München. Bruckmann. 1920. (6), 426 pp. Illus. Plans. 18½ cm., in 8s.
Bücher und Zeitschriften, pp. 413-417.

M6596 — Houses. — City planning.

NM 0917441 MB NN MH CoU NNC

Muthesius, Hermann, 1861-1927.
... Kultur und kunst. Gesammelte aufsätze über künstlerische fragen der gegenwart. Jena und Leipzig, Verlegt bei Eugen Diederichs, 1904.
2 p.l., 144, [1] p. 20 cm. 1/2 maroon morocco.
"Von diesem buche wurden 20 luxus-exemplare, auf echtem Holländischen büttenpapier abgezogen, in ganzpergament gebunden und handschriftlich numeriert." Verso of half title.
Limited editions note apparently does not apply to this copy.

1. Art - Addresses, essays, lectures.
I. Title.

NM 0917443 CSmH MdU NNC

N7445 .M93 Muthesius, Hermann, 1861-1927.
... Kultur und kunst. 2. aufl. Jena, E. Diederichs, 1909.
viii, 155 p.

1. Art--Addresses, essays, lectures.

NM 0917444 ICU CU NNC

Muthesius, Hermann, 1861-1927. *8065.221 N.F. 13
Kunst und Leben in England. *Illus. 4 plates.*
Ztsch. f. bildende Kunst, N. F. v. 13, p. 49-69. Leipzig, 1902

NM 0917445 MB

Muthesius, Hermann, 1861-1927.
NA3320 M88 ... Kunstgewerbe und architektur. Jena, Verlegt bei Eugen Diederichs, 1907.
1 p. l., 149, [1] p. 20 cm. 3/4 red morocco. Uncut.

1. Decoration and ornament, Architectural.
2. Architecture—Addresses, essays, lectures.
I. Title.

NM 0917446 CSmH NNC CU ICJ

NK1443 M96 (SA) Muthesius, Hermann, 1861-1927.
Der kunstgewerbliche Dilettantismus in England, insbesondere das Wirken des londoner Vereins für häusliche Kunstindustrie. Berlin, Ernst, 1900
47 p. illus. 25 cm

"Erweiterter Sonderdruck aus dem 'Centralblatt der Bauverwaltung' Jahrgang 1900"
1. ARTS AND CRAFTS MOVEMENT - GT. BRIT.
2. ART INDUSTRIES AND TRADE - GT. BRIT. I. Zentralblatt der Bauverwaltung II. T

NM 0917447 NjP MB WU

Muthesius, Hermann, 1861-1927.
Landhäuser, von Hermann Muthesius; abbildungen und pläne ausgeführter bauten mit erläuterungen des architekten. München, F. Bruckmann a. g., 1912.
4 p. l., 192 p. illus. (incl. plans) 4 col. pl. 29½cm.

1. Architecture, Domestic—Germany. 2. Architecture, Domestic—Designs and plans. I. Title.

13-25935

Library of Congress NA7349.M8

NM 0917448 DLC CaOTP NcU NNC CtY CaBVaU MB

WD 10682 Muthesius, Hermann, 1861-1927.
Landhäuser; ausgeführte Bauten mit Grundrissen, Gartenplänen und Erläuterungen. 2. ergänzte Aufl. München, F. Bruckmann, 1922.
160 p. illus.

NM 0917449 CtY NjP

Muthesius, Hermann, 1861-1927.
Landhaus und garten, beispiele neuzeitlicher landhäuser nebst grundrissen, innenräumen und gärten, mit einleitendem text, herausgegeben von Hermann Muthesius. München, F. Bruckmann, a. g., 1907.
5 p. l., [ix]-xxxx p. illus., 248 pl. (incl. plans) on 128 l. 29½cm.
Part of the plates are colored.
"Die vorliegende sammlung ist eine fortsetzung des früher in demselben verlage erschienenen werkes 'Das moderne landhaus und seine innere ausstattung'."—Vorwort.

1. Architecture, Domestic. 2. Architecture, Domestic—Designs and plans. 3. House decoration. 4. Gardens. I. Title.

33-22064

Library of Congress NA7110.M8 1907 728.6

MB MH NN DSI
NM 0917450 DLC MB DDO NcD NNC FU OU OrU OClW MiU

Muthesius, Hermann, 1861-1927.
Landhaus und garten; beispiele neuzeitlicher landhäuser nebst grundrissen, innenräumen und gärten, mit einleitendem text hrsg. von Hermann Muthesius. 2. umgearb. und verm. aufl. (8.–10. tausend) München, F. Bruckmann a.-g., 1910.
iii, 240 p. illus. (incl. plans) 20 pl. (part col.) 29½cm.

1. Architecture, Domestic. 2. Architecture, Domestic — Designs and plans. 3. House decoration. 4. Gardens. I. Title.

13-26123

Library of Congress NA7110.M8

NM 0917451 DLC CaOTP OCl

Muthesius, Hermann, 1861-1927.
Landhaus und garten, beispiele kleinerer landhäuser nebst grundrissen, innenräumen und gärten mit einleitendem text, herausgegen von Hermann Muthesius. Bearbeitung des gärtnerischen teils von Harry Maasz. Neue Folge. München, F. Bruckmann, a.g., 1919.
240 p. illus. (part col.) 30 cm.

1. Architecture, Domestic. 2. Architecture, Domestic--Designs and plans. 3. House decoration.
4. Gardens. I. Title.

NM 0917452 TU NIC MiDA NNC

W.C.L. 728 M992La Muthesius, Hermann, 1861-1927.
Landhaus und Garten. Beispiele neuzeitlicher Landhäuser nebst Grundrissen, Innenräumen und Gärten. Mit einleitendem Text hrsg. von Hermann Muthesius. Bearbeitung des gärtnerischen Teiles von Harry Maasz. 4., völlig umgearb. Aufl. München, F. Bruckmann, 1925.
216 p. illus., plans, plates. 29 cm.
Continuation of the author's Das moderne Landhaus und seine innere Ausstattung.

1. Architecture, Domestic. 2. Architecture, Domestic. Designs and plans. 3. Interior decoration. 4. Gardens. I. Maass, Harry. II. Title.

NM 0917454 NcD MH TxU NIC CaOTU

Avery AA 7110 M981 Muthesius, Hermann, 1861-1927.
Das moderne Landhaus und seine innere Ausstattung; 220 Abbildungen moderner Landhäuser aus Deutschland, Österreich, England und Finnland nebst Grundrissen und Innenräumen. München, F. Bruckmann, 1904.
4 p. l., 152 p. of illus. (incl. plans) 30cm.

NM 0917455 NNC

VOLUME 403

Fine Arts
NA 7600 M98 1905 **Muthesius, Hermann,** 1861-1927.
Das moderne landhaus und seine innere ausstattung; 320 abbildungen moderner landhäuser aus Deutschland, Österreich, England und Finnland mit grundrissen und innenräumen, mit einleitendem text von Hermann Muthesius. 2. verb. und verm. aufl. München, F. Bruckmann a.-g., 1905.
4 p. l., xv, [1], 216 p. illus. (incl. plans) 29½cm.

1. Architecture, Domestic. I. Title. 11—1267

Library of Congress NA7600.M8

NM 0917456 DLC FU KMK OU TU CaBViP OrU NIC

NA5461 f.M94 MUTHESIUS, HERMANN, 1861-1927.
Die neuere kirchliche baukunst in England; entwicklung, bedingungen und grundzüge des kirchenbaues der englischen staatskirche und der secten, von Hermann Muthesius... Berlin, W. Ernst & sohn, 1901.
xv, [1], 176 p. illus., XXXII pl. (incl. plans) 31½cm.
"Quellen": p. [xvi]

1. Church architecture--England.

NM 0917457 ICU DNC MH OC1 NIC CU

---

4 NK 192 Muthesius, Hermann, 1861-1927.
Die Schöne Wohnung; Beispiele neuer deutscher Innenräume.
München, F. Bruckmann, 1922.
237 p.

NM 0917458 DLC-P4 ICJ CtY NNF MU NNC OrU

W.C.L. 749.23 M992S Muthesius, Hermann, 1861-1927.
Die schöne Wohnung. Beispiele neuer deutscher Innenräume, hrsg. und mit Einleitung versehen von Hermann Muthesius. 2., stark erneuerte Aufl. München, F. Bruckmann, 1926.
xvi, 215 p. (p. 3-214 illus.) 30 cm.

1. Interior decoration. Germany. 2. Furniture, German. I. Title.

NM 0917459 NcD WaS CaBVa CU MH OrU CLCM TxHU

Muthesius, Hermann, 1861-1927.
Sommer- und Ferienhäuser aus dem Wettbewerb der Woche. — Berlin. Scherl. 1907. xiii, (3), 127 pp. Illus. Plates. Plans. [Der Woche. Sonderheft 10.] 30½ cm., in 8s.
The text is by H. Muthesius. The foreword is by A. Scherl.

M355 — T.r. — Scherl, August, pref. Architectural competitions. — Country and seashore houses. German.

NM 0917460 MB

Muthesius, Hermann, 1861-1927.
Stilarchitektur und Baukunst: Wandlungen der Architektur im XIX. Jahrhundert und ihr heutiger Standpunkt. Mülheim-Ruhr, K. Schimmelpfeng, 1902.
67 p. 24 cm.

1. Architecture, Modern—19th century. I. Title.

NA645.M88 72-201987

NM 0917461 DLC NNC CU

338.40943 M992w Muthesius, Hermann, 1861-1927
Die Werkbund-Arbeit der Zukunft und Aussprache darüber von Ferdinand Avenarius [et al.] Friedrich Naumann, Werkbund und Weltwirtschaft. Der Werkbund-Gedanke in den germanischen Ländern: Oesterreich-Ungarn, Schweiz, Holland, Dänemark, Schweden, Norwegen. Jena, E. Diederichs, 1914.
118p.

Continued in next column

Continued from preceding column

Speeches delivered at the "7. Jahresversammlung des Deutschen Werkbundes vom 2. bis 6. Juli 1914 in Köln."

1. Germany--Indus. 2. Design Industrial. I. Naumann, Friedrich, 1860-1919. Werkbund und Weltwirtschaft. II. Deutscher Werkbund. Jahresversammlung 7., Köln, 1914. III. Title. IV. Title: Der Werkbund-Gedanke in den germanischen Ländern.

NM 0917463 ICarbS CSt-H

W.C.L. 728 M992W Muthesius, Hermann, 1861-1927.
Wie baue ich mein Haus? 2., neu bearb. und verm. Aufl. München, F. Bruckmann, 1917.
432 p. illus., plans. 19 cm.

1. Architecture, Domestic. I. Title.

NM 0917464 NcD CU

WB 63790 Muthesius, Hermann, 1861-1927.
Wie baue ich mein Haus? 3., bis auf die Gegenwart weitergeführte Aufl. München, F. Bruckmann, 1919.
439 p. illus. 19 cm.

1. Architecture, Domestic. 2. Architecture, Domestic - Designs and plans. 3. Interior decoration.
NUC

NM 0917465 CtY InU CU NNC NjP MH

Muthesius, Hermann, 1861-1927.
Wie baue ich mein Haus? Berufserfahrungen und Ratschläge eines Architekten. München: F. Bruckmann A.-G., 1925. 423 p. illus., plans. 4. ed. 12°.

1. Architecture—Residences. 2. Title.
N. Y. P. L. June 30, 1933

NM 0917466 NN

Muthesius, Hermann, 1861-1927.
Wirtschaftsformen im Kunstgewerbe. Vortrag, gehalten am 30. Januar 1908 in der Volkswirtschaftlichen Gesellschaft in Berlin. — Berlin. Simion. 1908. 31 pp. [Volkswirtschaftliche Zeitfragen. Jahrgang 30, Heft 1.] 24 cm., in 8s.

H4179 — Industrial arts. — Volkswirtschaftliche Gesellschaft in Berlin. Addresses. — S.r.c.

NM 0917467 MB CtY

Muthesius, Hermann, 1861-1927.
Die zukunft der deutschen form, von Hermann Muthesius. Stuttgart und Berlin, Deutsche verlags-anstalt, 1915.
36 p. 23cm. (*Added t.-p.:* Der deutsche krieg; politische flugschriften, hrsg. von E. Jäckh. 50. hft.)

1. Germany—Civilization. A 20-1211

Title from Carnegie Endow. Int. Peace. Printed by L. C.

NM 0917468 DGW-C NjP NcD CtY MiU OU NN

PT2353 .M924 **Muthesius, Karl,** 1859-1929.
Altes und neues aus Herders kinderstube. Von Karl Muthesius ... Langensalza, H. Beyer & söhne (Beyer & Mann) 1905.
35 p. 20½cm. (*On cover:* Pädagogisches magazin ... hrsg. von Friedrich Mann. 247. hft.)
Series note also on t.-p.
Bibliographical foot-notes.

1. Herder, Johann Gottfried von, 1744-1803.

NM 0917469 ICU NN

Muthesius, Karl, 1859-1929.
Die berufsbildung des lehrers, von Karl Muthesius ... München, C. H. Beck, 1913.
vi p., 1 l., 227 p. 21½cm.
"Anmerkungen": p. [202]-227.

1. Teachers—Training—Germany. I. Title.

E 13-1996

Library, U. S. Bur. of Education LB1725.G3M9

NM 0917470 DHEW

Muthesius, Karl, 1859-1929.
Die Bestimmungen über Immatrikulation und Promotion Immaturer, insbesondere der Volksschullehrer, an den deutschen Universitäten. Auf Grund amtlicher Quellen zusammengestellt von Karl Muthesius. Langensalza, H. Beyer & Söhne (Beyer & Mann), 1905.
15 p. 24cm.

NM 0917471 ICJ

Muthesius, Karl, 1859-1929.
Das bildungswesen im neuen Deutschland, von Karl Muthesius. Stuttgart und Berlin, Deutsche verlags-anstalt, 1915.
36 p. 23½cm. (*Added t.-p.:* Der deutsche krieg ... hrsg. von Ernst Jäckh. hft. 37)

1. Education—Germany. 2. Germany—Civilization. I. Title.

E 18-52

Library, U. S. Bur. of Education LA722.M98

NM 0917472 DHEW CtY NcD MiU OU NN

Muthesius, Karl, 1859-1929, ed.

Goltz, Bogumil, 1801-1870.
... Buch der kindheit. Hrsg. von Karl Muthesius. Langensalza, H. Beyer & söhne, 1908.

4LA-156 Muthesius, Karl, 1859-1929.
Die Einheit des deutschen Lehrerstandes. Berlin, Union Deutsche Verlagsgesellschaft, 1917.
38 p. (Deutsche Erziehung, 6. Heft)

NM 0917474 DLC-P4

Muthesius, Karl, 1859-1929, ed.
Goethe; Auswahl aus seinen Prosaschriften
see under Goethe, Johann Wolfgang von, 1749-1832.
Prose.

Muthesius, Karl, 1859-1929.
Goethe, ein kinderfreund; von Karl Muthesius ... Berlin, E. S. Mittler und sohn, 1903.
vii p., 1 l., 230 p. front. 19½cm.
"Verzeichnis der vorwiegend benutzten schriften": p. [224]-226.
"Auf einem zickzackgange durch Goethes leben alle die lieblichen kinderszenen, in denen er bald als fröhlicher genosse, bald als getreuer Eckart auftritt, und die frischen kindergestalten, die kürzere oder längere zeit seine teilnahme genossen haben, zusammenzustellen, ist der zweck der folgenden blätter."—Vorwort.
CONTENTS.—Aus der Wertherzeit.—Aus dem freundeskreise: im hause Wielands: die knaben der freundin [Charlotte v. Stein]; im Herderhause; der weitere kreis.—Unterwegs.—Künstlerkinder: [Euphrosine, Felix Mendelssohn-Bartholdi u. a.]—Fürstenkinder.—Vom eignen blut: der sohn; die enkel.
1. Goethe, Johann Wolfgang von—Friends and associates. 2. Children in Germany.

Library of Congress PT2112.M8 [r29e2] 4-14532 Revised

NM 0917476 DLC CU-I MU CtY OO MiU PU

VOLUME 403

PT2112 .M8 1910
Muthesius, Karl, 1859-1929.
Goethe, ein kinderfreund; von Karl Muthesius ... Berlin, E. S. Mittler, 1910.
245 p. front. 19 1/2 cm.
"Verzeichnis der vorwiegend benutzten schriften"
"Auf einem zickzackgange durch Goethes leben alle die lieblichen kinderszenen, in denen er bald als fröhlicher genosse, bald als getreuer Eckart auftritt, und die frischen kindergestalten, die kürzere oder längere zeit seine teilnahme genossen haben, zusammenzustellen, ist der zweck der folgenden blätter."—Vorwort.
CONTENTS.—Aus der Wertherzeit.—Aus dem freundeskreise: im hause Wielands; die knaben der freundin ⌊Charlotte v. Stein⌋; im Herderhause; der weitere kreis.—Unterwegs.—Künstlerkinder: ⌊Euphrosine, Felix Mendelssohn-Bartholdi u. a.⌋—Fürstenkinder.—Vom eignen blut: der sohn; die enkel.
1. Goethe, Johann Wolfgang von—Friends and associates. 2. Children in Germany. <Title>

NM 0917479 CaBVaU OrU

832.62 Cmut2
Muthesius, Karl, 1859-1929.
Goethe ein Kinderfreund. 2. neubearb. Aufl. Berlin, Mittler, 1910.
245 p. illus.
"Verzeichnis der vorwiegend benutzten Schriften: p.⌊238⌋-240.
1. Goethe, Johann Wolfgang von - Friends and associates. 2. Children in Germany.

NM 0917480 WaU MWelC MiD NjP OCU MH CU CLSU

833G55 DM98
Muthesius, Karl, 1859-1929.
Goethe und das handwerk. Sein verhältnis zum werktätigen volk und zur handwerklich-künstlerischen erziehung ... Leipzig, Quelle & Meyer, 1927.
163p. front., plates, ports., plan.
1. Goethe, Johann Wolfgang von--Political and social views. 2. Industrial arts. 3. Manual training--Germany. I. Title.

NM 0917481 IU ViU MH MnU MU WaU TxU WaU

Muthesius, Karl, 1859-1929.
Goethe und Karl Alexander.
— Weimar. Bohlaus. 1910. vi, (1), 116 pp. 18½ cm., in 8s.
Verzeichnis der vorwiegend benutzten Schriften, pp. 115, 116.
H9327 — Goethe, Johann Wolfgang von. — Carl Alexander August Johann, Grossherzog von Saxe-Weimar-Eisenach. 1818-1901.

NM 0917482 MB InU IU NRU CU IaU MiU CtY

Muthesius, Karl, 1859-1929.
Goethe und Pestalozzi, von Karl Muthesius. Leipzig, Durr, 1908.
vi p. 1 l, 275 p. illus., facsim. 20 cm.
Bibliography: p. ⌊265⌋-269.
1. Goethe, Johann Wolfgang von, 1749-1832. 2. Pestalozzi, Johann Heinrich, 1746-1827.

NM 0917483 NNC PU MiU OCU CtY ICarbS InU NjP NIC

PT2077 .B9M9
Muthesius, Karl, 1859-1929.
Goethe und seine mutter, von Karl Muthesius. Dresden, C. Reissner, 1923.
206, ⌊1⌋ p. 19½cm.
1. Goethe, Johann Wolfgang von, 1749-1832—Family. 2. Goethe, Frau Katharina Elisabeth (Textor) 1731-1808.

NM 0917484 ICU MiU IaU OU CaBVaU CU CSt

Muthesius, Karl, 1859-1929.
Grundsätzliches zur Volksschullehrerbildung, im Auftrage des Deutschen Ausschusses für den mathematischen und naturwissenschaftlichen Unterricht zusammengestellt. Leipzig, B. G. Teubner, 1911.
72 p. 25 cm. (Schriften des Deutschen Ausschusses für den Mathematischen und Naturwissenschaftlichen Unterricht, Heft 11)
1. Teachers, Training of—Germany. I. Title. (Series: Deutscher Ausschuss für den Mathematischen und Naturwissenschaftlichen Unterricht, Berlin. Schriften, Heft 11)
LB1725.G4M8 49-31258*

NM 0917485 DLC

PT2353 .M93
Muthesius, Karl, 1859-1929.
Herders familienleben, von Karl Muthesius ... Berlin; E. S. Mittler und sohn, 1904.
vi, ⌊1⌋, 78, ⌊1⌋ p. front. (port.) fold. facsim. 18½cm.
"Verzeichnis der vorwiegend benutzten schriften": 1 p. at end.
1. Herder, Johann Gottfried von, 1744-1803.

NM 0917486 ICU NjP IU MiU NRU IaU OCU CaBVaU CU ViU GU

Muthesius, Karl, 1859-1929.
Kindheit und Volkstum. Von. K. Muthesius. Gotha: E. F. Thienemann, 1899. 54 p. 8°. (Beiträge zur Lehrerbildung und Lehrerfortbildung. Heft 13.)
Repr.: Pädagogische Blätter für Lehrerbildung.
1. Education.—Essays. 2. Ethnology, Germany. 3. Title. 4. Series.
N. Y. P. L. February 23, 1917.

NM 0917487 NN NIC

Muthesius, Karl, 1859-1929.
Schule und soziale erziehung, von Karl Muthesius. München, C. H. Beck, 1912.
vi, ⌊2⌋, 124 p. 19cm.
1. Education and society. I. Title.
E 13-1621
Library, U. S. Bur. of Education LC191.M88

NM 0917488 DHEW ICJ

Muthesius, Karl, 1859-1929.
Ueber die stellung des rechenunterrichts im lehrplan der volksschule; ein beitrag zur methodik dieses unterrichtsgegenstandes und zugleich zur kritik der Zillerschen konzentrations idee. Leipzig, Siegismund & Volkening, [1894].
pp. 104 +. (Pädagogische sammelmappe, 158.)
Arith.-Study and teaching

NM 0917489 MH

Muthesius, Karl, 1859-1929.
Von Mütterchen die Frohnatur; Goethe und seine Mutter. Dresden: Carl Reissner, 1932. 207 p. 12°.
1. Title. 2. Goethe, Johann Wolfgang von. 3. Goethe, Katharina Elisabeth Textor.
N. Y. P. L. March 11, 1932

NM 0917490 NN

Muthesius, Karl, 1859-1929.
Von mütterchen die frohnatur: Goethe und seine mutter, von Karl Muthesius. 2. aufl. Dresden, Reissner, 1932.
206 p. 19 cm.
"Die erste aufl. erschien unter dem jetzigen untertitel dieses buches noch zu lebzeiten des verfassers." Der verlag.
1. Goethe, Johann Wolfgang von, 1749-1832. 2. Goethe, Frau Katharina, Elisabeth (Textor) 1731-1808. I. Title.

NM 0917491 NNC OCU PPT GU NcD IaU

Muthesius, Karl, 1859-1929.
Der zweite Kunsterziehungstag in Weimar Langensalza: H. Beyer & Söhne, 1904.
27 p. 8°. (Pädagogisches Magazin, Heft. 224)

NM 0917492 NN

Muthesius, Karl, 1859-1929.
Die Zukunft der Volksschullehrerbildung. Berlin, Union Deutsche Verlagsgesellschaft, 1919.
35 p. (Deutsche Erziehung, Schriften zur Förderung des Bildungswesens im neuen Deutschland. 11. Heft)

NM 0917493 DLC

Muthesius, Karl Otto Klaus, 1900–
Die möglichkeiten und der volkswirtschaftliche nutzen der aktiven beteiligung einer grossstadtbevölkerung an der produktiven bodennutzung ... ⌊Berlin, Druck: O. Stollberg, 1925?⌋
87 p. 23½cm.
Inaug.-diss.—Landwirtschaftl. hochschule, Berlin.
Lebenslauf.
"Literaturverzeichnis": p. 85-86.
1. Cities and towns. 2. Gardening—Germany. ⌊2. Germany—Horticulture⌋
Agr 28-1063
Library, U. S. Dept. of Agriculture 90M98

NM 0917494 DNAL

Muthesius, Volkmar, 1900–
A Alemanha, país do aço. ⌊n. p., 194–⌋
43 p. plates. 24 cm.
1. Steel industry and trade—Germany. I. Title.
TN704.G3M82 49-31576*‡

NM 0917495 DLC

Muthesius, Volkmar, 1900–
... Acciaio, grande potenza; con prefazione dell' eccellenza Francesco Giordani ... Roma, S. A. A. G. I. R. E. ⌊1941⌋
1 p. l., 5-50 p., 1 l. plates. 24cm.
1. Steel industry and trade—Germany.
45-26075
Library of Congress TN704.G3M3
669.1

NM 0917496 DLC

Muthesius, Volkmar, 1900–
Autarchia Europea, raccolta curata dal D. Agostino Toso. Roma, Direzione della raccolta [193] 30
Quaderni di politica e di economia contemporanea. N. 18)

NM 0917497 MH

VOLUME 403

Muthesius, Volkmar, 1900 –
... Carbone, nuova arma. Prefazione di Angelo Tarchi. Firenze, Cya [194–?]
1 p. l., 5–75 p. plates, diagrs. 22½cm.
At head of title: Dr. V. Muthesius.

1. Coal. I. Title.
Library of Congress TP325.M895 44-52891
[2] 338.272

NM 0917498 DLC NcD

Muthesius, Volkmar, 1900–
... O carvão como arma. Lisboa, Edições Alma, 1941.
59, [1] p. incl. plates, diagrs. 23½cm.
At head of title: Dr. V. Muthesius.

1. Coal. I. Title.
Library of Congress TP325.M9 44-43100
338.272

NM 0917499 DLC

Muthesius, Volkmar, 1900–
Du und der stahl; werdegang und weltgeltung der eisenindustrie, von dr. Volkmar Muthesius. Mit 77 zeichnungen und 48 tafeln. Berlin, Im Deutschen verlag [°1941]
387, [1] p. illus. (incl. ports., maps) plates, diagrs. 22cm.

1. Iron—Hist. 2. Steel—Hist. I. Title.
Library of Congress TN703.M8 42-18655
[2] 672

PPi OkT NvU MiD OCU WU CtY
CoU MH CoD AAP ArU OCl TxDaM TxHR InLP KyU ViU
NbU GAT NN CLU PBL NNC NjR OCl OU FU PSt PBL NBu
NM 0917500 DLC NcD GU NNE IU IEN MnU CtY NcD NjP

Muthesius, Volkmar, 1900 -
Du und der stahl; werdegang und weltgeltung der eisenindustrie, von dr. Volkmar Muthesius. Mit 77 zeichnungen und 48 tafeln. Berlin, Im Deutschen verlag [1944]
387, [1] p. illus. (incl. ports., maps) plates, diagrs. 22cm.
"31.-50 tausend."

1. Iron—Hist. 2. Steel—Hist. I. Title.

NM 0917501 ViU

Muthesius, Volkmar, 1900–
Du und der Stahl; Werdegang und Weltgeltung der Eisenindustrie. Mit 77 Zeichnungen im Text, 16 einfarbigen und 8 mehrfarbigen Tafeln. [Berlin] Im Deutschen Verlag [1953]
311 p. illus. 22 cm. (Unterhaltsame Wissenschaft)

1. Iron—Hist. 2. Steel—Hist. I. Title.
TN703.M8 1953 672 54-23262 ‡

NM 0917502 DLC IU

HD35 .M85 1955
Muthesius, Volkmar, 1900–
Du und die Wirtschaft; eine Einführung in wirtschaftliches Denken. [Berlin] Ullstein [1955]
296 p. illus. 22 cm.

Mit 53 Zeichnungen von Wilhelm Petersen.

1. Industry. I. Title.
A 55-5411
Chicago. Univ. Libr. for Library of Congress [1]

NM 0917503 ICU OCl DLC

Muthesius, Volkmar, 1900–
Du und die wirtschaft, eine einführung in wirtschaftliches denken, von dr. Volkmar Muthesius. Berlin, Im Deutschen verlag [1944]
277, [3] p. 21½cm.
"Literatur": p. [279]

1. Industry. I. Title.
46-15662
Library of Congress HD35.M85
[2] 338.01

NM 0917504 DLC IU NNC CU MH NcU IEN

Muthesius, Volkmar, 1900 –
... Europas autarkie. [Berlin, Im selbstverlag des herausgebers, 194–?]
48 p. 18½cm.
At head of title: Dr. V. Muthesius.
"Herausgegeben von der Deutschen informationsstelle."

1. Autarchy. 2. Germany—Economic policy. 3. Natural resources—Europe. I. Deutsche informationsstelle. II. Title.
44-34151
Library of Congress HC240.M8
[2] 330.94

CtY IEN NNC
NM 0917505 DLC NcD NNAJHi IaU CLU MH IU NN CU NcD

Muthesius, Volkmar, 1900-
Europas självförsörjning; buna, cellull, bensin m.m. Stockholm, Europa edition, 1941

NM 0917506 MH

Muthesius, Volkmar, 1900–
European autarchy. [Berlin, German Information Service, 194–]
48 p. 18 cm.

1. Autarchy. 2. Germany—Economic policy. 3. Natural resources—Europe. I. Title.
HC240.M812 330.94 48-40116*

NM 0917507 DLC

Muthesius, Volkmar, 1900- comp.
Humor im Geschäft; Anekdoten, Schnurren, Aphorismen und Stilblüten aus dem Wirtschaftsleben. Mit Zeichnungen von Ludwig. Koob. [2. Aufl.] Frankfurt/Main, F. Knapp [c1954]
111 p. illus. 19cm.
"Quellen," p. 111.

1. Wit and humor, German— Collections. 2. Commerce—

NM 0917508 NN PPT

[**Muthesius, Volkmar**] 1900-
Die kohle als waffe. [n. p., 1941?]
59 p. incl. plates, diagrs. 24cm.
On cover: Dr. V. Muthesius.

1. Coal. I. Title.
45-30400
Library of Congress TP325.M89
[2] 338.272

NM 0917509 DLC

Muthesius, Volkmar, 1900 –
Kohle und eisen; die grundpfeiler der deutschen wirtschaft, von dr. Volkmar Muthesius; mit 2 kartenskizzen. Berlin, Deutscher verlag [°1939]
129, [1] p., 1 l. illus. (maps) 22cm.

1. Coal. 2. Coal—Germany. 3. Iron industry and trade. 4. Iron industry and trade—Germany. I. Title.
40-5339
Library of Congress TN808.G3M8
Copyright A—Foreign 45112
338.2

MCM
NM 0917510 DLC CU NN IEN MH CU NcD MiU MiD CtY NNC

Muthesius, Volkmar, 1900–
Der krieg der fabriken. Worauf beruht der deutsche rüstungsvorsprung? Von dr. Volkmar Muthesius. Berlin, Im Deutschen verlag [°1941]
103, [1] p. 22 cm.

1. Germany—Defenses. 2. Germany—Indus. 3. Ordnance—Manuf. I. Title.
Library of Congress UA710.M85 43—22898
[a50c½] 355.26

CoD IU MnU NjP NNC ICU
NM 0917511 DLC IaU CoU OCU NN CtY NcD NjR MH CLU

---

332 M983k 1955
Muthesius, Volkmar, 1900-
Krisenfurcht und Konjunkturoptimismus. Köln, F. Müller [1955]
36p. illus. 21cm.

1. Depressions. 2. Germany (Federal Republic, 1949-) Economic conditions. 3. Business cycles. I. Title.

NM 0917512 KU

Muthesius, Volkmar, 1900–
Müssen wir arm bleiben? Dichtung und Wahrheit in der Wirtschaftspolitik. Frankfurt am Main, F. Knapp [°1952]
147 p. 22 cm.

1. Economics. I. Title.
HB175.M878 54-17948 ‡

NM 0917513 DLC MH NN ICRL

Muthesius, Volkmar, 1900-
... Peter Klöckner und sein werk, von dr. Volkmar Muthesius. Essen, Verlag Glückauf gmbh., 1941.
63 p. (Schriftenreihe Ruhr und Rhein ... hrsg. von dr. Fritz Pudor. Hft. 1)

NM 0917514 DLC

Muthesius, Volkmar, 1900–
La potencia siderúrgica alemana. [n. p., 194–]
43 p. illus. 24 cm.

1. Steel industry and trade—Germany.
TN704.G3M826 50-30124

NM 0917515 DLC

Muthesius, Volkmar, 1900–
Ruhrkohle, 1893–1943; aus der Geschichte des Rheinisch-westfälischen Kohlen-Syndikats. [Essen] Essener Verlagsanstalt, 1943.
Microfilm negative film in the Library of Congress.
Collation of the original, as determined from the film: 256 p. 1 illus.

1. Coal—Germany—Ruhr Valley. 2. Rheinisch-westfälisches Kohlen-Syndikat.
Microfilm 1817 AC Mic 52—718

NM 0917516 DLC MiU CU MH NN IEN NNUN

Muthesius, Volkmar, 1900-
Sozial oder sozialistisch? Eine Studie zur Sozialisierungsfrage. Wiesbaden, c1948

Sonderheft Der Wirtschaft Spiegel

NM 0917517 MH

VOLUME 403

Muthesius, Volkmar, 1900–
Velmoc ocel. 2. vyd. Praha, Orbis, 1941.
45 p. illus. 21 cm. (Na okraj nové doby, 19)

1. Steel industry and trade—Germany. I. Series.
TN704.G3M8 1941 669.1 A F 48-3258*

Harvard Univ. Library for Library of Congress ₍1₎†

NM 0917518 MH DLC TxHR IU NN CoG

Muthesius, Volkmar, 1900-
...Velmoc ocel. Praha, Orbis, 1943. 45 p. illus. 21cm.
5. vyd.

426339B. 1. Iron—Hist. 2. Steel— Hist.
N. Y. P. L. March 18, 1948

NM 0917519 NN

Muthesius, Volkmar, 1900–
Warum freie Vertragsversicherung? Frankfurt/Main, F. Knapp ₍1953₎
61 p. 21 cm.

1. Insurance—Germany. I. Title.
A 58-5870

New York Univ. Libraries HG8618 for Library of Congress ₍1₎

NM 0917520 NN NNU

Muthesius, Volkmar, 1900–
Was wir der Marktwirtschaft verdanken. Frankfurt a. M., F. Knapp ₍1951₎
52 p. illus. 22 cm.

1. Economics. 2. Competition.
HB175.M88 51-39856 ‡

NM 0917521 DLC CU ICRL NN

Muthesius, Volkmar, 1900–
Welt des Stahls. ₍Hundert Jahre Hüttenwerke Ruhrort-Meiderich Aktiengesellschaft, Duisburg-Ruhrort. Darmstadt, Hoppenstedts Wirtschafts-Archiv, 1953₎
119 p. illus., photos. 27 cm.
"Den historischen Text schrieb Dr. Volkmar Muthesius ... Die Gegenwartsfragen behandelte Kraft Sachisthal."

1. Hüttenwerke Ruhrort-Meiderich Aktiengesellschaft, Duisburg-Ruhrort. 2. Steel industry and trade—Germany. I. Sachisthal, Kraft. II. Title.
A 54-74

Illinois. Univ. Library for Library of Congress ₍1₎

NM 0917522 IU MH-BA

Muthesius, Volkmar, 1900–
Die Wirtschaft des Wettbewerbs (Freiheit oder Sicherheit) Wiesbaden, Limes-Verlag, 1948.
139 p. 21 cm.
Bibliography: p. 139.

1. Competition. I. Title.
HD41.M8 338.018 49-14195*

NM 0917523 DLC

Muthesius, Volkmar, 1900–
Die Zukunft der D-Mark. Frankfurt a. M., F. Knapp ₍Vorwort 1950₎
102 p. 22 cm. (Schriftenreihe der "Zeitschrift für das gesamte Kreditwesen," Bd. 2)

1. Currency question—Germany (Federal Republic, 1949–) I. Title.
HG999.M86 53-39006 ‡

NM 0917524 DLC InU NN NjP MU MH

Muthesius, Volkmar, 1900-
Die zukunft der D-Mark ... Frankfurt a. M., F. Knapp [1951?]
102 p. 21 cm. (Schriftenreihe der "Zeitschrift für das gesamte kreditwesen", bd. 2)
On cover: Frankfurter Bank.
Errata slip tipped in.

NM 0917525 NcD

Muthesius, Volkmar, 1900- comp.
Zur Geschichte der Kunstfaser... [Heppenheim a. d. Bergstrasse, Hoppenstedt & Co., n. d.] 167 p. illus. 24cm.

1. Textile fibres, Synthetic.

NM 0917526 NN

Muthesius, Volkmar, 1900-
Zur Geschichte der Kunstfaser. ₍Heppenheim an der Bergstrasse 1949₎
167 p. illus.

Überreicht aus Anlas des fünfzigjährigen Bestehens der Vereinigten Glanzstoff-Fabriken AG.

NM 0917527 MH-BA

TP 268 .M9 Muthesius, Volkmar, 1900-
Zur Geschichte der Sprengstoffe und des Pulvers. Berlin, 1941.
170 p. illus. 24cm.

1. Explosives - Hist. 2. Gunpowder - Hist. I. Title.

NM 0917528 WU OkU OKentU UU

Muthesius, Zacharias, ed.
Novi Testamenti versionis vvlgatae correctae ad normam Libri concordiae ... pars prima et secunda ... [Francofurti] Sumtu Z. Palthenii, 1611
see under Bible. N. T. Latin. 1611. Osiander.

Muthiah Chettiar
see
Chettiar, *Sir* Muthiah, 1905–

Muthiah, S.N.A. Alagappa. Chapel Hill, 1925.
Some economic aspects of jute production and trade with special reference to American interests.

NM 0917531 NcU

Muthiah Mudaliar, A. S., ed.
PL4758 .6 .K78 Orien Tam
Kurrālak Kōvai.
குற்றலக் கோவை; கருத்துரை, குறிப்பு முதலியவற்றுடன். A. S. முத்தையா முதலியார் பதிப்பித்தது. ₍திருவனந்தபுரம்₎ திருவிதாங்கூர் சர்வ கலாசாலையாரால் வெளிப்படுத்தப்பட்டது, கொல்லமாண்டு 1124 ₍1949₎

BL 1245 S5 M87 Muthian, S M
Saiva Sithantham in relation to science, by S. M. Muthian ... Sithankerny, P. Mahadevan Urunavalai, n. d.
109 p. 18 cm.

1. Sivaism. I. Title.

NM 0917533 WaSpG

Muthig, Julius, 1908-
Eklampsie ohne krämpfe. ... Würzburg, 1934.
37 p.
Inaug. Diss. - Würzburg, 1934.
Lebenslauf.
Bibliography.

NM 0917534 DNLM

Muthill, Scot. St. James' Episcopal church.
The transcript of the register of baptisms, Muthill, Perthshire from A. D. 1697–1847 now in the custody of the incumbent and vestry of St. James' Episcopal church, Muthill. Ed. by the Rev. A. W. Cornelius Hallen ... Edinburgh, Printed for subscribers by Neill and co., 1887.
2 p. l., ₍vii₎–xv, ₍1₎, 204 p. 26cm.
Cover-title: Muthill register of baptisms, 1697–1847.

1. Register of births, etc.—Muthill, Scot. I. Hallen, Arthur Washington Cornelius, 1834– ed.
10-28088

Library of Congress CS435.M8

NM 0917535 DLC FU NN

Muthmann, Arthur, 1875-
... Ein Fall von professioneller Parese im Peronealgebiet. Bonn, 1899.
35 p.
Inaug.-diss. - Bonn.
Bibl.

NM 0917536 ICRL MBCo DNLM

Muthmann, Arthur, 1875–
Griechische steinschriften als ausdruck lebendigen geistes, nach aufzeichnungen und darlegungen von Arthur Muthmann, bearbeitet und herausgegeben von M. Hartge. Freiburg im Breisgau, Urban verlag, 1933.
1 p. l., 5–78, ₍2₎ p. illus. (facsim.) 8 pl. (incl. front.) 22½cm.
"Literatur": p. 73–₍79₎

1. Inscriptions, Greek. I. Hartge, Margaret, 1893– ed.
A C 33-3663

Title from Yale Univ. Printed by L. C.

NM 0917537 CtY NcU PBm ViU

MUTHMANN, ARTHUR, 1875-
Zur Psychologie und Therapie neurotischer Symptome. Eine Studie auf Grund der Neurosenlehre Freuds, von Dr. Arthur Muthmann... Halle a.S.: C.Marhold, 1907. v, 115 p. illus. (chart.) 23½cm.

Bibliographical footnotes.

1. Psychoanalysis.

NM 0917538 NN DNLM MH NNNPsI DNLM

Muthmann, Ernst, pseud.
see Holz-Reyther, I. Heinrich.

VOLUME 403

Muthmann (Eugen). *Ueber die erste Anlage der Schilddrüse und deren Lagebeziehung zur ersten Anlage des Herzens bei Amphibien, insbesondere bei Triton alpestris. [Munich.] 47 pp. 8°. Wiesbaden, J. F. Bergmann, 1904.

NM 0917540 DNLM NjP

Muthmann, Friedrich.
Alexander von Humboldt und sein Naturbild im Spiegel der Goethezeit. Zürich, Artemis-Verlag [1955]
154 p. illus. 18 cm. (Erasmus-Bibliothek)
Includes bibliographies.

1. Humboldt, Alexander, Freiherr von, 1769-1859.
Q143.H9M9 57-36275 ‡

OU CU PU NcU NBC
NM 0917541 DLC WU LU NIC NN CtY MH MiU NjP TxU

Muthmann, Friedrich.
L'argenterie hispano-sud-américaine à l'époque coloniale; essai sur la collection du Musée d'ethnographie de la ville de Genève, suivi d'un catalogue complet et raisonné. Préf. de Eugène Pittard. Genève, Éditions des Trois collines [1950]
179 p. illus., 48 plates. 27 cm. (Documents d'art et d'ethnographie, 1)
Bibliographical references included in "Notes" (p. 97-[111])

1. Silversmithing — Spanish America. 2. Geneva. Musée ethnographique.
NK7130.M8 739.23 A 51-6915
Harvard Univ. Library for Library of Congress [1]†

NM 0917542 MH IU NcD NN InU KyU TNJ DLC TxU

Muthmann, Friedrich.
Catalogue complet et raisonné de la collection d'argenterie hispano-sud-américaine
see under Geneva. Musée et institut d'ethnographie.

---

733 M98h
Muthmann, Fritz, 1901-
Hadrianische und antoninische statuenstützten; beiträge zur geschichte der römischen kopistentätigkeit ...
Heidelberg, 1927.
53p.

Inaug.-diss.--Heidelberg.
Lebenslauf.

NM 0917544 IU PU OCU ICRL DLC

Muthmann, Fritz, 1901-
Statuenstützen und dekoratives Beiwerk an griechischen und römischen Bildwerken; ein Beitrag zur Geschichte der römischen Kopistentätigkeit. Heidelberg, C. Winter, 1951.
228 p. 21 plates. 25 cm. (Abhandlungen der Heidelberger Akademie der Wissenschaften. Philosophisch-historische Klasse, Jahrg. 1950, 3. Abhandlung)
"Anmerkungen zu Kapitel I-XI": p. [129]-204.

1. Sculpture, Greek. 2. Sculpture, Roman. I. Title. (Series: Heidelberger Akademie der Wissenschaften. Philosophisch-historische Klasse. Abhandlungen. Jahrg. 1950. 3. Abhandlung)
AS182.H435 1950 Abt. 3 A 52-6590

Chicago. Univ. Libr. for Library of Congress [a55c½]†

PU OCU DLC
NM 0917545 ICU MH DDO PBm OU CSt MoU CLU NBuU NN

Muthmann, Johann.
Salfeldische Freude, über die denen Saltzburgischen Emigranten wiederfahrene Gnade Gottes. Oder: Historisch-Theologisches Denckmahl derjenigen Merckwürdigkeiten, welche in Ansehung derer Saltzburgischen Emigranten in Salfeld vorgekommen. Auf Hoch-Fürstl. gnädigsten Befehl dargestellt von Johann Muthmann, Fürstl. Sachsen-Salfeldischen Hof- und der Stadt Sub-Diacono. Leipzig und Züllichau, in Verlegung des Züllichowisch. Waysenhauses, 1733.

Continued in next column

Continued from preceding column

Title-page, 5 l., 194 p. Frontispiece. 12 mo.
Reference: Dannappel, Die Literatur über die Salzburger Emigration, 1886.

NM 0917547 GU-De

1886-
Muthmann, Max, Assistenzarzt am Hosp.: Aus d. dermatol. Abt. d. Allerheil.-Hosp. Breslau. ⟨Primärarzt Harttung.⟩ Über zwei Fälle von chlorakneähnlichen Hauterkrankungen bei Zinkhüttenarbeitern und der heutige Stand der Chloraknefrage überhaupt. Berlin: Trenkel 1914. 78 S. 8°
Breslau, Med. Diss. v. 2. Juli 1914, Ref. Neißer
[Geb. 14. Jan. 86 Breslau; Wohnort: Breslau; Staatsangeh.: Preußen; Vorbildung: Berger-OR. Posen Reife 06, Erg. G. z. hl. Geist Breslau 08; Studium: Phil. u. Med. Breslau 2, Tierheilk. Berlin 2, Med. Breslau 7 S.; Coll. 8. Mai 13; Approb. 18. Febr. 13.] [U 14. 1575

NM 0917548 ICRL DNLM

MUTHMANN, W.
Notiz über die cinchoninsäure. Berlin, 1887.

By W. Muthmann and John Ulric Nef.

NM 0917549 MH

Muthmann, W
[Pamphlets about photography. 1902-07]
3 pts. in 1 v. illus., plates (part fold.) 20cm.

Reprints from Justus Lieblig's Annalen der chemie.

1. Photographic chemistry.

NM 0917550 NNC

W 4 F86 1932
MUTHMANN, Wilhelma
Zur Frage nach dem Einfluss von Insulin auf die Struktur der Hypophyse. Berlin, Springer, 1932.
p. 14-16.
Inaug. Diss. - Freiburg.
Reprinted from Zeitschrift für die gesamte experimentelle Medizin, Bd. 81, Heft 1/2.
1. Insulin - Effects 2. Pituitary gland

NM 0917551 DNLM

FILM 833S875 BM983
Muthmassliche Bewegungsgründe des Herrn Grafen zu Stollberg, Friedrich Leopold, zum Uebergang in die römische Kirche. Von einem Freunde der Wahrheit und des Guten. Leipzig, G. Fleischer dem Jüngern, 1801.

Microfilm copy made by the Pfälzische Landesbibliothek, Speyer. Negative.
Collation of the original, as determined from the film: 92p.
Microfilmed with Freymüthige Bemerkungen

über das Antowrtschreiben des Herrn Grafen F. L. zu Stolberg verewigten Lavater. Cleve, 1802; Was bewog den Grafen zu Stolberg, Friedrich Leopold, die protestantische Kirche zu verlassen? [n.p., n.d.] and D. Martin Luther. Frankfurt am Mayn, 1802.
1. Stolberg, Friedrich Leopold, Graf zu, 1750-1819.

NM 0917553 IU

SPECIAL COLLECTIONS B525.6 M426

Muthmassliche Gedancken, die Bedeutung des jüngsten im Decembri, A. 1664. erschienenen Cometen betreffende ... Samt einem Anhang, von dem obbemeldten Cometen, wie solchen ein hochverständiger Astronomus zu Wien sinnreich beobachtet ... Nürnberg, Gedruckt bey W. E. Felsseckern, 1665.
[16] p. 19cm.

Closely cropped at top.

NM 0917554 NNC

PT2625 .U91 I 5 1918
Muthreich, Marie.
In der Sonne; Gedichte. Dresden, H. Minden [1918]
80 p. 18cm.

NM 0917555 ViU

Muthreich, Martin.
Theologischer Bericht von dem sehr schrecklichen ... Franckfurt an der Oder, 1649.
1. Witchcraft.

NM 0917556 NIC

Muths, Margarete, 1913-
Die deutsche Fettlücke und die Möglichkeit ihrer Schliessung durch die Rückgewinnung der ehemal. deutschen Kolonien ... von Diplom-Volkswirt Margarete Muths ... Bottrop i. W.: W. Postberg, 1938. 79 p. incl. tables. 21cm.
Inaugural-Dissertation — Heidelberg, 1937.
Lebenslauf.
"Literatur," p. 76-77.

1. Oils and fats, Edible—Trade and stat.—Germany—Colonies.
N. Y. P. L. June 28, 1940

NM 0917557 NN CtY CSt MH NNC ICRL

Muths, Margarete, 1913-
Die deutsche fettlücke und die möglichkeit ihrer schliessung durch die rückgewinnung der ehem. deutschen kolonien, von diplom-volkswirt dr. Margarete Muths. Berlin, Deutscher betriebswirte-verlag, Kom.-ges. Böhme & co., 1938.
78 p. incl. tables. 21cm.
Issued also as the author's thesis, Hamburg.
"Literatur": p. 76-77.

1. Oils and fats. 2. Germany—Colonies. I. Title.
A C 39-1551
Stanford univ. Library for Library of Congress [2]

NM 0917558 CSt

Muths, Robert.
Études sur les α-aminoaldéhydes. [Strasbourg, 1955]
90 l. diagrs. 27 cm.
Thèse—Strasbourg.
Bibliography: leaves 88-89.

1. Amino compounds. 2. Aldehydes.
QD305.A6M8 57-25008

NM 0917559 DLC MH CtY

Muthschall, Alfred: Über die primäre spastische Spinalparalyse des höheren Alters und ihre Beziehungen zur amyotrophischen Lateralsklerose. [Maschinenschrift.] 33 S. 4°. — Auszug: Berlin (1919): Blanke. 2 Bl. 8°
Berlin, Med. Diss. v. 14. Nov. 1919 [1922] [U 22. 864

NM 0917560 ICRL DLC

VOLUME 403

Muthu, David Chowdry
see
Chowry Muthu, David Jacob Aaron, 1864–

Muthu, Paul Jothi
see Jothimuththu, Paul, 1904–

Muthu Iyengar, Vidwan S
Srivilli's English-Tamil dictionary. [2d ed. rev.] Madras, Srivilli [1949]
v, 647 p. 19 cm.

1. English language—Dictionaries—Tamil. I. Title.

PL4756.M8 1949 494.81132 52-44915

NM 0917563 DLC

---

954 M992 Muthulakshmi Reddy, S., 1886–
My experience as a legislator... Triplicane, Madras, Current thought press, 1930.
xii, 246p. 21cm.

1. India. Pol. & govt. I. Title.

NM 0917564 IEN

Muthuon, J.
Arkoses de Lembecq-lez-Halle... Louvain, 1894.
35 p. fold. plate. 23 cm.
QE475 .M8
Thèse — Louvain.

NM 0917565 DLC PPAN

Muthuon, J. M.
Traité des forges dites Catalanes; ou, L'art d'extraire directement et par une seule operation le fer de ses mines. Turin, L'imp. departementale, 1808.
237 p.

NM 0917566 PPF

---

*pGB8 V6755R 6.1.48 Der muthvolle Studenten-Feldpater, Freiheits-Vertheidiger, Vaterlandsvertretter und Held des Tages! Ein Lamartin Oesterreichs, der bravste aller Geistlichen.
[Wien] Gedruckt bei J.N.Fridrich. [1848]
broadside. 41.5x52cm.
In praise of Anton Füster.
Dated in contemporary ms.: 1. Juni 848.

NM 0917567 MH

Muthwill (Joh. Andreas). *De nutritione. 46 pp. 4°. Jenæ, lit. Ritterianis, [1750].

NM 0917568 DNLM

M1490 .R15C3 Case
Muti, Giovanni Battista, fl. 1606. Corrente.

Radesca di Foggia, Enrico, fl. 1605–1619.
Canzonette, madrigali & arie alla romana, à due voci, per cantare, & sonare con il chitarone ò spinetta. Milano, Herede di S. Tini, & F. Lomazzo, 1605–06.

RARE BOOK DEPARTMENT PQ 4630 M95 G5 1687
Muti, Giovanni Maria, fl. 1686.
La Gismonda del Muti raccomandata e consecrata. All illustrissimo signor Melchiorre Tetta. In Trevigi, Per Pasqualin da Ponte, 1687.
[10], l., 443p. 16cm.
First? edition, as issued in full vellum with brown leather label stamped in gilt.

I. Title: La Gismonda.

NM 0917570 NSyU

Muti, Giovanni Maria, fl. 1686.
La gismonda del Mvti; raccomandata ... Trevigi, 1696.
15.5 x 8.5 cm.

NM 0917571 CtY

MUTI, [Giovanni Maria], fl. 1686.
La penna volante, descritta in certe lettere alla moda. Venetia, presso B.Miloco, 1681.

nar. 24°. Title-vign.

NM 0917572 MH

FONTANA LIBRARY Muti, Giovanni Maria, fl. 1686.
Le rottvre del genio del Mvti ... Venetia, B. Milocho, 1683.
17 p.l., 331, [29] p. 15cm.
Head pieces, initials.

NM 0917573 CU

Muti, Pio Bussi-
see Bussi-Muti, Pio.

Muti Bussi, Paolo
see Bussi, Paolo Muti, conte.

Mutian, Konrad
see
Mutianus Rufus, Conradus, 1471-1526.

Typ 525 72.588F
Mutiano, Giovanni Battista, fl.1571.
Il primo libro di fogliami âtiqui. con la regula delle foglie maestre per imparar à spicigar detti fogliami, nouamente da m Zuanbattista Mutiano ... ritrouata, et posta in luce ...
Venetijs, apud Ioãnē Franc.m Camotiū 1571[i.e. 1572?]
f°. 1p.l., 52 plates(1 double) 42cm.
The 32 plates of Mutiano's Primo libro (beginning with the engr. title plate containing dedication & 1571 imprint) reprinted in random order with 5 Camocio plates from another series interspersed; added at end are 16 unsigned plates of trophies of war.
Title plate signed with monogram IAF.

NM 0917578 MH

Mutianus Scholasticus, 6th cent., tr.

Incun. X .C54 Rosenwald Coll.
Chrysostomus, Joannes, Saint, Patriarch of Constantinople, d. 407.
Commentarius in Epistolam ad Hebraeos. Latin. [Urach, Conrad Fyner, not after July 1485]

Mutianus Scholasticus, 6th cent.
Interpretatio homiliarum S. Joannis Chrysostomi in Epistolam ad Hebraeos.
110 p. (Migne, J.P., Patrol. s. Gr. v. 63, p. 237)

NM 0917580 MdBP

Mutianus, Konrad
see
Mutianus Rufus, Conradus, 1471-1526.

Mutianus Rufus, Conradus, 1471–1526.
Der briefwechsel des Conradus Mutianus. Gesammelt und bearb. von dr. Karl Gillert ... Hrsg. von der Historischen commission der provinz Sachsen. Halle, O. Hendel, 1890.
2 v. in 1. 23cm.
Vol. 2 has added t.-p.: Geschichtsquellen der provinz Sachsen und angrenzender gebiete. Hrsg. von der Historischen commission der provinz Sachsen. 18. bd.

I. Gillert, Karl, comp.

NM 0917582 ICN OCl NIC MH CtY

Mutianus Rufus, Conradus, 1471–1526.
Der briefwechsel des Mutianus Rufus. Gesammelt und bearb. von dr. Carl Krause ... Kassel, A. Freyschmidt, 1885.
2 p. l., 3-11, [1] p., 1 l., lxviii, 700 p. 21½ cm. (Added t.-p.: Zeitschrift des vereins für hessische geschichte und landeskunde. Neue folge. IX. supplement)

I. Krause, Carl, ed.

DD491.H6V3 n. F., Bd. 9 Suppl. 1-G-2025 rev

NM 0917583 DLC PPeSchw CLU TxU PPLT OClW MH CU NIC

Mutiara, Dali.
Ilmu tatanegara, untuk S. M. P. dan lain-lain. [Tjetakan 1. Solo, Mutiara Universal, 1951]
36 p. illus. 22 cm.

1. Political science. I. Title.

JF56.M8 55-39813 ‡

NM 0917584 DLC

Law
Mutiara, Dali, ed. and tr.

Indonesia. *Laws, statutes, etc.*
K. U. H. P. Kitab undang² hukum pidana Republik Indonesia. (Wetboek van strafrecht voor Indonesië jang telah dirobah dan dibaharui) Diindonesiakan oleh: Dali Mutiara. Tjetakan 4. Djakarta, Toko Buku "Suar," 1953.

Law Orien Indo
Mutiara, Dali, ed.

Indonesia. *Laws, statutes, etc.*
Kitab undang-undang hukum pidana Tentara dan hukum disiplin Tentara Republik Indonesia; menurut Stbl. 1934 no. 167 dan 168 jang dirobah dengan undang-undang Republik Indonesia 1947, disusun oleh Dali Mutiara. [Tjetakan 4.] Djakarta, Pustaka Islam, 1955.

Wason PL5139 M99M5
Mutiara, Dali.
Menoedjoe doenia damai, oleh Dali Moetiara. Bandoeng, "Iboenda", [194-?]
24 p. 19cm.

1. Peace. I. Title.

NM 0917587 NIC

VOLUME 403

Wason
HM281
M99

Mutiara, Dali.
Moaoesia dan propaganda. ⌈Jogjakarta, D. M., 1947⌉
26 p. 18cm.

1. Propaganda. 2. Psychological warfare. I. Title.

NM 0917588 NIC

Wason
HM263
M98

Mutiara, Dali.
Pedoman propaganda, oleh Dali Moetiara. Singapore, Jogjakarta, Moetiara Serikat ⌈1946?⌉
26 p. 18cm.

Cover title.

1. Propaganda.

NM 0917589 NIC

PL5089
.D5P4
Orien
Indo

Mutiara, Dali, joint author.

Dimyati, Muhammad, 1914–
Pengurbanan dan kebaktian, oleh Badaruzzaman ⌈pseud.⌉ dan Dali Mutiara. Djakarta, Balai Pustaka, 1950.

PL5099
.4
M87

Mutiara, Dali
Sedjarah Minangkabau. [Djokjakarta, Moetiara, 1947]
49 p.

1. Menangkabau.

NM 0917591 CU

Mutiara, Dali
Teori dan praktek ilmu hukum, oleh Dali Mutiara ... ⌈Tjetakan 5.⌉ Djakarta, "Pustaka Islam" ⌈1953⌉
116 p. 22½cm.
"Hak pengarang diperlindungi undang-undang negara."

NM 0917592 MH-L NIC

Mutiara, Dali.
Teori dan praktek ilmu hukum; hukum: pidana, perdata, atjara, dagang, dll., oleh D. Mutiara. Tjet. 6. Djakarta, Pustaka Islam ⌈1955⌉
115 p. 21 cm.
Bibliography: p. 115.

1. Law—Indonesia—Compends. I. Title.

S A 66-4648
PL 480: Indo-2468

Library of Congress

NM 0917593 DLC IU NIC MH-L NNC-L WU CU

Mutiara, Dali
Teori-teori hukum perdata dan hukum pidana. Oleh Dali Mutiara ... Djakarta, "Pustaka energie" ⌈1951⌉
61 p. 18cm.
Bibliography: p. 61.

NM 0917594 MH-L

Mutiara, Dali.
Teori-teori hukum perdata dan hukum pidana ⌈Tjetakan 2⌉ Djakarta, Energie ⌈1952⌉
64 p. 18 cm.

1. Civil law—Indonesia. 2. Criminal law—Indonesia. I. Title.

55-38239 ‡

NM 0917595 DLC MH-L

Mutieff, Demetrius.
*De psychrometria. Dissertatio physica quam ... in alma literarum universitate Friderica Guilelma ... publice defendet auctor Demetrius Mutieff. Berolini, typis J. Sittenfeld [1842]
2 p.l., 69,(1) p. 1 pl. sq. 8°.

NM 0917596 NN DAS

Mutienzo (A.) A few words on Tampico and its marshes. 11 pp. 8°. [*Mexico*, 1892.]
Am. Pub. Health Ass. Rep., Mexico, 1892.

NM 0917597 DNLM

"Ein mutig Herz, ein redlich Wollen": Katholische deutsche Frauen aus den letzten hundert Jahren ...
see under Krabbel, Gerta, ed.

830.8
M984

Der mutige revierförster; heitere geschichten von Ludwig Thoma, Otto Julius Bierbaum u.a. ... Hamburg= Grossborstel [1927]
187p. (Der deutschen humoristen. 3.folge ...)

"Zur erläuterung": p. following p.187
"'Der mutige revierförster' erschien als 49.band der Hausbücner der deutschen dichter= gedächtnis= stiftung ursprüng-

lich unter dem titel "Deutsche humoristen, band 7" ..."

NM 0917600 IU

Der mutige Revierförster; heitere Geschichten von Ludwig Thoma, Otto Julius Bierbaum u. a. Hamburg: Deutsche Dichter-Gedächtnis-Stiftung⌈, 193–?⌉: 188 p. 12°.

Formerly published under title: Deutsche Humoristen, v. 7.
CONTENTS.—Vischer, F. T. Die Tücke des Objekts.—Schäfer, W. Die Béarnaise.—Bierbaum, O. J. Der mutige Revierförster.—Presber, R. Die 74. Nacht.—Fock, G. Schalotte.—Fischer-Graz, W. Die Rebenbäckerin.—Schönherr, K. Die erste Beicht'.—Greinz, R. Das Hennendiandl.—Schussen, W. Pilgrime.—Thoma, L. Kabale und Liebe. Besserung. Unser guater, alter Herzog Karl is a Rindviech.

1. Short stories. 2. Twelve titles. 3. Twelve au. anal.
N. Y. P. L. February 23, 1934

NM 0917601 NN

---

al-Muṭīʻī, Muḥammad Bakhīt.
كتاب القول الجامع فى الطلاق البدعى والمتتابع، لمحمد بخيت. الطبعة 1. ⌈مصر⌉ المطبعة الخيرية 1320 ⌈1903⌉
182 p. 20 cm.

1. Divorce (Islamic law) I. Title: al-Qawl al-jāmiʻ fī al-ṭalāq.
Title romanized: Kitāb al-qawl al-jāmiʻ fī al-ṭalāq.

70-228274

NM 0917602 DLC

---

al-Muṭīʻī, Muḥammad Bakhīt.
كتاب ارشاد اهل الملة الى اثبات الأهلة، تأليف محمد بخيت المطيعى. ويليه كتاب العلم المنشور فى اثبات الشهور، للسبكى. ⌈القاهرة، 1911⌉
384, 56 p. 19 cm.

1. Calendar, Islamic. I. al-Subkī, Taqī al-Dīn ʻAlī ibn ʻAbd al-Kāfī, 1284–1355. al-ʻIlm al-manshūr fī ithbāt al-shuhūr. II. Title. III. Title: Irshād ahl al-millah ilā ithbāt al-ahillah.
Title transliterated: Kitāb irshād ahl al-millah.

CE59.M8 N E 65-657

NM 0917603 DLC CtY TxU NNC

---

al-Muṭīʻī, Muḥammad Bakhīt.
⌈Irshād al-ummah ilá aḥkām al-ḥukm bayna ahl al-dhimmah⌉
كتاب ارشاد الامة الى احكام الحكم بين اهل الذمة، تأليف محمد بخيت المطيعي. ⌈مصر⌉ تباع بمحل ناجي الجمالي وزاهد وامين الخانجي ⌈1900⌉ 1317.
23 p. 23 cm.

1. Dhimmis. I. Title: Irshād al-ummah ilá aḥkām al-ḥukm bayna ahl al-dhimmah.
Title romanized: Kitāb irshād al-ummah ilá aḥkām al-ḥukm bayna ahl al-dhimmah.

74-218580

NM 0917604 DLC

Law

al-Muṭīʻī, Muḥammad Bakhīt.
رفع الأغلاق عن مشروع الزواج والطلاق، تاليف محمد بخيت المطيعى. ⌈القاهرة، 1927؟⌉
219 p. 19 cm.
L. C. copy imperfect: text preceding p. 8 wanting.

1. Marriage law—Egypt. 2. Divorce—Egypt. I. Title.
Title transliterated: Rafʻ al-aghlāq ʻan mashrūʻ al-zawāj wa-al-ṭalāq.

N E 65-1336

NM 0917605 DLC MH

Mutii, Mutio de'.
Della storia di Teramo: dialoghi sette di Mutio de 'Mutii, con note ed aggiunte di Giacinto Pannella. Teramo, tip. del Corriere abruzzese, 1893.

NM 0917606 MH

Mutii, Mutio de'.
Il Padre di Fameglia. Opera Vtilissima Nella Qvale Per Modo de' Institutione si ragiona di quanto sia necessario ad vn buon Capo Di Casa. Scritta da Mutio de' Mutij...à Francesco suo figlio... Teramo, Per Isidoro, & Lepido Facij Fratelli, 1591. 12 p.l., 187(1) p., 2 l. 16cm. (8°.)
Fumagalli: Lexicon typographicum Italiae, 411.
Last two leaves blank.
Binding, contemporary, of vellum from a ms.

1. Education, Moral and religious, to 1800. I. Title.

NM 0917607 NN

R126
46A6M

MUTIIS, Donatus A., fl. 1547.
In interpretationem Galeni super quatordecim Aphorismos Hippocratis dialogus. [Basle?]1547.
31l. 21cm.
I.Galenus. In aphorismos Hippocratis
II.Hippocrates. Aphorismi
I.Title

NM 0917608 CtY-M

Mutijar, S
Soeasana-politika semendjak Indonesia merdeka, 17 Agoestoes–31 Desember 1945. Djakarta, Balai Poestaka, 1946–
v. 21 cm.

1. Indonesia—Pol. & govt. I. Title.

DS644.M8 55-39902 ‡

NM 0917609 DLC NIC

VOLUME 403

The **Mutilated** Budapest. [Budapest, Officina press [1946]
2 p. l., 64 (i. e. 63) pl. on 32 l. 25cm.
"The photographs have been arranged by Desider Lőbl."—2d prelim. leaf.

1. World war, 1939–1945—Destruction and pillage—Hungary—Budapest. 2. Budapest—Descr.—Views. I. Lőbl, Desider.

D810.D6M8 940.5405 47-21325

NM 0917610 DLC TxU

Les mutilés de la vie
see under [Lvovitch-Frounin, Lisa]

Mutillet (Joh. Ephraim). * Diss. qua febris tertiana ob empyema e vomica pulmonis rupta in cavitatem pectoris dextram effusum, indeque pulmonem hujus lateris compressum, penitusque ab officio remotum mortem post se relinquens exponitur. 22 pp., 1 l., 1 pl. 4°. *Vitembergæ, prelo Schlomachiano,* 1731.
Also, in: HALLER. Disp. ad morb. [etc.] 4°. *Lausannæ,* 1747, ii, 403–419, 1 pl.

NM 0917612 DNLM PU

Mutin, Charles.
L'orgue, par Charles Mutin ...
(*In* Encyclopédie de la musique et dictionnaire du Conservatoire ... Paris [1913]–31. 29½cm. 2. ptie. [v. 2] (1926) p. [1050]–1124 incl. tables, diagrs.)

1. Organ—Hist. 2. Organ—Construction.
A 44-2468
Newberry library
for Library of Congress ML100.E5 pt. 2, vol. 2
[2]†

NM 0917613 ICN DLC

Mutin, Charles.
... L'orgue. [n. p., 192–?] 2 v. plates. 32cm.
Binder's title.
Tome 1 reproduced from typewritten copy; tome 2 typewritten.
Preface by Ch. M. Widor.
The "Partie technique," left unfinished by the author at his death, has been supplemented by chapters which he contributed to Lavignac's Encyclopédie de la musique.
"Bibliographie," tome 1, p. i–vii.
CONTENTS.—Tome 1. Étude historique sur les origines de l'orgue.—Tome 2. Étude historique sur les origines de l'orgue [con't] Partie technique.

6958–9B. 1. Organ—Hist. 2. Organ—Construction.
N. Y. P. L. November 27, 1939

NM 0917614 NN

FILM 786.5 M98o
Mutin, Charles.
L'orgue. [n.p., 192-?]
Title supplied by New York Public Library.
Microfilm copy (negative) made in 1946 of original in the New York Public Library.
Collation of original as determined from the film: 2v. illus., diagrs., tables.
Preface signed Ch. W. Widor.
Bibliography: v.1, p. i-vii.

NM 0917615 IU

Mutin (Pierre). * Du pityriasis. 20 pp., 1 pl. 4°. *Strasbourg,* 1860, No. 542, 2. s., v. 30.

NM 0917616 DNLM

The mutineer; or, Heaven's vengeance
see under [Bradbury, Osgood]

Mutineers of the Bounty; or Thrilling incidents of life on the ocean. Being the history of Pitcairn's Island...Boston, 1855.
see under: [Adams, John, 1760?-1829.
see also: [Fiske, Nathan Welby, 1798-1847
Aleck, the last of the mutineers, or The history of Pitcairn's Island.

Arg SB 251 .A8A5 no. 12
Mutinelli, Arturo.
... El cultivo del algodón en Misiones, resultados del primer ensayo realizado en la estación experimental de Lorento, por el ing.° agr.° Arturo Mutinelli ...
Buenos Aires, 1936.
18 p., 1 l. illus. 22.5 cm.
(Argentine republic. Junta nacional del algodón. [Publicación] no. 12)
At head of title: República argentina.
Ministerio de agricultura ...

NM 0917619 DPU

MUTINELLI, Fabio.
Annali delle province Venete dall'anno 1801 al 1840. Venezia, G.B.Merlo, 1843.
1.8°.

NM 0917620 MH MdBP OCl

Mutinelli, Fabio.
Annali urbani di Venezia, di Fabio Mutinelli. Secolo decimosesto. Venezia, Co' tipi del Gondoliere, 1838.
3 p. l., 213, [1] p. plates, ports. 25½cm.
Title vignette.

1. Venice—Hist.—1508–1797.
15-10580
Library of Congress DG678.235.M85

NM 0917621 DLC PU MdBP MiU MB NN

FILM 12904 DG
Mutinelli, Fabio.
Annali urbani di Venezia, di Fabio Mutinelli. Secolo decimosesto. Venezia, Co' tipi del Gondoliere, 1838.
3 p. l., 213, [1] p. plates, ports. On film (Negative)
Title vignette.
Microfilm. Original in Library of Congress.

1. Venice—Hist.—1508–1797.

NM 0917622 CU

Mutinelli, Fabio.
Annali urbani di Venezia dall'anno 810 al 12 maggio 1797, di Fabio Mutinelli ... Venezia, Tipografia di G. B. Merlo, 1841.
3 p. l., 750 p. 31cm.

1. Venice—Hist. I. Title.
31-10214
Library of Congress DG676.M87 945.3

NM 0917623 DLC CtY MH

FILM 12905 DG
Mutinelli, Fabio.
Annali urbani di Venezia dall'anno 810 al 12 maggio 1797, di Fabio Mutinelli ... Venezia, Tipografia di G. B. Merlo, 1841.
3 p. l., 750 p. On film (Negative)
Microfilm. Original in Library of Congress.

1. Venice—Hist. I. Title.

NM 0917624 CU

Mutinelli, Fabio.
Del commercio dei Veneziani, di Fabio Mutinelli ... Venezia, Tip. di L. Plet, 1835.
3 p. l., 184 p. 21cm.

4-30395

NM 0917625 DLC MdBP ICU

Mutinelli, Fabio.
Del costume veneziano sino al secolo decimosettimo; saggio di Fabio Mutinelli. Venezia, Tip. di commercio, 1831.
2 p. l., 157 p. 19 pl. (part fold., incl. map) 21½cm.

1. Venice—Soc. life & cust.
20-22490
Library of Congress DG675.6.M8

NM 0917626 DLC CU NcD CtY MdBP IU NN

DB82.5 M992d
Mutinelli, Fabio.
Dell'avvenimento di S.M.I.R.A. Ferdinando I d'Austria in Venezia, e delle civiche solennità d'allora; narrazione di Fabio Mutinelli. Disegni di Giovanni Pividor. Venezia, Co' Tipi del Gondoliere, 1838.
43 p. illus. 22cm.

1. Ferdinand I, Emperor of Austria, 1793-1875. I. Title.

NM 0917627 GU MH NN ICN

DG 673 M99g
[Mutinelli, Fabio]
Guida del forestiero per Venezia antica. Passeggiate quattro. Venezia, Tip.del gondoliere, 1842.
214p. illus. 18cm.
Cicogna 4504.

1. Venice - Descr. I. Title.

NM 0917628 NRU

DG 673 M99l
Mutinelli, Fabio
Lessico veneto che contiene l'antica fraseologia volgare e forense, l'indicazione di alcune leggi e statute, quella delle varie specie di navigli e di monete, delle spiaggie, dei porti e dei paesi già esistenti nel Dogado, delle chiese, dei monasteri, dei conventi, degli ospizii, e delle confraternite che si trovavano nella città di Venezia, dei costumi, delle fabbriche e delle feste pubbliche, di tutti i magistrati, dei vescovi, dei patriarchi ec.ec.; compilato per agevolare la lettura della storia dell'antica Republica Veneta, e lo studio de' documenti a lei relativi. Venezia, Co' tipi di Giambatista Andreola, 1851.
425p. 23cm.

1. Venice - Descr. 2. Italian language - Dialects - Venice - Dictionaries. I. Title.

NM 0917630 NRU NcD IU MH PHC NIC

Mutinelli, Fabio
Memorie storiche degli ultimi cinquant'anni della Repubblica Veneta ... Venezia, G.Grimaldo, 1854.
xxii, 244p. 23cm.

NM 0917631 CtY MdBP

VOLUME 403

914.5311 [Mutinelli, Fabio]
M984o
Occhiatine a Venezia, disegni ed intagli di Marco Comirato, descrizioni di F. M. Venezia, Co'tipi del Condoliere, 1838.
[26]p. XII plates.

1. Venice--Descr.--Views. I. Comirato, Marco. II. Title.

NM 0917632 IU

DG
538
M99
Mutinelli, Fabio. ed.
Storia arcana ed aneddotica d'Italia; raccontata dai veneti ambasciatori. Venezia, P. Naratovich, 1855-58.
4 v. facsims. 22cm.

1. Italy--Hist. I. Title.

NM 0917633 NIC NjP CU IU

Adelmann
QP
251
M99++
[Mutinelli, Giovanni Battista, 1747 (ca.)-1823]
Della generazione dell'uomo libri tre. Verona [Per l'erede di Agostino Carattoni, 1769.
372 p. 31cm.

1. Reproduction.

NM 0917634 NIC CtY-M NNNAM DNLM PPC MnU

Mutinelli, Giovanni Battista, 1747 (ca.)-1823.
Ragionamento del nobil signor Gio: Battista Mutinelli sopra gli antichi diritti della città di Adria, e della sua territoriale giurisdizione. Venezia, C. Palese, 1798.
74, lxii p.

Edited, with dedication, by Giuseppe Lupati e Francesco-Girolamo Bocchi.

1. Adria law - Legislation I. Lupati, Giuseppe, II. Bocchi, Francesco-Girolamo, ed.

NM 0917635 NNC IU

---

*IC7
P2183
H766m
[Mutinelli, Giovanni Battista, 1747(ca.)-1823]
La sera, poemetto.
[Verona] CIƆIƆCCLXVI. Con licenza de' superiori.
lxxvip., 1l. 20cm.
Bustico 191.
Colophon: Si vende in Verona dal Carattoni a S. Anastasia.
Errata: p.[lxxvii].
An imitation composed as a sequel to Giuseppe Parini's "Il mattino" and "Il mezzogiorno",

P2183
H766m
using the title he had proposed for his 3d poem. Parini decided to divide his 3d poem into 2 parts "Il vespro" and "La notte". His text was not published until after his death.

NM 0917637 MH

---

*IC7
P2183
H766md
[Mutinelli, Giovanni Battista, 1747(ca.)-1823]
La sera, poemetto. Ultima edizione.
In Venezia, MDCCLXVI. Per Antonio Graziosi, con licenza de' superiori.
48p. 19.5cm.
Bustico 192.
An imitation composed as a sequel to Giuseppe Parini's "Il mattino" and "Il mezzogiorno", using the title he had proposed for his 3d poem. Parini decided to divide his 3d poem into 2 parts "Il vespro" and "La notte". His text was not published until after his death.

NM 0917638 MH

---

*IC7
P2183
H766mc
[Mutinelli, Giovanni Battista, 1747(ca.)-1823]
La sera, poemetto. Terza edizione.
In Venezia, MDCCLXVI. Per il Colombani.
1p.l.,83-128p. 19.5cm., in case 21cm.
Signatures: F-H8.
A separate issue, with new t.-p., of sheets from G. Parini's Il mattino, Mezzogiorno e La sera (1766).
An imitation composed as a sequel to Parini's 2 poems, using the title he had proposed for his 3d poem. Parini decided to divide his 3d

poem into 2 parts "Il vespro" and "La notte". His text was not published until after his death.--cf. Bustico 34, 37 (note), 190 (wrongly dated 1762)

*IC7
P2183G
1771
Another issue. 20cm. (In G.B. Parini's Il mattino, Mezzogiorno e La sera, 1771)

NM 0917640 MH

Mutinelli, Laura.
... Les paysans dans la littérature française d'après Balzac et George Sand. Lodi, 1914.

NM 0917641 MdBJ OO

Mutinelli, Luigi
... Comparsa conclusionale all'ill.mo Tribunale civ. e pen. di Verona in causa Trevisani Augusta contro Ministero dell'istruzione pubblica. Pagamento di somme a titolo di risarcimento di danni. Verona, Pozzati, 1897.
cover-title, 36 p. 30cm.

NM 0917642 MH-L

Mutinelli, Luigi
... Note d'udienza nella causa sommaria Trevisani Augusta contro Ministero dell'istruzione pubblica in punto pagamento di somme a titolo di risarcimento di danni. Discussa all'udienza 3 giugno 1897. Verona, Pozzati, 1897.
cover-title, 19 p. 31cm.
At head of title: Davanti l'ill.mo Tribunale civile e penale di Verona.

NM 0917643 MH-L

Mutinensis, Franciscus
see Rococciolo, Francesco, d. 1528.

The mutinies and the people ...
see under Mookerjee, Sambhu Chandra, 1839-1894.

DS
478.3
M8
The mutinies, the government, and the people, by a Hindu. Calcutta, Printed by D'Rozario and Co., 1858.
42 p.

INDIA--HIST.--SEPOY REBELLION, 1857-1858
A Hindu

NM 0917646 KMK NN

Mutiny and murder. Confession of Charles Gibbs, a native of Rhode Island. Who, with Thomas J. Wansley, was doomed to be hung in New-York on the 22d of April last, for the murder of the captain and mate of the brig Vineyard, on her passage from New-Orleans to Philadelphia, in November 1830. Gibbs confesses that within a few years he has participated in the murder of nearly 400 human beings! Annexed, is a solemn address to youth ... Providence, I. Smith, 1831.
36 p. incl. front., illus. 19½cm.

1. Gibbs, Charles, 1794?-1831. 2. Wansley, Thomas J., d. 1831.

Library of Congress G537.G5M8 3—11098

NM 0917647 DLC RPB

The "mutiny" at Fort Leavensworth disciplinary barracks ...
see under Lunde, Theodore H.

---

*EC65
N100
660m
Mutiny maintained: or, Sedition made good from its {unity, knowledge, wit, government. Being a discourse, directed to the armies information.
[London, 1660]
16p. 20cm.
Prefatory letter signed: N.N.

NM 0917649 MH

The mutiny of the Bengal army
see under [Malleson, George Bruce] 1825-1898.

997
M992.2
The Mutiny of the "Bounty"; with history of the survivors on Pitcairn Island and elsewhere, by "the Captain". [2d ed.] Hobart, J. Walch [1936?]
44p. 19cm.

1. Bounty (Ship) 2. Bligh, William, 1754-1817. 3. Pitcairn island. 4. Voyages and trave'

NM 0917651 IEN CtY

Mutiny on the Bounty (Motion picture script)

"Mutiny on the Bounty"; dialogue cutting continuity. Film editor, Margaret Booth. [New York] 1935. 140 f. 28cm.

Cover-title.
Various paging.
Reproduced from typewritten copy.
Scenario by Talbot Jennings, Jules Furthman and Carey Wilson, adapted from the book by Charles Nordhoff and James Norman Hall. Produced by Metro-Goldwyn-Mayer Corporation.

819723A. 1. Moving pictures plays—Texts and outlines. I. Furthman, Jules, 1888- , jt. au. II. Wilson, Carey, jt. au. III. Nordhoff, Charles Bernard, 1887- , and J. N. Hall. Mutiny on the Bounty. IV. Metro-Goldwyn-Mayer Corporation.
N. Y. P. L. September 15, 1936

NM 0917652 NN

Mutiny on the Bounty. (Motion picture pressbook)
Mutiny on the Bounty. [n.p.] MGM [1935]
[26] l. illus. (part col.) 50 cm.
Movie pressbook for film starring Clark Gable and Charles Laughton.
Supplementary ads [8] p. and exploitation section [13] l. laid in.
Photo clipped from p. 11.
Stapled as issued.

NM 0917653 InU

G
530
M88
The mutiny of the Bounty, and other narratives. London and Edinburgh, Chambers, 1888.
144 p. illus.

Title: Life of a sailor-boy
Title: The sunken treasure

NM 0917654 KMK

... The mutiny of the Bounty and other sea stories. [Reading, Pa.] The Spencer press [c1937]
1 p. l., vii-x, 309 p. front., illus. (map) 21½cm. (Classic romances of literature. [vol. VIII])

"List of original documents and early books used in writing this story [The mutiny of the Bounty]": p. viii.

CONTENTS.—The mutiny of the Bounty, by Guy Murchie, jr.—How old Wiggins wore ship, by Capt. R. T. Coffin.—Lost in the fog, by Noah Brooks.—"—mas has come", by Leonard Kip.—The haunted ships, by Allan Cunningham.—Idylls of the sea, by F. T. Bullen.

1. Sea stories. 2. Bounty (Ship) 3. Pitcairn island.

Library of Congress G525.M95 37-17535
——— Copy 2.
Copyright A 107669 [3] 910.4

NM 0917655 DLC NBuU OKentU PP PPT

VOLUME 403

954
P96
v. 7
Mutiny records; correspondence. Lahore, Punjab Government Press, 1911 ₍1915₎
2 v. ports., facsim. (₍Punjab government records₎ 7)

Chiefly official despatches by Sir John Lawrence.

1. India - Hist. - Sepoy rebellion, 1857-1858. I. Lawrence, John Laird Mair Lawrence, 1st baron, 1811- 1879.

NM 0917656 NNC

A Mutiny Veteran.
Some reminiscences of three-quaters of a century in India... 1909
see under Churcher, Emery James.

Mutio, Benito.

Mutio, Ramón.
Teoria y practica de la redaccion de instrumentos publicos conforme a los codigos y disposiciones vigentes del Distrito federal, por el C. Ramon Mutio ... México, Impr. de J. M. Aguilar Ortiz, 1878.

Mutio, Girolamo
see
Muzio, Girolamo, 1496-1576.

922
M984h
Mutio, Mario.
Historia de'santi Bergomo assai più copiosa di qualunque altra sin qui scritta di loro. Bergamo, 1590.
168 numb. l.

Title vignette.

NM 0917660 IU

922
M984h
Mutio, Mario.
Historia de'santi di Bergomo di Mario Mutio assai più copiosa di qualunque altra sin qui scritta di loro ... In Bergamo, Per Comin Ventura, 1610.
10 p.l., 168 numb.l. 20cm.

Title vignette.
Head-pieces; initials.
Published in 1621 as the first part of his Sacra historia di Bergomo.

1. Saints. 2. Bergamo--Biog.

NM 0917661 IU

BR
878
B45M98
Mutio, Mario.
Sacra historia di Bergomo, di Mario Mvtio, divisa in tre parti. Aggionteni dall'autore in questa 2. ed. molte cose degne da sapersi. Bergomo, V. Ventura, 1621.
258 p.

Contents.- Le vite de santi.- Le vite de beati.- Le reliquie insigni di essa città, et dioc.

1. Bergamo - Church history. 2. Saints - Bergamo. 3. Bergamo - Biography. I. Title.

NM 0917662 CLU MH IU

922
M984s
1719
Mutio, Mario.
Sacra istoria di Bergamo, divisa in tre' parti. Nella prima parte si contengono le vite de santi; nella seconda le vite de beati; nella terza le reliquie insigni di essa città, e diocesi. Milano, 1719.
251, 80p.

Part 3 has half t.-p. and separate pagination.

NM 0917663 IU

MUTIO,Mario.
Delle reliquie insigni e d'altre cose degne di memoria,che nelle chiese di Bergamo dentro e fuori si ritrovano. Parte terza della Sacra Historia. Bergamo,C.Ventura,1616.

sm.4°. pp.(16),94. Arc 1020.100

NM 0917664 MH

Mutio, Ramón.
Teoria y practica de la redaccion de instrumentos publicos conforme a los codigos y disposiciones vigentes del Distrito federal, por el C. Ramon Mutio ... México, Impr. de J. M. Aguilar Ortiz, 1878.
5 p. l., ₍5₎-166, ₍4₎ p. 19cm.
"El tratado sobre testamentos, pertenece á mi hijo Benito Mutio, notario público, á quien le encargué su estudio": 5th prelim. leaf.

1. Forms (Law)—Mexico (Federal district) I. Mutio, Benito. II. Title.

24-28303

NM 0917665 DLC

Mutis, Adolfo Harker
see Harker Mutis, Adolfo, 1828-1906?

PQ
8180.23
U8
E4
LAC
Mutis, Alvaro.
Los elementos del desastre. Buenos Aires, Editorial Losada [1953]
94p. 20cm. (Poetas de España y América)

NM 0917667 TxU NB IaU NN UU CLU

Mutis, Aurelio Martínez
see
Martínez Mutis, Aurelio, 1884-1954.

Mutis, Carlos Portocarrero
see
Portocarrero Mutis, Carlos.

615.75
M992A
Mutis, José Celestino, 1732-1808.
El arcano de la quina; discurso que contiene la parte médica de las cuatro especies de quinas oficinales, sus virtudes eminentes y su legítima preparación. Obra póstuma; dála á luz pública aum. con notas, un apéndice muy interesante y un prólogo histórico Manuel Hernandez de Gregorio. Madrid, Ibarra, Impresor de cámara de S. M., 1828.
xxiv, 263 p. port., table. 22 cm.
1. Quinine. I. Hernandez de Gregorio, Manuel, ed. II. Title.

NM 0917670 NcD PBL MH-A

Mutis, José Celestino, 1732-1808.
Archivo epistolar del sabio naturalista, José Celestino Mutis. Bogotá, Ministerio de Educación Nacional, 1947-
v. port. 25 cm.
Name of editor, Guillermo Hernández de Alba, at head of title.

I. Hernández de Alba, Guillermo, 1906- ed.
Full name: José Celestino Bruno Mutis y Bosio.

QK31.M8A4 925 48-14005*

NM 0917671 FMU NN TNJ DLC NNBG TxU CU KU IU ViU CtY NcU IaU

Mutis, José Celestino, 1732-1808.

Gredilla y Gauna, Apolinar Federico, 1859-
... Biografía de José Celestino Mutis con la Relación de su viaje y estudios practicados en el Nuevo reino de Granada, reunidos y anotados por A. Federico Gredilla ... Madrid, Estab. tip. de Fontanet, 1911.

MUTIS,José Celestino, 1732-1808.
Escritos.

(In GREDILLA,A.Federico. Biografía de José Celestino Mutis,etc.,1911. pp.399-689.)

NM 0917673 MH

Mutis, José Celestino, 1732-1808. Expedición botánica.

Mendoza, Diego, 1859-1933.
Expedición botánica de José Celestino Mutis al Nuevo Reino de Granada y Memorias inéditas de Francisco José de Caldas, por Diego Mendoza. Madrid, Librería General de V. Suárez, 1909.

Mutis, José Celestino, 1732-1828.
Flora de la Real Expedición Botánica

see under

Spain. Instituto de Cultura Hispánica.

₍Mutis, José Celestino₎ 1732-1808.
Instruccion formada por un facultativo existente por muchos años en el Perú, relativa de las especies y virtudes de la quina. Con licencia. Cadiz: Por don Manuel Ximenez Carreño, calle Ancha, Año de 1792.
Microfilm copy, made in 1943, of the original in the Medina collection, Biblioteca nacional de Santiago de Chile. Positive.
Negative film in Brown university library.
Collation of the original, as determined from the film: 19 p.
Dated: Mariquita 4 de octubre de 1790.
Signed: J. C. M.
Medina, Biblioteca hispano-americana, 5524.
1. Cinchona.
₍*Full name:* José Celestino Bruno Mutis y Bosio₎

Microfilm AC-2 reel 189, no. 4 Mic A 49-793
Brown Univ. Library for Library of Congress ₍2₎†

NM 0917676 RPB UU DLC

Mutis, José Celestino, 1732-1808.
José Celestino Mutis, Cádiz: 6 de abril de 1732
see under Bogotá.

QL173
.P4
M8
Mutis, José Celestino, 1732-1808.
Pera arborea, et nytt örte-slägte ifrån America; beskrifvet af Joseph Celestino Mutis. ₍Uppsala₎ 1784.
299-301 p. 1 fold. pl. 21 cm.

Caption title.

1. Pera arborea. i.t.

NM 0917678 NNBG

VOLUME 403

MUTIS DURAN, F.
D. Sinforoso Mutis, ensayo, biografico (ed. revisada). Panama, tipografía "Diario de Panama, 1912.

pp. 58. Port.

NM 0917679 MH

Mutis Durán, Facundo.
... Estudio biográfico de Antonio Ricaurte, por Facundo Mutis Durán ... Bogotá, Impr. de Silvestre y compañía, 1884.
107 p. incl. front. (port.) 22½cm.
At head of title: Biblioteca del "Papel periódico ilustrado".

1. Ricaurte y Lozano, Antonio, 1786-1814. I. Title.

30-9812

Library of Congress F2274.R475

NM 0917680 DLC NN CU-B CtY

Mutis Durán, Facundo, ed.

Colombia (*Republic of Colombia, 1886-) Laws, statutes, etc.*
Recopilacion de las leyes y disposiciones vigentes sobre tierras baldías. Ed. oficial. Bogotá, Impr. de M. Rivas, 1884.

Mutis García, Rafael.
La digital y la digitalina colombianas, por Rafael Mutis García ... Bogotá, Tipografía Minerva, 1918.
55, [1] p. 24cm.
On cover: Tesis de doctorado.

1. Digitalis.

45-50915

Library of Congress QP981.D5M8

NM 0917682 DLC

Mutis y Bosio, José Celestino Bruno
see
Mutis, José Celestino, 1732-1808.

Mutisia (Acta botánica colombiana) no. 1-
mayo 20, 1952-
Bogotá.
no. in v. illus. 25 cm. irregular.
Published by the Instituto de Ciencias Naturales, Universidad Nacional, Bogotá.

1. Botany—Period. 2. Botany—Colombia—Period. I. Colombia. Universidad, Bogotá. Instituto de Ciencias Naturales.

QK1.M94 59-20421

NM 0917684 DLC DI

Mutius, Albert von, 1862- ed.

Pourtalès, Albert, *graf* von, 1812-1861.
Graf Albert Pourtalès, ein preussisch-deutscher staatsmann, herausgegeben von Albert von Mutius ... einführung und anmerkungen von professor dr. Hermann Oncken. Berlin, Propyläen-verlag [°1933]

Mutius, Albert von, 1862- , editor.
Eine Jugend vor 100 Jahren ...
see under Mutius, Carl von, 1790-1858.

Wing
ZP
535
.P 428

MUTIUS, AUGUSTINUS, d.ca.1595.
Haec Deo favente dispvtanda proponit Avgvstinvs Mvtivs. Quorum, siquid orthodoxæ fidei repugnet, id imbecillitati, non prauæ hominis sententiæ aequus iudex adscribat. Patavii, G.Perchacinus excudebat, 1558.
[6] l. illus. 25cm.

Signatures: A-F⁴, 2 leaves unsigned (the last blank)
Title vignette (printer's device)
"Patavii dispvtabvntvr sub felicissimis auspiciis... Nicolae a Ponte... Padve praetoris dignissimi. In Ecclesia Cathedrale, per sex dies, mense Iulii a die [blank] vsq ad hora 19."
Printed on blue paper.

NM 0917687 ICN

Mutius, Carl von, 1790-1858.
Eine Jugend vor 100 Jahren; Briefe und Tagebuchblätter des Carl von Mutius, 1806-1819; herausgegeben von Generalleutenant a. D. Albert von Mutius. Berlin: G. Stilke, 1930. 448 p. incl. tables. front. (port.) 8°.

486114A. 1. No subject. I. Mutius, Albert von, 1862- , editor.
N. Y. P. L. August 14, 1930

NM 0917688 NN OCl CaBVaU

4K
6775

Mutius, Carl von
Die Patrimonial-Gerichtsbarkeit als Grundlage einer festen Landes-Communal-Ordnung. Breslau, G. P. Aderholz, 1837.
20 p.

NM 0917689 DLC-P4

Mutius, Erhard von. 2305a.39.3
Die Schlacht bei Longwy.
— Oldenburg i. Gr. Stalling. 1919. 81 pp. Maps. [Germany. Grosser Generalstab. Der grosse Krieg in Einzeldarstellungen. Heft 3.] 21½ cm., in 8s.

M4 — T.r. — European War, 1914- . Battles. Longwy. — S.r.c. — European War, 1914- . Germany. A. & n. Army.

NM 0917690 MB DNW CSt-H MdBJ KFIGS

4CT
378

Mutius, Gerhard von, 1872-1934.
Abgeschlossene Zeiten. [Hermannstadt Gedruckt bei W. Krafft, 1925.]
207 p.

NM 0917691 DLC-P4

Mutius, Gerhard von, 1872-1934.
Aus dem Tagebuch einer Reise nach Ostasien 1908/9. [n.p., 1909?]
74 p.

"Als Manuskript gedruckt."

NM 0917692 CU

Mutius, Gerhard von, 1872- 1934.
Die drei reiche; ein versuch philosophischer besinnung, von Gerhard von Mutius. 2., unveränderte aufl. Berlin, Weidmann, 1920.
227, [1] p. 22cm.
CONTENTS.—Menschheit.—Mensch und natur.—Konservativ und fortschrittlich.—Von reichtum und armut.—Staat und kirche.—Gedanken über kunst.—Wert und wirklichkeit.—Zur idee der natur.—Die tat.—Das dritte reich.

1. Philosophy—Addresses, essays, lectures. I. Title.

33-32096

Library of Congress B3309.M83D7 104

NM 0917693 DLC KMK OCl

Mutius, Gerhard von, 1872- 1934.
... Gedanke und erlebnis, umriss einer philosophie des wertes ... Darmstadt, O. Reichl, 1922.
315, [1] p. 20cm.
CONTENTS.—Zur erkenntnistheorie: Gedanke und erlebnis.—Zur ethik: Humanität und bildung. Der schwerpunkt der kultur. Gesundheit. Konzentration.—Zur ästhetik und religionsphilosophie: Die tragödie. Der tod als schlüssel zum dritten reich.—Zur terminologie und systematik. Der wert.

I. Title.

Library of Congress B3309.M83G4 24-20625

NM 0917694 DLC WU

Mutius, Gerhard von, 1872-1934.
Jenseits von Person und Sache; Skizzen und Vorträge zur Philosophie des Persönlichen. München: F. Bruckmann A. G., 1925. 147 p. 8°.

Contents: Vorwort. Drei Freunde. Zum Begriff der Bildung. Goethes Aktualität. Kant. Nietzsche und das Wertproblem. Kierkegaard und das heutige Deutschland. Vincent van Gogh.

NM 0917695 NN MH NjP CaBVaU

Mutius, Gerhard von, 1872-1934.
... Das kunstwerk als unschuld und gefahr. Berlin, Verlag Die Runde, 1936.
29, [1] p. incl. front. (mounted port.) 24cm.

1. Art—Philosophy. 2. Esthetics. I. Title.

40-16710

Library of Congress N68.M87
[2] 701

NM 0917696 DLC

Mutius, Gerhard von, 1872- 1934.
...Ostasiatische Pilgerfahrt. Aus dem Tagebuch einer Reise nach China und Japan, 1908-09, von Gerhard von Mutius. Berlin: G. Stilke, 1921. 75 p. 8°. (Preussische Jahrbücher. Schriftenreihe. Nr. 2.)

1. China.—Description and travel, 1900-10. 2. Japan.—Description and travel, 1900-10. 3. Series.
N. Y. P. L. December 20, 1921.

NM 0917697 NN CtY

301
M98s

Mutius, Gerhard von, 1872-1934.
Der schwerpunkt der kultur. Darmstadt, 1919.
40 p.

NM 0917698 IU

Mutius, Gerhard von, 1872-1934.
Wort, Wert, Gemeinschaft; sprachkritische und soziologische Überlegungen. München, E. Reinhardt, 1929.
101 p. 21 cm.

1. Language and languages. 2. Philosophy—Addresses, essays, lectures. I. Title.
P105.M87 55-47110

NM 0917699 DLC DLC-P4 MH NIC ICU

B
63
M99
Z9

Mutius, Gerhard von, 1872-1934.
Zur Mythologie der Gegenwart; gedanken über Wesen und Zusammenhang der Kulturbestrebungen. München, E. Reinhardt, 1933.
127 p. 20cm.

1. Philosophy. 2. Ethics. I. Title.

NM 0917700 NIC ICU CSt-H NjP DLC-P4 NN

Mutius, Huldericus
see Mutius, Huldreich, 1496-1571.

VOLUME 403

PA 8555 M8 A3 Cage
Mutius, Huldreich, 1496-1571.
Ad omnes qui Christum, seu regnum Dei, ex animo quaerunt, Vlrichi Hugualdi epistola ₍n.p.₎ 1522.
A⁴. 4to.

NM 0917702 DFo

Case F 471 .608
MUTIUS, HULDreich, 1496-1571.
De Germanorvm prima origine, moribvs, institvtis, legibus & memorabilibus pace & bello gestis omnibus usq ad mensem augustum anni trigesimi noni supra millesimum quingentesimum, libri chronici XXXI ex probatioribus germanicis scriptoribus in latinam linguam tralati... Basileae, Apvd H. Petrvm ₍1539₎
₍32₎, 363p. 29cm.
Printer's device on t.-p.; initials.
Imperfect: t.-p. and last leaf mounted.
Armorial book-plate: Henri de Juvenel.

NM 0917703 ICN MWiW-C NjP MH PU CU ICN TxU

Mutius, Huldreich. 1496-1571.
De Germanorum prima origine, moribus, institutis, legibus, et memorabilibus pace et bello gestis. Ratisbonae, 1726. fo. (Pistorius, J., *Rer. German. script.* v. 2.) 3601

NM 0917704 MdBP

BR301 .M95 Rare bk room
Mutius, Huldreich, 1496-1571.
Vdalrichi Hvgvaldi Dvrgei advlescentis dialogvs, stvdiorvm svorvm prooemivm, et militiae initivm. ₍n. p., 1520₎
78 p. 20½cm.
Initials; first page of text within ornamental border.

1. Reformation—Pamphlets to 1530.

NM 0917705 ICU ICN

Mutius (J. Cajetanus). * In asphyxin specimen. 26 pp., 1 l. 4°. *Genua*, 1816. [P., v. 2159.]

NM 0917706 DNLM

Mutius, Macarius, 15th cent.
Macarij Mutij Eqtis Camertis Carmē de Triūpho Christi grauissimū atq elegantissimū cum Iosephi Horlennij Segenensis exclaratione... ₍Colonie in edibus Martini werdenensis, 1515₎
₍63₎ p. 21 cm.

I. Horlennius, Josephus, ed.

NM 0917707 NjP

---

482. MUTIUS, MACARIUS. De triumpho Christi.
Venice, Franciscus Lucensis et Antonius Franciscus 29 March, 1499
Hain-Copinger 11655. Proctor 5642. Morgan 368. Panzer III. 466. 2549. Goff M-1104
Quarto. 212 x 151 mm. Capital spaces left blank.
"This is the only imprint in the 15th century from this press." J. B. T.

NM 0917708 DLC IU PBm CSmH

SPECIAL COLLECTIONS B878M98 P5 1501
Mutius, Macarius, 15th cent.
Macarivs Mvtivs eqves camers De trivmpho Christi. ₌Venetiis, Impressum per otinum papiensem de luna, 1501₌
xv l. 20cm.

Imprint from colophon.
Verse.

NM 0917709 NNC NjNbS

Mutius (MACARIUS) [*et*] **Bossus** (M.)
Macarivs Mvtivs, eqves Camers. de trivmpho Christi Matthæi Bossi Veronensis canonici regularis. De passione IESV Christi sermo. Ex secunda recognitione. [*Argentorati:*] *Ex aedibus Schurerianis*, 1514. 22l. 4°.
Sig. A and C in fourths, B in eighths and D in sixes.

NM 0917710 NN

Case Y 682 .M 992
MUTIUS, MACARIUS, 15th cent.
De triumpho Christi, libellus. ₍Venetiis, Per N. Zoppinū₎ 1532.
₍40₎ p. illus. 16cm.

Title within historiated woodcut border.
Printer's device on verso of last leaf.
Spaces with guide-letters for initials.
In verse.
Signatures: A-E⁴.

NM 0917711 ICN CtY

Mutius, Macarius, *15th cent.*
Trivmphvs Christi, gravi et eleganti carmine cvm maiestate heroica descriptvs per Macarium Mutium equitem camertem. Venetiis, ex officina S. I. Zileti, 1567.
7 numb. l. 21cm. ₍*With* Sebastiani, Claudius. Bellum musicale. Argentoratii 1563₎
Title vignette.

Library of Congress ML171.S44 7-13042

NM 0917712 DLC

Mutius, Marie von, 1880–
Hören und schweigen, von Marie von Mutius. Berlin, Volksverband der bücherfreunde, Wegweiser-verlag, g. m. b. h. ₍c1932₎
205, ₍1₎ p., 1 l. 18½cm.
"Dieses buch ist in der auswahlreihe des Volksverbandes der bücherfreunde erschienen und wird nur an dessen mitglieder abgegeben."

I. Volksverband der bücherfreunde, Berlin. II. Title.
₍*Full name:* Marie Sophie Wilhelmine Mauritia (von Bethmann) von Mutius₎

Library of Congress PT2625.U9H6 1932 33-10575
Copyright A—Foreign 19986
₍2₎ 833.91

NM 0917713 DLC

---

*GC9 R4574 Eh930m
Mutius, Marie von, 1880- tr.
... In memoriam Detlev von Liliencron, Rainer Maria Rilke, Hugo von Hofmannsthal. 1930, Verlag Krafft & Drotleff A.G. Hermannstadt.
79p. 22cm.
Ritzer K478.
At head of title: Marie von Mutius.
French translations of selected poems of each of the three authors; German & French on opposite pages.
Original slate boards.

NM 0917714 MH

PS991 .M96 1828
Mutius: an historical sketch of the fourth century. By a lady of Virginia. Written for the American Sunday-school union. Philadelphia, American Sunday school union, 1828.
180 p. 14cm.

NM 0917715 ICU

Mutius, an historical sketch of the fourth century. 1829.

NM 0917716 PPAmS

PQ1221 A52 v.23
Mutius Scoevola au camp de Porsenna, mélodrame, en un acte et en vers... suivi de l'apothéose de Michel le Pelletier. 3.éd. Paris, Maradan, 1793.
26p. 20cm. ₌Collection de pièces françaises; mélodrames, v.23, no.4₌

1. Scaevola, Caius Mucius - Drama I. Title

NM 0917717 IaU

Mutke, Eduard, 1886–
Helmstedt im Mittelalter. Verfassung, Wirtschaft, Topographie, von Dr. Eduard Mutke... Wolfenbuettel: J. Zwissler, 1913. xvi, 167 p. front., map, plan. 8°. (Quellen und Forschungen zur braunschweigischen Geschichte. Bd. 4.)
p. 27-82 published as dissertation in 1912 under title: "Zur Verfassungs- und Wirtschaftsgeschichte und Topographie Helmstedts im Mittelalter."

1. Helmstedt, Germany—Hist. 2. Municipal government—Germany—Helmstedt. I. Ser.
N. Y. P. L. January 21, 1932

NM 0917718 NN MH

Mutke, Eduard, 1886-
Zur Verfassungs- und Wirtschaftsgeschichte und Topographie Helmstedts im Mittelalter. (Teildruck.) Göttingen, 1912. 57(1) p., 1 l. 8°.
Dissertation, Göttingen.

1. Helmstedt, Germany. 2. Economic history, Germany: Helmstedt.
N. Y. P. L. April 14, 1914.

NM 0917719 NN MiU CtY MH

Mutke (Emil) [1875-]. * Ein Fall von Hemiplegie und Aphasie nach Ligatur der Arteria carotis communis sinistra. [Greifswald.] 24 pp., 2 l. 8°. *Potsdam, A. W. Hayns*, 1901.

NM 0917720 DNLM ICRL

Mutke, Ernst: Der Tetanus in den letzten 15 Jahren an der Chirurgischen Universitätsklinik zu Breslau. [Maschinenschrift.] 31 S. 4°. — Auszug: (Breslau 1923: Schatzky). 2 Bl. 8°
Breslau, Med. Diss. v. 15. Juni 1923 [U 23. 1385

NM 0917721 ICRL DLC

Mutke, S.
De theologia Sophoclis. n.p., 1858.

NM 0917722 NjP

Mutli, A
О модуляции; к вопросу о развитии учения Н. А. Римского-Корсакова о сродстве тональностей. Москва, Гос. музыкальное изд-во, 1948.
54 p. music. 22 cm.
Errata slip inserted.

1. Rimskiĭ-Korsakov, Nikolaĭ Andreevich, 1844-1908.
Title transliterated: O moduliātsii.

ML410.R52M8 51-16132

NM 0917723 DLC

VOLUME 403

Mutli, A
Сборник задач по гармонии. Рекомендовано в качестве учеб. пособия для музыкальных училищ и консерваторий. Москва, Музгиз, 1948.
124 p. (chiefly music) 22 cm.
At head of title: Московская государственная консерватория. Кафедра теории музыки.
Errata slip inserted.

1. Harmony. *Title transliterated:* Sbornik zadach po garmonii.
I. Title.
MT50.M988 51-15042

NM 0917724 DLC

Mutluay, Nuri.
... Tavukçuluk (kümes hayvanlari yetiştirme) yazan: Nuri Mutluay ... İstanbul, Devlet basimevi, 1937.
19 p. illus. 19½cm. (T. c. Kültür ve Tarim bakanliklari. Köy eğitmeni yetiştirme kurslari neşriyati, sayi: 3)

1. Poultry—Turkey. I. Title. 40-37919
Library of Congress SF488.T8M8

NM 0917725 DLC

Mutňanský, L'udovít, ed.
Kalendár slovenskej pracujúcej pospolitosti
see under title

Mutňanský, L'udovít
Slovenská revolúcia na vlnách éteru. Vydané z príležitosti 3.výročia slovenskej štátnosti. Bratislava, Nákl. vlastným, 1942
94 p. 1.Slovakia - Hist.

NM 0917727 MH

Mutňanský, L'udovít.
Slovenská sociálna výstavba; cesta do nového europského sociálneho poriadku. Bratislava, 1944.
24 p. illus. 21 cm.
Includes bibliography.

1. Slovakia—Soc. condit. I. Title.
HN418.S55M8 59-58206 ‡

NM 0917728 DLC

Law
Mutňanský, L'udovít, ed.
Robotnícka sociálna poisťovňa, *Bratislava.*
Sociálna ročenka RSP.
Bratislava.

Mutňanský, Ľudovít
"Tu ríšsky vysielač Vieden..." (Boj vo svetovom éteri o slovenskú pravdu a budúcnost'). Vo Viedni, 1939
70 p. illus.
1.Slovakia - Hist.

NM 0917730 MH

Mutō, Akira, 1892–1948.
比島から巣鴨へ―日本軍部の歩んだ道と一軍人の運命―武藤章［著 東京］実業之日本社［1952］
326 p. maps, ports. 19 cm.

1. World War, 1939–1945—Campaigns—Philippine Islands. 2. World War, 1939–1945—Personal narratives, Japanese. 3. War criminals—Correspondence, reminiscences, etc. I. Title. II. Title: Nihon gumbu no ayunda michi to ichi gunjin no ummei.
Title romanized: Hitō kara Sugamo e.
D811.A2M8 J 68-1154

NM 0917731 DLC

Muto, Anselmo.
.... Sull' arteriosclerosi intestinale. Contributo anatomo-patologico e clinico pel Dott. Anselmo Muto, ... Veroli, Tip. reali, 1913.
[2], 189, [4] p. 25cm.
At head of title: Instituto di semeiotica medica della R.a università di Roma, ...
"Bibliografia," p. [173]-189.

NM 0917732 ICJ

Muto, Asanosuke, 1870–
Chemische Untersuchung des japanischen Rüböls und des chinesischen Sojabohnenöls. .... Von Asanosuke Muto, ... Würzburg, C. J. Becker, 1904.
[8], 23, [1] p. incl. tables. 1 fold. pl. (incl. map). 21½cm.
Inaug.-dis.—Würzburg.
Lebenslauf.

NM 0917733 ICJ DLC ICRL

MUTO, Chotaro.
Collection of oriental [Japanese] art, to be sold Dec. 5–8, [no year] N. Y. n. d. (1), 12 pp. 8°.

NM 0917734 MB

Fgcu59
938n
Mutō, Chōzō, 1881-
Nagasaki, das Einfallstor für die Eisenbahnen in Japan. (Sonderabdruck aus dem Archiv f. Eisenbahnwesen, Jg.1931.)
Bound with the same author's Nagasaki taigwai shi-ryō bun-ken kō. (1938.)

NM 0917735 CtY

Muto, Chozo, 1881–
A short history of Anglo-Japanese relations, by Chozo Muto ... Tokyo, The Hokuseido press, 1936.
4 p. l., iii, iv p., 1 l., 83 p. front., plates, ports., facsims. 19½cm.
Errata slip inserted.
Colophon mounted on leaf at end.

1. Japan—For. rel.—Gt. Brit. 2. Gt. Brit.—For. rel.—Japan. I. Title: Anglo-Japanese relations, A short history of.
37-15777
Library of Congress DS849.G7M8
[3] 327.520942

NcU CtY WaU ICU
NM 0917736 DLC CaBVaU OrCS NBC NSyU IU CU NN NcD

Mutō, Chōzō, 1881–1942.
對外交通史論 武藤長藏著 東京 東洋經濟新報社 昭和18［1943］
3, 8, 290 p. illus., ports. 22 cm.
Bibliographical footnotes.

1. Japan—Comm. 2. China—Comm. I. Title.
Title romanized: Taigai kōtsū shi ron.
HF3825.M8 J 62-4076
Cornell Univ. Library
for Library of Congress [2]†

NM 0917737 NIC CaBVaU DLC

Mutō, Eijirō, b. 1873.
［Kaikei hōki yōgi］
會計法規要義 武藤榮治郎著 東京 寶文館［大正12 i.e. 1923］
2, 2, 10, 438 p. forms. 19 cm.

1. Accounting—Law—Japan. I. Title.
72-806298

NM 0917738 DLC

HD9866
.C53K55
Orien
Japan
Mutō, Gyōichi.
Minami Manshū Tetsudō Kabushiki Kaisha. Shanhai Jimusho. Chōsashitsu.
(Sankaku chitai ni okeru bōseki seishi seifun no seisan nōryoku)
三角地帯ニ於ケル紡績・製糸・製粉ノ生産能力―昭和十五年三月末日現在―［擔當者 武藤仰一・今井長二郎・八並龍太郎 上海］滿鐵・上海事務所調査室 昭和15［1940］

Mutō, Itoji, 1903–
［Itoguruma zuihitsu］
糸ぐるま随筆 武藤絲治［著 東京 四季社 1953］
314 p. illus. 19 cm.
Essays.

1. Textile industry and fabrics—Addresses, essays, lectures. I. Title.
TS1449.M85 72-808605

NM 0917740 DLC

Mutō, Itsuo, 1846–1923, comp.
(Higo bunken sōsho)
肥後文獻叢書 武藤嚴男・宇野東風・古城貞吉同編 東京 隆文館［明治42-43 i.e. 1909-10］
6 v. 23 cm.

1. Kumamoto, Japan (Prefecture)—Collections. 2. Kumamoto, Japan (Prefecture)—History—Sources. 3. Kumamoto, Japan (Prefecture)—Biography. I. Uno, Tōfū, joint comp. II. Kojō, Teikichi, 1866- joint comp. III. Title.
DS894.99.K84A35 73-816695

NM 0917741 DLC

Mutō, Katsuhiko.
Brief summary of the geodetic work of the Geographical Survey Institute for the period 1947-1950
see under Chiri Chōsajo. (supplement)

Mutō, Kin.
(Kaikaikyō taikan)
回々教大觀 武藤欽著 鳥越信一・沖田一夫序並推奬［新神足村(京都)］日本女子美術學校出版部［昭和17 i. e. 1942］
8, 243 p. maps. 19 cm.

1. Islam. I. Title.
BP161.M87 70-792964

NM 0917743 DLC

Mutō, Kinkichi, 1866–1928.
非大隈內閣論 武藤金吉著 東京 議會新聞社 大正3［1914］
70 p. 23 cm.

1. Japan—Pol. & govt.—1912–1945. 2. Government liability—Japan. I. Title.
Title romanized: Hi Ōkuma naikaku ron.
J 61-4632
Harvard Univ. Chinese-Japanese Library 8388
for Library of Congress [2]

NM 0917744 MH

VOLUME 403

Mutō, Kōtarō.
(Ōshū no gensei to junsenji keizai)
歐洲の現勢と準戰時經濟　武藤孝太郎［著］　東京　有斐閣發賣　［昭和12 i.e. 1937］
2, 94 p. 20 cm.

1. Germany—Economic policy—1933-1945. 2. Europe—Economic policy. I. Title.
HC286.3.M87 74-817491

NM 0917745 DLC

Muto, Luisa de
PQ4829 U84 O5
Ombra di nuvole, liriche. Genova, Tip. "La Provvidenza," 1950.
181 p. 25 cm.

Errata slip laid in.

NM 0917746 RPB

Mutō, Mitsurō, 1914-
HD5724 .T6 Orien Japan
Tōa Kenkyūjo, Tokyo. Tokubetsu Dai 1 Chōsa Iinkai.
(Beikoku no rōmu dōin)
米國の勞務動員（未定稿）［東京］東亞研究所　昭和18- ［1943-

Mutō, Mitsurō, 1914-
Kyōkō to Amerika
see under title

Mutō, Mitsurō, 1914-
(Shakai kagaku ni okeru puroretaria to jitsuzon)
社會科學におけるプロレタリアと實存―マルクスとウェーバー―武藤光朗［著　東京］理想社［昭和25 i.e. 1950］
191 p. 19 cm. (理想叢書)
Colophon inserted.
Includes bibliographical references.
1. Social sciences—Methodology. 2. Marx, Karl, 1818-1883. 3. Weber, Max, 1864-1920. I. Title.
H61.M88 73-817919

NM 0917749 DLC

Mutō, Naoharu.
文藝概論　武藤直治著　東京　弘文社　1950.
2, 4, 311 p. 19 cm.

1. Literature—Hist. & crit. I. Title.
Title romanized: Bungei gairon.
PN45.M84 J 67-1081

NM 0917750 DLC

Mutō, Naoharu.
變態社會史　武藤直治著　［東京］文藝資料研究會　大正15 ［1926］
2, 76 p. (on double leaves) illus., col. plate. 23 cm. (變態十二史 第1巻)

1. Japan—Soc. life & cust.—1600-1868—Anecdotes, facetiae, satire, etc. 2. Japan—Soc. life and cust.—1868-1912—Anecdotes, facetiae, satire, etc. I. Title. (Series: Hentai jūnishi, dai 1-kan)
Title romanized: Hentai shakai shi.
DS822.2.M8 J 67-3288

NM 0917751 DLC

Muto, Sanji, 1867-1934.
Employers and workers; the urgent heed for universal labor legislation in the matter of sickness, pensions, relief to families of deceased workers, industrial and moral training, etc. An appeal. Washington 1919.
cover-title, IV, iii, 21 p. 17½ cm.
"An appeal by Sanji Muto."—p. (1).

NM 0917752 DL

Mutō, Sanji, 1867-1934.
(Jitsugyō seiji)
實業政治　［武藤山治著　東京　日本評論社　大正15 i.e. 1926］
15, 12, 206, 54 p. col. illus. 23 cm.
L. C. copy imperfect: t. p. wanting; title from caption.
———參考資料　［東京］日本評論社　［昭和2 i.e. 1927］

1, 2, 182, 52 p. 23 cm.
HJ1424.M88 Suppl.

1. Finance, Public—Japan. 2. Budget—Japan. 3. Japan—Politics and government—1912-1945. I. Title.
HJ1424.M88 73-819198

NM 0917754 DLC

Mutō, Sanji, 1867-1934.
實業讀本　武藤山治著　訂正再版　東京　日本評論社　大正15 ［1926］
2, 8, 221 p. col. map. 22 cm.
At head of title: 文部省認定

1. Business. 2. Conduct of life. I. Title.
Title romanized: Jitsugyō tokuhon.
HF5386.M86 J 66-1788

NM 0917755 DLC

Mutō, Sanji, 1867-1934.
武藤山治全集　東京　新樹社　昭和38- ［1963-
v. illus., ports. 23 cm.

1. Kanegafuchi Boseki Kabushiki Kaisha. 2. Textile industry and fabrics—Japan.
Title romanized: Mutō Sanji zenshū.
HD9866.J34K3 J 64-1583

NM 0917756 DLC CaBVaU

Mutō, Sanji, 1867-1934.
政治改造運動　武藤山治著　大阪　實業同志會　大正13 ［1924］
18, 136 p. 19 cm.

1. Japan—Pol. & govt.—Addresses, essays, lectures. I. Title.
Title romanized: Seiji kaizō undō.
J 59-2378
Hoover Institution for Library of Congress [2]

NM 0917757 CSt-H

Mutō, Sanji, 1867-1934.
［Seiji kaizō undō］
政治改造運動（附）經濟國難に直面して　武藤山治著　［改版　大阪　實業同志會　大正14 i.e. 1925］
18, 190 p. 19 cm.

1. Japan—Politics and government—1912-1945—Addresses, essays, lectures. 2. Japan—Economic policy—Addresses, essays, lectures. I. Title.
JQ1626 1912.M88 72-807928

NM 0917758 DLC

Mutō, Sanji, 1867-1934.
(Tsūzoku seiji keizai mondō)
通俗政治經濟問答　武藤山治著　改訂增補　［大阪　實業同志會］1925.
5, 234 p. 19 cm.

1. Japan—Politics and government—1912-1945. 2. Japan—Economic policy. 3. Socialism. I. Title.
JQ1626 1925.M87 74-815134

NM 0917759 DLC

Mutō, Sanji, 1867-1934.
(Watakushi no minouebanashi)
私の身の上話　武藤山治［著　住吉村（兵庫縣）武藤金太　昭和9 i.e. 1934］
347 p. illus. 23 cm.

1. Mutō, Sanji, 1867-1934. I. Title.
CT1838.M8A3 73-817743

NM 0917760 DLC

Muto, Savinio.
see Levera, Francesco, 17th cent.

Mutō, Shūgetsu, comp.
D743 .9 .D235 Orien Japan
(Dai Tōa sensō)
大東亞戰爭　日の丸の猛進軍　［武藤秋月編　東京　金竜堂書店　昭和17 i.e. 1942］

Muto, Silvano, defendant.
Il mistero di Tor Vaianica
see under Gemma, Giuseppe.

Muto, Teiichi, 1892-
After the Chino-Japanese incident... what? By Teiichi Muto. Tokio, Kioto, Ritumeikan press, 1937.
xii, 105 p., 1 l. 23cm.

1. Japan—For. rel.—China. 2. China—For. rel.—Japan. 3. China—Pol. & govt.—1912- 4. Communism—China. 5. Eastern question (Far East) 6. Asia—Politics. I. Title.
39-21582
Library of Congress DS841.M8

NM 0917765 DLC CU NcD CtY PU MnU WaU ViU ICU

Mutō, Teiichi, 1892-
直言集　武藤貞一著　東京　政経指針社　昭和29 ［1954］
5, 9, 208 p. port., fold. map. 19 cm.

1. Japan—Pol. & govt.—1945- I. Title.
Title romanized: Chokugenshū.
J 58-6375
Hoover Institution for Library of Congress [2]

NM 0917766 CSt-H

Mutō, Teiichi, 1892-
(Dai Tōa no chōzō)
大東亞の肇造 / 武藤貞一著. — 東京 : 新生社書店, 昭和17 ［1942］
302 p. ; 19 cm.

1. Asia—Politics. 2. Japan—Politics and government—1912-1945. 3. World War, 1939-1945—Asia. I. Title.
DS35.M89 74-819188

NM 0917767 DLC

VOLUME 403

Mutō, Teiichi, 1892-
だまされている八〇〇〇万人—占領憲法廃棄論—武藤貞一著 [東京 新紀元社 1954]
10, 8, 290 p. 19 cm.
Colophon inserted.

1. Japan—Hist.—Allied occupation, 1945-1952. 2. Japan—Relations (general) with the U. S. 3. U. S.—Relations (general) with Japan. I. Title. II. Title: Senryō kempō haiki ron.
Title romanized: Damasareteiru hassemmannin.

DS889.M82 J 68-1208

NM 0917768 DLC

Mutō, Teiichi, 1892-
必勝の信念 武藤貞一著 東京 秀文閣書房 昭和 19 [1944]
4, 6, 320 p. 19 cm.

1. World War, 1939-1945—Japan. I. Title.
Title romanized: Hisshō no shinnen.

D767.2.M8 J 59-3044
Hoover Institution
for Library of Congress [3]†

NM 0917769 CSt-H DLC

Muto, Teiichi, 1892- joint author.

DS448
.S23

Sahay, Anand Mohan, 1898-
India [by] A. M. Sahay [and] T. Muto. Tokyo, Modern Nippon Sha, 1939.

Mutō, Teiichi, 1892-
日本の變貌 武藤貞一著 東京 興亞書局 昭和15 [1940]
24, 12, 329 p. 19 cm.

1. Japan—Pol. & govt.—Addresses, essays, lectures. 2. World politics—Addresses, essays, lectures. I. Title.
Title romanized: Nihon no hembō.

DS889.M83 J 58-6255
Hoover Institution
for Library of Congress [3]†

NM 0917770 CSt-H DLC

Mutō, Teiichi, 1892-
日支事變と次に來るもの 武藤貞一著 東京 新潮社 昭和 12 [1937]
15, 328 p. 20 cm.

1. Sino-Japanese Conflict, 1937-1945. I. Title.
Title romanized: Nisshi jihen to tsugi ni kitaru mono.

DS777.53.M82 J 58-6013 rev
Hoover Institution
for Library of Congress [r64b3]†

NM 0917771 CSt-H NIC WaU-FE MH DLC

Mutō, Teiichi, 1892-
(Nissosen ni sonauru sho)
日ソ戦に備ふる書 / 武藤貞一著. — 東京 : 大日本雄辯會講談社, 昭和13 [1938]
13, 6, 336 p. : ill. ; 20 cm.

1. Russia—Armed Forces. 2. Russia—Foreign relations—Japan. 3. Japan—Foreign relations—Russia. I. Title.

DK54.M85 74-819050

NM 0917772 DLC

Mutō, Teiichi, 1892-
(Sekai no shōrai)
世界の將來 武藤貞一著 [東京] 統正社 [昭和17 i.e. 1942]
3, 3, 267 p. 19 cm.

1. World politics—20th century. I. Title.

D445.M83 74-818800

NM 0917773 DLC

Mutō, Teiichi, 1892-
(Yudaya minzoku no tainichi kōsei)
猶太民族の對日攻勢 武藤貞一著 [東京] 内外書房 [昭和13 i.e. 1938]
10, 6, 374 p. 20 cm.
Title on spine: ユダヤ人の對日攻勢

1. Jews—Political and social conditions. 2. Jews—Economic conditions. I. Title. II. Title: Yudayajin no tainichi kōsei.

DS140.M87 73-819334

NM 0917774 DLC

Mutō, Tetsujō, 1896-1956.
(Ugo Kakunodate chihō ni okeru chōchū sōmoku no minzokugakuteki shiryō)
羽後角館地方に於ける鳥蟲草木の民俗學的資料 武藤鐵城著 [東京] アチツクミユーゼアム [昭和10 i.e. 1935]
3, 354 p. illus. 23 cm. (アチックミューゼアム彙報 第3)

1. Birds—Kakudate-machi, Japan—Nomenclature (Popular) 2. Insects—Nomenclature (Popular) 3. Plant names, Popular—Japan—Kakudate-machi. I. Title. II. Title: Chōchū sōmoku no minzokugakuteki shiryō. III. Series: Nihon Jōmin Bunka Kenkyūjo, Tokyo. Achikku Myūzeamu ihō, dai 3.

QL677.M83 73-819002

NM 0917775 DLC

Mutō, Tomio, 1904- ed.
Kyōsei shikkō kyōbai hō hanrei sōran
see under title

Mutō, Tomio, 1904-
(Saigumbi o ikidōru) 再軍備を憤る 追放者の告白 武藤富男著 [東京] 文林堂 [昭和 26 i. e. 1951]
3, 143 p. 18 cm.

1. Japan—Defenses. I. Title.

UA845.M84 75-822824

NM 0917777 DLC

4K
Roman
155

Muto, Toshio
La recezione e gli studi di diritto romano in Giappone. Modena, Societa tip. modenese, 1934.
33 p.

NM 0917778 DLC-P4

TA
475
M8

Muto, Toshinosuke.
The theory of order-disorder transitions in alloys [by] Toshinosuke Muto [and] Yutaka Takagi. Order-disorder phenomena in metals [by] Lester Guttman. New York, Academic Press [c1955]
169 p. diagrs. 21 cm. (Solid state reprints)

Originally published in Solid state physics.
Includes bibliographical footnotes.

1. Alloys. 2. Metals. I. Takagi, Yutaka, joint author. II. Guttman, Lester. Order-disorder phenomena in metals. III. Title. IV. Title: Order-disorder phenomena in metals.

NM 0917780 CLU

Mutō, Unjūrō, 1902-
日本不動產利用權史論 武藤運十郎著 東京 巖松堂 昭和23 [1948]
2, 33, 5, 8, 752 p. tables, diagrs., forms. 22 cm.
Colophon inserted.
Bibliography : p. 1-8 (4th group)

1. Land tenure—Japan—Hist. 2. Real property—Japan. 3. Landlord and tenant—Japan. I. Title.
Title romanized: Nihon fudōsan riyōken shi ron.

J 61-637

NM 0917781 DLC

Il MUTO di S.Malò; farsa in un atto (Traduzione dal francese.) Firenze,[1875].

24º. pp.31.
(Collezione di farse italiane e straniere, 61.)

NM 0917782 MH

851D23 Mutolo, Rosa.
OvYmu
... Tenzoni e polemiche nella Vita nuova di Dante. Palermo, Tipografia M. Greco, 1935.
x, 11-103p., 1 l. 22cm.

"Bibliografia": p.v-vii.

1. Dante Alighieri. Vita nuova.

NM 0917783 IU NcD

W 6
P3

MUTOLO, Vincenzo
Diagnosi citologica dei tumori. Palermo, D. E. L. F. [1955]
103 p. illus. (Collana di monografie mediche D. E. L. F.)
1. Neoplasms - Diagnosis

NM 0917784 DNLM

Mutolo, Vincenzo.
Sulla sierologia del cancro
see under Ascoli, Maurizio, 1876-1948.

641.1
M992h

Mutombo, Dieudonné.
Hygiene de l'alimentation. Leverville, Congo belge, 1954.
39, [1] p. plates, tables. 18cm.
(Bibliothèque de l'étoile, no. 92)

Bibliography: p. [1] at end.

1. Nutrition. 2. Food. I. Title.

NM 0917786 FU

PQ3989
M8V5

Mutombo, Dieudonné.
Victoire de l'amour. Leverville, Bibliothèque de l'étoile [n.d.]
127 p. illus. 19cm.

I.Title. Africa

NM 0917787 CSt MiEM CLU

Mutoni, Francesco
see Muttoni, Francesco, 1668-1747.

VOLUME 403

Mutoni, Niccolo. Μιθριδατειογραφια, hoc est, de Mithridatii legitima constructione Nicolai Mutoni collectanea: sub limam et incudem revocata; polita, emaculata, annotationibus atque controversiis, utilibus juxta ac necessariis, locupletata, et in publicum novissime producta; cum auctario gemino: quorum prius exhibet Ακροαμα medico-philosophicum, de opii usu, qualitate calefaciente, virtute narcotica, et ipsum corrigendi modo: Posterius: Διατριβὴν de opobalsamo Syriaco, Judaico, Ægyptio, Peruviano, Tolutano, et Europæo, per Michaelem Döringium. 15 p. l., 390 pp., 5 l. 16°. *Jenæ, typ. J. Bertmanni*, 1620.

NM 0917789 DNLM

Mutonus, Nicolaus
see Mutoni, Niccolo.

Muṭrān, Khalīl, 1872-1949.
ديوان الخليل، نظم خليل مطران. ‹الطبعة 2› مصر ‹دار المعارف، 1949 :v. 1› 1948-49.

4 v. port. 25 cm.

I. Title. *Title romanized:* Dīwān.

PJ7850.U87 1948 N E 68-554

NM 0917791 DLC

Muṭrān, Khalīl, 1872-1949, ed.
al-Fallāh
see under Nahas, Joseph F

PJ7850 .U87Z76 Orien Arab

Muṭrān, Khalīl, 1872-1949.

al-Kitāb al-dhahabī.
الكتاب الذهبي، وهو يتضمن ما جادت به قرائح الكتاب والشعراء في مهرجان خليل مطران بك، سنة ١٩٤٧ ‹القاهرة، لجنة تكريم شاعر العربية خليل مطران بك› 1948.

Muṭrān, Khalīl, 1872-1949.
كتاب مرآة الايام في ملخص التاريخ العام، بقلم خليل مطران. القاهرة، مطبعة الجوائب المصرية، 1905.

2 v. 24 cm.

1. World history. I. Title: Mir'āt al-ayyām. *Title romanized:* Kitāb mir'āt al-ayyām.

D20.M98 1905 N E 68-3549

NM 0917794 DLC

Muṭrān, Khalīl, 1872-1949.
المختارات من اشعار شاعر الأقطار العربية وامام الصناعتين خليل مطران. جمعها ورتبها محمد ابو المجد. ‹حريصا› 1951-52.

2 v. (525 p.) port. 24 cm.

I. Abū al-Majd, Muḥammad, ed. II. Title. *Title transliterated:* al-Mukhtārāt.

PJ7850.U87M8 N E 66-1727

NM 0917795 DLC CU

Muṭrān, Khalīl, 1872-1949, ed.
Ṣadā al-rithā'
see under title

Mutrécy, Charles de.
Journal de la campagne de Chine 1859-1860-1861; par Charles de Mutrécy; précédé d'une préface de Jules Noriac ... Paris, A. Bourdilliat et cie, 1861.

2 v. 22cm.

1. China—Hist.—Foreign intervention, 1857-1861. 2. China—Descr. & trav.

[34b1] 1-F-3716

Library of Congress DS760.M99

NM 0917797 DLC CU NN DNW IaU IEN

Mutrécy, Charles de. 3018.287
Journal de la campagne de Chine 1859-1860-1861. Précédé d'une préface de Jules Noriac [pseud. de Claude Antoine Jules Cairon]. 2e édition.
= Paris. Dentu. 1862. 2 v. 21 cm., in 8s.

K5310 — China. Hist. Anglo-French expedition, 1859-1861. — France. Hist. Military. — Cairon, Claude Antoine Jules, pref.

NM 0917798 MB NBC MH CtY MdBP NIC

Mutreich, Martin
see Muthreich, Martin.

Muthrecht, Martin
see Muthreich, Martin.

Mutricy, H. H. *Fractures du calcanéum; le problème thérapeutique qu'elles posent. 201p. 8°. Par., 1935.

NM 0917801 DNLM

Mutricy-Gascuel, Marcelle, 1910-
see Gascuel, Marcelle (Mutricy) 1910-

Mutru (Egide). * Quelques mots sur les maladies de Cayenne. 27 pp. 4°. *Montpellier*, 1835, No. 32. [P., v. 1083.]

NM 0917803 DNLM

Mutru (Égide). Rapport sur les mémoires envoyés au concours ouvert par la Société de médecine de Nîmes, pour l'année 1852, au sujet de la question suivante: 1°. Le tartre stibié et l'ipécacuanha employés à hautes doses dans le traitement des maladies de poitrine, ont ils le même mode d'action thérapeutique? 2°. S'il n'en est pas ainsi, préciser les cas qui réclament l'une ou l'autre de ces médications. 38 pp., 1 l., 8°. *Montpellier, J. Martel aîné*, 1852.
Repr. from: Rev. de thérap. du midi, Montpel., 1854, vi-vii.

NM 0917804 DNLM

MUTRU, ERKKI.
Matkalla jälkeenpäin. [Hämeenlinna] A.A. Karisto [1955] 138 p. 22cm.

1. Voyages and travels, 1900-1950.

NM 0917805 NN

Mutrux, Francis.
... Les engrenages en horlogerie ... Besançon, Imprimerie Millot frères, 1935.

3 p. l., [9]-70, [3] p. incl. illus., tables. diagrs. (part fold.) 24½cm.

Thèse—Besançon.

1. Clocks and watches. 2. Gearing—Tables, calculations, etc. I. Title.

42-47904

Library of Congress TS548.M8

NM 0917806 DLC CtY

Mutrux, Henri Georges.
La police moderne au service du public. Genève, Éditions Radar [1951]

233 p. illus. 19 cm.

1. Police—Switzerland—Handbooks, manuals, etc. 2. Criminal investigation—Switzerland. I. Title.

52-25175 ‡

NM 0917807 DLC NIC CtY NN

Mutrux, S.
Lésions nucléaires par le choc de type anaphylactique dans l'ébauche nerveuse d'embryons de poulets, par S. Mutrux ...

(*In* Archives d'anatomie microscopique ... Paris [1937] 25cm. t. 33, p. [265]-277. illus.)

"Travail du Laboratoire d'anatomie normale. Université de Genève."
"Bibliographie": p. 277.

1. Karyokinesis. 2. Embryology—Birds. 3. Anaphylaxis. 4. Shock. 5. Nervous system—Birds. I. Title.

A C 40-1208

Rochester. Univ. Library for Library of Congress [2]

NM 0917808 NRU

W 4 G32 1943

Mutrux, Silvain
Hyperthyroïdies et troubles mentaux ... Bâle, Karger, 1943.
[249]-286 p. (Geneva. Université. Faculté de médecine. Thèse, [M. D.] no. 1807)

First pub. in "Monatsschrift für Psychiatrie und Neurologie," v. 107, no. 5/6.

Series.

NM 0917809 DNLM

Mutrux-Bornoz, Henri.
... Les empreintes digitales et palmaires des lémuriens, des singes, des dégénérés humains de toutes races, des pygmées et pygmoïdes du bassin du Congo ... [Lausanne? 1937]

285 p., 1 l. incl. illus., tables. 65 pl. (part fold., incl. diagrs.) on 34 l. 24cm.

Thèse—Univ. de Lyon.
Published without thesis note, under title: Les troublantes révélations de l'empreinte digitale et palmaire.
"Bibliographie": p. [271]-281.

1. Finger-prints. 2. Degeneration. 3. Primates. I. Title.

42-46478

Library of Congress RA1156.M8 1937 a

[2]

NM 0917810 DLC CtY

Mutrux-Bornoz, Henri.
... Les troublantes révélations de l'empreinte digitale et palmaire. Lausanne, F. Roth & cie, 1937.

285 p., 1 l., incl. tables. 65 pl. (part fold., incl. diagrs.) on 34 l., port. 24½cm.

At head of title: H. Mutrux-Bornoz.
"Bibliographie": p. [271]-281.

1. Finger-prints. 2. Degeneration. 3. Primates. I. Title.

42-30274

Library of Congress RA1156.M8

NM 0917811 DLC NN ICIU

Muts (Jacobus). * De morbis gravidarum, et puerperarum. 1766.
In: Louvain Diss. 8°. *Lovanii*, 1795, 1, 86-100.

NM 0917812 DNLM

VOLUME 403

PA 2092 M993p 1953 MUTSAERS, P
Pharmaceutisch Latijn. 4. herziene druk. Amsterdam, Centen, 1953.
74 p.
1. Latin language - Grammar
2. Latin language - Medical & scientific Latin

NM 0917813 DNLM

Mutsaert, J. ten
see Groot, Jan Hendrik de, 1901-

Ndq30 G7 929m Mutschelknauss, Eduard, 1906-
Die Entwicklung des Nürnberger Goldschmiedehandwerks von seinen ersten Anfängen an bis zur Einführung der Gewerbefreiheit im Jahre 1869. Ein Beitrag zur Geschichte des deutschen Handwerks ... Von Eduard Mutschelknauss ... Würzburg,K.Triltsch,1929.
xv,[1],251,[1]p. 22cm.
Inaug. - Diss. - Würzburg.
Published also in Wirtschafts-und Verwaltungs studien mit besonderer Berücksichtigung Bayerns, 107.

"Verzeichnis der Urkunden und Handschriften über das Nürnberger Goldschmiedehandwerk," p.[xii]-xv.
Bibliographical foot-notes.
Lebenslauf.

NM 0917816 CtY DLC ICRL PU MH

Mutschelknauss, Eduard, 1906-
Die Entwicklung des Nürnberger Goldschmiedehandwerks von seinen ersten Anfängen an bis zur Einführung der Gewerbefreiheit im Jahre 1869; ein Beitrag zur Geschichte des deutschen Handwerks, von Dr. Eduard Mutschelknauss... Leipzig: A. Deichertsche Verlagsbuchhandlung W. Scholl, 1929. xv, 251 p. incl. tables. 8°. (Wirtschafts- und Verwaltungsstudien mit besonderer Berücksichtigung Bayerns. Bd. 107.)
Bibliography, p. [x]-xv.

467872A. 1. Goldsmiths—Germany—Nuremberg. 2. Gilds—Hist.—Germany—Nuremberg. 3. Ser.
N. Y. P. L. April 18, 1930

NM 0917817 NN ICJ

W 4 M961 1954 MUTSCHELKNAUSS, Ralf, 1931-
Das Verhalten des Brenztraubensäure-Spiegels in der durch Tetrachlorkohlenstoff geschädigten Rattenleber unter dem Einfluss von Leberschutzstoffen. München, 1954.
27 ℓ. illus.
Inaug.-Diss. - Munich.
1. Liver - Experimental studies
2. Pyruvic acid

NM 0917818 DNLM

Mutschelle, Sebastian, S.J., 1749-1800.
Bemerkungen über die Evangelien an den festtagen des Herrn für prediger, katecheten und lehrer. 2.verm. aufl. München, J. Lentner, 1794.
[4], 410 p. 17 cm.

NM 0917819 PLatS

Mutschelle, Sebastian, 1749-1800.
Bemerkungen über die Evangelien an den Festtagen des Herrn für Prediger, Katecheten und Lehrer; 3. verb. Auflage. München, Joseph Lentner, 1805.
410p 18cm
First published 1797.

NM 0917820 MnCS

Mutschelle, Sebastian, S.J., 1749-1800.
Bemerkungen über die Evangelien auf die festtage Mariä und der Apostel ... München, J. Lentner, 1797.
4-427 p. 17 cm.

NM 0917821 PLatS

Mutschelle, Sebastian, 1749-1800.
Bemerkungen über die sonntäglichen Evangelien für prediger, katecheten und lehrer ... 3.und verb.aufl. München, J.Lentner, 1795.
2v. 18cm.

NM 0917822 CLSU

Mutschelle, Sebastian, 1749-1800.
Christkatholischer glaubens- und sittenunterricht, wie man gut und glückselig werden könne ... 3.neu bearb.aufl. München, J.Lentner, 1804.
16,262,[2]p. 18cm.

NM 0917823 CLSU

Mutschelle, Sebastian, S.J., 1749-1800.
Kirchweihpredigten. Aus dessen hinterlassenen schriften gesammelt. Münche, J.J. Lentner, 1821.
viii, 199 p. 19 cm.

NM 0917824 PLatS PPLT

Mutschelle, Sebastian, 1749-1800.
Moraltheologie; oder, Theologische moral, vorzüglich zum gebrauche für seine vorlesungen, von Sebastian Mutschelle ... München, J. Lentner, 1801-
v. 20½cm.
CONTENTS.—1. t. Allgemeine moral.

1. Christian ethics—Catholic authors.
Library of Congress BJ1249.M8 44-49622

NM 0917825 DLC CLSU

Mutschelle, Sebastian, 1749-1800.
Predigten und Homilien auf alle Sonn- und Festtage des Jahres. München, Joseph Lentner, 1804.
2v 18cm
Library has v.2

NM 0917826 MnCS

Mutschelle, Sebastian, 1749-1800.
Ueber das sittlich gute ... 2.verb. aufl. Pest, J.Lindauer, 1794.
[10],212p. 16cm.

NM 0917827 CLSU

BT 2283 .M98 1796 Mutschelle, Sebastian, 1749-1800.
Unterredungen eines Vaters mit seinen Söhnen über die ersten Grundwahrheiten der christlichen Religion. Den Kleinen und ihren Lehrern gewidmet. 3. revidirte Aufl. München, J. Lindauer, 1796.

1. Religious education of adolescents.
2. Young men - Religious life.

NM 0917828 DCU

MUTSCHELLE, SEBASTIAN, 1749-1800.
Unterredungen eines Vaters mit seinen Söhnen über die ersten Grundwahrheiten der christlichen Religion. Den Kleinen und ihren Lehrern gewidmet von Sebastian Mutschelle. Fünfte revidirte Auflage. München, 1808. viii, 236 p. 17½cm.

Title vignette.

760921A. 1. Juvenile literature, Religious, German. I. Title.

NM 0917829 NN

WU24 M993 V Mutschelle, Sebastian, 1749-1800.
Vermischte Predigten, welche an verschiedenen Festtagen und bey verschiedenen Veranlassungen ehedem gehalten wurden von Sebastian Mutschelle ... München,I.J.Lentner,1813.
vi,458p. 17.5cm.

NM 0917830 NNUT

Mutschelle, Sebastian, 1749-1800.
Vermischte schriften; oder, Philosophische gedanken und abhandlungen ... 2.verb.aufl. München, J.Lindauer, 1799.
4v.in 1. 19cm.

NM 0917831 CLSU MH

Mutschelle, Sebastian, 1749-1800.
Versuch einer solchen fasslichen darstellung der Kantischen philosophie, dass hieraus das brauchbare und wichtige derselben für die welt einleuchten möge ... München, J.Lindauer, 1801-03.
[v.1, 1802]
7v.in 1. 17cm.
Variously paged.
Hft.1,2,4,& 6 have special title-pages; hft.3,5, 7 have half title-pages.

NM 0917832 CLSU GU CaBVaU IEN CSt MH

[**Mutscheller, Arthur**]
Principles for the use of Roentgen ray tubes; a discussion of the principles on which gas and Coolidge tubes and accessory instruments are constructed; exposure tables and general working technic. New York, Wappler electric company, incorporated, 1917.
46 p. 1 illus., fold. tables, diagrs. 23cm.

1. X-rays. I. Wappler electric company, New York. II. Title.
Library of Congress QC481.M86 17-14023

NM 0917833 DLC ICJ

Mutschenbacher, Viktor
A kereskedelmi jogtudomány elemai a magyar kereskedelmi törvénykönyv szabályaihoz alkalmazva. Irta Dr. Mutschenbacher Viktor ... Pécsett, Taizs J., 1884.
3 p.l., [v]-x, 587, [1] p. incl. tables, forms. 22½cm.
Bibliographical footnotes.

NM 0917834 MH-L

Mutschenbacher, Viktor
A magyar váltójog. Gyakorlatilag, elméletileg és történetileg. Irta Dr. Mutschenbacher Viktor ... 2. kiad. Pécs, Valentin K. fia, 1895.
viii, 231, [1] p. incl. forms. 22cm.
Bibliographical footnotes.

NM 0917835 MH-L

VOLUME 403

Mutschenbacher, Viktor
A szerzöi jog rendszeresen elöadva. Irta Dr. Mutschenbacher Viktor ... Pécsett, Taizs J., 1890.
x, 170 p. 24cm.
Bibliography: p. vii.

NM 0917836 MH-L

4PZ 725
Mutschi und andere Scherzmärchen. Köln, H. Schaffstein [1949]
67 p.
(Blaue Bändchen, 6)

NM 0917837 DLC-P4

Mutschke, Friedrich Otto
see
Mutschke, Fritz, 1907-

Mutschke, Fritz, 1907-
... Moltke als geograph. Freiburg im Breisgau, J. Waibel'sche buchdruckerei, 1935.
2 p. l., 96 p. maps (part fold.) 23½cm.
The author's dissertation, Freiburg i. B.
Imprint covered by label: Freiburg im Breisgau, F. Wagner, 1935.
"Lebenslauf" covered by label.
"Literatur": p. 89-93. "Moltkes kartenwerke": p. 94-95.
1. Moltke, Helmuth Karl Bernhard, graf von, 1800-1891.
[Full name: Friedrich Otto Mutschke]
46-28160
Library of Congress DD219.M7M9

NM 0917839 DLC CtY PBm ICRL MiU

Mutschlechner, Josef, 1876- ed.

Bressanone. *Laws, statutes, etc.*
... Alte Brixner stadtrechte, von Josef Mutschlechner. Innsbruck, Wagner, 1935.

Mutschler, C.
Coopératives et syndicats. Paris: M. Rivière et Cie., 1912. iv, (1)6-69 p., 1 l. 12°. (Les documents du socialisme. v. 6.)
1. Co-operation, France. 2. Syndicalism, France.
N. Y. P. L. September 23, 1912.

NM 0917841 NN CtY

Mutschler, Charlotte, 1904-
... Über einen Fall von Wundscharlach ... Breslau, 1929.
Inaug.-diss. - Breslau.
Lebenslauf.
"Literatur": p. 13.

NM 0917842 CtY

Mutschler (Conrad). Bezoarticum animale verum. Das ist: ein Secretum, oder geheimes Kunst-Stückl, durch welches sich der Mensch vor allem Gifft, gifftigen Kranckheiten, und von der Pest selbsten, etlich Jahr lang præservieren, auch von der allbereits habenden Pest oder Gifft, nächst Gott geschwind liberieren, und das Leben solcher Gestalt erjüngern kan, als wann er jung gebohren wäre. Erstlich durch ... in Druck geben zu Passau Anno 1645. Nach des Authoris Todt aber, nun wiederumben in Druck verfertiget, und mit nutzlichen Anmerckungen sambt einem Appendice, oder Anhang und Zugab underschiedlich-heylsamer Pest-Mittlen vermehrt, und an das Tag-Liecht gebrach durch Franciscum Albertum Hueber. 17 p. l., 292 pp. 16°. *Freysing, J. C. C. Immel.* 1712.

NM 0917843 DNLM

Mutschler, Ernst, 1891-
... Tage und Taten... Aalen, Württ., Sterling Verlag, [1933]-
111p.
Teil 1.

NM 0917844 CtY NN CU

Hk11 139xs
Mutschler, Ernst, 1891- comp.
Tage und Taten. Aalen, Stierling [1940-
v. 21cm.
Verse and prose.
"Quellennachweis": v.1, p.109-111.

NM 0917845 NN

Mutschler, Henry F.
My fifty-two years in the music business in Newark, N.J., 1902-1954. [n.p., no pub., 1954].
124p. illus. (incl. music)
Typewritten manuscript.
Includes memorabilia.
Newark, N.J.-Music
Newark, N.J.-Manuscripts
Title

NM 0917846 NjN

T113 B8 1930
Mutschler, Johannes, 1901-
... Zur Frage der Häufung der Thrombosen und Embolien der Netzhautgefässe ... Breslau, 1930.
Inaug.-Diss. - Breslau.
Lebenslauf.
"Literatur": p.14.

NM 0917847 CtY

Mutschler, Karl, 1891-
Die Hitlerbewegung im kreis Aalen; chronik der kampfjahre von der gründung der ortsgruppe Aalen bis zum umbruch, 1923-1933. Im auftrag der kreisleitung Aalen der NSDAP. dargestellt von dr. Karl Mutschler. [Aalen-Württ., W. A. Stierlin buchdruckerei, 1936?]
285 p., 1 l. illus. (facsims.) plates, ports. 22½ cm.
"Quellen": p. 285.
1. Nationalsozialistische deutsche arbeiter-partei. Kreis Aalen. I. Title.
DD253.M85 A F 47-5233
Harvard univ. Library for Library of Congress [2]†

NM 0917848 MH NcD NN DLC

Mutschler, Karl, 1891- Der Reim bei Uhland. Tübingen 1919: Laupp. IV, 88 S. 8°
Tübingen, Phil. Diss. v. 15. Sept. 1919, Ref. v. Fischer
[Geb. 7. Juli 91 Hohenroden; Wohnort: Aalen; Staatsangeh.: Württemberg; Vorbildung: Friedrich-Eugens-R. Stuttgart Reife 09, Erg. RG. Stuttgart 10; Studium: Tübingen 5, München 1, Berlin 2 S.; Rig. 19. Juni 19.] [U 19. 2532

NM 0917849 ICRL PU MH MiU CtY DLC

Mutschler, Frau Katharina (Hübner) 1904-
Über einen fall von meningotyphus als komplikation bei Klippel-Feil'scher erkrankung ... Breslau, 1931.
[Full name: Katharina Anna Maria Mutschler]

NM 0917850 MiU CtY

Mutschler, L.
Trockengewichts-bestimmungen beim rothklee in siebentägigen vegetations-perioden.
Landw. jahrb. bd. 7, p. 513-515. Berlin, 1878.
1. Clover. Growth.
Agr 4-1442
Library U. S., Dept. of Agriculture

NM 0917851 DNAL

Mutschler, L *and* **Krauch, Karl.**
Trockengewichts-bestimmungen beim rothklee im ersten und zweiten vegetationsjahr, sowie beim weissklee und bei luzerne im ersten vegetationsjahr in 7tägigen vegetations-perioden.
Landw. jahrb. bd. 8, p. 632-643. Berlin, 1879.
1. Clover. Growth.
Agr 4-1443
Library, U. S. Dept. of Agriculture

NM 0917852 DNAL

Mutschler (Ludwig). * Ueber Cyclamin, Primulin u. Primulacamphor. Ein Beitrag zur Kenntniss der Bestandtheile der Primulaceen. 32 pp. 8°. *Erlangen, E. T. Jacob,* 1876.

NM 0917853 DNLM DLC

RC311 .L415
Mutschler, P., joint author.
Lange, Bruno Franz Alexander Wilhelm, 1885-
... Tuberkulinreihenprüfungen bei jugendlichen erwachsenen zugleich ein beitrag zur frage der methodik der tuberkulinprüfung, von prof. dr. B. Lange† und dr. P. Mutschler. Mit 1 abbildung im text. Leipzig, J. A. Barth, 1942.

Mutschler, Paul, 1910-
... "Der minderwertige Mutterboden"; ein Beitrag zur Ursachenlehre der Placenta acreta-incretadestruens, Placenta praevia isthmica-cervicalis, sowie der Isthmus- und Cervicalschwangerschaften; Mitteilung eines weiteren Falles von Placenta praevia cervicalis ... Kirchhain N.-L. [1939]
Inaug.-diss. - Berlin.
Lebenslauf.

NM 0917855 CtY

Mutschler, Paul Rudolf, 1886- Aus d. Tübinger Univ.-Frauenkl. 17 Fälle von Melaena neonatorum. Tübingen 1915: Laupp. 25 S. 8°
Tübingen, Med. Diss. v. 8. März 1915, Ref. Sellheim
[Geb. 12. Juli 86 Obersontheim; Staatsangeh.: Württemberg; Vorbildung: G. Ellwangen Reife 04; Studium: Berlin KWAk. 10 S.; Coll. 14. Dez. 14; Approb. 15. Mai 11.] [U 15. 1341

NM 0917856 ICRL CtY DLC

Mutschler, Siegfrit, 1884- pr. Arzt a. Aalen (Württ.): Zur Behandlung des Duodenalstumpfes bei der Resektionsmethode Billroth II. Berlin: Ebering (1913). 18 S. 8° ¶Im Buchh. ebd.
Berlin, Med. Diss. v. 14. Aug. 1913, Ref. Bier
[Geb. 12. Mai 84 Obersontheim; Wohnort: Berlin; Staatsangeh.: Württemberg; Vorbildung: G. Ellwangen Reife 03; Studium: Tübingen 8, München 1, Bern 1 S.; Coll. 14. Aug. 13; Approb. 14. April 10.] [U 13. 1566

NM 0917857 ICRL NNC CtY

Mutschler, Walter.
Taschenbuch
see under
Hoschek, Rudolf.

VOLUME 403

WA 400 M993u 1954 MUTSCHLER, Walther
Um die Gesundheit des Industriearbeiters; Erfahrungen eines Werksarztes. Stuttgart, Enke, 1954.
130 p.
1. Industrial hygiene

NM 0917859 DNLM

Mutschmann, Adam.
Zur kenntnis der dextrine.
Inaug. Diss. Muenchen, Techn. Hoch., 1913.

NM 0917860 ICRL MH PU

Pamph. v.576 MUTSCHMANN, Frederick
Sabbath or Sunday. Which? A much agitated question, clearly set forth in its true, Biblical and historical light. Allentown, Pa., "Church Messenger," 1890.
21p. 23cm.

NM 0917861 MH-AH PPLT

Mutschmann, Heinrich, 1885–
Der andere Milton, von Heinrich Mutschmann ... Bonn und Leipzig, K. Schroeder, 1920.
xii, 112 p. 23cm.
"Bibliographie": p. [xi]–xii.

1. Milton, John, 1608–1674. I. Title.
36-30389
Library of Congress PR3581.M8
[2] 928.2

NM 0917862 DLC NcD IU MH NN MiU OU

Mutschmann, Heinrich, 1885–
Further studies concerning the origin of Paradise lost (The matter of the Armada) by H. Mutschmann ... Tartu [Printed by C. Mattiesen, inc.] 1934.
55, [1] p. 23½ cm.
On verso of t.-p.: Acta et commentationes Universitatis tartuensis (dorpatensis) B XXXIII. 2.

1. Milton, John. Paradise lost. 2. Armada, 1588. I. Title.
PR3562.M8 821.47 35—11098

NM 0917863 DLC OCU CSmH NN GU LU FMU

Mutschmann, Heinrich, 1885–
A glossary of Americanisms, compiled by H. Mutschmann ... Tartu-Dorpat [Printed by K. Mattiesen, inc.] 1931.
72 p. 22½cm.
Reprinted from the "Acta et commentationes Universitatis tartuensis (dorpatensis) Bxxiii.4".

1. Americanisms.
32-11755
Library of Congress PE2835.M8
[2] 427.9

NM 0917864 DLC MB PU

Mutschmann, Heinrich, 1885-
Der grundlegende wortschatz des englischen ... zusammengestellt von dr. H. Mutschmann ... 4. auflage. Marburg (Lahn) N. G. Elwert'sche verlagsbuchhandlung, 1944.
32 p.

NM 0917865 ICN DLC

Mutschmann, Heinrich, 1865-
Der grundlegende wortschatz des Englischen; die 1500 wesentlichsten wörter unter berücksichtigung des amerikanischen Englisch. 6. aufl. Marburg, Elwert-Gräfe und Unzer [1948]
40 p. 18cm.

1.German language. Glossaries, vocabularies, etc. I.Title.

NM 0917866 MnU DLC-P4

Mutschmann, Heinrich, 1885-
Handbuch der Amerikakunde, mit beiträgen von W. Fischer, A. Haushofer ... [u. a.] Frankfurt a. M., M. Diesterweg, 1931.

Mutschmann, Heinrich, 1885- tr.
Wyld, Henry Cecil Kennedy, 1870–
Kurze geschichte des englischen, von Henry Cecil Wyld ... übersetzt von Heinrich Mutschmann ... Heidelberg, C. Winter, 1919.

PR3570 .H68M9 **Mutschmann, Heinrich,** 1885–
... Milton in Russland. Von prof. H. Mutschmann. Dorpat [Druck von H. Laakmann] 1924.
10 p. 19cm.
Sonderabzug des Estl. deutschen kalenders 1925.

1. Milton, John. A brief history of Moscovia. 2. Milton, John—Sources.

NM 0917869 ICU MH

Mutschmann, Heinrich, 1885-
PR3588 M77 Milton und das licht. Die geschichte einer seelenerkrankung, von Heinrich Mutschmann ... Halle a. S., Verlag von Max Niemeyer, 1920.
vi, 36 p. 23 1/2 cm. Uncut.

"Sonderabdruck aus 'Beiblatt zur anglia' XXX, 11/12.
1. Milton, John --Criticism and interpretation. 2. Albinos and albinism. I. Title. 36-1251-7

NM 0917870 CSmH IU OCl MiU MH OClW

Mutschmann, Heinrich, 1885-
Milton's eyesight and the chronology of his works, by H. Mutschmann. Tartu-Dorpat [Printed by C. Mattiesen] 1924.
50 p. 23½cm.
Extracted from the "Acta et commentationes Universitatis dorpatensis B Humaniora V [1]"

1.Milton,John--Criticism and interpretation. I.Title.

NM 0917871 MiU NNF ICU PU NcD NIC RPB

Mutschmann , Heinrich, 1885-
Milton's projected epic on the rise and future greatness of the Britannica nation, together with a reprint of the anonymous pamphlet entitled Great Britain's ruin plotted by seven sorts of men, 1641, by H. Matschmann... Tartu, J. C. Kruger ltd., 1935.
27 p.

NM 0917872 OU

9161873
823M64 DM64 Mutschmann, Heinrich, 1855-
Milton's projected epic on the rise and future greatness of the Britannic nation, together with a reprint of the ananymous pamphlet entitled Great Britain's ruin plotted by seven sorts of men, 1641, by H. Mutschmann ... Tartu, Krüger, 1936.
87 p. 23cm.

"Acta et commentationes Universitatis Tartuensis (Dorpatensis) B XL.1."
Contains title-page of 1641 edition of: Great Brittans rvine plotted by seven sorts of

men: discoved [sic] and counter-plotted: in which is contained a probable way for the happy and peaceable composing of all the distempers of the time, with articles for the finding out of scandalous ministers. Commended in a letter to a friend, and now recommended to the Honourable Parliaments consideration. By a true-hearted well-wisher to great Brittanes happinesse. London, Printed for Thomas Vnderhill, and are to be sold at the signe of the Bible in Woodstreet M.D.C.XLI.

1. Milton, John, 1608-1674.
2. Milton, John, 1608-1674. Of reformation touching church discipline.
I. Title: Great Britain's ruin plotted by seven sorts of men.
II. Title: Great Brittans rvine plotted by seven sorts of men.

NIC
NM 0917875 NNC ICN NcD OClW CtY CSmH MiU IU CtY-M

Mutschmann, Heinrich, 1885–
The origin and meaning of Young's Night thoughts. Tartu, 1939.
22 p. 25 cm. (Tartu. Ülikool. Acta et commentationes Universitatis Tartuensis (Dorpatensis) B: Humaniora, v. 43, [no.] 5)
Includes Remarks on Johann Georg Schlosser's Anti-Pope.
1. Young, Edward, 1683–1765. Night thoughts. 2. Schlosser, Johann Georg, 1739–1799. Anti-Pope. I. Mutschmann, Heinrich, 1885– Remarks on Johann Georg Schlosser's Anti-Pope. (Series)
[AS262.T22A23 vol. 43, pt. 5] A 55–3533
Columbia Univ. for Library of Congress Libraries [1]

NM 0917876 NNC MiU

Mutschmann, Heinrich, 1885–
... A phonology of the north-eastern Scotch dialect on an historical basis. By Heinrich Mutschmann. Bonn, P. Hanstein, 1909.
x, 88 p. 24cm. (Bonner studien zur englischen philologie ... hft. 1)
Enlarged from author's inaugural dissertation. Bonn, 1909.
"List of texts, glossaries, and works of reference consulted": p. [vii]–x.

1. English language—Dialects—Scotch. 2. English language—Phonology.
10-8219
Library of Congress PE2121.N7M8

OCU PU PBm NN NjP ViU
NM 0917877 DLC PU NIC CU MH CtY NcD NcU MiU OClW

Mutschmann, Heinrich, 1885–
The place-names of Nottinghamshire, their origin and development, by Heinrich Mutschmann ... Cambridge [Eng.] University press, 1913.
xvi, 179 p. 22cm. (*Half-title:* Cambridge archaeological and ethnological series)
"This present work ... was originally written as a thesis in the School of English language and philology of the University of Liverpool."—Pref.
Bibliography: p. [177]–179.

1. Names, Geographical—England—Nottinghamshire. 2. English language—Etymology—Names.
14-2843
Library of Congress DA670.N9M8

NM 0917878 DLC NIC MiU OCl OClW PU NN ICN

MUTSCHMANN, Heinrich, 1885-
Praktische phonetik des englischen; einführung in ihre theorie und praxis. Lpz. [1930] 8+181p. diagr. O.

Contains bibliography.

NM 0917879 WU PPT

VOLUME 403

AS
262
T19A2
ser.B
v.8

Mutschmann, Heinrich, 1885-
The secret of John Milton. Dorpat, 1925.
104 p. 23cm. (Tartu. Ülikool. Acta et commentationes Universitatis Dorpatensis. B: Humaniora, VIII[2])

1. Milton, John--Biog. 2. Milton, John--Criticism and interpretation. I. Title.

NM 0917880 NIC OU OO IU CSmH MB ICN PU KU-M CtY

Mutschmann, Heinrich, 1885-
Shakespeare and Catholicism, by H. Mutschmann and K. Wentersdorf. New York, Sheed and Ward, 1952.
xvii, 446 p. geneal. tables. 22 cm.
Bibliography: p. 409-416.

1. Shakespeare, William—Religion and ethics. 2. Gt. Brit.—Church history—16th cent. 3. Shakespeare, William—Biog. 4. Shakespeare, William—Knowledge—Catholic Church. I. Wentersdorf, Karl, joint author. II. Title.
PR3011.M8 822.33 52—12852

AAP GU PPLas OCl PBm MB NN OClND PPT PU OU PSt
NM 0917881 DLC OrCS WaS OrAshS OrStbM WaSpG TU

Mutschmann, Heinrich, 1885-
Shakespeare und der Katholizismus ₍von₎ Heinrich Mutschmann ₍und₎ Karl Wentersdorf. Speyer-Rhein, Pilger-Verlag ₍°1950₎
256 p. geneal. tables. 21 cm. (Speyerer Studien. Reihe 2, Bd. 2)
Bibliography: p. 249-250.

1. Shakespeare, William—Religion and ethics. I. Wentersdorf, Karl, joint author.
PR3011.M84 53-25689

NjP OU ICU
NM 0917882 DLC OrU TU MH LU NN NIC IU NjPT PU TxU

Mutschmann, Heinrich, 1885- ed.

PE2813
.N6

Nock, Samuel Albert, 1901-
Spoken American; conversations in American on American subjects, by S. A. Nock ... edited by H. Mutschmann ... New York, Frederick Ungar publishing co. ₍1945₎

PR3562
.M9

Mutschmann, Heinrich, 1885-
Studies concerning the origin of "Paradise lost," by H. Mutschmann ... Dorpat ₍Printed by C. Mattiesen₎ 1924.
72 p. 22cm.
"Acta et commentationes Universitatis Dorpatensis B V. 6."

1. Milton, John, 1608-1674. Paradise lost.

PSt ICN GU
NM 0917884 ICU LU NIC IU NcD MiU OCU MH CSmH PU

Mutschmann, Hermann, 1882-1918, ed.
Divisiones quae vulgo dicuntur Aristoteleae
see under Aristoteles. Divisiones. 1906.

Mutschmann, Hermann, 1882-1918, ed.
Sextus *Empiricus.*
Sexti Empirici Opera; recensuit Hermannus Mutschmann ... Lipsiae, in aedibus B. G. Teubneri, 1912-

---

Mutschmann, Hermann, 1882-1918.
Tendenz, aufbau und quellen der schrift Vom erhabenen, von Hermann Mutschmann. Berlin, Weidmann, 1913.
vi, 113, ₍1₎ p. 22cm.
The real author of De sublimitate, traditionally ascribed to Longinus, is unknown.

1. Longinus, Cassius. De sublimitate.
34-12794
Library of Congress PA4229.L6M8 808

NM 0917887 DLC MoU TxU NIC CtY MH OU IU NjP

Mutschmann, Johann.

TD273
.3
.A547

Bavaria. *Landesamt für Wasserversorgung und Gewässerschutz.*
Denkschrift über die geplante Fernwasserversorgung des Gipskeupergebietes West-Mittelfranken, Regierungsbezirk Mittelfranken. Sachbearbeiter: Regierungsbaurat Mutschmann und Planungsbüro des Bayerischen Landesamtes für Wasserversorgung. München, 1950.

Mutsiri, Ḥayyim Nissim Raphael.
ספר באר מים חיים, שחיבר חיים נסים רפאל מוצירי ... ספר שאלות ותשובות על סדר ארבעה טורים; ספר מעשה נסים, דרושים לכל חפציהם, וספר גירסא דינקותא ₍קונטרים על שבעה סימנים מהש"ע ח"מ, קונטרים על הסמ"ג על מצות עשה עד מצוה כ'ז, קונטרים על לשון הרמב"ם₎ ... שאלוניקי, בדפום השותפים הרדכי נחמן והבירו דוד ישראל ליג'ה ₍1794-
v. 29 cm.

1. Responsa—1600-1800. I. Title: Be'er mayim ḥayim.
Title romanized: Seger Be'er mayim ḥayim.
BM522.71.U8 HE 67-2177

NM 0917889 DLC CLU MH

Mutsu, Hirokichi.
Japan at the white city. A paper read before the Royal Society of Arts, London, Jan.19, 1910. London, Waterlow, 1910
15 p.

NM 0917890 MH

Mutsu, H₍irokichi₎
A Japanese conversation course, by H. Mutsu. Tokio, Z. P. Maruya & co., 1894.
2 p. l., 58 p., 1 l. 18½cm.
4-21150

NM 0917891 DLC

Mutsu, Hirokichi.
A Japanese conversation course by H. Matzu. 4th ed. Tokio, Z.P. Maruya & co., 1904.
52 p. 19 cm.

NM 0917892 DAS

Mutsu, Hirokichi.
A Japanese conversation course. 5th ed. Tokio, Maruzen-Kabushikikaisha, 1905.
58 p.

NM 0917893 MH

Mutsu, Hirokichi
A Japanese conversation course. 4th ed. [4],58p. Tokyo [etc.] Z. P. Maruya & co., 1907.

NM 0917894 OCl

MUTSU, H[irokichi].
A Japanese conversation course. 5th ed. Tokyo,etc.,The Maruzen-Kabushiki-Kaisha (Z.P. Maruya & Co.,Ltd.,1910.
pp.(4),58.

NM 0917895 MH OCl

Mutsu, Ian Yonosuke, 1907-
Here's Tokyo ₍by₎ Ian Mutsu, pix ₍and₎ Oland D. Russell, text. Tokyo, Tokyo News Service, ltd. ₍1953₎
ii, 120 p. illus. 26 cm.

1. Tokyo—Social life and customs—Pictorial works. I. Russell, Oland D. II. Title.
DS896.5.M85 72-211554

NM 0917896 DLC NN OCl MnU CaBVa WaT

Mutsu, Iso, *countess.*

915.213
M993K

Kamakura; fact & legend. ₍Tokyo, Maruzen, foreward 1918₎
307 p. illus., fold. map. 23 cm.

1. Kamakura, Japan. 2. Temples—Japan.

NM 0917897 NcD ICU WaU MiD DLC-P4 NcU CtY

Mutsu, Iso, *countess.*
Kamakura; fact & legend, by Countess Iso Mutsu ... 2d and enl. ed. ... Tokyo, Times publishing co., ltd., 1930.
1 p. l., ix, ii, 342 p., 1 l. front., plates, fold. map. 23cm.

1. Kamakura, Japan. 2. Temples—Japan.
Library of Congress DS897.K3M8 32-34410
₍2₎ 952.133

NM 0917898 DLC CaBVaU ICU NPV DSI CU NN PU MiU CtY

Mutsu, Iso, *countess.*
Kamakura; fact & legend. 3d and rev. ed. Tokyo, Tokyo News Service ₍1955₎
xii, ii, 321 p. illus., ports. 23 cm.

1. Temples, Buddhist — Japan — Kamakura. 2. Shinto shrines — Kamakura, Japan. I. Title.
DS897.K3M8 1955 70-263268
MARC

NM 0917899 DLC CoU MiD PP NBC OCl OClMA MiU WaU

Mutsu, Munemitsu, 1844-1897.
伯爵陸奥宗光遺稿 東京 岩波書店 昭和4 ₍1929₎
2, 5, 775 p. port. 23 cm.

I. Title.
Title romanized: Hakushaku Mutsu Munemitsu ikō.
.J 63-50
Princeton Univ. Gest Oriental Library
for Library of Congress ₍3₎

NM 0917900 NjP WU CtY CaBVaU FTaSU OrU FU

Mutsu, Munemitsu, 1844-1897.
日本侵略中國外交秘史 陸奥宗光著 龔德柏譯 上海 商務 民國 18 ₍1929₎
2, 10, 2, 173, 96 p. ports. 23 cm.
Translation of 蹇蹇錄 (romanized: Kenkenroku)
Added title in colophon: A secret document about the Sino-Japanese War.
Appendix (p. 1-96 (5th group)): 李鴻章電稿
1. Chinese-Japanese War, 1894-1895. 2. China—For. rel.—Japan. 3. Japan—For. rel.—China. I. Title.
Title romanised: Jih-pên ch'in lüeh Chung-kuo wai chiao pi shih.
DS740.5.J3M812 1929 C 59-5028

Indiana. Univ. Libr.
for Library of Congress ₍3₎†

NM 0917901 InU DLC ViU

VOLUME 403

Mutsu, Munemitsu, 1844–1897.
日本侵略中國外交祕史 陸奧宗光著 龔德柏譯 重慶 商務 民國33 [1944]
119 p. 21 cm.
Translation of 蹇蹇錄 (romanized: Kenkenroku)
1. Chinese-Japanese War, 1894–1895. 2. China—For. rel.—Japan. 3. Japan—For. rel.—China. I. Title.
Title romanized: Jih-pên ch'in lüeh Chung-kuo wai chiao pi shih.
DS740.5.J3M812 1944 C 59–172 ‡

NM 0917902 DLC CtY NIC

Mutsu, Munemitsu, 1844–1897.
蹇蹇錄 陸奥宗光著 東京 岩波書店 昭和 16 [1941]
2, 8, 282 p. illus., port. 23 cm.
1. Chinese-Japanese War, 1894–1895. 2. Japan — For. rel. — 1867–1912. I. Title.
Title romanized: Kenkenroku.
DS882.5.M78 1941 J 63–1008
Princeton Univ. Gest Oriental Library for Library of Congress [2]†

NM 0917903 NjP OrU DLC CtY NNC WaU-FE MH

MUTSU (TAVET) TEATRIKIRJASTUS.
Näidendite kataloog. Anne 1. [Tallinnas, 192-?] 80 p. 18cm.
Microfiche (neg.) 2 sheets. 11 x 15cm. (NYPL FSN 13, 882)
1. Drama, Esthonian--Bibl. I. Title.

NM 0917904 NN

Mutsuhito, *Emperor of Japan*
see
Meiji, *Emperor of Japan*, 1852–1912.

HE7275 .Y35 Orien Japan

Mutsuzaki, Tsunetake, joint author.
Yamamoto, Hiroshi, 1917 (Feb. 1)-
(Yūsei jigyō no sōshi to sono jidai)
郵政事業の創始とその時代 山本博・六ッ崎常武・江上貞利[著] 郵政省人事部能率課編 [東京 通信教育振興會 昭和26 i.e. 1951]

Mutt, Eugenie.
Fairy tales from Baltic shores; folk-lore stories from Estonia, adapted and translated by Eugenie Mutt; illustrated by Jeannette Berkowitz. Philadelphia, The Penn publishing company [°1930]
382 p. col. front., illus., col. plates. 24½cm.
1. Fairy tales. 2. Tales, Estonian. I. Title.
Library of Congress PZ8.M985Fa1 30–30343
——— Copy 2.
Copyright A 29711 [3] 398.2109474

NM 0917907 DLC OU NcD PP OCl OClh

Mutt, Madam Victor,
Child welfare in Estonia. New York, Child Welfare Committee of America [1928]
7 p. 23 cm. (Child Welfare Committee of America, inc. Publication no. 57)
1. Child welfare - Estonia. I. Ser.

NM 0917908 ViU

DK 511 .E6 M98

MUTT, VICTOR, 1886-
Võru alt Jakobstadti, 27 V-5.VI 1919. Tartu [H. Laakmann'i trükk] 1927.
116 p. 11 maps in pocket
1. Estonia--Hist.--War of Independence, 1918-1920. I. Title.

NM 0917909 InU NN

... Mutt and Jeff songster ... Chicago, H. Rossiter [c1910]
cover title, [11] p. 34 cm.

NM 0917910 RPB

Muttaiyā Mutaliyār, A S
see
Muthiah Mudaliar, A S

Muttanna, I M
see
Muthanna, I M

---

al-Muttaqī, 'Alī ibn 'Abd al-Malik, d. 1567.
(Kanz al-'ummāl fī sunan al-aqwāl wa-al-af'āl)
كنز العمال في سنن الاقوال والافعال ، لعلاء الدين علي المتقي ابن حسام الدين الهندي البرهان فوري. حيدرآباد ، مطبع دائرة المعارف النظامية [1894–97] i. e. 15 [1312–14.
8 v. in 4. 35 cm.
1. Hadith (Collections) I. Title.
BP135.A2M8 74–216366

NM 0917913 DLC

---

al-Muttaqī, 'Alī ibn 'Abd al-Malik, d. 1567, comp.
كنز العمال فى سنن الأقوال والأفعال ، لعلاء الدين على المتقى ابن حسام الدين الهندى. [الطبعة 2.] حيدرآباد [الدكن] دائرة المعارف العثمانية [1945– .1364–
v. 25 cm.
(السلسلة الجديدة من مطبوعات دائرة المعارف العثمانية 7, 16)
Cover title: Kanzu'l-'ummāl [by] 'Alī al-Muttaqī al-Hindī.
Vols. 1–5 lack series statement; v. 6–10 bear series no. 7; in v. 11 series is unnumbered; v. 12– bear series no. 16.
«من ظفر بهذا التأليف فقد ظفر بجمع الجوامع [للسيوطى] مبوبا مع أحاديث كثيرة ليست فى جمع الجوامع»
1. Hadith (Collections) I. al-Suyūṭī, 1445–1505. Jam' al-jawāmi'. II. Title. III. Series: Osmania Oriental Publications Bureau. al-Silsilah al-jadīdah min al-maṭbū'āt, 7 [etc.]
Title romanized: Kanz al-'ummāl fī sunan al-aqwāl wa-al-af'āl.
BP135.A2M82 S A 68–4984

NM 0917915 DLC UU NIC CU NSyU WaU ViU

---

al-Muttaqī al-Hindī, 'Alā' al-Dīn 'Alī
see
al-Muttaqī, 'Alī ibn 'Abd al-Malik, *d.* 1567.

Muttelet, C. F., joint author.
Roux, Eugène.
Aliments sucrés. Sucres—miels—sirops—confitures—sucreries—sucs de réglisse. Par Eugène Roux ... et C.-F. Muttelet ... Paris & Liège, C. Béranger, 1914.

QD341

Muttelet, F.
Sur quelques imino-amines (amidines).--contribution à l'etude des matières colorantes azoiques.
Paris, 1898.
58p.
Thèse, Paris.

NM 0917918 MH-C DLC

Muttelsee, Ernst, 1891-
Untersuchungen über die Lex Julia municipalis ... von Ernst Muttelsee ... Greifswald, H. Adler, 1913.
62, [1] p. 23cm.
Inaug.-Diss. - Freiburg i. B.
"Lebenslauf": p. [63]
"Hauptsächlich benutzte Literatur": p.[5]-6.

NM 0917919 MH-L CU ICRL DLC NjP

Muttelsee, Maximilian.
Zur Verfassungsgeschichte Kretas im Zeitalter des Hellenismus. Von Maximilian Muttelsee... Glückstadt: J. J. Augustin, 1925. 72 p. 4°.
Bibliographical footnotes.
1. Constitutions—Crete—Hist. 2. Crete—Govt.
N. Y. P. L. December 30, 1927

NM 0917920 NN CtY IaU OCU MH

4D 1657

Muttelsee, Willy
Fünf Jahre hinterm Stacheldraht. Skizzen von Willy Muttelsee, Reime von Karl Bähr. 2. Aufl. Bando, Japan, 1919.
unpaged

NM 0917921 DLC-P4

Muttenthaler, Anton, 1820-1870.
Neue Bilder für Kinder
see under Güll, Friedrich Wilhelm, 1812-1879.

Mutter, André, 1901–
... Face à la Gestapo, de la forteresse à l'action clandestine. [Paris] H. Champion, 1944 [*i. e.* 1945]
2 p. l., [7]–188 p., 2 l. port. 19cm.
Biographical sketch of author (1 leaf) inserted opposite portrait. Colophon dated 1945.
1. World war, 1939–1945—Prisoners and prisons, German. 2. Germany. Geheime staatspolizei. I. Title.
Library of Congress D805.G3M85 45–9059
[4] 940.547243

NM 0917923 CtY CoU TxU DLC OrPR NN PSt MB IU NN CSt CLU NcD

Mutter, Edwin, 1902–
Die Technik der Negativ- und Positivverfahren. Wien, Springer, 1955.
396 p. illus. 25 cm. (Die Wissenschaftliche und angewandte Photographie, 5. Bd.)
Includes bibliography.
1. Photography—Negatives. 2. Photography—Printing processes. I. Title.
TR145.W76 Bd. 5 56–26147 ‡

NM 0917924 InU DLC DSI MnU ICJ PPF NN CU MiU ICarbS

VOLUME 403

Mutter, Edwin, 1902-
Rs10 Be928
Zur Photolyse des bindemittelfreien Silberbromids. (Brombestimmung) ... Leipzig,1928.
Inaug.-Diss. - Berlin.
Lebenslauf.
"Literatur": p.233-234.
"Sonderabdruck aus 'Zeitschrift für wissenschaftliche Photographie, Photophysik u. Photochemie', Bd.26, Hft.7-9,1929."

NM 0917925 CtY ICRL DLC OU

---

17 1063
Mutter, George.
The call and change in time to blessedness forever. A funeral sermon, occasioned by the decease of Mrs. Elizabeth Williams...
London, 1828.

NM 0917926 DLC

Mutter, George, ed. and comp.
Psalms, original & selected, for public worship. By the Rev. George Mutter ...
London, Sell, Printer, 1825.
unpaged. 15 cm.
187 hymns.
Title is a misnomer. This is a collection of hymns not Psalms.
Manuscript annotations by Prof. Bird.

NM 0917927 NNUT

---

17 1063
Mutter, George.
Zion's faithful priest. A sermon occasioned by the death of the late Rev. Robert Hawker...
London, 1827.

NM 0917928 DLC

819.1 M985m
Mutter, Jean.
Mud-pup; a sequence in light-verse.
[Victoria, B.C., Printed by Diggon-Hibben, 1944]
30p. 24cm.
Cover title.

NM 0917929 TxU NcD CaOTU RPB CaBVaU

Mutter, K Alfons.
The next world-war to start in 1975? Valparaiso, Imprenta Victoria, 1949.

NM 0917930 MH

Mutter, Lawrence P
Establishing and operating a heating and plumbing contracting business ... Prepared by Lawrence P. Mutter and Kenneth R. Davis, under the direction of H. B. McCoy. Washington, D. C., The Bureau of foreign and domestic commerce, United States Dept. of commerce ₍1946₎
vi, 139 p. incl. forms. 23½ cm. (U. S. Bureau of foreign and domestic commerce. Industrial (small business) series no. 36)
"Originally prepared as an Educational manual ₍EM 990₎ for the War department."
1. Plumbing. 2. Heating. I. Davis, Kenneth R., joint author.
T7.U62 no. 36 658.996 46—27765
——— Copy 3. TH6126.M97

OrCS WaSp WaT
NM 0917931 DLC CaBVaU OrP NcGU MB PP NIC OC1W WaS

Mutter, Lawrence P
Establishing and operating a heating and plumbing contracting business, prepared by Lawrence P. Mutter and Kenneth R. Davis, under the direction of H. B. McCoy. ₍Washington, War Dept., 1946₎
x, 163 p. forms. 23 cm. (Education manual, EM990)
1. Plumbing. 2. Heating. I. Davis, Kenneth R., joint author. (Series: U. S. Dept. of the Army. Education manual, EM990)
HF6201.P7M8 1946 57-47626

NM 0917932 DLC

Mutter, Paul Siegfried, cand. jur.: Die schweizerische Bundesanwaltschaft als Behörde der politischen Fremdenpolizei. Zürich 1916: Leemann. 104 S. 8°
Leipzig, Jur. Diss. v. 5. Sept. 1917
[Geb. 19. Juli 90 Höchenschwand i. Bd.; Wohnort: Zürich; Staatsangeh.: Schweiz; Vorbildung: Kantonssch. Zürich Handelsabt. Reife 09; Studium: Zürich 10, Leipzig 1 S.; Rig. 11. März 16.] [U 17. 481

NM 0917933 ICRL DLC

Eine Mutter.
Aus der fröhlichen kinderzeit...
see under Aus der fröhlichen kinderzeit...

Eine Mutter.
Muttersorgen und mutterfreuden
see under title

Die Mutter; Dank des Dichters, Agnes Miegel, Joseph Wittig, Heinrich Lersch, Anna Schieber, August Winnig, Hans Christoph Kaergel. 5. unveränderte Aufl. Berlin, Eckart-Verlag, °1933.
61 p. ports.

I. Miegel, Agnes.

NM 0917936 MiD

834.4 M476
Die mutter; dank des dichters. ₍Von₎ Agnes Miegel ₍et al.₎ Mit fünf bildern. 6. unveränderte aufl. Berlin, Eckart-verlag, 1937.
64 p. ports. (Der Eckart-Kreis. Bd. 10)

1. German essays. 2. Mothers. I. Miegel, Agnes, 1879-

NM 0917937 NNC

105
Die mutter, dank des dichters; Agnes Miegel, Joseph Wittig, Heinrich Lersch [u. a.] ... 10. aufl. Berlin-Steglitz, Eckart, 1941.
64
Der Eckart-Kreis, band 10.)

NM 0917938 MiU NNC DLC

WA 8043
Die Mutter; Dank des Dichters. Witten, Luther-Verlag[1954]
Contributions by August Winnig, Agnes Miegel, Joseph Wittig, Waldemar Augustiny, Hermann Claudius, Anna Schieber, Johann Christoph Hampe.

NM 0917939 CtY CaBVaU

Mutter Erde; technik, reisen und nützliche naturbetrachtung in haus und familie. bd. 1- ₍okt. 1898₎-
Berlin und Stuttgart, W. Spemann, 1899-
v. illus. 29½cm. weekly.
Editor: Heinrich Lux.
1. Science—Period. 2. Geography—Period. I. Lux, Heinrich, 1863- ed.
11-23735
Library of Congress Q3.M8

NM 0917940 DLC

Mutter Franziska Lechner: ihr leben und wirken, verfasst von einer ihrer geistlichen töchter.
Wien, Töchter der göttlichen liebe, 1928.
341 p.

NM 0917941 PV

Die Mutter, ihre Gestalt in unserer Dichtung
see under Grote, Gertrud.

Eine Mutter in der Kinderstube.
Funfzig kleine, durchaus verständliche Erzählungen für Kinder
see under title

Mutter Maria Dominika Klara Moes vom hl. Kreuz und ihre Klostergründung, 1832-1895
see under Barthel, Johann Petrus, ed.

...Mutter'n & co. drar til Amerika; dagbok fra en tur til Paris, U. S. A., Canada og hjem igjen... Oslo: Thronsen & co.s boktrykkeri, 1935. 163 p. illus. (incl. ports.) 21cm.
At head of title: Sigrid B. B.
820049A. 1. United States—Descr. and trav., 1910- I. B., Sigrid B.
N. Y. P. L. June 18, 1936

NM 0917945 NN

Die Mutter, oder, Sie kann nicht wählen
see under [Cordes, Johann Friedrich] fl. 1791.

W 1 MU975R
MUTTER und Kind. Jahrg. 1-3; Okt. 1904-25 Sept. 1907. Wien.
3 v. illus.

NM 0917947 DNLM

W 1 MU976
Mutter und Kind; Jahrbuch für Kinderpflege und Familienglück.
Meiringen ₍Switz.₎ Loepthien ₍193 -
v. illus., ports.
For volumes in library, consult assistant at periodical desk.
1. Children - Care and hygiene

NM 0917948 DNLM

4HQ-185
Mutter und Volk.
Mutter; ein Buch der Liebe und der Heimat für Alle. Mit 120 Bildern nach Originalaufnahmen von J.B. Malina. Berlin [c1934]
239 p.

NM 0917949 DLC-P4 MiU NNC CU

Mutter Zeller in Beuggen. 3. aufl.
Basel, Spittler, 1887. 91 p.

NM 0917950 PPLT

Mutter-Angesicht; Gedichte
see under Oschilewski, Walther Georg, 1904-

VOLUME 403

4DD 192 Mutterboden, Kriegs- und Ehrenbuch einer Dorfgemeinde, gesammelt und verfasst von ihrem Lehrer. Rosswein/Sachsen, Druck J.H. Pflugbeil, 1936.
96 p.

NM 0917952 DLC-P4

DA959 .1 .S6
Mutterer, André J., joint author.
Sonkin, Jean.
L'Irlande [par] Jean Sonkin et André J. Mutterer. Préf. d'André Siegfried. Paris, R. Debresse [1953]

Mutterer, M.
Jean Jacques Rousseau à Strasbourg. Strasbourg, 1904. 5 p.

NM 0917954 PBm

4PT Ger.-3072 Mutterer, Maurice.
Esquisses Goethéennes. Paris, Berger-Levrault, 1948.
120 p.

NM 0917955 DLC-P4 CtY ICU CU MiU PU

Mutterer, Maurice.
Évocations de la Sicile antique. Paris, Berger-Levrault, 1946.
136 p. 19 cm.

1. Empedocles. 2. Lucilius Junior. I. Title.
DG55.S5M88 49-20912*

NM 0917956 DLC OCU MH

Mutterer, Maurice, ed. and tr.
Voyage en Italie ...
see under Goethe, Johann Wolfgang von, 1749-1832.
Italienische Reise. French.

Mutterer (Moritz). * Ueber Strychnintherapie bei peripheren Lähmungen, im Anschluss an einen Fall von traumatischer Radialislähmung. 28 pp., 1 l. 8°. Strassburg i. E., C. Goeller, 1895.

NM 0917958 DNLM MH

Die Muttergottes; deutsche Bildwerke
see under Graul, Richard, 1862-

MUTTER-GOTTES-SPIEL zur Weihnachtszeit, nach Friedrich Schreyvogl... (In: Renner, O.C., ed. Weihespiele. Innsbruck [etc., 1935] 21cm. p. 104-117.)

809088A. 1. Miracle plays, Modern—Austria. 2. Mary, Virgin—Drama. I. Schreyvogl, Friedrich, 1899-

NM 0917960 NN

Mutterhaus für Evangelische Kinderschwestern, *Grossheppach*
see Grossheppach. Mutterhaus für Evangelische Kinderschwestern.

Mutterings and musings of an invalid. 1851
see under Townsend, F.

Mutters, Johs b. 1858.
Johs. Mutters Jr., architect, 's-Gravenhage, uitgevoerde gebouwen, projecten, enz. [Bussum, G. Schueler, 1916]
[63] p. (chiefly illus.) 33 cm. (Bibliotheek voor de moderne Hollandsche architectuur, 2. deel, aflevering no. 3)

NA1153.M8A45 60-57898

NM 0917963 DLC CU

Muttersbach, Karl.
Berechnung der gleich- und wechselstromnetze, von ing. Karl Muttersbach ... Mit 88 abbildungen. München und Berlin, R. Oldenbourg, 1925.
3 p. l., 118 p. diagrs. 25cm.

1. Electric currents. 2. Electric measurements. I. Title.
Library of Congress QC601.M8 26-8673

NM 0917964 DLC ICJ

Muttersbach, Karl.
Feststellung und Beseitigung von Fehlern an elektrischen Maschinen, Transformatoren und Geräten. 4. Aufl. Frankfurt a. Main, Frankfurter Fachverlag, 1949.
158 p. diagrs. 21 cm. (Elektro-Bücherei, Bd. 1)

1. Electric motors—Repairing. 2. Electric transformers. 3. Electric apparatus and appliances. I. Title.
TK2514.M8 1949 52-38892 rev

NM 0917965 DLC

W 1 MU979 MUTTERSCHUTZ. Jahrg. 1-3; 1905-Dez. 1907. Frankfurt a. M.
3 v. W1 MU979
Organ of the Bund für Mutterschutz.
Ed. by H. Stöcker.
Continued by Neue Generation, and Sexual-Probleme.
I. Bund für Mutterschutz, Berlin II. Stöcker, Helene, 1869- ed.

NM 0917966 DNLM MH-L

Das Mutter-Söhnchen; ein prosaisch bürgerlich Trauerspiel in 3 Aufzügen. Liegnitz, Im Verlage der Siegertschen Handlung, 1756

47 p.
Photoreproduction of copy in the Nationalbibliothek, Vienna

NM 0917967 MH

G490 .M8 Das Muttersöhnchen auf der Galere. Aus dem Schwedischen [von Christian Heinrich Reichel] Leipzig, F. G. Jacobäer, 1785.
464 p. illus. 17cm.

"Der Verfasser ... trat 1769 ... als Oberbootsmann mit dem Schiffe Finland."

1. Voyages and travels. I. Reichel, Christian Heinrich, 1734-1807, tr.

NM 0917968 ViU

136.7 M984 Muttersorgen und mutterfreuden. Worte der liebe und des ernstes über kindheitspflege. Von einer mutter. Mit einer vorrede vom seminardirector dr. Diesterweg. Hamburg, Hoffmann und Campe, 1849-51.
2v. in 1.

1. Children--Management. 2. Education of children. 3. Mothers.

NM 0917969 IU DHEW PPG

Muttersprache. 1.-58. Jahrg.; 1. Apr. 1886-Apr. 1943. Berlin [etc.]
58 v. in illus. 27-29 cm. monthly.
Years 1-8 also called v. 1-4.
Organ of Deutscher Sprachverein (called 1886-1922, Allgemeiner Deutscher Sprachverein)
Title varies: Apr. 1886-Dec. 1922, Zeitschrift des Allgemeinen Deutschen Sprachvereins.—Mar. 1923-Dec. 1924, Zeitschrift des Deutschen Sprachvereins.
Superseded in 1949 by a later publication with the same title.
Supplements accompany some issues.
L. C. set incomplete: v. 51, 53-54, 58 wanting.

——— Wissenschaftliche Beihefte. Heft 1- Feb. 1891-
[Berlin, etc.]
v. in 22 cm.
Vols. 21- also called 4.- Reihe.
INDEXES:
Vols. 1-8, 1886-1893, *with* v. 1.
Vols. 1-15, 1886-1900, *with* v. 15.
PF3003.M832
1. German language—Period. I. Deutscher Sprachverein. II. Deutscher Sprachverein. Zeitschrift.

PF3003.M83 11-30313 rev 2*

TxLT
KU PU NNC NcU CoU GU OrPS OrU CaBVaU PPiU NN NjP
NM 0917971 DLC INS MoSW CU CoU PU PBm PU MiU ICN

AP30 .M85 Muttersprache; hrsg. im auftrage des werbeausschusses des Allgemeinen deutschen sprachvereins... Berlin, [1921-

[Beilage zur Zeitschrift des Allg. deutschen sprachvereins.]

NM 0917972 DLC

Muttersprache; Zeitschrift zur Pflege und Erforschung der deutschen Sprache.
Lüneburg, Heliand-Verlag.
v. 21 cm. monthly.
Began publication in 1949, superseding a publication with the same title, issued 1886-1943. Cf. Union list of serials.
"Herausgegeben im Auftrage der Gesellschaft für Deutsche Sprache," 19

1. German language—Period. I. Gesellschaft für Deutsche Sprache, Lüneburg.
PF3003.M85 55-56185

NM 0917973 DLC IU TxU NN CU KU CtY PSt CLU

MUTTERSPRACHE; Schriftenreihe des Vereins "Muttersprache" Wien.
Wien. no. 21-25cm.

No. 2-6 on film * ZAN-1518. Negative.

1. German language--Dialects--Austria. 2. Names, Austrian. I. Verein "Muttersprache" Wien.

NM 0917974 NN

Die Muttersprache. Ausgabe A.Lesebuch in acht Teilen. Herausgegeben von Berthelt, Petermann, Thomas, und Baron, Junghanns, [und] Schindler. Teil II. 8.Aufl. Leipzig, J.Klinkhardt, 1885.
I. Berthelt, August, 1813-1896, ed.

NM 0917975 MH

Die muttersprache: 1. teil, fibel (ausgabe B): nach der gemischten schreiblesmethode bearbeitet von Berthelt[& andere] Leipzig, Klinkhardt, 1896.
illus.

NM 0917976 OClW

VOLUME 403

PF3117 .M88 1909 Die Muttersprache. Lesebuch für Volkschulen. Neubearbeitung hrsg. von Dresdner Lehrerverein. Ausg. A. 8. Aufl. Leipzig, J. Klinkhardt, 1909.
5 v. illus. 22cm.

1. German language—Chrestomathies and readers.

NM 0917977 ViU

Die Muttersprache; Lesebuch fur Volksschulen. Neubearbeitung, herausgegeben vom Dresdner Lehrerverein. Ausgabe A in 5 Teilen. Teil 1, 3. 14.Aufl. Leipzig, J.Klinkhardt, 1913.

NM 0917978 MH

Muttersprache; Übungen im Sprechen und Schreiben
see under [Gärtner, Emil]

Muttersprache - Mutterlaut! O hast du noch ein Mütterlein ...
(3 p.)
Ho-Fi Wr VA 975a and b.
Voice and guitar.

NM 0917980 NN MB IaU PP DLC

Muttersvach, Karl.
Feststellung und Beseitigung von Fehlern an elektrischen Maschinen, Transformatoren und Geräten. 4. Aufl. Frankfurt a. Main, Frankfurter Fachverlag, 1949.
158 p. diagrs. 21 cm. (Elektro-Bücherei, Bd. 1)

1. Electric motors—Repairing. 2. Electric transformers. 3. Electric apparatus and appliances. I. Title.

TK2514.M8 1949 52-38892

NM 0917981 DLC

Mutti, Carlo, 1756-1824.
La Giudeide; libri dieci in versi latini, di Carlo Mutti livornese, con traduzione in prosa di Francesco Pera. Livorno, P.Vannini e figlio, 1879.
vi p., 1 l., 288 p. 21½cm.
Text and translation on opposite pages (p.[38]-283) preceded by half-title: Judaeidos.

I. Pera, Francesco, 1832-1914, tr. II. Title. III. Title: Judaeidos.

NM 0917982 MiU OCH MdBJ

T113 Z8 1939 Mutti, Clemente, 1910-
... Beiträge zur klinischen Sensibilitätsuntersuchung ... Zürich, 1939.
Inaug.-Diss. - Zürich.
Curriculum vitae.

NM 0917983 CtY

Mutti, G. A guide to the silk culture in the Deccan. 8°. pp. [4], 29, 11. plate. Bombay, 1838.

NM 0917984 MBH

Mutti, Giacomo
Memorie di Torquato Toti, figlinese. Firenze, L. Niccolai, 1848.
75 p. port.

NM 0917985 CU MH CtY

PJ6779 .M9 [MUTTI, GIUSEPPE] supposed author.
An Arabic grammar compiled for the use of travellers. [Bombay] F.D.Ramos, printer, 1834.
[4], 43 p. 27½x19cm.

1. Arabic language--Dialects--Egypt. 2. Arabic language--Grammar.

NM 0917986 ICU PPLT

W 4 S18 1911 MUTTI, Manfredo
Estudo clinico das albuminurias. Bahia, 1911.
66 p.
These - Bahia.

NM 0917987 DNLM

B M217m Mutti, Pietro Aurelio.
Elogio di monsignor Angelo Maj, letto dall'abate Pier'Aurelio Mutti direttore dell'I.R.Liceo di Bergamo nella pubblica adunanza dell'Ateneo di questa città il giorno XIII gennaio MDCCCXXV. in occasione che vi venne inaugurato il ritratto del celebre archeologo. Bergamo, Stamperia Mazzoleni, 1825.
42p.
"Opere pubblicate da monsignor Angelo Maj in Milano dall'anno 1813 sino al 1819": p.37-41; "Opere pubblicate in Roma dall'anno 1822 sino al 1824": p.42.

NM 0917988 IU CtY MH DLC

---

637 M984d Mutti, Ralph Joseph, 1917-
Dairying and dairy manufacturing in Illinois; an economic analysis of their development ... Urbana, Ill. [1946]
262 numb. l. incl. maps, tables, diagrs.
Thesis (Ph.D.)--Univ. of Illinois, 1946.
Typewritten (carbon copy)
Vita.
Bibliography: leaves 245-248.
1946 984 ——— Thesis copy.

1. Dairying--Illinois.

NM 0917989 IU

Mutti, Ralph Joseph, 1917-
Dairying and dairy manufacturing in Illinois; an economic analysis of their development. Urbana, 1947.
16 p. 23 cm.
Abstract of thesis—Univ. of Illinois.
Vita.

1. Dairying—Illinois.

HD9275.U7 I 45 A 48-2510*

Illinois. Univ. Library for Library of Congress [1]†

NM 0917990 IU CtY ICU MiEM DLC

338.1 M985e Mutti, Ralph Joseph, 1917-
Elevator managers' manual. [Chicago] Illinois Grain Corporation [1955?]
133p. diagrs., maps. 29cm.

Title from label mounted on cover.

1. Grain elevators--Illinois. I. Title.

NM 0917991 IU

Mutti, Ralph Joseph, 1917-
Suggested wartime emergency plans for conserving tires, trucks, and manpower in hauling milk from farm to market...
see under Bartlett, Roland Willey, 1900-

Mutting, D J
The story of a Mormon convert
see under [Claiborne, D. J.]

MUTTINI, PIETRO.
Un bibliotecario genovese: Santo Filippo Bignone, 1875-1940. [Genova, 1941?] 18 p. port. 24cm.

"Estrato da 'Genova' rivista mensile edita dal comune, ottobre 1941—anno XIX."

1. Bignone, Santo Filippo, 1875-1940.

NM 0917994 NN

Muttini Conti, Germana.
Un censimento torinese nel 1802, con pref. del prof. Diego de Castro. Torino, G. Giappichelli [1951]
viii, 174 p. map. 25 cm. (Università di Torino. Facoltà di economia e commercio. Istituto di statistica. [Pubblicazioni] 5)
Bibliography: p. [vii]-viii.

1. Turin—Census, 1802. I. Title. (Series: Turin. Università. Istituto di statistica. Pubblicazioni, 5)

HA1379.T8M8 1802 54-22146

NM 0917995 DLC MH NN NjR

Muttkowski, Richard Anthony, 1887-
... Catalogue of the Odonata of North America, by Richard A. Muttkowski. Milwaukee, Wis., The Trustees, 1910.
207 p. 24½ cm. (Bulletin of the Public museum of the city of Milwaukee. vol. I, article I, May, 1910)

1. Odonata—North America. [1. North America—Entomology]

QH1.M63 vol. 1, art. 1 Agr 10—1459
——— Copy 2. QL513.O2M8

U. S. Nat'l Agr. Libr. for Library of Congress 500M64B vol. 1 [a65c½]†

NM 0918001 DNAL IdU WaTC PU NN ICJ PPAmE AAP

Muttkowski, Richard Anthony, 1887-
The ecology of trout streams in Yellowstone National Park, by Richard A. Muttkowski ...
(*In* Roosevelt wild life annals. [Syracuse, N. Y., 1929] 27cm. v. 2, p. 155-240. illus.)
Bibliography: p. 238-240.

NM 0918002 ICJ WaS InU

Muttkowski, Richard Anthony, 1887-
The fauna of Lake Mendota, by Richard Anthony Muttkowski ... [Madison, Wis.] 1918.
cover-title, p. 374-482. fold. map. 23cm.
The author's doctoral dissertation, University of Wisconsin, 1916, but not published as a thesis.
Thesis note stamped on cover.
"Reprinted from the Transactions of the Wisconsin academy of sciences, arts, and letters, vol. XIX, part I."
Bibliography: p. 455-471.

1. Fresh-water fauna—Wisconsin. I. Title.

19-27366

Library of Congress QL146.M8
Univ. of Wisconsin Libr. [2]

NM 0918003 WU DLC

VOLUME 403

Muttkowski, Richard Anthony, 1887-
The fauna of Lake Mendota: a qualitative and quantitative survey with special reference to the insects ₍by₎ Richard Anthony Muttkowski.
(*In* Wisconsin academy of sciences, arts and letters. Transactions. Madison, Wis., 1918. 24cm. v. 19, pt. 1, p. 374-482)
Notes from the Laboratory of the Wisconsin Geological and natural history survey. XI.
Bibliography: p. 455-471.
1. Fresh-water fauna—Wisconsin—Mendota, Lake. I. Title.
A 23-1633
Title from Wisconsin Univ. Printed by L. C.

NM 0918004 WU ICJ

Muttkowski, Richard Anthony, 1887-
The food of trout stream insects in Yellowstone National Park, by Richard A. Muttkowski and Gilbert M. Smith ...
(*In* Roosevelt wild life annals. ₍Syracuse, N. Y., 1929₎ 27cm. v. 2, p. 241-263 incl. tables)
"List of references": p. 262-263.

NM 0918005 ICJ WaS InU

Muttkowski, Richard Anthony, 1887-

Wisconsin. *Geological and natural history survey.*
Notes from the laboratory of the Wisconsin Geological and natural history survey ... ₍Madison₎ 1918.

Muttkowski, Richard Anthony, 1887-
Studies on the blood of insects. I-III.
(Extract from Brooklyn Entomological Society. Bulletin. 1923-24. v.18, p. 127-136; v.19, p. 4-19, 128-144. illus. 24cm.)
1. Blood--Analysis and chemistry. 2. Insects.

NM 0918007 NIC IdU OrCS

Mutton, Frederick C.
...Derbyshire, by F. C. Mutton; with an atlas of eight pages of Bartholomew's maps... Harmondsworth, Eng.: Penguin books ₍1939₎ 121 p. illus., maps. 18cm. (The Penguin guides. G 5.)
242452B. 1. Derbyshire, Eng.—Guidebooks, 1939. I. Ser.
N. Y. P. L. December 10, 1943

NM 0918008 NN

Muttoni, Francesco, 1668-1747.
Disegni originali dell'edizione di Palladio di Giorgio Fossati. ₍Venezia, 17—₎
₍26₎ l. of illus., plans (part fold.) 39 cm.
Manuscript title on flyleaf.
Drawings in pen-and-ink and wash intended for engraving by Fossati and for inclusion in v. 10 of Muttoni's ed. of Andrea Palladio's Architettura (Venice, 1740-48) Vol. 10 never published.
Leaves 1-14 and 16-24 are signed by Muttoni as designer; the rest are unsigned. Leaves 1-24 bear endorsements dated Jan. 14, 1739 (i. e. 1740)
1. Architecture—Sketch-books. I. Fossati, Giorgio, 1705-1778. II. Palladio, Andrea, 1508-1580. I quattro libri dell'architettura. III. Title.
NA2633.M8 67-58728

NM 0918009 DLC

4PQ It 672
Muttoni, Giuseppe
Cronache del lario; racconti. Con pref. di Angelo Luzzani. Milano, Gastaldi [1953]
110 p.
(Collana "Narratori d'oggi")

NM 0918010 DLC-P4

PQ4829 U85 P5
Muttoni, Giuseppe
Piccolo mondo alpestre. ₍Romanzo₎ Pref. di Ettore Cozzani. Milano, Gastaldi ₍1951₎
93 p. 19 cm. (Collana "Romantica")

NM 0918011 RPB

Muttoni, Giuseppe.
La valanga dei graneer, romanzo. Milano, Gastaldi [1948]
89p. 19cm.

NM 0918012 IEN

Muttoni, Jorge Melazza
see under Melazza Muttoni, Jorge.

Muttra, *India (City)*
see
Mathurā, *India (City)*

Muttray (Joannes Augustus) [1808-]. * De cruribus fractis gypso liquefacto curandis. 29 pp., 1 pl. 8°. *Berolini, typ. A. Petschii,* [1831].
[Also. in: P. v. 199.]

NM 0918015 DNLM PPC

Muttray (Richard) [1856-]. * Totalextirpation des Uterus. 31 pp. 8°. *Berlin, H. S. Hermann,* [1880].

NM 0918016 DNLM

Muttrich, Gottlieb Anton
Bericht über die Untersuchung der Einwirkung des Waldes auf die Menge der Niederschläge. 1903.

NM 0918017 DAS

Muttrich, Gottlieb Anton
Ueber den Einfluss des Waldes auf die Grösse der atmosphärischen Niederschläge.
p. 27-42. 23½ cm.
Zeitschrift für Forst-und Jagdwesen. 24. Jahrg., 1. Heft. Jan., 1892.

NM 0918018 DAS

Muttrich, Gottlieb Anton.
Ueber den Einfluss des Waldes auf die Lufttemperatur. 1900.

NM 0918019 DAS

Muttrin, F K von Zitzewitz-
see Zitzewitz-Muttrin, Friedrich Karl von.

Muttu, M J Tambi
see
Tambimuttu, Thurairajah, 1915-

Muttu Ramasvāmi
see
Ramaswamy, Matighatta.

Muttukistna, S. R.
Past and present state of education and civilization in Ceylon. By S. R. Muttukistna... Edinburgh: MacLachlan and Stewart, 1853. 31 p. 8°.
1. Education—Ceylon. 2. Civilization—Ceylon.
N. Y. P. L. July 9, 1928

NM 0918023 NN CtY

Eames B 54 .608
MUTTUKRISHNA, G R.
An essay on the human mind... Colombo, Examiner press, 1849.
58p. 19½cm.
"A translation of select passages from Tamil authors on the mind, with introductory remarks": p. ₍5₎-58.

NM 0918024 ICN NN

4BJ 242
Muttupulle, M J R
Chapters on moral science and character. Colombo, M. D. Gunasena ₍1948₎
97 p.

NM 0918025 DLC-P4

Muttusami Pillai, A
Brief sketch of the life and writings of Father C.J. Beschi, or Vira-mamuni, tr. from the original Tamil. By A. Muttusami Pillai... Madras, J.B. Pharoah, 1840.
55 p. fold., col. front. (port.) 22 cm.
"Works written in Tamil by Father Beschi": p. 9-21.
1. Beschi, Constantino Giuseppe, 1680-ca. 1746.

NM 0918026 CU

₍Mutty, Joseph₎
72 lessons in art; outline of practical art, commercial, industrial, technical. ₍Rochester, N. Y., ©1942₎
cover-title, ₍147₎ p. illus. (incl. port.) diagrs. 28 x 22½cm.
"Prepared by Joseph Mutty."—p. ₍5₎
1. Drawing—Instruction. I. Title.
44-21430
Library of Congress NC650.M85
₍2₎ 741.07

NM 0918027 DLC

Mutu Kumāra Svāmī, *knight*
see
Coomaraswamy, *Sir* **Mutu,** 1834-1879.

Mutual aid and co-operation in China's agricultural production. ₍1st ed.₎ Peking, Foreign Languages Press, 1953.
38 p. 19 cm.
CONTENTS.—Decisions on mutual aid and co-operation in agricultural production adopted by the Central Committee of the Communist Party of China.—Basic tasks and policies in rural areas, by Teng Tse-hui.
1. Agriculture, Cooperative — China. 2. Agriculture — Economic aspects—China. I. Kung-ch'an-tang. II. Têng, Tzŭ-hui, 1897-
HD1491.C6M8 56-57072 ‡

NM 0918029 TNJ NIC CtY DLC DNAL N MiU NcD NN IEN MH-L CLSU MH

VOLUME 403

Mutual aid and life association, *Bellefontaine, O.*
... [Prospectus] Bellefontaine, O. [Barringer, printer] 1878.
18 p. 17½cm.

CA 9-1868 Unrev'd
Library of Congress HG8963.M73A6
(Copyright 1878: 8236)

NM 0918030 DLC

W 125 M993
MUTUAL Aid Association of the Philadelphia County Medical Society
[Collection of publications]
The Library has a collection of miscellaneous publications of this organization kept as received. These publications are not listed or bound separately.

NM 0918031 DNLM

W 1 MU983
MUTUAL Aid Association of the Philadelphia County Medical Society
Annual report. Philadelphia [1879?]-1902.
v.
Superseded by the Report of the Aid Association of the Philadelphia County Medical Society.

NM 0918032 DNLM

Mutual aid board
see
Canada. *Mutual aid board.*

Mutual aid for the expansion of trade and employment. [Leicester, Eng., H. Cave & co., ltd., 1944]
see under [Jones, Sir Edgar Rees] 1878-

... Mutual aid in food production and distribution...
see under [Corner, Alfred]

Mutual aid society and neighborhood club, Grosse Pointe, Mich.
Annual report..1914/15
Grosse Pointe, Mich. 1915-
1 v. 21 cm.

NM 0918036 DL

Mutual aid unemployment fund of Waterbury, inc.
Report November 1, 1930-January 1, 1936
Waterbury, Conn., Brass city printery, inc. 1936.
47 (1) p. 23 cm.

NM 0918037 DL

Mutual aid union and beneficial association of Philadelphia.
The Mutual aid union and beneficial association of Philadelphia. Organized March 15th, A. D. 1878 ... Philadelphia [Allen, Lane & Scott, printers] °1878.
18 p. 15½cm.

CA 9-5169 Unrev'd
Library of Congress HG8540.M8
(Copyright 1878: 4250)

NM 0918038 DLC

Mutual assistance in general emergency situations affecting both power and telephone service
see under Joint subcommittee on cooperation in emergencies, Edison electric institute and Bell Telephone system.

Mutual assistance labor union, *Hartford, Conn.*
Mutual assistance labor union, or, Protection for workingmen and their families. Hartford, Press of Case, Lockwood & Brainard, 1871.
22 p., 1 l. 15cm.
Connected with the Connecticut general life insurance company.

I. Connecticut general life insurance company, Hartford.

CA 9-2351 Unrev'd
Library of Congress HG8963.C46

NM 0918040 DLC

MUTUAL ASSOCIATION OF COLORED PEOPLE, South.
Mississippi negro progress edition. Memphis, Tenn., [1955?] [40] p. (chiefly illus.) ports. 44cm.

1. Negro—Education—U.S.—Mississippi.

NM 0918041 NN

Mutual assurance company. [Virginia]
Insurance of Edmond Denny's estate in Alexandria, Va., dated Dec. 30, 1805.
Printed from filled in manuscript, with plan of buildings insured. Signed, autograph, J. Marshall, Ch. J. U.S.

NM 0918042 MB

Mutual Assurance Company for Insuring Houses for Loss by Fire, New York.
Publications of this body printed in America before 1801 are available in this library in the Readex Microprint edition of Early American Imprints published by the American Antiquarian Society.
This collection is arranged according to the numbers in Charles Evans' American Bibliography.

NM 0918043 DLC

Mutual assurance company for insuring houses from loss by fire,New York.
The deed of settlement of the Mutual assurance company,for insuring houses from loss by fire in New-York. New-York: Printed by William Morton. MDCCLXXXVII [1787].
16,[1] p. 19.5cm.
Engraving on title page of a fire company extinguishing a fire.
1.Insurance,Fire.2.Mutual assurance co.for insuring houses from loss by fire,N.Y.3.Fire extinction-Iconography.I.Title.II.Ptr.

NM 0918044 MiU-C PPRF DGU

Mutual Assurance Company for insuring houses from loss by fire, Norwich, Ct.
Deed of Settlement of the mutual assurance company for insuring houses from loss by fire ... Norwich, 1794.

NM 0918045 RPJCB

Mutual Assurance Company for insuring houses from loss by fire, Norwich, Ct.
Deed of settlement of the mutual assurance company for insuring houses from loss by fire ... Norwich, 1795.

NM 0918046 RPJCB

Mutual Assurance Company for Insuring Houses from Loss by Fire, Norwich, Ct.
Deed of settlement of the Mutual Assurance Company, for Insuring Houses from Loss by Fire. Norwich, printed by Thomas Hubbard, 1804.
13 p. 24 cm.

NM 0918047 WaSpG

Mutual Assurance Company for insuring houses from loss by fire, Philadelphia.
Deed of Settlement. n. p., 1786?
8 p.

NM 0918048 PHi

Mutual assurance company for insuring houses from loss by fire, *Philadelphia.*
The deed of settlement of the Mutual assurance company, for insuring houses from loss by fire, in and near Philadelphia. As altered and amended on the thirtieth day of July, 1801. Philadelphia, Printed by William W. Woodward, 1801.
12 p. 20cm.
Title vignette.

1. Insurance, Fire. I. Title.

A 33-38
Title from Harvard Univ. Grad. Sch. Bus. Adm. Printed by L. C.
[2]

NM 0918049 MB MH-BA PHC PPAmP PPL PHi NN MiU-C CSmH

Mutual assurance company for insuring houses from loss by fire, *Philadelphia.*
The deed of settlement of the Mutual assurance company, for insuring houses from loss by fire, in and near Philadelphia. Philadelphia, Printed by W. Fry, Walnut street, near Fifth. 1818.
15 p. 19cm.

44-37987
Library of Congress HG9780.M74A5
[2]

NM 0918050 DLC MH-BA DSI CSt MWA ICJ PHi

Mutual Assurance Company for Insuring Houses from Loss by Fire, Philadelphia.
In Memoriam. Major-general George Cadwalader, late president of the Mutual Assurance Company for insuring houses from loss by fire. Died Feb. 3d, 1879. [Philadelphia, 1879]
6 leaves. 4 to. Bound in one-half dark blue roan, blue boards. Original black front paper cover bound in. Title and text within mourning borders.
Printed on rectos only.

A.L.S. and portrait of author inserted.
I. Cadwalader, George, 1806-1879. II. Title.

NM 0918052 CSmH

VOLUME 403

Mutual Assurance Co. for insuring houses from loss by fire, Philadelphia.
List of members with document relating to origin and object with deed of settlement; Oct. 3, 1892, and Charter, 1813. Phila., n. d.

NM 0918053 PHi

Mutual Assurance Company for insuring houses...
List of the members of the board of trustees of the Mutual Assurance Co. for insuring houses from loss by fire, from the date of its organization, Sept., 25, 1784 to Sept. 15, 1898. ‹Ph., 1898›.

5B

NM 0918054 PHi PPL

Mutual assurance company for insuring houses from loss by fire, Philadelphia.
Washington in convention, 1787. Philadelphia: The Mutual assurance co. for insuring houses from loss by fire [1937] 17 p. incl. facsim. illus. (incl. port.) 23½cm.
Cover-title.

1. Washington, George, 1st pres. U. S. 2. Historic houses—U. S.—Pa.—Philadelphia. 3. United States. Constitutional convention, 1787.
N. Y. P. L. December 28, 1938

NM 0918055 NN PHi

Mutual Assurance Company of the City of New York
see The Knickerbocker Fire Insurance Company of New York.

Mutual assurance company of the city of Norwich, Conn.
An act of assembly, incorporating the Mutual assurance company of the city of Norwich; also, the deed of settlement to be subscribed by the members of said company. Norwich [Conn.] L. H. Young, printer, 1827.
15 p. 23 1|2 cm.

1. Insurance, Fire--Connecticut. I. Connecticut. Laws, statutes, etc. 1795.

NM 0918057 CSmH NN

Mutual assurance society against fire on buildings in the state of Virginia.
Constitution, rules and regulations of the Mutual assurance society against fire on buildings in the state of Virginia. [Richmond? 180-?]
26 p. 26cm.
Caption title.

7-29638

Library of Congress HG9780.M75

NM 0918058 DLC CSmH ViW

Mutual assurance society against fire on buildings of the state of Virginia.
Constitution, rules and regulations of the Mutual assurance society against fire on buildings, of the state of Virginia, as amended and revised subsequent to the 15th May, 1819, and in force on the 1st Oct., 1856. Richmond, Chas. H. Wynne, printer, 1856. 3851
30 p. fold. table. 22½cm.

NM 0918059 Vi CSmH

Mutual Assurance Society Against Fire on Buildings of the State of Virginia.
Constitution, rules and regulations of the Mutual Assurance Society against fire on buildings, of the state of Virginia, as amended and revised subsequent to the 15th May, 1819, and in force on the 1st April, 1866. Richmond, Chas. H. Wynne, Printer, 1866.
8 vo. Stitched.

NM 0918060 CSmH

Pam 74- 2051

Mutual Assurance Society Against Fire on Buildings of the State of Virginia.
Constitution, rules and regulations. Richmond [Va.] 1866-1869.
2 v.

1. Insurance, Fire- Virginia- Societies, etc.

NM 0918061 WHi

Mutual assurance society against fire on buildings of the state of Virginia.
Laws, constitution, rules and regulations of the Mutual assurance society against fire on buildings of the state of Virginia. (n. p., 1805)
34, ii p. 20 cm. (No. 6 of 7 pamphlets bound with Report of the trials of Capt. Thomas Wells...Petersburg. 1816.)
Caption title.

NM 0918062 MiU-C

HG 9780 M74 Tucker

Mutual assurance society against fire on buildings of the state of Virginia.
Laws, constitution, rules and regulations of the Mutual assurance society against fire on buildings of the state of Virginia. At a general meeting of the subscribers, members ... held by adjournments, at the Capitol, on the 11th of January, 1805. ‹Richmond? 1805›
38, ii p. 21½cm.
Caption-title.
1. Insurance, Fire - Va. - Hist.

NM 0918063 ViW

Kress Room

Mutual assurance society against fire on buildings in the state of Virginia
Mutual assurance society. [Richmond] Printed at the office of the Virginia Argus [1808?]
[2] p. 51 cm.

Caption title.
Text begins: The individuals of every community have a claim on their officers to full information.

"Report and resolutions of the Loudoun members of the Mutual assurance society," bottom of p. [1] to p. [2].
Signed on p. [1]: Samuel Greenhow, P.A.

1.Insurance, Fire - U.S. I.Greenhow, Samuel.

NM 0918065 MH-BA

Mutual assurance society against fire on buildings in the state of Virginia.
Mutual Assurance Society. The individuals of every community have a claim on their officers to full information ... Report and resolutions of the Loudoun members of the Mutual Assurance Society. [Richmond?, Printed at the office of the Virginia Argus [181C?]
[2] p. 32 x 50 cm.

In four columns.

NM 0918066 MH-BA

Mutual Assurance Society of Virginia
see
Mutual Assurance Society against Fire on Buildings in the State of Virginia.

MUTUAL BANK of circulation and discount.
N. p. [185-?] Broadside.
Perhaps by W. B. Greene

5

NM 0918068 MB

Mutual banking...
see under [Greene, William Batchelder] 1819-1878.

Mutual beneficial association of Pennsylvania railroad employes.
The Mutual magazine; pub. by the Mutual beneficial association of Pennsylvania railroad employes.
Philadelphia, 19

Mutual benefit and relief association, *Wilson, N. C.*
The Mutual benefit and relief association ... [Constitution and laws] Weldon, N. C., Harrell's book and job printing house, 1883.
cover-title, 21 (*i. e.* 22) p. 21½ x 9cm.
Pages 14-21 have title: Supplementary notes. The objects and plans of the Association explained.
Verso of p. 13 unnumbered.

CA 9-5734 Unrev'd

Library of Congress HG9243.M83

NM 0918071 DLC

Mutual benefit association of America, *Chicago.*
Constitution and by-laws of the Mutual benefit association of America ... Incorporated 1879 ... Chicago, The J. M. W. Jones co., 1880.
20 p. 15cm.

CA 9-5733 Unrev'd

Library of Congress HG9243.M73

NM 0918072 DLC

Mutual benefit building and loan associations: their history, principles, and plan of operation ... Charleston, Walker and James, 1852.
96 p. 18½cm.

1. Building and loan associations.

6-33355†

Library of Congress HG2126.M96

NM 0918073 DLC NcD NN MWA CU

The Mutual Benefit estate and tax letter. v. 1-
Nov. 1948-
Newark, N. J., Mutual Benefit Life Insurance Company.
v. in 29 cm. monthly.

1. Insurance, Life—U. S.—Period. 2. Taxation—U. S.—Period.
I. Mutual Benefit Life Insurance Company, Newark, N. J.

HG8751.M83 56-24697

NM 0918074 DLC

VOLUME 403

Mutual benefit fund association.
By-laws of the Mutual benefit fund association for Red men only. [n.p.]
[4] p.

NM 0918075 ViU

Mutual Benefit Health and Accident Association.
Glossary of insurance terms. Published by the companion companies: Mutual Benefit Health & Accident Assn. [and] United Benefit Life Ins. Company. Omaha, °1950.
130 p. 23 cm.

1. Insurance—Dictionaries. I. United Benefit Life Insurance Company. II. Title: Insurance terms.

HG8025.M8 368.03 51-15992

NM 0918076 DLC

Mutual Benefit Life and Fire Insurance Co. New Orleans. 9368.3763
Charter.
= New Orleans. "Crescent" Office. 1849. 10 pp. 12°.

F7146 — Insurance.

NM 0918077 MB

Mutual benefit life association of America, *New York.*
Tables of estimated cost of insurance in the Mutual benefit life association of America ... [New York, °1886]
[29] p. 20 x 9cm.

Library of Congress HG8853.M78 7-2257†

NM 0918078 DLC

Mutual Benefit Life Insurance Co., Newark, N. J.
Accelerative endowment plan...1886-1888.

NM 0918079 PPPMroM

Mutual Benefit Life Insurance Company, Newark, N. J.
The accelerative endowment plan. Newark [1911]. 16 p. 16°.

1. Insurance (Life).
N. Y. P. L. February 26, 1912.

NM 0918080 NN

368.3 Mutual benefit life insurance company, Newark
M98a plaintiff, vs. Herman C. H. Herold, collector, etc.
Action on contract: agreed state of facts in the nature of a special verdict. n.p. 1912.
80p.

At head of title: United States district court, District of New Jersey.

NM 0918081 IU

Mutual Benefit Life Insurance Co, Newark.
Agent's manual. Newark, 1922.
v.p.

NM 0918082 PPProM

Mutual benefit life insurance company, *Newark.*
Annual report.
[Newark, 18
v. 15½cm.

Library of Congress HG8963.M74A2 CA 7-399 Unrev'd

NM 0918083 DLC PPL NjP OO

Mutual benefit life insurance company, Newark, N.J.
——. Annual statement, with report of the president to the board of directors. 41., 1885. 52 pp. 16°. *Louisville, 1886.*

NM 0918084 DNLM MiU

HG Mutual Benefit Life Insurance Company, Newark,
8018 New Jersey.
I59 Annual statement. 56th; 1901.
v.22 Newark.
no.6 54 p. 21cm.

NM 0918085 NIC

HG Mutual Benefit Life Insurance Company, Newark,
8018 New Jersey.
I59 Annual statement. 58th, 66th; 1903, 1911.
v.29 Newark, New Jersey.
no.8-9 2 nos. 16cm.

NM 0918086 NIC

Mutual benefit life insurance company, Newark.

Cook, Paul West.
The Cook book; the sales and idea book of Paul W. Cook, C. L. U., instructor of agents in the A. A. Drew agency of the Mutual benefit life insurance company at Chicago. Indianapolis, The Insurance research and review service, °1930.

CT104 [Mutual Benefit Life Insurance Company, Newark]
.F8685M Frederick Frelinghuysen, Sept. 30, 1848-Jan. 1, 1924. [Newark, N.J., 1924]
[2] leaves. mounted port. 24cm.

1. Frelinghuysen, Frederick, 1848-1924.

NM 0918088 NjR

Mutual Benefit Life Insurance Co. of Newark, N. J.
Installment bonds. Newark, 1894. 20 p.

NM 0918089 PPProM

MUTUAL BENEFIT LIFE INSURANCE COMPANY, Newark -
Library service. [Newark, 1939.]
23 cm. pp.23.

NM 0918090 MH

---

017 Mutual benefit life insurance co., Newark.
M981 Library service, the Agency department library. [Newark, N.J., The Mutual benefit life insurance co., 1942]
20p.

1. Catalogs, Library.

NM 0918091 IU

D026.368 **Mutual benefit life insurance company, Newark**
M98
Library service. [Newark, N. J.] Agency department library [1945]
20 p.

1. Insurance libraries.

NM 0918092 NNC

---

017 Mutual benefit life insurance company, Newark.
M98 Library service, the Agency department library.
1946 Newark, N.J., The Mutual benefit life insurance company, 1946
20p.

"June 1946 edition."

1. Catalogs, Library. 2. Bibliography--Best books--Business. I. Title.

NM 0918093 IU N

HG MUTUAL Benefit Life Insurance Company,
M988L Newark, N. J.
1851 Life insurance, its nature, origin and progress; a plain exposition of the principles of life insurance, manner of calculating tables of premium, sources of profit ... New York, Gray, 1858 [c1851]
87 p.
Cover title: Hand book of life insurance.

NM 0918094 DNLM

Mutual Benefit Life Insurance Co., *Newark.*
Mortuary experience of the Mutual Benefit Life Insurance Company, Newark, N. J. 1845-1879. 16,[30] p. 2 tables. sq.F. [Newark] pref. 1879.

NM 0918095 ICJ PProM DNLM MiU PPFML

Mutual benefit life insurance company, Newark, N.J.
——. Mortuary report of the medical board, for the year 1868. 12 pp., 2 tab. 8°. *Newark, Jennings Bros., 1869.*

NM 0918096 DNLM

HG8751 Mutual Benefit Life Insurance Company, Newark,
.M83 N. J.
The **Mutual Benefit** estate and tax letter. v. 1-
Nov. 1948-
Newark, N. J., Mutual Benefit Life Insurance Company.

Q368.3 THE MUTUAL BENEFIT LIFE INSURANCE COMPANY,
M986 Newark, N.J.
Net premiums and reserves according to the American experience table of mortality and three per cent. interest, as computed by The Mutual benefit life insurance company of Newark, N.J. [Newark] 1900.
209p. 30cm.

Errata sheet inserted preceding p. [3].

49-2598

NM 0918098 PU MiU MH

VOLUME 403

HG
8853
.M993nr
1884
Mutual benefit life insurance co.,Newark,N.J.
Net reserves according to the American experience table of mortality and four per cent interest,as computed by the Mutual benefit life insurance company ... Newark, L.J.Hardham, printer, 1884.
50 p. 29 x 21½cm.

NM 0918099 MiU

Mutual benefit life insurance company, *Newark.*
Nonforfeiture system of the Mutual benefit life insurance company ... [Newark, 1879]
cover-title, 28 p. 22½cm.

CA 9-1867 Unrev'd
Library of Congress HG8963.M76A4

NM 0918100 DLC NN MB CU ICRL

Mutual benefit life insurance company, Newark.

The Pelican. v. 1- Jan. 1903-
Newark, N. J., The Mutual benefit life insurance co. [1903-

Mutual Benefit Life Insurance Co. of Newark, N. J.
Perfected policy... Neward, 1888. 36 p.

NM 0918102 PPProM

MUTUAL BENEFIT LIFE INSURANCE COMPANY, Newark.
Policy values [and premium rates. Newark, N.J.],1908.
24°.

NM 0918103 MH OU

368.3
M98p
Mutual benefit life insurance company, Newark, N.J.
Policy values and rates of the Mutual benefit life insurance company, Newark, N.J. [Newark, N.J., 1929?]
356p.

"For the use of agents."

1. Insurance, Life--Rates and tables. I. Title.

NM 0918104 IU

MUTUAL BENEFIT LIFE INSURANCE COMPANY.
[Premium rates and policy values.] n.p., 1908.
24°.

NM 0918105 MH-BA

Mutual Benefit Life Insurance Company. *9368.374925
Prospectus. 1845-47, 49, 57.
= New York [etc.]. 1845-57. v. 12°.
1846-49 have added title With tables of rates for single and joint lives, annuities, and endowments.

NM 0918106 MB OC1WHi

The mutual benefit life insurance co., Newark.
Prospectus... with tables of rates for single and joint lives, annuities and endowments. Newark, N.J., 1858.
24p.

YA 24680

NM 0918107 DLC PPL

Mutual benefit life insurance company, Newark, N.J.
Reports to the board of directors of the Mutual Benefit Life Insurance Company, from Oct. 1877, to Jan. 1899. [Newark, N.J. Company] 1899.
By Amzi Dodd.

NM 0918108 NjP

HG9445
.M8
Mutual benefit life insurance company, Newark.
Retirement income plans. Newark, N.J., The Mutual benefit life insurance company [c1934]
19, [1] p. illus. 22cm.

1. Annuities. I. Title.

Copyright AA 150879

NM 0918109 DLC

Mutual Benefit Life Insurance Company, Newark, N. J. Rules to be observed by medical examiners, in the selection of applicants for insurance, on and after June 1, 1868. 25 pp. 12°. *Newark*, 1868.

NM 0918110 DNLM Nh

Mutual benefit life insurance company, *Newark.*
... Statement, January 1st, 1872. [Newark, 1872]
[4] p. 27½cm.
Caption title.

CA 9-1866 Unrev'd
Library of Congress HG8963.M74A7

NM 0918111 DLC

HG
8018
I59
v.13
no.9
Mutual Benefit Life Insurance Company, Newark, N. J.
Striking examples of the Company's peculiarly equitable and attractive non-forfeiture system. Newark, N. J., 1902.
46 p. 18cm.

NM 0918112 NIC

Mutual Benefit Life Insurance Company, Newark, N. J. 9368.374926
To the policy-holders and agents of the Mutual Benefit Life Insurance Co., of Newark, N. J. and to other insurance agents and brokers. Signed James B. Niver, State agent for Massachusetts ... Boston ... Dec. 1, 1874.
[Boston. 1874.] Broadside. 9⅞ × 8 inches.

F9008 Life insurance. - Broadsides.

NM 0918113 MB

Mutual benefit life insurance company, Newark.
We pursue our course; a brief history. Newark, The Mutual benefit life insurance co. [1939?] 24 p. illus. 16cm.

NM 0918114 NN NjN

Mutual benefit reading circle, Glendale, Cal.
Immortelles; being a collection of helpful thoughts from various sources. 62 [1] p. Glendale, Cal. $Superior printing co.] 1921.

NM 0918115 OC1

Mutual Benevolent Life Association, Richmond, Va.
Charter and by-laws of the Mutual Benevolent Life Association of Richmond, Va. Richmond, Enquirer & Examiner Print, 1868.
16 mo. Blue paper covers.

NM 0918116 CSmH

Mutual boiler insurance company, Boston.
...Circular for the information of members.
no.

Boston, 18 28cm.
nos. illus.

No. 4 includes Steam users' association. Circular no. 6.

VFH p.v.7
no. 4. [Hale, R. S.] Cost of boiler room labor: bad shovelling. 1898.
VFH p.v.7
no. 5. Hale, R. S. Comparative steam-making values of coals used in the North-eastern states. 1898.
VFH p.v.7
no. 6. Norton, C. L. Tests of steam pipe and boiler coverings. 1898.

NM 0918118 NN ICJ ICRL

MUTUAL BOILER INSURANCE COMPANY, BOSTON.
Investigation of dryer roll failures. Boston, 1947. 31 p. illus., diagrs. 28cm.

Cover-title: Report of stress analysis tests on paper machine dryer rolls; tests conducted at various locations during 1947 by Mutual boiler insurance company of Boston, H. M. Spring, assistant chief inspector, assisted in tests and preparation of data by H. M. Canavan [and others]
1. Paper--Manufacture--Machinery. I. Spring, Harry Mortimer, 1908- t. 1947

NM 0918119 NN

TJ291
M8
Mutual boiler insurance company of Boston.
Report on boiler plates. [Boston, Mutual boiler insurance company, 1900]
5p. 27½cm.

1. Boiler plates.
2. Insurance, Boiler.

NM 0918120 NBuG

Mutual book company, *Boston.*
My book record and guide ... Boston, The Mutual book company, 1900.
192 p. 21½cm.

Contents.—The choice of books by James Russell Lowell.—My book record.—Books wanted.—Books loaned.—How to open a book.—Classified list of books worth reading.—Sir John Lubbock's list.—Index.—Memorandum.

1. Books and reading. 2. Bibliography—Best books. I. Title.
41-37428
Library of Congress Z1003.M98

NM 0918121 DLC

VOLUME 403

Mutual book company, *Boston.*
My book record and guide, compiled by E. C. Lewis ... Boston, The Mutual book company [1902]
192 p. 20cm.
"Compiled 1902 by The Mutual book company."—p. [2]
Imperfect: p. 19-20 wanting.
CONTENTS.—The choice of books by James Russell Lowell.—My book record.—Books wanted.—Books loaned.—How to open a book.—Classified list of books worth reading.—Sir John Lubbock's list.—Index.—Memorandum.
1. Books and reading. 2. Bibliography—Best books. I. Lewis, E. C. II. Title.
Library of Congress Z1003.M98 1902 41-37429

NM 0918122 DLC MH

Mutual Broadcasting System, Inc.
"Abe Lincoln's story," ...
see under Haverlin, Carl.

Mutual broadcasting system.
How much can you reap from an acre of air? [New York, The Mutual broadcasting system, 1944] 23 p. illus. 25 x 25cm.
1. Advertising—Mediums—Radio.
N. Y. P. L. April 23, 1946

NM 0918124 NN

E 372.147914 M993
Mutual Broadcasting System, Inc.
The influence of radio, motion pictures and comics on children. New York, New York Committee on Mental Hygiene of the State Charities Aid Association [1946]
26 p. 23 cm.
Three programs presented Friday, April 5, 12, 26, 1946.
1. Moving-pictures and children. 2. Radio and children. 3. Comic books, strips, etc. I. State Charities Aid Association New York. New York Committee on Mental Hygiene. II. Title. N52 *

NM 0918125 N PPPD

Mutual Broadcasting System, Inc.
Meet the press ... An interview with Irving S. Olds
see under Olds, Irving Sands, 1887-

Mutual broadcasting system, inc.
Mutual's second white paper, analyzing the Federal communications commission's recent revision of its chain broadcasting regulations. October 20, 1941. Prepared for the stockholders and affiliates of the Mutual broadcasting system, inc. [New York, 1941]
1 p. l., 20 p. 25½cm.
Signed: Fred Weber, general manager.
1. Radio—U. S.—Laws and regulations. 2. Radio broadcasting. 3. U. S. Federal communications commission. Report on chain broadcasting. I. Weber, Fred. II. Title.
Library of Congress HE8670.U6M82 42-23447
[2] 621.3841930973

NM 0918127 DLC IU PHi MH NN

Mutual broadcasting system, inc.
Mutual's white paper, analyzing the causes and effects of 1. The Federal communications commission Report on chain broadcasting, and 2. The Mutual-ASCAP agreement. May 23, 1941. Prepared for the stockholders and affiliates of the Mutual broadcasting system, inc. [New York, 1941]
1 p. l., 15 p. 25½cm.
Signed: Fred Weber, general manager.
1. Radio broadcasting. 2. Radio—U. S.—Laws and regulations. 3. U. S. Federal communications commission. Report on chain broadcasting. 4. American society of composers, authors and publishers. I. Weber, Fred. II. Title.
Library of Congress HE8670.U6M8 42-23446
[2] 621.3841930973

NM 0918128 DLC Or IU MH NN OClWHi

Mutual Broadcasting System, Inc.
Some think them sacred; a study of certain radio customs, cuddled by convention and cheerfully set aside by the Mutual Broadcasting System. [New York, 1939?]
[24] p. col., illus. 37cm.
1. Radio broadcasting. I. Title.

NM 0918129 ViU

Mutual broadcasting system, inc.
Standard broadcast allocation maps, 540 to 1600 kc ... New York, Mutual broadcasting system, °1946.
cover-title, 1 l., 107 maps. 28 x 44 cm.
Base maps by U. S. Geological survey, polyconic projection, edition of 1916, reprinted 1942; reduced in scale to ca. 1: 12,600,000.
1. Radio—U. S. 2. Radio—Stations.
Map 47-538 rev
Library of Congress [r47c1]†

NM 0918130 DLC CU NcRS TU TxU PPD

Mutual Broadcasting System, inc.
Standard broadcast allocation maps, 540 to 1600 kc. New York [1948]
[1] l., [107] maps. 45 x 57 cm.
Cover title.
Scale of maps. ca. 1: 10,000,000.
"The base map used is an Albers equal area projection, North American datum. Shore line and projection by the U. S. Coast and Geodetic Survey."
1. Radio—U. S. 2. Radio—Stations.
Map 49-569*

NM 0918131 DLC PU-El GAT

Mutual Broadcasting System, inc.
Standard broadcast allocation maps, 540 to 1600 kc. New York [c1951]
1v. (maps) 45x57cm.
Scale of maps: ca. 1:10,000,000.
The base map is an Albers Equal Area projection, North American datum. Shore line and projection by U. S. Coast and Geodetic Survey.
Additions and corrections inserted, some in pocket.
1. Radio stations - North America. 2. Radio stations - Maps.

NM 0918132 FMU

Mutual Broadcasting System, inc.
Standard broadcast allocation maps, 540 to 1600 kc. New York [1954]
[1] l., [107] maps. 44 x 57 cm.
Scale of maps ca. 1: 10,500,000.
"The base map is an Albers equal area projection, North American datum. Shore line and projection by the U. S. Coast and Geodetic Survey."
1. Radio frequency allocation—U. S.—Maps. 2. Radio frequency allocation—North America—Maps.
G1201.P8M8 1954 Map 54-960

NM 0918133 DLC

Mutual broadcasting system.
The story of an all-important discovery of the 90's, with an ultra modern sequel, by the Mutual broadcasting system. [New York, 1943?] 18 l. col'd illus. 29cm.
Cover-title: The bump on the hook.
1. Advertising—Mediums—Radio.
N. Y. P. L. February 18, 1944

NM 0918134 NN

Mutual broadcasting system.
A study in thumbprints and signposts. [New York, c1944] [32] p. illus. 23 x 31cm.
1. Advertising—Mediums—Radio.

NM 0918135 NN

Mutual broadcasting system, inc.
Ten telling years, retold by air-historians of the Mutual broadcasting system, Cecil Brown, Boake Carter, Leo Cherne [and others] ... [New York, 1944]
[31] p. illus. (incl. ports.) 26 x 33½cm.
1. History, Modern—20th cent.—Outlines, syllabi, etc. 2. World war, 1939-1945—Chronology. 3. Radio broadcasting. I. Brown, Cecil B., 1907- II. Title.
Library of Congress D743.5.M8 46-6834
[3] 940.5

NM 0918136 DLC WHi IU NN

Mutual Broadcasting System, Inc.
Welcome. N.Y., MBS, 1953.
14pp.

NM 0918137 PPCuP

Mutual Broadcasting System, inc.
see also names of radio programs broadcast by the system, e. g., Rod and gun club of the air (Radio program)

HG 8018 I59 v.30 no.3
Mutual Building and Loan Association, Houston.
Charter and by-laws. Houston, 1887.
21 p. 16cm.
1. Insurance companies--Management.

NM 0918139 NIC

Mutual building and loan association, Petersburg, Va.
Constitution, by-laws, and rules of order, of the Mutual building and loan association of Petersburg, together with the "Act to provide for the incorporation of building fund associations," passed by the General assembly of Virginia, May the 29th, 1852, under which this Association is organized and incorporated. Petersburg, W. A. J. Martin & co., printers, 1853.
22 p. 16 cm.
1. Building and loan associations - Petersburg, Va. I. Virginia. Laws, statutes, etc. HG2153.V8.M9 3 - 42

NM 0918140 Vi

Mutual Building and Loan Association of Pomona.
Annual report of secretary Mutual Building and Loan Association of Pomona for year 1908. Pomona, Calif., Mutual Building and Loan Ass'n., 1909.
Cover-title, 8 p. incl. tables. 12 cm. (paper)

NM 0918141 CPom

Mutual Building and Loan Association of Pomona.
Financial facts for 1914. [President's annual report, Jan. 26, 1914. Pomona, Calif. Mutual Building and Loan Association, 1914]
Cover-title, [8] p. 15.5 cm. (paper)

NM 0918142 CPom

VOLUME 403

Mutual Building and Loan Association of Pomona.
The Mutual Building and Loan Association of Pomona; incorporated Dec. 24, 1892.
Pomona, Calif., Mutual Building and Loan Association, n.d.
Cover-title, [8] p. 15.5 cm. (paper)

NM 0918143 CPom

Mutual Building and Loan Association of Pomona.
Questions you should ask. Pomona, Calif., Mutual Building and Loan Association [1915 ?]
Cover-title, [8] p. 17.5 cm. (paper)

NM 0918144 CPom

Mutual Building and Loan Association of Pomona.
When you borrow money. Pomona, Calif., Mutual Building and Loan Association [1915 ?]
Cover-title, [8] p. 17.5 cm. (paper)

NM 0918145 CPom

Mutual Building Fund and Dollar Savings Bank, Richmond, Va.
Charter, Constitution and by-laws of the Mutual Building Fund and Dollar Savings Bank, of the city of Richmond. Office, 1500 Main Street. Richmond, Dispatch Steam Presses,... 1869.
16 mo. In the original yellow paper covers.

NM 0918146 CSmH

Mutual buying syndicate, inc.
Christmas and how to sell it. New York, Mutual buying syndicate, inc. [1937]
cover-title, 3 p.l., 65 numb. l. illus. 28cm.

Reproduction of typewritten copy.

1. Retail trade. I. Title.

NM 0918147 NNC

Mutual buying syndicate, inc.
1940 analysis of furs and early fall re-commendations. Fur meeting Tuesday, June 4, 1940. New York, Mutual buying syndicate, inc. [1940]
cover-title, 33 numb. l. illus. 28cm.

Reproduced from type-written copy.

1. Fur.
2. Fur trade.

NM 0918148 NNC

QD 181 .A4 M9 Mutual chemical company of America.
Anodizing aluminum by the chromic acid process. New York, N.Y., Mutual chemical company of America, 1942.

"Literature cited": p. 13.

NM 0918149 MdBJ

Mutual Chemical Company of America. 8018A.35
Anodizing aluminum by the chromic acid process. New York, Mutual Chem. Co of Am. N. Y., 1944.
[2] 1, 21 p. diagrs., tables. 28cm.
"Fifth printing."

1. Aluminum. I. Title.

NM 0918150 MB

Mutual chemical company of America.
Chromium chemicals; their discovery, development and use. New York, N. Y., Mutual chemical company of America, 1941.
33, [1] p. illus. 28½ x 22½cm.
Double map on end-papers.

1. Chromium.

A 44-1904

Ohio state univ. Library for Library of Congress TP245.C6M9 [3]

NM 0918151 OU MtU OrU MH-C NcRS OCU TxU NcD MiHM

Mutual chemical company of America.
Chromium chemicals; their uses and technical properties. New York, N. Y., Mutual chemical company of America, 1941.
48 p. diagrs. 28½ x 22½cm.
Double map on end-papers.

1. Chromium.

43-14663

Library of Congress TP245.C6M8 [3] 661.175

NM 0918152 DLC MtU OrU TxU MiHM MH

Mutual chemical company of America.
Corrosion control in air conditioning, the chromate treatment of their water systems ... New York, N. Y., Mutual chemical co. of America [1946]
cover-title, 13 p. diagrs. 27½ x 22cm. (*Its* [Publications] Serial no. 35)
Page 13 is 3d page of cover.
"Fundamental data and information ... are from Mutual's Research and development department and present the results of laboratory and field investigations."—Foreword.
Bibliographical foot-notes.

1. Corrosion and anti-corrosives. 2. Water-pipes. 3. Sodium chromate.

TA467.M8 628.8 47-16683

NM 0918153 DLC

F869 W6M9 Mutual Club, Woodland, Calif.
Studies.
[Woodland? Calif.] Home Alliance Print.
v. 25cm.

1. Woodland, Calif. - Clubs.

NM 0918154 CU-B

The **mutual** communion of saints: shewing the **necessity and** advantages of the weekly meetings for a **communication of** experience ... London, Printed for G. Whitfield, 1797.
36 p. 17½cm.

1. Class meetings, Methodist.

40-15504

Library of Congress BX8346.M8 [2] 264.8

NM 0918155 DLC

Mutual Conference of Adventists at Albany, N. Y., 1845.
Proceedings of the Mutual Conference of Adventists, held in the city of Albany, the 29th and 30th of April, and 1st of May, 1845. New York: J. V. Himes[, 1845]. 32 p. 15cm.

(22978A. 1. Adventists.
N. Y. P. L. March 7, 1933

NM 0918156 NN

Mutual coupling between slot radiators
see under Hughes Aircraft Company, Culver City, Calif. Research and Development Laboratories.

Ndx54 U2 M985b Mutual creamery company.
Trustee's report...
[Salt Lake City, Utah
23cm.

NM 0918158 CtY

Mutual criticism
see under [Hinds, William Alfred] 1833-1910.

The mutual deception, a comedy ...
see under [Atkinson, Joseph] 1743-1818.

25.9 5247 The mutual defensive commercial agency.
Commercial register for 1870. ...
New York, 1870.

NM 0918161 DLC

Mutual Deposit Insurance Association of Phila.
...Phila., 1854.
8p.

NM 0918162 PHi

ar V 20330 Mutual District Messenger Co. (Limited).
General directory and tariff book, showing the tariff rate to be paid for sending a messenger to any part of New York City and suburbs; also, being a guide to managers and others, informing them what length of time a messenger should occupy in going to and from any given point...compiled by Clark B. Hotchkiss. New York [American Bank Note Company] 1883.
x, 71 p. fold. map. 19cm.
I. Hotchkis s, Clark B., comp.

NM 0918163 NIC

The mutual eleemosynary association of Savannah.
Constitution and by-laws of the Mutual eleemosynary association of Savannah ...
Savannah, Ga., Daily times print, 1883.
[iii] 18 p. 13 cm.
Petition for charter: p. [i]
Charter: p. [iii]

NM 0918164 NcD

Mutual family burial ground association.
Preamble to, and constitution of the Mutual family burial ground association of the city and county of Phila. Phila., pr. by Joseph Rakestraw, 1827.
20 p.

NM 0918165 PHi

Mutual fidelity association, *Baltimore.*
Mutual fidelity association, (assessment) **of Baltimore** city, Md. [Baltimore] °1889.
folder (6 p.) 16 x 8cm.

CA 9-4533 Unrev'd

Library of Congress HG9243.M85 (Copyright 1899: 9671)

NM 0918166 DLC

VOLUME 403

Mutual film corporation. Buffalo branch.
Buffalo branch, Mutual film corporation of Penna. & Interstate films co., appellants, vs. J. Louis Breitinger, chief censor, & E. C. Niver, assistant censor...Appeals from decree of the Court of common pleas no. 5, of Phila. county of June term, 1914, nos. 629 and 630; in equity; paper book of appellants... Camden, 1916.
236 p.

NM 0918167 PP

Mutual Fire and Live Stock Insurance Co., Phila.
Charter and by-laws. Phila, 1856.
12p.

NM 0918168 PHi

Mutual fire engine company no. 1, Flushing, N.Y.
see Flushing, N.Y. Mutual fire engine company no. 1. [Supplement]

Ngv10 +M98m
Mutual fire inspection bureau of New England.
[Minor publications]
31cm.

NM 0918170 CtY

[Mutual fire insurance association of New England, *Boston*]
A recital of the record and a portrayal of the principles that have actuated the oldest insurance organization in New England through its half century of service to the public. Boston, Mass., 1930.
56 p. illus. 23½cm.
On cover: Fifty years, Mutual fire insurance association of New England, 1879-1929.
1. Insurance, Fire—Societies. 2. Insurance, Fire—New England. I. Title.
Library of Congress HG9873.M83 30-6651

NM 0918171 DLC PPProM MiU

Mutual Fire Insurance Company, Boston
see Massachusetts Mutual Fire Insurance Comapny.

Mutual fire insurance company, Saco, Maine.
The years between 1827 & 1928; a short history of the Mutual fire insurance company of Saco, Maine. Published in commemoration of the one hundreth anniversary of the company. [Saco] 1928.
[35] p.incl.illus., ports.

NM 0918173 MH-BA

Mutual Fire Insurance Company of Germantown.
Charter and by-laws. Phila., 1846. 12p.

NM 0918174 PHi

*
HG9780 .M8A2 1898
Mutual Fire Insurance Company of Loudoun County, Virginia.
The act of incorporation, constitution, and by-laws. Office, Waterford, Va. Leesburg, Va., Washingtonian Print, 1898.
15 p. 23cm.
"Original act of incorporation March 12, 1849. Amended and re-enacted by the Virginia Legislature December 22nd, 1897."

NM 0918175 ViU

HG 9898 M97 A5 1949
Mutual Fire Insurance Company of Loudoun County, Waterford, Va.
A century of service; 100th anniversary, 1849-1949. [Written by Douglas N. Myers and Henry B. Taylor at the direction of the Board of Directors. Leesburg, Va., Loudoun News, Printers, 1949.
51 p. illus. (1 col.) ports., map, facsims. 27 cm.
"A brief history of Waterford": p. [43]-48.
1. Insurance, Fire - Loudoun Co., Va. 2. Insurance, Fire - Virginia. 3. Waterford, Va. - Hist. I. Myers, Douglas N. II. Taylor, Henry B. III. Title.

NM 0918176 Vi ViU OU ViN

Mutual fire insurance company of Montgomery county, Md., Sandy Spring.
Charter, constitution and by-laws... Washington, 1852.
16p.
YA 20797

NM 0918177 DLC

HG 9898 .M88 F37
Mutual Fire Insurance Company of Montgomery County, Maryland, Sandy Spring.
In commemoration of the eightieth anniversary of the Mutual Fire Insurance Company of Montgomery County, Maryland. [Historical sketch by Allan Farquhar. Baltimore, Barton-Gillet, 1928?]
55 p. illus., ports.
I. Farquhar, Allan. II. Title.

NM 0918178 AMob IU

Mutual Fire Insurance Company of Montgomery County, Maryland, *Sandy Spring.*
One hundred years of progress, by A. D. Farquhar, president. Sandy Spring [1948]
x, 54 p. illus., ports., maps (on lining-papers) 29 cm.
I. Farquhar, Arthur Douglas.
HG9780.M78A5 1948 368.1065 48-27667*

NM 0918179 DLC OCl CU-B

Mutual Fire Insurance Company of New York.
... Annual report ... 1st- 1882/83- New York [1883]
v. 28 cm.
Report year ends June 30.
1. Insurance, Fire - U.S.

NM 0918180 CU

Mutual fire insurance company of the District of Columbia.
Act of incorporation, with amendments to charter, and by-laws of the Mutual fire insurance company of the District of Columbia ... Washington, M'Gill & Witherow, printers, 1870.
cover-title, 11 p. 18cm.
Library of Congress HG9780.M8A5 1870 43-29971
[2]

NM 0918181 DLC

Mutual fire insurance company of the District of Columbia.
Historical report of the Mutual fire insurance company of the District of Columbia, by L. Pierce Boteler, secretary. [Washington, D. C., Pearson, printer] 1905.
80 p. incl. front., plates, ports. 25cm.
I. Boteler, Lovick Pierce, 1872- comp.
Library of Congress HG9780.M8 7-28029

NM 0918182 DLC NcD TxU ICJ

HG9780 .M8A5 1879 Toner Coll.
Mutual fire insurance company of the District of Columbia.
Report of the committee of seven on the affairs, transactions, and management of the Mutual fire insurance company of the District of Columbia. February 1, 1879. Mills Dean, Jesse B. Wilson ... [and others] committee. Washington, D.C., Gibson bros., printers, 1879.
20 p. incl. tables. 23½cm.

NM 0918183 DLC

HG9780 .M8A5 1880 Toner Coll.
Mutual fire insurance company of the District of Columbia.
To the policy-holders of the Mutual fire insurance company, of the District of Columbia. [Washington, 1880]
6 p. 23cm.
Caption title.
Signed: Charles Walter, chairman, John C. Wilson ... [and others]
I. Walter, Charles.

NM 0918184 DLC

BR 368.11 M79
Mutual Fire Insurance Company of the Midland District.
Prospectus... With an appendix, containing the tariff of rates, by-laws and conditions. Kingston, Printed at the Office of the Chronicle and Gazette, 1837.
18 p.
1. Insurance, Fire--Ontario.
I. Title.

NM 0918185 CaOTP

Mutual fire prevention bureau, *Chicago.*
The fieldmen's manual; a handbook of fire prevention adapted to flour mills and grain elevators, comp. by the Mutual fire prevention bureau, Chicago, Illinois. [Chicago, Mutual fire prevention bureau, °1921.
3 p. l., 260 (*i. e.* 200) [9] p. illus. (part col.) diagrs. 20½cm.
1. Mill and factory buildings—Fires and fire prevention. 2. Fire prevention. I. Title.
Library of Congress TH9445.M4M8 21-16037

NM 0918186 DLC ICJ

Mutual fire society, Worcester, Mass.
Constitution; or, Articles of association of the Mutual fire society in Worcester... Worcester, M. W. Grout, 1832. 13 p. 15cm.

NM 0918187 NN

Mutual fire underwriters' association of Ontario.
Submission to the Royal commission on Dominion-provincial relations. [N.p.n. pub.]1938.
6p.sq.Q.

NM 0918188 CaBViP

VOLUME 403

Mutual fund directory. 1938-
v. semimonthly.

NM 0918189 FTaSU NcU

Mutual fund fact book
see under Investment Company Institute.

Mutual fund highlights. New York, Investment
Company Institute.
v. bimonthly

Library has current issues and one year
back file in C&B.

1. Investment companies - U.S. I. Investment
Company Institute. xInvestment company news.

NM 0918191 MH-BA

HG
4530
.M83

Mutual fund reporter.

1. Investment trusts. U.S. Period.

NM 0918192 OrU

Mutual Funds Management corporation,
limited.
Annual report, - , 19 -19
[Vancouver, B.C. The Corporation] 1955-
v. illus. sq. O.

NM 0918193 CaBViP

Mutual help association for Odd fellows, *Trumansburg, N. Y.*
By-laws of the Mutual help association for Odd fellows.
[Trumansburg, C. L. Adams, printer, 1881]
8 p. 14½cm.
Caption title.

CA 10-4179 Unrev'd

Library of Congress HG9243.M88

NM 0918194 DLC

Mutual honors at Tilsit, or, The monkey, the bear
and the eagle.

NM 0918195 MH

Mutual Hose Company Number 2, *Minneapolis*
see
Minneapolis. Mutual Hose Company Number 2.

Mutual Hospital Insurance, inc., Indianapolis.
Health bank notes
see under title

Mutual Improvement Associations of the Church
of Jesus Christ of Latter-Day Saints
see Church of Jesus Christ of Latter-Day
Saints. General Boards of Mutual Improvement
Associations.

MICPT
822.08

Mutual inconstancy, from P. M. Destouches.
1795. (Larpent collection. Ms. #1071) New
York, 1954.
(In Three centuries of drama: English,
Larpent collection)

Microprint.

I. Destouches, Philippe Néricault,
1680-1754. II. Larpent collection. Ms. #1071.

NM 0918199 MoU

Mutual inspection for peace. [n. p., 1955 or 6]
unpaged. illus. 36 cm.

1. Disarmament—Inspection.

UA12.5.I 513 61-40880 ‡

NM 0918200 TxU

9368.974483

Mutual insurance.
(In Insurance companies. Pp. 11-31. [Boston, 1842.])
Reprinted from the Boston Morning Post of March 1, 1842. The article
is signed J.

NM 0918201 MB

Mutual insurance among the manufacturing
companies at Lowell. [Lowell, Mass., 1850?]
Cover-title, 8 p.

Includes the permissive act of the General
Court and the agreement between the several
companies involved.

NM 0918202 MH-BA

LF
764L5
M99
1884

Mutual insurance among the manufacturing
companies at Lowell, dated May 7, 1884.
[Lowell, Mass.] 1884
12 [3] p.

Cover title

Includes the permissive act of the
General Court and the agreement between
the several Companies involved.
1. Insurance, Fire - Lowell, Mass.
I Massachusetts, Laws, statutes, etc.

NM 0918203 MH-BA

334.305 Mutual insurance bulletin.
MU

no. 1-
Feb. 1914-
Indianapolis, Ind. [etc.]
v. illus. 24cm.

Irregular, Feb.-Oct. 1914; monthly, Nov.
1914-
Feb. 1914-Dec. 1937 called no. 1-286; Jan.
1938- called v. 25-
Official organ of the National Association of
Mutual Insurance Companies.

Title varies: Feb. 1914-Dec. 1916, Bulletin.-
Jan. 1917-Nov. 1918, National mutual insurance
bulletin.

NM 0918205 IU CU NB MdBE DNAL

Mutual Insurance Company of Buffalo.

An act to incorporate The Mutual Insurance
Company of Buffalo, passed, April 18, 1843 ...
[Buffalo, A. M. Clapp, Printer, 1843]

8p. 16½cm.

NM 0918206 NBu

Mutual insurance in New York State, 1770-1952
see under [Craugh, Joseph P] comp.

368
M98e
1952

Mutual Insurance Institute.
Extension course [for agents, underwriters,
adjusters, engineers, and others in the insurance business. Edited and published by Lumber-
mens Mutual Casualty Company. Revised.
Chicago, 1952-54]
32 pts. in 6v. illus. 23cm.

On cover: Kemper insurance.
Specimen policies in pockets.

NM 0918208 IU

[**Mutual iron mining company**] *Duluth.*
History in brief of the Vermilion iron range, Minnesota. [Duluth, The O. F. Collier press, ©1915]
[10] p. illus., fold. map. 23cm.

1. Vermilion Range, Minn. 2. Iron mines and mining—Minnesota.
I. Title.

15-26953

Library of Congress TN403.M6M8

NM 0918209 DLC

The mutual interest of Great Britain and the
American colonies considered ...
see under [Bollan, William] d. 1776.

Mutual land and building syndicate, *Jersey City, N. J.*
How to own a home. [New York, H. Holden, printer]
©1891.
cover-title, 45 p. incl. forms. 16½ x 12½cm.

CA 9-3333 Unrev'd

Library of Congress HG2626.J5M9
(Copyright 1891: 19953)

NM 0918211 DLC

[**Mutual land and building syndicate,** *Jersey City, N. J.*]
How to own a home ... [Jersey City, N. J., ©1893]
cover-title. 26 p. 15 x 8½cm.

CA 7-7445 Unrev'd

Library of Congress HG2624.J5M92
(Copyright 1893: 10825)

NM 0918212 DLC

Mutual land and building syndicate, *Jersey City, N. J.*
[Prospectus. Jersey City, 1893]
16 p. 16½ x 9½cm.

CA 7-7446 Unrev'd

Library of Congress HG2624.J5M9

NM 0918213 DLC

VOLUME 403

Mutual life and accident underwriters, National convention of
see
National convention of mutual life and accident underwriters.

Mutual life and loan association of America, *Austin, Tex.*
... Plan, constitution and by-laws ... Austin [Swindells printing house, 1885]
28 p. 15½cm.

CA 9-1863 Unrev'd
Library of Congress HG8963.M85A4 (Copyright 1885: 17467)

NM 0918215 DLC

Mutual life and travelors insurance company, New York
see
National life insurance company, New York.

Mutual life assurance company of Canada.
Addresses by Louis L.Lang and W.H. Somerville delivered at the 78th annual meeting of policyholdors on February 5, 1948. [Waterloo,Ont.The Comapny,1948]. 10p.illus.O.

NM 0918217 CaBViP

Mutual life assurance company of Canada.
... Addresses of the president Mr. Louis L.Lang and the general manager Mr. A.E.Pequegnat at the 79th annual meeting of the members of the company, February 3rd, 1949. [N.p.n.pub.1949].
19p.illus.O.

NM 0918218 CaBViP

Mutual Life Assurance Company of Canada.
An epic of progress. [Waterloo, 1951?]
39 p. illus.

NM 0918219 MH-BA OrU

Mutual life assurance company of Canada.
Your company at work ... [Waterloo, Ont.The Company,1948].
16p.illus.diagrs.O.

NM 0918220 CaBViP

Mutual life assurance society, London.
A short account of the Mutual life assurance society instituted for assurances on lives and survivorships ...
London[1834?] 19pp. 21cm.
[College pamphlets, v.629]

NM 0918221 CtY

Mutual land, emigration, and co-operative colonization company, limited.
... Memorandum of association ... With articles of association annexed ... London, Langley & son, printers [1869?]
cover-title, [3]-17, [1] p. 18.5 cm.

At head of title: Reg. no. 4367.

NM 0918222 MH-BA

Mutual life insurance company, *Baltimore.*
A new plan introduced by the Mutual life ins. company, of Baltimore ... [Baltimore, 1884]
20 p. 15½cm.

CA 9-1865 Unrev'd
Library of Congress HG8963.M853A4 (Copyright 1884: 11041)

NM 0918223 DLC

HG8963 .M853A5 Toner Coll.
Mutual life insurance company, Baltimore.
Terms of insurance, and fourth annual report of the Mutual life insurance company of Baltimore ... Baltimore, Printed by J. Lucas, 1850.
cover-title, [3]-38 p. incl. tables. 19cm.

NM 0918224 DLC

Mutual Life Insurance Company, Springfield Mass.
see Massachusetts Mutual Life Insurance Company.

Mutual life insurance company of Carroll County, Maryland.
... [Circular. Westminster, °1881]
[4] p. illus. 16½ x 8½cm.

CA 9-1864 Unrev'd
Library of Congress HG8963.M856A3 1881 (Copyright 1881: 16017)

NM 0918226 DLC

Mutual life insurance company of Illinois
see
Chicago life insurance company.

Mutual life insurance company of Kentucky, Louisville.
Holden's life insurance rate-book ...
see under Holden, Charles W.

Mutual Insurance Co. of Lancaster County, Pa.
Constitution. Lancaster, 1882.
16 p.

NM 0918229 PHi

Mutual life insurance company of New York.
Accidents; a manual for reference, issued by the Mutual life insurance company of New York ... [New York] Pub. by the Company, 1903.
44 p. illus. 19½cm.
Published 1900 as section I of its "Accidents, emergencies and illnesses."
"No. 3 in the series of medical handbooks now being revised and issued by the Mutual life insurance company of New York."

1. First aid in illness and injury.
7-11256†
Library of Congress RC87.M92 Copyright

NM 0918230 DLC DNLM NjP NN

Mutual life insurance company of New York.
Accidents; a manual for reference, issued by the Mutual life insurance company of New York ... [New York] Pub. by the Company, 1904.
44, [2] p. illus. 19½cm.
Published 1900 as section I of its "Accidents, emergencies and illnesses."
"No. 3 in the series of medical handbooks now being revised and issued by the Mutual life insurance company of New York."

1. First aid in illness and injury.
7-11261†
Library of Congress RC87.M922 Copyright

NM 0918231 DLC PU

Mutual life insurance company of New York.
Accidents; a manual for reference, issued by the Mutual life insurance company of New York ... [New York] Pub. by the Company, 1905.
43, [2] p. illus. 19½cm.
Published 1900 as section I of its "Accidents, emergencies and illnesses."
"No 3 in the series of medical handbooks issued by the Mutual life insurance company of New York."

1. First aid in illness and injury. I. Title.
Library of Congress RC87.M923 7-11260

NM 0918232 DLC Or

Mutual life insurance company of New York.
Accidents, emergencies, and illnesses; a manual for reference, issued by the Mutual life insurance company of New York ... New York, Pub. by the Company, 1900.
6 p. l., [9]-171 p. illus. 20cm.

1. First aid in illness and injury. I. Title.
Library of Congress RC87.M95 0—2287

NM 0918233 DLC DNLM ICRL PP ICJ OCl NN NjP ViU

Mutual life insurance company of New York.
Accidents, emergencies, and illnesses; a manual for reference, issued by the Mutual life insurance company of New York ... [New York] Pub. by the Company, 1902.
6 p. l., [9]-171 p. illus. 20cm.

1. First aid in illness and injury. I. Title.
33-37101
Library of Congress RC87.M95 1902 614.8

NM 0918234 DLC OClW-H NN OO MB

[Mutual life insurance company of New York]
Adapted illustrations. Continuous income debenture; limited premiums. 1895 ... [New York, Mutual life insurance company, 1895]
1 p. l., 325 p. 15½cm.
Compiled by William P. Stewart, instructor of agents.

I. Stewart, William Paley.
7-2265†
Library of Congress HG8853.M844

NM 0918235 DLC

VOLUME 403

[Mutual life insurance company of New York]
Adapted illustrations. Continuous income debenture; life premiums. 1895. [New York, Mutual life insurance company, 1895]
2 p. l., 3-245 p. 15½cm.
Compiled by William P. Stewart, instructor of agents.

I. Stewart, William Paley.

Library of Congress HG8853.M838 7-2266†

NM 0918236 DLC

Mutual life insurance company of New York.
... Adapted illustrations. Continuous income debenture plan, life and limited premiums. 1898. [New York, Mutual life insurance company, 1898]
204 p. 20cm. (Instructor's series, book no. 3)
Compiled by William P. Stewart, instructor of agents.

I. Stewart, William Paley.

Library of Congress HG8853.M84 7-2274†

NM 0918237 DLC

Mutual life insurance company of New York.
Adapted illustrations, continuous instalment, limited premiums. 1895 ... [New York, Mutual life insurance company, 1895]
1 p. l., 325 p. 15½cm.
Compiled by William P. Stewart, instructor of agents.

I. Stewart, William Paley.

Library of Congress HG8853.M85 7-2261†

NM 0918238 DLC

[Mutual life insurance company of New York]
Adapted illustrations. 1895 ... [New York, °1895]
Comp. by William P. Stewart, instructor of agents.

I. Stewart, William Paley.

Library of Congress HG8853.M83 1895 7-2259†

NM 0918239 DLC

[Mutual life insurance company of New York]
Adapted illustrations, 1895. Semi-centennial policies (1843-1893). (Continuous instalment and 5 per cent. debenture) ... [New York, Mutual life insurance company, 1895]
1 p. l., 254 p. 15½cm.
Compiled by William P. Stewart, instructor of agents.

I. Stewart, William Paley.

Library of Congress HG8853.M848 7-2262†

NM 0918240 DLC NIC

[Mutual life insurance company of New York]
... Adapted illustrations. 1898 ... [New York, Mutual life insurance company, 1898]
1 p. l., 160 p. 18½cm. (Instructor's series, book no. 1)
Compiled by William P. Stewart, instructor of agents.

I. Stewart, William Paley.

Library of Congress HG8853.M83 1897 7-2272†

NM 0918241 DLC

[Mutual life insurance company of New York]
Adapted illustrations. Special ages. 1895 ... [New York, Mutual life insurance company, 1895]
1 p. l., 143 p. 15½cm.
Compiled by William P. Stewart, instructor of agents.

I. Stewart, William Paley.

Library of Congress HG8853.M846 7-2263†

NM 0918242 DLC

Mutual life insurance company of New York.
Adapted illustrations and other tables. 5% gold bond policies ... [New York, Mutual life insurance company, °1896]
1 p. l., 31 p. 16cm.
Copyright issued to William P. Stewart.

I. Stewart, William Paley.

Library of Congress HG8853.M834 1896 7-2264†

NM 0918243 DLC

[Mutual life insurance company of New York]
... Adapted illustrations and other tables. 1898. 5% gold bond policies ... [New York, Mutual life insurance company, 1898]
30 p. 18½cm. (Instructor's series, book no. 4
Compiled by William P. Stewart, instructor of agents.

I. Stewart, William Paley.

Library of Congress HG8853.M834 1897 7-2273†

NM 0918244 DLC

MUTUAL LIFE INSURANCE COMPANY OF NEW YORK.
The advantages of life insurance. New York, H. Anstice & co., stationers, 1855.

Pamphlet.

NM 0918245 MH

HG 8018 I59 v.15 no.13
Mutual Life Insurance Company of New York.
Advantages of the new policy of the Mutual Life Insurance Co. of New York, with examples of accomplished results, for the use of agents. [New York, 188-]
42, [1] p. 18cm.

1. Insurance, Life--Policies.

NM 0918246 NIC

HG M993a 1867
MUTUAL Life Insurance Company of New York
The agent's manual of life assurance. New York [1867]
6, 153 p.

NM 0918247 DNLM

Mutual Life Insurance Company of New York.
Airline finance
see under Bankers Trust Company, New York.

Mutual Life Insurance Company of New York, Defendant-appellant.
Anna B. Lynch versus the Mutual Life Insurance Company of New York
see under Lynch, Anna B., complainant-appellee.

Mutual Life Insurance Co. of New York.
Annual premium rates for continuous installment policies, for use of agents only. N. Y., n.d.
15p.

NM 0918250 PPProM

Mutual life insurance company of New York.
Annual report.
New York, 18 -19
v. 19-12½cm.
Report year ends December 31.
First report issued 1844?
Report of 1846 has title: Annual report of the Mutual life insurance company of New York.
Title varies: 1846-1850, Annual report of the Mutual life insurance company.
1855- Annual report of the board of trustees.

CA 7—404 Unrev'd

Library of Congress HG8963.M86A2

NM 0918251 DLC Or NIC CU OO MB MiU ICJ NN

Mutual life insurance company of New York.
Annual statement...
New York,

HG8963 .M86A3

NM 0918252 DLC

[Mutual life insurance company of New York]
Approximate illustrations. 1895. [New York, Mutual life insurance company, °1895]
1 p. l., 194 p. 15½cm.
Compiled by William P. Stewart, instructor of agents.

I. Stewart, William Paley.

Library of Congress HG8853.M854 7-2260†

NM 0918253 DLC NIC

The Mutual Life Insurance Company of New York.
The best of investments. Life insurance as a matter of fact... The Mutual Life Insurance Company of New York... [New York? 1879?]
32 p., 1 table. 24.
Caption-title.
Repr.: Harper's weekly, Aug., 1879.
In: VTZ p. v. 96, no. 10.

1. Insurance (Life). 2. Title.
N. Y. P. L. July 22, 1918.

NM 0918254 NN

[Mutual life insurance company of New York]
... Cable code for the general use of the directors, general managers & representatives of the company. [New York, 1891]
380 p. 17cm.
Caption title.
Compiled by L. W. Lawrence.

1. Cipher and telegraph codes—Insurance business. I. Lawrence, L. W., comp.

CA 7-3764 Unrev'd

Library of Congress HE7677.I5M9 1891

NM 0918255 DLC

VOLUME 403

⌈Mutual life insurance company of New York⌉
Cable code for the general use of the directors, general managers & representatives of the company. ⌈New York, °1895⌉
1 p. l., 464 p. 17cm.
Caption title.
Compiled by L. W. Lawrence.

1. Cipher and telegraph codes—Insurance business. I. Lawrence, L. W., comp. II. Title.
CA 7—3763 Unrev'd
Library of Congress HE7677.I 5M9 1895

NM 0918256 DLC

Mutual life insurance company of New York.
Care of invalids; a manual for reference, issued by the Mutual life insurance company of New York ... ⌈New York⌉ The company, 1903.
42 p. diagr. 19½cm.
3-28621

NM 0918257 DLC DNLM NN

Mutual life insurance company of New York.
Care of invalids; a manual for reference, issued by the Mutual life insurance company of New York ... ⌈New York⌉ The Company, 1904.
42 p. diagrs. 19½cm.
"No. 1 in the series of medical handbooks now being revised and issued by the Mutual life insurance company of New York."

1. Nurses and nursing. I. Title.
6—32937
Library of Congress RT61.M92

NM 0918258 DLC NN

RT61 .M93 Mutual life insurance company of New York.
Care of invalids; a manual for reference, issued by the Mutual life insurance company of New York... [New York] 1905

NM 0918259 DLC

Mutual Life Insurance Co. of New York
...Care of the sick...[New York],[1875].

NM 0918260 DSI

Mutual life insurance company of New York.
A career in life insurance. New York city, The Mutual life insurance company of New York ⌈°1934⌉
3 p. l., 9-42 p. 21cm.

1. Insurance, Life—Agents. I. Title.
34-9583
Library of Congress HG8876.M7
Copyright A 72113 ⌈2⌉ 368.3069

NM 0918261 DLC

MUTUAL LIFE INSURANCE COMPANY OF NEW YORK.
A career in life insurance representation. [New York] The Mutual Life Insurance Company of New York, 1935.
33 p. 21cm.

818971A. 1. Insurance, Life—Agents—U.S.

NM 0918262 NN

No. 5 in *7651
MUTUAL LIFE INSURANCE COMPANY OF NEW YORK.
Cash assets [etc].
[J. A. Gray & Green, prs. N. Y.] n. d. 22 pp. 24°.

NM 0918263 MB

No. 16 in *7650
MUTUAL LIFE INSURANCE COMPANY OF NEW YORK.
Cash assets, [etc.].
[N. Y. 1873.] 35 pp. 24°.

NM 0918264 MB

No. 7 in *7650a
MUTUAL LIFE INSURANCE COMPANY OF NEW YORK.
Cash assets, $32,000,000. Annual cash income. over $13.000.0 [Policies, endowments, etc.]
[Boston.] n. d. 8 pp. 12°.

NM 0918265 MB

Mutual Life Insurance Company of New York. L017.747 M98
Catalogue of the library of the Law Department of the Mutual Life Insurance Company of New York. ... . 1895. [10].120 p. Q. New York [1895].
Interleaved.

NM 0918266 ICJ NN WaU-L

Mutual Life Insurance Company of New York.
Circular letter to Messrs. Alex H. Rice, William E. Dodge, and others
see under Homans, Sheppard, 1831-1898.

Mutual Life Insurance Company of New York. 9368.3747a14
A comparison of the two great mutual life insurance societies of the United States and Great Britain; namely, the Mutual Life of New York, and the Scottish Widow's Fund of Edinburgh.
[New York. 1871?] 4 pp. 8°.

F9332 — Scottish (Widows' Fund) Life Assurance Society. — Life insurance.

NM 0918268 MB

Mutual Life Insurance Company of New York.
Comparative rank of the sixteen leading insurance companies doing business in the state of New York, Jan. 1, 1867.
[New Haven, Ct., 1867]
21 p. 8°.

NM 0918269 MB

⌈Mutual life insurance company of New York⌉ *pub.*
Considerations on life insurance. By a lady. New York, Mutual life insurance company, 1855.
iv p., 1 l., 36 p. 14cm.

1. Insurance, Life—Addresses, essays, lectures. I. Title.
CA 10—2694 Unrev'd
Library of Congress HG8776.C75

NM 0918270 DLC MB CtY

E 5 .9 Hen-Hou MUTUAL LIFE INSURANCE COMPANY OF NEW YORK.
David Hoadley, died August 20th, 1873. Proceedings of the Mutual life insurance company of New-York. ⌈New York?1873?⌉
cover-title,21p.

Binder's title: Individual biography.

NM 0918271 ICN

No. 9 in *7650
MUTUAL LIFE INSURANCE COMPANY OF NEW YORK.
The dividend of Feb. 1, 1868.
[M. Thalmessinger. pr. N. Y. 1868.] (4) pp. 8°.

NM 0918272 MB

Mutual Life Insurance company of New York.
The dollar that keeps on growing . N. Y., 1936.
16 p.

NM 0918273 PHi

Mutual life insurance company of New York.
... Educational leaflet, no. 1 ... July 1, 1903 ⌈-no. 12 ... May 16, 1904⌉ New York, The Mutual life insurance company of New York, °1903-⌈04⌉
12 pamphlets in 1 v. 18½cm.
Paged continuously.

1. Insurance, Life.
33-33353
Library of Congress HG8876.M72 368.3

NM 0918274 DLC NjP MiU OU NN IU

Mutual life insurance company of New York.
... Educational leaflets. Rev. 1908. ⌈New York⌉ The Mutual life insurance company of New York, °1908.
129, xii p. 18½cm.

1. Insurance, Life.
8—8156
Library of Congress HG8773.M88

NM 0918275 DLC CaBViP OrU NN MiU OCU OU ICRL ICJ

Mutual life insurance company of New York.
... Educational leaflets. Rev. December, 1915. ⌈New York⌉ The Mutual life insurance company of New York, °1915 ⌈*i. e.* 1916⌉
136, xii p. 18½cm.
"First published serially, in the year 1903."—Introd.

1. Insurance, Life.
16-6595
Library of Congress HG8773.M88 1915

NM 0918276 DLC OrU CU MiU ODW OU

Mutual life insurance company of New York.
Educational leaflets. Revised June, 1920 ⌈New York⌉ The Mutual life insurance company of New York ⌈°1920⌉
144, xii p. 18½cm.

1. Insurance, Life.

NM 0918277 ViU DHEW

VOLUME 403

Mutual life insurance company of New York.
Educational leaflets. Rev. November, 1920. [New York] The Mutual life insurance company of New York [°1920]
144, xii p. 18½cm.

1. Insurance, Life.

NM 0918278 ViU

Mutual life insurance company of New York.
Educational leaflets. Rev. September, 1923. [New York] The Mutual life insurance company of New York [°1923]
143, xii p. 18½cm.

1. Insurance, Life.

Library of Congress HG8773.M88 1923 24-3882

NM 0918279 DLC ICJ

Mutual life insurance company of New York.
Educational leaflets. Revised June, 1926. [New York] The Mutual life insurance company of New York [°1926]
142, xii p. 18½cm.

1. Insurance, Life.

Library of Congress HG8773.M88 1926 26-14459

NM 0918280 DLC PU-W ViU

HG8773 .M88 1929 Mutual life insurance company of New York.
Educational leaflets, revised July, 1929.
New York, The Mutual life insurance company of New York [c1929]
139, xii p. 18 cm.

NM 0918281 NNC DLC PWcS

Mutual life insurance company of New York.
Emergencies; a manual for reference, issued by the Mutual life insurance company of New York ... [New York] Pub. by the Company, 1903.
31 p. 19½cm.
Published 1900 as section II of its "Accidents, emergencies and illnesses."
"No. 2 in the series of Medical handbooks now being revised and issued by the Mutual life insurance company of New York."

1. First aid in illness and injury. I. Title.

Library of Congress RC87.M97 3-11980

NM 0918282 DLC DNLM NN NjP

Mutual life insurance company of New York.
Emergencies; a manual for reference, issued by the Mutual life insurance company of New York ... [New York] Pub. by the Company, 1904.
31, [2] p. 19½cm.
Published in 1900 as section II of its "Accidents, emergencies and illnesses."
"No. 2 in the series of medical handbooks now being revised and issued by the Mutual life insurance company of New York."

1. First aid in illness and injury. 7-11259†

Library of Congress RC87.M972 Copyright

NM 0918283 DLC

Mutual life insurance company of New York.
Emergencies; a manual for reference, issued by the Mutual life insurance company of New York ... [New York] Pub. by the Company, 1905.
42, [2] p. illus. 19½cm.
Published 1900 as part of its "Accidents, emergencies and illnesses."
"No. 2 in the series of medical handbooks issued by the Mutual life insurance company of New York."

1. First aid in illness and injury. 7-11257†

Library of Congress RC87.M973 Copyright

NM 0918284 DLC Or DNLM

The Mutual life insurance company of New York.
Fennell, Gerald M.
The essence of all wealth. By Gerald M. Fennell. New York, H. B. Whelpley, 1898.

HG 8018 I59 v.15 no.19 [Mutual Life Insurance Company of New York]
Evidences of mutuality. [New York, 188-]
10 p. 19cm.

1. Insurance, Life.

NM 0918286 NIC

Mutual life insurance company of New York.
Exempel, uppstälda med ledning af ernådda resultat till belysning af nuvarande försäkringssätt. 1895. [New York, Mutual life insurance company, 1895]
1 p. l., 93 p. 15½cm.
Compiled by William P. Stewart, instructor of agents.

I. Stewart, William Paley.

Library of Congress HG8853.M89 CA 8-1536 Unrev'd

NM 0918287 DLC

Mutual Life Insurance Company of New York.
Exhibit of various benefits that have been secured to policy-holders...Report of Dec. 31, 1899.
N. Y., c1900.

NM 0918288 PPProM

The Mutual life insurance company of New York.
... Exhibit Paris exposition, 1900. [New York] Mutual life insurance co. of N. Y. [1900]
101, [1] p., 7 l. illus. 29½ x 23½cm.

1. Insurance, Life.

Library of Congress HG9863.M88A2 Copyright Nov. 1, 1900-195

NM 0918289 DLC

Mutual life insurance company of New York.
... Explanations, premiums, guarantees.
[New York] 1899.
295 p. tables.

NM 0918290 MH-BA

Mutual Life Insurance Company of New York.
Federal income tax on life insurance companies; submitted to Subcommittee Studying the Income Taxation of Life Insurance Companies, Committee on Ways and Means, House of Representatives, Washington, D. C. By Haughton Bell, vice president & general counsel. New York, 1954.
69 l. tables. 28 cm.
Bibliography: leaves 68-69.

1. Insurance, Life—U. S.—Taxation. I. Bell, Haughton. II. Title.
HG8912.M8 55-63430

NM 0918291 DLC

HG 8018 I59 v.14 no.8 Mutual Life Insurance Company of New York.
Fifth report of the Committee appointed by the Board of Trustees of the Mutual Life Insurance Company of New York, on October 25th, 1905; March 28th, 1906. [New York, 1906]
23 p. 23cm.

NM 0918292 NIC

328.3 M99f 1916 Mutual life insurance company of New York.
First book for agents...Rev. New York, Mutual life insurance co., 1916.
12 p. 18 cm.

NM 0918293 Mi

The Mutual life insurance company of New York.
The first 95 years of the Mutual life insurance company of New York. [New York, The company, 1938]
1 p.L.,69 p. illus.(incl. ports.,facsims.) 23cm.

NM 0918294 IdU

HG 8018 I59 v.15 no.11 Mutual Life Insurance Company of New York.
Five-year distribution policies. [New York] 1885.
7 p. 15cm.

No. 11 in vol. of Insurance pamphlets (21cm.)
With this is bound an 1884 printing of the same leaflet (16cm.; no. 11a in vol. of Insurance pamphlets)
HG 8018 I59 v.15 no.11a

NM 0918295 NIC

HD 9514 M99++ Mutual Life Insurance Company of New York.
Fluctuations in price of iron, 1850-1901.
[New York, c1902]
chart. 51cm. fold. to 32cm.

"These prices are for no. 1 foundry iron at Philadelphia, Pa."

1. Iron industry and trade--Prices.

NM 0918296 NIC MH

Mutual Life Insurance Company of New York.
The foundation of life insurance and the test of solvency
see under Guiteau, John Wilson.

Mutual Life Insurance Company of New York.
Full text of the address to Congress; a striking arraignment in the interest of healthful competition, progress & American methods of conducting business.
Reading, Pa. 1900.
20 p.

NM 0918298 PPProM

VOLUME 403

Mutual life insruance company of New York, defendant.
Udderzook, William Eachus, d. 1874, defendant.
The Goss-Udderzook tragedy: being a history of a strange case of deception and murder, including the great life insurance case, and the trial of William E. Udderzook for the murder of W. S. Goss. [Baltimore] Baltimore gazette, printers, 1873.

Mutual life insurance company of New York.
A guide book to early production ... [New York, The Mutual life insurance company of New York [c1932]
10 pt. illus., diagrs. 21cm.
Issued in slide case.

1. Insurance, Life—Agents. I. Title.

Library of Congress HG8876.M73 33-7664
Copyright AA 116716 [2] 368.3

NM 0918300 DLC

Mutual life insurance company of New York.
Hints to prevent cholera ... [New York, 1884]
cover-title, 12 p. 17 cm. [Pamphlets on medicine. 23 cm. v. 5, no. 21]
1. Cholera, Asiatic.

NM 0918301 CU

MUTUAL LIFE INSURANCE CO.OF NEW YORK.
Hints to prevent cholera: also as to its treatment. 3d ed. [N.Y.,1885].

pp.12. Map.

NM 0918302 MBCo

Mutual Life Insurance Company of New York. 7798.56
Hints to prevent cholera, also as to its treatment.
= [New York, 1892.] 16 pp. Plate. 8°.

E5681 — Cholera.

NM 0918303 MB

Mutual life insurance company of New York.
FOR OTHER EDITIONS SEE MAIN ENTRY
Murray, William Henry Harrison, 1840–1904.
The history and uses of annuities, a paper ... by W. H. H. Murray. [New York] The Mutual life insurance company of New York, 1893.

Mutual life insurance company of New York.

Holden, Charles W.
Holden's life insurance rate book, for ready reference ... adapted to the rates of the Mutual life insurance company of New York ... Boston, C. W. Holden [c1873]

[Mutual life insurance company of New York]
Illustrationen. Den heurigen versicherungsarten angepasste resultate. 1895. [New York, Mutual life insurance company, 1895]
1 p. l., 93 p. 15½cm.
Compiled by William P. Stewart, instructor of agents.

I. Stewart, William Paley.

Library of Congress HG8853.M875 7-2270†

NM 0918306 DLC

Mutual Life Insurance Company of New York.
In memoriam: Henry E. Davies. New York, 1881.
18 p. 12°.

I. Davies, Henry Ebenezer, 1805-1881.

NM 0918307 NN

Mutual Life Insurance Company of New York.
In memoriam: William A. Haines. [New York, 1880]
17 p. 12°.

I. Haines, William A

NM 0918308 NN

W
900
M992
1916
Mutual Life Insurance Company of New York.
Instructions to the medical examiners. New York [1916?]
54 p. illus. 17 cm.

1. Coroners and medical examiners. 2. Insurance, Life. I. Title.

NM 0918309 NcU-H

Mutual life insurance company of New York.
FOR OTHER EDITIONS SEE MAIN ENTRY
Bartlett, William Holms Chambers, 1804–1893.
Interest tables used by the Mutual life insurance company of New York for the calculation of interest and prices of stocks and bonds for investment. By William H. C. Bartlett ... 4th ed., edited and enlarged by Emory McClintock ... New York, Mutual life insurance company, 1904.

Mutual life insurance company of New York.
... Joint income policy (instalment endowment) Rates, guarantees and adapted illustrations. [New York, The Mutual life insurance company of New York] 1900.
68 p. 12cm.

I. Title.

Library of Congress HG8853.M858 0-5432 Revised

NM 0918311 DLC

Mutual life insurance company of New York.
Joint life, joint annuities, deferred annuities, survivorship annuities; premium rates of the Mutual life insurance company of New York ... in force on and after January 1st, 1898 ... New York [Mutual life insurance company] 1898.
1 p. l., 93 p. 16cm.

Library of Congress HG8853.M86 7-2271†

NM 0918312 DLC

328.3
M991
Mutual life insurance company of New York.
Life insurance soliciting;points for beginners & others. New York, Mutual life insurance co., 1916.
58,[2] p. 17 cm.

NM 0918313 Mi

The Mutual life insurance company of New York.
Life tables. [New York, J. A. Gray & Green, printers, 1868]
cover-title, 40 p. incl. tables. 15cm.

CA 9-1874 Unrev'd
Library of Congress HG8963.M88A4

NM 0918314 DLC MB

Mutual Life Insurance Company of New York.
List of deceased Pennsylvania policy-holders, with statement of amounts paid. [New York,] 1873. 12 p. 24°.
Cover-title.

1. Insurance (Life), U. S. 2. Insurance (Mutual), U. S.
N. Y. P. L. September 24, 1917.

NM 0918315 NN

368.3
M981l
Mutual Life Insurance Company of New York.
List of securities and mortgage loan portfolio owned.

New York.
v. 19cm. annual.

Title varies: -57, List of securities owned.

NM 0918316 IU

MUTUAL life insurance co. *of New York.* **566**
A marvel. [Sketch of the work of the company.]
[N. Y. 1893.] 19 pp. 8°.

NM 0918317 MB MH

No. 10 in *7650
MUTUAL LIFE INSURANCE COMPANY OF NEW YORK.
Matured, paid-up, and single payment endowments.
N. Y.: J. A. Gray & Green, prs. 1860. 28 pp. 12°.

NM 0918318 MB

HG
8018
I59
v.15
no.2
Mutual Life Insurance Company of New York.
Matured, paid-up and single payment endowments in the Mutual Life Insurance Company of New York. New York, 1869.
28 p. 18cm.

1. Insurance, Life--Endowment policies.

NM 0918319 NIC

Mutual Life Insurance Company of New York.
Memorial of Robert H. McCurdy. [New York, 1880]
39 p. 12°.

NM 0918320 NN

The Mutual Life Insurance Company of New York.
...Miscellaneous rates, January 1, 1915. [New York, 1915.]
127 p. incl. tables. 16°.
Copies numbered. This copy no. 3970.

15133A. 1. Insurance (Life).—Agents' manuals.
N. Y. P. L. November 26, 1921.

NM 0918321 NN

VOLUME 403

Mutual life insurance company of New York.
Mortality from casualties. [New York] The Mutual life insurance company of New York, 1890.
36 p. 27cm.

1. Violent deaths—U. S. 2. Mortality. I. Title.

Library of Congress HB1323.A2M9 6—20806

NM 0918322 DLC

ar X 3953 Mutual Life Insurance Company of New York.
Mortality from casualties. [New York] 1896.
36 p. 26cm.

1. Mortality. 2. Violent deaths--U.S.

NM 0918323 NIC MB DNLM

Mutual life insurance company of New York.
Mortuary experience of the Mutual life insurance company of New-York. From 1843 to 1874. [New York, 1875]
25 p. l., 25, [51] p. incl. XXVIII tab. x col. diagr. 30 x 23cm. [With its Preliminary report of ... mortality experience. New York, 1875]
Signed by W. H. C. Bartlett.

1. Mortality. I. Bartlett, William Holms Chambers, 1804-1893.

Library of Congress HG8785.M83 7—1256

NM 0918324 DLC Nh

312 M48
Mutual life insurance company of New York.
Mortuary experience of the Mutual life insurance company of New-York, from 1843 to 1874. [New York, c1876]
2 v. in 1. 30cm.

Contents.--Preliminary report of the mortality experience of the Mutual life insurance company of New York. 2d ed. 1876.--Report of the mortuary experience of the Mutual life insurance company of New-York. 2d ed. 1876.

NM 0918325 NNC ICJ MH

Mutual life insurance company of New York.
Mortuary experience of the Mutual life insurance company of New York, with tabulated reports and an analysis of the causes of death. By G. S. Winston, M. D., W. R. Gillette, M. D., E. J. Marsh, M. D. Volume II. New York, Printed by order of the Board of trustees, 1877.
2 p. l., [3]-224, [3] p. incl. tables. 23cm.
A continuation of its "Preliminary report of ... mortality experience ..." which is counted as vol. I, analyzing the records of deaths from the more important diseases, especially consumption, typhoid fever, and apoplexy.
1. Mortality. 2. Consumption. I. Winston, Gustavus Storrs, 1834- II. Gillette, Walter Robarts, 1840- III. Marsh, Elias J.

Library of Congress HG8785.M9 7—1257

NM 0918326 DLC DNLM PU

Mutual life insuranve company of New York.
The Mutual life insurance company, 56 Wall street .. New York, 1845. YA 17287
16p.

NM 0918327 DLC

Pam. Coll. The mutual life insurance company of New York.
14678 The Mutual life insurance company of New York ... New York, John A. Gray & Green, printers [1867]
22 p. 14cm.

NM 0918328 NcD

Mutual Life Insurance Company of New York.
Mutual Life Insurance Company of New York versus Northwestern Mutual Life Ins. Co. of Milwaukee, Wis.
see under Holmes, Robert, of Reading, compiler.

HG 8018 I59 v.30 no.5
Mutual Life Insurance Company of New York.
Mutual life rates. New York [1867]
24 p. 15cm.

NM 0918330 NIC

Mutual life insurance company of New York.
Mutual life rates. [New York, S.W. Green, printer, 1872]
cover-title, 26 p. 14.5 cm. [Pamphlets on insurance. v. 1]
1. Insurance, Life - Rates and tables.

NM 0918331 CU

Mutual Life Insurance Company of New York.
The Mutual Life sales training course. New York [c1939]
2v. diagrs. 22cm.
CONTENTS.--1. Fundamentals of life insurance.- 2. Fundamentals of selling.

NM 0918332 OCl

HG 8876 M78
Mutual Life Insurance Company of New York.
The Mutual Life Sales Training Course.
New York[1940]
4v. 22cm.

Contents.-v. 1 The foundamentals of life insurance.-v. 2 The foundamentals of selling. -v.3 Organizing for successful action.-v. 4 The Mutual Life textbook.

1. Insurance, Life - Agents. I. Title. II. Its The foundamentals of life insurance.

NM 0918333 MU

368.3 M98m
Mutual life insurance company of New York.
The Mutual Life sales training course.
New York [c1943]
3 v. illus. 22cm.

Contents:-v.1. The fundamentals of life insurance.-v.2. The fundamentals of selling.-v.3. Organizing for successful action.

1. Insurance, Life--Agents. 2. Insurance, Life--Policies. I. Title.

NM 0918334 LU

Mutual life insurance company of New York
The Mutual life's family spending guide...
[New York] The Mutual life insurance company of New York [1939]
[36] p.

NM 0918335 OU

Mutual Life Insurance Company of New York.
National and state taxation as affecting life insurance. New York, 1862.

NM 0918336 NjP

Mutual Life Insurance Company of New York.
The official record of the gains of new business and insurance ...
see under Guiteau, John Wilson.

Mutual Life Insurance Company of New York.
[Pamphlets.] New York, 1869-79. Tables. 16°.
Eighteen pamphlets containing reports, statistics, and miscellaneous information about the company.

1. Insurance (Life), U. S. 2. Insurance (Mutual), U. S.
N. Y. P. L. September 22, 1917.

NM 0918338 NN

Mutual Life Insurance Company of New York.
Plain answers to every-day questions about life insurance. Issued by the Mutual Life Insurance Company of New York... [New York: Mutual Life Insurance Co., 187-?] 40 p., 1 l. 12°.
In: VTZ p. v. 135, no. 2.

1. Insurance (Life).
N. Y. P. L. February 6, 1919.

NM 0918339 NN

MUTUAL LIFE INSURANCE COMPANY, New York.
Plain directions for accidents, emergencies and poisons. 19th thousand. New York, (1875).

126 pp. 18 cm.

NM 0918340 MBCo

Mutual Life Insurance Company of New York. 7768.140
Plain directions for accidents, emergencies, and poisons. Enlarged edition. 120th thousand.
= [New York. 1875.] 144 pp. Illus. 18½ cm.
Distributed to the policy-holders.

L759 — T.r. — Poisons. — Emergencies.

NM 0918341 MB

614.88 M985pl
Mutual Life Insurance Company of New York.
Plain directions for accidents, emergencies and poisons. Enl. ed. By a fellow of the College of Physicians of Philadelphia and physician to several of the charitable institutions of the same city. New York, Distributed to its policy-holders by the Mutual Life Insurance Company of New York, 1897.
144 p. illus.

1. First aid in illness and injury. I. Title.

NM 0918343 WaU

WY 195 M993p 1875
MUTUAL Life Insurance Company of New York
Plain directions for the care of the sick, and recipes for sick people. Enl. ed. New York, [1875]
113 p.

NM 0918344 DNLM NIC OO DSI

VOLUME 403

HG 8018 I59 v.14 no.7
Mutual Life Insurance Company of New York.
Points for agents of the Mutual Life Insurance Company of New York, New York, December 1, 1903. New York, 1903.
89-96 p. 21cm.

NM 0918345 NIC

HG 8018 I59 v.14 no.9
Mutual Life Insurance Company of New York.
Points for agents of the Mutual Life Insurance Company of New York. Vol. 6, No. 3. May 10, 1906. New York, 1906.
9-12 p. 23cm.

NM 0918346 NIC

Mutual life insurance company of New York.
Poisons—remedies; a manual for reference; issued by the Mutual life insurance company of New York ... [New York] The company, 1903.
45 p. 19½cm.
Published 1900 as sections III and V of its "Accidents, emergencies and illnesses."
"No 4 in the series of medical handbooks now being revised and issued by the Mutual life insurance company of New York."
1. Poisons.
Library of Congress RA1213.M93 1903 3-8683

NM 0918347 DLC ICJ NN

Mutual life insurance company of New York.
Poisons—remedies; a manual for reference, issued by the Mutual life insurance company of New York ... [New York] Pub. by the Company, 1904.
45, [2] p. 19½cm.
Published in 1900 as sections III and V of its "Accidents, emergencies and illnesses."
"No. 4 in the series of medical handbooks now being revised and issued by the Mutual life insurance company of New York."
1. Poisons.
7-14519†
Library of Congress RA1213.M93 1904 Copyright

NM 0918348 DLC

Mutual life insurance company of New York.
Poisons—remedies; a manual for reference, issued by the Mutual life insurance company of New York ... [New York] Pub. by the Company, 1905.
43, [2] p. 19½cm.
Published 1900 as sections III and V of its "Accidents, emergencies, and illnesses."
"No. 4 in the series of medical handbooks issued by the Mutual life insurance company of New York."
1. Poisons.
7-14520†
Library of Congress RA1213.M93 1905 Copyright

NM 0918349 DLC Or

Mutual life insurance company of New York.
Policy forms of the Mutual life insurance company of New York ... Ed. of 1895 ... [New York, 1895]
1 p. l., 55 p. 17cm.
Library of Congress HG8866.M9 1895
——— Ed. of 1896 ... [New York, 1896]
1 p. l., 55 p. 17cm.
1. Insurance, Life—Policies.
7-2384-5†
Library of Congress HG8866.M9 1896

NM 0918350 DLC

Mutual life insurance company of New York.
Policy forms of the Mutual life insurance company of New York ... Ed. of 1898 ... [New York, 1898]
1 p. l., 54 p. 16½cm.
1. Insurance, Life—Policies.
7-2386†
Library of Congress HG8866.M9 1898

NM 0918351 DLC

Mutual life insurance company of New York.
Preliminary report of the committee appointed by the Board of trustees of the Mutual life insurance company of New York, on October 25, 1905, made to the trustees ... at a special meeting of the board, held November 16, 1905. [New York, 1905]
16 p. 23cm.
Committee: William H. Truesdale, chairman, John W. Auchincloss, Stuyvesant Fish.
I. Truesdale, William Haynes, 1851-
6-16841
Library of Congress HG8963.M88A6 1905

NM 0918352 DLC NN MB

Mutual life insurance company of New York.
Preliminary report of the mortality experience of the Mutual life insurance company of New York. From 1843 to 1874. By G. S. Winston, M. D. and E. J. Marsh, M. D. ... New York, Printed by order of the Board of trustees, 1875.
2 p. l., [3]-46 p. incl. tables. 3 col. diagr. 30 x 23cm.
HG8785.M83
——— 2d ed. New York, Printed by order of the Board of trustees, 1876.
7 p. l., [3]-46 p. incl. tables. 3 col. diagr. 30 x 23cm.
1. Mortality. I. Winston, Gustavus Storrs, 1834- II. Marsh, Elias J.
7-1253-4
Library of Congress HG8785.M8b

NM 0918353 DLC DNLM CaBVaU ICRL PU PPL ICJ NN

Mutual Life Insurance Company of New York.
Preliminary report of the mortality experience of the Mutual Life Insurance Company of New York. From 1843 to 1874. By G. S. Winston, M.D., and E. J. Marsh, M.D... New York: printed by order of the board of trustees, 1876–77. 2 v. in 1. col'd diagr. 4°.
t.-p. of v. 2 reads: Mortuary experience of the Mutual Life Insurance Company of New York, with tabulated reports and an analysis of the causes of death. By G. S. Winston, M.D., W. R. Gillette, M.D., E. J. Marsh, M.D.
v. 1, 2. ed.
With this is bound its: Report of the mortuary experience of the Mutual Life Insurance Company. New York 1876. 4°.
1. Life tables, U. S. 2. Winston, Gustavus Storrs, 1834–99. 3. Gillette, Walter Robarts, 1840–1908. 4. Marsh, Elias Joseph, 1835–
N. Y. P. L. November 27, 1916.

NM 0918354 NN

HG 8018 I59 v.15 no.4, 7-10, 12, 15-16, 22
Mutual Life Insurance Company of New York.
Premium rates. 1872, 1875, 1879, 1882, 1885, 1887-1889, 1894. [New York], 1872-94.
9 nos. in 1 v. illus. 14-17cm.

NM 0918355 NIC

HG8963 .M88A3 1907
Mutual Life Insurance Company of New York.
Premium rates and guarantees. January 1, 1907. [New York? 1907]
563 p. 13cm.
1. Insurance, Life—Rates and tables. I. Title.

NM 0918356 ViU

MUTUAL LIFE INSURANCE COMPANY OF NEW YORK.
Premium rates and guarantees. [New York], 1909.
24°.

NM 0918357 MH-BA OU

The Mutual Life Insurance Company of New York.
Premium rates for an insurance of one thousand dollars ... New York, S. W. Green, prt., 1878.
60 p., 1 l. 16°.

NM 0918358 NN

arX 5851
Mutual Life Insurance Company of New York.
Proceedings of the board of trustees of the Mutual life insurance company of New York in memory of F. S. Winston, president of the company. [New York, 1885]
21 l. 29 cm.
1. Winston, Frederick S

NM 0918359 NIC

Mutual Life Insurance Company of New York. 9368.3747a7
[Progress of the Company, 1843–1845.]
= New York. 1845. 16 pp. 8°.

NM 0918360 MB

MUTUAL LIFE INSURANCE CO.OF NEW YORK.
A question answered;["What are the results of policies issued by the mutual life insurance company of New York?" New York,1892?]
pp.11.

NM 0918361 MH

368.3 M981r
Mutual life insurance company of New York.
Rate book. Explanations, premiums, guarantees. June 1, 1903. [New York, 1903?]
345p.
Book in pocket on front cover has title: Adapted illustrations: 20-year distribution. 1904.

NM 0918362 IU

HG 8018 I59 v.15 no.5
Mutual Life Insurance Company of New York.
The records made by the Mutual Life Insurance Company of New York and by twenty-nine other companies from organization of each company to December 31, 1897, supplemented by the Mutual Life's annual statement for the year 1898 and the preliminary statements of fifteen other companies. [New York] 1898.
54 p. illus. 20cm.

NM 0918363 NIC

No. 18 in *7650a
MUTUAL LIFE INSURANCE COMPANY OF NEW YORK.
Remarkable results. Illustrations taken from the mortuary records. S. W. Green, pr. N. Y. n. d. 28 pp. 12°.

NM 0918364 MB

VOLUME 403

No. 4 in *7650a
MUTUAL LIFE INSURANCE COMPANY OF NEW YORK.
Reply, to some statements and comparisons of the Connecti mutual life insurance company.
[J. A. Gray & Green, prs. N. Y. 1865.] 7, (1) pp. 8°.

NM 0918365 MB

The Mutual Life Insurance Company of New York.
Report exhibiting the experience of The Mutual Life Insurance Company of New York for fifteen years ending February first, 1858 ... New York, [J.A. Gray] 1858.
1 p.l., v, 7-34 p. 5 charts. 4°.

NM 0918366 NN

Mutual life insurance company of New York.
Report exhibiting the experience of the Mutual life insurance company of New-York, for fifteen years ending February 1st, 1858. Printed by order of the Board of trustees. New York, 1859.
1 p. l., vi, [7]-34 p. diagr. 4°.

1-22758

NM 0918367 DLC PPC ICJ DNLM MB PPF

Mutual life insurance company of New York.
Report of a special committee, consisting of the Hon. John V. L. Pruyn, David Hoadley ... upon the assets, liabilities and management of the Mutual life insurance company of New-York. Embracing a mathematical valuation of its liabilities, by William H. C. Bartlett ... and A. E. Church ... Together with letters from Hon. William Barnes ... [New York, 1869]
20 p. 23cm.

CA 9-2352 Unrev'd

Library of Congress HG8963.M88A6 1869

NM 0918368 DLC NIC OO MB IU

The Mutual Life Insurance Company of New York.
Report of the board of examiners, appointed April 15, 1856 to examine the affairs of the ... company. New York, 1856.
64 p. 23 cm.

NM 0918369 RPB MB DNLM MiU

No. 10 in *3655.56=No. 12 in *7650a
MUTUAL LIFE INSURANCE COMPANY OF NEW YORK.
Report of the Boston committee of policy-holders, upon [its] condition and management.
Boston: pr. by Rockwell & Churchill. 1870. 12 pp. 8°.

NM 0918370 MB

HG
qM993p
1875

MUTUAL Life Insurance Company of New York
Report of the mortuary experience of the Mutual Life Insurance Company of New York, from 1843 to 1874, by Wm. H. C. Bartlett. New York, 1875.
25 p. illus.
Bound with its Preliminary report of the mortality experience ... New York, 1875.

HG
qM993p
1875

I. Bartlett, William Holms Chambers, 1804-1893

NM 0918372 DNLM MH NN

Mutual life insurance company of New York.
Report of the mortuary experience of the Mutual life insurance company of New-York. From 1843 to 1874. By William H. C. Bartlett ... 2d ed. New-York, Printed by order of the Board of trustees, 1876.
2 p. l., 25, [5] p. incl. XXVIII tab. x col. diagr. 30 x 23cm. [With its Preliminary report of ... mortality experience. 2d ed. New York, 1876]

1. Mortality. I. Bartlett, William Holms Chambers, 1804-1893.

7-1255†

Library of Congress HG8785.M86

NM 0918373 DLC NjP NN

Mutual life insurance company of New York.
Report on the mortality records of the Mutual life insurance company of New York for fifty-six years from 1843 to 1898, by Elias J. Marsh, M. D. and Granville M. White, M. D., medical directors. New York, The Mutual life insurance company of New York, 1900.
245 p. incl. tables. front., col. charts. 30cm.

1. Mortality. I. Marsh, Elias J. II. White, Granville M.

7-15506

Library of Congress HG8785.M94
(Copyright 1900 A 17333)

PPC
NM 0918374 DLC DNLM NcL CU CtY-M NjP MiU MH ICJ

Mutual Life Insurance Company of New York.
Report on the vital statistics of the United States. By James Wynn. v, 9-214, iv pp. 4°. *New York, H. Baillière*, 1857.

NM 0918375 DNLM DLC

Mutual life insurance company of New York.
Reports exhibiting the experience of the Mutual life insurance company of New-York, for fifteen years ending February first, 1858 ... New-York, 1859.
1 p. l., vi, [7]-34 p. 5 diagr. (2 col.) 30½ x 23½cm.

1. Mortality.

7—1251

Library of Congress HG8785.M8

NM 0918376 DLC

Mutual life insurance company of New York.
Reports on asthma and on biliary and renal colic and calculus. [New York] The Mutual life insurance company of New York, 1895.
12 p. 27 x 21½cm.
Signed: E. J. Marsh, M. D., medical director.

1. Insurance, Life—Medical examinations. I. Marsh, Elias J.

7-1607†

Library of Congress HF8811.A8M9

NM 0918377 DLC DNLM

[Mutual life insurance company of New York]
Resultados aplicados á los planes de seguro en uso al presente. 1895 ... [New York, Mutual life insurance company, 1895]
1 p. l., 78 p., 1 l. 15½cm.
Compiled by William P. Stewart, instructor of agents.

I. Stewart, William Paley.

7-2267†

Library of Congress HG8853.M885

NM 0918378 DLC

[Mutual life insurance company of New York]
Résultats adaptés aux plans d'assurance actuellement en usage. 1895. [New York, Mutual life insurance company, °1895]
1 p. l., 90 p., 1 l. 15½cm.
Copyright records have °1896.
Compiled by William P. Stewart, instructor of agents.

I. Stewart, William Paley.

7-2269†

Library of Congress HG8853.M87

NM 0918379 DLC

Mutual life insurance company of New York.
Reversionary dividend accumulation, actual and equivalent values. Illustrated at all ages from policy records of the Mutual life insurance co. of New York ... By William P. Stewart ... Rev. ed. April, 1889. [New York, 1889]
[96] p. 8½ x 17cm.

1. Insurance, Life—Rates and tables. I. Stewart, William Paley.

7-2373†

Library of Congress HG8853.M82

NM 0918380 DLC

[Mutual life insurance company of New York]
Risultati adattati agli attuali sistemi d'assicurazione. 1895 ... [New York, Mutual life insurance company, 1895]
1 p. l., 89 p., 1 l. 15½cm.
Compiled by William P. Stewart, instructor of agents.

I. Stewart, William Paley.

7-2268†

Library of Congress HG8853.M88

NM 0918381 DLC

328.3
M99s
1914

Mutual life insurance company of New York.
Second book for agents...Rev. New York, Mutual life insurance co., 1914.
30 p. tables. 18½ cm.

NM 0918382 Mi

328.3
M99se
1917

Mutual life insurance company of New York.
Selections from points. Confidential. Rev...For the instruction of Mutual life agents. New York, Mutual life insurance co., 1917.
366,xviii p.incl.tables. 18 cm.

NM 0918383 Mi

MUTUAL LIFE INSURANCE COMPANY OF NEW YORK.
Selections from points. Confidential. Rev. Nov.,1921. For instruction of Mutual life agents. New York,1921.
377 p. tables.

NM 0918384 MH-BA

W 1
MU986

MUTUAL Life Insurance Company of New York
Series on public health problems; 15-minute radio script.
New York [195-?]-
v.
Program by Gretta Baker.
1. Public health - Addresses
I. Baker, Gretta II. Public health problems (Radio program)

NM 0918385 DNLM

VOLUME 403

Mutual Life Insurance Company of New York.
Special meeting of the Board of trustees... held ... Sept. 16, 1902 [in memory of Samuel D. Babcock] [New York, 1902]
66 l., front. (port.) 22.5 cm.
Cover-title: In memoriam Samuel D. Babcock, 1822-1902.
Printed on one side of the leaf only.

NM 0918386 CtY

No. 14 in *7650.
MUTUAL LIFE INSURANCE COMPANY OF NEW YORK.
1872. Statement for year ending December 31st, 1871.
Folded circular.

NM 0918387 MB

HG 8018 I59 v.15 no.14
Mutual Life Insurance Company of New York.
Statement for the year ending December 31, 1896. New York, 1896.
1 fold. l., 15cm.

NM 0918388 NIC

HG 8018 I59 v.15 no.17
Mutual Life Insurance Company of New York.
[Statement for the year ending December 31, 1897] New York, 1897.
[8] p. 13cm.

NM 0918389 NIC

Mutual Life Insurance Company of New York.
[Statements of the chairman and of the actuary regarding reduction of premium rates] May, 1879. [New York, 1879.] 13 p. 8°.

1. Insurance (Life).—Companies, U. S.
N. Y. P. L. August 27, 1914.

NM 0918390 NN

Beinecke Library Zc50 877mu
Mutual Life Insurance Company of New York.
Suggestions to invalids seeking winter retreats, with information as to the more prominent resorts.... [New York, 1877?]
44, [1] p. illus. (tables) 19 cm.
Includes chapters on Colorado and California.
Original wrappers.
1. Health resorts, watering places, etc. I. Title.

NM 0918391 CtY

Mutual life insurance company of New York.
A survey of the laws restricting investment of life insurance company funds in seven representative states. Compiled by the Law department of the Mutual life insurance company of New York. [New York] The Mutual life insurance company of New York, 1943.
2 p. l., 43 p. 23cm.

1. Insurance, Life—U. S.—Finance.
Library of Congress HG8850.M8 45-17004
[2] 368.3

NM 0918392 DLC

HG 8018 I59 v.15 no.20
[Mutual Life Insurance Company of New York]
Ten reasons why limited payment life policies (20 year distribution) are the best. [New York, 18-]
[12] l. 11cm.

NM 0918393 NIC

Mutual Life Insurance Company of New York.
To the policy-holders of the Mutual Life Insurance Co. of New York. [New York, Mut. Life Insur. Co., 1879]
8 p. 8°.
n.t.-p.

NM 0918394 NN

[Mutual Life Insurance Company of New York.]
A tribute to fifty-nine years conservative administration of the largest accumulation of trust funds in the world. [New York? 1902.] 29 p. 2 pl., port. 8°.
Cover-title.
Trusts established in the will of Frederick D. Tappen.

1. Tappen, Frederick D., 1829-1902.
N. Y. P. L. December 5, 1919.

NM 0918395 NN

Mutual Life Insurance Company of New York, claimant.
... United States of America on behalf of the Mutual Life Insurance Company of New York, claimant, v. Germany ... [New York, ? 1826-1927]
5 no. 27-35.5 cm.
At head of title: Before the Mixed claims commission, United States and Germany ... Claim no. 8900, docket no. 7265.
No. 1-2, and 5 are mimeographed on one side of leaf only.

Claim for payment by the German government for the conversion of unregistered bond coupons while the Berlin office of claimant was in Germany's control.
Contents. -no. 1. Memorial of the United States in support of the claim. - no. 2. [Brief of the German agent] Reply under rule IV (b) - no. 3. Brief submitted on behalf of the Mutual Life Insurance Company of New York. -

no. 4. Reply brief submitted on behalf of the Mutual Life Insurance Company of New York. -no. 5. Supplemental brief of the German agent.

NM 0918398 CtY

HG 8018 I59 v.15 no.18
[Mutual Life Insurance Company of New York]
Valuable suggestions and a guide for intended insurers. [New York, 18-]
60 p. illus. 16cm.

NM 0918399 NIC

Mutual life insurance company of New York.
Value of family history and personal condition in estimating a liability to consumption. [New York] The Mutual life insurance company of New York, 1895.
23 p. 27 x 21½ cm.
Signed: Elias J. Marsh, M. D., medical director.

1. Insurance, Life—Medical examinations. 2. Tuberculosis. I. Marsh, Elias J.
HG8811.C7M3 7—1608

NM 0918400 DLC DNLM NN

Mutual Life Insurance Company of New York.
The value of life insurance as an investment
see under Guiteau, John Wilson, 1834-1916.

HG 8018 I59 v.15 no.21.
Mutual Life Insurance Company of New York.
Voter's manual. 1892, 1896. [New York] 1892-96.
2 nos. in 1 v. 18cm.

NM 0918402 NIC

MUTUAL LIFE INSURANCE CO. OF NEW YORK
Voters' manual, 1904. Mutual life ins. co. 45 p.

NM 0918403 Or

W 1 MU986H
MUTUAL Life Insurance Company of New York
The weekly statement. v. 1-9; Aug. 15, 1885-Feb. 5, 1890. New York.
9 v. in 5.
No more published?
Title: The Weekly statement issued by the Mutual Life Insurance Company of New York

NM 0918404 DNLM NN

Mutual life insurance company of New York.
What to do to train the new man; some plans and methods for those who are actively engaged in helping the new agent to get into early production ... [New York] The Mutual life insurance company of New York [c1933]
43 p. illus. 25½cm.

1. Insurance, Life—Agents. I. Title.
33-7993
Library of Congress HG8876.M74
Copyright AA 116717 [3] 368.3

NM 0918405 DLC

613 M98h
Mutual life insurance company of New York—Medical department.
Health booklet. New York [c1904]
no.1-
nos.5-7 have date 1904.

NM 0918406 IU

The Mutual life ins. co. of New York. From the Chicago insurance chronicle, Sept. 3, 1868. [Chicago? 1868]
4 p. 23½cm.
Caption title.

CA 9-1881 Unrev'd
Library of Congress HG8963.M88M8

NM 0918407 DLC

Mutual Life Insurance Company of Philadelphia.
An act to incorporate the Mutual Life Insurance Company of Philadelphia. [1844]
8 p. 22cm.
Volume of pamphlets.

NM 0918408 NNC

F902 .8MU
Mutual Life Insurance Company of Wisconsin.
Advantages of life insurance, as exhibitec by the Mutual Life Insurance Company of the State of Wisconsin. Milwaukee, Jermain & Brightman, 1860.
32 p. tables. 13 cm.

F902 .8MU
---- ---- Another edition. [n.d.]

F902 .8MU
---- ---- Another edition. 1863

NM 0918409 WHi

VOLUME 403

Mutual life underwriters.
Proceedings of the ... annual session, national convention, Mutual life underwriters. 1st
1913
[Buffalo? 1913-
v. 22½-23cm.

1. Insurance, Assessment—Societies.

Library of Congress HG9203.M8 16-14173

NM 0918410 DLC WaS IdU Wa CU NIC MB MiU OCl OO ICJ

368.05 MUTL The Mutual link. v.1- Jan.1943-
Indianapolis.
v. illus. 30cm. monthly.

Published 1944- by Grain Dealers Mutual Insurance Company (called Grain Dealers National Mutual Fire Insurance Company, 1944-Mar.1951)
Superseded The Mutual forum.

NM 0918411 IU

Mutual literary-music club of America, New York.
Ev'ry month and piano music magazine. v. 1-14, v. 15, no. 1-7; Oct. 1895-Apr. 1903. New York, Howley, Haviland & co. [etc.] 1895-1903.

Mutual Literary - Music Club of America, New York.
The Household-ledger
see under title

368.5 M98c Mutual live stock insurance company of Philadelphia and Bucks counties.
Constitution, by-laws and conditions and rates of insurance. Doylestown, 1860.
12p.

NM 0918414 IU

Mutual loan & trust co., Cordele, Ga. Land department.
The mutual loan & trust company, Cordele, Ga., has more than thirty thousand acres of land situated in the famous fruit belt of Georgia and adjacent to Cordele, the largest and most important town in Dooly county. [Cordele, Ga., 1896?]
31 p. illus. 23 cm.
Caption title.
Running title: The best country for settlers.

NM 0918415 NcU

Mutual Loss Managers' Conference.
Proceedings.

[v.p.]
v. 28cm. annual.

NM 0918416 OrPS

The **Mutual** magazine; pub. by the Mutual beneficial association of Pennsylvania railroad employes.

Philadelphia, 19
v. illus. (incl. ports.) 27½cm. monthly.

1. Railroads—Employees—Period. 2. Pennsylvania railroad. I. Mutual beneficial association of Pennsylvania railroad employes.

CA 18-1037 Unrev'd

Library of Congress HE2791.P369

NM 0918417 DLC ICRL OU NN

Mutual mercantile agency, *New York.*
Carriers and shippers official guide. Chicago routing key. Chicago & New York, Mutual mercantile agency,
v. 32½cm.

1. Shippers' guides—Chicago.

Library of Congress HE9.U5M9 0-2434 Revised
Copyright [r33b2] 656

NM 0918418 DLC

Mutual mercantile agency, *New York.*
Continuous rating book ... [New York, Mutual mercantile agency] 1900.
v. fol.

Library of Congress 0—768

NM 0918419 DLC

Mutual mercantile agency, *New York.*
Continuous rating book [for Delaware, Maryland, New Jersey, North Carolina, Virginia] [New York, Mutual mercantile agency] 1900-
v. fol.

Library of Congress 0—6027

NM 0918420 DLC

Mutual mercantile agency, *New York.*
Continuous rating book [for District of Columbia, Idaho, Kansas, Kentucky, Montana, New Hampshire, Nebraska, Ohio, Philadelphia, Pa., Vermont. New York, Mutual mercantile agency] 1900.
1 p. l., [337] p. fol.

Nov. 1, 1900-197

NM 0918421 DLC

Mutual mercantile agency, *New York.*
Continuous rating book for the states of Arizona, Colorado, Georgia — city supplement, Illinois — city supplement, Manhattan borough, N. Y., Missouri — city supplement, Nevada, New Mexico, Oregon, Pennsylvania, Texas — city supplement, Utah, Washington. [New York, Mutual mercantile agency, 1900]
[427] p. fol.

Feb. 21, 1901-143

NM 0918422 DLC

Mutual mercantile agency, *New York.*
Continuous rating book [New York] Pennsylvania and South Carolina. [New York] Mutual mercantile agency. 1900.
v. fol.

Library of Congress 0—3725

NM 0918423 DLC

Mutual mercantile agency, *New York.*
Carriers and shippers ... Mutual mercantile agency official guide ... New York, Chicago, Mutual mercantile agency, 18 -19
v. maps. 32-33cm.

1. Shippers' guides—U. S. I. Title.

Library of Congress HE9.U5M9 0-1846 Revised

NM 0918424 DLC

Mutual mercantile agency.
Foreign rating book; Mexico; Cuba. [New York, Blumenberg press] 1900.
372 p. fol.
Deals with Mexico only.

Apr. 26, 1900-91

NM 0918425 DLC

25.9 Mutual mercantile agency, New York.
Trade reports of the mutual mercantile agency for New York city, Brooklyn and Long Island city, N.Y. and Jersey City [etc.] July 1890. [New York, 1890]
8°. [Semi-annual]

NM 0918426 DLC

Mutual millers and feed dealers association.
Constitution and by-laws of the Mutual millers and feed dealers association. [n. p., 19—]
14 p. 15cm.
The association is composed of members from the states of New York and Pennsylvania.

CA 19-6 Unrev'd

Library of Congress HD9056.U6M8

NM 0918427 DLC

368.305 MUTU Mutual moments. v.1- June 1943-
Omaha, Mutual Benefit Health & Accident Association.
v. illus. 24cm.

Supersedes Mutual mutterings.

NM 0918428 IU

M374.8 M99 Mutual-Morgan Chautauqua 1924, direction of Glen Mac Caddam. Wayland, July 11,12,13,14. [Wayland? Mich., 1924]
folder(8p.) illus. 22cm.

1.Chautauquas. 2.Wayland, Mich. I.Chautauqua.

NM 0918429 Mi

QL 215 M3 M8 Mutual Motors Company, Jackson, Mich.
Marion-Handley, the six pre-eminent [Jackson, Mich., Mutual Motors Co., 1917]
31 p. illus.

MARION--HANDLEY AUTOMOBILE--HANDBOOKS, MANUALS, ETC.
Marion-Handley, the Six pre-eminent

NM 0918430 KMK

Mutual News Co., Montreal.
The St. Lawrence river and tourist's guide. Montreal [189-]

NM 0918431 MH

VOLUME 403

A mutual negative to parish and presbytery in the election of a minister, in opposition to episcopacy on the one hand, and independency on the other. Instructed from both books of discipline. Containing also a reply to what the modest and humble enquirer has in his last two papers thought fit to advance against the pamphlet, intituled, The defection of the Church of Scotland from her Reformation-principle, considered. By some members of the last Assembly who protested against the act anent the method of planting vacant churches. Edinburgh: Printed by T. Lumisden and J. Robertson, 1733. 78 p. 19cm.

1. Patronage, Church—Gt. Br.—Scotland. 2. Church of Scotland—Clergy. 3. Logan, George, 1678-1755. 4. Gordon, Sir Thomas, 1684-1766: The defection of the Church of Scotland.
N. Y. P. L. *Revised* September 28, 1932

NM 0918433 NN

RARE BOOK DEPT.
*XH .710 .R14E no.7
The mutual obligations to the exercise of benevolent affections, as they respect the conduct of all the human race to each other, proved, and applied to the state of the suffering Africans. By Philadelphos [pseud.] ... London: Sold by H. Gardner, in the Strand. 1788. Price 1s.

1 p.ℓ., 49 p. 21cm. (8vo)
Copious ms. corrections may be in the author's hand.

Inscribed (by Capel Lofft?): From the author. 1 July 1788.

I. Philadelphos, pseud. The mutual obligations.

NM 0918435 MB

Mutual of Omaha Insurance Company.
Glossary of insurance terms. Published by the companion companies: Mutual Benefit Health & Accident Assn. [and] United Benefit Life Ins. Company. Omaha, ©1950.

130 p. 23 cm.

1. Insurance—Dictionaries. I. United Benefit Life Insurance Company. II. Title.

HG8025.M8 368.03 51-13992 rev

NM 0918436 DLC

Mutual orange distributors, *Redlands, Calif.*
A manual for citrus growers ... edited by Chas. W. Horn ... A. L. Chandler ... H. L. Thomason ... of Mutual orange distributors. Redlands, Calif., Mutual orange distributors, 1937.

2 p. l., 102, [1] p. illus. 20½cm.
"First edition."
Bibliography: p. 96-99.

1. Citrus fruits. I. Horn, Charles W., ed. II. Title.
Library of Congress SB369.M87 38-9238
——— Copy 2.
Copyright AA 257743 [3] 634.3

NM 0918437 DLC CU-I CU

Mutual orange distributors.
A manual for citrus growers. Ed. by Willis Parker... A. L. Chandler... H. L. Thomason... [and] J. H. Lytle... of Mutual orange distributors. 2. ed., rev. and enl. Redlands, Cal., Mutual orange distributors, 1943. x, 138 p. illus. 19cm.

262868B. 1. Citrus fruits. I. Parker, Willis, ed.
N. Y. P. L. July 3, 1945

NM 0918438 NN OrCS DNAL

Mutual Orange Distributors, *Redlands, Calif.*
A manual for citrus growers, ed. by Willis Parker [and others] 3d ed. rev. Redlands, 1947.

x, 141 p. illus., col. plates. 20 cm.
"Suggested reading": p. 133-134.

1. Citrus [fruits] I. Parker, Willis Harlan, 1888- ed.
SB369.M87 1947 634.3 Agr 47-376*

U. S. Dept. of Agr. Library for Library of Congress 93.33M98 Ed. 3 [4]†

NM 0918439 DNAL NN CU DLC

Mutual orange distributors.
The prorate, what it means to California orange growers. [Redlands: Mutual orange distributors, 1942] 78 p. 20cm.

1. Orange—Trade and stat.—U. S.—California.
N. Y. P. L. December 3, 1942

NM 0918440 NN

---

*pFB8 N1627 Z803m3
Mutual politeness: or Reasons for delay!! [London] Publish'd by R.Ackermann,101,Strand. [1803]
plate. 26x34cm.,mounted to 41x54.5cm.
Broadley A-592.
Lithograph (hand-colored), unsigned.
A satire on Napoleon's threatened invasion.

NM 0918441 MH

Mutual Premium and Savings Association of Phila.
Charter &c. Phila, 1857.
25p.

NM 0918442 PHi

Mutual protection life assurance society of the United States, *New York.*
Some of the advantages of the Mutual protection life assurance society ... [New York, ©1869]

39, [1] p. 14cm.
Caption title.
On cover: A review of life insurance.

CA 9-1884 Unrev'd
Library of Congress HG8963.M91A7

NM 0918443 DLC

Mutual protective association of the Pomeroy pharmaceutical co.
Constitution and by-laws of the Mutual protective association of the Pomeroy pharmaceutical co. [New York?] ©1887.

[8] p. 17½cm.

1. Drug trade—U. S.
CA 9-4650 Unrev'd
Library of Congress HD9666.9.P7A2 (Copyright 1887: 27763)

NM 0918444 DLC

F444 .M85M8
Mutual Realty and Loan Company, Murfreesboro, Tennessee.
Handbook of Murfreesboro and Rutherford County, Tennessee. Murfreesboro [1923?]
128 p. illus. 24cm.

Cover-title.
Contains advertisements.

1. Murfreesboro, Tenn.--Hist. 2. Rutherford Co., Tenn.--Hist.

NM 0918445 T

Mutual reserve fund life association, New York
see
Mutual reserve life insurance company, New York.

Mutual reserve life insurance company, New York.
Burnham, Frederick A.
Address by Frederick A. Burnham, president Mutual reserve fund life association (incorporated) ... Eighteenth annual meeting, January 25, 1899 ... [New York, Wynkoop Hallenbeck Crawford co., 1899]

Mutual reserve life insurance company, NewYork.
Channell, [Charles E]
Agent's manual. Channell's investment plans with life insurance; trust certificates issued by the Minnesota loan & trust co. [Minneapolis, ©1893]

Mutual reserve life insurance company, *New York.*
Constitution and by-laws of the Mutual reserve fund life association. New York, L. H. Biglow & company, printers, 1883.

16 p. 13½cm.

CA 9-1942 Unrev'd
Library of Congress HG8963.M94A3 (Copyright 1883: 9116)

NM 0918449 DLC

Mutual review.
[Washington, National Association of Mutual Insurance Agents]
v. illus. 29 cm. monthly.
Began with Jan. 1934 issue. Cf. Union list of serials.

1. Insurance—United States—Periodicals. I. National Association of Mutual Insurance Agents.

HG8011.M85 368'.973 75-618051

NM 0918450 DLC OU MoU GU OrU

The Mutual rights and Christian intelligencer
see The Mutual rights of the ministers and members of the Methodist Episcopal church.

Mutual rights and Methodist Protestant; a weekly periodical, containing various original and select essays on religion, literature and church polity: with literary, biographical, and historical sketches, and also, religious and miscellaneous intelligence ... v. 1-
Jan. 7, 1831-
Baltimore, Pub. for the Methodist Protestant church by J. J. Harrod, 1831-
v. 33cm.
Running title: Methodist Protestant.
Editor: 1831- Gamaliel Bailey.
Supersedes Mutual rights of the ministers and members of the Methodist Episcopal church.
1. Methodist Protestant church—Period. I. Bailey, Gamaliel, 1807-1859, ed.
CA 6—2173 Unrev'd
Library of Congress BX8400.M6 [a40c1]

NM 0918452 DLC NcD ODW MdBE

Mutual rights and Methodist Protestant
see also Methodist recorder. Baltimore.

VOLUME 403

The **Mutual** rights of the ministers and members of the Methodist Episcopal Church. v. 1-4 (no. 1-48); Aug. 1824-July 1828. Baltimore, R. J. Matchett [etc.]
4 v. 22 cm. monthly.
Superseded in 1831 by Mutual rights and Methodist Protestant (later Methodist recorder) Cf. Union list of serials.
L. C. set incomplete: v. 2 and scattered issues wanting.

1. Methodist Episcopal Church—Period.

BX8400.M59 56-55031

NM 0918454 DLC OrU ICRL IEG MdBE

The **Mutual** rights of the ministers and members of the Methodist Episcopal Church. v. 1; Aug. 1824-July 1825. Baltimore, Printed by J. D. Toy.
(American periodical series: 1800-1850. 217)
Microfilm copy, made in 1952 by University Microfilms, Ann Arbor, Mich. Positive.
Collation of the original: 4 v.
Monthly.
Superseded in 1831 by Mutual rights and Methodist Protestant (later Methodist recorder) Cf. Union list of serials.
1. Methodist Episcopal Church—Period. (Series)

Microfilm 01104 no. 217 AP Mic 56-5199

NM 0918455 DLC NN

Mutual savings banking. v. -31, no. 11; -Apr. 1958. [New York] National Association of Mutual Savings Banks.
v. in illus., ports. 28 cm. monthly.
Began publication in 1927? Cf. Union list of serials.
Title varies: -Dec. 1946, The Month's work.
Vols. for 1939-57 include Official proceedings of the 19th-37th annual conferences of the National Association of Mutual Savings Banks.
Merged into Savings bank journal.
1. Savings-banks—U. S.—Period. I. National Association of Mutual Savings Banks. II. National Association of Mutual Savings Banks. Official proceedings. III. Title: The Month's work.

HG1881.M6 42-52132 rev*

NM 0918456 DLC MdBE

Mutual savings banking facts and figures
see National Association of Mutual Savings Banks.
National fact book: Mutual savings banking.

Mutual Security Agency
see U. S. *Mutual Security Agency.*

Mutual self-endowment and benevolent association of America, *Longview, Tex.*
The plan and constitution of the Mutual self-endowment and benevolent association of America ... Marshall, Tex., Jennings bros., printers, 1881.
16 p. 14cm.
HG8963.M97A6 1881 (Copyright 1881: 9167)
——— [New ed.] Marshall, Tex., Jennings bros., 1882.
20 p. 14cm.
CA 9-1860-1 Unrev'd
Library of Congress HG8963.M97A6 1882

NM 0918459 DLC

Mutual self-endowment and benevolent association of America, *Longview, Tex.*
The plan and constitution of the Mutual self-endowment and benevolent association of America. As amended December 9th, 1882, and May 1st, 1883 ... Marshall, Tex., Jennings bros., printers, 1883.
24 p. 14½cm.
CA 9-1859 Unrev'd
Library of Congress HG8963.M97A6 1883 (Copyright 1881: 9167)

NM 0918460 DLC

368.105 Mutual sparx ... v.1-3, no.6; Aug./Sept. 1929-July/Aug. 1932. DesMoines, Mill owners mutual fire insurance co., 1929-32.
MUTU
3v. illus.

Bimonthly.
Caption title.
No more published. 34-1324

NM 0918461 IU

Mutual stationery co., inc., *New York.*
Illustrated catalog of office supplies ... New York, N. Y., Mutual stationery co., inc. [c1935-
v. illus. (part col.) 28½cm.
On cover: Mutual stationery catalog.

1. Office supplies—Catalogs.
CA 35-303 Unrev'd
Library of Congress HF5548.M8
651.46085

NM 0918462 DLC

Mutual store, limited, Melbourne.
... Memorandum and articles of association of the mutual store, limited. Melbourne, Stillwell and co., printers, 1885.
45 p., 2 l., tables.

At head of title: "The companies statute, 1864." Company limited by shares.
Supplementary articles of association, dated 1887 and 1888, at end.

NM 0918463 MH

Mutual Telephone Company
see
Hawaiian Telephone Company.

Mutual town and bond company, *New York.*
The Mutual town and bond company. Capital, $100.-000. 45 Broadway, New York. [New York, c1890]
cover-title, 12 p. 8½ x 15cm.
CA 8-876 Unrev'd
Library of Congress HG2626.N5M8 Copyright 1890: 28795]

NM 0918465 DLC

Mutual underwriter.
Rochester, N. Y. [Mutual underwriter company] 18
v. illus. (incl. ports.) 30½cm. monthly.

1. Insurance, Assessment—Period.
CA 8—3038 Unrev'd
Library of Congress HG9201.M8

NM 0918466 DLC ICJ WaS

HG8853 M9
Mutual underwriter chart of natural premium life and accident insurance associations, and fraternal organizations. Containing tabulated statements of their condition, and the amount of business done from 1886 to 1890 ... Rochester, N.Y. mutual underwriter printing & publishing co. [c1890]
55 p. 21 x 10.5 cm.

NM 0918467 DLC

Mutual underwriter company, *Rochester, N. Y.*
Producing permanent policyholders, by 144 leading underwriters ... published and compiled by the Mutual underwriter company. Rochester, N. Y. [c1928]
224 p. diagr. 20 cm.
CONTENTS.—pt. I. For the inexperienced life underwriter.—pt. II. For the experienced life underwriter.

1. Insurance, Life—Agents. 2. Insurance, Life. I. Title.
HG8876.M75 28—20453

NM 0918468 DLC WaS PP OCl

Mutual Underwriter Company, Rochester, N.Y. HG8876.M99
Producing permanent policyholders. By 144 leading underwriters. 3d edition.
— Rochester. The Mutual Underwriter Co. 1929. 224 pp. 19 cm.
Contents. — For the experienced life underwriter. — For the inexperienced life underwriter.

N8287 — T.r. — Life insurance.

NM 0918469 MB

Mutual underwriter company, *Rochester, N. Y.*
Sales methods of 222 life insurance field men, told by themselves. Rochester, N. Y., Mutual underwriter company [c1923]
224 p. 19½cm.

1. Insurance, Life—Agents. I. Title.
Library of Congress HG8876.M8 23-13964

NM 0918470 DLC ICRL MiU OCl ICJ PPProM

Mutual underwriter company, *Rochester, N. Y.*
Selling disability insurance; a field manual for accident and health insurance producers, compiled by S. E. Belfi and others. Rochester, N. Y., The Mutual underwriter co. [c1935]
150 p. illus., diagrs. 21cm.

1. Insurance, Accident—Agents. 2. Insurance, Health—Agents. I. Belfi, Silvio Egisto, 1907- comp. II. Title.
Library of Congress HG9321.M78 35-23587
——— Copy 2.
Copyright A 86388 [3] 368.41

NM 0918471 DLC OLak

Mutual Underwriter Company, Rochester, N. Y.
Selling disability insurance; a field manual for accident and health insurance producers, comp. by S. E. Belfi and others. 2d ed. Rochester, N. Y., 1941 [c1935]
150 p. illus., diagrs.

I. Belfi, Silvio Egisti, 1907- , comp.

NM 0918472 MiD

Mutual underwriter company, *Rochester, N. Y.*
Successful selling of accident and health insurance, told by 140 experts ... published and compiled by the Mutual underwriter company. Rochester, N. Y. [c1926]
224 p. 19½cm.

1. Insurance, Accident—Agents. 2. Insurance, Health—Agents.
Library of Congress HG9321.M8 26-15172

NM 0918473 DLC OCl MB

Mutual Union Telegraph Company, appellant.
C. Coles Dusenbury, respondent, vs. the Mutual Union Telegraph Co., appellant
see under Guernsey, Rocellus Sheridan, 1836-1918.

VOLUME 403

Mutual Welfare League of Sing Sing.
Constitution and by laws. [New York? 191-?] 1 p.l., 13 p. 16°.

1. Prisons, U. S.: N. Y.: Sing Sing.
N. Y. P. L. December 5, 1916.

NM 0918475 NN

Mutual Welfare League of Sing Sing.
Two minutes in Sing Sing. [Ossining, N. Y.:] Mutual Welfare League [1916]. 1 p.l., 10 p. 24°.
At head of title: "Do good." "Make good."

1. Prisons, U. S.: N. Y.: Sing Sing. 2. Title.
N. Y. P. L. May 4, 1917.

NM 0918476 NN

Mutual Welfare League of Sing Sing. Education Dept.
Year-book of the M. W. L. Institute of Sing Sing prison; a school organized by inmates, for the benefit of inmates. September, 1916- [Ossining, N.Y., 1916-]
v. front. (port.) 8°.
At head of title: Educational Department. Mutual Welfare League.
1. Prisons, U. S.: Sing Sing.

NM 0918477 NN

... The Mutual welfare news. v.

Portsmouth, N. H., 29cm.
Weekly, -May, 1920; semimonthly (irregular), June, 1920-June, 1921.
Vols. 3-4 numbered continuously.
"Published by and for the members of the Mutual welfare league at U. S. Naval prison, Portsmouth, N. H."
Ceased publication with June(?), 1921.

1. No subject. I. United States. Naval prison, Portsmouth, N. H. Mutual welfare league.
N. Y. P. L. October 23, 1942

NM 0918478 NN DLC

Mutualidad Benéfica del Cuerpo de Inspectores Técnicos Fiscales del Estado.
Semana de estudios de derecho financiero.

Madrid, Editorial de Derecho Financiero [etc.]
v. 24 cm.
Vols. for issued by the organization under a variant form of name: Mutualidad Benéfica del Cuerpo de Inspectores Técnicos de Timbre del Estado.

1. Taxation—Spain—Law. I. Title.
343'.46'04 57-21495
rev MARC-S

NM 0918479 DLC MH-L

Mutualidad del Cuerpo de Inspectores Diplomados de los Tributos.
Ponencias presentadas en las sesiones de estudio.

[Madrid]
v. 22 cm.

1. Taxation—Spain. 2. Taxation—Spain—Law.
HJ3554.A4M87a 74-640445
MARC-S

NM 0918480 DLC

Mutualidad del Ministerio de justicia e instrucción pública (*Argentine republic*)
Mutualidad del Ministerio de justicia e instrucción pública. [Buenos Aires, 1942?]
cover-title, [48] p. incl. illus., diagrs. 26½cm.
Text on p. [2] and [3] of cover.
Issued by the Consejo directivo of the Mutualidad. cf. p. [2]

JL2050.J8M8 47-33762

NM 0918481 DLC

Mutualidad Nacional de Previsión de la Administración Local
see also
Montepío de Secretarios, Interventores y Depositarios de Administración Local.

Mutualismo.

México.
v. in 29 cm. bimonthly.
"Organo oficial de la Sociedad Mutualista 'Empleados de Comercio.'"

(Vol. numbers irregular: no.178 omitted.)
I. Sociedad Mutualista Empleados de Comercio, Mexico.
HD7116.M42M45 48-32457*

NM 0918483 DLC

Mutualist associates.

Swartz, Clarence Lee.
What is mutualism? By Clarence Lee Swartz, in collaboration with the Mutualist associates. New York, Vanguard press [1927]

Mutualità fascista, istituto per l'assistenza di malattia ai lavoratori.
... Costituzione dell'ente "Mutualità fascista, istituto per l'assistenza di malattia ai lavoratori" (Legge 11 gennaio 1943-XXI, n. 138, pubblicata nella "Gazzetta ufficiale" del 3 aprile 1943-XXI, n. 77) Roma, Libreria dello stato, 1943.
16 p. 20½cm.
At head of title: Ministero delle corporazioni.
On cover: 2324.
I. Italy. Laws, statutes, etc. II. Italy. Ministero delle corporazioni.
46-18776
Library of Congress HD7816.I 8M8

NM 0918485 DLC

Mutualità fascista, istituto per l'assistenza di malattia ai lavoratori.
Mutualità fascista, istituto per l'assistenza di malattia ai lavoratori (Legge istitutiva 11 gennaio 1943-XXI, n. 138, pubblicata sulla "Gazzetta ufficiale" del 3 marzo 1943 XXI, n. 77) Roma, Tipografia Sansaini e c°., 1943.
23 p., 1 l. 23cm.

I. Italy. Laws, statutes, etc.
HD7102.I 8M8 46-15592 rev

NM 0918486 DLC

... La Mutualità rurale fascista.

[Roma, S. a. "Arte della stampa," 19
v. tables, diagrs. 25cm.
Monthly, -Feb. 1942; bimonthly, Mar./Apr. 1942-
At head of title, 19 : Federazione nazionale fascista delle mutue di malattia per i lavoratori agricoli.
Vols. include section: Note mediche.

1. Agriculture, Cooperative—Period. 2. Agriculture, Cooperative—Italy. I. Federazione nazionale fascista delle mutue di malattia per i lavoratori agricoli.
45-34158
Library of Congress HD1491.I 8M8
[2] 334.683

NM 0918487 DLC

Mutualité industrielle. 9368.344a11
La mutualité industrielle. Société d'assurance mutuelle contre la responsabilité des accidents du travail. [Organisation et fonctionnement.]
— [Paris. 1904.] (6) pp. Illus. Charts. 16°.

G443 — Insurance. Accident.

NM 0918488 MB

Mutualité industrielle. 9368.344a12
Organisation et fonctionnement.
— Paris. 1903. 6 pp. 16°.
An accident insurance society.

G500 — Insurance. Accident.

NM 0918489 MB

Mutualité maternelle de Paris.
La maternité chez l'ouvrière en 1910. [Rapports sur la situation des sociétaires (statutaires et extra-statutaires) de janvier 1910 à août 1910.] Félix Poussineau, président .... Paris, La Mutualité maternelle, 1910.
176 p. 21½cm.
122157

NM 0918490 ICJ

... La mutualité nationale intégrale
see under L'Emancipation paysanne.

MUTUALITÉ SOCIALE AGRICOLE DU TARN
Rapport moral sur l'activité du Comité Provisoire d'administration au cours des exercices 1945-1946-1947-1948 et 1949, par André Bonné... Albi, [1950].

31p. tables.
"Assemblée Générale du 5 Mars 1950."

1. France. 2. Family allowances - France. 3. Agriculture - France. 4. Farm labor - France.

NM 0918492 MH-IR

Mutuality. year book.

Northwestern mutual fire association.
Mutuality year book ... 19
Seattle, Wash., Northwestern mutual fire association [19

Mutually yours
see Current patterns.

La Mutuelle congolaise.
Bk18 Belgisch Congo. (Jubelnummer) Uitgegeven der
029 gelegenheid der 25ste verjaring der stichting der Mutuelle congolaise, 1897-1922 Congo Belge. (Numéro jubilaire) Édité à l'occasion du 25me anniversaire de la fondation de la Mutuelle congolaise, 1897-1922. [Antwerp, Roclan, 1923]
13p.l.,[15]-287,[10]p.,1l. illus.(incl.ports.) 28½cm.
In double columns; Flemish and French on opposite pages.
Includes advertisements.

NM 0918495 CtY MBU IEN NcD

Mutuelle des armées.
Statuts sociaux, déposés en l'etude de Marcel Picard. Paris, Impr. Desmoineaux & Brisset, 1942.
24 p.

NM 0918496 DLC

VOLUME 403

Mutuelle des syndicats réunis.
Compte rendu.
Bruxelles.
v. 27 cm. annual.

HD7816.B4M883 51-35719 ‡

NM 0918497 DLC MH

W1 MU996E
Mutuelle générale des personnels de la santé publique et de la population.
Bulletin intérieur.
Paris, 19
v.
1. Social Security - period. I. Title: Bulletin intérieur, Mutuelle générale des personnels de la santé publique et de la population

NM 0918498 DNLM

Mutukisna, Henry Francis, ed.

Ceylon. *Laws, statutes, etc.*
The Tésawalamai; or, The laws and customs of the Malabars of Jaffna. Promulgated by the Dutch government of Ceylon in the year 1707, and referred to in the government regulation no. 18 of December 9, 1806. Colombo, Ceylon, G. J. A. Skeen, government printer, 1891.

Mutul', I F
Лен масличный; по данным Госсортосети за 1932–1935 гг. Под ред. И. А. Минкевича. Ленинград, Изд-во Всес. академии с-х. наук им. В. И. Ленина, 1936.
72 p. 25 cm.
At head of title: Всесоюзная академия сельскохозяйственных наук им. В. И. Ленина. Всесоюзный институт растениеводства. Госсортосеть.
Bibliography: p. 72.

1. Flax—Russia. I. Title. *Title transliterated:* Len maslichnyĭ.

SB253.M75 OCA7 61-57833

NM 0918500 DLC

540.1 fM985
MUTUS LIBER.
Le livre d'images sans paroles (Mutus liber); où, Toutes les opérations de la philosophie hermétique sont décrits et représentées. Réédité d'après l'original et prédédé d'une hypotypose explicative par Magophon. Paris, É. Nourry [1914] [17] p. 15 pl. 39cm.
"Il a été tiré de cet ouvrage deux cent quatre-ving-cinq exemplaires numérotés et paraphés par l'editeur... No.221. E. Nourry."
Attributed to Jacob Saulat, sieur des Marez and also to Dr. Tollé

1. Alchemy. 2. Emblems. I. Saulat, Jacob, sieur des Marez, supposed author. II. Tollé, ________, supposed author. III. Magophon, __________. IV. Title.

NM 0918502 MnU MH

Mutus liber.
see also Trésor hermétique comprenant Le livre d'images sans paroles (Mutus liber)

Mutus liber, in quo tamen tota philosophia hermetica, figuris hieroglyphicis depingitur, ter optimo maximo Deo misericordi consecratus, solisque filiis artis dedicatus, authore cuius nomen est Altus ... [Rupellae, 1677]
15 pl. 30½ x 23cm.
Attributed to Jacob Saulat, sieur des Marez and also to Dr. Tollé.

1. Alchemy. I. Altus. II. Saulat, Jacob, sieur des Marez, supposed author. III. Tollé, ———, supposed author.

10-18432

Library of Congress QD25.M8

NM 0918504 DLC DeU WU CtY

Wason DS646.15 S8M99
Mutyara.
Peristiwa Atjeh. Tjetakan 1. Bireuën, Pendekar Rakjat [1946]
32 p. 20cm.

1. Sumatra--Hist. 2. Achin, Sumatra--Hist. I. Title.

NM 0918505 NIC

Wason DS646.1 M99+ 1946a
Mutyara.
Peristiwa Atjeh. Bireuen, Pendekar Rakjat [1946]
Carbon copy of typewritten transcript.
32 l. 30cm.

1. Achin, Sumatra--Hist. 2. Indonesia--Hist.--Revolution, 1945-1949. I. Title.

NM 0918506 NIC

SM 8101 .1223 Ser.2, v.73
Mutylin, A F
An example of a nontrivial topologization of the field of rational numbers. Complete locally bounded fields. (In American Mathematical Society. Translations. Ser.2, v.73, p.159-179)

NM 0918507 NjP

Mutz, Annemarie, 1908-
...Welche Reaktionen an der Haut sind durch eine Beeinflussung des Säure-Basenhaushaltes bekannt?... Hamburg, 1932.
Inaug.-diss. - Hamburg.
Lebenslauf.
"Literatur": p. [17]-18.

NM 0918508 CtY MiU

Mutz, Elfriede, 1901—
Transplantationsversuche an Hydra mit besonderer berücksichtigung der induktion, regionalität und polarität
Inaug. Diss. Marburg, 1929;

NM 0918509 ICRL CtY

Mutz, Franz Xaver, 1854-1925.
Christliche aszetik, von dr. Franz Xaver Mutz. 2., verm. und verb. Aufl. Paderborn, F. Schöning. 1909.
xiii, 576 p. 22½ cm. (Added t.p.: Wissenschaftliche Handbibliothek. 1. Reihe: Theologische Lehrbücher, XXVII)

NM 0918510 OU MH-AH

BV 5033 M83 1913
Mutz, Franz Xaver, 1854-1925.
Christliche aszetik, von Dr. Franz Xaver Mutz ... 3. aufl. Paderborn, F. Schöningh, 1913.
xiv, 584 p. 23 cm. (Added t.-p.: Wissenschaftliche handbibliothek. 1. reihe. Theologische lehrbücher. xxvii)
Bibliographical footnotes.

1. Asceticism--Catholic Church. I. Title.

NM 0918511 IEdS

Mutz, Franz Xaver, 1854-1925.
Christliche Aszetik. 5. Aufl. Paderborn, F. Schöningh, 1920.
xvi, 512 p.
First published 1907.

NM 0918512 PLatS

Mutz, Franz Xaver, 1854-1925.
Christliche aszetik, von dr. Franz Xaver Mutz ... 6. aufl. Paderborn, F. Schöningh, 1923.
xvi, 491 p. 22½cm. (*Added t.-p.:* Wissenschaftliche handbibliothek. 1. reihe. Theologische lehrbücher. xxvii)
Bibliographical foot-notes.

1. Asceticism—Catholic church. I. Title.

41-13124

Library of Congress BV5033.M83 1923
[2] 248

NM 0918513 DLC

Mutz, Franz Xaver, 1854-1925.
Die Verwaltung der heiligen Sakramente. 4., auf Grund des Codex iuris canonici neubearbeitete Auflage. Freiburg i.B., Herder & Co., 1920.
viii, 303 p. 21 cm.
First published 1900.

NM 0918514 PLatS CU

Business HF 5461 .M87
Mutz, Horst Richard
Das Einheitspreisgeschäft; als neuzeitliche Betriebsform im Deutschen Einzelhandel. Berlin, Industrieverlag Spaeth & Linde, 1932.
246 p. tables (Schriftenreihe der Forschungsstelle für den Handel, 11)

Bibliography: p. 244-245.

NM 0918515 NNC

Mutz, Horst Richard.
La vente à prix uniques considérée comme nouvelle méthode d'organisation du commerce de détail, par Richard Mutz ... Traduit par René Stolle ... Paris, Dunod, 1934.
xii, 226 p. incl. tables, diagrs. 25cm.
Revised and enlarged edition of the author's inaugural dissertation, Berlin handelshochschule, 1932, issued under title: Das einheitspreisgeschäft als neuzeitliche betriebsform im deutschen einzelhandel.
"Ouvrages consultés": p. 216-217.

1. Department stores. 2. Retail trade. I. Stolle, René, tr.

A C 35-939

Title from N. Y. Pub. Libr. Printed by L. C.
[2]

NM 0918516 NN

NK1510 .M8
Mutz, Mamie Russell.
Learning to see, a work book in color and design, by Mamie Russell Mutz...Minneapolis, Minn., Burgess-Roseberry company, c1930.
5 p.l.,2-105[i.e. 119] numb. l. illus., diagrs. (1 fold.) 27 1/2 cm.

NM 0918517 DLC PPD PSt IU PP IaU KEmT

VOLUME 403

Mutz, Mamie Russell.
...Learning to see; a work book in color and design. Minneapolis, Minn., Burgess publishing co., [c1934]
105 p. illus. 27 cm.
Mimeographed.

NM 0918518 PPiU

NC593 .M8 1935 Mutz, Mamie Russell.
Learning to see, a work book in color and design. Minneapolis, Minn., Burgess Pub. Co., 1935.
105 p. illus. 28 cm.

1. Color--Study and teaching. 2. Design--Study and teaching. I. Title.

NM 0918519 TU

Mutz, Mamie Russell.
Learning to see; a work book in color and design, by Mamie Russell Mutz ... Minneapolis, Minn., Burgess publishing company, 1936, c30.
4 p.L., 105 (i.e.118) numb.L.incl. illus., diagrs. (1 fold.) 27 1/2cm.
Mimeographed.
"The material assembled ... has been planned for college students, and teachers ... in the field of home economics.
Contains bibliographies.

NM 0918520 IdU

Case R 68 .603 MUTZ, OTTO.
The stockman's brand book, Brown and Cherry counties. 1902. Ainsworth, Neb., Herald print, c1902.
138, [19] p. 17cm.

NM 0918521 ICN

C636.0812 M985st Mutz, Otto
The stockman's brand book: Holt, Rock, and Boyd counties. Ainsworth, Neb., Western Rancher Print., 1904.
72p. illus. 17cm.
"Some Nebraska laws relating to animals": p.[3]-10.

I.Cattle brands. Nebraska I.Title

NM 0918522 CoD ICN

Mutz, Otto.
The stockman's brand book, Keya Paha county, 1902. By Otto Mutz. Lincoln, Neb., George bros., printers, 1901.
106 p. illus. 16½cm.

1. Cattle brands—Nebraska—Keya Paha co. I. Title.
2-13652 Revised
Library of Congress SF103.M99

NM 0918523 DLC

Mutz, Otto.
What's the matter with our Uncle Sam? or, Building a Christian democracy, by Otto Mutz ... Lincoln, Neb., Woodruff press, 1922.
viii, 251 p. 20cm.

1. U. S.—Econ. condit. 2. U. S.—Pol. & govt. 3. Social problems. I. Title. II. Title: Building a Christian democracy.
Library of Congress HN64.M9 22-14433

NM 0918524 DLC

Mutz, Pierre Louis.
6773 [i. e. Six mille sept cent soixante-treize] Illus. de Jane Faye. Ivry-sur-Seine, Mutz [1949]
254 p. 18 cm.

1. World War, 1939-1945—Prisoners and prisons, German. I. Title.
D805.G3M86 52-67611 ‡

NM 0918525 DLC NN

[Mutz, Sterling Faan] 1888–
Bryan, the missionary. [Lincoln? Neb., 1942]
6 numb. l., 1 l. 26½cm.
Caption title.
Type-written.
"Address by Sterling F. Mutz, Lincoln, Neb., delivered on Bryan's birthday at the annual dinner, Lincoln, Neb., March 19th 1942."—Ms. note at head of title.

1. Bryan, William Jennings, 1860-1925. I. Title.
42-25622
Library of Congress E664.B87M8

NM 0918526 DLC

AC 831 Mutz, Wilhelm, 1907-
Der charaktor Richards III. in der darstellung des chronisten Holinshed und des dramatikers Shakespeare, mit einem beitrag zu seiner charakterpsyche. ... 74 p.
Inaug. Diss. - Berlin, [1936]
Lebenslauf.
Literaturverzeichnis.

NM 0918527 ICRL NjP PU-F CSmH CtY NN

Mutzbauer, Carl.
Ausführlicher Lehrplan für den lateinischen Unterricht im Gymnasium zu Duisburg. n.p., 1879.
p. 9-19.
Programm - Gymnasium, Duisburg.

NM 0918528 NjP

PA 367 .M8 Mutzbauer, Carl
Die Grundbedeutung des Konjunktiv und Optativ und ihre Entwicklung im Griechischen; ein Beitrag zur historischen Syntax der griechischen Sprache. Leipzig, Berlin, B. G. Teubner, 1908.
x, 262p. 24cm.

1. Greek language - Grammar, Historical. 2. Greek language - Syntax. I. Title.

NIC CU
NM 0918529 TNJ DCU ICU CtY NjP PBm PU MiU MH

Mutzbauer, Carl.
Die grundlagen der griechischen tempuslehre und der homerische tempusgebrauch. Ein beitrag zur historischen syntax der griechischen sprache von Carl Mutzbauer. Strassburg, K. J. Trübner, 1893-1909.
2 v. 23cm.

1. Greek language—Tense. 2. Homerus—Language.
46-38899
Library of Congress PA347.M8

NcD
NM 0918530 DLC NN NIC CU MiU ICU NjP MH PU CtY

Microfm PA 149 Mutzbauer, Carl.
Die Grundlagen der griechischen Tempuslehre und der homerische Tempusgebrauch. Ein Beitrag zur historischen Syntaxe der griechischen Sprache. Strassburg, E. J. Trübner, 1909.
Negative microfilm.
Vol. 2 only.

1. Greek language--Tense. I. Title.

NM 0918531 ICU

AC831 C642 1884, 1886 Stack Mutzbauer, Carl.
Der homerische Gebrauch der Partikel MEN. Köln, 1884-86.
2 pt.
"1884. Nr. 392; 1886. Nr. 395."
Programmschrift - Königliches Friedrich-Wilhelms-Gymnasium, Köln.

1.Homerus - language. 2.Greek language - Particles.
NIC

NM 0918532 CSt NIC MH PU NjP CU

Mutzbauer, Carl.
Das wesen des griechischen infinitivs und die entwicklung seines gebrauchs bei Homer; ein beitrag zur historischen syntax der griechischen sprache, von Carl Mutzbauer. Bonn, F. Cohen, 1916.
1 p. l., 154 p. 22cm.

1. Greek language—Infinitive. 2. Homerus—Language.

NM 0918533 MiU OU NjP CU WaU ICU IU

Mutze, Osw. ed.
Spiritisch-rationalistische Zeitschrift
see under title

AC 831 Mutze, Otto
Ist der begriff der steuerrechtlichen rechtsfähigkeit nötig? ... Leipzig, 1932. 62 p.
Inaug. Diss. -Leipzig, 1932.
Bibliography.

NM 0918535 ICRL MH-L

Mutze, Otto.
Lexikon der Umsatzsteuer [von] Otto Mutze [und] Fritz Tiedt. Halle, Saale, F. Tauchnitz [1949]
36 p. 21 cm. (Tauchnitz Gesetz- und Kommentarsammlung, Heft 8)

1. Sales tax—Germany (Democratic Republic, 1949-) I. Tiedt, Fritz, d. 1949. joint author. II. Title.
55-30226

NM 0918536 DLC

Mutze, Otto
Das neue lohnpfändungsrecht; die lohnpfändungsverordnung vom 30. Oktober 1940 von ... dr. jur. Otto Mutze. 1. bis 5. tausend. Chemnitz, Fachverlag für steuer- und wirtschaftsrecht, 1940.
48 p. 20½cm.

NM 0918537 MH-L DLC-P4

Mutzel, Sebastian
see Mutzl, Sebastian, 1797-1863.

Mutzenbecher, Esdras Heinrich, 1744-1801.
Schleusner, Johann Friedrich, 1759-1831.
Novus thesaurus philologico-criticus: sive, Lexicon in LXX. et reliquos interpretes graecos, ac scriptores apocryphos Veteris Testamenti. Post Bielium, et alios viros doctos congessit et edidit Joh. Fried. Schleusner ... Ed. 2. recensita et locupletata ... Glasguæ, curaverunt et excuderunt A. et J. M. Duncan, impensis R. Priestley, Londini, 1822.

VOLUME 403

Mutzenbecher, Esdras Heinrich Wilhelm.
Die Lehre von den Kommorienten. Oldenburg, 1901.
36 p.
Inaug.-diss. - Tübingen.

NM 0918540 ICRL

Mutzenbecher (F. M.) * De hæmorrhagicis. 42 pp. 8°. *Heidelbergæ, C. Groos,* 1841.

NM 0918541 DNLM

Mutzenbecher, Franz Matthias, 1884-
Zur Lehre vom Persönlichkeitsrecht ... von Franz Matthias Mutzenbecher ... Hamburg, Lütcke & Wulff, 1909.
65, [1] p. 22cm.
Diss. - Heidelberg.
"Lebenslauf": p.[66]
"Literatur": p.[7]-10.

NM 0918542 MH-L ICRL MH

Film 13007 Mutzenbecher, Heinrich, 1888-
Heine und das Drama. Hamburg, L.Gräfe, 1914.
170 l.
Inaug.-Diss. - Bonn.
Microfilm (negative) of typescript. Wiesbaden, Harrassowitz, 1969. 1 reel.

1. Heine, Heinrich, 1797-1856. I. Title.

NM 0918543 IaU CtY MiU

831.75 H36ZM98 Mutzenbecher, Heinrich, 1888 -
Heine und das Drama. Hamburg, L. Gräfe, 1914.
170 p. 24cm.
Bibliography: p. [7]-8.

1. Heine, Heinrich, 1797-1856.

DLC-P4 NBuU NcD
NM 0918544 MiDW PU NNU ICRL MiU OCH MH InU

Mutzenbecher, J., respondent.
... De valore fideicommissorvm, 1719-1797, see under Becker, Hermann, praeses.

DD 37 .M 9 1822 [Mutzenbecher, Johann Daniel]
Bemerkungen auf einer Reise aus Norddeutschland über Frankfurt nach dem südlichen Frankreich im Jahr 1819. Rudolstadt, C. P. Froebel; Leipzig, In Commiss. der Rein'schen Buchhandlung, 1822.
viii, 336 p. 17½cm.

1. Germany - Descr. & trav. 2. France - Descr. & trav.

NM 0918546 MdBJ

Mutzenbecher, Kurt von
Beiträge zur Lehre von der culpa in concreto innerhalb obligatorischer Rechtsverhältnisse von Kurt v. Mutzenbecher ... Berlin, L. Simion, 1896.
68, [4] p. 20½cm.
Inaug.-Diss. - Erlangen.
"Benutzte Litteratur": p.[69]-[70]

NM 0918547 MH-L ICRL NIC

Mutzenbecher, Kurt von.
Katalog einer Sammlung von hervorragenden Seltenheiten, vornehmlich aus Literatur und Kunst hierin die Bibliothek Dr. Kurt von Mutzenbecher ... in Verbindung mit Beständen der Bibliothek von Biedermann ... Enthält viele Erstdrucke: Der klassischen Periode (Goethe - Schiller - Lessing), der romantischen Schule des jungen und jüngsten Deutschlands; ferner ein Auswahl illustrierte Werke des 18. und 19. Jahrhunderts ... Versteigerung ... d. 4., ... d. 5., u. ... d. 6. Oktober 1906...

durch Max Perl ... Berlin [1906]
ix, 141 p. front., illus., plates. 25 cm.
Inner back cover (p. 141) contains text.
Plates printed on both sides.
Introduction signed: Fedor von Zobeltitz.

NM 0918549 CtY

Mutzenbecher, Ludwig Samuel Dietrich, 1766-1838.
[Salomonische lieder]
Drei salomonische lieder von C. A. Tiedge, komponirt von dr L. S. D. Mutzenbecher. Hamburg, G. Vollmer [180-?]
35 p. 23½ x 33cm.
Nos. 1 and 3 are for solo voice, no. 2 is a duet. With piano accompaniment.

1. Songs (High voice) with piano. 2. Vocal duets with piano. I. Tiedge, Christoph August, 1752-1841.
45-30365
Library of Congress M1621.M

NM 0918550 DLC

Mutzenbecher, Ludwig Samuel Dietrich, 1766-1838.
Vorläufige Nachricht von den jetzt herrschenden Krankheiten dieser Stadt; über Zeichen, Charakter, Behandlung und Verhütung derselben. Altona, J.F. Hammerich, 1814.
32 p. 8°.

NM 0918551 DNLM

AC 831 Mutzenbecher, Paul, Freiherr von, 1904-
Kolloidchemische unterschiede zwischen paraglobulinen aus normalen und antitoxischen seren... Berlin, n.d. pp.101-124.
Inaug. Diss. Berlin, [1932?].
Lebenslauf.
(Biochemische zeitschrift, Band 243, Heft, 1/3.)

NM 0918552 ICRL

Mutzenbecher, Samuel Diedericus.
Dissertatio medica historiam febris intermittentis sistens. Kiliae, Bartschii, 1790. 44p.

NM 0918553 PPC

Mutzenbecher, Samuel Diedericus.
Exhibetur simul memorabile graviditatis fere biennis exemplum. Inaugural diss. Kiliae, Bartschii, 1790. 8 p.

NM 0918554 PPC

Mutzenbecher, Thesi, tr.
PS2384 .M6G4 **Melville, Herman, 1819-1891.**
Moby-Dick, Roman. [Übersetzt von Thesi Mutzenbecher unter Mitwirkung von Ernst Schnabel] Hamburg, Claassen & Goverts [1946]

Mutzenberg, Charles Gustavus, 1863-
Kentucky's famous feuds and tragedies. Authentic history of the world renowned vendettas of the "dark and bloody ground" ... By Chas. G. Mutzenbergh [!] Hyden, Ky., Hyden publishing co., 1899.
183 p. incl. front. (port.) 18cm.
On cover: vol. I.
Pages 31-32, duplicated; p. 33 and 34, and 45 and 46, reversed.

1. Crime and criminals—Kentucky. 2. Vendetta. I. Title.
99-4576
Library of Congress HV6452.K4M8 1899

NM 0918556 DLC OU

Mutzenberg, Charles Gustavus, 1863-
Kentucky's famous feuds and tragedies; authentic history of the world renowned vendettas of the dark and bloody ground, by Chas. G. Mutzenberg. New York, R. F. Fenno & company [1917]
2 p. l., 7-333 p. 19½cm. $1.25

1. Crime and criminals—Kentucky. 2. Vendetta. I. Title.
17-18067
Library of Congress HV6452.K4M8 1917

OCl OCU CU PPLas CU ViU
NM 0918557 DLC WaS KyHi KyLx OU NIC AAP NN MiU

Mutzer (Franciscus). * De nitro. 28 pp., 1 l. 8°. *Vindobonæ, typ. J. Thom. nob. de Trattnern,* [1776].
Also, in: DE WASSERBERG. Op. min. med. et diss. 8°. Vindob., 1776, iv, 433-454.

NM 0918558 DNLM

Mutzer, P., 1890-
Die erbengemeinschaft.
Inaug. diss. Zuerich, 1926
Bibl.

NM 0918559 ICRL DLC

Mutzl, Sebastian, 1797-1863.
Die bayerische mundart [in Ober- und Niederbayern]
(In Bavaria. Landes- und volkskunde. Muenchen, 1860. p. 339-363]
DD801 .B34B3

NM 0918560 DLC CU

MUTZL, Sebastian, 1797-1863.
Blumenlese aus spanischen dichtern. Landshut, 1830.
Front.

NM 0918561 MH

Gk11 1 M98 Mutzl, Sebastian, 1797-1863.
De nominum latinorum radicibus. Commentatio grammatica ... Monachii, 1827.
Pamphlet

NM 0918562 CtY

VOLUME 403

Mutzl, Sebastian, 1797-1863.
Geschichte Bayerns von der frühesten bis auf unsere zeit; bearbeitet von Sebastian Mutzl und Karl Kugler. Regensburg, G. J. Manz, 1857.
pp. xvi, 368.

Bavaria Hist.||Kugler

NM 0918563 MH

Mutzl, Sebastian, 1797-1863.
Lateinische grammatik. 2 aufl. ₍Landshut, Johann Nep. Attenkofer, n.d.
5-442 p. 21 cm.
Copy 2: 3 burchaus verb. und verm. aufl. 1838. 633 p. 22 cm.

1. Latin language - Grammar - 1800-1870.

NM 0918564 PLatS

Mutzl, Sebastian, 1797-1863.
Lateinische Schulgrammatik. 2., verb. und vielverm. Aufl. Landshut, J. Thomann, 1834.
xvi, 460 p. 22cm.

NM 0918565 PLatS

Mutzl, Sebastian, 1797-1863.
Lateinische schulgrammatik von Sebastian Mutzl ... 3. durchaus verb. und verm. aufl. Landshut, J. N. Attenkofer, 1838.
633 p.

NM 0918566 OCU

MUTZL, Sebastian, 1797-1863.
Die lex baiwariorum als geschichtliche und sprachliche urkunde. Eichstatt, 1859.
4°. (2)+13 p.

NM 0918567 MH-L

AS 182 M9624+ v.6 no.7

Mutzl, Sebastian, 1797-1863.
Die römischen Wartthürme, besonders in Bayern. Ein Beitrag zu v. Limbrun's, Dr. Buchner's, Dr. Mayer's u. a. Abhandlungen über römische Alterthümer in Bayern, von Seb. Mutzel. München, Verlag der K. Akademie, 1851.
25 p. 4 plates. 27cm. (Abhandlungen der Historischen Classe der Königlich Bayerischen Akademie der Wissenschaften, 6. Bd.)
1. Towers-- Bavaria. 2. Bavaria-- Antiquities, Roman. I. Title.

NM 0918568 NIC MB RPB MdBP

MUTZL, Sebastian, 1797-1863.
Über die accentuirende rhythmik in neueren sprachen. Landshut, 1835.
sm.4°. pp.(2),34.

NM 0918569 MH NjP

Mutzl, Sebastian. Ueber die Verwandtschaft der germanisch-nordischen und hellenischen Götterwelt. Ingolstadt, A. Chr. Fromm, 1845. 4°. pp. 17. IcD1M994

NM 0918570 NIC

Mutzl, Sebastian, 1797-1863.
Urgeschichte der Erde und des Menschengeschlectes nach der mosaischen Urkunde und den Ergebnissen der Wissenschaften ... Landshut, Jos. Thomann, 1843.

NM 0918571 PLatS

Mutzner, Carl.
Der einzig mögliche Weg zur Ordnung der Elektrizitätsversorgung; mit einer Skizze für ein Gesetz über die Elektrizitätswirtschaft. Rorschach, E. Löpfe-Benz ₍1948?₎
63 p. 21 cm.

1. Water—Laws and legislation—Switzerland. 2. Electric engineering—Laws and legislation—Switzerland. I. Title.

50-34516

NM 0918572 DLC MCM

₍**Mutzner, Carl**₎
Die Sicherung einer genügenden Elektrizitätsversorgung; kritischer Beitrag zu den Verhandlungen in der Bundesversammlung über die Revision des Wasserrechts, von Hydro Electricus ₍pseud.₎ Rorschach, E. Löpfe-Benz ₍1947₎
54 p. 21 cm.

1. Water—Laws and legislation—Switzerland. 2. Electric engineering—Laws and legislation—Switzerland. I. Title.

50-25447

NM 0918573 DLC

Mutzner, Carl.
Die virtuellen längen der eisenbahnen ... Anhang: Die linie gleichen widerstandes. Mit 4 tafeln, 12 zahlentafeln und 4 figuren. Von dr. sc. techn. Carl Mutzner ... Zürich und Leipzig, Gebr. Leeman & co., 1914.
1 p. l., 173 p. illus., tables, fold. diagrs. 23½ᶜᵐ.
"Bezeichnungen" on folded leaf before p. 1.

1. Railroads—Economics of construction.

A 14-2764

Title from Bureau of Railway Economics. Printed by L. C.

NM 0918574 DBRE DLC-P4 ICRL MiU ICJ NN

Mutzner, Herman Marcou
see Marcou-Mutzner, Herman.

Mutzner, Paul, 1881-
Geschichte des grundpfandrechts in Graubuenden. Inaug. diss. Bern, 1909.

NM 0918576 ICRL

MUTZNER, Paul, 1881-
Geschichte des grundpfandrechts in Graubünden; ein beitrag zur geschichte des schweizerischen privatrechts. Chur, 1909.

NM 0918577 MH-L

4K Swiss. 329

Mutzner, Paul, 1881-
Die öffentliche Beurkundung im schweizerischen Privatrecht; Referat. ₍ 19 ₎
104a-145a p.

NM 0918578 DLC-P4

Mutzner, Paul, 1881-
Zürich. Universität. *Rechts- und staatswissenschaftliche fakultät.*
Schweizerischer juristentag 1928, 9.-11. september in Zürich. Festgabe der Rechts- und staatswissenschaftlichen fakultät der Universität Zürich. Zürich, Schulthess & co., 1928.

4K 76

Mutzner, Paul, 1881-
Vom Wert der Rechtsgeschichte, akademische Antrittsrede gehalten am 17. Mai 1919. [Zürich, 1919]
17 p.

NM 0918580 DLC-P4 MH-L

Mutzner, Paula.
Die Schweiz im werke Ricarda Huchs, von dr. Paula Mutzner. Bern-Leipzig, P. Haupt, 1935.
xii, 132 p. 23½ cm. (*Added t.-p.:* Sprache und dichtung, forschungen zur sprach- und literaturwissenschaft ... hft. 59)
Issued also as thesis, Bern.
"Bibliographie": p. ₍v₎-x; bibliographical foot-notes.

1. Huch, Frau Ricarda Octavia, 1864- 2. Switzerland in literature. 3. Literature, Comparative—German and Swiss (German) 4. Literature, Comparative—Swiss (German) and German. I. Title.

A C 36—762

Northwestern Univ. for Library of Congress Library ₍a53c1₎

NM 0918581 CtY OCU ICRL CaBVaU MU IEN NBC FTaSU IU PU NcD GU CU NIC

Mutzner, Raetus, 1912-
Bundeszivilrecht und kantonales öffentliches recht ... von Raetus Mutzner ... Aarau, Graphische werkstätten H. R. Sauerländer & co., 1939.
vi p., 1 l., 89, ₍1₎ p. 22½ᶜᵐ.
Inaug.-diss.—Zürich.
Issued also as Zürcher beiträge zur rechtswissenschaft, n. f., hft. 67.
Lebenslauf.
"Literaturverzeichnis": p. ₍v₎-vi.

1. Civil law—Switzerland. 2. Administrative law—Switzerland. 3. Switzerland—Constitutional law. I. Title.

41-38598

NM 0918582 DLC

Mutzner, Raetus, 1912-
... Bundeszivilrecht und kantonales öffentliches recht, von dr. iur. Raetus Mutzner. Aarau, H. R. Sauerländer & co., 1939.
vi p., 1 l., 89 p. 23½ᶜᵐ. (Zürcher beiträge zur rechtswissenschaft ... n. f., hft. 67)
Issued also as inaugural dissertation, Zürich.
"Literaturverzeichnis": p. ₍v₎-vi.

1. Civil law—Switzerland. 2. Administrative law—Switzerland. 3. Switzerland—Constitutional law. I. Title.

41-10950

NM 0918583 DLC NNC IU MH

PH610 .M9

MUUK, ELMAR
Lühike eesti keeleõpetus, 1-9 muutmata trükk. Tartu, Eesti kirjanduse selts, 1940- v. Map. Diagrs. (Akadeemilise emakeele seltsi toimetised, 13)
Contents: 1. Häälikuõpetus- ja vormiõpetus.

NM 0918584 InU

VOLUME 403

PH625 .T8 Muuk, Elmar, ed.

Tuksam, Georg.
Saksa-eesti sõnaraamat. Käsikirja läbi töötanud ja redigeerinud E. Muuk. Geislingen, Kirjastus "Eddy," 1947.

Muuk, Elmar.
Väike õigekeelsus-sõnaraamat. 2. trükk. Tartu, Eesti Kirjanduse Seltsi kirjastus, 1933.
416 p. 19 cm.
1. Estonian language—Grammar. 2. Estonian language—Orthography and spelling. I. Title.
PH623.M8 1933 56-48830 ‡

NM 0918586 DLC NN

Muuk, Elmar.
Väike õigekeelsus-sõnaraamat. Tartu, Teaduslik Kirjandus, 1946.
587 p. 20 cm.
1. Estonian language—Grammar. 2. Estonian language—Orthography and spelling. I. Title.
PH623.M8 49-57474*

NM 0918587 DLC

Muuk, Elmar.
Väike õigekeelsus-sõnaraamat. 9. trükk. Stockholmis, Eesti Raamat, 1947.
458 p. 14 cm. (Eesti Teadusliku Seltsi Rootsis väljaanne, nr. 2)
1. Estonian language—Grammar. 2. Estonian language—Orthography and spelling. I. Title. (Series: Eesti Teaduslik Selts Rootsis. Väljaanne, nr. 2)
PH623.M8 1947 53-32239

NM 0918588 DLC PU CtY NN InU

Muur, Boëtius
see **Boëtius Murenius,** *d. ca.* 1668.

QA567 .M9 **Muurling, Joachim Willem.**
De krommen rⁿ = aⁿ cos. nθ ... Groningen, Gebroeders Hoitsema, 1870.
[iii]-xvi, 137, [1] p. 22½cm.
Proefschrift—Groningen.
1. Curves, Plane.

NM 0918590 ICU NN

No96 I61 V58p 8 Muurling, W
Hervormingsplannen voor Britsch-Indië; het rapport Montagu-Chelmsford, bewerkt door W. Muurling. Weltevreden, Visser, 1919.
166 p. 25 cm. (Vereeniging voor Studie van Koloniaal-Maatschappelijke Vraagstukken. Publicatie no. 8)
1. India - Pol. & govt. - 20th cent. I. Montagu, Edwin Samuel, 1879-1924. II. Chelmsford, Frederic John Napier Thesiger, baron, 1868- III. Title(1)

NM 0918591 CtY MiU

MUURLING, Willem, 1805-1882.
Commentatio historico-theologica, de Wesseli Gansfortii cum vita, tum meritis in praeparanda sacrorum emendatione, etc. Pars I. Traj. ad Rhen., 1831.
No more published.

NM 0918592 MH-AH

Muurling, Willem, 1805-1882.
Practische godgeleerdheid, of Beschouwing van de evangeliebediening, voornamelijk in de Nederlandsche hervormde kerk. Een handboek bij de academische lessen. Door W. Muurling ... Groningen, J. Oomkens, J. zoon, 1851-57.
3 v. in 1. 23½cm.
1. Theology, Pastoral—Reformed church. I. Title.
Library of Congress BV4010.M8 38-816
[2] 250

NM 0918593 DLC CtY

---

718 Ref. M993p 1860 MUURLING, Willem, 1805-1882.
Practische godgeleerdheid, of beschouwing van de evangeliebediening voornamelijk in de Nederlandsche Hervormde Kerk. Een handboek bij de academische lessen. Groningen, Oomkens, J. Zoon, 1860.
637p., xviip. 23cm.
Tweede, verbeterde uitgave.

NM 0918594 MH-AH

Muurling, Willem, 1805-1882.
Zestal leerredenen ter aanprijzing van het inwendige Christendom. Door W. Muurling ... Te Groningen, bij J. Oomkens, 1843.
xii, 144p. 24cm.

NM 0918595 NNUT

Muus, Antonius Hansen, 1665-1713, tr.

Lassenius, Johann, 1636-1692.
D. Johannis Lassenii ... hans Bibelske kierne, og korte begrib paa den gandske Hellige Skrift, fremstillet og forfattet i korte spørsmaal over hvert kapitel, med deris rigtige svar dertil ... til ungdommens og de eenfoldigis, der ikke forstaar det tydske sprog, deris salige nytte og brug efter begiæring paa danske oversat, og paa adskillige stæder formeeret ... Kjøbenhavn, Trykt hos J. J. Høpffner, 1722.

BX8065 .W4M9 **Muus, Bernt Julius, 1832-1900.**
Falskt vidnesbyrd af prof. A. Weenaas. Decorah, Iowa, 1879.
52 p. 19 cm.

NM 0918597 MnHi

Muus, Bernt Julius, 1832-1900.
Niels Muus's æt. Ved Bernt Julius Muus. 1888. Chicago, Skandinavens bogtrykkeri, 1890.
28 p. col. pl. (coats of arms) 21cm.
CS919.M8 1890
—— Niels Muus's æt II. Rettelser og tillæg samt andre norske Muus'er. Ved Bernt Julius Muus. 1897. Decorah, Ia., Lutheran publishing house's bogtrykkeri, 1897.
56 p. illus. 23cm.
1. Muus family. 2. Muus, Niels, 1642-1737.
Library of Congress CS919.M8 1897 13-14521-2

NM 0918598 DLC

3778C .M8 Muus, Bernt Julius, 1832-1900.
Omvendelse; studier i kirkens aeldre laerere. Minneapolis, Forenede kirkes trykkeri, 1895.
125 p. 19 cm.
1. Conversion. I. Title.

NM 0918599 MnHi

Muus, Bernt Julius, 1832-1900.

[Aaker, Lars Knudsen] 1825-1895.
Til minde om Knud Saavesen Aaker og hustru Mari Larsdatter Hægtvedt ... Minneapolis, Minn., Forenede kirkes trykkeri, 1892.

Muus, Flemming Bruun, 1907-
Det begyndte under Sydkorset. København, Thaning & Appel, 1952.
190 p. illus. 22 cm.
1. Liberia. I. Title.
CT1278.M8A28 55-21820 ‡

NM 0918601 DLC NN IEN

Muus, Flemming Bruun, 1907-
Der kom en dag ... København, Thaning & Appel, 1953.
209 p. 21 cm.
I. Title.
A 54-2554
Minnesota. Univ. Libr. for Library of Congress [1]

NM 0918602 MnU NN

Muus, Flemming Bruun, 1907-
Ingen tænder et lys. København, Branner, 1950.
206 p. 22 cm.
1. World War, 1939-1945—Underground movements—Denmark. I. Title.
D802.D4M9 A 51-1059
Minnesota. Univ. Libr. for Library of Congress [a50d½]†

NM 0918603 MnU OCl NN DLC NcD MH

Muus, Flemming Bruun, 1907-
Monica Wichfeld, af Flemming B. Muus og Varinka Wichfeld Muus. København, Berlingske forlag, 1954.
187 p. illus., ports. 22 cm.
1. Wichfeld, Monica Emily (Massy-Beresford) 1894-1945. I. Muus, Varinka Corina (Wichfeld) 1922- joint author.
CT1278.W5M8 A 54-6540
Minnesota. Univ. Libr. for Library of Congress [1]†

NM 0918604 MnU NN DLC

948.9 W633YmX **Muus, Flemming Bruun, 1907-**
Monica Wichfeld, a very gallant woman, by Flemming B. Muus and Varinka Wichfeld Muus. Translated from the Danish by Anthony Hinton. London, Arco, 1955.
158p. 23cm.
1. Wichfeld, Monica Emily (Massy-Beresford) 1894-1945. I. Muus, Varinka Corina (Wichfeld) 1922- jt. auth.

NM 0918605 IEN PP NN

VOLUME 403

Muus, Flemming Bruun, 1907-
Over 23 graenser. København, Berlingske forlag, 1955

NM 0918606 MH

Muus, Flemming Bruun, 1907–
Solsiden vender mod nord. København, Branner, 1951.
173 p. 23 cm.

I. Title.
CT1278.M8A3 A 52–5086
Minnesota. Univ. Libr. for Library of Congress

NM 0918607 MnU NcU DLC

Muus, Hans Georg
Der Klagegrund der actio negatoria ... von H.G. Muus ... Leipzig-Reudnitz, A. Hoffmann, 1899.
67 p., 1 l. 22cm.
Inaug.-Abh. - Erlangen.
"Litteratur-Angabe": p. [66]-67.

NM 0918608 MH-L ICRL

RARE BOOKS

Muus, Jacob
Mausoleum Davidis; Høy-Sørgelig vee-klage, og klage-fuld praediken over vor David. Udgiven af Jacob Muus. Kjøbenhavn [Imprimatur P. Holmius] 1747.
236p. 22cm.

NM 0918609 WU

Muus, Jytte, 1904–
... On complex calcium citrate, by Jytte Muus and Herbert Lebel. København, Levin & Munksgaard, Ejnar Munksgaard, 1936.
17 p. 24cm. (Det Kgl. danske videnskabernes selskab. Mathematisk-fysiske meddelelser. XIII, 19)
"References": p. 17.

1. [Calcium citrate] I. Lebel, Herbert, joint author.
[Full name: Jytte Marie Muus]
A C 37–1198
Columbia univ. Library for Library of Congress [AS281.D215 XIII, 19]
(508)

NM 0918610 NNC MU FTaSU PU OU

Egleston
D606
Ak13
1953
no.4

Muus, Laurits Tage, 1919-
Dielectric investigations of cellulose with special consideration of the cellophane-water system. [Copenhagen] Akademiet for de tekniske videnskaber [1955]
143 p. illus., diagrs., tables. 25cm. (Transactions of the Danish Academy of Technical Sciences. A.T.S. 1953, no. 4)

Contributions from the Danish Institute for Textile Research, no. 16.
Communication no. 81 from the Danish Institute for Textile Research.
Transactions of the Danish Academy of Technical Sciences. Serial, no. 46.
Resumé in Danish and English.
Bibliography: p. 136-143.
Issued also as thesis - Danmarks tekniske højskole.

NM 0918612 NNC MiU

Egleston
D606
Ak13
1952
no.5

Muus, Laurits Tage, 1919-
Moisture regain determinations of textiles from dissipation factor measurements at 100 kc/s, by L. T. Muus and R. W. Asmussen. [København] Akademiet for de tekniske videnskaber, 1952.
20 p. illus., diagrs., tables. 25cm. (Transactions of the Danish academy of technical sciences. A.T.S. 1952, no. 5)

Contributions from the Danish institute for textile research, no. 15.
Communication no. 80 from the Danish institute for textile research.
References: p. 17-18.

NM 0918614 NNC

Muus, Laurits Tage, 1919-
Studies on the equilibria in the bleach liquor... see under Asmussen, Robert Wirenfeldt, 1903-

---

Muus, Laurits Tage, 1919-
Textiltekniske studier i U. S. A. Beretning fra en studierejse i U. S. A. september–december 1951. Udg. ved Udenrigsministeriets foranstaltning. [København, I kommission hos A. F. Høst] 1953.
79 p. illus. 24 cm. (Teknisk bistand under Marshallplanen, TA36–125)
"Stofprøver": p. 77–79.

1. Textile industry and fabrics—U. S. I. Title. (Series)
HC60.T45 no. 125 A 53–7160 rev
Georgia. Inst. of Tech. Library for Library of Congress [r57b8]†

NM 0918616 GAT DNAL NN DLC

Muus, *Fru* Mathilde (Brock), 1852–
... Gæster i hjemmet. København, Gyldendalske boghandel, 1903.
[6], 166, [2] p. incl. plates. 21½cm.
At head of title: E. Constantin [*pseud.*].
"Denne bog er nærmest at betragte som et supplement til E. Constantins Kogebog."

NM 0918617 ICJ

[Muus, Mathilde (Brock).]
... Gæster i Hjemmet. København: Gyldendalske Boghandel. 1919. 4 p.l., 163 p., 2 l. incl. plates. 4. ed. 8°.
Author's pseud., E. Constantin, at head of title.

1. Domestic economy, Denmark. 2. Cookery (Danish).
N. Y. P. L. May 27, 1921.

NM 0918618 NN

Muus, *Fru* Mathilde (Brock), 1852–
Fru Constantins husholdnings- og kogebog. Fjerde oplag. ... København og Kristiania, Gyldendalske boghandel, Nordisk forlag, 1906.
xx, 356 p. illus. 23½cm.
Fru Constantin is the pseudonym of Mathilde Muus.

NM 0918619 ICJ

AGRIC
LIBRARY
TX
722
D4
M88

Muus, Mathilde Brock, 1852-
Fru Constantins husholdnings og kogebog.
København, Gyldendal, 1927.
335p. 25cm.

1. Cookery, Danish I. Title
II. Title: Husholdnings og kogebog

NM 0918620 WU

Muus, Mathilde (Brock) 1852-
Frau Constantins [pseud.] Koch -und Haushaltungsbuch. Einzig autorisierte Ausgabe. Nach dem Dänischen bearbeitet von Mathilde Mann. Berlin und Leipzig, Schweizer & Co., G.m.b.h., 1904.
xvi, 398 p. illus. 24.5 cm.

NM 0918621 ICJ

[Muus, Mathilde (Brock),] 1852-
Frau Constantins Koch- und Haushaltungsbuch; einzig autorisierte Ausgabe. Aus dem Dänischen übersetzt von Mathilde Mann. Flensburg: A. Westphalen, 1913. xx, 409 p. 2. ed. 8°.

1. Cookery (Danish). 2. Mann, Mathilde, 1859- , translator.
N. Y. P. L. December 14, 1915

NM 0918622 NN

[Muus, *Fru* Mathilde (Brock)] 1852–
... Mellemretter til middagsselskaber. Kjøbenhavn og Kristiania, Gyldendal, Nordisk forlag, 1919.
194 p., 1 l. 22cm. kr. 5.75
Author's pseud., E. Constantin, at head of title.
On cover: ... Fru Constantin.
"Oplag: 3000 eksemplarer."

1. Cookery (Entrées) 2. Cookery, Danish. I. Title.
Library of Congress TX725.M8 20-6124

NM 0918623 DLC ICJ

Muus, Mathilde (Brock), 1852 -
Stilfærdige Kærlighedshistorier, af Mathilde Muus. København: Gyldendalske Boghandel, 1915. 176 p. 12°.
Contents: En Drøm. Brevet. Ved Paasketide. Feber. Frieren. Kloralforgiftning (Den gamle Provinslæge vikarierer). Fasters Efterladenskaber. Vredens Værk.

1. Fiction (Danish). 2. Title.
N. Y. P. L. November 22, 1924

NM 0918624 NN

Muus, Niels Rothenborg, 1866–
De saakaldte embryonale blandingssvulster; et bidrag til nyresvulsternes pathologi. af N. R. Muus. København, Det Nordiske forlag, 1900.
4 p. l., 206 p. IV pl. 25½cm.
Thesis—Copenhagen.

1. Kidneys—Tumors. I. Title: Embryonale blandingssvulster.
37-22013
Library of Congress RD670.M8 1900
616.61

NM 0918625 DLC DNLM ICJ ICRL

Muus, Niels Rothenborg, 1866-
Ueber die sogenannten embryonalen Mischgeschwülste der Niere. Stuttgart, E. Nägele, 1901.
ix, 140 p. 4 pl. 4°.
Forms 14. Hft. of: Biblioth. med., Cassel, Abt. C.

NM 0918626 DNLM

Muus, Rolf Falck-
see Falck-Muus, Rolf.

VOLUME 403

PT 8950 .M85 B4 [Muus, Rudolf Vilhelm] 1862-1935
Blodbrylluppet i Nidaros; historisk-romantiske skildringer fra det 13 de aarhundrede. Af Rollo [pseud] Chicago, John Anderson [1895]
357p. illus. 20cm.

NM 0918628 WU

Muus, Rudolf Vilhelm, 1862-1935.
Blodbrylluppet i Nidaros; historisk-romantiske skildringer fra det 13de aarhundrede Af Rollo [pseud.] Chicago, J. Anderson, 1907.
402 p. 20cm.
I. Title.

NM 0918629 MnU

Muus, Rudolf Vilhelm, 1862-1935.
Gamle Kristiania-originaler. Kristiania, J. Aass, 1922.
96 p. illus. 19 cm.
1. Oslo - Soc. life & cust.

NM 0918630 MnU

Muus, Rudolf Vilhelm, 1862-1935.
...Gamle Kristianiaminder. Kristiania, J. Aass, 1923. 87 p. illus. 20cm.

1. Oslo—Social life, 19th cent.

NM 0918631 NN

[Muus, Rudolf Vilhelm] 1862-1935
Kampen om Norges throne; historiske skildringer Af Julius [pseud.] Chicago, John Anderson, 1894.
490 p. 20cm.

NM 0918632 WU ICU WaS

839.83 M986k 1900 [Muus, Rudolf Vilhelm] 1862-1935.
Kongesønnen fra Ringerike; historisk fortælling, af Julius [pseud.] Chicago, J. Anderson pub. co., 1900.
3v. in 1.
Paged continuously: 576p.

NM 0918633 IU

Muus, Rudolf Vilhelm, 1862-1935.
Kristiania forstadsscener og deres skuespillere; minder fra 70–90 aarene, av Rudolf Muus. Kristiania: J. Aass' forlag, 1924. 95 p. illus. (incl. ports.) 12°.

1. Actors and acting, Norwegian. 2. Stage—Norway—Christiania.
N. Y. P. L. September 10, 1925

NM 0918634 NN

Muus, Rudolf Vilhelm, 1862-1935.
Den norske haers kampe i 1808-1809 og 1814. Kristiania, J. Aass, 1905.
62 p. 12°.

NM 0918635 NN

Muus, Rudolf Vilhelm, 1862-1935.
...Trysil — Knut; bearbeidet ved Agnes Nilssen. Bergen, H. Martinussen, 1947. 443 p. 20cm.

565442B. 1. Nilssen, Agnes, ed. II. Title.
N. Y. P. L. March 21, 1951

NM 0918636 NN

Muus, Svend.
Astas minde. En Kaerlighedens Bog. Kjøbenhavn, E. Jespersen [1906?]
212 p. 12°.

NM 0918637 NN

CT1278 .W5M8 Muus, Varinka Corina (Wichfeld) 1922- joint author.
Muus, Flemming Bruun, 1907–
Monica Wichfeld, af Flemming B. Muus og Varinka Wichfeld Muus. København, Berlingske forlag, 1954.

Muus-Pedersen, J
Nordenfjords. [København] Gyldendal, 1952.
151 p. illus. 20 cm.

1. Hunting—Denmark. 2. Fishing—Denmark. I. Title.
SK35.M87 53-28905 ‡

NM 0918639 DLC MoU

Muus-Pedersen, J
Vildt forude. [København] Scandinavisk bogforlag [1948]
144 p. illus. 28 cm.
"Rettelser": slip inserted.

1. Hunting—Denmark. I. Title.
SK35.M88 48-24960*

NM 0918640 DLC

Muusikko.
Helsinki.
v. in illus., ports. 30 cm.
Monthly, 1953–
Journal of the Suomen Muusikkojen Liitto.

1. Music—Period. 2. Music—Finland—Hist. & crit. I. Suomen Muusikkojen Liitto.
ML5.M985 64-3306./MN

NM 0918641 DLC

Muusmann, Carl Quistgaard, 1863-1936.
Da København blev voksen; levende Billeder fra Aarhundredets Start, af Carl Muusmann. København [etc.] Jesperson og Pio, 1932. 199 p. 22cm.

309077B. 1. Copenhagen—Social life. 2. Stage—Denmark—Copenhagen.
N. Y. P. L. December 11, 1945

NM 0918642 NN

Muusmann, Carl Quistgaard, 1863-
Des Nordpolfahrers Andrée letzte Aufzeichnungen
see under Andrée, Salomon August, 1854-1897.

Muusmann, Carl Quistgaard, 1863–
En Københavners erindringer: Fra Sedan til Verdun, af Carl Muusmann. København, V. Pio, 1916.
198, [2] p. 20cm.
Half-title: Fra Sedan til Verdun.
"Begivenheder i Frankrig ... og ... franske begivenheder i København."—Forord.
CONTENTS.—Slaget ved Sedan.—De tre nederlag.—Kejserfamiliens tragedie.—Revanchetankens mænd.—Det boulangistiske eventyr.—Dreyfuskampagnen.—Processen i Rennes.—Hos Paul Déroulède i landflygtigheden.—Hvorledes alliancerne blev til.—Stormvarsler og lynnedslag.
1. France—Hist.—Third republic, 1870– I. Title. II. Title: Fra Sedan til Verdun.
21-1132
Library of Congress DC335.M8

NM 0918644 DLC NN

Muusmann, Carl Quistgaard, 1863–
Filmens Datter; Artistroman. København: E. Jespersen [1914]. 231 p. 2. ed. 8°.
Author's name at head of title.

1. Fiction (Danish). 2. Title.
N. Y. P. L. October 21, 1915.

NM 0918645 NN

Muusmann, Carl Quistgaard, 1863-1936.
...Firsernes glade København; Erindringer og Oplevelser. København [etc.] E. Jespersen [1920] 192 p. 21cm.

309076B. 1. Copenhagen—Social life. 2. Stage—Denmark—Copenhagen.
N. Y. P. L. December 11, 1945

NM 0918646 NN

Muusmann, Carl Quistgaard, 1863–1936.
... Den flyvende cirkus; illustreret af Carsten Ravn. København, F. A. Christiansen, 1906.
379 p. illus. 20½cm.
At head of title: Carl Muusmann.
Signature title: Carl Muusmann, Romaner. III.

I. Title.
41-30657
Library of Congress PT8175.M88F5 1906

NM 0918647 DLC

PT8175 M88F5 1914 Muusmann, Carl Quistgaard, 1863-1936.
Den flyvende cirkus. København, Kunstforlaget Danmark, 1914.
288 p. 18cm.
A novel.

NM 0918648 CU

Muusmann, Carl Quistgaard, 1863–
...Generalguvernøren fra Sanct Croix; en Roman fra Madrid under Verdenskrigen. København: E. Jespersen [1919?].
274 p., 1 l. 8°.
At head of title: Carl Muusmann.

1. Fiction (Danish). 2. Title.
N. Y. P. L. February 18, 1920.

NM 0918649 NN

PT8175 M88G7 1914 Muusmann, Carl Quistgaard, 1863-1936.
Grevinde Clara. København, Kunstforlaget Danmark, 1914.
358 p. 18cm.

NM 0918650 CU

VOLUME 403

Muusmann, Carl (Quistgaard) 1863–
...Halvfemsernes glade København; Erindringer og Oplevelser. København: E. Jespersen [192–?]. 190 p. 8°.

1. Copenhagen.—Social life, 1890–1900. 2. Title.
N. Y. P. L. April 14, 1923.

NM 0918651 NN

Muusmann, Carl Quistgaard, 1863–
Hohenzollernes sidste dage; kejser Wilhelm og kronprinsen under krigen og i landflygtigheden, af Carl Muusmann. Tillæg: Kejser Wilhelm og Danmark. København, V. Pio, 1919.
192 p. 20cm.

1. Wilhelm II, German emperor, 1859– 2. Wilhelm, crown prince of the German empire and of Prussia, 1882– I. Title.
21-1135
Library of Congress DD229.M8

NM 0918652 DLC NN

Muusmann, Carl (Quistgaard) 1863–
...Københavnsk Cirkusliv gennem hundrede Aar. København: E. Jespersens Forlag [, 1927]. 180 p. plates, ports. 8°.
Plates printed on both sides.

1. Circus—Hist.—Denmark.
N. Y. P. L. December 28, 1927

NM 0918653 NN

Muusmann, Carl (Quistgaard) 1863-1936
Lain koura, kirjoittanut Kaarl Muusmann. Suomennos U. Savolle. Kuopio, Kuopion uusi kirjapaino, 1898
251 p.
A novel

NM 0918654 MH

PT 8175 M986L62 Muusmann, Carl Quistegaard, 1863-1936.
Det lille paradis. København, Kunstforlaget "Danmark", 1911.
249 p.

I. Title.

NM 0918655 CLU

PT8175 M88M3 1914 Muusmann, Carl Quistgaard, 1863-1936.
Matadora. København, Kunstforlaget "Danmark", 1914.
286 p. 18cm.

NM 0918656 CU

Muusmann, Carl Quistgaard, 1863 –
Rittmeister Bruhn & Frau... Stuttg., Lutz [n. d.]
221 p.

NM 0918657 PPG

Muusmann, Carl (Quistgaard) 1863–
En Roman om Eks-Kejseren, af Carl Muusmann... København: Jespersen og Pios Forlag, 1930. 202 p. plates, ports. 8°.
Plates printed on both sides.

535703A. 1. Fiction, Danish. 2. William II, German emperor, 1859– —Fiction. I. Title.
N. Y. P. L. September 15, 1931

NM 0918658 NN

Muusmann, Carl Quistgaard, 1863–
... Den russiske kejserfamilies tragedie; fra Vinterpaladset til Peter-Pauls fæstningen. København, V. Pio, 1917.
95 p. 20cm.
At head of title: Carl Muusmann.
Portrait on cover.

1. Nicholas II, emperor of Russia, 1868-1918. 2. Russia — Kings and rulers. I. Title.
21-1134
Library of Congress DK258.M8

NM 0918659 DLC NjP NN

Muusmann, Carl (Quistgaard) 1863–
De skraa Braedder, dansk Teaterroman. København: E. Jespersens Forlag [1923]. 341 p. 8°.

1. Fiction (Danish). 2. Title.
N. Y. P. L. October 6, 1924

NM 0918660 NN

Muusmann, Carl (Quistgaard) 1863–
...Skyldig frifunden; Roman. København: E. Jespersen [1923?]. 232 p. [2. ed.] 8°.

1. Fiction (Danish). 2. Title.
N. Y. P. L. June 7, 1924

NM 0918661 NN

Muusmann, Carl Quistgaard, 1863–
Wilhelm II, *German emperor*, 1859–
So sprach der kaiser; kejser-proklamationer, taler og telegrammer fra krigserklæringen til tronfrasigelsen, med kommentarer af Carl Muusmann. København, V. Pio, 1918.

PT8175 M88T7 1914 Muusmann, Carl Quistgaard, 1863-1936.
Tretten Trumfer. København, Kunstforlaget, "Danmark", 1914.
247 p. 18cm.

NM 0918663 CU CLU

PT 8175 M583T72 1914a Muusmann, Carl Quistgaard, 1863-1936.
Tretten trumfer. København, Kunstforlaget "Danmark", 1914.
247 p.

Photocopy.

NM 0918664 CLU

Muusmann, Carl (Quistgaard) 1863–
"Verdens Henrykkelse"; historisk Artistnovelle, af Carl Muusmann... København: Jespersen og Pios Forlag, 1929. 184 p. ports. 8°.
"Denne Bog handler om Adah Menken."

468954A. 1. Menken, Adah Isaacs, 1835-1868.
N. Y. P. L. May 2, 1930

NM 0918665 NN

PT8175 M88W6 1914 Muusmann, Carl Quistgaard, 1863-1936.
Wolfings Kaempo-menageri; Rejsebilleder i Københavner-Ramme. København, Kunstforlaget Danmark, 1914.
285 p. 18cm.

NM 0918666 CU

Muusmann, Else.
Slægten. København, H. Hagerup, 1947.
219 p. 21 cm.

I. Title.
PT8175.M89S55 53-27424 ‡

NM 0918667 DLC

Muuss, Rudolf, 1890-
Aus meinem Halligtagebuch. Hallig Südfall-Rungholt. Von dr. Muuss ... [Garding, H. Lühr & Dircks, 1930]
p. 61-68. illus. (map) 20 cm.
Caption title.
Extracted from: Dr. L. Meyns Haus-kalender für das jahr 1930.
1. North Friesian islands.

NM 0918668 CU

Muuss, Rudolf, 1890- joint ed.
Borchling, Conrad August Johann Carl, 1872– *ed.*
Die Friesen, hrsg. von C. Borchling und R. Muuss. Breslau, F. Hirt, 1931.

Muuss, Rudolf, 1890 –
Gesangbook för kark ...
see under title

Muuss, Rudolf, 1890-
Die geschichte der "Bohmstedter richtlinien". Von dr. Rudolf Muuss ... [n.p., 1927?]
16 p. 24 cm.
Caption title.
1. Friesland, North. Ger. - Hist.
2. Friesian language. I. Title: Bohmstedter richtlinien.

NM 0918671 CU

4DD Muuss, Rudolf, 1890-
Das junge Schleswig-Holstein. Hrsg. von Rudolf Muuss und Georg Ove Tönnies. Neumünster, K. Wachholtz, 1926.
177 p.

NM 0918672 DLC-P4

VOLUME 403

B
8546
.6
MUUSS, RUDOLF, 1890-
Nordfriesische sagen. [Niebüll, Nordfriesische rundschau verlag, 1932]
cover-title, 158p.

"Anmerkungen und literaturnachweis": p.149-154.

NM 0918673 ICN CU

DD 491 .S695 M9
MUUSS, RUDOLF, 1890-
Rungholt. Itzehoe, G. Martin, 1927.
64 p. illus.

1. North Friesland--Hist. I. Tc.

NM 0918674 InU WaU

Muuss, Rudolf, 1890-
Rungholt. Von Rudolf Muuss ... 2. aufl ...
Itzehoe-Berlin, G. Martin, 1928.
80 p. illus., plates, maps. 21 cm.
1. North Friesian Islands - Hist.
2. Rungholt.

NM 0918675 CU MiD

Muuss, Rudolf, 1890-
Rungholt, ruinen unter der Friesenhallig, von Rudolf Muuss ... Mit 39 abbildungen.
3. aufl. Lübeck, F. Westphal, 1934.
80 p.

NM 0918676 MH DLC-P4

293
M986al
Muuss, Rudolf, 1892-
Der altgermanische Religion nach kirchlichen Nachrichten aus der Bekehrungszeit der Südgermanen. Bonn, H. Ludwig, 1914.
viii, 57 p. 22cm.

Cover title.
Inaug.- Diss. - Bonn.
Vita.
Bibliography: p. [vi]-viii.
1. Germanic tribes - Religion. 2. Mythology, Germanic. I. T.

NM 0918677 MiDW PBm ICRL MH

Film
GR
10
L5
reel
285
Muuss, Rudolf, 1892-
Die altgermanische Religion nach kirchlichen Nachrichten aus der Bekehrungszeit der Südgermanen. Inaugural--Dissertation, Bonn, 1914. Bonn, H. Ludwig, 1914.
58p.
Microfilm (positive. Literature of folklore, reel 285)

1. Mythology, Germanic. 2. Church history. I. Title.

NM 0918678 UU

Muusses, Martha Adriana, 1874-
Hollands litteraturhistoria. [Stockholm] Forum [1947]
221 p. 20 cm.

1. Dutch literature—Hist. & crit. I. Title.

PT5064.S8M8 53-32583 ‡

NM 0918679 DLC MH NN

Ar W
56078
Muusses, Martha Adriana, 1874-
Hollandsk grammatik, af Martha Muusses og L. L. Hammerich. København, Jespersen og Pios forlag, 1930.
130 p. 22cm.
Bibliography: p. 129-130.

1. Dutch language--Grammar--1870-
I. Hammerich, Louis Leonor, 1892-
II. Title

NM 0918680 NIC

294.5
M986k
Muusses, Martha Adriana, 1874-
Koecultus bij de Hindoes. Purmerend, J. Muusses, 1920.
116p. 25cm.

Proefschrift--Utrecht.
"Stellingen" ([6]p.) laid in.

1. Animal-worship. 2. Hinduism. 3. Brahmanism.
I. Title.

NM 0918681 TxU CtY PU MH ICU IU MB HU

ar V
22443
Muusses, Martha Adriana, 1874-
Kortfattad holländsk grammatik, av Martha A. Muusses. Stockholm, Svenska bokförlaget, A. Bonnier [1937]
76 p. 20cm.

1. Dutch language--Grammar--1870-
I. Title

NM 0918682 NIC

Muusses, Martha Adriana, ed. and tr.
...Landvinning; nutida holländsk dikt i svensk tolkning. [Stockholm, Nordisk rotogravyr, 1945]
140 p. 24cm.

2. uppl.

1. Poetry, Dutch—Translations into Swedish—Collections.

NM 0918683 NN

4PT
Swed. -111
Muusses, Martha Adriana, 1874-
Scherenkust, een keuze uit het werk van twintig hedendaagse zweedse dichters.
Santpoort, Uitgeverij vh. C.A. Mees, 1948.
129 p.

NM 0918684 DLC-P4 NN

Muusses, Martha Adriana, 1874-
De wijkende einder. Stockholm, 1946. 37 p. 20cm.

1. Poetry, Dutch. I. Title

NM 0918685 NN

Muusses Esperanto biblioteko.
no. 1-

Purmerend (Nederlando): J. Muusses [1937- 20cm.
nos. illus.
Editors: no. 1- J. Glück, T. Jung and J. H. J. Willems.

1. No subject. I. Glück, Julius, 1892- ed. II. Jung, Teo, ed. III. Willems, J. H. J., ed. IV. Title: Esperanto biblioteko.
N. Y. P. L. March 28, 1939

NM 0918686 NN

Muvaffak.
Yeni mektebin ders vasitalarindan kum [yazan] Muvaffak ...
İstanbul, Devlet matbaasi, 1934.
101 p. illus. (part col.) 20cm.
"Müracaat edilen kitap ve yazilar": p. 101.

1. Kindergarten—Methods and manuals. 2. Drawing—Instruction.
I. Title.
40-24491
Library of Congress LB1169.M77

NM 0918687 DLC

Muvaffak Akbay
see **Akbay, Muvaffak.**

Muvaffak Uyanık
see
Uyanık, Muvaffak.

Muvaffik ibn 'Alī Haravī
see
Muwaffiq ibn 'Alī al-Harawī, *10th cent.*

Muvdi A , Moisés E.
... Extinción de las obligaciones por pago, estudio crítico comparado. Bogotá, Editorial Centro s. a., 1940.
3 p. l., [9]-175 p. 20½cm.
"Bibliografía": p. [169]

1. Payment. 2. Debtor and creditor—Colombia. I. Title.
42-31057

NM 0918691 DLC OrU NNC NIC

al-**Muwaffaq, Abū Manṣūr**
see
Muwaffiq ibn 'Alī al-Harawī, *10th cent.*

Muwaffaq al-Dīn 'Abd al-Laṭīf al-Baghdādī
see
'Abd al-Laṭīf, 1160?-1231.

Muwaffaq al-Dīn 'Abd Allāh ibn Aḥmad ibn Qudāmah
see
Ibn Qudāmah, Muwaffaq al-Dīn 'Abd Allāh ibn Aḥmad, 1147-1223.

Muwaffiq al-Dīn Abū Manṣūr 'Alī al-Harawī
see
Muwaffiq ibn 'Alī al-Harawī, *10th cent.*

Muwaffaḳ ibn Aḥmad, Abū al-Mu'aiyad, *al-Makkī*
see
al-Muwaffaq ibn Aḥmad al-Makkī, 1091 *or* 2-1172 *or* 3.

VOLUME 403

al-Muwaffaq ibn Aḥmad al-Makkī, 1091 *or* 2–1172 *or* 3.
مناقب الامام الاعظم ابى حنيفة، لابى المؤيد الموفق بن احمد المكى. مناقب الامام الاعظم للكردرى. الطبعة الاولى. حيدرآباد الدكن، دائرة المعارف النظامية، ١٣٢١ [1903]
2 v. 35 cm.
«نقصت [نسخة مناقب ابى حنيفة للموفق] من الاول خطبتها ومن الآخر مناقب اصحابه العشرة، فلجبر نقصها الحقنا هذه الخطبة فى الاول ووضعنا تحتها كتاب المناقب للامام الكردرى»—Pref. by the editor, Muḥammad Ḥaydar Allāh al-Durrānī.
1. Abū Ḥanīfah, d. 767 or 8. 2. Hanafis. I. al-Kardarī, Ibn al-Bazzāz, d. 1424. Manāqib al-Imām al-Aʻẓam Abī Ḥanīfah. III. Title.
Title transliterated: Manāqib al-Imām al-Aʻẓam Abī Ḥanīfah.
60-32327

NM 0918697 DLC

Muvaffiq ibn 'Ali al-Haravī, 10th cent.
Codex Vindobonensis; sive, Medici Abu Mansur Muwaffik bin Ali Heratensis Liber fundamentorum pharmacologiae. Linguae ac scripturae persicae specimen antiquissimum. Textum ad fidem codicus qui exstat unici edidit, in Latinum vertit, commentariis instruxit Dr. Franciscus Romeo Seligmann ... Pars I. Prolegomena et textum continens ... Vindobonae, ex Officina Caesarea regia typographica, 1859.
1 v., 172 p. fold. facsim. 24.5 cm.

No more published.

NM 0918699 CtY-MHi

Muwaffiq ibn 'Alī al-Harawī, 10th cent.
...Liber fundamentorum pharmacologiae...Epitome codicis manuscriptd persici Bibl. Caes.reg.Vienn.ineditī. Primus Latio donavit Romeo Seligman. Vindobonae, Schmid, 1830.

NM 0918700 PPAmP

WZ 290 qM993k 1833

MUWAFFIQ IBN 'ALĪ al-Harawī, 10th cent.
Liber fundamentorum pharmacologiae. Epitome codici manuscripti persici Bibl. Caes. reg. Vienn. inediti. Primus Latio donavit Romeo Seligmann. Vindobonae, Schmid, 1830-33.
2 v. in 1.
Translation of Kitāb al-abniyat 'an ḥaka' ik al-adwiyat.
Bound with Seligmann, F. R. Ueber drey höchst seltene persische Handschriften. Wien, 1833.

I. Seligmann, Franz Romeo, 1808-1892, tr.

NM 0918702 DNLM

WZ 290 qM993k 1893

MUWAFFIQ IBN 'ALĪ al-Harawī, 10th cent.
Die pharmakologischen Grundsätze (Liber fundamentorum pharmacologiae) zum ersten Male nach dem Urtext übers. und mit Erklärungen versehen von Abdul-Chalig Achundow. Halle a. S., Tausch & Grosse, 1893.
278 p.
Translation of Kitāb al-abniyat 'an ḥaka' ik al-adwiyat.
Reprinted from the Historische Studien of the Pharmakologisches

WZ 290 qM993k

Institut, Universität Dorpat, Bd. 3, 1893.
I. Achundow, Abdul Chalig, tr.

NM 0918704 DNLM ICJ MB MH

WZ 290 M993k 1859

Muwaffiq ibn 'Ali al-Harawi, 10th cent.
Prolegomena in Codicem Vindobonensem sive medici Abu Mansur Muwaffak bin Ali Heratensis Liber fundamentorum pharmacologiae. Linguae ac scripturae Persicae specimen antiquissimun. Super editum scripsit Franciscus Romeo Seligmann. Vindobonae, 1859.
iv p.
Translation of part of Kitāb al abniyat 'an haka' ik al-adwiyat.
I. Seligmann, Franz Romeo, 1808-1892. II. Title

NM 0918705 DNLM

R631 .S4

Muwaffiq ibn 'Alī al-Harawī, 10th cent. Kitāb al-abniyat 'an ḥaka' ik al-adwiyat.
Seligmann, Franz Romeo, 1808–1892.
Ueber drey höchst seltene persische handschriften. Ein beytrag zur litteratur der orientalischen arzneymittellehre. Von dr. R. Seligmann. Wien, Gedruckt bey Anton edlen von Schmid, 1833.

Muwaffik ibn 'Alí al-Harawí
see
Muwaffiq ibn 'Alī al-Harawī, *10th cent.*

Muwānah, Būl
see
Meunier, Paul, 1871-

---

al Muwaylihi, Ibrahim
see el Mouelhy, Ibrahim.

---

al-Muwayliḥī, Muḥammad.
حديث عيسى بن هشام، أو فترة من الزمن، لمنشئه محمد المويلحى. الطبعة السابعة، مع الرحلة الثانية. مصر، دار المعارف [1947]
12, 318 p. facsim. 24 cm.
«الرحلة الثانية» : p. 255–318.

I. Title.
Title transliterated: Ḥadīth 'Isā ibn Hishām.
PJ7850.U9H3 1947 N E 64-3033

NM 0918710 DLC UU

---

al-Muwaẓẓaf, Majallat
see
Majallat al-muwaẓẓaf.

4K 10185

Muxach y Viñas, Estevan
Recopilacion de las disposiciones para el arte de edificar, con arreglo al derecho de Cataluña, conteniendo un resúmen de las constituciones catalanas, de las leyes de partida, novísima recopilacion, y proyecto del código civil español; y por último varios reales decretos y fallos del tribunal supremo de justicia, referentes á construcciones y servidumbres rústicas y urbanas.

Muj útil à los propietarios, albañiles y á cuantos intervienen en el ramo de obras. Gerona, Impr. de P. Puigblanquer y Forment, 1875.
288 p.

NM 0918713 DLC-P4

Muxart (Albert) [1876–]. * De la phlegmatia alba dolens dans la fièvre typhoïde. xi, 13–54 pp., 1 l. 8°. *Montpellier*, 1899, No. 15.

NM 0918714 DNLM

Muxart, André.
... Trigonométrie, par André Muxart ... Ouvrage conforme aux programmes de 1925, modifiés en 1931. Paris, A. Colin, 1931.
2 p. l., 220 p. incl. tables, diagrs. 18½cm. (Nouveau cours de mathématiques Borel-Montel)

1. Trigonometry, Plane. 39-9652
Library of Congress QA533.M985
[2] 514.5

NM 0918715 DLC

Muxart, Roland
Quelques réactions chimiques étudiées à l'aide de la méthode des radioindicateurs. [Paris, 1951]

Thèse - Université de Paris

NM 0918716 MH CtY

Muxel, Johann Nepomuk, 1790-1870.
Catalogue des tableaux de la galerie de feu Son Altesse Royale ... le prince Eugène, duc de Leuchtenberg, à Munich
see under Augustus Charles Eugene Napoleon, prince of Portugal, duke of Leuchtenberg, 1810-1835,
also under Beauharnais, Eugène de, prince d'Eichstätt, 1781-1824.

Muxel, Johann Nepomuk, 1790-1870.
Gemälde-sammlung in München ... des Dom Augusto herzogs von Leuchtenberg
see under Augustus Charles Eugène Napoleon, prince of Portugal, duke of Leuchtenberg, 1810-1835.

Muxel, Johann Nepomuk, 1790-1870, engr.

Beauharnais, Eugène de, *prince d'Eichstätt*, 1781–1824.
The Leuchtenberg gallery. A collection of pictures forming the celebrated gallery of His Imperial Highness, the Duke of Leuchtenberg, at Munich; engraved by J. N. Muxel ... with biographical and critical notices, by J. D. Passavant ... Frankfort on the Maine, J. Baer; London, G. Willis, 1852.

Muxel, Johann Nepomuk, 1790-1870.
Verzeichniss der bildergallerie des prinzen Eugen, herzogs von Leuchtenberg in München
see under Augustus Charles Eugène Napoléon, prince of Portugal, duke of Leuchtenberg, 1810-1835. [supplement]

Muxel, Johann Nepomuk, 1790-1870.
Verzeichniss der bildergallerie seiner königlichen hoheit des prinzen Eugen, herzogs von Leuchtenberg in München
see under Augustus Charles Eugène Napoléon, prince of Portugal, duke of Leuchtenberg, 1810-1835. [supplement]

Muxellanus, Dynus
see Dinus de Rossonibus, de Mugello, d. ca. 1303.

VOLUME 403

Muxet de Solis, Diego.
Comedias hvmanas, y divinas, y divinas, y rimas morales, compvestas por Diego Mvxet de solis. Dirigidas al ilvstrissimo, y excelentissimo Señor Don Francisco Dietrichstam, Cardenal, titulo de san Siluestre, Principe Obispo de Olmitz, Protector de las Prouincias hereditarias de su Magestad Cessarea, de su consejo de estado, y Gouernador, y Capitan general de Morauia. (Vignette: Open Bible) En Brvsselas, por Fernando de Hoeymaker, Impressor jurado, en la insignia de las tres Nymphas, año 1624.
Con privilegio.

NM 0918724 NNH MB

Muxí, Carmen Guimerá
see
Guimerá Muxí, Carmen.

Muxica
see also Mujica.

Muxica, Antonio Ambrosio de Harada
see Harada Muxica, Antonio Ambrosio de.

Muxica, Diego.
Sermon panegirico de la Beata Rosa De S. Maria de la civdad de Lima en el Perù... Madrid ... 1668.

NM 0918728 RPJCB

Muxica, Juan de Buytrón y
see Buytrón y Muxica, Juan de.

Muxica Gamboa, Máximo.
Síntesis de juicios especiales. ₍Santiago de Chile₎ 1949.
91 p. 27 cm.
Tesis (licenciatura en ciencias jurídicas y sociales)—Universidad de Chile.
"Bibliografía": p. 91.

1. Civil procedure—Chile. I. Title: Juicios especiales.
49-54787*

NM 0918730 DLC

La Mvy deleytosa, y agradable Historia de los afortunados amantes Theagenes, y Chariclea
see under Heliodorus, of Emesa.

Muy estimable M. E. Geo. Squier ...
see under [Diaz Zapata, Francisco]

Muy illustre señor. En el pleyto que V. M. tie ₍sic₎ visto entre doña Iuana de Sylua, biuda muger que fue de dō Iuã de Saauedra difūcto, como su heredera vniuersal, vezina de la Ciudad de los Reyes en el Pyru, cō Aluaro Ruyz de Nauamuel sobre los reditos de la secretaria de gouernacion del Pyru, para que a V. M. le conste de la justicia de la dicha doña Iuana de Sylua se suplica a V. M. sea seruido, de mandar aduertir lo siguiente. ₍n. p., 159-?₎
Microfilm copy, made in 1943, of the original in the Biblioteca nacional de Santiago de Chile. Positive.

Negative film in Brown university library.
Collation of the original, as determined from the film: ₍23₎ p.
Caption and part of text used as title.
Medina, Biblioteca hispano-americana, 431.

I. Silva, Juana de. II. Ruiz de Navamuel, Alvaro.
Microfilm AC-2 reel 234, no. 20 Mic A 49-645

Brown Univ. Library
for Library of Congress ₍2₎†

NM 0918734 RPB DLC

---

fF1203
T4M878
x

Muy interesante al pueblo mexicano. El cambio de gobierno en Alemania, que acaba de tener lugar, ha provocado una excitación general de los judíos en todo el mundo ... [México? 1933?]
sheet. 30x20 cm. [Terrazas collection]

Printed on both sides.
Signed at end: Un Mexicano.

1. Jews in Mexico. I. Un Mexicano.

NM 0918735 CU-B

La muy lamentable conquista y cruenta batalla de Rhodas
see under [Fontanus, Jacobus] fl. 1530.

F1203
P16
v.72:7
x

Muy pronto llamara a nana el autor de la sotana. ₍Mexico, Impr. á cargo de M. Gonzalez, 1834₎
3 no.in 1. 19cm. ₍Papeles varios. v.72, no.7₎

Caption title.
No.1 signed: Anti-Tremebundo, no.2: Infinitos mexicanos and no.3: Isaías.
No.3 has alternate title: Las ultimas agonias de todos los sansculotes.
In answer to a pamphlet entitled: Revolucion de Santa-Anna en favor de la sotana, signed: Tremebundo.

NM 0918737 CU-B

PQ
6171
.A195
M993

Mvy señor mio: hasta lo mas inculto...
₍n.p., 1735?₎
40 p. 20cm.

Title page wanting; title from first line of text.
Attributed by Palau to Porres, Francisco Ignacio de, 1602-1674, who used Salinas, Joseph as pseud. Book signed: Joseph Salinas.

I. Porres, Francisco Ignacio de, 1602-1674, supposed author

NM 0918738 WU

Western Americana Broadsides
Zc52
836vc

Muy Sres. mios: hemos visto con la mayor indignacion una representacion del Sr. General D. Antonio Gaona, dirigida en Monterrey al Supremo Gobierno, donde con sofismas intenta denigrar la brillante reputacion del ilustre General D. José Urrea, digno general en gefe del Egército de Preaciones ... [Matamoros, Impr. del Mercurio de Matamoros, 1836]
broadside. 31 x 22 cm. (Alcance al núm. 93 del Mercurio de Matamoros. Viernes, 12 de Agosto de 1836)

Title from beginning of text.
Signed: Varios militares.
Streeter no. 915.

NM 0918739 CtY

Muyaka bin Mwinyi-Haji
see Muyaka ibn Hajji al-Ghassani.

Muyāka ibn Ḥājjī, *al-Ghassānī.*
Diwani ya Muyaka bin Haji al-Ghassaniy. Pamoja na khabari za maisha yake ambazo zimehadithiwa ni W. Hichens. Johannesburg, University of the Witwatersrand press, 1940.
4 p. l., 115 p., 1 l. 18cm. (*Half-title:* The Bantu treasury, edited by Rheinallt Jones and C. M. Doke. IV)

1. Swahili language—Texts. I. Hichens, William Lionel, 1874-1940, ed.
43-50169
Library of Congress PL8704.M8

NM 0918741 DLC IU NcD LNHT NSyU NIC NN CtY OCl

Muyard de Vouglans, Pierre François
see
Muyart de Vouglans, Pierre François, 1713-1791.

Muyart de Vouglans, Pierre François, 1713-1791.
Institutes au droit criminel, ou Principes géneraux sur ces matieres, suivant le droit civil, canonique, et la jurisprudence du royaume; avec un traité particulier des crimes. Par Mr Pierre-François Muyard de Vouglans ... Paris, L. Cellot, 1757.
xix, 726, ₍2₎ p. 26cm.

1. Criminal law — France. 2. Civil law — France. 3. Canon law. 4. Crime and criminals. ₍4. Criminology—France₎ I. France. Laws, statutes, etc. II. Title.
29-15556

NM 0918743 DLC

MUYART de VOUGLANS,Pierre François.
Institutes au droit criminel ou principes généraux sur ces matières,suivant le droit civil,canonique et la jurisprudence du royaume avec une traité particulier des crimes. Paris,1768.

4°.

NM 0918744 MH-L

MUYART de VOUGLANS,[Pierre François].
Instruction criminelle suivant les lois et ordonnances du royaume. Paris,1767.

4°.

NM 0918745 MH-L

Muyart de Vouglans, Pierre François, 1713-1791.
Le leggi criminali nel loro ordine naturale. 1. versione italiana. Milano, Tip. Buccinelli, 1813-
v. 21 cm. (Raccolta dei classici criminalisti, v. 8-

1. Criminal law—France. 2. Criminal procedure—France.
51-52326

NM 0918746 DLC MH

Muyart de Vouglans, Pierre François, 1713-1791.
Les loix criminelles de France, dans leur ordre naturel. Dédiées au roi. Par m. Muyart de Vouglans ... A Paris, Chez Merigot le jeune ₍etc.₎ M.DCC.LXXX.
xliij, 883, ₍1₎ p. 41cm.
Title vignette; head-pieces; initials.
"Réfutation du traité Des délits et peines, &c.": p. 811-831.
"Mémoire sur les peines infamantes": p. 832-838.
"Motifs de ma foi en Jesus-Christ; ou, Points fondamentaux de la religion chrétienne, discutés suivant les principes de l'ordre judiciaire": p. 839-863.
Ex bibliotheca R. Toinet.
1. Criminal law—France. 2. Criminal procedure—France. 3. Beccaria, Cesare Bonesana, marchese di, 1738-1794. Dei delitti e delle pene. 4. Criminal law 5. Infamy (Law) ₍5. Infamia₎ 6. Christianity—Evidences. I. Title.
30-21573

NM 0918747 DLC NN

VOLUME 403

KE1142 M98 RBR
Muyart de Vouglans, Pierre-François, 1718-1791.
Les loix criminelles de France, dans leur ordre naturel. ... tome premier. Paris, et se vend, à Neufchatel, chez La Société Typographique, M.DCC.LXXXI. (1781).
2 v.in 1. 26cm.

Vol.2 has separate title page.

1. Criminal law - France. 2. Criminal procedure - France. I. Title.

NM 0918748 CLL DLC

MUYART de VOUGLANS,[Pierre François].
Les loix criminelles de France dans leur ordre naturel. Paris,1783.

f°.

NM 0918749 MH-L

[Muyart de Vouglans, Pierre François,] 1713–1791.
Mémoire pour Charles Howard, seigneur de la baronnie de Greystock; & Demoiselle Françoise Howard, de la maison de Norfolk, en Angleterre. [Paris: Chardon, 1763.] 34 p. 8°.

Caption-title.
Signed: Muyart de Vouglans.

1. Inheritance.—Jurisprudence. 2. Norfolk, Charles Howard, 10th duke of, 1720–86. 3. Howard, Frances, fl. 1763. 4. Title.
N. Y. P. L. July 11, 1917.

NM 0918750 NN

Muyart de Vouglans, Pierre François, 1713–1791.
Réfutation des principes hasardés dans le Traité des délits et peines, traduit de l'italien. Par m. Muyart de Vouglans ... Lausanne, Paris, Desaint, 1767.
1 p. l., 118 p., 1 l. 17cm.

1. Beccaria, Cesare Bonesana, marchese di, 1738–1794. Dei delitti e delle pene. 2. Crime and criminals. 3. Punishment. 4. Capital punishment. I. Title.

Library of Congress HV8661.B5M8 42-40350

NM 0918751 DLC NIC MiU-L

Muyassar, Ūrkhān, joint author.
Siryāl
see under al-Nāsir, 'Alī.

Muybridge, Eadweard, 1830–1904.
Animal locomotion. An electro-photographic investigation of consecutive phases of animal movements. 1872–1885. By Eadweard Muybridge. Published under the auspices of the University of Pennsylvania. Plates. The plates printed by the Photogravure company of New York. Philadelphia, 1887.
16 v. 781 pl. 48½ x 62½cm.
The plates are numbered consecutively and supplied only with two title-pages (v. [1] and [16]) A prospectus and catalogue of plates was issued the same year and has been catalogued separately.
Plates 128, 137 and 531 in duplicate; pl. 47, 115, 128 (2), 131, 137 (1), 150, 195 and 531 (1) mutilated.
1. Animal locomotion. I. Pennsylvania. University.
[Name originally: Edward James Muggeridge]

Library of Congress QP301.M8 31-4968

PBL PHi PU PHC MdBP MnU NjP MH WU
NM 0918753 DLC CU-B OKentU CU NIC CLU CtY DNLM

Muybridge, Eadweard, 1830–1904.
Animal locomotion: an electro-photographic investigation of consecutive phases of animal movements, by Eadweard Muybridge. Pub. under the auspices of the University of Pennsylvania Prospectus and catalogue of plates ... Philadelphia, Printed by J. B. Lippincott company, 1887.
2 p. l., 3–18, xxxii p. fold. tab. 19½cm.

1. Animal locomotion.
[Name originally: Edward James Muggeridge]

Library of Congress QP301.M8 10—34162

NM 0918754 DLC NNC MiDA NIC PHi NN ICJ DNLM

Muybridge, Eadweard, 1830-1904.
Pennsylvania. University.
Animal locomotion. The Muybridge work at the University of Pennsylvania. The method and the result. Printed for the University. Philadelphia, J. B. Lippincott company, 1888.

(RARE) QP 301 M82x
Muybridge, Eadweard, 1830-1904.
Animals in motion; an electro-photographic investigation of consecutive phases of animal progressive movements. Commenced 1872. Completed 1885. London, Chapman & Hall, Ld., 1899.
x, 264 p. illus., port., plates 25 x 31 cm.

Bound in three-quarter red morocco.
1. Animal locomotion. I. Title.

NM 0918756 PPT CSmH MB DNLM NIC CU-B

Muybridge, Eadweard, 1830–1904.
Animals in motion. An electro-photographic investigation of consecutive phases of muscular actions, by Eadweard Muybridge. (3d impression) Commenced 1872. Completed 1885. London, Chapman & Hall, ld., 1907.
x, 264 p. incl. front. (port.) illus., plates. 25 x 31½cm.

1. Animal locomotion.
[Name originally: Edward James Muggeridge]

Library of Congress QP301.M83 10—1418

NM 0918757 DLC DNW MiU OC1MA

Muybridge, Eadweard, 1830-1904.
Animals in motion: an electro-photographic investigation of consecutive phases of muscular actions, by Eadweard Muybridge. Commenced 1872. Completed 1885. London, Chapman & Hall, 1918 [c1899]
x,264p. front.(port.) illus.,plates. 25x30cm.

1.Locomotion. I.Title.
Name originally: Edward James Muggeridge

NM 0918758 NcD-MC PPT OU OC1

Muybridge, Eadweard, 1830-1904.
Animals in motion; an electro-photographic investigation of consecutive phases of muscular actions, by Eadweard Muybridge. (Fifth impression) Commenced 1872. Completed 1885. London, Chapman & Hall, 1925.
4 p. l., 264 p. incl. illus., plates. front. (port.) 25 x 30cm.

1.Animal locomotion.

NM 0918759 NNC OLak

[**Muybridge, Eadweard**] 1830–1904.
The attitudes of animals in motion: a series of photographs illustrating the consecutive positions assumed by animals in performing various movements; executed at Palo Alto, California, in 1878 and 1879. [San Francisco, 1881]
5 p. l., 170 p. mounted photos. 24½ x 35cm.

1. Animal locomotion. I. Title.
[Name originally: Edward James Muggeridge]

Library of Congress QP301.M75 10—34163

NM 0918760 DLC CLU PP

SPECIAL COLLECTIONS B309.223 M981
Muybridge, Eadweard, 1830-1904.
The attitudes of animals in motion, illustrated with the zoopraxiscope. [London, 1882]
[13] p. illus. 22cm.

Muybridge's first article, relating to the origins of the cinema.

NM 0918761 NNC MB

Muybridge, Eadweard, 1830–1904.
Descriptive zoopraxography; or, The science of animal locomotion made popular, by Eadweard Muybridge ... Published as a memento of a series of lectures given by the author under the auspices of the United States government, Bureau of education, at the World's Columbian exposition, in Zoopraxographical hall, 1893. [Philadelphia] University of Pennsylvania; [Chicago, The Lakeside press] 1893.
1 p. l., xi, 44, 34, 14, [2] p. front. (port.) illus., facsims. 20cm.
1. Animal locomotion. I. Title: Zoopraxography.
[Name originally: Edward James Muggeridge]

6-18032 Revised

Library of Congress QP301.M88

PPL PHi ICJ NN
NM 0918762 DLC CU-B CoU PPPL IU DNLM PU-V PU

Muybridge, Eadweard, 1830-1904.
Horloge pneumatique. Paris,
1 p. 27 cm.

"La Nature, p. 80."

NM 0918763 DN-Ob

SF289 .S8
Muybridge, Eadweard, 1830-1904.
Stillman, Jacob Davis Babcock, 1819–1888.
The horse in motion as shown by instantaneous photography, with a study on animal mechanics founded on anatomy and the revelations of the camera, in which is demonstrated the theory of quadrupedal locomotion. By J. D. B. Stillman ... Executed and published under the auspices of Leland Stanford. Boston, J. R. Osgood and company, 1882.

Muybridge, Eadweard, 1830–1904.
The human figure in motion; an electro-photographic investigation of consecutive phases of muscular actions, by Eadweard Muybridge. Commenced 1872. Completed 1885. London, Chapman & Hall, ld, 1901.
280 p. incl. plates, facsims. front. (port.) 25 x 32cm.
Plates: p. 17–271.

1. Animal locomotion. I. Title.
[Name originally: Edward James Muggeridge]

Library of Congress QP301.M847 43-47217

PU LU CSmH MB DNLM WaS CaBVa WaWW
NM 0918765 DLC WaU NNC OC1 CLSU IU CtY-M CtY

Muybridge, Eadweard, 1830-1904.
The human figure in motion; an electro-photographic investigation of consecutive phases of muscular actions. 6th ed. London, Chapman & Hall [c1901]
277p.(chiefly illus.) 25x31cm.

"Commenced 1872. Completed 1885."

1.Movement. 2.Locomotion. I.Title.

NM 0918766 NcD-MC

Muybridge, Eadweard.
80270 The human figure in motion. An electro-photographic investigation of consecutive phases of muscular actions by Eadweard Muybridge. (Second impression). Commenced 1872, completed 1885. London, Chapman & Hall, ld., 1904, [c1901].
277 p. incl. plates, facsims. front. (port.) 25 x 31cm.

NM 0918767 ICJ

Muybridge, Eadweard, 1830–1904.
The human figure in motion, an electro-photographic investigation of consecutive phases of muscular actions, by Eadweard Muybridge. (3d impression) ... London, Chapman & Hall, ld., 1907.
277 p. incl. plates. front. (port.) 25 x 31½cm.

1. Animal locomotion. I. Title.
[Name originally: Edward James Muggeridge]

12-37025 Revised

Library of Congress QP301.M85

NM 0918768 DLC PSt CtY

VOLUME 403

Muybridge, Eadweard, 1830-1904.
The human figure in motion; an electro-photographic investigation of consecutive phases of muscular actions, by Eadweard Muybridge. (Fourth impression.) Commenced 1872. Completed 1885. London: Chapman & Hall, Ltd., 1913. 277 p.. front. (port.). illus. ob. 8°.

1. Locomotion (Animal). 2. Title.
N. Y. P. L. A ril 9, 1915.

NM 0918769 NN MH OU

---

743 M98h7
Muybridge, Eadweard, 1830-1904.
The human figure in motion; an electro-photographic investigation of consecutive phases of muscular actions ... Commenced 1872. Completed 1885. (7th impression) London, Chapman & Hall, ld. [1931]
277p. front.(port.) illus.

"First published October 1901 ... Seventh impression, July 1931."

1. Animal locomotion. I. Title.

NM 0918770 IU OCU CU

Muybridge, Eadweard, 1830–1904.
The human figure in motion. Introd. by Robert Taft. New York, Dover Publications [1955]
xvii p., 195 plates. 29 cm.
"A selection of plates from ... [the author's] Animal locomotion, first published in 1887."
Bibliographical references included in "Notes" (p. xii–xiv)

1. Animal locomotion. I. Title.
Name originally: Edward James Muggeridge.

QP301.M85 1955 612.767 55—13973

WaS Wa WaTC WaE OrCS OrU-M Or
CtY-M AU CaBVa CaBVaU IdPI MtBC OrMonO OrP OrU
VtU MH NRU CU-B ICJ OOxM ViU AMAU NcD PSt FU OU
CU OClW OCl PP PPT TxU NjR FMU KMK ScU UU MeB
NM 0918771 DLC PWcS OYesA LU IU CLSU NN TU MiU

Muybridge, Eadweard, 1830–1904.
The Pacific coast of Central America and Mexico; the Isthmus of Panama; Guatemala; and the cultivation and shipment of coffee, illustrated by Muybridge. San Francisco, 1876.
1 p. l., 144 mounted phot. in album. 26 x 37½cm.
The photographs were taken by Muybridge in 1875. Five sets only were published, two of which are no longer in existence, one copy being destroyed in the San Francisco fire in 1906.
This copy was presented to Stanford University by Mr. Frank Shay, in 1915. cf. mss. note of H. C. Peterson, on verso of t.-p.
1. Central America—Description and travel—Views. 2. Mexico—Description and travel—Views. 3. Panama—Description and travel—Views. 4. Guatemala—Description and travel—Views. I. Title.

A 21-1239

Title from Stanford Univ. Printed by L. C.

NM 0918773 CSt C

F869 S3 .9 M93 1877a x
[Muybridge, Eadweard] 1830-1904, phot.
Panoramic San Francisco, 1877. [San Francisco] Published by Thomas C. Russell [1877?]
1 fold. plate. 18cm.

Cover-title.

NM 0918774 CU-B MH

[Muybridge, Eadweard] 1830-1904.
Panoramic San Francisco. 1877. [San Francisco:] T. C. Russell [1911]. folder, 60 x 6¾ in., in sq. 12° cover.
Title from cover.

1. San Francisco.—Views. 2. Title.
N. Y. P. L. April 10, 1912.

NM 0918775 NN CSt

Muybridge, Eadweard, 1830–1904, *phot.*
Panorama of San Francisco from California st. hill. By Muybridge. [San Francisco, Muybridge, 1877]
cover-title, 12 mounted phot. 31½cm.

1. San Francisco—Descr.—Views. I. Title.
[*Name originally:* Edward James Muggeridge]

Rc-679 Revised

Library of Congress F869.S3M9

NM 0918776 DLC MWA MB NN C

---

ffF869 S3 .9 M93 1877 x
[Muybridge, Eadweard] 1830-1904, phot.
[Panorama of San Francisco from California St. hill. San Francisco, c1877]
13 mounted photos. 69cm.

Ms. note below 1st photo.: Copyright 1877 by Muybridge. Inscribed in ms.: N. T. Smith, from his friend, the artist, May 1881.
The views in this volume are the same as those in the smaller-sized 12 photo. ed., but the appearance of some of the buildings points to a somewhat later date.

NM 0918777 CU-B CSt

Muybridge, Eadweard, 1830-1904.
Das Pferd in Bewegung. Berlin, 1879.

6 photographs.

NM 0918778 MH-Z

---

fffF868 Y6M91
Muybridge, Eadweard, 1830-1904.
[Photographs of scenery in and around Yosemite Valley, photographed by Muybridge. 187-?]
40 mounted photos. in 2 v. 75x67cm.

Binder's title: Yosemite. 1, 5-9, 11.
Contents: v.1. plates no. 13-17, 21-28.- v.2. plates no. 30-33, 35-38, 40-51.

NM 0918779 CU-B

Muybridge, Eadweard.
The science of animal locomotion (zoopraxography); an electro-photographic investigation of consecutive phases of animal movements. Executed and published under the auspices of the University of Pennsylvania. Description of the apparatus. Results of the investigation. Diagrams. Prospectus. List of subscribers. Philadelphia: E. Muybridge [1891]. 24 p. 12°.

1. Locomotion (Animal). 2. Moving pictures.
N. Y. P. L. April 6, 1912.

NM 0918780 NN OClW CtY ICJ MB MdBJ

Muybridge, Eadweard, 1830-1904.
The science of zoopraxography made popular by suggestive tracings from selected illustrations of "Animal locomotion," "An electro photographic investigation of consecutive phases of animal movements." [Chicago?] Zoopraxographical Hall of the World's Columbian Exposition, 1893.
52 plates (1 col.) in case. 28 x 27 cm.
"Commenced 1872; completed 1885; and published 1887, under the auspices of the University of Pennsylvania."
Provenance: Lone Mountain College; The Friends of The Bancroft Library.
1. Animal locomotion. 2. Chicago. World's Columbian Exposition, 1893. I. Title.

NM 0918782 CU-B

*** TR 16.8 M987y
Muybridge, Eadweard, 1830-1904.
Yosemite photos by Muybridge. [San Francisco, Bradley & Rulofson, 18--]
14 mounted photos.(in portfolio)

Binder's title.

1. Yosemite Valley - Descr. & trav. - Views. I. Title.

NM 0918783 CLU

Muybridge, Edward J.
see
Muybridge, Eadweard, 1830-1904.

Muyceio (José). *Elefanciasis de los Griegos. 38 pp. 8°. *México*, 1872. [*Also, in:* P., v. 2183.]

NM 0918785 DNLM

Muyckens, Theodorus, 1665-1721, ed.
Collectanea chymica leidensia, oder Auserlesene mehr als 700. chymische processe...
see under Morley, Christopher Love.

Muyckens, Theodorus, 1665-1721.
Disputatio Medica Inauguralis: Positiones. de corporum statu et mutatione ... Lugduni Batavorum, A. Elzevier, 1691.

NM 0918787 PU

Muyden, Madame van.
see
Van Muyden, Madame.

Muyden, Arnold van.
La loi fédérale du 25 juin 1903 sur la naturalisation des étrangers et la renonciation à la nationalité suisse, par Arnold van Muyden ... Lausanne, Imprimerie C. Pache, 1910.
2 p. l., [9]–204 p. 24cm.
"Bibliographie": p. [13]–14.

1. Naturalization—Switzerland. 2. Citizenship—Switzerland. I. Switzerland. Laws, statutes, etc. II. Title.

24-18007

Library of Congress JN8911.M8

NM 0918789 DLC

D398 .M8
Muyden, Arnold Fedor van, 1880-
Pensées d'outre monts de souvenirs d'outre-tombe (croquis de la haute société internationale) avec 16 illustrations...
Barcelona, 1922.
112 p. illus. (incl. ports) 25 cm
"Bibliographie concernant la généalogie van Muyden:" p.94-98.

NM 0918790 DLC

GN788 .S9S6
Muyden, Berthold van, 1852–1912.

Société d'histoire de la Suisse romande.
Antiquités lacustres. Album publié par la Société d'histoire de la Suisse romande et la Société académique vaudoise, avec l'appui du gouvernement vaudois. Précédé d'une notice sur les collections lacustres du Musée cantonal vaudois par B. van Muyden et d'un mémoire explicatif par A. Colomb. Lausanne, G. Bridel, 1896.

VOLUME 403

F 386 .6 Muyden, Berthold van, 1852-
Essais historiques. La Suisse sous le pacte de 1815. Lausanne, 1890-92. 2v.
Contents.-v.1. 1813 à 1830.-v.2. 1830 à 1838.

NM 0918792 ICN MH

Muyden, Berthold van, 1852-
Histoire de la nation suisse, par B. van Muyden ... Lausanne, H. Mignot, 1896-99.
3 v. illus. (incl. ports., maps) 3 pl. (v. 1) geneal. tables. 25cm.
CONTENTS.—t. 1. 1. ptie. Les origines. 2. ptie. Période héroïque.—t. 2. 3. ptie. Période de la réformation. 4. ptie. XVIIe et XVIIIe siècles.—t. 3. 5. ptie. La révolution helvétique. 6. ptie. Réveil de l'esprit national.
1. Switzerland—Hist.
28-5494
Library of Congress DQ54.M95

NM 0918793 DLC WU MdBP ICU MB NjP OCl NN CtY

Muyden, Berthold van, 1852-1912.
Lausanne à travers les ages
see under Lausanne.

Muyden, Berthold van, 1852-
Notice sur l'histoire du Musée lacustre de Lausanne.
(In Musée cantonal vaudois. Antiqvités lacvstres. Pp. 5-12. Lausanne. 1896.)
G758 — Musée cantonal vaudois, Lucerne.

NM 0918795 MB

Hist DQ729.9 M89 1911 MUYDEN, Berthold van, 1852-
Pages d'histoire lausannoise, bourgeois et habitants, par B. van Muyden. Lausanne, G. Bridel, 1911.
xii, 668p. ports. 25cm.
1. Switzerland - History I. Title ACK

NM 0918796 CtY-M NjP CtY ICN MH MU

DQ 154 M89 Muyden, Berthold van, 1852-
La Suisse sous le pacte de 1815. Lausanne, F. Rouge, 1890-92.
2 v. 24 cm. (His Essais historiques, [1.]-2. série)
Contents.- [1] 1813 à 1830.- 2. 1830 à 1838.
1. Switzerland - Hist.- 1815-1830. I. Title.

NM 0918797 CU-S MH-L

DQ 156 M85 Muyden, Berthold van, 1852-1912.
La Suisse sous le Pacte de 1815: 1830 à 1838. Lausanne,F. Rouge,1892.
563p. 24cm. (His Essais historiques, 2. sér.)
1. Switzerland - History - 1830-1848. I. Title.

NM 0918798 MU NjP

Muyden, Evert van, 1853-1922, illus.
PQ2252 .C84 [Fleury, Jules] 1821-1889.
... Contes choisis; Les trouvailles de monsieur Bretoncel, La sonnette de monsieur Berloquin, Monsieur Tringle. Nombreuses illustrations dans le texte à l'eau-forte et en typographie par Evert van Muyden. Paris, Maison Quantin, 1889.

Muyden, Evert van, 1853-1922.
Evert Van Muyden, painter-etcher
see under Keppel, Frederick, 1845-1912.

Muyden, Evert van, 1853-1922, illus.
Lever, Charles James, 1806-1872.
The novels of Charles Lever. With an introduction by Andrew Lang ... Boston, Little, Brown, and company, 1894-95.

Muyden, Georges van.
Les années d'apprentissage du peintre Alfred van Muyden. Lausanne, Société vaudoise d'histoire et d'archéologie, 1950.
70 p. illus. 24 cm.
"Tirage à part de la Revue historique vaudoise, nos II et III, 1950."
1. Muyden, Alfred van, 1818-1898. I. Title.
ND853.M84M89 759.9494 74-179217 MARC

NM 0918802 DLC

Muyden, Gustav van, 1837-1894.
De vocabulorum in Latina lingua compositione... Halis Saxonum, Orphanotroph, 1858.
40 p. Halle-Univ. Ph.D.Diss.

NM 0918803 PU

Muyden, Gustav van, 1837-1894.
Dictionnaire de poche et de voyage allemand-français et français-allemand ... par G. van Muyden et E. B. Lang. Nouv. ed. Paris, P. Ollendorff [1893]
2 v. in 1. 17cm. (Collection internationale)
Added t.-p. in German.
"En voyage. Manual de conversation française-allemande: supplément ... Paris, P. Ollendorff, 1893" has special t.-p. and paging.
1. French language—Dictionaries—German. 2. German language—Dictionaries—French. I. Lang, E B joint author. II. Series.

NM 0918804 ViU DNW

Muyden, Gustav van, 1837-1894, and H. Frauberger.
Die Erfindungen der neuesten Zeit. Zwanzig Jahre industrieller Fortschritte im Zeitalter der Weltausstellungen. Mit Rücksicht auf Patentwesen und Kunstindustrie. Unter Mitwirkung von Ingenieuren des kaiserlichen Patentamtes herausgegeben von Dr. G. van Muyden und Heinrich Frauberger. Mit... ca. 700 Text-Illustrationen nach Zeichnungen von S. Burger, H. Leutemann, Dr. Q. Mothes, G. Rehlender u. a. Leipzig: O. Spamer, 1883. x, 704 p. incl. diagrs., tables. col'd front., illus. (incl. map, ports.), plates (1 col'd). 25½cm.
628891A. 1. Industries and mechanic arts. 2. Inventions. I. Frauberger, Heinrich, 1845- , jt. au. II. Burger, S., illustrator. III. Title.
N. Y. P. L. December 21, 1933

NM 0918805 NN ICRL ICJ MiU

Muyden, Gustav van, 1837-1894, ed.
Hugo, Victor Marie, comte, 1802-1885.
Hernani: ou, L'honneur castillan. Drame en cinq actes et en vers, par Victor Hugo. Avec notes et vocabulaire par G. van Muyden ... 6. éd. Berlin, Friedberg & Mode, 1889.

Muyden, Gustav van, 1837-1894.
Eger, Georg, 1848-
... La législation internationale sur les transports par chemin de fer; critique du projet de convention internationale sur les transports par voie ferrée, présenté par le Conseil fédéral suisse aux cabinets de Berlin, Paris, Rome et Vienne. Traduction française de G. van Muyden ... Berlin, C. Heymann; etc., etc. 1877.

Muyden, Gustav van, 1837-1894, tr.
Les prisons de Fritz Reuter
see under Reuter, Fritz, 1810-1874.

MUYDEN, Henri van, 1860-
Jubilé de 1909. Jean Calvin,1509-1564. Douze estampes de H.van Muyden,texte de H. Denkinger. Édité par la Compagnie des pasteurs de l'église de Genève. [Genève,Atars,S.A., 1909].
obl.12°. pp.8. Plates.
Cover serves as title-page.

NM 0918809 MH

Muyden, Joannes van, 1652-1729.
Johannis van Muyden ... Compendiosa Institutionum Justiniani tractatio ... Editio 3a ...
Ultrajecti. Ex officina Gulielmi van de Water. CIƆ IƆCCCVII [sic]. 217, (6) pp. 16°.
G8421 — Justinianus I., Emperor.

NM 0918810 MB

Muyden, Joannes van, 1652-1729.
... Compendiosa institutionum justiniani tractatio in usum collegiorum. Ed. 5., prioribus auctior & emendatior. Trajecti ad Rhenum, ex officina Jacobi a Poolsum, 1732.
227, [5] p. 16½cm.

NM 0918811 MH-L

Muyden, Joannes van, 1652-1729.
... Compendiosa institutionum Justiniani tractatio ... Ed. 6., prioribus emendatior cum additionibus Everardi Ottonis ... Trajecti ad Rhenum, ex officina Jacobi a Poolsum, 1737.
495 p. 18½cm.

NM 0918812 MH-L DLC

Muyden, Joannes van, 1652-1729.
Johannis van Myden Compendiosa pandectarum tractatio, cui divortia juris canonici a civilii suis locis subjecta sunt. Trajecti ad Rhenum, Halma, 1695.
628 p.

NM 0918813 PU

Muyden, Joannes van, 1652-1729.
Compendiosa pandectarum tractatio, cui divortia juris canonici a civili suis locis subjecta sunt ... 2d. ed... Trajecti ad Rhenum, Apud Melchiorem Leonardum Charlois bibliopolam, 1718.
828 p

NM 0918814 OOxM

VOLUME 403

Muyden, Jacob Evert Louis van
see
Muyden, Evert van, 1853–1922.

Muyden, René van, and L. Vadot.
...Électro-pompes automatiques de petite et moyenne puissances pour distributions domestiques et industrielles. Préface de Ach. Delamarre... Belfort: E. Devillers & ses fils, 1925. iii, 96 p. incl. diagrs., tables. illus. 4°.

1. Pumps, Electric. 2. Vadot, L., jt. au.
N. Y. P. L. March 8, 1927

NM 0918816 NN

Muyden, René van.
...Utilisation des vernis isolants dans l'industrie électrique; préface de L. Barbillion... Paris: A. Michel, 1924. 125 p. incl. diagrs., tables. illus. 4°.

1. Electricity—Insulation. 2. Varnish.
N. Y. P. L. August 15, 1925

NM 0918817 NN

Muyden, Steven Carel van.
De potestate judicis in irrogandis poenis. Trajecti ad Rhenum: Ex officina Abrahami van Paddenburg, 1778. 2 p.l., 50 p., 3 l. 8° in fours.
Dissertation, Utrecht.

1. Punishment.—Jurisprudence. 2. Judiciary.
N. Y. P. L. February 9, 1912.

NM 0918818 NN

f722.81 M93sCd
Muyden, Th van.
Das schloss Valeria in Sitten, von Th. van Muyden und Victor van Berchem. [Genf, V. Pasche, 1904]
15p. illus., 9 pl.(incl.plan, diagrs.)
Caption title.
Detached from Mitteilungen der Schweiz. gesellschaft für erhaltung historischer kunstdenkmäler. Neue folge IV ... Kunstdenkmäler der Schweiz.
Translated into German by Robert Durrer and J. Zemp.
Bibliographical foot-notes.

NM 0918819 IU

Z949.2 Z 1650: 38
't Muyder-spoockje, 'ontdeckt aen haren drost den heer Gerard Bicker, zijnde een levendigh discours tusschen een Muyenaer en een Amsterdammer... [n.p.] 1650.
[8] p. 20cm. [Dutch history pamphlets. 1650: 38]
Knuttel 6814.
1. Bicker, Gerard.

NM 0918820 MnU NN

Muyderman Loofs, Gulielmus.
Specimen juridicum inaugurale de obligatione a locatore rerum contracta, ad ipsas res locatas restringenda. Amstelodami, 1851.
6-53 p.
Inaug.-diss. - Leiden.

NM 0918821 MH-L

van Muyen (Joannes). *De phthisi. 5 l. 4°. Lugd. Bat., A. Elzevier, 1685.

NM 0918822 DNLM

W 4 H25 1748 M.1
MUYEN, Theodorus van.
Disputatio medica inauguralis de hydrope febri quartanae superveniente ... Harderovici, Apud Johannem Moojen, 1748.
18 p. 22 cm.
Diss. - Harderwijk.

NM 0918823 DNLM

Muyjlwijk, J van
see Muijlwijk, J van.

Muykens, Theodorus
see
Muyckens, Theodorus, 1665-1721.

Muylaert, Alfons
see
Macarius A , *Brother*, 1895–

Muylder, Charles Gérard de.
La contribution du tissu nerveux à la constitution du rein et ses conséquences en pathologie. [Louvain] 1948.
147 p. illus. (part col.) 24 cm.
Thèse d'agrégation de l'enseignement supérieur—Louvain.
"Bibliographie": p. 139–145.

1. Kidneys. 2. Kidneys—Diseases. 3. Nervous system.
RC903.M8 50–35309 rev

NM 0918827 DLC NIC ICU CtY-M DNLM

Muylder, Charles Gérard de.
The "neurility" of the kidney; a monograph on nerve supply to the kidney. Springfield, Ill., C. C. Thomas [1952]
xiv, 80 p. illus. 27 cm.
Bibliography: p. 75–80.

1. Kidneys. 2. Nerves. 3. Kidneys—Diseases. I. Title.
A 54–8086
Michigan. Univ. Libr. for Library of Congress

NNC-M NcD NIC OU InU
NM 0918828 MiU OrU-M DNLM NcU-H CU ICU ICJ CtY-M

Muylder, Charles Gérard de.
Le rôle du diagnostic cytologique en chirurgie
see under Association belge de chirurgie. Congrès, Brussels, 1953.
Rapports au Congrès annuel.

WJ 300 M993c 1950
Muylder, Charles Gerard de.
Tissu nerveux et pathologie rénale, Paris, Masson, 1950.
147 p. illus.
Published in 1948 as the author's Thèse d'agrégation de l'enseignement supérieur, Louvain, under title: La contribution du tissu nerveux à la constitution du rein et ses conséquences en pathologie.
1. Kidneys - Innervation
2. Kidneys - Pathology

NM 0918830 DNLM WaU MnU PPC ICJ CaBVaU

Muylder, Edgard de.
Fonctionnement rénal et concentrations ioniques du plasma. [Louvain?] 1948.
152 p. diagrs. 25 cm.
Thèse d'agrégation de l'enseignement supérieur—Univ. catholique de Louvain.
"Bibliographie": p. 149–152.

1. Kidney. 2. Blood—Plasma.
QP211.M85 50–55358

NM 0918831 DLC NIC ICU ICJ DNLM

881 E93.Vm
Muyldermans, Joseph.
À travers la tradition manuscrite d'Evagre le Pontique; essai sur les manuscrits grecs conservés à la Bibliothèque nationale de Paris. Louvain, Bureaux du Muséon, 1932.
94p. 27cm. (Bibliothèque du Muséon, 3)
Bibliography: p.[3] Bibliographical footnotes.
1. Evagrius Ponticus, 345?-399?--Manuscripts. 2. Manuscripts, Greek. I. France--Bibliothèque nationale--Manuscripts. II. Title. III. Series.

MiU RPB CtY-D
NM 0918832 IU DDO ICU MH NN CtY PPT NIC MdBJ NcD

Muyldermans, Joseph.
Le costume liturgique arménien; étude historique, par J. Muyldermans... Louvain: J. B. Istas, 1926. 72 p. 4°.
Repr.: Le Muséon, t. 39, fasc. 2-4, p. [253-]324.
Bibliography, p. 66–70.

498534A. 1. Ecclesiastical vestments.
N. Y. P. L. October 7, 1930

NM 0918833 NN DDO

DS186 .V3 1927
Muyldermans, Joseph, ed. and tr.
Vardan, *d.* 1271.
La domination arabe en Arménie; extrait de L'histoire universelle de Vardan, traduit de l'arménien et annoté, étude de critique textuelle et littéraire. Par J. Muyldermans. Louvain, Impr. J.-B. Istas, 1927.

Muyldermans, Joseph, ed. and tr.
Evagriana Syriaca
see under Evagrius Ponticus, 345?-399?

Muylle, Edg.
... Een woordje over hormonale beïnvloeding. Antwerpen, "'t Groeit," voorheen "Geloofsverdediging" [1943]
30 p. 17cm. (*On cover:* Familieleven, 20)
At head of title: Dr E. Muylle.

1. Endocrinology.
HQ743.F3 no. 20 46–45168

NM 0918836 DLC ICU NN

Muylle, Edg.
... Gelukkig en gezond huwelijksleven. Antwerpen, Geloofsverdediging [1942?]
57 p., 1 l. 17cm. (*On cover:* Familieleven, 3)
"Voordracht gehouden voor 'Familieleven' april, 1941."

1. Marriage—Catholic church. I. Title.
HQ743.F3 no. 3 46–45145

NM 0918837 DLC NN CU

VOLUME 403

Muylwyk, J. van
see Muijlwijk, J. van.

Muynck, Alexander de, de Jonge
see Muijnck, Alexander de, de Jonge.

Muynck, Gust de, 1897-
Winston Spencer Churchill. Paris, Bruxelles, Les Éditions lumiere, ₍1944-
v. 1.

NM 0918840 PU

Muynck, Gust de, 1897-
Winston Spencer Churchill. Paris, Lumière [pref. 1944] 255 p. 22cm.

Film reproduction. Positive.

1. Churchill, Sir Winston Leonard Spencer, 1874-.

NM 0918841 NN

Muynck, Gust de, 1897-
... Winston Spencer Churchill. 2. druk. Brussel, A. Manteau n. v. ₍1945-
v. 21ᶜᵐ.

1. Churchill, Winston Leonard Spencer, 1874-

DA566.9.C5M88 923.242 A F 46-812

Michigan. Univ. Library for Library of Congress ₍4₎†

NM 0918842 MiU NN CtY DLC

Muynck, Jacob Jean de.
*De cordis et ventriculi in producendam apoplexiam actione. Gandavi, H. Vandekerckhove, [1829]
39 p. 4°. [P., v. 959]

NM 0918843 DNLM

WFA M993d 1852

MUYNCK, Jacob Jean de.
De la contagionabilité de la phthisie pulmonaire, fondée principalement sur des faits pratiques. Gand, Gyselynck, 1852.
94 p.

NM 0918844 DNLM

Muynck, Jacobus Joannes de
see Muynck, Jacob Jean de.

BT 1085 .M99

Muynck, Remy de, 1913- comp.
Het gulden boek van Maria. Amsterdam, Parnassus; [etc., etc.] 1948.
5 p. l., 181, [1] p. incl. plates. 22cm.
At head of title: Remy de Muynck, J. van Mierlo S.J.

1. Mary, Blessed Virgin--Poetry. 2. Mary, Blessed Virgin--Art. I. Mierlo, Jozef van, 1878- joint comp. II. Title.

NM 0918846 DCU

Muynck, Remy de, 1913- *ed. and tr.*
De moderne finsche poëzie. Antwerpen, De Nederlandsche Boekhandel, 1943.

59, ₍1₎ p. 18 cm. (De Seizoenen, nr 46)

"De hier geboden gedichten van de finsch-schrijvenden werden op een na naar de Zweedsche vertaling van Joel Rundt bewerkt": p. 11.
"Bibliographie": p. ₍60₎

1. Finnish poetry—Translations into Dutch. 2. Dutch poetry—Translations from Finnish. I. Rundt, Joel, 1879- II. Title. III. Series.

PH405.D8M8 A F 48-3148*

Newberry Library for Library of Congress ₍2₎†

NM 0918847 ICN NN DLC

PS3507 .A858 L63

Muynck, Remy de, tr.

Day, Clarence, 1874-1935.
... Moeder en wij. Antwerpen, Bij de boekengilde "Die Poorte" ₍1941₎

Muynck, Remy de, 1913-
Het spoor. ₍Verzen. Antwerpen₎ Die Poorte, 1941.
59 p. illus. 20 cm.

I. Title.

Full name: Remy Henry de Muynck.

PT6442.M94S7 55-49224 ‡

NM 0918849 DLC

PT2639 .E4U52

Muynck, Remy de, 1913- tr.

Seidel, Ina (Seidel) 1885-
Vriend Peregrin. ₍Vertaald door Remy de Muynck₎ Oude God, Boekengilde "Die Poorte" ₍1943, °1942₎

Muynck, Remy de, 1913-

Zweedsche volkssagen ₍door₎ G. en J. Sahlgren. Naar de oorspronkelijke aanteekeningen van Sven Sederström. In het Nederlandsch vertaald en ingeleid door Remy de Muynck. Illus. van Einar Norelius. Antwerpen, De Vlijt, 1946.

貿易年鑑
₍서울₎ 韓國貿易協會
v. illus. (part col.) 27 cm.

Began in 1949. Cf. Taehan Min'guk ch'ulpanmul ch'ongmongnok, 1945/•.
Some texts also in English.
Includes legislation.

1. Korea—Commerce—Yearbooks. I. Han'guk Muyŏk Hyŏphoe.
Title romanized: Muyŏk yŏn'gam.

HF53.M88 75-825885

NM 0918852 DLC CaBVaU

MUYR, H[endrick] van der.
Vlucht vande ketel-boeter. Ghespeelt by de camer vernieut uyt liefden, binnen Gorinchen. Gorinchen, J. Haensberch, 1644.

pp. (24). Vign.

NM 0918853 MH

Muys, Albert Pieter.
De briefwisseling van Paulinus van Nola en Augustinus. Hilversum, J. Schipper, Jr., 1951.

Academisch proefschrift - Amsterdam.

NM 0918854 MH

Muys, Cornelis.
See
Musius, Cornelis, 1500-1572.

Muys, Fran Spiller-
see
Spiller-Muys, Fran, 1885-1950.

Muys, G., writer on diseases of poultry
see Muijs, G

BL 781 M99

Muys, Gottfried.
Forschungen auf dem Gebiete der Alten Völker- und Mythengeschichte. Köln, J. M. Heberle, 1856-58.
2 v. in 1. 23cm.

Contents.--1. Griechenland und der Orient.--2. Hellenika.

1. Mythology, Greek.

NM 0918858 NIC IaU WU OCl MH NN ICN

Muys, Gottfried.
Quaestiones Ctesianae chronologicae. Dissertatio historico-critica Monasterii, 1853.
36 p. 8°. [In "Greek Writers", v. 3]

NM 0918859 CtY

Muys, Jan, b. 1654.
... Chirurgia ... 1693
see under Barbette, Paul, 1623 (ca.)-1666.

Muys, Jan, b. 1654.
Neue vernünfftige praxis der wund-artzney; oder, Chirurgische anmerckungen zusambt seinen Podalirio redivivo oder Gespräch zwischen den Podalirio und Philiatro. Ins teutsche übersetzet von Christophoro Horch. Franckfurt, *etc.* 1688. 16°. pp. [36], 368, [41]. Illustr.

NM 0918861 MH-A

Hist. 17th c.

WZ 250 M994P 1686

Muys, Jan, b. 1654.
Podalirius redivivus; sive, Dialogus inter Podalirium & Philiatrum. In quo juxta normam philosophiae solidioris, multa medico-chirurgica illustrantur & examinantur. Lugd. Batav., Apud Petrum van der Aa, 1686.
[16], 137 p. 13 cm.

1. Philosophy, Medical. I. Title. II. Title: Dialogus inter Podalirium & Philiatrum.

NM 0918862 WU-M PPC DNLM

WZ 250 M993pr 1683

MUYS, Jan, b. 1654.
... Praxis chirurgica rationalis; seu, Observationes chirurgicae secundum solida verae philosophiae fundamenta resolutae. Decas prima [-Decas secunda] Lugd. Batavor., Apud Petrum vander Aa, 1683.
[24], 84 p.; [4], 44 p. 14 cm.
Added engraved title page.

NM 0918863 DNLM

VOLUME 403

Muys, Jan, b. 1654.
Joannis Muys ... Praxis chirurgica rationalis; seu, Observationes chirurgicae secundum solida verae philosophiae fundamenta resolutae. Quinque decades ... Lugd. Batav., apud Petrum vander Aa, 1685.
[20], 318 (i.e. 314) p. illus. 14½ cm.
Added engr. title-page.
Errors in paging: 221-224 omitted.
1. Surgery - Early works.

NM 0918864 NNC PCarlD NNNAM PPJ DNLM PPC

RD 30 .M97
Muys, Jan, b. 1654.
Joannis Muys ... Praxis chirurgica rationalis seu Observationes chirurgicae secundum solida verae philosophiae fundamenta resolutae. Decas tertia et quarta. Lugd.Batavor., Apud P.vander Aa, 1684.
12 p.ℓ.,44 p.,4 ℓ.,39 p. 14 cm.
Added t.p.,engraved and illustrated.
The third and fourth parts of a work,published probably in five parts,1683-1685.
1.Surgery--Early works to 1800.

NM 0918865 MiU PPL

B617 M987 bk.1-5 1709
Muys, Jan, b. 1654.
Praxis chirurgica rationalis, seu observationes chirurgicae secundum solida verae philosophiae fundamenta resolutae. Quinque decades. Dicata illustrissimo domino Petro de Marchettis. Patavii, Typis Jacobi de Gadorinis, 1709.
[20], 240 p. front. 18cm.
1. Surgery. Early works to 1800.

NM 0918866 MnU

17th Cent.
Muys, Jan, b. 1654.
Johannis Muys Praxis medico-chirurgica rationalis, seu Observationes medico-chirurgicae secundum solida verae philosophiae fundamenta resolutae. Decades duodecim. Amstelaedami, Apud Joannem Wolters, 1695.
6p.ℓ., 419, [8]p. 16cm.
Title in black and red.
Added engraved t.-p.: Praxis rationalis
1. Surgery - Early works to 1800. 2. Medicine - 15th - 18th cent.

NM 0918867 CtY-M DNLM NNNAM PMA

WZ 250 M993prE 1686
MUYS, Jan, b. 1654.
A rational practice of chyrurgery: or, Chyrurgical observations resolved according to the solid fundamentals of true philosophy ... In five decades ... London, Printed by F. Collins for Sam. Crouch, 1686.
[16], 248 p. front., illus. 17 cm.
To the reader, signed by J. W.
I. W., J., 17th cent., tr.

NM 0918868 DNLM PPC

WZ 250 M993prDu 1684
MUYS, Jan, b. 1654.
Redelyke heelkonstoeffening; of, Heelkonstige aenmerkingen na de vaste gronden der waeragtige filozofie opgelost ... vertaelt door David van Hoogstraten. Het eerste tiental [-Vijfde tiental] Rotterdam, Fransois van Hoogstraten, 1684.
1. v. illus. 16 cm.
Various pagings.
Decas III-IV and Decas V. have special title pages dated 1685.
I. Hoogstraten, David van, 1658-1724, tr.

NM 0918869 DNLM

WZ 250 M993prG 1694
MUYS, Jan, b. 1654.
Der treu-gesinnete Samariter; das ist ... Vernünfftige Praxis der Wund-Artzney. Oder fünff Abhandlungen, nach denen festen Gründen, der neuen wahren Philosophie erkläret. Anjetzo von vielen ... Fehlern geläutert, und mit zwey neuen ins Teutsche übersetzten Abhandlungen vermehret denen, oben-gedachten Autoris sogenandte Podalirius redivivus ... beygefüget ist. Berlin, In Verlegung Rupert Völckern, 1694.
[24], 456, [47] p. 16 cm.
Decas I-VII, without Podalirius redivivus.

NM 0918870 DNLM NNNAM

Muys, Joannes
see Muys, Jan, b. 1654.

W 4 U92 1701 M.1
Muys, Wijer Willem, 1682-1744.
Disputatio medica inauguralis, de catalepsi ... Trajecti ad Rhenum, Ex officina Guilielmi vande Water, 1701.
17 p. 23 cm.
Diss. - Utrecht.

NM 0918872 DNLM

Muys, Wijer Willem, 1682-1744.
——. Dissertatio et observationes de salis ammoniaci præclaro ad febres intermittentes usu, una cum epistola præfixa ad regiam Societatem Londinensem missæ. 100 pp., 2 l., 1 tab. 4°. *Franequeræ, F. Halma*, 1716.
Another copy bound with: VALENTINUS (Michael. Bernhardus). Praxeos medicinæ [etc.] 4°. *Francof. a. M.*, 1715.

NM 0918873 DNLM

Muys, Wijer Willem, 1682-1744.
Investigatio fabricae, quae in partibus musculos componentibus extat. Dissertatio prima de carnis musculosae fibrarumque carnearum structura, quatenus sine vasis sanguiferis, nervis, nervosisque villis, atque membranis spectantur. Luyd. Bat., J.A. Langerak, 1738.
75 p.l., 431 p. 3 pl. 4°.

NM 0918874 DNLM CtY

Muys, Wijer Willem, 1682-1744.
Investigatio fabricae, quae in partibus musculos componentibus extat. Dissertatio prima de carnis musculosae fibrarumque carnearum structura, quatenus sine vasis sanguiferis, nervis, nervosisque villis, atque membranis spectantur. Lugd. Bat., J.A. Langerak, 1741.
75 l., 431 p. 3 pl. 4°.

NM 0918875 DNLM

Muys, Wijer Willem, 1682-1744.
Musculorum artificiosa fabrica, observationibus copiosissimis & experimentis physicis demonstrata atque iconibus manu autoris delineatis illustrata, a Wyero Gulielmo Muys ... Lugduni Batavorum, P. Bonk & C. de Pecker, 1751.
76 p.l., 431, [1] p. fold. plates. 28 cm.

NM 0918876 CtY DNLM

Muys, Wijer Willem, 1682-1744.
——. Opuscula posthuma, seu sermones academici de selectis materiis, et dissertatio de distinctione mentis et corporis; cum Hermanni Venema oratione funebri in ejus memoriam; edente Joh. Henr. Gulielmo Muys, W. G. filio. 2 p. l., 72, 269 pp. 4°. *Leovardiæ, G. Coulon; Franequeræ, J. Brouwer*, 1749.

NM 0918877 DNLM

Muys, Wijer Willem, 1682-1744.
——. Oratio inaug. de theoriæ medicæ usu atque recta illam excolendi ratione. 71 pp. fol. *Franequeræ, F. Halma*, 1714.

NM 0918878 DNLM

Muys, Wyerus Wilhelmus
see Muys, Wijer Willem, 1682-1744.

Muys van de Moer (Joannes Henricus Gulielmus). *De scabie. 2 p. l., 44 pp., 2 l. 4°. *Lugd. Bat., Haak et soc.*, 1812.

NM 0918880 DNLM

Muys van Holy, Nicolaas, 1654?-1717.
Brief...aan...Mr. Jacob de la Bassecour, pensionaris der stad Amsterdam. *Amsterdam: A. Lansvelt*, 1706.
7 pp. 4°.

NM 0918881 NN

Z949.2 Z 1707:1
Muys van Holy, Nicolaas, 1654?-1717.
Karakter van een' rechtvaerdigen rechter. [Amsterdam, Assuerus Lansvelt, 1707]
3 p. 19cm. [Dutch history pamphlets. 1707:1]
Knuttel 15624.

NM 0918882 MnU

[Muys van Holy, Nicolaas] 1654?-1717.
Middelen en motiven om het kopen en verkopen van Oost- en West-Indische actien, die niet getransporteert werden, mitsgaders ook die de verkoper ten dage van den verkoop niet in eigendom heeft, als mede optie partyen der actien, te beswaren met een impost, ten behoeve van het gemeene land en de stad Amsterdam. [Gedrukt tot Amsterdam, 1687] 8 p. 22 x 17cm. (4°.)
Sabin 51613. Knuttel 12622.
Caption-title and colophon.
Signed: Nicolaes Muys van Holy.
1. Generale Nederlandsche Geoctroyeerde Oost-Indische Compagnie. 2. Generale Nederlandsche Geoctroyeerde West-Indische Compagnie. I. Title.
N. Y. P. L. *Revised* August 5, 1935

NM 0918883 NN MnU ICJ ICU RPJCB

28.2
Muys van Holy, Nicolaas, 1654?-1717.
Overweging van het hooftpoint in do Bekkers boek genaamt de betoverde weereld, te weten, of de duyvel op een mensch werken kan. Vermeerdert met oplossinge van eenige nadere tegenwerpingen. Amsterdam, P. Rotterdam, 1692.
15 p. 4°. [Miscellaneous pamphlets. v. 502]

NM 0918884 DLC NIC MH-AH

Case Z 491 .H 742
Muys van Holy, Symon van, d. ca. 1720.
Bibliotheca Muysiana; sive Catalogus librorum, quibus (dum viveret) usus est Symon Muys van Holy. Distrahendus per Joannem van Braam ad diem XXVIII. martii & seqq. MDCCXXI. in aedibus suis. Dordraci, Apud J.van Braam, 1721.
[2], 173, [1]p. 16cm.
Prices added in ms.

NM 0918885 ICN

VOLUME 403

Muys Señores nuestros: Hace muchos años que se celebra anualmente un solemne novenario á nuestra Madre Santisima de Guadalupe ... [Mexico, 1809]
[3] p. fol.
Dated (at end) 1809.
In this copy 1809 crossed out and 1810 replaced in ms.

NM 0918886 RPJCB

Muyschel (Carolus). De medicinæ veterinariæ intra illud temporis spatium, quod ab a. 1825 ad a. 1835 effluxit, conditione et incrementis. pp. 327-452. 4°. *Vilnæ*, [1835, *vel subseq.*].
Cutting from: Collect. med.-chir. Vilnæ.

NM 0918887 DNLM

Muyselaar, Piet, joint author.
Snap-snippers
see under
Walden, Willy.

Muyser, Constant de.
Recueil des cartes et plans du pays et de la ville et forteresse de Luxembourg, publiés depuis 1559 jusqu'à nos jours. Luxembourg, 1887.
8°.

NM 0918889 DLC

Muyser, Constant de.
Table sommaire des articles [et des auteurs] contenues dans les 40 premiers volumes des Publications de la section historique de l'Institut royal grand-ducal 1845-1888.
xxxiii p. (Institut royal. Publications. Vol. 40. Luxembourg, 1889)

NM 0918890 MB

Muyser, Gerard.
Nagelaate pöezy van Gerard Muyser. Amsterdam, 1760.
2 v.

NM 0918891 PPL

Muyser, Jacob, ed. and tr.
Ermite pérégrinant et pèlerin infatigable
see under Hor de Preht, apa.

Muyser, Jacob.
Face à l'Apostolat copte. Préf.du S.Chauleur. Alexandrie, Edit.Saint-Marc, 1950.
74 p.

NM 0918893 MH

Muyser, Jacob.
Le Samedi et le Dimanche dans l'Eglise et la littérature Coptes. (Extrait du Martyre d'Apap Epima, par Togo Mina) Le Caire, Imprimerie Nationale, Boulaq, 1937.
[89]-111 p. 27 cm.
At head of title: Service des Antiquités de l'Egypte. Cover-title.
Bibliographical footnotes.
1. Coptic church. Liturgy and ritual. 2. Sunday. I. Title.

NM 0918894 IEG

Muyser, Jacob.
La religieuse parmi les coptes; l'indispensable et l'idéal. Préf. de Bernardin Collin. Le Caire, Éditions du Foyer catholique egyptien, 1951.
69 p.
1. Catholic Church - Missions, Foreign. 2. Catholic Church - Relations - Coptic Church. 3. Coptic Church - Relations - Catholic Church.

NM 0918895 ICU

Muyser, Raymond de.
... L'amour et la conception. Illustré de 21 dessins de Robert Grzonka. Paris, E. Figuière [1935]
4 p. l., [xi]-xvi, 206 p. illus., diagrs. 19cm. (*On cover:* Collection d'éducation. E. Sanitaire et sociale, 2)
Leaf with supplementary text inserted between p. [48] and [49]
CONTENTS. — Considérations générales. — Histoire naturelle de la femme.—La "Loi de Knaus".—L'éducation hygiénique de la femme.
1. Fecundity. 2. Conception—Prevention. 3. Knaus, Hermann, 1892- 4. Woman—Health and hygiene. I. Title.
36-660
Library of Congress QP251.M8
Copyright A—Foreign 29593
[2] 612.63

NM 0918896 DLC

Muysken, Frans Pieter Anne
see Muijsken, Frans Pieter Anne.

Muysken, Geertruida Kapteyn, 1855-1920
see Kapteyn-Muysken, Geertruida, 1855-1920.

Muysken, Isaac Floris, fl. 1891
see Muijsken, Isaac Floris.

Muysken (Isaäcus Florus). *Quæstiones medicæ inaugurales. viii, 39 pp. 8°. *Traj. ad Rhenum. C. vander Post jun.*, 1833.

NM 0918900 DNLM

TJ250
.M8
Muysken, J
Het voortbrengen van energie. Den Haag, Servire, 1946.
102 p. illus. 17 cm. (Servire's encyclopaedie. Afd.: Werktuigbouwkunde, 1)
Bibliography: p. 101.
1. Force and energy.
A 51-1769
Illinois. Univ. Library for Library of Congress [1]

NM 0918901 IU OU CtY

Muyskens, Henry, 1897-
Some characteristics of ultra-high-frequency transmission, by Henry Muyskens and John D. Kraus ... [New York, 1933]
[1], 1302-1316 p. illus. (incl. map) diagrs. 23cm.
The authors' thesis—University of Michigan: Muyskens (SC. D.) 1933; Kraus (PH. D.) 1933.
"Reprinted from Proceedings of the Institute of radio engineers, vol. 21, no. 9, September, 1933."
1. Radio. I. Kraus, John Daniel, 1910- joint author.
34-1875
Library of Congress TK6553.M8 1933
Univ. of Michigan Libr. [2] 621.384131

NM 0918902 MiU DLC OrU

Muyskens, John Henry, 1887- joint author.
P121
.M35
Meader, Clarence Linton, 1868-
Handbook of biolinguistics, by Clarence L. Meader and John H. Muyskens. Toledo, H. C. Weller, 1950-

---

FILM
2882
Muyskens,John Henry,1887-
The smallest aggregate of speechmovement analyzed and defined: "The hypha",being correlated results from kymographic and palatographic records. [Ann Arbor] 1925.
Microfilm (positive) of typescript. Made by University Microfilms,Ann Arbor,Mich.
Thesis--University of Michigan.
Bibliography: 3 leaves at end.
1.Speech. I.Title: "The hypha".

NM 0918904 MiU

Muysson, B
Verzilverbare wenken voor huiseigenaren en verhuurders van woningen. [2. druk. Rotterdam, Wyt, 1942]
45 p. 17 cm.
1. Landlord and tenant—Netherlands. I. Title.
55-48784

NM 0918905 DLC MH-L IEN

Muysson, Philippus, respondent.
Theses philosophicae quas favente Deo
see under Bayle, Pierre, 1647-1706.

MŪŽA.
See also MUSA.

Muza, Emil.
see
Muza, M. Emil

Muža, M Emil.
Die Kunst die serbo-kroatische Sprache durch Selbstunterricht schnell zu erlernen. Theoretisch-praktische Anleitung zum Selbstunterricht. Wien, Hartleben [1889?]
viii, 184 p. (Die Kunst der Polyglottie, 12)
"Bibliothek der Sprachenkunde."

NM 0918909 MH

Muza, M Emil.
Praktische Grammatik der kroatischen Sprache für den Selbstunterricht Theoretisch-praktische Anleitung zur schnellen Erlernung durch Selbstunterricht. Wien, A. Hartleben, [189-]
214 p. 16 cm. (Die Kunst der Polyglottie, 46. Th.)
Bibliothek der Sprachenkunde.
I. Series.

NM 0918910 NIC MH NN

VOLUME 403

Muža, M　　Emil.
Praktische Grammatik der kroatischen Sprache für den Selbstunterricht . . . von M. E. Muža. 2. Auflage.
— Wien. Hartleben. [1902.] viii, 214 pp. [Die Kunst der Polyglottie. Teil 46.] 16°.

G4246 — S.r. — Serbo-Croatian language. Gram. Croatian.

NM 0918911 MB ODW MiU MH

PG 1232 M98p 1919
Muza, M　　Emil.
Praktische Grammatik der kroatischen Sprache für den Selbstunterricht. Theoretisch-praktische Anleitung zur schnellen Erlernung durch Selbstunterricht, von M.E. Muza. 3. Aufl. Wien, A. Hartleben [1919]
viii, 183 p. (Bibliothek der Sprachenkunde, v.46)

1. Croatian language - Grammar. I. Title.

NM 0918912 CLU

PG 1231 M99 1920
Muža, M　　Emil.
Praktische Grammatik der kroatischen Sprache fur den Selbstunterricht. 9. Aufl. Wien, A. Hartleben ₍192-?₎ vi,188 p. 16cm. (Bibliothek der Sprachenkunde, 46. T.)

1. Serbo-Croatian language--Grammar.

NM 0918913 NIC

PG 1231 M8 1894
Muža, M　　Emil.
Praktische Grammatik der serbisch-kroatischen Sprache für den Selbstunterricht, von Emil Muža. 2.Aufl. Wien, A.Hartleben ₍1894₎
viii,183p. tables. 17cm. (Die Kunst der Polyglottie, 12.Th.)
Bibliothek der Sprachenkunde.

1.Serbo-Croatian language - Grammar. 2.Serbo-Croatian language - Composition and exercises. ✓ LC

NM 0918914 CLSU CU

Muza, M　　Emil.
Praktische grammatik der serbisch-kroatischen sprache für den selbstunterricht; theoretisch-praktische anleitung zur schnellen erlernung. 3ᵉ aufl. Wien, etc. A. Hartleben, [1900].
pp. viii, 183. (Die kunst der polyglottie, 12.)
With added title-page illustrated.

Serbian lang.–Gram.||

NM 0918915 MH CSt CtY OCl CU MiU MB

Muža, M　　Emil.
Praktische Grammatik der serbisch-kroatischen Sprache für den Selbstunterricht; theoretisch-praktische Anleitung zur schnellen Erlernung durch Selbstunterricht. 4.Aufl. Wien, Hartleben [1908]

viii, 183 p. (Die Kunst der Polyglottie, 12)
Bibliotek der Sprachenkunde.

NM 0918916 MH NN

Muža, M. Emil.
Praktische Grammatik der serbisch-kroatischen Sprache. Theoretisch-praktische Anleitung für den Selbstunterricht, von M. E. Muža. Wien: A. Hartleben [1914]. viii, 183 p. 5. ed. 16°. (Die Kunst der Polyglottie. Teil 12.)

1. Serbo-Croatian language.—Grammar. 2. Series.
N. Y. P. L.　　July 7, 1916.

NM 0918917 NN

Muža, M　　Emil.
Praktische grammatik der serbisch-kroatischen sprache; theoretisch-praktische anleitung für den selbstunterricht, von M. E. Muža. 6. aufl. Wien und Leipzig, A. Hartleben ₍1916₎
viii, 183, ₍1₎ p. 17½cm. (*Added t.-p.:* Die kunst der polyglottie ... 12. t.)

1. Serbian language—Grammar. I. Title.

34-32783

Library of Congress　　PG1231.M8 1916　　491.828243

NM 0918918 DLC IdU

Muža, M　　Emil.
Praktische grammatik der serbisch-kroatischen sprache; theoretisch-praktische anleitung für den selbstunterricht, von M.E. Muža. 7. aufl. Wien und Leipzig, A. Hartleben [1921]
viii, 183, [1] p. 17.5 cm. (Added t.-p.: Die kunst der polyglottie ... 12. t.)

NM 0918919 CLU PBm

AP50 .M83 (Rare Bk Coll)
Муза; ежемѣсячное изданіе. ч. 1-4. Въ Санктпетербургѣ, 1796.
4 v. in 2. 20 cm.
Edited by I. I. Martynov. Cf. Dement'ev, A. G., ed. Русская периодическая печать, 1959.

I. Martynov, Ivan Ivanovich, 1771-1833, ed.
Title transliterated: Muza.

AP50.M83　　60-57487

NM 0918920 DLC

... Mūža meža princese; romāns
see under Druvenalds, Astrīds, pseud.
[Supplement]

Muzac, Aimé Guillaume Léon.
... Bride aux dents! comédie en un acte, en vers. Representée pour la première fois le 25 avril 1902. Paris, H. Charles-Lavauzelle [1902]
51, [1] p. 20.5 cm.
At head of title: Général Muzac.

NM 0918922 CtY

PQ 2625 M994t
Muzac, Aimé Guillaume Léon.
... Le tsarévitch Alexis; drame en cinq actes, en vers. Paris, Plon-Nourrit et cie [1901]
4p.ℓ.,102.,1ℓ. 19½cm.
At head of title: Général Muzac.

1. Alexius Petrovich, tsarevich, 1690-1718. I. Title.

NM 0918923 NRU

Muzafarov, V　　G
Минералогия и петрография. Утверждено в качестве учеб. пособия для геогр. факультетов педагог. ин-тов. Москва, Гос. учебно-педагог. изд-во, 1955.
166 p. illus., ports., fold. map (in pocket) 23 cm.

1. Mineralogy. 2. Petrology. I. Title.
Title transliterated: Mineralogiiā i petrografiiā.

QE363.M95　　56-35348

NM 0918924 DLC

Muzafarov, V　　G
Определитель минералов и горных пород; пособие для педагогических и учительских институтов. Изд. 2., перер. Москва, Гос. учебно-педагог. изд-во, 1953.
174 p. illus. 23 cm.

1. Mineralogy—Classification. 2. Rocks—Classification and nomenclature. I. Title.
Title transliterated: Opredelitel' mineralov i gornykh porod.

QE388.M8 1953　　54-22470
Library of Congress　₍2₎

NM 0918925 DLC

Muzaffar, *pasha.*
Guerre d'Orient 1877–1878. Défense de Plevna d'après les documents officiels et privés réunis sous la direction du muchir ghazi Osman pacha, par le général de division Mouzaffer et le lieutt.-colonel d'état-major Talaat bey. Paris, L. Baudoin, 1889.
xiv, 281 p. 23 cm.

1. Plevna—Siege, 1877. I. Tal'at, bey, joint author. II. Title.

DR573.5.P6M8　　52-52587

NM 0918926 DLC MH CtY DNW

---

al-Muẓaffar, Muḥammad Ḥasan, 1883–1955.
دلائل الصدق ، فى الجواب عن ابطال الباطل الذى وضعه الفضل بن رزبهان للرد على نهج الحق لآية الله الحلى فى المسائل الخلافية بين فرقتى الاسلام الشيعة واهل السنة واثبات الامامة ، لمحمد حسن المظفر . ₍طهران₎ چاپ تابان ₍1369?-　　1949?-
v. 25 cm.
Bibliographical footnotes.

1. Faẓl Allāh ibn Ruzbahān, d. 1519. Ibṭāl nahj al-bāṭil. 2. Shiites—Apologetic works. I. Title.
Title romanized: Dalā'il al-ṣidq.

BP194.1.F43M8　　72-210989

NM 0918927 DLC

---

al-Muẓaffar, Muḥammad Ḥasan, 1883–1955.
₍Dalā'il al-ṣidq₎
فضائل امير المؤمنين وامامته من دلائل الصدق ، تأليف محمد حسن المظفر . النجف ، المطبعة الحيدرية　.19
v. 26 cm.
Includes bibliographical references.

1. Faẓl Allāh ibn Ruzbahān, d. 1519. Ibṭāl nahj al-bāṭil. 2. Imamate. 3. 'Alī ibn Abī Ṭālib, Caliph, 600 (ca.)–661. I. Title.
Title romanized: Faḍā'il Amīr al-Mu'minīn wa-imāmatuhu min dalā'il al-ṣidq.

BP194.1.F43M82　　74-219273

NM 0918928 DLC

---

al-Muẓaffar, Yūsuf ibn 'Umar
see
al-Malik al-Muẓaffar Yūsuf ibn 'Umar, *Sultan of Yemen, d. ca.* 1295.

---

al-Muẓaffar al-Rasūlī, Yūsuf ibn 'Umar
see
al-Malik al-Muẓaffar Yūsuf ibn 'Umar, *Sultan of Yemen, d. ca.* 1295.

VOLUME 403

Muẓaffar Ḥusayn Jamīl
see
Jamīl, Muẓaffar Ḥusayn.

---

al-Muẓaffarī, Muḥammad al-Ḥusayn.
تاريخ الشيعة، لمحمد الحسين المظفري. النجف، مطبعة الزهراء [pref. 1361 (1942)]

5, 279 p. 22 cm.
Bibliographical footnotes.

1. Shiites—Hist. I. Title.
Title romanized: Tārīkh al-Shīʻah.

BP192.M89 N E 68-2908

NM 0918932 DLC

Muzaffarpur, India (District)
Muzaffarpur District gazetteer; statistics, 1900–1901 to 1910–11. Patna, Bihar and Orissa Secretariat Book Depot, 1913.
45 p. 24 cm.
Cover title.

1. Muzaffarpur, India (District)—Statistics.

HA1729.M8A5 76-276741
MARC

NM 0918933 DLC

Muzaffar-ud-din Nadvi, *Syed*
see
Nadvi, Muzaffar Uddin, *Syed*, 1900-

Muzaffer, Mediha
see
Baysal, Mediha Muzaffer.

Muzaffer Ahmad
see
Ahmad, Muzaffer, 1920-

Muzaffer Akalın
see **Akalın, Muzaffer.**

Muzaffer Gökman
see
Gökman, Muzaffer.

Muzaffer Lermioğlu
see Lermioğlu, Muzaffer.

Muzaffer Reşit
see
Nayır, Yaşar Nabi, 1908-

Muzafir, pseud.
Yankeeland in her trouble. 1864
see Siddons, Joachim Heyvard, 1801?-1885.

Mūzah-'i Īrān-i Bāstān.
(Rāhnamāh-yi ganjīnah-'i Qur'ān dar Mūzah-'i Īrān-i Bāstān)
راهنمای گنجینه قرآن در موزه ایران باستان. تهران [چاپخانه بانك ملی ایران، 1949] 1328.

6, 70, 106 p. plates, plan. 22 cm.
«تدوين قرآن و مقام آن در تاريخ، خط و جلد و تذهيب، بقلم مهدى بهرامى»: p. [1]-70 (2d group)
«فهرست قرآنها و قطعاتى از قرآن مجيد كه در گنجينه بمعرض نمايش گذارده شده است»: p. [1]-106

1. Koran—Manuscripts—Catalogs. 2. Illumination of books and manuscripts, Islamic—Catalogs. 3. Illumination of books and manuscripts—Teheran—Catalogs. I. Bahrami, Mehdi. II. Bayānī, Mahdī. III. Title.

ND3385.K6M89 74-228116

NM 0918942 DLC

PJ7741
M88
1920

Muzāhim al-'Uqailī.
The poetical remains of Muzahim al-'Uqailī ed. and tr. by F. Krenkow. Leidon, Brill, 1920.
22, 40p. 24cm.

Text in Arabic and English.

I. Krenkow, Fritz, 1872- ed. and tr.

NM 0918943 IaU MiU PU NN OCl CtY MB

Muzahim ibn al-Harith, al-'Uqaili
see Muzāhim al-'Uqailī.

Mužák, Karolina Rott
see
Mužákova, Johana (Rottova) 1830–1899.

Muzak Corporation, New York.
Muzak study. no.1-
New York, 19 -

1. Music in industry. 158.73 658.542

NM 0918946 ICJ

Muzak corporation, *New York.*
Studies on the use of Muzak in Life insurance company "P." R. L. Cardinell, director; E. M. Werner, assistant director, Research department, Muzak corporation. New York, N. Y., °1945.
1 p. l., ii numb. l., 1 l., 20 numb. l., 12 l. incl. tables, diagrs. 28cm.
Reproduced from type-written and manuscript copy.

1. Music in industry. I. Cardinell, Richmond L. II. Werner, Ernest Manfred, 1911-

Library of Congress ML3922.M9 46-13930
[2] 780.13

NM 0918947 DLC NN

Muzak corporation, *New York.*
Survey on musical preferences of factory and office employees in the metropolitan area of New York [by] Ernest Werner ... New York, N. Y., Muzak corporation, 1945.
2 p. l., 14 numb. l. incl. tables. 28 cm.
Form (questionnaire) mounted on leaf at end.

1. Music in industry. I. Werner, Ernest Manfred, 1911-
II. Title: Musical preferences of factory and office employees.

ML3922.M93 780.13 45-6286 rev

NM 0918948 DLC NN

Muzak Corporation, *New York.*
Work music by Muzak, 1945–1947, a research study of its effectiveness and acceptance. Research Dept., Muzak Corp., Ernest M. Werner, assistant director. [New York] °1948.
23 l. diagrs., tables. 29 cm. (Muzak study, #548)

1. Music in industry. I. Werner, Ernest Manfred, 1911-
II. Title.

ML3922.M933 780.13 48-3829*

NM 0918949 DLC NN

NA6
M8
Environ.
Design
Library

Muzaki tervezés.
[Budapest]
v. illus., plans.

Issued by Hungary. Építésügyi Minisztérium.

NM 0918950 CU

4PG
Cz
327

Mužáková, Johana (Rottova) 1830
-1899.
Spisy Karoliny Světlé [pseud.]
V Praze, I. L. Kober, 187
v. (2)

NM 0918951 DLC-P4 OC1W

Mužáková, Johana (Rottova) 1830–1899.
Sebrané spisy Karoliny Světlé [pseud.] V Praze, J. Otto, 1899–1904 [v. 1, 1900]
30 v. port. 18 cm.
L. C. set incomplete; v. 25 wanting.
Contents.—1. Kříž u potaka. 4. vyd. 1900.—2. Zvonečková královna. 4. vyd. [n. d.]—3. Vesnický román.—4. černý Petříček.—5. Kantůrčice.—6. Pod starými krovy.—7. Nemodlenec.—8. Kresby z ještědí.—9. První Ceška.—10. Ze staré Prahy.—11. Prostá mysl, I. Rada obrázků z poještědí.—12. Ohlasy z roku 1848.—13. Frantina.—14. Upomínky.—15. Prosta mysl, II. Povídky vesnické.—16. Na úsvitě.—17. Romanetta z Ještěda, I.—18. Poslední pani Hlohovská.—19. Tendenční povídky pro náš lid.—20. Romanetta z Ještěda, II.—

21. Novelly.—22. Miláček lidu svého.—23. Z rodinných podání.—24. Časové ohlasy, I.

26.—Novelly, II.—27. Láska k básníkovi.—28. Z let probuzení.—29. Novelly, III.—30. Z literárního soukromí a drobné práce.

PG5038.M8 1899 50-51494

NM 0918953 DLC CaBVaU TxU NcU CU CtY IaU MH

MUŽAKOVA, JOHANA (ROTTOVA), 1830-1899.
Sebrané spisy Karoliny Světlé [pseud. Jubilejní vyd. Praha, L. Mazáč, 1929-32] 30 v. illus. 18cm.

Half-title. Each volume has special t. p. only.
Edited by V. Vitinger and A. Čermáková-Sluková, v. 1-3 and 5-6 by V. Vitinger only.
Illustrated by J. Goth.
CONTENTS. —sv. 1. Kříž u potoka. 11. vyd. —sv. 2. Zvonečková královna. 8. vyd. —sv. 3. Vesnický román. 7. vyd. —sv. 4. První

Česka. 5. vyd. —sv. 5. Pod starými krovy. —sv. 6. Kresby z Ještědí. 3. vyd. —sv. 7. Povésti z Ještěda. 3. vyd. —sv. 8. Černý Petříček. 5. vyd. —sv. 9. Frantina. 3. vyd. —sv. 10. Nemodlenec. 4. vyd. —sv. 11. Kantůrčice. 7. vyd. —sv. 12. Na úsvitě. 5. vyd. —sv. 13. V zátiší, novelly. 2. vyd. —sv. 14. Dcera pouště, novelly. 2. vyd. —sv. 15. Satanáš, a jiné tendenční povídky pro náš lid. 5. vyd. —sv. 16. Láska k básníkovi. 5. vyd. —sv. 17. Z tanečních hodin. 6. vyd. —sv. 18. Divousové, a jiné povídky. 6. vyd. —sv. 19. Poslední paní Hlohovská.

4. vyd. —sv. 20. Upomínky. 7. vyd. —sv.21. Ze staré Prahy. 4. vyd. —sv. 22 Ohlasy z roku 1848. 6. vyd. —sv. 23. Z rodinných podání. 2. vyd. —sv. 24. Skalák, a jiné povídky. 2. vyd. —sv, 25-26. Romanetta z Ještěda. sv. 1, 3. vyd., sv. 2., 4. vyd. —sv. 27. Časové ohlasy. 2. vyd. —sv. 28. Z literárního soukromí, a drobné práce. —sv. 29. Rozcestí, novelly. 5. vyd. —sv. 30. Miláček lidu svého. 4. vyd.
1. Czech literature--Collected works. I. Čermákova, Anežka (Slukova), 1864- , ed. II. Vitinger, V., ed. III. Vitinger, V.
i.. [Title] Collected works.

NM 0918956 NN GU ICU

VOLUME 403

[Mužakova, Johana (Rottová) 1830-1899]
Sebrané spisy Karoliny Světlé [pseud. V Praze, L.Mázáč, 1940-41]

illus.

NM 0918957 MH

Mužákova, Johanna (Rottova) 1830-1899.
Dílo Karoliny Světlé [pseud. Vyd. 6. V Praze, Nová osvěta, 1949]
v. 18 cm.
Each vol. has also special t. p.
CONTENTS.—
sv. 7. Poslední paní Hlohovská.

PG5038.M8 1949 52-66186

NM 0918958 DLC

[Mužakova, Johana (Rottova) 1830-99]
Časové ohlasy, od Karoliny Světlé [pseud.] V Praze, Nakl. J.Otty, 1903.

(Her Sebrané spisy, 24)

NM 0918959 MH OC1

[Mužakova, Johana (Rottova) 1830-99]
Černý Petříček; pražský obrázek, od Karoliny Světlé [pseud.] V Praze, Otto, 1899.

110 p. (Her Sebrané spisy, 4)

NM 0918960 MH

Mužaková, Johana (Rottová) 1830-1899.
Černý Petříček a jiné povídky. [Uspořádal, poznámkami a doslovem opatřil Vítězslav Rzounek. 1. vyd.] Praha, Mladá fronta, 1955.
160 p. 21 cm. (Národní klasikové, sv. 18)
Author's pseud., Karolina Světlá, at head of title.

I. Title.

PG5038.M8C4 57-45149 rev

NM 0918961 DLC OC1 MH

PG5038 M89 L3

Mužáková, Johanna (Rottova) 1830-1899.
Cikánka; povidka, od Karoliny Světlé. V Praze, J. Otto, 1873.
31 p. 17 cm. (Laciná knihovna národní; spisy pro zábavu a poučení, č. 5)

Bound with the author's Lamač a jeho dítě. V Praze, 1872.

NM 0918962 CtY

Muzakova, Johana (Rottova) 1830-1899.
Dcera pouste: Mladsi bratr: V satisi.
By Caroline Světlá [pseud.]

NM 0918963 OC1

Muzakova, Johana (Rottova) 1830-1899.
Drobni obrazkv ...
By Carolina Světlá [pseud.]

NM 0918964 OC1

891.86M987 P5

Muzakova, Johana (Rottova) 1830-1899.
Dvě novely ještědské. Hrsg. von Alf. Scharbert. [Prag] "Roland", Prager verlagsgesellschaft, 1923.
64 p. ("Roland", schulausgabe neuerer tschechischer schriftsteller. 3)

Author's pseud., Karolina Světlá, at head of title.

I. Scharbert, Alfred, ed.

NM 0918965 NNC

PG 5038 M8Z418

Mužáková, Johana (Rottová) 1830-1899.
Dzvinkova koroleva (zabuta podiïa) Roman. [Pereklad z Ches'koï: S. Malkiïaka i M. Biriûkova. L'viv] L'vivs'ke knyzhkovo-zhurnal'ne vyd-vo, 1955.
171 p. 21 cm.

Author's pseud., Karolina Svïetla, at head of title.
Added t.p. in Czech: Zvonečková královna (zapomenutý příběh)
In Cyrillic characters.
I. Title.

NM 0918966 LU

[Mužakova, Johana (Rottova) 1830-99]
Frantina; rys ze života našeho lidu v minulém století, od Karoliny Světlé [pseud.] V Praze, Nakl. J.Otty, 1901.

190 p. (Her Sebrané spisy, 13)

NM 0918967 MH OC1

Mužakova, Johana (Rottová) 1830-1899.
Hubička

see under

Smetana, Bedřich, 1824-1884.
Hubička.

Muzakova, Johana (Rottova) 1830-1899.
Hubicka; obrazek ze zivota pohorskeho lidu naseho.
By Caroline Světlá [pseud.]

NM 0918969 OC1

[Mužákova, Johana (Rottova),] 1830-1899.
... Ispirktais lahsts; romans no tschechu dsihwes. Tulkojis Wilh. Spandegs. Rigā: Isdewneeziba "Orints"[, 1933]. 218 p. 20cm.
Author's pseud., Karoline Swetlaja, at head of title.

719177A. 1. Fiction, Bohemian. I. Spandegs, Vilhelms, translator. II. Title.
N. Y. P. L. September 12, 1934

NM 0918970 NN

[Mužákova, Johana (Rottová) 1830-99]
Ještědské povídky [By] Karolina Světlá [pseud.] Praha, Státní nakl.krásné literatury, hudby a umění, 1955.

543 p. illus. (Her Vybrané spisy, 1)

NM 0918971 MH

Mužákova, Johana (Rottova) 1830-1899.
Jestedske romany. [Usporadal, k vydani pripravil, doslovem, poznamkami a slovnickem opatril Josef Spicak] Praha, Statni nakl. Krasne literatury, hudby a umeni,. 1955.
2 v. plates. 15cm. (Her Vybrane spisy, sv.2-3)

At head of title: Karolina Svetla.
Includes bibliographical references.
CONTENTS: 1.Vesnicky roman. Kriz u potoka. Kanturcice.-2.Frantina. Nemodlenec.

NM 0918972 CSt MiDW ICU MH

[Mužakova, Johana (Rottova) 1830-99]
Kantůrčice; z pohorského zákoutí, od Karoliny Světlé [pseud.] V Praze, Otto, 1900.

193 p. (Her Sebrané spisy, 5)

NM 0918973 MH

4PG Cz 421

Mužákova, Johana (Rottova) 1830-1899.
Kantůrčice, z pohorského zákoutí.
[1. vyd.] Praha, Melantrich, 1950.
156 p.

Author's pseud., Karolina Světlá, at head of title.

NM 0918974 DLC-P4

Muc55 M96X C331

Mužáková, Johana (Rottová) 1830-1899.
Karolina Světlá [pseud.] ve stycích s Janem Nerudou. Úvodem a poznámkami opatřila A. Čermáková-Sluková. V Praze, J. Otto, 1912.
120p. 18cm.

1. Neruda, Jan, 1834-1891. I. Čermáková-Sluková, Anežka, ed.

NM 0918975 CtY InU NNC

PG5038 .M9K9 18--

Mužákova, Johana (Rottova) 1830-1899.
Kresby z Ještědí. Od Karoliny Světlé [pseud.] V Praze, J. Otto [18--]
293 p. (Laciná knihovna národní, čís. 36)

NM 0918976 ICU OC1

[Mužakova, Johana (Rottova) 1830-99]
Kresby z Ještědí, od Karoliny Světlé [pseud.] V Praze, Nakl. J.Otty, 1900.

215 p. (Her Sebrané spisy, 8)

NM 0918977 MH

Muzakova, Johana (Rottova) 1830-1899.
Kříž u potoka; vesnický román.
By Caroline Světlá [pseud.]

NM 0918978 OC1

[Mužakova, Johana (Rottova) 1830-99]
Kříž u potoka; vesnický román. 5.vyd. V Praze, Nakl. J.Otty, 1909.

304 p. port. (Her Sebrané spisy, 1)

NM 0918979 MH

VOLUME 403

891.86M987
S4

Muzakova, Johana (Rottova) 1830-1899.
Kříž u potoka; vesnický román od Karoliny Světlé [pseud.] 6. vydání. V Praze, Otto, 1917.
304 p. port. (Sebrané spisy Karoliny Světlé, I)

NM 0918980 NNC

Huc55
M96
K89

[Mužákova, Johana (Rottova)] 1830-1899.
Kříž u potoka. [Pořádá Miloslav Hýsek] V Praze,L.Mazáč,1940.
334p. illus.,col.plates. 23cm. [Her Spisy, sv.1]
Author's pseud., Karolina Světlá, on t.-p.

NM 0918981 CtY

Slavic Coll. 420.44 M892

Mužáková, Johana (Rottová) 1830-1899.
Kříž u potoka. Praha, Nová osvěta, 1947.
369 p. 19 cm. (Dilo Karoliny Světlé; svazek 2)
English translation of title: The cross near the brook.
Author's pseud., K. Světlá, at head of title. rw

NM 0918982 IEdS CtY

PG5038
.M99K9

[MUŽÁKOVÁ,JOHANA (ROTTOVA)]1830-1899.
Kříž u potoka. [Praha] Melantrich, 1950.
285 p. front.
Novel.
Author's pseud. Karolina Světlá at head of title.

NM 0918983 InU MH

[MUZAKOVA,Mme.Johana Rottová.]
Der kuss (Hubicka); erzählung aus Böhmens bergen,von Karolina Světlá [pseud.] Mit genehmigung der verfasserin aus der cechischen übersetzt von Franz Bauer. Leipzig,Reclam, [1893].
24°. pp.75.

NM 0918984 MH MB

PG5038
M89
L3

Mužáková, Johana (Rottova) 1830-1899.
Lamač a jeho dítě; povidka, od Karoliny Světlé. V Praze, J. Otto, 1872.
96 p. 17 cm. (Laciná knihovna národní; spisy pro zábavu a poučení, č. 2)
With this are bound the author's: Skalak, V Praze, 1872; Společnice, V Praze, 1872; O krejčíkově Anežce, V Praze, 1873; Cikánka, V Praze, 1873; and Sabina K. Jen tři leta , V Praze, 1872.

NM 0918985 CtY OCl

[Mužakova, Johana (Rottova) 1830-99]
Láska k básníkovi; povídka, od Karoliny Světlé [pseud.] V Praze, Nakl. J.Otty, 1903.
188 p. (Her Sebrané spisy, 27)

NM 0918986 MH OCl

[Mužákova, Johana (Rottova)] 1830-1899.
Maria Felicia ("The last mistress of Hlohov") a story of Bohemian love; tr. from the Bohemian of Caroline Světlá [*pseud.*] by Antonie Krejsa. Chicago, A. C. McClurg and company, 1898.
278 p. 17cm. (*On cover:* Tales from foreign lands)

I. Krejsa, Antonie, tr. Nov. 23, 98-164

Library of Congress PZ3.M987M

NM 0918987 DLC ICU OCl ODW NN NIC

[Mužakova, Johana (Rottova)] 1830-1899.
Maria Felicia ("The last mistress of Hlohov") a story of Bohemian love; tr. from the Bohemian of Caroline Svetlá [pseud.] by Antonie Krejsa. Chicago, A.C. McClurg and company, 1900.
278 p. 17 cm. (On cover: Tales from foreign lands)

NM 0918988 CU

PG
5038
M98poE
1900a

Muzaková, Johana (Rottová) 1830-1899.
Maria Felicia ("The last mistress of Hlohov") A story of Bohemian love, translated from the Bohemian of Caroline Světlá by Antonie Krejsa. Chicago, A.C.McClurg, 1900.
[Los Angeles, UCLA Photographic Service, 1969]
279 p.
Photocopy.
Translation of Poslední paní Hlohovska.
I. Title. II. Title: The last mistress of Hlohov.

NM 0918989 CLU

891.86M987
T

Muzakova, Johana (Rottova) 1830-1899.
Miláček lidu svého; časový ohlas od Karoliny Světlé [pseud.] V Praze, Nakladem J. Otty, 1903.
220 p. (Her Sebrané spisy, XXII)

NM 0918990 NNC OCl MH

Mužáková, Johana (Rottová) 1830-1899.
Miláček lidu svého; román. [Vyd. 6.] V Praze, Nová osvěta, 1948.
249 p. 17 cm. (*Her* Dílo)
Author's pseud., Karolina Světlá, at head of title.

I. Title.

PG5038.M8M5 1948 58-48774 ‡

NM 0918991 DLC

Huc55
M96
A1
1951

Mužáková, Johana (Rottova) 1830-1899.
Můj Ještěd; Ještědské obrázky Karoliny Světle [pseud.] Povídky, novely a romaneta. Praha, Melantrich, 1951.
708 p. illus. 22 cm.
Edited by Josef Spičák.

I. Spičák, Josef, ed.
cdu EEAL

NM 0918992 CtY ICU

[Mužakova, Johana (Rottova) 1830-99]
Na úsvitě, od Karoliny Světlé [pseud.] V Praze, Nakl. J.Otty, 1902.
362 p. (Her Sebrané spisy, 16)

NM 0918993 MH

Mužáková, Johana (Rottová) 1830-1899.
Na úsvite [napsala Karolina Světlá (pseud.) Text prohlédl a doslov napsal Josef Spicak. vyd. 7] Praha, Nová osveta, 1949.
399 p. 19 cm. (Her Dilo, sv. 10)
English translation of title: In the early twilight. Text revised and epilogue written by Josef Spicak.
I. Spicak, Josef, ed. II. Title.

NM 0918994 IEdS CtY OCl

[Mužakova, Johana (Rottova) 1830-99]
Nemodlenec; román, od Karoliny Světlé [pseud.] V Praze, Nakl. J.Otty, 1900.
303 p. (Her Sebrané spisy, 7)

NM 0918995 MH

MUŽÁKOVÁ, JOHANA (ROTTOVÁ) 1830-1899.
Nemodlenec. [Připravil, doslov a poznámky napsal Josef Špičak. 10. vyd., w Melantrichu 1. Praha] Melantrich, 1950. 285 p. illus. 22cm.
Author's pseud. Karolina Světlá at head of title.

1. Fiction, Czech. I. Title. II. Špičak, Josef, ed.

NM 0918996 NN OCl MH

[Mužakova, Johana (Rottova) 1830-99]
Novelly, od Karoliny Světlé [pseud.] V Praze, Nakl. J.Otty, 1903-04.
3 v. (Her Sebrané spisy, 21, 26, 29)

NM 0918997 MH OCl

PG5038
M89
L3

Mužáková, Johana (Rottova) 1830-1899.
O krejčíkově Anežce; povidka, od Karoliny Světlé. V Praze, J. Otto, 1873.
87 p. 17 cm. (Laciná knihovna národní; spisy pro zábavu a poučení, č. 5)
Bound with the author's Lamač a jeho dítě. V Praze, 1872.

NM 0918998 CtY

[Mužakova, Johana (Rottova) 1830-99]
Ohlasy z roku 1848, od Karoliny Světlé [pseud.] V Praze, Nakl. J.Otty, 1901.
219 p. (Her Sebrané spisy, 12)

NM 0918999 MH OCl

[Mužakova, Johana (Rottova) 1830-99]
Pod starými krovy; črty z pražského života od Karoliny Světlé [pseud.] V Praze, Otto, 1900.
306 p. (Her Sebrané spisy, 6)

NM 0919000 MH OCl

Muzakova, Johana (Rottova) 1830-1899.
Poljub; povest iz gorskega zivljenja ceskega ljudstva; iz cescine prevel F.P. Trst, 1909.
97 p.
By Caroline Světlá [pseud.]

NM 0919001 OCl

VOLUME 403

Mužakova, Johana (Rottova) 1830-1899.
Poslední paní Hlohovska; obraz z druhé doby předesleho století, od Karoliny Světle [pseud.]

NM 0919002 OCl

[Mužakova, Johana (Rottova) 1830-99]
Poslední paní Hlohovská; obraz z druhé doby předešlého století, od Karoliny Světlé [pseud.] V Praze, Nakl.J. Otty, 1902.

168 p. (Her Sebrané spisy, 18)

NM 0919003 MH OCl

Huc55 M96 P84f
Mužáková, Johana (Rottova), 1830-1899.
Poslední paní Hlohovská; román. [Vyd.6.] V Praze,Nová osvěta,1949.
200p. 17cm. (Her Dílo, sv.7)
Author's pseud., Karolina Světlá, at head of title.

I. Title.

NM 0919004 CtY

Slavic-American Imprints Coll. 420.17 S943
Mužáková, Johana (Rottova) 1830-1899.
Poslední poustevnice; novela. New York, Česko-americká "Knihovna" [n.d].
112 p. 20 cm. (Česko-americká knihovna. Číslo 5, 6, 7, 8, 9, 10. Oddělení I.
English translation of title: The last woman hermit.

NM 0919005 IEdS OCl

[Mužakova, Johana (Rottova) 1830-99]
Pověsti z Ještěda, od Karoliny Světlé [pseud.] V Praze, Nakl. J.Otty, 1903.

261 p. (Her Sebrané spisy, 25)

NM 0919006 MH OCl

Mužáková, Johana (Rottová) 1830-1899.
Povídky: Hubička, Černý Petříček, Námluvy. [V Československém spisovateli vyd. 1.] Praha, Československý spisovatel, 1951.
198 p. 21 cm. (Národní klenotnice, sv. 49)
Author's pseud., Karolina Světlá, at head of title.

I. Title: Hubička. II. Title: Černý Petříček. III. Title: Námluvy.

PG5038.M8P6 55-56205 ‡

NM 0919007 DLC MiU WU CU MB PSt

PG 5038 .M99 P8
MUŽÁKOVÁ,JOHANA (ROTTOVA) 1830-1899.
Povídky a novely od Karoliny Světlé [pseud.] V Praze, J.Otto, 1881.
329 p. (Salonní bibliotéka,čís.19)

NM 0919008 InU OCl

[Mužakova, Johana (Rottova) 1830-99]
Prostá mysl, od Karoliny Světlé [pseud.] V Praze, Nakl. J.Otty, 1901.

2 v. (Her Sebrané spisy, 11, 15)

NM 0919009 MH OCl

[Mužakova, Johana (Rottova) 1830-99]
První Češka, od Karoliny Světlé [pseud.] V Praze, Nakl. J.Otty, 1900.

343 p. (Her Sebrané spisy, 9)

NM 0919010 MH

Slavic Coll. 420.44 M893
Mužáková, Johana (Rottová) 1830-1899.
První Češka. 2. vyd. Praha, J. Otto, 1922.
343 p. 18 cm. (Sebrané spisy Karoliny Světlé; svazek IX)
English translation of title: The first Czech woman.
Author's pseud., K. Světlá, at head of title. rw

NM 0919011 IEdS

Mužákova, Johana (Rottova) 1830-1899.
První Češka. [Red. V. Tichého. Vyd. 1. V Praze] J. R. Vilímek [1948]
293 p. illus. 22 cm. (13 sv. Vilímkovy ilustrované národní knihovny)
Author's pseud., Karolina Světlá, at head of title.

I. Title.

PG5038.M8P7 1948 55-21515 ‡

NM 0919012 DLC

Mužákova, Johana Rottlova, 1830-1899.
Román lásky a cti ...
see under Honzl, Jindřich, 1894-1953.

[Mužakova, Johana (Rottova) 1830-99]
Romanetta z Ještěda, od Karoliny Světlé. V Praze, Nakl. J.Otty, 1902.

2 v. (Her Sebrané spisy, 17, 20)

NM 0919014 MH OCl

PG5036 .M9R82 1866
Mužákova, Johana (Rottova) 1830-1899.
Rozcestí; novela od Karoliny Světlé [pseud.] V Praze, I. L. Kober, 1866.
269 p.

NM 0919015 ICU OCl InU

PG5038 M89 L3
Mužáková, Johana (Rottova) 1830-1899.
Skalak; obrázek z hor, od Karoliny Světlé. V Praze, J. Otto, 1872.
60 p. 17 cm. (Laciná knihovna národní; spisy pro zábavu a poučení, č. 3)
Bound with the author's Lamač a jeho dítě. V Praze, J. Otto, 1872.

I. Title(1)

NM 0919016 CtY OCl

PG5038 M89 L3
Mužaková, Johana (Rottova) 1830-1899.
Společnice; novela, od Karoliny Světlé. V Praze, J. Otto, 1872.
68 p. 17 cm. (Laciná knihovna národní; spisy pro zábavu a poučení, č. 5)
Bound with the author's Lamač a jeho dítě. V Praze, 1872.

I. Title(1)
NUC SEE No shelf

NM 0919017 CtY OCl

[Mužakova, Johana (Rottova) 1830-99]
Tendenční povídky pro náš lid, od Karoliny Světlé [pseud.] V Praze, Nakl. J.Otty, 1902.

271 p. (Her Sebrané spisy, 19)

NM 0919018 MH OCl

Mužáková, Johana (Rottova) 1830-1899.
Tři povídky. Navrhla a úvod napsala Eliška Krásnohorská. 4. vyd. Praha, Topičova edice [n.d.]
160 p. 19 cm. (Sbírka souvislé četby školní)
Author's pseud., Karolina Světlá, at head of title.
CONTENTS. - Několik dní ze života pražského hejska. Ten národ. Černá divizna.

NM 0919019 CaBVaU

[Mužakova, Johana (Rottova) 1830-99]
Upomínky,od Karoliny Světlé [pseud.] V Praze, Nakl. J.Otty, 1901.

308 p. (Her Sebrané spisy, 14)

NM 0919020 MH OCl

PG5020 .K15 v.26
Mužákova, Johana (Rottova) 1830-1899.
V Hložinách; povídka ze severních Čech od K. Světlé [pseud.] V Praze, Nákl. F. Šimáčka, 1887.
156 p. (Kabinetní knihovna, sv. 26)

NM 0919021 ICU

[MUŽÁKOVA,Johana (Rottova),1830-1899.]
Vesnický román od Karoliny Světlé [pseud.] Uvodem opatřil Miloslav Hýsek. V Praz,n.d.

Added title page: Česká knihovna zábavy a poučeni,31.

NM 0919022 MH OCl

[Mužakova, Johana (Rottova) 1830-99]
Vesnický román, od Karoliny Světlé [pseud.] V Praze, Otto, 1899.

235 p. (Her Sebrané spisy, 3)

NM 0919023 MH

Slavic Coll. 420.44 M89
Mužáková, Johana (Rottová) 1830-1899.
Vesnický román, od Karoliny Světlé (pseud.) 5. vyd. Praha, J. Otto, 1924.
235 p. 18 cm. (Sebrané spisy Karoliny Světlé; sv. 3)
English translation of title: A village novel, by Karolina Světlá (pseud.) rw

NM 0919024 IEdS

PG5038 M89 V4 1947
Mužakova, Johana (Rottova) 1830-1899.
Vesnický román. [Vyd. 2.] V Praze, Nová Osvěta, 1947.
227 p. col. illus. 22 cm.
At head of title: Karolina Světlá.

I. Title(1)
NUC SEE

NM 0919025 CtY

VOLUME 403

[Mužakova, Johana (Rottova)] 1830-1899.
Vesnický román. Praha, Nakladatelství nová osveta, 1947.
283 p. 19 cm. (Dílo Karoliny Světlé, 1)
Author's pseud. Karolina Světlá at head of title.
"K tisku připravil a doslovem opatřil Josef Spičak": p. [285]

NM 0919026 PU

PG5038 .M99V5
[MUŽÁKOVÁ, JOHANA (ROTTOVA)] 1830-1899.
Vesnický roman. Praha, Orbis, 1949.
240 p. (Národni knihovna, 11)

Author's pseud. Karolina Světlá at head of title.

NM 0919027 InU

PG 5038 .M9V6 1950
Mužáková, Johana (Rottová) 1830-1899.
Vesnický román. Praha, Vyšehrad, 1950.
239 p. (Živý odkaz domova, knihovna domácích klasiků sv. 4)
Author's pseud. Karolina Světlá, at head of title.

NM 0919028 ICU DLC-P4

[MUŽÁKOVA, Johana (Rottova)], 1830-1899.]
Výbor z povídek a vzpomínek Karoliny Světlé [pseud.] Uspořádal Mil.Hýsek. V Praze, n.d.

Added title-page: Česká knihovna zábavy a poučení, 32.

NM 0919029 MH

[Mužákova, Johana (Rottova),] 1830-1899.
...Výbor ze spisů. Uspořádala a úvodem opatřila Marie Helmerová. Praha: F. Topič, 1911. 97 p. 12°. (Osení, knihy mladých čtenářů. [Číslo] 38.)

Author's pseud., Karolina Světlá, at head of title.

516412A. 1. Fiction, Bohemian. I. Helmerová, Marie, editor.
II. Title.
N. Y. P. L. April 29, 1931

NM 0919030 NN

Mužáková, Johana (Rottová) 1830-1899.
Vybrané spisy Karoliny Světlé [pseud. Řídí Josef Špičák. Praha, Státní nakl. krásné literatury, hudby a umění, 19
v. illus. 25 cm.
Title from half title; each vol. has special t. p. only.
CONTENTS.—
sv. 2-3. Ještědské romány.

PG5038.M8 1954 57-24385

NM 0919031 DLC CaBVaU MH MiU NN

PG5038 .M8Z6
Mužaková, Johana (Rottová) 1830-1899.
Čermákova-Sluková, Anežka.
Vzpomínky na Karolinu Světlou. V Praze, Nakl. J. Otty, 1909.

[Mužakova, Johana (Rottova) 1830-99]
Z let probuzení, od Karoliny Světlé. V Praze, Nakl. J.Otty, 1904.

229 p. (Her Sebrané spisy, 28)

NM 0919033 MH OC1

PG 5038 .M9Z15 1898
Mužáková, Johana (Rottová)
1830-1899.
Z literárního soukromí, od Karoliny Světlé [pseud] V Praze, J. Otta [1898]
161 p. port. (Ženská bibliotéka)
Bound with Radius, Anna (Zuccari). Osamělá duše. 1989.

NM 0919034 ICU

[Mužakova, Johana (Rottova) 1830-99]
Z literárního soukromí a drobné práce, od Karoliny Světlé [pseud.] V Praze, Nakl. J.Otty, 1904.

322 p. (Her Sebrané spisy, 30)

NM 0919035 MH OC1

[Mužakova, Johana(Rottová) 1830-1899]
Z literárního soukromí a Drobné práce [by] Karolina Svetlá [pseud.] 2.vyd. V Praze, L.Mazáč, 1941.

342 p. illus. (Her Sebrané spisy, 28)

NM 0919036 MH

PG5038 .M2V4 1941
Mužákova, Johana (Rottova) 1830-1899.
Z mládí K. Světlé [pseud.] a J. Nerudy. [Napsala Anežka Čermáková-Sluková] V Praze, J. Otto [1941?]
95 p. (With Hálek, Vitězslav, 1835-1874. Večerní písně)
Malá ottov a knihovna, sv. 1-6.

I. Neruda, Jan, 1834-1891. II. Čermáková-Sluková, Anežka, ed.

NM 0919037 ICU

Muzakova, Johana (Rottova) 1830-1899.
Z nashikh boiv i zmagan, opovidane Karolini Svetli [pseud.]

NM 0919038 OC1

[Mužakova, Johana (Rottova) 1830-99]
Z rodinných podání, od Karoliny Světlé [pseud.] V Praze, Nakl. J.Otty, 1903.

200 p. (Her Sebrané spisy, 23)

NM 0919039 MH

[Mužakova, Johana (Rottová) 1830-1899]
Z rodinných podání [by] Karolina Světlá [pseud.] V Praze, L.Mazáč, 1940.

234 p. illus. (Her Sebrané spisy, 23)

NM 0919040 MH OC1

[Mužakova, Johana (Rottova) 1830-99]
Ze staré Prahy, od Karoliny Světlé [pseud.] V Praze, Nakl. J.Otty, 1900.

190 p. (Her Sebrané spisy, 10)

NM 0919041 MH OC1

3041 .664 .399
Mužáková, Johana (Rottova) 1830-1899
Zvonečková královna. (Zapomenutý příběh) Matice lidu, vi, 1. v Praze, Nákl. spolku pro vyd. laciných knih českých, 1872.
218 p. 18 cm

Author's pseud., Karolina Světlá, at head of title

NM 0919042 NjP

[Mužakova, Johana (Rottova) 1830-99]
Zvonečková královna; zapomenutý příběh pražsky, od Karoliny Světlé [pseud.] 3.vyd. V Praze, Otto, 1899.

209 p. (Her Sebrané spisy, 2)

NM 0919043 MH

[Mužáková, Johana (Rottová)] 1830-1899.
... Zvonečková královna, staropražský román. Kříž u potoka. Vesnický román. Napsala Karolina Světlá [pseud.] Chicago, Ill., Nákl. "Libosadu" [19—]
188 p. 204[—].
Includes Zvonečková královna only.

I. Title.

Library of Congress PG5038.M8Z4 44-24687

NM 0919044 DLC OC1

Slavic-American Imprints Coll. 420.17 M89
Mužáková, Johana (Rottova), 1830-1899.
Zvonečková královna; staropražský román napsala Karolina Světlá [pseud.] Chicago, "Libosad" [19—]
470 p. 21 cm. (Libosad; sborník nejkrásnějších románů světa)
English translation of title: The queen of little-bells; a old Prague novel written by Karolina Světla [pseud.]
Bound with: Kříž u potoka napsala Karolina Světlá. Chicago, 19—. rw

NM 0919045 IEdS InU

PG 5038 .M99 Z3 1947
MUŽÁKOVA, JOHANA (ROTTOVA) 1830-1899.
Zvonečková královna. V Praze, Nakl. Nová Osvěta, 1947.
252 p.

Author' pseud., Karolina Světlá, at head of title.

NM 0919046 InU

Mužáková, Johana (Rottova) 1830-1899.
Zvonečková královna. [4. vyd. V Praze] Melantrich [1950]
203 p. illus. 22 cm.
Author's pseud., Karolina Světlá, at head of title.

I. Title.
PG5038.M8Z4 1950 53-15820

NM 0919047 DLC CaBVaU

Mužákova, Karolina
see
Mužáková, Johana (Rottova) 1830-1899.

Law
Muzalevskiĭ, Nikolaĭ Aleksandrovich, defendant.
Pirozhkov, Ivan Grigor'evich, *defendant*.
Подлогъ духовнаго завѣщанія; дѣло Пирожкова и др. въ Тульскомъ окружномъ судѣ. Москва, Изд. А. Липскерова, 1881.

Muzalevskiĭ, V., *pseud.*
see
Bunimovich, Vladimir Il'ich.

M'Uzan, Michel de, 1921-
Les chiens des rois. [Paris] Gallimard [1954]
157 p. 20 cm. (Collection métamorphoses, 46)

I. Title.

PQ2625.U86C5 54-34217 ‡

NM 0919051 DLC

VOLUME 403

Uzn25
789m

Muzani, Cristoforo, 1724-1813.
Le caccie,poemetti dell'Abbate Cristoforo Muzani ... In Padova 1789.
108p. 19cm.
Signatures: A-F8G6.
The ecclesiastical license (p.108) was issued to "Niccolò Bettinelli stampator di Venezia per il Seminario di Padova".

NM 0919052 CtY

---

al-Muzanī, Zuhair ibn Abī Sulmā
see
Zuhayr ibn Abī Sulmā.

Muzard, Andrée.
... L'évolution constitutionnelle de l'Autriche de 1919 à 1938 ... par Andrée Muzard ... Montpellier, Imprimerie moderne, 1938.
97, [2] p. 25cm.
Thèse—Univ. de Montpellier.
"Index bibliographique": p. [7]-10.

1. Austria—Constitutional history. 2. Austria—Constitutional law. I. Title.

Library of Congress JN2012.M86 41-26108
[2]

NM 0919054 DLC CtY NNC MH

Muzard, Émile.
Journal des tribunaux de commerce, contenant l'exposé complet de la jurisprudence et de la doctrine des auteurs en matière de commerce ... t. 1.– 1852–19 ...
Paris, Librairie générale de droit et de jurisprudence, 1852–19

Muzard, Émile.

Dufraisse, Roger, *ed.*
Nouvelle loi sur la liquidation judiciaire et la faillite promulguée le 5 mars 1889, suivie des rapports et de la discussion complète devant les deux chambres. Supplément au Journal des tribunaux de commerce, publié par Roger Dufraisse ... avec la collaboration de Ch. Roy ... [et] Muzard ... Paris, Chevalier-Marescq et cie, 1889.

MUZARD,Émile.
Répertoire alphabétique de jurisprudence commerciale,comprenant la table générale du Journal des tribunaux de commerce,[1852-88]. Paris,1891-94.
2 v.

NM 0919057 MH-L

Muzard (François) [1873–]. *Du syndrome de Landry. 108 pp. 8°. Lyon, 1899, No. 124.

NM 0919058 DNLM

Muzard, Henri Auguste, 1900-
... Des cautérisations du col de l'utérus avec le caustique de filhos dans leurs rapports avec la gestation et l'accouchement ... Paris, 1925.
24 cm.
Thèse - Univ. de Paris.
Bibliographie: p. [29]

NM 0919059 CtY

W 4
M79
1936/37

Muzard, Marguerite, 1910-
Contribution à l'étude des compressions medullaires dans la fièvre de Malte. Nîmes, Chastanier et Alméras, 1936.
55 p. illus. (Montpellier, France. Université. Faculté de médecine. Thèse. [1936/37] no. 11)

Bibliography: p. [51]-55.

Series

NM 0919060 DNLM CtY

Muzard et Ebin.
Documents diplomatiques (Livres jaunes) publiés par le Ministère des affaires étrangères . . . de 1861 à 1901. [Liste.]
= [Paris. Muzard & Ebin. 1902.] 21–25 pp. 8°.
Cut from their catalogue.
The Documents diplomatiques are on shelf-number *9328.44.

E7792 — France. For. rel. Bibl. —French government publications. — Documents, Public. — France. Ministère des affaires étrangères.

NM 0919061 MB

Muzarelli, Alphonse
see Muzzarelli, Alfonso.

22.5
M98

'Al- Muzaric (The Farmer)

Beyrut.

1. Lebanon. Agriculture. Periodicals.
I. Title: The Farmer.

NM 0919063 DNAL

W 4
P23
1955
no. 256

MUZART, Georges Marie André, 1927-
Contribution à l'étude étiologique du cancer; le rôle des facteurs exogènes. Paris, 1955.
45 p. (Paris. [Université] Faculté de médecine. Thèse, 1955, no. 256)
1. Neoplasms - Etiology & pathogenesis

NM 0919064 DNLM

MUZAS,Mariano.
Los caramelos. Madrid,1901.

NM 0919065 MH NN DLC

He77
26
43

Muzas, Mariano.
¡Doble suicidio! juguete cómico-lírico en un acto y en cuadros, en prosa, original de Mariano Muzas y Ezequiel Melero, música del maestro Marín ... Madrid,R.Velasco,impr.,1892.
30p. 20cm. [Binder's title: Teatro español, 43]
Without music.
"Estrenado en el teatro Felipe la noche del 24 de septiembre de 1892."

NM 0919066 CtY PU MH

Muzas, Mariano.
El hijo del casero. Juguete cómico en un acto y en prosa. Madrid, R. Velasco, 1893.
2 p.l., (1)8-31 p. 8°. (Administracion lirico-dramatica)
In: NPL p.v. 128 no. 3.

NM 0919067 NN

Muzas,Mariano.
El mordisco: juguete cómico en un acto y en prosa. Madrid, R. Velasco, 1891.
26 p. 12°.
p. 1-2 mutilated.
In: NPL p.v. 148, no. 6.

NM 0919068 NN MtU MH

Micro-
card

Muzas, Mariano.
El mordisco; juguete cómico en un acto y en prosa. Madrid, R. Velasco, 1891. [Louisville, Ky., Falls City Microcards, 1963]
1 card. [Four Centuries of Spanish Drama]

Microprint copy.
Collation of the original: 26 p. 19 cm.
I. Title. II. Series.

NM 0919069 LU ICRL MoU

Muzas, Mariano.
[Los ochavos. Libretto. Spanish]
Los ochavos; diaparate cómico-lírico en un acto y en prosa original de Mariano Muzas y Joaquín López Barbadillo. Música del maestro Arturo Escobar. Madrid, R. Velasco, Impresor, 1910.
38 p. 21 cm.
Vol. 87 no. 20 in a collection with binder's title: Spanish plays; Teatro lírico, v. 5.
I. Escobar, Arturo. Los ochavos. II. López Barbadillo, Joaquín, d. 1922. Los ochavos. III. Title.

NM 0919070 FMU PU MH NN

MUZAS,Mariano.
Perfiles matemáticos. Original de Mariano Muzas y Javier Luceño . Madrid,1895.

NM 0919071 MH PU OO

PQ

Muzas,Mariano.
La senora de Gonzalez...
Madrid, 1914.
1 pam 8°

NM 0919072 DLC NN OO

He77
26
86

Muzas, Mariano.
El sobrino del ministro; juguete cómico en un acto y en prosa, original de Mariano Muzas y Celso Lucio (hijo) ... Madrid,R.Velasco, imp.,1915.
30p.,1l. 20cm. [Binder's title: Teatro español, 86]
"Estrenado en el Coliseo Imperial el 20 de noviembre de 1915."
"Obras de Mariano Muzas": 1l. at end.

NM 0919073 CtY GU MH NN

MUZAS,Mariano.
Travesuras de amor; opereta en un acto, dividido en dos cuadros,original de Mariano Muzas y Alvaro Retana. Madrid,R.Velasco,1914.
pp.45. Words only.

NM 0919074 MH OO

Muzas, Mariano, joint author.

Lucio y López, Celso, 1865–1915.
La última carta, juguete cómico en un acto y en prosa. Original de Celso Lucio y Mariano Muzas. Estrenado en el teatro Cervantes la noche del 7 de febrero de 1912. Madrid, R. Velasco, imp., 1912.

VOLUME 403

Muzas, Mariano.
¡El 20 pelao! Juguete cómico-lírico en un acto, dividido en tres cuadros, en prosa, original de Mariano Muzas; música de Arturo Escobar... Madrid: Los hijos de M. G. Hernández, 1911. 56 p., 1 l. 8°.
Without music.

1. Drama (Spanish). 2. Title.
N. Y. P. L. February 5, 1929.

NM 0919076 NN MH

Muzas Belenguer, Mariano
see Muzas, Mariano.

De muze van het zwarte goud ...
see under Maassen, Piet, 1913- ed.

Muzea gminy miasta Lwowa. Musées municipaux de la ville de Lwów. [Opracowali: Aleksander Czołowski et al. We Lwowie, Nakł. gminy miasta Lwowa, 1929]
107 p. mounted illus. 28 cm.
Polish and French.
"Wytłoczono numerowanych w maszynie egzemplarzy 1000. No. 334."

1. Lvov—Galleries and museums. I. Czołowski, Aleksander, 1865-1944. II. Title: Musées municipaux de la ville de Lwów.
AM61.L8M8 62-67442

NM 0919079 DLC NNC NN

N3690 P6A2 Muzea polskie. Kraków, Nakł. Drukarni Narodowej, 1923-19
v. illus.,ports.,facsims.,plans.
Vol.1, 3-4. have also special title-pages.

Contents.- [v.] 1. Kopera, Feliks. Muzeum Narodowe w Krakowie.- [v.] 2. Gumowski, Marjan. Muzeum Wielkopolskie w Poznaniu.- [v.] 3. Gembarzewski, Bronisław. Muzeum Narodowe w Warszawie.- [v.] 4. Król, Aleksander. Zamek Królewski w Warszawie.

NM 0919081 CU

069 MU Muzeálna slovenská spoločnost'.
Časopis. roč. 1-40; 1898-1949.
Turčiansky sv. Martin.
40v. illus. 26cm.

NM 0919082 IU NN

PG 5415 .M98 MUZEÁLNA SLOVENSKÁ SPOLOČNOST,ed.
Piesne ludu slovenskeho. Turc. sv. Martin, Tlačou knihtlačiarsko-učastinarskeho spolku, 1898-
v.
Each vol. has also special title.

1. Folk-songs--Slovak. I. Title.

NM 0919083 InU MH

AM101 .T93 Muzeálna Slovenská Spoločnost'.
Turčiansky sv. Martin, Slovakia. Slovenské Národné Múseum.
Sborník Slovenského Národného Múzea.
V Turč. sv. Martine.

Muzeálna slovenská spoločnost'
see also
Turčiansky sv. Martin, Slovakia. Slovenské národné múzeum.

Muzealnictwo.
Poznań, Ministerstwo Kultury i Sztuki.
v. illus., ports., maps. 29 cm. annual.
Began publication in 1952 with v. 1/2. Cf. Wepsiec, Jan. Polish serial publications, 1953-1956.
Issued by Stowarzyszenie Historyków Sztuki.

1. Museums—Poland—Period. I. Stowarzyszenie Historyków Sztuki.
AM70.P6M8 60-27645

NM 0919086 DLC

Muzeau (Charles-Albert). * De l'ostéotomie verticale bilatérale du nez pour la cure des polypes naso-pharyngiens. 36 pp., 1 l. 4°. Montpellier, Boehm et fils, 1866, No. 8. C.

NM 0919087 DNLM

F 3951 .6 MUZEAU, EUGÈNE, 1838-
Résumé des opérations de l'artillerie allemande pendant les siéges des fortresses françaises en 1870-1871; d'après les historiques publiés par l'inspection générale de l'artillerie prussienne. Siéges de Verdun, Thionville, Soissons, Longwy, Toul, Schlestadt, Neuf-Brisach, Belfort et Montmédy, par mm. Muzeau, Huter et Gasselin... Paris,Berger-Levrault & cie.,1878.
200p. 22cm.

NM 0919088 ICN

Muzeĭ antropologii i ėtnografia, *Leningrad*
see Akademiía nauk SSSR. *Muzeĭ antropologii i ėtnografii.*

Muzeĭ arkhitektury, *Moscow*
see Moscow. Muzeĭ arkhitektury.

Muzeĭ-arkhiv D. I. Mendeleeva, *Leningrad*
see
Leningrad. Universitet. *Muzeĭ-arkhiv D. I. Mendeleeva.*

Muzeĭ D. G. Burylina, *Ivanovo*
see
Ivanovo, Russia (City) Muzeĭ D. G. Burylina.

Muzeĭ D. I. Mendeleeva pri Leningradskom gosudarstvennom universitete
see
Leningrad. Universitet. *Muzeĭ-arkhiv D. I. Mendeleeva.*

Muzeĭ "Domik Lermontova," *Pyatigorsk*
see
Pyatigorsk. Muzeĭ "Domik Lermontova."

Muzeĭ ėtnografii, *Leningrad*
see Leningrad. Gosudarstvennyĭ muzeĭ ėtnografii.

Muzeĭ etnografiï ta khudozhn'oho promyslu, *Lvov*
see
Lvov. Ukraïns'kyĭ derzhavnyĭ muzeĭ etnografiï ta khudozhn'oho promyslu.

Muzeĭ gorodskogo khoziaĭstva, *Moscow*
see
Moscow. Muzeĭ istorii i rekonstruktsii Moskvy.

Muzeĭ Gruzii, *Tiflis*
see Tiflis. Muzeĭ Gruzii.

Muzeĭ I. S. Turgeneva, *Orel*
see
Orel, Russia (City) Gosudarstvennyĭ muzeĭ I. S. Turgeneva.

Muzeĭ ÎAkuba Kolasa, *Minsk*
see
Akademiía navuk BSSR, *Minsk. Litaraturny muzeĭ ÎAkuba Kolasa.*

Muzeĭ ÎAnki Kupaly, *Minsk*
see
Akademiía navuk BSSR, *Minsk. Litaraturny muzeĭ ÎAnki Kupaly.*

Muzeĭ igrushki, Moscow
see
Moscow. Gosudarstvennyĭ muzeĭ igrushki.

Muzeĭ imeni A. F. Likhacheva, *Kazan*
see
Kazan, Russia (City) Muzeĭ imeni A. F. Likhacheva.

Muzeĭ im. F. I. Tiutcheva, *Muranovo*
see Muranovo, Russia. Muzeĭ im. F. I. Tiutcheva.

Muzeĭ imeni M. Gor'kogo, *Moscow*
see
Moscow. Muzeĭ imeni M. Gor'kogo.

Muzeĭ Īnstītuta V.Ī.Lenina, Moscow
see
Moscow. Īnstītut V.Ī.Lenīna. Muzeĭ.

Muzeĭ iskusstv RNR, *Bucharest*
see
Bucharest. Muzeul de Artă al Republicii Populare Romîne.

Muzeĭ istorii i rekonstruktsii Moskvy, *Moscow*
see Moscow. Muzeĭ istorii i rekonstruktsii Moskvy.

VOLUME 403

Muzeĭ istorii kul'tury i iskusstva
see
Leningrad. Ėrmitazh.

Muzeĭ istorii kul'tury i iskusstva UzSSR, *Samarkand*
see
Samarkand (City) Respublikanskiĭ muzeĭ istorii kul'tury i iskusstva UzSSR.

Muzeĭ istorii Uzbekskoĭ SSR, *Tashkend*
see
Akademiia nauk Uzbekskoĭ SSR, *Tashkend. Muzeĭ istorii Uzbekskoĭ SSR.*

Muzeĭ iziashchnykh iskusstv, *Moscow*
see
Moscow. Gosudarstvennyĭ muzeĭ izobrazitel'nykh iskusstv.

MUZEI IZIASHCHNYKH ISKUSSTV IMENI IMPERATORA ALEKSANDRA III, Moscow.
See MOSCOW - Gosudarstvennyi muzei iziashchnykh iskusstv.

Muzeĭ izobrazitel'nykh iskusstv imeni A. S. Pushkina, *Moscow*
see
Moscow. Gosudarstvennyĭ muzeĭ izobrazitel'nykh iskustv.

Muzeĭ konevodstva, *Moscow*
see
Moscow. Moskovskaia sel'skokhoziaistvennaia akademiia imeni Timiriazeva. *Muzeĭ konevodstva.*

Muzeĭ Korolevstva Cheskago, *Prague*
see Prague. Narodní muzeum.

Muzeĭ kraevedeniia Severo-Osetinskoĭ ASSR, *Dzaudzhikau*
see Dzaudzhikau, Russia. Respublikanskiĭ muzeĭ kraevedeniia Severo-Osetinskoĭ ASSR.

Muzeĭ-kvartira N. A. Ostrovskogo, *Moscow*
see
Moscow. Gosudarstvennyĭ muzeĭ-kvartira N. A. Ostrovskogo.

Muzeĭ latysshskogo i russkogo iskusstva, *Riga*
see
Riga. Valsts latviešu un krievu mākslas muzejs.

Muzeĭ MKhAT, *Moscow*
see Moscow. Moskovskiĭ Khudozhestvennyĭ akademicheskiĭ teatr. *Muzeĭ.*

Muzeĭ M. V. Frunze, *Shuya*
see
Shuya, Russia (City) Gosudarstvennyĭ muzeĭ M. V. Frunze.

Muzeĭ-masterskaia imeni S. A. Golubkinoĭ, *Moscow*
see
Moscow. Gosudarstvennyĭ muzeĭ-masterskaia imeni A. S. Golubkinoĭ.

Muzeĭ muzykal'noĭ kul'tury, *Moscow*
see
Moscow. Gosudarstvennyĭ tsentral'nyĭ muzeĭ muzykal'noĭ kul'tury.

Muzeĭ mystetstva Akademii nauk URSR, *Kiev*
see
Akademiia nauk URSR, *Kiev. Muzeĭ mystetstva.*

Muzeĭ N. A. Ostrovskogo, *Moscow*
see
Moscow. Gosudarstvennyĭ muzeĭ-kvartira N. A. Ostrovskogo.

Muzeĭ na borbite na ungarskiia narod za svoboda i demokratsiia.
Кошут; стогодишнина ⌈1848–1948. Съставил: Петър Славински⌉. София, Българо-унгарският ком-т, 1949.

Muzeĭ na revoliutsionnoto dvizhenie v Bŭlgariia, *Sofia*
see
Sofia. Muzeĭ na revoliutsionnoto dvizhenie v Bŭlgariia.

Muzeĭ narodov SSSR, *Moscow*
see
Moscow. Gosudarstvennyĭ muzeĭ narodov SSSR.

Muzeĭ natural'noĭ istorii, Moscow.
See
Moscow (City). Universitet. Zoologicheski muzeĭ.

Muzeĭ Naukovoho tovarystva imeni Shevchenka, *Lvov*
see
Naukove tovarystvo imeni Shevchenka. *Muzeĭ.*

Muzei novogo zapadnogo iskusstva, Moscow
see Moscow. Gosudarstvennyi muzei novogo zapadnogo iskusstva.

Muzeĭ oborony TSaritsyna, *Volgograd*
see
Volgograd, Russia (City) Gosudarstvennyĭ muzeĭ oborony.

Muzeĭ Odesskogo obshchestva istorii i drevnosteĭ
see
Odesskoe obshchestvo istorii i drevnosteĭ. *Muzeĭ.*

Muzeĭ P. I. Shchukina, *Moscow*
see Moscow. Muzeĭ P. I. Shchukina.

Muzeĭ pamiati I. I. Mechnikova.
Борьба за науку в царской России; неизданные письма И. М. Сеченева ⌈и др.⌉ Предисл. Н. А. Семашко. Статьи: П. Н. Диатроптова ⌈и др.⌉ Примечания С. Я. Штрайха. Москва, Гос. социально-экон, изд-во, 1931.

Muzeĭ po ėtnografii i antropologii po preimushchestvu v Rossii, *Leningrad*
see Akademiia nauk SSSR. *Muzeĭ antropologii i ėtnografii.*

Muzeĭ po narodnomu obrazovaniiu, *Moscow*
see
Moscow. Muzeĭ po narodnomu obrazovaniiu.

Muzei Prado
see Madrid. Museo Nacional de Pintura y Escultura.

Muzeĭ prikladnykh znaniĭ, *Moscow*
see
Moscow. Gosudarstvennyĭ politekhnicheskiĭ muzeĭ.

Muzeĭ revoliutsii, *Kiev*
see
Kiev. Oblastnoĭ muzeĭ revoliutsii.

Muzeĭ revoliutsii, *Leningrad*
see
Leningrad. Gosudarstvennyĭ muzeĭ revoliutsii.

Muzeĭ revoliutsii SSSR, *Moscow*
see
Moscow. Muzeĭ revoliutsii SSSR.

Muzeĭ russkogo iskusstva, *Kiev*
see
Kiev. Derzhavnyĭ muzeĭ rosiis'koho mystetstva.

Muzeĭ Shchukina, *Moscow*
see Moscow. Muzeĭ P. I. Shchukina.

Muzeĭ sovetskogo ėksporta Vsesoiuzno-zapadnoĭ torgovoĭ palaty, *Moscow*
see
Vsesoiuznaia torgovaia palata. *TSentral'nyĭ muzeĭ sovetskogo ėksporta.*

VOLUME 403

Muzeĭ Sovetskoĭ Armii, *Moscow*
see
Moscow. TSentral'nyĭ muzeĭ Sovetskoĭ Armii.

Muzeĭ sovremennykh sobytiĭ v Rossii, *Paris*
see Paris. Muzeĭ sovremennykh sobytiĭ v Rossii.

Muzeĭ T. H. Shevchenka, *Kiev*
see
Kiev. Derzhavnyĭ muzeĭ T. H. Shevchenka.

Muzeĭ Tolstogo, *Moscow*
see
Moscow. Gosudarstvennyĭ muzeĭ L. N. Tolstogo.

Muzeĭ tzirka i estrady, Leningrad
see Leningrad. Muzeĭ tsirka i estrady.

Muzeĭ ukraïns'kykh diiachiv nauky ta mystetstva.
Каталог виставки пам'яти Івана Левицького-Нечуя, 1838–1918–1928. У Києві, 1928.
65 p. ports. 23 cm.
At head of title: Всеукраїнська академія наук. Музей українських діячів науки та мистецтва.

1. Levyts'kyĭ, Ivan, 1837–1918. I. Title.
Title romanized: Kataloh vystavky pam'iaty Ivana Levyts'koho-Nechuia.

PG3948.L47K4 67-123715

NM 0919151 DLC

Muzeĭ-usad'ba "IAsnaia Poliana"
see
Yasnaya Polyana, Russia. Muzeĭ usad'ba "IAsnaia Poliana."

Muzeĭ-usad'ba L. N. Tolstogo, *Moscow*
see
Moscow. Gosudarstvennyĭ muzeĭ L. N. Tolstogo.

Muzeĭ-usad'ba "Muranovo" imeni F. I. Tiutcheva
see
Muranovo, Russia. Muzeĭ im. F. I. Tiutcheva.

Muzeĭ V. I. Lenina, *Moscow*
see Moscow. TSentral'nyĭ muzeĭ V. I. Lenina.

Muzeĭ V. V. Maiakovskogo, *Moscow*
see Moscow. Biblioteka-muzeĭ V. V. Maiakovskogo.

Muzeĭ vostochnykh iskusstv, *Moscow*
see
Moscow. Gosudarstvennyĭ muzeĭ vostochnykh kul'tur.

Muzeĭ vostochnykh kul'tur, *Moscow*
see
Moscow. Gosudarstvennyĭ muzeĭ vostochnykh kul'tur.

Muzeĭ-vystavka okhrany materinstva i mladenchestva, *Moscow*
see
Moscow. Muzeĭ-vystavka okhrany materinstva i mladenchestva.

Muzeĭ-vystavka po narodnomu prosveshcheniiu, *Moscow*
see
Moscow. Muzeĭ po narodnomu obrazovaniiu.

Muzej grada, *Sarajevo*
see
Sarajevo. Muzej grada.

Muzej grada Beograda
see
Belgrad. Muzej grada.

Muzej grada Splita
see
Split, Yugoslavia. Muzej grada.

Muzej hrvatskih spomenika, *Knin*
see
Split, Yugoslavia. Muzej hrvatskih starina.

Muzej hrvatskih starina, *Split*
see
Split, Yugoslavia. Muzej hrvatskih starina.

Muzej južne Srbije, *Skoplje*
see
Skoplje, Yugoslavia. Muzej južne Srbije.

Muzej kneza Pavla, Belgrad
see
Belgrad. Muzej kneza Pavla.

Muzej narodni, *Belgrad*
see
Belgrad. Narodni muzej.

Muzej pozorišne umetnosti NR Srbije, *Belgrad*
see
Belgrad. Muzej pozorišne umetnosti NR Srbije.

Muzej primenjene umetnosti, *Belgrad*
see
Belgrad. Muzej primenjene umetnosti.

Muzej Slavonije, Osijek, Yugoslavia
see
Osijek, Yugoslavia. Muzej Slavonije.

Muzej srpske zemlje, *Belgrad*
see
Belgrad. Prirodnjački muzej.

Muzej starina, *Split*
see Split, Yugoslavia. Arheološki muzej.

Muzeja kombëtare, *Tirana*
see
Tirana. Muzeja kombëtare.

Музеји.
Београд.
v. 24 cm.
Organ of Srpsko muzejsko društvo.

1. Museums—Societies, etc. 2. Museums—Yugoslavia. I. Srpsko muzejsko društvo, Belgrad. *Title transliterated:* Muzeji.

AM69.Y83B473 54-30339 ‡

NM 0919175 DLC IU CSt NcU DDO

Muzejsko društvo, *Ptuj*.
Ptujski zbornik, 1893–1953. Ptuj, Uredniški odbor, 1953.
111 p. illus. 24 cm.

1. Ptuj, Yugoslavia. I. Title.

DR396.P8M8 57-26318 ‡

NM 0919176 DLC CtY MH CU NNC

Muzejsko društvo v škofji Loki.

DR381
.S54A25

Loški razgledi.
[Škofja Loka] Muzejsko društvo v Škofji Loki.

Muzejsko društvo v Mariboru
see Maribor, Yugoslavia. Muzejsko društvo.

Muzejsko društvo za Kranjsko
see
Muzejsko društvo za Slovenijo, *Ljubljana.*

Muzejsko društvo za Slovenijo, *Ljubljana.*
Bulletin
see its
Glasnik. Bulletin.

Muzejsko društvo za Slovenijo.
Carniola; izvestja ...
see under title

VOLUME 403

DR
381
.S6
M96

Muzejsko društvo za Slovenijo, *Ljubljana.*
Glasnik. Bulletin. letnik 1–26; 1919/20–45. Ljubljana.
26 v. in 5. illus., ports., fold. col. maps. 26 cm. quarterly.
Supersedes Carniola (1908–19)
Vols. 1–14 issued in 2 sections: Zgodovinska sekcija and Prirodoslovna sekcija.
Prirodoslovna sekcija superseded in 1931 by Prirodoslovne razprave.

1. Slovenia—Hist.—Societies, etc. 2. Slovenia—Antiq.—Societies, etc.
DR381.S6M8 57-57376

NM 0919182 DLC IU CSt MoU NN CaBVaU NIC NNC CU

Muzejsko društvo za Slovenijo, *Ljubljana.*
Jahresheft. [1.]–3. Laibach, Druck von I. v. Kleinmayr und F. Bamberg, 1856–62.
3 v. in 2. tables (part fold.) 21½ᶜᵐ.
Issued under an earlier name of the society: Verein des Krainischen landes-museums.
Edited by Carl Deschmann.
Superseded by its Mittheilungen.

1. Science—Societies. I. Deschmann, Carl, ed.
Q44.L33 10-3903 rev

NM 0919183 DLC

Z 5055 MUZEJSKO DRUŠTVO ZA SLOVENIJO,LJUBLJANA.
.Y8 M98 Kazalo k zgodovinskim publikacijam Muzejskega društva za Slovenijo, 1891-1939. Sastavila Melitta Pivec-Stelé. Ljubljana, 1939.
60 p.

Title also in French.

1. Muzejsko društvo za Slovenijo,Ljubljana--Bibl. I. Stelé, Melitta (Pivec),1894- comp. II. Title.

NM 0919184 InU CU MH MH-P

Q44
.L333

Muzejsko društvo za Slovenijo, *Ljubljana.*
Mittheilungen. 1.– jahrg. Laibach, 1866–
v. tables. 21½ᶜᵐ.
Supersedes its Jahresheft.
Vol. 1 covers the period 1862-65. Publication suspended 1867-88, inclusive
Issued under an earlier name of the society: Musealverein für Krain.
Ceased publication with v. 20, 1907. Superseded by Carniola.

Ljubljana

1. Science—Societies.
Q44.L333 46-43927

NM 0919185 DLC NNC NN NcU InU CaBVaU MoU

943.93
M988
v.20

Muzejsko društvo za Slovenijo, Ljubljana.
Zbornik ob stoletnici društva, 1839-1939. Ljubljana, 1939.
410 p. illus., plates, fold. map. (Its Glasnik, 20)

1. Muzejsko društvo za Slovenijo, Ljubljana.

NM 0919186 NNC

Muzejsko društvo za Slovenijo
see also
Ljubljana. Narodni muzej.

Muzelius (Fridricus Guilielmus Daniel.) Examen usus chemiæ in medicamentorum scientia. 2 p. l., 30 pp. 4°. *Halæ ad Salam, stanno Hendeliano.* [1772].

NM 0919188 DLNM PPC

Muzejsko-konzervatorsko društvo na N. R. Makedonija.
Glasnik. v. 1–
Скопје.
v. illus., maps (part fold.) music. 29 cm.
Tables of contents also in French; summaries in French.
Macedonian or Serbo-Croatian.

1. Poreče—Soc. life & cust.
DR701.M13M815 60-38319

NM 0919189 DLC

Muzelius, Friedrich
see Muzell, Friedrich, 1684-1753.

19th
cent.

MUZELL, Friderich Hermann Ludewig, 1716-1784.
Medical and chirurgical observations. Translated from the German original. London,Printed for A. Linde,bookseller to Her Royal Highness the Princess of Wales,1755.
131p. 20cm.

NM 0919191 CtY-M DNLM NNNAM PPC MH

RG93
.E35

MUZELL,FRIDERICH HERMANN LUDEWIG,1716-1784.
Medicinische und chirurgische wahrnehmungen. Erste-zweyte sammlung,hrsg.von Friderich Hermann Ludewig Muzell... Berlin,A.Haude und J.C.Spener,1754-64.
2 v. fold.pl. 17½cm. [With Eissfeld,M.F.L. Über das angenehme und unangenehme bey ausübung der geburtshülfe. Quedlinburg,1764]

1.Medicine--Early works. 2.Surgery--Early works to 1800.

NM 0919192 ICU NNNAM ICU DNLM

Muzell, Friderich Hermann Ludewig, 1716–1784.
Medicinische und chirurgische Wahrnehmungen. Erste–[zweyte] Sammlung herausgegeben von Friderich Hermann Ludewig Muzell, ... Zweyte Auflage. Berlin, Haude und Spener, 1772.
2 vol. in 1. 1 fold. pl. 17½ᶜᵐ.

NM 0919193 ICJ

PA
2041
M9
1751

Muzell, Friedrich, 1684-1753.
Compendium universae latinitatis ad ductum lexici Fabro-Cellariani in exercitia germanica redactae...Das ist kurtzer Begriff und Weg zur gantzen Lateinischen Sprache in exercitien... 9...Aufl. Berlin, Christoph Gottlieb Nicolai, 1751.
[14,502,[17]p.
1. Latin language - Study and teaching.
I. Title.

NM 0919194 MoSCS

PA2315 MUZELL, FRIEDRICH,1684-1753.
.M94 Compendivm vniversae latinitatis ad dvctvm lexici fabro-cellariani in exercitia germanica redactae ... Das ist: Kurzer begriff und weg zur ganzen lateinischen sprache in exercitien wie auch eine vollständige phraseologie und schlüssel zu allen lateinischen schriftstellern ... von Friedrich Muzelius ... 10.verb.und verm.aufl. ... Berlin,F.Nicolai,1760.
12,502,[12]p. front.(port.) 17cm.
Title in red and black.
1.Latin language-- Composition and exercises.

NM 0919195 ICU

Muzell, Friedrich, 1684–1753.
Imitationes ad Introductionem in linguam latinam . . . Flensbvrgi. Apud David Korte. 1736. (8), 88 pp. 16°.
A key to the author's Introductio . . . [No. 1 in 4938.25].

G5588 — Latin language. Conv.

NM 0919196 MB

[**Muzell,** Friedrich] 1684–1753.
Introductio in lingvam Latinam ad vsvm ivventvtis slesvicensis accommodata/. . . [Anon.]
Flensbvrgiae. Apud David Korte. 1733. 13, (1), 152 pp. 16°.

G5633 — Latin language. Conv.

NM 0919197 MB

MUZELL,Hermann.
Die herstellung von falschem geld;dargestellt an dem hauptfall des § 146 abs.I:1 halbsatz R.St.G.B. Kallmünz,M.Lassleben,1931.
pp.94-75. 8°.
Inaug.-diss. --- Erlangen.

NM 0919198 MH-L ICRL

Muzeológiai sorozat
see under Magyar Tudományos Akadémia, Budapest. Társadalmi-történeti Tudományok Osztálya.

Muze'on Betar, *Tel-Aviv*
see
Tel-Aviv. Mekhon Zhabotinski.

Muzeon Haarets, Tel-Aviv
see Tel-Aviv. Museum Haaretz.

Muze'on ha-partizanim veha-loḥamim
see
Muze'on ha-loḥamim veha-partizanim.

Muze'on Rokefeler.
The Palestine Museum was founded in 1920 by the Palestine Dept. of Antiquities. In 1938 its name was changed to Palestine Archaeological Museum. Since 1967 it has been known as Muze'on Rokefeler.
Works by this body published before the new name came into use in 1967 are found under
Jerusalem. Palestine Archaeological Museum.
Works by this body published after that date are found under
Muze'on Rokefeler.

later form of the name, entry is made under the later form.

DR Muzet, Alphonse, 1874-
15 Aux pays balkaniques; Monténégro,
M8 Serbie, Bulgarie. Paris, P.Roger [n.d.]
236p. plates,map. 21cm. (Collection "Les pays modernes")

1.Balkan Peninsula - Descr. & trav.

NM 0919204 CLSU CtY MB NN IU NNC FTaSU

VOLUME 403

DR15
M88
Muzet, Alphonse, 1874-
Aux pays balkaniques après les guerres de 1912-1913; Monténégro, Serbie, Bulgarie. Paris, P.Roger [1914]
248p. illus., maps. 21cm. (Les pays modernes)

1. Balkan peninsula. 2. Eastern question (Balkan) I. Title.

NM 0919205 IaU DGU DLC-P4 MiDW NBC ICN MH NjP CSt-H DCU-IA NNC UU DNW

Muzet, Alphonse, 1874–
... Le monde balkanique ... Paris, E. Flammarion, 1917.
2 p. l., 314 p., 1 l. front. (double map) 18½cm. (Bibliothèque de philosophie scientifique)

1. Balkan peninsula. 2. Eastern question (Balkan) I. Title.
17—18584
Library of Congress DR15.M9

NM 0919206 DLC NjP KU MiU FU ICU IaU FTaSU ViU GU NBC NN MB

Muzet, Alphonse.
... La Roumanie nouvelle. 21 photogravures hors texte et 1 carte. Paris, P. Roger et cie, 1920.
2 p. l., 272 p. 21 pl. on 20 l., fold. map. 20½cm. ("Les pays modernes") fr. 8
At head of title: A. Muzet.

1. Rumania. 2. European war, 1914- —Rumania. I. Title.
21-13645
Library of Congress DR205.M8

NM 0919207 DLC OClW ICJ NN

Muzeu de miscellanea historica, publicação de J. J. N. Arsejas. no. 1-24; nov. 1861-dez. 1863. Lisboa, 1864.
2 v. in 1. 23cm.
Nos. 1-12, issued monthly Nov. 1861-Oct. 1862, have title: Miscellanea historica. These are preceded by t.-p. with title: Muzeu historico e recreativo, jornal mensal, Lisboa, Typographia universal, 1861; no. 13 has t.-p. with title: 2º anno do Museu recreativo ou de miscellanea historica. Lisboa, Imprensa de F. X. de [!] Souza & filho, 1863; no. 14-24 have title: Miscellanea historica. Nos. 13-24 were issued monthly in 1863 with following exceptions: no June issue, 2 October issues.
Title is taken from cover of complete collection, which in L. C. set precedes the numbers.

1. Portugal—Hist.—Period. I. Arsejas, José Joaquim Nepomuceno, 1800-1869.
31-4125
Library of Congress DP501.M8 946.9005

NM 0919208 DLC

Muzeul Ardelean, *Cluj*
see **Cluj, Transylvania. Muzeul Ardelean.**

Muzeul Brukenthal din Sibiu
see
Sibiu, Transylvania. Baron Brukenthalsches Museum.

Muzeul de Artă al Republicii Populare Romîne
see
Bucharest. Muzeul de Artă al Republicii Populare Romîne.

Muzeul de Artă al Republicii Socialiste România.
For works by this body issued under its earlier name see
Bucharest. Muzeul de Artă al Republicii Populare Romîne.

Muzeul de Artă Populară al. R. P. R., *Bucharest*
see
Bucharest. Muzeul de Artă Populară al R. P. R.

Muzeul Judetului Vlasca "Teohari Antonescu"
see Bucharest. Muzeul Judetului Vlasca "Teohari Antonescu". [Supplement]

Muzeul Limbei Române, *Cluj, Transylvania*
see **Cluj, Transylvania. Universitatea.** *Muzeul Limbei Române.*

Muzeul Militar National.
... Buletinul Muzeului militar national. Anul 1, nr. 1- 1937-
Bucharesti, Redactia si administratia Muzeul militar national, 1937-
v. illus., pl., ports. 32 cm.
I. Title.

NM 0919216 DSI

UC485
.R8U54
Muzeul Militar Național.
Uniformele Armatei Române, 1830-1930. Les uniformes de l'Armée roumaine. București, Muzeul Militar Național, 1930.

Muzeul Municipiului Bucuresti
see **Bucharest. Muzeul Municipiului.**

Muzeul Național de Antichități, *Bucharest*
see
Bucharest. Muzeul Național de Antichități.

Muzeul Regional Alba Iulia.
Apulum.
Alba Iulia
v. illus. 25 cm.
"Arheologie, istorie, etnografie."
Began with vol. for 1939/42.
French or Romanian with summaries in French or German.
At head of title : Acta Musei Apulensis.

1. Romania—Civilization—Collected works. 2. Romania—Antiquities—Collected works. 3. Romania—History—Collected works. (I.) Title. II. Title: Acta Musei Apulensis.
DR201.M88a 73-643815

NM 0919220 DLC

Muzeul Regional Alba Iulia.
Studii și comunicări; arheologie - istorie - etnografie. I- Alba Julia, Editura Academiei Republicii Populare Romîne, 1942-
v. illus., plates. 24 cm.
Title varies: I-III: Apulum.
At head of title: Acta Musei Regionalis Apulensis.
Summaries in Russian and French.
Editors: I. Berciu, Al. Popa.
I. Title: Apulum. II. Title: Acta Musei Apulensia.

NM 0919221 MH-P

Múzeum; a Múzeum-Egyesület közlönye
see **Erdélyi** Múzeum; az Erdélyi **Múzeum-Egyesület** közlönye.

370.5
MU
Muzeum; czasopismo poświęcone sprawom wychowania i szkolnictwa. rocz.
We Lwowie, Nakł. Tow. Nauczycieli Szkół Wyższych.
v. illus. 24cm.

NM 0919223 IU MH

Muzeum, archiwum i biblioteka Czartoryskich, *Krakow*
see
Krakow. Muzeum, archiwum i biblioteka Czartoryskich.

Muzeum Adama Mickiewicza w Paryzu
see
Paris. Muzeum Adama Mickiewicza.

Muzeum Aloise Jiráska na Bílé hoře.
Museum Aloise Jiráska na Bílé hoře. [Zpracovali: Vojtěch Pavlásek et al. Vyd. 1. Praha, Státní pedagogické nakl., 1952.
35 p. illus. 22 cm.

1. Jirásek, Alois, 1851-1930. I. Pavlásek, Vojtěch.
PG5038.J5M8 54-41542 rev ‡

NM 0919226 DLC

Muzeum Archeologiczne, *Krakow*
see
Krakow. Muzeum Archeologiczne.

Muzeum archeologiczne, *Łódź*
see
Łódź, Poland. Muzeum Archeologiczne.

Muzeum Archeologiczne, *Posen*
see
Posen. Muzeum Archeologiczne.

Muzeum Archeologiczne E. Majewskiego, *Warsaw*
see
Warsaw. Muzeum Archeologiczne E. Majewskiego.

Muzeum Czartoryskich, *Krakow*
see
Krakow. Muzeum, Archiwum i Biblioteka Czartoryskich.

Muzeum Etnograficzne, *Krakow*
see **Krakow. Muzeum Etnograficzne.**

Muzeum Historyczne, *Krakow*
see
Krakow. Muzeum Historyczne.

Muzeum imienia Dzieduszyckich, *Lvov*
see **Lvov. Muzeum imienia Dzieduszyckich.**

VOLUME 403

Muzeum imienia Mathiasa Bersohna, *Warsaw*
see
Warsaw. Muzeum imienia Mathiasa Bersohna.

Muzeum Imienia Mielzynskich w Poznaniu
see Posen. Muzeum Imienia Mielzynskich.

Muzeum Konstantego Świdzińskiego
see under Warsaw. Bibljoteka ordynacji Krasińskich.

Muzeum Lubelskie
see
Lublin (City) Muzeum Lubelskie.

Múzeum mesta Bratislavy
see
Bratislava. Múzeum mesta.

Muzeum Narodowe, *Krakow*
see Krakow. Muzeum Narodowe.

Muzeum Narodowe, *Nieborów*
see
Nieborów, Poland. Muzeum Narodowe.

Muzeum Narodowe, *Warsaw*
see Warsaw. Muzeum Narodowe.

Muzeum narodowe polskie, *Rapperswil*
see
Rapperswil, Switzerland. Muzeum narodowe polskie.

Muzeum Narodowe w Poznaniu
see
Posen. Muzeum Narodowe.

Muzeum nieborowskie
see
Nieborów, Poland. Muzeum Narodowe.

Muzeum Ordynacji Książąt Czartoryskich, *Gołuchów, Poland*
see Gołuchów, Poland. Muzeum Ordynacji Książąt Czartoryskich.

Muzeum Prehistoryczne, *Posen*
see
Posen. Muzeum Archeologiczne.

Muzeum Prowincjonalne, *Posen*
see
Posen. Muzeum Narodowe.

Muzeum Przemysłowe imienia A. Baranieckiego, *Krakow*
see Krakow. Miejskie Muzeum Przemysłu Artystycznego.

Muzeum Rosyjskie, Leningrad
see
Leningrad. Gosudarstvennyĭ russkiĭ muzeĭ.

Muzeum Rzemiosl i Sztuki Stosowanej, Warsaw.
Dziesięciolecie Muzeum rzemiosł i sztuki stosowanej, 1891–1901. Warszawa: Drukarnia i litografja "Saturn," 1902. 38 p. incl. tables. plates, ports. 25cm.

1. Art industries and trade—Museums—Poland—Warsaw. 2. Art industries and trade—Study and teaching—Poland—Warsaw.
N. Y. P. L. January 27, 1941

NM 0919251 NN

Muzeum Rzemiosl i Sztuki Stosowanej, Warsaw.
Sprawozdanie...
[Nr.
Warszawa, 1 28cm.
nos.

Nr. -18 1909/10) lack numbering.
Includes reports of its sections (nr. 18 «1909/10» includes as a separately paged suppl.: Sprawozdanie kursów kształcenia zawodowego grafików w Warszawie, [nr.] 1).

1. Art industries and trade—Museums—Poland—Warsaw.
N. Y. P. L. March 11, 1937

NM 0919252 NN

Muzeum rzemiosł i sztuki stosowanej, Warsaw.

Chrzanowski, Zenon.
Sztuka i rzemiosło. Część pierwsza. Pogląd zasadniczy. Opracował Zenon Chrzanowski. Warszawa, Wydane nakł. Kursów zawodowego wykształcenia ślusarzy przy Muzeum rzemiosł i sztuki stosowanej, 1912.

Muzeum Śląskie w Katowicach
see
Katowice, Poland (City) Muzeum Śląskie.

Muzeum Starożytności Przedhistorycznych Erazma Majewskiego, *Warsaw*
see
Warsaw. Muzeum Archeologiczne E. Majewskiego.

Muzeum Świętokrzyskie, *Kielce*
see
Kielce, Poland (City) Muzeum Świętokrzyskie.

Muzeum Sztuki, *Łódź*
see
Łódź, Poland. Muzeum Sztuki.

Muzeum Wielkopolskie, *Posen*
see
Posen. Muzeum Narodowe.

Muzeum Wojska Polskiego, *Warsaw*
see
Warsaw. Muzeum Wojska Polskiego.

069H2
MKT

Múzeumi és könyvtári értesitő.
évf. 1-
jun. 15, 1907-
Budapest, Stephaneum Nyomda, 1907-
v. illus., plates, ports. 30cm.
quarterly.

Official organ of Múzeumok és Könyvtárak Országos Főfelügyelősége és Országos Tanácsa.
Some issues combined.
Publication ceased with évf. 12, füz. 2, aug. 1918?

NM 0919260 NNC

Muzeumi es konyvtari kezikonyvek kozrebocsatja a muzeumok es konyvtarak orsz. foefeliigyeloesige. Budapest, 1903.

NM 0919261 DLC

Muzeus, Ioann Karl Avgust
see
Musäus, Johann Karl August, 1735-1787.

Muzhakova, Ioganna
see
Mužáková, Johana (Rottová), 1830-1899.

Мужикъ, медвѣдь и лиса. Рис. А. К. Жаба. Москва, Изд. I. Кнебель [1913?]
[8] p. col. illus. 31 cm.
Cover title.

I. Zhaba, A. K., illus. *Title romanized:* Muzhik, medvied' i lisa.

PZ68.M8 79-229320

NM 0919264 DLC

Muzhikova-Nosilova, Lidmila
see Mužíková-Nosilová, Ludmila.

DG975 [Muzi, Giovanni, Bp.] 1772-1849.
C5M8 Memorie ecclesiastiche e civili di Città di Castello, raccolte da M. G. M. A. V. di C. di C. Con dissertazione preliminare sull' antichità ed antiche denominazioni di detta città. Città di Castello, F. Donati, 1842-44.
7 v. in 3.

M. G. M. A. V. di C. di C. means: Monsignor Giovanni Muzi antico vescovo di Città di Castello.
Two series of volume numberings are used: Memorie ecclesiastiche di Città di Castello, v. [1]-5; Memorie civili di Città di Castello, v. 1-2 [i.e., v. 6-7]

NM 0919266 CU MH

SPECIAL COLLECTIONS
B188
M988 Muzi, Giovanni Battista.
Della cognitione di se stesso, dialogi di m. Gioanbatista Muzi. Nuouamente publicati ... In Fiorenza, Nelle case di Filippo Giunti, 1595.
[8], 190, [13] p. 22cm.

Printer's device on t.-p.
Preface by Lorenzo Giacomini Tebalducci Malespini.
Copy 1 lacks the "Indice" and second "Registro" ([1] p. at end)

NM 0919267 NNC MiDW CtY ICU CtY-M NNNAM ICN DNLM

VOLUME 403

Muzi, Juan
see Muzi, Giovanni, Bp., 1772-1849.

Muziano, Girolamo, 1528-1592.

NA9340 .R8C45 1773 folio

Chacón, Alfonso, 1540-1599.
Columnæ Trajani ortographia, centum trigintaquatuor æneis tabulis insculpta utriusque belli Dacici historiam continens quæ olim Mutianus picturæ incremento incidi curavit, et in lucem edidit cum explicationibus Alphonsi Ciacconi nunc a Carolo Losi reperta imprimitur. Romæ, J. G. Salomonius, 1773.

Muziano, Girolamo, 1528-1592.

NA9340 .R8C45 1576 Rare bk.

Chacón, Alfonso, 1540-1599.
Historia vtrivsqve belli dacici a Traiano Caesare gesti, ex simvlachris qvæ in colvmna eivsdem Romae visvntvr collecta. Avctore f. Alfonso Ciacono Hispano ... Romae, apud Franciscum Zanettum & Bartholomæum Tosium socios, 1576.

Avery

Muziano, Girolamo, 1528-1592.
[Trajan's column. Decorations designed by Girolamo Muziano and engraved by Francesco Villamena. 1590?]
1 v. of 131 plates (1 fold.) 47x34cm.

Plate 9 wanting.
Several plates bound out of regular order.

NM 0919271 NNC

Muziarelli (G[iacomo]). Contributo al risanamento dell' ospedale di Speilo. 16 pp., 2 plans. roy. 8°. *Foligno, F. Campitelli,* 1890.

NM 0919272 DNLM

Muzica.
[București]

v. illus., ports., facsims., music. 30 cm. monthly.

Vols. for issued by the Uniunea Compozitorilor din R. P. R. and other similar organizations.
Summaries in Russian, English, French, and German,
INDEXES:
Classed index.
Vols. 1-5, Aug. 1950-1955, *in* v. 6, no. 1, 4/5.

1. Music—Period. 2. Music—Rumania. I. Uniunea Compozitorilor din Republica Populară Romînă.

ML5.M988 63-44632/MN

NM 0919273 DLC

Muzička akademija u Beogradu.
Музичка академија у Београду. Academia artium musicarum Belgradensis. Извештај за школску ... [Београд, Штампа Државне штампарије, 19 38

v. plates, ports. 24½cm.

1. Music—Yugoslavia. 2. Music—Instruction and study—Yugoslavia. 3. Musicians—Yugoslavia.

41-40890

Library of Congress MT5B38M8
[2]

NM 0919274 DLC

Muzička akademija u Beogradu. Biblioteka.
(Pravila Biblioteke Muzičke akademije u Beogradu)
Правила Библиотеке Музичке академије у Београду. Београд, Штампа Држ. штампарије Краљевине Југославије, 1939.

13 p. 23 cm.

At head of title: Музичка академија у Београду.

1. Cataloging of music. I. Title.

ML111.M93 73-204285

NM 0919275 DLC

Muzičke novine. god. 1-
svib. 1946-
Zagreb, Hrvatski glazbeni zavod.

v. in illus., ports., map, music. 48 cm. monthly.

Title varies: v. 1-2, May 1946-Dec. 1947, Muzičke novine Hrvatskog državnog konzervatorija.
Vols. 1-2, May 1946-Dec. 1947, issued by Hrvatski državni konzervatorij; v. 3- Jan. 1948- by Hrvatski glazbeni zavod, and other musical organizations.

1. Music—Period. I. Zagreb. Hrvatski državni konzervatorij. II. Hrvatski glazbeni zavod, Zagreb.

ML5.M987 51-36707

NM 0919276 DLC

De **Muziek** ... 1.-7. jahrg.; oct. 1926-aug./sept. 1933. Amsterdam, N. v. Seyffardt [1926-33]

7 v. illus. (incl. music) plates, ports. 26cm. monthly.

"Officieel orgaan van de Federatie van nederlandsche toonkunstenaarsvereenigingen."
Edited by P. F. Sanders and Willem Pijper.
Merged into Het Muziekcollege Caecilia, which continued as Caecilia en de muziek.

1. Music—Period. 2. Music—Netherlands. I. Sanders, Paul F., ed. II. Pijper, Willem, 1894- ed. III. Federatie van nederlandsche toonkunstenaarsvereenigingen.

38-35467

Library of Congress ML5.M988
[2] 780.5

NM 0919277 DLC ICN OU InU

Muziek. 1.-3. jaarg. (no. -60); -15 Mei 1948
[Rotterdam, Rotterdams Nieuws- en Persbureau]

3 v. illus., ports. 31 cm. semimonthly (irregular)

1. Music—Period.

ML5.M989 780.5 51-26582

NM 0919278 DLC

Muziek. Een schets, door A.J.P.
see under [Polak, A J]
1839-1907.

Muziek der spheren, bloemlezing van de schoonste gedichten uit de wereldpoëzie benevens den oorsprinkelijken tekst voor zoover het betreft gedichten in de Latijnsche, Fransche, Engelsche of Duitsche taal. Utrecht, W. de Haan, 1944-

v. illus. 21 cm.

CONTENTS.—1. De oudheid bijeengebracht door H. Wagenvoort.

1. Poetry—Collections. 2. Dutch poetry—Translations from foreign literature. I. Wagenvoort, Hendrik, 1886-

PN6102.M8 808.81 50-32445

NM 0919280 DLC IU MH

Muziek en dans op Bali
see under [Koninklijke Paketvaart Maatschappij].

Muziek in de school. Antwerpen, Halewyn-Stichting, 19

v. 18 cm.

CONTENTS.—
Deel 4. Liedboek.

1. School music—Instruction and study—Belgium.

MT3.B3M9 62-37396/M

NM 0919282 DLC

Muziek warande. 1-10, 1922-1931. Antwerp.

NM 0919283 CU

Het **Muziekcollege** Caecilia
see **Caecilia** en de muziek.

Muziekcongres, Antwerp, 1934
see Vlaamsche muziekcongres.

Muziekfonds Konigen Elisabeth, *Brussels*
see **Fondation musicale reine Elisabeth,** *Brussels.*

MUZIEKHISTORISCHE monografieën.
Utrecht, A. Oosthoek.

Issued by the Vereniging voor Nederlandse muziekgeschiedenis.

x Vereeniging voor Nederlandsche muziekgeschiedenis.

NM 0919287 NN

Muziekkamer, Amsterdam.

ML64 .K8 I5 Case

[**Krul, Jan Hermansz.**] 1602-1646.
Inleydinghe: gedaen op de Amsteldamsche mvsyck-kamer. Ie blyft in eelen doen. In mayo 1634. t'Amstelredam, Ghedruckt by P. I. Slyp, 1634.

Muziekkapel van de Konigen Elisabeth
see **Fondation musicale reine Elisabeth,** *Brussels. Chapelle musicale de la reine Elisabeth.*

Muziekkrant oor.

[Amsterdam, Keihard en Swingend]

v. illus. 44 cm. biweekly.

1. Music, Popular (Songs, etc.)—Periodicals.

ML5.M9894 74-642348
MARC-S

NM 0919290 DLC

4-DT 803

Muzii, Francesco.
Itinerari nel paese dei Cunáma.
Firenze, Tipo-litografia dell'Istituto geografico militare, 1907.
27 p.

NM 0919291 DLC-P4

Muzii, Muzio
see Mutij, Mutio de'.

Muzijkaal tijdschrift. 1. jaarg.; Jan.-Dec. 1836. 's Gravenhage, Hooff en comp., 1836.

1 p. l., 388 p. 21cm. monthly.

Includes supplements of music.
E. G. Lagemans, editor.
No more published.

1. Music—Period. I. Lagemans, E. G., ed.

10-13644

Library of Congress ML5.M88

NM 0919293 DLC CtY

VOLUME 403

 Mužik, Antonin.
Kazatele slovanští...
V Praze, 1874- 75
v. 23 cm.

NM 0919294 DLC

Muzík, August Eugen, 1859-1925.
Ballady a legendy.

NM 0919295 OCl

Mužik, August Eugen, 1859-1925.
Cerné perly; znělky Aug. Eug. Mužíka (1885-1892)
V Praze, J. Otto, 1893. 133 p. 17cm. (Salonní
bibliotéka. Číslo 81)

608602B. 1. Sonnets, Bohemian.

NM 0919296 NN ICU

Mužík, August Eugen, 1859-1925.
Duchie Husovi.

NM 0919297 OCl

Mužik, August Eugen, 1859-1925.
Hlasy cloveka; basně. V Praze,
J.R. Vilímek, 1883.
148 p.
Bound with his Písně života, Praha, 1894.

NM 0919298 ICU OCl

 Mužík, August Eugen, 1859-1925.
Hymny a vzdechny; cyklus básni. V
Praze, F. Simáček, 1892.
128 p.

NM 0919299 ICU

 Mužík, August Eugen, 1859-
Květy polní; básně. V Praze, Nákl. F. Šimáčka,
1887.
155 p. (Kabinetní knihovna, 25)

NM 0919300 ICU

Muzik, August Eugen.
... Oni i ony; episody. 191, [1]p. Praze,
F.Topic [1921]

Contents;-Panny moudré i nemoudré.- Marnotratny syn.- Cisarovy narizeníny.- Poslední otrok.- Obti valky.- Ve Svyxarech.- Altisidora.- Morevola.- Svedek.- Detské tajemství.- Stranou zivota.- Ucty mladosti.- Pres "domem".- Diamanty.- Velký liyerát.- U obéda.- Pan rada.- Návrat z Vidne.- Navsteva.- "S Bohem".- Manzelské duo.

NM 0919301 OCl

 Mužík, August Eugen, 1859-1925.
Písně života; básně,
1885-1893. V Praze, J. Otto, 1894.
146 p. (Salonní bibliotéka,
čís. 88)
Bound with his Hlasy člověka,
Praha, 1883.

NM 0919302 ICU NN

MUŽIK, Hugo.
Ein archäologischer schulatlas. [Progr.]
Wien, 1904.

pp.xxii.

NM 0919303 MH NjP

MUZIK, Hugo.
Geschichte des schützenvereines in Krems a.
d.Donau. Krems, im selbstverlage des vereines,
1895.

Plan and 2 facsimile plates.
"Quellen", pp.xiii-xv.

NM 0919304 MH

Mužik, Hugo.
J.J.S. Ritt. v. Hauers Symbola heroica ...
Wien, 1897-1898.
2 pt.
Programm - Elisabeth-Gymnasium, Wien.

NM 0919305 NjP

 Mužik, Hugo.
Kunst und leben im altertum, von Hugo Mužik...
und dr. Franz Perschinka... Wien, F. Tempsky; [etc., etc., 1909.
xvi, 195 p. incl. plates (part col.) plans, facsims.
22½x30cm.

1. Civilization, Greco-Roman. 2. Classical antiquities.

NBuU
NM 0919306 ICU NjP PU PV MiU MA NcD CaBVaU CU

Mužík, Hugo.
Lehr-und Anschauungsbehelfe zu
den griechischen Schulklassikern.
Leipzig, 1906.

NM 0919307 MA

Mužík, Hugo.
Lehr- und anschauungsbehelfe zu den lateinischen schulklassikern. Wien, etc. C. Fromme, 1904.
pp. xi, 160.

NM 0919308 MH MA

Mužík, Hugo.
Lesearten zweier Wiener handschriften zu
Cicero's De inventione. n.p., 1894.
20-25 p.
Programm - Staatsgymnasium, Krems.

NM 0919309 NjP

Mužík, Hugo.
Stoff und Mittel des Unterrichts in den
classischen Sprachen. Krems, 1893.

NM 0919310 NjP

Mužík, Karel.
Člověk není sám; román. Praha, Nakl. Život
a práce [1943]
264 p. 19 cm.

NM 0919311 NjP

Muzik, Thomas James, 1919-
Developmental and experimental morphology of *Hevea brasiliensis* Muell. Arg. Ann Arbor, University Microfilms, 1949 [i. e. 1950]
([University Microfilms, Ann Arbor, Mich.] Publication no. 1522)
Microfilm copy of typewritten ms. Positive.
Collation of the original: ix, 128 l. illus.
Thesis—University of Michigan.
Abstracted in Microfilm abstracts, v. 10 (1950) no. 1, p. 8-9.
"Literature cited": leaves 122-128.
1. Hevea.
Microfilm AC-1 no. 1522 Mic A 49-243*

Michigan. Univ. Libr.
for Library of Congress [2]†

NM 0919312 MiU DLC

Mužika, Augustin Eugen
see Mužík, Augustin Eugen, 1859-1925.

Muzika, František, 1900-
František Muzika. Praha, S. V. U. Mánes [etc.] 1947. 4 p. l., 25 pl. (part col.) 30cm. (Prameny; sbírka dobrého umění. sv. 58.)

Text signed: Jaromír Pečirka.
"Literatura," p.l. 4.

462805B. I. Pečirka, Jaromír, 1891- , ed. II. Ser.
N. Y. P. L. April 28, 1949

NM 0919314 NN

Muzika, František, 1900-
Výstava obrazu z posledních let. V Praze, Hořejšova
Galerie, 1946.

14 p. plates
Microfilm, negative

NM 0919315 MH

Музика (*transliterated:* Muzika)
see
Българска музика (*transliterated:* Bŭlgarska muzika)

Muzikaal perspectief,
[Amsterdam]
no. v. 24 cm. irregular.
"Mededelingen van Donemus."
Superseded by Sonorum speculum, summer 1958.
No more published?

1. Music—Period. 2. Music, Dutch—Bibl. I. Stichting Donemus.
ML5.M9914 59-24198

NM 0919317 DLC

Muzikale zelfportretten; veertien composities van onze nederlandse toondichters. Amsterdam, G. Alsbach [1954]
1 v. (unpaged) 32 cm.
For piano.
"Inhoud": leaf inserted.

1. Piano music.
M21.M99 M 57-1944

NM 0919318 DLC MB

Muzikant, A. [pseud.]
see Rosenberg, Jesaiah, 1871-1937.

VOLUME 403

59.21
M98
Muzikants, J.
Aldaru miežu audzēšana. Jelgavā, Latvijas lauksaimniecības kamera, 1938.
35 p.

1. Barley for malting. I. Vagulāns, M joint author.

NM 0919320 DNAL

QC670
.V85
1955
Muzikář, Čestmír, joint author.
FOR OTHER EDITIONS SEE MAIN ENTRY
Votruba, Václav.
Theorie elektromagnetického pole; vysokoškolská učebnice. Praha, Nakl. Československé akademie věd, 1955.

MUZIKAS nedēļa. Cads 6, nr. 5/6-7/8, Jan.-Apr., 1929 (Incomplete)

Rigā, 1929.
v. illus.(music.) 8°.

Film reproduction. Negative.
Monthly (irregular).
Published by the Latvijas komponistu biedrība.
1. Music--Per. and soc. publ. I. Latvijas komponistu biedrība.

NM 0919322 NN

Mužíková-Nosilová, Ludmila.
České ženy. ⌈1. vyd. V Praze⌉ Ministerstvo informací, 1946.
52, ⌈26⌉ p. 21 cm.
Cover title: Naše ženy v historii a ve výstavbě státu.
"Slovenské ženy; sostavil redakčný kruh Sväzu slovenských žien a Živeny": p. ⌈1⌉-⌈26⌉ (2d group)⌉
1. Women in the Czechoslovak Republic. I. Sväz slovenských žien. II. Title. III. Title: Naše ženy v historii a ve výstavbě státu. IV. Title: Slovenské ženy.
DB200.5.M85 52-40255

NM 0919323 DLC

Mužíková-Nosilová, Ludmila.
Чехословацкие женщины. Прага ⌈Орбис⌉ 1947.
79 p. illus., ports. 21 cm.
1. Women in the Czechoslovak Republic. I. Title.
Title transliterated: Chekhoslovaīskie zhenshchiny.
DB200.5.M858 52-40725

NM 0919324 DLC

Mužíková-Nosilová, Ludmila.
Czechoslovak women. Prague, Orbis ⌈1947⌉
68 p. illus., ports. 22 cm.
1. Women in the Czechoslovak Republic. I. Title.
DB200.5.M853 52-34705

NM 0919325 DLC CtY TxU MH MB OCl NN

396(437)
M8
Mužíková-Nosilová, Ludmila.
Les femmes tchécoslovaques. Prague, Orbis ⌈1947⌉
72 p. illus.

1. Women - Czechoslovakia

NM 0919326 NNUN

Mužíková-Nosilová, Ludmila.
Národní hospodářství; učební text pro IV. ročník obchodních akademií. V Praze, Státní nakl., 1948.
73 p. 21 cm.

1. Economics. I. Title.
HB179.M9 52-38520

NM 0919327 DLC

HX365.5
M994
Muzikravić, Sava.
Za taktiku socijalne demokratije! Novi Sad, Štamparija dušana čampraga, 1919.
103 p. 20cm.

1.Socialism in Serbia. I.Title.

NM 0919328 CSt-H

869.3 Muzilli, José.
M981 La luna campesina. [Buenos Aires, 1919]
144p.

NM 0919329 IU

O muzinaiiguniwan igiw mitaswi ashi nizh anwajigewininwug noondash opitendagozijig ...
see
Bible. O.T. Minor prophets. Chippewa. 1874. McDonald.
The books of the twelve Minor prophets ...
Cambridge, London, 1874.

QL
638
.C64M82x
Mužinić, Radosna.
Contribution à l'étude de l'oecologie de la sardine (Sardina pilchardus Walb.) dans l'Adriatique orientale [par] R. Mužinić. Split, 1954.
457 p. illus. 25 cm. (Acta Adriatica, v. 5, no. 10)
At head of title: Institut za oceanografiju i ribarstvo - Split.

1. Sardines. I. Split, Yugoslavia. Institut za oceanografiju i ribarstvo. II. Title III. Series

NM 0919331 OKentU

GC1
A18
v. 5
no.10
Mužinić, Radosna.
Contribution à l'étude de l'oecologie de la sardine (Sardina pilchardus Walb.) dans l'Adriatique orientale. Split, 1954.
219 p. fold. map, diagrs., tables. 24cm. (Acta adriatica, v. 5, no. 10)
Summary in Jugoslav.
Bibliography: p. 203-212.

1. Sardines. 2. Fishes - Ecology. (Series)

NM 0919332 DI

GC1
A18
v.4
no.13
Mužinić, Radosna.
Remarques sur le développement et la croissance des otolithes de la sardine (Clupea pilchardus Walb.) Split, 1952.
22 p. illus., tables. 26 cm. (Acta adriatica, v. 4, no. 13)
French and Yugoslav summaries.
Bibliography: p. 21.

1. Sardines. 2. Otoliths. (Series)

NM 0919333 DI

GC1
A18
v.4
no.7
Mužinić, Radosna.
Tagging of sardine (Clupea pilchardus Walb.) in the Adriatic in 1949. Split, 1950.
30 p. illus., maps (1 fold.), table. 27 cm. (Acta adriatica, v. 4, no. 7)
Jugoslav and Russian summaries.

1. Fishes - Tagging. 2. Sardines. I. Title. (Series)

NM 0919334 DI

GC1
A18
v. 4
no.11
Mužinić, Radosna.
Tagging of sardine (Clupea pilchardus Walb.) in the Adriatic in 1950 and 1951. Split, 1952.
22 p. illus., maps, tables. 26 cm. (Acta adriatica, v. 4, no. 11).
Summary in Yugoslav.

1. Sardines. 2. Fishes - Tagging. I. Title. (Series).

NM 0919335 DI

AC901
.M5
Muzio.
Della felicita Italo-Austriaca, ... Parigi, 1834.
viii, 16 p. (Miscellaneous pamphlets, 260:1)

NM 0919336 DLC

Muzio, Achille
see Mucius, Achille, d. 1594.

DF572
.P9935
Rare Bk
Coll
Muzio, Andrea, ed.
Procopius, *of Caesarea.*
Procopius de bello Persico ⌈per Raphaelem Volaterranum conversus. Romae, E. Silber al's Franck, 1509⌉

Muzio, Anna di.
L'educazione cooperativa nel mondo. [Roma] Direzione generale della cooperazione presso il Ministero del lavoro e della previdenza sociale, 1947.
33 p. 24 cm. (Biblioteca de "La Rivista della cooperazione." [no.] 4)
"Estratto de 'La Rivista della cooperazione'."
1. Co-operation, Intellectual. I. Biblioteca de "La Rivista della cooperazione." [no.] 4.

NM 0919339 NN

Muzio, Argentina Teijeiro Martínez Soler de
see
Teijeiro Martínez Soler de Muzio, Argentina.

WB
700
M994
1922
Muzio, Carlo.
Geografia medica: primo saggio nella letteratura medica Italiana. Prefazione del Luigi Mangiagalli. 58 tavole-illustrative intercalate nel testo. Milano, Ulrico Hoepli, 1922.
xix, 1212 p. illus, maps. 15 cm.

1. Disease outbreaks - Italy. I. Title.

NM 0919341 NcU-H PPC DNLM

VOLUME 403

Muzio, Carlo.
... . Le malattie dei paesi caldi, loro profilassi ed igiene, con un'appendice: la vita nel Brasile. Regolamenti di sanità pubblica contro le infezioni esotiche. Con 154 incisioni e 11 tavole. Milano, U. Hoepli, 1904.
xi, 560, [2] p. 153 illus., xi pl. (incl. maps, partly fold.) 15cm. (Manuali Hoepli.)
At head of title: Dott. Carlo Muzio, ...

NM 0919342 ICJ DNLM

Muzio, Carlo.
Manciuria e Corea. Milano, Sonzogno [1927]
31 p. (His Mundus, 8)

NM 0919343 MH

Muzio, Carlo.
... . Il medico practico del dott. Carlo Muzio. ... . Terza edizione rifatta del nuovo memoriale pei medici practici. Milano, U. Hoepli, 1902.
xvi, 492, [2] p. incl. tables. 15cm. (Manuali Hoepli.)

NM 0919344 ICJ ICRL

WB 100 M994m 1920
MUZIO, Carlo.
Il medico pratico. 5. ed. completamente rifatta ed ampliata. Milano, Hoepli, 1920.
xv, 978 p. illus. (Manuali Hoepli)

NM 0919345 DNLM

WB M994n 1900
MUZIO, Carlo.
Nuovo memoriale pei medici pratici. Venezia, Ferrari, 1900.
xx, 400 p.

NM 0919346 DNLM

MUZIO, Carolus, D.T.
[Thesis]. Augustae Taurinorum, edentibus Falletti fratribus, 1853.

NM 0919347 MH-AH

Muzio, Emanuele, 1825–1890.
Brindisi; waltz-duett. New York Beer & Schirmer 701 Broadway ... [°1863]
score (11 p.) 36 cm.
For 2 voices and piano.

1. Vocal duets with piano. I. Title.

M1572.M 51–55235

NM 0919348 DLC

M1508 M89C5
Muzio, Emanuele, 1825-1890.
[Claudia; acc. arr. piano]
Claudia; dramma lirico. Riduzione per canto e pianoforte dell' autore [e] P. Pugnani. Milano, Tito di G. Ricordi [1853?] Pl. nos. 25022/25038.
1 v. (various pagings)

Italian words.
Contents. - Della campagna nel vasto seno. - Come la terra è bella. - Tu, fanciulla, hai buono il cuore. - So la via che guidar suole. - Tanto altera ed aspra tanto. - Alla gleba. - Era bella, era felice. - Sul fiore degli anni miei. - Dunque è ver. - Perchè tornar. - Grazie al Signore.

NM 0919349 CU

Muzio, Emanuele, 1825–1890.
Galop, introduced in the opera Un ballo in maschera by Verdi; for piano. [Composed] by E. Muzio. New York Beer & Schirmer 701 Broadway Pr. 30c nett [°1862]
5 p. 36 cm.

1. Galops (Piano) 2. Operas—Excerpts, Arranged. I. Title.

M34.M 52–55970

NM 0919350 DLC

M1508 M89G5
Muzio, Emanuele, 1825-1890.
[Giovanna la pazza; acc. arr. piano]
Giovanna la pazza; dramma in tre atti di L. Silva. Milano, Ricordi [1852?] Pl. nos. 23691/23714.
1 v. (various pagings)

Italian words.
Contents. - Sinfonia. - Da questa terra. - Se quel Dio che qui s'adora. - Davanti all'ara pronuba. - Per te l'ira terribile. - La regina cui chiedo vendetta. - Le mie catene cadano. - Nuovi doni mi versa colei. - Angelus Dei. - Figlia ingrata.

NM 0919351 CU

Muzio, Emanuele, 1825–1890.
Giuseppe Verdi nelle lettere di Emanuele Muzio ad Antonio Barezzi, a cura di Luigi Agostino Garibaldi. Con 25 illustrazioni. Milano, Fratelli Treves, 1931.
viii, 382 p. plates, ports., facsims. 23 cm. (I grandi musicisti italiani e stranieri)

1. Verdi, Giuseppe, 1813–1901. 2. Barezzi, Antonio, d. 1867. I. Garibaldi, Luigi Agostino, ed.

ML410.V4M8 927.8 32–18309 rev*

NM 0919352 DLC ICRL OU NIC ICN NN IU MB

Muzio, Emanuele, 1825–1890.
The nightingale
see his
L'usignuolo.

* M1 .S444 v.108 no.24
Muzio, Emanuele, 1825-1890.
La nanna. Cradle song [Price, 35 ¢. New York, Beer & Schirmer, Importers of Foreign Music & Publishers, 701 Broadway ... [°1864] Pl. no. 373.
5 p. 33cm. [Sheet music collection, v. 108, no. 24]
Alla Signora G. Medori.
Le stelle d'Italia (Stars of Italy.) Melodie per canto da E. Muzio.
Stackpole Sc.
1. Songs with piano. I. Title. II. Title: Cradle song.

NM 0919354 ViU

ML50 .R835 M834 1860 Case
Muzio, Emanuele, 1825–1890, arr.
Rossini, Gioachino Antonio, 1792–1868.
[Mosè in Egitto. Selections; arr.]
The parlor pianist, containing the principal musical gems of the opera of Moses in Egypt. Newly and expressly arr. as piano-forte solos by E. Muzio. New York, Palmer [1860?]

M1508 M89S6
Muzio, Emanuele, 1825-1890.
La sorrentina; dramma lirico in quattro atti. Riduzione per canto con accompo. di pianoforte dell'autore. Milano, Tito di G. Ricordi [1857?] Pl. nos. 30130/30275.
1 v. (various pagings)

Sinfonia arr. for piano, 4 hands.
Italian words.
Contents. - Sinfonia. - Senza raggio. - Un dì, cantando io già. - Il pensier de'giorni miei. - Spero e desio. - Voi, Casimiro? - Quanto può donna offesa non sai. - Pur tu dei chinar la fronte.

NM 0919356 CU

Muzio, Emanuele, 1825–1890.
Stornello Toscano (Tuscanian evening song) English version by Chs. J. Sprague. New York, Beer & Schirmer, °1863.
5 p. 36 cm.
Caption title.
For voice and piano. English and Italian words.

1. Songs (Medium voice) with piano. I. Title. II. Title: Tuscanian evening song.

M1621.M 51–55271

NM 0919357 DLC

Muzio, Emanuele, 1825–1890.
[L'usignuolo]
L'usignuolo; canzone di bravura. The nightingale. Poetry by P. Miarteni. [English version by Lucy Simons] New York. Beer & Schirmer. 701 Broadway. °1862.
11 p. 34 cm.
No. 9 in a vol. with title: Music. [v. p., ca. 1845–63]
For voice and piano; English and Italian words.

1. Songs (High voice) with piano. I. Title. II. Title: The nightingale.

M1619.M917 no. 9 M 54–1898

NM 0919358 DLC

MUZIO, Ettore.
Trasformazione piana doppia del terzo ordine Livorno, R. Giusti, 1903.
pp. 24 .

NM 0919359 MH

Muzio, G.
Sui processi d'assimilazione del callidium canguineum fabr. Torino, Gerbone, 1897.
8 p.

NM 0919360 PU-Z

Muzio, Giovanni, 1893–
Giovanni Muzio, con prefazione ... di Piero Torriano. Ginevra, Casa editrice "Maestri dell' architettura", s. a., 1931.
xxxii, 83, [1] p. incl. front. (port.) plates, plans. 20½ x 16½cm.
Title and text in Italian and French.

I. Torriano, Piero.

Library of Congress NA1123.M8A3 32–12166
[2] [927.2] 720.81

NM 0919361 DLC CLU NN

Kress Room
[Muzio, Giovanni Francesco]
Descrizione geografica mercantile di tutte le piazze di Europa, e loro stabilimenti e commercio in tutto il resto del mondo, opera a cui va unito un corso d'aritmetica pratica mercantile ed un trattato sull'origine del cambio e sulle cambiali ... Genova, Presso F. Uccello, 1820.
3 v. in 1. 21.5 cm.
By Giovanni Francesco Muzio.-cf., p.5.

NM 0919362 MH-BA

Case C 64 609
MUZIO, GIROLAMO, 1496-1576.
L'antidoto christiano. Venetia, Appresso G. A. Valuassori, detto Guadagnino, 1562.
31, [1] p. 21cm.

Printer's device on t.-p. and on verso of last leaf.

NM 0919363 ICN

VOLUME 403

Muzio, Girolamo. 1897.
Arte poetica.

NM 0919364 NIC

Z851M988
OA Muzio, Girolamo, 1496-1576.
Avvertimenti morali del Mutio Iustinopolitano. Venetia, Gio. Andrea Valuassori,
detto Guadagnino, 1572.
[24], 243, [1] p. 22cm.

NM 0919365 MnU

Bonaparte
Collection MUZIO, GIROLAMO, 1496-1576.
No.4942 Battaglie di Hieronimo Mutio Giustinopolitano, con alcvne lettere...al Cesano, & al Caualcanti, al signor Renato Triuultio, & al...signor Domenico Veniero: col quale in particolare discorre sopra Il corbaccio. Con vn trattato, intitolato La Varchina: doue si correggono...non pochi errori del Varchi, del Casteuetro, & del Ruscelli. Et alcune...annotationi sopra il Petrarcha. Si sono aggiunte in questa nuova edizione alcune poche note utili...a bene scrivere in lingua italiana. Napoli, F.C.Mosca, 1743.
[4], 191, [5] numb. leaves.
Edited by Giuseppe Pasquale Cirillo

NM 0919366 ICN CU

Bonaparte
Collection MUZIO, GIROLAMO, 1496-1576.
No.4941 Battaglie di Hieronimo Mvtio Giustinopolitano, per diffesa dell'italica lingua, con alcvne lettere...al Cesano, & al Caualcanti, al signor Renato Triuultio, & al...signor Domenico Veniero: con quale in particolare discorre sopra Il corbaccio. Con vn trattato intitolato La Varchina: doue si correggono...non pochi errori del Varchi, del Casteluetro, & del Ruscelli. Et alcune...annotationi sopra il Petrarca... Vinegia, P.Dusinelli, 1582.
[12], 216 numb.leaves.
Printer's device on t.-p.
Dedication signed: Giulio Cesare

NM 0919367 MiDW PU ICN MiU ICU CtY RPB MnU MH NjP NIC NNC

MUZIO, Girolamo.
La Besta Vergine incoronata...in questo volume si contiene la vita della glorisoa Vergine Madre del Signore insieme con la Historia di dodici altre beate Vergini...In Pesaro, Apresso Girolamo Concordia, M.D.LXVII.
230 pp.

NM 0919368 MH

Muzio, Girolamo, 1496-1576.
La Beata Vergine incoronata ... In qvesto volvme si contiene la vita della Gloriosa Vergine ... Insieme con la historia de dodeci altre beate vergini. Milano, Per Michel Tini, ad instanza di Francesco, e gli heredi di Simon Tini, 1585.
230p., 1l. 21½x16cm.
Dedication signed: Francesco Tini.
Includes lives of Saints Apollinare, Aquilina, Febronia, and others.

NM 0919369 CtY

[Muzio, Girolamo] 1496-1576.
The booke of honor and armes ...
see under [Segar, Sir William] d. 1633.

Case
D MUZIO, GIROLAMO, 1496-1576.
74 Il Bullingero riprouato... Venetia, Appresso
.608 G.A.Valuassori, detto Guadagnino, 1562.
93, [1] p. 20cm.
With reference to Bullinger's De conciliis.
Bookplate of Baron Horace de Landau.

NM 0919371 ICN

BX1793 Muzio, Girolamo, 1496-1576.
.M95 Catholica disciplina di prencipi ... Vinegia,
Rare Al segno del pozzo, 1561.
Bk 42 l. 13cm.
Title vignette (printer's device)

1. Church and state--Catholic Church.
I. Title.

NM 0919372 ICU NN MnU

Case
D MUZIO, GIROLAMO, 1496-1576.
9877 Il choro pontificale...nel qual si leggono le
.608 vite del...papa Gregorio, et di XII altri santi vescoui... Da questa historia si puo apprendere, quali debbano essere le attioni del perfetto christiano... Venetia, Appresso G.A.Valuassori, detto Guadagnino, 1570.
[16], 334, [2] p. 20cm.
Title vignette (printer's device) Head and tail pieces; initials.
Bookplate of Baron Horace de Landau.

NM 0919373 ICN MWelC NNUT MH

F MUZIO, GIROLAMO, 1496-1576.
057 Le combat...avec les responses cheualerestes.
.61 Auquel est amplement traicté du legitime usage des combats, & de l'abus qui s'y commet... Traduict d'italien en françois par Antoine Chapuis. Nouuellement reueu & corrigé. Lyon, Pour I.Degabiano, et S.Girard, 1604.
436p. 18cm.

NM 0919374 ICN

FILM
10697 Muzio, Girolamo, 1496-1576.
Difesa del Mutio Iustinopolitano della messa, de' santi, del papato. Contra le bestemmie di Pietro Vireto ... Pesaro, Appresso gli heredi del Cesano, M.D.LXVIII.
6 p.l., 402, [25] p.
Microfilm of the original in the Bibliothèque publique et universitaire, Genève. Iowa City, University of Iowa Libraries, 1966. 1 reel.

1. Viret, Pierre, 1511-1571. 2. Mass-Early works to 1800. 3. Saints --Cultus. 4. Papacy.

NM 0919375 MiU PU NcD

394.8 Muzio, Girolamo, 1496-1576.
M98d Il dvello del Mvtio Ivstinopolitano ... In Vinegia, Appresso Gabriel Giolito de Ferrari e fratelli, 1550.
104 numb.l. 16½cm.
Signatures: A-N⁸.
Device of printer on t.-p. and in variant form on last verso.
Italic type; initials.
With this is bound the author's Le risposte cavalleresche. In Vinegia, 1550.

1. Dueling.

NM 0919376 IU CU NNH CtY MnU DFo

CR 4595 Muzio, Girolamo, 1496-1576.
I8 M8 Il dvello del Mvtio. Di nuouo corretto, & ristampato ... Vinegia, Appresso G. Giolito de Ferrari, 1551.
104 l. 16 cm.
Printer's mark on title page and on verso of last leaf; initials.
Bound with the author's Le risposte cavalleresche. Vinegia, 1551.

NM 0919377 OU ICN PU MH NN

Muzio, Girolamo, 1496-1576.
El dvello del Mvtio Ivstinopolitano ... tradvzido de vvlgar toscano en romance castellano por Alonso de Vlloa ... En Venecia, impreso por Gabriel Givlito de Ferrari, y svs hermanos, 1552.
8 p.l., 209, [7] p. 16cm.
Printer's mark on t.-p. and at end. Initials.

NM 0919378 WU

Rare
CR Muzio, Girolamo, 1496-1576.
4595 Il dvello del Mutio Ivstinopolitano.
I8M99 Di nuovo corretto, et ristampato. Vine-
1553 gia, Appresso Gabriel Giolito de Ferrari et Fratelli, 1553.
104 l. 17cm.
Printer's device on t. p. and at end.
With this is bound the author's Le risposte cavaleresche. 1553.

NM 0919379 NIC CU MWelC NjP

CR Muzio, Girolamo, 1496-1576.
4571 Il duello...Con le risposte caualleresche, di
M8 nuouo corretto, et ristampato...In Vinegia, Ap-
1554 presso Gabriel Giolito de Ferrari et fratelli,
Cage 1554.
104 l. 8vo.
Lacks "Le risposte caualleresche".
George Aitchison - W.T.Smedley copy.

NM 0919380 DFo

Muzio, Girolamo, 1496-1576.
Il Dvello Del Mvtio Ivstinopolitano. Con Le Risposte Cavalaresche, Di Nvovo Corretto, Et Ristampato... In Vinegia: Appresso Gabriel Giolito De Ferrari Et Fratelli, 1554. 223 f., 1 l. 8°.
Printed in italics.
Printer's devices on title-pages and on verso of folios 104 and 223; woodcut initials.
Colophon: In Vinegia Appresso Gabriel Giolito De Ferrari E Fratelli. M D LIIII.
"Le Risposte Cavalleresche," 1 l., f. 106-223, has independent t.-p.
Last leaf, probably blank, wanting.

535639A. 1. Dueling. 2. Chivalry. I. Muzio, Girolamo, 1496-1576: Le Risposte Cavalleresche. II. Title.
N. Y. P. L. November 25, 1931

NM 0919381 NN DLC-P4 CtY

CR Muzio, Girolamo, 1496-1576.
4571 Il duello...Con le risposte caualleresche.
M8 Nuouamente dall'auttore riueduto...In Vinegia,
1558 Appresso Gabriel Giolito de'Ferrari, 1558.
Cage Colophon v. 2.
2 v. 8vo.
Part 2 has separate title-page. Part 1 has been bound to match part 2 of 1564 edition.

NM 0919382 DFo

Muzio, Girolamo, 1496-1576.
Il Dvello Del Mvtio Ivstinopolitano. Con Le Risposte Cavalleresche. Nvovamente Dall' Avttore riueduto, con la giunta delle postille in margine, & una Tauola di tutte le cose notabili... In Venegia: Appresso Gabriel Giolito De' Ferrari, 1560. 15 p.l., 8-223 f., 1 l. 8°.
Printed in italics.
Printer's devices on title-pages and on recto of last leaf; woodcut initials and head- and tail-pieces.
"Le Risposte Cavalleresche," 1 l., f. 106-223, has independent t.-p.

535677A. 1. Dueling. 2. Chivalry. I. Muzio, Girolamo, 1496-1576: Le Risposte Cavalleresche. II. Title.
N. Y. P. L. November 25, 1931

NM 0919383 NN CSmH WU

VOLUME 403

Case
F MUZIO, GIROLAMO, 1496-1576.
057 Il duello...con Le risposte cavallaresche;
.622 nuovamente dall'autore riveduto... Vinegia, G. Giolito de'Ferrari, 1563.
223, [1] l. 16cm.

Printer's device on title-pages and (variant) on recto of last leaf. Initials, head and tail pieces.
"Le risposte cavallaresche" has special t.-p.

NM 0919384 ICN

Muzio, Girolamo, 1496-1576.
Il Dvello Del Mvtio Ivstinopolitano, Con Le Risposte Cavalleresche; Nvovamente Dall' Avtore Rivedvto, con le postille in margine, & con due Tauole, la prima de i Capi, & l' altra delle cose notabili... In Vinegia: Appresso Gabriel Giolito De' Ferrari, 1564. 14 p.l., 7-223 f., 1 l. 8°.

Printed in italics.
Printer's device on title-pages; woodcut initials and head- and tail-pieces.
Last leaf blank.
"Le Risposte Cavalleresche," 1 l., f. 106-223, has independent t.-p.

535678A. 1. Dueling. 2. Chivalry. I. Muzio, Girolamo, 1496-1576: Le Risposte Cavalleresche. II. Title.
N. Y. P. L. November 25, 1931

NM 0919385 NN NjP DFo

Muzio, Girolamo, 1496-1576.
Il Dvello Del Mvtio Ivstinopolitano. Con Le Risposte Cavalleresche. Nvovamente Dall' Avttore riueduto, Con la giunta delle postille in margine, & una Tauola di tutte le cose notabili. In Vinegia: Appresso Domenico Farri, 1566. 223 f., 11 l. 8°.

Printed in italics.
Title-vignette, possibly printer's device; woodcut initials.
"Le Risposte Cavalleresche," f. [105-]223, probably had independent t.-p.
f. 95, 100-107 [105] Sig. Ff ,, , and probably 2 l. at end wanting.

535679A. 1. Dueling. 2. Chivalry. I. Muzio, Girolamo, 1496-1576: Le Risposte Cavalleresche. II. Title.
N. Y. P. L. November 25, 1931

NM 0919386 NN NcD

B851M988
P5
1571 Muzio, Girolamo, 1496-1576.
Il dvello del Mvtio Ivstinopolitano. Con Le risposte cavallaresche. Nvovamente dall'avttore riueduto, con la giunta delle postille in margine, & una tauola di tutte le cose notabili. Venetia, Girolamo Polo, 1571.
[15], 8-223 l. 16cm.

Title-vignette.
"Le risposte cavalleresche ..." (with special t.-p) l. [105]-223.

NM 0919387 NNC DFo NSchU

Muzio, Girolamo, 1496-1576.
Il dvello del Mvtio Ivstinopolitano. Con Le risposte caualleresche. Nvovamente dall' avttore rieueduto, con la giunta delle postille in margine, & una tauola di tutte le cose notabili. Venetia, Appresso D. Farri, 1576.
15 p. l., [8]-223 numb. l. 15cm.
Printer's mark on t.-p.
"Le risposte cavalleresche ..." (with special t.-p., dated 1575) l. [105]-223.

7-34561

NM 0919388 DLC NNC

RARE BOOKS DEPT. Muzio, Girolamo, 1496-1576.
Il dvello del Mvtio Ivstinopolitano, con le risposte caualleresche, di nvovo dall'avttore rirueduto, con la giunta delle postille in margine, & vna tauola di tutte le cose notabili. Venetia, La Compagnia de gli uniti, 1585.
15 p.l., [16]-223 numb. l. 16cm.

Title vignettes.
"Le risposte cavalleresche ..." (with special t.-p.) l. [105]-223.

1. Dueling.

NM 0919389 CU IaU CU

PQ4630 Muzio, Girolamo, 1496-1576.
.M96E4 Egloghe del Mvtio Ivstinopolitano divise in cinque libri. 1550 Le amorose libro primo. Le marchesane libro secondo. Le
Rare bk illvstri libro terzo. Le lvgvbri libro qvatro. Le varie libro
room qvinto ... Vinegia, Appresso G. Giolito de Ferrari e fratelli, 1550.
128 numb. l. 16cm.
Title vignette (printer's mark) initials.
Errors in numbering of the leaves.

ICN NcD MWelC MH PU CtY
NM 0919390 ICU MdBJ CLU NcD CU WU IU FU NIC NN DFo

Muzio, Girolamo, 1496-1576.

Varchi, Benedetto, 1503-1565.
L'ercolano; dialogo di M. Benedetto Varchi, nel quale si ragione delle lingue, ed in particolare della toscana e della fiorentina. Colla Correzione ad esso fatta da Messer Lodovico Castelvetro; e colla Varchina di Messer Girolamo Muzio ... Padova, Appresso G. Comino, 1744.

SPECIAL COLLECTIONS
B851M988
Q5
1550 Muzio, Girolamo, 1496-1576.
La Favstina del Mvtio Ivstinopolitano ... Venetia, Appresso Vincenzo Valgrisi, 1550.
63, [1] p. 16cm.

Title-vignette.

I. Title: La Faustina.

NM 0919392 NNC

Muzio, Girolamo, 1496-1576.
La Favstina Del Mvtio Ivstinopolitano, Delle Arme Cavalleresche... In Venetia: Appresso Vincenzo Valgrisi, 1560. 63(1) p. 8°.

Printed in italics.
Printer's device on t.-p. and on verso of last leaf; woodcut initial.

535676A. 1. Dueling. I. Title. November 18, 1931

NM 0919393 NN ICN

Muzio, Girolamo, 1496-1576.
Il Gentilhvomo Del Mutio Iustinopolitano. In questo uolume distinto in tre dialoghi si tratta la materia della nobiltà: & si mostra quante ne siano le maniere: qual sia la uera: onde ella habbia hauuto origine: come si acquisti: come si conserui: & come si perda. Si parla della nobiltà de gli huomini, & delle donne; delle persone priuate, & de' Signori. Et finalmente tra la nobiltà delle arme, & delle lettere si disputa qual sia la maggiore. Con la Tauola delle cose notabili. In Venetia: Appresso Gio. Andrea Valuassori, detto Guadagnino, 1571. 8 p.l., 287 p. 4°.

Printed in italics.
Printer's device on t.-p.; woodcut initials.

535675A. 1. Dueling. 2. Nobility. I. Title.
N. Y. P. L.

NM 0919394 NN ICN MiU IU

Muzio, Girolamo, 1496-1576.
Il Gentilhvomo Del Mutio Iustinopolitano. In questo uolume distinto in tre dialoghi si tratta la materia della nobiltà: & si mostra quante ne siano le maniere: qual sia la uera: onde ella habbia hauuto origine: come si acquisti: come si conserui: & come si perda. Si parla della nobiltà de gli huomini, & delle donne; delle persone priuate, & de' Signori. Et finalmente tra la nobiltà delle arme, & delle lettere si disputa qual sia la maggiore. Con la Tauola delle cose notabili... In Venetia: Appresso gli Heredi di Luigi Valuassori, & Gio. Domenico Micheli, 1575. 8 p.l., 286 p., 1 l. 4°.

Printed in italics.
Printer's device on t.-p.; woodcut initials.
Last leaf blank.

535636A. 1. Dueling. 2. Nobility. I. Title.
N. Y. P. L. November 18, 1931

IaU IEN NcD DCU DFo CU-S WU ICN
NM 0919396 NN IU NNH CtY MH RPB PU MiU CSmH FTaSU

MUZIO, [Girolamo], 1496-1576.
L'heretico infuriato, del Mutio Justinopolitano. Roma, V. Dorico, 1562.

NM 0919397 MH

Muzio, Girolamo, 1496-1576.
Bm74 Historia di Girolamo Mvtio ... de' fatti
880 di Federico di Montefeltro, dvca d'Vrbino ... Venetia, Appresso Gio: Battista Ciotti, 1605.
7p.l., 410p. port. 21½cm.

NM 0919398 CtY ICN MiU CU

Case
Y MUZIO, GIROLAMO, 1496-1576.
712 Lettere del Mvtio ivstinopolitano... Vinegia,
.M 9801 G. Giolito de Farrari e fratelli, 1551.
151 numb.leaves. 15½cm. (with his Egloghe... 1550)

Printer's device on t.-p. and on verso of last leaf.

NM 0919399 ICN NN DFo NjP MH

Muzio, Girolamo, 1496-1576.
Lettere catholiche del Mutio Justinopolitano ... Venetia, Guadagnino, 1571.
440 p. YA 3151

NM 0919400 DLC NIC

Case
Y MUZIO, GIROLAMO, 1496-1576.
712 Lettere del Mvtio... Diuise in quattro libri,
.M 9803 de'quali il quarto vien nuouamente publicato... Firenze, Nella stamperia di B. Sermartelli, 1590.
[8], 252p. 22cm.

Printer's device on t.-p.; initials.
Dedication signed: Gio. Francesco Lucchi.
Armorial bookplates of Marchesa Salsa, and of Baron Ward, Earl of Dudley.

NM 0919401 ICN CLU

PG 1630
.M92 Z5 Muzio, Girolamo, 1496-1576.
1864 Q Lettere di Girolamo Muzio giustinopolitano conservate nell'Archivio governativo di Parma. Parma, a spese della R. Deputazione di storia patria, [1864].
xxv p., 1 l., 230 p. 33cm.

Pei tipi di F. Carmignani.

I. Deputazione di storia patria per le provincie parmense, Parma.

NM 0919402 PU CSmH ICN MdBJ NNC MH IEN IaU

Case
C MUZIO, GIROLAMO, 1496-1576.
64 Le malitie Bettina... Pesaro, Heredi di B.
.61 Cesano, 1565.
[12], 76 l. 15cm.

Title vignette (printer's device) Initials.

NM 0919403 ICN MH

Muzio, Girolamo, 1496-1576.
Le Mentite Ochiniane Del Mvtio . . . Vinegia, Appresso Gabriel Giolito De Ferrari E Fratelli, 1551. 185 [i.e. 186] f., 2 l. 17cm. (18°.)

Brunet, III, 1967. Bongi: Giolito de' Ferrari, I, 324-325. BM (Italian), p. 459.
Last leaf blank.
No. 176 repeated in foliation.

1. Ochino, Bernardino, 1487-1564.

NM 0919404 NN IaU DFo FTaSU NNH ICN PU MH ODaStL

VOLUME 403

Case
Y
712
.M 9808

MUZIO, GIROLAMO, 1496-1576.
Operette morali... Di nuovo con molta diligenza ristampate. La orecchia del prencipe. Introduttione alla virtu. Le cinque cognitioni. Trattati di matrimonio. Trattato della obedienza de'sudditi. Consolation di morte. La poluera... Vinegia, G. Giolito de Ferrari e fratelli, 1553.
119 ℓ. 16cm.

Printer's device on t.-p. and (variant) on verso of last leaf.

NM 0919405 ICN CtY MnU DFo NNC CtY-D

PC 1025
A76
pt.1
v.1

Muzio, Girolamo, 1496-1576.
Opinioni di m. Girolamo Mutio [et al.] (In [Aromatari, Giuseppe degli] Degli autori del ben parlare per secolari, e religiosi. Parte prima. [Venetia, 1643] vol.1, p.141-186)

1. Italian language.

NM 0919406 TxHU

Case
Y
712
.M 9801

MUZIO, GIROLAMO, 1496-1576.
La polvere del Mvtio. [Vinegia, G. Giolito de Ferrari e fratelli, 155-?]
24 numb. leaves. 15½cm. (with his Egloghe... 1550)

Half-title only.
Though with separate foliation and register, it is possible that this is part of his Operette morali, 1550 or 1553.

NM 0919407 ICN DFo MH

Muzio, Girolamo, 1496–1576.
Rime Del Mvtio Ivstinopolitano, Per La Gloriosa Vittoria Contra Tvrchi. [Venezia, 1571?] 20 l. 21cm. (4°.)

1. Lepanto, Battle of, 1571—Poetry.

NM 0919408 NN MH

MUZIO, GIROLAMO, 1496-1576.
Rime Diverse Del Mvtio... Tre libri di Arte Poetica. Tre libri di lettere in rime sciolte. La Europa. Il Daualo di Giulio Camillo tradutto... Vinegia, Appresso Gabriel Giolito De Ferrari E Fratelli, 1551. 152 f. 17cm. (8°.)

Brunet, III, 1967. BM (Italian), p. 459. Bongi: Giolito de' Ferrari, I, 330-331.

Binding of brown leather, gilt, with traces of clasps. With this is bound his: Egloghe. Vinegia, 1557.

NM 0919410 NN NIC CaBVaU DFo NNC CtY CSmH MH ICN

Spec.
PQ 4630
.M95 R5

MUZIO, GIROLAMO, 1496-1576
Rime diverse del Mvtio Ivstinopolitano. Tre libri di arte poetica. Tre libri di lettere in rime sciolte, La Europa. Il daualo di Giulio Camillo tradutto ... Vinegia, G. Giolito de Ferrari e frat., 1561.
152 numb. ℓ.

Titlo vignette (printer's device).

NM 0919411 InU

394.8
M98d

Muzio, Girolamo, 1496-1576.
Le risposte cavalleresche del Mvtio Ivstinopolitano ... In Vinegia, Appresso Gabriel Giolito de Ferrari e fratelli, 1550.
111 (i.e. 121) numb. l., 1 l. 16½cm. [With his Il dvello. In Vinegia, 1550]
Signatures: A-O^8, P^{10} (last verso blank)
Device of printer on t.-p. and in variant form on last recto.
Italic type; initials.
Error in paging: page 121 numbered 111.

1. Dueling. I. Title.

NM 0919412 IU CtY CU MnU InU DFo

Muzio, Girolamo, 1496–1576.
Le Risposte Cavalleresche Del Mvtio Ivstinopolitano... In Vinegia Appresso Gabriel Giolito De Ferrari E Fratelli MDLI. 119 f., 1 l. 16cm. (8°.)

With colophon.
Printer's marks on t.-p. and on verso of f. 119.
Last leaf blank.
Bound with his: Il Dvello. Vinegia, 1551.

1. Chivalry.
N. Y. P. L. *Revised* December 4, 1936

NM 0919413 NN OU NIC MH ICN

Case
C
64
.612

MUZIO, GIROLAMO, 1496-1576.
Risposta... ad vna lettera di M. Francesco Betti scritta all'Illus. S. marchese di Pescara. In Pesaro, 1558.
39 ℓ. 15cm.

Title vignette; initial.
Errors in foliation.

NM 0919414 ICN

SPECIAL COLLECTIONS
B851M988
P5
1571

Muzio, Girolamo, 1496-1576.
Le risposte cavalleresche del Mvtio Ivstinopolitano. Venetia, Appresso Girolamo Polo, 1571. (In his Il dvello... 1571. l. [105]-223)

NM 0919415 NNC

Muzio, Girolamo, 1496–1576.
Le risposte cavalleresche del Mvtio Ivstinopolitano. Venetia, Appresso D. Farri, 1575.
(*In his* Il dvello. Venetia, 1576. 15cm. l. [105]-223)
Printer's mark on t.-p.

7-34563

NM 0919416 DLC

Case
3A
1255

MUZIO, GIROLAMO, 1496-1576.
Tre testimonii fedeli. Del Mutio Iustinopolitano. Basilio Cipriano Ireneo ... In Pesaro, Per B. Cesano, 1555.
118, [1] ℓ. 16cm.

"... a defence of the leading doctrines of the Church of Rome, founded on passages extracted from ... [above-named Church] Fathers; in part a reply to Erasmus." -- Brit. Mus. Catalogue.
Printer's device on t.-p. and ℓ. [119]

NM 0919417 ICN CtY MH DFo

Muzio, Girolamo. 1744.
La Varchina.

NM 0919418 NIC

Muzio, Girolamo. Trieste, 1859.
La Varchina.

NM 0919419 NIC

KB
1550
M8

Muzio, Girolamo, 1496-1576.
Le vergeriane... Discorso se si convenga ragvnar concilio. Trattato della comvnione de' laici: & delle mogli de' cherici... In Vinegia, Appresso Gabriel Giolito de Ferrari e fratelli, 1550.
218, [1] ℓ. 17cm.
Printer's devices on t.p. and verso of last leaf; initials.

1. Reformation - Italy. I. Vergerio, Pietro Paolo, 1498-1565.

NM 0919420 CSt ICN IaU MiDW

KB
1551
M8

Muzio, Girolamo, 1496-1576.
Le vergeriane... Discorso se si convenga ragvnar concilio. Trattato della comvnione de' laici; & delle mogli de' cherici... In Vinegia, Appresso Gabriel Giolito de Ferrari e fratelli, 1551.
214 ℓ. 17cm.
Printer's devices on t.p. and verso of last leaf; initials.

1. Reformation - Italy. I. Vergerio, Pietro Paolo, 1498-1565.

NM 0919421 CSt DFo MH CtY ICN NNH

GQ79
M988d

Muzio, Giuseppe.
La dottrina della conoscenza in s. Tommaso e in A. Rosmini. Con estratti dal "Nuova saggio" e dal "Rinnovamento della filosofia." Domodossola-Milano, Sodalitas [1955]
91 p. 23 cm. (Collana di studi filosofici rosminiani, 10)

Bibliographical footnotes.

NM 0919422 CtY-D DCU MH

MUZIO, Jacopo.
See ATTENDOLI, Muzio, called Sforza.

Muzio, Luigi.
——. Considerazioni di L. M. sopra una lettera del professor Giovanni Rossi, Toscano, concernente a Girolamo Segato. 20 pp. 8°. *Modena, E. Soliani,* 1836. [P., v. 905.]

NM 0919424 DNLM

Muzio (Luigi). Tesi. 3 l. 4°. *Genova,* 1827. [P., v. 2145.]

NM 0919425 DNLM

Muzio, Macario.
see Mutius, Macarius, 15th cent.

Muzio, Mario
see Mutio, Mario.

VOLUME 403

4TX
177
Muzio, Norberto M
La cocina; especificación de sus elementos y forma de disponerlos para que faciliten todos los trabajos culinarios. Buenos Aires, Editorial Contempora [1955]
84 p.

NM 0919428 DLC-P4

PQ
4829
U3
A5
Muzio, Piero.
L'Anima e le cose. Milano[etc.] Remo Sandron, 1914.
131p. 17cm.

NM 0919429 CtU

Muzio, Pietro.
——. L' igiene delle professioni, ossia il miglior tesoro per gli operai. 63 pp. 12°. *Mantova, Mondovi.* 1877.

NM 0919430 DNLM

WY
M994L
1871
MUZIO, Pietro.
Lezioni teorico-pratiche di igiene ed umanità. 3. ed. notevolmente aumentata e riv. Mantova, Gozzi, 1871.
178 p.

NM 0919431 DNLM

Muzio, Pietro.
——. Gli ospitali. Almanacco igienico umanitario dell' infermiere. Anno primo, 1878. 132 pp. 18°. *Mantova, Mondovi,* 1878.

NM 0919432 DNLM

QTA
M994s
1875
MUZIO, Pietro.
La salute; precetti igienici e morali spiegati al popolo. Milano, Pio istituto tip., 1875.
viii, 246 p.

NM 0919433 DNLM

Gntl
y623
Muzio, Pio, 1574-1649.
Considerationi sopra Cornelio Tacito di Don Pio Mvtio, Milanese, nelle quali si trattano le più curiose materie della politica. In Brescia,Presso B.Fontana,1623.
4p.ℓ.,621,[51]p. 23cm.
Title vignette.

1.Tacitus, Cornelius - Criticism and interpretation.

NM 0919434 CtY PU ICN

4N-217
Muzio, Virginio.
Note e ricordi della Esposizione d'arte sacra in Bergamo, agosto-settembre 1898. Bergamo, Istituto italiano d'arti grafiche, 1899.
87 p.

NM 0919435 DLC-P4

SVL
ML50
H2M8
(Film)
Muzio Scevola, drama per musica, da rappresentarsi nel Teatro d'Hamburgo, l'anno 1723. Mutius Scaevola in einer Opera vorgestellet auff dem Hamburgischen Schau-Platze im Jahr 1723. Hamburg, Jakhel [n.d.]
87 p.
Music by Händel, Filippo Mattei & Giovanni Battista Bononcini; libretto by

Paolo Antonio Rolli.
Schatz 168
Microfilm (negative) of original in the Library of Congress. 1 reel.
1. OPERAS - LIBRETTOS - TO 1800 I. Bononcini, Giovanni Battista, 1672-ca.1750. Muzio Scevola II. Mattei, Filippo. Muzio Scevola III. Rolli, Paolo Antonio, 1687-1767. Muzio Scevola IV. T

NM 0919437 NjP

Case
Y
4609
.56
Il Muzio Scaevola. Drama. Da rappresentarsi nel Regio teatro d'Hay-market, per l'Accademia reale di musica. Londra, T.Wood, 1721.
103p. 18cm.
Binder's title: Operas. Tome I.
Added t.-p. in English.
Italian and English on opposite pages.
The libretto by Rolli was adapted from the Italian of Niccolò Minato.
Without the music, by Amadei, Händel and Bononcini.

NM 0919438 ICN DFo NjP

Muziol, Roman, 1903–
Europäische Aussenhandelsverflechtung und Marshallplan. Kiel, 1947.
74 p. illus. 20 cm.
At head of title: Institut für Weltwirtschaft an der Universität Kiel.
"Diese Untersuchung wurde durchgeführt auf Veranlassung des Deutschen Büros für Friedensfragen, Stuttgart."

1. Europe—Comm. 2. Economic assistance, American. I. Kiel. Universität. Institut für Weltwirtschaft. II. Title.

HF3496.M8 1947 58-39790 ‡

NM 0919439 DLC NNC DNAL GU-L CU

Muziol, Roman, 1903–
Europäische Aussenhandelsverflechtung und Marshallplan. Oberursel (Taunus) Verlag Europa-Archiv, 1948.
72 p. maps, diagrs. 30 cm.
At head of title: Institut für Weltwirtschaft an der Universität Kiel.
"Diese Untersuchung wurde durchgeführt auf Veranlassung des Deutschen Büros für Friedensfragen, Stuttgart."

1. Europe—Comm. 2. Reconstruction (1939-)—Europe. I. Kiel. Universität. Institut für Weltwirtschaft. II. Title.

HF3496.M8 382 48-27264*

NM 0919440 DLC NN CtY ICU

Muziol, Roman.
Karl Rodbertus als begründer der sozialrechtlichen anschauungsweise von dr. Roman Muziol. Jena, G. Fischer, 1927.
x p., 1 l., 122 p. 24cm. (*Added t.-p.:* Beiträge zur geschichte der nationalökonomie ... 4. hft.)
"Quellen-verzeichnis": p. [118]
"Literatur-verzeichnis": p. [119]-122.

1. Rodbertus, Johann Karl, 1805-1875. 2. Socialism in Germany.

Library of Congress HX276.R9M8 27-25271

NM 0919441 DLC CaBVaU RPB CU OU ICJ

Muziol, Roman, 1903–
Die Nachkriegsentwicklung des englischen Aussenhandels. Kiel [1951]
v, 70 p. diagrs. 21 cm. (Kieler Studien; Forschungsberichte des Instituts für Weltwirtschaft an der Universität Kiel, 5)

1. Gt. Brit.—Comm. I. Title. (Series)

HF3506.M8 51-35518

NM 0919442 DLC MH TxU MoU DS NN

Muziri, Hayyim Nissim Raphael
see
Mutsiri, Hayyim Nissim Raphael.

WU
166
M994t
1950
MUZJ, Edmondo.
Terapia ortopedica funzionale della faccia. [Rocca San Casciano] Cappelli [1950]
117 p. illus.
Contains errata slip.
Preface in English and Italian.
1. Dental therapeutics
2. Face - Abnormalities & deformities
3. Mechanotherapy

NM 0919444 DNLM

WU
166
M994t
1952
MUZJ, Edmondo.
La thérapeutique orthopédique fonctionnelle de la face. Paris, Prélat [1952]
159 p. illus.
Translation of Terapia ortopedica funzionale della faccia.
1. Dental therapeutics 2. Face - Abnormalities & deformities 3. Mechanotherapy

NM 0919445 DNLM

Muzj, Eduardo, 1869- defendant.
... I Consigli di disciplina dei procuratori
see under Italy. Pretura (Naples)

372
M994b
Muzj, Enrico.
Le basi della scuola fascista; note di chiarimento e bibliografia ai programmi di studio per le scuole elementari. Toritto, F. Pecoraro, 1931.
cxxx,681p. 21cm.

1. Education, Elementary. Curricula. 2. Education. Italy. Curricula. 3. Education. Italy. Bibl. I. Title.

NM 0919447 IEN

335.6
M994f
Muzj, Enrico.
Fascistizzazione della scuola;saggi di conversazioni con i maestri. Toritto, F. Pecoraro [1934]
436p. 22cm.

1. Fascism. Italy. 2. Schools. Italy. I. Title.

NM 0919448 IEN

853.91
M994s
Muzj, Enrico.
Saluto al duce; racconti fascisti per i ragazzi. Toritto, F. Pecoraro [1934]
238p. 23cm.

NM 0919449 IEN

VOLUME 403

DA412 .A1 no.390 Rare bk room

The muzled ox,treading out the corn,and bellowing out his just complaint against his merciless masters. Or,A loud cry from Heaven,against the crying sin of this nation,viz. The with-holding competent countenance and maintenance from Gospel ministers... By a friend to the threshing floor of Ornan... London,W. Hope,1650.

[1],37 p. 19x14½cm. [English tracts,1640-1660. no.390]

1.Tithes--England.

NM 0919450 ICU MB NNUT-Mc CLU-C

Muzlera, Joaquín M.

... Recopilacion de leyes, decretos y resoluciones de la provincia de Buenos Aires sobre tierras públicas, desde 1810 á 1895, recopiladas y concordadas por Joaquin Muzlera. La Plata, I. Solá Sans [1896?]

3 v. 26½cm.

At head of title: Tierras públicas.
On t.-p. of v. 2-3: ... y acuerdos y sentencias de la Suprema corte.

1. Buenos Aires (Province)—Public lands. I. Buenos Aires (Province) Laws, statutes, etc. II. Buenos Aires (Province) Suprema corte de justicia.

24-3579

Library of Congress HD479.B9M8

NM 0919451 DLC MH-L

Muzner, Jucundin.
... Fastenpredigten ... Augsburg, In der Joseph-Wolffischen Buchhandlung, 1784.
2 v.

NM 0919452 DHN

Múzquiz, Camino Jaurrieta.
See
Jaurrieta Múzquiz, Camino.

Muzquiz, Francisco, joint author.

Palomares, Justino N.
Las campañas del norte (sangre y heroes) narracion de los sucesos mas culminantes registrados en las batallas de Torreon, Durango, Gomez Palacio y San Pedro, por Justino N. Palomares y Francisco Muzquiz (testigos presenciales) Mexico, A. Botas [1914]

MUZQUIZ, Joaquín María U.
La verdadera legitimidad y el verdadero liberalismo. Habana,La Propaganda literaria, 1886.

Worm-eaten.

NM 0919455 MH

Muzquiz, Joaquin María U.
La verdadera legitimidad y el verdadero liberalismo, por Don Joaquin Maria U. de Muzquiz. Habana: La propaganda literaria, 1888. 266 p. 8°.

Bibliographical footnotes.

1. Catholic Church, Roman. 2. Apologetics, Christian.
N. Y. P. L. August 26, 1925

NM 0919456 NN

Múzquiz, José G González
see González Múzquiz, José G

[Múzquiz, José María]
[Estudio especial de los conflictos que origina la diversidad de legislaciones sobre el estado y capacidad civil de las personas, particularmente en las materias relativas al matrimonio y á la tutela]
[Saltillo? 1897?]
[3]-39 p. n.t.-p. Caption: Señor president, señores delegados. 21 cm.
(No. 2 in a vol. lettered: Internacional privado y publico, v. 45)

NM 0919458 DLC

Múzquiz, José María.
Informe presentado por el lic. Jose M. Muzquiz ante la segunda sala del superior tribunal de justicia del estado de Coahuila, en la audiencia de vista celebrada el dia 3 de Mayo de 1899, con motivo del interdicto de obra nueva, promovido por d. Manuel Herrera contra d. Prisciliano Rangel, y sentencia respectiva. Saltillo, Coahuila, Tip. del Gobierno en Palacio, 1899.
56 p. 22 cm.
(No. 8 in a vol. lettered: Interdictos, testamentaria, v. 57)

NM 0919459 DLC

[Múzquiz, José María]
[Monografía presentada al 2. Concurso científico nacional, por el lic. José M. Múzquiz, delegado de la Academia coahuilense de jurisprudencia] [Saltillo, 1897]
[3]-26 p. 20½cm.
Signed: José M. Múzquiz.
"El objeto cardinal del tema que he adoptado, se concreta al estudio especial de 'los conflictos que origina la diversidad de legislaciones sobre el estado y capacidad civil de las personas, particularmente en las materias relativas al matrimonio y á la tutela'."—p. [3]
No. 31 in a volume lettered: Colección de leyes.
——— Suplemento ... Saltillo, Tipografía del gobierno en palacio, dirigida por S. Mora, 1897.
53 p. 20½cm.
No. 32 in a volume lettered: Colección de leyes.
1. Capacity and disability 2. International law, Private.
44-14825

NM 0919460 DLC

Law

Múzquiz, Melchor, 1790-1844.

Mexico. *Laws, statutes, etc.*
[Bandos. México, 1824]

Múzquiz, Melchor, 1790-1844.
Dictamen de la Comisión de Analisis de las memorias que en los años de 26 y 27 ...
see under Mexico (State) Congreso. Comisión de Analisis.

F1203 F16 v.34:11 x

Múzquiz, Melchor.
Libertad de Puebla ... Puebla 25 de diciembre de 1828.- [Signed] Melchor Muzquiz ... Es cópia. Méjico diciembre 26 de 1828.- [Signed] Basadre. [Mexico? 1828?]
broadside. 29x30cm.fold.to 29x17cm.
[Papeles varios. v.34, no.11]

Address of Múzquiz to "Escmo. sr. ministro de la guerra."

NM 0919463 CU-B

Múzquiz, Melchor, 1790-1844.
Grito de centralismo en Jalapa
see under title

Múzquiz, Melchor, 1790-1844.

Mexico. *Supremo poder conservador.*
Manifestacion de la validez del decreto de 13 de mayo de 1840, espedido por el supremo poder conservador, y satisfaccion a los reparos hechos por el Supremo gobierno en 5 del corriente. México, Impreso por I. Cumplido, 1840.

Pamphlet Mexico 1828 +M98

Muzquiz, Melchor, 1790-1844
Nuevo plan de Puebla a favor de los patriotas, por el General D.Melchor Muzquiz. [Mexico, Imprenta en las Escalerillas,á cargo de Manuel Ximeno]
4 p.

NM 0919466 CtY

Múzquiz, Melchor, Pres. Mexico, 1790-1841
see also
Mexico. Presidente, Aug. 14-Dec. 26, 1832 (Melchor Múzquiz)
Mexico (State) Gobernador (Múzquiz)

Múzquiz, Miguel de, count de Gausa.
Tratado instructivo, y práctico sobre el arte de la tintura: reglas experimentadas y metódicas para tintar sedas, lanas, hilos de todas class, y esparto en rama. Madrid, 1778.

NM 0919468 WU

Múzquiz Blanco, Manuel, 1883-1933.
... Cartas de mujeres. San Antonio, Tex., Casa editorial Lozano, 1919.
126 p. 17½cm.

I. Title.

Library of Congress PQ7297.M8C3 20-5752

NM 0919469 DLC CU-B

Muzquiz Blanco, Manuel, 1883-1933.
... La casa del dolor, del silencio y de la justicia. México, D. F., Talleres gráficos: Editorial y "Diario oficial", 1930.
191 p., 2 l. incl. port. 23cm.
At head of title: Manuel Muzquiz Blanco, secretario de la Penitenciaría de México.

1. Mexico (City) Penitenciaría. I. Title.

34-41901

Library of Congress HV9515.M42P47 365.9725

NM 0919470 DLC TxU CLSU

Muzquiz Blanco, Manuel.
... La casa del dolor, del silencio y de la justicia. México, D. F., Talleres gráficos: editorial y "Diario oficial", 1930.
191 p., 1 l., [2] p. incl. port. 23cm.
Illustrated cover.

1. Prisons—Mexico. 2. Crime and criminals—Mexico. 3. Punishment—Mexico. I. Title.

35-36851

NM 0919471 DLC

G972.81 M978c

MUZQUIZ BLANCO, MANUEL.
... Crónicas, entrevistas y conferencias. México, D.F. [Tip. E. correccional] 1925.
90p. 22cm.

1. Guatemala - Pol. & govt. 2. Guatemala - Relations (General) with Mexico. 3. Mexico - Relations (General) with Guatemala. I. Title.

NM 0919472 TxU MH

Múzquiz Blanco, Manuel, joint author.

Islas, Felipe.
De la pasión sectaria a la noción de las instituciones [por] señores Felipe Islas y Manuel Múzquiz Blanco ... México, D. F., 1932.

VOLUME 403

pF1235
H89M8

Múzquiz Blanco, Manuel, 1883-1933.
Discursos pronunciados por los sres. diputados lic. Manuel Múzquiz Blanco y lic. Alfonso Teja Zabre en la sesión celebrada en la Cámara de Diputados el día 21 de abril de 1914. México [1914]
14 p. 20cm.

1. Huerta, Victoriano, Pres. Mexico, 1854-1916. 2. Mexico - Politics and government - 1910-1946. I. Teja Zabre, Alfonso, 1888-1962.

NM 0919474 CU-B

Múzquiz Blanco, Manuel, 1883-1933.
En casa ajena ...
see his Páginas del destierro.

Múzquiz Blanco, Manuel.
... Huerto cerrado. México, 1928.
170, [2] p. port. 17cm.
Poems.

I. Title.

35-29289
PQ7297.M8H8 861.6

NM 0919476 DLC

Muzquiz Blanco, Manuel.
Paginas del destierro. En casa ajena; impresiones y semblanzas por Manuel Muzquiz Blanco. San Antonio, Tex., Casa editorial Lozano, 1916.
126 p., 1 l. incl. illus., ports. 18½cm.

I. Title. II. Title: En casa ajena.

Library of Congress PQ7297.M8E5 17-20173

NM 0919477 DLC CU-B

F1203
T4M88
x

Múzquiz Blanco, Manuel.
Sonora-Sinaloa: visiones y sensaciones. México, 1923.
159 p. illus., ports. 19cm. [Terrazas collection]

NM 0919478 CU-B IU

Muzquiz Blanco, Manuel, 1883-1933.
... El tesoro de Axayacatl; novela historica por Manuel Muzquiz Blanco. San Antonio, Tex., Casa editorial Lozano [°1920]
84, [1] p., 1 l. 17cm.
At head of title: Episodios nacionales.

I. Title.

Library of Congress PQ7297.M8T4 21-5720

NM 0919479 DLC

F3444
.C538

Muzquiz de Miguel, José Luis.
El conde de Chinchón, virrey del Perú. Madrid, 1945.
334 p. illus., port., maps (1 fold.) 22 cm. (Publicaciones de la Escuela de Estudios Hispano-Americanos de la Universidad de Sevilla, 18 (no. general) Serie 2.: Monografías, no. 5)
Bibliographical footnotes.

1. Chinchón, Luis Gerónimo Fernández de Cabrera y Bobadilla, conde de, 1586-1647. (Series: Seville. Universidad. Escuela de Estudios Hispano-Americanos. Publicaciones, 18. Series: Seville. Universidad. Escuela de Estudios Hispano-Americanos. Ser. 2.: Monografías, no. 5)

A 48-6786*

Yale Univ. Library
for Library of Congress [2]

NM 0919480 PU MH InU InU ICU PU TxU ViU MnU CtY DSI CU WaU FMU MU NNC NN NcD IU

Múzquiz Martínez, Ignacio.
Individualización de la pena. México, 1949.
74 p. 23 cm.
Tesis (licenciatura en derecho)—Universidad Nacional Autónoma de México.
Bibliography: p. 73.

1. Punishment. 2. Punishment—Mexico. I. Title.

HV8669.M8 50-26276

NM 0919481 DLC

Múzquiz Martínez, Oscar.
La delincuencia infantil en el medio mexicano y el régimen de medidas de seguridad adoptado en la ley. México, 1948.
163 p. 23 cm.
Tesis (licenciatura en derecho)—Univ. Nacional Autónoma de México.
"Bibliografía": p. 161.

1. Juvenile delinquency—Mexico. I. Title.

49-16828*

NM 0919482 DLC

F1938
.4
M8

Muzquiz y Callejas, Joaquín Martí de.
Una idea sobre la cuestion de Santo Domingo, de Joaquín María [sic] Muzquiz y Callejas. Madrid, A. P. Dubrull, 1864.
29 p.

1. Dominican Republic - Hist. - 1844-1930. I. Title.

NM 0919483 CU

Múzsák.
[Budapest]
v. illus. 21 x 24 cm. quarterly.

1. Museums—Hungary—Periodicals.

AM45.5.A2M87 72-622485

NM 0919484 DLC

Muzsi, Piroska.
Adalékok Pierre Bayle hatásához Voltaire-re, irta Muzsi Piroska. Hódmezővásárhely: Erdei Sándor könyvnyomdája, 1928. 50 p. 8°.
Bibliography, p. 51.

589280A. 1. Bayle, Pierre, 1647-1706. 2. Voltaire, François Marie Arouet de, 1694-1778.
N. Y. P. L. June 22, 1932

NM 0919485 NN

Muzsnai, Ágnes.
Viktor Hugó hatása a magyar regényirodalomra, irta Muzsnai Ágnes. Pécsett: Dunántúl könyvkiadó és nyomda r. t., 1930. 38 p. 24½cm.
"Bibliographia," 1 p. at end.

745593A. 1. Hugo, Victor Marie, comte, 1802-1885. 2. Fiction, Hungarian—Hist. and crit.
N. Y. P. L. February 18, 1935

NM 0919486 NN DLC-P4

Muzsnai, Dioniz.
Bohm Károly szellemtana és sz újabb torskvések a mai lelektanban. Szeged. Diss., 1927.

NM 0919487 PU

Muzsnai, Dioniz.
Die "Projektion" in der Psychologie Karl Böhms. (In: Aus den Forschungsarbeiten der Mitglieder des Ungarischen Instituts und des Collegium Hungaricum in Berlin. Berlin, 1927. 8°. p. [24-]30.)
Bibliographical footnotes.

1. Böhm, Károly, 1846-1911.
N. Y. P. L. February 11, 1930

NM 0919488 NN

Gzz
972.04
M988l

[MUZST, PRICILIANO] pseud.
Lamentos del pobrecito amolador. [México, Oficina de don José Fernández de Lara, 1822]
[4]p. 19½cm.
Caption title.
A criticism of Pablo Villavicencio and Fernández de Lizardi.
Signed at end: Priciliano Muzst [pseud.]

1. Mexico - Pol. & govt. - 1821-1861. 2. Villavicencio, Pablo de. 3. Fernández de Lizardi, José Joaquín, 1776-1827. 3. Mexico - Pol. & govt. - 1821-1861. I. Title.

NM 0919489 TxU

Muzufferpur, *India (District)*
see
Muzaffarpur, *India (District)*

Muzumdar, Amvica Charan
see Mazumdar, Amvika Charan, 1851-1922.

Muzumdar, Haridas Thakordas.
The crisis in India, from non-embarrassment to non-cooperation, by Haridas T. Muzumdar. New York, Universal pub. co., 1942. 15 p. 21cm.
"Reprinted from Fellowship, New York, September, 1942."

1. India—Hist., 1919- 2. World war, 1939-1945—India.
N. Y. P. L. May 8, 1946

NM 0919492 NN MH MnU

Muzumdar, Haridas Thakordas.
Gandhi the apostle; his trial and his message, by Haridas T. Muzumdar ... 1st ed. Chicago, Universal publishing co., 1923.
vii p., 1 l., 11-208 p. 20½cm.

1. Gandhi, Mohandas Karamchand, 1869-

Library of Congress DS481.G3M8 23-11200

NM 0919493 MoU KyLxCB CU DLC WaS OrCS NN NjP OOxM ICJ OKentU

Muzumdar, Haridas Thakordas.
Gandhi triumphant! The inside story of the historic fast, by Haridas T. Muzumdar ... New York, Universal publishing co., 1939.
x, 11-103 p. front. (port.) 21cm.

1. India—Pol. & govt.—1919- 2. Gandhi, Mohandas Karamchand, 1869- I. Title.

Library of Congress DS481.G3M815 39-18149
——— Copy 2.
Copyright A 128879 [12] 923.254

NM 0919494 WaWW CaBVaU DLC CU OrU NIC NcD NN PU PP PSC IdU

VOLUME 403

Muzumdar, Haridas Thakordas.
Gandhi versus the Empire, by Haridas T. Muzumdar; with a foreword by Will Durant. New York, Universal publishing company [°1932]
xii, [4], 17-352 p. front., plates, ports. 23½ cm.

1. Gandhi, Mohandas Karamchand, 1869-1948. 2. India—Pol. & govt.—1919-1947. I. Title.
DS481.G3M82 923.254 33-3095

NM 0919495 DLC PU PV PBm MiU OCU ViU NN CU NSyU FTaSU CoU WaE IdU WaS OrSaW CaBVa

---

Muzumdar, Haridas Thakordas.
India, discussed by Dr. Haridas T. Muzumdar, Miss Cornelia Sorabji [and others] ... November 22, 1930 ... New York luncheon discussion. New York, Foreign policy association [1931]

Muzumdar, Haridas Thakordas.
... India's non-violent revolution, by Haridas T. Muzumdar ... New York city, India today and tomorrow series [°1930]
63, [1] p. 19cm. (India today and tomorrow series: no. 1)
Advertising matter: p. 59-[64]

1. India—Pol. & govt.—1919- 2. Gandhi, Mohandas Karamchand, 1869- I. Title.
Library of Congress DS480.45.M85 30-32629
——— Copy 2.
Copyright A 31344 [5] 954
Provisional

NM 0919497 DLC CU OCl OU

Muzumdar, Haridas Thakordas.
Invitation to peace, by Haridas T. Muzumdar... New York: Universal pub. co. [1939] 34 p. 15½cm.
"Recommended reading," p. 33-34.

1. European war, 1939- —Poetry. 2. Poetry, American. I. Title.
N. Y. P. L. January 23, 1942

NM 0919498 NN

Muzumdar, Haridas Thakordas.
Mahatma Gandhi, peaceful revolutionary. New York, Scribner, 1952.
127 p. 21 cm. (Twentieth century library)

1. Gandhi, Mohandas Karamchand, 1869-1948.
DS481.G3M85 923.254 52-13496 ‡

NM 0919499 DLC MiU PMC MB NcC NN TU ViU KEmT CaOTP CU CSaT NSyU CaBVa MtU OrP WaS CaBVaU IdU Or Wa WaT

DS 481 G3 M85 1953
Muzumdar, Haridas Thakordas.
Mahatma Gandhi, peaceful revolutionary.
New York, Scribner, 1953.
127 p.
1. Gandhi, Mohandas Karamchand, 1869-1948.

NM 0919500 KMK MnU MeB

Muzumdar, Haridas Thakordas.
...An open letter to the Right Honorable Lloyd George, the British prime minister; being a challenge, a condemnation, an indictment of British policy, character, civilization, by Haridas Thakordas Muzumdar... [New York City: Allied Prtg. Trades Council, 1920.] 31(1) p. illus. (incl. facsim., port.) 8°. ("Universal peace" series. v. 1.)

1. India.—Government, 1914- . 2. Series.
N. Y. P. L. November 29, 1920.

NM 0919501 NN

Muzumdar, Haridas Thakordas, ed.
... Peshawar: men versus machine guns, edited by Haridas T. Muzumdar ... New York city, India today and tomorrow series [°1931]
63, [1] p. 18½cm. (India today and tomorrow series: no. 2)
Advertising matter: p. 63-[64]

1. India—Pol. & govt.—1919- 2. Peshawar, India.
Library of Congress DS480.7.M8 32-16532
——— Copy 2.
Copyright A 49877 [3] 954.2

NM 0919502 DLC OCl OU

Muzumdar, Haridas Thakordas.
... The Round table conference and its aftermath, by Haridas T. Muzumdar ... New York city, India today and tomorrow series, °1932.
16 p. 19cm. (India today and tomorrow series: no. 4)

1. Indian round table conference, London, Sept. 7-Dec. 1, 1931. 2. India—Pol. & govt.—1919- I. Title.
32-17138
Library of Congress DS448.I 65 1931 h
Copyright AA 96879 [2] 954
Provisional

NM 0919503 DLC OCl OU

DS480 .45 .G253 1924
Muzumdar, Haridas Thakordas, ed.
Gandhi, Mohandas Karamchand, 1869-1948.
Sermons on the sea, by Mahatma Gandhi, with an introduction by John Haynes Holmes ... edited by Haridas T. Muzumdar ... Chicago, Universal publishing co., 1924.

Muzumdar, Haridas Thakordas.
... The story of peace negotiations, and An open letter to the American people, by Haridas T. Muzumdar ... New York city, India today and tomorrow series, °1932.
16 p. 19½ cm. (India today and tomorrow series: no. 3)

1. India—Pol. & govt.—1919-1947. I. Title.
DS480.7.M82 954 32-17136
Provisional

NM 0919505 DLC OCl

Muzumdar, Haridas Thakordas.
The united nations of the world; a treatise on how to win the peace, by Haridas T. Muzumdar. New York, Uuniversal publishing company [1942]
xvi, 17-288 p. 22cm.
"First edition, August, 1942."
Bibliographical references included in "Notes" (p. 249-280)

1. International organization. 2. Reconstruction (1939- I. Title.
42-22248
Library of Congress JC361.M83
[a44n5] 321.041

NM 0919506 DLC WaTC PSC GU PSt OU NcD MiEM FU OrU OCl

JC 361 M99 1944
Muzumdar, Haridas Thakordas.
The united nations of the world; a treatise on how to win the peace, by Haridas T. Muzumdar. 2d ed. New York, Universal publishing co., 1944.
xvi, 288 p. 22 cm.
Bibliographical references included in "Notes" (p.249-280)

1. International cooperation
2. Reconstruction (1939-1951) I. Title

NM 0919507 CU UU PHC

B132 .Y6M9
MUZUMDAR, S
Yogic exercises for the fit and the ailing.
Bombay, Orient Longmans [1949]
7+106 p. illus.

1. Yoga--Hatha. I. Tc.

NM 0919508 InU

American Oriental Society D421
Muzumdar, V D comp.
A narrative of the development and achievement of the Bombay Branch, Royal Asiatic Society. [Bombay]1954.
50p. ports. 24cm.
On cover: Sārdha-Satābdī celebrations (150th anniversary).

NM 0919509 CtY DLC-P4

Muzy, Edmond.
La thérapeutique orthopédique fonctionnelle de la face. Préf. de Harold Chapman; avant-propos, traduction et commentaires par Étienne Cadenat. Paris, J. Prélat [1952]
159 p. illus. 24 cm.

1. Therapeutic, Dental. 2. Teeth—Abnormities and deformities. I. Title.
RK521.M89 53-20753 ‡

NM 0919510 DLC

Muzychenko, N A
Машины и орудия для механизации работ в садах и виноградниках. Москва, Гос. научно-техн. изд-во машиностроит. лит-ры, 1955.
79 p. illus. 20 cm. (В помощь механизаторам сельского хозяйства)
Erratum slip inserted.

1. Agricultural machinery. I. Title.
Title transliterated: Mashiny i orudiia dlia mekhanizatsii rabot v sadakh.
S675.M8 56-32963

NM 0919511 DLC

W 4 M96 1950
MUZYCZKA, Jaroslaw, 1921-
Die gerichtlich-medizinische Bedeutung der Röntgenstrahlen-Schädigungen.
[München] 1950.
27 l.
Typewritten copy.
Inaug.-Diss. - Munich.
1. Medical jurisprudence - Germany
2. Roentgen rays - Effects

NM 0919512 DNLM

Muzyka; kwartalnik poświęcony historii i teorii muzyki oraz krytyce naukowej i artystycznej. -grud. 1955; [nowa seria] r. 1- kwiec. 1956- Warszawa.
v. illus., ports., music. 25 cm.
Monthly, 19 -Dec. 1955.
Began publication with Apr. 1950 issue.
Supersedes Ruch muzyczny.
Issued by Państwowy Instytut Sztuki (with Związek Kompozytorów Polskich, 195 -55)
Vols. -6 called also no. -69.

1. Music—Period. 2. Music—Poland. I. Warsaw. Państwowy Instytut Sztuki. II. Związek Kompozytorów Polskich.
ML5.M9917 56-43381 rev

NM 0919513 DLC IU MB NSyU

Muzyka; mie sięcznik illustrowany.
Karol Szymanowski: monografia zbiorowa
see under Glinski, Mateusz, 1892- ed.

M 1619.5 S53M8
Muzyka do kobzaria, ch. 7. New York, Surma, 1954]
95 p. 31cm.
Music to the words of Taras Shevchenko, for soprano and alto solo, by M. Lysenko et al.
Cover title.

1. Songs with piano. 2. Schevchenko, Taras Hryhorovych, 1814-1861 - Musical settings.

NM 0919515 CoU

VOLUME 403

MUZYKA i muzycy polscy.
Łódź, "Czytelnik".
(Wiedza powszechna; wydawnictwo popularno-naukowe.)

1. Musicians, Polish.

NM 0919516 NN

Музыка и революция. Общественно-политический, массовый журнал музыкального искусства. Год изд. 1– Янв. 1926–
Москва, Государственное издательство—Музыкальный сектор, 1926–
v. illus., pl., ports. 26½cm. monthly.
Editor: Jan. 1926– L. V. Shul'gin.
Includes music.

1. Music—Period. 2. Music—Russia. I. Shul'gin, Lev Vladimirovich, ed.

Library of Congress ML5.M9925 31-18404

NM 0919517 DLC

Muzyka i śpiew.
Kraków.
v. 30 cm.
Publication suspended 1927–28.
Includes sacred and secular works for chorus (principally SATB)

1. Music—Period.

ML5.M93 65-68172/MN

NM 0919518 DLC

(Muzyka i zhizn')
Музыка и жизнь.
Ленинград, Изд-во Советский композитор
no. 21 cm.

1. Music—Russia—1917–

ML300.5.M765 74-644294 MARC-S

NM 0919519 DLC

Muzyka polska. 1– 1934–
[Warszawa, 1934–
v. illus. (incl facsim., music) 24cm.
Quarterly, 1934–35; bimonthly, 1936–
This publication and Polski rocznik muzykologiczny supersede Kwartalnik muzyczny.
Organ of Towarzystwo wydawnicze muzyki polskiej.
Editors: 1934– Adolf Chybiński and others.

1. Music—Period. 2. Music, Polish. 3. Music—Poland. I. Chybiński, Adolf, 1880– ed. II. Towarzystwo wydawnicze muzyki polskiej, Warsaw.

Library of Congress ML5.M9928 39-9583
[2]

NM 0919520 DLC NN

Muzyka polskiego odrodzenia; wybór utworów z XVI i początku XVII wieku. Pod red. Józefa M. Chomińskiego i Zofii Lissy. [Kraków] Polskie Wydawn. Muzyczne, 1953.
283 p. illus., facsims. (incl. music) 34 cm.
Instrumental and vocal music.

1. Instrumental music—To 1800. 2. Vocal music—To 1800. I. Chominski, Józef Michał, ed. II. Lissa, Zofia, joint ed.

M2.M98 M 55-710

NM 0919521 DLC ICN

(Muzykal'naia literatura zarubezhnykh stran)
Музыкальная литература зарубежных стран. Изд. 5-е. [Учеб. пособие для муз. училищ]. Москва, "Музыка," 19
v. ports., music. 20 cm. 1.34rub (v. 4) USSR 73 (v. 4)
At head of title, v. : Б. В. Левик.
Includes bibliographical references.

1. Composers—Biography. 2. Music—Analysis, appreciation. I. Levik, Boris Veniaminovich.

ML390.M9735 73-360087

NM 0919522 DLC

Музыкальная литература западноевропейских стран; учебное пособие для музыкальных школ. Москва, Гос. музыкальное изд-во, 1952–
v. ports., music. 23 cm.
At head of title, v. 1– : В. С. Галацкая; v. 2– : Б. В. Левик.
Vols. 2– have title: Музыкальная литература зарубежных стран.

1. Composers. 2. Music—Analysis, appreciation. I. Galatskaia, V. S. II. Levik, Boris Veniaminovich. III. Title: Muzykal'naia literatura zarubezhnykh stran.
Title transliterated: Muzykal'naia literatura zapadnoevropeiskikh stran.

ML390.M97 53-20233 rev/MN

NM 0919523 DLC OrU FMU

Музыкальная литература западноевропейских стран; учебное пособие для музыкальных училищ. Изд. 2. Москва, Гос. музыкальное изд-во, 1955–
v. ports., music. 23 cm.
At head of title, v. 1– : В. С. Галацкая; v. 2– : Б. В. Левик.
Vols. 2– have title: Музыкальная литература зарубежных стран.

1. Composers. 2. Music—Analysis, appreciation. I. Galatskaia, V. S. II. Levik, Boris Veniaminovich. III. Title: Muzykal'naia literatura zarubezhnykh stran.
Title transliterated: Muzykal'naia literatura zapadnoevropeiskikh stran.

ML390.M972 56-27120 rev/MN

NM 0919524 DLC FMU

(Muzykal'noe vospitanie v shkole)
Музыкальное воспитание в школе.
Москва, Изд-во Музыка
no. 22 cm.

1. School music—Instruction and study—Russia—Collected works.

MT3.R8M94 74-643161 MARC-S

NM 0919525 DLC

Muzykal'no-teoreticheskaia biblioteka v Moskve, Obshchestvo
see
Obshchestvo "Muzykal'no-teoreticheskaia biblioteka v Moskve."

Музыкальные игры и пляски в детском саду; из опыта работы музыкальных руководителей детских садов. Отв. редактор Н. А. Ветлугина. Москва, 1952.
135 p. illus. 27 cm.
At head of title: Академия педагогических наук РСФСР.
Includes music (principally for piano) for some of the dances.

1. Kindergarten—Music. I. Vetlugina, Natal'ia Alekseevna, ed. II. Akademiia pedagogicheskikh nauk RSFSR, Moscow.
Title romanized: Muzykal'nye igry i pliaski v detskom sadu.

M1990.M975 M 54-365

NM 0919527 DLC

ML410 .C4O67

Muzykal'nyi fond SSSR. Éstonskoe respublikanskoe otdelenie.

Orlova, Aleksandra Anatol'evna, 1911–
Фото-выставка Петр Ильич Чайковский, 1840–1893. [Таллин] Эстонское республиканское отд-ние Музыкального фонда СССР; Гос. дом-музей П. И. Чайковского, 1955.
112 [i. e. 118] photographs in 11 envelopes. 27 cm.
In portfolio.
——П. И. Чайковский; жизнь и творчество, 1840–1893. Таллин, Эстонское республиканское отд-ние Музыкального фонда СССР, 1955.

Музыкальный современникъ, журналъ музыкальнаго искусства ... сент. 1915–
[Петроградъ] 1915–
v. illus., plates (incl. music, part fold.) ports. (1 col.) facsims., fold. geneal. tables. 27–29cm.
Part of the illustrations, plates and portraits are mounted.
Eight issues a year, from September to April inclusive.
Editors: Sept. 1915– A. N. Rimskii-Korsakov and others.
Companion to Хроника "Музыкальнаго современника".

1. Music—Periodicals. 2. Music—Russia. I. Rimskii-Korsakov, Andrei Nikolaevich, 1878– ed.

Library of Congress ML5.M99 37-37726

NM 0919529 DLC

Muzykal'nyi teatr imeni V. I. Nemirovicha-Danchenko, *Moscow*
see
Moscow. Muzykal'nyi teatr imeni V. I. Nemirovicha-Danchenko.

Muzylev, G A
Обогащение угля в минеральных суспензиях. Москва, Углетехиздат, 1954.
124, [4] p. diagrs. 22 cm.
Errata slip inserted.
Bibliography: p. 124–[125]

1. Coal preparation. I. Title.
Title transliterated: Obogashchenie uglia v mineral'nykh suspenziiakh.

TN816.M8 55-35529

NM 0919531 DLC

G7001 .C5 1955 .L4

Muzylev, S. A.

Leningrad. Vsesoiuznyi geologicheskii institut.
Геологическая карта СССР. [Составлена под руководством С. А. Музылева и Л. П. Колосовой. Глав. редактор Д. В. Наливкин. Ленинград] 1955.

Muzylev, S. A.

Russia (1923– U. S. S. R.) Ministerstvo geologii i okhrany nedr.
Инструкция по составлению и подготовке к изданию геологической карты и карты полезных ископаемых масштаба 1 : 200 000. Обязательна для геол. организаций министерств и ведомств СССР. Составили С. А. Музылев и К. И. Шаффенгольц. Редакционная коллегия: Е. Т. Шаталов [и др.] Москва, Гос. научно-техн. изд-во по геологии и охране недр, 1955.

QE36 .L37

Muzylev, S. A.

Leningrad. Vsesoiuznyi geologicheskii institut.
Методическое руководство по геологической съемке и поискам. Составлено группой геологов ВСЕГЕИ под общим руководством С. А. Музылева. Москва, Гос. научно-техн. изд-во лит-ры по геологии и охране недр, 1954.

Muzzacato, Alberto, 1813–1877, ed.

Gazzetta musicale di Milano. anno [1]–6, 21–23, 27–57; 2. gen. 1842–25. dic. 1902. Milano, R. Stabilimento musicale Ricordi; [etc., etc., 1842–1902]

SB291 .H4V3

Muzzall, A. H., joint author.

Vance, Charles Freeman, 1871–
...Possibilities for para rubber production in the Philippine islands, by C. F. Vance, special agent, A. H. Muzzall, special agent, and J. P. Bushnell, assistant trade commissioner, Department of commerce, and Mark Baldwin, inspector, soil survey, Department of agriculture ... Washington, Govt. print. off., 1925.

VOLUME 403

Muzzall, Ernest Linwood, 1897-1966.
Disciplinary problems as indicated by a number of high school principals. 1927.

NM 0919537 WaPS

Muzzall, Ernest Linwood, 1897-1966.
The relationship of the governor to public education in the State of Washington. Palo Alto, Calif., Stanford University, 1952.
216 L. tables.

Thesis (Ed. D.)--Stanford University.

NM 0919538 WaElC

Muzzall, Ernest Linwood, 1897-1966.
The relationship of the governor to public education in the state of Washington. [Seattle] 1952.
216 p. (microfilm, 1 reel)

NM 0919539 Wa

[Muzzarelli, A.] Il tempio della fedeltà, La cioccolata, La bottega del caffè; poemetti. Bologna. 1774. 8°. pp. xciv. Vigna.

NM 0919540 MH-A

Muzzarelli, Alfonso, 1749-1813. Œuvres choisies. Paris, n. d. 2 v. 18°. —S247

NM 0919541 MdBP

MUZZARELLI,[Alfonso],1749-1813.
Abus dans l'église. Traduit de l'italien. Avignon,Seguin aîné,1826.

pp.36.
Cover: Opuscules théologiques de Muzzarelli, 2.

NM 0919542 MH

Muzzarelli, Alfonso, 1749-1813.
Il Buon Uso Della Logica in Materia Di Religione.
Foligno, 1789.

NM 0919543 OClStM

Muzzarelli, Alfonso, 1749-1813.
Il buon uso della logica in materia di religione. 5. ed. Firenze, A. Tofani, 1821-23.
11 v. in 6. 18 cm.

1. Apologetics - 19th century. I. Title.

NM 0919544 DCU

[Muzzarelli, Alfonso] 1749-1813.
Il carnevale santificato dai divoti di Maria, colla memoria de' suoi dolori. Parma, Dalla stamperia Carmignani,1801.
204p.

NM 0919545 CtY

Muzzarelli, Alfonso.
Complément de la correspondance de la cour de Rome avec Buonaparte
see under title

Muzzarelli, Alfonso, S. J., 1749-1813.
De auctoritate Rom. pontificis in conciliis generalibus, opus posthumum ... Gandavi, typis Bernardi Poelman, [1815].
2 v. 21cm.

1. Councils and synods. 2. Febronianism. 3. Popes - Infallibility. I. Geerts, Cornelius, S. J., fl. 1769-1815, ed.

NM 0919547 DCU CU-L PPPD

MUZZARELLI,[Alfonso],1749-1813.
De l'excommunication. Traduit de l'italien. Avignon,Seguin aîné,1826.

pp.24.
Cover: Opuscules théologiques de Muzzarelli, 15.

NM 0919548 MH

Muzzarelli, Alfonso.
... De las riquezas del clero. Escrito por el conde Muzzarelli en su obra titulada: el buen uso de la lógica en materia de religión. [Reimpreso en Guadalajara, Oficina de la viuda de Romero, 1824]

45 p. 21cm. [Papeles varios. v. 40, no. 15]
Caption title.
At head of title: Opúsculo XI.

NM 0919549 CU-B

MUZZARELLI,[Alfonso],1749-1813.
Des obligations d'un pasteur dans les tribulations de l'église. Traduit de l'italien. Avignon,Seguin aîné,1826.

pp.71.
Cover: Opuscules théologiques de Muzzarelli, 23.

NM 0919550 MH

MUZZARELLI,[Alfonso],1749-1813.
Discipline ecclésiastique. Traduit de l'italien. Avignon,Seguin aîné,1826.

pp.75.
Cover: Opuscules théologiques de Muzzarelli, 18.

NM 0919551 MH

MUZZARELLI,[Alfonso],1749-1813.
Dissertation sur cette question: Le souverain pontife a-t-il le droit d'ôter son siège à un evéque,malgré lui,dans un cas de nécessité pour l'église ou de grande utilité? Tradui de l'italien. Avignon,Seguin aîné,1826.

pp.69.
Cover: Opuscules théologiques de Muzzarelli, 26.

NM 0919552 MH

MUZZARELLI,[Alfonso],1749-1813.
Domaine temporel du pape. Traduit de l'italien. Avignon,Seguin Aîné,1826.

pp.42 .
Cover: Opuscules théologiques de Muzzarelli, 14.

NM 0919553 MH

Muzzarelli, Alfonso, 1749-1813.
L'Emilio disingannato; dialoghi filosofici, opera arricchita d'illustrazioni varie per cura della Pia Associazione. Venezia, 1828

NM 0919554 MH

Muzzarelli, Alfonso, 1749-1813.
Esercizio di devozione al sacro cuore di Gesu' per ottenere una vera conversione del P.Alf.Muzzarelli D.C.D.G. Bologna, C.Guidetti, 1870.

NM 0919555 MH

[MUZZARELLI,Alfonso.]
Gian Iacopo Rousseau,accusatore de' filosofi. Assisi,1798.

pp.70.

NM 0919556 MH

Muzzarelli, Alfonso.
... Inmunidad eclesiástica personal, carta única, escrita por el conde Muzzarelli en su obra titulada: El buen uso de la lógica en materia de religión. [Guadalajara, Reimpreso en la oficina de la viuda de Romero, 1824]

31 p. 21cm. [Papeles varios. v. 40, no. 13]
Caption title.
At head of title: Opúsculo XVIII.

NM 0919557 CU-B

Muzzarelli, Alfonso, 1749-1813.
L'infaillibilité du pape prouvée par les principes mêmes et le sentiment universal de l'Eglise Gallicane. Avignon, Seguin aîne, 1826.

NM 0919558 OCX

MUZZARELLI,[Alfonso],1749-1813.
Inquisition. Traduit de l'italien. Avignon Seguin aîné,1826.

pp.84.
Cover: Opuscules théologiques de Muzzarelli, 10.

NM 0919559 MH

MUZZARELLI,[Alfonso],1749-1813.
J.-J.Rousseau accusateur des prétendus philosophes de son siècle,et prophète de leur destruction. Traduit de l'italien. Avignon, Seguin aîné,1828.

pp,56.
Cover: Opuscules théologiques de Muzzarelli, 34.

NM 0919560 MH

VOLUME 403

Muzzarelli, Alfonso.
Lettera a Soffi'a intorno alla setta dominante, Giansinisti, del nostro tempo. Fuligno, Tomassini, 1790.
262 p.

NM 0919561 PU-L

BX 4721 .M95 (Rare) Muzzarelli, Alfonso, 1749-1813.
Lettera a Soffia intorno alla setta dominante del nostro tempo... 2. ed. Fuligno, G. Tomassini stampator vescovile e della Reggenza, 1814.
230, [1] p. 2 fold. tables. 21 cm.

1. Jansenists. I. Title.

NM 0919562 ICU

MUZZARELLI, [Alfonso], 1749-1813.
Lettre sur la secte dominante de nos jours; ou Il est traité de la grace, de la charité, du déisme, de la philosophie, et du droit politique. Traduite de l'italien. Avignon, Seguin aîné, 1828.

Cover: Opuscules théologiques de Muzzarelli, 35.

NM 0919563 MH

F857 M95 Muzzarelli, Alfonso.
A method of spending the vacation profitably. Addressed to the youth who frequent the schools of the Society of Jesus. Translated from the Italian of Father Muzzarelli, S. J. San Jose, A. Waldteufel, 1868.
67 p. 12cm. in cover 20cm.

NM 0919564 CU-B

Muzzarelli, Alfonso, 1749-1813.
Mois de Marie, par le P. Muzzarelli, S. J. Traduit en Arabe. Deuxième edition. Mossoul, Imp. des PP. Dominicains, 1883.
p. 285. 12 1/2 cm.

NM 0919565 DCU-H

Muzzarelli, Alfonso, 1749-1813.
Il mese di maggio consacrato a Maria Vergine in brevi e famigliari sermoni sui temi del P. Muzzarelli; con nuovi esempi per Filippo Diletti. 8. edizione. Bologna, Tipografia Pont. Mareggiani, 1901.
401p 19cm

NM 0919566 MnCS

242 M98 Muzzarelli, Alfonso.
Novena para prepararse a la festividad del Sagrado Corazon de Maria Santísima de Guadalupe, dispuesta por el canónigo Alfonso Muzzarelli y traducida del italiano por L. G. C. México, Imprenta del ciudadano A. Valdes, 1831.
viii, 56 p.

NM 0919567 NNC

MUZZARELLI, [Alfonso], 1749-1813.
Observations sur l'administration capitulaire des évêques nommés. Traduit de l'italien. Avignon, Seguin aîné, 1826.

pp. 34.
Cover: Opuscules théologiques de Muzzarelli, 24.

NM 0919568 MH

Muzzarelli, Alfonso, 1749-1813.
Operette inedite. Scritte nel tempo dell'Italica persecuzione. Fuligno, Tomassini, 1800.

123 p.

NM 0919569 MH

Muzzarelli, Alfonso, 1749-1813.
Opuscules de Muzzarelli. Avignon, Seguin aîné, 1826.

NM 0919570 OCX

Muzzarelli, Alfonso, S.J., 1749-1813.
[Opuscules théologiques]. Traduit de l'italien. Avignon, Seguin aîné, 1826-28.
7 v. 18 cm.

Contents listed in v.1, p.13-14.

NM 0919571 PLatS

F1203 P16 v.40:14 x Muzzarelli, Alfonso.
Opúsculo de la escomunion, escrito por el conde Muzzarelli en la obra titulada: el buen uso de la lógica en materias de religion. [Guadalajara, Reimpreso en la oficina de la viuda de Romero, 1824]
33 p. 21cm. [Papeles varios. v. 40, no. 14]
Caption title.

NM 0919572 CU-B

MUZZARELLI, [Alfonso], 1749-1813.
Origine de la juridiction des évêques dans leurs propres diocèses. Traduit de l'italien Avignon, Seguin aîné, 1826.

pp. 80.
Cover: Opuscules théologiques de Muzzarelli, 25.

NM 0919573 MH

MUZZARELLI, [Alfonso], 1749-1813.
Réflexions sur les tribulations de l'église. Traduit de l'italien. Avignon, Seguin aîné, 1826.

pp. 60.
Cover: Opuscules théologiques de Muzzarelli, 22.

NM 0919574 MH

Muzzarelli, Alfonso, 1749-1813.
Religion du philosophe; ... traduits de L'Italien. Avignon, Seguin Aîné, 1827.

NM 0919575 OCX

MUZZARELLI, [Alfonso], 1749-1813.
Richesses du clergé. Traduit de l'italien. Avignon, Seguin aîné, 1826.

pp. 64+.
Cover: Opuscules théologiques de Muzzarelli, 12.

NM 0919576 MH

MUZZARELLI, [Alfonso], 1749-1813.
Sur le mariage en tant que sacrement. Traduit de l'italien. Avignon, Seguin aîné, 1829.

pp. 24.
Cover: Opuscules théologiques de Muzzarelli, 11.

NM 0919577 MH

MUZZARELLI, [Alfonso], 1749-1813.
Tolérance. Traduit de l'italien. Avignon, Seguin aîné, 1826.

pp. 66.
Cover: Opuscules théologiques de Muzzarelli, 9.

NM 0919578 MH

Muzzarelli, Antoine
see Muzzarelli, Antoine Jules César Venceslas Ermanigilde, 1847-

Muzzarelli, Antoine Jules César Venceslas Ermanigilde, 1847- *ed.*
The academic French course in accordance with the latest grammatical rules adopted by the French academy, by Antoine Muzzarelli ... First year. New York, Cincinnati [etc.] American book company [°1894]
299 p. 19cm. PC2111.M85 vol. 1
Copyright 1894: 47320
—— Key to The academic French course. First year, by Antoine Muzzarelli ... For teachers only. New York, Cincinnati [etc.] American book company [°1895]
91 p. 19cm.
1. French language—Composition and exercises. 10-26856-7 Revised
Library of Congress PC2111.M851 vol. 1

NM 0919580 ViU DLC OrU DHEW MB ICU OCl PU PP CU OCX

Muzzarelli, Antoine Jules César Venceslas Ermanigilde, 1847- *ed.*
The academic French course in accordance with the latest grammatical rules adopted by the French academy, by Antoine Muzzarelli ... Second year. New York, Cincinnati [etc.] American book company [°1895]
342 p. 19cm. PC2111.M85 vol. 2
Copyright 1895: 47320
—— Key ... Second year, by Antoine Muzzarelli ... For teachers only. New York, Cincinnati [etc.] American book company [°1895]
142 p. 19cm.
1. French language—Composition and exercises. 10-26836-7 Revised
Library of Congress PC2111.M851 vol. 2

NM 0919581 DLC CU DHEW PPD NBuG OCl NIC ViU

Muzzarelli, Antoine Jules César Venceslas Ermanigilde, 1847-
... Antonymes de la langue française. Exercices gradués pour classes intermédiaires et supérieures des écoles, collèges et universités, par A. Muzzarelli ... Livre de l'élève. New York, W. R. Jenkins; [etc., etc., 1889]
185, [3] p. 19cm. (Cours pratique de français)

1. French language—Antonyms. 11-2873
Library of Congress PC2591.M8

NM 0919582 DLC MH OCl NN

Muzzarelli, Antoine Jules César Venceslas Ermanigilde, 1847-
... Antonymes de la langue française. Exercices gradués pour classes intermédiaires et supérieures des écoles, collèges et universités, par A. Muzzarelli ... Livre du maître. New York, W. Jenkins; [etc., etc., 1889]
x, [7]-185, [3] p. 19cm. (Cours pratique de français)

1. French language—Antonyms. 11-2874
Library of Congress PC2591.M83

NM 0919583 DLC MH ViU

VOLUME 403

Muzzarelli, Antoine Jules Cesar Venceslas Ermanigilde, 1847- ed.
Beaumarchais, Pierre Augustin Caron de, 1732–1799.
... Beaumarchais' Le barbier de Séville, ed. with explanatory notes and full vocabulary, by Antoine Muzzarelli ... New York, D. Appleton and company, 1902.

Muzzarelli, Antoine Jules César Venceslas Ermanigilde, 1847–
A brief French course in conformity with the laws of syntax promulgated by the French government, by decree of March 11, 1901, by Antoine Muzzarelli ... New York, Cincinnati [etc.] American book company [1901]
394 p. 19cm.

1. French language—Composition and exercises.

Library of Congress PC2111.M87 1–20400 Revised

NM 0919585 DLC OrU CU PSC PBm MiU OU NjP

Muzzarelli, Antoine Jules César Venceslas Ermanigilde, 1847-
Cours pratique de français. Antonymes de la langue française
see his ... Antonymes de la langue française.

MUZZARELLI, ANTONIO.
Der bestrafte Betrueger; tragisch-pantomimisches Ballet in fuenf Aufzuegen. Aufzufuehren auf den Kaiserl. Koenigl. Schaubuehnen. Verfasst von Anton Muzzarelli, in wirkl. Diensten Sr. k.k. Majestaet. Wien, 1793. 29 p. 18cm.
Ballet scenario, in German and Italian.
Added t.p. in Italian has title: L'impostore punito.
"La musica del ballo è del Sigre. Antonio Capuzzi, e i pezzi concertati del Sigre. Pietro Dutillieu." CIA FORNAROLI COLLECTION

1. Ballet. L'impostore punito. I. Title II. Title: L'impostore punito.

NM 0919588 NN

Muzzarelli, Antonio.
Kastor und Pollux; heroisch-pantomimisches Ballet in fünf Aufzügen. Aufzuführen auf den kaiserl. königl. Schaubühnen. Verfasst von Anton Muzarelli. Wien, 1792. 31 p.
Microfilm (negative). München, Bayerische Staatsbibliothek, 1957. Added t.p. in Italian, with title: Castore e Polluce ... composto da Antonio Muzzarelli. Ballet Scenario in German and Italian.
1. Ballets - Scenarios. (1) TITLE: Castore e Polluce. (TITLE)

NM 0919589 NN

MUZZARELLI, ANTONIO.
Die Niederlage der Amazonen. Ein tragisch-pantomimisches Ballet in drey Akten. Aufgefuehrt auf den k.k. Schaubuehnen in Wien. Verfasst von Anton Muzzarelli... Wien, 1794. [13] p. 18cm.
Ballet scenario, in German and Italian.
Added t.p. in Italian has title: La sconfitta delle Amazoni.
CIA FORNAROLI COLLECTION
1. Ballet. La sconfitta delle Amazoni. I. Title. II. Title: La sconfitta delle Amazoni.

NM 0919590 NN

MUZZARELLI, ANTONIO.
Die wieder gefundene Tochter Otto des II., Kaisers der Deutschen. Ein heroischer Ballet in fuenf Aufzuegen. Aufgefuehrt auf den k.k. Schaubuehnen in Wien. Verfasst von Anton Muzzarelli... Wien, 1794. 19 p. 17cm.
Ballet scenario, in German and Italian
Added t.p. in Italian has title: La ritrovata figlia di Otton II., imperatore di Alemagna.

Continued in next column

Continued from preceding column

"La musica è dell Sigre. Leopoldo Kozeluch."

CIA FORNAROLI COLLECTION

1. Ballet. La ritrovata figlia di Otton II. I. Title. II. Title: La ritrovata figlia di Otton II.

NM 0919592 NN CLSU

Muzzarelli, Carlo Emanuele, 1797-1856.
Sul monumento eretto in Firenze,...
Roma, 1830.

NM 0919593 NIC

Muzzarelli, Carlo Emanuele, 1797-1856.
Versi. Torino, 1854.

NM 0919594 NIC

MUZZARELLI, Carlo Emanuele, 1797-1856.
Elogio d'Ippolito Pindemonte letto in Arcadia. [n.p.,n.d.]

Pamphlet.

NM 0919595 MH

BT192 M2M8
Muzzarelli, Federico.
... De professione religiosa a primordiis ad saec. XII seu virginum consecratio, monastica ac praesertim in decreto Gratiani religiosa professio. Romae, apud Piam Societatem Sancti Pauli, 1938.

2 p.l., 126 p., 1 l.

At head of title: Sac. Vincentius F. Muzzarelli S.S.P. ...
Manuscript reproduction inserted.
1.Persons (Canon law) 2.Monasticism and religious orders (Canon law)

NM 0919596 MBtS

Muzzarelli, Federico.
... Tractatus canonicus de congregationibus iuris dioecesani. Romae [etc.] apud Piam societatem a s. Paulo apostolo, 1943.
4 p. l., [xi]–xii, 332 p. 22½cm.
At head of title: Fridericus Muzzarelli, s. s. P. ...
Bibliographical foot-notes.

1. Monasticism and religious orders (Canon law)

Library of Congress BX2427.M8 46–42584

NM 0919597 DLC MoSU-D

Muzzarelli, Gaetano, conte Brusantini
see Brusantini, Gaetano Muzzarelli, conte.

33.19 M98
Muzzarini, Mario.
Agricoltura o autarchia. Roma, "Europa" [1938?]
20 p.

1. Italy. Agriculture.

NM 0919599 DNAL

HG8611 .D6
Muzzarini, Tullio.
Donati, Antigono, *ed. and tr.*
... Legislazione francese, con uno studio introduttivo: "Lineamenti generali della legislazione francese sulle assicurazioni private" di Maurice Picard ... Roma, Assicurazioni, 1936.

HG8686 .D6
Muzzarini, Tullio.
Donati, Antigono, *ed. and tr.*
... Legislazione svizzera, con uno studio introduttivo: "Lineamenti generali della legislazione svizzera sulle assicurazioni private" del prof. Ernst Bruck ... Roma, Assicurazioni, 1937.

BZ 17 M98
Muzzatti, Vincenzo.
Prontuario di sentenze, fatti e similitudini per rendere gradita ed efficace la spiegazione del Vangelo Domenicale...
[Torino], Casa editrice Marietti, [1948-1952].
5v. 22cm.

1.Sermons - Stories. 2.Sermons - Outlines.

NM 0919602 IMunS OWorP

Muzzell, Ernest Linwood
see Muzzall, Ernest Linwood, 1897-1966.

Muzzey
see also Mussey.

Muzzey, Anna Leonard.
... The hygiene of exercise, by Anna Leonard Muzzey ... Boston, Mass., Health-education league [1912]
cover-title, 18 p., 1 l. 14½cm. (Health-education series, no. 26)

1. Exercise.

Library of Congress RA781.M8 12-27861

NM 0919605 DLC OO

Muzzey, Arnold Kingsley.
Bacteriological study of swimming pool sanitation, a thesis in hygiene.
2 p.

NM 0919606 PU

Muzzey, Arnold Kingsley.
Some aspects of the preparation of glycerine by fermentation, with a laboratory study of fermentations, using commercial yeasts and selected yeasts.
61 p. Univ. of Pa., Thesis, 1932.

NM 0919607 PU

Muzzey, Artemas Bowers, 1802–1892.
The battle of Lexington: with personal recollections of men engaged in it. By Rev. A. B. Muzzey ... Reprinted from The New England historical and genealogical register from October, 1877. Boston, D. Clapp & son, printers, 1877.
19 p. 25½cm.

1. Lexington, Battle of, 1775.

Library of Congress E241.L6M9 2—3411

NM 0919608 DLC MWA PPL OClWHi MB Nh

VOLUME 403

Muzzey, Artemas Bowers, 1802–1892.
The blade and the ear. Thoughts for a young man. By A. B. Muzzey. Boston, W. V. Spencer, 1865.
iv, 233 p. 18cm.

1. Young men.

10-11737†

Library of Congress BJ1671.M8

NM 0919609 DLC MB OO

MUZZEY, ARTEMAS BOWERS, 1802-1892.
Books and reading. A lecture before the young men of Concord, given in the City hall, March 8, 1857. By Rev. A.B.Muzzey... Concord [Mass.] Jones & Cogswell, printers, 1857. 23 p. 22½cm.

861082A. 1. Books and reading.

NM 0919610 NN MH Nh

Muzzey, Artemas Bowers, 1802-1892.
Brotherhood in the sanctuary. A sermon preached at the dedication of the Lee-street church, Cambridge, March . . . 1847. 16 pp. *Boston: L. C. Bowles,* 1847. 8°.
Repr.: The Monthly Religious magazine.

NM 0919611 NN MH-AH DLC

BV4501 .M85 1861
Muzzey, Artemas Bowers, 1802-1892.
Christ in the will, the heart, and the life; discourses. Boston, Walker, Wise, 1861.
viii, 371 p. 20cm.

1. Christian life. I. Title.

NM 0919612 ViU MH RPB WU

Muzzey, Artemas Bowers, 1802-1892.
Christ our head. Printed for the American Unitarian Association. Boston, J. Munroe, 1845.

14 p. 19cm. [American Unitarian Association. Tracts. 16]

At head of title: 1st series. No. 212.

NM 0919613 MnU

Muzzey, Artemas Bowers, 1802–1892.
The Christian parent. By Rev. A. B. Muzzey ... **Boston,** W. Crosby and H. P. Nichols, 1850.
xv, 320 p. front. 17½cm.

1. Domestic education. 2. Education of children. I. Title.

8—7546

Library of Congress LC37.M9

NM 0919614 DLC MB

BR **Muzzey, Artemas** Bowers, 1802-1892.
Christianity a permanent religion. A discourse delivered... Oct., 29, 1834. Boston, 1834. 1v. 8°

NM 0919615 DLC MdBJ RPB MH NN

MUZZEY, Artemas Bowers.
Discourse delivered in Cambridge, Aug.1, 1847, being the Sunday after the death of Lowell M. Stone. B., 1847.

pp.16.

NM 0919616 MH CtY RPB NN

Muzzey, Artemas Bowers, 1802–1892.
Doctrinal distinctions, not always doctrinal differences. By Rev. A. B. Muzzy. Printed for the American Unitarian association. Boston, L. C. Bowles, 1835.
16 p. 19½cm. (American Unitarian association. Tracts. 1st ser., no. 100)

I. Title.

22-23434

Library of Congress BX9843.M82D6

NM 0919617 DLC

Muzzey, Artemas Bowers, 1802-1892.
Emerson the patriot.
In his Reminiscences and memorials of men of the Revolution and their families. Boston, 1883. p. 337-

NM 0919618 RPB

[Muzzey, Artemas Bowers] 1802-1892.

HQ1221 M9
The English maiden: her moral and domestic duties ... Second edition. London, Talboys, Clarke, and Wilson, 1842.

2 p. l., [vii]-viii, 231 p. 18 cm. Brown cloth. (faded) Uncut.
The advertisement is signed "H. G. C[larke]", publisher. cf. Halkett & Laing.
With ex-libris of A. B. Farrer.

1. Woman--Soci[al] and moral questions. I. Title.

NM 0919619 CSmH WU

K 77 .609
[MUZZEY, ARTEMAS BOWERS] 1802-1892.
The English maiden; her moral and domestic duties. 5th edition. London, H.G.Clarke, 1844.
234p. 14cm.

NM 0919620 ICN PPL

LC 37 M9
Muzzey, Artemas Bowers, 1802-1892.
The fireside; an aid to parents, by A.B. Muzzey. Boston, Crosby, Nichols, 1854.
320p.

1. Children--Management. 2. Parent and child. I. Title.

NM 0919621 UU MH

Muzzey, Artemas Bowers, 1802-1892.
The fireside: an aid to parents ... 2d ed. Boston, Crosby, Nichols, and company, 1856.
18.5 cm.

NM 0919622 CtY

Muzzey, Artemas Bowers, 1802-1892.
The fireside: an aid to parents. 3 ed. Boston, 1858.
18 cm.

NM 0919623 RPB

Muzzey, Artemas Bowers, 1802-1892.
The higher education.
Boston. Bowles. 1871. 13 pp. 8°.
Reprinted from The Religious Magazine.

F6354 — Education.

NM 0919624 MB RPB MH

Pam. Coll. 1542
Muzzey, Artemas Bowers, 1802-1892.
Immortality in the light of Scripture and science ... [n. p., n. d.] cover-title, 19 p. 22½cm.

1. Immortality I. Title

NM 0919625 NcD

Muzzey, Artemas Bowers, 1802–1892.
Man a soul; or, The inward, and the experimental, evidences of Christianity. By A. B. Muzzey ... Boston, W. Crosby & co., 1842.
xvi, 157 p. 17½cm.

1. Christianity—Evidences. I. Title.

34-4747

Library of Congress BT1101.M9
——— Copy 2. 239

NM 0919626 DLC MH

Muzzey, Artemas Bowers, 1802-1892.
Memorial of Goodwin Atkins Stone: a sermon at Newburyport, July 24, 1864. Cambridge, 1864.
18 p. O.

NM 0919627 RPB

MUZZEY, Artemas Bowers.
A memorial of Rev. Jason Whitman, with an address delivered at his funeral, Jan. 29, 1848. Boston, 1848.

pp.11.

NM 0919628 MH DLC MWA RPB

[**Muzzey, Artemas Bowers**] 1802–1892.
The moral teacher: designed as a class book for the common schools in the United States of America. By a clergyman. New-York, Robinson & Franklin, 1839.
xiv, [15]-196 p. incl. front. 15½cm.

1. Moral education.

E 10-1830

Library, U. S. Bur. of Education LC361.M88

NM 0919629 DHEW C

Muzzey, Artemas Bowers, 1802-1892.
Notes and memories of our early horticulture. [Boston, 1888]
11 p. 8°.
Reprinted from Transactions of the Massachusetts horticultural society, 1888, pt. 1, p. 11-21.

NM 0919630 MBH

Muzzey, Artemas Bowers, 1802-1892.
Oliver Hazard Perry.
In his Reminiscences and memorials of the men of the Revolution and their families. Boston, 1883. p. [260]-268.

NM 0919631 RPB

VOLUME 403

Muzzey, Artemas Bowers, 1802-1892.
On the duty of observing the communion.
n.p., n.d.
p. 89-103. 24 cm.

NM 0919632 RPB

Muzzey, A[rtemas] B[owers] 1802-1892.
Reminiscences and memorials of men of the revolution and their families. By A. B. Muzzey ... Boston, Estes and Lauriat [1882]
xviii, 424 p. incl. illus., ports., map. front., plates, ports., maps (1 fold.) 21½cm.

1. U. S.—Hist.—Revolution—Biog. 2. Society of the Cincinnati.

NM 0919633 NIC

Microfilm 8076 E

Muzzey, Artemas Bowers, 1802-1892.
Reminiscences and memorials of men of the revolution and their families. By A. B. Muzzey ... Boston, Estes and Lauriat, 1883.
xviii, 424 p. incl. illus., ports., map. front., plates, ports., maps (1 fold.) 21½cm.

1. U. S.—Hist.—Revolution—Biog. 2. Society of the Cincinnati.
5—41674
Library of Congress E206.M97

NM 0919634 DLC

MUZZEY, Artemas Bowers, 1802-1892.
On the objects and means of school instruction. n.p., n.d.

Pamphlet.
Without title-page. Caption title.

NM 0919635 MH

Muzzey, Artemas Bowers, 1802-1892.
A plea for the Christian spirit. A sermon preached February 2, 1845, in the church of the Cambridgeport parish.
Boston. Crosby & Nichols. 1845. 12 pp. 21½ cm.

K891

NM 0919636 MB DLC CtY RPB

Muzzey, Artemas Bowers, 1802-1892.
Reminiscences and memorials of men of the revolution and their families. By A.B. Muzzey... Boston, Estes and Lauriat, 1883.
xviii, 424 p. incl. illus., ports., map. front., plates, ports., maps (1 fold.) 21.5 cm.
1. U.S. - Hist. - Revolution - Biog.
2. Society of the Cincinnati.

NM 0919637 DNW MB MH PHi OClWHi OO OU DSI MeB MiU ViU CSmH MiU-C PU NjP

Muzzey, Artemas Bowers, 1802-1892.
Prime movers of the revolution known by the writer: being reminiscences and memorials of men of the revolution and their families, by A. B. Muzzey ... Boston, D. Lothrop company [c1891]
xviii, 424 p. incl. illus., ports., map. front., plates, ports., maps (1 fold.) 22cm.
First edition entitled "Reminiscences and memorials of men of the revolution", published 1883.

1. U. S.—Hist.—Revolution—Biog. 2. Society of the Cincinnati.
5—41675
Library of Congress E206.M98

NM 0919638 DLC MWA PPL

---

hMusic MU996s

[Muzzey, Artemus Bowers] 1802-1892
The Sabbath school service and hymn book, with appropriate tunes. Boston, Crosby, Nichols, and Co., 1855.
112 p. 15 cm.

Preface signed: A. B. M.

1. Sunday-schools--Hymn-books. I. Title

NM 0919639 RPB MH-AH MB

Muzzey, Artemas Bowers, 1802-1892.
Sermon at the dedication of the Lee-street church, Cambridge, March 25, 1847.
Boston, 1847.
16 p. O.

NM 0919640 RPB

Muzzey, Artemas Bowers, 1802-1892.
The Sabbath school service and hymn book. With appropriate tunes. Boston, Crosby, Nichols & Co., 1855.
112 p. Sq. 24°.

NM 0919641 MB

Muzzey, Artemas Bowers, 1802-1892.
The Sabbath school service and hymn book. With appropriate tunes. Boston, Walker, Wise & Co., 1865.

NM 0919642 MB

Muzzey, Artemas Bowers.
Sermon delivered in the Pleasant street church, Newburyport, Mass. Feb. 5, 1859. n.p., 1859(?)

NM 0919643 Nh

MUZZEY, Artemas Bowers. No. 13 in *7453.5=*5397
A sermon of nature.
Boston: Crosby and Nichols. 1845. 10 pp. 12°.
No. 13 in *745

NM 0919644 MB

Muzzey, Artemas Bowers, 1802-1892.
A sermon of nature. Boston, Crosby and Nichols, 1845.

"From the Monthly Religious Magazine."

NM 0919645 MH MB

Muzzey, Artemas Bowers, 1802-1892.
A sermon preached before the Ancient and honorable artillery company, on their CXCIXth anniversary, June 5, 1837. By Rev. Artemas B. Muzzey ... Boston, Marden & Crawford, printers, 1837.
32 p. 21½cm.

1. Sermons, American. I. Massachusetts. Ancient and honorable artillery company.
45-30970
Library of Congress UA258.A42 1837

NM 0919646 DLC MBU CtY MH

Muzzey, Artemas Bowers, 1802-1892.
The Sunday school guide and parent's manual ... Boston, 1838.
15 cm.

NM 0919647 RPB MH

MUZZEY, Artemas Bowers.
Tribute to a loved and honored man; a discourse, delivered Feb. 24, 1861. On the death of the Hon. Moses Davenport. Newburyport, 1861

pp. 15.

NM 0919648 MH MB RPB

Muzzey, Artemas Bowers.
Tribute to a righteous man.
= Boston. Bowles. 1848. 8 pp. 8°.
A tribute to Peter Mackintosh, master of the Hancock School in Boston for twenty-five years.
Two copies.

G2394 — Mackintosh, Peter. 1788-18.. — Boston. Public schools. Hancock School.

NM 0919649 MB RPB MH

BV4253 .M989

Muzzey, Artemas Bowers, 1802-1892.
Two discourses delivered before the Church and Society in the Cambridgeport Parish, January 5th, 1834 ... Cambridge [Mass.] Manson, Emerson, and Grant, 1834.
22 p.

Printed by request - not published.

1. Sermons, American - 19th cent.

NM 0919650 CtHC NN MH

Muzzey, Artemas Bowers, 1802-1892.
Two discourses, January 5, 1834, the Sabbath succeeding the author's installation. Cambridge, 1834.
41 p. O.

NM 0919651 RPB

Pam. Coll. 1356

Muzzey, Artemas Bowers, 1802-1892.
The value of the study of intellectual philosophy to the minister; an essay, read before the Cambridge association of ministers, February 9, 1869 ... Boston, Edward S. Coombs, 1869.
18p. 23 cm.

1. Metaphysics.

NM 0919652 NcD RPB ICRL

Muzzey, Artemas Bowers, 1802-1892.
The young maiden. By A. B. Muzzey ... Boston, W. Crosby & co., 1840.
2 p. l., 260 p. 18cm.

1. Young women. 2. Woman—Social and moral questions. I. Title.
33-6092
Library of Congress HQ1229.M8 1840 396

NM 0919653 DLC MB MH

MUZZEY, Artemas Bowers.
The young maiden. 2d ed. Boston, 1841.

NM 0919654 MH MB

MUZZEY, Artemas Bowers.
The young maiden. London, 1843.

16th ed.

NM 0919655 MH

VOLUME 403

Muzzey, Artemas Bowers, 1802-1892.
The young maiden. By A.B. Muzzey... ed. Boston, W. Crosby and H. P. Nichols, 1845.
264 p.

NM 0919656 MiU

Muzzey, Artemas Bowers, 1802–1892.
The young maiden. By A. B. Muzzey ... 8th ed. Boston, W. Crosby and H. P. Nichols, 1847.
264 p. 18cm.

1. Young women. I. Title.

21-2285

Library of Congress HQ1229.M8 1847

NM 0919657 DLC

PZ 261 .M96Y8 1849 Muzzey, Artemas Bowers, 1802-1892.
The young maiden... 11th ed. Boston, W. Crosby and H.P. Nichols, 1849.
264 p.

NM 0919658 ICU

Muzzey, Artemas Bowers.
The young maiden. 16th edition. Boston, Crosby, Nichols & Co., 1856.
(4), 260 p. Plate. 12°.
Engraved title-page.

NM 0919659 MB

Muzzey, Artemas Bowers, 1802–1892.
The young man's friend. By A. B. Muzzey ... Boston, J. Munroe and company, 1836.
xi, 178 p. 16½cm.

1. Young men.

10-11738†

Library of Congress BJ1671.M85

NM 0919660 DLC MB

MUZZEY, Artemas Bowers, 1802-1892.
The young man's friend.
Bost. Munroe.
2d ed. 1838. viii, 13–165 pp. 16°.
*K.247 3586

NM 0919661 MB ViU

MUZZEY, David Saville, jr.
Some measurements of the frequencies of longitudinal vibration for bars of magnetostrictive materials. Thesis, Harvard University, 1930.

Typewritten. 4°. ff.(3),140. Plates, charts, and tables.

NM 0919662 MH

Muzzey, David Saville, 1870–1965.
America, a world power, 1898–1944, by David Saville Muzzey ... and John A. Krout ... with a special supplement on the Far East and the second world war by G. Nye Steiger ... Boston, New York [etc.] Ginn and company [1944]
xxii, 583–939, xxii, 24, xi p. maps (1 double) diagrs. 20½cm.
"Consists of the chapters in Muzzey and Krout's 'American history for colleges' (revised edition, Ginn and company, 1943) covering the period, with added material on the progress of the second world war up to the present and with a new chapter on our relations with the Far East by Professor G. Nye Steiger."—Prefatory note.
"Selected references" and "Topics for research" at end of each chapter.
1. U. S.—Hist.—1898– 2. Eastern question (Far East) I. Krout, John Allen, 1896– joint author. II. Steiger, George Nye, 1883– The Far East and the second world war. III. Title.

44-8940

Library of Congress E712.M8
[20] 973

NM 0919663 DLC WaS Or NN PU OCl

Muzzey, David Saville, 1870–
The American adventure ... by David Saville Muzzey ... New York and London, Harper & brothers, 1927.
2 v. fronts., plates, ports., maps, facsim., diagrs. 22cm.
Illustrated lining-papers in colors.
A revised edition of the author's "The United States of America", published 1922–24.
CONTENTS.—I. Through the civil war.—II. From the civil war.
1. U. S.—Hist. I. Title.

27-24780

Library of Congress E178.M992

ViU TNJ TU MiDP NjNbS MiU OCl OU OClh PU PHC NN MB WaU
NM 0919664 DLC WaS Wa OrSaW IdU IU TxU IdU-SB

Muzzey, David Saville, 1870–
An American history, by David Saville Muzzey ... Boston, New York [etc.] Ginn and company [c1911]
x, 662 p. front., illus., plates, ports., maps. 19½cm.
Includes bibliographical references.

1. U. S.—Hist.

11—26456

Library of Congress E178.1.M99

MB NN PBm PV DHEW OrPR WaS Or OrU
NM 0919665 DLC WaE IdU Wa CoU ViU MH OCl ODW OU

Muzzey, David Saville.
An American history. Boston: Ginn and Co. [cop. 1911–25.] 544, xlviii p. illus., maps (some col'd, some col'd fold., 1 fold.), pl., port. (1 col'd). 12°.

1. United States—Hist.: General.
N. Y. P. L. November 10, 1925

NM 0919666 NN NcD OClh OU OClUr KAS

Muzzey, David Saville, 1870–
An American history, by David Saville Muzzey ... Boston, New York [etc.] Ginn and company [c1917]
x, 662 [xxiv] p. front., illus., plates, ports., maps. 19½cm.
Includes bibliographical references.

1. U. S.—Hist.

NM 0919667 ViU MB PP PV MH

Muzzey, David Saville, 1870–
An American history, by David Saville Muzzey ... Rev. ed. Boston, New York [etc.] Ginn and company [c1920]
x, 539, xlviii p. col. front., illus., plates, ports., maps (part double) 20 cm.
"References" at end of each chapter.

1. U. S.—Hist.

E178.1.M99 1920 25—11779

NM 0919668 DLC MB

Muzzey, David Saville, 1870–
An American history, by David Saville Muzzey ... Rev. ed. Boston, New York [etc.] Ginn and company [c1920]
x, 537, xlvi p. col. front., illus., plates, ports., maps (part double) 20 cm.
"References" at end of each chapter.

1. U. S.—Hist.

E178.1.M992 20—10077

NcC
NM 0919669 DLC MtU NN PP PV OU OO ViU IU KEmT

Muzzey, David Saville, 1870–
An American history, by David Saville Muzzey ... Rev. ed. Boston, New York [etc.] Ginn and company [c1923]
x, 539, xlviii p. col. front., illus., plates, ports., maps. 20cm.
"References" at end of each chapter.

1. U. S.—Hist.

23—6343

Library of Congress E178.1.M99 1923

NM 0919670 DLC OrMonO FMU MoU PV ViU

E 178.1 M99 1925 Muzzey, David Saville, 1870–
An American history. Rev. ed. Boston, Ginn [c1925]
x, 544, xlviii p. illus. (part col.) ports., maps (part col., part double) 20cm.

"References" at end of each chapter.

1. U.S. - Hist. I. Title.

NM 0919671 CoU CaBVaU DLC MB

E 178 M99 1929 Muzzey, David Saville, 1870–
An American history. Rev. ed. Boston, Ginn [c1929]
x, 561, xlviii p. illus. (part col.) ports., maps (part double) 20cm.

"References" at end of each chapter.

1. U.S. - Hist. I. Title.

NM 0919672 CoU OCl

Muzzey, David Saville, 1870–
An American history, by David Saville Muzzey ... Rev. ed. Boston, New York [etc.] Ginn and company [c1933]
x, 568, xlviii p. col. front., illus., plates, ports., maps (part double) diagrs. 20cm.
"References" at end of each chapter.

1. U. S.—Hist.

Library of Congress E178.1.M99 1933 33-21381
——— Copy 2.
Copyright A 63927 [3] 973

NM 0919673 DLC CaBVaU WaS

Muzzey, David Saville, 1870- An American history.
Viles, Jonas, 1875–
An outline of American history for use in high schools based on Muzzey's "American history", revised edition and Muzzey's "Readings in American history", revised edition, by Jonas Viles ... Rev. ed. Boston, New York [etc.] Ginn and company [c1922]

Muzzey, David Saville, 1870–
American history for colleges, by David Saville Muzzey ... and John A. Krout ... Boston, New York [etc.] Ginn and company [c1933]
viii, 872 p. maps (part double) diagrs. 21½cm.
"Selected references" and "Topics for research" at end of each chapter.

1. U. S.—Hist. I. Krout, John Allen, 1896– joint author.

33—15133

Library of Congress E178.1.M991
——— Copy 2.
Copyright A 63179 [n35f1] 973

OEac ViU MB
NM 0919675 DLC IdU-SB IdU DHEW TxU PP OCl OClND

VOLUME 403

Muzzey, David Saville, 1870–
American history for colleges, by David Saville Muzzey ... and John A. Krout ... Boston, New York ₍etc.₎ Ginn and company ₍©1938₎
viii, 890 p. maps (part double) diagrs. 21½ᶜᵐ.
"Selected references" and "Topics for research" at end of each chapter.

1. U. S.—Hist. I. Krout, John Allen, 1896– joint author.
Library of Congress E178.1.M991 1938 38-19802
——— Copy 2.
Copyright A 119887 ₍3₎ 973

NM 0919676 DLC OCl

Muzzey, David Saville, 1870–
American history for colleges. Rev. ed. By David Saville Muzzey ... and John A. Krout ... Boston, New York ₍etc.₎ Ginn and company ₍1943₎
viii, 961, xxii p. maps (part double) diagrs. 20 cm.
"Selected references" and "Topics for research" at end of each chapter.

1. U. S.—Hist. I. Krout, John Allen, 1896– joint author.
E178.1.M991 1943 973 43—14005

NM 0919677 DLC PPD PV OCl OCU FU OClUr Or OrStbM

Muzzey, David Saville.
The American people
see his History of the American people.

Muzzey, David Saville.
Authority and ethics.
(In Ethical Addresses and Ethical Record. Vol. 13, no. 9, pp. 247–262. Philadelphia. [1906.])

G8074 — Authority. — Ethics.

NM 0919679 MB

Muzzey, David Saville, 1870–
A beginner's book in Latin, by David Saville Muzzey ... New York ₍etc.₎ Longmans, Green, and co., 1907.
xii, 3-231 p. 19½ᶜᵐ.

1. Latin language—Grammar—1870–
Library of Congress PA2087.M96 7-19467

NM 0919680 DLC OrU PU OCU OO ViU

Muzzey, David Saville, 1870–
Breve historia de los Estados Unidos de América, por David Saville Muzzey y Horace Kidger. Versión castellana por Antonio J. Colorado. Boston, Ginn ₍1953₎
344 p. illus. 24 cm.

1. U. S.—Hist. I. Kidger, Horace, 1880– joint author.
E178.1.M9923 973 53-4552 ‡

NM 0919681 DLC

Muzzey, David Saville, 1870–
A brief history of the United States: for Philippine high schools, by David Saville Muzzey, Antonio A. Maceda, and Walter G. M. Buckisch. Boston, Ginn ₍1954₎
418 p. illus. 24 cm.
"Shortened and simplified edition of ... David S. Muzzey's A history of our country."
Includes bibliography.

1. U. S.—Hist.
E178.1.M99263 973 54-2664 ‡

NM 0919682 DLC

Muzzey, David Saville, 1870–
Ethical imperatives, by David Saville Muzzey. ₍New York₎ American ethical union and the New York society for ethical culture ₍1946₎
63 p. 19½ᶜᵐ.
"Three addresses ... delivered at Sunday morning meetings of the New York society for ethical culture in 1945."
CONTENTS.—The worth of the individual.—The supremacy of the ethical ideal.—The community of seekers after righteousness.

1. Ethics—Addresses, essays, lectures. 2. Ethical culture movement. I. American ethical union. II. New York society for ethical culture. III. Title.
46-17945
Library of Congress BJ1581.M894
₍3₎ 170.4

NM 0919683 DLC WU

Muzzey, David Saville, 1870–
Ethical imperatives...by Dr. David Saville Muzzey... Station WQXR. ₍no.₎ 1 New York, parts in v. 28cm.
Addresses at the regular Sunday morning meetings of the New York society for ethical culture.

1. No subject. I. Society for ethical culture, New York.
N. Y. P. L. October 14, 1946

NM 0919684 NN

Muzzey, David Saville, 1870–
Ethical religion, its historical sources, its elements, its sufficiency, its future, by David Saville Muzzey. New York, N. Y., American ethical union ₍1943₎
63 p. 19ᶜᵐ.
"Four addresses ... delivered at Sunday morning meetings of the New York society for ethical culture in 1943."

1. Ethical culture movement. I. American ethical union. II. Title.
44-19999
Library of Congress BJ1581.M896
₍3₎ 170

NM 0919685 DLC OCH OrU NNC CtY NcD PU PHC PU NIC

Muzzey, David Saville, 1870–
Ethics as a religion. New York, Simon and Schuster ₍1951₎
x, 273 p. 19 cm.

1. Ethical culture movement. 2. Ethics. I. Title.
BJ1581.M897 170 51-10298

PPL PP MB MH CaBVa Or OrP
NM 0919686 DLC NBuU KEmT Wa WaE WaS WaT PPDrop

Muzzey, David Saville, 1870–
Felix Adler — historian... New York, New York society for ethical culture ₍1945₎ 20 p. 23cm. (Felix Adler lecture. 1945)
Bibliography, p. 20.

1. Adler, Felix, 1851-1933. I. Ser.

NM 0919687 NN

Muzzey, David Saville, 1870–
Four fundamentals of ethical faith; religious re-interpretation. Address by David Saville Muzzey...November 26th, 1944, station WQXR, given at the regular Sunday morning meeting of the New York society for ethical culture. New York ₍1944₎ 9 f. 28cm.

1. Ethical culture movement.
N. Y. P. L. March 25, 1947

NM 0919688 NN

Muzzey, David Saville, 1870–
George Washington's foreign policy; address by Dr. David Saville Muzzey, February 17th, 1946. Given at the regular Sunday morning meeting of the New York society for ethical culture. New York ₍1946₎ 8 p. 28cm.

1. United States—For. rel., 1775–1817. 2. Washington, George, 1st pres. U. S.—Birthday celebrations, 1946.
N. Y. P. L. August 11, 1949

NM 0919689 NN

Muzzey, David Saville, 1870–
... The heritage of the Puritans, by David Saville Muzzey ...
(*In* American historical association. Annual report ... for the year 1920. Washington, 1925. 24½ᶜᵐ. p. 237-249)

1. Puritans. I. Title.
Library of Congress E172.A60 1920 26—1623

NM 0919690 DLC MB

Muzzey, David Saville.
Histoire des États-Unis d'Amérique; tradu͡it par A. de Lapradelle. Paris: Larousse₍, 19—?₎. 744 p. facsim., illus., maps, pl., port. 8°.
Bibliography, p. 725-730.
Constitution of the United States, p. 711-724.
The United States of America.

1. Title. 2. United States—Hist.—General.
N. Y. P. L. January 18, 1929

NM 0919691 NN WaS OCl

Muzzey, David Saville, 1870–
Histoire des États-Unis d'Amérique, par David Saville Muzzey...traduit par A. de Lapradelle... Paris: Larousse₍, 1926₎. 744 p. incl. plates, ports. illus. (incl. facsims., maps, plans.) 12°.

272805A. 1. United States—Hist.—Textbooks, 1921. 2. Lapradelle, Albert Geouffre de, 1871– , translator.
N. Y. P. L. December 28, 1926

NM 0919692 NN

Muzzey, David Saville, 1870–
A history of our country; a textbook for high-school students, by David Saville Muzzey ... Boston, New York ₍etc.₎ Ginn and company ₍©1936₎
xii, 854, xlvi p. incl. front. (port.) illus. maps (part double) 20½ᶜᵐ.

1. U. S.—Hist. I. Title.
Library of Congress E178.1.M9926 36-15253
——— Copy 2.
Copyright A 97008 ₍5₎ 973

NN MB
NM 0919693 DLC OrStbM WaS IdU PPT OCl OCU ODW

Muzzey, David Saville, 1870–
History of our country, 1936–
see also Bishop, Mildred Catherine, 1886–
Map work and study guide to accompany... 1936

Muzzey, David Saville, 1870–
A history of our country; a textbook for high-school students, by David Saville Muzzey ... Boston, New York ₍etc.₎ Ginn and company ₍©1937₎
xii, 856, lviii p. incl. front., illus. (incl. ports.) maps (part double) 20½ᶜᵐ.
Bibliographies at end of each chapter.

1. U. S.—Hist. I. Title.
Library of Congress E178.1.M9926 1937 37-6372
——— Copy 2.
Copyright A 105521 ₍3₎ 973

NM 0919695 DLC MH ViU NcD OU

VOLUME 403

Muzzey, David Saville, 1870–
A history of our country; a textbook for high-school students by David Saville Muzzey ... Boston, New York [etc.] Ginn and company [c1939]
xii, 884, lviii p. incl. front., illus. (incl. ports., facsims.) diagrs., maps (part double) 20½cm.
Bibliographies at end of each chapter.

1. U. S.—Hist. I. Title.
Library of Congress E178.1.M9926 1939 40-6011
——— Copy 2.
Copyright A 138121 [5] 973

NM 0919696 DLC WaSp OClh OLak

Muzzey, David Saville, 1870–
A history of our country, a textbook for high-school students, by David Saville Muzzey ... Boston, New York [etc.] Ginn and company [c1941]
xii, 886, lviii p. incl. front., illus. (incl. ports.) tables, diagrs. maps (part double) 20½cm.
Bibliographies at end of each chapter.

1. U. S.—Hist. I. Title.
Library of Congress E178.1.M9926 1941 41-17600
[3] 973

NM 0919697 DLC PPCCH

Muzzey, David Saville, 1870–
A history of our country, a text-book for high-school students, by David Saville Muzzey ... Boston, New York [etc.] Ginn and company [1942]
xii, 892, lviii p. incl. front., illus. (incl. ports., facsims.) diagrs. maps (part double) 20½cm.
Bibliographies at end of each chapter.

1. U. S.—Hist. I. Title.
Library of Congress E178.1.M9926 1942 42-21285
[2] 973

NM 0919698 DLC PBa Or

Muzzey, David Saville, 1870–1965.
A history of our country, a textbook for high-school students, by David Saville Muzzey ... Boston, New York [etc.] Ginn and company [1943]
xii, 896, lviii p. incl. front. (port.) illus., diagrs. maps (part double) 20 cm.
Bibliographies at end of each chapter.

1. U. S.—Hist. I. Title.
E178.1.M9926 1943 973 43—10015

NM 0919699 DLC

Muzzey, David Saville, 1870–
A history of our country, a textbook for high-school students, by David Saville Muzzey ... Boston, New York [etc.] Ginn and company [1945]
xii, 900, viii p. incl. front., illus. (incl. ports., facsims.) diagrs. maps (part double) 20cm.
Bibliographies at end of each chapter.

1. U. S.—Hist. I. Title.
Library of Congress E178.1.M9926 1945 45-3149
[3] 973

NM 0919700 DLC Or WaT WaE

Muzzey, David Saville, 1870–
A history of our country, a textbook for high-school students, by David Saville Muzzey ... Boston, New York [etc.] Ginn and company [1946]
xii, 908, lix p. incl. front., illus. (incl. ports., facsims.) diagrs. maps (part double) 20cm.
Bibliographies at end of each chapter.

1. U. S.—Hist.
Library of Congress E178.1.M9926 1946 46-3447
[3] 973

NM 0919701 DLC MB ICU

Muzzey, David Saville, 1870–
A history of our country, a textbook for high-school students. Boston, Ginn [1948]
xii, 912, lix p. illus., ports., maps (part col.) 21 cm.
Includes bibliographies.

1. U. S.—Hist.
E178.1.M9926 1948 973 48-3935*

NM 0919702 DLC Or OEac

Muzzey, David Saville, 1870–
A history of our country. New ed. Boston, Ginn [1950]
x, 640, xxxvii p. illus., ports. 24 cm.
Includes bibliographies.

1. U. S.—Hist.
E178.1.M9926 1950 973 50-5929

NM 0919703 DLC IdU IdB WaT OEac ICU

Muzzey, David Saville, 1870–
A history of our country. New ed. Boston, Ginn [1952]
643, xxxvii p. illus. 24 cm.

1. U. S.—Hist.
E178.1.M9926 1952 973 52-4002 ‡

NM 0919704 DLC ICarbS OrAshS

Muzzey, David Saville, 1870–
A history of our country. New ed. Boston, Ginn [c1953]
643, xxxvii p. illus. 24 cm.

1. U. S.—Hist.
E178.1.M9926 1953 973 53-2157 ‡

NM 0919705 DLC MB OEac

Muzzey, David Saville, 1870–
A history of our country. New ed. Boston, Ginn [1955]
644, xxxvii p. illus. 24 cm.
Includes bibliographies.

1. U. S.—Hist.
E178.1.M9926 1955 973 55-3606 ‡

NM 0919706 DLC WaSp MB OEac CtY

Muzzey, David Saville, 1870–
History of the American people, by David Saville Muzzey ... Boston, New York [etc.] Ginn and company [c1927]
viii,715, xlv p. col. front., illus., pl., ports., maps, facsims. 20½ cm.
"References" at end of each chapter.

1. U. S.—Hist. I. Title.
E178.1.M993 27—11944

NM 0919707 DLC OCl OCU OU PP ViU MB MoU NN PU AAP FU Wa IdU OrLgE OrMonO

Muzzey, David Saville.
History of the American people. Boston: Ginn and Co.; cop. 1929. 732, xlv p. col'd front., illus., charts, facsim., maps (some fold.), port., tables. 8°.
References at end of chapters.

1. United States—Hist.—General
N. Y. P. L.

NM 0919708 NN IdU PWcS PPI DNW OO NcC MH

Muzzey, David Saville, 1870-
History of the American people. 1929
see also Bishop, Mildred Catherine, 1886-
Map exercises, syllabus and notebook to accompany... 1929.

MUZZEY, David Saville, 1870-
History of the American people. Boston, etc., Ginn and Co., [1930, cop. 1929].

NM 0919710 MH

MUZZEY, David Saville, 1870-
History of the American people. Boston, etc., Ginn and Co., [1931, cop. 1929].

NM 0919711 MH

Muzzey, David Saville, 1870–
History of the American people, by David Saville Muzzey ... Boston, New York [etc.] Ginn and company [c1932]
viii, 740, xlv p. col. front., illus., pl., ports., maps (part double) facsims., diagrs. 20½cm.
"References" at end of each chapter.

1. U. S.—Hist. I. Title.
Library of Congress E178.1.M993 1932 32-18235
——— Copy 2.
Copyright A 53140 [5] 973

NM 0919712 DLC CoU

Muzzey, David Saville, 1870–
History of the American people, by David Saville Muzzey ... Boston, New York [etc.] Ginn and company [c1933]
viii, 746, xlv p. col. front., illus., pl., ports., maps (part double) facsims., diagrs. 20½cm.
"References" at end of each chapter.

1. U. S.—Hist. I. Title.
Library of Congress E178.1.M993 1933 33-21380
——— Copy 2.
Copyright A 63929 [3] 973

NM 0919713 DLC WaSp CaBViP PPCCH ViU PPGi

Muzzey, David Saville, 1870–
History of the American people, by David Saville Muzzey ... Boston, New York [etc.] Ginn and company [c1934]
viii, 751, xlvi p. col. front., illus., plates, ports., maps (part double) facsims., diagrs. 20½cm.
"References" at end of each chapter.

1. U. S.—Hist. I. Title.
Library of Congress E178.1.M993 1934 34-22571
——— Copy 2.
Copyright A 74392 [5] 973

NM 0919714 DLC Or CU PPL OClW

Muzzey, David Saville, 1870–
History of the American people, by David Saville Muzzey ... Boston, New York [etc.] Ginn and company [c1935]
viii, 754, xlvi p. col. front., illus., pl., ports., maps (part double) facsims., diagrs. 20½cm.
"References" at end of each chapter.

1. U. S.—Hist. I. Title.
Library of Congress E178.1.M993 1935 35-18986
——— Copy 2.
Copyright A 86696 [5] 973

NM 0919715 DLC WaS NN NcD OEac

VOLUME 403

Muzzey, David Saville, 1870–
History of the American people, by David Saville Muzzey ... Boston, New York [etc.] Ginn and company [°1938]
viii, 762, xlvi p. col. front., illus., pl., ports., maps (part double) facsims., diagrs. 20½cm.
"References" at end of each chapter.

1. U. S.—Hist. I. Title.
Library of Congress E178.1.M993 1938 38-11979
——— Copy 2.
Copyright A 117457 [5] 973

NM 0919716 DLC WaT NBuU OClh

Muzzey, David Saville, 1870–1965. History of the American people.
Malick, Frederick Emanuel.
A question outline of Muzzey's History of the American people, by Fred E. Malick ... Asbury Park, N. J., The Le Roy publishing company [°1929]

E178 .25 .P44
Muzzey, David Saville, 1870– History of the American people.
Perkins, Howard Cecil.
... Students' objective-test manual, to accompany Muzzey's "History of the American people," by Howard C. Perkins ... Boston, New York [etc.] Ginn and company [°1930]

Muzzey, David Saville.
Inspiration and ethics.
(In Ethical Addresses and Ethical Record. Vol. 13, no. 8, pp. 217–231. Philadelphia. [1906.])

G8074 — Inspiration. — Ethics.

NM 0919719 MB

Muzzey, David Saville, 1870–
James G. Blaine, a political idol of other days, by David Saville Muzzey. New York, Dodd, Mead & company, 1934.
xi p., 1 l., 514 p. front., plates, ports., facsims. 24cm. (*On cover: American political leaders*)
Bibliography: p. 501–504.

1. Blaine, James Gillespie, 1830–1893.
Library of Congress E664.B6M8 34-32559
——— Copy 2.
Copyright A 75580 [3] 923.273

NM 0919720 DLC Or TxU MeB OKentU NcD NcRS MiU OCl OO OU DN NN DPU ViU WaU PU PHC WaE IdU OrPR WaWW OrSaW OrMonO WaS OrCS OrU CaBVaU

E 664 .B6 M99 1934a
Muzzey, David Saville, 1870-
James G. Blaine, a political idol of other days, by David Saville Muzzey. New York, Dodd, Mead & company, 1934. «Ann Arbor, Mich., 1960»
xi p., 1 l., 514 p. front., plates, ports., facsims. 24 cm. (On cover: American political leaders)
Bibliography: p. 501-504.
Photocopy (positive) made by University Microfilms.
Printed on double leaves.

NM 0919721 MiU

Muzzey, David Saville, 1870–
Readings in American history, by David Saville Muzzey ... Boston, New York [etc.] Ginn and company [°1915]
xxvii, 594 p. 19½cm.

1. U. S.—Hist.—Sources. I. Title.
Library of Congress E173.M98 15-20598

NM 0919722 DLC WaTC IdU OrSaW WaS Wa OrPR

Muzzey, David Saville, 1870–
Readings in American history, by David Saville Muzzey ... Rev. ed. Boston, New York [etc.] Ginn and company [°1921]
xxvii, 604 p. 19½cm.

1. U. S.—Hist.—Sources. I. Title.
Library of Congress E173.M982 21-4873
Copyright A 608783 [39y2] 973

NM 0919723 DLC CaBVaU Or WaS OrCS KEmT

Muzzey, David Saville, 1870–1965. Readings in American history.
Viles, Jonas.
An outline of American history for use in high schools based on Muzzey's "American history", revised edition and Muzzey's "Readings in American history", revised edition, by Jonas Viles ... Rev. ed. Boston, New York [etc.] Ginn and company [°1922]

Muzzey, David Saville, 1870–
The rise of the New Testament. New York & London, The Macmillan co., 1900.
xi, 146 p. 16°.
Bibliography: p. 143–146.

0-1561

NM 0919725 DLC OrPR OrU

Muzzey, David Saville, 1870–
The spiritual Franciscans ... New York, 1907.
76 p. 24cm.
Thesis (PH. D.)—Columbia university.
Vita.
Bibliography: p. 70–75.

1. Franciscans.
A 10-2005
Title from Columbia Univ. Printed by L. C.

NM 0919726 NNC IdU CaBViP WaTC

BX3602 .M9 1907
Muzzey, David Saville, 1870–
... The spiritual Franciscans, by David Saville Muzzey, PH. D. Herbert Baxter Adams prize essay, awarded December, 1905. New York, 1907.
75 p. 24cm.
At head of title: American historical association.
"Bibliographical note on the early legends of Saint Francis": p. 58–70.
Bibliography: p. 71–75.

1. Franciscans. I. Title.
Library of Congress BX3602.M9 1907 8-11527

NM 0919727 DLC

Muzzey, David Saville, 1870–
The spiritual Franciscans, by David Saville Muzzey, PH. D. New York, 1907; reprint, Washington, American historical association; [etc., etc.] 1914.
v, 102 p. 19½cm. (*Half-title:* Prize essays of the American historical association, 1905)
"To this essay was awarded the Herbert Baxter Adams prize in European history for 1905."
"Bibliographical notes on the early legends of Saint Francis": p. 73–86.
Bibliography: p. 87–91.

I. Title. 14-10377

NM 0919728 DLC CaBVaU MtU WaS

Muzzey, David Saville, 1870–
Spiritual heroes; a study of some of the world's prophets, by David Saville Muzzey ... New York, Doubleday, Page & company, 1902.
xi, 305 p. 19½cm.
CONTENTS.—Jeremiah, the prophet of Israel.—The Buddha, the prince of mysticism.—Socrates, the champion of intellectual piety.—Jesus, the preacher of the kingdom of God.—St. Paul, the apostle of a universal religion.—Marcus Aurelius, the philosopher of a dying world.—Augustine, the schoolmaster of the middle ages.—Mohammed, the revivalist of Semitism.—Martin Luther, and the dawn of the modern age.
1. Prophets. 2. Jeremiah, the prophet. 3. Buddha and Buddhism. 4. Socrates. 5. Jesus Christ. 6. Aurelius Antoninus, Marcus, emperor of Rome, 121–180. 7. Paul, Saint, apostle. 8. Augustinus, Aurelius, Saint, bp. of Hippo. 9. Muhammad, the prophet. 10. Luther, Martin, 1483–1546.
——— copy 2 2-13484
Library of Congress BL72.M8

NM 0919729 DLC

Muzzey, David Saville, 1870–
... Thomas Jefferson, by David Saville Muzzey ... New York, C. Scribner's sons, 1918.
viii p., 2 l., 319 p. 20cm. (Figures from American history)

1. Jefferson, Thomas, pres. U. S., 1743–1826.
Library of Congress E332.M94 18-18519

NM 0919730 DLC Or WaTC OrPR OrU OrAshS Wa WaWW WaSpG

Muzzey, David Saville, 1870–
The United States [by] David Saville Muzzey [and] Horace Kidger. Boston, Ginn [1953]
667 p. illus. 24 cm.
Includes bibliography.

1. U. S.—Hist. I. Kidger, Horace, 1880– joint author.
E178.1.M998 973 53-2159 ‡

NM 0919731 DLC Or OrMonO OrAshS WaT

Muzzey, David Saville, 1870–
The United States of America ... by David Saville Muzzey ... Boston, New York [etc.] Ginn and company [°1922]–24.
2 v. maps. 21½cm.
CONTENTS.—I. Through the civil war.—II. From the civil war.

1. U. S.—Hist.
Library of Congress E178.M99 22-12549

NM 0919732 DLC MtU IdU WaS OrPR IdU-SB OrU Or OrAshS OrCS CaBVaU WaSp

---

Muzzey, David Saville, 1870– 1965
The United States of America ... by David Saville Muzzey ... with revised bibliography. Boston, New York [etc.] Ginn and company [°1933]
2 v. maps (part double) diagrs. 21½cm.
Lettered on cover: New edition.
Bibliography: v. 1, p. i–xxiii at end; v. 2, p. i–xxx at end.
CONTENTS.—I. Through the civil war.—II. From the civil war.

1. U. S.—Hist.
Library of Congress E178.M993 33-14691
——— Copy 2. MK5de3
Copyright A 63012– 63013 [3] 973

NM 0919733 DLC KEmT

---

973 M98u rev.
Muzzey, David Saville, 1870–
The United States of America ... by David Saville Muzzey. New ed. Boston, New York [etc.] Ginn and company [c1937]
2 v. maps (part double) diagrs. 21 1/2 cm.
Bibliography: v. 1, p. i-xxiii at end; v. 2, p. i-xxx at end.

1. U.S. - Hist. I. Title.

NM 0919734 MsSM KEmT

VOLUME 403

D21
.S63

Muzzey, David Saville, 1870-1965, joint author.

Smith, Emma Peters.
World history, the struggle for civilization, by Emma Peters Smith, David Saville Muzzey and Minnie Lloyd. Boston, New York [etc.] Ginn and company [1946]

Muzzey, George Aldrich, joint author.

Butterweck, Joseph Seibert, 1891–
A handbook for teachers: an integrating course for classroom teachers in secondary schools [by] Joseph S. Butterweck ... and George A. Muzzey ... New York, E. P. Dutton and company, inc., 1939.

Muzzey, Margaret Westcott, ed.

Westcott, Edward Noyes, 1847–1898.
The teller; a story by Edward Noyes Westcott ... with the letters of Edward Noyes Westcott; ed. by Margaret Westcott Muzzey, and an account of his life by Forbes Heermans. New York, D. Appleton and company, 1901.

Muzzi, Gaetano, ed.

Dante Alighieri, 1265–1321.
La Divina commedia di Dante Alighieri, con tavole in rame ... Firenze, Tip. all' insegna dell' Ancora, 1817–19.

Muzzi, Luigi, 1776-1862.
Del veltro allegorico de' Ghibellini ... 1856
see under [Troya, Carlo, conte] 1784-1858.

Muzzi, Luigi, 1776-1862.
Epistola di Luigi Muzzi contenente la nuova esposizione di un luogo del Petrarca e di alcuni di Dante. Bologna, Presso A. Nobili e comp., 1825.
lxiii p. 20½cm.

2-14344

NM 0919740 DLC

Muzzi, Luigi, 1776-1862, tr.
Tre epistole latine di Dante Allighieri ...
see under Dante Alighieri, 1265-1321.

Muzzi, Salvatore, 1808–1884.
Annali della città di Bologna dalla sua origine al 1796, compilati da Salvatore Muzzi. Bologna, Pe' tipi di S. Tommaso d'Aquino, 1840–46.
8 v. 2 fold. plans. 22cm.
Title vignette.
Continued to 1802 by Luigi Aurelli's Annali ...

1. Bologna—Hist.

4—12602

Library of Congress DG975.B6M9

NM 0919742 DLC

[Muzzi, Salvatore] 1808–1884, *comp.*
La ghirlanda; fiore di letteratura. Bologna, Marsigli e Rocchi [1843]
7 p. l., [3]–255, [1] p. front., plates. 22½cm.
Half-title: Strenna per l'anno bisestile 1844.
On cover: La ghirlanda, strenna per l'anno 1844.
Preface signed by the compiler, Salvatore Muzzi.
Verse and prose.

1. Italian literature—19th cent.
I. Title.

36-23427

Library of Congress PQ4204.A8M8 850.822

NM 0919743 DLC

MUZZI, Salvatore, 1808-1884, comp.
I primi bolognesi che scrissero versi italiani; memorie storicl-letterarie e saggi poetici raccolti da Salvatore Muzzi. Torino, G.Speirani e figli, 1863.
pp.51.

NM 0919744 MH

Hb62.119

Muzzi, Salvatore, 1808-1884, comp.
I primi bolognesi che scrissero rime italiane; compilazione di Salvatore Muzzi. Bologna, Presso gli Editori librai eredi Rusconi, 1875.
72p. 18½cm.

NM 0919745 CtY CU

Muzzi, Salvatore.
I primi bolognesi che scrissero rime italine compilazione. Bologna, Rusconi, 1876.
72 p.

NM 0919746 PU

Muzzi, Salvatore.
Nelle auspicatissime nozze del n.u. marchese Gioachino Napoleone Pepoli con Federica Guglielmina principessa de Hohenzollern Sigmaringen ... Bologna, Tipografia Sassi nelle spaderie [pref. 1844]
49 p.

NM 0919747 PP

V
25
.61

MUZZI, SALVATORE, 1808-1884.
Notizie di quattro donne eccellenti nelle dottrine dell'armonia e nella sociale convivenza: memorie... 2. edizione... Bologna, Aquino, 1864.
27p.

Contents.—Emilia Pio-Montefeltro.—Antonia Valburga di Baviera.—Maria Brizzi-Giorgi.—Anna Pellegrini-Celoni.

NM 0919748 ICN

914.5431
M989n

Muzzi, Salvatore, 1808-1884.
Nuova guida di Bologna con pianta. Compilazione di Salvatore Muzzi cui seguono appendici utili specialmente a'forestieri. Bologna, G. Monti, 1857.
96p. front.(plan)

1. Bologna--Descr.--Guide-books.

NM 0919749 IU MB

914.5431
M989g
1876

[Muzzi, Salvatore] 1808-1884.
Nuovissima guida per la città di Bologna e suoi dintorni coll'indicazione degli ultimi abbellimenti nelle vie e negli edifizi. Bologna. G. Romagnoli, 1876.
125p. front.(fold.plan)

1. Bologna--Descr.--Guide-books. I. Title.

NM 0919750 IU

DB879
T9M8

Muzzi, Salvatore, 1808-1884.
Il Trentino e la Venezia, cenni pel popolo. Bologna, Tipi Chierici, 1866.
48 p.

"Estratti dalla 'Gazzetta delle Romagne', agosto e settembre 1866."

1. Trentino - Hist. 2. Venezia - Hist.
3. Italy - Bound.

NM 0919751 CU MH

920.045
M989v

Muzzi, Salvatore.
Vite d'italiani illustri in ogni ramo dello scibile da Pitagora al Rossini, scritte pel popolo e per le scuole. Bologna, 1870.
760p.

NM 0919752 IU

DG463
.M9
1876

Muzzi, Salvatore, 1808-1884.
Vite d'italiani illustri; in ogni ramo dello scibile da Pitagora a Gino Capponi, scritte pel popolo e per le scuole. Seconda edizione con molte aggiunte. Bologna, N. Zanichelli, 1876.
986p. 19cm.

1.Italy - Biography. I.Title.

NM 0919753 NNU WU

R.B.R. Muzzi, Salvatore, 1808-1884.

Vite d'Italiani illustri da Pitagora a Vittorio Emanuele II. 3. ed. con aggiunte. Bologna, N. Zanichelli, 1880.
1016 p. 19 cm.

1. Italy. Biography.

NM 0919754 NcD NIC

Muzzi, Salvatore, 1808–1884.
Vocabolario geografico-storico-statistico dell'Italia nei suoi limiti naturali; e più, un repertorio alfabetico delle antiche città, castelli, montagne e fiumi che più non esistono o che hanno mutato nome. Bologne, G. Monti, 1875.
688 p. 23 cm.

1. Italy—Descr. & trav.—Gazetteers.

DG415.M8 59–55245

NM 0919755 DLC IU OU

MUZZI, TERESA.
Vita di Ferdinando Marescalchi, patrizio bolognese; con appendice di lettere e scritti di F. Marescalchi, F. Melzi, A. Aldini, A. Canova, A. Giordani, V. Monti, del Vicerè Eugenio, del principe di Metternich, ecc., ecc. Milano, 1932
393 p. geneal., table. 21cm.

Bibliography, p. [7]-11.
1. Marescalchi, Ferdinando, 1754-1816. 2. Italy--Politics, 1789-1815.

NM 0919756 NN CLU

VOLUME 403

Muzzina, Gio., pseud.
see Bocchini, Bartolomeo, 17th cent.

Muzzina, Zan, pseud.
see [Bocchini, Bartolomeo] 7th cent.

Muzzio, Alberto, tr.
PQ6613 .A763P62
García Lorca, Federico, 1898–1936.
Poemas gallegos. Traducción castellana de Alberto Muzzio. Buenos Aires, Inter Nos [1941]

Muzzio, Julio A.
Diccionario histórico y biográfico de la República Argentina, por Julio A. Muzzio ... Buenos Aires, J. Roldan, 1920.
2 v. illus. (ports.) col. pl., double map. 24½cm.

1. Argentine Republic—Hist. 2. Argentine Republic—Biog.

Library of Congress F2805.M99 21-11742

ICJ NjP NN MB IU
NM 0919760 DLC TNJ TxU CtY NcD MiU OCl OU PP PU

R 920.082 M98d
Muzzio, Julio A.
Diccionario histórico y biográfico de la República Argentina. Buenos Aires, Librería "La Facultad" de Juan Roldan, 1920.
2 v. in 1. illus. 25cm.

1. Argentine Republic--Biography.

NM 0919761 LU CU NcU CU-B NNUN

Muzzio, Rodolfo A
Fragata "Hércules" y bergantín "La Santísima Trinidad." [Relato documentado] Buenos Aires, Edición del Instituto Browniano [1955]
207 p. illus., port., fold. map. 23 cm. (Serie Hazañas y aventuras de barcos argentinos)
Errata slip inserted.

1. Hércules (Frigate) 2. Santísima Trinidad (Brigantine) 3. Argentine Republic—History, Naval. 4. Argentine Republic—Hist.—War of Independence, 1810–1817. I. Title.

F2845.M88 56-34095

NM 0919762 DLC TxU

Muzzio Sáenz-Peña, Carlos, ed.
Mármol, José, 1818–1871.
... Armonías, poesías; ordenadas y con un prólogo de Carlos Muzzio Sáenz-Peña. Buenos Aires, Talleres gráficos argentinos, L. J. Rosso [19—]

Muzzio Sáenz-Peña, Carlos, tr.
Buenos Aires. Universidad nacional. *Instituto de investigaciones históricas.*
... Colección de viajeros y memorias geográficas ... Versión castellana de Carlos Muzio Sáenz Peña, y advertencia de Emilio Ravignani ...
Buenos Aires, Talleres s. a. casa J. Peuser, ltda., 1923–

Muzzio Sáenz-Pena, Carlos, tr.
Omar Khayyām, *11th cent.*
... Rubáiyát de Omar-al-Khayyam, prólogo de Alvaro Melián Lafinur, ilustraciones de Próspero López Buchardo. Ed. de la revista "Nosotros." La Plata, J. Sesé y cª, 1914.

PQ 7797 .M99 S19
MUZZIO SÁENZ-PEÑA,CARLOS.
Samsara; poemas cortos [por] Muzio Sáenz-Peña. Buenos Aires, 1919.
79 p.

NM 0919766 InU

Muzzio Sáenz-Peña, Carlos.
Las veladas de Ramadán. Cuentos, apologos y leyendas de la Persia islamita. Illustraciones de López Naguil.
Buenos Aires. Edicion de la revista 'Nosotros.' 1916. 223, (5) pp. Plates. 8°.

L2160 — T.r. — Persia. Folk-lore. — Ramadān. — López Naguil, Gregorio, illus.

NM 0919767 MB MH NcU

UC15 .I8 1941
Muzzioli, Augusto, 1886– ed.
Italy. *Laws, statutes, etc.*
... Manuale della legislazione vigente aggiornata e coordinata in materia di requisizioni. [Roma] Stamperia reale di Roma, 1941.

Law
Muzzioli, Augusto, 1886– ed.
Italy. *Comitato giurisdizionale centrale per le controversie in materia di requisizioni.*
... Massimario della giurisprudenza ... fasc. 1– 1941/42– [Roma] 1943–

Muzzioli, Augusto, 1886– *ed.*
... Raccolta delle convenzioni internazionali del diritto bellico terrestre, marittimo ed aereo; con prefazione di Amedeo Giannini. Firenze, S. A. G. Barbèra, 1938.
vii, 403 p. 17cm. (Biblioteca legislativa; nuova serie pratica dei "Manuali Barbèra")
"Appendice prima. Testi della legge italiana di guerra e della legge italiana di neutralità, approvati con Regio decreto 8 luglio 1938-XVI n. 1415": p. [285]–367.
"Appendice seconda. Legge americana sulla neutralità, 1° maggio 1937": p. [369]–380.
1. War (International law) 2. International law and relations—Sources. 3. Neutrality. 4. Italy—Neutrality. 5. U. S.—Neutrality. I. Italy. Laws, statutes, etc., 1900– (Victor Emmanuel III) II. U. S. Laws, statutes, etc. III. Title.

Library of Congress JX4505.M8 41-1432
[2] 341.3

NM 0919770 DLC CtY MH NNC

Muzzioli, Francesco, defendant.
... L'art. 401 del Codice di proc. penale. Deduzioni di diritto nell'interesse di Muzzioli Francesco
see under Marchetti, Vittorio.

Z106 .R6
Muzzioli, Giovanni, ed.
Rome (City) Università. *Istituto di paleografia.*
... Collezioni paleografiche dell' Istituto di paleografia; catalogo a cura di Giovanni Muzzioli. Roma, Tipografia F. Failli, 1943.

ND2893 .I 82 1954 Rosenwald Coll
Muzzioli, Giovanni, ed.
FOR OTHER EDITIONS SEE MAIN ENTRY
Italy. *Direzione generale delle accademie e biblioteche.*
Mostra storica nazionale della miniatura, Palazzo di Venezia, Roma. Catalogo [redatto dal prof. Giovanni Muzzioli] 2. ed. Firenze, Sansoni [1954]

PQ4338 .B6 1955 Rare Bk Coll
Muzzioli, Giovanni, ed.
Boccaccio, Giovanni, 1313–1375.
Trattatello in laude di Dante. [Edizione a cura di Giovanni Muzzioli, sul ms. 104.6 della Biblioteca capitolare di Toledo. La nota critica è stata cura di Alfredo Schiaffini] Verona [Officina Bodoni] 1955.

QC 71 .M9
Muzzioli, Leopoldo.
Los medios experimentales de la física de hoy. [Santiago de Chile, Editorial Nascimento, 1951.
36 p. plates (incl. diagrs.) 22 cm.
"Separado de la Revista 'Atenea', publicada por la Universidad de Concepción. Tomo CIII, septiembre-Octubre de 1951."

NM 0919775 DPU

QC 401 .M8
Muzzioli, Leopoldo.
Ondas y corpúsculos; conferencia dictada el 10 de mayo de 1949 en el Salón de Honor de la Universidad de Concepción. [Santiago de Chile, Editorial Nascimento, 1950]
46 p. 22 cm.
"Separado de la Revista 'Atenea', publicada por la Universidad de Concepcion, tomo XCVI, novbre-dcbre. de 1949."

NM 0919776 DPU

GV1151 .M88
Muzzle blasts. v. 1– Sept. 1939–
Portsmouth, Ohio.
v. in illus., ports. 28 cm. monthly.
"Official magazine of the National Muzzle Loading Rifle Association."

1. Shooting—Period. I. National Muzzle Loading Rifle Association.

GV1151.M88 799.3105 51-22435

NM 0919777 DLC NN

1648 M98
A muzzle for Cerberus, and his three whelps Mercurius Elenticus, Bellicus, and Melancholicus ... With criticall reflections, on the revolt of Inchequin in Ireland. By Mercurio Mastix Hibernicus ... London, R.Smithurst, 1648.
1p.l.,38[i.e.30]p. 17½cm.

NM 0919778 CtY

Muzzo, Giosue.
Vocabolario dialettale. Sassarese-italiano e italiano-sassarese. Sassari, Gallizzi, 1953–55.
2 v. 25 cm.
CONTENTS.—pt. 1. Sassarese-italiano.—pt. 2. Italiano-sassarese, con osservazioni esplicative sulla grafia dialettale.
——— Supplemento [di] Giosue Muzzo e Salvator Ruju. Sassari, Tip. moderna, 1955–
v. 25 cm.
PC1792.M8 Suppl.
1. Italian language—Dialects—Sardinia. I. Ruju, Salvator.
PC1792.M8 A 55-5288 rev 2
Illinois. Univ. Library for Library of Congress [r61c2]†

NM 0919779 IU MiU NIC NN ICU CU OU FTaSU MH DLC

Muzzo, Gustavo Pons
see
Pons Muzzo, Gustavo.

VOLUME 403

q620.1123 M98c
Muzzoli, M
Causes and characteristics of fatigue failures in steels of high hardness ₍trans-lated by Henry Brutcher. Altadena, Calif., Brutcher Technical Translation Service, 1950?
6 l. illus. 30cm.
Caption title.
At head of title: No.1489.
"Abstract-translation, Metallurgia italiano, vol.33, 1941, pp.378-492; vol.34, 1942, pp.5-29, 50-64, & 90-106."
Bibliography: leaf 6.

NM 0919781 IU

Muzzolón, Alejandro.
... Historia y lucha entre el petróleo, el carburante alcohol y la democracia. Montevideo, Imprenta Letras, editorial, 1942.
3 p. l., ₍9₎-225, ₍4₎ p. front. (port.) 5 diagr. 19½cm.

1. Alcohol as fuel. 2. Petroleum. 3. Naphtha.
44-22590
Library of Congress TP358.M8
₍2₎ 662.6

NM 0919782 DLC CU

Muzzopappa, Alfredo M
Miranda hacia el socialismo; esbozo de crítica política y militante, prólogo del Dr. Pedro A. Verde Lello. Buenos Aires, Editorial Tasca, 1946.
160 p. 21 cm.

1. Partido Socialista (Argentine Republic) I. Title.
A 51-498
New York. Public Libr. for Library of Congress ₍1₎

NM 0919783 NN

Muzzy, A. B.
see
Muzzey, Artemas Bowers, 1802-1892.

Z6941 .U5
Muzzy, Adrienne Florence, 1885- A list of clandestine periodicals of World War II.
Ulrich's international periodicals directory. ₍1st₎- ed.; ₍1932₎-
New York, Bowker.

---

sM99b
Muzzy, Alice M
Bennie Winklefield. New York, Hunt & Eaton, 1890.
198p. 19cm.

NM 0919786 IU DLC

Muzzy, Alice M.
Three fair philanthropists, by Alice M. Muzzy ₍a novel₎ ... New York ₍etc.₎ The Abbey press ₍°1901₎
1 p. l., ₍v₎-vii, ₍9₎-398 p. 20½cm.

Apr. 25, 1901-102
Library of Congress PZ3.M988T

NM 0919787 DLC

Muzzy, *Mrs.* Florence Emlyn (Downs)
As in a dream, by Florence Emlyn Downs Muzzy ... New York, H. Harrison ₍°1936₎
63 p. 21½cm.
Poems.

I. Title.
36-30952
Library of Congress PS3525.U98A8 1936
——— Copy 2.
Copyright A 100274 ₍2₎ 811.5

NM 0919788 DLC NcC OrU

Muzzy, Florence Emlyn (Downs), 1852–
Back to yesteryear; a genealogical study, compiled by Florence Emlyn Downs Muzzy... New York: Privately printed by the Amer. Historical Soc., Inc., 1931. 317 (i.e. 319) p. pl., ports. 32cm.
"Addenda and errata," 2 p., numbered 313a–314a, inserted before p. 315.
Includes bibliographies.

605346A. 1. Muzzy family. 2. Downs family. I. American Historical Society, Inc.
N. Y. P. L. Revised March 20, 1933

NM 0919789 NN

Muzzy, *Mrs.* Florence Emlyn (Downs) 1851–1939.
Beyond the sunset; study, dedicated to seekers for truth by one who seeks; compiled and arranged from original notes of one called Lynd by Florence E. D. Muzzy ... ₍New York, °1939₎
4 p. l., 208 p. 22½cm.

1. Spiritualism. 2. Automatism. I. Title.
40-30437
Library of Congress BF1301.M85
——— Copy 2.
Copyright ₍2₎ [159.961323] 133.323

NM 0919790 DLC NN

Muzzy, Florence Emlyn (Downs) 1851–1939, comp.
... A dessert for every day in the year. Together with pudding sauces, recipes for invalids, a few miscellaneous recipes, and numerous facts worth remembering. Collected and arranged by Florence E. D. Muzzy, revised by Kezia Peck, for the benefit of the West cemetery association, Bristol, Conn. ... Winsted, Conn., M. W. Dowd & co. print, 1883.
109, ₍3₎ p. 20½cm.
Advertising matter interspersed.
1. Desserts. I. Peck, Kezia, ed.
TX773.M95 7-28205 rev

NM 0919791 DLC AU

Pam 74-1232
Muzzy, Florence Emlyn (Downs) 1851-1939.
Katherine Gaylord, heroine, written and illustrated by Florence E.D. Muzzy. 2d ed. ₍Ann Arbor, Mich., Edward Brothers, 1940₎
1 v. (unpaged) illus.

1. Gaylord, Katherine Cole, 1745-1840. I. Title.

NM 0919792 WHi

Muzzy, Florence Emlyn (Downs) 1851-1939.
Katherine Gaylord Heroine; first prize biographical sketch National Society, Daughters of the American Revolution. Written and illustrated by F.E.D. Muzzy. [Bristol, Conn., Bristol Press Publishing Co., 1898]
18 l. 8°.

NM 0919793 NN

Muzzy, *Mrs.* Florence Emlyn (Downs)
Remembered sunsets, by Florence Emlyn Downs Muzzy. Philadelphia, Dorrance & company ₍°1930₎
66 p. 20cm. (*Half-title:* Contemporary poets of Dorrance, 91)

I. Title.
30-34108
Library of Congress PS3525.U98R4 1930
——— Copy 2.
Copyright A 32160 ₍2₎ 811.5

NM 0919794 DLC

Muzzy, Franklin, b.1806.
Critical early years in the life of Franklin Muzzy told by himself. Minneapolis, Harrison & Smith co., 1927.
v, 31 p. incl. geneal. tab. front. (port.) 18cm.

NM 0919795 MnU MnHi

Muzzy, *Mrs.* Harriet.
Poems, moral and sentimental. By Mrs. Harriet Muzzy. Collected and arranged, by Caroline Matilda Thayer. New York, Printed by F. W. Ritter, 1821.
3 p. l., ₍v₎-ix, ₍13₎-200 p. 18cm.
Includes poems by Mrs. Thayer, signed: Caroline Matilda.

I. Thayer, Mrs. Caroline Matilda, d. 1844, comp.
25-55
Library of Congress PS2459.M45

NM 0919796 DLC CSmH ICU NcD CtY LNHT

Muzzy, J S.
A lecture on temperance, or on selfishness and benevolence, showing, that the license, manufacturing, wholesale, and retail systems have their origin from the former, and the temperance cause from the latter ... Containing seventeen beautiful drawings on stone. By J. S. Muzzy ... Cincinnati, O., J. S. Muzzy and J. Sherer, 1846.
94 p. col. front., 18 col. pl. (incl. front.) 20½cm.
"Constitution and by-laws of Ohio division no. 1, of the Sons of temperance, of the city of Cincinnati, state of Ohio": p. ₍59₎-₍77₎
1. Temperance—Addresses, essays, lectures. I. Sons of temperance of North America. Grand division of Ohio. Ohio division, no. 1.
9-33816†
Library of Congress HV5295.M8

NM 0919797 DLC

Muzzy, Stanton C.
Poems from the heart of Vermont ... Shelburne, Vt., 1930.
[35] p. pl. cover-title. 19 cm.
On cover-title: Vol. I, May 1930.

NM 0919798 RPB

Mwal Imu, African weekly (Swahili language newspaper) Nairobi, Kenya. March 6, 1946, plus

NM 0919799 PU-Mu

Mwana Kupona
see Kupona, Mwana.

Mwandia, David.
Kilovoo. Illustrated by Ruth Yudelowitz. Dar es Salaam, Eagle Press, 1954. 44 p. illus. (Eagle fiction library.)

Negro author.

1. Kamba language - Texts. (TITLE)

NM 0919801 NN

VOLUME 403

Mwelo a zayi
see under [Bentley, William Holman] 1855-1905.

Mwimbieni bwana.
[Bukoba, Tanzania]
v. illus. 21 cm.
"Gazeti la waimbishaji."

1. Music—Periodicals. 2. Church music—Periodicals. 3. Music—Tanzania.
ML5.M9985 73-647634 MARC-S

NM 0919803 DLC

Mwo sasu lun Jisus Kraist leum las ma Jon el sim
see under Bible. N.T. John. Kusaie. 1868. Snow. Also with date 1882.

Mwo sasu lun Jisus Kraist leum las ma Mark el sim
see under Bible. N.T. Mark. Kusaie. 1868. Snow.

Mwo sasu lun Jisus Kraist leum las ma Mattu el sim
see under Bible. N.T. Matthew. Kusaie. 1865. Snow.

Mwokozi wetu; the life of Our Lord in Swahili from the four Gospels. London, Society for Promoting Christian Knowledge [1929]
x, 148 p. illus. 19 cm.
In Swahili.

1. Jesus Christ—Biography—Sources, Biblical.
BS325.S96M9 75-269379

NM 0919807 DLC

Mwuleun Sasu lun Jisus Kraist ... N.Y., American Bible Society [1953] [Kusaie and English]
see under Bible. N.T. Kusaie. 1953.

My,
Fridolins Harlekinder
see under title

My,
Fridolins Siebenmeilenpferd
see under title

My,
Fridolins Zauberland
see under title

M...y, Mr.
[Billardon de Sauvigny, Edme Louis] 1736-1812.
La rose, ou La feste de Salency, avec un supplement sur l'origine de cette fête ... Paris, Ches Gauguery, 1770.

My, Géza.
Das kön. ungarische Josefs-Polytechnikum in Budapest, anlässlich der Ausstellung auf dem Gebiete der Hygiene und des Rettungswesens, Berlin, 1882, beschrieben von Béla My und Vincenz Wartha. Budapest, 1882.
34 p. 12 plans, 2 pl. 4°.
Hungarian and German text.

NM 0919813 DNLM

MY, M. Tn. de.
Appel à l'opinion publique sur la situation de l'Espagne. 1839.

NM 0919814 MH

My, Michel.
...Le Tonkin pittoresque; souvenirs et impressions de voyage, 1921-1922... v. 1- Saigon: J. Viêt, 1925- v. illus. (incl. ports.), plans, plates. 12°.
Contents: v. 1. Haiphong-Hanoi. La vie indigène.

1. Tongking—Descr. and trav., 1900- September 13, 1927
N. Y. P. L.

NM 0919815 NN

My ABC book
see under Seiden, Art.

M
452.4
.L12
1950
La my; anon., ca.1500. Allemande novelle [by] Bernhard Schmid. Edited: Nathalie Dolmetsch. [London? 1950?]
4 parts. 31 cm. (Viola da Gamba Society. Publication no.3)
Reproduction of MS.
For treble, alto, tenor and bass viol.

1. String quartets (4 viols) I. Schmid, Bernhard, 1535-1592. Allemande novelle. II. Dolmetsch, Nathalie, ed.

NM 0919817 MiU

My actor-husband. New York, John Lane company, 1912.
327 p. 19cm. $1.30

Library of Congress PZ3.M9885 12-8803

NM 0919818 DLC ICN NcU OrU TxU PU

My actor-husband; a true story of American stage life. New York: The Macaulay Co., 1913. 327 p. 12°.

253021A. 1. Fiction, American. November 17, 1926
N. Y. P. L.

NM 0919819 NN MH

My Adirondack pipe. Memories of a pleasant month spent in the Adirondacks, by W. S. K. Printed for private circulation. [New York, Press of W. R. Jenkins, 1887]
81 p. 18cm.

1. Adirondack Mountains—Descr. & trav. I. K., W. S. II. W. S. K.
17-9543
Library of Congress F127.A2M98

NM 0919820 DLC CtY

ROLLINS
My adventures in the Far West. [London, 1862]
1 v. map. 27 cm.

Extracted from The Leisure hour, v.11, no.523-538.

NM 0919821 NjP

My after-dinner adventures with Peter Schlemihl.
(In Tales from Blackwood. New series. No. 18, pp. 46-88. Edinburgh. [1879.])

Δ1257

NM 0919822 MB

My afterdream
see under West, Julian.

My aggravating wife. [1892]
see under Halsey, Harlan Page, 1839?-1898.

My ain countree. Glasgow, Bible and tract depository, London, Gospel tract depot, [etc., etc., n.d.]
7 p., 1 l.

NM 0919825 ViU

*
M1
.S444
v.97
no.52
My ain kind dearie, O., or, The lea-rigg. Figure 2 under seven pointed star. Boston, Oliver Ditson & Co., Washington St.; Boston, C. C. Clapp & Co. ... N. York, S. T. Gordon [188-?] Pl. no. 14098.
5 p. 35cm. (A collection of Scotch songs, arr. for the piano forte).
[Sheet music collection, v. 97, no. 52]
The first two stanzas of this song are by the ill-fated Robert Ferguson; the third is one of several added by William Reid, who was sometimes extremely fortunate in the additions he made to popular ditties!
Possibly attributed to Thomas Augustine Arne.
1. Songs with piano. I. Arne, Thomas Augustine, 1710-1778, supposed composer. II. Title: The lea-rigg.

NM 0919826 ViU

My ain kind deary o! A much admied [sic] Scoth[sic] song with the original words. Dublin, published by B. Cooke at his piano forte and music warehouse (no.4) Sackville Street.
1 leaf. folio.

First line: Will ye gang o'er the Lee rigg.
Caption title.
"The Berwick jockey"-two staves at end.
Bound with Storace, Stephen: Cruel fair.

NM 0919827 MB

VOLUME 403

My ain kind deary-o! Philadelphia; Published by G. E. Blake [180-]
1 l. 34 cm.
Caption title.
For piano with interlinear words.
No. 31 in vol. with title: [Collection of early American music. v. p., ca. 1800]

1. Songs, Scottish.

M1.A1C no. 31 M 58-1599

NM 0919828 DLC

Iy M99 922b My airedale and other verses by R.G.E.S. With an introduction by Rev.William L.Sullivan ... St.Louis,Mo.[Kutterer-Jansen printing co.]1927.
57p.,1l. 18cm.
"First printing 1922. Second printing with additions 1927."
"This edition is limited to 500 copies. No.310."

I. S., R.G.E. II. R.G.E.S.

NM 0919829 CtY MH RPB

My airman over there
see under [Bond, Aimée]

My a—se: a poem. Humbly address'd to Dean S---ft. To which is added, The cobler: a tale. London, H. Gorham, 1735.
1 p. l., 21 p. 23½cm.

1. Title: The cobler.

25-19885

Library of Congress PR3291.A1M8

NM 0919831 DLC

---

*pFB8 N1627 2803m4 My ass in a band box.
[London] Pubd by Roberts Holborn.[1803]
plate. 27x43.5cm.,mounted to 41x54.5cm.
George 10101; Broadley A-593.
Engraving (hand-colored), unsigned.
A satire on Napoleon's threatened invasion.

NM 0919832 MH

My aunt: a petit comedy, in two acts
see under [Arnold, Samuel James] 1774-1852.

---

sE M989 My aunt, a tale of duty. [London] Hodgson & co., 1823.
13l. illus.
Illustrations hand-colored.

NM 0919834 IU

My Aunt Lucy's gift ... embellished with colored engravings ... Baltimore, n.d.
14 p. illus. 23 cm.
Cover title.

NM 0919835 RPB

... My Aunt Lucy's gift. Embellished with eight colored engravings. Baltimore, Printed & published by Wm. Raine. No. 74. Baltimore-Street [n.d.]
8 l. 13.5 cm.
William Raines edition.

NM 0919836 DLC

My aunt Pontypool
see under [James, George Payne Rainsford] 1801?-1860.

My aunt's ball. [Alphabet in verse] n.p., n.d.
[15] p. col. illus. 6 p. blank.
Cover title.

NM 0919838 RPB

My aunt's heiress; a comedy in one act
see under Lacy, Katherine.

My aunt's match making, and other stories by popular authors. New York, Cassell & company, limited [1888]
212 p. 19cm. (On cover: Cassell's "rainbow" series. v. 1. no. 26)
Running title: Stories from Cassell's.
CONTENTS.—My aunt's match making.—My balloon adventure.—The great gold secret.—Edward Brown, stoker.—Hard pressed: a wolf story.—The blind spinner.—Mutiny on board.—Bibbs: a love story.—Proud Mrs. Brandleth.—A river story.—Running "pilot."—Ivy.—Snowed up.—"Through flood—through fire."—Only just saved.—Bang.

Library of Congress PZ1.M995 7-32290†

NM 0919840 DLC

YA .S552 My awkward cousin; or, Caroline's visit to her great-aunt's poultry yard ... Written for the American Sunday-School Union and revised by the Committee of publication. Philadelphia, American Sunday-School Union [c. 1848]
[6]-107 p. 15.5 cm.

NM 0919841 DLC PPAmS

My baby, the monthly magazine for expectant and new mothers. v. 1- spring 1943-
[New York, Shaw publications, inc., 1943-
v. illus. 28½cm.
Quarterly, 1943-45; monthly, 1946.
Subtitle varies.

1. Infants—Care and hygiene—Period.

RJ1.M9 649.105 Med 47-103

NM 0919842 DLC

---

* M1 .S444 v.62 no.34 My bark is on the billow; a favorite song arranged for the guitar by Ld. Meignen. Philadelphia, A. Fiot, 196 Chesnut [sic] St.; New York, W. Dubois, 315 Broadway, ©1847.
2 p. 31cm. [Sheet music collection, v. 62, no. 34]
Caption title.

1. Songs with guitar. I. Meignen, Leopold, arr.

NM 0919843 ViU

My bark is on the waters bright. [Song.] Composed & arranged for the pianoforte.
= Boston. Bradlee. [183-?] 2 pp. 32½ cm.

L5573 — T.r. — Songs. With music.

NM 0919844 MB

"My bark is out upon the sea" (a song published March 1842 by Firth and Hall, N. Y. C., as sung by Braham)

NM 0919845 MH NBuG

"My beloved poilus" ... 1917
see under [Warner, Agnes]

823.08 M995 My best animal story; an anthology of stories chosen by their own authors. London, Faber & Faber [1935]
476 p. 20 cm.

1. Animals, Legends and stories of. 2. Short stories, English. 3. Short stories, American.

NM 0919847 NcD

My best book, by Q.
see under [Quiller-Couch, Sir Arthur Thomas] 1863-1944.

My best detective story; an anthology of stories chosen by their own authors. London, Faber & Faber, limited [1931]
491 p. 19½cm.

1. Detective stories. 2. Short stories, English.

Library of Congress PZ1.M996 32-13688

NM 0919849 DLC CaBVa IU OrU

My best detective story; an anthology of stories chosen by their own authors. London, Faber & Faber [1932]
491 p. 19 cm.

NM 0919850 MH

PZ1 .M996 1943 My best detective story; an anthology of stories chosen by their own authors. London, Faber and Faber [1943]
415p. 19cm.
"First published in 1931; reset and reprinted 1943."

1.Detective and mystery stories. 2. Short stories, English.

NM 0919851 AAP KEmT

My best Mary
see under Shelley, Mary Wallstonecraft (Godwin) 1797-1851.

VOLUME 403

PN 6071 D45M9
My best mystery story; a collection of stories chosen by their own authors. London, Faber and Faber, 1939.
550 p. 21cm.

1. Detective and mystery stories.

NM 0919853 CoU

My best play; an anthology of plays chosen by their own authors. London, Faber & Faber limited [1934]
590 p. 19½ cm.
CONTENTS.—Bax, Clifford. The Venetian.—Coward, Noel. Hay fever.—Dane, Clemence. Granite.—Druten, John van. After all.—Maugham, W. S. The circle.—Milne, A. A. Success.—Munro, C. K. The rumour.—Robinson, Lennox. The whiteheaded boy.

1. English drama—20th cent.

PR1272.M8 822.910822 35—2564

NM 0919854 DLC CaBVaU PPD OCX TU NcD CSt TxU IEN

My best railroad photographs.
TF149 .K55
Kindig, Richard H
My best railroad photographs. London, I. Allan, 1948.

My best science fiction story.
PZ1 .M305 My
Margulies, Leo, 1900— ed.
My best science fiction story, as selected by 25 outstanding authors; edited by Leo Margulies and Oscar J. Friend. New York, Merlin Press [1949]

808.83 M995
My best spy story; a collection of stories chosen by their own authors. London, Faber and Faber [1938]
553 p. 19 cm.
Contents.-The link, by M. Annesley.-Flood on the Goodwins, by A. D. Divine.-Trouble on the border, by J. Ferguson.-Gun Cotton SS., by R. Grayson.-In enemy territory, by G. A. Hill.-The traitress, by S. Horler.-Music hath charms, by V. Loder.-The uncounted factor, by S. Maddock.-Gas attack! by M. McKenna.-"38," by L. W. Meynell.- Cunningham, by W. F. Morris.-The piping days of peace, by T. Mundy.-Escape, by B. Newman.-Under enemy colours, by A. O. Pollard.-Georgette--a spy, by G. Seton.-Live bait, by J. M. Welsh.-Espionage, by D. Wheatley.-The popinjay knight, by V. Williams.-Brien averts a war, by A. Wilson.
1. Spy stories.

NM 0919858 NcD CoU CtY CaBVa

My best story; an anthology of stories chosen by their own authors. Indianapolis: The Bobbs-Merrill Co. [, 19—?] 448 p. 12°.
Contents: Arlen, Michael: The prince of the Jews. Belloc Lowndes, Mrs.: The decree made absolute. Bennett, Arnold: Death, fire and life. Beresford, J. D.: Reparation. Chesterton, G. K.: The five of swords. Frankau, Gilbert: Mustard-Pot—matchmaker. Gibbs, Sir Philip: The stranger in the village. Kaye-Smith, Sheila: A day in a woman's life. Mason, A. E. W.: The clock. Maugham, Somerset: Red. Oppenheim, E. Phillips: The gambler's road. Pemberton, Sir Max: The brain drug. Phillpotts, Eden: The matchmaker. "Sapper": The patch on the quilt. Stacpoole, H. de Vere: Johnson and the viatique. Thurston, Temple: Mr. Simmonds' bit o' business. Vachell, H. A.: Plain Jane. Walpole, Hugh: Mr. Oddy. Wells, H. G.: The man who could work miracles. Wren, P. C.: The double saddle. Wylie, I. A. R.: Grandmother Bernle learns her letters.

1. Short stories. 2. Titles. 3. Twenty-one au. anal.
N. Y. P. L. October 29, 1930

NM 0919860 NN PP OCl OEac OLak

My best story; an anthology of stories chosen by their own authors. Indianapolis, The Bobbs-Merrill company [1930]
448 p. 20cm.

1. Short stories.

Library of Congress PZ1.M998 30-26887

ViU OrCS OrMonO IU
NM 0919861 DLC MB CoU GU FTaSU Or CaBVaU PU NNC

My best story; an anthology of stories chosen by their own authors. L, Faber [1932]
493 p.

NM 0919862 MH

808.31 M998
My best story; an anthology of stories chosen by their own authors. London, Faber & Faber c1933, 1929.
493p. 20cm.

1. Short stories.

NM 0919863 OrU IU

My best story; an anthology of stories chosen by their own authors. London, Faber and Faber [1947]
384 p. 19 cm.

NM 0919864 MH

My best story; second series; an anthology of stories chosen by their own authors. London: Faber & Faber Ltd. [, 1933.] 502 p. 12°.
CONTENTS.—Benson, E. F. How fear departed from the long gallery.—Benson, S. The desert islander.—Birmingham, G. A. Sonny.—Blackwood, A. The willows.—Bramah, E. The story of Ching-kwei and the destinies.—Coppard, A. E. The field of mustard.—Dane, C. Spinsters' rest.—Delafield, E. M. It all came right in the end.—De La Mare, W. The wharf.—Dunsany, Lord. Mrs. Jorkens.—Galsworthy, J. Philanthropy.—Garnett, D. Colonel Beech's bear.—Hay, I. The non-combatant.—Hichens, R. The middle-man.—Jacobs, W. W. The substitute.—Kennedy, M. Pussycat Pennefather.—Linklater, E. God likes them plain.—Maxwell, W. B. The château.—Merrick, L. Mademoiselle ma mère.—Moss, G. Mein Schatz.—Priestley, J. B. Mr. Strenberry's tale.—Sayers, D. L. The fountain plays.—Stern, G. B. The slower Judas.—Williamson, H. A weed's tale.

1. Short stories. 2. Twenty-four titles. 3. Twenty-four au. anal.
N. Y. P. L. January 4, 1935

NM 0919866 NN WaU

Child. Coll. PZ 5 M9
My best story for boys; a collection of stories chosen by their own authors. London, Faber and Faber [1937]
542 p. 19 cm.
CONTENTS.—The sole survivors, by H. Mortimer Batten.—Ordeal by the river, by C. M. Bennett.—Wuzzabanzuki, by Richard Bird.—The race home, by Lawrence R. Bourne.—The sands of sorrow, by T. C. Bridges.—An elephant never forgets, by Gordon Casserly.—Rover Hodgson takes shelter for the night, by L. E. O. Charlton.—William and the Waxwork prince, by Richmal Crompton.— The carrier pigeon, by Laurence L. Driggs.—The tem ple of the sun, by Charles Gilson.—The sense of humour, by Gunby Hadath.—The breed of 'em, by Will James.-The promotion of Jack Stuart, by T.T.Jeans.-Questionable cargo, by W.E.Jones.-Rebels to the rescue, by Escott Lynn,--Croome's black shadow, by Michael Poole.-Mr. Kennedy in charge, by L.A.G.Strong.-The escape of the "Calliope", 1889. by "Taffrail".--Sleepy Saunders, by Rowland Walker.-Against orders, by J.F.C.Westerman.
1. Children's stories. ec

NM 0919868 IEdS

My best thriller; an anthology of stories chosen by their own authors. London, Faber & Faber limited [1933]
492 p. 19cm.
CONTENTS.—Austin, F. B. Under the lens.—Beeding, F. Death by judicial hanging.—Beresford, J. D. Ways of escape.—Bridges, V. White violets.—Burke, T. Desirable villa.—Christie, A. Accident.—Farjeon, J. J. Romance passes by.—Graeme, B. The hand of Steele.—Horler, S. Black magic.—Jesse, F. T. Treasure trove.—Malloch, G. R. The orange handkerchief.—Mason, A. E. W. North of the tropic of Capricorn.—Mordaunt, E. Mrs. Scarr.—Oppenheim, E. P. The table under the tree.—Orczy, Baroness. A battle of wits.—Pemberton, M. Spirit of Black Hawk.—Priestley, J. B. The demon king.—Rohmer, S. Fires of Baal.—"Sapper." The house by the headland.—Sayers, D. L. The Cyprian cat.—Soutar, A. The pursuing shadow.—Squire, J. C. The alibi.—Stacpoole, H. de V. Dead girl Finotte.—Vachell, H. A. Trodd's Corner.—Whitelaw, D. The vault.—Williams, V. At the shrine of Sekhmet.
1. Short stories, English.
Minnesota. Univ. Library for Library of Congress [2] A 37-904

NM 0919869 MnU

PN 6071 D45M94 1947
My best thriller; a collection of stories chosen by their own authors. London, Faber & Faber limited, 1947.
492 p. 19cm.
Contents.-Austin, F.B. Under the lens.-Beeding, F. Death by judicial hanging.-Beresford, J.D. Ways of escape.-Bridges, V. White violets.-Burke, T. Desirable villa.-Christie, A. Accident.-Farjeon, J.J. Romance passes by.-Graeme, B. The hand of Steele.-Horler, S. Black magic.-Jesse, F.T. Treasure trove.-Malloch, G.R. The orange handkerchief.-Mason, A.E.W. North of the tropic of Capricorn.-Mordaunt, E. Mrs. Scarr.-Oppenheim, E.P. The table under the tree.-Orczy, Baroness. A battle of wits.-Pemberton, M. Spirit of Black Hawk.-Priestley, J.B. The demon king.-Rohmer, S. Fires of Baal.-"Sapper." The house by the headland.-Sayers, D.L. The Cyprian cat.-Soutar, A. The pursuing shadow.-Squire, J. C. The alibi.-Stacpoole, H. de V. Dead girl Finotte.-Vachell, H.A. Trodd's Corner.-Whitelaw, D. The vault.-Williams, V. At the shrine of Sekhmet.
1. Short stories. English. 2. Detective stories.

NM 0919871 CoU

WB 28408
My best western story; a collection of stories chosen by their own authors. London, Faber & Faber [1935]
508p.

1. Western stories.

NM 0919872 CtY

My Bible, a poem. Philadelphia: Published and sold by Wm. Charles c1815?
6l. col.illus. 12½cm.
Worn copy.

NM 0919873 NBu

My Bible and my calling
see under Cameron, Mrs. Lucy Lyttelton (Butt) 1781-1858.

My Bible book (Dean Bryant, illus.)
see under Bible. English. Selections. 1946. Authorized.

My Bible class: with an essay on Bible-class teaching. By a Scripture teacher. Philadelphia: Perkinpine & Higgins [1869]. 177 p. 16°.

BLACK TEMPERANCE COLL.

1. Sunday-schools.—Teaching. 2. Bible.—Study and teaching. 3. A Scripture teacher.
N. Y. P. L. June 25, 1917.

NM 0919876 NN

VOLUME 403

BX6225.25 .M99 1954 My Bible story book. Kindergarten, year 1. Philadelphia, Judson Press, 1954-55.
4v. in 1. illus. 20 x 18cm. (Judson graded series)
Author varies: v.1-3 by Lois Horton Young, v.4 by Margaret Clemens McDowell.
Accompanied by teacher's book: Kindergarten teacher's book, year 1.
1. Sunday schools--Curricula--American Baptist Convention. 2. American Baptist Convention--Education. I. Young, Lois Horton. II. McDowell, Margaret Clemens.

NM 0919877 IEG

In M99 816 My bird and my dog; a tale for youth. By the author of The citizen's daughter, Idiot heiress, &c. London, Printed at the Minerva Press for A. K. Newman, 1816.
119 p. 15 cm.

I. The citizen's daughter, Author of. II. Idiot heiress, Author of.

NM 0919878 CtY CaOTP NN

PZ 8.9 M85 My birthday present. New York, Thomas Nelson [18
1 v. (unpaged) illus.

CHILDREN'S LITERATURE

NM 0919879 KMK

My blind sister.
(In Novels and tales reprinted from Household Words, conducted by Charles Dickens. Vol. 2, pp. 115-128. Leipzig, 1856.)

A1257

NM 0919880 MB

My blue eyed beauty. [1884]
see under White, H. Montgomery.

My boat is on the shore, or here's a health to thee Tom Moore. [Song] arranged for the Spanish guitar by L. Meignen.
= Philadelphia. Willig. 1831. 3 pp. F°.

G3343 — Meignen, Leopold, ed. — Songs. With music.

NM 0919882 MB

My body & I. A monologue
see under [Branham, Joel] b. 1835.

My body, its use and abuse. London, Eden. Remington & Co., 1890.
79 p. 16°.
By H.

NM 0919884 DNLM

My body to my soul
see under [Hall, Mrs. Louisa Jane (Park)] 1802-1892.

My bonnie Mary. It was upon a lammas night. Tho' women's minds. Yestreen I had a pint o' wone. There's nought but care on ev'ry hand. Ye banks and braes. Edinburgh, Printed for the booksellers [ca. 1820- ?]

8 p. 14cm. [Chap books. v.6, no.7a]

NM 0919886 MnU

LB1537 .M8 My book ... [Chicago, Wheeler publishing co., c1929]
5 v. illus. 20.5 cm.
"Related reading activities (self-directed seatwork) ... for use with ..."
"The child's own way series."
Books 1-3 prepared by Marjorie Hardy; book 4 prepared by Lillian Lohse, ed by Marjorie Hardy, book 5 prepared by Helen Teeters, ed. by Marjorie Hardy.

NM 0919887 DLC

My book; a book about books
see under Intelligencer printing company, Lancaster, Pa.

BY3741 .C73b 1949 [v.2] My book about God's world. By Ethel L. Smither, Elizabeth C. Allstrom and Dorothy Carl. [Nashville, Graded Press, 1949-50]
4v. in 1. illus. 22cm. quarterly. (Closely graded lessons: Primary)

Course 2, pt.1-4.

1. Sunday schools, Methodist Church (U.S.) 2. Sunday schools--Curricula--Methodist Church (U.S.) I. Smither, Ethel L (Series)

NM 0919889 IEG

BY3741 .C73b 1949 [v.1] My book for home and church. pt. 1-4. By Lois Eddy McDonnell and others. [Nashville, Graded Press, 1949-50]
4v. in 1. illus. 21cm. quarterly. (Closely graded lessons: Primary)

Course 1, pt. 1-4.
Pt. 1 by Lois Eddy McDonnell. Pt. 2 by L.E. McDonnell and Gertrude Sheldon. Pt. 3 by G. Sheldon and Armilda B. Keiser. Pt. 4 by Mattie Lula Cooper and L.E. McDonnell.

NM 0919890 IEG

My book of animal stories. Garden City, N. Y., Garden City Pub. Co. [1949, °1948]
[64] p. col. illus. 30 cm.

1. Animals, Legends and stories of.

PZ10.3.M985 50-7092

NM 0919891 DLC

SPECIAL COLLECTIONS BOOK ARTS NC 242 .R11 190- M99 My book of doggies; stories and pictures for little folk. London, Blackie [190-?]
[28] p. illus. (part col.) 26cm.

Illustrations on p. [6] and p. [12] by Arthur Rackham.

NM 0919892 NNC

sE M99 My book of birds. New York, S. Gabriel sons & co., c1919.
cover-title, [12]p. col.illus.

Text on p.[2] and [3] of cover.
"Illustrations copyrighted by A. W. Mumford."

I. Mumford, A. W., illus.

NM 0919893 IU

My book of cats and dogs. New York, Sam'l Gabriel Sons & Company, c1921.
[16] p. incl. covers. illus. (part col.) 30½cm.
"No. 827."
"Linenette."

PZ7.M955

NM 0919894 ViW

My Book of Curs
see under [Scanlan, R.R.]

My book of inventions. London: Edward Arnold [1800?]. 3-190 p. illus., port. 12°. (Childrens' favourite series.)

1. Inventions. 2. Series.
N. Y. P. L.

CENTRAL RESERVE.
August 13, 1913.

NM 0919896 NN

My book of plays, by various authors. London, Blackie, n.d. illus.

Contents: Duchess and her cat, by C.D. Cole.-Land of Wog, by W.M.Horsbrugh and E.H.Lang.-At the gates of fairyland, by J.S.Macrobert.-Lost bounce, by W.M.Horsbrugh and E.H.Lang.-Snow White and the seven dwarfs, by C.D.Cole.-Dreaming princess, by Irene Boyd.

NM 0919897 WaSp

SPECIAL COLLECTIONS BOOK ARTS NC 242 .R11 1901 M99 My book of pussies; stories and pictures for little folk. London, Blackie [1901?]
[24] p. illus. (part col.) 26cm. (Blackie & Son's picture books)

Illustrations on p. [6] and p. [19] by Arthur Rackham.

NM 0919898 NNC

HE 152 .M98 My book of railways, ships and aeroplanes ... London and New York, F.Warne & co. [1934]
[186] p. illus. 24½cm.

1. Transportation.--Juvenile literature.

NM 0919899 MiU

sM991 My book of stories. New York, Hurst [c1914]
[57]p. col.front. 22cm. (Books of Topsy Turvy Land)

NM 0919900 IU

VOLUME 403

BV1585
.M8
My book on the Christian way. [Chicago, The University of Chicago press, c1929]
1 v. 28 cm.
Cover title.
Loose leaf.
Contains songs with music.

NM 0919901 DLC NcD

"My bookcase" series
see under Reville, John Clement, 1867-

My bookhouse
see under Miller, Olive Kennon (Beaupre) ed.

My boy and his pup
see under [Gustin, Albert J]

My boyhood home [manuscript poem...]
see under [Hatch, Sidney H]

My boyhood's home, from the celebrated romantic opera Amilie or the Love test
see under
Rooke, William Michael 1794-1847.

My boy's first book
see under [Tytler, Margaret Fraser]

My boys in the tropics ... containing 63 engravings of interesting scenes and incidents relative to the war in the Philippine Islands. San Francisco, Cal., My boys pub. co. [1901]
127 p. illus. 14½ x 23cm.
Full page illustrations, versos blank.

1. Philippine Islands—Descr. & trav.—Views. 2. Philippine Islands—Hist.—Insurrection of 1898—Views.

Library of Congress DS659.M99 1-30614 Revised

NM 0919908 DLC

My bride's book
see under [Williams, Dora Wells] 1875-

My brother [a novel] ... 1896
see under [Brown, Vincent]

My brother; a memoir of George A. Mulry ...
see under [Mulry, Patrick]

My brother, or, The man of many friends
see under [Ellis, Sarah (Stickney)] 1812-1872.

My brother and I; selected papers on social topics ... with an introduction by William Ingraham Haven. New York, Hunt & Eaton; Cincinnati, Cranston & Curts [c1895]
1 p. l., [vii]-x, 303 p. 18cm.
CONTENTS.—Am I my brother's keeper? [By] F. W. Farrar.—Christ the greatest of social reformers. [By] H. P. Hughes.—The church and the world. [By] R. T. Ely.—The negro question. [By] G. W. Cable.—The world's drink problem. [By] A. Gustafson.—Is labor a commodity? [By] W. Gladden.—The Pauline doctrine of the sword. [By] A. J. F. Behrends.—Gambling. [By] H. P. Hughes.—The problem of the children. [By] J. A. Riis.—The redemption of the slums. [By] H. G. Mitchell.
1. Social problems. 2. U. S.—Soc. condit. I. Behrends, Adolphus Julius Frederick, 1839-1900. II. Cable, George Washington, 1844-1925. III. Ely, Richard Theodore, 1854- IV. Farrar, Frederic William, 1831-1903. V. Gladden, Washington, 1836-1918. VI. Gustafson. Axel Carl Johan, 1849- VII. Haven, William Ingraham, 1856-1928, comp. VIII. Hughes, Hugh Price, 1847-1902. IX. Mitchell, Hinckley Gilbert Thomas, 1846- X. Riis, Jacob August, 1849-1914.

1. Social problems 2. U. S.—Soc. condit. I. Behrends, Adolphus Julius Frederick, 1839-1900. II. Cable, George Washington, 1844- III. Ely, Richard Theodore, 1854- IV. Farrar, Frederic William, 1831-1903. V. Gladden, Washington, 1836- VI. Gustafson, Axel Carl Johan, 1849- VII. Haven, William Ingraham, 1856- comp. VIII. Hughes, Hugh Price, 1847-1902. IX. Mitchell, Hinckley Gilbert, 1846- X. Riis, Jacob August, 1849-

Library of Congress HN64.M95 9-3946†

NM 0919914 DLC NN IEG ICU MH MiU OCl OO PSt ICJ

Epsteen Coll. in RareBooks Room
My brother Ben, by the author of "Mackerel Will," "Harry the sailor-boy," etc. New York, American Tract Society [ca1850]
142 p. illus. 16cm. (Model library, 2)

I. Mackerel Will, Author of. II. American Tract Society.

NM 0919915 CoU NcD

My brother Ben. By the author of "Mackerel Will"... London: Religious Tract Soc. [1861.] 104 p., incl. front., pl. 16°.

BLACK TEMPERANCE COLL.
1. Juvenile literature.—Fiction (English). 2. Mackerel Will, Author of.
N. Y. P. L. August 31, 1917.

NM 0919916 NN

My brother John, British prisoner of war, by H. S. [St. Leonard's-on-Sea, 1942] 64 p. illus. 19cm.

1. World war, 1939- — Prisoners and prisons, German.
I. S. H.
N. Y. P. L. September 27, 1943

NM 0919917 NN

My brother John, British prisoner of war, by H. S. [St. Leonards-on-Sea, Eng., Printed by King bros. & Potts, ltd., 1943]
64 p. incl. plates, ports. 19½cm.

1. World war, 1939- —Prisoners and prisons, German. I. S., H. II. H. S.

Library of Congress D805.G3M87 43-17822
[2] 940.547243

NM 0919918 DLC

My brother man (poem)
In- Carter, Frank E. The sleeping car twilight ... Boston, 1915. p. 172-173.

NM 0919919 RPB

My brother Robert.
(In Novels and tales reprinted from Household Words, conducted by Charles Dickens. Vol. 3, pp. 135-150. Leipzig, 1856.)

A1257

NM 0919920 MB

My brother's grave, anon.
In- The cottage in the woods. Charleston, S.C., 1829. p. [124]-128. 14 cm.

NM 0919921 RPB

My brother's grave: from "The poetry of the College magazine." Falmouth, Lake[1820].
8p.O.

NM 0919922 CaBViP

MY BROTHER'S GRAVE: from The poetry of the college magazine. Windsor Eng. Knight and Dredge, 1820.

NM 0919923 InU

BV
4241
.M9
My brother's keeper; a broadcast series on Christian responsibility [by] G. K. A. Bell [and others] London, S.C.M. Press [1946]
64 p. 19 cm. (Broadcast series on Christian responsibility)

1. Sermons, English. I. Bell, George Kennedy Allen, Bp. of Chichester, 1883-1958.

NM 0919924 MCE

My brother's keeper; a drama in 3 acts
see under [Baker, George Melville] 1832-1890.

MY brother's keeper, a Sydney Box Gainsborough picture [Screenplay by Frank Harvey, jr. London? Gainsborough pictures, c1948] 1 v. (various pagings) 27cm.
Post production script.
Produced by Antony Darnborough; released by General film distributors.
Based on a story by Maurice Wiltshire.

1. Moving picture plays—Texts and outlines. I. General film distributors, ltd. II. Harvey, Frank, 1885-

NM 0919926 NN

"My business friend;" a monthly magazine ... v. 1-2, v. 3, no. 1-[2]; Oct. 1905-Aug. 1906. New York [My business friend publishing company] 1905-06.
3 v. in 1. illus., ports. 24½cm.
No numbers were issued for Dec. 1905 and June 1906.
Aug. 1906 has title: "My business friend," the type-writer and phonographic world.
Merged into the Type-writer and phonographic world.

1. Business—Period.

Library of Congress HF5001.M9 8-15078

NM 0919927 DLC

VOLUME 403

My business reckoner and book-keeper's companion ... By "Old business" ... Detroit, Daily Post, 1870.
iv, [5], 79 p. 16cm.

Subject entries: Ready-reckoners.
8-8220†

Library of Congress, no. QA111.M99.

NM 0919928 DLC

My campaign at Niagara. Being a very veracious account of camp-life and its vicissitudes, and the experiences, triumphs, trials, and sorrows of a Canadian volunteer. By T. W. Toronto, "Pure gold" printing establishment [187-?]
95 p. illus. 16½cm.

1. Canada. Army. 2. Military art and science—Anecdotes, facetiae, satire, etc. I. W., T. II. T. W.
17-29008
Library of Congress UA600.M8

NM 0919929 DLC

My Canadian diary
see under [McInerney, Owen]

My catechism. Book one [-two]
see under [Morrow, Louis La Ravoire] Bp., 1892-

My Catholic devotions. Gastonia, N.C., Good Will Publishers [1955].
[250] p. illus.(part col.) 27 cm.

NM 0919932 PLatS

My cave life in Vicksburg
see under [Loughborough, Mrs. Mary Ann Webster] 1836-1887.

My childhood home I see again
see under [Lincoln, Abraham, pres. U.S.] 1809-1865.

PZ111 .A92 v.2 ... My children. London, F. Warne [187-] cover-title, 5, [1] l. col. plates. (Aunt Louisa's London toy books [v.2])

NM 0919935 ICU

My children's Alice in Wonderland paint book ...
see under [Dodgson, Charles Lutwidge] 1832-1898.

PZ162 .M94 1826 My children's diary; or, The moral of a passing hour. By a lady. From the last London ed. New York, E. Bliss, and G. & C. Carvill, 1826.
356 p.

Preface signed: R. D.

NM 0919937 ICU MH

My Chinese marriage
see under [Franking, Mae E]

My Christmas eve dream. Cincinnati, New York, The Gibson Art Company [n.d.]
[12] p. col. illus. 16 cm.

In verse.

1. Christmas poetry.

NM 0919939 RPB

My Christian friends [n.d.]
32 p.

NM 0919940 PBa

Coll.A MY3 My Christmas present; a holiday token, for boys and girls. Boston, A. Tompkins, 1860.
iv, [2], [7-]-168 p. 4 plates incl. front. 17 x 11 cm.

Edited by Mrs. C. A. Soule.
A reissue of The Rose bud; a love gift for young hearts, 1855.
Binder's title: Christmas present.

NM 0919941 RPB

My church, an adventure in Christian fellowship
see under [Evangelical and Reformed church. Board of Christian education and publication]

My church; an illustrated Lutheran manual pertaining principally to the history, work and spirit of the Augustana synod. Rock Island, Ill., Augustana book concern [1915-
v. fronts., illus., ports. 19cm.
Editor: 1915- I. O. Nothstein.

I. Nothstein, Ira Oliver, 1874- ed.
20—5334
Library of Congress BX8049.M8

NM 0919943 DLC PPAmSwM MH-AH

XB57 M995 My church: the church of the true life. By L.Y.E.H. [n.p.,n.d.]
64p. 16.5cm.
Blank pages for notes and selections: p.46-64.

NM 0919944 NNUT

My churchwardens. By a vicar. Lond., Skeffington and sons, 1891.
96 p.

NM 0919945 PPL

My clerical friends and their relation to modern thought
see under [Marshall, Thomas William] 1818-1877.

My college friends: Charles Russell, the gentleman-commoner. 105 pp.
(In Tales from Blackwood. Vol. 4. Edinburgh. [1861.])

NM 0919947 MB

My college friends. Charles Russell, the gentleman-commoner.
(In Tales from Blackwood. Vol. 4, pp. 1-105. Edinburgh. [1868.])

NM 0919948 MB

My college friends. No. II. Horace Leicester. 64-100 pp.
(In Tales from Blackwood. Vol. 6. Edinburgh. [1861.])

NM 0919949 MB

My comments on the church and the Scriptures ...
see under [Russell, Lemuel]

My communion. Twenty-six short addresses in preparation for Holy Communion. By author "Praeparatio", Pref. by George Congreave. ... London, Longmans, 1905.
123 pl.

NM 0919951 PPPD

My comrades
see under [Hinton, Howard]

My concise opinion of published arguments on the penalty of death
see under [Richmond, James]

PS991 .A1M9 My confession; the story of a woman's life, and other tales... New-York, J. C. Derby [etc.,etc.] 1855.
3p.l.,[9]-306p. 19cm.
Contents.-My confession.-Sybil Rivers.-Lorraine Gordon, a biography.-A fragment of autobiography.-Zoe Bell's birthday.-An old man's story.-The swallows in Mr. Pip's chimney.-The story of Hagar.

NM 0919954 NNU-W NNC NjP

FILM 4274 PR v.2 reel M27 My confession; the story of a woman's life, and other tales ... New York, J. C. Derby, 1855.
306 p. (Wright American fiction, v.II, 1851-1875, no. 1769, Research Publications Microfilm, Reel M-27)

NM 0919955 CU ViU OU CtY

My confidences. An autobiographical sketch
see under [Locker-Lampson, Frederick] 1821-1895.

VOLUME 403

My confirmation day; a complete prayer book containing the confirmation ceremony. New York, Benziger Bros. [1951]
498, 257 p. illus. 13 cm.
An expansion of Key to heaven.

1. Catholic Church—Prayer-books and devotions—English.
BX2110.K42 264.02 51-5122

NM 0919957 DLC

...My Connaught cousins
see under [Jay, Harriet] 1857-

My cosmopolitan year
see under [Cranston, Mrs. Ruth]

My country; as she was in 1776: as she is in 1846. An address delivered in Coventry, R. I., July 4th, 1846, by C. W. Providence, B. T. Albro, printer, 1848.
16 p. 21½cm.

1. Fourth of July orations. I. W., C. II. C. W.
17-14564
Library of Congress E286.C85 1846

NM 0919960 DLC

My country—so what! [n. p., 193-?] NCOF 12Rth.
Typescript.

1. Blackouts, American. 2. Drama —Types—Blackout, American.

NM 0919961 NN

My country 'tis of thee...
see under [Callvert, R G]

"My country 'tis of thee." A satire...
see under [Edgar, D M]

My country town.
(In Novels and tales reprinted from Household Words, conducted by Charles Dickens. Vol. 1, pp. 311-346. Leipzig, 1856.)

NM 0919964 MB

824
M989 My countrymen. By an Irishman. Edinburgh, W. Blackwood & sons, 1929.
xvi, 296 p.

1. National characteristics, Irish.
I. An Irishman.

NM 0919965 WaU MiD OOxM PSt

My countrymen, by an Irishman... Edinburgh: W. Blackwood & Sons, Ltd., 1930. xvi, 296 p. 12°.

479320A. 1. The Irish. I. An Irishman.
N. Y. P. L. June 16, 1930

NM 0919966 NN

Ib70
T1
M992 My cousin Adolphus. A comedy in one act, by W. G. Bombay, Regimental Press, King's Own Royal Regt., 1866.
25 p.

I. G., W.

NM 0919967 CtY

PZ262
.M97
1846 My cousin Hester. Philadelphia, American Sunday-School Union [c1846]
22 p.

NM 0919968 ICU

My cousin in the army: or, Johnny Newcome on the peace establishment
see under [Mitford, John], 1782-1831, supposed author.

My cousin Mary ...
see under [Hale, Sarah Josepha (Buell)] 1788-1879.

My cousin Nicholas
see under Barham, Richard Harris, 1788-1845.

My curates, By a rector, London, Skeffington & son., 1891.
102 p.

NM 0919972 PPL

BT
2612
.M99 My daily prayer. A book of prayers: daily prayers, seasonal thoughts, lives of the saints. Brooklyn, N.Y., Confraternity of the Precious Blood, 1955.
vi, 502 p. 14 cm.

1. Prayer-books. 2. Saints.

NM 0919973 DCU

My daily Psalm book
see under Bible. O.T. Psalms. English. 1947. Frey.

My dame has in her hut. Catch [for 3 voices].
(In Social Harmony. P. 175. London. [1818.])
No. 149 in **M.215.21
Same. (In Bland. The Ladies' Collection. Vol. 1, p. 109. [1820.])
No. 168 in **M.235.17.1

NM 0919975 MB

My darling's ABC; illustrated. New York, J. McLoughlin (successor to Elton & Co.) [18--]
[16] p. illus.

NM 0919976 NNC

PZ7
M987 My darling's album. With 130 illustrations by first-class artists. London, S. W. Partridge & co. [1875]
x, [11]-254, [2] p. incl. front., illus., plates. 21cm.
Illustrated t.-p.

NM 0919977 MB

My daughter. [1816?]
see under [Gregory, Richard]

My daughter Elinor
see under [Benedict, Frank Lee] 1834-

My daughter's manual, comprising a summary view of female studies, accomplishments, and principles of conduct. New York: D. Appleton & Co., 1837. vi, 7-288 p., front. 24°.
Added t.-p., engraved.

1. Woman.—Duties, etc.
N. Y. P. L. April 22, 1916.

NM 0919980 NN Nh ViU CtY MShM MH

"My daughter's manual", Author of.
My son's book ...
see under title

---

17 My day book. A daily record and notation book for children. [anon.] Chicago, Enander, Bohman & co., [1884]
97 l. unp. 18°.

NM 0919982 DLC

My dear Bena
see under [Manley, C H] 1874-

My dear children
see under [Turney, Catherine]

---

*pFB8
N1627
Z803n My dear countrymen! Though I am sure you do not need any arguments to rouse your courage against your old enemies, the abominable French ...
Bath:Printed and sold by S.Hazard;sold also by Messrs.Rivingtons,St.Paul's church-yard; Hatchard,Piccadilly,London;James,and Bulgin, Wine-street,Bristol;and by all the booksellers in the United Kingdom.[1803] Price one half-penny,or 3d.6d.per hundred.
broadside. 39x25.5cm.,mounted & bd.to 63x42cm.

Signed at end: A staunch Briton.
On Napoleon's intended invasion of England.
No.111 in a volume lettered on spine: Napoleon threatened invasion ...

NM 0919986 MH

VOLUME 403

My dear fellow-traveller ...

This work is available in this library in the **Readex Micro**-print edition of Early American Imprints **published by the** American Antiquarian Society.
This collection is arranged **according to the numbers in** Charles Evans' American Bibliography.

NM 0919987 DLC

Curtis Coll. 153

My dear fellow-traveller, here hast thou a letter, which I have wrote to thee out of the fulness of my heart and with many tears for thy salvations sake ...
[Philadelphia, Printed by Benjamin Franklin, 1740?]
23p. 13.5cm.

Evans 4564; Hildeburn 4615.

NM 0919988 PU MB PHi

My dear friends of the Haw. miss. children's society
see under [Gulick, Luther Halsey] 1828-1891.

My dear Wells ...
see under [Jones, Henry Arthur] 1851-1929.

My dearest May ...
see under [Turner & Fisher] pub.

My dearly beloved Friends and brethren whom the Lord hath reached unto
see under [Hubbersty, Stephen] 1632?-1711.

My Desire
see under [Warner, Susan] 1819-1885.

My diary of the great war. [London, 1914]

NM 0919993 NjP

My diary during a foreign tour in Egypt ...
see under [Ryland, Walter P]

WZ 305 M995 1891

MY doctors, by a patient. [7th ed.] London, Skeffington, 1891.
103 p. illus. WZ305 M995
I. A patient

NM 0919994 DNLM PPL

Im M991 787

My dog and my gun ... London, C. Sheppard, 1787.
Broadside. 29x19cm.
Engraved throughout, with large colored illustration preceding title.
Seven stanzas; beginning: Ev'ry mortal some fav'rite pleasure pursues ...

NM 0919995 CtY ViW MB

My dog; "The rich man's guardian, and the poor man's friend." Akron, Ohio, The Saalfield Publishing Co. [19-?]
[15] l. 8½cm. (The Norka series)
Contains Sen. Vest's tribute to a dog and several poems and quotations about dogs.

1. Dogs. I. Vest, George Graham, 1830-1904.

NM 0919996 ViW

My doggie and his friends. Chicago, Ideal Book Builders Publishers, c1922.
[22] p. illus. (part col.) 28½cm. (No. 652)
Copyright by K. E. Garman.
Cut in shape of a dog.

I. Garman, Kathryn E

NM 0919997 ViW

QL795 .D6M9 1913

My dog friends [an anthology] by the author of 'Where's master?' Pictures from paintings by Maud Earl. [London] Hodder & Stoughton [pref. 1913]
xix, 326 p. col. mounted illus. 21cm.

1. Dogs—Legends and stories. 2. Dogs—Pictures, illustrations, etc. I. Earl, Maud, illus. I. Where's master?, Author of.

NM 0919998 ViU OEac

MY DOLLY'S STORY-BOOK.
N. Y. T. Nelson. n. d. (30) pp. Illus. Sm. 4°.

NM 0920001 MB

My double rest ... Milwaukee, Riverside **printing** house [°1870]
6 p. 15cm.

1. Insurance, Life—Addresses, essays, lectures.

CA 9-2948 Unrev'd

Library of Congress HG8773.M98

NM 0920002 DLC

RA178.1 M995

My dream of the hell-bound train.
Cincinnati, Henry Sphar [ca. 1910]
[10] leaves. illus. 16cm.

Cover-title.
Original printed wrappers.

1. Temperance--Poetry. I. Title: The hell-bound train.

NM 0920003 OC

... My ducats and my daughter
see under [Hunter, Peter Hay] 1854-

MY DUET BOOK. n. p., 1843-
nos. in v. 17 cm.

Published monthly.
Music scores only.
Library has:
Nos. 1-18 bound in quarter morocco.

NM 0920005 InU

My early adventures during the peninsular campaigns of Napoleon
see under [Bunbury, Selina] 1802-1882.

My early days; or, Scenes of real life, revived
see under American Sunday-School Union.

Y 254 .608

MY early home, and other tales. Designed to promote the welfare and happines of the family.
Boston, Waite, Peirce & co., 1845.
124p. 15cm.

Contents.--My early home, by Helen C. Knight.--The restored family, by Mrs. M. O. Stevens.--The broken vase, by Mary M. Griffin.--A reminiscence, by Mrs. Julia Ann Emery.

NM 0920008 ICN NNC InU ViU NN

My early years, for those in early life... London, B. J. Holdsworth, 1828.
118p. 19cm.

Printed by Wesleyan University Library

NM 0920009 CtW

My Easy Lesson Book [Dogs and Cats]. N. Y. 4to. 1285
Illustrated in colors.

NM 0920010 ViW

My eldest brother
see under [Coulton, Miss]

My escape from the auto de fé at Valladolid, October, 1559
see under Mina, Fernando de la, pseud.

My escape from the mutinies in Oudh
see under [Gibney, Robert Dwarris]

MY escapes, by a bachelor. New York: McBride, Nast & co., 1912. 320 p. 19cm.

76797B. 1. Fiction, English. I. A bachelor.

NM 0920014 NN

My examen; being a help to overcome the daily faults that hinder our progress on the road to perfection, by a priest. 2d ed. East Williston, N.Y., Examen pub. co. 1915.
173p.

NM 0920015 OCIND

132.1 M989

My experiences in a lunatic asylum, by a sane patient. London, Chatto and Windus, 1879.
167p. 19cm.

1. Insane - Care and treatment. 2. Insanity.
I. A sane patient.

NM 0920016 TxU PPL CaBVaU

VOLUME 403

My experiences in Australia
see under [MacPherson, Mrs. A.]

My experiences in the German espionage, by M; wny I deserted the Kaiser's secret service and came to America, after perilous journey from South Africa, through England and Holland to Germany and out again, over Rotterdam and London, during the great war. [New York, Henri Rogowski linotype co.] °1916.
cover-title, 45 p. 23½cm. $0.25

1. European war, 1914– 2. Secret service—Germany. I. M.
Library of Congress D639.S7M8 16-17711

NM 0920018 DLC

My experiences with secret societies, by a traveler. With Key to masonry ... Chicago, Ill., E. A. Cook, 1892.
99 p. illus. 19½cm.

1. Secret societies. 2. Freemasons.
Library of Congress HS475.M972 9-28645†

NM 0920019 DLC

My experiences with secret societies illustrated. By a traveler. Chicago, Ill., E. A. Cook, 1887.
51 p. illus. 19cm.

1. Secret societies. 2. Freemasons.
Library of Congress HS475.M97 9-28649†

NM 0920020 DLC

My face is to the rising sun ... Racine, Wis., Whitman publishing company [c1931]
1 p.l., 7-92 p. 14 cm.
Includes selections of American and English poetry.

NM 0920021 RPB

My faith and my job. Ten broadcast talks by members of various professions. London, The Epworth Press (Edgar C Barton) [1944]
68 p.
Foreword by Dr. Leslie F Church.

NM 0920022 MH-AH

My farm of Edgewood: a country book
see under [Mitchell, Donald Grant], 1822-1908.

My farming plans
see under Interstate printers and publishers.

My fate, written Oct. 8, 1899. Chihuahua, Mexico
see under E[aton] J[ames] D[emarest] 1848-

...My father. New-York, Amer. tract soc. [183–?] 16 p. illus. 10cm.
At head of title: No. 35. On cover: Series II. No. XXXV.
Pages also numbered [33]-48.
Illustrated covers, with publisher's advertisements, bound in.
With autograph of Elisabeth Banker, 1845.
With bookplate: Juvenile collection from the library of John Stuart Groves.

NM 0920026 NN ICU

My father. Philadelphia, American Sunday-School Union [183-?]
8 p. illus. 10 cm.

NM 0920027 RPB NN DLC

MY father. Philadelphia,Marshall,Clark and Co.,1834.
15 cm. pp.16. Colored illustr.
Cover serves as title-page.
Printed on one side of the leaf only.
In verse.

NM 0920028 MH

---

x821
M992
182-
My father. A poem. New-York, Baker, Crane & Day [182-?]
8p. illus. 8x5cm.

1. Children's poetry, English.

NM 0920029 IU

My father, a poem. New-York, Mahlon Day [183-?]
8 p. illus. 8 cm.
Title on cover: Little Lucy and her lamb.
I. Title: Little Lucy and her lamb.

NM 0920030 RPB

N
811.39
M995
My father, a poem. New-York, Mahlon day, 1832.
17 p. illus. 11 cm.
Contents.—My father, a poem.—The beggar's petition.—Verses, addressed to a little girl named Margaret, whom the author met at Scarborough, by James Montgomery.
I. Montgomery, James, 1771-1854. To Margaret
II. Title: The beggar's petition.

NM 0920031 N

My father; a poem for a good little boy. New Haven, 1835.
[3]-16 p. front., illus. 11 cm.

NM 0920032 RPB

My father Braddock
see under Anderson, James R., writer on Methodism.

My father, Jack Miner ...
see under [Miner, Manley F]

My father kin lick yours
see under [Kaser, Arthur LeRoy] 1890-1956.

"My father sould' charcoal" songster
see under De Witt, Robert M., 1827-1877, New York, pub.

My father's fireside; or, Some particulars of my early years... Derby: T. Richardson, 1833. ix, 12-73 p. 24°.
1. Children—Management and discipline.
N. Y. P. L. June 25, 1930

NM 0920037 NN

My father's God; a testimony for religion addressed especially to the children of pious parents. Philadelphia, Presbyterian Board of Publication [1876]
96 p.

NM 0920038 NNC

My father's knell: poems, in memory of S. G
see under [Griggs, Helen Augusta] d. 1860.

My favorite Bible text ... Written by forty-six men and women to present their favorite passages of Scripture ... Nashville, The Southern Pub. Assn. [1946]
2 l., 3-174 p. front. 21 cm.
1. Devotional literature.
BV4801.M9 242 47-25328*

NM 0920040 DLC

My favorite novelist
see under Stockton, Frank Richard, 1834-1902.

My favorite receipt
see Royal baking powder company, New York.

My favorite songs, John Charles Thomas. [Pittsburgh, Westinghouse Electric and Manufacturing Co. c1945]
[14] p. 32 cm. (pbk.)
Cover title.
For voice and piano.
Contents. - Abide with me. - Battle-hymn of the Republic. - Believe me, if all those endearing young charms. - Bendemeer's stream. - Beautiful dreamer. - Come, Thou almighty King.
1. Songs with piano. I. Thomas John Charles 1891-

NM 0920043 IEdS

Lilly
PN 6120
.S42 M9943
... MY FAVORITE SPY ... [n.p.] Paramount Pictures Corporation, 1951.
1 v. (various pagings) 28 cm.
Mimeographed film script; Final white.
With 2 publicity photos laid in.
Fastened with metal fasteners.

NM 0920044 InU

My Favorite story
see under Long, Ray, 1878-1935, ed.

VOLUME 403

My favorite story book, illustrated by Ethel Hays. Akron, O., New York, The Saalfield publishing company, °1942.
[66] p. illus. (part col.) 30½ x 25½cm.
CONTENTS.—Little Black Sambo.—The tale of Peter Rabbit.—The little red hen.—The town mouse and the country mouse.

1. Children's stories. I. Hays, Ethel, illus.
42-19351
Library of Congress PZ5.M978

NM 0920046 DLC

Rare Books Dept.
My favourite robin. A tale, made by a little boy seven years old. Derby, Thomas Richardson [182-?]
1l, [1] p. incl. covers. illus. 9cm. [A collection of nineteenth-century children's books, including chapbooks, published in Great Britain and the United States, 44]

NM 0920047 CU

My first alphabet. London, etc., G.Routledge and sons [cir.1867]

NM 0920048 MH

My first alphabet. New York, McLoughlin bros, [cir.1868?]

Cover title.
"Little folks series."

NM 0920049 MH

My First alphabet. New York, McLoughlin [187-?]
[11] p. illus.(part col.) (May Bells series)
Cover title.

NM 0920050 CLU

*EC85 A100 863m
My first and last balloon ascent.
(In London society: an illustrated magazine. London,1863. 23cm.,in case 24.5cm. v.3,no.3, p.278-288. plate)
Plate by T. Morten.
A story.

NM 0920051 MH

My first and last book. A book for the crisis and a crisis for the book By a plain man, a native of Massachusetts. [n. p.] Anno 1, new era, 1 qr. [1844]
64 p. 85mm.

5-18869

NM 0920052 DLC

My first arithmetic in the primary school ...
see under [Bumstead, Josiah Freeman] b. 1797.

My first baby ...
see under [Fay, Temple] 1895-1963.

My first book
see under Smith, Robert Everett, 1910-

My first book, easy reading for very little people, with ninety-six engravings. London, Seely, Jackson, and Halliday, 1867.
168 p. illus.
Children' Literature.

NM 0920056 KMK

My first book of reading and spelling. Honolulu: Press of the Am. Mission, 1845. 60 p. illus. 12°.

NM 0920057 NN

My first book; the experiences of Walter Besant, James Payn, W. Clark Russell, Grant Allen, Hall Caine, George R. Sims, Rudyard Kipling, A. Conan Doyle, M. E. Braddon, F. W. Robinson, H. Rider Haggard, R. M. Ballantyne, I. Zangwill, Morley Roberts, David Christie Murray, Marie Corelli, Jerome K. Jerome, John Strange Winter, Bret Harte, "Q", Robert Buchanan, Robert Louis Stevenson; with an introduction by J. K. Jerome and 185 illustrations. London, Chatto & Windus, 1894.
xxiv, 309 p. incl. front., illus., ports. 20cm.
1. Authors, English. 2. Authorship. I. Jerome, Jerome Klapka,
11—17300
Library of Congress PN151.M8 1894

WU PPL MH OU MiU CSmH I MB NcU MH
NM 0920058 DLC PBm OClW CSt NcD CU ICU IU NIC LU

My first book; the experiences of Walter Besant, James Payn [and others]. With an introduction by J. K. Jerome. Philadelphia: J. B. Lippincott Co., 1894. xxiv, 309 p. illus. 12°.

1. Authors. 2. Fiction.—Short stories: Collections. 3. Jerome, Jerome Klapka.
N. Y. P. L. November 22, 1912.

NM 0920059 NN CoD MB

My first book; the experiences of Walter Besant, James Payn, W. Clark Russell, Grant Allen, and others; with an introduction by Jerome K. Jerome. London: Chatto & Windus, 1897. xxiv, 309(1) p. illus. new ed. 8°.

Ready-money Mortiboy, by Walter Besant. The family scapegrace, by James Payn. The wreck of the "Grosvenor," by W. Clark Russell. Physiological aesthetics, and Philistia, by Grant Allen. The shadow of a crime, by Hall Caine. The social kaleidoscope, by George R. Sims. Departmental ditties, by Rudyard Kipling. Juvenilia, by A. Conan Doyle. The trail of the serpent, by M. E. Braddon. The house of Elmore, by F. W. Robinson. Dawn, by H. Rider Haggard. Hudson's bay, by R. M. Ballantyne. The premier and the painter, by I. Zangwill. The western Avernus, by Morley Roberts. A life's atonement, by David Christie Murray. A romance of two worlds, by Marie Corelli. On the stage and off, by Jerome K. Jerome. Cavalry life, by "John Strange Winter" (Mrs. Arthur Stannard). Californian verse, by Bret Harte. Dead man's rock, by "Q." Undertones, and Idyls and legends of Inverburn, by Robert Buchanan. Treasure island, by Robert Louis Stevenson.

NM 0920061 NN ICarbS OO OOxM PP ViU MH

My first campaign
see under [Grant, Joseph W]

My first efforts in the piano class. Piano class book, no. 1- ... Philadelphia, T. Presser, c1930.
v. 23x28 cm.

Includes verses

1. Pianoforte--Instruction and study. 2. Children's songs.

NM 0920063 RPB

s808.83 M989
My first horse [by] Siegfried Sassoon [and others] London, P. Lunn, 1947.
80p. illus.(1 col.) 19x28cm.

Contents.- Thoughts on horses and hunting, by S. Sassoon.- A gaucho in the pampa, by A. F. Tschiffely.- Granny's story, by C. Asquith.- An artist and his horse, by L. Edwards.- My Welsh pony, by L. Jones.- I become a racehorse owner, by V. Oliver.

NM 0920064 IU MH KMK

My first hundred books
see under Holbrook, Bertha Matson (Andrews)

My first husband, by his first wife
see under [Essipoff, Marie (Armstrong)] 1892-

My first nursery book. [Drawings by Franciszka Themerson. London, G.G. Harrap, 1947]
[64] p. col. illus. 25 cm.
Contents: 1. Who killed Cock Robin? - 2. The gingerbread man. - 3. Three little pigs. 4. The three bears.
I. Themerson, Franciszka, illus. II. Title: Who killed Cock Robin?

NM 0920067 RPB

My first picture book, with 36 pages of pictures printed in colours by Kronheim. London, G. Routledge & sons [etc., etc., 18—] 8 p.l. [50] p. col. plates. 19cm.
CONTENTS.—My first alphabet.—The little old woman who lived in a shoe.—Little Bo-Peep.—Old Mother Goose.—The five little pigs.—The babes in the wood.
Illustrations: "Baxter" process, key block in wood engraving, color blocks in lithography.

277388B. 1. Juvenile literature—Picture books.
N. Y. P. L. June 28, 1944

NM 0920068 NN

PZ3 .M9889
My first place and other stories. Adapted for servants and young women generally. Stirling, Drummond [1875]
32, [3]-32, 31, [3]-32, [3]-32 p., incl. plates. 13 x 9cm.
Head and tail pieces.

NM 0920069 MB

My first school-book, to teach me, with the help of my instructer to read and spell words, and understand them
see under [Bumstead, Josiah Freeman] b. 1797.

My first spree, a sketch (dialogue) [n.p., 191-?]
13 l. 32cm.

Anonymous manuscript play (American)

NM 0920071 RPB

My first story-book. The letterpress by Miss E. I. Tupper, and the illustrations by first-class artists. New York, T. Nelson [1879]
1 v. (unpaged) illus.

NM 0920072 NNC

VOLUME 403

PZ 262 .M977 1861 My first Sunday-school. New York, Carlton & Porter [c1861]
60 p. front.

NM 0920073 ICU

My first visit to Brook farm
see under Kirby, Georgiana Bruce, b. 1818.

My first year's work, an actual experience. Syracuse, N. Y., C. W. Bardeen, 1902.
40 p. 17cm.

1. Teachers. 2. Teaching.

E 14-489

Library, U. S. Bur. of Education LB1775.M9

NM 0920075 DHEW ICJ NN

My flag. [Philadelphia, Pa., N.W. Ayer & son, 1907.]
p. 3-8, [4] p. 9-15. illus. (Part col.) facsim.

NM 0920076 OCl OClWHi

My Flag. [Philadelphia, Pa., Press of N.W. Ayer & Son, 1908?]
15 (1) p. illus. (incl. port., facsim., music) 4to. In 1/2 red cloth, marbled boards. Original blue-gray paper covers bound in.
Explanation signed and dated: N.W. Ayer and Son, Philadelphia, Independence Day, 1907. A later edition, in 1914, was taken over and issued by John Wanamaker.
Contains a history of the Flag of the United States and a short biography of Francis Scott Key.

NM 0920077 CSmH PPL PHi MiD

My flag. [Philadelphia, Pa., Keystone type foundry, 1913]
[20] p. illus., plates (port. col.) port., facsim. Q.
Includes music.

NM 0920078 IaU OCl IU

My Flag. [Philadelphia, John Wanamaker: Produced by Keystone Type Foundry, 1914?]
10 leaves. illus. (part col.) La. 8vo. In 1/2 brown cloth, marbled boards. Original dark blue front paper cover bound in.
By Way of Explanation (recto 2nd leaf) signed: Jarvis A. Wood, Philadelphia, Pa.
My Flag (verso 1st leaf) signed: John Wanamaker.
"Produced by Keystone Type Foundry-Right to Reproduce sold to John Wanamaker ..." verso last leaf.
First published in 1908? by N.W. Ayer and Son, Philadelphia.
Binder's title: My Flag - Wanamaker, 1914.
Gives a short biographical sketch of Francis Scott Key.

NM 0920080 CSmH PHi NN CtY

My flower-pot ... [c1848?]
see Child's picture book.

My four great grandmothers
see [Poor, Agnes Blake] 1842-1922.

My fourth of July
see under [Alcott, Louisa May] 1832-1888.

My friend & pitcher, sung by Mr. Wood in The poor soldier. Published by E. Rhames.
1 p. 36 cm.
Piano-vocal score.

NM 0920084 KU

My friend Bingham
see under [James, Henry] 1843-1916.

"My friend from Arkansas." [n. p., c1899] 1 v. (unpaged) 32cm.

Typescript.
Probably written by Robert Sherman. -- cf. Theatre Collection.

1. Drama, American. I. Sherman, Robert, supposed author

NM 0920086 NN

PS3535 .E12M9 My friend Irma (Radio program)

Reach, James.
My friend Irma, a comedy in three acts. Based on the famous CBS radio series originated by Cy Howard. New York, French [1951]

My friend Jean
see under [Allen, Frank]

"My friend, Mrs. Knapp, a small party gave.
[anon]
[3] p.
Manuscript poem.

NM 0920089 RPB

My friend, or, Incidents in life, founded on truth, a trifle for children. Philadelphia, Printed for Johnson and Warner, 1811.
48 p. illus. 15cm.

Illus. t.-p.
Copy imperfect: p. 29-32 mutilated.

NM 0920090 NNC

My Friends. A Book of Dogs
see under [Anderson, Selden W.]

*pFB8 N1627 Z803n My friends and countrymen, an old Whig begs to address you at this crisis ...
London:Printed by W.Flint,Old-Bailey,for F. and C.Rivington,St.Paul's church-yard,and J. Spragg,no.16,King-street,Covent-Garden.[1803] Price one halfpenny;2s.6d.a hundred;or one guinea a thousand.

broadside. 27.5x22cm.,mounted & bd.to 63x42cm.
Signed and dated at end: An old Whig. Little Britain, July 27, 1803.

In this edition line 4 ends "to vic-"; in another ed. it ends "to victory".
On Napoleon's intended invasion of England.
No.109 in a volume lettered on spine: Napoleon threatened invasion ...

NM 0920093 MH

35 My friend's friend. Philadelphia, American Sunday-school union, 1867.
62 p. 2 pl. 18°.

NM 0920094 DLC

My funniest story; a collection of stories chosen by their own authors. London, Faber [1948]

384 p.

NM 0920095 MH

My funniest story; an anthology of stories chosen by their own authors. London, Faber and Faber, limited [1935]
498 p. 19cm.
"First published in October 1932 ... third impression July 1935."

1. Short stories, English.

37-363

Library of Congress PZ1.M9984 [3]

NM 0920096 DLC NcD

Lilly PN 6120 .S42 M9954 My gal Sal (Motion picture script)
MY GAL SAL. SCREENPLAY BY KARL TUNBERG and Darrell Ware. [n.p., Twentieth Century-Fox Film Corporation, 1941.
1 p.l.,140 l. 28 cm.

Based on a story by Theodore Dreiser.
Mimeographed film script; "Final Script, December 5, 1941."
In blue wrappers with metal fasteners.

I. Dreiser,Theodore,1871-1945.

NM 0920097 InU

My garden; an intimate magazine for garden lovers. London, 1, Ja. 1934-

NM 0920098 FU DNAL

PN6071 G2M9 Land-scape Arch. Library My garden.
My garden's Scrap book of wit and wisdom, comp. by Theo. A. Stephens. London, [1949]
96 p.

1. Gardens. I. Stephens, Theodore Alfred, comp. II. Title: Scrap book of wit and wisdom.

NM 0920099 CU

My garden. Christmas, 1903
see under [Carpenter, Lula Boone]

VOLUME 403

My garden in the City of gardens; a memory ...
see under Cuthell, Edith E.

My garden of roses
see under [Lewis, John I] b. 1834.

... My geneagraphy
see under [Hagerty, Thomas Edwin]

My Geraldine
see under [Campbell, Bartley T]
1843-1888.

My gift to you
see under [Binford, Maurice M]

My gondola's waiting below love
see under [Hayter, A U]

My good Christmas book, a collection of helpful material for the grades, by various authors ... Franklin, O. [etc., 1946]
105 p. 19cm.

1. Christmas.
PN6071.C6M8 394.268 47-20957
Brief cataloging

NM 0920107 DLC Mi NN

My good for nothing brother
see under [Jenings, Mrs. Elizabeth Janet (Plues)]

MY GOVERNESS. A Poem. Illustrated With Engravings.
Philadelphia, Published and sold by W. Charles. Price plain 12 1/2 Cents. Coloured 18 1/4 Cents. 1818.
6 ℓ. 13 cm.

NM 0920109 MWiW-C

My governess, a poem ... Philadelphia, Published and sold by Morgan & Yeager, [ca. 1824]
cover-title, 6 l. col., illus. 13 cm.
Engraved throughout, including the wrapper; text on facing pages.
Orig. engraved yellow wrapper; advts. on p. [4]
Rosenbach 644.

NM 0920110 PPRF PP

Wing
ZP
883
.C 383

MY grand father, a poem. Illustrated with engravings. Philadelphia, Wm. Charles, 1817.
7 leaves. col.illus. 14cm.

Bookplate of John Stuart Groves.

NM 0920111 ICN MWA

BV
4909
M9

My grandchild's holy thoughts and words; 1865 [by] A.D. Toronto, H. Rowsell, 1865.
18 p.

1. Children - Religious life
2. Suffering I. D., A.

NM 0920112 CaOTU

My grandfather Gregory
see under
[Mogridge, George, 1787-1854.

My grandfather's farm; or, Pictures of rural life ... Edinburgh, Oliver & Boyd; London, Geo. B. Whittaker, 1829.
335 p. 20 cm.

NM 0920114 CtY PPL

My Grandmamma Gilbert
see under [Mogridge, George] 1787-1854.
[supplement]

My grandma's advice. [Song.] Arranged for the piano by Edward Kanski. Words and music by M.
— Boston. Oliver Ditson Co. [1885.] 5 pp. 35 cm.

D0112 — T.r. Song — Kanski, Edward, ed. — Songs. With music.

NM 0920116 MB

My grandmother, a musical farce
see under Storace, Stephen, 1763-1796.

My grandmother, a poem; illustrated with engravings. Philadelphia, 1817.
[10] p. col. illus. 13 cm.
Cover title.

NM 0920118 RPB

---

x821
El58m
1816

[My gratitude. Philadelphia, W. Charles, 1816?]
[1] ℓ. col. illus. 14cm.

Bound with Elliott, Mary. My sister. Philadelphia, 1816.
Imperfect: t.p. and other leaves wanting.
Title supplied from text.
In verse.

1. Children's poetry, English.

NM 0920119 IU

My grimmest nightmare, by Lady Cynthia Asquith, Gabrielle Vallings, Miranda Stuart [and others] ... London, G. Allen & Unwin, ltd. [1935]
2 p. l., [1]-210 p., 1 l. incl. front. 19cm.
American edition (New York, The Telegraph press) has title: Not long for this world.

1. Short stories, English. I. Asquith, Lady Cynthia Mary Evelyn (Charteris) 1887-
36-7908
Library of Congress PZ1.M999

NM 0920120 DLC NN

My guardian
see under [Cross], Ada (Cambridge), 1844-1926.

My Hahnemann garden
see under [Hurd, Laura B]

My heart and lute ...
see under Moore, Thomas, 1779-1852, arr.

---

fSP
M9954
1942

My heart belongs to Daddy (Motion picture script)
My heart belongs to Daddy. Screenplay by F. Hugh Herbert. Directed by Robert Siodmak. June 9, 1942.
1v.(various pagings) 36cm.

Mimeographed.
Paramount Pictures, Inc.

I. Herbert, Frederick Hugh, 1897-
II. Siodmak, Robert, 1900-

NM 0920124 CLSU

[My heart is sad. Den lieben langen Tag-German Folksong arranged for voice and piano]
Boston, O. Ditson Co., cop. 1859.
5 p. f°. (Germania. New vocal gems from the German eminent composers)
German and English words.

NM 0920125 NN

My heart once as light. Catch a 3 voci. No. 141 in **M.220.9.1
(In Warren. Collection of Catches. Vol. 1, p. 184. London. [1766.])

E5822 — Part songs.

NM 0920126 MB NN

MY heart with love is beating; a favorite ballad introduced in the opera of The siege of Belgrade. Adapted with an accompaniment for the piano forte or harp. Written by T. Dibdin & sung by Mr. Braham. London, J. Dale. [ca.1802] 3 p. 34cm.

Caption title.
For voice and piano or harp.

The original score of The siege of Belgrade composed and arr. by Stephen Storace.

1. Songs, English. 2. Songs, with harp. I. Braham, John, 1774-1856. II. Storace, Stephen, 1763-1796. The siege of Belgrade. III. Title: The siege of Belgrade.

NM 0920128 NN

MY heart with love is glowing. As adapted to the popular air of The maid of Lodi, with an accompaniment for the piano forte or harp. Dublin, E. Rhames [180-?] [2] p. 32cm.

Caption title.
For voice and piano or harp.
The maid of Lodi; song, by William Shield.
1. Songs, English. 2. Songs, with harp. I. Shield, William, 1748-1829. The maid of Lodi. II. Title: The maid of Lodi.

NM 0920129 NN MB

VOLUME 403

My heart's fruit-garden, wherein are divers delectable adages and similes of the prince of doctrinal ethics
see under Bible. O.T. Ecclesiastes. English. 1886. Garstang.

... My heart's in the Highlands. By the author of "Artiste" ...
see under [Grant, Maria M]

W.C.L. My heart's in the Highlands. Philadelphia,
M780.88 Published & sold at John G. Klemms Music
A512CG store [1824?] Pl. no. 214.
1 l. 34 cm.
no.17 Caption title.
For voice and piano.
[No. 17] in a vol. with binder's title: Music [collected by] Mary J. S. Shorter.

1. Songs (Medium voice) with piano.

NM 0920132 NcD

My heart's in the Highlands; arr. with an acc. for the piano forte. Boston: Published by C. Bradlee 107 Washington Street. [183-]
2 p. 33 cm.
Caption title.
For voice and piano.

1. Songs (Medium voice) with piano.

M1.A13M 52-57772

NM 0920133 DLC

My heart's in the highlands. Sung by Mr. Russell. Arr. for the guitar by Edward Fehrman
see under [Russell, Henry] 1812-1900.

No. 80 in 8050a.232
My Helen is the fairest flower; or, the rose without a thorn, ballad, [T., the accomp.] arranged for the guitar by L^d. Meignen.
= Philadelphia. Bayley. 1843. (2) pp. F°.

G3340 — Meignen, Leopold, ed. — Songs. With music.

NM 0920135 MB

My heroine. A story ... London, Tinsley brothers, 1871.
1 p. l., 279, [1] p. 18cm.

Library of Congress PZ3.M989 7-23124†

NM 0920136 DLC

My heroine. A story.
New York. Appleton & Co. 1871. [Library of choice novels.] 421.5
8°.

NM 0920137 MB MH NN

808.8 My holiday annual, a Christmas and New Year's
M994 gift, by V. T. ... New York, Leavitt & Allen bros. [185-?]
278p. front., illus., plates. 17½cm.

Added t.-p. in colors.

1. Gift-books (Annuals, etc.)

NM 0920138 IU PP

My holiday in the Rockies
see [Marston, Edward] 1825-1914. Frank's ranche; or, My holiday.

4A MY holiday week...August 22nd, 1883.
12975 [n.p.] Printed for private circulation, [1883?]
12p. 22cm.

Signed at end: W.P.
Inscribed on front wrapper: With [W. Pitman's?] compliments.

NM 0920140 ICN

"My home on the outside"...
v.

Rochester, N. Y.: The Home Planters Assoc., 19 4°.
v. illus.

Monthly.

1. Gardening—Per. and soc. publ.
N. Y. P. L. July 2, 1930

NM 0920141 NN

My honey
see under [Whitaker, Evelyn]

Мʌ i світ. We and the world.
Toronto [etc.]
v. in illus., ports. 19 cm. monthly.
Began publication in 1950. Cf. New serial titles, 1950-60.
Editor: Mykola Koliankivs'kyi.
Has English and French titles.

1. Title: We and the world.
Title transliterated: My i svit.

AP58.U5M9 65-45583
NSyU

NM 0920143 DLC NSyU

My intimate enemy. A story. Philadelphia, Claxton, Remsen & Haffelfinger, 1878.
vi p., 1 l., 9-176 p. 17½cm.

Library of Congress PZ3.M9892 7-32289†

NM 0920144 DLC

F My intimate enemy. A story. Philadelphia. Claxton,
5200 Remsen & Haffelfinger, 1878.
vi p., 1 l., 9-176 p. 17½cm.
(Wright American fiction, v. III, 1876-1900, no. 3929, Research Publications, Inc. Microfilm, Reel M-61)

NM 0920145 NNC CU

My investment in the far West. 8736
(In Tales from 'Blackwood.' New series. No. 24, pp. 123-171. Edinburgh. [1880.])

NM 0920146 MB

My invincible aunt.
see under Brande, Dorothea (Thompson) 1893-

My invisible master.
How to lose the fear of death
see under title

My jeugland; jeugherinneringe van Afrikaanse skrywers
see under Heever, Christiaan Maurits van den, 1902- ed.

MY jewels. Read at the 3rd annual dinner of the Brooklyn Latin School Alumni Association Dec.22,1894. n.p., n.d.

NM 0920150 MH

My job and why I like it
see under General Motors Corporation.

Imp.
QM 1476 My Jockey is the blithest lad. Jockey, a
.C6 favorite new Scotch ballad, sung by Mrs Baddeley, at Vauxhall. (London, 1767?) s.sh.fol.

NM 0920152 MdBE

M1740 My Jockey is the blithest lad. Jockey, a
.S7 favourite new Scotch ballad, sung by Mrs. Baddeley, at Vauxhall. [London, 1770?] [1] l.
No.38 in v.4 of a collection with binder's title: Songs.

NM 0920153 ICU

MY Jockey is the blithest lad; a favorite ballad. Liverpool, Hime [180-?] 3 p. 34cm.

Caption title.
For piano with interlinear words.

1. Songs. English.

NM 0920154 NN

My journal, or what I did and saw between the 9th. June and 25th Nov. 1857...Calcutta, 1858
see under

[Swanston, William Oliver]

My journey is love
see under [Reeve, William] 1757-1815.

My kalendar of country delights
see under [Crofton, Helen (Milman)] 1857-

VOLUME 403

My kitchen, an evaluation of eighty-seven products commonly found in the kitchen as they rank in the minds of homemakers
see under McCall's magazine.

My kitten book; illustrated by Kippy [pseud.] Kenosha, Wis., John Martin's House [1950]
[24] p. col. illus. 22 cm. (A Bonnie book)

I. Clark, Katherine, illus.

PZ10.3.M987 50-13865

NM 0920159 DLC

La
784.622
L93m
[My L.S.U.... Words by Capt. Hamner, '05]
[Baton Rouge, 1905]
caption-title, 1 l. 18cm.

Music--My Emaleen.

I. Louisiana state university and agricultural and mechanical college. II. Hamner, William Peale.

NM 0920160 LU

---

*EC7
A100
715m
My L-- V-- B---'s reasons for leaving Great-Britain; as sent in three letters from Calais. The first to Robin, the second to Simon, and the third to B-- Francis.
London: Printed for J. More near St. Paul's, 1715. (Price four pence.)

2p.ℓ.,22p. 19.5cm.
Title vignette.
Three fictitious letters, supposed to be written by Bolingbroke to the Earl of Oxford, Harcourt, and Francis Atterbury.

NM 0920161 MH MB CtY PU NcU IU

My lady: a tale of modern life
see under [Bunce, Oliver Bell] 1828-1890.

My lady Nicotine; a study in smoke, 1905
see under [Barrie, Sir James Matthew, bart.] 1860-1937.

My lady of the Chinese courtyard ...
see under Cooper, Elizabeth, 1877-1945.

My lady's cabinet, decorated with drawings and miniatures. London, 1873.

NM 0920165 NjP

Spec.
DA
538
.A1
M93
1820z
My lady's shag dog; or, The biter bit!!
A poetical epistle, from Johnny Bull, in London, to his brother-in-law, Patrick Bull, in Dublin... London, J.Fairburn[182-?]
15p. 22cm.

Cover title.
Woodcut illus. on cover.
A satire, in verse, on the reign of George IV and the Green bag conspiracy.

1. George IV, King of Great Britain, 1762-1830. 2. Caroline Amelia Elizabeth, consort of George IV, 1768-1821. 3. Political satire, English. I. Cobbett, William, 1763-1835. II. Title: The biter bit!!

NM 0920167 DeU

My land
see under [Hughes, E.M.]

My last farewell and other poems
See under
Rizal y Alonso, José, 1861-1896.

My last thoughts are of thee
see under [Beale, Thomas Willert] 1828-1894.

My Leigh Hunt library
see under [Brewer, Luther Albertus] 1858-1933.

My Lenten missal
see under Catholic Church. Liturgy and ritual. Missal. English. [Miscellaneous]

BX
8923
C555BTzm
My lesson planning book. [Oct. 1949/ Sept. 1950]-
[Crawfordsville, Ind.?]
v. 28cm. annual. [Christian faith and life; a program for church and home. All departments. Teachers]

Issued 1949-58 by the Board of Christian Education of the Presbyterian Church in the U.S.A.; 1959- by the Board of Christian Education of the United Presbyterian Church in the U.S.A.

NM 0920173 ICMcC

My life. By the author of "Stories of Waterloo"...
see under [Maxwell, William Hamilton], 1792-1850.

My life and adventures; an autobiography
see under [Cornwallis, Kinahan] 1839-1917.

My life as a dissociated personality ...
see under Prince, Morton, 1854- ed.

My life in crime; the autobiography of a professional criminal, reported by John Bartlow Martin. [1st ed.] New York, Harper [1952]
279 p. 22 cm.

1. Crime and criminals—U. S. I. Martin, John Bartlow, 1915–

HV6248.A2M9 923.4173 51—11937 ‡

CaBVaU
NN MB OClJC OU CU PP TxU CaBVa WaT Or WaE OrLgE
NM 0920177 DLC IdPI WaTC GU FTaSU CoU TU PPT WaU

B
M9952
1953
My life in crime; the autobiography of a professional criminal, reported by John Bartlow Martin. [New York] New American Library [1953]
188p. 18cm.

"A Signet book, complete and unabridged."

1. Crime and criminals--U.S. I. Martin, John Bartlow, 1915-

NM 0920178 IU CaBVaU ICU NNC

My life in two worlds, inspired by George Gordon Byron
see under [Hensley, Marie E]

My life, my country, my world
see under Gloster, Hugh Morris, 1911- ed.

My life story and true animal stories ...
see under [Arnold, M]

My life story, by P.Uppy [pseud. [New York, Saml. Gabriel Sons & Company, 1929?]
[20] p. illus. (part col.) 26cm.
"Printed in Germany."

I. P. Uppy. II. Uppy, P.

NM 0920182 ViW

My little book. A compendium of useful information
see under [Best, J H]

---

sE
M999
My little boy's story book. New York, E. P. Dutton and company; [etc., etc., 1881?]
[58]p.

On cover: Our boys little library.

NM 0920184 IU

My little dachshund... [New York] The Press of the Woolly whale. 1939. 6 l. illus. 14 x 26cm.
Open score: S. A. T. B. English words.
"A doggerel and madrigal by an old Elizabethan composer of the XXth century."
Illustration on cover.
"Copyright, 1939, by Melbert B. Cary, jr."

1. Choral music, Secular—Mixed—4 pt.—Unacc. I. Cary, Melbert Brinkerhoff, 1892–
N. Y. P. L. December 20, 1939

NM 0920185 NN MH CtY NNC

My little darling's a.b.c. pictorial
see under Rigney, William J.

VOLUME 403

My little darling's own book, with one hundred pretty pictures and stories. Philadelphia: Fisher & Brother [187-?] 48 l. front., illus. 32°.

1. Juvenile literature.—Picture books (American).
N. Y. P. L. November 24, 1924

NM 0920187 NN

PZ264 .M94 1881 My little darling's pictorial A B C. New York, McLoughlin [1881?]
[12] p. col. illus.

1. Alphabets.

NM 0920188 ICU

My little Dutch book
see under [Post, Mary Audubon]

My little friend
see under [Alcott, Louisa May] 1832-1888.

My little friend; or, the child's own pleasure book. Containing stories, poetry and useful information. Being the Golden Childhood volume for Christmas, 1877.
London. Ward, Lock & Co. [1877.] vi, 193-376 pp. Illus. Portraits. Plates. Sm. 4°.

F4627 — Golden Childhood. — Books for the young.

NM 0920191 MB

s813.08 M999 My little gentlemen, and other stories. By popular American authors. Boston, D. Lothrop [1877]
324p. illus. 19cm.

1. Short stories, American.

NM 0920192 IU NNU

My little girl. A novel
see under [Besant, Sir Walter] 1836-1901.

My little guide; a first book for Sabbath schools and families... New York, General convention of the New Jerusalem in the United States, 1868.
32p.

NM 0920194 PBa

My little hymn book.
Worcester, [n.d.]
16p. il. 48°

NM 0920195 MWA

My little hymn book. Boston, Perkins & Marvin; Philadelphia, H. Perkins, 1836.
1 p. l., [v]-viii, 5-132 p. front., illus. 14½cm.

1. Children's poetry.

16-3080

Library of Congress PZ8.3.M99

NM 0920196 DLC GEU CaBVaU

My little hymn book. 2ed. Boston, 1838.
3 p.l., vi-viii, [9], 10-136. illus. 14 cm
Title-vignette.

NM 0920197 RPB NNUT

MY little hymn book. 3d ed. Boston, B. Perkins & Co., 1845.

14 x 11 cm. Front. and other illustr. (some colored by a child).
Title vignette.

NM 0920198 MH

My little lady ...
see under [Poynterm Eleanor Frances]

My little nursery rhymes
see under [Mother Goose]

Mann SF 487 G7 M99 **My little poultry farm, by a Kentish lady poultry farmer.** [London, Cable Printing & Publishing Co., 192-?]
128 p. 19 cm.

Cover title.
Imprint on mounted label.

1. Poultry. I. Kentish lady poultry farmer.

NM 0920201 NIC

My little primer. Worcester, S.A.Howland [18--?]
15 p. illus. 10 cm.

Bound with The child's alphabet. 18--? and Easy lessons for young readers. 18--?

1. Primers. The child's alphabet(set). Easy lessons for young readers.(set)

NM 0920202 NjP

My little primer. Philadelphia, Davis, Porter & co. [18--]
Is94 tl v.2(2 Cover-title, [8]p. col. illus. 13½cm.
Title within colored pictorial border.
The woodcut illustrations are by Alexander Anderson.

NM 0920203 CtY MH

My little primer.
Worc., n.d., [1839]
24p. 48°
Dorr, Howland & Co. Spooner & Howland, Printers.
(Bd. with My little song book, 24p. and Mamma's Lessons, 24p.)
Cover title, The Girl's Scrap Book.

NM 0920204 MWA

My little primer.
Worc., [1845?]
16p. 48°
Pub. by S.A.Howland, Hancock and Howland, Printers.
(Bd. with this is The Child's Alphabet, with Pictures. 16p. Also, Easy Lessons for Young Readers. [only the t.p. is given]

NM 0920205 MWA

My little primer, going before "My first school-book" ...
see under Bumstead, Josiah Freeman, b. 1797.

My little primer; to teach a few words ...
see under [Bumstead, Josiah Freeman] b. 1797.

My little primer, with many pictures. Worcester, J.Grout, Jr. [1847?]

EducT 758.47.590
----- Another issue with typographical variations

NM 0920208 MH

... My little reading book. Philadelphia [etc.] Fisher & brother [186-?] 1 p.l., 19-26 p., 1 l. illus. 14½ x 11½cm. (Grandfather Sunshines' library.)
Illustrated t.-p.; illustrations colored by hand.
With autograph of Beulah R. Soper.

33653B. 1. Primers, American.
N. Y. P. L. May 20, 1940

NM 0920209 NN

My little servant maids, and other tales [by the author of Helen Maurice] Boston, American Tract Society [1876?]
64 p. illus.

"Reprinted from the London Religious Tract Society".

NM 0920210 NNC

My little song book. Concord, N.H., Rufus Merrill & Co., 1843.
16 p. 11 cm.
At head of cover title: No. 5.

NM 0920211 RPB

My little ward.
(In Novels and tales reprinted from Household Words, conducted by Charles Dickens. Vol. 2, pp. 233-255. Leipzig, 1856.)

NM 0920212 MB

VOLUME 403

PG3504 .N67M9
Мы—люди Севера; рассказы, повести, стихи и песни писателей и поэтов народов Севера. [Составитель сборника М. Воскобойников] Ленинград, Молодая гвардия, 1949.
271 p. illus. 23 cm.

Mikhail Grigor'ovich.

1. Russian literature—20th cent. I. Voskoboinikov, comp. Title transliterated: My—liudi Severa.

PG3504.N67M9 50-25630

NM 0920213 DLC

My lodger's legacy; being comic tales in verse
see under Tim Bobbin, the younger, pseud.

My lodging is on the cold ground; a favorite Irish song, with an accompaniment for the piano forte. London, Printed for G. Shade [183-?]
3 p. 35 cm.
Caption title.
No. 65 in a vol. with binder's title: Songs. [London, ca. 1800-30]
Arrangement for flute printed at end.

1. Songs (High voice) with piano.

M1619.S684 no. 65 M 55-2023

NM 0920215 DLC

"My log", Persian Gulf & Turkish Arabia, 1878.
see under [Carnegy, Alexander]

B 8567 .39 no.15
...My Lord Bag-o'-Rice. Told in English by B.H.Chamberlain. Tokyo[1888] (Japanese fairy tale series, no.15)
Printed on one side of double leaves folded once in Japanese fashion.

NM 0920217 ICN OCl

*Typ .J37 1898M
My Lord Bag-o'-Rice. Told in English by B. H. Chamberlain. [Tokyo, T. Hasegawa, ca. 1898]
[21] p. col. illus. 18½cm. (Japanese fair tale series, no. 15)
Cover title.
Printed on double leaves folded once in Japanese style.

I. Chamberlain, Basil Hall, 1850-1935, tr.

NM 0920218 ViU MB

[My Lord Bishop of Sarum's Exposition of the twenty third Article of the Church of England, defended and cleared from the exceptions of a late book, entituled, The vindication of the twenty third Article of the Church of England, from my Lord Bishop of Sarum's Exposition. London, Awnsham and J. Churchil, 1703]
30 p.
Imperfect copy: t. p. wanting; title from British Museum Catalogue.

NM 0920219 CU NNUT TxU

My Lord Chancellor, It was my humble opinion on the beginning of this session of Parliament, that the interest of this kingdom and the posture of publick affairs, did invite us on several accounts to have begun with an act and commission for a treaty with England ... [Edinburgh? 170-?]
8, [1] p. 20 cm.
Title supplied from opening lines of text.

NM 0920220 MH-BA

My lord, I met the King at Tetteresso [!]
see under [Mar, John Erskine, earl of] 1675-1732.

Am A100 760m
MY Lord, In pursuance of an order of council, Your Lordship is desired to attend on his late Majesty's funeral ...
[London,1760]. 1l. 19cm., in case 25½cm.
Signed: Effingham, m[arshall].
Dated at end: November 5, 1760.

NM 0920222 TxU

Lilly A 496 .M995
MY LORD KEEPER'S SPEECH TO THE DUKE OF MARLborough, in the House of Peers, Decemb. 1706. and the Duke of Marlborough's answer. [n.p., 1706]
broadside. 30 x 20 cm.
A speech congratulating John Churchill on the success of his latest military campaign.
Bottom edge trimmed with partial loss of text.

1. Marlborough, John Churchill, 1st duke of, 1650-1722. I. Lilly imprint: 1706.

NM 0920223 InU

My Lord Methwenis tragedie. Imprentit at Sanctandrois be Robert Lekpreuik. Anno. Do. 1572
See under
[Sempill, Robert, 1530?-1595]

*EB65 A100 689m6
My lord, this paper comes to your Lordship's hands, as we take your Lordship to be one of the pillars of our church and government ...
[London,1689]
[2]p. 29x18.5cm.
Caption title.
A plea to restore London's charter.

NM 0920225 MH

My Lord Whitlocks reports on Machiavil; or, His recollections for the use of the students of modern policy. [A political satire] London, T. Batemen, 1659 [i.e.1660]
8 p. 20cm. [Stuart tracts. v.39, no.3]
1. Whitelocke, Sir Bulstrode, 1605-1675. 2. Gt. Brit. History. 1660.

NM 0920226 MnU

My lost home. No. 4 in 450.2.7
(In Novels and tales reprinted from Household Words, conducted by Charles Dickens. Vol. 7, pp. 170-187. Leipzig, 1858.)

NM 0920227 MB

My love she's but a lassie yet; a favorite Scotch air with variations. Philadelphia, Published and sold at G. Willig's Musical Magazine [1818 or 19]
4 p. 33 cm.
Caption title.
For piano.

1. Variations (Piano) 2. Folk-songs, Scottish (Instrumental settings)

M1.A1M 72-213081
[M27] [M1747] [(M5120)]

NM 0920228 DLC

My love she's but a lassie yet; or, Johny O! A favorite Scottish melody arr. with variations for the piano forte. Philadelphia, G. E. Blake [18—]
4 p. 33 cm.
Caption title.

1. Variations (Piano) 2. Songs, Scottish (Instrumental settings) I. Title: Johny O!

M1.A1M M 60-1517

NM 0920229 DLC

My lover's life story
see under [Davies, Elizabeth L.]

My lover's love
see under [Knowlton, Annie I]

My Magazine.
Where is Shelly's heart?
see under title

My-man; letters from a wife to a husband "somewhere in France," by C. E. L. New York, George H. Doran company [1916]
96 p. 17cm. $0.50

I. L., C. E. II. C. E. L.

Library of Congress PZ3.M9893 16-23088

NM 0920233 DLC NN NjP MB PP

My managers viewed from being the footlights
see under Winkle, Polly, pseud.

qM784.3 M991
My Marguerite. La charmante Marguerite. Old French song. [New York, G. Schirmer, n.d.] Pl. no. 8728.
7p. 35cm. (French songs, 2d ser.)
Caption title.
English and French words.
For high voice and piano.
Copy 2: French songs, first series.

NM 0920235 IU

My marriage. A domestic novel. New York: Pollard & Moss, 1889. 334 p. 12°. (Echo series. no. 3.)
At head of title: "The heart of a woman."

1. Fiction (American).
N. Y. P. L. October 3, 1912.

NM 0920236 NN

... My marriage. A novel ... New York, G. Munro, 1882.
51 p. 32½cm. (The seaside library. v. 61, no. 1238)

CA 9-4426 Unrev'd
Library of Congress PZ1.S44

NM 0920237 DLC

VOLUME 403

My Mary Anne; the Yankee gal's song. London, Musical Bouquet Office [18—]
3 p. 35 cm. (Musical bouquet, no. 1023)
For voice, chorus (SATB or SSTB) and piano.

1. Songs (Medium voice) with piano.

M1621.M M 54-1466

NM 0920238 DLC

MY master's secret, or The troublesome stranger. London, Lane, Newman and co., 1805.

2 vol.

NM 0920239 MH

My May-day among curious birds and beasts
see under [Alcott, Louisa May] 1832-1888.

My men, anonymous. New York, R. R. Smith, inc., 1931.
3 p. l., 3-251 p. 20cm.

Library of Congress PZ3.M98933 31-3867

NM 0920241 DLC

My military record
see under [McKeown, James] comp.

M977.4
M995f

My Michigan. [Prepared in cooperation with R. Clyde Ford] Delaware, Ohio, Gateway Pub. Co. [ca.1950]
1v. (unpaged) illus. 22cm.

Cover title.

1.Michigan-Hist.-Juv. literature. I.Ford, Richard Clyde, 1870-1951.

NM 0920243 Mi

My Michigan, the picture story of our state [clippings from the Ann Arbor News, numbered serially 22-323. c1938-1939]
1 v. illus. 11 x 26.5 cm.
Incomplete.
1. Michigan. Hist. I. Title: The picture story of our state.

NM 0920244 MiU-H

My microscope and some objects from my cabinet
see under [White, T Chambers]

My military Missal ...
see under Catholic Church. Liturgy and ritual. Missal. English. Miscellaneous.

My missal, a new explanatory missal for the Sundays and principal feasts
see under Catholic church. Liturgy and ritual. Missal. English. [Sundays and holy days]

My morning counsellor. Holy scripture, arranged as morning meditations...
see under Bible. English. Selections. 1900.

My Morocco maid. Chicago, c1914
see under [Morton, Charles], playwright.

808.31
M99

My most exciting story; a collection of stories chosen by their own authors. London, Faber & Faber [1936]
538p. 19cm.

Contents.- The drop, by F. Beeding.- The blue pearl, by J.G. Brandon.- The later edition, by V. Bridges.- Mock trial, by H. Clevely.- The dope traffickers, by R. Daniel.- Third player plays high, by N.A.T. Ellis.- Sinclair and son, by G. Fairlie.- Between eight and eight, by C.S. Forester.- The snatch racket, by B. Graeme.- Jungle law, by S. Horler. Danse macabre, by F. King.- The brown book,by A.E.W. Mason.- The leather case, by W.S. Masterman.- The bell on Hell Shoal, by T. Mundy Hardn Pasha, by S. Rohmer.- The chained man, by G. Verner.- He cometh and he passeth by, by H.R Wakefield.- The passing of Yeng How, by J.M. Walsh.- Vendetta, by D. Wheatley.- The green garland, by V. Williams.

NM 0920251 OrU

My mother. New York [n.d.]
[8] p. col. illus. 15 cm. (Mothers' series)
Cover-title.

NM 0920252 RPB

PZ262
.M98
1855

My mother. Boston, Massachusetts Sabbath school society [1855?]
64 p. illus. 12cm. (On cover: Little one's library)

NM 0920253 ICU

My mother. London, G.Routledge and sons [187-?]

"Routledge's shilling toy books."

NM 0920254 MH

... My mother ... London [1876?]
see under Crane, Walter, 1845-1915.

My mother. A poem ...
see under [Gilbert, Ann (Taylor)] 1782-1866.

My mother and I
see under [Craik, Mrs. Dinah Maria (Mulock)] 1826-1887.

My mother bids me bind my hair... Philadelphia, Baltimore, & New York, c1794.
sheet music.

NM 0920258 RPJCB

My mother-in-law ...
see under [Fiske, Amos Kidder] 1842-1921.

My mother-in-law [advertising Hood's Sarsaparilla ..]
see under [Hood (C.I.) and company, Lowell, Mass.]

My mother: or, Recollections of maternal influence ...
see under [Mitchell, John], 1794-1870.

DS
403
.M98

"My motherland" pamphlets,1-12. Madras, Sunday Times Office [192-?]
1 v.(various pagings) 19 cm.
Title from list at end of 11th pamphlet.
CONTENTS.--Mahatma Gandhi,superman of the age. --Sri Ramanashram; with a lifesketch of Maharshi. --First principles of health.--Quintessence of Gandhism.--Why India is miserable: bartering food for poison.--Sri Aravinda Ghose and his Ashram.--A crime against humanity: wanton bloodshed in India.--Daridranarayan; or Gandhian economics.--Sexual relations: what you ought to know.--Reverse Councils loot and the exchange mystery.--Ramdas, the patriot saint and Shivaji.--Gandhiji on Hinduism and Varnashrama.
1.Gandhi,Mohandas Karamchand,1869-1948.
2.India--Soc.life & cust.

NM 0920262 MiU CU

BS551
.M9
1896

My mother's Bible stories. Told in the language of a gentle, loving mother conversing with her children. Designed for family use during "the children's hour" around the evening lamp. Introduction by John H. Vincent ... New Haven, Conn., Butler & Alger [1896]
480 p. illus. 25cm.

1. Bible stories, English.

NM 0920263 ViU

My Mother's Bible stories. Told in the language of a gentile, loving mother conversing with her children... Introduced and recommended by ... John H. Vincent... New York, 1928.
460 p.

NM 0920264 PPDrop

MY mother's chair. New York, R. Carter, 1863. 99 p. illus. 17cm. (Carter's Fireside library)

NM 0920265 NN

My mother's cook book, compiled by ladies of St. Louis, and sold for the benefit of the Women's Christian home ... St. Louis, Hugh R. Hildreth printing company, 1880.
244 p. 22cm.

1. Cookery, American.

Library of Congress TX715.M968 43-21587

NM 0920266 DLC

VOLUME 403

17 My mother's funeral. Written for the Mass. s. s. society, [etc. anon] Boston, Mass. s. s. society, 1844.
32 p. incl. 1 pl. 32°.

NM 0920267 DLC

... My mother's gold ring
see under [Sargent, Lucius Manlius] 1786-1867.

My mother's picture book. Containing My mother. The dogs' dinner-party. The white cat. Little dog Trusty. With twenty-four pages of illustrations. London and New York, George Routledge and sons [1870]. Ff. 6; 6; 6; 6. 26.2x22.2cm.

NM 0920269 CaOTP

My mother's poems. [18—]. 22 p. 12°.

1. Poetry (American).
N. Y. P. L. May 13, 1915.

NM 0920270 NN

35 My mother's stories. Second series. [anon.] Philadelphia, American Sunday school union, [1845]
101 p. 18°.

NM 0920271 DLC

My mother's story of her own home and childhood
see [Tuttle, George] 1804-1872.
A parent's offering, or, My mother's story of her own home and childhood.

My motor log book; a record of runs, distances, stops, weather, guests, and incidents... Philadelphia: D. McKay [1914?].
82 l. 12°.

1. Automobiles.
N. Y. P. L. June 1, 1915

NM 0920273 NN

My name is million; the experiences of an Englishwoman in Poland ... London, Faber and Faber limited [1940]
284 p. 21 cm.
"First published in Mcmxl."

1. World war, 1939-1945—Poland. 2. World war, 1939-1945—Personal narratives, English.
41—4120
Library of Congress D811.5.M8 1940a
[a50r43g1] 940.5481438

NM 0920274 DLC MH CaBVaU

My name is million. New York, The Macmillan company, 1940.
vi, 268 p. 21ᶜᵐ.
"First printin— "

1. European war, 1939- —Poland. 2. European war, 1939- —Personal narratives.
40—34057
Library of Congress D811.5.M8 1940 a
[a41x5] 940.5481438

PP PU OCl OO ODW ViU OU NIC NBuC NcRS WU
NM 0920275 DLC Or WaTC WaE WaS OrPR IdU NcD NcC

My name is million... London: Faber and Faber ltd. [1941] 284 p. 21cm.
The experiences of an Englishwoman in Poland.

55207B. 1. European war, 1939- —Poland. 2. European war, 1939- —Personal narratives, English.
N. Y. P. L. January 20, 1942

NM 0920276 NN

My name is million. London, Faber and Faber [1942]
284 p. 20 cm.
The experiences of an Englishwoman in Poland.

1. World War, 1939-1945—Poland. 2. World War, 1939-1945—Personal narratives, English.
D811.5.M8 1942 940.5481438 48-42770*

NM 0920277 DLC

42
6537 My name is Norval travestied by F.R.S. [anon] London, W.H.J. Carter [18-]
ill., tit. 20 col. pl. obl. 16°.
I.S., F.R.

NM 0920278 DLC

My Nannie O! Scotch ballad ...
see under Parry, John, 1776-1851, arr.

My native land
see under [Mason, Lowell], 1792-1872.

My native land. A poem ... [Lynchburg? Va., 1828?]
15 p. 20½ᶜᵐ.
Half-title.
On verso of half-title: To the Union society of Hampden Sydney college, Virginia, this poem is respectfully inscribed, by an honorary member. Lynchburg, Virginia, Dec. 28, 1827.

1. Virginia.
9-768
Library of Congress F227.M49

NM 0920281 DLC NcD

My native shore. New York, Printed & sold at J. Hewitt's Musical Repository N° 131 William Street Pr. 12½ cents [1798?]
[1] l. 33 cm.
Bound with Hewitt, James. The Federal Constitution & liberty for ever. New York [1798]
With, as issued, Attwood, Thomas. The poor sailor boy. New York [1798?]
For voice and piano.
1. Songs (High voice) with piano—To 1800.
M1.A1H M 54-660 rev
——— Copy 2. ([Collection of early American music, published or manuscript. v. p., 179-?-182-?] v. 13, no. 13)
M1.A11 vol. 13, no. 13)

NM 0920282 DLC NN

My native village; or, The recollections of twenty-five years. Written for the American Sunday-school union, and revised by the Committee of publication. Philadelphia, American Sunday-school union [©1844]
139 p. front., 1 illus., plates. 15½ᶜᵐ.

1. Temperance. I. American Sunday-school union.
13-25518
Library of Congress HV5068.M8

NM 0920283 DLC

PS991
.A1
.M94 My native village. Sketches from real life; designed to aid the temperance cause. New York, Dayton and Saxton, 1841.
iv p., 1 l., [7]-209p. 15cm.
"Originally published in a weekly newspaper, called "The great western", printed at Belleville, Illinois. They are designed to give a correct view of Quaker manners." - Pref.
Rare.

NM 0920284 NNU-W PSC-Hi

PR
1285
.M9 My naughtiest story; a collection of stories chosen by their own authors. London, Faber and Faber [1948, 1954]
384p. 19cm.

NM 0920285 OrU

823.08
M995 My naughtiest story; an anthology of stories chosen by their own authors. London, Faber and Faber [1941]
456p. 19cm.

Contents.- Mr. Pappas, by A. J. Alan.- A girl with a future, by M. Arlen.- The princess and the frog, by A. Armstrong.- Sir Pompey and Madame Juno, by M. Armstrong.- The abandonment of Miss Plum, by D. C. Calthrop.- Nixey's harlequin, by A. E. Coppard.- Technique, by M. Edginton.- Let truth prevail, by G. Frankau.- Sylvia, by W. Gerhardi.- The tattooed bird, by L. Golding.- A keen sense of rumour, by C. Hamilton.- More French than the French, by C. Jope-Slade.- Rouge et noir, by M. Joseph.- Hommage a Shakspere, by J. Laver.- Kept man, by E. Mannin.- The child in the garden, by L. Merrick.- Amouring-on-sea, by G. Moss.- The jade ear-rings, by A. Soutar.- The case of Mrs. Mencken, by H. d. V. Stacpoole.- Strange guest, by M. Steen.- Madame Zelie, by A. Waugh.- The odd man out, by D. Wyllarde.

1. Short stories, English.

NM 0920288 IEN

Мы не простим; слово ненависти к гитлеровским убийцам. Москва, Советский писатель, 1941.
62, [2] p. 19½ᶜᵐ.
By various authors.

1. World war, 1939- —Atrocities. 2. World war, 1939- —Russia. Title transliterated: My ne prostim.
43-32002
Library of Congress D804.R9M8

NM 0920289 DLC

MY NEIGHBOUR. A monthly journal of the Episcopal city miss[ion]
Vol. 1, no. 9, vol. 2, no. 1.
Bost. 1892. v. 8°

NM 0920290 MB

PR3991
.M94
183-
Mss room My neighbour's wife [a farcical sketch] [183-?]
[53] p. 23x19ᶜᵐ.
Manuscript (unpublished?)

1. Manuscripts, English.

NM 0920291 ICU

VOLUME 403

810.8 M991 My new annual, A Christmas and New Year's gift, by V. T. New York, Leavitt & Allen Bros. ɛn.d.ɜ
242p. illus. 18cm.

I. T., V. II. V. T.

NM 0920292 IU LU RPB

... My new book of guess again. Philadelphia, Fisher & brother ₍1860?₎
cover-title, p. 13-20. col. illus. 14cm. (Fisher and brother's funny toys)
Illustrated cover, in colors.
Alphabet on back cover.
Running title: New riddle book.

1. Riddles. I. Fisher & brother, Philadelphia, pub.

28-20286

Library of Congress PZ6.M986

NM 0920293 DLC

... My new book of riddles. Philadelphia, Fisher & brother ₍1860?₎
cover-title, 5-11, ₍1₎ p. col. illus. 14cm. (Fisher and brother's funny toys)
Illustrated cover, in colors.

1. Riddles. I. Fisher & brother, Philadelphia, pub.

32-30570

Library of Congress PZ6.M987

NM 0920294 DLC

My new home
see under [Robbins, Mrs. Sarah (Stuart)] b. 1817.

My new picture alphabet and primer. New York, C.S.Francis & co. [1851?]

NM 0920296 MH

MY new picture alphabet and primer. New York, James Miller, publisher, 779 Broadway [1880?]
1 p.l., (1) 6-96 p. illus., front. 16cm.

In original printed gray paper covers with publisher's advertisements on back cover.

1. Primers, American. 1. Subs. for [18--].

NM 0920297 NN

My new picture book; with ninety illustrations (col.) New York, 1869.
[14] p. col. front. & illus. 17 cm.
Pub. by Allen Bros.

NM 0920298 RPB

My New Zealand garden, by a Suffolk lady ... London, E.Stock, 1905.
2 p.l.,114 p. front.,plates. 20½cm.

1.Gardens--New Zealand. I.A Suffolk lady.

NM 0920299 MiU

My next door neighbor, a character sketch in one act and one scene. New York, Dick & Fitzgerald ₍1899?₎
14p. 19cm. (On cover: Dick's American edition)

NM 0920300 RPB CLSU NN

My next door neighbor. A character sketch, in one act and one scene. New York, Dick & Fitzgerald [1899?; Louisville, Falls City Microcards, 1965?]
14 p. [19 cm.] (FCM 26641)

Microcard ed. 1 card. 7 1/2 x 12 1/2 cm.

NM 0920301 RPB

... My night adventure, and other complete stories, by leading writers. 142p. New York, Cassell & co. n.d. (Cassell's "select" library of entertaining fiction)

Contents: Gourlay brothers.- Madame's little plot.- A bank-note, in two halves.-My night adventure in Nicolaieff.-The bridge of San Martin:-a lengend of Toledo.-The best revenge.-The chimney at Lisgarven Mill.-Nicholas Clutterbuck.-My wife' stitch in time.-Our irrepressible tenor.-Madgie's hero.

NM 0920302 OCl

My Nigra alas is no more. New York Printed & sold at J Hewitt's Musical Repository N° 59 Maien ₍sic₎ Lane. Pr 25 cts Where may be had all the latest publications. ₍180-₎
₍1₎ l. 34 cm. (₍Collection of early American music, published or manuscript. v. p., 179-?-182-?₎ v. 10, no. 16)
For voice and piano; part for flute at end.

1. Songs (Medium voice) with piano.

M1.A11 vol. 10, no. 16 63-32384/M

NM 0920303 DLC

My northern home. [Song, with accompaniment for pianoforte.]
= Philadelphia. Lee & Walker. 1851. 5 pp. 35½ cm.

L4979 — Songs. With music.

NM 0920304 MB

My note-book, or Sketches from the gallery of St. Stephen's
see under Woodfall, Wilfred, pseud.

My notes, on Shakespeare and the land he lovedm lived and died in
see under [Gray, Thomas, minister of Kirkurd]

My novel; or, Varieties in English life
see under [Lytton, Edward George Earle Lytton Bulwer-Lytton, 1st baron] 1803-1873.

My observation oversea
see under [Lipscomb, Carl Roscoe] 1893-

Gimbel PZ 10 M98 My object book. Akron, Saalfield [n.d.]
1 v. (unpaged) illus. 26cm.
(Saalfield's muslin books)
A child's picture book, on muslin; includes balloon, airship, kite, etc.
Publisher founded in 1899.

NM 0920309 CoCA

CT9999 .M9 1925 My ocean voyage. Shanghai, Oriental Press, 1925.
84 p. illus. (part col.), maps. 20cm.
Record book.

NM 0920310 ViU

F691 f.M9 My Oklahoma; pub. by Chamber of commerce of the state of Oklahoma. 1- April 1927-
Oklahoma City ₍1927-
v. illus. 30½cm. monthly.
April-Sept., 1927 pub. by Oklahomans, inc.

1. Oklahoma—Period.

NM 0920311 ICU

PZ 2.1 M99 My old cousin; or, A peep into Cochin-China. A novel. By the author of Romantic facts; or, Which is his wife? Veronica; or, The mysterious stranger, &c. London, A. K. Newman, 1819.
3 v.

NM 0920312 CLU IU

33 My old dad's wooly headed screamer. Containing all the newest Negro melodies. [anon] New York, Turner & Fisher [1845]
32 p. 32°.

NM 0920313 DLC

My Old Kentucky Home Commission
see Kentucky. My Old Kentucky Home Commission.

My old New Hampshire home, songster. New York [n. d.]
[14] p. music 28 cm.
Cover title (port.)
Pub. by Wm. W. Delaney.

NM 0920315 RPB

My old scrap book ...
see under [Hunter, Joshua Allen] 1881- comp.

My operation, and other uncommon monologues, by various authors ... New York, Fitzgerald publishing corporation ₍©1932₎
125 p. 18½cm. (Playhouse plays)

1. Monologues.

CA 33-130 Unrev'd

Library of Congress PN4305.M6M8
Copyright A 53777 815.5082

NM 0920317 DLC OCl WaS

VOLUME 403

My opinion is asked as to the proper construction of the deed, of 10 March, 1869 from Samuel Miller to J.F.Slaughter, Thomas J. Randolph, and others...

see under

[Robertson, William Joseph]1817-1898.

My opinions and Betsey Bobbet's
see under [Holley, Marietta] 1836-1926.

428.6 qM99 My own A B C of quadrupeds... N.Y.[etc.] Strong [n.d.]

NM 0920320 N

My own blue bell, ballad ...
see under Lee, George Alexander, 1802-1851.

MY own book. Deal[n.d.]

24°. Wdcts.

NM 0920322 MH

... My own book. London: The Religious tract society [ca. 1865]. Pp. 12. 14x9.3cm. (Picture books for little children, no. 12)

NM 0920323 CaOTP

PZ7 .M995My My own book of tales and pictures. London, Dean and Son [189?]
6 l. col. illus. 19 cm. (Dean and son's Untearable coloured toy books, mounted on cloth)

Cover-title.

NM 0920324 NjR

VM 1 F 91 no.169a MY own chosen bride. A much admired ballad selected from the New York mirror... With the Italian words Ten tendo si mio cor. The music composed by I.E. New York,T.Birch[ca.1840]
[4]p. 33cm.

Caption title.

NM 0920325 ICN

My own experience. Dedicated to the "Suffolk board of trade." Boston, Temperance standard press, 1846.
36 p. 17½ cm.

1. Liquor problem—Massachusetts—Boston.

HV5298.B7M8 6-44673

NM 0920326 DLC DeU

My own history. By the author of "The gold thimble." **H.99c.61
— Boston. Cottons & Barnard. 1832. 20 pp. 24°.
The story of the manufacture of a book, told by itself.

E8382 — Books.

NM 0920327 MB

MY own little library. No. 1-6. Boston, Brown, Taggard & Chase, [cop. 1859]

32°. Illustr.
Title taken from the cover.
Contents:- i. The baby dear. - ii. Home. - iii. Shade and sunshine.- iv. The birds of spring.- v. A song for May, - vi. The story of a bell.

NM 0920328 MH

My own name in history, peotry & romance
see under [Gibson, Winifred]

My own one; a favorite Scotch air. Arr. for the piano forte by David Lee. Published by W. C. Peters, Louisville Ky. [18—] Pl. no. 41.
[2] p. 35 cm.
Caption title.
For voice and piano.

1. Songs (Medium voice) with piano. I. Lee, David, arr.

M1.A13M 52-57426

NM 0920330 DLC

My own one, a favorite Scotch melody sung by Mr. Wood, arranged for the piano forte. Baltimore, Geo. Willig Jr. [185-?] Pl. no. 909.
[2] p. 35cm. [Sheet music collection v. 93, no. 13]
Caption title.
Arranged by David Lee
1. Songs with piano. I. Title.

NM 0920331 ViU

Is94 tl v.1(5 My own picture book. New Haven,S.Babcock,1834.
8p. illus. 7½cm.
Title and front cover vignettes; illustration on back cover.

NM 0920332 CtY

My own picture book. Cincinnati, 1844.
16 p. illus. 11 cm. (Truman's entertaining toy books)

NM 0920333 NjP

My own reading lessons ...
see under Kelso, Virginia May.

My own savings book [Verse by Genevieve Burke]
see under [Burke, Genevieve]

PR 3991 A1M99 My own times, a novel. Containing information on the latest fashions, the improved morals, the virtuous education, and the important avocations of high life. Taken from "The best authorities," and dedicated, without permission, to "Those who will understand it." London, Longman, 1812.
2 v.

NM 0920336 CLU

My own times, or 'tis fifty years since
see under [Channing, Walter] 1786-1876.

X Per M995 My pal. v. 1-3 (no. 1-21); Mar. 1932-June 1934. Paterson, N. J., Robert Telschow.
3 v. in 18 cm.

"A good little magazine for everybody."
Vols. 1-3, no. 1 published in Hawthorne, N. J.
No more published?

I. Telschow, Robert Max, 1879-

NM 0920338 NcD

My Paris, an anthology of modern Paris . . .
see under Griggs, Arthur Kingsland, 1891-1934, comp. and tr.

My Paris note-book ...
see under [Vandam, Albert Dresden] 1843-1903.

PR 3991 A1M992 My partner. [A tale of Northern California] London, Aldine [ca.1890]
cover title,64 p. (The Home library of powerful dramatic tales, no.34)

NM 0920341 CLU

... My personal financial record ...
see under [Pond, Esther] 1899-

My pert pussies. New York, S. Gabriel sons [1928?]
[12p. col. illus. 22cm

"Linenette"

NM 0920343 RPB

... My pet book. Beautifully colored. Philadelphia, Boston [etc.] Fisher & brother [1857?]
cover-title, 8 p. col. illus. 11½cm. (On cover: Our darling's col'd toys)
Running title: My first primer.

1. Primers—1800-1870.

28-27519

Library of Congress PZ6.M988

NM 0920344 DLC

My Pet Dogs. 1286
Father Tuck's Playtime Series. London. 12mo.
Cut to shape. Printed in Saxony.

NM 0920345 ViW

VOLUME 403

My pet recipes, tried and true, contributed by the ladies and friends of St. Andrew's church, Quebec... Quebec: "Daily Telegraph," 1900. 156 p. 22cm.

260828B. 1. Cookery, Canadian. I. St. Andrew's church, Quebec.
N. Y. P. L. March 27, 1944

NM 0920346 NN

My pets. Cleveland, New York, The World syndicate publishing company [c1929]
[335] p. illus. 25cm.
Illustrated t.-p.

1. Animals, Legends and stories of.

Library of Congress PZ10.3.M989 30-20269

NM 0920347 DLC

My pet's picture-book. With 130 illustrations by Sir John Gilbert, H. Anelay, Harrison Wier, Robert Barnes, &c. New York, T. Nelson [18--]
254 p. illus.

Companion volume of "My pet's album", first published in 1872-73.

NM 0920348 NNC ICU

My pet's picture book. New York, American tract society [c1873]
45 p. illus.

NM 0920349 NjP

My philosophy, by an unprofessional thinker. Oxford, Printed at the Shakespeare head press and sold by B. Blackwell, 1934.
xvi, 145 p. 24cm.

I. An unprofessional thinker.

Library of Congress B1674.Z9M9 36-2134

NM 0920350 DLC

My philosophy of law; credos of sixteen American scholars, published under the direction of the Julius Rosenthal foundation, Northwestern university. Boston, Mass., Boston law book co. [c1941]
xii, 321 p. incl. ports. 24cm.
"References": p. 177.

1. Law—Philosophy. 2. Law—Addresses, essays, lectures. I. Northwestern university, Evanston, Ill. Julius Rosenthal foundation for general law. II. Title: Credos of sixteen American scholars.

41-19742

NM 0920351 NcD PPT DI OCl OClh OU PU-L PPT-L ViU-L DLC IdU-L CaBVaU WaU-L MtU KU-L OrCS

My physician, mind
see under [Crocker, J B]

PZ216 .R38P5 My picture book. Philadelphia, American Sunday-School Union, 1838.
23 p. illus.

NM 0920353 ICU

PZ211 .I95 My picture-book. New York, American tract society [1863]
64 p. illus.

NM 0920354 ICU NNU-W N

My picture book of dogs; with two colour plates and over sixty illustrations. London and Melbourne, Ward, Lock & Co., Limited [19-?]
[62] p. col. front., illus., col. plates. 25½cm.

1. Dogs - Juvenile literature.

NM 0920355 ViW

My picture dictionary; a picture with every word. Illustrated by Marion Guild; reviewed and approved by Ruth Leder. New York, Maxton Publishers, c1949.
[32] p. col. illus. 26 cm. (Maxton books for little people)

1. Picture dictionaries, English. 2. Primers—1870- I. Guild, Marion, illus.

PE1629.M9 423 49-49634*

NM 0920356 DLC

* PZ7 .M8 1878 My picture story-book in prose and poetry, for the little ones. Edited by Uncle Harry. Philadelphia: J. B. Lippincott [1878]
78 p. plates. 25cm.

1. Children's stories.

NM 0920357 ViU NN

My pocket book; or, Hints for "A ryghte merrie and conceitede" tour
see under [Dubois, Edward] 1774-1850.

My pocket prayerbook, compiled from approved sources. Washington, D.C., Commissariat of the Holy Land, Franciscan Monastery [1925]
93 p. 5.5 cm.

NM 0920359 KyU

My poems, an instructive and entertaining miscellany of tales, translations, reflections, thoughts, similes, sentiments ... By me. Out of my apprenticeship ... With a prefatory essay entitled, The complete art of versification, or, Every man his own poet ... Calcutta, 1812.
2 p. l., iv, 7 p. 23cm.
The "prefatory essay" is signed: P. P.
"Works to be in the press, by the author of My poems" (2 p. at end) signed: Peregrine Pedant.

I. Pedant, Peregrine, pseud. II. P., P.

16-18231

Library of Congress PR3991.A1M85

NM 0920360 DLC

"My policy"; or, The new gospel of peace, according to St. Andy, the apostate. Pittsburgh, J. P. Hunt & co. [1866]
11 p. 17½cm.

1. U. S.—Pol. & govt.—1865-1869. 2. Johnson, Andrew, pres. U. S., 1808-1875—Fiction. I. St. Andy, the apostate.

12-23336

Library of Congress E667.M99

NM 0920361 DLC NBu NIC PHi OClWHi PPL

My poor Dog Tray. A favorite Song. Composed by J. Jewitt, Poetry by T. Campbell. New York, [c1800]
sheet music

NM 0920362 RPJCB

Ib50 t854m My portfolio; or, Stray pages, collected and edited by W.B. London, Longman, Brown, Green & Longmans, 1854.
iv, 100p. 18cm.

NM 0920363 CtY

My poultry and how I manage them
see under [Abbott, H E]

My prayer-book: Our Father, Hail Mary, Apostles' creed, and Acts of faith, hope love anc contrition. Bruges, Desclée de Brouwer [c1938]
illus.
Illustrated by Jeanne Hebbelynck.

NM 0920365 WaSp

My precious Betsy
see under [Morton, John Maddison] 1811-1891.

My pretty country picture book of lane, and lake, and hill, and brook. London, Edinburgh, T. Nelson and sons [18-?]

NM 0920367 PU

J PZ6 .M8 My pretty country picture book of lane, and lake, and hill, and brook. London, New York, T. Nelson, 1869.
64 p. illus. 18 cm.

NM 0920368 MB

PZ111 .I95 My pretty gift book. London, Religious tract society [1867]
5 v. in 1. col. fronts., illus., col. plates.
Each volume has special t.-p.
Contents: 1. My pretty story book.--2. My pretty lesson book.--3. My pretty pets.--4. My pretty flower book.--5. My pretty verse book.

1. Children's stories. 2. Children's poetry.

NM 0920369 ICU

My pretty little pink (American folk song)

M214 .P68M9 Pisk, Paul Amadeus, 1893-

... My pretty little pink, a merry fugue on a southern folk-tune. Two pianos four hands. [Los Angeles] Delkas [1945]

My proclamation. Gentlemen clerks of my office: [Rules, facetiously attributed to Peter Force. A satire] May 14, 1846. [Washington] Printing office of the Comet [1846]
1 p. 8°.

NM 0920371 NN

VOLUME 403

371.26 My progress book in English. Grade
M993 Columbus, O., c1930.
v.

Grade three by Ida Odelle Rudy and Gretchen Smalley, grade four-six by Victoria Lyles, grade seven-eight by Helen L. Miller.
Published by American Education Publications,Inc.

NM 0920372 IU NNU-W

My progress book in Paradise lost and minor poems (Milton)
see under Milton, John, 1608-1674.

My progress book in reading
see under Johnson, Eleanor Murdoch, 1892-

My progress book in Spanish
see under Milwitzky, William

My progress in error, and recovery to truth. Or, A tour through Universalism, Unitarianism, and skepticism. Boston, Gould, Kendall and Lincoln, 1842.
viii, [9]-240 p. 18cm.

1. Universalism. 2. Unitarianism.
36-25395
Library of Congress BV4935.Z9M8
[2] 922

NM 0920376 DLC RPB NcU CtY PPL

My proof of immortality
see under [Shatford, Sarah Taylor]

My puppy. [New York, Cam'l Gabriel Sons & Co., c1927]
[16] p. incl. covers. col. illus. 37x19cm.
Cut in shape of a dog, with moving eyes.
In verse.

NM 0920378 ViW

My puppy dog; pictured by A. E. Kennedy. New York, Sam'l Gabriel Sons & Company, c1915.
[16] p. illus. (part col.) 28cm.
"No. 671."
In verse.

I. Kennedy, A E illus.

NM 0920379 ViW

My puppy dog. New York, Sam'l Gabriel Sons & Co., c1917.
[16] p. incl. covers. illus., (part col.) 28½cm.
"No. 654."
Illustrations by A. E. Kennedy.
In verse.

I. Kennedy, A E illus.

NM 0920380 ViW

My puppy playmates. New York, Sam'l Gabriel Sons & Company, c1928.
[12] p. col. illus. 22cm. (Linenette [series] no. 442)

NM 0920381 ViW

My pussy-cat book. [London: E. Nister 19—?]. 8 l. col'd illus. ob. 8°.

1. Picture books.
N. Y. P. L.
CENTRAL CIRCULATION.
July 14, 1911.

NM 0920382 NN

... "My queen" ...
see under Godfrey, Mrs. G W.

My queen and my mother, by R.G.S., with preface by the bishop of Salford. 2d ed. ... London, Art and Book Company, 1904.

xv, 262p. front., illus. 19.5cm.

1.Mary, Blessed Virgin-Meditations. 2.Litany of Our Lady-Medit ns. I.Title.

NM 0920384 MBtS

My rambles in the enchanted summer land of the great Northwest during the tourist season of 1881. Chicago, Rand, McNally and co.,1882.

96 p. illus., 20 cm.

1. Wisconsin - Description and travel. 2. Minnesota - Description and travel. 3. Summer resorts - U.S.

NM 0920385 PLatS PPL IU MiU MiD MH CtY MiD-B

MY reasons for leaving the Church of England and joining the Church of Jesus Christ of Latter-day Saints. By a convert. Liverpool, Millennial star office, 1897.

pp. 34.

NM 0920386 MH

"My recollections of the Circuit"
see under [Coleridge, Sir John Taylor]

---

*
T500
.M9
1893
My record of The World's Columbian Exposition. Chicago, Ill., 1893.
1 v. (unpaged) 23cm.
Chiefly blank pages for keeping records of one's experiences at the exposition.

1. Chicago. World's Columbian Exposition, 1893.

NM 0920388 ViU

My record spelling tablet
see under Hern, Ernest, 1883-

My rectors
see under [Giles, Robert Harris]

... My red cross knight. A novel ... New York, G. Munro, °1883.
32 p. 32½cm. (Seaside library, v. 80, no. 1628)

Library of Congress PZ1.S44
21-15361

NM 0920391 DLC

"My reference book." Helpful hints and reminders, forming a carefully selected collection of useful recipes and valuable information of all kinds for the home and household. London: Knapp, Drewett & Sons, Ltd. [191-.] 2 p.l., 402 p., 4 l. New ed. illus. 12°.

1. Receipts. 2. Cookery (English).
N. Y. P. L.
July 29, 1914.

NM 0920392 NN

My religion, by Arnold Bennett, Hugh Walpole, Rebecca West, Sir Arthur Conan Doyle, E. Phillips Oppenheim, Compton Mackenzie, J. D. Beresford, Israel Zangwill, H. de Vere Stacpoole, Henry Arthur Jones, and "the unknown man", together with replies from many eminent divines and others. London, Hutchinson & co. [1925]
140 p. 19cm.
A series of articles which appeared in the London Daily express

I. *Bennett, Arnold, 1867-
Library of Congress BR50.M8
26-3892

NM 0920393 DLC CaBVa NIC NN MB TxU CtY-D CSmH

My religion [by] Arnold Bennett, Hugh Walpole, Rebecca West, J. D. Beresford, Israel Zangwill, Sir Arthur Conan Doyle, E. Phillips Oppenheim, Compton Mackenzie, H. de Vere Stacpoole, Henry Arthur Jones. New York, D. Appleton and company, 1926.
4 p. l., 3-187 p. 18½cm.
A series of articles which appeared in the London Daily express.

I. *Bennett, Arnold, 1867-
Library of Congress BR50.M8 1926
26-8108

ViU
NM 0920394 DLC OrU IdU WaS MB NN PHC PU OCl OCU

My remains. [Collection of poems] n.p. [1877?]
20 p. 12°.
n.t.-p.

NM 0920395 NN

My remains. "Dulces exuviae."
see under [Mercer, Graeme R.]

My residence in and departure from California
see under [Scott, William Anderson] 1813-1885.

VOLUME 403

My ride to the barbecue: or, Revolutionary reminiscences of the Old Dominion. By an ex-member of Congress. New York, S. A. Rollo, 1860
72 p. incl. front., illus. 18½cm.

1. Virginia—Hist.—Revolution. 2. Virginia—Descr. & trav.
Rc-2838 rev.
Library of Congress F230.M99

NM 0920398 DLC MB OFH PHi Vi PPiU

My run home ...
see under [Browne, Thomas Alexander] 1826-1915.

My sailor boy [a song]
In- Adair, B. A. (O.) Some of her life experiences ... [Portland, Me.] n.d.
21 cm. p. 334-335.

NM 0920400 RPB

1848
Juv.coll.
My scholars; or, An account of some of the girls who are, or have been in my day-school. Philadelphia. American Sunday-School Union: 1122 Chestnut Street. [c. 1848]
[4] 5- 36 p. 15 cm

NM 0920401 DLC

4CT
174
My school-boy days; and, My youthful companions. New York, R. Carter, 1849.
175, 171 p.

NM 0920402 DLC-P4

PZ
6
M88
Tucker
My school-boy days and My youthful companions ... New York: Robert Carter & brothers, 1859.
iv, [5]-175 p. front. 16½cm.

I. Title: My youthful companions.

NM 0920403 ViW

My school-boy days, and My youthful companions ... New York: R. Carter & bros., 1870. iv, 6-175, viii, 9-171 p. front., pl. 15½cm. (On cover: Fireside library. 1.)
"My youthful companions ... New York, 1869," has special t.-p. and separate pagination.

21852B. 1. Juvenile literature—Fiction, American. ~~I. Title.~~
I. Title: My youthful companions.
N. Y. P. L. April 3, 1940

NM 0920404 NN

My school-boy days, Author of.
My youthful companions
see under title

My schoolfellow, Val Bownser
see under Pugh, S.S.

... My schools and schoolmasters ...
see under [Brooks, Edward] 1831-1912.

MY scrapes and escapes, or The adventures of a student. By one of the faculty. Illustrated by original designs. New-York, 1853.

NM 0920408 MH

My Scrapes and Escapes; or, The adventures of student. By one of the faculty. New York [1860?]
2 cm. (Imp., p. 335 - wanting)

NM 0920409 CtY

My seat work
see under [Le Fever, Alice B]

cHQ471
M9
1888
My secret life. Amsterdam, privately printed for subscribers, 1888.
3 v. 24 cm.

Originally published in 11 volumes. This set lacks vols. 4-11.
"This first reprint...is for private distribution.... It is strictly limited to four hundred and seventy copies, all of which have been subscribed for prior to publication. This is copy 434."

NM 0920411 IaU MH CtY

My secrete log boke.
See under
[Seyppel, Karl Maria] 1847-

My secret service; Vienna—Sophia—Constantinople—Nish—Belgrade—Asia Minor, etc., by the man who dined with the Kaiser. London, H. Jenkins limited, 1916.
213 p. illus. (facsims.) 19½cm. 2/6

1. European war, 1914- —Personal narratives. I. The man who dined with the Kaiser.
16-9659
Library of Congress D640.M9

NM 0920413 DLC PSC NN CaBViP

My secret service; Vienna, Sophia, Constantinople, Nish, Belgrade, Asia Minor, etc., by the man who dined with the Kaiser. New York, George H. Doran company [°1916]
xiii p., 2 l., 19-235 p. illus. (facsims.) 20cm.

1. European war, 1914-1918—Personal narratives. I. The man who dined with the Kaiser.
Library of Congress D640.M92 16—11740

NM 0920414 DLC WaSp NjP NIC PPL PP MB ViU NN OCl

My seventeenth year scarce over; or, What's the matter now, a favorite song. London, Printed by J. Diether [182-?]
3 p. 35 cm.
Caption title.
No. 44 in a vol. with binder's title: Songs. [London, ca. 1800-30]
For piano, with interlinear words.

1. Songs (Medium voice) with piano. I. Title: What's the matter now.
M1619.S684 no. 44 M 55-2005

NM 0920415 DLC

My ships
see under [Randolph, Anson Davies Fitz] 1820-1896.

My sister. Embellished with coloured engravings. Baltimore, Bayly and Burns, Alexander & Clark, printers [ca. 1820?]
cover-title, 8 l. col. illus. 13½cm.
Illustrated cover-title; first and last leaves mounted on inside of covers. Resembles "My sister, by Mary Belson" as described by Tuer in his "Forgotten children's books ... London, 1898-9", p. [439]-444.

22-1838
Library of Congress PZ6.M99

NM 0920417 DLC

My sister and I ...
see under Heide, Dirk van der, pseud.

Lilly
PN 6120
.P93 M995
My sister Eileen (Motion picture pressbook)
MY SISTER EILEEN. New York, Columbia Pictures, 1942.
39,[1] p. illus.(part col.) 45.7 cm.

Movie pressbook for film starring Rosalind Russell, Brian Aherne and Janet Blair.
Advertising supplement [1]l. laid in.
Stapled as issued.

NM 0920419 InU

My sister Fanny. Written for the American Sunday-School Union, and revised by the Committee of Publication. Philadelphia, America Sunday-School Union [c1842]
35 p. illus. 16 cm.
1. Sunday-school literature.

NM 0920420 N RPB

My sister Kate
see under Brame, Charlotte Mary, 1836-1886.

My sister Kitty
see under [Bates, Fanny D]

My sister Rosalind, by the author of "Christina North". Lond., 1876.
2 v.

NM 0920423 PPL

My sister's confession and other stories
see under [Maxwell], Mrs. Mary Elizabeth (Braddon), 1837-1915.

My six weeks' tour in Maryland, Virginia, Pennsylvania, and West Virginia
see under [Hassell, Sylvester] 1842-1928.

My sketch book
see under [Fisher, Samuel James]

VOLUME 403

My skiff is on the shore; popular Negro melody. London, Musical Bouquet Office [18—]
4 p. 35 cm. (Musical bouquet, no. 130)
For voice, chorus (SATB) and piano.

1. Negro songs. 2. Negro minstrels.

M1671.M M 54-1427

NM 0920427 DLC

My soldier's record. Chicago, E. C. Sullivan co. c1918. 47 p.
Comprises the record of Walter Sherman Hayes.

NM 0920428 OFH

My son, fear thou the Lord and the king...[Boston c.1714] (reprinted in Colonial Society of Mass. Publications, Apr. 1906)

NM 0920429 RPJCB

My son John (Motion-picture script)
MY son John [screenplay by Miles Connolly and Leo McCarey; adaptation by John Lee Mahin. Story by Leo McCarey. [Hollywood?, Calif., Paramount pictures corp., c1952] 1 v. (various pagings) 34cm.

Release dialogue script.

1. Moving picture plays--Texts and outlines. 2. Cinema--Scripts. I. Connolly, Myles. II. McCarey, Leo, 1898- . III. Mahin, John Lee. My son John. IV. Paramount pictures corporation (Founded 1949).

NM 0920430 NN

MY sonnets. Greenwich, printed by H.S. Richardson, 1843.

pp. 72.

NM 0920431 MH

My son's book. By the author of "My daughter's manual."
New-York: F.W.Bradley & Co.8 Astor House. 1839.
192p.,including front. 13.5cm.(16mo)
Added t.p., with vignette portrait of Franklin, engraved.
Frontispiece engraved by G.H. Ellis after Westall.
"Stereotyped by John Fagan ... Philadelphia."
Purple embossed cloth, gilt stamped.

I. My daughter's manual, The author of.

NM 0920432 MB

MY son's book; or, Young man's guide to honor and happiness. By the author of "My daughter's manual. New-York: A.V.Blake, 1844. 192 p. incl. front. 13cm.

Added engraved t.-p.

611962A. 1. Conduct of life. I. My daughter's manual, Author of.

NM 0920433 NN

My son's manual, comprising a summary view of the studies, accomplishments, and principles of conduct, best suited for promoting respectability and success in life. New-York, D. Appleton & co., 1837.
1 p. l., vi, (7)-288 p. front. 15½cm.
Added t.-p., engr.

1. Young men.

10-11739†

Library of Congress BJ1671.M9

NM 0920434 DLC MH MiU

My son's wife
see under [Jolly, Emily]

My spelling ...
see under Yoakam, Gerald Alan, 1887-

My spirit wife
see under [The Judge]

My start in life, by A young "Middy". London, S.Low, Marston, Searle, & Rivington, 1881.

NM 0920438 MH PPL

My station and its duties: a narrative for girls going to service. By the author of 'The last day of the week' ... London, Printed for R. B. Seeley and W. Burnside; [etc., etc.] 1835.
216 p. front. 14cm.

1. Servants.

7-35966

Library of Congress TX335.M6

NM 0920439 DLC

TX
333
M995
1843

My Station and its duties: a narrative for girls going to service. By the author of The last day of the week. New ed. London, Seeley, Burnside, and Seeley, 1843.
259 p. illus.

1. Servants. I. The Last day of the week, Author of.

NM 0920440 CLU

My story, by A. Twenty-four sheet poster. New York, Ivan B. Nordhem co., 1922.
126, [1] p. incl. col. front., illus. 16cm.

1. Posters. 2. Advertising.

22-16623

Library of Congress HF5843.M8

NM 0920441 DLC MoU TxU MiU

My story book of dogs
see under Molesworth, Olive.

My story that I like best, by Edna Ferber, Irving S. Cobb, Peter B. Kyne, James Oliver Curwood, Meredith Nicholson, H. C. Witwer. With an introduction by Ray Long ... New York [International magazine co., inc.] 1924.
2 p. l., 7-253 p. ports. 19½ cm.
CONTENTS.—Introduction, by Ray Long.—The gay old dog, by Edna Ferber.—The escape of Mr. Trimm, by Irvin S. Cobb.—Point, by Peter B. Kyne.—Kazan, by James Oliver Curwood.—The third man, by Meredith Nicholson.—Money to Burns, by H. C. Witwer.
1. Short stories, American. I. Ferber, Edna, 1887- II. Cobb, Irvin Shrewsbury, 1876-1944. III. Kyne, Peter Bernard, 1880- IV. Curwood, James Oliver, 1878-1927. V. Nicholson, Meredith, 1866-1947. VI. Witwer, Harry Charles, 1890-1929.

A 25-800

Reading, Pa. Pub. Libr.
for Library of Congress [a54r38u1]

OrU PPAN MtBuM TxU PP OOxM NBuC WaSp
NM 0920443 PR PPAmP PSt PBL NcRS InU ViU WaS IdU

My story that I like best, by Edna Ferber, Irvin S. Cobb, Peter B. Kyne, James Oliver Curwood, Meredith Nicholson, H.C. Witwer. With an introd. by Ray Long. [4th ed.] New York [International Magazine Co.] 1925.
7-253 p. ports. 20cm.
Contents.-Introd. by Ray Long.-The gay old dog, by E. Ferber.-The escape of Mr. Trimm, by I.S. Cobb.-Point, by P. Kyne.-Kazan, by J.O. Curwood.-The third man, by M. Nicholson.-Money to Burns, by H.C. Witwer.

NM 0920444 CoU KEmT OClCC

My story that I like best, by Edna Ferber [and others] With an introd. by Ray Long. [New York International Magazine co] 1925
253p ports
Fifth edition
Indexed in Short story index
Contents - Introduction, by Ray Long - The gay old dog, by Edna Ferber - The escape of Mr. Trimm, by I.S. Cobb - Point, by P B. Kyne - Kazan, by J O Curwood - The third man, by Meredith Nicholson - Money to Burns, by H C Witwer

1 Short stories, American. I. Title

NM 0920445 FTaSU MB IaU NcU WaSpG OrCS

My story that I like best, by Edna Ferber, Irving S. Cobb, Peter B. Kyne, James Oliver Curwood, Meredith Nicholson, H. C. Witwer. With an introduction by Ray Long ... New York [International magazine co., inc.] 1925 [i.e. 1926]
2 p. l., 7-253 p. ports. 19½cm.
"Sixth edition printed May, 1926."
CONTENTS.—Introduction, by Ray Long.—The gay old dog, by Edna Ferber.—The escape of Mr. Trimm, by Irvin S. Cobb.—Point, by Peter B. Kyne.—Kazan, by James Oliver Curwood.—The third man, by Meredith Nicholson.—Money to Burns, by H. C. Witwer.

NM 0920446 ViU TxU KMK MB MH IU PP OO LU

My story that I like best, by Edna Ferber, Irving S. Cobb, Peter B. Kyne, James Oliver Curwood, Meredith Nicholson, H. C. Witwer. With an introduction by Ray Long ... New York [International magazine co., inc.] 1925 [i.e. 1927]
2 p. l., 7-253 p. ports. 19½cm.
"Ninth edition printed July, 1927."
CONTENTS.—Introduction, by Ray Long.—The gay old dog, by Edna Ferber.—The escape of Mr. Trimm, by Irvin S. Cobb.—Point, by Peter B. Kyne.—Kazan, by James Oliver Curwood.—The third man, by Meredith Nicholson.—Money to Burns, by H. C. Witwer.

NM 0920447 ViU PHC PRosC

Oversize
BV1583
.H21w
1955

My storybook of Jesus. Work kit. [Philadelphia, Muhlenberg Press, 1955]
36pieces, variously paged. illus. 30cm. (Weekday church school series, Kindergarten A)
To be used with My storybook of Jesus) by Darlene Hamilton.

1. Weekday church schools—Study and teaching.

NM 0920448 IEG

My strange life; the intimate life story of a moving picture actress; illustrated with photographs of America's most famous motion picture actresses. New York, E. J. Clode [c1915]
4 p. l., 280 p. front., ports. 19cm. $1.25

16-1272

Library of Congress PZ3.M9895

NM 0920449 DLC GU OU NcU

VOLUME 403

My strange life; the intimate life story of a moving picture actress. Illustrated with photographs of America's most famous motion picture actresses. New York, Grosset & Dunlap [c.1915]

280 p. ports. 19 cm.

NM 0920450 MH

My summer abroad
see under [Doubt, Sarah Lucinda]

My summer in a garden
see under Warner, Charles Dudley, 1829-1900.

My summer in Porkopolis, and other papers
see under [Leece, Alfred Henry]

My Sunday missal ...
see under Catholic Church. Liturgy and ritual. Missal, English. [Sundays and holy days]

My sweetheart; an operatic comic drama...
see under [Maeder, Frederick George] 1840-1891.

My tailor; a comedy in one act from the French, by Harold Harper.

(In The one-act theater, new comedies and dramas ... New York, 1936c. 19cm. vol. 1, p. [163]-178)

NM 0920456 NBuG OCl OU OClW

My teacher's gem. Boston, 1863
see Bullard, Asa, 1804-1888, comp. Sunnybank stories.

Closed Stacks BV 4565 s8 no.206

My teacher's sketches . 2d ed. Boston, Massachusetts Sabbath School Society [1856]

198 p. illus. 16 cm. (Sunday-school library collection, no.206)

NM 0920458 NRCR

Yz W92 +818

My thoughts are winged with hopes, my hopes with love ....

(In Wünschelruthe. Göttingen, Bandenhoeck und Ruprecht[1818] 28cm. 27.April,1818,Nro.34,p. 134)

Poem signed: W.S., accompanied by note: Wer ist der unterzeichnete W.S.?, signed Benecke.

Goethe translated this poem, calling his translation: Aus einem Stammbuch von 1604 (first line: Hoffnung beschwingt.)

"Das Gedicht ... steht in einem alten Stammbuche', mir ist es in Abschrift zugekommen; der Name Schakespear findet sich darunter und der Jahrszahl nach könnte es wohl seine Handschrift seyn." - Goethe, Ueber Kunst und Alterthum, Stuttgart,1821. 3.Bd.,1.Hft.,p.56.

NM 0920459 CtY

My three husbands. London, Methuen & co., ltd. [1921]
251, [1] p. 19½cm.

Library of Congress HQ734.M95 21-12720

NM 0920460 DLC

My three husbands. London, Methuen & co., ltd. [1921]
251, [1] p.
"3d ed."

NM 0920461 MiU

My three husbands. New York: Brentano's, 1921. 251 p. 12°.

153800A. 1. Fiction, English.
N. Y. P. L.

NM 0920462 NN

My three neighbors in the Queen City
see under Penn, A. Sylvan, pseud.

My Tippoo. A poem, illustrated with engravings. Phila., 1817.
6 leaves.

NM 0920464 PP

My treasure chest ...
[Volk, Kurt Hans] 1883-

My trip to Alaska
see under [Bronson, Eunice May] 1888-1941.

My trip to California in '49
see under [Keith, Clayton] 1847-1919.

My trip to India. [Gloucester, Eng.] 1901.

222 p. 24 cm.

Preface signed H.J.D.

1.India. Descr. & trav. 1901-1946. I.D , H J II.H J D

NM 0920468 MnU

My trip to New York. [1906]
see under [Wilson, Latimer J] comp.

My tour around the world
see under [Dunn, Robert Lee]

My trivial life and misfortune, by a plain woman; a gossip with no plot in particular. A new ed. Edinburgh and London, W. Blackwood and sons, 1883.

2 p. l., 516 p. 19½cm.

Doubtfully ascribed to Miss Ingham. cf. London library. Catalogue, v. 2, p. 373.

I. Ingham, Miss, supposed author. II. A plain woman.

Library of Congress PZ3.M98957 2 44-35894

NM 0920471 DLC MH PPL

My trivial life and misfortune. A gossip with no plot in particular. By a plain woman. New York, G. Munro [1883]

2 v. in 1. 32½cm. (Seaside library, v. 81, no. 1636)

CONTENTS.—pt. 1. Spinsterhood.—pt. 2. Meum and tuum.

Library of Congress PZ1.S44 21-15367

NM 0920472 DLC CtY

My trivial life and misfortune; a gossip with no plot in particular, by a plain woman... New York: G. P. Putnam's sons, 1883. 2 v. 17cm.

Imperfect: t.-p. of v. 1 wanting.
CONTENTS.—Part 1. Spinsterhood.—Part 2. Meum and tuum.

1. Fiction, English. I. A plain woman.
N. Y. P. L. July 17, 1942

NM 0920473 NN MB MH

... My true love hath my heart, Sir Philip Sidney. Anonymous. Transcribed & edited by Peter Warlock [pseud.] [London: J. Curwen & sons ltd., ca. 1927] 7 p. 31½cm. (Curwen edition. 2400.)

For 1 voice with piano acc.

1. Songs, English. I. Sidney, Sir Philip, 1554-1586. II. Heseltine, Philip, 1894-1930, ed.
N. Y. P. L. September 30, 1941

NM 0920474 NN

My tussle with the devil, and other stories, by O. Henry's ghost. New York, I. M. Y. company, 1918.

197 p. 18cm.

Supposed to have been dictated to the ouija board.

CONTENTS.—My tussle with the devil.—The contest.—Sleeping.—Yearning.—Animals.—Flowers.—Jewels. — Remembrances. — Munitions. — Going home.—My hearth.—The three h's.—The senses.—Fancies.—Yesterday.—To-day.—Action—Reaction.—A vision.

Library of Congress PS3500.O3M9 1918 18-20265

NM 0920475 DLC NcU TxU ViU MH GU NcD CtY

My twenty year's experience in Streeterville, district of lake Michigan
see under [Edwards, Mrs. L]

---

244 M995

My two Sunday scholars; or, Results of teaching. New York, General Protestant Episcopal S.S. Union and Church Book Society, 1853.

46 p. 15 cm.

On cover: The two Sunday scholars.

1. Sunday-school literature. I. General Protestant Episcopal Sunday School Union and Church Book Society. II. The two Sunday scholars.

NM 0920477 N NN

VOLUME 403

... **My** two wives, by one of their husbands; in two parts: part 1, My first wife, by her second husband; part 2, My second wife, by her first husband; with an editorial preface by Eldon Phewfees, esq., etc., etc., and an authorial introduction by Mr. Timothy Moleskin, husband of the two Mrs. Moleskins. New York, The Cassell publishing co. [c1894]
xxvi, 170 p. 17½ x 8½cm. (Half-title: The "unknown" library (no. 30))
Series title also at head of t.-p.

8-27768†

Library of Congress PZ3.M9896

NM 0920478 DLC TNJ

Мы учились в Москве; рассказы выпускников московских школ. [Литературная ред. сборника П. Гаврилова и др.] Москва, Гос. изд-во детской лит-ры, 1947.
101 p. 22 cm.

1. Examinations—Moscow.
Title transliterated: My uchilis' v Moskve.

LB3057.M6M9 48-24638*‡

NM 0920479 DLC

My uncle Solomon.
Mother Goose's Melodies selected and arranged by my Uncle Solomon
see under Mother Goose.

My uncle, the captain; a farce
see under [Baker, George Melville] 1832-1890.

My Uncle Timothy. Troy, N.Y. Merriam, Moore & Co. [n. d.]
[3] 4-12, 12, 12, 12, 12, p. 15 cm.
Contents. Norah Dean. - James Brown and the horses. - Edna Jane, the careless child. Rhoda Green, the sailor's widow; The child's gem.

NM 0920482 DLC

4BV
965

My Uncle Toby; his table-talks and reflections, by an attorney-at-law. Cincinnati, Hitchcock and Walden, 1875.
328 p.

NM 0920483 DLC-P4

My unknown chum, "Aguecheek"
see under [Fairbanks, Charles Bullard] 1827-1859.

My very first little arithmetic book. New York, Hooder & Stoughton [19 ?]
[30] p. col. illus. 21 cm.
1. Arithmetic - 1901-

NM 0920485 DLC

My very first little Bible book. (Bible stories.] New York: Hodder & Stoughton, (191-?]. 16 L. illus.

NM 0920486 OCH

PC2115
.M67
1880

My very first little French book. New York, London, Hodder & Stoughton [188-?]
[31] p. col. illus. 21cm.
Last page on lining-paper.
Mounted illus. on cover.

1. Primers, French.

NM 0920487 ViU PP

My very first little German book. New York, Hodder & Stoughton [19—?]
[33] p. col. illus. 21 cm.

1. Primers, German.

PF3115.M9 72-217556
MARC

NM 0920488 DLC

My very first little German book. New York: Hodder & Stoughton [1911?]. col'd illus. sq. 8°.
Unpaged.

1. German language.
N. Y. P. L.

CENTRAL CIRCULATION.
February 19, 1912.

NM 0920489 NN NBuG

My very first little Spanish book. New York: Hodder & Stoughton [19—?]. (17) p. illus. 8°.

1. Spanish language.
N. Y. P. L.

CENTRAL CIRCULATION.
February 19, 1912.

NM 0920490 NN

My very first little Spanish book. New York: Hodder & Stoughton [1913?]. col'd illus. 8°.
Unpaged.

1. Spanish language.
N. Y. P. L.

CENTRAL CIRCULATION.
October 1, 1913.

NM 0920491 NN

My very first poetry book. [Pub. by] Hodder & Stoughton. New York, n.d.
[34] p. col., illus. 21 cm.
Illus. lining papers.

NM 0920492 RPB

My victory parade ...
see under [Lee, Cordelia Viola Louthan]

My village, versus "Our village"
see under [Croker, Thomas Crofton] 1798-1854.

My vineyard at Lakeview
see under Prentiss, Albert Nelson, 1836-1896.

My visit to Stanley park, Vancouver, Canada
see under [Loughnan, David]

My visit to Vancouver, British Columbia Canada
see under [Loughnan, David]

My war record
see under [Allen, Charles Telemaque Lentilhon]

My web of life: a fragment ... Privately printed. Glasgow [At the University press] 1876.
22 p. 23cm.
Signed: J. W. G.

I. G., J. W. II. J. W. G.

22-4817

Library of Congress PR3991.G3M8

NM 0920499 DLC

My wedding gift: containing a man's idea of perfect love. New York, A. Brentano, 1873.
v, [9]-60 p. 12cm.

9-8713†

Library of Congress HQ23.M95

NM 0920500 DLC NN

My weekly reader.
America's southern neighbors, by Eleanor M. Johnson, managing editor of My weekly readers, and Ralph Hancock. Columbus, Ohio, C.E. Merrill Co. [c1947]
(Our America series)

NM 0920501 OCl

My weekly reader.
America's treasures, by Eleanor M. Johnson, managing editor of My weekly readers, and editorial staff. Columbus, Ohio, C.E. Merrill Co. [c1947]
(Our America series)

NM 0920502 OCl

My weekly reader.
European neighbors, by My weekly reader editors. Columbus, Ohio, C. E. Merrill Co. [1948]
viii, 176 p. illus., col. maps. 22 cm. (World geography readers)

1. Europe—Descr. & trav. 2. Readers and speakers—Geography. I. Title. (Series)

G133.M88 914 48-3183*

NM 0920503 DLC MoU

My weekly reader.
Neighbors in Asia and Australia, by My weekly reader editors. Columbus, Ohio, C. E. Merrill Co. [1948]
viii, 176 p. illus., col. maps. 22 cm. (World geography readers)

1. East (Far East)—Descr. & trav. 2. Readers and speakers—Geography. I. Title. (Series)

G133.M885 915 48-3184*

NM 0920504 DLC OCl MoU

VOLUME 403

T
910
M99n
My weekly reader.
Neighbors in many lands, by My weekly reader editors. Columbus, Ohio, C. E. Merrill Co. [c1948]
viii,176 p. 22cm. (World geography readers)

1. Geography. 2. Readers and speakers - Geography. I. T. II. Ser.

NM 0920505 MiDW

My weekly reader.
HIGH
910
J629NO
North American and island neighbors, by My weekly reader editors, under the direction of Eleanor M. Johnson, managing editor. Zoe A. Thralls, consultant. Columbus, Ohio, C. E. Merrill [c1948]
176 p. illus. (World geography readers)

#Readers and speakers--Geography.
My weekly reader.
North American and island neighbors.

NM 0920506 MoU

My weekly reader.
Onward, America! By Eleanor M. Johnson and editorial staff. Columbus, Ohio, C. E. Merrill Co. [c1947] (World geography readers)

NM 0920507 OCl

My weekly reader.
The weekly reader parade, by the editors of My weekly reader. Pictures by Rudolf Freund [and others] New York, Simon and Schuster [1947]
115 p. illus. (part col.) 29 cm. [A Big golden book]

I. Title.

PZ5.M993We 48-2352*

NM 0920508 DLC Or

My weekly reader.
Wonderful America, by Eleanor M. Johnson, managing editor of My weekly readers, and editorial staff. Columbus, Ohio, C.E. Merrill Co. [c1947]
(Our America series)

NM 0920509 OCl

My weekly reader.
World geography readers, by My weekly reader editors. Columbus, Ohio, C. E. Merrill Co. [1948-
v. illus. 22 cm.
CONTENTS.—[1] Neighbors in many lands.—[2] North American and island neighbors.

1. Geography—Text-books—1870- I. Title.

G133.M9 910 48-3128*

NM 0920510 DLC ICU

MY wife; screen version, by Joseph Franklin Poland. New York, Z. & L. Rosenfield, n.d. 1 v. (unpaged). 28cm.

Scenario.

1. Moving picture plays--Texts and outlines. 2. Cinema--Scripts. I. Poland, Joseph Franklin.

NM 0920511 NN

My wife and child. Song. Poetry by the late lamented hero, General "Stonewall" Jackson
see under Rosier, F.W.

My wife and my mother
see under [Barbour, Heman Humphrey] 1820-1875.

... My wife and my wife's sister
see under Latimer, Mrs. Elizabeth (Wormeley), 1822-1904.

My wife's dead. Catch a 4 voci.
(In Sibbald. Collection of Catches. Vol. 2, p. 71. Edinburgh. [1780.]) No. 145 in **M.392.49.2
Same. In Clementi. Collection of Catches. Vol. 2, p. 71. London. [179-?]) No. 145 in **M.110.1.2=No. 145 in **M.110.2.2

NM 0920515 MB

My wife's hidden life. Chicago, New York, Rand, McNally & company [c1913]
2 p. l., 7-360 p. 19½cm. $1.25

Library of Congress PZ3.M9897 2 13-26685

NM 0920516 DLC

My wife's hidden life. London, New York [etc.] Hodder and Stoughton [c1913]
2 p. l., 7-332 p. 19½cm. 6/-

Library of Congress PZ3.M9897 13-26686

NM 0920517 DLC

My wife's niece. A novel
see under [Elliot, Anne]

My window. No. 18 in 450.2.5
(In Novels and tales reprinted from Household Words, conducted by Charles Dickens. Vol. 5, pp. 299-312. Leipzig, 1857.)

NM 0920519 MB

My winning fight for faith, by a university professor. Grand Rapids, Mich., W.B. Eerdmans, 1932.
97 p. 18cm.

NM 0920520 NjPT

My wives, anonymous. New York and London, Harper & brothers [c1929]
5 p. l., 3-309, [1] p. 20cm.

"First edition."

Library of Congress PZ3.M98974 29-21689

NM 0920521 DLC NN

My word: the personal magazine
see under Alexander, I J

My words
see under [Feild-Palmer, Mrs. Edith Marie (Sears)] 1879-

My work book, for Terry and Billy stories; child-story primer
see under [Freeman, Frank Nugent] 1880-

My work and fun book
See under
[Pennell, Mary]

My years in the kaiser's army, by an ex-officer. London: Cassell & Co., Ltd., 1916. vii, 150 p., 1 l. 12°.

1. Army (German), 1910-14. 2. Military life, Germany, 1910-14. 3. European war, 1914- I. An ex-officer.
N. Y. P. L. January 4, 1917.

NM 0920526 NN NcU

My young days. By the author of "Evening amusement," "Letters everywhere," etc., etc. With twenty illustrations by Paul Konewka. London; Seeley, Jackson, and Halliday, 1872. 151 p. front., plates. 17½cm.

Illustrations: 20 silhouettes.

277449B. 1. No subject. I. Evening amusement, Author of.
N. Y. P. L. June 30, 1944

NM 0920527 NN

40
My young husband; or, a confusion in the family. By myself [anon.] New York, Beadle & Adams [1881]
20 p. 4°. [Waverley library. v.3 no. 78]

NM 0920528 DLC

40
My young wife. By my young wife's husband. [anon] New York, Beadle & Adams [1881]
24 p. 4°. [Waverley library. v.3 no. 71]

NM 0920529 DLC

244
M9956
My youthful companions. By the author of "My school-boy days." New York, R. Carter, 1869.
171 p. illus. 16 cm. (Fireside library, 3)

I. My school-boy days, Author of.

NM 0920530 N

My youthful life, and pictures of travel ...
see under [Schopenhauer, Frau Johanna Henriette (Trosiener)] 1766-1838.

Мы за мир; [литературно-музыкальная программа. Составила Е. Сергеева. Москва, Молодая гвардия, 1952.
66 p. 20 cm.
"Музыка к песням" for mixed voices with piano and accordion acc. p. 29-66.
—— Microfilm copy (negative)
Made in 1957 by the Library of Congress.
Microfilm Slavic 790 AC

1. Russian literature—20th cent. 2. Songs, Russian. I. Sergeeva, E., comp. Title transliterated: My za mir.

PG3228.P4M9 58-36108

NM 0920532 DLC

VOLUME 403

Mya, Giuseppe. 1857-
Cenno statistico. Sui casi curati nel r. Stabilimento termale della Grotta Giusti di Monsummano durante il quinquennio 1889-93. 8 pp. 12°. *Pescia, E. Cipriani & Co.*, 1894.

Joint author: C G Pratesi

NM 0920533 DNLM

Mya (Giuseppe). 1857- La febbre nei bambini. Conferenza popolare. 41 pp. 8°. *Firenze, G. Barbèra*, 1896.

NM 0920534 DNLM

Mya, Giuseppe, 1857–
. . . Inchiesta sulle condizioni dell' infanzia in Firenze, eseguita per incarico della Giunta comunale dal Prof. G. Mya . . . Firenze: Stabilimento Chiari, 1909. vi, 100 p. incl. tables. illus. (charts), plan. f°. (Florence «city», Italy. Statistica, Ufficio di. Monografie e studi. ₍no. 2.₎)

1. Children—Mortality—Italy—Florence. 2. Children—Stat.—Italy—Florence. 3. Ser.
N. Y. P. L. March 25, 1926

NM 0920535 NN ICU

Mya. Giuseppe, 1857-
Malattie dei reni. vii, 400 pp. 8°. *Milano, F. Vallardi*, [n. d.].
Tratt. ital. di patol. e terap. med., Milano, [n. d.], v, pt. 3.

Joint author: L. Devoto

NM 0920536 DNLM

Mya, Giuseppe, 1857-
... La mortalita infantile in Firenze nel triennio 1905-1907
see under Florence. Ufficio di statistica.

Mya Sein, Daw, 1904-
Administration of Burma; Sir Charles Crosthwaite and the consolidation of Burma. With a foreword by Sir Archibald Douglas Cochrane. [Rangoon?], Zabu Meitswe Pitaka Press, 1938.
22 cm. Maps, ports. and plates.
The four maps are on 1 folded sheet.

NM 0920538 MH

Mya Sein, *Daw*, 1904–
Administration of Burma: Sir Charles Crosthwaite and the consolidation of Burma; with a foreword by Sir Archibald Douglas Cochrane. ₍Rangoon?₎ Zabu Meitswe Pitaka Press, 1938.
Microfilm copy (negative)
Collation of the original, as determined from the film: xxvi, 206 p. illus., ports., maps.
Thesis (M. A.)—University of Rangoon.
Includes quotations in Burmese.
Bibliography: p. ₍193₎-196.

1. Burma—Pol. & govt. 2. Crosthwaite, Sir Charles Haukes Todd, 1835-1915. I. Title.
MCAT
Microfilm 5774 JQ Mic 59-7124

NM 0920539 DLC

Mya Sein, *Daw*, 1904–
... Burma, by Ma Mya Sein. ₍London, New York, Bombay, etc.₎ H. Milford, Oxford university press ₍1943₎
31, ₍1₎ p. 18½ cm. (Oxford pamphlets on Indian affairs, no. 17)
Map on p. ₍2₎ of cover.
"First published, November 1943."
Printed in India.

1. Burma.
DS485.B81M9 1943 915.91 45-8491 rev

NM 0920540 DLC

Mya Sein, *Daw*, 1904–
Burma. ₍2d ed. Bombay, New York₎ Indian Branch, Oxford University Press ₍1944₎
31 p. map (on cover) 19 cm. (Oxford pamphlets on Indian affairs, no. 17)

1. Burma.
DS485.B81M9 1944a 915.91 51-52232

NM 0920541 DLC NcRS CaBVaU

Mya Sein, *Daw*, 1904–
Burma ₍by₎ Ma Mya Sein. London, New York ₍etc.₎ Oxford university press, 1944.
39, ₍1₎ p. illus. (map) 18½ cm.

1. Burma.
DS485.B81M9 1944 915.91 45-8492 rev

NM 0920542 DLC NcD CoU IaU OClCC CaBVaU

DS 485 B81 M9 1945 HRC
Mya Sein, Daw, 1904-
Burma [by] Ma Mya Sein. London, New York, Bombay, Oxford university press [1945]
39p.
"Published 1944, reprinted 1945."

1. Burma.

NM 0920543 TxU NN OO

Mya Sein, *Daw*, 1904–
... The future of Burma, by Daw Mya Sein ... New Delhi, Indian council of world affairs; Bombay, London ₍etc.₎ Oxford university press, 1945.
cover-title, 32 p. 18ᶜᵐ. (India and the world, no. 2)

1. Burma—Hist. I. Indian council of world affairs, Delhi. II. Title.
DS485.B89M9 959.1 47-18156

NM 0920544 DLC NN

Mya Sein, *Ma*
see
Mya Sein, *Daw*, 1904–

Myakotin, Venedikt Aleksandrovitch
see Miakotin, Venedikt Aleksandrovich, 1867-1937.

Myall, Mrs. A
See
Myall, Laura Hain (Friswell), d. 1908.

Myall, Charles A.
Ships on the sand. A play of the Suffolk Broads. By Charles A. Myall. (Drama. Mount Morris, 1922. f°. v. 12, p. 153-156.)

1. Drama (American). 2. Title.
N. Y. P. L. May 19, 1922.

NM 0920548 NN

Microfilm 15941 HN
Myall, Laura Hain (Friswell) "Mrs. A. Myall," d. 1908, ed.
Friswell, James Hain, 1825–1878.
The burden of life; a volume of essays, by James Hain Friswell ... Ed. by his daughter, Laura Hain Friswell. London, T. F. Unwin, 1897.

Myall, Laura Hain (Friswell) d. 1908.
In the sixties and seventies. Impressions of literary people and others.
— London. Hutchinson & Co. 1905. xi, 331 pp. 8°.

NM 0920550 MB OCl PPL CtY CoU

Myall, *Mrs.* Laura Hain (Friswell) d. 1908.
In the sixties and seventies, impressions of literary people and others, by Laura Hain Friswell. Boston, H. B. Turner & company, 1906.
xi, 331 p. 23ᶜᵐ.

1. English literature—Anecdotes, facetiae, satire, etc. I. Title.
6-16210 rev.
Library of Congress CT782.M9

NM 0920551 DLC TxU NcRS ICU CU MiU ViU PP NN

Myall, *Mrs.* Laura Hain (Friswell) d. 1908.
James Hain Friswell; a memoir, by his daughter, Laura Hain Friswell (Mrs. Ambrose Myall) ... London and New York, G. Redway, 1898.
xii, 316 p. front. (port.) 2 pl. 23ᶜᵐ.
Bibliography: p. 313-314.

1. Friswell, James Hain, 1825-1878.
1-18799 Revised
Library of Congress PR4705.F9Z8

NM 0920552 DLC CaBVaU IU KU WU CtY ICU MiU PPL MB

Myall, William.
The scenic West; a travelogue by William Myall. Boston, The Stratford company ₍°1929₎
3 p. l., iv p., 3 l., 231 p. front., plates, diagr. 23ᶜᵐ.

1. The West—Descr. & trav. I. Title.
29-12134
Library of Congress F595.M98

NM 0920553 DLC KyHi MWA KyLxT KyU

Myandmets, Yakob
see Mändmets, Jakob, 1871-1930.

Myanmą Hsoshelit Lānsin Pati
see
Burma Socialist Programme Party.

Myans, Louis, *pseud.*
see
Tercinet, Louis, 1903–1964.

W 4 L72 1943
Myant, Serge Arthur, 1915-
Un appareil portatif pour la mesure du réflexe photomoteur. Lille, Impr. centrale du Nord, 1943.
28, ₍4₎ p. illus. (Lille. ₍Université₎ Faculté de médecine et de pharmacie. Thèse. 1942/43. no. 22)

Bibliography: p. ₍31₎

NM 0920557 DNLM

Myard, F E
... Méthode géométrique d'intégration et appareil pour mesurer les aires des surfaces courbes ... Paris, Publications du Journal le Génie civil, 1933.
15 p.

NM 0920558 OU

VOLUME 403

Myasishchev, V N
see
Mi͡asishchev, Vladimir Nikolaevich, 1893-

Myaskovski, Nikolaĭ Yakovlevich
see Mi͡askovskiĭ, Nikolaĭ I͡akovlevich, 1880-1950.

Myasthenia Gravis Foundation, New York.
The Myasthenia Gravis newsletter
see under title

Myasthenia gravis foundation, *New York.*
Symposium on myasthenia gravis

see under

International conference on myasthenia gravis. 1st, Philadelphia, 1954.

Myasthenia Gravis Foundation, *New York*
see also
International Symposium on Myasthenia Gravis.

W 1
MY733

The MYASTHENIA gravis newsletter.

New York, Myasthenia Gravis Foundation ⌈195- ?⌉-
v.

I. Myasthenia Gravis Foundation

NM 0920564 DNLM

Myatovich, Elodie L
see Mijatović, Elodie (Lawton) d. 1908.

Myatovies, Mme. Caedomille
see Mijatović, Cedamilj, 1842-1932.

Myatowitsch (Georg). * Ueber das osteomalacische Becken. Ein klinischer Beitrag. iv, 80 pp., 1 l. 8°. *Zürich, Orell u. Comp.*, 1875.

NM 0920567 DNLM

Myatt, Mary Frances.
A study of the relationship between motivation and test performance of patients in a rehabilitation ward. Minneapolis, 1952.

Microfilm copy (positive) of typescript by University Microfilms, Ann Arbor, Mich., 1952.
Thesis - (Ph.D.) - University of Minnesota.

1. Motivation (Psychology) 2. Psychology, Pathological. I. Title.

NM 0920568 NBuU

Myatt, Samuel Alexander.
... Modern Spanish reader, literary and cultural, by S. A. Myatt ... Felix H. García ... Fletcher Ryan Wickham ... Boston, New York ⌈etc.⌉ D. C. Heath and company ⌈©1931⌉
viii, 248 p. front., plates, port., maps. 20½cm. (Heath's modern language series)
At head of title: Myatt. García. Wickham.

1. Spanish language—Chrestomathies and readers. I. García, Felix H., joint author. II. Wickham, Fletcher Ryan, joint author. III. Title.

31-12767

Library of Congress PC4117.M88
Copyright A 36907 ⌈3⌉ 468.6

NM 0920569 DLC WaE PPSJ OCl DN

Myatt, Thomas E
Blueprint reading and making, by Thomas E. Myatt. London, G. Newnes limited ⌈1945⌉
viii, 120 p. illus., diagrs. 19 x 25cm.
"First published 1945."

1. Blue-prints. 2. Mechanical drawing.

46-16319

Library of Congress T379.M86

NM 0920570 DLC LU CaBVa

PR4725
.G2Z5

Myatt, Wilfrid E., ed.

Goldsmith, Oliver, 1794-1861.
The autobiography of Oliver Goldsmith; published for the first time from the original manuscript of the author of "The rising village." With an introduction & notes by Rev. Wilfrid E. Myatt ... Foreword by Lorne Pierce. Toronto, The Ryerson press, 1943.

Myatt, Wilfrid *E., ed.* & tr.
The priesthood in the writings of Saint John Eudes
see under Le Brun, Charles Jules Auguste, b. 1863.

Myauk, A., pseud.
The Indian army
see under ⌈Alves, John W. J.⌉

Myaungmya, Burma. Agricultural Station.
Report on the Myaungmya Agricultural Station
see under Burma. Dept. of Land Records and Agriculture.

Myawadi Min Kyi
see
Sa, *U*, 1766-1853.

Myawadi Wun Kyi Min
see
Sa, *U*, 1766-1853.

မြဝတီ. အတွဲ 1, အမှတ် 1-
နိုဝင်ဘာ ၁ 1952-
[ရန်ကုန်]

v. illus. (part col.) 24 cm. monthly.

In Burmese.

Title romanized: Myawati.

AP95.B9M9 72-257083

NM 0920577 DLC

Mybrea, P
Mineral deficiencies in cattle

see under

New South Wales. Dept. of Agriculture. Division of Animal Industry.

Mybs, E.W.
Ueber amputationen in der contiguitaet und continuitaet.
Inaug. diss. Wuerzburg, 1885

NM 0920579 ICRL

DT
764
K2
M9

Myburgh, A C
Ezakwazulu. 'n volkekundige beskrywing van die zoeloe in die volkstaal. Pretoria, J. A. Engelbrecht ⌈1942⌉
313p. illus. 22cm.

1. Kafirs (African people)
I. Title

NM 0920580 WU

Myburgh, A C.
Ezakwazulu; 'n volkekundige beskrywing van die Zoeloe in die volkstaal, deur A. C. Myburgh ... Met 'n voorberig deur J. A. Engelbrecht ... ⌈Johannesburg, 1943⌉ xviii, 313 p. illus. 22cm.

300665B. 1. African languages—Zulu—Texts and translations.
N. Y. P. L. December 11, 1945

NM 0920581 NN CtY

Myburgh, A C
Functional co-operation in Africa

see under

South Africa. Native Affairs Dept.

DT763
.S67
no.24

Myburgh, A C
Native names of industrial addresses. Pretoria, Govt. Printer, 1948.
92 p. (Union of South Africa. Dept. of Native Affairs. Ethnological publications, no.24)
Includes bibliography.

1. Industries, Location of—Africa, South. I. Title.

NM 0920583 ICU NIC NcD

423
M99

Myburgh, A C
Oil sprays on stone fruits in summer. Johannesburg, Voortrekkerpers ⌈1943?⌉
sheet.

NM 0920584 DNAL

430
M99

Myburgh, A C
Seal oil emulsion unsuitable as summer ovicide against codling moth in pears. Johannesburg, Voortrekkerpers ⌈1944?⌉
sheet.

NM 0920585 DNAL

VOLUME 403

DT763 .S67 no.25
Myburgh, A C
The tribes of Barberton district. Pretoria, Govt. Printer, 1949.
146 p. map. (Union of South Africa. Dept. of Native Affairs. Ethnological publications, no.25)
Includes bibliography.

1. Africa, South--Native races. 2. Ethnology--Transvaal--Barberton (District) I. Title.

NM 0920586 ICU NIC NN OCU InU

W 4 L68 1953
MYBURGH, Albert Lionel, 1911-
Causes and treatment of abdominal adhesions. Leiden, [1953?]
xii, 184 p. illus.
Proefschrift - Leyden.
1. Adhesions

NM 0920587 DNLM MiU PPC

459.7 M99
Mycák, Vladimír.
Pestovanie liečivých, aromatických a koreninových rastlín. Bratislava, Státne pôdohospodárske nakl., 1953.
249 p. (Rastlinná výroba, v. 3)

1. Botany, Medical. Czechoslovak Republic. I. Rastlinná výroba, v. 3.

NM 0920588 DNAL

Mycall, John, 1750-1833.

Works by this author printed in America before 1801 are available in this library in the Readex Microprint edition of Early American Imprints published by the American Antiquarian Society.
This collection is arranged according to the numbers in Charles Evans' American Bibliography.

NM 0920589 DLC

Mycall, John, 1750-1833.
A funereal address on the death of the late General George Washington; interspersed with sketches of, and observations on, his life and character. Delivered in the Baptist meeting-house in Harvard, February 22, 1800. By John Mycall, at the request of the Baptist society ... Boston: Manning & Loring, printers, near the Old South meeting-house [1800]
27 p. 20½ cm.

1. Washington, George, Pres. U. S., 1732-1799—Addresses, sermons, etc. I. Title.
E312.63.M99 5-13636 rev

NM 0920590 DLC DeU MWA M CSt MB PP RPJCB MiU N TxU

Mycetophilidae, by Oskar A. Johannsen
see under [Genera insectorum]

Mychajlenko, M
see Mikhaĭlenko, M

Mychal'čuk, Kost'
see Mikhal'chuk, Konstantin Petrovich.

MYCHO, ANDRÉ,
...Bijoute; comédie en un acte. Paris: Stock, 1935.
30 p. 19cm.

878380A. 1. Drama, French. I. Title.

NM 0920594 NN

Mycho, André.
...La clef sous la porte; comédie en un acte. Paris: J. L. Lejeune [1935] 40 p. 19cm.

909178A. 1. Drama, French. I. Title.
N. Y. P. L. October 8, 1937

NM 0920595 NN

Mycho, André,
...La crémaillère; comédie en un acte de André-Mycho [pseud.] ... Paris [etc.] Éditions Salabert, c1938. 28 p. 17½cm. ("Sélection" «Nouveau répertoire Salabert».)

1. Drama, French. I. Title.
N. Y. P. L. July 15, 1940

NM 0920596 NN

Mycho, André.
...Depuis ce matin! Pièce en un acte. Paris: Librairie théâtrale, cop. 1928. 48 p. 12°.

438481A. 1. Drama, French. 2. Title.
N. Y. P. L. October 7, 1929

NM 0920597 NN OO DLC

Hfr dello
Mycho, André.
... La feuille de présence, comédie en un acte. Représentée pour la première fois à Paris au théâtre du Grand-Guignol, le 16 novembre 1907 ... Paris,G.Ondet,1909.
56p. 17½cm. (Répertoire de la Société des auteurs dramatiques)
At head of title: André-Mycho [pseud.] et A. Nordève.

NM 0920598 CtY NN

Mycho, André.
... Le fruit permis. Paris, L. Querelle [1928]
2 p. l., [7]-254 p., 1 l. 19cm.

I. Title.
Library of Congress PQ2625.Y3F7 1928 29-8182

NM 0920599 DLC

Mycho, André,
...Un morceau de la lune; comédie gaie en un acte, de André Mycho ... Paris [etc.] Éditions Salabert, c1936. 24 p. 18cm. ("Sélection." Nouvelle collection Salabert.)
"Répertoire de la S. A. C. E. M."

1. Drama, French. I. Title.
N. Y. P. L. July 15, 1940

NM 0920600 NN

MYCHO, ANDRE.
...Le petit Babouin; pièce en un acte, de André Mycho... Paris: M.Eschig, cop. 1908. 48 p. 17½cm. (Les succès de pièces en 1 acte. no. 55.)

1. Drama, French. I. Title. II. Ser.

NM 0920601 NN

Mycho, André.
...La petite bossue; pièce en un acte. Paris: Librairie théâtrale, 1928. 31 p. 12°.

428723A. 1. Drama, French. 2. Title.
N. Y. P. L. September 27, 1929

NM 0920602 NN

Mycho, Andre.
...Professeur d'énergie!... Paris, 1929.
1 p.m. 12°

NM 0920603 NN OO

Mycho, André.
... Le roi des cocus, pièce en un acte. Paris, Librairie théâtrale, 1924.
55 p. 19cm.

I. Title.
Library of Congress PQ2625.Y3R6 1924 25-10329

NM 0920604 DLC

Mycho, André.
Le sourd; comédie en un acte. Illustrations de Xaudaro. Paris: A. Méricant [1912?]. 23(1) p. illus. 8°. (Les comédies de salon. no. 3.)

Joint author: L. Rozenberg

1. Drama (French). 2. Rozenberg, L., jt. au. 3. Xaudaro, illustrator. 4. Title.
N. Y. P. L. July 2, 1913.

NM 0920605 NN

Mycielski, Andrzej.
Polskie prawo polityczne. Konstytucja z 17. 3. 1921 r. Kraków, Przełom; skład głowny: Nauka i Wiedza, Wrocław, 1947.
284 p. 22 cm.
Bibliography: p. [253]-255.

1. Poland—Constitutional law.

51-22746

NM 0920606 DLC ICU CSt-H NNC

Mycielski, Andrzej.
Polskie prawo polityczne. Kraków, "Przełom", 1947-1948.
2 v.

Contents.--v. 1. Konstytucja z 17. III. 1921 r.--v. 2. Na drodze ku nowej konstytucji.

1. Poland - Constitutional law.

NM 0920607 NNC MH NNUN MiU-L

Mycielski, Andrzej.
Ustrojowo-polityczna wiedza stosowana i jej praktyczne zalecenia. Wrocław, Nakł. Wrocławskiego Tow. Naukowego; skład główny w księg. J. Lacha, 1947.
40 p. 25 cm. (Prace Wrocławskiego Towarzystwa Naukowego. Seria A, nr. 8)

1. Political science. I. Title. (Series: Wrocławskie Towarzystwo Naukowe. Prace. Seria A, nr. 8)
AS262.W7 nr. 8 51-25958

NM 0920608 DLC OU NIC NN IU WaU CtY NcD

VOLUME 403

NE735 P6M9 1949 Case B
[Mycielski, J K
Gdansk (engravings) Gdansk? 1949?]
6 plates (in portfolio) [Biblioteka Gdańska. Seria graficzna, nr. 2?]

Title supplied by University of California Library.

1. Danzig - Descr. - Views.

NM 0920609 CU

MYCIELSKI, Jerzy, 1856-1928.
Cztery portrety Królowéj "Marysieńki". Kraków, w drukarni "Czasu" F. Kluczyckiego i Sp. 1883.

pp. 35.
"Wydanie redakcyi 'Przegladu polskiego'".

NM 0920610 MH

MYCIELSKI , Jerzy, 1856-1928.
Galerya obrazów przy Muzeum Ks. Czartoryskich w Krakowie. Krakowie, 1893.

NM 0920611 MH

MYCIELSKI, Jerzy.
Kandydatura Hozyusza na biskupstwo warmińskie w roku 1548 i 1549. Krakow, 1881.

NM 0920612 MH

ND1320 .K7
Mycielski, Jerzy, 1856-1928.

Krakow. Uniwersytet Jagielloński.
Katalog portretów i obrazów, będących własnością Uniwersytetu Jagiellońskiego za rektoratu Prof. Dr. Władysława Szajnochy. Opracowany i opatrzony wstępem przez Jerzego Mycielskiego. Kraków, 1913.

MYCIELSKI, Jerzy.
Kongres Wiedenski r. 1515, w dwóch obrazach współczesnych. We Lwowie, z drukarni W. Lozińskiego, 1890.

pp. 16.
"Odbitka z 'Kwartalnika historycznego'."

NM 0920614 MH

ND 553a L5 M9 1927
Mycielski, Jerzy, 1856-1928.
Portrety polskie Elżbiety Vigée-Lebrun, 1755-1842; 24 rycin w heljograwjurze na osobnych tablicach. Lwów, Nakł. Wydawnictwa Polskiego, 1927.
xiv, 148, 15 p. ports. 31 cm.
At head of title: Jerzy Mycielski i St. Wasylewski.
Bibliography: p. 147-148.
Contents. - Mycielski, J. Przedmowa. - Wasylewski, S. Genjusz sławy. Przy kaskadach Tivoli. W ojczyźnie Marji Antoniny. Pięć lat w Petersbugu. Wśród nowych czasów i ludzi. Modele pani Vigée-Lebrun. - Mycielski, J. Glossy starego historyka sztuki.

1. Lebrun, Marie Louise Elisabeth Vigée, 1755-1842. 2. Poland - Biog. - Portraits. I. Wasylewski, Stanisław, 1885-1953.

NM 0920616 OU TU

Mycielski, Jerzy, 1856-1928.
... Portrety polskie Elżbiety Vigée-Lebrun, 1755-1842; 24 rycin w miedziodruku na osobnych tablicach. Lwów/Poznań, Wydawnictwo polskie, R. Wegner, 1928.
3 p. l., ix-xx, 287, 3 p. front., ports. 22cm.
At head of title: J. Mycielski i St. Wasylewski.
On spine: 1927.
Contents.—Mycielski, Jerzy. Przedmowa.—Wasylewski, Stanisław. Życie i twórczość artystki. Modele pani Vigée-Lebrun.—Mycielski, Jerzy. Glossy starego historyka sztuki.—Literatura przedmiotu (p. 277-281)
1. Lebrun, Marie Louise Elisabeth (Vigée) 1755-1842. 2. Poland—Biog.—Portraits. I. Wasylewski, Stanisław, 1885-
43-35665
Library of Congress ND553.L5M9

NM 0920617 DLC NNC MH

MYCIELSKI, Jerzy,
Porwana z klasztoru. Kartka z dziejów obyczajowych Polski XVII wieku. Kraków, 1886.

"Osobne odbicie z Przeglądu polskiego."

NM 0920618 MH

[MYCIELSKI, Jerzy] 1856-1928
Prof. Bobrzynski i Prof. Liske o Zygmuncie I. Kraków, 1879.

pp. 41.
"Osobne odbicis Przeglądu polskiego."

NM 0920619 MH

Mycielski, Jerzy, 1856-1928.
Sto lat dziejów malarstwa w Polsce, 1760-1860. Z okazyi wystawy retrospektywnej malarstwa polskiego we Lwowie, 1894. W Krakowie, w drukarni "Czasu" F. Kluczyckiego i spolki, 1897.
pp. xxx, 737 +.

Painting-Poland

NM 0920620 MH

ND 691 .M9x Art
Mycielski, Jerzy, 1856-1928.
Sto lat dziejów malarstwa w Polsce, 1760-1860. Z okazyi wystawy retrospektywnej malarstwa polskiego we Lwowie 1894 roku. Wyd. 4. ? Kraków, Spółka Wydawn. Polska, 1902?
722 p. 24cm.
Imperfect: t. p. and introductory pages wanting; title from half title.
Bibliographical footnotes.

1. Paintings, Polish. I. Title.

NM 0920621 KU

ND 691 .M9
Mycielski, Jerzy, 1856-1928.
Sto lat dziejów malarstwa w Polsce, 1760-1860. Z okazyi Wystawy retrospektywnej malarstwa polskiego we Lwowie 1894 r. Wyd. 3., niezmienione. W Krakowie, skł. gł. u Spółki Wydawniczej Polskiej, 1902.
737 p. 23 cm.

Bibliographical footnotes.
1. Painting - Poland - Hist. 2. Painters, Polish.

NM 0920622 WU

MYCIELSKI, Jerzy, 1856-1928.
Trzy nagrobki w gnieźnie fundacyi prymasa laskiego. Krakowie, w drukarni "Czasu" F. Kluczyckiego i sp. 1896.

1.8°. pp. 15. Illus.
"Osobne odbicie z Vtomu Sprawozdań Komisyi do bad. hist. sztuki w Polsce. Zeszyt IV, od str. xc do XCIII."

NM 0920623 MH

MYCIELSKI, Jerzy, 1856-1928.
Z pod wiezy Eiffel. Wrazenia i opisy. Kraków, 1890.

"Osobne odbicie z Przegladu polskiego."

NM 0920624 MH

Mycielski, Michal.
O mszy ś. i do mszy ś. Uwagi i modlitwy. Wyd. 2.poprawne. W Krakowie, W Drukarni "Czasu" Fr. Kluczyckiego i sp., 1892.

"Pobozne ksiaski dla wiernych dazdego stanu, 19."

NM 0920625 MH

Mycielski, Zygmunt.
Uwertura śląska, na orkiestrę symfoniczną i dwa fortepiany. Partytura. [Kraków] Polskie Wydawn. Muzyczne [°1950]
score (44 p.) 40 cm.
Title also in French.
Overture for orchestra and 2 pianos.

1. Overtures—Scores. I. Title.
M1004.M996U9 M 53-26

NM 0920626 DLC

Mycielski, Zygmunt.
Żelazowa wola ...
see under title

Mycillus, Jacobus
see Micyllus, Jacobus, 1503-1558.

Mycjuk, Alexandr
see
Mytsiuk, Oleksander, 1883-

Myckert, Hans: Die Heredität der perniciösen Anämie. [Maschinenschrift.] 31 S. 4°. — Auszug: Greifswald 1922: Adler. 2 Bl. 8° Greifswald, Med. Diss. v. 20. Febr. 1923 [U 23.4709

NM 0920630 ICRL

Myckert, Oskar Johann August, 1876-
Die behandlung der nicht komplizierten frakturen ...
Inaug. diss. Leipzig, 1903
Bibl.

NM 0920631 ICRL CtY DNLM

Mycologia. v. 1-
Jan. 1909-
Lancaster, Pa.
v. in illus. (part col.) 24 cm. bimonthly.
Supersedes the Journal of mycology and Mycological bulletin.
Published for the New York Botanical Garden.

1. Mycology—Period. I. New York. Botanical Garden.
QK600.M8 57—51730 ‡

ODW
OOxM NjP CtNIC MiU MtBC MtU NN ICJ MB OCU MBH OU MoSW CaQMM ICMu CaNSHM TxLT LNL CU NIC CLU PP NcD NcRS MnRM NdU CaOGV PU-BZ GEU PPPCPh PP ICJ INS
NM 0920632 DLC CStbS NcD CU-S NNStJ DNLM NNC-M P

VOLUME 403

Mycological abstracts
see under Lisbon. Universidade. Instituto Botânico. Departamento de Micologia.

Mycological bulletin. v. 1-6 (no. 1-87); Mar. 7, 1903-Mar. 1908 [Columbus, O., 1903-08]
6 v. in 2. illus. 23 cm.
Irregular, 1903-04; semimonthly, 1905-06; monthly, 1907-08.
Nos. 1-56 issued by Ohio State university as University bulletins; nos. 1-12 issued also as the university's Botanical series, no. 13-14, 16-24.
Vol. 1 has title: Ohio mycological bulletin.
Edited by W. A. Kellerman.
Superseded by Mycologia. cf. Union list of serials.
L. C. set incomplete: no. 82-85 wanting.
1. Fungi—Period. I. Kellerman, William Ashbrook, 1850-1908, ed. II. Title: Ohio mycological bulletin.
QK600.M9 589.22205 8—4971

MB NIC NcRS OO PU MB
NM 0920634 DLC OC1WHi ICJ MiU MH-BL NMS-S MBH

Mycological club.
Mycological bulletin. v. 1-
1903-
Columbus, O. [1903-

Mycological conference, Imperial
see
Imperial mycological conference

Mycological notes
see under Lloyd Library and Museum, Cincinnati.

Mycological papers
see under Commonwealth Mycological Institute, Kew, Eng.

QK600 .I 64
Mycological Society.
Indian journal of mycological research. v. 1-
1955-
Calcutta, Mycological Society.

QK 600 M97Y3
Mycological Society of America.
Year book. 1934-
Ithaca, N. Y.
v. 23cm.
1. Fungi--Societies. 2. Botanical societies.

NM 0920640 NIC PSt

Mycologische vereeniging, Nederlandsche
see
Nederlandsche mycologische vereeniging.

90414
Mycologisches Centralblatt. Mycological review. Revue mycologique. Rivista micologica. Zeitschrift für allgemeine und angewandte Mycologie, Organ für wissenschaftliche Forschung auf den Gebieten der allgemeinen Mycologie, Gärungschemie und technischen Mycologie .... Erster-fünfter Band. 1912-[März] 1915. Jena, G. Fischer, 1912-1915.
5 vol. illus., plates. 24½cm.
Editor: Carl Wehmer.
Monthly.
Ceased publication March 1915.

CU
NM 0920642 ICJ OrCS OU MiU NIC PPAN DNLM OC1 CSt

Mycon, *monk of Saint-Riquier*
see
Micon, *monk of Saint-Riquier, 9th cent.*

Myconius, Friedrich, 1491-1546.
Drews, Paul Gottfried, 1858-1912.
Der bericht des Mykonius über die visitation des amtes Tenneberg im märz 1526. Mitgeteilt von P. Drews.
(*In* Archiv f[ür] reformationsgeschichte ... Berlin, 1905. 23½cm. nr. 9. 3. jahrg., p. 1-17)

Myconius, Friedrich.
Briefe von Friedrich Myconius in Gotha an Johann Lang in Erfurt; mitgestellt von Otto Clemen...
26 p.

NM 0920645 PPLT

DD 176 .A2 M99 1914
Myconius, Friedrich, 1491-1546.
Geschichte der Reformation, hrsg. von Otto Clemen. Leipzig, R. Voigtländer [1914]
100 p. 18cm. (Voigtländers Quellenbücher. Bd. 68)
Translation of Historia reformationis.
1. Reformation--Germany. I. Clemen, Otto Constantin, 1871- ed. II. Myconius, Friedrich, 1490 or 1-1546. Historia reformationis-- German.

NM 0920646 NIC OO MH ICarbS

Myconius, Friedrich, 1491-1546.
Historia reformationis vom jahr Christi 1517 bis 1542. Aus des autoris autographo mitgetheilet und in einer vorrede erläutert von Ernst Salomon Cyprian. Gotha, A. Schallen, 1715.
pp. 32, 128.

NM 0920647 MH MdBP NcD MH-AH

Myconius, Friedrich, 1491-1546.
... Historia reformationis, vom Jahr Christi 1517. bis 1542. Aus des Autoris avtographo mitgetheilet, und in einer Vorrede erläutert von Ernst Salomon Cyprian ... Der andere Druck. Leipzig, M.G. Weidman, 1718.
128, [8]p. 18cm. [Bound with Tentzel, W.E. Historischer Bericht vom Anfang und ersten Fortgang der Reformation Lvtheri. Leipzig, 1718. pt.2]

NM 0920648 NNUT CtY PPLT CtY-D NjNbS

Me45 M993 V6 1524
[Myconius, Friedrich] 1491-1546.
Von der rechten Erhebung Bennonis eyn Sendbriff. J.N. [Wittenberg, Hans Lufft] 1524.
[7] p. 21 cm.
Signatures: A4.
An exact reprint of a letter by Myconius edited probably by Johann Neander.
Title within architectural border.
1. Benno, Bp. of Meissen, d. 1107. 2. Reformation. I. N., J. II. Neander, Johann ed. III. Title.

NM 0920650 CtY

D 5 .31 v.1
[Myconius, Friedrich] 1491-1546.
Von der rechten erhebung Bennonis; ein sendbrief <1524> (in Ein frag und antwort... 1906. p.[185]-209)
Forms part of Flugschriften aus den ersten jahren der reformation, bd.1, hft.5.
"Eingerahmt ist der Brief des Myconius in den drucken von dem briefe eines ungenannten...der sich hinter den buchstaben J.N. auf dem titel der drucke verbirgt."—p.193.
Edited by Alfred Götze.
"Bibliographie" p.191-192.

NM 0920651 ICN

[Myconius, Friedrich] 1491-1546.
Von der rechten Erhebung Bennonis ein Sendbrief (1524) Hrsg. von A. Götze. (In: Clemen (O.C.) Flugschriften aus den ersten Jahren der Reformation. Leipzig, 1907. 12°. Bd. 1, p. 185-209)

NM 0920652 NN

Me45 M993 W6
Myconius, Friedrich, 1491-1546.
Wie man die Einfeltigen / vnd sonderlich die Krancken / im Christenthumb vnterrichten sol / Durch H. Friderich Mecum. Wittemberg. [Gedruckt durch Georgen Rhaw] Anno XXXIX. [1539]
[30]p. 19cm.
Signatures: [A]^{2}B-C^{4}D^{2}E^4(E$_4$ blank)
With preface by Martin Luther.

NM 0920653 CtY

Cage GV80 M99 pam 1524
Myconius, Oswald, 1488-1552.
... Ad sacerdotes Heluetiae, qui Tigurinis male loquũtur suasoria, ut male loqui desinant.. Tigvri, In aedib. Christophori Proschouer, 1524.
51, [1]p. 19cm.

NM 0920654 NNUT C

Myconius, Oswald, 1488-1552.
Guter Rath an die Priester der Schweiz, wleche die Zürcher verlästern, ihr Lästern einzustellen. 1524. Hirtenbrief. 1534. Zur Auslegung des Evangeliums Marci. 1538. Bussgebet in schwerer Zeit. 1541. Die Auslegung des 101. (102) Psalms. Die erste Baslerconfession von 1534; entworfen von Oekolampad, ausgearbeitet von Myconius. (In Hagenbach, K. R. Oekolampad und Myconius, 1859)

NM 0920655 NIC

RARE BOOK BS 2585 M9
Myconius, Oswald, 1488-1552.
[In Evangelium Marci...expositio. Basileae, per T. Plattervm, 1538]
[viii]189[8] leaves.
Imperfect copy: T.p. and leaves [viii-1] wanting. Title supplied from British Museum General Catalogue of Printed Books; imprint from colophon.

NM 0920656 MoSCS

Mycopathologia
see Mycopathologia et mycologia applicata.

Mycopathologia et mycologia applicata.
Den Haag, W. Junk.
v. illus. 28 cm. irregular.
Began publication in May 1938 as Mycopathologia. Cf. Union list of serials.
English, Latin, French, German, Italian, Portuguese, and Spanish, with English summaries.
1. Fungi, Pathogenic—Period. 2. Fungi—Period.
QK600.M95 55-23024

NYSL CaOTU
ICU LU MnU NdU CU KU-M NN MtBC MnRM IU NNStJ KyU TU-M NhD InLP ICJ NIC TxU CLU OU MiU NcU AzU OkU-M
NM 0920658 DLC TNJ-M FU MtU NbU MnU-A GU OkS DNLM

VOLUME 403

Mycotheca uredineana. fasc. 1- 1938-
(*In* Uredineana. t. 1- 1938- Paris. 25 cm.)
Editor: 1938- A. L. Guyot.

1. Uredineae. I. Guyot, A. Lucien, ed.

QK600.U7 A 48-9190*

California. Univ. Libr. for Library of Congress [2]†

NM 0920659 CU DLC

Mydans, Carl, illus.

DS918 .H5

Higgins, Marguerite.
War in Korea; the report of a woman combat correspondent. Photos. by Carl Mydans and others. [1st ed.] Garden City, N. Y., Doubleday, 1951.

Mydans, Shelley Smith.
... The open city. Garden City, New York, Doubleday, Doran and company, inc., 1945.
viii p., 1 l., 245 p. 20½cm.
A novel based on the Japanese invasion of the Philippines.
"First edition."

1. Philippine islands—Hist.—Japanese occupation, 1942- —Fiction. I. Title.

Library of Congress * PZ3.M9807Op 45-35017

NM 0920661 OU PP PSt CaBVa Or Wa WaE WaSp WaS WaT OrCS DLC IdPI NcD NcGU NBuU OrP TxU OCl OCU

Mydas
see under [Lyly, John] 1554?-1606.

WL 600 qM995t 1950

MYDDELTON, Geoffrey Cheadle.
The theory of sympathetic neuritis. Henley on Thames [Higgs] 1950.
42 p. illus.
1. Nervous system - Sympathetic 2. Neuritis

NM 0920663 DNLM

Myddelton, Philip Parry Price.
An essay on gout; in which its acutal predisponent, proximate, & exciting causes are clearly defined, & its preventive & curative indications fully demonstrated... 4th ed. Bath, Wood, 1827.
97 p.

NM 0920664 PPPH

DA664 C4M9

Myddelton, Richard, 1837-1913.
A memoir of Chirk Castle. From original manuscripts. Oswestry, Woodall, Minshall, Thomas and Co., 1903.
59p. front. 23cm.

NM 0920665 NBuG

Mwr25 1809m

Myddelton, Robert.
A sermon, preached in St. Hilary's Chapel, Denbigh, on Wednesday the 25th of October, 1809, at the request of the rector, the Rev. Thomas Clough, and the rest of the capital burgesses of that ancient borough. Denbigh, 1809.
Pamphlet

NM 0920666 CtY

Myddelton, Sir Thomas
see Middleton, Sir Thomas, 1586-1666.

Myddelton, William, 1556?-1621.

Davies, John, 1570?-1644, *comp.*
Adargraphiad llythyrenol o Flodau y beirdd Brytanaidd, a gydgynnullwyd gan y dysgedig Dr. John Davies, o Fallwyd ... Ynghyd â rhagdraethawd ar farddoniaeth Gymreig, gan yr enwog Gadpen Wiliam Midelton ... Llundain [Argraffedig dros y parch. R. Jones, yn Mhersondy "All Saints," Rotherhithe] 1864.

Myddelton, William, 1556?-1621.
Bardhoniaeth, neu brydydhiaeth, y llyfr kyntaf; trwy fyfyr dawd Capten William Midleton. Llundain, Thomas Orwin ae printiawdh, 1593.
sm. 4to. Red morocco.
Powis sale, March 1923, no. 22.

NM 0920669 CSmH

Myddelton, William, 1556?-1621.
Bardhoniaeth, neu brydydhiaeth, y llyfr kyntaf; trwy fyfyrdawd Capten William Midleton. Thomas Orwinae printiawdh yn Llundain. 1593.
University microfilms no.16070 (case 73, carton 437)
Short-title catalogue no.17914.

1. Welsh language—Versification.

NM 0920670 MiU

PB 2297 M99 B2 1930

Myddelton, William, 1556?-1621.
Barddoniaeth neu Brydyddiaeth, gan William Midleton. Yn ôl argraffiad 1593, gyda chasgliad o'i awdlau a'i gywyddau. Golygwyd gan G. J. Williams. Caerdydd, Gwasg Prifysgol Cymru, 1930.
45, 21, 49-103 p. 20 cm.

I. Williams, Griffith John, ed. II. Title.

NM 0920671 DCU MH

Myddelton, William Martial, 1852-1929, ed.
Chirk castle accounts...compiled by W. M. Myddelton. [St. Albans, Eng.: Privately printed, 1908-31. 2 v. facsims., plates (1 col'd mounted), ports., geneal. table. 25cm.
Chirk castle was occupied by the Myddelton family.
After the death of the editor in 1929, the work was continued by V. H. Myddelton Gunyon. — *cf. p. xiv.*
[v. 2.] published by the Univ. of Manchester at the Univ. Press.
Contents: [v. 1.] A. D. 1605-1666. [v. 2.] A. D. 1666-1753.

1. Account books—Gt. Br. 2. Prices—Gt. Br., 1605-1753. 3. Chirk, Wales—Geneal. 4. Castles—Gt. Br.—Wales—Chirk. I. Myddelton, William Martial, 1852-1929, editor. II. Gunyon, V. H. Myddelton, editor. III. Title.
N. Y. P. L. May 18, 1933

NM 0920672 NN CtY MH IEN ICN

Myddelton, William Martial, 1852-1929, *ed.*
Chirk Castle accounts, A. D. 1666-1753. [Manchester, Eng.] Manchester University Press, 1931.
xvi, 508, xviii, x p. plates. 25 cm.

1. Chirk Castle. 2. Myddelton family. 3. Denbighshire, Wales—Hist.—Sources. I. Title.

DA745.C47M9 52-55620

NM 0920673 DLC NjP MB NcU MnU NcU

Myddelton, William Martial, 1852-1929.
Pedigree of the family of Myddelton of Gwaynynog, Garthgynan and Llansannan, all in the county of Denbigh. Attempted by W. M. Myddelton ... Privately printed. Horncastle, W. K. Morton & sons, ltd., 1910.
4 p. l., 99 p. col. front., illus., plates, ports, facsims., coats of arms. 30cm.

1. Myddelton family. I. Title.

18-11233

Library of Congress CS459.M8

NM 0920674 DLC

Myddelton-Biddulph, Robert, 1805-1872.

Horwood, Alfred John, 1821-1881.
The manuscripts of Colonel Myddelton-Biddulph, Chirk castle, Denbighshire.
(*In* Gt. Brit. Historical manuscripts commission. Second report. London, 1871. 32cm. Appendix, p. 73-74)

MYDDLE, England (Parish).
Middle. The parish registers...[1542-1826] (In: Shropshire Archaeological and Natural History Society. Transactions. Shrewsbury, 1886. 22cm. v. 9, p. 211-237.)

NM 0920676 NN MB

(Shropshire)

Myddle, England (Parish).
The register of Myddle. [1541-1837] [London, 1931] xi, 323, xliv p. 22cm. (Shropshire Parish Register Society. Shropshire parish registers. Diocese of Lichfield. v. 19, part 1.)
Half-title.
Transcribed by W. G. D. Fletcher; indexes compiled by A. M. and F. A. MacLeod.
Introduction dated: November, 1926.

1. No subject. I. Fletcher, William George Dimock, 1851- II. MacLeod, Alexa M. III. MacLeod, Flora Abigail. IV. Ser.
N. Y. P. L. Revised January 30, 1936

NM 0920677 NN

Myddleton, Fay.
'Impossible Peter,' by Fay Myddleton ... London [etc.] W. Collins sons & co. ltd. [1918]
3 p. l., 213 p. 20cm.

I. Title.
Library of Congress PZ3.M99I 19-3787

NM 0920678 DLC

MYDDLETON, Fay.
Sowris; [a novel]. London and Dublin, Maunsel & co., ltd., 1915.
309 p. 8°

NM 0920679 MH

[**Myddleton,** *Mrs.* **Frances Penelope (Watson)**] 1798-1878.
Reminiscences of a military life, by a soldier's daughter. For private circulation only. Sleaford, W. Overton, 1879.
vi, [2], 200 p. front., plates, 2 geneal. tab. 19cm.
Plates are mounted photographs.
Pedigree of the families of York, Birch, Watson and Calcraft: geneal. tables.
Introduction signed: R. Wharton Myddleton.

I. Myddleton, Richard Wharton, 1795-1885, ed. II. Title.

21-2249

Library of Congresss CT788.M9A3

NM 0920680 DLC

Myddleton, Richard
See
Middleton, Richard, d.1641.

VOLUME 403

Myddleton, Richard Wharton, 1795-1885, ed.

[Myddleton, *Mrs.* Frances Penelope (Watson)] 1798-1878.
Reminiscences of a military life, by a soldier's daughter. For private circulation only. Sleaford, W. Overton, 1879.

Myddleton, William Henry.
[The phantom brigade; arranged]
... The phantom brigade; descriptive piece for 2 B♭ trumpets and 2 trombones ... London, Boosey & Hawkes, ltd.; New York city, Boosey, Hawkes, Belwin, inc.; [etc., etc., 1938]
6 p. and 6 pts. 31½cm.
At head of title: ... W. H. Myddleton.
Publisher's plate no.: B. & H. 8176.
"Arranged by Denis Wright." Originally for orchestra.
Includes alternative parts for trombone 1 and trombone 2 in treble clef.
1. Wind quartets (2 trombones, 2 trumpets), Arranged. I. *Wright, Denis, 1895- arr.
46-29598
Library of Congress M459.M

NM 0920683 DLC

Myddleton, William Henry.
The shamrock; selection on Irish melodies, op. 14. Piano solo. London, Hawkes, c1901.
11 p.

NM 0920684 OCl

Myddleton, William Whalley.
Fats: natural & synthetic, by W. W. Myddleton ... and T. Hedley Barry ... London, E. Benn limited, 1924.
xi, 182 p. illus., plates, diagrs. 25cm.

1. Oils and fats. I. Barry, T. Hedley, joint author.
24-17267
Library of Congress TP670.M8

OClW CaBVaU
NM 0920685 DLC ICRL MiD CU OCl OO PSC NjP NN MB

Myddleton, William Whalley.
Fats: natural & synthetic, by W. W. Myddleton, ... and T. Hedley Barry, ... New York, Van Nostrand Company, 1924.
xi, 182 p. illus., plates, diagrs. 25½cm.
Printed in Great Britain.

NM 0920686 ICJ OU

Myderrizi, Osman.
Gramatika e ré e Shqipes për shkollat e mesme. Tiranë, Shtypun në Shtyp. "Gutenberg," 1944-
v. 24 cm.
CONTENTS.—v. 1. Fonologji e morfologji.

1. Albanian language—Grammar.
PG9523.M9 67-124901

NM 0920687 DLC

Mydlarski, Jan, ed.
Człowiek teraźniejszosci poprawił
see under
Loth, Edward, 1884-1944.

Mydliński, Boruch Gorszon.
... Die neurologischen Symptome bei chronischen Gelenkaffektionen der Wirbelsäule ... Stetten/Basel, 1938.
Inaug.-Diss. - Basel

NM 0920689 CtY

Mydorge, Claude, 1585-1647.
Examen du livre des Récreations Mathematiques et de ses problèmes en géometrie, mechanique, optique et catoptrique
see under [Leurechon, Jean] 1591-1670.

Mydorge, Claude, 1585-1647.
Moore's Arithmetick: in four books
see under Moore, Sir Jonas, 1617-1679.

13.2
631
199

Mydorge, Claude, 1585-1647.
Clavdii Mydorgii ... Prodromi catoptricorvm et dioptricorvm: sive Conicorvm operis ab abdita radii reflexi et refracti mysteria praeuij & facem praeferentis. Libri primvs et secvndvs ... Parisiis, Ex typographia I. Dedin, 1631.
[10], 134 p., 2 l. diagrs. 33cm.

Title vignette.
Final leaf has author's manuscript note (and stamp) regarding manuscript correction in text, p. 36. Other manu- script notes in margins.

NM 0920692 NNC NN

Mydorge, Claude, 1565-1647.
Prodromi catoptricorvm et dioptricorvm: sive, Conicorvm operis ad abdita radii reflexi et refracti mysteria praeuij & facem praeferentis. Parisiis, Ex typographia I. Dedin, 1639.
Microfilm copy, made in 1964, of the original in Vatican. Biblioteca vaticana. Positive.
Negative film in Vatican. Biblioteca vaticana.
Collation of the original, as determined from the film: 2 p. l., 308, [1] p. illus.

1. Cones. I. Title: Prodromi catoptricorum et dioptricorum. (Series: [Manuscripta, microfilms of rare and out-of-print books. List 55, no. 33])

NM 0920694 MoSU

Qe21
031

Mydorge, Claude, 1585-1647.
Clavdii Mydorgii ... Prodromi catoptricorvm et dioptricorvm: sive Conicorvm operis ad abdita radii reflexi et refracti mysteria praeuij & facem praeferentis. Libri qvatvor priores ... Parisiis, I. Dedin, 1641.
2p.ℓ.,308p. diagrs. 34½cm.

NM 0920695 CtY NWM MH WU PPL NIC

Mydorge, Claude, 1585-1647.
Clavdii Mydorgii patricii parisini Prodromi catoptricorvm et dioptricorvm; sive Conicorvm operis ad abdita radii reflexi et refracti myſteria præuij & facem præferentis. Libri qvatvor priores. ... . Parisiis, Ex typ. P. Gvillemot, 1660.
[4], 308 p. incl. diagrs. 38cm.

NM 0920696 ICJ

Mydorge, Claude, 1585-1647, ed.
Recreations mathematique ...
see under [Leurechon, Jean] 1591-1670.

Mydorge, Claude, 1585-1647.
Les recreations mathematiqves avec l'examen de ses problemes ...
see under [Leurechon, Jean] 1591-1670.

Mydorge, Claude, 1585-1647.
Refvtation de la pretendve dvplication de cvbe pvbliée par le sieur de la Leu Rochelois. Contenve dans vne lettre escrite à l'aucteur par Clavde Mydorge. Paris, I. Dedin, 1630.
24 p. diagr. 16 cm.
1. Mathematics. Early works to 1800. 2. Cube Duplication of. [Beaugrand, Jean de] Refvtation de la favsse dvplication dv cube ... 1630. (bd. in)

NM 0920699 RPB

---

*FC6
M9915
630e
(A)

[Mydorge, Claude, 1585-1647]
La seconde partie des recreations mathematiqves. Composee de plvsievrs problemes plaisans & facetieux en faict d'arithmetique, geometrie, astrologie, optique, perspectiue, mechanique & chymie, & autres rares secrets non encor veus, ny mis en lumiere ...
A Paris, Chez Rolet Bovtonné au Palais, à l'entrée de la petite gallerie des prisonniers, en la deuxiéme boutique. M.DC.XXX. Auec priuilege du roy.

106(i.e.108),[9]p. illus. 17.5cm.
Signatures: A-G[8],H[4] (H4 blank).
Also issued with imprint of Anthoine Robinot.
Numbers 69-70 repeated in paging.
Bound with (as issued) his Examen dv livre des Recreations mathematiqves, 1630.
Sheet F wrongly imposed.

NM 0920701 MH

---

*FC6
M9915
630e
(B)

[Mydorge, Claude, 1585-1647]
La seconde partie des recreations mathematiqves. Composee de plvsievrs problemes plaisans & facetieux en faict d'arithmetique, geometrie, astrologie, optique, perspectiue, mechanique & chymie, & autres rares secrets non encor veus, ny mis en lumiere ...
A Paris, Chez Anthoine Robinot, au quatriéme pillier de la grand' salle du Palais. M.DC.XXX. Auec priuilege du roy.
106(i.e.108),[9]p. illus. 18cm.

Also issued with imprint of Rolet Boutonné.
Numbers 69-70 repeated in paging.
Bound with (as issued) his Examen dv livre des Recreations mathematiqves, 1630.

NM 0920703 MH

Mydorgius
see
Mydorge, Claude, 1585-1647.

Mydx of Fax, Pyra, pseud.
see Cole, Lou E

WZ
250
M995da
1624

MYE, Frederik van der, fl. ca. 1625
... De arthritide, & calculo gemino tractatus duo. In quibus universa horum morborum essentia, causae ... & curatio, secundum Hippocratis, & Galeni mentem dilucidissime explicantur. Una cum disputatione phylosophica, de lapidum generatione, Ejusdem Historia medica. Hagae-Comitum, Apud Arnoldum Meuris, 1624.
[156] p. 20 cm.

NM 0920706 DNLM

WZ
250
M995dm
1627

MYE, Frederik van der, fl. ca. 1625
... De morbis et symptomatibus popularibus Bredanis tempore obsidionis, et eorum immutationibus pro anni victusque diversitate, deque medicamentis in summa rerum inopia adhibitis, tractatus duo. Ejusdem dissertationes duae medico-physicae, de contagio, & cornu monocerotis quondam in aquis circa Bredam reperto. Antverpiae, Ex Officina Plantiniana Balthasaris Moreti, 1627.
[8], 160, [3] p. 19 cm.

NM 0920707 DNLM NNNAM MH

VOLUME 403

Myee, pseud.
see Brackenreg, Minnie L

Myer, Albert James, 1827-1880.
Annual reports ...
see under U.S. Army. Signal Corps.

Myer, Albert James, 1827-1880.
Daily bulletin of weather-reports
see U.S. Army. Signal Corps.
Daily bulletin of simultaneous weather reports.

Myer, Albert James, 1827-1880.
Extracts from the Manual of signals. Signal service drills, prepared under the direction of Bvt. Brig. Gen. Albert J. Myer, chief signal officer of the army. Washington, Govt. print. off., 1870.
47 p. plates, diagrs. 19cm.

1. U.S. Signal corps—Drill regulations. I. U.S. Signal office.
9-15838†
Library of Congress UG573.M9

NM 0920711 DLC DNW

Myer, Albert James, 1827-1880.
A manual of field signals
see under Brown, F N

Myer, Albert James, 1827-1880.
A manual of signals: for the use of signal officers in the field. By Col. Albert J. Myer, signal officer of the army. Washington, D. C., 1864.
1 p. l., 148 (i. e. 152) p. illus. 22½cm.
[Miscellaneous pamphlets, v. 457, no. 11]
Collation: 1 p. l., 1-57, 57a-57d, 58-148 p.
"Printer's preface" inserted.

1. U. S.—Army—Signaling. 2. Signals and signaling. I. U. S. Signal office.
9-5085
Library of Congress AC901.M5 vol. 457

NM 0920713 DLC OCH OClWHi

Myer, Albert James, 1827-1880.
A manual of signals: for the use of signal officers in the field, and for military and naval students, military schools, etc. A new ed., enlarged and illustrated. By Albert J. Myer, signal officer of the army ... New York, D. Van Nostrand, 1866.
xiv, 398 p. 19cm.

1. U. S.—Army—Signaling. 2. Signals and signaling. I. U. S. Signal office. II. Title.
9-5072
Library of Congress UG580.M9 1866

NM 0920714 DLC TxU NBu MiU OCl PU NN

Myer, Albert James, 1827-1880.
A manual of signals: for the use of signal officers in the field, and for military and naval students, military schools, etc. A new ed., enlarged and illustrated. By Bt. Brig. Genl. Albert J. Myer, chief signal officer of the army ... New York, D. Van Nostrand, 1868.
417 p. front., illus., plates. 19cm.

1. U. S.—Army—Signaling. 2. Signals and signaling. I. U. S. Signal office. II. Title.
9-5070
Library of Congress UG580.M9 1868

NM 0920715 DLC OCU NjP WaU ICRL

Myer, Albert James.
A manual of signals: for the use of signal officers in the field, and for military and naval students, military schools, etc. New edition, enlarged.
New York. Van Nostrand. 1868. 457 pp. Plates. Map. Diagrams. 12°.
Some of the figures are colored.

G3454 — Military signals.

NM 0920716 MB

Myer, Albert James, 1827-1880.
A manual of signals: for the use of signal officers in the field, and for military and naval students, military schools, etc. A new edition, enlarged and illustrated. By Bt. Brig. Genl. Albert J. Myer ... New York, D. van Nostrand, 1871.
457 p. front., illus. (part col.) XLII pl. (part col.) 19cm.

1. U. S.—Army—Signaling. 2. Signals and signaling.
32-16167
Library of Congress UG580.M9 1871 623.730973

NM 0920717 DLC DN OClW IU NcD

Myer, Albert James, 1827-1880.
A manual of signals for the use of signal officers in the field, and for military and naval students, military schools, etc. By Bvt. Brig. Gen. Albert J. Myer, chief signal officer of the army. Washington, Govt. print. off., 1877.
535 p. front., illus., plates. 19½cm.

1. U. S. Army—Signaling. 2. Signals and signaling. I. U. S. Army. Signal corps. II. Title.
9-5071
Library of Congress UG580.M9 1877

NM 0920718 DLC OFH KMK

Myer, Albert James, 1827-1880.
A manual of signals for the use of signal officers in the field, and for military and naval students, military schools, etc. By Bvt. Brig. Gen. Albert J. Myer, chief signal officer of the Army. Washington, Gov't print. off., 1879.
559 p. illus., plates. 19cm.

1. U. S. Army—Signaling. 2. Signals and signaling. I. U. S. Army. Signal corps. II. Title.
8-31601
Library of Congress UG580.M9 1879

NM 0920719 DLC MtBC CaBVaU OKentU IU OO DNW

Myer, Albert James, 1827-1880.
... The memorial of Albert J. Myer ... having held the commission of signal officer ... in the army of the United States, to the ... Senate of the United States ... [Washington, D. C., 1866?]
11, 12, 12, 19 p. 21cm.
Caption title.
Includes Memorial supplement and Appendix.

1. U. S.—Army—Signal corps. I. Title.
19-1633
Library of Congress UG573.M96

NM 0920720 DLC CSmH

Myer, Albert James, 1827-1880.
New sign language for deaf mutes, Inaugural diss. Buffalo, Jewett, 1851.
12 p.

NM 0920721 PPC

Myer, Albert James, 1827-1880.
HE7781
.P2
Palmer, Frank Wayland, 1827-1907.
Postal telegraph. Speech of Hon. Frank W. Palmer, of Iowa, in the House of representatives, February 17, 1872. [Washington, Printed at the Congressional globe office, 1872?]

Myer, Albert James, 1827-1880.
... The practical use of meteorological reports and weather maps
see under U.S. Army. Signal Corps.

Myer, Albert James, 1827-80.
Signal service drills. Prepared under the direction of Bvt. Brig. Gen. Albert J. Myer, chief signal officer of the army. Washington: Gov. Prtg. Off., 1870. 47 p. 42 pl. 12°.
At head of title: Extracts from the manual of signals.

1. Army (U. S.)—Signaling. 2. United States. Signal Office.
N. Y. P. L. June 15, 1920.

NM 0920724 NN PBL

Myer, Albert James, 1827-1880.
Weather case. 1878.
p. 762-764. illus. 21½cm.

Extracted from Harpers Weekly, Supplement, N.Y. September 21, 1878 (p. 762-764)

NM 0920725 DAS

Myer, Alvin.
My nightingale. Words by Joe Rosey. Music by Alvin Meyer. New York, L. Feist [c1903]
First line: When the moon am softly shining.
Chorus: 'Cause you're my nightingale.

Printed for the Music Division
1. Nightingales. I. Rosey, Joe, 1882-1943. II. Song index (3).
N. Y. P. L. February 23, 1951

NM 0920726 NN

Myer, Arthur Emenson.
German theater repertoire in the Frankfurt area in 1946 ... June 1948.
[3],2-47 leaves. 29cm.
Research report - University of Southern California, 1948.
Typewritten.

NM 0920727 CLSU

Myer, Dillon Seymour, 1891-
The facts about the War relocation authority, an address by D.S. Myer, director of the War relocation authority, before a luncheon meeting of the Los Angeles town hall, Los Angeles, Calif., January 21, 1944. [1944]
11 p.
1. Japanese in U.S. 2. World war, 1939-1945. - Evacuation of civilians. I. U.S. War Relocation authority.

NM 0920728 NNC

Myer, Dillon Seymour, 1891-
One thousandth of the nation, an address by Dillon S. Myer, director of the War relocation authority, to be presented March 23, 1944 before a joint meeting of civic organizations in Salt Lake City. [1944]
8 p.

1. Japanese in U. S. 2. World war, 1939-1945 - Evacuation of civilians. I. U. S. War relocation authority.

NM 0920729 NNC

VOLUME 403

E93
M9
Myer, Dillon Seymour, 1891-
The program of the Bureau of Indian Affairs. Washington, United States Indian Service [1952]
16 p. 20 cm.
Caption title.
Reprinted from the Journal of Negro Education, summer, 1951, v.20, no.3.

1. Indians of North America - Government relations. 2. U.S. Bureau of Indian Affairs.

NM 0920730 DI

D769.8
A6M9
Myer, Dillon Seymour, 1891-
Problems of evacuee resettlement in California. Address by Dillon S. Mayer[sic], Director of the War Relocation Authority, at Eagle Rock, California, June 19, 1945. [n.p., 1945]
13 p. 27 cm.
Caption title.

1. Japanese in the U.S. 2. World War, 1939-1945 - Evacuation of civilians. I. U.S. War Relocation Authority.

NM 0920731 DI

Myer, Dillon Seymour, 1891-
Relocation problems and policies; an address delivered by Director D. S. Myer...before the Tuesday evening club at Pasadena, California, March 14, 1944. [n. p., 1944] 12 p. 28cm.

Caption-title.

1. World war, 1939- —Evacuations—U. S. 2. Japanese in the U. S.
N. Y. P. L. September 12, 1945

NM 0920732 NN

Myer, Dillon Seymour, 1891-
Statement by Dillon S. Myor, Commissioner of Indian Affairs, before a subcommittee of the Senate Committee on Interior and Insular Affairs, January 21, 1952. [n.p., 1952]
16p. 28cm.

1. Indians of North America. Government relations.

NM 0920733 OrU

Myer, Dillon Seymour, 1891-
The truth about relocation, an address delivered by Dillon S. Myer, director of the War relocation authority, before a luncheon meeting of the Commonwealth club in San Francisco, Calif., on August 6, 1943. [1943]
12 p.

NM 0920734 NNC CtY

Myer, Edmund John, 1846-1934.
...Exercises for the training and development of the voice. A study of the natural movements of the voice. Together with a complete and simplified study of the vowel forms of the English language. By Edmund J. Myer... New York: W. A. Pond & Co., cop. 1887. Publ. pl. no. 11,919. 28 p. f°.

1. Singing.—Exercises.
N. Y. P. L. May 5, 1921.

NM 0920735 NN NcU

MYER, EDMUND JOHN, 1846-1934.
Exercises for the training and development of the voice; a study of the natural movements of the voice. Together with a complete and simplified study of the vowel forms of the English language. By Edmund J. Myer. New York, W.A. Pond, c1887. Pl. no. 11,919. 28 p. 37cm.

Microfilm.
1. Singing--Exercises.

NM 0920736 NN

Myer, Edmund John, 1846-1934.
Position and action in singing; a study of the true conditions of tone; a solution of automatic (artistic) breath control. New York, E. S. Werner, 1897.
217 p. illus., music. 19 cm.

1. Singing—Instruction and study. I. Title.

MT820.M985 784.93 59-57675

NM 0920737 DLC OU MH MB PU OC1W CoU

MYER, EDMUND JOHN, 1846-1934.
Position and action in singing; a study of the true conditions of tone.[and] a solution of automatic (artistic) breath-control. New York, E.S. Werner, 1897. 217 p. 19cm.

Film reproduction. Negative.

1. Singing--Breathing. 2. Singing--Instruction, 1800-1900. 3. Singing--Study and teaching.

NM 0920738 NN

Myer, Edmund J[ohn].
Position and action in singing; a study of the true conditions of tone, a solution of automatic (artistic) breath control. Boston: The Boston Music Co. [cop. 1911.] 129 p., 1 port. 12°.

NM 0920739 NN PP CSt WU MiU IU InU NjP FU

Myer, Edmund John, 1846-1934.
The renaissance of the vocal art; a practical study of vitality, vitalized energy, of the physical, mental and emotional powers of the singer, through flexible, elastic bodily movements; by Edmund J. Myer ... Boston, The Boston music company, 1902.
136 p. 19cm.

1. Singing and voice culture. I. Title.
2-18117 Revised

Library of Congress MT820.M986
Copyright A 36208 [r40k2] 784.93

WaU PP CU MB
NM 0920740 DLC KMK CSt FU IaU OKentU NN OC1 ODW

Myer, Edmund John.
A revelation to the vocal world; a revelation of the physical, mental and emotional production, reinforcement and control of the singing voice... Dedicated to my friend and pupil Theo. Karle. Philadelphia, Theodore Presser Co. c1917.
60p.

NM 0920741 OC1Ur ICN

Myer, Edmund John, 1840-
The science and art of breathing. 2d ed. By Edmund J. Myer ... [Los Angeles, Trade printing co., °1929]
4 p. l., [11]-51 p. illus., diagrs. 20cm.

1. Singing and voice culture. I. Title.
30-4712

Library of Congress MT878.M998

NM 0920742 DLC WaTC Or

Myer, Edmund John, 1846-1934.
Truths of importance to vocalists. By Edmund J. Myer. New York, W. A. Pond & co.; Chicago, Chicago music co., °1883.
x, [11]-69 p. 18½cm.

1. Singing and voice culture.
8-25926 Revised

Library of Congress MT820.M988

NM 0920743 DLC NIC PP MB OOxM ICN OrU

Myer, Edmund John, 1846-1934.
The vocal instructor, by Edmund J. Myer. Philadelphia, Pa., Theo. Presser co. [°1913]
62 p. illus. 27cm.

1. Singing—Methods. I. Title.
46-33881

Library of Congress MT825.M94

NM 0920744 DLC Or OrSaW AU FU NmU NN NjP NcU OC1U

Myer, Edmund John, 1846-
Vocal reinforcement. A practical study of the reinforcement of the motive power or breathing muscles ... etc. By Edmund J. Myer ... New York, American publishing co., 1891.
269 p. incl. front. (port.) illus. 18½cm.

1. Singing and voice culture. 2. Respiration. I. Title.
13-7488 Revised

Library of Congress MT820.M989
Copyright 1891: 13670 [r33b2] 784.93

NM 0920745 DLC CSt NN MB OC1

Myer, Edmund John, 1846-
Vocal reinforcement. A practical study of the reinforcement of the motive power of breathing muscles... By Edmund J. Myer... New York: Amer. Pub. Co. [cop. 1891.] 1 p.l., (1)6-269 p. [5. ed.] 12°.

1. Voice.—Culture. 2. Singing.—Study and teaching. 3. Title.
N. Y. P. L. June 12, 1916.

NM 0920746 NN

784.93
M996v
1913
Music lib.
Myer, Edmund John, 1846-1934.
Vocal reinforcement, by Edmund J. Myer. Boston, Boston Music Company [c1913]
269p. 19cm.

" A practical study of the reinforcement of the motive power or breathing muscles; of the resisting force or resistance in singing; of tone color; of correct thought; of the resonance cavities; of enunciation; of the will or will-power; of the emotions or feeling; of expression, etc., etc.

NM 0920747 NcU NN MiD OKentU KMK

Myer, Edmund John, 1846-1934.
The voice from a practical stand-point ... by Edmund J. Myer ... New York, W. A. Pond & co., 1886.
203 p. 17½cm.

1. Singing and voice culture. I. Title.
12-20679 Revised

Library of Congress MT820.M99

NM 0920748 DLC CU OrU CLSU NIC OO NN

Myer, Edna.
HD7102
.U4H4
1944
Health council institute.
Health security in postwar America, summaries of papers of the second Wartime conference on labor health security, Hotel McAlpin, New York city, December 8, 1944, by the Health council staff: Alfred J. Asgis ... Nathan Kobrin ... Edna Myer ... [and] Augusta Wilkes ... Prepared for the Health council. New York, N. Y., Health council institute for labor education and research. °1945.

Myer, Ernest A.
Apprenticeship law, a practical handbook for the use of apprenticeship committees and persons interested in the apprenticeship system; with appendices containing precedents of indentures, extracts from acts of Parliament dealing with apprentices, and a digest of reported cases dealing with the law, etc. By Ernest A. Myer ... London, Stevens and sons, limited, 1910.
viii, 76 p. 22½cm.

1. Apprentices.
A 11-2475

Title from Leland Stanford Jr. Univ. Printed by L. C.

NM 0920750 CSt ICJ MH

VOLUME 403

Myer, Francklin P.
Franklin P. Myer, Administrator of Mary Magdalena Myer, dec'd., vs. The City of Philadelphia, et. al.; in the court of Common Pleas of Schuylkill Co.
22 p.

NM 0920751 PHi

Under 308t 1996 Myer, Helen ₍Tonner₎
Spanish dialogues of the sixteenth century... 1915.

NM 0920752 CU

Myer, Horace Stuart, joint ed.

Key, Thomas, b. 1833.
Key and Elphinstone's Compendium of precedents in conveyancing. 10th ed., by Sir Howard Warburton Elphinstone ... and Frederick Trentham Maw ... assisted by Horace Stuart Myer ... and Humphrey George Ambrose Baker ... London, Sweet and Maxwell, limited, 1914.

Myer, Isaac, 1787-1869.
Brief of title to four certain lots of ground, [late the estate of Isaac Myer] situate in the twenty-sixth Ward, of the city of Philadelphia ... Philadelphia, O.R. Meyers, 1872.
32 p., 2 diagrs. 8°.

NM 0920754 NN

Myer, Isaac, 1787-1869.
The last will and testament of Isaac Myer, of the City of Philadelphia, deceased. Isaac Myer & Chas. A. Day, surviving executors and trustees. [Philadelphia, 1869?]
11 p. 4°.

NM 0920755 NN MiD

Myer, Isaac, 1836-1902.
Alpine plants and their cultivation at law levels. [Germantown, Penn?] 189-?]
1 l. 4°.
Repr.: Meehans' Monthly.

NM 0920756 NN MH-A

Myer, Isaac, 1836-1902.
Anniversaries. The proper time for the celebration of, and especially of, Washington's birthday. By Isaac Myer ... New York, 1895.
1 p.l., 12 p. 24.5 cm.

"Reprinted from the American historical register for February, 1895."
Discussion of Washington's birthday: p. 9-12.

1. Washington, George, pres. U. S. - Anniversaries, etc. 2. Calendar. I. Title.

NM 0920757 Vi CSmH MB DS ViU MH

Myer, Isaac, 1836-1902.
Oldest books in the world. An account of the religion, wisdom, philosophy, ethics, psychology, manners, proverbs, sayings, refinement, etc., of the ancient Egyptians: as set forth and inscribed upon, some of the oldest existing monuments, papyri, and other records of that people ... together with facsimiles and translations of some of the oldest books in the world. Also a study ... of the Book of the dead ... By Isaac Myer ... New York, E. W. Dayton; London, K. Paul, Trench, Trübner & co., 1900.
xxiv, 502 p. xxiv (i. e. 26) pl. (part fold., incl. front., facsims.) 26½ᶜᵐ.
Limited edition of 500 copies.
1. Egyptian literature—Translations into English. 2. English literature—Translations from Egyptian. 3. Egyptian literature. I. Title.
Library of Congress PJ1943.M8 0—3726

MiDW NcD PBa MdBP PP OCl OClRC NjP NBB
NM 0920758 DLC CaBViP WaS NN IEG PP MB FTaSU TxU

Myer, Isaac, 1836-1902.
Kagemna.
The oldest books in the world; an account of the wisdom, philosophy, ethics, manners, proverbs, sayings and refinements as set forth in the Book of Kagemna circa 3998-3969 B. C. and The precepts of Ptah-Hotep circa 3580-3536 B. C., reprinted in condensed form through the courtesy of the original publisher from The oldest books in the world, by Isaac Myer, L. L. B. ₍Baltimore, Printed by Horn-Shafer company, 1935₎

Myer, Isaac, 1836-1902.
On dreams ...
see under Synesius Cyrenaeus, Bp. of Ptolemais.

₍Myer, Isaac₎ 1836-1902.
Presidential power over personal liberty. A review of Horace Binney's essay on the writ of habeas corpus. ₍Philadelphia₎ Imprinted for the author, 1862.
1 p. l., 94 p. 22½ᶜᵐ.

1. Binney, Horace, 1780-1875. The privilege of the writ of habeas corpus. 2. Habeas corpus—U. S. 3. Presidents—U. S.—Powers and duties. I. Title.
5-19470

MiU MB
NM 0920761 DLC PU-L PPB NIC NN PPL PHi CtY PPAmP

Myer, Isaac, 1836-1902.
Qabbalah. The philosophical writings of Solomon ben Yehudah ibn Gebirol, or Avicebron, and their connection with the Hebrew Qabbalah and Sepher ha-Zohar, with remarks upon the antiquity and content of the latter, and translations of selected passages from the same. Also, An ancient lodge of initiates, tr. from the Zohar, and an abstract of an essay upon the Chinese Qabbalah, contained in the book called the Yih king; a translation of part of the mystic theology of Dionysios, the Areopagite; and an account of the construction of the ancient Akkadian and Chaldean universe, etc. Accompanied by diagrams and illustrations. By Isaac Myer ... Philadelphia, The author, 1888.
xxiv, 499 p. front., illus., 2 pl., diagr. 37 x 28ᶜᵐ.
150 copies published. No. 129.

1. Ibn Gabirol, Solomon ben Judah, ca. 1021-ca. 1058. 2. Cabala. I. Title.
Library of Congress B759.A54M9 5-19196

TNJ-R NjNbS OCH OClW PHi PP
NM 0920763 DLC TxU NcD OU MH NN N CLSU CU PPRF

Myer, Isaac, 1836-1902.
Qabbalah. The philosophical writings of Solomon Ben Yehudah Ibn Gebirol; or, Avicebron ... [Prospectus] Philadelphia, 1888.
16 p. 8°.
In: PQA p.v.5.

NM 0920764 NN

Myer, Isaac, 1836-1902.
Roses, and the oder of roses. [Germantown, Penn.? 189-?]
2 l. nar. 8°.
Repr. Meehans' Monthly for July [189-?]

NM 0920765 NN

DT62 .S3M95 Myer, Isaac, 1836-1902.
Scarabs; the history, manufacture and religious symbolism of the scarabaeus in ancient Egypt. Phoenicia, Sardinia, Etruria, etc. ... Leipzig, Harrassowitz, 1894.
xxvii, 177 p.

1. Scarabs. 2. Symbolism. 3. Egypt—Religion.

NM 0920766 ICU MH

913.32 M992s 1894 Myer, Isaac, 1836-1902.
Scarabs. The history, manufacture and religious symbolism of the scarabaeus in ancient Egypt, Phoenicia, Sardinia, Etruria, etc. Also remarks on the learning, philosophy, arts ethics ... etc., of the ancient Egyptians, Phoenicians, etc. ... By Isaac Myer ... London, D. Nutt, 1894.
xxvii, 177p. 19cm.
"Taken in part, from an address delivered ... before the American numismatic and archaeological society ... on March 30th, 1893."

NM 0920767 TxU DLC MdBP CU CtY

Myer, Isaac, 1836-1902.
Scarabs. The history, manufacture and religious symbolism of the scarabæus in ancient Egypt, Phœnicia, Sardinia, Etruria, etc. Also remarks on the learning, philosophy, arts, ethics ... etc., of the ancient Egyptians, Phœnicians, etc. ... By Isaac Myer ... New York, E. W. Dayton; Leipzig, O. Harrassowitz; ₍etc., etc.₎ 1894.
xxvii, 177 p. 19ᶜᵐ.
"Taken in part, from an address delivered ... before the American numismatic and archæological society ... on March 30th, 1893."
1. Scarabs. 2. Symbolism. 3. Egypt—Religion.
5-14915
Library of Congress DT62.S3M8

OCU OO PP PBm NN MB
NM 0920768 DLC OrU NBuU KU-M FMU IEG PSt NBB OCH

Myer, Isaac, 1836-1902.
The Waterloo medal: an address before the Numismatic and antiquarian society of Philadelphia. By Isaac Myer .. Philadelphia ₍Franklin printing house₎ 1885.
18 numb. l. incl. 2 pl. 2 port. 31½ x 26ᶜᵐ.
Title in colors; initials in gold and colors.
"One hundred copies printed by the author for private distribution."
On the Waterloo medal by Benedetto Pistrucci.

1. Medals—Gt. Brit. 2. Waterloo, Battle of, 1815. 3. Pistrucci, Benedetto, 1784-1855.
10-27965†
Library of Congress CJ6156.W3M8

NM 0920769 DLC PU PP NN MH NcU PPD NjP

Myer, J. Leland, 1907- joint author.

Doan, Gilbert Everett, 1897-
... Arc discharge not obtained in pure argon gas, by Gilbert E. Doan and J. Leland Myer ... Bethlehem, Pa., Lehigh university ₍1932₎

Myer, J. Leland, 1907- joint author.

... Electric welding and electric welds. I. Researches in arc welding ₍by₎ G. E. Doan and J. L. Myer. 2. Metal deposition in electric arc welding ₍by₎ G. E. Doan and J. M. Weed. 3. Concerning crater formation ₍by₎ G. E. Doan. 4. A corrosion-fatigue study of welded low-carbon steel ₍by₎ W. E. Harvey and F. J. Whitney, jr. ... Bethlehem, Pa., Lehigh university ₍1933₎

Myer, J. Leland, 1907-

Lehigh university, *Bethlehem, Pa. Dept. of physics.*
... Scientific papers from Department of physics for the year 1931-1932 ... Bethlehem, Pa., Lehigh university ₍1933₎

Myer, J Leland, 1907-
... Some physical properties of Pennsylvania anthracite and related materials, by J. Leland Myer ... Bethlehem, Pa., Lehigh university ₍1932₎
cover-title, 17 p. tables, diagrs. 23½ᶜᵐ. (₍Lehigh university₎ The Institute of research. Circular no. 80. Science and technology, no. 65)
At head of title: Lehigh university publication. vol. VI, no. 8.
"Tech. pub. 482, American Institute of mining and metallurgical engineers."

1. Anthracite coal—Pennsylvania.
Title from Lehigh Univ. Printed by L. C. A 33-263

NM 0920773 PBL PPT ViU

VOLUME 403

Myer, J Leland, 1907–
... Some physical properties of Pennsylvania anthracite and related materials, by J. Leland Myer ... New York, American institute of mining and metallurgical engineers, inc., °1932.
19 p. incl. tables, diagrs. 23 cm. (American institute of mining and metallurgical engineers. Technical publication no. 482. Class F, Coal division, no. 51)

1. Anthracite coal—Pennsylvania. I. Title.
[TN1.A525 no. 482] P O 32—81
U. S. Patent Office. Library for Library of Congress [a56f1]

NM 0920774 DP OrU

Myer, J. Leland, 1907–
Sonden-messungen am Lichtbogen in Luft bei atmosphärischem Druck. ... Charlottenburg, 1934.
Inaug.-diss. - Tech. Hochsch. Berlin, 1934. Lebenslauf.

NM 0920775 ICRL

Myer, James Edson, 1897– joint author.

National lumber manufacturers' association.
... The cost of comfort; a handbook on the economics of dwelling insulation ... Washington, D. C., National lumber manufacturers association [°1928]

Myer, James Edson, 1897–
... Electrical resistance of wood with special reference to the fiber saturation point, by J. E. Myer and L. W. Rees ... Syracuse, N. Y., University, 1926.
22 p. diagrs. 23cm. (On cover: [New York state college of forestry at Syracuse university. Technical publication no. 19)
Bibliography: p. 15.

1. Wood [technology] I. Rees, Louis William, 1895– joint author.
Agr 27–733
Library, U. S. Dept. of Agriculture 99.9N486T no. 19

NM 0920777 DNAL OrU MoU NcD NcRS NN MH-A PP

620.12 M99r [Myer, James Edson] 1897–
Report of tests on timber joints, employing Teco timber connectors. Tests made at George Washington university, conducted under the auspices of the National lumber manufacturers association, American forest products industries [and] Timber engineering company. Washington, D.C., 1938.
30 l. plates.

Mimeographed.
The tests were made by C. E. Cook, the materials were prepared by J. H. Carr, jr. and J. E. Myer, the reports were prepared by J. E. Myer. cf. note on leaf 2.
"Teco timber connectors" is a trade name used by the Timber engineering company.

NM 0920779 IU

Myer, James Edson, 1897–
... The structure and strength of four North American woods as influenced by range, habitat, and position in the tree, by J. Edson Myer ... Syracuse, N. Y., New York state college of forestry at Syracuse university, 1930.
39 p. 23cm. (New York state college of forestry at Syracuse university. Technical publication no. 31)
Bulletin vol. III, no. 2—b.

1. Wood [technology]
Agr 31–277
Library, U. S. Dept. of Agriculture 99.9N486T no. 31

NM 0920780 DNAL OrU NNBG NcD NcRS MoU MH-A PU

Myer, Jesse Shire, 1873–1913, comp.
Life and letters of Dr. William Beaumont, including hitherto unpublished data concerning the case of Alexis St. Martin, by Jesse S. Myer ... with an introduction by Sir William Osler ... with fifty-eight illustrations. St. Louis, C. V. Mosby company, 1912.
3 p. l., ix–xxv, 317 p. front. (port.) illus. (incl. ports., facsims.) 23½cm. $4.00
"Literature references and abstracts of cases of gastric fistulæ prior to that of St. Martin": p. 299–303.
"Summary of literature consulted": p. 304–306.

1. Beaumont, William, 1785–1853. 2. St. Martin, Alexis, 1797?–1880.
13—23850
Library of Congress R154.B35M8
Copyright A 357503 [s25e1]

NN ICRL NcD-MC
ICN NcU-H OClW-H PPWI MiU OO ViU FU-HC DNLM ICJ
NM 0920781 DLC OrU CaBVaU CLSU KU-M TxU TU NcD

R154 B35M8 1939 Myer, Jesse Shire, 1873-1913, comp.
Life and letters of Dr. William Beaumont. With an introduction by Sir William Osler. St. Louis, C. V. Mosby, 1939.
xiii-xxxi, 327p. illus.(1 col.) 24cm.
"Literature references and abstracts of cases of gastric fistulae prior to that of St. Martin": p.308-312.
"Summary of literature consulted": p.313-315.

NM 0920782 NBuG NBuU Vi PPHa MH

Myer, Jesse Shire, 1873–1913, comp.
A new print of Life and letters of Dr. William Beaumont, by Jesse S. Myer ... with an introduction by Sir William Osler ... St. Louis, The C. V. Mosby company, 1939.
3 p. l., xiii–xxxi, 327 p. front. (port.) illus. (incl. ports., facsims.) double col. pl. 23½cm.
"Literature references and abstracts of cases of gastric fistulae prior to that of St. Martin": p. 308–312; "Summary of literature consulted": p. 313–315.

1. Beaumont, William, 1785–1853. 2. St. Martin, Alexis, 1797?–1880.
39—16649
Library of Congress R154.B35M8 1939
——— Copy 2.
Copyright A 128903 [41e2] 926.1

FMU ICJ OCU OU CtY PSC MiU-C
NM 0920783 DLC OrCS OrU-M CaBVaU FU-HC ViU NcD-MC

Myer, Jesse William, 1885–

U. S. *Bureau of reclamation.*
... Description of the office system and the filing system of the Mails and files section, Washington office—Bureau of reclamation. J. W. Myer and J. C. Beveridge jr. July, 1927. Washington, U. S. Govt. print. off., 1927.

Myer (John C) and son.
Expanding four units for modern typography. Philadelphia, n.d.
112 p.

NM 0920785 PPF

Myer, John Nicholas, 1897–
Accounting technique, a brief college course. New York, 1948.
xi, 308 p. 25 cm.

1. Accounting.
HF5635.M9894 657 48–19374*

NM 0920786 DLC PPFRB WaT PSt

657 M9918a 1948r Myer, John Nicholas, 1897–
Accounting technique, a brief college course. New York, Published by the author, 1951 [c1948]
xi, 308p. 25cm.
"Fourth printing ... 1951."

1. Accounting.

NM 0920787 TxU DLC

Myer, John Nicholas, 1897–
Financial statement analysis; principles and technique, by John N. Myer ... New York, The author, 1939.
xvii, [1], 270 p. incl. front. (facsim.) tables, diagrs., forms. 25½cm.
Photoprinted.
"Preliminary edition of a larger work now in preparation ... prepared as a provisional text for the course Accounting 260 in City college."—Pref.

1. Financial statements. I. Title.
39–11980
Library of Congress HF5681.B2M9 1939
——— Copy 2.
Copyright A 128209 [3] 657

NM 0920788 DLC TU PU-W

Myer, John Nicholas, 1897–
Financial statement analysis, principles and technique, by John N. Myer ... New York, Prentice-Hall, inc., 1941.
xii p., 1 l., 257 p. incl. tables (1 fold.) diagrs., forms. 23½ cm.
HF5681.B2M9 1941
——— Problems and questions ... New York, Prentice-Hall, inc., 1941.
3 p. l., 40 p., 1 l. tables (part fold.) 27½ x 21½ cm.
HF5681.B2M9 1941a
——— Solutions to problems and answers to questions ... New York, Prentice-Hall, inc., 1942.
1 p. l., 76 p. diagrs. 24 cm.
Reproduced from type-written copy.
1. Financial statements. I. Title.
41—25270
Library of Congress HF5681.B2M9 1941b
[a50r43z2] 657

CaBVaU OrU OrCS OrSaW WaSpG
NM 0920789 DLC MH-BA NmC ViU OU ODW OCl CU PU PHC

Myer, John Nicholas, 1897–
Financial statement analysis, principles and technique. 2d ed. New York, Prentice-Hall, 1952.
272 p. illus. 24 cm.

1. Financial statements. I. Title.
HF5681.B2M9 1952 *657.3 52–8612 ‡

TxU CU NBuU OU PCtvL
NM 0920790 DLC WaS CaBVaU MtBC MtU OrCS Wa OU

Myer, John Nicholas, 1897–
Studies in the philately of Columbia; to which are appended the first postal law of the stamp era and decree in execution thereof. New York, 1940.
86 p. illus.

Includes bibliography.

1. Postage-stamps—Colombia.
2. Postal service—Colombia.

NM 0920791 CaOTP NN MiD DPU OCl MB

Myer, John Walden.
... The Gothic revival in New York [by] John Walden Myer. New York, Museum of the City of New York, 1940.
50-59 p. 23.5 cm. (Museum of the city of New York. Bulletin, v. III, no. 5, April 1940.

NM 0920792 NcD

Myer, Joseph Charles, 1893–1934.
New York C. P. A. theory questions with answers, by Joseph C. Myer ... Brooklyn, N. Y., Standard text press [°1933]
512 p. 23½cm.
"Includes all of the questions that have been asked on the theory part of each New York C. P. A. examination from November 1915 through April 1933."—Pref.

1. Accounting—Examinations, questions, etc. I. Title.
33–32206
Library of Congress HF5661.M8
——— Copy 2.
Copyright A 66868 [2] 657.0761

NM 0920793 DLC MB NcD Or

VOLUME 403

Myer, Joseph Charles, 1893–1934.
New York C. P. A. theory questions with answers, by Joseph C. Myer ... revised and supplemented by Andrew Nelson ... Brooklyn, N. Y., Standard text press [©1938]
640 p. 23½ cm.
"Includes all of the questions that have been asked on the theory part of each New York C. P. A. examination from November 1915 through April 1933."—Pref.
1. Accounting—Examinations, questions, etc. I. Nelson, Andrew. II. Title.
Library of Congress HF5661.M8 1938 39—30081
[a51d½] 657.076

NM 0920794 DLC WaS

Myer, Joseph Charles, 1893–1934.
New York C. P. A. theory questions with answers, by Joseph C. Myer ... revised and supplemented by Andrew Nelson ... and Jacob Sobelsohn ... New York, N. Y. [Standard text press, 1941]
640 p. incl. diagr., forms. 23½cm.
"Sobelsohn C. P. A. examinations training course."
"Classifies and answers the questions from the 40th examination held in November 1915 through the 84th examination held in October, 1937."—p. 5.
"First printing, October, 1933 ... fourth printing, July, 1941."
1. Accounting—Examinations, questions, etc. I. Nelson, Andrew. II. Sobelsohn, Jacob. III. Title.
Library of Congress HF5661.M8 1941 41–15258
[3] 657.076

NM 0920795 DLC MB ViU

Myer, Joseph Charles, 1893–
New York C. P. A. theory questions with answers Rev. and supplemented by Andrew Nelson and Jacob Sobelsohn. New York, Sobelsohn C. P. A. Examinations Training Course [©1946]
640 p.
"Includes all of the questions that have been asked on the theory part of each New York C. P. A. examination from November 1915 through October 1937."-Pref.

NM 0920796 MiD

Myer, Joseph Charles, 1893–1934.
New York C. P. A. theory questions with answers, by Joseph C. Myer, Andrew Nelson [and] Jacob Sobelsohn. New York, Standard Text Press [1950]
740 p. diagr. 24 cm.
"Classifies and answers questions from the 40th examination held in November, 1915 through the 84th examination held in October, 1937."
1. Accounting—Examinations, questions, etc. I. Title.
HF5661.M8 195/ 657.076 50–13104

NM 0920797 DLC TxU

Myer, Joseph Charles, 1893-1934.
Standard accounting text ... by Joseph C. Myer ... Brooklyn, N. Y., °1927–
v. 23½cm.
Cover-title.
Part of pages blank for "Students' notes".
1. Accounting. I. Title.
28–5042
Library of Congress HF5635.M9895

NM 0920798 DLC

Myer, Joseph Charles, 1893–1934, comp.
The third American check-list of early bookkeeping texts, compiled by Joseph C. Myer ... and Hermann Herskowitz ... [New York, Herskowitz & Herskowitz, 1933]
cover-title, [8] p. 24cm.
Reprinted from the Certified public accountant, April, 1933.
1. Accounting—Bibliography. I. Herskowitz, Hermann, joint comp.
A 34–644
Title from Teachers Col- lege Libr. Printed by L. C.

NM 0920799 NNC-T NN PPD ViU

Myer, Lester Holt.
Screening visual defects in school children. A report by Lester H. Myer... [Philadelphia] 1946.

NM 0920800 PU-Penn

PQ2625 .A5O9 Hebraic Sect.

Myer, Morris, 1879-1944, tr.

Maeterlinck, Maurice, 1862–1949.
דער בלויער פייגעל. (L'oiseau bleu); צויבערשפיעל אין 5 אקטען און 10 בילדער. איבערזעצט פון פראנצויזישן ארגינאל פון מאררים מייער. לאנדאן, ארויסגעגעבען פון ענגליש יודישען פערלאג. [London, 1910.

Myer, Morris, 1879–1944.
[Dzhordzsh Eliot]
דזשארדזש עליאָט; די ענגלישע נביאה פון דער רענעסאנס פון אידישען פאלק. פון מאררים מייער.
George Eliot; the English prophetess of the renaissance of the Jewish nation. London, Jewish Times, 1920.
98 p. 23 cm.
In Yiddish.
1. Eliot, George, pseud., i. e. Marian Evans, afterwards Cross, 1819–1880. Daniel Deronda. 2. Jews in literature.
PR4658.M9 73–204306

NM 0920802 DLC

Myer, Nathanial.
[Diary of Nathaniel Myer, Towa to the Rogue river valley, Oregon] March 21 to Oct. 4, 1853.
20 l.
Typed copy. Original in Spencer Collection".
1. Overland journeys to the Pacific.

NM 0920803 OrU

Myer, Newton A 1863–
"Recollections of an eventful life," by Newton A. Myer. For the Leader-mail, Granby, Thursday May 22, 1941. [London? Ont., 1941?]
1 p. l., 20 numb. l. 29cm.
Type-written (carbon) copy made by Edwin Seaborn from the newspaper clipping.
I. Seaborn, Edwin, 1872–
42-20776
Library of Congress CT294.M8A3

NM 0920804 DLC

Myer, Oscar N
The language of handwriting and how to read it; with 70 tables and 350 handwriting samples. New York, Stephen Daye Press [1951]
207 p. illus. 25 cm.
1. Graphology. I. Title.
BF891.M87 137.7 51–12691 ‡

WaSp
NM 0920805 DLC CaBVa CaBViP AU CLSU MB Or IdB

Myer, Reginald.
Chats on old English tobacco jars [by] Reginald Myer; with an introduction by Charles R. Beard; together with a reprint of a book on the Westminster tobacco box, published in 1824. London, S. Low, Marston & co., ltd. [1930]
xvi, 111 p., 1 l., [18] p. plates. 25½cm.
The reprint has title (reproduced in facsimile): Representations of the embossed, chased, & engraved subjects and inscriptions, which decorate the tobacco box and cases, belonging to the Past overseers society, of the parishes of St. Margaret and St. John the Evangelist, in the city of Westminster. London, I. Clark, 1824.
1. Tobacco jars and boxes. I. Past overseers' society of the parishes of St. Margaret and St. John the Evangelist in the city of Westminster. II. Title. III. Title: The Westminster tobacco box. IV. Title: Representations of the ... subjects and inscriptions, which decorate the tobacco box and cases belonging to the Past overseers society.
Library of Congress NK9507.M9 31–9499
[3] 739

NM 0920806 DLC OrP ICN NN MH

NK9507 M9

Myer, Reginald
Chats on old English tobacco jars [by] Reginald Myer; with an introduction by Charles R. Beard; together with a reprint of a book on the Westminster tobacco box, published in 1824 Philadelphia, J. B. Lippincott [1930]
xvi, 111 p., 1 l., [18] p. plates. 26 cm.
The reprint has title (reproduced in facsimile): Representations of the embossed, chased, & engraved subjects and inscriptions, which decorate the tobacco box and cases, belonging to the Past overseers society, of the parishes of St. Margaret and St. John the Evangelist, in the city of Westminster. London, I. Clark, 1824.

NM 0920808 RPB NcRS PP MWA OCl OClWHi

Myer, Violet Frances.
Subject requests referred by Branches to the Branch reference-interloan department of the Queens Borough public library (July-Nov. 1938); submitted to the Union examination board in partial fulfillment of the requirements for promotion to grade 4, September, 1939. [New York] 1939.
88 l. illus. pl.
Typewritten.
Bibliography: l. 88.
1. Library science. 2. Libraries. Reference dept. 3. Queens Borough public library. I. Title.

NM 0920809 NJQ

Myer, Walter Evert, 1889-1955 joint author.
FOR OTHER EDITIONS SEE MAIN ENTRY
Brown, William Bartholomew, 1904–
America in a world at war [by] William B. Brown ... Maxwell S. Stewart ... [and] Walter E. Myer ... New York, Chicago [etc.] Silver Burdett company [1943]

AP2 .A3973

Myer, Walter Evert, 1889-1955, ed.
The American observer. v. 1–
Sept. 9, 1931–
Washington, D. C. [Civic education service] 1931–

Myer, Walter Evert, 1889–
America's greatest challenge, by Walter E. Myer and Clay Coss. Washington, Civic Education Service, 1952.
215 p. illus. 21 cm.
1. Civics. 2. U. S.—Soc. condit. I. Coss, Clay, joint author. II. Title.
H83.M85 323.65 52—12279 ‡

PPPL
OU PPCuP PIm AAP CaBVaU IdPI MtU Or OrMonO OrP WaT
NM 0920812 DLC ViU IEN KEmT N NcC CU NN TU PP OO

Myer, Walter Evert.
Conflicts in American public opinion. Chic., Amer. library assoc. 1925.
28 p.

NM 0920813 PU

Myer, Walter Evert, 1889–
Education for democratic survival, by Walter E. Myer ... and Clay Coss ... Washington, D. C., Civic education service, 1942.
3 p. l., v–xi, 264 p. pl. 21cm.
"Where to go for facts and ideas": p. 151–264.
1. World war, 1939– —U. S. 2. Education—U. S. 3. Reconstruction (1939–)—U. S. 4. Reconstruction (1939–)—Bibl. I. Coss, Clay, joint author. II. Civic education service, Washington, D. C. III. Title.
Library of Congress D810.E3M9 42-22676
[10] 940.5314473

PHC
PSt NBuU PPCCH NcGU NcRS NcC OCl OCU OU WaU ICJ
NM 0920814 DLC CaBVaU OrPS OrU MtU Or CaBVa IdU

VOLUME 403

Myer, Walter Evert, 1889- ed.

The Junior review ... v. 1- Sept. 10, 1928-

Washington, D. C. ⌈The Civic education service⌉ 1928-

Myer, Walter Evert, 1889-
Making democracy work; how youth can do it, by Walter E. Myer ... and Clay Coss ... Drawings by Kermit Johnson ... Washington, D. C., The Civic education service ⌈1939⌉
86 p. illus. 23ᶜᵐ.
Includes bibliographies.

1. Citizenship—Study and teaching. I. Coss, Clay, joint author. II. Civic education service, Washington, D. C. III. Title.
41-22012
Library of Congress JK1759.M95

NM 0920816 DLC OCl IU NN PPPL

Myer, Walter Evert.
...The presidential campaign of 1860 in Illinois...by Walter E. Myer. ⌈Chicago,⌉ 1913. iv, 63 f. 4°.
Dissertation, Chicago, 1913.
Mimeographed.
Bibliography, f. 62-63.

1. United States—Politics, 1860. 2. Illinois—Politics, 1860.
N. Y. P. L. December 27, 1926

NM 0920817 NN IU

Myer, Walter Evert, 1889-
The promise of tomorrow; the long, sure road to national stability, family security, and individual happiness, by Walter E. Myer ... and Clay Coss ... Washington, D. C., Civic education service, 1938.
xvi, 541 p. front. 23½ᶜᵐ.
Includes bibliographies.

1. Success. 2. Occupations. 3. Profession, Choice of. I. Coss, Clay, joint author. II. Title.
38-31032
Library of Congress HF5386.M87
——— Copy 2.
Copyright A 121833 ⌈5⌉ 371.425

PP MtU OCl OLak OU NN ViU
NM 0920818 DLC MtU OrCS WaTC OrPR KEmT NcD NcRS

Myer, Walter Evert, 1889-1955
Thoughts along the way. Washington, Hugh Birch-Horace Mann Fund, National Education Association of the United States ⌈1953⌉
222 p. 21 cm.

1. Conduct of life. 2. Youth. I. Title.
BJ1661.M95 *179 170 53-12617 ‡

NM 0920819 DLC CLU KEmT TxU Or WaSpG

Myer, William Edward, 1862-1923.
Indian trails of the Southeast, by William E. Myer.
(*In* U. S. Bureau of American ethnology. Forty-second annual report ... 1924/25. Washington, 1928. 29½ᶜᵐ. p. 727-857. pl. 14-17 (maps, part fold.))
Bibliography: p. 855-857.

1. Indian trails. I. Title.
28-29810
Library of Congress E51.U55 42d
——— Copy 2. GN2.U5 42d

NM 0920820 DLC WaS CaBVaU CaBViPA ViU ICJ

Myer, William Edward, 1862-1923.
Relation of schools to development of the resources of Tennessee. [n.p., 1910?]
8 p. 23 cm.
1. Education. Tenn. 2. Tennessee. Econ. condit. I. Title.

NM 0920821 T

Myer, William Edward, 1862-1923.
Two prehistoric villages in middle Tennessee, by William Edward Myer.
(*In* U. S. Bureau of American ethnology. Forty-first annual report ... 1919/24. Washington, 1928. 29½ᶜᵐ. p. 485-614. illus., pl. 95-137 (part col.; incl. fold. map) on 23 l.)

1. Tennessee — Antiq. 2. Indians of North America — Tennessee. I. Title.
29-4548
Library of Congress E51.U55 41st

NM 0920822 DLC WaS CaBVaU CaBViPA ViU ICJ

HG2424
.M87
Myer, William G
Banks--banks, national: Federal decisions. Cases argued and determined in the Supreme, circuit and district courts of the United States. Comprising the opinions of those courts from the time of their organization to the present date, together with extracts from the opinions of the Court of Claims and the attorneys-general... St. Louis, Gilbert Book Co., 1884.
p. 57-372. 26 cm.

"This volume comprises a part of volume III of our forthcoming work of Federal decisions."--p.57.
Binder's title: Myer's U.S. cases on banks.

1. Banks and banking--U.S.--Cases.

NM 0920824 TU

Myer, William G., ed.

Missouri. *Constitution.*
The constitution of the state of Missouri. 1875. <Annotated by Wm. G. Myer ...> ... St. Louis, Mo., W. J. Gilbert, 1875.

Myer,William G
A digest of the Texas reports. Embracing the opinions in Dallam;volumes 1 to 51 inclusive of the Texas reports;and the first seven volumes of the Court of appeals reports. By William G.Myer ... St.Louis,Mo.,W.J.Gilbert,1881-83.
2 v. 26cm.

1.Texas--Reports,digests,etc. I.Texas. Courts.

NM 0920826 ICU PPB NcD OU PU-L

Myer, William G.
Federal decisions. Cases argued and determined in the Supreme, Circuit, and District courts of the United States
see under U.S. Courts.

Myer, William G.

Whittelsey, Charles Chauncey, 1819-1875.
General practice in civil actions in courts of record in the state of Missouri. By Charles C. Whittelsey ... St. Louis, Mo., W. J. Gilbert, 1870.

Myer, William G.

Green, Thomas Andre, *b.* 1840.
A general treatise on pleading and practice in civil proceedings at law and in equity under the code system. Designed for the use of the active practitioner in all states and territories in which the code system has been adopted. By T. A. Green ... With head notes, contents and index, compiled by Wm. G. Myer ... St. Louis, Mo., W. J. Gilbert, 1879.

Myer, William G
An index to the later Missouri reports. Including volumes 50 to 60 & the first 100 pages of vol. 61. By William G. Myer ... St. Louis, W.J. Gilbert, 1876.
196 p. 14.5 cm.
Interleaved.

NM 0920830 NcD

Myer, William G.

U. S. *Supreme court.*
An index to the reports of the Supreme court of the United States, embracing all the reported decisions of the court from its organization to the present date. By Wm. G. Myer ... St. Louis, Mo., W. J. Gilbert, 1878.

Myer, William G.
Missouri addendum to Green's Pleading and practice. By William G. Myer ... St. Louis, Mo., W. J. Gilbert, 1880.
2 p. l., ⌈591⌉-597, ⌈601⌉-726 p. 23½ᶜᵐ.

1. Code pleading — Missouri. 2. Civil procedure — Missouri. I. Green, Thomas Andre, 1840- A general treatise on pleading and practice. II. Title.
33-34730

NM 0920832 DLC

Myer, William G.

Missouri. *Laws, statutes, etc.*
The statutes of the state of Missouri. To which are prefixed the constitutions of the United States and the state of Missouri. With notes, references and an index. Compiled by David Wagner ... 3d ed. Containing the acts of 1871-2. St. Louis, W. J. Gilbert, 1872.

Myer, William G.
Vested rights. Selected cases and notes on retrospective and arbitrary legislation affecting vested rights of property. By William G. Myer ... St. Louis, Mo., The Gilbert book company, 1891.
xxxix, 734 p. 26ᶜᵐ.

1. Vested rights.
15-17017

NM 0920834 DLC NcD PPB DN ViU-L MH WaU-L

Myer, William Henry, 1886-
... Establishing and operating a metal working shop. Prepared by William H. Myer and associates: William L. Beck, Howard E. Way and O. Schreiner, jr., under the direction of H. B. McCoy, the Bureau of foreign and domestic commerce ... In co-operation with members of the metal working industry. ⌈Madison, Wis.⌉ United States Armed forces institute ⌈1944⌉
x, 226 p. illus. (incl. map) diagrs. 23ᶜᵐ. (⌈U. S.⌉ War dept. Education EM 992)

1. Machine-shops. 2. Metal-work. I. Beck, William Lloyd, 1898- joint author. II. Way, Howard Elmore, 1898- joint author. III. Schreiner, Oswald, 1910- joint author. IV. U. S. Bureau of foreign and domestic commerce.
46-26335
Library of Congress TJ1135.M8 1944
⌈3⌉ 621.792

NM 0920835 DLC PSt PPD

Myer, William Henry, 1886-
... Establishing and operating a metal working shop ... Prepared by William H. Myer and associates: William L. Beck, Howard E. Way and O. Schreiner, jr., under the direction of H. B. McCoy ... Washington, D. C., U. S. Govt. print. off. ⌈1945⌉
vii, 202 p. incl. illus. (incl. plans) forms. 23 cm. (U. S. Bureau of foreign and domestic commerce. Industrial series no. 16)
At head of title: United States Dept. of commerce ... Bureau of foreign and domestic commerce ...
"Originally prepared as an education manual for the War department."

Continued in next column

VOLUME 403

Continued from preceding column

First of the Small business manuals to be released to the public. cf. p. [2] of cover.

1. Machine-shops. 2. Metal-work. I. Beck, William Lloyd, 1898– joint author. II. Way, Howard Elmore, 1898– joint author. III. Schreiner, Oswald, 1910– joint author. IV. Title: Small business manuals.

T7.U62 no. 16 621.792 45—36259

CaBVa WaS OC1U
NM 0920837 DLC WaT MB OCU OCl WaSp TxU OrP OrCS

T7 .U62 no. 24

Myer, William Henry, 1886–

FOR OTHER EDITIONS SEE MAIN ENTRY

Toboldt, William King, 1895–
... Establishing and operating an automobile repair shop ... Prepared by W. K. Toboldt, in cooperation with William H. Myer, Etteline Flehr, and O. Schreiner, jr., under the direction of H. B. McCoy ... With the assistance of members of the automotive industry. Washington, D. C., U. S. Govt. print. off. [1946]

[Myer, William Henry] 1886–
... Iron and steel industry and trade of Canada ... Washington, U. S. Govt. print. off., 1929.
ii, 16 p. incl. tables. 24cm. (U. S. Bureau of foreign and domestic commerce (Dept. of commerce) Trade information bulletin, no. 665)
At head of title: U. S. Department of commerce. R. P. Lamont, secretary. Bureau of foreign and domestic commerce. William L. Cooper, director.
"By W. H. Myer, assistant chief, Iron and steel division."—p. 1.
1. Iron industry and trade—Canada. 2. Steel industry and trade—Canada.
29-27484
Library of Congress HF105.C285 no. 665
——— Copy 2. HD9524.C2M8

NM 0920839 DLC PP MiU OCl OU

Myer, William W.
Report of a case occuring at the U.P. Maternity. Phil., ... 1894.

NM 0920840 PU

Myerberg, Herbert.
The practical aspects of divorce practice. [Baltimore] Daily Record Co., 1951.
104 p. 24 cm.
1. Divorce suits—Maryland. I. Title.
[173.1] 392.5 52—23427 ‡

NM 0920841 DLC

Myerberg, Michael.
"Dear Judas;" a play from the epic poems by Robinson Jeffers, freely adapted for the stage ... [n. p., n. d.] 21, 12 f. 28cm.
Typescript.
Produced 5 October 1947 at the Mansfield theater, New York.
1. Drama, American. 2. Jesus Christ—Drama. I. Jeffers, Robinson, 1887– . Dear Judas. II. Title.

NM 0920842 NN

FILM 13798 PS

Myerberg, Michael.
"Dear Judas", a play [in 2 acts] freely adapted for the stage by Michael Myerberg, from the epic poem by Robinson Jeffers. New York [c1947]
2 v. on 1 reel. On film(negative)
Microfilm. Original in possession of the author.

NM 0920843 CU

Myerholtz, Peter.
A saga of the Black swamp, by Peter Myerholtz. Philadelphia, Dorrance & company [c1936]
202 p. 19½cm.
I. Title.
36-6666
Library of Congress PZ3.M989848Sag

NM 0920844 DLC

Myerle, David.
Statement of the case of David Myerle, before Congress. Washington, 1847.
40 p.

NM 0920845 MiD-B

Myerovitch, Moses.
The origin of polar motion, a new theory, by which the polar motion is proven to be the repulsive power of molecules. Chicago: Rosenberg Bros., 1890. 2 p.l., 32 p. 8°.
Published as "Sample-copies of a few chapters" of a work entitled, "Origin of Polar motion."
1. Matter.—Theory of.
N. Y. P. L. February 3, 1911

NM 0920846 NN DLC MH

Myers,
The operations of May 12, and those of May 14-18, at Spottsylvania.
29316

NM 0920847 DNW

Myers, A.
Diary of a journey to the Siskowit and other copper mines in 1851, including ameeting with Charlotte Cushman.
Ms.

NM 0920848 PHi

PE1130 .H5B37

Myers, A.

Bentwich, Joseph Solomon, 1902–
English exercises for Hebrew-speaking students, by J. S. Bentwich, M. Diengott [and] A. Myers. Haifa, Beth Sefer Reali, 1930.

[Myers, *Mrs.* A A]
Mountain white work in Kentucky. New York, American missionary association [1883?]
cover-title, [3]-7 p. 23cm.
A paper read at the woman's meeting of the American missionary association, Oct. 31, 1883.
3-31789

NM 0920850 DLC

Myers, A. B., supposed comp.
Apples of gold in pictures of silver
see under Roberts, Edward.

Myers, A. F.
... Bible school songs ... [Toledo, O.] c1902.
[162] p. 21 cm.

NM 0920852 RPB NNUT

-VM 2198 M 99L 1892

MYERS, A F
The life line; a choice collection of new and standard gospel songs adapted for use in Christian endeavor, Epworth leagues, Young people's Christian union, and all young people's societies, camp meetings, revival meetings, and all social meetings... Toledo,O.,W.W.Whitney co.,c1892.
80p. 21cm.

NM 0920853 ICN

Warr. 1899

Myers, A F
The new century carols; a collection of songs for Sunday Schools, Young People's societies, Sunday-evening congregations, and all religious services. Edited by A. F. Myers. 8th ed. Dayton, O., United Brethren Publishing House, 1899.
192 p. 21 cm.

NM 0920854 PPiPT OCl

-VM 2193 M 99s 1894

MYERS, A F
The search light, a collection of songs for Sunday schools and gospel meetings... Toledo,O., W.W.Whitney co.,1894.
192p. 20cm.

NM 0920855 ICN DLC MiU OO MBU-T KMK OrU

32

Myers, A. F.
The seed sower. A collection of songs for Sunday schools and gospel meetings. [Toledo, O. the W. W. Whitney co., 1897]
192 p. 8°.

NM 0920856 DLC

Myers, A J
see Meyers, A J

Myers, A. J. William
SEE
Myers, Alexander John William, 1877-

93.31 M99

Myers, A L
Apple growing in the United States. New York, Chilean nitrate of soda educational bureau [1925?]
35 p.
1. Apple. 2. Sodium nitrate. Effect on aples. I. Chilean nitrate of soda educational bureau, inc.

NM 0920859 DNAL NcRS

L916.75 M996c

[Myers, A Lionel] ed. and comp.
Le Congo belge d'aujourd'hui: progrès au Katanga. The Congo Belge of today: progress in Katanga. Johannesburg, Argus Print. & Pub. Co. [191_?]
48p. illus. 37cm.
1.Katanga, Belgian Congo. I.Title.

NM 0920860 IEN

L967 M996e

Myers, A Lionel, ed.
East Africa of today; a fully illustrated record of progress in Kenya, Uganda, Zanzibar, Tanganyika Territory, Nyasaland and Portuguese East Africa. [London, J. Bale, 1928]
144p. illus. 33cm.
1. Africa, East. Descr. & trav. Views. I. Title.

NM 0920861 IEN DLC-P4

VOLUME 403

Myers, Aaron Howard, 1904–
The administration of municipal sinking funds in New York state, by A. Howard Myers ... Albany, N. Y., 1933.
cover-title, 40 p. 23cm. (Publication no. 20. New York state conference of mayors and other municipal officials, Bureau of training and research)
Thesis (PH. D.)—Columbia university, 1933.
Vita.
Bibliography: p. 38–40.
1. Sinking-funds—New York (State) 2. Municipal finance—New York (State) 3. Municipal government—New York (State) I. Title: Municipal sinking funds in New York state.
33-29387
Library of Congress JS303.N7N4 no. 20
Columbia Univ. Libr. [3] (352.0747) 352.109747
NM 0920862 NNC NNU-W ViU MiU PU DLC

Myers, Aaron Howard, 1904– petitioner.
U. S. *Supreme court.*
... Injunctions against National labor relations board. Opinions of the Supreme court of the United States in the cases of A. Howard Myers, et al., petitioners, *vs.* Bethlehem shipbuilding corporation, ltd. A. Howard Myers, et al., petitioners, *vs.* Charles MacKenzie, et al. and in the case of Newport News shipbuilding and dry dock company, petitioner, *vs.* Bennett F. Schauffler, individually and as regional director for the fifth region National labor relations board, et al. relating to the power of federal District courts to issue injunctions against the National labor relations board ... Washington, U. S. Govt. print. off., 1938.

Myers, Aaron Michael.
British and American staging of Shakespeare. n.p., 1937.
7 p.
NM 0920864 PPT

Myers, Aaron Michael.
Representation and misrepresentation of the Puritan in Elizabethan drama ... [by] Aaron Michael Myers. Philadelphia, 1931.
151 p. 23½cm.
Thesis (PH. D.)—University of Pennsylvania, 1931.
Bibliography: p. 146–151.
1. Puritans. 2. English drama—Early modern and Elizabethan—Hist. & crit.
31-21868
Library of Congress PR658.P9M8 1931
Univ. of Pennsylvania Libr.
——— Copy 2. [2] 822.309
NcD OClW CoU MB DFo NcRS DLC TU OBlC-M KEmT NNC NcU MtU IdU WaTC OrCS OrU
NM 0920865 PU PHC PSC MiU OCl OU NIC ViU NjR TU

Myers, Abraham C., 1811?–1889.
Confederate States of America. *War dept.*
[Report from the quartermaster general with regard to the number of quartermasters on duty in the city of Richmond. Richmond, 1863]

Myers, Abraham Linford.
... The use of the adjective as a substantive in Horace, by Abraham Linford Myers ... Lancaster, Pa., Press of the New era printing company, 1919.
1 p. l., 61 p. 23cm.
Thesis (PH. D.)—University of Pennsylvania, 1919.
1. Horatius Flaccus, Quintus. 2. Latin language—Adjective.
20-529
Library of Congress PA6439.M8 1919
Univ. of Pennsylvania Libr.
IdU MtU NcU CU NIC
NM 0920867 PU CSt InU MBU MH OU WaU PHC MiU DLC

HD2780 .A4A6 1926 a
Myers, Abram Fern.
U. S. *Dept. of justice.*
... Aluminum company of America. Report of the special assistant to the attorney general, William R. Benham, together with memorandum of the special assistant to the attorney general John L. Lott, and memorandum of law by special assistant to the attorney general Abram F. Myers concerning alleged violation by the Aluminum company of America of the decree entered against it in the United States District court for the western district of Pennsylvania on June 7, 1912 ... Washington, Govt. print. off., 1926.

Myers, Addison B.
... Army of the frontier
see under title

820.7 M996ba
Myers, Adolph.
Basic and the teaching of English in India. Bombay, Published for the Orthological Institute, Cambridge, by the Times of India Press, 1938.
375 p. illus.
Includes bibliography.
1. English language--Study and teaching--Indic students. 2. Basic English. I. Title.
NM 0920870 MiU

Myers, Agnes.
A King is born, retold by Agnes Myers; pictures by Irwin Myers. New York, Grosset & Dunlap, inc., °1938.
[19] p. illus. (part col.) 21 x 24½cm.
Illustrated t.-p. and lining-papers.
1. Jesus Christ—Nativity—Juvenile literature. I. Myers, Irwin, illus. II. Title.
38-20149
Library of Congress BT315.M8
——— Copy 2.
Copyright AA 271615 [2] 232.92
NM 0920871 DLC

HD5725 .C2M8
Myers, Al S
Al S. Myers presents a practical idea for the immediate relief of the unemployed ... Sierra Madre [Calif.] Idea headquarters [c1934]
cover-title, 16 p. illus. (port.) 20 cm.
NM 0920872 DLC

Myers, Albert Cook, 1874–
The boy George Washington, aged 16; his own account of an Iroquois Indian dance, 1748, by Albert Cook Myers ... Philadelphia, A. C. Myers, 1932.
6 p. l., 79 p. front., plates, ports., facsims. 20cm.
The account was taken from the Journal of 1748, preserved in the collection of Washington papers in the Library of Congress.
"In commemoration of the two hundredth anniversary of the birth of George Washington, 1732–1932."
1. Washington, George, pres. U. S.—Itineraries. 2. Iroquois Indians. 3. Indians of North America—Dances. I. Title.
32-33668
Library of Congress E312.2.M98
——— Copy 2.
Copyright A 58091 [3] 923.173
NM 0920873 DLC PSC RPJCB PPAmSwM MB PHi PU PBm OU

Myers, Albert Cook, 1874–
Brief catalogue of historical paintings relics as discplayed by the Historical Society of Pennsylvania. Phila., 1918.
3 p.
NM 0920874 PHi

Myers, Albert Cook. 1874– No. 3 in *Map 20.9
The colonies in 1660. Virginia, Maryland, and the Dutch and Swedish settlements on the Delaware showing extent and dates of settlement.
= Cleveland, Ohio. The Burrows Brothers Co. 1905. Size, 10 X 7⅛ inches. Scale (computed), 26⅝ miles to 1 inch.
Submaps. — 1. Settlements along the Delaware River. 2. Settlements
Specimen illustration from A history of the United States and its people, along the James River.
by Elroy McKendree Avery [*4321.151.2].
G7440 — American Colonies. Geog. Maps.
NM 0920875 MB PHi

Myers, Albert Cook, 1874–
A contribution to Pennsylvania bibliography. Philadelphia, 1909
see Pennsylvania History Club, Philadelphia.
List of members with their historical bibliographies ...

Myers, Albert Cook, 1874–
First Map of Penna. under William Penn, 1681. (Black on white print)
NM 0920877 PWcHi

Myers, Albert Cook, 1874– 2389a.269
For soldiers, sailors, marines. What to see in historic Philadelphia.
= Philadelphia. 1919. 12 pp. Map. [War Camp Community Service Special bulletin.] 16 cm.
Inserted is a ticket for a historical hike about Philadelphia.
L7035 — S.r. — Philadelphia. Descr. Guide-books.
NM 0920878 MB MH PSC PHi

Myers, Albert Cook, 1874–
Gilbert Cope, 1840–1928, historian, genealogist, by Albert Cook Myers. Philadelphia, Pa., The Friends' historical association, 1929.
cover-title, 8 p. ports. 24½cm.
"Reprinted ... from Publications of the Genealogical society of Pennsylvania, vol. x, no. 3, pages 242–249, March, 1929."
"Bibliography of Gilbert Cope": p. 7–8.
1. Cope, Gilbert, 1840–1928. I. Friends' historical association.
41-19273
Library of Congress E175.5.C78
[2] 928.1
NM 0920879 DLC PHC ICN PHi PPAmSwM PPFr MH RPJCB

Myers, Albert Cook, 1874– ed.
Smith, John, 1722–1771.
Hannah Logan's courtship, a true narrative; the wooing of the daughter of James Logan, colonial governor of Pennsylvania, and divers other matters, as related in the diary of her lover, the Honorable John Smith, assemblyman of Pennsylvania and king's councillor of New Jersey, 1736–1752; edited by Albert Cook Myers ... Philadelphia, Ferris & Leach [1904]

Myers, Albert Cook, 1874–
Immigration of the Irish Quakers into Pennsylvania, 1682–1750, with their early history in Ireland, by Albert Cook Myers ... Swarthmore, Pa., The author, 1902.
xxii, 477 p. front., illus., pl., port., facsim., tab. 25½cm.
"Printed from type; edition limited."
Bibliography: p. 434–444.
1. Friends, Society of—Ireland. 2. Friends, Society of—Pennsylvania. 3. Pennsylvania—Geneal.
2-19191
Library of Congress F152.M98
PPT OCIWHi ODW WaS OCl PHC PU MH CU IC PKsL TxU MoU
NM 0920881 DLC NRCR NcGuG NjP NIC CU PPFr MiU

F167 .W48
Myers, Albert Cook, 1874– ed.
Wharton, Walter, *d.* 1679.
Land survey register, 1675–1679, West Side Delaware River, from Newcastle County, Delaware, into Bucks County, Pennsylvania. Now first printed. Edited by Albert Cook Myers. Wilmington, Historical Society of Delaware, 1955.

Myers, Albert Cook, 1874–
Marking the historic sites of early Pennsylvania
see under Pennsylvania. Historical Commission.

VOLUME 403

Myers, Albert Cook, 1874- *ed.*
... Narratives of early Pennsylvania, West New Jersey and Delaware, 1630-1707, ed. by Albert Cook Myers ... New York, C. Scribner's sons, 1912.

xiv p., 2 l., 3-476 p. fold. map, fold. plan, facsim. 23 cm. (*Half-title:* Original narratives of early American history ... general editor, J. F. Jameson)

Series title also at head of t.-p.

CONTENTS.—From the "Korte historiael ende journaels aenteycke-inge," by David Pietersz, de Vries, 1630-1633, 1644 (1655)—Relation of Captain Thomas Young, 1634.—From the "Account of the Swedish churches in New Sweden," by Reverend Israel Acrelius, 1759.—Affidavit of four men from the "Key of Calmar," 1638.—Report of Governor Johan Printz, 1644.—Report of Governor Johan Printz, 1647.—Report of Governor Johan Rising, 1654.—Report of Governor Johan Rising, 1655.—Relation of the surrender of New Sweden, by Governor Johan Clason Rising, 1655.—The epistle of Penn, Lawrie and Lucas, respecting West Jersey, 1676.—The present state of the Colony of West-Jersey, 1681.—Some account of the Province of Pennsylvania, by William Penn, 1681.—Letters from William Penn to the committee of the Free society of traders, 1683.—Letter of Thomas Paschall, 1683.—A further account of the Province of Pennsylvania, by William Penn, 1685.—Letters of Doctor Nicholas More, and others, 1686.—A short description of Pennsylvania, by Richard Frame, 1692.—An historical and geographical account of Pennsylvania and West-New-Jersey, by Gabriel Thomas, 1698.—Circumstanial geographical description of Pennsylvania, by Francis Daniel Pastorius, 1700.—Letter of John Jones, 1725.

1. Delaware river—Hist. 2. New Sweden—Hist.—Sources. 3. Pennsylvania—Hist.—Colonial period—Sources. 4. Delaware—Hist.—Colonial period—Sources. 5. New Jersey—Hist.—Colonial period—Sources. I. Title.

F106.M98 12—4611

Or OrCS CaBVa CaBVaU OrSaW WaSpG WaS OrStbM PWcHi CoU NcRS NcC MtU IdPI IdU OrP OrPR WaWW OrU OCl OCU ODW NjP MiU-C NN MB WaU ViU N NjNbS PPLas
NM 0920886 DLC PPFHi NIC CtY-D TNJ-R DFo PU PV PBm

978.2
M99n

Myers, Albert Cook, 1874- *ed.*
... Narratives of early Pennsylvania, West New Jersey and Delaware, 1630-1707, ed. by Albert Cook Myers ... New York, Barnes & Noble ᶜc1912ᶛ

xiv p., 2 l., 3-476 p. fold. map, fold. plan, facsim. 23 cm. (*Half-title:* Original narratives of early American history ... general editor, J. F. Jameson)

NM 0920887 KEmT

Myers, Albert Cook, 1874- *ed.*
... Narratives of early Pennsylvania, West New Jersey and Delaware, 1630-1707, ed. by Albert Cook Myers ... New York, Barnes & Noble [1953, c1940]

xiv p., 2 l., 3-476 p. fold. map, fold. plan, facsim. 23 cm. (*Half-title:* Original narratives of early American history ... general editor, J. F. Jameson)

Series title also at head of t.-p.

NM 0920888 OU OO MiU

MYERS, ALBERT COOK, 1874-
Philadelphia as William Penn knew it 1684; commemoration of the 250th anniversary of the first arrival, October 24, 1682, of William Penn in America 1682-1932. Prepared for the program committee, Albert Cook Myers, chairman... [Philadelphia, 1932]
Map 45½ x 29½cm. fold. in cover to 30½ x 24½cm.
Scale: 600 feet to 1 5/8 inches.
Map drawn by William Wilson Pollock with the historical collaboration of Albert Cook Myers.

NM 0920889 PU PPL

Myers, Albert Cook, 1874-
Quaker arrivals at Philadelphia, 1682-1750; being a list of certificates of removal received at Philadelphia monthly meeting of Friends, by Albert Cook Myers ... Philadelphia, Ferris & Leach, 1902.

vi, [2], 131 p. 19½cm.

1. Friends, Society of—Pennsylvania. 2. Pennsylvania—Biog. 3. Philadelphia—Biog. I. Friends, Society of. Philadelphia. Monthly meeting. II. Title.

Library of Congress F152.M985 2-15183

InGo NcD PPEB
NM 0920890 DLC MiU OCl PU NN MB PHC WaS PKsL

E
6968
6

MYERS, ALBERT COOK, 1874-
Quaker arrivals at Philadelphia, 1682-1750, being a list of certificates of removal received at Philadelphia monthly meeting of Friends. Philadelphia, Ferris & Leach, 1902.
vi,[2],131p. 18cm.

Xerox copy.

NM 0920891 ICN

Myers, Albert Cook, 1874- ed.
Record of the Court of New Castle
see under New Castle, Del. Court.

Myers, Albert Cook, 1874-
...A relic of the Susquehanna Indians, by Albert Cook Myers.
3 p. front. 24.6 cm.
(Reprinted from Bulletin of Friends' Historical society of Philadelphia, vol. XI, no. 1, Spring, 1922, pp. 29-31, 33-34)
Caption title.
With this is Jenkins, Charles F.: The walking purchase.

NM 0920893 MiU-C MH MWA

Myers, Albert Cook, 1874-
Robert Wade, the Earliest Quaker Settler on the West side of the Delaware River, in 1676, and the First American Bost of William Penn, in 1682.

NM 0920894 PHi

Myers, Albert Cook, 1874- ed.

Wister, Sarah, 1761-1804.
Sally Wister's journal, a true narrative; being a Quaker maiden's account of her experiences with officers of the Continental army, 1777-1778, edited by Albert Cook Myers, with reproductions of portraits, manuscripts, relics and views. Philadelphia, Ferris & Leach [°1902]

Myers, Albert Cook, 1874-
Scotch- Irish Quakers. Phila., 1903.

NM 0920896 PSC-Hi

Myers, Albert Cook, 1874-
Tombstone inscriptions. [Old] Menallen Friends Graveyard in Butler Township, Adams County, Pa., ... Harrisburg, 1898.

NM 0920897 PHi

F
85499
.609

MYERS, ALBERT COOK, 1874-
Warrington monthly meeting of the Society of Friends (Quakers) Warrington Township, near Wellsville, York County, Pennsylvania, by Albert Cook Myers. An historical account reprinted from his book Immigration of the Irish Quakers into Pennsylvania, 1682-1750 (1902) York, Pa., 1950.
12p. illus. 23cm. (Warrington Chapter of the Daughters of the American Colonists. Bulletin no.1)
Cover title.
"Tombstone inscriptions, Warrington Friends Meeting House, York County, Pennsylvania": p.8-12

NM 0920898 ICN

Myers, Albert Cook, 1874-
What to see in historic Philadelphia
see his For soldiers-sailors-marines

Myers, Albert Cook, 1874-
William Marshall Swayne, Chester County's Sculptor of Lincoln. (In Yesterday in Chester County Art, Chester County Art Assoc., May 23, 1936.

NM 0920900 PHi

Myers, Albert Cook, 1874-
William Penn; a radio address delivered on his birthday, October 24, 1934, by Albert Cook Myers ... Chester, Pa., The Delaware county historical society, 1934.

4 p. 23 cm.

"Reprinted from Bulletin of Friends' historical association, vol. 23, number 2."

1. Penn, William, 1644-1718.

F152.2.M93 CA 36—1528 Unrev'd
923.273

NM 0920901 DLC

Myers, Albert Cook, 1874-
William Penn; a radio address delivered on his birthday, October 24, 1934, by Albert Cook Myers ... Commonwealth of Pennsylvania, Department of public instruction ... Harrisburg, 1934.

4 p. 23cm. (Bulletin no. 3 of the Pennsylvania historical commission)

"Reprint from Bulletin of Friends' historical association, vol. 23, number 2."

1. Penn, William, 1644-1718. I. Pennsylvania. Dept. of public instruction.

Library of Congress F146.P267 no. 3 35-12875
——— Copy 2. F152.2.M932
[2] 923.273

NM 0920902 DLC PSC-Hi ViU PP PPL CSmH

Myers, Albert Cook, 1874-
William Penn; a radio address delivered on his birthday, October 24, 1934, by Albert Cook Myers ... Philadelphia, Pa., Friends' historical association, 1934.

4 p. 23 cm.

"Reprint from Bulletin of Friends' historical association, vol. 23, number 2."

1. Penn, William, 1644-1718.

F152.2.M933 CA 36—1529 Unrev'd
923.273

NM 0920903 DLC NN PSC-Hi

Myers, Albert Cook, 1874- ed.

Penn, William, 1644-1718.
William Penn: his own account of the Lenni Lenape or Delaware Indians, 1683, by Albert Cook Myers. Moylan, Pa., A. C. Myers, 1937.

Myers, Albert Cook, 1874-
William Penn's early life in brief, 1644-1674, by Albert Cook Myers. Moylan, Pa., A. C. Myers, 1937.

83 p. front., plates, ports., facsims. 20½cm.

"Edition strictly limited to 300 copies, numbered and signed by the author." This copy is not numbered or signed.

1. Penn, William, 1644-1718. I. Title.

Library of Congress F152.2.M943 38-10714
——— Copy 2.
Copyright A 113201 [3] 923.273

NM 0920905 DLC WHi PHi PP OU PHC CU

Myers, Albert Cook, 1874- ed.
William Penn's first charter
see under Penn, William, 1644-1718.

VOLUME 403

Myers, Albert P 1878–
The lone dinner plate. New York, Vantage Press [1952]
187 p. illus. 22 cm.
Autobiography.

I. Title.

CT275.M84A3 920 52-6942 ‡

NM 0920907 DLC

Myers, Alec Reginald.
The captivity of a royal witch: the household accounts of Queen Joan of Navarre, 1419–21. By A. R. Myers ...
(*In* John Rylands library, Manchester. Bulletin. Manchester, 1940. 25½cm. v. 24, p. 263–284)
Bibliographical foot-notes.

1. Joanna, of Navarre, consort of Henry IV, king of England, 1370?–1437. 2. Witchcraft—England.

General theol. sem. Libr. for Library of Congress [Z921.M18P vol 24 A 45-783

NM 0920908 NNG CtY

Myers, Alec Reginald.
The captivity of a royal witch: the household accounts of Queen Joan of Navarre, 1419–21 ... By A. R. Myers ...
(*In* John Rylands library, Manchester. Bulletin. Manchester, 1942. 25½cm. v. 26, p. 82–100)
"Appendices to the article of the above title, printed in the Bulletin, vol. 24, no. 2 (October, 1940), pp. 263–284."

1. Joanna, of Navarre, consort of Henry IV, king of England, 1370?–1437.

General theol. sem. Libr. for Library of Congress Z921.M18B vol. 26 A 45-1645

NM 0920909 NNG DLC

Myers, Alec Reginald.
England in the late Middle Ages, by A. R. Myers. Harmondsworth, Middlesex, Penguin Books [1952]
xv, 263 p. maps. 18 cm. (The Pelican history of England, v. 4)
Pelican books, A234.
"Book list": p. 245–[248]

1. Gt. Brit.—Hist.—Medieval period, 1066–1485. I. Title. (Series)

DA30.P4 vol. 4 67-4045

WU OCl WU IdU
NM 0920910 DLC OkU NbU RPB CU MH ICU ViU NcD

MYERS, ALEC REGINALD.
England in the late Middle Ages, by A. R. Myers. Harmondsworth, Middlesex, Penguin Books [1952]
xv, 263 p. maps. 18cm. (The Pelican history of England, v. 4)

Microfiche (neg.) 6 sheets. 11 x 15cm. (NYPL FSN 14,247)
Pelican books, A234.
"Book list": p. 245-[248]

NM 0920911 NN

DA 225 .M98 1953
Myers, Alec Reginald.
England in the late middle ages [1307-1536] London, Baltimore, Penguin Books [1953]
xv, 263 p. maps, geneal. table. 18 cm. (Pelican history of England, 4)
Pelican books A234.
Bibliography: p.245-[248]

1. Gt. Brit.--Soc. life & cust. 2. Gt. Brit.--Hist.--14th cent. 3. Gt. Brit.--Hist.--15th cent. 4. Gt. Brit.--Hist.--16th cent. I. Title.

NM 0920912 MiU OWorP NBuU FU PLF PP DCU NNC IEN

Myers, Alec Reginald.
A parliamentary debate of the mid-fifteenth century, by A. R. Myers ...
(*In* John Rylands library, Manchester. Bulletin. Manchester, 1938. 25½cm. v. 22, p. 388–404. facsims.)
"Transcript of Harleian ms. 6849, f. 77A": (a document by Sir William Dethick) : p. 402–404.
Bibliographical foot-notes.

1. British museum. Mss. (Harleian 6849) 2. Gt. Brit. Parliament. 3. Dethick, Sir William, 1543–1612. I. Title.

Princeton univ. Library for Library of Congress [Z921.M18B vol. 22] [2] A 40-719 (027.44272)

NM 0920913 NjP DLC

Myers, Alec Reginald.
Some household ordinances of Henry VI.
(*In* John Rylands Library, Manchester. Bulletin. Manchester. 27 cm. v. 36 (1953/54) p. 449–467)
Bibliographical footnotes.

1. Henry VI, King of England, 1421–1471. 2. Gt. Brit. Royal Household. I. Title: Household ordinances of Henry VI.

Z921.M18B vol. 36 A 55-10740
New York Univ. Wash. Sq. Library for Library of Congress [2]†

NM 0920914 NNU-W DLC

Myers, Alexander John William, 1877–
Christian life in the community [by] A. J. W. Myers. New York, Association press, 1919.
xi, 129 p. 17 cm.

1. Church and social problems. I. Title.

HN31.M9 19-9545

NBuU
NM 0920915 DLC NjNbS OCl OO NN CU ViU PPABP IEG

Myers, Alexander John William, 1877–
The country church as it is; a case study of rural churches and leaders, by A. J. Wm. Myers ... and Edwin E. Sundt ... New York, Chicago [etc.] Fleming H. Revell company [©1930]
189 p. 19½ cm.
"A brief bibliography": p. 185.

1. Rural churches. 2. Theology, Pastoral. I. Sundt, Edwin Einar, 1891– joint author. II. Title.

BV638.M8 261 31-8068

OrP Or
NM 0920916 DLC NRCR IEG OCl OO NcD NIC CaBViP

HT416 .C3 6M9
[Myers, Alexander John William] 1877–
County of Huron, Ontario. Report on a rural survey of the agricultural, educational, social and religious life. Prepared for the Huron survey committee by the Department of temperance and moral reform of the Methodist church, the Board of social service and evangelism, and the Board of Sabbath schools and Young people's societies of the Presbyterian church. December–January, 1913-1914. [n.p., 1914?]
56p. front.(map) plates, diagrs. 23cm.

Preface signed: Walter A. Riddell, A. J. Wm. Myers, Samuel F. Sharp.

NM 0920918 ICU

BV3790 .M9
Myers, Alexander John William, 1877–
Educational evangelism, by A. J. William Myers ... London, National Sunday school union [1925]
vii, 111, [1] p. 19cm. (*On cover:* Every teacher's library)

1. Evangelistic work. 2. Religious education.

NM 0920919 ICU ODW CtHC NjNbS NcD CtY

Myers, Alexander John William, 1877– *ed.*
Enriching worship. New York, Harper [1949]
xvi, 398 p. 22 cm.
CONTENTS.—Poetry.—The Psalms for Christian worship.—Prose.—Prayers.—Aphorisms.

1. Devotional literature. I. Title.

BV4801.M94 242 49-9181*

OrCS OrSaW WaTC
NM 0920920 DLC NRCR ICU PP OO ODW MH-AH OrU CaBVa

Myers, Alexander John William, 1877–
Horace Bushnell and religious education, by A. J. Wm. Myers ... Boston, Manthorne & Burack, inc., 1937.
5 p. l., 183 p. front. (port.) 20cm.

1. Bushnell, Horace, 1802–1876. Christian nurture. 2. Religious education. I. Title.

Library of Congress BV1475.B92M85 38-30090

NM 0920921 DLC OO CSmH KyWAT OKentU NcD

Myers, Alexander John William, 1877–
Living stone; a record and interpretation of Riverside church explorations with boys and girls nine to twelve years of age, by A. J. William Myers ... and Alma N. Schilling; introduction by Harry Emerson Fosdick. St. Louis Mo., The Bethany press [©1936]
191 p. front. (port.) plates. 23½cm.
Bibliography: p. 187–191.

1. Religious education. I. Schilling, Alma Noretta, 1884–1933. II. Title.

Library of Congress BV1546.M9 36-18288
——— ——— Copy 2.
Copyright A 96384 [3] 268.432

NM 0920922 DLC OO

Myers, Alexander John William, 1877–
The Old Testament in the Sunday-school, by A. J. William Myers ... New York city, Teachers college, Columbia university, 1912.
vi p., 1 l., 141 p., 1 l. 18½cm.
Thesis (PH. D.)—Columbia university, 1912.
Vita.
Published also without thesis note.
Bibliography: p. 137–141.

I. Title.

Library of Congress 12-30716
Columbia Univ. Libr. 221

NM 0920923 NNC DLC Or

Myers, Alexander John William, 1877–
The Old Testament in the Sunday school, by A. J. William Myers ... New York city, Teachers college, Columbia university, 1912.
vi p., 1 l., 141 p. 19½cm.
Issued also as thesis (PH. D.) Columbia university.
Bibliography: p. 137–141.

1. Bible. O. T.—Study. 2. Sunday-schools. 3. Bible—Study—O. T. I. Title.

Library of Congress BS1193.M88 12-18950 Revised
Copyright A 319280 [r41b2]

NM 0920924 DLC PPABP OCH OOxM CU Or

Myers, Alexander John William, 1877–
Religion for today; an essay in the philosophy of religious education, by A. J. William Myers. New York, Association press [©1941]
ix p., 1 l., 243 p. diagrs. 21cm.
Bibliography: p. [223]–236.

1. Christianity—20th cent. 2. Religious education. I. Title.

Library of Congress BR121.M86 42-12943
[7] 261

NRCR
NM 0920925 DLC OrCS Or KyWAT OCl OO NcD PPLT

VOLUME 403

Myers, Alexander John William, 1877–
Teaching religion, by A. J. William Myers, PH. D.; a textbook in the standard leadership training curriculum, outlined and approved by the International council of religious education. Philadelphia, Printed for the Teacher training publishing association by the Westminster press, 1928.
224 p. diagrs. 19½cm.

1. Religious education—Teaching methods. I. Title.

Library of Congress BV1485.M8 28—21076

NM 0920926 DLC OCl OEac OO PP PPPrHi IdU OrU KMK NcD

ar V 7424 Myers, Alexander John William, 1877–
Teaching religion; a textbook in the Standard Leadership Training Curriculum, outlined and approved by the International Council of Religious Education. Philadelphia, Printed for the Teacher Training Publishing Association by the Westminster Press, 1929 [c1928]
224 p. diagrs. 20cm.

"Third ed."

1. Religious education. I. Title.

NM 0920927 NIC

Myers, Alexander John William, 1877–

Teaching religion, by A. J. William Myers, PH. D., a textbook in the standard leadership training curriculum, outlined and approved by the International council of religious education. Philadelphia, Printed for the Teacher training publishing association by the Westminster press, 1930.
227 p. diagrs. 19½cm.
"Fifth edition, 1930."

1. Religious education—Teaching methods.

NM 0920928 ViU

Myers, Alexander John William, 1877–
Teaching religion creatively, by A. J. Wm. Myers ... New York [etc.] Fleming H. Revell company [c1932]
239 p. illus. (music) 19½cm.
Includes bibliographies.

1. Religious education—Teaching methods. I. Title.

33—821

Library of Congress BV1534.M9
Copyright A 58478 [a40d1] 268.6

NM 0920929 DLC NRCR OCl OO WaSp OrP MSohG KyWAT

Myers, Alexander John William, 1877–
The teaching values of the Old Testament. Boston, The Pilgrim press, 1918.

NM 0920930 PPeSchw NjNbS

Myers, Alexander John William, 1877–
The training of workers among immigrant groups, by A. J. W. Myers. [Hartford, 1921] 16 p. 26cm.

1. Emigrants and immigrants—Missions—U. S.
N. Y. P. L. September 14, 1945

NM 0920931 NN

Myers, Alexander John William, 1877–
Victory over death. St. Louis, Bethany Press [1955]
40 p. 20 cm.

1. Death. I. Title.

BT825.M9 236.1 55–12154 ‡

NM 0920932 DLC

LC368 .M9 Myers, Alexander John William, 1877–
What is religious education? A constructive study by A.J.William Myers... London, National Sunday school union [1925]
vii, 112 p. 19cm. (On cover: Every teacher's library)

1. Religious education.

NM 0920933 ICU NNU-W OO OCl CtY NjNbS OrCS NRCR

Myers, Alfred Edward Cecil, 1871–
Our coast defence organization by Captain A. E. C. Myers, R. G. A. London, W. Clowes and sons, ltd., 1908.
4 p. l., 72 p. 18½cm.

1. Coast defenses—Gt. Brit.

War 8–118

Library, Military Information Division

NM 0920934 DNW

Myers, Alfred Edwards, 1844–1915.
Alfred Edwards Myers, 1844–1915. New York[: The Knickerbocker Press], 1916. 105 p. front. (port.) 8°.

Preceded by biographical sketch.
Four sermons preached at the Marble Collegiate Church, New York City, and published at the request of his friends. — *cf. p. 15.*

162929A. 1. Sermons.
N. Y. P. L. August 13, 1925

NM 0920935 NN NBuG NjNbS

Myers, Alfred Edwards, 1844–1915.
The Best Way of Giving... n.p., n.d.

NM 0920936 NjNbS

Myers, Alfred Edwards, 1844–1915.
The Brotherhood of Andrew and Philip. A young men's organization in the local church. Organized in Reading, Penna., in May 1888, by Rev. Rufus W. Miller ... By Rev. Alfred E. Myers. [New York?, 1895.
[4] p. 15cm.
Caption title.

1. Brotherhood of Andrew and Philip.

1–5858 Revised

Library of Congress BV1280.B7M9

NM 0920937 DLC

Bu4.50 67 Myers, Alfred Edwards, 1844–1915.
In memoriam. James Minot Prescott, born, January, 12, 1797, died, July, 10, 1874. Delivered in the Reformed church at Bronxville, N.Y., Sunday, July 26, 1874, by the pastor Rev. Alfred E. Myers.
[Bronxville, N.Y., 1874] 10pp. 22½cm.
[Funeral sermons, vol.67]

NM 0920938 CtY

Myers, Alfred Edwards, 1844–1915.
The sociable, the entertainment and the bazar; a discussion of church customs, by the Rev. Alfred E. Myers ... Philadelphia, Presbyterian board of publication [c1882]
61 p. 17½cm.

I. Title.

Library of Congress 12-36945

NM 0920939 DLC NcD PPPrHi NN

Myers, Alfred Moritz.
Both one in Christ; or The middle wall of partition taken away. With an introductory preface by C. Elizabeth. London: L. & G. Seeley, 1840.
340 p. 3. ed.

NM 0920940 OCH OO

296 M9915j 1852 [Myers, Alfred Moritz]
The Jew, by the author of "Both one in Christ." 5th ed., enl. London, Wertheim and Macintosh, 1852.
viii, 394p. 18cm.
Pref. signed: Alfred M. Myers.
TxU copy imperfect? Front. wanting?

832209 1. Judaism. 2. Christianity and other religions - Judaism.

NM 0920941 TxU NjPT

DS118 .M6 MYERS, ALFRED MORITZ.
Der Jude. Von Alfred Meyers. Nach der 5.aufl.des englischen originals... Frankfurt a.M., H.L.Brönner, 1856.
vi, 270 p. 18½cm.

1. Jews.

NM 0920942 ICU MH NN

PZ6 .M93Y 1848 Myers, Alfred Moritz.
The young Jew: a history of Alfred Moritz Myers. Adapted for children, by the author of "The peep of day." Rev. by the Committee of Publication of the American Sunday-School Union. Philadelphia, American Sunday-School Union [1848]
72 p. illus. 16cm.
Published also under title: The history of a young Jew, or of A. M. Myers.
I. Mortimer, Favell Lee (Bevan) 1802–1878, ed. II. Title.

NM 0920943 ViU NN ICU

Myers, Alfred Stuart.
Letters for all occasions; a guide to social and business correspondence. New York, Barnes & Noble [1952]
188 p. 21 cm. (Everyday handbook series, 237)

1. Letter-writing. I. Title.

PE1483.M9 808.6 52–12140 ‡

NM 0920944 DLC FTaSU WaT Wa FMU PP MB AAP

Myers, Alice Belle (McLane)
A mother's old love returned, by Alice Belle McLane. Carbondale, Ill.: H. Myers, 1915. 2 p.l., (1)10–186 p. 12°.

1. Fiction (American). 2. Title.
N. Y. P. L. September 7, 1915.

NM 0920945 NN

Myers, Alice Ward (Hess)
see
Hess, Alice Ward.

VOLUME 403

Myers, Allen, 1925–
Music as a therapeutic agent in the rehabilitation of physically handicapped children, with special reference to cerebral palsy, and a survey of music education and music therapy in facilities educating physically handicapped children. Ann Arbor, University Microfilms [1954]
([University Microfilms, Ann Arbor, Mich.] Publication no. 10,232)
Microfilm copy of typescript. Positive.
Collation of the original: vii, 245 l.
Thesis—State University of Iowa.
Abstracted in Dissertation abstracts, v. 14 (1954) no. 12, p. 2365–2366.
Bibliography: leaves 231–245.
1. Music therapy. 2. Music—Instruction and study—Juvenile.
Microfilm AC–1 no. 10,232 Mic A 54–3516
Iowa. Univ. Library for Library of Congress [1]†

NM 0920948 IaU DLC

RC489 M7M85 1954a Myers, Allen, 1925-
Music as a therapeutic agent in the rehabilitation of physically handicapped children, with special reference to cerebral palsy, and a survey of music education and music therapy in facilities educating physically handicapped children. Ames, Iowa, 1954.
vii, 245 l.
Thesis - State University of Iowa.
Photocopy. Ann Arbor, Mich., 1966. vii, 245 l. 22cm.
1. Music therapy. 2. Music - Instruction and study - Juvenile.

NM 0920950 CoU

Myers, Allen O.
Alfalfa, "the grass," in Ohio; where, how and why to grow it [by] Allen O. Myers ... Columbus, O., The F. J. Heer printing co., 1907.
187 p. front., plates. 19½cm.
1. Alfalfa.
Library of Congress SB205.A4M9 7–29867

NM 0920951 DLC NIC OU ICJ

Myers, Allen O.
The American manual; containing rules, terms and definitions as used in deliberative bodies ... based upon precedents and practice in the United States. Columbus, O., The M. C. Lilley & co., 1900.
72 p. 16°.
July 12, 1900–84

NM 0920952 DLC

Myers, Allen O.
Bosses and boodle in Ohio politics. Some plain truths for honest people. [By] Hon. Allen O. Myers. (Pickaway.) Cincinnati, O., Lyceum publishing co., 1895.
vi, [2], 7–293 p. front. (port.) illus., plates. 20cm.
1. Ohio—Pol. & govt. 2. Standard oil company. 3. Corruption (in politics) I. Title.
Library of Congress F496.M93 36–11429 977.1

AAP
NM 0920953 DLC CtY OCl OCU OClWHi PPT MH-BA NIC

Myers, Allen O ed.
The Elks Annual Register ... 1893
see under title

Myers, Allen O.
Speech... delivered at Kenton, O., March 17, 1880, in response to the toast "The Democratic party." Kenton, O., 1880. YA 13703
6p.

NM 0920955 DLC

Myers, Alonzo Franklin, 1893–
Coöperative supervision in the public schools, by Alonzo F. Myers ... Louise M. Kifer ... Ruth C. Merry ... and Frances Foley ... New York, Prentice-Hall, inc., 1938.
xviii, 340 p. illus. (incl. music) 21 cm. [Prentice-Hall education series; E. G. Payne, editor]
Includes bibliographies.
1. School supervision. I. Kifer, Louise M., joint author. II. Merry, Ruth Clara, 1901– joint author. III. Foley, Frances, joint author. IV. Title.
LB2805.M9 371.2 38—18898

OCl OCU OU ViU NN NcD KEmT MtU IdU WaS OrCS OrU
NM 0920956 DLC PPDrop WaTC OrPS OrMonO PJB PWcS

Myers, Alonzo Franklin, 1893–
Education in a democracy; an introduction to the study of education, by Alonzo F. Myers ... and Clarence O. Williams ... New York, Prentice-Hall, inc., 1937.
xxvi, 434 p. illus., diagrs. 21 cm. [Prentice-Hall education series; E. G. Payne, editor]
"Problems and references for collateral study" at end of each "unit."
1. Education—U. S. 2. Education—Study and teaching. 3. Education—Aims and objectives. I. Williams, Clarence Oscar, 1895– joint author. II. Title.
LB875.M9 370.973 37—17672

MsU MtU Or OrCS OrU OrMonO CaBVa WaWW
NM 0920957 DLC OrStbM PWcS OCl OCU OU OClW ViU

Myers, Alonzo Franklin, 1893-
Education in a democracy; ... New York, Prentice Hall, inc., 1938 [c1937].

NM 0920958 PU-Penn

Myers, Alonzo Franklin, 1893-
Education in a democracy; ... New York, Prentice-Hall, 1940.

NM 0920959 PSC

Myers, Alonzo Franklin, 1893–
Education in a democracy; an introduction to the study of education, by Alonzo F. Myers ... and Clarence O. Williams ... New York, Prentice-Hall, inc., 1941.
xxvi, 434 p. illus., diagrs. 21cm. [Prentice-Hall education series; E. G. Payne, editor]
"Problems and references for collateral study" at end of each "unit."
"Fifth printing October 1941."

NM 0920960 ViU

Myers, Alonzo Franklin, 1893–
Education in a democracy; an introduction to the study of education, by Alonzo F. Myers ... and Clarence O. Williams ... with revisions. New York, Prentice-Hall, inc. [1942]
xxviii, 436 p. incl. illus., tables, diagrs. 21cm. [Prentice-Hall education series; E. G. Payne, editor]
"First printing, July 1937 ... Sixth printing, June 1942."
"Problems and references for collateral study" at end of each unit.

OrCS
NM 0920961 KEmT IdPI MtBC PIm MsSM PSt OU OCl TU

Myers, Alonzo Franklin, 1893-
Education in a democracy; an introduction to the study of education, by Alonzo F.Myers and Clarence O. Williams. With revisions. New York, Prentice-Hall, 1945.
xxviii, 436 p. (Prentice-Hall education series)

NM 0920962 MH ViU OCU

Myers, Alonzo Franklin, 1893-
Education in a democracy; ... New York, Prentice Hall, inc., 1946.
436 p.

NM 0920963 PU PPT OClJC

MYERS, ALONZO FRANKLIN, 1893-
Education in a democracy; an introduction to the study of education, by Alonzo F. Myers ... and Clarence O. Williams ... with revisions. New York, Prentice-Hall, inc., 1947.
xxviii, 436p. incl. illus.,tables, diagrs. 21cm. [Prentice-Hall education series; E.G. Payne, editor]
"First printing, July 1937 ... Twelfth printing, February 1947."
"Problems and references for collateral study" at end of each unit.

NM 0920965 TxU OrPR CaBViP

Myers, Alonzo Franklin, 1893–
Education in a democracy; an introduction to the study of education [by] Alonzo F. Myers [and] Clarence O. Williams. 3d ed. New York, Prentice-Hall, 1948.
xxi, 361 p. illus. 22 cm. (Prentice-Hall education series)
Includes bibliographies.
1. Education—U. S. 2. Education—Study and teaching. 3. Education—Aims and objectives. I. Williams, Clarence Oscar, 1895– joint author. II. Title.
LB875.M9 1948 370.973 48—2245*

PWcS PPI IEN
OU MiU TxU FTaSU ICU TU ViU KEmT PV PSt NcD
NM 0920966 DLC OrU PPT Or OrSaW MtBC IdU OrCS

MYERS, Alonzo Franklin.
Education in a democracy; an introduction to the study of education [by] Alonzo F. Myers [and] Clarence O. Williams. 3d ed.
Prentice. 1949,c37-48. 361p. illus.
Includes bibliography.

NM 0920967 WaS

Myers, Alonzo Franklin, 1893–
Education in a democracy; an introduction to the study of education [by] Alonzo F. Myers [and] Clarence O. Williams. 3d ed. New York, Prentice-Hall, 1950.
xxi, 361 p. illus. 22 cm. (Prentice-Hall education series)
Includes bibliographies.

NM 0920968 ViU

Myers, Alonzo Franklin, 1893–
Education in a democracy; an introduction to the study of education, by Alonzo F. Myers and Clarence O. Williams. 4th ed. New York, Prentice-Hall, 1954.
349 p. illus. 22 cm.
1. Education—U. S. 2. Education—Study and teaching. 3. Education—Aims and objectives. I. Williams, Clarence Oscar, 1895– joint author. II. Title.
LB875.M9 1954 370.973 54—6169 ‡

CaBVaU MtU OrCS OrAshS OrMonO OrLgE OrPS
OCU OU NcD ViU Or PWcS PIm PSt KEmT NbU KyMdC
NM 0920969 DLC WaSpG PPPL OrU OrP MsSM TxU OOxM

Myers, Alonzo Franklin, 1893–
Health and physical education for elementary schools, by Alonzo Franklin Myers ... and Ossian Clinton Bird ... Garden City, N. Y., Doubleday, Doran & company, inc., 1928.
viii p., 1 l., 342 p. front., plates, double plan, diagrs. 19½ cm.
Contains music.
"First edition."
1. Physical education and training. 2. Health education. 3. Schools—Exercises and recreations. I. Bird, Ossian Clinton, joint author.
GV341.M85 28—30454

OClND OU MB KEmT MoU OrAshS OrCS
NM 0920970 DLC DHEW OrU OrLgE PU MiU ViU OCl OO

VOLUME 403

Myers, Alonzo Franklin, 1893-

National education association of the United States. *Dept. of teachers colleges.*
How can we regulate the supply and at the same time improve the quality of candidates legally available to enter the public school service as "novice teachers"?
(*In* National education association of the United States. Addresses and proceedings, 1930. p. 820-848)

Myers, Alonzo Franklin, 1893-
Issues in elementary education. Harrisburg, 1937.
p. 102-115. (Penna. Depart. of pub. instruction. Proceedings of Education of 1937).

NM 0920972 PP

Myers, Alonzo Franklin, 1893–
... Manual of observation and participation, by Alonzo F. Myers ... and Edith E. Beechel ... New York, Cincinnati [etc.] American book company [c1926]
263 p. incl. forms. 24½cm. (American education series; G. D. Strayer, general editor)
"References": p. 259.
1. Teachers, Training of. 2. Teaching. I. Beechel, Edith E., joint author. II. Title.
Library of Congress LB1731.M9 27-2466 Revised

IdPI OrU DHEW
NM 0920973 DLC NcD OO MiU OCl OCU PU PSC ICJ

370.6 R327p no.11 MYERS, ALONZO FRANKLIN, 1893-
La nueva educación física e higiénica, por Alonzo Franklin Myers y Ossian Clinton Bird. Traducción del inglés por Gonzalo J. de la Espada. Madrid, Revista de pedagogía [1932]
206p. 18½cm. (Added t.-p.: Publicaciones de la Revista de pedagogía. La práctica de la educación activa, XI)
1. Physical education and training. 2. Hygiene. I. Bird, Ossian Clinton joint author. II. J de la Espada, Gonzolc

NM 0920974 TxU

Myers, Alonzo Franklin, 1893–
Problems in public school supervision, by Alonzo F. Myers ... and Louise M. Kifer ... New York, Prentice-Hall, inc., 1939.
xii, 212 p. 21cm. [Prentice-Hall education series; E. G. Payne, editor]
Includes blank pages for "Additional references".
"References" at end of each unit.
1. School management and organization. 2. Teachers. 3. Public schools. I. Kifer, Louise M., joint author. II. Title.
Library of Congress LB2805.M95 39-3569
——— Copy 2.
Copyright A 125741 [7] 371.20761

OCl OCU OU PP PPDrop NN
NM 0920975 DLC OrMonO OrU Or OrLgE OrCS KEmT ViU

Myers, Alonzo Franklin, 1893– ed.

Eastern-states association of professional schools for teachers.
Problems in teacher-training. v. [1]–13. Proceedings of the 1926–38 spring conference ... New York [etc., c1928]–38.

Myers, Alonzo Franklin, 1893– ed.

Eastern-states association of professional schools for teachers.
... Proceedings of the 1926– Spring conference ... Problems in teacher training [vol. 1– New York [c1928–

Myers, Alonzo Franklin, 1893–
Remedial handwriting; a manual for use by students in teacher training institutions and teachers in service, by Alonzo F. Myers ... and Nelle Slye Warner ... Columbus, O., Zaner-Bloser company [c1929]
56 p. illus. 25½cm.
Cover-title: Remedial handwriting for normal schools.
Folded "Measuring scale for handwriting" laid in
1. Penmanship — Copy-books. 2. Penmanship — [Teaching — Normal schools] I. Warner, Nelle Slye, joint author. II. Title. III. Title: Remedial handwriting for normal schools.
E 32—55
U. S. Off. of educ. Library for Library of Congress Z43.M9 [a40c1]

NM 0920978 DHEW OCl PU-Penn

LD3900 .M97 Myers, Alonzo Franklin, 1893-
Teacher demand and the supply, by Alonzo F. Myers... [New York] School and society, 1932.
5p. 24½cm.
Reprinted from School and society, Vol. 35, no. 894, Feb. 13, 1932.
1. Teachers-U.S. I. Title.

NM 0920979 NNU-W

Myers, Alonzo Franklin, 1893–
A teacher-training program for Ohio, by Alonzo Franklin Myers ... New York city, Teachers college, Columbia university, 1927.
4 p. l., 144 p., 1 l. incl. maps, tables. 23cm.
Thesis (PH. D.)—Columbia university, 1927.
Vita.
Published also as Teachers college, Columbia university, Contributions to education, no. 266.
Bibliography: p. 143-144.
1. Teachers, Training of—Ohio. I. Title.
28-582
Library of Congress LB1715.M8 1927
Columbia Univ. Libr. [2]

NM 0920980 NNC Or MiU OCl OU OClND PU PSC DLC

Myers, Alonzo Franklin, 1893–
A teacher-training program for Ohio, by Alonzo Franklin Myers ... New York city, Teachers college, Columbia university, 1927.
4 p. l., 144 p. incl. maps, tables. 23½cm. (Teachers college, Columbia university. Contributions to education, no. 266)
Published also as thesis (PH. D.) Columbia university, 1927.
Bibliography: p. 143-144.
1. Teachers, Training of—Ohio. I. Title. 28-25
Library of Congress LB1715.M8 1927 a
——— Copy 2. LB5.C8 no. 266
Copyright A 1013711 [8]

NcD PSt NcU KEmT
NM 0920981 DLC ViU MB ICJ DHEW WaTC MtU OrU Or

Myers, Alonzo Franklin, 1893–
... Training secondary-school teachers; a manual of observation and participation, by Alonzo F. Myers ... and Floyd E. Harshman ... New York, Cincinnati [etc.] American book company [c1929]
245 p. incl. illus., forms. 24½cm. (American education series; G. D. Strayer, general editor)
"References": p. 245.
1. Teachers, Training of. 2. Teaching. I. Harshman, Floyd E., joint author. II. Title. III. Title: Secondary-school teachers, Training.
29-25899
Library of Congress LB1731.M93

WaWW DHEW
NM 0920982 DLC MiU OClND OClW PU PSC NcD MH OrU

E 464 C585 v.77 no.10 Myers, Amos.
Speech of Hon. Amos Myers, of Pennsylvania, delivered in the House of Representatives, February 3d, 1864, on the constitutionality and necessity of a draft. Washington, H. Polkinhorn, printer [1864]
8 p. 25cm.
1. Military service, Compulsory--U.S. 2. U.S.--Pol. & govt.--Civil War--Speeches in Congress--1864.

NM 0920983 NIC PPL PHi MH

Myers, Amy.
A manual of seed testing

see under

New South Wales. Dept. of Agriculture.

Myers, Anna Balmer.
Amanda; a daughter of the Mennonites, by Anna Balmer Myers ... illustrated by Helen Mason Grose. Philadelphia, G. W. Jacobs & company [c1921]
311 p. front., plates. 19½cm.
I. Title.
Library of Congress PZ3.M9899Am 21-17620
——— Copy 2.

NM 0920985 DLC OU PP

Myers, Anna Balmer.
The madonna of the curb, by Anna Balmer Myers ... illustrated by Helen Mason Grose. Philadelphia, G. W. Jacobs & company [c1922]
336 p. front., plates. 19cm.
I. Title.
Library of Congress PZ3.M9899Ma 22-20993

NM 0920986 DLC PP MB

Myers, Anna Balmer.
Patchwork; a story of "the plain people." With frontispiece in color by Helen Mason Grose. New York, A.L.Burt co. [c.1920]

NM 0920987 MH

Myers, Anna Balmer.
Patchwork; a story of "the plain people," by Anna Balmer Myers; illustrated by Helen Mason Grose. Philadelphia, G. W. Jacobs & company [c1920]
2 p. l., [9]-338 p. col. front., plates. 19cm.
I. Title.
Library of Congress PZ3.M9899Pa 20-5190

NM 0920988 DLC PU NN MB IdU

Myers, Anna Balmer.
Rain on the roof, by Anna Balmer Myers. Philadelphia, Pa., Poetry publishers, 1931.
64 p. 19cm.
Poems.
I. Title.
31-29152
Library of Congress PS3525.Y37R3 1931
Copyright A 42899 [3] 811.5

NM 0920989 DLC PP MH MtU

Myers, Annie E.
Home dressmaking; a complete guide to household sewing, by Annie E. Myers; fully illustrated with more than one hundred engravings. Chicago, C. H. Sergel & company, 1892.
x, 11-377 p. front., illus., diagrs. 20½cm.
1. Dressmaking.
Library of Congress TT515.M96 8—31421

NM 0920990 DLC OCl

Myers, Anselm D.
The human family diversities and causes of these diversities. 1857.

NM 0920991 PU

VOLUME 403

Myers, Archie Leland.
The invariants of two transformations... by Archie Myers ... [Columbus, O.] The Ohio state university, 1936.
2 p.

NM 0920992 OU

Myers, Arthur.
How sane are you? New York, Exposition Press [c1948]
vii, 141 p. 23 cm.

1. Psychiatry—Popular works. 2. Mental physiology and hygiene. I. Title.
RC605.M9 616.8 49-7301*

NM 0920993 DLC DNLM TxU ICJ PP PSt

Pam. Coll. 20495
Myers, Arthur.
World finance, present day problems. Review of New Zealand finance ... [Auckland, N. Z., Brett Printing Co., 1921?]
cover-title, 18 p. 22 cm.

1. Finance, Public. New Zealand I. Title

NM 0920994 NcD

Myers, Arthur Bowen Richards, 1838-1921.
Life with the Hamran Arabs; an account of a sporting tour of some officers of the guards in the Soudan, during the winter of 1874-5, by Arthur B. R. Myers ... With photographs. London, Smith, Elder, & co., 1876.
xv, [1], 355 p. 5 photos. (incl. front.) 20 cm.

1. Sudan—Descr. & trav. 2. Ethiopia—Descr. & trav. 3. Hunting—Africa. I. Title.
DT123.M99 5-9569

NM 0920995 DLC WaU NjP IEN NjNbS CtY MiU OCU OCH PU PPL OClW CU MoU WaTC

Myers, Arthur Bowen Richards, 1838-1921.
On the etiology and prevalence of diseases of the heart among soldiers. The "Alexander" prize essay. London, John Churchill, 1870.
[v]392[2]39p. 23cm.

Cover and half-title: Diseases of the heart among soldiers.
Churchill & Sons' publications in medicine, April 1870: 39p., at end.

NM 0920996 NcD-MC PPC PU DNLM

M15.2 M996w
Myers, Arthur John.
Wind in a hurry! Chicago, Ill., [c1945]
9 numb. l. 27cm.

Manuscript.
Letter of transmittal following text.
Illustrations missing.

NM 0920997 DAS

Myers, Arthur Wallis, 1878-
Captain Anthony Wilding, by A. Wallis Myers ... 2d ed. London, New York [etc.] Hodder and Stoughton, 1916.
xii, 306 p. front., illus., plates, ports. 20½cm.

1. Wilding, Anthony Frederick, 1883-1915. 2. Tennis.
18-19149
Library of Congress CT2888.W5M8

NM 0920998 DLC PP NN NjP

Myers, Arthur Wallis, 1878- 796-M
The complete lawn tennis player. London: Methuen & Co. [1908.] xx, 333(1) p., 42 pl., 6 port. illus. 8°.

NM 0920999 NN OCl

GV995 M93 1908a
Myers, Arthur Wallis, 1878-
The complete lawn tennis player, by A.Wallis Myers; with ninety illustrations, including many special action-photographs. 2d ed. London, Methuen [1908]
xx, 333p. illus.plates, ports. 22cm.

Some of the plates are printed on both sides.
Printed in Great Britain.
"First published in 1908."

NM 0921000 IaU

Myers, Arthur Wallis, 1878-
The complete lawn tennis player, by A. Wallis Myers; with ninety illustrations, including many special action-photographs. Philadelphia, G. W. Jacobs & co. [1908]
1 p. l., v-xx, 333, [1] p. front., illus. (incl. plans) plates, ports. 21½cm.
Some of the plates are printed on both sides.
Printed in Great Britain.
"First published in 1908."

1. Tennis.
9-6873
Library of Congress GV995.M93

NM 0921001 DLC CaBViP MB PPL CoU

GV995 .M93 1912
Myers, Arthur Wallis, 1878-
The complete lawn tennis player. 3d ed., rev. London, Methuen [1912]
xx,333p. illus. 23cm.

NM 0921002 PSt OrU

Myers, Arthur Wallis, 1878-
Fifty years of Wimbledon; the story of the lawn tennis championships, by A. Wallis Myers, C. B. E. With eighty-five illustrations. London, Pub. for the All England lawn tennis & croquet club by the proprietors of "The Field", 1926.
96 p. illus. (incl. ports.) 27½cm.
On cover: ... Official jubilee souvenir, A E L T C.

1. Tennis. I. All England lawn tennis and croquet club. II. Title: Wimbledon, Fifty years of.
28-13259
Library of Congress GV999.M4

NM 0921003 DLC NN CtY IaU CaOTP

Myers, Arthur Wallis, 1878-
Great lawn tennis; pen pictures of famous matches, by A. Wallis Myers. London, Toronto [etc.] Cassell and company ltd. [1937]
223 p. ports. 19½cm.
Reprinted from a series of articles published in the Daily telegraph, 1912 to 1936. cf. Prefatory note.

1. Tennis. I. Title.
37-36109
Library of Congress GV993.M85
[4] 796.34

NM 0921004 DLC CtY OCl CaBVaU

Myers, Arthur Wallis, 1878-
Lawn tennis at home and abroad; ed. by A. Wallis Myers, with contributions by H. S. Mahony, H. S. Scrivener, G. W. Hillyard, Mrs. Sterry, and other authorities on the game. London, G. Newnes limited, 1903.
xvi, 328 p. incl. front., illus. (incl. ports.) 22cm.

1. Tennis.
4-4417 Revised
Library of Congress GV995.M95

NM 0921005 DLC

Myers, Arthur Wallis, 1878- ed.
Lawn tennis at home and abroad; ed. by A. Wallis Myers, with contributions by H. S. Mahony, H. S. Scrivener, G. W. Hillyard, Mrs. Sterry, and other authorities on the game. London, G. Newnes limited, 1903.
xvi, 328 p. incl. front., illus. (incl. ports)
Micro-transparency (positive)

NM 0921006 PSt

Myers, Arthur Wallis, 1878- ed.
Lawn tennis at home and abroad; ed. by A. Wallis Myers, with contributions by H. S. Mahony, H. S. Scrivener, G. W. Hillyard, Mrs. Sterry, and other authorities on the game. New York, Scribner, 1903.
xvi, 328 p. incl. front., illus. (incl. ports.) 22cm.

1. Tennis.

NM 0921007 PSt ICRL MB OCl NN

Myers, Arthur Wallis, 1878-
...Lawn tennis, its principles & practice; a player's guide to modern methods, by A. Wallis Myers... London: Seeley, Service & Co., Ltd., 1930. 215 p. front., illus., plates. 8°. (Lonsdale library. v. 5.)
Some plates printed on both sides.

NM 0921008 NN MH

Myers, Arthur Wallis, 1878-
... Lawn tennis, its principles & practice; a player's guide to modern methods, by A. Wallis Myers, C. B. E.; with over seventy illustrations. Philadelphia, J. B. Lippincott co., 1930.
2 p. l., 11-215 p. front., illus., plates, ports. 22cm. (The Lonsdale library. vol. v)
Printed in Great Britain.

1. Tennis. I. Title.
Library of Congress GV995.M96 30-29112

NM 0921009 DLC MB NN OCl PP PSC WaE OrU CaBVaU

MYERS, A[rthur] Wallis, 1878-
Leaders of lawn tennis, with which is included Impressions of a South African tour. London, Amateur Sports Publishing Co.,Ltd., [1912].
pp. 89. Ports. andplates. SG 1530.57

NM 0921010 MH

CT788 M996A3 1932
Myers, Arthur Wallis, 1878-
Memory's parade. London, Methuen [1932]
211 p. illus., ports. 23cm.
Autobiographical.

NM 0921011 GU TxU KyLoU NN

Myers, Arthur Wallis, 1878- ed.
Sportsman's year book
see under title

Myers, Arthur Wallis, 1878-
The story of the Davis cup (the international lawn tennis championship), by A. Wallis Myers... London: Methuen & Co., Ltd. [, 1913.] 103 p. front., illus., plates, port. 12°.

170415A. 1. Tennis, Lawn—Tournaments.
N. Y. P. L. November 24, 1925

NM 0921013 NN MH ViU

VOLUME 403

Myers, Arthur Wallis, 1878–
Twenty years of lawn tennis; some personal memories, by A. Wallis Myers ... London, Methuen & co., ltd. [1921]
vii, 180 p. front. (port.) 23cm.
"First published in 1921."

1. Tennis.

Library of Congress GV995.M97 21-15272

NM 0921014 DLC OrU IaU PSt CtY MiU NN

Myers, Arthur Wallis, 1878–
Twenty years of lawn tennis; some personal memories, by A. Wallis Myers ... London, Methuen, New York, Doran [1922]
vii, 180 p. front. (port.) 23 cm.

NM 0921015 CU

Myers, Augustus, b. 1841
see Meyers, Augustus, b. 1841.

WA M996a 1911 MYERS, Bernard, 1872-
Atlas of first-aid treatment. London, Baillière, Tindall and Cox, 1911.
xii, 43 p. illus.

NM 0921017 DNLM

WS 113 M996c 1910 MYERS, Bernard, 1872-
The care of children from babyhood to adolescence, for the use of mothers and nurses. London, Kimpton, 1910.
xiii, 172 p. illus.

NM 0921018 DNLM DL

WS 113 M996c 1910a MYERS, Bernard, 1872-
The care of children from babyhood to adolescence, for the use of mothers and nurses. 2d ed., rev. and enl. London, Kimpton, 1910.
xv, 174 p.

NM 0921019 DNLM

Myers, Bernard, 1872–
The care of children from babyhood to adolescence, for the use of mothers and nurses, by Bernard Myers ... 3d ed., rev. and enl. London [etc.] H. Kimpton, 1916.
xi, 172 p. illus., pl. 19cm.

1. Infants—Care and hygiene. 2. Children—Care and hygiene.

S G 17-185

Library, U. S. Surgeon-General's Office

NM 0921020 DNLM PPC DL

WS 113 M996c 1925 MYERS, Bernard, 1872-
The care of children from babyhood to adolescence, for the use of mothers and nurses. 3d ed., rev. London, Kimpton, 1925.
xi, 172 p. illus.
1. Children - Care & hygiene

NM 0921021 DNLM

Myers, Bernard, 1872- 362.71 R200
Day nurseries and their management, by Bernard Myers, ... With a preface by Muriel, Viscountess Helmsley, ... London, The Scientific Press, ltd., 1912.
x, 48 p. incl. illus. (plan), table. 18½cm.

NM 0921022 ICJ DL

WY M996h 1903 MYERS, Bernard, 1872-
Home nursing. London, Baillière, Tindall and Cox, 1903.
xi, 131 p. illus.

NM 0921023 DNLM

WS 120 M996m 1930 MYERS, Bernard, 1872-
Modern infant-feeding. London, Cape [1930]
160 p. illus. (Modern treatment series)
1. Infants - Nutrition

NM 0921024 DNLM PSt

Myers, Bernard, 1872–
Practical handbook on the diseases of children for the use of practitioners and senior students; by Bernard Myers ... with 61 illustrations. London, H. K. Lewis & co., ltd., 1922.
xvi, 548 p. incl. plates, illus. 22cm.
Bibliographical foot-notes.

1. Children—Diseases.

S G 23-14

Library, U. S. Surgeon-General's Office

NM 0921025 DNLM OC1W-H PPC

WA 900 KN4 M9p 1937 MYERS, Bernard, 1872-
The promotion of health in the Empire citizen. Westminster [Eng., 1937]
18 p. (The "Silver jubilee" course of [Chadwick] lectures. 3d lecture)
1. Public health - New Zealand
Series: Chadwick lectures, 1937-38

NM 0921026 DNLM

Myers, Bernard, 1872–
The reminiscences of a physician. Wellington, A. H. & A. W. Reed [1949]
159 p. ports. 22 cm.

I. Title.

R674.M9A3 926.1 50-22515

NM 0921027 DLC NN

Myers, Bernard Floyd.
Moments of meditation, by Bernard Floyd Myers. Cedar Rapids, Ia., The Torch press [1946]
100 p. front. (port.) 20cm.
Poems.

I. Title.

PS3525.Y375M6 811.5 47-16927

NM 0921028 DLC

Myers, Bernard J.
The influence of Donegal on the surrounding community; an address by Bernard J. Myers, delivered at the third annual reunion of Donegal church, East Donegal Township, Lancaster County, Pa., June 21, 1911. [n. p., 1911]
cover-title, 6 p. 22½cm.

1. Donegal, Pa. I. Title.

CA 25-1528 Unrev'd

Library of Congress F159.D6M8

NM 0921029 DLC

ND30 .E5 Myers, Bernard Samuel, 1908- ed.
Encyclopedia of painting; painters and painting of the world from prehistoric times to the present day. Bernard S. Myers, editor. Contributing associates: Milton W. Brown [and others] New York, Crown Publishers, 1955.

NE953 .R7 folio Myers, Bernard Samuel, 1908-
Roubillac, L F b. 1739.
... Études de fleurs d'après nature. Text by Bernard Myers ... New York, N. Y., I. B. Fischer company [1941]

Myers, Bernard Samuel, 1908-
Expressionism in American painting
see under
Buffalo Fine Arts Academy.

Myers, Bernard Samuel, 1908–
50 great artists. [1st ed. New York, Bantam Books, 1953]
xviii, 232, [6] p. illus. (part col.) 18 cm. (A Bantam fifty, F1171)
Bibliography: p. [234]-[236]

1. Painters. I. Title.

ND36.M9 927.5 54-16488 rev

NM 0921033 DLC WaS Or ICU LU PPPM PPCCH KMK ScU OWorP CU KU

Myers, Bernard Samuel, 1908-
FOR OTHER EDITIONS SEE MAIN ENTRY
Barnes, Harry Elmer, 1889–
... An intellectual and cultural history of the western world. Rev. ed. New York, Reynal & Hitchcock [°1941]

Myers, Bernard Samuel, 1908–
Lessons in art appreciation. Jersey City, National Committee for Art Appreciation, 1937.
12 no. illus., ports. 27 cm.
Caption title.
CONTENTS.—1. American painting.—2. Italian painting of the Renaissance.—3. Development of the monarchies and the Reformation.—4. Europe during the seventeenth century.—5. The Flemish and the Dutch.—6. English painting—eighteenth and early nineteenth century.—7. Rococo art in France—eighteenth century.—8. Classicism and romanticism—late 18th and early 19th centuries.—9. Realism and impressionism — the third quarter of the nineteenth century in France. — 10. The post-impressionists — French painting in the last quarter of the nineteenth century. — 11. European painting of the twentieth century.—12. American painting today.
1. Painting—Hist. 2. Painters. I. Title.

ND50.M93 759 42-5283 rev*

NM 0921035 DLC TxU CaBVa CaBViP Or OrLgE WaWW OrCS CU-S WaS MH PPT IU

Myers, Bernard Samuel, 1908-
Lessons in art appreciation, by Bernard Myers... [New York: National art soc., 1939-40] [96] p. illus. (incl. ports.) 28cm.

Caption-title.
No. 1-12; each no. paged 1-8.
"Copyright 1937. The National committee for art appreciation, ltd."
Issued with: Art for your sake... New York city, 1939-40.
Imperfect: Teachers work sheets wanting.

97015B. 1. Radio in education. 2. Art—Appreciation. I. National committee for art appreciation, ltd. II. National art society.
N. Y. P. L. June 24, 1941

NM 0921036 NN

VOLUME 403

Myers, Bernard Samuel, 1908–
Modern art in the making. New York, Whittlesey House, 1950.
xvi, 457 p. illus. (part col.) ports. 26 cm.
Bibliography: p. 433–446.

1. Painting—Hist. 2. Modernism (Art) I. Title.
ND195.M9 759.91 50-8135 rev

OrPS OrSaW
OrCS OrP WaT WaS NcD KyU KyLxT MiU DSI MtBC MtU
MiHM MB NcU NIC OClND OCl PP PPD PPT OClSA OCU Or
NM 0921037 DLC NcGU WaSpG WU PSt TxU KEmT DNAL MH

Myers, Bernard Samuel, 1908–
National broadcasting company in cooperation with the American association of museums presents The pageant of art; a guide to art and the history of culture, by Bernard Myers ... New York, Columbia university press, for the National broadcasting company, 1941.
[71] p. illus. 23 cm.
"The pageant of art study manual has been prepared for the radio audience as an aid to the appreciation of the various periods in the history of art and culture which will be broadcast in dramatic form each Sunday ... from November 10, 1940, to June 8, 1941."
"Reading list": p. [64]-[70]
1. Art—Hist. 2. Art—Outlines, syllabi, etc. I. National broadcasting company, inc. II. American association of museums. III. Title: The pageant of art.
N5305.M9 709 41-6060 rev

NM 0921038 DLC TxU WaS OrU PPD PPFA

PZ7 .M1338 Bi

Myers, Bernice, illus.

McClintock, Inez (Bertail)
Billy and his steam roller. Illus. by Bernice Myers. New York, Wonder Books [1951]

PZ7 .F7356 It

Myers, Bernice, illus.

Folsom, Franklin, 1907–
It's a secret. Story by Benjamin Brewster. Illus. by Bernice Myers. New York, Wonder Books [1950]

PZ8 .P979 My

Myers, Bernice, illus.

Puss-in-Boots.
Puss-in-Boots. Illus. by Bernice & Lou Myers. Chicago, Rand McNally, °1955.

Myers, Bessy.
... Captured, my experiences as an ambulance driver and as a prisoner of the Nazis. London [etc.] G. G. Harrap & co. ltd. [1941]
256 p. front. (group port.) illus. (map) 22½cm.
Insignia of the Chateau de Blois ambulance corps on t.-p.
"First published August 1941 ... Reprinted August 1941 ... December 1941."

1. World war, 1939– —Prisoners and prisons, German. 2. World war, 1939– —Personal narratives, English. 3. World war, 1939– —Medical and sanitary affairs. I. Title.
42-16624
Library of Congress D805.G3M9 1941
[a44c1] 940.547243

NM 0921042 DLC KU CtY NN CaBViP

Myers, Bessy.
... Captured, my experiences as an ambulance driver and as a prisoner of the Nazis. New York, London, D. Appleton-Century company, incorporated, 1942.
x p., 1 l., 312 p. front. (group port.) illus. (map) 22cm.

1. World war, 1939– —Prisoners and prisons, German. 2. World war, 1939– —Personal narratives, English. 3. World war, 1939– —Medical and sanitary affairs.
42-5806
Library of Congress D805.G3M9 1942
940.547243

DNLM OCl OO OU NcD WaS WaT Or WaE MtU
NM 0921043 DLC WaE MtU OrU NIC OkU PSt PPL PP

Myers, Beth (McHenry) 1910–
The doctor is a lady. New York, Avalon Books [1954]
255 p. 21 cm.

I. Title.
PZ7.M982Do 54-7967 ‡

NM 0921044 DLC

Myers, Beth (McHenry) 1910–
The enchanted land. New York, Avalon Books [1953]
254 p. 21 cm.

I. Title.
Full name: Margaret Elizabeth (McHenry) Myers.
PZ3.M99En 53-11886 ‡

NM 0921045 DLC WaE

Myers, Beth (McHenry) 1910–
Home is the sailor; the story of an American seaman, by Beth McHenry and Frederick N. Myers. New York, International Publishers [1948]
250 p. 21 cm.

1. Myers, Frederick Nelson, 1907– 2. National Maritime Union of America. I. Myers, Frederick Nelson, 1907– joint author. II. Title.
HD8073.M9M9 331.88156 48-7757 rev*

NM 0921046 DLC CaBVaU CU MiU CoU UU CaOTP TxU

Myers, Beth (McHenry) 1910–
... I had illusions, by Beth McHenry. New York, The Henkle company [1935]
286 p. 19½ cm.
The author's experiences while in training to become a nurse.

1. Nurses and nursing. 2. Hospitals. I. Title.
Full name: Margaret Elizabeth (McHenry) Myers.
RT51.M9 610.73 35-13622 rev

NM 0921047 DLC DNLM

Myers, Beth (McHenry) 1910–
The steady flame. New York, Bouregy & Curl, 1952.
255 p. 20 cm.
"Avalon books."

I. Title.
Full name: Margaret Elizabeth (McHenry) Myers.
PZ4.M996St 52-14353 ‡

NM 0921048 DLC

Myers, Betty, ed.
The hills are ready for climbing; a collection of poems by undergraduates of American colleges and universities; with an introduction by William Rose Benét. New York, E. P. Dutton & co., inc. [°1934]

Myers, Bill.
Finding happiness and other poems, by Bill Myers, sr. Los Angeles, Calif., Wetzel publishing co., inc. [1933]
2 p. l., 7-68 p. 19½cm.

I. Title.
39-6443
Library of Congress PS3525.Y38F5 1933
——— Copy 2.
Copyright A 73539 [2] 811.5

NM 0921050 DLC RPB

Myers, Bruce I
Fundamentals of arithmetic, economy method... by Bruce I. Myers ... and J. Linwood Eisenberg ... Chicago, Boston [etc.] Laurel book co., c1917.
4 v.

NM 0921051 OU

Myers, Burton Dorr, 1870–1951.
Beitrag zur Kenntniss des Chiasmas und der Commissuren am Boden des dritten Ventrikels. 32 pp. 8°. *Leipzig, Veit & Co.,* 1902.
Repr. from: Arch. f. Anat. u. Physiol., Leipz., 1902.

NM 0921052 DNLM CtY ICRL

LD2518 .W6

Myers, Burton Dorr, 1870–1951.

Woodburn, James Albert, 1856–1943.
History of Indiana University. [Bloomington] Indiana University, 1940–

Lilly LD 2518 .W6 v. 2

MYERS, BURTON DORR, 1870-1951
History of Indiana University, volume, II, 1902-1937: The Bryan administration. By Burton Dorr Myers ... Edited by Ivy L. Chamness and Burton D. Myers. [Bloomington, Ind.] Indiana University, 1952.
xiv p., [1] ℓ., 806 p. 23.2 cm.

A continuation of J.A. Woodburn's History.
Bound in red fabricoid.

NM 0921054 InU

LD 2515 .2 M98

Myers, Burton Dorr, 1870-1951.
A study of faculty appointments at Indiana University, 1824-1937. [Indianapolis, 1944.
[129]-155 p. 26cm.

"Reprinted from Indiana magazine of history, XL, no. 2, June, 1944."

1. Indiana. University. 2. Universities and Colleges-- Administration.

NM 0921055 NIC PSt

Myers, Burton Dorr, 1870–
... A study of the development of certain features of the cerebellum. By Burton D. Myers ...
(*In* Carnegie institution of Washington. Contributions to embryology. Washington, 1920. 29½ x 23½cm. vol. IX, p. 365-375. illus.)
Contributions to embryology, no. 41.
Bibliography: p. 375.

1. Cerebellum.
20-11991
Library of Congress QM601.C3 vol. 9

NM 0921056 DLC MB OO OCl MiU NcD OrU CaBVaU MtBC

Film QM 601 C3 v.9 no.41

Myers, Burton Dorr, 1870-
A study of the development of certain features of the cerebellum. By Burton D. Myers.
(In Carnegie institution of Washington. Contributions to embryology. Washington, 1920. vol.IX, p.365-375. illus.)
Microfilm (positive)
Contributions to embryology, no.41.
Carnegie Institution of Washington. Publication 272.
Bibliography: p.375.

NM 0921057 UU

LD2515 .A5

Myers, Burton Dorr, 1870–

Indiana. University.
Trustees and officers of Indiana University, 1820 to 1950, by Burton Dorr Myers, dean and professor emeritus, Indiana University School of Medicine. Edited by Ivy L. Chamness and Burton D. Myers. [Bloomington] 1951.

VOLUME 403

Myers, Byrona.
Turn here for Strawberry Roam. Drawings by Anne Marie Jauss. [1st ed.] Indianapolis, Bobbs-Merrill [1950]
134 p. illus. 23 cm.

I. Title.
PZ8.9.M9Tu 50-6921

NM 0921059 DLC OCl Or

Myers, Byrona.
Yo ho for Strawberry Roam! Drawings by Anne Marie Jauss. [1st ed.] Indianapolis, Bobbs-Merrill [1951]
155 p. illus. 23 cm.

I. Title.
PZ8.9.M9Yo 51-9934

NM 0921060 DLC Or

Myers, C. J., joint author.
Burke, George Wilbur.
... Steaming horizontal stop-end coal gas retorts, by Geo. W. Burke ... and C. J. Myers ... Ames, Ia., Iowa state college [1923]

QP463 M99 1949
Myers, C K
The inherent stability of the auditory threshold. Progress report, no. 3, on BuMed project NM-003-021 "The estimation of percentage hearing loss from the pure tone audiogram," by C. K. Myers and J. Donald Harris. New London, Conn., U. S. Naval medical research laboratory, U. S. Naval submarine base, 1949.
23 p. tables, diagrs.

1. Hearing. I. Harris, John Donald, 1914- jt. au. II. Title

NM 0921063 NNC NNC-M

Myers, C. M., traffic manager.
Making a city of Ohio
see under
C. C. & C. highway, inc., Cleveland.

Myers, C. S.
see Myers, Charles Samuel, 1873-

Myers, C V
Oil to Alaska ... Copyright [by] C. V. Myers ... [Edmonton, Alberta, Distributed by Provincial news co., 1944?]
40 p. illus. (incl. map) 25½ cm.
On cover: Canol unveiled.

1. Petroleum—Transportation. 2. Petroleum industry and trade—Alaska. I. Title. II. Title: Canol unveiled.
45-3051
Library of Congress TN879.5.M9 [4] 338.2728

NM 0921066 DLC

Myers, C V
Through hell to Alaska; a novel. [1st ed.] New York, Exposition Press [1955]
264 p. 21 cm.

I. Title.
PZ4.M997Th 55-8210 ‡

NM 0921067 DLC OrU OrLgE CaBViPA

[Myers, Carl E] *of Mohawk, N. Y.*
Aerial adventures of Carlotta; or, Sky-larking in Cloudland, being hap-hazard accounts of the perils and pleasures of aerial navigation. By the lady aeronaut, Carlotta. Mohawk, N. Y., C. E. Myers, 1883.
135 p. illus. 18 cm.
On cover: Sky-larking in Cloudland; or, Adventures of Carlotta. Signed: Carlotta.

1. Balloon ascensions. 2. Carlotta, aeronaut. I. Title.
7-3479
Library of Congress TL610.M95

NM 0921068 DLC DAS CSmH

Myers, Carlene Brien.
Wings over Hawaii, by Carlene Brien Myers. New York, House of Field, inc. [c1939]
3 p. l., 11-173 p. 19 cm.

I. Title.
40-3854
Library of Congress PZ3.M9001W1

NM 0921069 DLC

Myers, Carmel.
Don't think about it. Foreword by Lawrence S. Kubie. [1st ed.] Garden City, N. Y., Doubleday, 1952.
60 p. 20 cm.

1. Psychology, Applied. I. Title.
BF636.M87 150.13 52-5223 ‡

NM 0921070 DLC Or CaBVa

Myers, Caroline Elizabeth (Clark)
A group intelligence test (by) Caroline E. Myers Garry C. Myers.) (Lancaster, Pa., The Science press, 1919)
cover-title, 6 p. illus. 26½ cm
Reprinted from School and society vol X, no. 257, pages (355-360, September 20, 1919)

NM 0921071 DHEW

Myers, Caroline Elizabeth (Clark) joint author.
HQ769 .M975
Myers, Garry Cleveland, 1884-
Homes build persons, by Garry Cleveland Myers and Caroline Clark Myers. Philadelphia, Dorrance [c1950]

Myers, Caroline Elizabeth (Clark), joint author.
How to help your child succed
see under
Myers, Garry Cleveland, 1884-

Myers, Caroline Elizabeth (Clark)
... The language of America; lessons in elementary English and citizenship for adults, by Caroline E. Myers and Garry C. Myers ... New York and Chicago, Newson & company [c1921]
100 p. 19½ cm.
At head of title: Teachers' manual.

1. English language—Text-books for foreigners. 2. English language—Study and teaching. I. Myers, Garry Cleveland, 1884- joint author. II. Title.
PE1128.M8 23-14971 rev

NM 0921074 DLC DHEW MH PSC OCl IdU

Myers, Caroline Elizabeth (Clark) 4589a.415
The language of America. Lessons in elementary English and citizenship for adults. With an introduction by Frank E. Spaulding. Book I, 2.
New York. Newson & Co. [1921, 22.] 2 v. Illus. Portraits. Maps. 18 cm.
Book I suggests America's ideals through a gradually increasing English reading vocabulary; book II teaches service and patriotism through the lives of world heroes and of America's founders and defenders.
Book I was illustrated by R. B. Fuller.

The original edition by Garry C. Myers and others, which was published by the War Department at the Recruit Educational Center, Camp Upton, New York, under the title Army lessons in English, for use throughout the army, is catalogued separately.
By C. E. Myers and G. C. Myers.

NM 0921076 MB DHEW MiD OCl MH

Myers, Caroline Elizabeth (Clark)
Measuring minds; an examiner's manual to accompany the Myers mental measure, by Caroline E. Myers and Garry C. Myers ... New York & Chicago, Newson & co. [c1921]
55 p. 19½ cm.

1. Mental tests. I. Myers, Garry Cleveland, 1884- joint author. II. Title.
BF431.M85 A 22-1469 rev 2
General Theol. Sem. for Library of Congress Library [r51j2]†

IdU DLC
NM 0921077 NNG Or CtY-M ICJ PSC OCl ODW OU CU

Myers, Caroline Elizabeth (Clark) joint author
Myers, Garry Cleveland, 1884-
... My work book in arithmetic ... by Garry Cleveland Myers ... [and] Caroline Elizabeth Myers. Cleveland, O., The Harter publishing company, c1929-

Myers, Caroline Elizabeth (Clark)
The Myers mental measure, by Caroline E. Myers and Garry C. Myers...(Form no. 1) - Form no. 2. (New York? Newson & company? c1921-2.
2 pts. illus. 30 cm

NM 0921079 DHEW

Myers, Charles Andrews, 1913-
After unemployment benefits are exhausted, ... Cambridge, Mass., Mass. institute of technology [1942]

NM 0921080 PSC

Myers, Charles Andrew, 1913-
Approaches and problems in wage research. Cambridge, Mass. [1947]
cover-title, [367]-374 p. 23 cm. (Massachusetts institute of technology, Dept. of economics and social science. Publications in social science. Series 2, no. 22)

Reprinted from American economic review, Proceedings, v. 37, no. 2, May 1947.

NM 0921081 NNC

Myers, Charles Andrew, 1913-
Basic employment relations. [Cambridge, 1954]
319-330 p. 22cm. ([Massachusetts Institute of Technology] Dept. of Economics and Social Science. Publications in social science. Ser. 2, no. 43)

"Reprint from chapter 24 in Industrial conflict, edited by Arthur Kornhauser, Robert Dubin, and Arthur M. Ross (New York, McGraw-Hill, 1954)"
Bibliographical footnotes.

NM 0921082 NNC

VOLUME 403

Myers, Charles Andrew, 1913–
The dynamics of a labor market; a study of the impact of employment changes on labor mobility, job satisfactions, and company and union policies [by] Charles A. Myers [and] George P. Shultz. New York, Prentice-Hall [1951]
x, 219 p. 22 cm.
1. Unemployed—U. S. I. Shultz, George P., joint author. II. Title.
HD5724.M9 331.137 51-11694
MtU TU
GU MiU ViU-L CaBVa IdU MtBC OrCS OrPR OrPS OrU CU
NM 0921083 DLC NbU NN TxU ICU NcU NBuU ViU FTaSU

HD5724 .M98 1970
Myers, Charles Andrew, 1913-
The dynamics of a labor market; a study of the impact of employment changes on labor mobility, job satisfactions, and company and union policies [by] Charles A. Myers [and] George P. Shultz. New York, Prentice-Hall [1951]
219 p.
Reproduced by xerography.
1. Unemployed - U. S. I. Shultz, George P., jt. auth. II. Title.
NM 0921084 NbU

Myers, Charles Andrew, 1913-
Empirical research on wages. [Cambridge, 1953]
11 p. 23cm. ([Massachusetts Institute of Technology] Dept. of Economics and Social Science. Publications in social science. Ser. 2, no. 41)
"Reprint from Proceedings of the sixth annual meeting of the Industrial Relations Research Association, December, 1953."
Bibliographical footnotes.
NM 0921085 NNC

Myers, Charles Andrew, 1913–
Employment stabilization and the Wisconsin act, by Charles A. Myers. Chicago, 1939.
v, 369 l. illus. 32 cm.
Thesis—University of Chicago.
Bibliography: leaves 362-369.
1. Insurance, Unemployment—Wisconsin. 2. Employment stabilization—Wisconsin. I. Title.
HD7096.U6W67 1939b 331.1'1'09775 74-187629 MARC
NM 0921086 DLC

Myers, Charles Andrew, 1913–
... Employment stabilization and the Wisconsin act ... by Charles A. Myers ... [Evanston, Ill., 1939]
[2], 709-723 p. 23cm.
Part of thesis (PH. D.)—University of Chicago, 1939.
"Private edition, distributed by the University of Chicago libraries, Chicago, Illinois."
"Reprinted from American economic review, volume XXIX, no. 4, December, 1939."
1. Insurance, Unemployment — Wisconsin. 2. Employment management. I. Title.
Library of Congress HD7096.U6W67 1939 40-11800
Univ. of Chicago Libr.
—— Copy 2. [2] 331.2544409775
NM 0921087 ICU DLC PSC MH-BA Wa

Myers, Charles Andrew, 1913-
Employment stabilization and the Wisconsin act. [Cambridge, Mass., 1940]
cover-title, 26 numb. l. 22cm. (Massachusetts institute of technology. Dept. of economics and social science. Publications in social science. Series 2, no. 5)
Reprinted from American economic review, v. 29, no. 4, Dec. 1939.
NM 0921088 NNC

Myers, Charles Andrew, 1913–
Employment stabilization and the Wisconsin act. Washington, Research and Statistics Division [Federal Security Agency] 1940.
viii, 149 p. diagrs., tables. 27 cm. ([U. S.] Bureau of Employment Security. Employment security memorandum, no. 10)
"A condensation of ... [the author's] doctoral thesis presented to the Department of Economics at the University of Chicago in June 1939. Some new material has been added."
1. Insurance, Unemployment—Wisconsin. 2. Employment stabilization. (Series)
HD7096.U6W67 1940 368.4409775 59-58239
NM 0921089 DLC N

Myers, Charles Andrew, 1913-
Experience rating in unemployment compensation ... [Cambridge, Mass., 1945]
cover-title, [337]-354 p.incl.tables. (Label pasted on cover: Massachusetts institute of technology. Dept. of economics and social science. Publications in social science. Series 2, no. 18)
"Reprinted from American economic review, vol. XXXV, no. 3, June, 1945."
Bibliographical footnotes.
NM 0921090 MH-BA NNC

Myers, Charles Andrew, 1913-
Fundamentals of labor peace, a final report; chapter VII: Conclusions and implications. [Cambridge, 1953]
92-106 p. 23cm. ([Massachusetts Institute of Technology] Dept. of Economics and Social Science. Publications in social science. Ser. 2. no. 40)
"Reprint from Case study no. 14, Causes of industrial peace under collective bargaining ... December, 1953."
NM 0921091 NNC

Myers, Charles Andrew, 1913–
Industrial relations in Sweden; some comparisons with American experience. Cambridge [Mass.] Technology Press, 1951.
viii, 112 p. 24 cm.
1. Industrial relations—Sweden. I. Title.
HD8576.M9 331.1 51—3463
CU TxU OrCS OrU MtU
NM 0921092 DLC NN MH TU FTaSU GU UU MB ScU CLSU

HC106 .3 .A5127 no. 5
Myers, Charles Andrews, 1913- joint author.
[Brown, Douglass Vincent] 1904–
... Industrial wage rates, labor cost and price policies ... Washington, U. S. Govt. print. off., 1940.

Myers, Charles Andrew, 1913–
The movement of factory workers, a study of a New England industrial community, 1937–1939 and 1942, by Charles A. Myers and W. Rupert Maclaurin ... New York, J. Wiley & sons, inc.; London, Chapman & Hall, limited [1943]
viii, 111 p. diagrs. 22cm.
"A publication of the Technology press, Massachusetts institute of technology."
1. Labor turnover. 2. Labor supply. 3. Labor supply—Massachusetts. I. Maclaurin, William Rupert, 1907– joint author. II. Massachusetts institute of technology. III. Title.
43-14337
Library of Congress HD5706.M9
[15] 331.126
PSt OCl OCU OO CU ICJ OrP
NM 0921094 DLC Or OrSaW OrPR OrU OrCS NcD TU PSC

HD8072 .C314 no.7 1950
Myers, Charles Andrew, 1913-
Nashua Gummed and Coated Paper Company and AFL unions. A case study by Charles A. Myers and George P. Schultz. Washington, National Planning Assn. [1950]
89 p. 24cm. (Causes of industrial peace under collective bargaining. Case study, no. 7)
1. Collective bargaining—U. S. 2. Nashua Gummed and Coated Paper Company. 3. American Federation of Labor. I. Schultz, George P jt. author.
NM 0921095 ViU WHi OU MH

HF5549 .P468
Myers, Charles Andrew, 1913- joint author.
Pigors, Paul John William, 1900–
Personnel administration, a point of view and a method, by Paul Pigors and Charles A. Myers. 1st ed. New York, McGraw-Hill Book Co., 1947.

Myers, Charles Andrew, 1913–
Personnel problems of the postwar transition period. [Supplementary paper] prepared for Committee for Economic Development. [New York, 1944]
54 p. forms. 28 cm.
Bibliographical footnotes.
1. Personnel management. 2. Industrial relations—U. S. 3. Reconstruction (1939–)—U. S. I. Title.
HB34.M9 658.3 A 45-4628 rev*
Harvard Univ. Library for Library of Congress [r58d2]†
OrCS CU NIC FU CLU MH-PA DLC OrU WaTC
NM 0921097 MH NNC NN KMK DNAL IU MH-BA CSt-H DAU

HD 5724 M89
Myers, Charles Andrew, 1913-
Personnel problems of the postwar transition period. Prepared for Committee for Economic Development. [New York, 1945, 1944]
54 p. forms. 28cm. (Committee for Economic Development. Supplementary papers. 2)
1. Personnel management. 2. Industrial relations - U.S. 3. Reconstruction (1939-1951) - U.S. I. Title. (Series)
NM 0921098 CoU N

Myers, Charles Andrew, 1913-
Stable employment and flexible wages. [Cambridge, Mass., 1940]
cover-title, 21 numb. l. 22cm. (Massachusetts institute of technology. Dept. of economics and social science. Publications in social science. Series 2, no. 6)
Reprinted from Personnel, v. 17, no. 1, Aug. 1940.
NM 0921099 NNC PSC

Myers, Charles Andrew, 1913-
Wartime concentration of production ... Cambridge, Mass. [1943]
cover-title, [1], 222-234 p. (Massachusetts institute of technology. Dept. of economics and social science. [Publications in social science] Series 1, no. 13)
"Reprinted for private circulation from The Journal of political economy, vol. LI, no. 3, June 1943."
Bibliographical footnotes.
NM 0921100 MH-BA PSC

Myers, Charles Arthur, 1923–
Handbook to music; illus. by J. P. Little. Worcester [Eng.] Littlebury [1948]
205 p. ports. 23 cm.
Bibliography: p. 188-191.
1. Music—Analysis, appreciation. 2. Composers.
MT6.M97 780.1 48-24373
NM 0921101 DLC CaBVaU PP

Myers, Charles Ellsworth, 1866–
Memoirs of a hunter; a story of fifty-eight years of hunting and fishing. Davenport, Wash. [1948]
309 p. illus., ports. 23 cm.
1. Fishing—The West. [1. Fishing—Western States] 2. Hunting—The West. [2. Hunting—Western States] I. Title.
SK33.M9 799 Agr 48—537*
U. S. Nat'l Agr. Libr. for Library of Congress 409.7M99 [n66e1]†
NM 0921102 DNAL DLC CU Wa WaT CaBViPA

VOLUME 403

Myers, Charles Emory, 1882- joint author.
Boswell, Victor Rickman, 1900-
... Descriptions of types of principal American varieties of cabbage. Prepared jointly by specialists of the United States Department of agriculture and of the Agricultural experiment stations of California, Pennsylvania, South Carolina, Texas, Virginia, and Wisconsin. ⌊By Victor R. Boswell ... and W. C. Edmundson ... O. H. Pearson ... J. E. Knott ... and C. E. Myers ... R. A. McGinty ... W. H. Friend ... H. H. Zimmerley ... J. C. Walker ...⌋ Washington ⌊U. S. Govt. print. off.⌋ 1934

Myers, Charles Emory, 1882-
Experiments with cabbage & tomatoes. Harrisburg, 1909.

NM 0921104 PP

Myers, Charles Emory, 1882-
The Penn state Ballhead cabbage; some problems encountered in its development. State college, Pa., 1942.
52 p.

NM 0921105 PP PPHor

Myers, Charles Emory, 1882-
The Pennheart tomato. State college, Pa., 1943.

NM 0921106 PP

Thesis
SB
124
1922
M996
Myers, Charles Emory, 1882-
A statistical comparison between parenta forms and certain segregates in a cross of Lycopersicum esculentum by Lycopersicum pyriforme, and the significance of these differences as illustrated by certain statistical constants. ⌊Ithaca, N. Y.⌋ 1922.
39 l. 12 plates, tables (part fold.) 29 cm.
Thesis (Ph D.) - Cornell Univ., Sept. 1922.

NM 0921107 NIC

Myers, Charles Emory, 1882-
Statistical studies of inheritance in the tomato... State College, Pa., 1924.
31 p. illus. 23cm.
Thesis (Ph. D.)--Cornell University, 1922.
"Printed as Bulletin 189 (Technical bulletin) Pennsylvania Agricultural Experiment Station, State College, Pa., September, 1924."
1. Tomatoes.

NM 0921108 NIC OU MH

Myers, Charles Emory, 1882-
A strain test of Jersey Wakefield cabbage. n. p., 1910.
18 p. illus. 8°. (Pennsylvania. Agricultural experiment station. Bulletin. 96.)
1. Cabbage.
N. Y. P. L. February 14, 1911.

NM 0921109 NN PP

Myers, Charles Emory, 1882-
Strain tests of cabbage. ⌊Williamsport: Sun Ptg. & Bdg. Co., 1912.⌋ 15 p. illus. 8°. (Pennsylvania. Agricultural Experiment Station. Bull. 119.)
1. Cabbage.
N. Y. P. L. May 13, 1913.

NM 0921110 NN

MYERS, Charles Emory, 1882-
Strain tests of tomatoes. [Williamsport Sun Prtg. & Bdg. Co.] 1914. 139-150 p. 8°. (Pennsylvania. Agricultural Experiment Station. Bull. 129)
1. Tomato --U.S.-- Pennsylvania. I. Series.

NM 0921111 NN

Myers, Charles Eugene.
A study of the internal temperature rise in coil windings, by Charles Eugene Myers and Clarence William Beringhaus. [Cincinnati] 1950.
43 l. illus., daigrs. 29 cm.
Thesis (Electrical Engineer) - Univ. of Cincinnati, 1950.

NM 0921112 OCU

Myers, Charles Everett, 1888-
Effectiveness of vocational education in agriculture; a study of the value of vocational instruction in agriculture in secondary schools as indicated by the occupational distribution of former students, by Charles Everett Myers ... State College, Pa., 1923.
cover-title, v, 63 p., 1 l. diagrs. 23½cm.
Thesis (PH. D.)—Columbia university, 1923.
Vita.
Published also as U. S. Federal board for vocational education. Bulletin no. 82. Agriculture series no. 13.
1. Agricultural education—U. S. 2. Vocational education—U. S. I. Title.
24-11596
Library of Congress S533.M8
Columbia Univ. Libr. ⌊2⌋

NM 0921113 NNC NcU NIC DLC

⌊Myers, Charles Everett⌋ 1888-
... Effectiveness of vocational education in agriculture; a study of the value of vocational instruction in agriculture in secondary schools as indicated by the occupational distribution of former students. Washington, D. C., Federal board for vocational education, 1923.
v, 63 p. incl. tables, diagrs. 23 cm. (⌊U. S.⌋ Federal board for vocational education. Bulletin no. 82. Agriculture series, no. 13)
"Prepared by Prof. Charles Everett Myers."—p. v.
Published also as C. E. Myers' thesis (PH. D.) Columbia university, 1923.
1. Agricultural education—U. S. 2. U. S.—Occupations. ⌊2. Vocational education—U. S.⌋ I. Title.
LC1045.A25 no. 82 E 23-366 rev
U. S. Office of Education. Library
for Library of Congress ⌊r49e1⌋†

NM 0921114 DHEW DLC

⌊Myers, Charles Everett⌋ 1888-
... Effectiveness of vocational education in agriculture; a study of the value of vocational instruction in agriculture in secondary schools as indicated by the occupational distribution of former students. Rev. ed., including interpretations of occupational surveys for the period 1922-1927. Washington, D. C., Federal board for vocational education, 1928.
x, 60 p. incl. tables, diagrs. 23 cm. (⌊U. S.⌋ Federal board for vocational education. Bulletin no. 82. Agricultural series, no. 13)
Prepared by Prof. Charles Everett Myers. cf. p. ix.
1. Agricultural education—U. S. 2. U. S.—Occupations. ⌊2. Vocational education—U. S.⌋ I. Title.
LC1045.A25 no. 82a E 28-648 rev
U. S. Office of Education. Library
for Library of Congress ⌊r49d1⌋†

NM 0921115 DHEW DLC

Myers, Charles Everett, 1888-
Measuring educational efficiency... Harrisburg, Pa., Pennsylvania state education association, Jan., 1928.
2 l p.

NM 0921116 PPT

S531
.M8
Myers, Charles Everett, 1888-
National agricultural tests, edited by Charles Everett Myers ... ⌊State College, Pa. Nittany printing and publishing co.⌋ c.1924.
1 v. illus. 28 cm.

NM 0921117 DLC OrCS

Myers, Charles Everett, 1888-
... Normal school graduates in one-teacher schools, by Charles Everett Myers ... Harrisburg, Pa., Pennsylvania state education association, 1927.
⌊8⌋ p. incl. map. 25cm. (Research bulletin of the Pennsylvania state education association. Bulletin no. 2)
1. Rural schools—Pennsylvania. 2. Teachers—⌊Rural schools⌋—Pennsylvania.
E 30-403
Library, U. S. Office of Education LB1028.P4

NM 0921118 DHEW PPT

Myers, Charles Everett, 1888-
... The P. S. E. A. program for coordinated research in 1927-28. A plan to aid "The profession at work on its problems", by Charles Everett Myers ... Harrisburg, Pa., Pennsylvania state education association, 1927.
17, ⌊1⌋ p. 25½cm. (Research service of the Pennsylvania state education association. Bulletin no. 1)
1. Research, ⌊Educational⌋ E 32-174
Library, U. S. Office of Education LB1028.P4 no. 1

NM 0921119 DHEW PPT

Myers, Charles Everett, 1888-
The relation of measurement to vocational education in agriculture.
(In National education association of the United States. Addresses and proceedings, 1925. p. 898-901)
1. Vocational education. 2. Agricultural education.
E 26-618
Library, U. S. Bur. of Education

NM 0921120 DHEW

Myers, Charles Haven, 1880-
The North Congregational pulpit... ⌊Sermons⌋ preached... 1935-
1935-

NM 0921121 MiD-B

QA303
H638
1825
Myers, Charles John.
An elementary treatise on the differential calculus by Charles John Myers...Cambridge: J. and J. J. Deighton, 1827.
32 p. 21.5 cm. (bound with Higman's Syllabus of differential and integral calculus)

NM 0921122 DAU

308t
M9962
Myers, Charles Lincoln
Influences on the learning situation of selected and planned teacher-knowledge of students. ⌊Berkeley, 1952⌋
ix,248 l. diagrs.,tables.
Thesis (Ph.D. in Education) - Univ. of California, Sept. 1952.
Bibliography: p.245-248.

NM 0921123 CU

Myers, Charles Mason, 1916-
The role of determinate and determinable modes of appearing in perception. Ann Arbor, University Microfilms ⌊1954⌋
(⌊University Microfilms, Ann Arbor, Mich.⌋ Publication no. 8389)
Microfilm copy of typescript. Positive.
Collation of the original: v, 303 l. illus.
Thesis—University of Michigan.
Abstracted in Dissertation abstracts, v. 14 (1954) no. 8, p. 1239-1240.
Bibliography: leaves 297-303.
1. Perception.
Microfilm AC-1 no. 8389 Mic A 55-3402
Michigan. Univ. Libr.
for Library of Congress ⌊1⌋†

NM 0921124 MiU DLC

VOLUME 403

LE 3 T53 F37749 University Archives
Myers, Charles Roger, 1906-
Outlines of lectures in general psychology I a. Faculty of Arts, University of Toronto. Toronto, University of Toronto Press [193-]
[1], 23 leaves.
Cover title.
Interleaved with ruled paper.
Reproduced from typewritten copy.

NM 0921125 CaOTU

Myers, Charles Roger, 1906-
Toward mental health in school, by C. Roger Myers ... [Toronto] The University of Toronto press, 1939.
vi p., 2 l., 3-151 p. 21½ cm.
"Further reading": p. 150-151.
1. Mental hygiene. 2. Mentally handicapped children—Education. I. Title: Mental health in school.
LC4661.M9 371.7 40—9280

PPPL NcU OrMonO OrCS NIC OrU CaBVaU OrPR CaBVa OrU-M
NM 0921126 DLC ICU OrPS PU-Penn PPT OCU CaQMM MU

Myers, Charles Samuel, 1873-
... The absurdity of any mind-body relation, by Charles S. Myers ... Delivered on 19 May 1932 at University college, London. London, Oxford university press, H. Milford, 1932.
27, [1] p. 22½cm. (L. T. Hobhouse memorial trust lectures, no. 2)
1. Mind and body. 2. Monism. I. Title.
Library of Congress BF171.M85 34-20961
[3] [159.90161332] 130.16332

NM 0921127 DLC OO PSC NN MiU OrU CU MoU

Myers, Charles Samuel, 1873-
Attitudes to minority groups...
see under title

Myers, Charles Samuel, 1873- ed.
The British journal of psychology ... vol. I-
1904-
Cambridge [Eng.] The University press [1904-

Myers, Charles Samuel, 1873-
Business rationalisation, its dangers and advantages considered from the psychological and social standpoints; three lectures given at the London school of economics, under the Heath Clark bequest to the National institute of industrial psychology, by Charles S. Myers ... London, Sir I. Pitman & sons, ltd., 1932.
vii, 76 p. 19½cm.
Bibliography: p. 73.
1. Efficiency, Industrial. 2. Industry—Organization, control, etc. I. Title.
Library of Congress T58.M89 33-2654
[3] 658.01

NM 0921130 DLC DL MH-BA NN

617.21 M99c
Myers, Charles Samuel, 1873-
Contributions to the study of shell shock; being an account of certain disorders of speech, with special reference to their causation and their relation to malingering. [London, 1916]
461-467p.
Extract from The Lancet no.XI of Vol.II., 1916, p.461-467.

NM 0921131 IU

Myers, Charles Samuel. 1873- *3823.171
The ethnological study of music.
(In Anthropological essays presented to Edward Burnett Tylor ... Pp. 235-253. Oxford. 1907.)
G7294 — Music. Ethnol.

NM 0921132 MB

Myers, Charles Samuel, 1873- ed.
The Human factor ... v. 1-
Jan. 1922-
London, National institute of industrial psychology, 1923-

Myers, Charles Samuel, 1873-
In the realm of mind; nine chapters on the applications and implications of psychology, by Charles S. Myers ... Cambridge [Eng.] The University press, 1937.
3 p. l., 251 p. 19cm.
CONTENTS.—I. The help of psychology in the choice of a career.—II. The human factor in accidents.—III. The psychology of musical appreciation.—IV. A psychological regard of medical education.—V. The modern development of social psychology.—VI. Towards internationalism.—VII. Psychological conceptions in other sciences.—VIII. The absurdity of any mind-body relation.—IX. The nature of mind.
1. Psychology—Addresses, essays, lectures. I. Title.
Library of Congress BF21.M83 38-6314
[3] [159.904] 150.4

CtY OCl OU PU PBm DL NcD NN NNC IU
NM 0921134 DLC OrU OrMonO IdU Wa MtU CaBVaU KEmT

Myers, Charles Samuel, 1873-
Industrial psychology, by Charles S. Myers ... New York, The People's institute publishing company [1925]
2 p. l., 164 p. plates, diagrs. 20cm.
(On cover: Lectures-in-print)
"References" at end of each chapter.
Five lectures delivered by the author at Columbia university form the basis of this book.--cf. Pref

PP PBm CSt OU OCl NcD ICJ KMK NcRS OYesA OClW DHEW
NM 0921135 NNC NN CU OClW IU MB PU MH MiD TU NN

Myers, Charles Samuel, 1873- ed.
Industrial psychology, edited by Charles S. Myers ... London, T. Butterworth ltd. [1929]
252 p. illus., diagrs. 17 cm. (Half-title: The Home university library of modern knowledge. [no. 140])
"With the exception of one chapter ... this book has been written by members of the staff of the National institute of industrial psychology."—Introd.
Bibliography: p. 245-248.
1. Psychology, Industrial. 2. Fatigue. I. National institute of industrial psychology, London.
HF5548.8.M9 1929 29—U219

NM 0921136 DLC ICJ PBm OO OCU OrU

Myers, Charles Samuel, 1873- ed.
Industrial psychology, edited by Charles S. Myers ... New York, H. Holt and company; London, T. Butterworth ltd. [c1929]
252 p. 1 illus., diagrs. 17 cm. (Half-title: Home university library of modern knowledge, no. 131)
"With the exception of one chapter ... this book has been written by members of the staff of the British National institute of industrial psychology."—Introd.
Bibliography: p. 245-248.
1. Psychology, Industrial. 2. Fatigue. I. National institute of industrial psychology, London.
HF5548.8.M9 1929a 29—18465

NM 0921137 DLC NcD NcU ViU WaS IdU OrCS

Myers, Charles Samuel, 1873-
Industrial psychology in Great Britain, by Charles S. Myers ... London, J. Cape ltd. [1926]
164 p. plates, diagrs. 21 cm.
Five lectures delivered by the author at Columbia university, New York, form the basis of this book. cf. Pref.
"References" at end of each chapter.
1. Psychology, Physiological. 2. Efficiency, Industrial. 3. Fatigue. I. Title.
HF5548.8.M93 26—26909

NcD
NM 0921138 DLC OrPR OrU DL OClCC OCU OKentU NN

Myers, Charles Samuel, 1873-
Industrial psychology in Great Britain, by Charles S. Myers ... London, J. Cape ltd. [1927]
164 p. plates, diagrs. 21cm.
Five lectures delivered by the author at Columbia university, New York, form the basis of this book. cf. Pref.
"References" at end of each chapter.

NM 0921139 WaU

BF56 M9 1933
Myers, Charles Samuel, 1873-
Industrial psychology in Great Britain.
2d ed. London, J. Cape [1933]
160 p. illus.,diagrs.
"References" at end of chapters.
1. Psychology, Physiological - 1901-
2. Efficiency, Industrial. 3. Fatigue.

NM 0921140 CU

Myers, Charles Samuel, 1873- 3607.355
The influence of the late W. H. R. Rivers.
(In Rivers, William H. R., 1864-1922. Psychology and politics ... Pp. 147-181. New York. 1923.)
N1950 — Rivers, William Halse Rivers, 1864-1922.

NM 0921141 MB

Myers, Charles Samuel, 1873-
An introduction to experimental psychology, by Charles S. Myers ... Cambridge, University press, 1911.
vi p., 1 l., 156 p. illus., 2 col. pl. 17cm. (Half-title: The Cambridge manuals of science and literature)
Bibliography: p. [151]-153.
1. Psychology, Physiological.
Library of Congress QP355.M8 11-29771

NM 0921142 DLC PHC MiU CU ICJ NN IdU OrCS NIC

Myers, Charles Samuel, 1873-
An introduction to experimental psychology, by Charles S. Myers ... Cambridge [Eng.] The University press, 1912.
vi p., 1 l., 156 p. 2 col. pl., diagrs. 17cm. (Half-title: The Cambridge manuals of science and literature)
"Revised edition."
Bibliography: p. [151]-153.
1. Psychology, Physiological.
U. S. Off. of educ. Library for Library of Congress QP355.M9 [QP355.M] E 13-1997

ViU
NM 0921143 DHEW PPPL OClW MB NjP ICN IdU OCU ODW

Myers, Charles Samuel, 1873-
An introduction to experimental psychology, by Charles S. Myers ... Cambridge [Eng.] The University press, 1914.
xii, [2], 156 p. illus., diagrs. 17cm. (Half-title: The Cambridge manuals of science and literature)
"First edition 1911. Revised 1912. Third edition 1914."
Bibliography: p. [151]-153.
1. Psychology, Physiological.
Library of Congress QP355.M9 1914 43-43019

NM 0921144 DLC MH OCU MiU

Myers, Charles Samuel, 1873-
An introduction to experimental psychology, by Charles S. Myers... [3d. ed.] Cambridge, University press, 1925.
xii p., 1 l., 156 p. illus. 2 col. pl., diagrs. 17 cm. (Half-title: The Cambridge manuals of science and literature)
Title within ornamental border.
Bibliography: p. [151]-153.
1. Psychology, Physiological.

NM 0921145 CU

VOLUME 403

Myers, Charles Samuel, 1873-

Jekyll, Walter, *comp. and ed.*
Jamaican song and story: Annancy stories, digging sings, ring tunes, and dancing tunes, collected and edited by Walter Jekyll: with an introduction by Alice Werner, and appendices on traces of African melody in Jamaica by C. S. Myers, and on English airs and motifs in Jamaica, by Lucy E. Broadwood ... London, Pub. for the Folk-lore society by D. Nutt, 1907.

Myers, Charles Samuel, 1873- ed.

Union of Jewish literary societies.
Judaism and the beginnings of Christianity; a course of lectures delivered in 1923 at Jews' college, London, under the auspices of the Union of Jewish literary societies. London, G. Routledge & sons, ltd. [1924]

Myers, Charles Samuel, 1873-
Mind and work, the psychological factors in industry and commerce, by Charles S. Myers ... London, University of London press, ltd., 1920.
xi, 203, [1] p. illus., plates, diagrs. 19½cm.
"References" at end of each chapter.

OCX-142-21
1. Efficiency, Industrial. 2. Fatigue. 3. Psychology, Applied. I. Title.

Library of Congress T58.M9 1920 21-11194

NjNbS MiU OCU DL ICJ NN OCX MH-BA
NM 0921148 DLC PPC DHEW DNLM CoU CU ICRL OkU PU

Myers, Charles Samuel, 1873-
Mind and work; the psychological factors in industry and commerce, by Charles S. Myers ... New York and London, G. P. Putnam's sons, 1921.
xi, 175 p. illus., plates. 19cm. $1.75
"References" at end of each chapter.

1. Efficiency, Industrial. I. Title.

Library of Congress T58.M9 21-4721

ODW OCU OO ICJ NN MB MtU OrU
NM 0921149 DLC KEmT NcD CU ICRL GU PSC PU OCl

Myers, Charles Samuel, 1873-

Pennsylvania. University. *Bicentennial conference.*
... Modern psychology, by Charles S. Myers, Frank N. Freeman [and] Morris S. Viteles. Philadelphia, University of Pennsylvania press, 1941.

Myers, Charles Samuel. 1873- 3824.209
Music [of the Veddas].
(In Seligmann, C. G., and B. Z. Seligmann. The Veddas. Pp. 341-365. Cambridge. 1911.)

H8780 — Ceylon. Fine arts. Music.

NM 0921151 MB

Myers, Charles Samuel, 1873- ed.

Occupational psychology ... v. 1- Jan. 1922- London, National institute of industrial psychology, 1923-

---

Myers, Charles Samuel, 1873 -
On the permanence of racial mental differences. (In: Universal Races Congress, I. London, 1911. Papers on inter-racial problems. London, 1911. 8°. p. 73-79.)

1. Races of men.
N. Y. P. L. October 5, 1911.

NM 0921153 NN

MYERS, Charles S[amuel], 1873-
Present-day applications of psychology with special reference to industry, education and nervous breakdown. London, Methuen & Co.,Ltd. [1918].

pp. 47.

NM 0921154 MH

BF38 .M98 (Ps)
Myers,Charles Samuel,1873-
Present-day applications of psychology,with special reference to industry,education and nervous breakdown,by Charles S.Myers... 2d ed. London,Methuen & co.,ltd.[1918]
47,[1]p. 17cm.
"First published,September 12th 1918. Second edition,November 1918".
"Two lectures delivered at the Royal institution of Great Britain on April 11th and 18th,1918"
1.Psychology,Physiological. 2.Efficiency,Industrial. 3.Neurasthenia.

NM 0921155 ICU MH

Myers, Charles Samuel, 1873- 5608.116
Present-day applications of psychology, with special reference to industry, education and nervous breakdown. 3d edition.
— London. Methuen & Co., Ltd. [1919.] 48 pp. 16½ cm., in 8s.
References, pp. 47, 48.

L9358 — T.r. — Psychology. Physiological. — Nervous diseases.

NM 0921156 MB CtY PU IU ODW MH-BA

MYERS,Charles S[amuel], 1873-
Present-day applications of psychology with special reference to industry, education, and nervous breakdown. 4th ed., London,Methuen & co.,ltd.,[1919].

pp. 48.

NM 0921157 MH

Myers, Charles Samuel, 1873-
Psychological conceptions in other sciences, by Charles S. Myers ... Oxford, The Clarendon press, 1929.
24 p. 23cm.
"The Herbert Spencer lecture delivered at Oxford 14 May, 1929."

1. Psychology — Addresses, essays, lectures. 2. Science — Addresses, essays, lectures. I. Herbert Spencer lecture, 1929. II. Title.

Library of Congress BF64.M8 29-23466

MH NN WaU
NM 0921158 DLC CtY PU PBm MiU OCU OO DL MiHM NcD

Myers, Charles Samuel, 1873-
A psychologist's point of view; twelve semi-popular addresses on various subjects, by Charles S. Myers ... London, W. Heinemann ltd., 1933.
vii, 207 p. illus. (music) 19cm.
CONTENTS.—Human improvability.—Principles of development.—Education and vocations.—Success.—Prayer.—Individual religious differences.—Freudian psychology.— Instinct and intelligence.— Industrial psychology and public health.—Hindrances to output.—The taste-names of primitive peoples.—The beginnings of music.

1. Psychology—Addresses, essays, lectures. I. Title.

Library of Congress BF21.M85 33-16336
[2] [159.904] 150.4

NM 0921159 DLC CtY NN CaBVaU

Myers, Charles Samuel, 1873-

Rivers, William Halse Rivers, 1864-1922.
Psychology and politics, and other essays, by W. H. R. Rivers ... with a prefatory note by G. Elliot Smith ... and an appreciation by C. S. Myers ... London, K. Paul, Trench, Trubner & co., ltd.; New York, Harcourt, Brace & company, inc., 1923.

BF317 f.M9 (Ps)
Myers, Charles Samuel, 1873-
... Reaction-times. By Charles S. Meyers. [Cambridge? 1901?]
p. [205]-223. incl. tables. 30½cm.
Caption title.
Reprinted from the Reports of the Cambridge anthropological expedition to Torres Straits, vol. II, pt. II.

NM 0921161 ICU

Myers, Charles Samuel, 1873-

[**Haddon, Alfred Cort**] 1855- *ed.*
Reports of the Cambridge anthropological expedition to Torres straits ... Cambridge [Eng.] The University press, 1901-35.

Myers, Charles Samuel, 1873-

Davies, A M Hudson.
The selection of colour workers; being a research into the practical methods of measuring the ability to discriminate fine shades of colour, begun by A. M. Hudson Davies ... & A. Stephenson ... completed and described by W. O'D. Pierce ... edited, and with a preface and a chapter, by Charles S. Myers ... London, Sir I. Pitman & sons, ltd., 1934.

Myers, Charles Samuel, 1873-
Shell shock in France, 1914-18, based on a war diary kept by Charles S. Myers ... Cambridge [Eng.] The University press, 1940.
xi, 146 p. 19cm.

1. Neuroses, Traumatic. 2. European war, 1914-1918—Medical and sanitary affairs. I. Title.

Library of Congress RC361.M9 41-1254
[4] 616.852

NM 0921164 DLC Or CU OClCC OClW OU CtY NcD MH

Myers, Charles Samuel, 1873-

Gt. Brit. *Industrial health research board.*
... A study of improved methods in an iron foundry. London, H. M. Stationery off. [Darling and son, limited, printers, 1919.

Myers, Charles Samuel, 1873- joint author.

Welch, Henry John, 1872-
Ten years of industrial psychology; an account of the first decade of the National institute of industrial psychology, by Henry J. Welch ... and Charles S. Myers ... London, Sir I. Pitman & sons, ltd., 1932.

Myers, Charles Samuel, 1873-
A text-book of experimental psychology, by Charles S. Myers ... with 66 figures and diagrams. London, E. Arnold, 1909.
xvi, 432 p. illus., diagrs. 20cm.
Bibliography at end of chapters.

1. Psychology, Physiological.

E 9-955

Library, U. S. Bur. of Education

NN ICN
NM 0921167 DHEW WU-M DNLM CtY NNC-M IaAS OCU ICJ

Myers, Charles Samuel, 1873-
A textbook of experimental psychology. New York, Longmans,Green & Co., 1909.
432p. illus.

NM 0921168 ICRL CU ViU OCl NjP MiU MH MB CtY

VOLUME 403

Myers, Charles Samuel, 1873–
A text-book of experimental psychology with laboratory exercises, by Charles S. Myers ... 2d ed. ... Cambridge, University press, 1911.
2 v. illus., col. pl. 22cm.
Bibliographies at ends of chapters.
CONTENTS.—pt. I. Text-book.—pt. II. Laboratory exercises.
1. Psychology, Physiological.
Library of Congress QP355.M83 12—4936

NM 0921169 DLC OrStbM CaBVaU OrCS OrU OrPR WaWW WaU PPEB CU KMK MoU WaS MtU IdU MiU OCU ODW OU MH CtY NjP DAU ICJ MB PSC

QP355 M83 1911 Myers, Charles Samuel, 1873-1946
A text-book of experimental psychology with laboratory exercises, by Charles S. Myers. Cambridge, University Press, 1911-28 [v. 1, 1928]
2 v. illus., col. pl. 22 cm.
Includes bibliographies.
Contents. - Pt. 1. Text-book. 3d ed. 1928. Pt. 2. Laboratory exercises. 2d ed. 1911.
1. Psychology, Physiological. I. Title.

NM 0921170 MeB

Myers, Charles Samuel, 1873–
A text-book of experimental psychology with laboratory exercises, by Charles S. Myers ... 2d ed. ... Cambridge, University press, 1922-3.
2 v. illus., col. pl. 22 cm.
Bibliographies at ends of chapters.
Contents.-pt. I. Text-book. - pt. II. Laboratory exercises.
1. Psychology, Physiological.

NM 0921171 NcD

QP 355 M99 1925 Myers, Charles Samuel, 1873-
A text-book of experimental psychology with laboratory exercises. 3d ed. Cambridge, University Press; New York, Longmans, Green, 1925.
2 v. illus., diagrs. 23cm.
Contents--pt. 1. Text-book.--pt. 2. Laboratory exercises, by C. S. Myers and F. C. Bartlett.

NM 0921172 NIC DNLM ICJ MH NN CU NcRS NjNbS

Myers, Charles Samuel, 1873– 150.1 8561
A text-book of experimental psychology with laboratory exercises. Third edition. Part I–II ... By Charles S. Myers ... Cambridge, University Press; New York, Longmans, Green, and Co., 1925–1928.
2 vol. illus., 1 col. pl., diagrs. 22½cm.
Vol. 2, 1925, reprinted, 1928.
Bibliography at end of each chapter except the first, pt. 1.
Contents.—I. Text-book.—II. Myers, C. S. & Bartlett, F. C. Laboratory exercises.

NM 0921173 ICJ OOxM CtY

Myers, Charles Samuel, 1873-
A textbook of experimental psychology with laboratory exercises... 35d ed. Cambridge, Univ. press, 1931, 1928.
2 v.

NM 0921174 PSC

Myers, Charles Samuel. 1873–
Traces of African melody in Jamaica.
(In Jekyll, Walter, compiler. Jamaican song and story. Pp. 278–285. London. 1907.) *4550a.94

NM 0921175 MB

Myers, Charles Samuel, 1873-
Gt. Brit. *Industrial health research board.*
... Two contributions to the experimental study of the menstrual cycle. I.—Its influence on mental and muscular efficiency. By S. C. M. Sowton and C. S. Myers ... II.—Its relation to general functional activity. By E. M. Bedale ... London, H. M. Stationery off., 1928.

DS489 .2 .S4 Myers, Charles Samuel, 1873-
Seligman, Charles Gabriel, 1873–1940.
The Veddas, by C. G. Seligmann ... and Brenda Z. Seligmann. With a chapter by C. S. Myers ... and an appendix by A. Mendis Gunasekara ... Cambridge, The University press, 1911.

Myers, Charles Samuel, 1873–
The vivisection problem; a controversy between Charles S. Myers ... and Albert Leffingwell ... [Philadelphia?] Printed for the Vivisection reform society, 1907.
cover-title, 32 p. 22½cm.
"Papers ... reprinted from the issues of the International journal of ethics of April 1904, January 1905, and July, 1905."
1. Vivisection. I. Leffingwell, Albert, 1845–
Library of Congress HV4931.M8 8–34175

NM 0921178 DLC PPAN DNLM Or NN NjNbS MiU OU

W4A M9955d 1932 MYERS, Charles Snoddy, 1906-
Derivatives of diiodotyrosine and thyroxine. [Minneapolis] 1932.
122 ℓ.
Thesis (PH. D.) - Univ. of Minnesota.
Typewritten copy.
1. Amino acids 2. Thyroxine

NM 0921179 DNLM

Myers, Charles Snoddy, 1906–
... Some derivatives of diiodotyrosine and thyroxine. The action of acetic anhydride on diiodotyrosine. By Charles S. Myers ... [Easton, Pa., 1932]
p. [3718]–3725. 23½cm.
Caption title.
Abridgment of thesis (PH. D.)—University of Minnesota, 1932.
Thesis note on p. [3718]
Vita.
"Reprint from the Journal of the American chemical society, 54 ... (1932)."
1. Tyrosin. 2. Thyroxine.
Library of Congress QD341.A7M98 1932 33–15385
Univ. of Minnesota Libr.
——— Copy 2. [2] 547.8

NM 0921180 MnU DLC

LB1121 .M96 Myers, Charles T
Validity study of six spatial relations tests. Princeton, N. J., 1953.
1 v. (various pagings) illus. (Educational Testing Service. Research memorandum, RM-53-15)
1. Perception--Testing. 2. Space-perception.

NM 0921181 ICU

Myers, Charlton M.
Foreign policy in the light of international obligation. [Oxford, O.] 1932. 44 p.

NM 0921182 OOxM

Myers, Chester Newton, 1884- joint author
Voegtlin, Carl.
... Bread as a food. Changes in its vitamine content and nutritive value with reference to the occurrence of pellagra, by Carl Voegtlin, professor of pharmacology, M. X. Sullivan, biochemist, and C. N. Myers, technical assistant, United States Public health service ... Washington, Govt. print. off., 1916.

Myers, Chester Newton, 1884–
... Determination and distribution of arsenic in certain body fluids after the injection of arsenobenzol, salvarsan, and neosalvarsan, by C. N. Myers, organic chemist, Hygienic laboratory, United States Public health service ... Washington, Govt. print. off., 1919.
12 p. pl. 23cm.
Reprint no. 520 from the Public health reports, v. 34, no. 18, May 2, 1919 (p. 881–890)
Running title: Arsenic in body fluids after salvarsan treatment.
Bibliography: p. 11–12.
1. Arsenic. 2. Salvarsan. I. U. S. Public health service. Public health reports. Reprint 520.
Library of Congress RM666.A75M8 19–26821

NM 0921184 DLC PP CaBVaU

Myers, Chester Newton, 1884- joint author.
Voegtlin, Carl, 1879–
... The dietary deficiency of cereal foods with reference to their content in "antineuritic vitamine," by Carl Voegtlin, G. C. Lake, and C. N. Myers. The growth-promoting properties of foods derived from corn and wheat, by Carl Voegtlin and C. N. Myers. Phosphorus as an indicator of the "vitamine" content of corn and wheat products, by Carl Voegtlin and C. N. Myers ... Washington, Govt. print. off., 1918.

Myers, Chester Newton, 1884–
History and development of the deposition of copper ferrocyanide membrane by the electrolytic method ... Easton, Pa., Eschenbach printing co., 1911.
28 p., 1 l. incl. tables. 23½cm.
Thesis (PH. D.)—Johns Hopkins university.
Biography.
1. Osmosis. 2. Electrolysis.
Library of Congress QD543.M9 CA 11–3284 D

NM 0921186 DLC PU MdBJ NN CU NIC

Myers, Chester Newton, 1884–
... Qualitative and quantitative tests for arsphenamine and neo-arsphenamine, by C. N. Myers, organic chemist, and A. G. Du Mez, technical assistant, Hygienic laboratory, United States Public health service ... Washington, Govt. print. off., 1918.
16 p. 24½cm.
Reprint no. 472 from the Public health reports, v. 33, no. 25, June 21, 1918 (p. 1003–1018)
Bibliography: p. 14–16.
1. Arsphenamine. I. Du Mez, Andrew Grover, 1885– joint author. II. U. S. Public health service. Public health reports. Reprint 472. III. Title.
Library of Congress RM666.A77M8 18–26672

NM 0921187 DLC CaBVaU

Myers, Chesterfield W.
Coxey's warning, a vindication of Coxeyism, by Chesterfield W. Myers, (the poet of the commonweal.) [n. p., 1894]
140 p. 19½cm.
Portrait on cover.
Poems.
1. Coxey, Jacob Sechler, 1854– —Poetry. I. Title.
Library of Congress PS2459.M47 35-33086
Copyright 1894: 35240 811.49

NM 0921188 DLC

Myers, Clara A.
History of State teachers college, Kutztown, Pennsylvania... Philadelphia, Pa., 1934.
120 p.

NM 0921189 PPT

Myers, Clara Louise, 1866– *ed.*
Readings in biography, selected and edited by Clara L. Myers ... New York, The Macmillan company, 1931.
xii p., 1 l., 383 p. 20½cm.
Excerpts from biographies by Plutarch, Bonaventura, Cellini, George Cavendish, Samuel Pepys, James Boswell, Edward Gibbon, John G. Lockhart, Thomas Carlyle, John Stuart Mill, John Forster, Jane Addams, Hamlin Garland, Michael Pupin, Harvey Cushing, Virginia Woolf and James Truslow Adams.
Bibliography: p. 376–383.
1. Biography. 2. Bibliography—Best books—Biography. 3. Biography—Bibl. I. Title.
Library of Congress CT101.M8 31–21847
——— Copy 2.
Copyright A 41115 [5] 920.02

NM 0921190 DLC OC1Ur NcU MH PPLas NcD CoU IdU Or OrCS PPGi MtBC OC1 OCU

VOLUME 403

Myers, Clark E., joint ed.

T58 .S6815

Spriegel, William Robert, 1893– ed.
The writings of the Gilbreths, edited by William R. Spriegel and Clark E. Myers. Homewood, Ill., R. D. Irwin, 1953.

Myers, Clovis D 1914–
Bactericidal properties of certain organomercuric acetates, by Clovis D. Myers ... [Easton, Pa., 1937]
1 p. l., p. [2703]–2704. 26½ x 20cm.
Condensation of thesis (PH. D.)—University of Iowa, 1937.
"By George H. Coleman, Lyle A. Weed and Clovis D. Myers."
"Reprint from the Journal of the American chemical society, 59 ... (1937)."
1. Acetates. 2. Mercury organic compounds. 3. Bacteria. I. Coleman, George Hopkins, 1891– joint author. II. Weed, Lyle Alfred, joint author. III. Title.
38-20318
Library of Congress RA766.M57M9 1937
Univ. of Iowa Libr.
——— Copy 2. [2] 615.777

NM 0921192 IaU DLC

Z 532.5 M99 Thesis

Myers, Clyde.
Some experiments on Washington sands to determine their value as water filter media. 1916.

NM 0921193 WaPS

379.1534 qM996

Myers, Clyde B
Social and psychological factors in organizing enlarged city school districts (a study) [Albany] University of the State of New York, State Education Dept., Div. of Research, 1950.
22 l. illus. 29 cm.
Includes bibliographical footnotes.
1. School districts. New York (State) I. New York (State) University. Research, Division of. II. Title.

NM 0921194 N NIC

Wason SB123 M99

Myers, Clyde Hadley, 1883-1944.
Final report of the plant improvement project conducted by the University of Nanking, Cornell University and the International Education board. Nanking, China, University of Nanking, College of Agriculture and Forestry, 1934.
iv, 56 p. illus. 23cm. (Nanking. University. College of Agriculture and Forestry. Special report no. 1)

NM 0921195 NIC

FOR OTHER EDITIONS SEE MAIN ENTRY

Myers, Clyde Hadley, 1883-1944, joint author.

Magruder, Roy, 1900–
The inheritance of some plant colors in cabbage [*Brassica oleracea capitata* L.] By Roy Magruder ... and C. H. Myers ...
(*In* U. S. Dept. of agriculture. Journal of agricultural research. v. 47, no. 4, Aug. 15, 1933, p. 233–248. 23cm. Washington, 1933)

Myers, Clyde Hadley, 1883-1944.
Principles and methods of plant-breeding. n. t.-p. [Ithaca, 1913.] (1)130–144 p. illus. 8°. (New York State. College of Agriculture at Cornell University. Cornell reading courses. v. 2, no. 38.)
——— ——— Supplement. Discussion paper. ib. [1913.] 4 p. 8°.
1. Plants.—Breeding.
N. Y. P. L. March 26, 1917.

NM 0921197 NN

Myers, Cora Bosworth (Glasier) "*Mrs.* P. M. Myers," 1860–
A city of dreams (Guanajuato) by Mrs. Peter M. Myers. Milwaukee, Wis., Press of Gillett & company [1908]
1 p. l., 7–33 p. front., illus. 24 x 13cm.
1. Guanajuato, Mexico (City)—Descr.
Library of Congress F1391.G98M9 9-86

NM 0921198 DLC CU-B OClW

F 591 M99c

[Myers, Cora Bosworth (Glasier)] 1860–
The coming of the white men. [Chicago, Milwaukee Land Company, c1910]
[40] p. illus.
1. The West - Hist. 2. The West - Descr. & trav.

NM 0921199 CLU OO NN DLC WaSp MtHi MtU CaBViPA

Myers, Cora Bosworth (Glasier) "*Mrs.* Peter M. Myers," 1860–
A quaint corner in old Mexico, by Mrs. Peter M. Myers. Bedford, O., Mrs. P. M. Myers, 1906.
1 p. l., 7–36 p. incl. 7 pl. front. 24½ x 13cm.
1. Cuernavaca, Mexico (City)—Descr. I. Title.
17-20804
Library of Congress F1391.C9M9

NM 0921200 DLC CU-B OClW NN MtHi

Myers, Cora Estelle.
Scot, by Cora Estelle Myers. [Candor, N. Y.] The author, 1923.
vii, 198 p. incl. front. 18½cm.
1. Dogs—Legends and stories. I. Title.
Library of Congress PZ10.3.M99Sc 23-18015

NM 0921201 DLC

Myers, Cora Lacey, 1867–1953.
A good-will messenger; a short biography of Quincy Allen Myers. [Indianapolis? 1953]
139 p. illus. 20 cm.
1. Myers, Quincy Allen, 1867–1951. I. Title.
BV3427.M9M9 922.751 54-19252 ‡

NM 0921202 DLC

BX6333 M95A74 1898

Myers, Cortland, 1864-1941.
American guns, by Cortland Myers ... Borough of Brooklyn, N. Y., The Temple publishing co., 1898.
vii, 172 p. front. 19½cm.
1. Sermons, English. 2. U. S.—Hist.—War of 1898—Addresses, sermons, etc.

NM 0921203 ICU NRCR NBHi NRU

Myers, Cortland, 1864–1941.
The attractive church, by the Rev. Cortland Myers ... Philadelphia, American Baptist publication society, 1904.
vi, 7–72 p. 20cm.
1. Church. I. Title.
[*Full name:* Cortland Roosa Myers]
45-47073
Library of Congress BV600.M8

NM 0921204 DLC NRCR OO

252.061 M999be

Myers, Cortland, 1864-1941.
"Bend to the Spirit;" a sermon [N.p., N.d.] 18p. 14cm.
1. Baptists--Sermons. 2. Sermons, American.

NM 0921205 KyLoS

Myers, Cortland, 1864-1941.
The best place on earth ... Syracuse, N.Y., Wolcott & West, 1892.
84p. 18½cm.
1. Home. I. Title.

NM 0921206 NRU

252.061 M999b

Myers, Cortland, 1864-1941.
"Bottled tears;" a sermon. [N.p., N.d.] 21p. 14cm.
1. Baptists--Sermons. 2. Sermons, American.

NM 0921207 KyLoS

Myers, Cortland, 1864–
The boy Jesus, by the Rev. Cortland Myers ... Philadelphia, New York [etc.] The Griffith & Rowland press [1908]
80 p. front., 11 pl. 20cm.
1. Jesus Christ—Boyhood—Juvenile literature. I. Title.
8-5805
Library of Congress BT302.M97
Copyright A 192000 [a34b1] 232.9

NM 0921208 DLC NRCR ViU

Myers, Cortland, 1864–1941.
Dangers of crooked thinking, by Cortland Myers ... New York, Chicago [etc.] Fleming H. Revell company [1924]
205 p. 19½ cm.
CONTENTS.—Crooked thinking.—Is the world getting better?—Building civilization on a volcano.—The peril of our godless schools.—The education of the highest faculty.—Socialism and Christianity.—A walking prayer.—Peace in a restless age.—The truth about faith healing.—What are our friends doing in heaven?—The place of Christ in His world.—The great adventure.
1. Christianity—Addresses, essays, lectures. I. Title.
BR125.M793 24—17962

NM 0921209 DLC NRCR PPEB

Myers, Cortland, 1864–
The fact of a future life, by Rev. Cortland Myers ... New York, R. Long & R. R. Smith, inc., 1932.
3 p. l., 95 p. 19½cm.
1. Future life. I. Title.
32-3761
Library of Congress BT901.M85
Copyright A 47333 [2] 237

NM 0921210 DLC NRCR PPEB

Myers, Cortland, 1864-1941.
Henry Fielding's dream; or, The labor union, by Cortland Myers ... New York and London, Street & Smith [1902]
216 p. front. 19cm.
2-26621

NM 0921211 DLC

VOLUME 403

Myers, Cortland, 1864–
How do we know? By Cortland Myers ... Philadelphia, Boston [etc.] The Judson press [1927]
4 p. l., 118 p. 20½cm.

I. Title.
Library of Congress BT1101.M93 27-5436

NM 0921212 DLC InAndC-T NRCR PPEB

Myers, Cortland, 1864–
The lost wedding-ring, by Rev. Cortland Myers ... New York and London, Funk & Wagnalls company, 1902.
4 p. l., 181 p. 19½cm.
CONTENTS.—Marriage not a failure.—Marriage not a necessity.—Broken promises.—Clandestine escapades.—The kingly husband.—Queen of the home.—Commercial matrimony.—Strong as death.—Conservative and destructive forces.

1. Marriage. I. Title.
Library of Congress HQ734.M97 2—23436

NM 0921213 DLC PPT PP ViU OKentU

Myers, Cortland, 1864–
Making a life, by Cortland Myers ... New York, The Baker & Taylor co. [1900]
326 p. front. (port.) 19½cm.

1. Conduct of life. I. Title.
Library of Congress BJ1581.M9 0-3727 Revised

NM 0921214 DLC PPLT PPL OCl NBHi

XW
M996
Myers, Cortland, 1864–
Making a life, by Rev.Cortland Myers ...
New York[etc.]Fleming H.Revell company[c1900]
326p. 19.5cm.

NM 0921215 NNUT MH

Myers, Cortland, 1864–
"The man inside"; a study of one's self, by Cortland Myers ... New York, Chicago [etc.] Fleming H. Revell company [©1916]
96 p. 19½cm. $0.50

I. Title.
16-22293

NM 0921216 DLC KyWAT

Myers, Cortland, 1864-1941. 3549.40
The man of vision. Sermon . . . in memory of Deacon Timothy Gilbert.
= [Boston. 1907?] 19 pp. Portrait. Plate. 19 pp. 17½ cm.

K1047 — T.r. — Gilbert, Timothy. 1797–1865.

NM 0921217 MB

Myers, Cortland, 1864–
Midnight in a great city, by Cortland Myers ... New York, Merrill and Baker [©1896]
vii, 252 p. front. (port.) 19cm.

1. New York (City)—Soc condit.
Library of Congr HV6795.N5M8 10-19757†

NM 0921218 DLC NN NRAB OU OO NRCR

Myers, Cortland, 1864–1941.
"Money mad," by Cortland Myers ... New York, Chicago [etc.] Fleming H. Revell company [©1917]
96 p. 19½cm.
CONTENTS.—How can I make money and be a Christian.—How can I save money and be a Christian.—How can I spend money and be a Christian.—How can I give money and be a Christian.

I. Title.
[Full name: Cortland Roosa Myers]
Library of Congress BR125.M8 17—27667

NM 0921219 DLC ICJ

Myers, Cortland, 1864–
The new evangelism, by Rev. Cortland Myers ... Philadelphia, American Baptist publication society [1903]
85 p. 20½cm.

1. Evangelistic work. I. American Baptist publication society. II. Title.
[Full name: Cortland Roosa Myers]
3-17285 Revised
Library of Congress BV3790.M9
Copyright A 61746 [r39b2] 253

NM 0921220 DLC NcWsW NRCR NRAB OO NN

Myers, Cortland, 1864–

Schaff, Philip, 1819–1893.
The person of Christ; his perfect humanity a proof of his divinity, with impartial testimonies to his character, by Philip Schaff ... With foreword by Rev. Cortland Myers ... Rev. ed., from new plates. New York, American tract society [©1913]

Myers, Cortland, 1864–
The real Holy Spirit, by Cortland Myers ... New York, Chicago [etc.] Fleming H. Revell company [1909]
94 p. 19½cm.

1. Holy Spirit. I. Title.
[Full name: Cortland Roosa Myers]
Library of Congress BT121.M9 9-9508 Revised

NM 0921222 DLC

Myers, Cortland, 1864–
Real prayer, by Cortland Myers ... New York, Chicago [etc.] Fleming H. Revell company [©1911]
1 p. l., 7–100 p. 19½cm. $0.50

11-15597

NM 0921223 DLC

252.061
M999s
Myers, Cortland, 1864-1941.
The startling signs of his coming; a sermon.
[N.p., N.d.]
24p. 15cm.

1. Baptists--Sermons. 2. Sermons, American.

NM 0921224 KyLoS

252.061
M999w
Myers, Cortland, 1864-1941.
What is death? A sermon. [N.p., N.d.]
22p. 15cm.

1. Baptists--Sermons. 2. Sermons, American.

NM 0921225 KyLoS

252.061
M999wt
Myers, Cortland, 1864-1941.
"What to do with our troubles," a sermon.
[N.p., N.d.]
19p. 13cm.

1. Baptists--Sermons. 2. Sermons, American.

NM 0921226 KyLoS

Myers, Cortland, 1864–1941.
Where heaven touched the earth, by Rev. Cortland Myers ... New York, American tract society [©1912]
239 p. col. front., col. plates. 19 cm.
CONTENTS.—Where heaven touched the earth.—The most favored place in the world.—The greatest battlefield on the planet.—The water that mirrors most of heaven.—The deepest well in the world.—The scene of life's greatest triumph.—The pivot upon which the density of humanity swings.—History's greatest miracle.—The mountain peak nearest the threshold of heaven.

1. Jesus Christ—Biog.—Devotional literature. I. Title.
[Full name: Cortland Roosa Myers]
BT309.M97 12-21979

NM 0921227 DLC

Myers, Cortland, 1864–
Why men do not go to church, by Cortland Myers ... New York and London, Funk & Wagnalls co., 1899.
xii, 13–148 p. 16½cm x 9½cm.

1. Church attendance. I. Title.
[Full name: Cortland Roosa Myers]
99-2675 Revised
Library of Congress BV640.M9

NBHi
NM 0921228 DLC NcWsW NRAB PPL ViU MiU OClW OO

Myers, Cortland, 1864-1941.
Would Christ belong to a labor union? or, Henry Fielding's dream, by Cortland Myers ... New York, Street & Smith [©1900]
4 p. l., [7]–216 p. 18cm. (On cover: Alliance library. no. 8)
Republished under title: Henry Fielding's dream.

I. Title.
Library of Congress PZ3.M9902W 0-1634 Revised

NM 0921229 DLC NN MeB UU NRAB NcD CLU

Film
B615
Myers, Cortland, 1864-1941.
Would Christ belong to a labor union? or, Henry Fielding's dream. New York, Street & Smith [c1900]
4 p. l., [7]-216 p. 18 cm. (Alliance library, no. 8)

Republished under title: Henry Fielding's dream.
Microfilm copy (positive) reproduced from the original in Yale Divinity School Library by Dept. of Photoduplication, University of Chicago Library, for the American Theological Library Association Board of Microtext, 1971. 1 reel. 35 mm.

NM 0921230 CtY-D

Myers, Cortland Roosa
see
Myers, Cortland, 1864-1941.

F869
R6M8
Myers (D. E.) and Company, Riverside, Calif.
Riverside, California. [Riverside, Cal., Press Print. Co., 19--]
[20] p. illus. 9x13cm.

1. Riverside, Calif. - Descr.

NM 0921232 CU-B

VOLUME 403

Myers, D'Alton B., joint author.

T7 .U62 no. 23

Ezekiel, Mordecai, 1899–
... Will making concrete block pay in your community? ... Prepared by Mordecai Ezekiel ... D'Alton B. Myers ... John J. Quigley ... [and] Aaron J. Blumberg ... Washington, U. S. Govt. print. off., 1945.

Myers, Daniel. 8051.527
Dandy Jim. Quickstep and song arranged for the piano forte. [Words by S. S. Steele. Music by Daniel Myers.] Boston. Prentiss. 1844. 3 pp. 33.5 cm.
Lacks the title-page.

D0412 — Double main card. — Myers, Daniel. (M1) — Steele, Silas S. (M2) — T.r. (1) — Negro minstrels. (1)

NM 0921234 MB

Myers, Daniel. No. 13 in **M.450.172
Dandy Jim ob Caroline. [Song] written . . . by S. S. Steele of Philad'a. Music by Dan. Myers. [Arranged with accompaniment for the pianoforte by J. W. Turner.]
— Boston. Keith's Music Publishing House. 1844. (3) pp. Portraits on title-page. [Songs of the Virginia Serenaders.] 36 cm.

D8733 — Double main card. — Myers, Daniel. (M1) — Steele, Silas S. (M2) — T.r. (1) — Negro minstrels. (1) — Turner, Joseph W., ed. (1)

NM 0921235 MB

Myers, Daniel Wilbur, 1909– joint author.

RC76 .M92

FOR OTHER EDITIONS SEE MAIN ENTRY

Myers, Gordon Bennett, 1904–
Outline of physical diagnosis ... by Gordon B. Myers ... and Dan W. Myers ... 1st revision. [Detroit] °19

Myers, David, joint author.

TP506 .W5

Williams, Richard Lippincott.
What, when, where, and how to drink, by Richard L. Williams and David Myers. [New York, Dell Pub. Co., 1955]

---

33 Ah 1938 1

MYERS, David A
The medical contribution to the development of blind flying. [n.p., 1938?]
1 v. illus.

NM 0921238 MBCo

Myers, David Jackson Duke, 1877–

Staal, George F.
Report on garbage and refuse destructor in operation at Montevideo, Uruguay, South America. Made to the honorable the Common council of the city of Milwaukee by George F. Staal, city engineer ... Investigation made during February and March, 1922. [Milwaukee, Press of Woodbury-Kleiber co., 1922]

Myers, David Kenneth.
Studies on selective esterase inhibitors. 's-Gravenhage [1954]
97 p. diagrs., tables. 25 cm.
Proefschrift—Amsterdam.
"Stellingen": leaf inserted.
Bibliography: p. 93–97.

1. Esterase. 2. Catalysis.

QP601.M88 58–38257

NM 0921240 DLC DNLM

Myers, David Moffat, 1879–
Cost cutting for industrial power plants, by David Moffat Myers ... New York, The Engineering magazine company, °1922.
2 p. l., [3]–77 p. diagrs. (part fold.) 21cm.

1. Steam power-plants. I. Title.

Library of Congress TJ405.M85 23–731

NM 0921241 DLC NN LU

Myers, David Moffat, 1879–
... Economic combustion of waste fuels, by David Moffat Myers. Washington, Govt. print. off., 1922.
iii, 51 p. incl. illus., tables. 23cm. ([U. S.] Bureau of mines. Technical paper 279)
At head of title: ... Department of the interior. Albert B. Fall, secretary. Bureau of mines. H. Foster Bain, director.
First edition, November, 1922. cf. verso of t.-p.
"Publications on the utilization of low-grade fuels": p. 50–51.

1. Fuel. 2. Combustion. I. Title. II. Title: Waste fuels, Economic combustion of.

Library of Congress TN1.U6 no. 279 22–27495
—— Copy 2. TP360.M8

NM 0921242 DLC MiU OCl OO PP ICJ MB CaBVaU OrU OrCS OrCS WaS WaWW

Myers, David Moffat, 1879–
Fuel control in a national emergency. [By] David Moffat Myers ...
(In The Military engineer. Washington, 1934. 30cm. vol. XXVI, no. 145, p. 11–14)

1. Fuel. 2. U. S. Fuel administration. I. Title.

E S 35–3

Library, U. S. Engineer School
Library of Congress [TA1.P85 vol. 26]

NM 0921243 DES

Myers, David Moffat, 1879–
The power plant, by David Moffat Myers ... New York, Industrial extension institute incorporated [°1918]
xx, 615 p. illus., pl., diagrs. 19cm. (Half-title: Factory management course and service. [v. 2])

1. Steam power-plants.

19–2257

Library of Congress TS155.F48 vol. 2

NM 0921244 DLC ICRL PSC OCl MiHM

Myers, David Moffat, 1879– 670.05 R711 v.8
The power plant, by David Moffat Myers, ... New York, Industrial Extension Institute, [°1920].
xx, 615 p. illus., charts, diagrs. 19cm. (In Factory management course and service, [vol. 8].)

NM 0921245 ICJ

Myers, David Moffat, 1879– 621-M
The power plant. New York: Industrial Extension Institute, Inc. [cop. 1922.] 615 p. diagr., illus., tables. 12°. (Factory management course, v. 8.)

1. Power plants. 2. Ser.
N. Y. P. L. October 31, 1924

NM 0921246 NN NRCR ICRL MH-BA MiU OCU

Myers, David Moffat, 1879–
...Preventable waste of coal in the United States, by David Moffat Myers... [New York, 1917.] 11 p. 8°.
"To be presented at the annual meeting of the American Society of Mechanical Engineers... New York, Dec. 4-7, 1917."

1. Fuel.—Conservation.
N. Y. P. L. April 19, 1922.

NM 0921247 NN

Myers, David Moffat, 1879–
... Preventing losses in factory power plants, by David Moffat Myers. New York, The Engineering magazine co., 1915.
2 p. l., xvi, 560 p. illus., fold. plates, plans (1 fold.) tables (1 fold.) diagrs. (part fold.) 19½cm. (Works management library)

1. Steam power-plants. I. Title.

15–5344

Library of Congress TJ405.M9

NM 0921248 DLC NjP OKentU NcRS N MtU WaS IdU CaBVaU PP PSC OCl ICJ NN

Myers, David Moffat, 1879–
Reducing industrial power costs, by David Moffat Myers ... 1st ed. New York and London, McGraw-Hill book company, inc., 1935.
x, 378 p. incl. illus., tables, diagrs. fold. col. pl. 23½cm.

1. Power-plants. 2. Power (Mechanics) I. Title. II. Title: Power costs.

35–19843

Library of Congress TJ164.M85
—— Copy 2.
Copyright A 87742 [5] 621.19

NM 0921249 DLC NcRS NN CU OrCS WaS TU PPD PPF MiU OCl OCU OU MB WaU

Myers, Dayl Swigart.
The development of a laboratory course in telephone engineering ... by Dayl Swigart Myers [and] Clarence Gilbert Sears. 1919.
4 p.

NM 0921250 OU

D769 .Y3

Myers, Debs, ed.

Yank, the army weekly.
Yank–the GI story of the war, by the staff of Yank, the army weekly, selected and edited by Debs Myers, Jonathan Kilbourn, and Richard Harrity, designed by Nelson Gruppo. New York, Duell, Sloan & Pearce [1947]

791.43092 M91
Myers, Denis.
Secrets of the stars. London, Odhams Press [1952]
143 p. illus.

1. Moving picture actors and actresses.
~~I. Title.~~

NM 0921252 CaOTP NcU CLSU

Myers, Denys Peter, 1884–
Acceptance of the General treaty of inter-American arbitration, by Denys P. Myers ...
(In American journal of international law. Concord, N. H., 1936. v. 30, p. 57–62)

1. Washington, D. C. International conference of American states on conciliation and arbitration. 1928–1929. General treaty of inter-American arbitration. 2. Arbitration, International—[American republics] I. Title: General treaty of inter-American arbitration.

A 36–228

Title from Carnegie Endow. Int. Peace
Library of Congress [JX1.A6 vol. 30]

NM 0921253 NNCE

Myers, Denys Peter, 1884–
American arbitration agreements to-day; an analysis, July 1, 1928 (addendum to Arbitration and the United States, vol. 9, nos. 6–7) by Denys P. Myers ... Boston, 1928.
[16] p. 20½cm. (World peace foundation. Pamphlets. [vol. IX, no. 6–7. Addendum])

1. Arbitration, International. I. Arbitration and the United States. II. Title.

29–12205

Library of Congress JX1908.U52 vol. 9, nos. 6–7 Addendum

NM 0921254 DLC OO OOxM WaU-L

VOLUME 403

Myers, Denys Peter, 1884–
... Arbitration engagements now existing in treaties, treaty provisions and national constitutions; comp., with notes, by Denys P. Myers. Boston, World peace foundation, 1915.
40 p. 20½cm. (World peace foundation. Pamphlet series ... vol. v, no. 5, pt. III)
"Corrected to July 1, 1915."
"The foregoing list is an enlargement of one first published in 1911 (under title: List of arbitration treaties)" cf. Notes.
1. Arbitration, International.
15-24468
Library of Congress JX1908.U5 vol. 5, no. 5, pt. 3
NcD
NM 0921255 DLC NRCR PHC MiU OCl OCU OU MB IEN

JX 1961 .A3M9 Myers, Denys Peter.
Arbitration in the Americas. A survey of Pan American pacific settlements of international disputes. By Denys P. Myers ...[Boston, 1931]
1 v. 33 x 16 cm.
Galley proof sent to Dr. Rowe, January, 1931.
Temporary entry to be kept until receipt of book from the World peace foundation.
NM 0921256 DPU

Myers, Denys Peter, 1884–
The bases of international relations, by Denys P. Myers ...
(In American journal of international law. Concord, N. H., 1937. v. 31, p. 431-448)
1. International law and relations. I. Title.
A 38-1091
Carnegie endow. int. peace. for Library of Congress Library [JX1.A6 vol. 31]
[2] (341.05)
NM 0921257 NNCE DLC CaBVaU

Myers, Denys Peter, 1884–
Bibliography on aerial law, including many magazine articles and references to general works. By Denys P. Myers. [Cambridge, Mass., 1914]
9 numb. l. 28cm.
Photographed from type-written copy.
1. Aeronautics—Laws and regulations—Bibl.
CA 15-984 Unrev'd
Library of Congress Z6455.A6M9
NM 0921258 DLC

Myers, Denys Peter, 1884-
TX1963 .M847 [Collected papers, reprints, etc., on international law and relations]
4 pam.
[1] The origin of the Hague arbitral courts. (Repr. Amer. jour. of internat. law. Oct. 1914. p.769-801)
[2] ----- II. The proposed Court of arbitral justice. (Ibid. Apr. 1916. p.270-311)
[3] The control of foreign relations. (Repr. Amer. pol. sci rev. v.11, 1917. p.24-58)
[4] Representation in League of nations council (Repr. Amer. jour. internat. law. v.20, 1926. p.689-713)
NM 0921260 DLC

Myers, Denys Peter, 1884–
... The commission of inquiry: the Wilson-Bryan peace plan, its origin and development, by Denys P. Myers. Boston, World peace foundation, 1913.
27 p. 20½cm. (World peace foundation. Pamphlet series ... vol. III. no. 11. pt. 1)
1. Commissions of inquiry, International.
15-7971
Library of Congress JX1908.U5 vol. 3
NM 0921261 DLC NRCR OrU MiU OCl OCU MB

Myers, Denys Peter, 1884–
Compulsory jurisdiction of the International Court of Justice. [Washington, U. S. Govt. Print. Off., 1949]
21 p. 26 cm. ([U. S.] Dept. of State. Publication 3540. International organization and conference series, III, 31)
"Reprint from Documents and state papers, June 1948 with revisions June 1949."
1. Hague. International Court of Justice. (Series: U. S. Dept. of State. Publication 3540. Series: U. S. Dept. of State. International organization and conference series, III, 31)
JX1971.6.M85 341.63 49-46781*
NM 0921262 DLC WaU-L OCU OU PPAmP MB

MYERS, Denys Peter, 1884-
La concentration des organismes internation aux publics Bruxelles, Office Central des associations Internationales, n.d.
Pamphlet.
(Publication. No.53)
"Extrait de La Vie Internationale 1913, fasc 10, t.III, p. 97-122."
NM 0921263 MH DS

[Myers, Denys Peter] 1884–
... The conciliation plan of the League to enforce peace, with American treaties in force ... Boston, World peace foundation, 1916.
35 p. 20½cm. (World peace foundation. Pamphlet series ... vol. VI, no. 5)
Caption title: Conciliation plan of the League to enforce peace: a history, by Denys P. Myers.
1. Commissions of inquiry, International. 2. League to enforce peace. I. Title.
17-3768
Library of Congress JX1908.U5 vol. 6, no. 5
OrU WaU-L
NM 0921264 DLC NRCR PHC MiU OCl OCU ViU MsU MB

[Myers, Denys Peter] 1884–
... The conciliation plan of the League of nations, with American treaties in force.
(In League of nations. Boston, 1919. 20cm. vol. II, no. 2. Special no. May, 1919. 35 p.)
Caption title: Conciliation plan of the League to enforce peace: a history, by Denys P. Myers.
1. Commissions of inquiry, International. 2. League to enforce peace. I. Title.
C D 22-73
Library of Congress Card Div. JX1908.U52 vol. II, no. 2 Special no. May, 1919
NM 0921265 DLC OCU OU WaU-L

Law Myers, Denys Peter, 1884-
U. S. *Constitution.*
The Constitution of the United States of America, approved by the Continental Congress, transmitted to State legislatures for ratification, and ratified by conventions of the original thirteen States. Historical notes by Denys P. Myers. [Washington, U. S. Govt. Print. Off., 1954]

MYERS, Denys P[eter], 1884-
The control of foreign relations. n.p., [1917].
Pamphlet.
"Reprinted from The American political science review, vol.XI,no.1,Feb.1917".
NM 0921267 MH

MYERS, Denys P[eter], 1884 -
The Criminal in the Air. [Chicago, 1914].
4°. n.t.p.
Journal Criminal Law and Criminology, vol.4, 1914, p. 815-836.
NM 0921268 MH-L

Myers, Denys Peter, 1884- joint ed.
Documents on American foreign relations. January 1938–
Boston, World peace foundation, 1939–

Myers, Denys Peter, 1884-
France's debt to the United States dissected...
Extract from current history, May 1925.
p. 189-193. 24½ cm.
NM 0921270 DNW

Myers, Denys Peter, 1884–
Handbook of the League of nations; a comprehensive account of its structure, operation and activities, by Denys P. Myers ... Boston, New York, World peace foundation, 1935.
xiii, 411 p. 20½cm.
"League of nations documents": p. 382-388.
1. League of nations. I. World peace foundation, Boston. II. Title.
36-3939
Library of Congress JX1975.M84
[37p5] 341.1
CaBVaU MtU
OCl OCU ViU OU ViU-L WaU WaE OrP OrSaW WaS OrCS
NM 0921271 DLC NRCR DAU GU-L NcD WaTC PSC MiU

Myers, Denys Peter, 1884–
Handbook of the League of nations; a comprehensive account of its structure, operation and activities, by Denys P. Myers ... Boston, New York, World peace foundation, 1935.
2 p. l., iii-xiii, 388 p. 19½cm.
On cover: Student edition.
"League of nations documents": p. 382-388.
1. League of nations. I. World peace foundation, Boston. II. Title.
39-33183
Library of Congress JX1975.M84 1935 a
[2] 341.1
NM 0921272 DLC PBm PJB FU NIC

Myers, Denys Peter, 1884–
Handbook of the League of nations since 1920, by Denys P. Myers. Boston, 1930.
4 p. l., 320 p. 20 cm. (World peace foundation publications)
On cover: Student edition.
1. League of nations. I. Title.
JX1975.M83 1930a 341.1 32-35131
WaS Or OrCS OrU CaBVa
DN KEmT NcD NbU NIC MH-BA DAU WaTC WaE OrPR OrSaW
NM 0921273 DLC CSt-H DNW NNUN MiU OCU OU OCl MB

Myers, Denys Peter, 1884- comp.
Lake Mohonk conference on international arbitration.
Report. (*Indexes*)
Index of the proceedings of the Lake Mohonk conferences on international arbitration, 1895-1914; compiled by Denys P. Myers. Mohonk Lake, N. Y., Lake Mohonk conference on international arbitration, 1916.

Avery AA 737 R5 M99 Myers, Denys Peter, 1884-
Isaiah Rogers in Cincinnati, architect for the Burnet House, by Denys P. Myers. [1951] [121]-132 p. illus. 26cm.
From Historical and Philosophical Society of Ohio bulletin IX, no. 3, April 1951.
Photocopy.
1. Rogers, Isaiah, 1800-1868. 2. Cincinnati. Burnet House.
NM 0921275 NNC-A

VOLUME 403

Myers, Denys Peter, 1884-
League of nations documents, by Denys P. Myers ... [Washington, D.C., 1933?]
cover-title, 148-155 p. 24½cm.
"Reprinted from the Proceedings of the fifth Conference of teachers of international law and related subjects, Washington, D.C., April 26-27, 1933."

1. League of nations--Bibl.

NM 0921276 MiU DPU

[Myers, Denys Peter] 1884-
The legal basis of the rules of blockade in the Declaration of London.
(*In* American journal of international law. New York, 1910. v. 4, p. [571]-595)

1. Blockade. 2. London, Declaration of, 1909.
A 21-1582
Title from Carnegie Endow. Int. Peace. Printed by L. C.
[3]

NM 0921277 NNCE

Myers, Denys Peter, 1884-
The legal basis of the rules of blockade in the Declaration of London, by Denys P. Myers. Reprinted from the American journal of international law, July, 1910. [New York, 1910]
cover-title, p. [571]-595. 25½cm.

1. Blockade. 2. London, Declaration of, 1909.
10-26319
Library of Congress JX5225.M8

NM 0921278 DLC NN

Myers, Denys Peter, 1884-
Legislatures and foreign relations, by Denys P. Myers ... [Baltimore? 1917?]
cover-title, 643-684 p. 25½cm.
"Reprinted from the American political science review, vol. XI, no. 4, November, 1917."

1. International relations. 2. Legislative bodies. I. Title.
28-6360
Library of Congress JX1311.M85

NM 0921279 DLC

Myers, Denys Peter, 1884-
Liquidation of League of Nations functions.
(*In* American journal of international law. Lancaster, Pa., 1948. 26 cm. v. 42, p. 320-354)
Bibliographical footnotes.

1. League of Nations[—Hist.—1940-1946] I. Title.
JX1.A6 vol. 42 A 48-8374*
Carnegie Endow. for Int. Peace. Library for Library of Congress [2]†

NM 0921280 NNCE DLC CaBVaU

Myers, Denys Peter, 1884-
... List of arbitration treaties; pacts to which pairs of nations are parties, with statistics and notes, comp. by Denys P. Myers. Boston, World peace foundation, 1911.
16 p. 20½cm. (World peace foundation. Pamphlet series ... [vol. I] no. 2, pt. I)

1. Arbitration, International.
14-4443
Library of Congress JK1908.U5 vol. 1

NM 0921281 NRCR DLC OrU PU MiU OCl OCU OU ViU MB NN

Myers, Denys Peter, 1884- *ed.*
Manual of collections of treaties and of collections relating to treaties, by Denys Peter Myers ... Printed at the expense of the Richard Manning Hodges fund. Cambridge, Harvard university press [etc.] 1922.
xlvii, 685, [1] p. 22½ cm. (*Half-title:* Harvard bibliographies. Library series. vol. II)
Added t.-p. in French; preface and contents in English and French.
CONTENTS.—Bibliographies.—I. General collections.—II. Collections by states.—III. Collections by subject-matter.—IV. International administration.—Appendix: The publication of treaties.—Index.
1. Treaties—Collections—Bibl. I. Harvard university. Richard Manning Hodges fund. II. Title.
Z6464.T8M9 22—7754

NM 0921282 NBuU-L WaS MtU OrPR WaWW CaBVaU WaU-L OrU ViU ODW OCU OCl MiU PU PHC CoU NcD NcD-L FU NIC MU DLC OClW MeB WaU MB NjP ICJ ViU-L

Myers, Denys Peter, 1884-
... Massachusetts and the first ten amendments to the Constitution. Prepared by Denys P. Myers ... [Washington, U. S. Govt. print. off., 1936]
41, [1] p. 23½cm. ([U. S.] 74th Cong., 2d sess. Senate. Doc. 181)
Presented by Mr. Walsh. Ordered printed February 24 (calendar day, February 27), 1936.
The author was assisted by Leonard A. Marasco. *cf.* p. 7.
"Reference citations": p. 37-41. [1]

1. U. S. Constitution—Amendments. 2. U. S.—Constitutional history. I. Marasco, Leonard A. II. Title.
36-26471
Library of Congress JK168.M9
——— Copy 2. [5] 342.739

NM 0921283 DLC OrCS KMK OrU MiU OCl PHC MB

Myers, Denys Peter, 1884-
The modern system of pacific settlemen of international disputes, by Denys P. Myers... New York, The Academy of political science, 1931.
p.[547]-588. 23cm.
Reprinted from Political science quarterly, vol. XLVI, no.4, December, 1931.
1. Arbitration, International.

NM 0921284 DS

Myers, Denys Peter, 1884-
National subsidy of international organs, by Denys P. Myers ...
(*In* American journal of international law. Concord, N. H., 1939. v. 33, p. 318-331)

1. International cooperation — Societies. [1. International associations] I. Title: Subsidy of international organs.
A 40-644
Carnegie endow. int. peace. for Library of Congress Library JX1.A7 vol. 33 [JX1.A6 vol. 33]
[2] (341.05)

NM 0921285 NNCE DLC CaBVaU

Myers, Denys Peter, 1884-
World peace foundation, *Boston.*
... The new Pan Americanism. Boston, World peace foundation, 1916-17.

Myers, Denys P[eter], 1884- 341.6-M
Nine years of the League of Nations, 1920-28. Boston: World Peace Foundation, 1929. 220 p. tables. 8°. (Ninth yearbook.)

1. League of Nations.
N. Y. P. L. April 18, 1930

NM 0921287 PHC PP NcC NN OClU OCl ODW IEdS DS NjN MH-L PHC

Myers, Denys Peter, 1884-
Non-Sovereign Representation in Public International Organs. n. p., n. d.
(2)-69 p. 4°. (Congrès Mondial des Associations Internationales deuxième session. Actes du Congrès. - Documents préliminaires. [Publication] no. 60)
"Extrait des Actes du Congrès Mondial, 2e Session, 1913, p. 753-802".

NM 0921288 MH-L

Myers, Denys Peter, 1884-
... Notes on the control of foreign relations, by Denys P. Myers ... The Hague, M. Nijhoff, 1917.
cover-title, 97 p. 23cm.
At head of title: Central organisation for a durable peace ... The Hague. International congress for the study of the principles of a durable peace. Berne, 1916.

1. Diplomacy. 2. International relations. I. Title.
17-12407
Library of Congress JX1662.M85

NM 0921289 DLC DAU

Myers, Denys Peter, 1884-
Origin and conclusion of the Paris pact; the renunciation of war as an instrument of national policy, by Denys P. Myers ... Boston, 1929.
3 p. l., 196 p. incl. tables. 20 cm. (World peace foundation. Pamphlets. vol. XII, no. 2)

1. Renunciation of war treaty, Paris, Aug. 27, 1928. I. Title. II. Title: Renunciation of war as an instrument of national policy.
JX1908.U523 vol. 12, no. 2 29—27518

NM 0921290 NjN DN ViU-L MH NNC NcD WaTC OrPR DLC NRCR WaU-L OrU Or PHC MiU OCl OCU

[Myers, Denys Peter] 1884-
The origin of the Hague arbitral courts.
(*In* American journal of international law. New York, 1914. v. 8, p. 769-801; 1916. v. 10, p. 270-311)

1. Hague. Permanent court of arbitration. 2. [International courts] 3. Hague. Permanent court of international justice. 4. Arbitration, International.
A 21-1671
Title from Carnegie Endow. Int. Peace. Printed by L. C.

NM 0921291 NNCE MH

Myers, Denys Peter, 1884-

Hapgood, Richard Kinne, *comp.*
Political treaties in force June 1, 1936. Compiled by Richard K. Hapgood under direction of Denys P. Myers ...
(*In* American journal of international law. Concord, N. H., 1936. v. 30, suppl., p. 154-162)

MYERS, Denys P[eter], 1884-
Practical Solution of the Problem of Sovereignty in Aërial Law. n.p., [1914].
4°. n.t.p.
Green Bag vol.26,1914, p. 57-62.

NM 0921293 MH-L

Myers, Denys Peter, 1884-
Procedure for applying sanctions.
(*In* American journal of international law. Concord, N. H., 1936. v. 30, p. 124-130)
Signed: Denys P. Myers.

1. Sanctions (International law)
A 36-232
Title from Carnegie Endow. Int. Peace Library of Congress [JX1.A6 vol. 30]

NM 0921294 NNCE OCl

Myers, Denys Peter, 1884-
... The process of constitutional amendment, by Denys P. Myers ... [Washington, U. S. Govt. print. off., 1941]
3 p. l., 40 p. incl. tables. 23cm. ([U. S.] 76th Cong., 3d sess. Senate. Doc. 314)
Presented by Mr. Thomas of Utah. Ordered printed November 29 (legislative day, November 19), 1940.

1. U. S. Constitution—Amendments. 2. U. S.—Constitutional history. I. Title.
41-50190
Library of Congress JK168.M92
[3] 342.739

NM 0921295 DLC PSt PHC OCl MH NN DI WaT WaTC WaWW

VOLUME 403

Myers, Denys Peter, 1884–
... The record of the Hague; results of the conferences, and tables showing the cases decided and the ratification of conventions, comp. by Denys P. Myers (cor. to November 1, 1914) Boston, World peace foundation, 1914.
11, [8] p. 20½cm. (World peace foundation. Pamphlet series ... vol. IV. no. 6. pt. III)

1. Hague. Permanent court of arbitration. 2. Hague. International peace conference, 1899. 3. Hague. International peace conference. 2d, 1907.
15–31
Library of Congress JX1908.U5 vol. 4

NM 0921296 DLC OrU MsU MiU OCl OCU ViU-L NRCR

Myers, Denys Peter, 1884–
... The record of the Hague; tables showing the cases decided and the ratifications of conventions, 1899 and 1907, comp. by Denys P. Myers (cor. to November 1, 1913) Boston, World peace foundation, 1913.
[8] p. 20½cm. (World peace foundation. Pamphlet series ... vol. III. no. 10, pt. II)

1. Hague. Permanent court of arbitration. 2. Hague. International peace conference, 1899. 3. Hague. International peace conference. 2d. 1907.
14–4429
Library of Congress JX1908.U5 vol. 3

NM 0921297 DLC NRCR MiU OCl OCU MB OrU

Myers, Denys Peter, 1884–
Reorganization of the State department.
(*In* American journal of international law. Concord, N. H., 1937. v. 31, p. 713–720)
Signed: Denys P. Myers and Charles F. Ransom.

1. U. S. Department of state. I. Ransom, Charles Foster, 1909– II. Title.
A 38–1112
Carnegie endow. int. peace. for Library of Congress Library [JX1.A6 vol. 31]
[2] (341.05)

NM 0921298 NNCE DLC CaBVaU

Myers, Denys Peter, 1884–
The reparation settlement, by Denys P. Myers. Boston, World peace foundation, 1929.
3 p. l., 249, [1], xiii p. 20½ cm. (World peace foundation. Pamphlets, vol. XII, no. 5)
On cover: Student edition.
1. European war, 1914–1918—Reparations. 2. Bank for international settlements. 3. Committee of experts on reparations, nominated Jan. 10, 1929. 4. Finance—Germany. I. World peace foundation, Boston. II. Title.
JX1908.U52 vol. 12, no. 5 A 32–134
——— Copy 2. (341.6) 940.31422 D649.G3A5 1929
Carnegie Endow. for Int Peace. Library for Library of Congress [a53u1]

NM 0921299 PU ICN OCl OCU ODW PHC NN DLC WaU-L NNCE NRCR DLC OrU OrPR NcRS MH-L NjN

Myers, Denys Peter, 1884–
The reparation settlement, 1930, by Denys P. Myers. Boston, World peace foundation, 1930.
4 p. l., 252, xiii p. 20½ cm.

1. European war, 1914–1918—Reparations. 2. Bank for international settlements. 3. Committee of experts on reparations, nominated Jan. 10, 1929. 4. Finance—Germany. I. World peace foundation, Boston. II. Title.
D649.G3M8 940.31422 30–27112

NM 0921300 DLC WaS WaE WaTC NcD WaU OU OCU MiU MB

Myers, Denys Peter, 1884–
Representation in League of nations Council, by Denis P. Myers ...
(*In* American journal of international law. Concord, N. H., 1926. v. 20, p. 689–713)
Bibliographical foot-notes.

1. League of nations. Council. I. Title. II. Title: League of nations Council, Representation in.
A 27–14
Title from Carnegie Endow. Int. Peace. Printed by L. C.

NM 0921301 NNCE CSt-H MH

[**Myers, Denys Peter**] 1884–
Representation in public international organs.
(*In* American journal of international law. New York, 1914. v. 8, p. 81–108)
Shows voting power, allotment of expenses, etc., in various public international unions.
Bibliography: p. 81.

1. International cooperation. 2. [States, Equality of] I. Title.
A 21–1657
Title from Carnegie Endow. Int. Peace. Printed by L. C.

NM 0921302 NNCE

Myers, Denys Peter, 1884–
Representation in public international organs, by Denys P. Myers ... [New York, Pub. for the American society of international law by Baker, Voorhis & company, 1914]
cover-title, 81–108 p. 25cm.
"Reprinted from the American journal of international law, January, 1914."
"Partial bibliography": p. 81.

1. International organization. I. Title.
16–16759
Library of Congress JX1954.M9

NM 0921303 DLC MH-L

Myers, Denys Peter, 1884–
... Revised list of arbitration treaties; pacts to which pairs of nations are parties, with statistics and notes, comp. by Denys P. Myers. Boston, World peace foundation, 1912.
23 p. 20½cm. (World peace foundation. Pamphlet series ... [vol. II] no. 6, pt. V)

.. Arbitration, International.
14–4433
Library of Congress JX1908.U5 vol. 2

NM 0921304 DLC OrU MiU OCl OCU ViU MB NRCR PPT

Myers, Denys Peter, 1884– tr.
Pribram, Alfred Francis, 1859–
The secret treaties of Austria-Hungary 1879–1914, by Dr. Alfred Franzis Pribram ... English ed. by Archibald Cary Coolidge ... Cambridge, Harvard university press; [etc., etc.] 1920–21.

Myers, Denys Peter, 1884–
...Storia della pubblicazione dei trattati internazionali; appendice al "Manual of collections of treaties." Traduzione con aggiunte del dott. Marcello Giudici... Roma: Anonima romana editoriale, 1935. 48 p. 25cm. (Associazione italiana per la Società delle nazioni, Rome. Pubblicazioni. [n.] 35.)
Bibliography included in "Note," p. [37]–48.

1. Treaties. I. Giudici, Marcello, 1879– , tr. II. Ser.
N. Y. P. L. June 8, 1936

NM 0921306 NN MiU-L NNC

MYERS, Denys P[eter], 1884 -
Tangier; an International City.
4°.
"Reprinted from National Municipal Review, vol.4, no.1, Jan.1915",p. 60-65.

NM 0921307 MH-L

JX236 1910
Myers, Denys Peter, 1884– comp.
U. S. *Treaties, etc.*
... Treaties, conventions, international acts, protocols, and agreements between the United States of America and other powers ... Washington, U. S. Govt. print. off., 1910–38.

D643 .A7U5
Myers, Denys Peter, 1884–
U. S. *Dept. of state.*
The Treaty of Versailles and after, annotations of the text of the treaty. Washington, U. S. Govt. print. off., 1947.

[**Myers, Denys Peter**] 1884–
Treaty violation and defective drafting.
(*In* American journal of international law. New York, 1917. v. 11, p. 538–565)
Bibliographical foot-notes.

1. Treaties. I. Title.
A 21–1717
Title from Carnegie Endow. Int. Peace. Printed by L. C.

NM 0921310 NNCE

Myers, Denys Peter, 1884–
Treaty violation and defective drafting, by Denys P. Myers ... [New York, 1917]
cover-title, p. 538–565. 27cm.
Reprinted from the American journal of international law, v 11, no. III, July 1917.

1. Treaties.
20–69
Library of Congress JX4171.V5M8

NM 0921311 DLC

[**Myers, Denys Peter**] 1884–
Violation of treaties: bad faith, nonexecution and disregard.
(*In* American journal of international law. New York, 1917. v. 11, p. 794–819)

1. Treaties. I. Title.
A 21–1725
Title from Carnegie Endow. Int. Peace. Printed by L. C.

NM 0921312 NNCE

Myers, Denys Peter, 1884–
Violation of treaties, bad faith, nonexecution and disregard, by Denys P. Myers ... [New York, 1917]
cover-title, p. 794–819. 27cm.
Reprinted from the American journal of international law, vol. 11, no. 4, October 1917.

1. Treaties. I. Title.
19–18823
Library of Congress JX4171.V5M85

NM 0921313 DLC

[**Myers, Denys Peter**] 1884–
Violation of treaties by adverse national action.
(*In* American journal of international law. New York, 1918. v. 12, p. 96–126)

1. Treaties. I. Title.
A 21–1731
Title from Carnegie Endow. Int. Peace. Printed by L. C.

NM 0921314 NNCE

Myers, Denys Peter, 1884–
Violation of treaties by adverse national action, by Denys P. Myers ... [New York, 1918]
cover-title, p. 96–126. 27cm.
Reprinted from the American journal of international law, vol. 12, no. 1, January 1918.

1. Treaties. I. Title.
19–18819
Library of Congress JX4171.V5M86

NM 0921315 DLC

VOLUME 403

⌐Myers, Denys Peter⌐ 1884-
The war and the peace movement. ⌐Boston, World peace foundation, 1914⌐
⌐2⌐ p. 20½cm. ⌐World peace foundation. Pamphlet series. vol. IV, unnumbered pamphlet⌐
Caption title.
"The die is cast," from the Boston herald, August 5, 1914: p. ⌐2⌐
1. European war, 1914- 2. Peace. I. Title. 15-21662
Library of Congress JX1963.W85

NM 0921316 DLC NRCR MiU

Myers, Denys Peter, 1884-
U. S. *Congress. Senate. Committee on foreign relations.*
... Why the arbitration treaties should stand; the objections of the majority of the Senate committee on foreign relations answered point by point, prepared by Denys P. Myers ... Boston, World peace foundation, 1911.

Myers, Denys Peter, 1884-
World disarmament, its problems and prospects, by Denys P. Myers. Boston, Mass., World peace foundation, 1932.
5 p. l., 370 p. 20½cm.
1. Disarmament. 2. Conference for the reduction and limitation of armaments, Geneva, 1932. I. World peace foundation, Boston. II. Title. 32-14197
Library of Congress JX1974.M8
——— Copy 2.
Copyright A 51556 ⌐5-5⌐ 341.6

OrU
WaE OrPR CaBVaU CaBVa OrCS OrStbM MH-L MH IU NjN
NM 0921318 DLC MoU WaS KEmT MdBP WaS WaTC ViU

Myers, Denys Peter, 1884-
World disarmament, its problems and prospects, by Denys P. Myers. Boston, Mass., World peace foundation, 1932.
5 p. l., 364 p. 20cm.
On cover: Student ed.
Bibliographical foot-notes.
1. Disarmament. 2. Conference for the reduction and limitation of armaments, Geneva, 1932. I. World peace foundation, Boston. II. Title. 45-44592
Library of Congress JX1974.M8 1932 a
⌐2⌐ 341.6

NM 0921319 DLC NcRS MH OCl OCU PU PHC OU

Myers, Denys Peter, 1884-
... Yearbook of the League of nations. Brooklyn, N. Y., The Brooklyn daily eagle, 1921-29.

Myers, Devereux Maitland.
Poems, by Devereux Maitland Myers. ⌐Petersburg, Va., The Franklin press co., inc., 1919⌐
20 p. front. (port.) 24cm.
19-4614
Library of Congress PS3525.Y42P6 1919

NM 0921321 DLC

QE 168 T7 M9
Myers, Donald Arthur, 1921-
The geology of the late Paleozoic Horseshoe Atoll in west Texas [by] Donald A. Myers [and others]. Austin, University of Texas, Bureau of Economic Geology, 1953.
113p. illus.,tables. (Texas. University. Publications no.5607)
Bibliography: p.71-73.
1. Geology, Stratigraphic--Paleozoic. 2. Geology--Texas. I. Title. II. Title: Horseshoe atoll in West Texas.

NM 0921322 UU

Myers, Donald Royal.
The molecular weight of starch by mercaptalation method... [Columbus, The Ohio state university, 1940]
6 p. l., 2-116 numb. l.
Thesis (PH.D.) - Ohio state university.

NM 0921323 OU

Myers, Dorothy Woodin, 1900-
Providence council of social agencies. *Research bureau.*
One family in five, a study of families receiving assistance in January, 1939, by Dorothy W. Myers ... with a preface by Clarence A. Pretzer ... Providence, R. I., Providence council of social agencies, 1939.

Myers, Douglas N
The Mutual Fire Insurance Company of Loudon County, Virginia; a century of service
see Mutual Fire Insurance Company of Loudoun County, Waterford, Va.
A century of service.

Myers, Duboise Belle.
Sponsoring creative thinking in an elementary one room school ... [Columbus] The Ohio state university, 1939.
5 p. l., 2-98 numb. l.

NM 0921326 OU

Myers, Dwight Jacob.
The effects of certain organic compounds upon the bending and stretching of fresh and of dried plant tissues. [Columbus] The Ohio state university, 1938.
4 p.l., 2-46 numb. l.

NM 0921327 OU

Myers, Mrs. E. G.
see Myers, Louise (Holland)

Z120 O6M9
Myers, E George
The craftsman movement and why I am a craftsman; an address by E. George Myers ... Together with The craftsman's creed, by Dr. Frank Crane. Omaha, Nebraska, Omaha club of printing house craftsmen, 1923.
16p. 24cm.

NM 0921329 NBuG

Myers, E. H., Methodist minister
see Myers, Edward Howell, 1816-1876.

Myers, E. Mae.
Some historic mansions of Philadelphia...
[Swarthmore, Pa.] 1900.
Thesis.

NM 0921331 PSC

Myers, E Pauline.
Non-violent, goodwill, direct action: The March on Washington Movement mobilizes a gigantic crusade for freedom, by E. Pauline Myers. [New York, March on Washington Movement, 1943?]
13p. 23cm.
Cover title.

NM 0921332 IEN DHU

Myers, E Ransom.
The inquisitive gardener. Illus. by the author. London, J. Gifford ⌐1948⌐
87 p. illus. 19 cm.
Includes bibliographical references.
1. Horticulture. I. Title.
SB91.M9 635.9 49-20150*

NM 0921333 DLC

Myers, E. T. D.
The sempstress' story
see under Droz, Gustave, 1832-1895.

UC277 .U5 no. 1
Myers, Earl C., ed.
U. S. *Armed Forces Food and Container Institute, Chicago.*
Low temperature test methods and standards for containers; a symposium sponsored by the Quartermaster Food and Container Institute for the Armed Forces Quartermaster Reseach and Development Command, U. S. Army Quartermaster Corps, Chicago, December 10, 1953. Edited by Earl C. Myers and Norbert J. Leinen. Washington, Advisory Board on Quartermaster Research and Development, Committee on Packing, Packaging and Preservation, National Academy of Sciences, National Research Council. 1954.

HV763 .F75
Myers, Earl Dewey, joint author.
Friedlander, Walter A
... Child welfare in Germany before and after naziism, by Walter Friedlander ... and Earl Dewey Myers ... Chicago, Ill., The University of Chicago press ⌐1940⌐

Myers, Earl Dewey.
Fachwörterbuch der sozialen arbeit. Social work terms. Deutsch-englisch, englisch-deutsch ⌐von⌐ Earl D. Myers ... ⌐und⌐ dr. Hertha Kraus ... Frankfurt a. M., Hrsg. von der zweiten Internationalen konferenz für soziale arbeit, 1932.
cover-title, 47 p. 14cm.
1. Social service—Dictionaries. 2. German language—Terms and phrases. 3. English language—Terms and phrases. I. Kraus, Hertha, 1897- II. International conference of social work. 2d, Frankfurt am Main, 1932. III. Title. IV. Title: Social work terms.
A 40-2653
Fordham univ. Library for Library of Congress HV12.M97 ⌐2⌐

NM 0921337 NNF

Myers, Earl Eugene, 1924-
The copolymerization of styrene with methyl linoleate. III.
v, 71, 4 l.
Thesis. - Ph. D. degree. - Western Reserve University, Dept. of Chemistry. - June 13, 1951.

NM 0921338 OClW

Myers, Earl Hamlet, 1898-
... Biology, ecology, and morphogenesis of a pelagic foraminifer, by Earl H. Myers ... Stanford University, Calif., Stanford university press; London, H. Milford, Oxford university press, 1943.
30 p. IV pl. 25½cm. (Stanford university publications. University series. Biological sciences. Vol. IX, no. 1)
Each plate preceded by leaf with descriptive letterpress not included in the paging.
"Literature cited": p. 29-30.
1. Tretomphalus. 43-15808
Library of Congress QL368.F6M85
——— Copy 2. AS36.L52 vol. 9, no. 1
⌐10⌐ (570.62) 593.12

NM 0921339 DLC WaTC MU ViU OCU OU PHC PU

VOLUME 403

QE702 Myers, Earl Hamlet, 1898-
M86 Collected papers. [1934-45]
1 v. of pamphlets. illus.

Binder's title.
Table of contents in volume.

NM 0921340 CU

Myers, Earl Hamlet, 1898-
The life history of Patellina corrugata, a foraminifer, by Earl Hamlet Myers ... [Berkeley, Calif., 1934]
1 p.l., 99 numb. l. mounted plates, fold. tab. 29cm.

Plates preceded by guard sheets with descriptive letter press.
Thesis (Ph.D.) - Univ. of California, May 1934.
"Literature cited": p.96-99.

1.Patellina corrugata.

NM 0921341 CU

Myers, Earl Hamlet, 1898–
The life history of *Patellina corrugata* Williamson, a foraminifer, by Earl H. Myers ... Berkeley, Calif., University of California press, 1935.
cover-title, 2 p. l., 355-391 p. incl. illus., plates, tables. 27cm. (Bulletin of the Scripps institution of oceanography of the University of California, La Jolla, California. Technical series, v. 3, no. 15)
"Literature cited": p. 375.

1. Patellina corrugata.
A 35-761 Revised
California. Univ. Libr. for Library of Congress QH95.C3 vol. 3, no. 15
——— Copy 2. QL368.F6M87

NM 0921342 CU OrU FTaSU PPAmP MiU OO OU ViU DLC

Myers, Earl Hamlet, 1898–
Morphogenesis of the test and the biological significance of dimorphism in the foraminifer *Patellina corrugata* Williamson, by Earl H. Myers ... Berkeley, Calif., University of California press, 1935.
2 p. l., 393-404 p. incl. illus., tables. 26cm. (Bulletin of the Scripps institution of oceanography of the University of California, La Jolla, California. Technical series, v. 3, no. 16)
"Literature cited": p. 404.

1. Patellina corrugata. 2. Sex (Biology)
A 35-762 Revised
California. Univ. Libr. for Library of Congress QH95.C3 vol. 3, no. 16
——— Copy 2. QL368.F6M9

NM 0921343 CU MiU OU OO ViU DLC PPAmP OrU FTaSU

QE772 Myers, Earl Hamlet, 1898-
.M9 Recent studies of sediments in the Java Sea and their significance in relation to stratigraphic and petroleum geology. New York, Board for the Netherlands Indies, Surinam and Curaçao, 1945.
p. [265]-269. illus. 27 cm.

"Reprinted from 'Science and scientists in the Netherlands Indies' ".

1. Foraminifera, Fossil. 2. Petroleum - Geology. I. Title. II. Title: Sediments in the Java Sea.

NM 0921344 NjR

TD735 Myers, Edgar C., joint author.
.W4
Weems, Julius Buel, 1865–1930.
The chemical composition of sewage of the Iowa state college sewage plant. By J. B. Weems, J. C. Brown, and R. [!] C. Myers ... [Des Moines? 1902?]

Myers, Edmund Charles Wolf, 1906–
Greek entanglement. London, R. Hart-Davis, 1955.
289 p. illus. 23 cm.

1. World War, 1939–1945—Greece. 2. World War, 1939–1945—Personal narratives, English. I. Title.
D766.3.M9 1955 940.542 55—44670 ‡

CaBVa
MB MiD OClW FMU OU NBuC OrCS OrU CaBVaU CaBViP
NM 0921346 DLC KMK MiU OrU MH FTaSU NN PP NcD OCl

Myers, Edward.
An Inquiry into the Charges made by the Rev. H. McNeile against the Roman Catholic Church ... Liverpool, 1849.
25 p. 8°. [In v. 306, College Pamphlets]

NM 0921347 CtY

Myers, Edward, 1875– tr.
BS1180
.L33
Lagrange, Marie Joseph, *Father*, 1855–1938.
Historical criticism and the Old Testament. Tr. by Edward Myers. London, Catholic Truth Society, 1905.

BT Myers, Edward, bp., 1875-
4222 Lent & the liturgy...illustrated from wood
M97 cuts from a sixteenth-century Italian book of the Stational Churches in Rome. London, The Grail, 1948.
2 l., 44p. illus. 23cm.

1. Lent.

NM 0921349 IMunS

Myers, Edward, 1875–
The mystical body of Christ, by the Right Rev. Monsignor Canon Myers ... London, Burns, Oates & Washbourne, ltd. [1930]
3 p. l., 86 p., 1 l. 17cm. (*Half-title:* The treasury of the faith series, XIX)

1. Church. 2. Catholic church. I. Title.
31-6905
Library of Congress BX1754.M8
Copyright A ad int. 14744 [2] 282

NM 0921350 DLC OCX

Myers, Edward, 1875–
The mystical body of Christ, by the Right Reverend Monsignor Canon Myers ... introduction by Patrick J. Healey, D. D. New York, The Macmillan company, 1931.
ix, 86 p. 17cm. (*Half-title:* The treasury of the faith series: 19)

1. Church. 2. Catholic church. 3. Jesus Christ. I. Title.
31—14836
Library of Congress BX1754.M8 1931
Copyright A 38493 [38d2] 282

NM 0921351 DLC MBtS OClND PV MB WaSpG

Myers, Edward, 1875-
Burton, Edwin Hubert, 1870–1925.
The new Psalter and its use, by the Rev. Edwin Burton ... and the Rev. Edward Myers ... London, New York [etc.] Longmans, Green and co., 1912.

Myers, Edward De Los, *ed.*
Christianity and reason, seven essays. New York, Oxford University Press, 1951.
xiii, 172 p. 21 cm.
Includes bibliographical references.
CONTENTS.—Biographical notes.—Man, in the twilight, need not falter, by T. M. Greene.—The present relevance of Catholic theology, by J. Wild.—Theology and philosophy, by G. F. Thomas.—The language of theology, by W. M. Urban.—Theology as theoretical and practical knowledge, by L. M. Hammond.—Theology in theory and practice, by H. D. Roelofs.—The wisdom of the Greeks, by H. Kuhn.

1. Theology, Doctrinal—Addresses, essays, lectures. I. Title.
BT10.M9 230.04 51-9721

LU
NM 0921353 DLC MH MB ICU ViU NcU WaWW OrCS MSohG

Myers, Edward DeLos.
The foundations of English [by] Edward D. Myers. Hartford, 1939. [172] f. 28cm.

Reproduced from typewritten copy.
Various paging.
"Supplementary reading" at end of some chapters.

137219B. 1. English language—Hist. 2. English language—Etymology.
N. Y. P. L. October 30, 1941

NM 0921354 NN

Myers, Edward DeLos.
... The foundations of English. New York, The Macmillan company, 1940.
xx p., 1 l., 301 p. 21cm.
At head of title: Edward D. Myers.
"Supplementary reading" at end of some of the chapters.

1. English language. 2. English language—Etymology. 3. English language—Semantics. I. Title.
40-32897
Library of Congress PE1091.M9
——— Copy 2.
Copyright [10] 422

IdU OCU OO OU PSC MiHM PU
NM 0921355 DLC IdPI MtU CU NcD NcRS TU MiU NIC CU

Myers, Edward DeLos
Toynbee, Arnold Joseph, 1889–
A study of history. London, New York, Oxford University Press [1948]–61.

Myers, Edward F.
Interest table at five per cent per annum, giving the interest on all sums from one dollar to ten thousand dollars, from one to thirty-one days ... Comp. by Edward F. Myers ... New York, Arthur, Mountain & co., 1895.
4 l. incl. covers. 35½cm.

1. Interest and usury—Tables, etc.
6-16333†
Library of Congress HG1630.05.M8

NM 0921357 DLC

BX8237 Myers, Edward Howell, 1816–1876.
.M9 The disruption of the Methodist Episcopal church, 1844–46: comprising a thirty years' history of the relations of the two methodisms. By Edward H. Myers, D. D. With an introduction by T. O. Summers, D. D. Nashville, Tenn., A. H. Redford; [etc., etc.] 1875.
216 p. 19cm.

1. Methodism—U. S.—Hist. 2. Methodist Episcopal church—Hist. 3. Methodist Episcopal church, South—Hist.

MdBP CLSU MH-AH OO ODW OCl PPL NNC IEG NcD GtW Vi
NM 0921358 ICU NIC TxDaM CBPac LU GEU ICN DLC

Myers, Edward Howell, 1816–1876.
The disruption of the Methodist Episcopal church, 1844–1846: comprising a thirty years' history of the relations of the two methodisms. By Edward H. Myers, D.D. With an introduction by T. O. Summers, D.D. Nashville, Tenn., A. H. Redford; [etc., etc.] 1875.
216 p.
Microfiche

NM 0921359 PSt

Myers, Edward Howell, 1816-1876.
Prevalent Social Sins; their Causes and Consequences; a Sermon for the times. Preached on Sunday, 11th Feb. 1866, in Mulberry Street, M. E. Church, Macon, Ga. Published by request. Macon, Georgia: J. W. Burke & Co., stationers, printers and binders, 1866.
28 p. 8 vo.

NM 0921360 GU-De GEU

Myers, Edward Howell, 1816-1876.
Reasons for rejecting the Calvinistic doctrine of election, by the Rev. E. H. Myers. [Richmon Va., and Louisville, Ky., Published for the Methodist Episcopal church, South, by John Early] [18-]

NM 0921361 GEU

VOLUME 403

Myers, Edward Howell, 1816-1876, ed.

Southern Christian advocate.
Charleston, S. C. [etc.] 18

Myers, Edward Howell, 1816-1876, ed.

Bellinger, Lucius, 1806-
Stray leaves from the port-folio of a Methodist local preacher. By Rev. Lucius Bellinger ... Macon, Ga., Printed for the author, by J. W. Burke & co., 1870.

Myers, [Edward K]
Myers' centennial calendar. Conveniently arranged for the 18th, 19th and 20th centuries. A correct and reliable calendar for 300 years. From Jan. 1st, 1701 to Dec. 31st, 2000 ... [Clinton? Ia., °1895]
2 p. l., [1], 19 p. 16½cm.

1. Calendar.

Library of Congress CE92.M97 7-7871†

NM 0921364 DLC

Myers, [Edward K]
Myers' perpetual calendar and reference book. A compendium of calendars conveniently arranged for the eighteenth, nineteenth and twentieth centuries and for all future time, and rules, tables, statistics and general information of the greatest practical value. A hand-book for everybody ... [Clinton? Ia., °1896]
36 p. illus. (port.) tables. 22cm.

1. Calendar.

Library of Congress CE92.M95 7-6069†

NM 0921365 DLC

Myers, Edward L.
Experiences of a caddy, by Edward L. Myers, illustrated by James E. Mathews, jr. Philadelphia, Dorrance and company [°1927]
96 p. incl. front., illus. 19½cm.

1. Golf. I. Title.

Library of Congress GV967.M85 28-1869

NM 0921366 DLC NN

Myers, Edward Thomas.
A survey of sight-saving classes in the public schools of the United States ... [by] Edward T. Myers. Philadelphia, 1930.
105 p. diagrs. 23cm.
Thesis (PH. D.)—University of Pennsylvania, 1930.
Bibliography: p. 95-97.

1. Eye—Care and hygiene. 2. Children, Abnormal and backward. I. Title: Sight-saving classes in the public schools of the United States.

Library of Congress LB3451.M85 1930 30-13986
Univ. of Pennsylvania Libr.
——— Copy 2. [4] 371.72

NM 0921367 DHEW DLC PU TU MH OrPR MtU NcD NcU OO MB NN OU

Myers, Edward Thomas.
A survey of sight-saving classes in the public schools of the United States, [by] Edward T. Myers ... New York, N. Y., The National society for the prevention of blindness [1930]
105 p. incl. tables, diagrs., forms. 23cm. ([National society for the prevention of blindness] Publication 64)
Issued also as thesis (PH. D.)—University of Pennsylvania, 1930.
Bibliography: p. 95-97.

1. Eye—Care and hygiene. 2. Children, Abnormal and backward. [2. Abnormal children] I. Title: Sight-saving classes in the public schools of the United States.

E 33-62

Library, U. S. Office of Education LB3451.M851
Library of Congress [RE1.N3 no. 64]

NM 0921368 DHEW PPC OrP OrU MiU OC1 OCU ODW PP

Myers, Edward Warren, 1873- *7861.47.8
Discharge measurements on the North Carolina rivers. Charts.
(In North Carolina. Geological Survey. Bulletin no. 8, pp. 271-334. Raleigh. 1899.)

K8636 — North Carolina. Water-supply. — Rivers. Discharge.

NM 0921369 MB PP

Myers, Edward Warren, 1873-
Map of North Carolina in 1783, showing counties, towns, and principal roads.
No place, Author, n.d.
Scale of miles ca.40 to a degree.
9 1/2 X 18 1/4.

With dates of formation of counties penciled on the map.

NM 0921370 NcU

---

*7861.47.8
Myers, Edward Warren, 1873- , and Joseph Volney **Lewis, 1869-**
Notes on the waterpower in North Carolina west of the Blue Ridge. Plates.
(In North Carolina. Geological Survey. Bulletin no. 8, pp. 231-269. Raleigh. 1899.)

NM 0921371 MB PP

Myers, Edward Warren, 1873-
Papers on the water power in North Carolina, ...
Raleigh, Barnes, 1899.
362 p.

NM 0921372 PU

Myers, Edward Warren, 1873-
Water-power in North Carolina. Raleigh, 1899.
(North Carolina. Geological survey Bulletin, no. 8.)

NM 0921373 PP MB

Myers, Edwin Eugene.
The Myers' simple segment system of short story writing; a little book that shows the way to become an author. With a supplement instructing how to preserve family war experiences in permanent written form as a priceless family heritage. By Edwin Eugene Myers. [Toledo, McManus-troup co.] °1944.
3 p. l., 122 p. 18½cm.

1. Short story. 2. World war, 1939- —Personal narratives.

Library of Congress * PN3373.M9 45-964
[3] 808.3

NM 0921374 DLC

Myers, Elaine.
Loaves and fishes, by Elaine Myers. New York, R. D. Henkle [°1934]
345 p., 1 l. 20cm.

I. Title.

Library of Congress PZ3.M9903Lo 34-30248

NM 0921375 DLC OC1 OLak PP MB ViU WaS WaE

Myers, Eliab.
The champion text book on embalming. A systematic and comprehensive treatise on the science and art of embalming ... By Eliab Myers, M. D., and F. A. Sullivan ... Profusely illustrated by full page engravings, half-tones and colored plates. Springfield, O., Champion chemical co. [1897]
1 p. l., v-xxv, 336 p. incl. illus., 8 pl. XI pl., 2 port. (incl. front.) 22½cm.

1. Embalming. I. Sullivan, F. A., joint author.

1-5537 Additions

Library of Congress RA623.M965

NM 0921376 DLC ICJ

Myers, Eliab.
The champion text-book on embalming; a comprehensive treatise on the science and art of embalming ... 4th ed., greatly enl. and almost entirely rewritten ... Springfield, O., The Champion chemical co., 1900.
xxxi, 655 p. front., illus. 8°.

1. Embalming. Nov. 29, 1900-88

Library of Congress RA623.M97 Copyright

NM 0921377 DLC ICJ DNLM

Myers, Eliab.
The champion text-book on embalming; a comprehensive treatise on the science and art of embalming, giving the latest and most successful methods of treatment, including descriptive and morbid anatomy, physiology, sanitation, disinfection, etc. By Eliab Myers ... 5th ed., greatly enl. and almost entirely rewritten, profusely illustrated by over one hundred engravings, half-tones, and colored plates. Springfield, O., The Champion chemical company, 1908.
xxxi, 665 p. incl. illus., plates (partly col.) front. (port.) 22cm.

1. Embalming. 8-14705

Library of Congress RA623.M972 Copyright

NM 0921378 DLC

PS3525
.Y4214 V4
1930
Myers, Elisha Baker.
Verses ...
[Gulfport, Miss., c1930]
cover-title, 1 p.l., 35 p. ports. 18 1/2 cm.

NM 0921379 DLC RPB

Myers, Elizabeth.
The social letter, by Elizabeth Myers. New York, Brentano's, 1918.
xiii p., 1 l., 147 p. tables. 19cm.

1. Letter-writing. 2. Etiquette. I. Title.

Library of Congress BJ2101.M8 18-14202

NM 0921380 DLC WaS MoU OC1 OEac PPFr NcC NN MB

Myers, Elizabeth.
The social secretary, by Elizabeth Myers ... New York, Brentano's, 1919.
xiii p., 1 l., 135 p. 19 cm.
"References" at ends of chapters.

1. Social secretaries. I. Title.

BJ2020.M8 19—10999

NM 0921381 IdU DLC NN ICJ PP OC1 OO NcC MoU Or OrP

810
M9965
tT
Myers, Elizabeth, poet.
Thru the mist. Hollywood, Oxford Press [c1945]
71p. plates. 22cm.

Poems.

NM 0921382 CLSU

Myers, Elizabeth, 1912-1947.
The basilisk of St. James's; a romance by Elizabeth Myers ... London, Chapman & Hall ltd. [1945]
264 p. 18½ cm.
"In this novel, the period chosen, 1712-1714, represents ... Jonathan Swift's life ... in the ... London of Queen Anne."—Foreword.
"First published 1945."

1. Swift, Jonathan, 1667-1745—Fiction. I. Title.

A 46-4604 rev

Yale Univ. Library for Library of Congress [r52d1]

NM 0921383 CtY LU WU OrP CaBVaU CSt INS MoU

VOLUME 403

Myers, Elizabeth, 1912-1947.
The basilisk of St. James's; a romance... London, Chapman & Hall [1946] 264 p. 19cm.

605168B. 1. Swift, Jonathan, 1667-1745—Fiction. I. Title.
N. Y. P. L. November 21, 1951

NM 0921384 NN PU

AC-L
M9924weTFb
1946 Myers, Elizabeth, 1912-1947.
Feuilles dans l'eau (A well full of leaves) Histoire d'un bonheur. Traduit de l'anglais par G.M. Bovay. Genève, Éditions du Mont-Blanc [1946]
261p. 20cm.
Publisher's advertisements ([4]p.) bound in at end.
I. Bovay, G.M., tr. II. Title. A.F.: Church, Richard, 1893-

NM 0921385 TxU

PN6331
.W36 Myers, Elizabeth, 1912-1947, comp.
Waugh, Arthur, 1866-1943.
Galaxy, a table-book of prose reflections for every day in the year [by] Arthur Waugh; chosen and arranged by Elizabeth Myers. London, Todd publishing company [1944]

L & B
hmy
52 Myers, Elizabeth, 1912-1947.
Good beds - men only; stories of outsiders. London, Chapman & Hall, 1948.
174p. 19cm.

NM 0921387 CtY MH WU

PR 10
W12 M9
1944 Myers, Elizabeth, 1912-1947.
John Redwood Anderson. 1944.
129-135 p.
In: The Poetry Review, vol. XXXV, no. 3; May-June, 1944.
Item in the Colbeck Collection; enquire at the Information Desk.
1. Anderson, John Redwood, 1883-

NM 0921388 CaBVaU

Myers, Elizabeth, 1912-1947.
The letters of Elizabeth Myers, with a biographical introduction and some comments on her books by her husband, Littleton C. Powys. London, Chapman & Hall, 1951.
338 p. illus. 23 cm.
I. Title.
PR6025.Y4Z53 928.2 52-2981 ‡

NcD IEN CtY LU InU IdU
NM 0921389 DLC MH NIC NN TU PPT TxU ICU CaBVaU

PZ
3
M99035
Mi
1946 Myers, Elizabeth, 1912-1947
Mrs. Christopher. London, Chapman & Hall [1946]
238p. 21cm.

NM 0921390 WU KyLoU ICarbS CSt

828
M9921m Myers, Elizabeth, 1912-1947.
Mrs. Christopher, London, Chapman & Hall [1947]
238 p. 19 cm.

NM 0921391 LU MA MH OrP

AC-L
M9924pu
1943 Myers, Elizabeth, 1912-1947.
The public entertainer, and other stories. London, Todd Pub. Co. [1943]
16p. illus. 22cm. (Polybooks)

NM 0921392 TxU

L & B
hmy
53 Myers, Elizabeth, 1912-1947.
Thirty stories. Edited with an introd. by Littleton C. Powys. London, MacDonald [1954]
xvi, 224p. 21cm.
I. Powys, Littleton Charles, 1874- ed.

NM 0921393 CtY PPLas MH PU ICU

Myers, Elizabeth, 1912-1947.
A well full of leaves, a story of happiness, by Elizabeth Myers... London, Chapman & Hall ltd. [1943]
240 p. 19 cm.
"First published 1943."
I. Title.
PZ3.M99035We 43-16595 rev

NM 0921394 DLC WaE NIC

Myers, Elizabeth, 1912-1947.
A well full of leaves [by] Elizabeth Myers. New York, W. Morrow & company, 1944.
3 p. l., 215 p. 20½ cm.
I. Title.
PZ3.M99035We 2 44-20108 rev

OO OC1 TxU
NM 0921395 DLC WaS MtBC CaBVaU TxU NcRS PBm PP

Myers, Elizabeth, 1912-47
A well full of leaves. [5th ed.] L, Chapman & Hall [1946]
240 p.

NM 0921396 MH

Myers, *Mrs.* Elizabeth Fetter (Lehman)
A century of Moravian sisters; a record of Christian community life, by Elizabeth Lehman Myers; drawings by Frank J. Myers. New York, Chicago [etc.] Fleming H. Revell company [c1918]
243 p. col. front., illus. (incl. music) plates, ports. 21cm.
1. Moravians in Pennsylvania. I. Title. II. Title: Moravian sisters, A century of.
19-1876 Revised
Library of Congress BX8567.P4M9

NM 0921397 DLC ICU PHC PSC PP MB MiU

F159
B52M9 Myers, Elizabeth Fetter (Lehman)
History of the Bethlehem Pike. Bethlehem, Pa., Bethlehem printing co. [19--?]
1 v. (unpaged) illus., map (on rear cover)
(Transactions of the Moravian historical society. Special series, vol.II, Part I)
1. Bethlehem Pike, Pa. I. Moravian historical society, Nazareth, Pa.

NM 0921398 CU MB NN PHi MoU PPAuC

Myers, Elizabeth Fetter (Lehman)
The story of the Gemein Haus. Bethelhem, 1924.
10 p.

NM 0921399 PHi

Myers, *Mrs.* Elizabeth Fetter (Lehman)
The Moravian revolutionary church at Bethlehem, commonly called "The old chapel", by Elizabeth Lehman Myers. Read before the Pennsylvania German society at Bethlehem, October 5, 1923. [Norristown, Pa.] 1929.
(*In* Pennsylvania German society. Proceedings and addresses ... Oct. 5, 1923. [Norristown, Pa.] 1929. 25½cm. v. 34, p. [53]-66. illus., pl.)
1. Bethlehem, Pa. Moravian church. 2. Moravians in Pennsylvania. I. Title.
30-11212 Revised
Library of Congress F146.P23 vol. 34

NM 0921400 DLC PU OC1 NNC PSt MoU

F854B2
.MY Myers, Elizabeth Fetter (Lehman)
A sketch of Bethlehem. Bethlehem, Pa., 1925.
25 p. illus. 21cm.
1. Bethlehem, Pa. - History
2. Moravians - Pennsylvania

NM 0921401 WHi PHi

Myers, Mrs. Elizabeth Fetter (Lehman)
"The upper places"; Nazareth, Gnadenthal, and Christian's Spring... read before the Northampton county historical and genealogical society... June 1, 1929. Easton, Pa., The Society, 1929.
10 p.

NM 0921402 PHC

Myers, Ella Anne (Funk) 1864-
Gardening in Virginia, by Ella Funk Myers. Richmond, Va., The Dietz press, 1936.
vii p., 1 l., 208 p., 1 l. front., plates. 23½cm.
Illustrated front lining-paper.
1. Gardening—Virginia. 2. Floriculture—Virginia. 3. Gardens.
37-18141
Library of Congress SB453.M9
[a45d1] 635.9

NM 0921403 DLC NcU OC1GC PPGeo OC1 ViU NNBG MBH

Myers, Ella E
The family cook book and general guide; practical receipts. In 4 pts. Embracing modern cookery in all its arts, family medicines and household remedies, farming hints and complete farriery [and] events of the last century. Philadelphia, J. B. Myers [1876?]
vi, 408 p. illus. 19 cm.
Pub. also under title: The centennial cook book and general guide.
1. Receipts. 2. Cookery.
TX153.M97 1876 48-35341*

NM 0921404 DLC ICJ

Myers, Ella E
The home cook and receipt book and general guide. In three parts, embracing modern cookery in all its branches, family medicines and household remedies, farming hints and complete farriery. Philadelphia, Burlock [1880]
320 p. illus. 19 cm.
1. Cookery, American. 2. Receipts. I. Title.
TX715.M969 48-34947*

NM 0921405 DLC MdBG

Myers, Ella E.
The home cook book; an American cook book, containing more than two thousand practical receipts... By Ella E. Myers. Philadelphia: Crawford & Co. [cop. 1880.] 1 p.l., 320 p. illus. 12°.
1. Cookery (American). 2. Title.
N. Y. P. L. May 9, 1919.

NM 0921406 NN OkT

VOLUME 403

Myers, *Mrs.* Ella E.
1776–1876. The centennial cook book and general guide. (Illustrated.) Practical receipts, in four parts, embracing modern cookery ... By Mrs. Ella E. Myers. Philadelphia, J. B. Myers, 1876.
vi, 403 p. illus., pl. 19½cm.

1. Receipts. 2. Cookery.

Library of Congress TX153.M97 7–23927†

NM 0921407 DLC Or

F 74 T98 M9 Myers, Eloise S
A hinterland settlement. [n.p., n.d.]
95 p. illus. 24 cm.

Cover title.

1. Tyringham, Mass. - History. I. Title.

NM 0921408 WHi

Myers, Mrs. Elsie (Phillips) joint author.

Myers, Henry Alonzo, 1906–
A short history of English literature, with reading references, by Henry Alonzo Myers ... and Elsie Phillips Myers ... Ithaca, N. Y., The Thrift press, °1938.

Myers, Emanuel, *defendant.*
The trial of Emanuel Myers, of Maryland, for kidnapping certain fugitive slaves, had at Carlisle, Pennsylvania November, 1859. [Carlisle? 1859]
1 p. l., 10 p. 23½cm.

1. Slavery in the U. S.—Fugitive slaves.

Library of Congress E450.M99 20–13494

NM 0921410 DLC NcD

Myers, Emanuel Moses, *comp.*
The centurial. A Jewish calendar for one hundred years. Comp. by Rev. E. M. Myers. With a summary of nearly seven hundred events of history from the time of the creation to the present year. New York, Stettiner, Lambert & co., printers; Cincinnati [etc.] Block printing and publishing co., 1890.
3 p. l., 200 p. illus. 23½cm.
Most of the calendar printed on one side of leaf only; rectos blank or filled with advertising matter.

1. Calendar, Hebrew. 2. Jews—Hist. I. Title.

Library of Congress CE35.M8 1890 22–18202

NM 0921411 DLC OCH OClTem

Myers, Emanuel Moses, *comp.*
The centurial. A Jewish calendar for one hundred years. Comp. by Rev. E. M. Myers ... With a summary of nearly seven hundred events of history from the time of the creation to the present year. New York, Stettiner, Lambert & co., printers; Cincinnati [etc.] Block printing and publishing co., 1891.
4 p. l., 200, [5] p. illus. 23½cm.
Most of the calendar printed on one side of leaf only; recto blank or filled with advertising matter.

1. Calendars, Hebrew. 2. Jews—Hist. I. Title.

Library of Congress CE35.M8 11–28584

NM 0921412 DLC CU PPDrop

1680 MYERS, EMANUEL MOSES, comp.
The centurial. A Jewish calendar for one hundred years, 5651-5751 - 1890-1990.
New York, Block publishing co., 1904.
[105]p. 18cm.

NM 0921413 ICN IU PPDrop OCH NN PU

Myers, Emanuel Moses, comp. 2299A.131
The centurial; a Jewish calendar for 100 years, 5651–5751 — 1890–1990. Compiled by E. M. Myers.
= New York. Bloch. 1918. (106) pp. Tables. 17½ cm.

D2726 — T.r. — Calendars. Jewish.

NM 0921414 MB

Myers, Emanuel Moses, ed.

Findel, Gottfried Joseph Gabriel, 1828–1905.
A history of freemasonry and its progress in the United States of America. Republished from Findel's History of freemasonry. By Rt. Wor. Bro. Rev. E. M. Myers ... Petersburg, Va., 1887.

Myers, Emanuel Moses.
A history of the introduction of freemasonry and its progress in the United States since 1732.
New York, The author, 1900.
33 p. 8°.

NM 0921416 NN

4BM 363 Myers, Emmanuel Moses.
The Jews, their customs and ceremonies, with a full account of all their religious observances, from the cradle to the grave; also, explanations of their various feasts and fasts, with extracts from their ritual, and explanatory illustrations of their public worship and domestic celebrations. New York, R. Worthington, 1879.
112 p.

NM 0921417 TxU PPL OCH OFH DAU ICU OrU OrL DLC-P4 CtY PU NjNbS NjPT NNJ MH MdBP

Myers, Emanuel Moses.
Judaism defined. Petersburg, Va., 1887.
19 p. 18 cm.

1. Confirmation (Jewish rite)—Instruction and study. I. Title.

BM707.2.M9 58–53561

NM 0921418 DLC Vi

MYERS, EMERY.
...Egypt lives...like the sun, forever; an account of a trip of exploration and research in Egypt, made by Emery Myers... [Los Angeles, Cal.: The Austin Pub. Co., 1931.]
102 p. incl. front. (port.), plates. 21cm.

Some plates printed on both sides.
Bibliography, p. 8.

586126A. 1. Egypt—Descr. and trav., 1910–

NM 0921419 NN OCl

Myers, Emil, defendant-respondent.
In the Supreme Court of the State of Idaho: Thomas W. Jones, plaintiff and appellant, vs. Emil Myers, defendant and respondent. Brief of respondent... [R.S. Spence, attorney for respondent. Idaho Falls, Idaho, Register Print, 1891.
9 p. 23 cm.
Cover title.
1. Land titles - Idaho. 2. Pre-emption - Idaho. I. Jones, Thomas W , plaintiff-appellant. II. Spence, Robert S

NM 0921420 NjP

811.5 M9964 Myers, Emily Niles (Huyck) 1882-1912.
The book of Katharine's friends. Albany, Privately printed, 1910.
45 p. plates. 25 cm.

NM 0921421 N

[Myers, Emily Niles (Huyck)] 1882-1912.
A little book of remembrance ... Albany, 1913.
unp. front (port.) 21 cm.

NM 0921422 RPB

914.229 M996 Myers, Emily Niles (Huyck) 1882-1912.
Sonning and its church. Decorations by Dakin Judson. [Albany ? 1910]
unpaged. plates. 23 cm.

1. Sonning, Eng. Descr. 2. Sonning, Eng. St. Andrew's Church.

NM 0921423 N

Myers, Emma A.
... Pets and friends, by Emma A. Myers ... illustrated by Virginia Flint. Boston, New York [etc.] D. C. Heath and company [°1937]
vi, 186 p. col. illus. 19½cm. (Our animal books, II; a series in humane education, ed. by Frances E. Clarke)
Illustrated lining-papers.
"Books to read": p. 185–186.

1. Readers and speakers—1870– I. Title.

Library of Congress PE1127.A6O8 book 2 38–10008
——— Copy 2.
Copyright A 112890 [3] (372.4) 591.5

NM 0921424 DLC PP WaS WaSp Or OrAshS

Myers, Emma J.
Emma J. Myers, late, Emma J. Snyder; appeal, confirming report of John C. Mitchell &c.
Phil., 1863.
14 p.

NM 0921425 PHi

Myers, Ephraim E.
A true story of a Civil war veteran, by Ephraim E. Myers ... including an escape from a rebel prison by Capt. R. G. Richards. [York? Pa., 1910] 81 p. incl. front. illus. (ports.) 23cm.

1. United States—Hist.—Civil War—Personal narratives. 2. United States—Hist.—Civil War—Regt. hist.—Pennsylvania infantry. 45th regt., 1861-1865. 3. Pennsylvania infantry. 45th regt., 1861–1865. I. Richards, Rees Griffith, 1842–1917.
N. Y. P. L. March 6, 1940

NM 0921426 NN

MYERS, Ernest, 1844-1921.
Aeschylus.
(In Hellenica. Pp. 1–32. London, 1880.)

NM 0921427 MB MdBP

---

*Myers, Ernest, 1844-1921, tr.

Homerus.
The complete works of Homer; the Iliad and the Odyssey; the Iliad done into English prose by Andrew Lang, Walter Leaf, Ernest Myers; the Odyssey done into English prose by S. H. Butcher and Andrew Lang. New York, The Modern library [1935]

---

821 M993d Myers, Ernest, 1844-1921.
The defence of Rome, and other poems.
London, Macmillan, 1880.
134p. 18cm.

NM 0921429 IU MB MH NjP CtY

VOLUME 403

Myers, Ernest, 1844-1921.
... Ernest Myers. London, E. Benn ltd. [1931]
iv, 5-30, [1] p. 22cm. (The Augustan books of poetry)
Bibliography: page at end.

[Full name: Ernest James Myers]
31-14556
Library of Congress PR5101.M57A6 1931
[2] 821.89

NM 0921430 DLC MH CoU WaU NN

FOR OTHER EDITIONS SEE MAIN ENTRY
Myers, Ernest, 1844-1921, ed. and tr.

Pindarus.
The extant odes of Pindar; translated into English, with an introduction and short notes, by Ernest Myers ... London, Macmillan and co., limited; New York, The Macmillan company, 1904.

Myers, Ernest, 1844-1921.
Gathered poems of Ernest Myers ... London, Macmillan and co., 1904.
xi, 159 p. 20cm.

A 10-1195
Title from Leland Stanford Jr. Univ. Printed by L. C.

NM 0921432 CSt TxU PU PHC NN MB

Myers, Ernest 1844- Gordon: in memoriam. 2 pp. (Fortn. Rev. n. s. v. 37, 1885, p. 701.)—

NM 0921433 MdBP

Myers, Ernest, 1844-1921.
Lmd92 G25 1865
... A Greek idyll, recited in the Theatre, Oxford, June 21,1865 ... Oxford,T.and G. Shrimpton,1865.
7p. 17cm. ([Gaisford Greek verse])

NM 0921434 CtY

FOR OTHER EDITIONS SEE MAIN ENTRY
*Myers, Ernest, 1844-1921, tr.

Homerus.
The Iliad of Homer, done into English prose by Andrew Lang, M. A., Walter Leaf, LITT. D. and Ernest Myers, M. A.; abridged and edited by Rudolph J. Pelunis ... New York, The Macmillan company, 1928.

821 M993j
Myers, Ernest, 1844-1921.
The judgment of Prometheus, and other poems. London, Macmillan, 1886.
126p. 18cm.

Erratum slip inserted.

NM 0921436 IU NjP MH MB OC1W MiU CtY

By64 74y
Myers, Ernest, 1844-1921.
Lord Althorp ... London,R.Bentley and son, 1890.
v,[2],240p. 18cm.

1.Spencer, John Charles, 3d earl of, 1782-1845

NM 0921437 CtY MH

Spec. PR 5101 M 57 P 6 1877
Myers, Ernest, 1844-1921.
Poems. London, Macmillan, 1877.
vii, 122 p. 18 cm.
Dark blue-green cloth over boards; gold lettering on spine.
First edition.
Bears the author's signed autograph presentation inscription to Florence A. Marshall, dated June 24, 1877.

NM 0921438 MoSW RPB CU MH NjP CtY

PR 5101 M57P9
Myers, Ernest, 1844-1921.
The Puritans. London, Macmillan, 1869.
48 p. 18cm.

NM 0921439 NIC IU NcU TxHU NjP MH CtY

Myers, Ernest, 1844-1921.

Milton, John, 1608-1674.
Selected prose writings of John Milton, with an introductory essay by Ernest Myers. London, K. Paul, Trench & co., 1884.

Myer, Ernest A.
Apprenticeship law, a practical handbook..
London, 1910.
76 p. 22½ cm.

NM 0921441 DL

Myers, Ernest James
see Myers, Ernest, 1844-1921.

Myers, Ernest M., ed.

Cooper, George Stanley, *d.* 1916.
By-product coking, by the late G. Stanley Cooper ... 2d ed., enl. and completely rev. by Ernest M. Myers ... London, Benn brothers, limited, 1923.

Myers, Ernest McClelland.
... "Brief" reporting system; light-line connective-vowel shorthand system, by Ernest M. Myers ... Crawfordsville, Ind., E. M. Myers [1922]
[9] p. 23cm.
Pages [5] to [9] printed on sheet, 23 x 45½cm folded to 23 x 15cm.

I. Title.
Library of Congress Z56.M996 CA 22-513 Unrev'd

NM 0921444 DLC

Myers, Ernest McClelland.
Myers' shorthand system, by Ernest M. Myers ... A new, scientific, light-line, connected vowel, even-balanced shorthand system using the longhand <script> alphabet ... Crawfordsville, Ind., The author [c1939]
27 p. 17½cm.

1. Shorthand. 40-197
Library of Congress Z56.M997
——— Copy 2.
Copyright AA 314487 [2] 653.42

NM 0921445 DLC

Myers, Ernest McClelland.

Myers' shorthand system. A new, light-line, connected vowel shorthand system, legible, rapid, Complete course of instruction. Plates by the author. Crawfordsville, Ind., Author, c1950.
21 p.

NM 0921446 OrP

Myers, Ethel (Klinck) 1881-

Virginia museum of fine arts, *Richmond.*
A memorial exhibition of the work of Jerome Myers, Virginia-born master, with an introductory biography by Mrs. Jerome Myers; the Virginia museum of fine arts, Richmond, Virginia, January 26-February 27, 1942. [Richmond? 1942?]

Myers, Eugene A joint author.
Pennsylvania's special emergency taxes
see under
Stout, Randall Stuart, 1915-

Myers, Eugene B
Myer's tactics. The Templar manual
see The Templar manual.

Myers, Eugene B comp.
The shipper's hand book. A complete alphabetical guide to every point in the states of Illinois, Iowa and Wisconsin, designating the location of the same, together with full shipping directions by express and railway ... Chicago, E. B. Myers, 1865.
115 p. 19cm.

1. Shippers' guides—Iowa. 2. Shippers' guides—Illinois. 3. Shippers' guides—Wisconsin.
CA 7-4297 Unrev'd
Library of Congress HE2731.M97

NM 0921450 DLC

Myers, Eugene B
The Templar manual
see under title

Myers, Eugene E
Creative lettering; beginning course in hand lettering, by Eugene E. Myers ... [and] Paul E. Barr ... Minneapolis, Minn., Burgess publishing company. c1938.
5 p. l., 92 numb. l. incl. illus., plates. 27½ cm.
Photoprinted.
Blank leaves for the student's use inserted at end of most of the lessons.
Bibliography: leaves 91-92.

1. Lettering. I. Barr, Paul Everett, 1892-1953, joint author. II. Title.
NK3600.M9 745 40—9470

OrLgE MsU CoGrS
NM 0921452 DLC PPFA KMK OCU OU NcGU MtBC OrSaW

Myers, Eulice Marcus, 1909-
Clarification of turbid waters with bentonite, with special application of the Burton-Bishop rule, by Eulice Marcus Myers ... [n. p., 1945]
cover-title, 4 p. incl. 1 illus., tables. 28cm.
Digest of thesis (PH. D.)—University of Iowa, 1942.
Caption title: Water purification with bentonite, by H. L. Olin and E. M. Myers.
"Reprinted from Paper trade journal, no. 234-F ... March 8, 1945."
"Literature cited": p. 4.

1. Water—Purification. 2. Bentonite. I. Olin, Hubert Leonard, 1880- joint author. II. Title.
A 45-3952
Iowa. Univ. Library for Library of Congress TD433.M9
[2]† 628.16

NM 0921453 IaU DLC

Myers, Mrs. Eveleen (Tennant) ed.

Myers, Frederic William Henry, 1843-1901.
Collected poems with autobiographical and critical fragments, by Frederic W. H. Myers; ed. by his wife Eveleen Myers. London, Macmillan and co., limited, 1921.

VOLUME 403

Myers, Mrs. Eveleen (Tennant) ed.

Myers, Frederic William Henry, 1843-1901.
Fragments of prose & poetry, by Frederic W. H. Myers, ed. by his wife, Eveleen Myers ... London, New York and Bombay, Longmans, Green, and co., 1904.

Myers, Everett Clark, 1896-
Relation of density of population and certain other factors to survival and reproduction in different biotypes of *Paramecium caudatum*, by Everett Clark Myers ... ⌜Philadelphia, 1927⌝
1 p. l., 43 p., 1 l. diagrs. 26½cm.
Thesis (PH. D.)—Johns Hopkins university, 1927.
Vita.
"Reprinted from the Journal of experimental zoölogy, vol. 49, no. 1, October, 1927."
"Literature cited": p. 42-43.
1. Paramecium. 2. Reproduction.
Library of Congress QL368.C5M85 1927 28-6192
Johns Hopkins Univ. Libr.

NM 0921456 MdBJ MH DLC NIC ICJ

Myers, F. E., and Bro., Ashland, Ohio. 670.85 I
.... Catalog and price list. Pumps, ... Hay tools, ... Cylinders, pipe, hose, atomizers, fixtures, door hangers, store ladders, gate hangers, bicycle stands, hay rack clamps. Buffalo, Gies Co., [1906?].
No. 43. illus. 23½cm.
At head of title: F. E. Myers & Bro. ....

NM 0921457 ICJ

Myers, F. E., & Bro., Ashland, Ohio.
...Catalog and price list; pumps...hay tools...cylinders... Buffalo: Gies Co. ⌜1920?⌝ 2 p.l., (1)4-363 p. illus. 8°.
Catalogue no. 43.
1. Agriculture.—Machinery: Catalogues. 2. Pumps.—Catalogues.
N. Y. P. L.

NM 0921458 NN

Pam 72-1040
Myers (F.E.) & Bros. Company.
MYERS PUMPS, WATER SYSTEMS AND CYLINDERS.
Ashland, Ohio, 1931.
80 p. illus.
Catalog no. HP31.

NM 0921459 WHi

621.64 M992p
Myers (F.E.) and Bro., Ashland, Ohio.
Pump catalogue no.P61, with price list of pumps for every purpose, water systems, cylinders, pipe, hose and fixtures. Ashland, Ohio, 1929.
360p. illus. 23cm.
1. Pumping machinery - Catalogs. I. Title.

NM 0921460 TxU

Myers, F. E., & Bro., Ashland, Ohio.
Pumps; a collection of catalogues. ⌜Ashland, O., 1912?-14?⌝ 3 parts in 1 v. diagrs., illus. (incl. map), tables. 8°.
Binder's title.
353072A. 1. Pumps—Catalogues. June 7, 1928
N. Y. P. L.

NM 0921461 NN

Myers, F J
Catalogue and the index of the books in the Cambria County Free Law Library Court House, Ebensburg, Pa. Ebensburg, 1928.

NM 0921462 PPB

811.5 M9961
Myers, Flo Kelley.
Nature's melody ... N.Y., Paebar co., 1947.
30p. 21cm.
Poems.

NM 0921463 N RPB NN

⌜Myers, Frances Colquhoun (Trigg)⌝ d. 1899, comp.
Scrap book. ⌜Richmond, Va., 1898⌝
2 v. illus. 28.5 x 32 cm.
Title from cover of v. ⌜1⌝
Manuscript note on slip mounted on front lining-paper of v. ⌜2⌝ signed: Aunty Myers ⌜Mrs. Frances Colquhoun (Trigg) Myers⌝
Consists of mounted newspaper clippings (part fold. and many with illustrations, including maps and ports.) maps (part fold.) colored illustrations, and a manuscript letter dealing with the Spanish-American war, 1898.
1. U. S. - Hist. - War of 1898. I. Title.

NM 0921464 Vi

Myers, Frances Saladin.
Memories of my heart, by Frances Saladin Myers. Monroeville, O., The Monroeville spectator, 1929.
⌜78⌝ p. front. (port.) 15½cm.
Poems.
I. Title.
CA 30-749 Unrev'd
Library of Congress PS3525.Y4217M4 1929
Copyright A 15991 811.5

NM 0921465 DLC RPB

PR 6025 M993a
Myers, Francis
Abishag, the Shunamite; a tale of the time of Solomon, King of Israel, and Sesonchis, King of Egypt. Melbourne, G. Robertson, 1898.
179 p. (Robertson's colonial library)

NM 0921466 CLU

Myers, Francis.
John Dunmore Land, D.D. (From the Argus of August 11, September 1, December 6, 1888)
Melb., n.d.
15 p.

NM 0921467 CSt

Myers, Francis John, 1901-
How Congress makes a law; a radio address ... Washington, U. S. Govt. Print. Off., 1950.
5 p. (81st Cong., 2d sess. Senate. Document no. 164)

NM 0921468 NNC

F655 M84
Myers, Frank, 1833-1922
Soldiering in Dakota, among the Indians in 1863-4-5. Huron, S.D. Huronite Printing House, 1888.
48p. 23cm.
Reprinted by State Historical Society, Pierre, S.D., 1936.
1. Frontier and pioneer life. Dakota.

NM 0921469 IaU InU CoU NNC NN CtY NjP

E83.86 .M8 1936
Myers, Frank, 1833-1922.
Soldiering in Dakota, among the Indians in 1863-4-5, by Frank Myers. Huron, Dakota, Huronite Print. House, 1888. Pierre, S. D., State Historical Society, 1936.
48p. 23cm.
Biographical note: ⌜1⌝ l. in pocket.
1. Dakota Indians--Wars, 1862-1865. i. t.

IEdS
NM 0921470 OrPS NjP NcD TxU ICN InU CoD MnU WHi

Myers, Frank A 1848-
Apologies for love ⌜by⌝ F. A. Myers ... Boston, R. G. Badger, 1909.
2 p. l., 7-401 p. 19½cm. $1.50
Library of Congress PZ3.M9904A 9-30385

NM 0921471 DLC

Myers, Frank A 1848-
The future citizen, by F. A. Myers ... Boston, Sherman, French & company, 1911.
6 p. l., 189 p. 21cm. $1.20
CONTENTS.—Mental inheritance.—Marriage.—Race suicide.—Cost of the child.—Boy.—Education.—Parental mistakes.—Home.—Why boys go wrong.—Biology of crime.—Juvenile crimes.—External remedial efforts.—Child labor.—The American spirit.—Socialism.—Labor.—Cities a problem.—The church.
1. Children. 2. Social problems. I. Title.
Library of Congress HQ755.M87 11-10647 Revised

NM 0921472 DLC DHEW PU OCl ICJ OrU CU MH

Myers, Frank A 1848-
John Law of Indiana. 3 pp.
(*Mag. Am. Hist.* v. 25, 1891, p. 409.)

NM 0921473 MdBP

Myers, Frank A 1848-
Post Vincennes. A summary of the evidence rating to its establishment. Evansville, Ind., 1905
20 p.

NM 0921474 NN WHi

Myers, Frank A 1848-
Thad Perkins. A story of early Indiana. By Frank A. Myers. London, New York, F. T. Neely ⌜1899⌝
1 p. l., ⌜5⌝-347 p. 19½cm. (*On cover:* Neely's imperial library. no. 32)
June 8, 99-77

NM 0921475 DLC

1901 MY474m
Myers, Frank B
Music, by Frank B. Myers ... Johnstown, Pa., 1925.
16p. 19cm.
With author's manuscript corrections of text.
A poem.

NM 0921476 RPB

VOLUME 403

Myers, Frank Bigelow.
Verses, by Frank Bigelow Myers. Milwaukee [The Evening Wisconsin Press] 1894.
16 mo. 39 numbered leaves, (printed on rectos only) Bound in brown cloth.
Poem in manuscript and signed by the author on fly-leaf.
Apparently a limited edition of which this is No. 27.
Ex-libris of Arthur Cyril Gordon Weld.
The Legler Collection of Wisconsin Verse, November 1922.

NM 0921477 CSmH

Myers, Frank Evans, 1906 –
Diffraction of electrons as a search for polarization, by Frank E. Myers ... [Lancaster, Pa., Lancaster press, inc., 1934]
cover-title, p. 777-785. diagrs. 26½ x 20cm.
Thesis (PH. D.)—New York university, 1934.
By F. E. Myers, J. F. Byrne and R. T. Cox.
"Reprinted from the Physical review, vol. 46, no. 9, November 1, 1934."
1. Electrons. 2. Diffraction. 3. Polarization (Light) I. Byrne, John Frank, joint author. II. Cox, Richard Threlkeld, 1898– joint author.
Library of Congress QC443.M9 1934 35-5297
New York Univ. Libr. [3] 535.5

NM 0921478 NNU DLC

QC721 .M25
Myers, Frank Evans, 1906– joint author.
Manning, Henry Pindell, 1916–
... Distribution in angle of protons from the D–D reaction [by] Henry P. Manning, jr. ... [Lancaster, Pa., Lancaster press, inc., 1942]

Myers, Frank Evans, 1906– joint author.
Shull, Clifford Glenwood, 1915–
... Electron polarization [by] Clifford G. Shull ... [Lancaster, Pa., Lancaster press, inc., 1943]

Myers, Frank Evans, 1906– joint author.
Zandstra, Thomas.
Variation of range with angle of the disintegration alpha-particles of Li^7, by T. Zandstra, in collaboration with A. Roberts and R. Cortell ... [Lancaster, Pa., Lancaster press, inc., 1936]

GV 200 .M996
MYERS, FRANK HOMER, 1920-
A safety attitude scale for the seventh grade. [Typewritten ms. Bloomington, Ind.] 1955.
7+120 p. tables, forms.
Thesis (Hs.D.)--Indiana University.

NM 0921482 InU

HV 676 .A2 M99
MYERS, FRANK HOMER, 1920-
A safety attitude scale for the seventh grade. [n.p., n.d.]
320-332 p. tables.
Caption title.
Abstract of thesis (Hs.D.)--Indiana University, 1955.
Reprinted from The Research Quarterly, v.29, no.3, October 1958.
1. Safety education. I. Title.

NM 0921483 InU

S9.206 494,
Myers, Frank J
... The distribution of Rotifera on Mount Desert island ... [New York, 1931-]
nos. illus. 24cm. (American museum novitates, no.494, 659, 660
1. Rotifera - Mount Desert island. x.ser.

NM 0921484 CtY

QH 71 .13P4 A35n no.75
Myers, Frank J
Lecane curvicornis var. miamiensis, new variety of Rotatoria, with observations on the feeding habits of rotifers. [Philadelphia], 1941.
8 p. illus. 23 cm. (Notulae naturae of the Academy of Natural Sciences of Philadelphia, no. 75)
Dated March 11, 1941.
Bibliography: p. 8.
1. Lecane curvicornis. 2. Rotifera.

NM 0921485 ICF

S9.206 1011
Myers, Frank J
... New species of Rotifera from the collection of the American museum of natural history ... [New York, 1938]
17p. illus. 24cm. (American museum novitates, no.1011)
Caption title.

NM 0921486 CtY

QH 71 .13P4 A35n no.51
Myers, Frank J
New species of Rotatoria from the Pocono Plateau, with note on distribution. [Philadelphia], 1940.
12 p. illus. 23 cm. (Notulae naturae of the Academy of Natural Sciences of Philadelphia, no. 51)
Dated October 7, 1940.
Bibliography: p. 9-10.
1. Rotifera - Pennsylvania.

NM 0921487 ICF

S9.206 830
Myers, Frank J
... Psammolittoral rotifers of Lenape and Union lakes, New Jersey ... [New York, 1936]
22p. illus. 24cm. (American museum novitates, no.830)
Caption title.
1. Rotifera - New Jersey. x.ser.

NM 0921488 CtY

Myers, Frank J.
Rotatoria of Los Angeles, California, and vicinity, with descriptions of a new species. By Frank J. Myers ...
(*In* U. S. National museum. Proceedings. Washington, 1917. 23½cm. v. 52, p. 473-478. pl. 40-41)
1. Rotifera.
18-15665
Library of Congress Q11.U55 vol. 52

NM 0921489 DLC PPAN NN WaS CaBVaU

Myers, Frank J., joint author.
Harring, Harry K.
The rotifer fauna of Wisconsin ... [by] H. K. Harring and F. J. Myers. [1]–
(*In* Wisconsin academy of sciences, arts and letters. Transactions. Madison, Wis., 1921- 24cm. v. 20, p. 553-662;

Myers, Frank J.
The rotifer fauna of Wisconsin. V. The genera euchlanis and monommata.
[353]-413p. plates. 23cm.
(Reprinted from the Transactions of the Wisconsin Academy of Sciences, Arts, and Letters, v. XXV, 1930)
1. Rotifera. I. Title.

NM 0921491 NcU

S9.206 903
Myers, Frank J
... Rotifera from the Adirondack region New York ... [New York, 1937]
17p. illus. 24cm. (American museum novitates, no.903)
Caption title.
"Literature cited": p.17.

NM 0921492 CtY

Myers, Frank M captain 35th Va. cavalry.
The Comanches: a history of White's battalion, Virginia cavalry, Laurel brig., Hampton div., A. N. V., C. S. A. Written by Frank M. Myers. Late capt. Co. A, 35th Va. cav. Approved by all the officers of the battalion. Baltimore, Kelly, Piet & co., 1871.
400 p. 18½cm.
1. U. S.—Hist.—Civil war—Regimental histories—Va. cav.—35th battalion. 2. Virginia cavalry. 35th battalion, 1861-1865. I. Title.
Library of Congress [581.6 35th 2-17131

NM 0921493 DLC ViU MB Vi NjP NcD

Myers, Frank Pryor.
An inventory of personal analysis; a classification of buyers [by] Frank Pryor Myers. [Cincinnati, The Modern printing company] ©1932.
1 p. l., 5-97 p., 1 l. illus. 19½cm.
1. Salesmen and salesmanship. 2. Characters and characteristics. I. Title. II. Title: Personal analysis.
Library of Congress HF5438.M9 32-16234
——— Copy 2.
Copyright A 51757 [2] 658.801

NM 0921494 DLC OCl

JK750 .M8
Myers, Frank Scott.
U. S. *Supreme court.*
... Power of the President to remove federal officers. Opinion and dissenting opinions of the Supreme court of the United States in the case of Lois P. Myers, administratrix of Frank S. Myers, appellant, *v.* the United States, together with briefs and oral arguments by Mr. Will R. King, the senior senator from Pennsylvania, Mr. Pepper, and the then solicitor general, Mr. Beck, also briefs and reply briefs in reargument ... Washington; Govt. print. off., 1926.

Myers, Franklin Guy.
On sufficiency conditions for the problem of Lagrange. [n. p.] 1942.
40 l. 28cm.
Typewritten copy.
Thesis—Univ. of Virginia, 1942.
Bibliographical footnotes.
1. Calculus of variations. I. Title.

NM 0921496 ViU

Myers, Fred D.
How the pupils of a public school are distributed over the grades by standard subject tests, by Fred D. Myers... 1918.
38 numb. l.

NM 0921497 OU

VOLUME 403

Myers, Fred J., engineer
see Myers, Frederick Jerome, 1910-

Myers, Fred Madison.
The throne of Cupid; an operatic comedy, by Fred Madison Myers. Wilkes-Barre, Pa., The Valley press, 1921.
3 p. l., 126 p. 20cm.

I. Title.
Library of Congress PS3525.Y422T4 1921 21-17742

NM 0921499 DLC

[Myers, Frederic] 1811-1851.
An address delivered at St. John's School Room Keswick July 14, MDCCCXL, for district distribution only. [Keswick? T. Bailey and Son, printers? 1840?]
1 p.l., 26 p. 8 vo. (in 4s)
Bound as [4] with: His Two lectures on great Englismen: John Wycliffe, Thomas More ... [Keswick: 1841?]

NM 0921500 CSmH

[Myers, Frederic] 1811-1851.
An address delivered at St. John's School Room Keswick March 4, MDCCCXLIV for district distribution only. [Keswick? T. Bailey and Son, Printers? 1844?]
1 p.l., 27 p. 8 vo. (in 4s)
Bound as [5] with: His two lectures on great Englishmen: John Wycliffe, Thomas More ... [Keswick: 1841?]

NM 0921501 CSmH

[Myers, Frederic] 1811-1851.
Catholic thoughts ... [Cambridge, Printed by C. J. Clay at the University press, 1834-48]
2 v. 22½cm.
Printed anonymously in four books for private distribution only.
Published in a collected form in 1873 with the author's name, in the series of Latter-day papers, edited by A. Ewing.
CONTENTS.—book I. The church of Christ.—book II. The church of England.—book III. The Bible.—book IV. Theology.

I. Title.
21-12057
Library of Congress BR83.M8

NM 0921502 DLC KyLxCB CtY

Myers, Frederic, 1811-1851.
Catholic thoughts on the Bible and theology. 1841-48.

NM 0921503 RP

Myers, Frederic, 1811 - 1851. 3455-77
Catholic thoughts on the Bible and theology.
London. Isbister & Co. 1874. xv, (1), 454 pp. [Present day papers on prominent questions in theology.] Sm. 8°.

F8158 — S.r. — Theology. — Bible. Crit., interp., etc.

NM 0921504 MB PPFr MH-AH ViU CtY NRCR

Myers, Frederic, 1811-1851.
Catholic thoughts on the Bible and theology... London, Daldy, Isbister, 1879.
xviii, 411 p. 19cm.

NM 0921505 NjPT ViU PBL

BR 83 M8 1883
Myers, Frederic, 1811-1851.
Catholic thoughts on the Bible and theology. By the late Frederick Myers. London, W. Isbister, 1883.
xviii, 411 p. 19 cm.
Bk 3 and 4 of his Catholic thoughts...

1. Bible - Criticism, interpretations, etc. 2. Theology, Doctrinal. I. Title.

NM 0921506 NRCR PPL PP OClW DNC

Myers, Frederic, 1811-1851.
Catholic thoughts on the church of Christ and the church of England. 1841.

NM 0921507 OCl RP

Myers, Frederic, 1811 - 1851. 3455-76
Catholic thoughts on the Church of Christ and the Church of England.
London. Isbister & Co. 1874. xxiii, (1), 446 pp. [Present day papers on prominent questions in theology.] Sm. 8°.

F8158 — S.r. — Church, The. — England, Church of. Doctr. and contr. works.

NM 0921508 MB NRCR PPPD PPRETS CU MMeT PPFr

283.01 M1
Myers, Frederic, 1811-1851.
Catholic thoughts on the church of Christ and the Church of England. London, Daldy, Isbister, 1878.
448 p.

1. Church. 2. Church of England--Doctrinal and controversial works. I. Title.

NM 0921509 TxDaM-P

Myers, Frederic, 1811-1851. 2247.92
Four lectures on great men: Girolamo Savonarola, Gonzales Ximenes, Gaspard de Coligny, George Washington. Delivered at the monthly parochial meeting in S. John's school room, Keswick, November 1847-February 1848. [Anon.]
— [Keswick. T. Bailey & Son. 184-?] (2), 158 pp. 22.5 cm., in 4s.

E640 —Anon. ref. — Biography. Colls. — Savonarola, Girolamo Maria Francesco Matteo, 1452-1498. — Coligny, Gaspard de, 1519-1572.— Washington, George. Biog. General. — Ximénez de Cisnéros, Francisco, Cardinal, 1436-1517.

NM 0921510 MB

Myers, Frederic, 1811-1851.
A funeral sermon preached at Ancaster June 11 MDCCCXXXVII by Frederic Myers. Only fifty copies printed for family distribution. [Keswick, T. Bailey and Son, printers, 1940?]
1 p.l., iv, 26 p. 8 vo (in 4s)
Bound as [3] with: His twolectures on great Englishmen: John Wycliffe, Thomas More ... [Keswick: 1841?]

NM 0921511 CSmH

Mpe68 M98
[Myers, Frederic] 1811-1851.
The futility of attempts to represent the miracles recorded in Scripture as effects produced in the ordinary course of nature. [Cambridge, Printed by J. Smith, 1831]
3p.ℓ., [iii]-iv, 123p. 21cm. (Hulsean prize essay for the year 1830)

NM 0921512 CtY

Myers, Frederic, 1811-1851.
Great men, a series of lectures. London, J. Nisbet [n.d.]
391 p. illus. 19 cm. (National home reading union edition)

1. Biography. I. Title.

NM 0921513 CaBVaU CU

PR 10 Q3 M9 1890
Myers, Frederic, 1811-1851.
Great men, by Frederic Myers, 1890.

Item in the Colbeck Collection; enquire at the Information Desk.

I. Myers, Frederic William Henry, 1843- 1901,

NM 0921514 CaBVaU

Myers, Frederic, 1811 - 1851. 6249.38
Lectures on great men. With a preface by T. H. Tarlton. 2d edition.
London. Nisbet & Co. 1856. xii, 472 pp. Sm. 8°.
Contents. — Luther. — Columbus. — Francis Xavier. — Peter of Russia. — John Wycliffe. — Sir Thomas More. — Cranmer. — Cromwell. — Savonarola. — Ximenes. — Gaspard de Coligny. — Washington.
Same. 4th edition. 1858.

E1976 — Tarlton, Thomas Henry, ed. — Biography. Coll.

NM 0921515 MB PPL NN DLC MH

Myers, Frederic, 1811-1851.
Lectures on great men. By the late Frederic Myers ... with a preface by T. H. Tarlton ... 3d ed. London, J. Nisbet and co., 1857.
xii, 472 p. 19cm.
CONTENTS.—Martin Luther.—Christopher Columbus.—Francis Xavier.—Peter of Russia.—John Wycliffe.—Sir Thomas More.—Thomas Cranmer.—Oliver Cromwell.—Girolamo Savonarola.—Gonzales Ximenes.—Gaspard de Coligny.—George Washington.

1. Biography. I. Title.
37-10850
Library of Congress CT104.M8 1857
[2] 920.02

NM 0921516 DLC ICN WaS

Myers, Frederic, 1811 - 1851.
Lectures on great men. With a preface by T. H. Tarlton. London: J. Nisbet and Co., 1861. xii, 472 p. 5. ed. 8°

MILITARY SERVICE INST.
1. Luther, Martin. 2. Columbus, Christopher. 3. Francis Xavier, Saint. 4. Peter, the Great, emperor of Russia. 5. Wyclif, John. 6. More, Sir Thomas. 7. Cranmer, Thomas. 8. Savonarola, Girolamo. 9. Ximenes, Gonzales. 10. Coligny, Gaspard de. 11. Washington, George.
N. Y. P. L. December 11, 1911.

NM 0921517 NN

Myers, Frederic, 1811 - 1851.
Lectures on great men. ...Preface by T.H. Tarlton. Ed. 6. Lond., 1874.
472 p.

NM 0921518 PPPD PPAp

---

920 M992ℓ
Myers, Frederic, 1811-1851.
Lectures on great men. By the late Frederic Myers ... With a preface by T. H. Tarlton ... 7th ed. London, J. Nisbet & co., 1877.
xii, 472 p. 20cm.
CONTENTS.--Preface.--Martin Luther.--Christopher Colombus.--Francis Xavier.--Peter of Russia.--John Wycliffe.--Sir Thomas More.--Thomas Cranmer.--Oliver Cromwell.--Girolamo Savonarola.--Gonzales Ximenes.--Gaspard de Coligny.--George Washington.

great men.

NM 0921520 MoSU MH PPLT

VOLUME 403

Myers, Frederic, 1811-1851.
Lectures on great men. By the late Frederic Myers ... with a preface by T. H. Tarlton ... 8th ed. London, J. Nisbet and co., 1884.
xii, 472 p. 19cm.
CONTENTS. — Martin Luther. — Christopher Columbus. — Francis Xavier.—Peter of Russia.—John Wycliffe.—Sir Thomas More.—Thomas Cranmer. — Oliver Cromwell. — Girolamo Savonarola. — Gonzales Ximenes.—Gaspard de Coligny.—George Washington.

NM 0921521 WaU

Myers, Frederic, 1811-1851.
An Ordination Sermon preached at Buckdon, Sept. 20, 1835. ... Cambridge, n.d.
30 p. 8°. [In v. 781, College Pamphlets]

NM 0921522 CtY

WB
32408
Myers, Frederic, 1811-1851.
Sermons, thoughts & lectures. [Keswick, 1838-1848]
5 v. in 1.
Title from spine.
Contents. - [1] Four sermons preached before the University of Cambridge, Feb., 1846. - [2] The first two sermons preached at the new church Keswick . - [3] Catholic thoughts on the Church of Christ and the Church of England. [4] Six lectures on great men delivered ... 1842-1848. 2 v.

NM 0921523 CtY

[Myers, Frederic] 1811-1851.
Six lectures on great men, delivered at the monthly parochial meeting in St. John's School Room. Keswick 1842. ... 1848. For private distribution only. [Keswick: T. Bailey and Son, Printers, 1848?]
2 pts. in 1. 8 vo. (in 4s)
The parts have separate title-pages: and paginations [pt. 1] Two lectures on great Englishmen: Thomas Granmer Oliver Cromwell delivered at the monthly parochial Meeting in St. John's private distribution only. [pt. 2] Four lectures on great Men:Girolamo Savonarolo,Gonzales Ximenes [i.e. Francisco Jiménez de Cisneros] Gaspard de Coligny, George Washington,delivered at the monthly parochial Meeting in St. John's School Room Keswick November 1847 ... February 1848. For private distribution only.
Bound as [2] with: His two lectures on great Englishmen·John Wycliffe,Thomas More ... [Keswick: 1841?]

NM 0921525 CSmH

[Myers, Frederic] 1811-1851.
Two lectures on great Englishmen. John Wycliff,Thomas More,delivered at the monthly parochial Meeting in St. John's School Room Keswick November and December 1841. For private distribution only. [Keswick: T. Bailey and Son, Printers, 1841?]
1 p.l., 55 p. 8 vo (in 4s) Bound in 3/4 calf with blue marbled sides and red leather title, marbled edges.
Binder's title: Tracts. Geo. Washington etc. Lewisson Collection, September 1922.

With this are bound: [2] His six lectures on great men delivered at the monthly parochial meeting in St. John's School Room Keswick 1842. 1848 ... [Keswick: 1848?] [3] His A Funderal sermon preached at Ancaster June 11 MDCCCXXXVII [Keswick: 1840?]

NM 0921527 CSmH

Myers, Frederic William Henry, 1843-1901.

Cummins, Geraldine Dorothy, 1890-
Beyond human personality, being a detailed description of the future life purporting to be communicated by the late F. W. H. Myers, containing an account of the gradual development of human personality into cosmic personality ⌊by⌋ Geraldine Cummins; introduction by E. B. Gibbes. London, I. Nicholson & Watson, limited, 1935.

Myers, Frederic William Henry, 1843-1901.
Collected poems with autobiographical and critica fragments, by Frederic W. H. Myers; ed. by his wif Eveleen Myers. London, Macmillan and co., limited 1921.
xi, 411, ⌊1⌋ p. front. (ports.) 20cm.
CONTENTS.—Autobiographical fragment.—Percy Bysshe Shelley.—Stanzas on Shelley.—Letter on Tennyson.—To Tennyson.—Edgar Allan Poe.—Early poems.—Saint Paul.—The renewal of youth and other poems.—Poems from "Fragments of prose and poetry."
I. Myers, Mrs. Eveleen (Tennant) ed.
Library of Congress PR5101.M6A17 1921 21-8863

CaBVaU CtY PHC OU NN NjP
NM 0921529 DLC NjNbS ScU NcD NcU FU TU MoU MtU

PR
10
Q3
M9
1861:2
Myers, Frederick William Henry, 1843-1901.
The distress in Lancashire; a poem... [Cambridge] 1863.
8-12 p. 22 cm.
Bound with the author's The Prince of Wales at the tomb of Washington. [Cambridge] 1861.

NM 0921530 CaBVaU

---

*AC85
J2376
Zz894m
[Myers, Frederic William Henry, 1843-1901]
... The drift of psychical research. [London,1894]
20p. 24.5cm.,in case 25.5cm.
Caption title; at head: Reprinted from the "National review" for October, 1894.
Signed at end: Frederic W. H. Myers.
Original printed gray wrappers (loose); in cloth case with other Myers ephemera.
From the library of William James.

NM 0921531 MH

Myers, Frederic William Henry, 1843-1901. Endurnýjun æskunnar og æfisögubrot. Reykjavík, Prentsmiðjan Acta, 1924. sm. 8°. pp. 72, *portr.* IcF88M997
Transl. by Jakob J. Smári.

NM 0921532 NIC

Myers, Frederic William Henry, 1843-1901.
Essays—classical, by F. W. H. Myers. London, Macmillan and co., 1883.
viii, 223, ⌊1⌋ p. 19½cm.
Vol. 1 of a set, of which "Essays—modern" forms v. 2.
"The essay on 'Greek oracles' is reprinted from Hellenica."
CONTENTS.—Greek oracles.—Virgil.—Marcus Aurelius Antoninus.
1. Oracles, Greek. 2. Vergilius Maro, Publius. 3. Aurelius Antoninus, Marcus, emperor of Rome.
Library of Congress PA27.M8 1883 12—23783

NcD ViU PHC PSC OOxM UU MoU NIC ScU CSmH LU
NM 0921533 DLC PU OCU NjP CaBVaU CtY PPL CLSU NcU

Myers, Frederic William Henry, 1843-1901.
Essays—classical, by F. W. H. Myers. London and New York, Macmillan and co., 1888.
viii, 223, ⌊1⌋ p. 19½cm.
"First printed 1883; reprinted 1888."
Vol. 1 of a series of which "Essays—modern" forms v. 2.
The essay on "Greek oracles" is reprinted from Hellenica.
CONTENTS.—Greek oracles.—Virgil.—Marcus Aurelius Antoninus.
1. Oracles, Greek. 2. Vergilius Maro, Publius. 3. Aurelius Antoninus, Marcus, emperor of Rome, 121-180. I. Title.
Library of Congress PA27.M8 1888 15—9870

NM 0921534 DLC

---

*AC85
J2376
Zz897m
Myers, Frederic William Henry, 1843-1901.
Essays: classical, by F. W. H. Myers. London,Macmillan and co.,limited,New York: the Macmillan company,1897. All rights reserved.
ix,223,[1]p. 18.5cm.
Contents: Greek oracles.--Virgil.--Marcus Aurelius Antoninus.
Original maroon cloth; advts. ([2]p.) at end.
Inscribed: William James In Memory of F. W. H. Myers from his wife. 1901 June.

NM 0921535 MH OU OO CU OrU

Myers, Frederic William Henry, 1843-1901.
Essays; classical. London, etc., Macmillan and co., ltd., 1904.

NM 0921536 MH PBm OCX

Myers, Frederic William Henry, 1843-1901.
Essays—classical, by F. W. H. Myers. London, Macmillan and co., limited, 1908.
2 p. l., ⌊vii⌋-ix p., 1 l., 223, ⌊1⌋ p. 18½cm.
On verso of t.-p.: First printed (Crown 8vo) 1883. Reprinted 1888. Reprinted (Globe 8vo) 1897, 1901, 1904, 1908.
Vol. 1 of a set, of which "Essays—modern" form v. 2.
"The essay on 'Greek oracles' is reprinted from Hellenica."
CONTENTS.—Greek oracles.—Virgil.—Marcus Aurelius Antoninus.
1. Oracles, Greek. 2. Vergilius Maro, Publius. 3. Aurelius Antoninus, Marcus, emperor of Rome. I. Title.
Library of Congress PA27.M8 1908 9—18936

NM 0921537 DLC OCX ODW PBa PU Or

Myers, F[rederic] W[illiam] H[enry], 1843 - 1901. 824
Essays; classical. London: Macmillan and Co., Ltd., 1911.
iii-ix(i), 223(1) p. 12°.
Greek oracles. Virgil. Marcus Aurelius Antoninus.
1. Virgil (anal.). 2. Marcus Aurelius Antoninus (anal.).
N. Y. P. L. CENTRAL CIRCULATION. February 3, 1912.

NM 0921538 NN MH

Myers, Frederic William Henry, 1843-1901.
Essays classical & modern, by F. W. H. Myers. London, Macmillan and co., limited, 1921.
ix p., 1 l., 560, ⌊2⌋ p. 20cm.
Classical essays and Modern essays were originally published as two separate volumes in 1883.
CONTENTS.—Classical essays: Greek oracles. Virgil. Marcus Aurelius Antoninus.—Modern essays: Giuseppe Mazzini. George Sand. Victor Hugo. Ernest Renan. Archbishop Trench's poems. George Eliot. Arthur Penrhyn Stanley. A new eirenicon. Rossetti and the religion of beauty.
1. Oracles, Greek. 2. Vergilius Maro, Publius. 3. Aurelius Antoninus, Marcus, emperor of Rome, 121-180. 4. Literature, Modern—Hist. & crit.
Library of Congress PN511.M84 22-20759

MiU OCl OO OCX PP PBm NN NjP
NM 0921539 DLC MWiW INS LU TxU CaBVaU CtY OrPR

PN511
.M85
1883
Myers, Frederic William Henry, 1843-1901.
Essays—Modern, by F. W. H. Myers. London, Macmillan and co., 1883.
3 p. l., 334 p. 19½cm.
Vol. II of a set, of which "Essays—Classical" forms vol. I.
CONTENTS.—Giuseppe Mazzini.—George Sand.—Victor Hugo.—Ernest Renan.—Archbishop Trench's poems. — George Eliot. — Arthur Penrhyn Stanley.—A new eirenicon.—Rossetti and the religion of beauty.
1. Literature, Modern—Hist. & crit.
Library of Congress PN511.M85 1883 11—3095

NcD NjP
NM 0921540 DLC CaBVaU CtY OClW PPL FTaSU MoU NIC

VOLUME 403

Myers, Frederic William Henry, 1843-1901.
Essays—modern, by F. W. H. Myers. 2d ed. London, Macmillan and co., 1885.
3 p. l., 334 p., 1 l. 20cm.
Vol. II of a series of which "Essays—classical" forms vol. I.
CONTENTS.—Giuseppe Mazzini.—George Sand.—Victor Hugo.—Ernest Renan.—Archbishop Trench's poems.—George Eliot.—Arthur Penrhyn Stanley.—A new eirenicon.—Rossetti and the religion of beauty.

1. Literature, Modern—Hist. & crit.

15-9384

Library of Congress PN511.M4 1885

OCl OU NNUT WaE CSmH
NM 0921541 DLC CtY-D NcU FMU UU OrU PHC PBm OCH

Myers, Frederic William Henry, 1843-1901
Essays, modern... London, Macmillan and co., limited; New York, The Macmillan co., 1897.
334 p.

NM 0921542 PSC NcU OKentU CaBVaU

Myers, Frederic William Henry, 1843-1901. Essays, modern ... London, Macmillan, 1902.
3-334 p.

NM 0921543 PPPD ODW IdU WaS

Myers, Frederic William Henry, 1843-1901.
Essays, modern, by F. W. H. Myers. London, Macmillan and co., limited, 1908.
3 p. l., 334 p., 1 l. 18½cm.
"First edition [1883] ... reprinted ... 1897, 1902, 1908."
CONTENTS.—Giuseppe Mazzini.—George Sand.—Victor Hugo.—Ernest Renan.—Archbishop Trench's poems.—George Eliot.—Arthur Penrhyn Stanley.—A new eirenicon.—Rossetti and the religion of beauty.

11-1211

Library of Congress PN511.M4 1908

NM 0921544 DLC CoU ViU

Myers, Frederic William Henry, 1843-1901.
Fragments of prose & poetry, by Frederic W. H. Myers, ed. by his wife, Eveleen Myers ... London, New York and Bombay, Longmans, Green, and co., 1904.
xi, 210 p., 1 l. 4 port. 23 cm.
CONTENTS.—Fragments of inner life.—Obituary notices [of friends of Frederic Myers]—Poems.

I. Myers, Eveleen (Tennant) ed. II. Title.

PR5101.M6F7 5—16227

CaBVaU ScU TxU IEN OrU LU NIC GU InU CaBVaU IdU
NM 0921545 DLC NjP MH MiU OCl PSC PU NN MB NcD

MYERS,Frederic William Henry,1843-1901.
Giuseppe Mazzini. [London.Chapman and Hall, etc.,etc.,1878].

2 pts.
Signed:Frederic W.H.Myers.
The Fortnightly review,no.136,April 1,1878, pp.[513]-528;no.137,May 1,1878,pp.[710]-728.

NM 0921546 MH

MYERS, Frederic William Henry, 1843-1901.
Greek oracles.
(In Hellenica. Pp. 425-492. London, 1880.)

NM 0921547 MB

Myers, Frederic William Henry, 1843-1901.
Human personality and its survival of bodily death. London, Green, 1902.
2v.

NM 0921548 PPC

Myers, Frederic William Henry, 1843-1901.
Human personality and its survial of bodily death. London, Longmans, Green, & Co., 1903.
2 v. 8°.

NM 0921549 NN MH

Myers, Frederic William Henry, 1843-1901.
Human personality and its survival of bodily death, by Frederic W. H. Myers ... New York [etc.] Longmans, Green, and co., 1903.
2 v. illus. 24 cm.
Edited after the author's death by Richard Hodgson and Alice Johnson.

1. Personality. 2. Immortality. 3. Psychical research. I. Hodgson, Richard, 1855-1905, ed. II. Johnson, Alice, ed. III. Title.

BF1031.M85 3—3539

WaTC CaBVaU
PP NjP NNUT ICJ ICRL MH-AH TxU MB KEmT IEG MsU
NM 0921550 DLC DHEW OOxM OCl OO DNLM ViU ICN PU

Myers, Frederic William Henry, 1843-1901.
Human personality and its survial of bodily death. New York, 1904.
2 v.

NM 0921551 NjP CaBVa WaS

Myers, Frederic William Henry, 1843-1901
Human personality and its survival of bodily death, ... ed. and abridged by his son Leopold Hamilton Myers. //. London, Longmans, c1906.

NM 0921552 PRosC

Myers, Frederic William Henry, 1843-1901.
Human personality and its survival of bodily death, by Frederic W. H. Myers; ed. and abridged by his son Leopold Hamilton Myers ... New York [etc.] Longmans, Green, and co., 1907.
3 p. l., v-xviii, 470 p. 23cm.

1. Personality. 2. Immortality. 3. Psychical research. I. Myers, Leopold Hamilton, 1882- ed.

Library of Congress BF1031.M88 7—1302

NM 0921553 DLC WaTC DHEW MiU OCl OCU OEac ICN

Myers, Frederic William Henry, 1843-1901.
Human personality and its survival of bodily death, by Frederic W. H. Myers. Edited and abridged by his son Leopold Hamilton Myers. New York, Longmans, Green, 1909 c1906.
xviii, 470p. 23cm.

NM 0921554 IEG MoU MH-AH

Myers, Frederic W[illiam] H[enry], 1843-1901. 126-M
Human personality and its survival of bodily death; edited and abridged by his son Leopold Hamilton Myers. London: Longmans, Green, and Co., 1913. 1 p.l., xviii, 470 p. 8°.

CENTRAL CIRCULATION.
1. Personality. 2. Mind and body. 3. Myers, Leopold Hamilton, editor.
N. Y. P. L. March 14, 1916.

NM 0921555 NN PJA IU Wa

JGN BF 1031 .M85 1915
Myers, Frederic William Henry, 1843-1901.
Human personality and its survival of bodily death. New impression. London, New York, Longmans, Green, 1915.
2 v.

NM 0921556 MoU MiU

BF 1031 .M85 1915
Myers, Frederic William Henry, 1843-1901.
Human personality and its survival of bodily death, by Frederic W. H. Myers ... New York [etc.] Longmans, Green, and co., 1915 [c1903]
2 v. illus.

Edited after the author's death by Richard Hodgson and Alice Johnson.

NM 0921557 MoU UU IdU

Myers, Frederic William Henry, 1843-1901.
Human personality and its survival of bodily death. London, Longmans, 1917.
470 p.

NM 0921558 PPSteph OCX MtU

Myers, Frederic W[illiam] H[enry], 1843-1901. 126-M
Human personality and its survival of bodily death; edited and abridged by his son Leopold Hamilton Myers. London: Longmans, Green, and Co., 1918. 470 p. 8°.

NM 0921559 NN

Myers, Frederic W[illiam] H[enry], 1843-1901. 126-M
Human personality and its survival of bodily death; edited and abridged by his son Leopold Hamilton Myers. London: Longmans, Green and Co., 1919. 470 p. 8°.

1. Personality. 2. Mind and body. 3. Title.
N. Y. P. L. December 23, 1924

NM 0921560 NN MH PU PP OClW OU WaS NcD NNC

Myers, Frederic William Henry, 1843-1901.
Human personality and its survival of bodily death, by Frederic W. H. Myers ... New impression. London, New York [etc.] Longmans, Green, and co., 1920.
2 v. illus. 24cm.
Edited after the author's death by Richard Hodgson and Alice Johnson.

1. Personality. 2. Immortality. 3. Psychical research. I. Hodgson, Richard, 1855-1905, ed. II. Johnson, Alice, ed. III. Title.

Library of Congress BF1031.M85 1920 21-8598

NM 0921561 DLC NN MH OU OrAshS OrPR

Myers, Frederic William Henry, 1843-1901.
Human personality and its survival of bodily death, by Frederic W. H. Myers; edited and abridged by S. B. and L. H. M. London, New York [etc.] Longmans, Green and co. [1936]
xi, [1], 307 p. front. (port.) 18 cm. (*Half-title: The Swan library, v. 28*)
"Swan library edition, January 1935; new impression, May 1936."

1. Personality. 2. Immortality. 3. Psychical research. I. Myers, Leopold Hamilton, 1881-1944, ed. II. Blennerhassett, Silvia (Myers) joint ed.

BF1031.M88 1936 [159.961] 133.072 37—8549

NM 0921562 DLC OU DNLM MiU

VOLUME 403

Myers, Frederic William Henry, 1843-1901.
Human personality and its survival of bodily death. [New ed.] New York, Longmans, Green [1954]
2 v. illus. 24 cm.

1. Personality. 2. Immortality. 3. Psychical research.

BF1031.M85 1954 133.072 54—3742

OrStbM OrCS
NM 0921563 DLC LU FU MoU NBuU RP DAU MB ICU NcU

F 02 05 v.3 [Myers, Frederic William Henry] 1843-1901.
M. Renan and miracles. [London, 1881]

Binder's title: Archaeological tracts. v.3.
Caption title.
Signed: F.W.H.Myers.
From "The Nineteenth century, July, 1881."

NM 0921564 ICN

*AC85 J2376 Zz894m [Myers, Frederic William Henry, 1843-1901]
... On the possibility of a scientific approach to problems generally classed as religious.
Printed by Spottiswoode and co.,New-Street square,London[1898]
11p. 21.5cm.,in case 25.5cm.
Caption title; imprint on p.11.
Signed at end: F. W. H. Myers.
At head of caption title: Synthetic society.
Unbound, as issued; in cloth case with other Myers ephemera.

Inscribed by Myers: from FWHM March/ 98.
From the library of William James.

NM 0921566 MH

*AC85 J2376 Zz894m [Myers, Frederic William Henry, 1843-1901]
... One door will open (a reply to Dr. Bigg's paper, to be read June 10, 1898).
Printed by Spottiswoode and co.,New-Street square,London[1898]
5p. 22.5cm.,in case 25.5cm.
Caption title; imprint on p.5.
Signed at end: Frederic W. H. Myers.
At head of caption title: Synthetic society.
Unbound, as issued; in cloth case with other Myers ephemera.
From the library of William James.

NM 0921567 MH

MYERS,Frederick William Henry,1843-1901.
Páll postuli. Kvæði. Jakob Jóh. Smári sneri á íslenzku. Reykjavík,Bókaverzlun Á.Árnasonar, 1918.
Scan 5842.156.110
sq.24°. pp.32.

NM 0921568 MH NIC

Myers, Frederic William Henry, 1843-1901. 126 Q103
La personnalité humaine, sa survivance, ses manifestations supranormales. Par F. W. H. Myers. Traduction et adaptation (autorisées par Mme Ve Myers) par le dr. S. Jankelevitch. Paris, F. Alcan, 1905.
xvi, 421, [2] p. 23½cm. (On cover: Bibliothèque de philosophie contemporaine.)

NM 0921569 ICJ ICRL

BF 1031 M99 1906 **Myers, Frederic William Henry, 1843-1901.**
La personnalité humaine sa survivance ses manifestations supranormales. Traduction et adaptation par S. Jankelevitch. 2. éd. Paris, F. Alcan, 1906.
xvi, 421 p. 22cm.

Translation of Human Personality and its survival of bodily death.
1. Personality. 2. Immortality. 3. Physical research. I. Myers, Frederic William Henry, 1843-1901. Human personality and its survival of bodily death--French.

NM 0921570 NIC TNJ

Myers, Frederic William Henry, 1843-1901.
FOR OTHER EDITIONS SEE MAIN ENTRY

Gurney, Edmund, 1847-1888.
Phantasms of the living, by Edmund Gurney ... Frederic W. H. Myers ... and Frank Podmore ... Abridged edition prepared by Mrs. Henry Sidgwick. London, K. Paul, Trench, Trubner & co., ltd.; New York, E. P. Dutton and co., 1918.

Ap M992p 1870 Stark Lib'y Myers, Frederic William Henry, 1843-1901.
Poems. London and Cambridge, Macmillan and Co., 1870.
viii, 143p. 18cm.

With autograph of T.I. Balfour.

CtW WaTC CaBVaU ICarbS IU CU WU IEN CtY NBuG ICN
NM 0921572 TxU CaBVaU ODW InU NNUT MB ScU NjP MH

Myers, Frederic William Henry, 1843-1901.

Society for psychical research, *London.*
Presidential addresses to the Society for psychical research, 1882-1911, by Henry Sidgwick, Balfour Stewart, Arthur J. Balfour, William James, Sir William Crookes, F. W. H. Myers, Sir Oliver Lodge, Sir William Barrett, Charles Richet, Gerald W. Balfour, Mrs. Henry Sidgwick, H. Arthur Smith, and Andrew Lang. Glasgow, Society for psychical research, 1912.

Y 185 .M 979 MYERS, FREDERIC WILLIAM HENRY, 1843-1901.
The Prince of Wales at the tomb of Washington. A poem which obtained the Chancellor's medal at the Cambridge commencement, M.DCCC.LXI. [Cambridge?1861]
13p.

Author's autograph presentation copy.

NM 0921574 ICN

PR 10 Q3 M9 1861:1 Myers, Frederic William Henry, 1843-1901.
The Prince of Wales at the tomb of Washington; a poem... [Cambridge] 1861.
17 p. 22 cm.
Five autographed letters from the author to C.G.M. Gaskell inserted.
Bound with the author's The distress in Lancashire. [Cambridge] 1863, and other pamphlets.

NM 0921575 CaBVaU OClWHi

BF1031 .G7817 Myers, Frederic William Henry, 1843-1901, joint author.

Gurney, Edmund, 1847-1888.
Прижизненные призраки и другія телепатическія явленія. Съ англійскаго. Сокращенный переводъ подъ ред. и съ предисл. Владиміра Соловьева. С.-Петербургъ, Изд. А. Н. Аксакова, 1893.

*AC85 J2376 Zz894m [Myers, Frederic William Henry, 1843-1901]
... Provisional sketch of a religious synthesis.
Printed by Spottiswoode and co.,New-Street square,London[1899]
11p. 21.5cm.,in case 25.5cm.
Caption title; imprint on p.11.
Signed & dated at end: F. W. H. M. January, 1899.
At head of caption title: Synthetic society (to be read March 24.)

Unbound, stitched as issued; in cloth case with other Myers ephemera.
Inscribed: W[illiam]. J[ames]. from FWHM. Mar/ 99.

NM 0921578 MH

Myers, Frederic William Henry, 1843-1901.
The renewal of youth, and other poems. By Frederic W. H. Myers. London, Macmillan and co., 1882.
ix p., 1 l., 232 p. 21½cm.
Reprinted in part from various sources.

I. Title.

15-773

Library of Congress PR5101.M6R4

PSt CaBVaU InU FU OClJC TxU LU
NM 0921579 DLC CtY NjP PU PSC MB NN ScU WU MH OU

Myers. Frederic William Henry, 1843-1901.

Cummins, Geraldine Dorothy, 1890-
The road to immortality, being a description of the after-life purporting to be communicated by the late F. W. H. Myers through Geraldine Cummins; foreword by Sir Oliver Lodge ... with evidence of the survival of human personality by E. B. Gibbes. London, I. Nicholson & Watson, ltd., 1933.

[Myers, Frederic William Henry] 1843-1901.
Rossetti and the religion of beauty. (Bibelot. Portland, Me., 1902. 16°. v. 8, p. 337-367.)

1. Rossetti, Dante Gabriel. 2. Title.
N. Y. P. L. January 2, 1913.

NM 0921581 NN

PR 5101 M6 S3 1867 Myers, Frederic William Henry, 1843-1901.
Saint Paul, by Frederic W. H. Myers. London, Macmillan, 1867.
55 p.

1. Paul, Saint, apostle. I. Title.

NM 0921582 CaBVaU

953 M996 s 1868 Myers, Frederic William Henry, 1843-1901.
Saint Paul. London, Macmillan, 1868.
55 p.

1. Paul, Saint, apostle - Poetry. I. Title.

NM 0921583 CU CtY

Myers, Frederic William Henry, 1843-1901.
Saint Paul. By Frederic W. H. Myers. New York, Anson D. F. Randolph, 1868.
45 p. 14 1/2cm.
Poem.

NM 0921584 MB PPPD NNUT NjP

VOLUME 403

Myers, Frederic William Henry, 1843 - 1901.
Saint Paul. London, 1885.
51 p.

NM 0921585 PHC

821.89 M996S
Myers, Frederic William Henry, 1843-1901
Saint Paul ... London, Macmillan and co., 1889.
51 p. 18cm.
Poem.
First published in 1867.

NM 0921586 NcD OClJC TU

Myers, Frederic William Henry, 1843-1901.
Saint Paul, 1890.

NM 0921587 CaBVaU

Myers, Frederic William Henry, 1843-1901.
Saint Paul. [Poem] London, Macmillan, 1892.

NM 0921588 MH

Myers, Frederic Wm. Henry, 1843-1901.
Saint Paul... Lond., Macmillan and co., ltd.; New York, Macmillan Co., 1900.
53 p.

NM 0921589 PSC OO NjP CtY

Myers, Frederic William Henry, 1843-1901.
Saint Paul. By Frederick W. H. Myers. London, New York, Macmillan, 1902.
53p. 18cm.

NM 0921590 IEG CaBVaU

PR5101 .M6S3 1907
Myers, Frederic William Henry, 1843-1901.
Saint Paul [poem] London, New York, Macmillan, 1907.
53 p. 18cm.
Reprinted with corrections from the 4th ed., 1890. cf. verso of t. p.

1. Paul, Saint, Apostle—Poetry.

NM 0921591 ViU

Myers, Frederic William Henry, 1843-1901.
Saint Paul. London, 1908.

NM 0921592 NjP

Myers, Frederic William Henry, 1843-1901.
Saint Paul, by Frederic W. H. Myers. London, Macmillan and co., limited, 1910.
3 p. l., 53 [1] p. 18 cm.
Poem.
Reprinted with corrections from the 4th ed., 1890. cf. verso of t.-p.

1. Paul, Saint, apostle.

PR5101.M6S3 14—9993

NM 0921593 DLC NcD NN

Myers, Frederic William Henry, 1843 - 1901.
Saint Paul; ed. with introduction and notes by ? J. Watson. Lond., 1916.
105 p.

NM 0921594 PHC PBm

Myers, Frederic William Henry, 1843-1901.
Saint Paul, by Frederic W. H. Myers. London, Macmillan and co., limited, 1919.
3 p. l., 53, [1] p. 18cm.
Poem.
"Printed ... 1867 ... Fourth edition 1890 ... Reprinted ... with corrections ... 1919."

1. Paul, Saint, apostle.

34-24558
821.89

NM 0921595 DLC

PR 5101 .M6S3 1928
Myers, Frederic William Henry, 1843-1901.
Saint Paul, by Frederic W. H. Myers. London, Macmillan and co., limited [1928]
53 p. 18 cm.
Poem.
"Printed ... 1867 ... Fourth edition 1890 ... Reprinted ... with corrections ... 1928."

1. Paul, Saint, apostle. I. Title

NM 0921596 OKentU OCl NcC

Myers, Frederic William Henry, 1843-1901.
Science and a future life; with other essays, by Frederic W. H. Myers. London and New York, Macmillan and co., 1893.
4 p. l., 243 p. 18½cm.
Reprinted from the Nineteenth century and the Fortnightly review.
CONTENTS.—Science and a future life.—Charles Darwin and agnosticism.—The disenchantment of France.—Tennyson as prophet.—Modern poets and cosmic law.—Leopold, duke of Albany: In memoriam.
1. Future life. 2. France — Intellectual life. 3. Leopold, duke of Albany, 1853-1884. 4. Tennyson, Alfred Tennyson, baron, 1809-1892. 5. Darwin, Charles Robert, 1809-1882. I. Title.

Library of Congress PR5101.M684 1893 4—13987
[a36l1] 824.89

MH NcU NjP PHC PPL CaBVaU WaE
NM 0921597 DLC CaBVaU NIC ICarbS ScU MH-AH NSyU

Myers, Frederic W[illiam] H[enry]. 824
Science and a future life, with other essays. London: Macmillan and Co., Ltd., 1901. 4 p.l., 243 p. 12°. (Eversley series.)
Contents: Science and a future life. Charles Darwin and agnosticism. The disenchantment of France. Tennyson as prophet. Modern poets and cosmic law. Leopold, duke of Albany: in memoriam.

NM 0921598 NN CaBVaU WaSp PPPD MH ODW

R707.6 M99 1901
Myers, Frederic William Henry, 1843-1901.
Science and a future life; with other essays. 2nd ed.] New York, Macmillan, 1901.
243 p.
Reprinted from the Nineteenth century and the Fortnightly review.

1. Future life. 2. France - Intellectual life. 3. Darwin, Charles Robert, 1809-1882. I. Title.

NM 0921599 NNC NNC-M MoU PPPD PP

Myers, Frederic William Henry, 1843-1901.

Goodenow, Juliet S.
Vanishing night; a series of letters given through telepathic correspondence to Juliet S. Goodenow, by the late Frederic William Henry Myers ... Los Angeles, Cal., Times-mirror press, 1923.

Myers, Frederic William Henry, 1843-1901.
Wordsworth, by F. W. H. Myers ... New York, Harper & brothers [188-]
vi, 182 p. 19cm. (Half-title: English men of letters, ed. by J. Morley)

OrLgE NcRS NcC OrSaW
NM 0921601 ViU InU PBm PPPD OrSaW PP WaWW MtU

PR 5881 .X8 1880a
Myers, Frederic William Henry, 1843-1901.
Wordsworth. New York, A.L. Fowle [1880?]
vi, 182 p. 19cm. (Makers of literature)

1. Wordsworth, William, 1770-1850.

NM 0921602 CoU OrPR IdU CaBVa

MYERS, Frederic William Henry, 1843-1901.
Wordsworth. London, Macmillan and Co., 1881.
20 cm.
Half-title: English men of letters.
"5th thousand."

NM 0921603 MH NN MdBP DFo MA

Myers, Frederic William Henry, 1843-1901.
Wordsworth, by F. W. H. Myers ... New York, Harper & brothers, 1881.
vi, 182 p. 19cm. (Half-title: English men of letters, ed. by J. Morley)

1. Wordsworth, William, 1770-1850.

Library of Congress PR5881.M8 4—17177
928 [a27p3] ZYA

OCl OClW NcD WaE NcU PSC NjNbS WaS
NM 0921604 DLC MeB NIC KyLx OClU OKentU NIC MiU

U-fiche 821.7 P1 102-1
Myers, Frederic William Henry, 1843-1901.
Wordsworth, by F. W. H. Myers ... New York, Harper & brothers, 1881.
vi, 182 p. 19cm.
Ultra microfiche. Dayton, Ohio, National Cash Register, 1970. 1st title of 5. 10.5 x 14.8 cm. (PCMI library collection, 102-1)

NM 0921605 KEmT

M-film 821.7 W89Ymy
Myers, Frederic William Henry, 1843-1901.
Wordsworth. New York, Harper [1881?]
vi, 182 p. (English men of letters)
Microfilm (negative) Emporia, Kan., William Allen White Library, 1969. 1 reel. 35 mm.

1. Wordsworth, William, 1770-1850.

NM 0921606 KEmT

MYERS, FREDERIC WILLIAM HENRY, 1843-1901
Wordsworth ... New York, J. W. Lovell, 1881.
120 p. 12mo (English men of letters, ed. by J. Morley)
Bound in original printed buff wrapper.
From the Watkins Wordsworth Collection.

NM 0921607 ViLxW MH InU NN NIC

VOLUME 403

B W926m 1882 Myers, Frederic William Henry, 1843-1901.
Wordsworth, by F. W. H. Myers ... London, Macmillan and co., 1882.
184p. (Half-title: English men of letters, ed. by John Morley)
"Ninth thousand."
1. Wordsworth, William, 1770-1850.

NM 0921608 IU NcU KyU ViU

Myers, Frederic William Henry, 1843-1901.
Wordsworth, by F. W. H. Myers ... [New York, John W. Lovell company, 1884]
1 p. l., 5-120 p. 18½cm. (On cover: Lovell's library. no. 410)
1. Wordsworth, William, 1770-1850.
30-9271
Library of Congress PR5881.M8 1884

NM 0921609 DLC

Myers, Frederic William Henry, 1843-1901.
Wordsworth, by F. W. H. Myers ... New York, Harper & brothers [1887]
vi, 182 p. 17½cm. (Half-title: English men of letters; ed. by John Morley)
On cover: Harper's handy series. no. 143.
1. Wordsworth, William, 1770-1850.
Library of Congress PR5881.M8 1887 14-1623

NM 0921610 DLC WaTC OrCS OrU CoU NIC OKentU NNC OCU PPL

---

821 W891zm Myers, Frederic William Henry, 1843-1901.
Wordsworth. London, New York, Macmillan [1888]
189p. (English men of letters)

NM 0921611 PP

Myers, Frederic Wm. Henry, 1843-1901.
Wordsworth, ... London, and New York, Macmillan, 1893.
184 p.

NM 0921612 PU

Myers, Frederic William Henry, 1843-1901.
Wordsworth, by F. W. H. Myers.
(In English men of letters. Ed. by J. Morley. [Portrait ed.] New York, 1894. 19½cm. v. 10 [pt. 2] 1 p. l., [v]-vi, 182 p. port.)
1. Wordsworth, William, 1770-1850.
13-23276
Library of Congress PR105.E5 vol. 10

NM 0921613 DLC

PR 5881 M8 1898 Myers, Frederic William Henry, 1843-1901.
Wordsworth. New York, Harper, 1898.
vi, 182 p. 19cm. (English men of letters)
1. Wordsworth, William, 1770-1850.

NM 0921614 CoU NjP

Myers, Frederic William Henry, 1843-1901.
Wordsworth. London, etc., Macmillan and co., ltd., 1899.
vi, 184 p. 19.5 cm. (English men of letters, 4)

NM 0921615 MH DN PPUnC NcD

Myers, Frederic William Henry, 1843-1901.
... Wordsworth, by Frederick W. H. Myers ... New York, A. L. Fowle [19--]
vi, 182 p. 18½cm. (Half-title: Makers of literature, ed. by John Morley)

NM 0921616 ViU

Myers, Frederic William Henry, 1843-1901.
Wordworth. New York, Harper [19-]
vi, 182 p. (English men of letters)

NM 0921617 MH

Myers, Frederic William Henry, 1843-1901
Wordsworth. NY, Harper, 1900.
182 p. (English men of letters)

NM 0921618 MH ScU

B W926m 1901 Myers, Frederic William Henry, 1843-1901.
Wordsworth. London, New York, Harper, 1901.
vi, 182p. 19cm. (English men of letters,

NM 0921619 IU

Myers, Frederic William Henry, 1843-1901.
Wordsworth, by Frederick W. H. Myers... New York: Harper & Bros., 1901. vi, 182 p. 12°. (English men of letters.)

NM 0921620 NN ViU FU ODW OO OU

Myers, Frederick William Henry, 1843-1901.
Wordsworth. Edited by J. Morley. London, Macmillan, 1902.
(English Men of Letters)

NM 0921621 KyU

Myers, Frederic Wm. Henry, 1843-1901.
Wordsworth, ... N.Y., and London, Harper & bros, 1902.
182p.

NM 0921622 PJB NcC IdU

Myers, Frederic William Henry, 1843-1901.
Wordsworth, by F. W. H. Myers ... London & New York, Macmillan, 1906.
vi p., 1 l., 189 p. 18½ cm. (Half-title: English men of letters)
First edition, 1880.
1. Wordsworth, William, 1770-1850.
General Theol. Sem. for Library of Congress Library [PR5881.M] A 22-566

NM 0921623 NNG PPLas OEac OClJC AU NIC

Myers, Frederic Wm. Henry, 1843-1901.
... Wordsworth, ... London, Macmillan & co., 1908.
189 p.

NM 0921624 PU

Myers, Frederic William Henry, 1843-1901.
Wordsworth, by F.W.H. Myers... London, Macmillan & co., 1910.
vi, 182 p. 19 cm. (English men of letters, ed. by J. Morley)

NM 0921625 OKentU MH

Myers, Frederic William Henry, 1843-1901.
Wordsworth. London, Macmillan, 1919.
189 p. 17-1/2cm. (English men of letters)

NM 0921626 CU-I MH OrPR PWcS

---

928 En3 1926 v.52 Myers, Frederic William Henry, 1843-1901.
Wordsworth, by F. W. H. Myers. London, Macmillan and co., limited, 1925.
189p. (Half-title: English men of letters)
Series note also at head of t.-p.
1. Wordsworth, William, 1770-1850.

NM 0921627 IU MH NN OU

MYERS, F[rederic] W[illiam] H[enry],1843-1901.
Wordsworth. London,Macmillan and Co.,Ltd., 1929.
"English men of letters."
"First published 1880; new pocket edition, 1925; reprinted 1929."

NM 0921628 MH PBm WaU MiU OClh PSC MWAC

Myers, Frederic William Henry, 1843-1901.
Wordsworth, by F.W.H.Myers. London, Macmillan and co.,ltd.,1935.
vip.,1l.,189p. 18cm. (Half-title: English men of letters)
"First published 1880."

NM 0921629 PSt NcD

Myers, Frederick Jerome, 1910-
Oregon. State highway dept.
... An analysis of the highway tax structure in Oregon, by C. B. McCullough ... John Beakey ... [and] Paul Van Scoy ... Analysis and assembly of data by Fred J. Myers ... D. W. Keef ... [and] Jas. J. Walton ... Oregon State highway commission, Salem ... May, 1938. [Salem] State printing dept. [1938]

Myers, Frederick Jerome, 1910-
FOR OTHER EDITIONS SEE MAIN ENTRY
Oregon. State highway dept.
... The economics of highway planning, by C. B. McCullough, assistant state highway engineer and John Beakey, traffic engineer. Analysis and assembly of data by Fred J. Myers ... D. W. Keef ... [and] Kenneth M. Klein ... Oregon State highway commission, Salem ... September, 1937. Rev. ed. September, 1938. [Salem, State printing dept., 1938]

Myers, Frederick Jerome, 1910-
Oregon. State highway dept.
The effect of highway design on vehicle speed and fuel consumption ... Prepared under the supervision of John Beakey, traffic engineer. Oregon State highway commission, Salem, Oregon—April, 1937 ... [Salem] State printing dept. [1937]

VOLUME 403

Myers, Frederick John, 1912–
Isatin as a reagent in the synthesis of certain oxindoles ... by Frederick J. Myers ... [Easton, Pa., 1938]
[1], [644]–645, [2153]–2155 p. 26½ x 20cm.
Thesis (PH. D.)—New York university, 1937.
"By Frederick J. Myers and H. G. Lindwall."
"Reprinted from the Journal of the American chemical society, vol. 60 ... (1938)"
CONTENTS.—The Reformatsky reaction in the isatin series.—Reactions of Grignard reagents with isatin and N-alkyl isatins.
1. Isatin. 2. Oxindols. 3. Magnesium organic compounds. I. Lindwall, Harry Gustave, 1902– joint author.
40-8905
Library of Congress QD401.M98 1937
New York Univ. Libr. [2] 547.25

NM 0921633 NNU DLC

Myers, Frederick Nelson, 1907– joint author.
HD8073 .M9M9
Myers, Beth (McHenry) 1910–
Home is the sailor; the story of an American seaman, by Beth McHenry and Frederick N. Myers. New York, International Publishers [1948]

Myers, G.
... La protection du droit d'auteur dans la jurisprudence française, traduction–reproduction–adaptation, par. G. Myers ... Paris, Librairie du Recueil Sirey (société anonyme) 1933.
2 p. l., 116 p., 1 l. 24½cm. (Bibliothèque de droit commerciale ... t. x)
"Bibliographie": p. [105]–110.
1. Copyright—France. I. Title.
35-15838
Library of Congress Z584.M98

NM 0921635 DLC

Myers, G
... La reproduction de l'oeuvre artistique par une technique différente ... par G. Myers ... Paris, Librairie du Recueil Sirey, 1932.
2 p. l., 116 p., 1 l. 25½cm.
Thesis, Paris.
"Bibliographie": p. [105]-110.
1. Copyright - France.

NM 0921636 NNC CtY

Myers, G. C., joint author.
TL521 .A33 no. 840
Gustafson, F B
Stalling of helicopter blades, by F. B. Gustafson and G. C. Myers, Jr. Washington, U. S. Govt. Print. Off., 1946 [i. e. 1948]

Myers, G M
The covenants and their relationship; a treatise on the Abrahamic, the Siniatic, the new and the Davidian covenants, their duration and their relationship to each other. Lanark, Ill., Gazette Publishing House, 1882.
318 p.
1. Covenants (Theology) I. Title.

NM 0921638 CLamB

RX43 M992o
Myers, G M
Over the border; from the resurrection to the millennium. Beatrice, Nebraska [n.p.] 1901. 384p.
1. Premillennialism. 2. Millennium and millenarianism. I. t.

NM 0921639 CMIG

Myers, G. S. C. A. Ershel F. von, 1781-
Narrative of occurrences connected with the life and experience of G. S. C. A. E. F. von Myers, formerly an officer in the Hanoverian army, and subsequently resident in Hull ... Hull, Printed for the author, and sold by B. Montgomery, 1831.
viii, [5]-117p. 16cm.
"Memoirs of several children connected with the Sunday school, &c.": p. 104-117.
1. Myers, G. S. C. A. Ershel F. von, 1781- I. Title.
Printed by Wesleyan University Library

NM 0921640 CtW

Myers, Mrs. Garry Cleveland,
see Myers, Caroline Elizabeth (Clark)

Myers, Garry Cleveland, 1884–
PE1116 .S7C3
Camp Upton, N. Y.
Army lessons in English. Book I–VI. [Camp Upton, 1920]

Myers, Garry Cleveland, 1884–
FOR OTHER EDITIONS SEE MAIN ENTRY
PE1116 .S7C33
Camp Upton, N. Y.
Army lessons in English. Military stories. [Camp Upton, 1920]
OTHER EDITIONS UNDER AUTHOR

Myers, Garry Cleveland, 1884–
Books and babies, by Garry Cleveland Myers and Clarence Wesley Sumner. Chicago, A. C. McClurg & co., 1938.
116 p., 1 l. front. 20½cm.
Bibliographies: p. 111–116.
1. Children's literature. I. Sumner, Clarence Wesley, joint author. II. Title.
38-32197
Library of Congress PN1009.A1M9
——— Copy 2.
Copyright A 123070 [5] 028.5

NM 0921644 OLak PP DLC NcC KEmT WaE MtBC OrSaW WaS Or OCl

Myers, Garry Cleveland.
Building personality in children, by Garry Cleveland Myers ... with an introduction by M. V. O'Shea. New York, Greenberg [c1931]
xv p., 1 l., 360 p. 21cm.
1. Children—Management. 2. Character. 3. Personality. I. Title.
31-24464
Library of Congress HQ769.M97
——— Copy 2.
Copyright A 41658 [3] 137

NM 0921645 PP OCl OClh OLak NcD CU MB WaU NcRS DLC Or OrPR IdU OrCS OrSaW KEmT PSC

Myers, Garry Cleveland, 1884–
Building personality in the classroom [by] Garry Cleveland Myers.
(In National education association of the United States. Addresses and proceedings, 1932. p. 113–118)
1. Education of children. [1. Children — Education] 2. Personality. I. Title.
E 33-779
Library, U. S. Office of Education L13.N212 1932
Library of Congress L13.N4 1932

NM 0921646 DHEW

Myers, Garry Cleveland, 1884– ed.
Children's activities for home and school. v. 1– Dec. 1934–
[Chicago, Child training association, inc., 1934–

Myers, Garry Cleveland, 1884–
Developing personality in the child at school; practical mental hygiene for educators, by Garry Cleveland Myers ... with an introduction by M. V. O'Shea. New York, Greenberg [c1931]
xv, 375 p. 21cm.
"Editor's introduction" signed: M. V. O'Shea.
1. Teaching. 2. Educational psychology. 3. Education of children. 4. Child study. 5. Personality. I. O'Shea, Michael Vincent, 1866–ed. II. Title. III. Title: Mental hygiene for educators.
31-29921
Library of Congress LB1051.M84
——— Copy 2.
Copyright A 42832 371.3

NM 0921648 OO OU PSC PU PP MB NN WaU DLC DHEW IdU WaS OrCS Or OrU NcD OCl

---

Myers, Garry Cleveland, 1884–
... Education of young children through celebrating their successes, by Garry Cleveland Myers ... [Washington, Govt. print. off., 1927]
13 p. 23cm. ([U. S.] Bureau of education. City school leaflet no. 26. July, 1927)
Caption title.
At head of title: ... Department of the interior. Bureau of education, Washington, D. C.
1. Education of children. [1. Children—Education] I. Title.
E 27-166
——— Copy 2.
Library, U. S. Bur. of Education LA212.U62

NM 0921649 DHEW WaWW MiU OCl OEac OU WaU

[**Myers, Garry Cleveland**] 1884–
The examination and the learner. [New York? c1917]
1 p. l., p. 275–284. 23½cm.
Caption title.
Signed: Gary C. Myers.
Reprinted from the Educational review, New York, October, 1917.
1. Examinations.
E 18-115
Library, U. S. Bur. of Education LB3051.M9

NM 0921650 DHEW

Myers, Garry Cleveland, 1884–
... Helping child enjoy food; preventing and correcting eating problems [by] Garry Cleveland Myers ... Chicago, Child development foundation [c1934]
10 p. 24cm. (Parent-child pamphlets. no. 2)
1. Children—Management. 2. Children—Care and hygiene. I. Title.
34-11738
Library of Congress RJ206.M9
Copyright AA 143138 [3] 649.3

NM 0921651 DLC

Myers, Garry Cleveland, 1884– ed.
AP201 .H45
Highlights for children. v. 1– June 1946–
[Columbus, Ohio]

Myers, Garry Cleveland, 1884–
Homes build persons, by Garry Cleveland Myers and Caroline Clark Myers. Philadelphia, Dorrance [c1950]
329 p. group port. 21 cm.
1. Child study. I. Myers, Caroline Elizabeth (Clark) joint author. II. Title.
HQ769.M975 649.1 51-1991

NM 0921653 DLC Or OrCS OrP WaS TU

Myers, Garry Cleveland, 1884–
How juvenile delinquency can be curbed, by Garry Cleveland Myers... [n. p., 1944] 4 f. 35cm.
Caption-title.
1. Criminals, Juvenile—U. S.
N. Y. P. L. April 10, 1946

NM 0921654 NN

VOLUME 403

136.7 M99h Myers, Garry Cleveland, 1884-
How to help your child succeed at school [by] Garry Cleveland Myers [and] Caroline Clark Myers. Columbus, Ohio, Highlights for Children, 1953.
64p. illus. 23cm.

1. Child study. 2. Children—Management. I. Myers, Caroline Elizabeth (Clark), joint author. II. Title.

NM 0921655 IU OCl OEac OrU OrCS

Myers, Garry Cleveland, 1884–
I am growing up ... for supplementary reading and character training in intermediate grades, by Garry Cleveland Myers ... [Delaware, O.] School and college service, °1934.
2 v. in 1. 15cm.
Contents.—book 1. Conduct.—book 2. Manners.

1. Character. 2. Etiquette. I. Title.

Library of Congress BJ1631.M8 34-31263
Copyright A 73732 [3] 170

NM 0921656 DLC PPPD OCl Or IdU

Myers, Garry Cleveland, 1884-
Intelligence of troops infected with hookworm vs. those not infected, by Garry C. Myers... [Worcester, Mass.] 1920.
p. [211]-242 diagrs. 24 cm.
Reprinted from the Pedagogical seminary. v. 27. Oct. 1920.

NM 0921657 CU

Myers, Garry Cleveland, 1884–
... The land of nod; training child to sleep well [by] Garry Cleveland Myers ... Chicago, Child development foundation [°1934]
12 p. 24cm. (Parent-child pamphlets. no. 3)

1. Children—Management. 2. Children—Care and hygiene. 3. Sleep. I. Title.

Library of Congress RJ61.M9 34-11236
Copyright AA 143137 [2] 649.1

NM 0921658 DLC

PE1128 .M8 Myers, Garry Cleveland, 1884- joint author.
Myers, Caroline Elizabeth (Clark)
... The language of America; lessons in elementary English and citizenship for adults, by Caroline E. Myers and Garry C. Myers ... New York and Chicago, Newson & company [°1921]

Myers, Garry Cleveland, 1884–
The learner and his attitude, by Garry Cleveland Myers ... Chicago, New York [etc.] B. H. Sanborn & co., 1925.
xiii, [1], 418 p. 18½cm.
Bibliography: p. 408–410.

1. Educational psychology. I. Title.

Library of Congress LB1051.M85 25—6411

KEmT OCl OClh PU-Penn OU OCl MB
NM 0921660 DLC DHEW MtU IdU WaS OrCS Or NBuU NcD

Myers, Garry Cleveland, 1884–
Learning to be likable; a brief discussion of important personal problems, by Garry Cleveland Myers ... [Columbus, O.] School and college service, °1935.
128 p. 15cm.
"Some helpful books": p. 128.

1. Popularity. 2. Personality. 3. Students. I. Title. II. Title: Likable, Learning to be.

Library of Congress LB3609.M9 35-3309
——— Copy 2.
Copyright A 80317 [3] 371.8

NM 0921661 DLC PPPD OCl OEac NcD OrCS

Myers, Garry Cleveland, 1884–
Marriage and parenthood, by Garry Cleveland Myers ... Cleveland, O., New York, N. Y., The World publishing co. [1941]
vii, 288 p. 21cm.
"Tower book editions: 1st printing, June, 1940; 2nd printing, Mar., 1941."
Bibliography: p. 287–288.

1. Family. I. Title.

Library of Congress HQ728.M9 1941 42-14754
[2] 392.3

NM 0921662 DLC

BF431 .M85 Myers, Garry Cleveland, 1884- joint author.
Myers, Caroline Elizabeth (Clark)
Measuring minds; an examiner's manual to accompany the Myers mental measure, by Caroline E. Myers and Garry C. Myers ... New York & Chicago, Newson & co. [°1921]

Myers, Garry Cleveland, 1884–
The modern family, by Garry Cleveland Myers ... New York, Greenberg [°1934]
vii, 288 p. 21cm.
Bibliography: p. 287–288.

1. Family. 2. Children—Management. 3. Parent and child. I. Title.

Library of Congress HQ734.M98 34-36264
——— Copy 2.
Copyright A 75846 [5] 649.1

OLak NcD MoU ICRL MtBC OrU Or OrCS KEmT CaBVa WaU
NM 0921664 DLC OU IaU PU WaSp IdU PPD PP OCl MB

Myers, Garry Cleveland, 1884–
The modern parent; a practical guide to everyday problems, by Garry Cleveland Myers ... with an introduction by M. V. O'Shea. Garden City, N. Y., Garden City publishing company, inc. [°1930]
350, [2] p. 21½cm. [Star books]

1. Children—Management. I. Title.

Library of Congress HQ769.M98 1930 a 34-33704
——— Copy 2. 649.1

NM 0921665 DLC

Myers, Garry Cleveland, 1884–
The modern parent; a practical guide to everyday problems, by Garry Cleveland Myers ... with an introduction by M. V. O'Shea. New York, Greenberg [°1930]
xii p., 1 l., 15–350, [2] p. 21cm.

1. Children—Management. I. Title.

Library of Congress HQ769.M98 30-8588

WaS PJB PP OCl OClW OLak ICJ MB NN Or OrCS CU
NM 0921666 DLC DHEW ICRL NcD InAndC-T NbU-M MtBC

Myers, Garry Cleveland, 1884–
The modern parent; a practical guide to everyday problems, by Garry Cleveland Myers ... with an introduction by M. V. O'Shea. New York, Greenberg [1931]
12 p., 1 l., 15-350, [2] p. 21cm.
"Second printing, April, 1931."

NM 0921667 ViU

Myers, Garry Cleveland, 1884-
My work book in arithmetic, by Garry Cleveland Myers [and] Caroline Elizabeth Myers. Books 1-4. Cleveland, Harter school supply co. [c.1926-28]

"The Harter work books arithmetic series."

NM 0921668 MH OCl OCU

Myers, Garry Cleveland, 1884–
... My work book in arithmetic ... by Garry Cleveland Myers ... [and] Caroline Elizabeth Myers.
Cleveland, O., The Harter publishing company, °1929–
v. illus. 26½cm. (The Harter work books. Arithmetic series)
"Second printing."

1. Arithmetic—Problems, exercises, etc. I. Myers, Caroline Elizabeth, joint author. II. Title.

Library of Congress QA139.M85 1929 30-5035

NM 0921669 DLC DHEW PPT OCl

Myers, Garry Cleveland, 1884- joint author
Lister, Clyde Carlton, 1869–
New York city penmanship scale, prepared for the Board of education of New York city by Clyde C. Lister and Garry C. Myers ... [Brooklyn, Eagle printing co.] °1918.

Myers, Garry Cleveland, 1884- ed.
FOR OTHER EDITIONS SEE MAIN ENTRY
Pictured knowledge; the new method of visual instruction applied to child interest, school subjects and character training ... compiled and edited by the editorial staff of the Marshall Hughes company with the assistance of a larger number of special editors and contributors ... editor-in-chief, Garry Cleveland Myers, PH. D., successor to the late Dr. Calvin N. Kendall. Kansas City, Mo., Marshall Hughes co. [°1939]

HQ769 .D3 1943 Myers, Garry Cleveland, 1884-
FOR OTHER EDITIONS SEE MAIN ENTRY
Davis, Marion Quinlan.
A plan for growing up; the blue book for building better lives, by Marion Quinlan Davis ... with a foreword by John Frederick Dashiell ... and contributions by Garry Cleveland Myers ... and Dorothy E. Norris ... Minneapolis, Minn., J. A. Richards, inc. [1943]

Myers, Garry Cleveland, 1884–
... The prevention and correction of errors in arithmetic, by Garry Cleveland Myers, PH. D. Chicago, The Plymouth press [°1925]
75 p. 20½cm. (Modern education series, ed. by J. E. McDade)

1. Arithmetic—Study and teaching. I. Title.

Library of Congress QA135.M8 25—6967

NM 0921673 DLC DHEW OrU Or PU MiU OCl OCU NcD MB

U716 .C3 Myers, Garry Cleveland, 1884-
Camp Upton, N. Y.
Principles, plans and purposes of the educational program. Camp Upton, N. Y., Recruit educational center [1920]

Myers, Garry Cleveland, 1884- joint author.
Irwin, John Webb, 1887–
School, home, and you; a brief course in educational guidance, by J. W. Irwin ... and Garry Cleveland Myers ... [Delaware, O.] School and college service, °1934.

Myers, Garry Cleveland, 1884–
Schoolroom hazards to the mental health of children, by Garry Cleveland Myers ... New York city, The National committee for mental hygiene, inc., 1928.
[1], 7 p. 23cm.
Reprinted from Mental hygiene. vol. XII, no. 1. January, 1928.

1. Overpressure (Education) I. Title.

Library, U. S. Office of Education LB3431.M9 E 32-584

NM 0921676 DHEW ICU

VOLUME 403

MYERS, Garry Cleveland.
Some psychology applied to Americanization. n.p., [1921].

NM 0921677 MH OCl

Myers, Garry Cleveland, 1884–
A study in incidental memory, by Garry C. Myers ... New York city, 1913.
iii, 109 p. diagrs. 25½ᶜᵐ.
Thesis (PH. D.)—Columbia university, 1913.
Vita.
"Reprinted from the Archives of psychology, no. 26."
Bibliography: p. 105–108.

1. Memory.

Library of Congress BF371.M8 13-18904
Columbia Univ. Libr.

NM 0921678 NNC DLC PBm PU OCl OCU OU OrU WaTC

Myers, Garry Cleveland, 1884–
A study in incidental memory, by Garry C. Myers ... New York, The Science press ₍1913₎
iii, 108 p. incl. tables, diagrs. 25½ cm. (Archives of psychology, ed. by R. S. Woodworth. no. 26)
Columbia contributions to philosophy and psychology, vol. XXI, no. 4.
Issued also as thesis (PH. D.) Columbia university.
Bibliography: p. 105–108.

1. Memory.

BF21.A7 no. 26 13-10279

NM 0921679 DLC NcD KEmT NN ICJ ViU DNLM

Myers, Garry Cleveland, 1884–
Training the toddler in safety, by Garry Myers ... New York, Greenberg ₍©1936₎
29 p. 22 cm.

1. Children—Management. 2. Accidents—Prevention. 3. Corporal punishment. I. Title.

HQ784.S3M8 649.1 36—9870

NM 0921680 DLC IdU OCl

Myers, Garry Cleveland, 1884– ed.

Weedon's modern encyclopedia ... Cleveland, Toronto, The S. L. Weedon company ₍©1931–32₎

LT QA157 1927 .M85 Myers, Garry Cleveland, 1884-
...Work book in algebra, by Garry Cleveland Myers...Elizabeth J.Thomas... Kimber M.Persing... Cleveland,O., The Harter school supply company.©1927. v. 27cm. (The Harter work books, Mathematical series)
Contents.- pt.1.Junior high mathematics series.

1.Algebra - Problems,exercises,etc. I.Thomas,Elizabeth J.,jt.author.II.Persing,Kimber C., jt.author.

NM 0921682 NNU-W

Myers, Geoffrey, joint tr.

Giono, Jean, 1895–
Harvest ₍by₎ Jean Giono; translated by Henri Fluchère and Geoffrey Myers. New York, The Viking press, 1939.

Myers, Geoffrey, joint tr.

Giono, Jean, 1895–
The song of the world ₍by₎ Jean Giono; translated by Henri Fluchère and Geoffrey Myers. New York, The Viking press, 1937.

*EC65 M9927 721s Myers, George, 1653?-1714.
The spiritual worship, and service of God exalted; and acceptably performed only in the spirit of our Lord Jesus Christ. With some other things inserted herein worthy of observation. By a lover of truth, and well-wisher of the souls of all men, George Myers. Unto which is annexed his dying sayings, &c. ...
London:Printed by the assigns of J.Sowle,at the Bible in George-yard in Lombard-street, 1721.
134p. 14cm.

Page 79 misnumbered 59.
"A short testimony or account given by George Myers and Hannah Myers, concerning their father ...": p.[131]-134.

NM 0921686 MH PHC PSC-Hi

32 **Myers, George E.**
Foretaste of heaven, for evangelistic praise, [etc.] Defiance, O., F.L. Snyder, [1894]
1 p.l., 84 p. 8°.
1. Miller, Abram.

NM 0921687 DLC

Myers, George Edmund, 1871-

Amalgamation of vocational education organizations. ₍I. By₎ Charles A. Bennett. ₍II. By₎ George E. Myers. ₍III. By₎ Carl Colvin.
(*In* National education association of the United States. Addresses and proceedings, 1924. p. 989-992)

Myers, George Edmund, 1871-

National vocational guidance association.
Basic units for an introductory course in vocational guidance, prepared by twenty-five teachers of vocational guidance under the direction of a National vocational guidance association committee of college teachers of courses in guidance; Walter B. Jones, editor ... George E. Myers, chairman ... C. E. Partch ... William M. Proctor ... W. C. Reavis ... 1st ed. New York and London, McGraw-Hill book company, inc., 1931.

Lbn43 1 Myers, George Edmund, 1871-
Michigan graduates during the depression ... [Ann Arbor,Mich.,1936?]
Pamphlet
"Reprinted from the Michigan alumnus quarterly review, Winter, 1936, vol.XLII, no.2."

NM 0921690 CtY CU

Myers, George Edmund, 1871-

Moral training in the public schools; the California prize essays, by Charles Edward Rugh, T. P. Stevenson, Edwin Diller Starbuck, Frank Cramer, George E. Myers. Boston, New York ₍etc.₎ Ginn & company ₍©1907₎

Myers, George Edmund, 1871–
Moral training in the school; a comparative study, by George Edmund Myers ... ₍Worcester? Mass., 1906₎
1 p. l., p. ₍409₎–460. 23ᶜᵐ.
Thesis (PH. D.)—Clark university, 1906.
Reprinted from the Pedagogical seminary December, 1906, vol. XIII, p. 409–460.
Bibliography: p. 458–460.

1. Moral education. I. Title.

E 14-2268
U. S. Off. of educ. Library for Library of Congress LC268.M9 ₍a38b1₎

NM 0921692 DHEW

Myers, George Edmund, 1871-
The nature and scope of personnel work. [Cambridge, Mass., 1938]

NM 0921693 OrU

Myers, George Edmund, 1871–
Planning your future; an occupational civics text for junior high school grades, by George E. Myers ... Gladys M. Little ... and Sarah A. Robinson ... 1st ed. New York ₍etc.₎ McGraw-Hill book company, inc., 1930.
xii, 417 p. incl. front., illus., diagrs. 21ᶜᵐ. $1.50
Bibliography: p. 401-407; "Books to read" at end of most of the chapters.

1. Profession, Choice of. 2. Occupations. I. Little, Gladys M., joint author. II. Robinson, Sarah A., joint author. III. Title.

30-18570
Library of Congress HF5381.M86
Copyright A 26087 ₍8₎ 371.425

NM 0921694 OrCS DLC NcRS MB MiU OCl OCU PU PP ICJ OrU

Myers, George Edmund, 1871–
Planning your future; an occupational civics text for junior high school grades, by George E. Myers ... Gladys M. Little ... and Sarah A. Robinson ... 2d ed. New York and London, McGraw-Hill book company, inc., 1934.
xiv, 419 p. incl. front., illus., diagrs. 21ᶜᵐ.
Bibliography: p. 403–410; "Books to read" at end of most of the chapters.

1. Vocational guidance. 2. Occupations. I. Little, Gladys M., joint author. II. Robinson, Sarah A., joint author. III. Title.

34-1924
Library of Congress HF5381.M86 1934
₍a44y1₎ 371.425

NM 0921695 DLC NcD CU MiU OCl OEac ViU OrCS WaWW

Myers, George Edmund, 1871–
Planning your future; an occupational civics text, by George E. Myers ... Gladys M. Little ... and Sarah A. Robinson ... Rev. ed. New York and London, McGraw-Hill book company, inc. ₍©1940₎
x, 549 p. incl. front., illus., diagrs., forms. 21 cm.
Bibliography: p. 527–537; "Books to read" at end of most of the chapters.

1. Vocational guidance. 2. Occupations. I. Little, Gladys M., joint author. II. Robinson, Sarah A., joint author. III. Title.

40—5308
Library of Congress HF5381.M86 1940
₍a48z2₎ 371.425

NM 0921696 DLC OCl OU ICJ LU ViU PSt

Myers, George Edmund, 1871–
Planning your future, by George E. Myers, Glady M. Little ₍and₎ Sarah A. Robinson. 4th ed. New York, McGraw-Hill ₍1953₎
526 p. illus. 22 cm.

1. Vocational guidance. 2. Occupations. I. Title.
HF5381.M86 1953 371.425 52-9447 ‡

NM 0921697 NcD TxU OOxM OCl MB DAU WaT MtBC IdPI DLC OClU OrPS OrSaW WaS PU-Penn OU PP

LC 1043 .M99 1940 Myers,George Edmund,1871-
The principles and techniques of vocational guidance. [Ann Arbor? Mich., 1940.
iii,306 *l.* diagrs.,forms. 28 cm.
Includes bibliographies.

1.Vocational guidance.

NM 0921698 MiU

Myers, George Edmund, 1871–
Principles and techniques of vocational guidance, by George E. Myers ... 1st ed. New York and London, McGraw-Hill book company, inc., 1941.
xii, 377 p. incl. diagrs., forms. 23½ᶜᵐ. (*Half-title:* McGraw-Hill series in education; Harold Benjamin, consulting editor)
"References" at end of each chapter.

1. Vocational guidance.

41-5281 Revised
Library of Congress HF5381.M87 1941
₍r43z5₎ 371.425

NM 0921699 IdPI OrStbM OrPS MtBC Or CaBVaU OrLgE OrCS MtU OCIJC KEmT PCM OCl OO OU MiHM ViU PP PPD TU WaWW DLC WaTC WaOB OrU-M NcRS NcGU NcD CU

VOLUME 403

Myers, George Edmund, 1871–
The problem of vocational guidance, by George E. Myers ... New York, The Macmillan company, 1927.
vii, 311 p. diagrs. 19½ cm.
"References" at end of each chapter; "General references on vocational guidance": p. 303–305.
1. Vocational guidance. I. Title: Vocational guidance.
Library of Congress HF5381.M88 27—19685
ICJ NN MB ViU KEmT OrU Or CaBVaU OrCS
NM 0921700 DLC DHEW WaU PU PP MiU OCl OCU DL NcD

Myers, George Edmund, 1871–
The problem of vocational guidance. New York, Macmillan co., 1926.
NM 0921701 MH OOxM

Myers, George Edmund, 1871–
The problem of vocational guidance... New York, Macmillan company, 1929.
311 p.
NM 0921702 PHC WaTC

Myers, George Edmund, 1871–
... Problems of vocational education in Germany with special application to conditions in the United States, by George E. Myers. Washington, Govt. print. off., 1915.
42 p. 23 cm. (U. S. Bureau of education. Bulletin, 1915, no. 33. Whole no. 660)
1. Professional education—Germany. 2. Technical education—Germany. [1, 2. Vocational education—Germany] 3. Professional education—U. S. 4. Technical education—U. S. [3, 4. Vocational education—U. S.] I. Title.
L111.A6 1915, no. 33 LC1047.G3M8 E 15—2485
——— Copy 2.
U. S. Office of Education. Library for Library of Congress [a65k½]†
MB NN CaBVaU CU OrU
NM 0921703 DHEW PBm PU MiU OCl OCU DL DLC ICJ

Myers, George Edmund, 1871–
Relations between vocational and educational guidance [by] George E. Myers. [Ann Arbor, The Vocational education department, University of Michigan, 1935.
20 p. 23cm.
"Reprinted, with revisions, from the News bulletin of the American vocational association for May and August, 1933."—Footnote, p. [3]
1. Vocational guidance. 2. Personnel service in education.
LC1045.M997
NM 0921704 MiU

Myers, George Edmund, 1871–
LC1045 .A25 no. 172
American vocational association. *Committee on trade and industrial teacher training.*
...Vocational teacher training in the industrial field; four reports to the Committee on trade and industrial teacher training of the American vocational association, inc. 1934. United States Department of the interior, Harold L. Ickes, secretary. Office of education, George F. Zook, commissioner. Washington, U. S. Govt. print. off., 1934.

Myers, George Elmer.
Thermodynamics of the association of insulin.
Thesis - Harvard, 1953
NM 0921706 MH

Myers, George Elton.
1926 MY474p Harris Collection
[Poems from Week by Week, Feb. 15, 22, 29, March 7, 14, 21, 1936. Springfield, Ill., 1936]
[11] p. 23cm.
NM 0921707 RPB

Myers, George H., joint author.
Trout, Laurence Emory, 1888–
... Bibliography of Oklahoma geology, with subject index. By L. E. Trout and Geo. H. Myers. Norman, 1915.

Myers, George Henry.
Speech of Col. R. K. Smith ... in defence of George Henry Myers
see under Smith, R. K., Colonel.

Myers, George Hewitt.
Catalogue of an exhibition of embroideries from the Greek islands, held at the Century Club, N.Y., made at the request of Mr. G. Pratt, by A.J. B. Wace. 1928.
14 p.
NM 0921710 PU-Mu

Myers, George Hewitt.
Rugs: preservation, display and storage. [Washington, D.C.] 1952.
[4] p. supplement (illus.) 28cm. (Washington, D.C. Textile museum of the District of Columbia. Workshop notes; paper no.5.)
NM 0921711 MH-P DDO

Myers, George L.
Aboard "the American Duchess," by George L. Myers. New York & London, G. P. Putnam's sons, 1900 [1899]
2 p. l., iii–iv p., 1 l., 341 p. 18cm.
Identical with Headon Hill's "The queen of night," save that the scene has been changed to New York. cf. Publisher's weekly, Feb. 17, 1900.
Mar. 3, 1900–48
Library of Congress PZ3.M9905A (Copyright 1899: 70249)
NM 0921712 DLC PPL

MICROFILM F 5200 Myers, George L
Aboard "The American Duchess" ... New York, Putnam, 1900.
341 p. (Wright American fiction, v.III, 1876-1900, no.3931, Research Publications, Inc. Microfilm, Reel M-61)
NM 0921713 NNC CU

MYERS, GEORGE L
The rising tide of revolt ... presented at the thirty-ninth annual convention of the Pacific coast gas association... August 25, 1932. n.p. c1932.
16 p.
NM 0921714 Or

Myers, George Michael.
Alethea; the story of an early day, by George Michael Myers ... Boston, R. G. Badger [1919]
5 p. l., 9–151 p. 19½cm.
In verse.
I. Title.
Library of Congress PS3525.E96A7 1919 19–11508
NM 0921715 DLC RPB NcD

Myers, George Michael.
A big round world, and other poems, by George Michael Myers ... Dayton, Va., The Ruebush-Kieffer company, 1925.
93 p. front. (port.) 22cm.
I. Title.
Library of Congress PS3525.Y425B5 1925 26–291
NM 0921716 DLC RPB NcD

Myers, George Michael.
The dwelling place of God and other poems. Marion, Ind., 1915.
[16] p. 17 cm.
Cover-title.
NM 0921717 RPB

HQ744 .M5
Myers, George Raymond.
Michigan. State University, *East Lansing. Dept. of Effective Living.*
Modern marriage and family relationships; syllabus [for 2d quarter of the Effective living course, Basic 152, prepared by Judson T. Landis, assisted by George R. Myers. [1st revision] East Lansing, Michigan State College [1948]

Myers, George Robinson, 1909–
Adeste fideles (O come all ye faithful) a prelude to Amor Christi; a nativity play, by G. R. Myers, B. D. London, The Epworth press (E. C. Barton) [1937]
95 p. 18½cm.
"First published in 1937."
1. Christmas plays. I. Title.
Library of Congress PN6120.C5M85 41–235
[2] 791.6
NM 0921719 DLC

Myers, George Robinson, 1909–
Amor Christi (The love of Christ) a play for Christmas or Easter time, by G. R. Myers ... London, The Epworth press [1935]
77 p. 19cm.
1. Christmas plays. 2. Easter—Drama. I. Title. II. Title: The love of Christ.
Washington, D. C. Public library for Library of Congress [PN6120.C5] W 40–86
[2]
NM 0921720 DWP

Myers, George Robinson, 1909–
Joseph, a story of dreams; a play, by G. R. Myers, B. D. London, The Epworth press (E. C. Barton) [1939]
66 p. 18½cm.
"First published 1939."
1. Joseph, the patriarch—Drama. I. Title.
Library of Congress PN6120.R4M9 41–237
[2] 812.5
NM 0921721 DLC

Myers, George Robinson, 1909–
Miracle; three religious plays, by G. R. Myers, B. D. London, The Epworth press [1945]
2 p. l., 7–115, [1] p. illus. (plan) 19cm.
"First published in 1945."
CONTENTS.—Miracle, an Easter play.—Magi in Europe.—Poverty.
I. Title. II. Title: Magi in Europe. III. Title: Poverty.
New York. Public library for Library of Congress [2] A 47–3585
NM 0921722 NN

VOLUME 403

Myers, George Sprague, 1905-

QL1 .H35 vol. 43, pt. 1-5

Eigenmann, Carl H 1863-1927.
... The American *Characidae*. By Carl H. Eigenmann ... Cambridge, Printed for the Museum, 1917-29.

QL 71 .3 M5-o no.460

Myers, George Sprague, 1905-
The black toad of Deep Springs Valley, Inyo County, California. Ann Arbor, 1942.
13, [1] p. 3 plates. 24 cm. (Occasional papers of the Museum of Zoology, University of Michigan, no. 460)
Dated September 16, 1942.
1. Bufo exsul. 2. Bufonidae. 3. Toads - California.

NM 0921724 ICF

Myers, George Sprague, 1905-
Collected papers. [1927-50]
1 v. of pamphlets. illus.
Binder's title.

NM 0921725 CU

S9.206 / 342

Myers, George Sprague, 1905-
... Cranial differences in the African characin fishes of the genera Alestes and Brycinus, with notes on the arrangement of related genera ... [New York,1929]
7p. illus. 24cm. (American museum novitates, no.342)
Caption title.
"Scientific results of the American museum Congo expedition. Ichthyology, no.7."
"Literature cited": p.6-7.

NM 0921726 CtY

Myers, George Sprague, 1905-
The deep-sea zeomorph fishes of the family Grammicolepidae. Washington, 1937.
p. 145-56. 8°.

NM 0921727 DNLM

Myers, George Sprague, 1905-
... The deep-sea zeomorph fishes of the family *Grammicolepidae*. By George S. Myers ...
(*In* U. S. National museum. Proceedings. Washington, 1938. 23½cm. v. 84, p. 145-156. pl. 5-7 on 2 l.)
"Literature cited": p. 155-156.
1. Grammicolepidae. 2. Fishes, Pelagic.
39-13109
Library of Congress Q11.U55 vol. 84

NM 0921728 DLC WaS CaBVaU

Myers, George Sprague, 1905-
... Description of a new blennioid fish of the genus *Acanthemblemaria* from the Pacific coast of Panama, by George S. Myers ... and Earl D. Reid ... Los Angeles, Calif., The University of Southern California press, 1936.
cover-title, 1 p. l., 7-10 p. 24½cm. ([Los Angeles. University of Southern California. Allan Hancock foundation for scientific research] The Hancock Pacific expeditions. [Reports] v. 2, no. 2)
"Literature cited": p. 10.
1. Blenniidae. 2. Fishes—Panama. I. Reid, Earl D., joint author.
37-4219 Revised
Library of Congress Q115.L66 vol. 2, no. 2
——— Copy 2. QL638.B6M8
[r43d2] (574.926) 597.58

NM 0921729 DLC TxU CoU

Myers, George Sprague, 1905-
... Description of a new Cheirodontine characin from Rio de Janeiro, by George S. Myers ...
(*In* Pittsburgh. Carnegie Institute. Museum. Annals. [Pittsburgh, 1925. 24½cm. vol. XVI, p. 143-144. illus., pl. X)
Contributions from the Zoological Laboratory of Indiana University, no. 207.

NM 0921730 ICJ InU

QL1 .I6 no.212

MYERS,GEORGE SPRAGUE,1905-
Descriptions of a new characin fish and a new pygidiid catfish from the Amazon basin. n.p.,n.pub.,n.d. 150-52p. (Indiana university --Zoological laboratory. Contributions,no.212)
Caption title.
From Copeia,no.156. 1926.

NM 0921731 InU

QL 1 H331 v.68 no.3

Myers, George Sprague, 1905-
Descriptions of new South American fresh-water fishes collected by Dr. Carl Ternetz. Cambridge, The Museum, 1927.
[107]-135 p. 25cm. (Bulletin of the Museum of Comparative Zoölogy, at Harvard College, v. 68, no. 3)
Contributions from the Zoölogical Laboratory of Indiana University, no.217.
1. Fishes, Fresh-water--South America. I. Ternetz, Carl.

NM 0921732 NIC NjP InU MU

Myers, George Sprague, 1905-
... Four new genera and ten new species of eels from the Pacific coast of tropical America. (Plates 7-16) By George S. Myers ... and Charles B. Wade ... Los Angeles, Calif., The University of Southern California press, 1941.
cover-title, 1 p. l., 65-110 p., 1 l. incl. pl. 7-16. 23½cm. ([Los Angeles. University of Southern California. Allan Hancock foundation for scientific research] Allan Hancock Pacific expeditions. [Reports] v. 9, no. 4)
Descriptive letterpress on versos facing the plates.
1. Eels. I. Wade, Charles B., joint author.
42-22023
Library of Congress Q115.L66 vol. 9, no. 4

NM 0921733 DLC Wa TxU CoU

Myers, George Sprague, 1905-
Fresh-water fishes and West Indian zoo-geography, by George S. Myers ... <With 3 plates>
(*In* Smithsonian institution. Annual report, 1937. Washington, 1938. 23½cm. p. 339-364. 3 pl. on 2 l.)
"Literature": p. 362-364.
1. Fishes—North America. 2. Fishes—South America. 3. Fishes—Central America. 4. West Indies. I. Title.
39-8176
Library of Congress Q11.S66 1937

NM 0921734 DLC PPT WaS

Myers, George Sprague, 1905-
... Initial steps in the conservation of fresh-water fisheries in tropical South America, with remarks on fishery resource in general.
[n.p., n.p.] 1948.
p. 501-506 O.

NM 0921735 CaBViP

Myers, George Sprague, 1905-
The killifish of San Ignacio and the stickleback of San Ramon, Lower California. [San Francisco] 1930.
[95]-104 p. illus. 26 cm. (Proceedings of the California Academy of Sciences. 4th ser., v. 19, no. 9)
Caption title.
Bibliography: p. 103-104.
1. Sticklebacks. (Series: California Academy of Sciences, San Francisco. Proceedings, 4th ser., v. 19, no. 9)
Q11.C253 vol. 19, no. 9 53-2832

NM 0921736 DLC OrU CtY OCU UU

Myers, George Sprague, 1905-
... The neotropical anchovies of the genus *Amplova*, by George Sprague Myers ... [San Francisco] 1940.
[437]-442 p. 25½cm. (Proceedings of the California academy of sciences. 4th ser., vol. XXIII, no. 29 ... December 31, 1940)
Caption title.
1. Amplova. I. Title.
Q11.C253 vol. 23, no. 29 597.55 47-35345

NM 0921737 DLC CaBViP UU

Myers, George Sprague, 1905- joint author.

Burt, Charles Earl, 1904-
... Neotropical lizards in the collection of the Natural history museum of Stanford university, by Charles E. Burt ... and George S. Myers ... Stanford University, Calif., Stanford university press; London, H. Milford, Oxford university press, 1942.

QL1 .I6 no.216

MYERS,GEORGE SPRAGUE,1905-
...Eine neue südamerikanische characinidenart der gattung Pyrrhulina. [Stuttgart,Wegner,1926] 1p. (Indiana university--Zoological laboratory. Contributions,no.216)
Caption title.
Sonderdruck aus Blätter für aquarien-und terrarienkunde." 37.Jahrg.1926,heft. nr.18.

NM 0921739 InU

Myers, George Sprague, 1905-
... New fishes of the families *Dactyloscopidae*, *Microdesmidae*, and *Antennariidae* from the west coast of Mexico and the Galapagos islands. With a brief account of the use of rotenone fish poisons in ichthyological collecting. (Plates 20-23) By George S. Myers ... and Charles B. Wade ... Los Angeles, Calif., The University of Southern California press, 1946.
cover-title, 1 p. l., 151-178 p., 1 l. incl. plates. 23½cm. ([Los Angeles. University of Southern California. Allan Hancock foundation for scientific research] Allan Hancock Pacific expeditions. [Reports] v. 9, no. 6)
"Literature cited": p. 170-171.
1. Dactyloscopidae. 2. Microdesmidae. 3. Fishes—Pacific ocean. I. Wade, Charles Barkley, 1908- joint author.
Q115.L66 vol. 9, no. 6 597.5 47-24014

NM 0921740 DLC Wa TxU CoU NcD

Myers, George Sprague, 1905-
... A new genus of opisthognathid fishes, by George S. Myers ... City of Washington, The Smithsonian institution, 1935.
1 p. l., 5 p. 1 illus. 24½ cm. (Smithsonian miscellaneous collections. v. 91, no. 23)
Publication 3347.
Reports on the collections obtained by the first Johnson-Smithsonian deep-sea expedition to the Puerto Rican deep. Johnson fund.
1. Opisthognathidae. 2. Lonchistium lemur. I. Smithsonian institution. Johnson fund.
Q11.S7 vol. 91, no. 23 597.58 35-26941
——— Copy 2. QL638.O4M8

NM 0921741 DLC FU MiU OCl OU WaWW WaS NBuU ViU

S9.206 / 116

Myers, George Sprague, 1905-
... A new poeciliid fish from the Congo, with remarks on funduline genera ... [New York,1924]
9p. illus. 24cm. (American museum novitates, no.116)
Caption title.
"Scientific results of the American museum Congo expedition. Ichthyology, no.5."

NM 0921742 CtY

S9.206 / 122

Myers, George Sprague, 1905-
... A new poeciliid fish of the genus Micropanchax, from Ubangi ... [New York,1924]
3p. 1 illus. 24cm. (American museum novitates, no.122)
Caption title.
1. Micropanchax baudoni. x.cer.^

NM 0921743 CtY

VOLUME 403

S9.206 129 Myers, George Sprague, 1905-
... A new poeciliid fish of the genus Rivulus, from British Guiana ... [New York, 1924]
2p. 24cm. (American museum novitates, no.129)
Caption title.
"Literature cited": p.2.

1. Rivulus. x.ser.^

NM 0921744 CtY

QL1 .I6 no.206 MYERS,GEORGE Sprague, 1905-
...Notes on Anabantids III. n.p.,n.pub.,n.d. 97-100p. (Indiana university--Zoological laboratory. Contributions,no.206)

Caption title.
From Copeia,1926.no.150. Jan.25.

NM 0921745 InU

Myers, George Sprague, 1905–
... Notes on phallostethid fishes. By George S. Myers ...
(*In* U. S. National museum. Proceedings. Washington, 1938. 23½cm. v. 84, p. 137–143)
"Literature cited": p. 143.

1. Phallostethidae.
39-12974
Library of Congress Q11.U55 vol. 84

NM 0921746 DLC WaS CaBVaU

Myers, George Sprague, 1905-
Notes on some amphibians in western North America. [Washington, D.C.] Biological society of Washington, 1930.
p. 55-64 O. (Biological society of Washington, Washington, D.C. - Proceedings, v. 43)

NM 0921747 CaBViP

S9.206 168 Myers, George Sprague, 1905-
... Notropis cummingsi, a new minnow from Wilmington, North Carolina ... [New York, 1925]
4p. 1 illus. 24cm. (American museum novitates, no.168)
Caption title.

1. Notropis cummingsi. x.ser.^

NM 0921748 CtY

S9.206 150 Myers, George Sprague, 1905-
... On a small collection of fishes from Upper Burma ... [New York,1924]
7p. 24cm. (American museum novitates, no.150)
Caption title.
Bibliography: p.5-7.

NM 0921749 CtY

QL1 .C24 v. 1 no.9 Myers, George Sprague, 1905-
On the characid fishes called Hydrocynus and Hydrocyon by Cuvier. [Menlo Park, Calif.] 1950.
[45]-47 p. 26 cm. (California Zoological Club. Proceedings, v. 1, no. 9)
"Literature cited": p. 47.

1. Characinidae. 2. Fresh-water fauna. I. Title: The Charac' fishes called Hydrocynus and Hydrocyon by Cuvier. (Series)

NM 0921750 DI

S9.206 592 Myers, George Sprague, 1905-
... Pachypanchax, a new genus of cyprinodont fishes from the Seychelles islands and Madagascar ... [New York,1933]
1l. 24cm. (American museum novitates, no.592)
Caption title.

1. Pachypanchax. x.ser.^

NM 0921751 CtY

Myers, George Sprague, 1905–
... The Pacific American atherinid fishes of the genera *Eurystole, Nectarges, Coleotropis,* and *Melanorhinus.* (Plates 17–19) By George S. Myers ... and Charles B. Wade ... Los Angeles, Calif., The University of Southern California press, 1942.
cover-title, 1 p. l., 113–148 p., 1 l. incl. pl. 17–19. 23½cm. (Los Angeles. University of Southern California. Allan Hancock foundation for scientific research; Allan Hancock Pacific expeditions. Reports; v. 9, no. 5)
Descriptive letterpress on versos facing the plates.
"Literature cited": p. 142–143.
1. Atherinidae. I. Wade, Charles B., joint author.
42-22024
Library of Congress Q115.L66 vol. 9, no. 5
[2] (508) 597.5

NM 0921752 DLC Wa CoU TxU

Myers, George Sprague, 1905-
... Poeciliid fishes of the genus Mollienisia in Hispaniola, with notice of a new Limia from the Samana peninsula ... [New York,1931]
2p. 24cm. (American museum novitates, no.503)
Caption title.
"References": p.2.

NM 0921753 CtY

Myers, George Sprague, 1905–
... The primary groups of oviparous cyprinodont fishes, by George Sprague Myers ... Stanford University, Calif., Stanford university press, 1931.
14 p. 25cm. (Stanford university publications. University series. Biological sciences. vol. VI, no. 3)
"Literature cited": p. 13–14.

1. Cyprinodontes.
32-5484
Library of Congress QL638.C95M8
[3] 597.55

NM 0921754 DLC MtBC ViU PSt MiU OU OCU PHC PU

S9.206 265 Myers, George Sprague, 1905-
... Puntius streeteri, a new cyprinoid fish from Borneo, and Cobitophis, a new genus of Bornean Cobitidae ... [New York,1927]
4p. 1 illus. 24cm. (American museum novitates, no.265)
Caption title.
"Contributions from the Zoölogical laboratory of Indiana university, no.213."

NM 0921755 CtY

Myers, George Sprague, 1905–
... Report on the fishes collected by H. C. Raven in lake Tanganyika in 1920. By George S. Myers ...
(*In* U. S. National museum. Proceedings. Washington, 1938. 23½cm. v. 84, p. 1–15. pl.)
"Literature cited": p. 14–15.

1. Fishes—Tanganyika, Lake. I. Raven, Henry Cushier, 1889–
39-12965
Library of Congress Q11.U55 vol. 84

NM 0921756 DLC CaBVaU WaS

Myers, George Sprague, 1905–
... *Rhinobrycon negrensis,* a new genus and species of characid fishes from the Rio Negro, Brazil, by George Sprague Myers ... [San Francisco] 1944.
[587]–590 p. 1 illus. 25½cm. (Proceedings of the California academy of sciences. 4th ser., vol. XXIII, no. 39 ... August 22, 1944)
Caption title.

1. Rhinobrycon negrensis.
45-7094
Library of Congress Q11.C253 vol. 23, no. 39
[5] (506.2794) 597.5

NM 0921757 DLC UU

Myers, George Sprague, 1905-
The status of the southern California toad, bufo Californicus (Camp) [Washington, D.C.] Biological society of Washington, 1930.
p. 73-77 O. (Biological society of Washington, Washington, D.C. - Proceedings, v. 43)

NM 0921758 CaBViP

QL1 .I6 no.210 MYERS,GEORGE SPRAGUE,1905-
A synopsis for the indentification of the amphibians and reptiles of Indiana. n.p.,n.pub., n.d. 277-94p. Illus. (Indiana university--Zoological laboratory. Contributions,no.210)

Caption title.
From Proceedings Indiana academy of science, v.34,1925 (1926)

NM 0921759 InU

S9.206 295 Myers, George Sprague, 1905-
... The systematic position of the phallostethid fishes, with diagnosis of a new genus from Siam ... [New York,1928]
12p. illus. 24cm. (American museum novitates, no.295)
Caption title.
"Papers cited": p.11-12.

1. Phallostethidae. x.ser.^

NM 0921760 CtY

Myers, George Sprague, 1905–
... Three new deep-water fishes from the West Indies (with one plate) by George S. Myers ... City of Washington, The Smithsonian institution, 1934.
1 p. l., 12 p. illus., pl. 24½cm. (Smithsonian miscellaneous collections. v. 91, no. 9)
Publication 3238.
Reports on the collections obtained by the first Johnson-Smithsonian deep-sea expedition to the Puerto Rican deep.
Johnson fund.
1. Fishes—West Indies. I. Smithsonian institution. Johnson fund.
34-26544
Library of Congress Q11.S7 vol. 91, no. 9
——— Copy 2. QL631.A1M8
[7] (506) 597.0923

NM 0921761 DLC WaWW OrSaW WaS NBuU PPAmP ViU

QL1 .I6 no.208 MYERS,GEORGE SPRAGUE,1905-
...Tridentopsis pearsoni, a new pygidiid catfish from Bolivia. n.p.,n.pub.,n.d. 83-86p. (Indiana university--Zoological laboratory. Contributions,no.208)

Caption title.
From Copeia,1925,no.148. Nov.25.

NM 0921762 InU

Myers, George Sprague, 1905–
... Two extraordinary new blind nematognath fishes from the Rio Negro, representing a new subfamily of *Pygidiidae,* with a rearrangement of the genera of the family, and illustrations of some previously described genera and species from Venezuela and Brazil, by George Sprague Myers ... [San Francisco] 1944.
[591]–602 p., 1 l. pl. 52–56, diagr. 25½cm. (Proceedings of the California academy of sciences. 4th ser., vol. XXIII, no. 40 ... November 7, 1944)
Caption title.
1. Catfishes.
45-2462
Library of Congress Q11.C253 vol. 23, no. 40
[5] (506.2794) 597.55

NM 0921763 DLC AAP UU

VOLUME 403

QL1 .I6 no.209 MYERS,GEORGE SPRAGUE,1905-
Two new genera of African characin fishes. n.p.,n.pub.,n.d. 174-75p. (Indiana university --Zoological laboratory. Contributions,no.209)

Caption title.
From Rev.Zool.Afr.,v.13,no.3-4. 1926.

NM 0921764 InU

Myers, George W.
Art ideas ... by George W. Myers. Detroit, Mich. [Aldine co.] ©1887.
2 p. l., [7]-20 p. 13½cm.

11-28008

Library of Congress NA2563.M6

NM 0921765 DLC

Myers, George W.
The Myers houses; with a description of beautiful and economical residence buildings, showing exterior views and floor plans, and giving sizes and arrangement of rooms, with reliable estimates of cost accompanying each design. Detroit [The Author] ©1893.
64 [1] p. illus. plans.

NM 0921766 MiD

Myers, George William, 1864-
Arithmetic in public education. Chic., Scott, n.d.
22p.

NM 0921767 PU

Myers, George William, 1864-
Deeper and richer meanings of elementary mathematical teaching.
Chicago, Scott, n.d.
28 p. O.

NM 0921768 OO

Myers, George William, 1864-
Elementary algebra, by George W. Myers ... and George E. Atwood ... Chicago, New York, Scott, Foresman and company [©1916]
xii, 338 p. illus., diagrs. 20cm.

1. Algebra. I. Atwood, George Edward, 1852- joint author.

16—21195

Library of Congress QA152.M9

NM 0921769 DLC CU MiU ODW OO ViU PU

Myers, George William, 1864-
Elementary algebraic geometry, for supplementary use with either first or second-year standard courses, or in junior high schools, by George W. Myers ... Chicago, New York, Scott, Foresman and company [©1921]
111 p. illus., diagrs. 18½cm. [Lake mathematics series]
A revised and enlarged edition of Geometric exercises for algebraic solution.

1. Geometry—Problems, exercises, etc.

21-16029

Library of Congress QA459.M88

NM 0921770 DLC NN PU ODW

QB64 .M95 **Myers, George William, 1864-**
Elementary experiments in observational astronomy. By George W. Myers. [Chicago, School science press, 1901]
48 p. illus., diagrs. 22½cm.

NM 0921771 ICU

Myers, George William, 1864- ed.

Hamilton, John Bascom.
The elements of high school mathematics, comprising arithmetic, practical geometry, and algebra, by John B. Hamilton ... and Herbert E. Buchanan ... ed. by George William Myers ... Chicago, New York, Scott, Foresman and company [©1921]

Myers, George William, 1864- tr.

Lommel, Eugen Cornelius Joseph von, 1837-1899.
Experimental physics, by Eugene Lommel ... Tr. from the German by G. W. Myers ... With 430 figures in the text. London, K. Paul, Trench, Trübner & co., ltd, 1899

Myers, George William, 1864-
First-year mathematics for secondary schools; being a tentative course for the University high school, by G. W. Myers ... and Wm. R. Wickes, E. R. Breslich, H. F. MacNeish, E. A. Wreidt ... For the school year 1906-7, U. H. S. [Chicago? ©1906]
xv, 181 p. diagrs. 20cm.

1. Mathematics. I. Wickes, William Rockwell, joint author. II. Breslich, Ernst Rudolph, 1874- joint author. III. MacNeish, Harris Franklin, joint author. IV. Wreidt, Ernest August, joint author.

6—41749

Library of Congress QA39.M98

NM 0921774 DLC

Myers, George William, 1864-
First-year mathematics for secondary schools, by George William Myers ... and William R. Wickes, Ernst R. Breslich, Harris F. MacNeish, Ernest A. Wreidt ... Chicago, University of Chicago press, 1907.
xv, 181 p. diagrs. 20cm. (School of education manuals. Secondary texts)

1. Mathematics—Text-books. I. Wickes, William Rockwell. II. Breslich, Ernst Rudolf, joint author. III. MacNeish, Harris Franklin, joint author. IV. Wreidt, Ernest August, joint author.

E 13-1323

Library, U. S. Bur. of Education

NM 0921775 DHEW PU CU PP

Myers, George William, 1864-
First-year mathematics for secondary schools, by George William Myers ... and William R. Wickes, Ernst R. Breslich, Ernest L. Caldwell, Harris F. MacNeish, Ernest A. Wreidt, Arnold Dresden ... Chicago, University of Chicago press, 1909.
xii, 365 p. diagrs. 20cm. (*Half-title:* The University of Chicago. Mathematical series. E. H. Moore, general editor. School of education. Texts and manuals. G. W. Myers, editor)
On t.-p.: School of education manuals. Secondary texts.
1. Mathematics. I. Wickes, William Rockwell. II. Breslich, Ernst Rudolph, 1874- III. Caldwell, Ernest Leroy, 1858- IV. MacNeish, Harris Franklin. V. Wreidt, Ernest August. VI. Dresden, Arnold.

9—26404

Library of Congress QA39.M98 1909

NM 0921776 DLC OrCS OrU OCU OOxM

School-Book Coll. **3938.238
Myers, George William, 1864- , and others.
First-year mathematics for secondary schools. By George William Myers and William R. Wickes, Ernst R. Breslich, Ernest L. Caldwell, Harris F. MacNeish, Ernest A. Wreidt, Arnold Dresden. [4th impression.]
Chicago. [1912.] xii, 365 pp. Diagrams. [School of Education Manuals. Secondary texts.] 19½ cm.
This is also one of the Mathematical series of the University of Chicago.

K474 — University of Chicago. School Education. Manuals. Secondary texts. — University of Chicago. Mathematical series. — Mathematics.

NM 0921777 MB OrPR ViU

Myers, George William, 1864-
First-year mathematics for secondary schools. Chicago, University of Chicago press [1925]

"The University of Chicago mathematical series."

NM 0921778 MH

Myers, George William, 1864-
Geometric exercises for algebraic solution; second year mathematics for secondary schools, by George William Myers ... and William R. Wickes ... Ernest A. Wreidt ... Ernst R. Breslich ... Chicago, The University of Chicago press, 1907.
ix, 71 p. diagrs. 20cm. (School of education manuals. Secondary texts)

1. Geometry—Problems, exercises, etc. I. Wickes, William Rockwell, joint author. II. Wreidt, Ernest August, joint author. III. Breslich, Ernst Rudolph, 1874- joint author.

7—36111

Library of Congress QA459.M9

NM 0921779 DLC NIC PP

Myers, George William, 1864-
Geometric exercises for algebraic solution; second year mathematics for secondary schools. Chic., Univ. of Chic., pr. 1909.
71 p.

NM 0921780 PU OrU

School-Book Coll. **3938.224
Myers, George William, 1864- , and others.
Geometric exercises for algebraic solution. Second-year mathematics for secondary schools. By George William Myers and William R. Wickes, Ernest A. Wreidt, Ernst R. Breslich. [3d impression.]
Chicago. [1911.] ix, 71 pp. Diagrams. [School of Education. Manuals. Secondary texts.] 19½ cm.

K474 — T.r. — Geometry. — Univers. Chicago. School of Education. Manuals. Secondary texts.

NM 0921781 MB CU

Myers, George William, 1864-
Geometric exercises for algebraic solution; second-year mathematics for secondary schools, by George William Myers, William R.Wickes, Ernest A.Wreidt and Ernst R.Breslich. School of education manuals secondary texts. Chicago, University of Chicago press [1913]

"Fourth impression, Oct. 1913."

NM 0921782 MH

**3938.248
Myers, George William, 1864- , and Frederick W. Buchholz.
A manual and key to the Myers arithmetics. Books I, II, and III.
Chicago. Scott, Foresman & Co. [1909.] 228 pp. Diagrams. 18½ cm.

NM 0921783 MB

Myers, George William, 1864-
A manual and key to the Myers-Brooks arithmetics, by George William Myers ... and Frederick W. Buchholz ... Chicago, Scott, Foresman and company, 1907.
369 p. diagrs. 19½cm.

1. Arithmetic—1901- I. Buchholz, Frederick W., joint author. II. Brooks, Sarah Catherine, 1856-

7—36419

Library of Congress QA103.M902

NM 0921784 DLC DHEW PU KEmT ViU

VOLUME 403

Myers, George William, 1864–
A manual to the Rational elementary arithmetic, by George William Myers ... and Frederick W. Buchholz ... Chicago, Scott, Foresman and company, 1907.
1 p. l., 68 p. 19cm.

1. Arithmetic—Study and teaching. I. Buchholz, Frederick W., joint author.
7-40022
Library of Congress QA135.M9 (Copyright 1907 A 193479)

NM 0921785 DLC

Myers, George William, 1864– ed.
Lindquist, Theodore, 1875–
Modern arithmetic methods and problems, by Theodore Lindquist ... ed. by George W. Myers ... Chicago, New York, Scott, Foresman and company [c1917]

Myers, George William, 1864–
Myers arithmetic ... By George William Myers ... Chicago, Scott, Foresman and company, 1908.
3 v. illus., diagrs. 19½cm.

1. Arithmetic—1901–
9-19424
Library of Congress QA103.M994 Copyright

NM 0921787 DLC DHEW OCl OCU MoU MB MH

Myers, George William, 1864-
Myers arithmetic elementary, by George William Myers... Chicago, Scott, Foresman and company, 1909.
352 p. 19½cm.

NM 0921788 DHEW MH

511 M99eL Myers, George William, 1864-
Myers arithmetic for elementary schools. Chic.Scott,c1898-1912.
265p.

NM 0921789 KEmT

Myers, George William, 1864–
Myers arithmetic for grammar schools, by George W. Myers ... Chicago, New York, Scott, Foresman and company [c1912]
402 p. illus. 19½cm. $0.60

1. Arithmetic—1901–
12-7943
Library of Congress QA103.M9945 1912

NM 0921790 DLC MH

Myers, George William, 1864–
Myers arithmetic, grammar school, by George William Myers ... Chicago, Scott, Foresman and company, 1909.
470 p. illus. 19½cm. $0.60

1. Arithmetic—1901–
9-4304
Library of Congress QA103.M9945 (Copyright 1909 A 229460)

NM 0921791 DLC DHEW MB

Myers, George W[illiam] 1864–
Myers-Brooks elementary arithmetic, by George W. Myers ... and Sarah C. Brooks ... Chicago, Scott, Foresman and company, 1907.
viii, 280 p. illus. 19½cm.

1. Arithmetic—1901– I. Brooks, Sarah Catherine, 1856– joint author.
7-10053
Library of Congress QA103.M9932 Copyright

NM 0921792 DLC OrU PU DHEW MH

Myers, George William, 1864–
Myers-Brooks grammar school arithmetic, by George W. Myers ... and Sarah C. Brooks ... Chicago, Scott, Foresman and company, 1907.
xiv, 345 p. illus. 19½cm.

1. Arithmetic—1901– I. Brooks, Sarah Catherine, 1856– joint author.
7-14648
Library of Congress QA103.M9952

NM 0921793 DLC OrU KEmT MH ViU

MYERS, George William, 1864-
Myers-Brooks grammar school arithmetic. By George W. Myers and Sarah C. Brooks. Chicago, Scott, Foresman and Co., 1908.

NM 0921794 MH

Myers, George William, 1864-
Golden, Ellen.
Oral algebra, with some written practice exercises for rapid drill, to be used with any standard texts in algebra, by Ellen Golden and Estelle Fenno ... ed. by George W. Myers ... Chicago, New York, Scott, Foresman and company [c1917]

Myers, George William, 1864- , ed.
Plane geometry
see under Palmer, Claude Irwin, 1871-1931.

Myers, George William, 1864–
The point of view in "Second-year mathematics for secondary schools," by George William Myers ... and William R. Wickes, Ernest R. Breslich, Ernest L. Caldwell, Ernest A. Wreidt, Arnold Dresden, Robert M. Mathews, William D. Reeve ... Chicago, Ill., The University of Chicago press [1912]
[11] p. 19½cm.
1. Myers, George William, 1864– Second-year mathematics for secondary schools. 2. Geometry—Teaching—Secondary schools. I. Wickes, William Rockwell, joint author. II. Breslich, Ernst Rudolf, joint author. III. Caldwell, Ernest Le Roy, 1858– joint author. IV. Wreidt, Ernest August, joint author. V. Dresden, Arnold, 1882– joint author. VI. Mathews, Robert Maurice, joint author. VII. Reeve, William David, joint author.
E 13-1324
Library, U. S. Bur. of Education

NM 0921797 DHEW

Myers, George William, 1864–
Rational elementary arithmetic, by George W. Myers ... and Sarah C. Brooks ... Chicago, Scott, Foresman and company, 1905.
xiii, 277 p. illus., diagrs. 19½cm.

1. Arithmetic—1901– I. Brooks, Sarah Catherine, 1856– joint author.
5-29975
Library of Congress QA103.M993

NM 0921798 DLC MoU OCl OU

Myers, George William, 1864–
Rational grammar school arithmetic, by George W. Myers ... and Sarah C. Brooks ... Chicago, Scott, Foresman and company, 1903.
viii, 378 p. illus., diagrs. 19½cm.

1. Arithmetic—1901– I. Brooks, Sarah C., joint author.
3-17276
Library of Congress QA103.M995

NM 0921799 DLC DHEW

EDUC-T QA 103 .M995 1905 Myers, George William, 1864-
Rational grammar school arithmetic, by George W. Myers and Sarah C. Brooks. Chicago, Scott, Foresman, 1905 [c1903]
378 p. illus.
Imperfect copy: p. 375-378 wanting.
Title on cover: The rational arithmetic.

NM 0921800 MoU

MYERS, George William, 1864-
Rational grammar school arithmetic. By George W. Myers and Sarah C. Brooks. Chicago, Scott, Foresman and Co., 1906.
416p.

NM 0921801 MH CU

Myers, George William, 1864–
Second-year mathematics for secondary schools, by George William Myers ... and William R. Wickes, Ernst R. Breslich, Ernest A. Wreidt, Arnold Dresden, assisted by Ernest L. Caldwell and Robert M. Mathews ... Chicago, The University of Chicago press, 1910.
xiv, 282 p. illus., diagrs. 20cm. (Half-title: The University of Chicago. Mathematical series. E. H. Moore, general editor. School of education. Texts and manuals. G. W. Myers, editor)
On t.-p.: School of education manuals. Secondary texts.
1. Mathematics. I. Wickes, William Rockwell, joint author. II. Breslich, Ernst Rudolf, joint author. III. Wreidt, Ernest August, joint author. IV. Dresden, Arnold, 1882– joint author. V. Caldwell, Ernest Leroy, 1858– joint author. VI. Mathews, Robert M., joint author.
10-14765
Library of Congress QA39.M98 1909 vol. 2

NM 0921802 MB ICJ DLC OrCS OrU PU ViU OCU OOxM CU PBa

Myers, George William, 1864–
Breslich, Ernst Rudolph, 1874–
Second-year mathematics for secondary schools, by Ernst R. Breslich ... Chicago, Ill., The University of Chicago press [c1923]

Myers, George William, 1864- ed.
Palmer, Claude Irwin, 1871–
Solid geometry, by Claude Irwin Palmer ... and Daniel Pomeroy Taylor ... Ed. by George William Myers ... Chicago, New York, Scott, Foresman and company [c1918]

Myers, George William, 1864–
A study of the light curve of the variable star U Pegasi. Based on the observations of Harvard college observatory circular no. 23 ... By G. W. Myers ... Cambridge, U. S. A., Printed for the University of Illinois, 1898.
cover-title, 16 p. incl. diagrs. charts. 30 x 25cm.
Bulletin no. 1 of the Astronomical observatory of the University of Illinois, Urbana, Illinois.

1. Stars, Variable.
1-2168
Library of Congress QB837.M9

NM 0921805 DLC CU MB

QB837 .M9 Myers, George William, 1864-
A study of the light curve of the variable star U Pegasi, based on the observations of Harvard College Observatory circular no. 23. Cambridge, Printed for the University of Illinois at the University Press, 1898.
16 l. charts, diagrs. 29 cm.
Cover title.
Photocopy.
Bulletin no. 1 of the Astronomical observatory of the University of Illinois.
1. Stars, Variable.

NM 0921806 MB

Myers, George William, 1864- ed.
Palmer, Claude Irwin, 1871–
Teachers' handbook for Palmer and Taylor's Plane geometry, by Claude Irwin Palmer ... and Daniel Pomeroy Taylor ... ed. by George W. Myers ... Chicago, New York, Scott, Foresman and company [c1917]

Myers, George William, 1864–
Teacher's manual for first-year mathematics, by George William Myers ... and William R. Wickes, Ernst R. Breslich, Ernest L. Caldwell, Robert M. Mathews, William D. Reeve ... Chicago, Ill., The University of Chicago press [1911]
xi, 164 p. 20cm. (Half-title: The University of Chicago. Mathematical series, E. H. Moore, general ed. School of education texts and manuals, G. W. Myers, ed.)

11-28408

NM 0921808 DHEW PU OCU

VOLUME 403

MYERS, G[eorge] W[illiam] 1864-
Two years' progress in mathematics in the university high school. n.p.,n.d.

Without title-page. Caption title.
"Reprinted from School Science and Mathematics, Vol.11,1911. pp. 64-72."

NM 0921809 MH

Myers, George William, 1864- L523.84 P600
Untersuchungen über den Lichtwechsel des Sternes β Lyrae. Inaugural-Dissertation zur Erlangung der Doctorwürde bei der philosophischen Facultät der Ludwig-Maximilians-Universität zu München. 64 p. il. 2 pl. sq.Q. München 1896.

NM 0921810 ICJ NBuU NjP

MYERS, George W[illiam], 1864-
The year's progress in the mathematical work of the university high school. n.p.,n.d.

Without title-page. Caption title.
"Reprinted from The School Review, vol.XV., no.8, October, 1907", pp. 576-593.

NM 0921811 MH

Myers, Gerald Edward.
The improvement of teachers in service at Defiance high school ... by G. E. Myers ... Columbus, O. The Ohio state university, 1936.
vi, 67 numb.

NM 0921812 OU

Film 809
Myers, Gerald Eugene, 1923-
An analysis of propositional attitudes; a linguistic approach. Ann Arbor, Mich., University Microfilms [c1954]
(University Microfilms, Ann Arbor, Mich.] Publication no. 9832)
Microfilm copy (positive) of typescript
Collation of the original: v,339 l.
Thesis - Brown University.
Abstracted in Dissertation abstracts, v 14 (1954) no.12, p.2370.
Bibliography: leaves 333-339
Vita.

NM 0921813 FTaSU

Myers, Gertrude.
Two no-trump; a novel of apartment-hotel life, by Gertrude Myers. Chicago, Covici-McGee co., 1923.
3 p. l., 241 p. 19½cm.

I. Title.
Library of Congress PZ3.M9906Tw 23-16273

NM 0921814 DLC

Myers, Gertrude E
The petter; song, fox trot. Inspired by the serial story by Beatrice Burton. [Portland, Ore., Portland News [c1926]
[2] p. 31 cm.
For voice and piano.
1. Songs (Medium voice) with piano.

NM 0921815 OrU

Myers, Gibbs.
Pioneers in the federal area, by Gibbs Myers.
(In Columbia historical society, Washington, D. C. Records. Washington, 1944. 23cm. v. 44-45, p. 127-159)
"Read before the society, February 16, 1943."

1. Washington, D. C.—Soc. life & cust. I. Title.
A 45-2243
Washington, D. C. Public library for Library of Congress F191.C72 vol. 44-45

NM 0921816 DWP DLC

M1585 .D
Myers, Gordon, tr.
Dodd, Margaret.
Per Spelmann; Norwegian folk song from Minnesota, Norwegian-English [words] SATBB, arr. by Margaret Dodd. N[ew] Y[ork] Music Press [1947]

Myers, Gordon Bennett, 1904-
Corticotropin: its pharmacologic effects in man and practical therapeutic utilization [by] Gordon B. Myers [and] William Q. Wolfson. Detroit, Wayne University Press, 1955.
76 p. illus. 23 cm.

1. ACTH. I. Wolfson, William Q., joint author. II. Title.
RM292.M9 615.36 55-7773 ‡

NM 0921818 DLC CU-M PPSKF OU DNLM OrU-M CaBVaU

Myers, Gordon Bennett, 1904-
Outline for the interpretation of the unipolar electrocardiogram, by Gordon B. Myers and Charles H. Sears. [Detroit?] °1951.
l, 64 l. 30 cm.

1. Electrocardiography. I. Sears, Charles Herbert, 1917- joint author. II. Title: Unipolar electrocardiogram.
RC683.M9 616.0751 51-2854
[U. S. Army Med. Libr.: 1. Electrocardiography. WG140 qM996o]

NM 0921819 DLC DNLM

Myers, Gordon Bennett, 1904-
Outline of electrocardiography... n. p., Gordon B. Myers, 1943.
1 p. l., ii, 63 l. illus.

48 figures on 24 pages not included in paging.
Mimeographed copy in ring binder.

NM 0921820 MiDW ICRL

Myers, Gordon Bennett, 1904-
Outline of physical diagnosis ... by Gordon B. Myers ... and Dan W. Myers ... [Detroit] °19
v. 27 x 21cm.
Part 2 reproduced from type-written copy.

1. Diagnosis. 2. Chest — Diseases — Diagnosis. 3. Abdomen — Diseases—Diagnosis. I. Myers, Daniel Wilbur, 1909- joint author. II. Title: Physical diagnosis.
44-25621
Library of Congress RC76.M9
[3] 616.075

NM 0921821 DLC DNLM

Myers, Gordon Bennett, 1904-
Outline of physical diagnosis ... by Gordon B. Myers ... and Dan W. Myers ... 1st revision. [Detroit] °19
v. 27 x 21cm.
Part 2 reproduced from type-written copy.

1. Diagnosis. 2. Chest — Diseases — Diagnosis. 3. Abdomen — Diseases—Diagnosis. I. Myers, Daniel Wilbur, 1909- joint author. II. Title: Physical diagnosis.
S G 44-61
U. S. Surg.-gen. off. Library for Library of Congress RC76.M92
[3]† 616.075

NM 0921822 DNLM DLC

Myers, Grace Funk.
"Them missionary women", or Work in the southern mountains. Hillsdale, Mich., 1911.
132 p. port.

1. Methodist Church in Virginia. 2. Methodist Church in Kentucky. I. Title.

NM 0921823 NNC NcWsW MoKU

Myers, Grace (Whiting) 1859-
An autobiography. Chicago, Physicians' Record Co., 1949.
62 p. port. 20 cm.

RC66.M9 926.1 50-13717

NM 0921824 DLC OrU-M DNLM

Myers, Grace (Whiting) 1859-
An autobiography. Chicago, Physicians' Record Co. [c1949]
62 p. port. 20 cm.

NM 0921825 IaU

Myers (Grace Whiting). Care of hospital records, according to the method of the Massachusetts General Hospital, Boston, Mass. 23 pp. 8°. Boston, Barta Press [n. d.]

NM 0921826 DNLM

B610.78 M382my
Myers, Grace Whiting, 1859-
History of the Massachusetts General Hospital, June, 1872 to Dec., 1900. [Boston, 1929]

224 p. plans, plates, ports. 25 cm.

1.Massachusetts General Hospital, Boston. 2.Hospitals in Massachusetts. I.Title.

NM 0921827 IU-M OC1W OC1W-H MiU CtY-M WaU MnU-B KU-M NcGU MB NBuG MBCo ICJ PPC

Myers, Grace (Whiting) 1859- L016.6136 M99
War bibliography. Treadwell Library, Massachusetts General Hospital, Boston, Mass. Compiled by Grace W. Myers, librarian. [Boston, 1917.]
[74] leaves. 33½cm.
Mimeographed.

NM 0921828 ICJ DL CU DNLM MdBJ OU

Myers, Grayce Silverton
see
Petitclerc, Grace (Myers) 1896-

Myers, Gustavus, 1872-1942.
America strikes back; a record of contrasts, by Gustavus Myers ... New York, I. Washburn, inc. [°1935]
x, 408 p. 23 cm.
"The historical record set forth ... [shows] the true contrast of American conditions with the practices and pretensions of countries from which so many criticisms of America have come."—p. 368.

1. U. S.—Civilization. 2. Europe—Civilization. 3. U. S.—Relations (general) with Europe. 4. Europe—Relations (general) with the U. S. 5. Corruption (in politics)—U. S. 6. Fraud. I. Title.
E169.1.M97 917.3 35—22995

NM 0921830 OrP OrPR Or WaSp OrU OrAshS IdU-SB OrCS WaS MB NN ICJ DL ViU MiHM Ok OC1JC OC1 WaTC MtU IdU WaE NcRS NcD NcC WaU PHC NIC MiU KyU KyLx ICRL PBm PV DLC CaBVaU MtBC WaSpG CU KU OKentU KEmT

VOLUME 403

Myers, Gustavus, 1872-1942.
Beyond the borderline of life, by Gustavus Myers; a summing up of the results of the scientific investigation of psychic phenomena, with an account of Professor Botazzi's experiments with Eusapia Paladino, and an abstract of the report of the cross-references by Mrs. Piper, Mrs. Verrall and others which so influenced Sir Oliver Lodge in his decision in favor of the spiritistic hypothesis. Boston, The Ball publishing co., 1910.
2 p. l., 7-249 p. 19½cm.
1. Spiritualism. 2. Psychical research.
Library of Congress BF1051.M8 10-17977

NM 0921831 DLC IdU MH-AH ICJ

Myers, Gustavus, 1872-1942.
The ending of hereditary American fortunes, by Gustavus Myers ... New York, J. Messner, inc. [c1939]
vi, 395 p. 24½ cm.
1. Wealth—U. S. 2. U. S.—Econ. condit. I. Title.
Library of Congress HC103.M78 39—32428
[48k1] 339.20973

WaSpG IdU CaBViP
ViU PHC PSC TU TNJ WaS WaS OrU Or OrCS IdPI WaTC
NM 0921832 DLC NcD ScU NIC MiU ICJ OCl OCU OO OU

Myers, Gustavus, 1872-
The German myth; the falsity of Germany's "social progress" claims, by Gustavus Myers. New York, Boni and Liveright, 1918.
156 p. 19½cm.
"These chapters were originally prepared for the League for national unity, and were issued in serial form by the Committee on public information."
1. Germany — Soc. condit. 2. Labor and laboring classes — Germany. I. Title.
Library of Congress HD8448.M8 19—2244

PP PU ICJ NN MB NIC CU LU DAU
NM 0921833 DLC Or OrU Wa WaSp MtU OCl OU ViU PPCS

Myers, Gustavus, 1872- 330.973 R605
181058 Myers. Geschichte der grossen amerikanischen Vermögen, von Gustavus Myers. Erster-[zweiter] Band. Berlin, S. Fischer, 1916.
2 vol. front. (port.) 23½cm.
Introduction signed: Max Schippel.
Paged continuously.
Bibliographical foot-notes.

NM 0921834 ICJ CaBVaU MnHi MU

Myers, Gustavus, 1872-1942.
Geschichte der grossen amerikanischen Vermögen. Berlin, S. Fischer, 1923.
2 v. port. 23 cm.
1. Wealth—U. S. 2. U. S.—Econ. condit.
HC103.M815 49-56560 rev*

NM 0921835 DLC ICU CSt-H PPG NN PPCS

Myers, Gustavus, 1872-
The history of American idealism, by Gustavus Myers ... New York, Boni and Liveright, 1925.
viii p., 2 l., 13-349 p. 22cm.
1. Idealism. 2. National characteristics, American. 3. U. S.—Soc. condit. I. Title. II. Title: American idealism.
Library of Congress E170.M98 25—6396

ODW OCU MiU NcD ViU ICJ NN MB WaU PP PHC
NM 0921836 DLC OrSaW MtU WaS OrU OrCS WaWW OCl

Myers, Gustavus, 1872-1942.
History of bigotry in the United States, by Gustavus Myers. New York, Random house [1943]
viii, 504 p. 22½ cm.
"First printing."
Bibliographical foot-notes.
1. Religious liberty—U. S. 2. Persecution. 3. Toleration. 4. U. S.—Race question. I. Title: Bigotry in the United States.
BR516.M9 272.9 43—9842

WaSpG OrCS OrPR WaTC OrU OrP
MH-AH ICJS CaBVa Wa WaS CaBViP WaSp IdB CaBVaU Or
OLak PSt PU NcD CU-AL NSyU KyLxCB KyBB OWorP MiU
NM 0921837 DLC OrStbM MtU IdPI WaT NRCR OCH ODW

Myers, Gustavus, 1872-1942.
History of Canadian wealth, by Gustavus Myers ... Chicago, C. H. Kerr & company, 1914.
v. 19½cm.
1. Canada—Econ. condit. 2. Wealth—Canada.
Library of Congress HC115.M85 14-3274

CaBVa MiU OCl WaSpG
NM 0921838 DLC MsU ViU ICJ NN WaU WaS CaBViP OrU

Myers, Gustavus, 1872-
History of public franchises in New York City. (Boroughs of Manhattan and the Bronx.) By Gustavus Myers. [New York: The Reform Club, 1900.] p. 72-206, incl. tables. 8°.
Caption-title.
Excerpt: Municipal affairs. v. 4.
11286A. 1. New York City.—Franchises.
N. Y. P. L. November 29, 1921.

NM 0921839 NN MB ICJ ICN MH-BA

HD
2767
.N75
N5
M98
Myers,Gustavus,1872-1942.
The history of public franchises in New York City,boroughs of Manhattan and the Bronx. New York, Reform Club,Committee on City Affairs [1900?]
206 p.
"Reprinted from March,1900,issue of Municipal affairs."
1.Municipal franchises--New York (City)
2.Public utilities--New York (City)
I.Title.

NM 0921840 MiU

Myers, Gustavus, 1872-
The history of Tammany hall, by Gustavus Myers ... New York, The author, 1901.
xxi, 357 p. 19cm.
1. New York (City)—Pol. & govt. 2. Tammany hall.
Library of Congress JK2319.N56M9 1—30795

OCl ODW OClWHi MB OrU ICJ NN Nh NjP CaBViP
NM 0921841 DLC FMU NcD TxFTC MeB CoU ViU PSC PU

Myers, Gustavus, 1872-1942.
The history of Tammany hall, by Gustavus Myers ... 2d ed., rev. and enl. New York, Boni & Liveright, inc., 1917.
xx, 414 p. 21 cm.
First published 1901.
1. New York (City)—Pol. & govt. 2. Tammany hall.
JK2319.N56M9 1917 17—31564

NjP NN MtU OrCS OrPR OrU WaTC NcGU WaS
NM 0921842 DLC MiU FTaSU PU PHC PSC MiU OCl ViU

Myers, Gustavus, 1872-1942.
History of the great American fortunes, by Gustavus Myers ... Chicago, C. H. Kerr & company, c1909-
v. front. (v. 3) plates, ports. 19½cm.
CONTENTS.—I. pt. I: Conditions in settlement and colonial times. pt. II. The great land fortunes.—II-III. Great fortunes from railroads.

NM 0921843 ViU PHC OCl OCU MH FMU IU ScCleU CoU

Myers, Gustavus, 1872-
History of the great American fortunes, by Gustavus Myers ... Chicago, C. H. Kerr & company, 1910.
3 v. front. (v. 3) plates, ports. 19½cm.
CONTENTS.—I. pt. I. Conditions in settlement and colonial times. pt. II. The great land fortunes.—II-III. Great fortunes from railroads.
1. Wealth. 2. U. S.—Econ. condit.
Library of Congress HC103.M8 9—32250

WaSpG OClW OO OU OOxM PHi ICJ NN
NM 0921844 DLC NIC NcD OKentU WaS CaBViP OrStbM

Myers, Gustavus, 1872-
History of the great American fortunes, by Gustavus Myers ... Chicago, C. H. Kerr & company, 1911.
3 v. front. (v. 3) plates, ports. 19½cm.
CONTENTS.—vol. I. pt. I. Conditions in settlement and colonial times. pt. II. The great land fortunes.—vol. II-III. Great fortunes from railroads.
1. Wealth. 2. U. S.—Econ. condit.
Library of Congress HC103.M8 1911 14—224

NN MB PU
NM 0921845 DLC CaBVa OrPR NcRS NjP NvU MiU OFH

Myers, Gustavus, 1872-1942.
History of the great American fortunes, by Gustavus Myers. New York, The Modern library [c1936]
2 p. l., 7-732 p. 21 cm. (Half-title: The Modern library of the world's best books)
"First Modern library edition, 1936."
"This edition ... is ... an entirely new book."—Publishers' note.
Previously published in three volumes.
CONTENTS.—Conditions in settlement and colonial times.—The great land fortunes.—The great fortunes from railroads, trusts, banks, industry, and other sources.
1. Wealth—U. S. 2. U. S.—Econ. condit.
HC103.M8 1936 339.2 36—31209

OU IaU CU AU MiU WaSpG ViU
WaTC IdU OrSaW WaS NbU DAU MsU MB IU KyWAT MoU
MtBuM NcRS PPLas OLak OCl WaU Ok NN PHC PP NIC
NM 0921846 DLC WaSpG KMK IdB KEmT DSI Wa UU NBuU

MYERS, GUSTAVUS, 1872-1942.
History of the great American fortunes by Gustavus Myers. New York, The Modern library [c1937]
2p.ℓ.,7-732p. 21cm. (Half-title: The modern library of the world's best books)
"This edition ... is ... an entirely new book." - Publishers' note.
Previously published in three volumes.
CONTENTS.—Conditions in settlement and colonial times.—The great land fortunes.—The great fortunes from railroads, trusts, banks, industry, and other sources.
1. Wealth. 2. U.S. - Econ. condit.

NM 0921847 TxU IdPI IU OClW OO ICU CaBVaU CaBVa

Myers, Gustavus, 1872-1942.
History of the Supreme court of the United States, by Gustavus Myers ... Chicago, C. H. Kerr & company, 1912.
1 p. l., 5-823 p. 20 cm.
1. U. S. Supreme court.
JK1561.M8 12—14453

OrCS IdPI
NcC NcU-L NIC FOH WaU-L OrU Or OrAshS WaS WaWW
NM 0921848 DLC GU-L NRCR PU Ok OFH ICJ MeB NB MB

VOLUME 403

Myers, Gustavus, 1872–1942.
History of the Supreme court of the United States, by Gustavus Myers ... Chicago, C. H. Kerr & company, 1918.
1 p. l., 5-823 p. 20cm.

1. U. S. Supreme court.

25—18956

Library of Congress JK1561.M8 1918

NM 0921849 DLC OKentU TU OOxM ViU NN IdU-L

Myers, Gustavus, 1872–
History of the Supreme court of the United States, by Gustavus Myers ... Chicago, C. H. Kerr & company, 1925.
1 p. l., 5-823 p. 20cm.

1. U. S. Supreme court.

30-8746

Library of Congress JK1561.M8 1925

OCl OCU OU ViU
NM 0921850 DLC NBuU-L NcD-L MU OrSaW CaBViP NcRS

Myers, Gustavus, 1872–1942.
Ye olden blue laws, by Gustavus Myers ... New York, The Century co., 1921.
vi p., 3 l., 274 p. front., plates. 19½ cm.
"References": p. 260–274.

1. Law—Massachusetts (Colony) 2. Law—Massachusetts (New Plymouth) 3. Law—Connecticut (Colony) 4. Law—Virginia (Colony) I. Title. II. Title: Blue laws, Ye olden.

21—8921

WaU-L OrStbM Wa WaTC
PHi NN MB NcD-L CU-AL MoU WaS OrPR OrCS Or OrU
NM 0921851 DLC OKentU NcC MiU OCl OU MWA PU PP

HCA83
.MY
Myers, Gustavus, 1872-
The origin of great private fortunes, or how did our plutocrats really get their wealth? Chicago, C.H. Kerr & Co. [n.d.]
24, 4 p. 16 cm.

Cover title.

1. Wealth. 2. U.S. - Economic conditions.

NM 0921852 WHi MH

*BROAD-
SIDE
1925
.M9
Myers, H P
Blackstone College for Girls, Blackstone, Virginia, 1894–1925; past, present and future. [Blackstone? Va., 1925?]
broadside. 15 x 24cm. fold. to 15 x 8cm.
Caption title: A greater Blackstone.

1. Blackstone College for Girls, Blackstone, Va. 2. Private schools—Va.—Blackstone.

NM 0921853 ViU

Myers, H.W.
The pheasant industry. Tacoma, Wash. [1911] 37(1) p., 1 pl. illus. [2. ed.] 12°.

1. Pheasant.—Industry.
N. Y. P. L. December 2, 1911.

NM 0921854 NN

Myers, H W
The pheasant industry, by H. W. Myers. Ed. 2. [Tacoma, Wash., 1910?]
37, [3] p. illus. 18cm.

1. Pheasant.

Agr 11-241

Library, U. S. Dept. of Agriculture 47M98

NM 0921855 DNAL ICJ

Myers, Hallie.
... Promotion of safety on the highways, by Hallie Myers ... (A paper presented at the twenty-fourth annual Purdue road school held at Lafayette, Indiana, on January 24-28, 1938) Lafayette, Ind., Purdue university, 1938.
26 p. illus. 22½cm. (Extension series no. 40. Engineering extension department)
On cover: Engineering bulletin. Purdue university. vol. XXII, no. 2. March, 1938.

1. Accidents — Prevention. 2. Roads — Indiana. 3. Communication and traffic—Indiana. I. Title.

38-28331

Library of Congress HE5614.M92
[5] 388.109772

NM 0921856 DLC CoU OCU OU ViU PPT

Myers, Harold Bunce, 1886-1937
William Withering, m.d., f.r.s. Read before the U. of O. Medical school history club. n.d.

NM 0921857 OrU-M

Myers, Harold Edwin, 1907–
Physi[c]ochemical reactions between organic and inorganic soil colloids as related to aggregate formation, by H. E. Myers ... [Baltimore, 1937]
cover-title, p. 331-359 incl. pl., diagrs. 26 cm.
Thesis (PH. D.)—University of Missouri, 1937.
Biography.
"Missouri Agricultural experiment station, Journal series no. 522."
"Reprinted from Soil science, vol. 44, no. 5, November, 1937."
"References": p. 355-357.

1. Soil colloids.

S593.M9 1937 631.42 38—24329

NM 0921858 DLC PPT OCU OO NcD MH

Myers, Harold W
... Grafologia; a escrita e o carácter. Tradução de Bemvinda Martins. Lisboa, Editora Argo, 1941.
67, [1] p., 1 l. illus. (facsims.) 18½cm. (Mosaico da cultura, no. 1022)

1. Graphology. I. Martins, Bemvinda, tr.

43-38931

Library of Congress BF891.M9

NM 0921859 DLC

Myers, Harriet Williams, 1867–
The birds' convention, by Harriet Williams Myers ... with illustrations from photographs by the author. Los Angeles, Calif., Western publishing co. [c1913]
81 p. incl. illus., pl. 22cm. $0.75

1. Birds—Juvenile and popular literature. I. Title.

13-7094

Library of Congress QL676.M95

NM 0921860 DLC OrU CU

F870
B3M9
Myers, Harriet (Williams) 1867-
California state bird candidates. Introd. by Mrs. F. T. Bicknell. Illus. by Warner Lincoln Marsh. [Los Angeles] California Audubon Society [1928]
57 illus. 19cm.

1. Birds - California. I. California Audubon Society. II. Title.

NM 0921861 CU-B

Myers, Harriet Williams, ed.

QL671
.P5
The Phainopepla; issued by the California Audubon society in co-operation with the National assn. of Audubon societies. v. 1-4; Oct. 1928-June 1932. Los Angeles [1928-32]

Myers, Harriet Williams.
Western birds, by Harriet Williams Myers ... New York, The Macmillan company, 1922.
xii, 391 p. front., plates. 20½cm.
Plates printed on both sides.

1. Birds—The West. I. Title.

22—21243

Library of Congress QL683.M9

CaBViP
TxU OrU MiU OClh OO PPAN PBa ICJ NN MB ICF-A WaU
NM 0921863 DLC CSt CU OKentU WaWW OrCS OrLgE Or

598.2
M99w
1923
Myers, Harriet Williams.
Western birds. 2d ed. rev. New York, Macmillan, 1923. [c1922]
xii, 391p. illus. 21cm.

1. Birds--The West.

NM 0921864 IU MtU Wa CU LU OCl

929.2
W728m
Myers, Harriet Williams, 1867-
We three: Henry, Eddie and me. [Los Angeles? 1945]
145,3p. ports. 28cm.

Author's autograph presentation copy.

1.Williams family. 2.Williams, Henry Smith, 1863-1943. 3.Williams, Edward Huntington, 1868-1944. 4.Myers, Harriet Williams, 1867- I.Title.

NM 0921865 CLSU CU MH

MYERS, HARRIET WILLIAMS, 1867-
We three, Henry, Eddie and me. [Los Angeles, 1946] 145, 3 p. illus., ports., coat of arms. 28cm.

"Supplementary, 1946," 3 p. at end.

1. Williams, Henry Smith, 1863-1943. 2. Williams, Edward Huntington, 1868-1944. 3. Williams family.

NM 0921866 NN CU-B ICN

Myers, Harriett.
Mary Hallock Foote. 1940
4, [1]. 5 l.

Typed manuscript.

NM 0921867 IdB

Myers, Harrison, 1910–
Essential techniques in securing and holding the right job, by Harrison Myers, Jr. [and] Paul R. Jackson. 1948 [i. e. 2d] ed. Los Angeles, Vocational Research Bureau, 1948.
x, 51 p. illus. 23 cm.
The 1941 ed., by Harrison Myers, Jr., has title: The techniques of securing and holding the first job.
Bibliography: p. 51.

1. Applications for positions. I. Jackson, Paul Riley, 1905– joint author. II. Title.
HF5383.M97 1948 371.425 49-3658*

NM 0921868 DLC OCl KEmT InU

Myers, Harry, 1884–
Human engineering, by Dr. Harry Myers ... with a chapter by Mason M. Roberts ... New York and London, Harper & brothers, 1932.
viii p., 1 l., 318 p. diagrs. 21cm.
"First edition."
"How to get and maintain order, by Mason M. Roberts": p. 130-135.
"Acknowledgments", containing bibliography: p. 313-315.

1. Success. 2. Efficiency, Industrial. 3. Work. 4. Conduct of life. I. Roberts, Mason M. II. Title.
[Full name: Harry Homer Myers]

32—26248

Library of Congress HF5386.M88
——— Copy 2.
Copyright A 48894 [33t5] [658.3] 174

NcD IdU WaS CtY-M CU OrCS
NM 0921869 DLC CaBVa OCl OCU DL MB PP OKentU NcC

VOLUME 403

Myers, Harry, 1884-
The value of order, by Dr. Harry Myers. [Deep River, Conn., Pub. for National foremen's institute] E.H. Tingley, c1942.
21 p. 19 cm.
1. Success. 2. Efficiency, Industrial. I. Title.

NM 0921870 IaU CU

Myers (Harry C.) [1864-]. * Ueber Dichlormethylparaconsäure. 17 pp. 8°. Strassburg, J. H. E. Heitz, 1891.

NM 0921871 DNLM CU

MYERS, HARRY HUDSON, 1885-
Myers genealogical record. With notes. Columbia--Cedarville, Herkimer county, New York state, Mohawk valley. DeBary, Fla., 1955. 16 l. 29cm.
"Progenitors: Myers, Orendorf, Runyon."
"Genealogy of Myers" (1 l.) inserted.
1. Myers family. 2. Orendorf family. 3. Runyon family.

NM 0921872 NN

Myers, Harry J 1906-
History of identification in the United States, compiled by Harry J. Myers, II ... Chicago, Institute of applied science [°1941]
32 p. illus. (ports.) 23cm.
Author's portrait on t.-p.
Bibliographical foot-notes.
1. Finger-prints. I. Chicago. Institute of applied science. II. Title.
Library of Congress HV6074.M9 41-20585
[2] 573.6

NM 0921873 DLC

Myers, Harry Joseph, 1874- comp.
College and private school directory of the United States. [v. 1]-
Chicago, Educational bureau incorporated [°1907-

Myers, Harry M
Back trails, being the tale of many a trek a-foot, a-mush and a-saddle, as told by Harry M. Myers and William A. Myers, father and son, in copy to the city editor, in letters home, and in the diary of a National Park ranger, July 1929, to September, 1932, by Deke and Bill. Lapeer, Mich., H. M. Myers [c1933]
269 p. illus. 23 cm.
No. 135 of 500 copies.
1. Alaska--Descr. & trav. I. Myers, William A., jt.au. II. Title.

NM 0921875 AkU

Myers, Harry Marcus, joint author.
... The mechanism of lubrication
see under Barnard, Daniel P., and others.

Myers, Harry S.
Workers together; a study of Christian partnership, by Harry S. Myers and F. A. Agar. New York, Chicago [etc.] Fleming H. Revell company [°1931]
96 p. 19½cm.
Bibliography: p. 96.
1. Christian life. 2. Church work. I. Agar, Frederick Alfred, 1872- joint author. II. Title.
Library of Congress BV4501.M85H8 31-15099
Copyright A 38448 [3] 248

NM 0921877 DLC NcD

Myers, Harry Salisbury, 1917-
An evaluation of agronomic farm practices with implications for agricultural education. [Ithaca, N.Y.] 1952.
xv,200 l. illus. 27cm.
Thesis (Ph.D.)—Cornell Univ., Sept., 1952.

NM 0921878 NIC

Myers, Harvey, 1828-1874.
Code of practice in civil and criminal cases
see under Kentucky. Laws, statutes, etc.

Myers, Harvey, 1828-1874, ed.
Kentucky. *Laws, statutes, etc.*
... A digest of the general laws of Kentucky, enacted by the legislature, between the fourth day of December, 1859, and the fourth day of June, 1865. Embracing the general laws passed since the publication of Stanton's edition of the Revised statutes. With notes of the decisions of the Court of appeals of Kentucky: with an Appendix containing the laws of the winter session, 1865-'66. By Harvey Myers. Cincinnati, R. Clarke & co., 1866.

Myers, Harvey, 1828-1874, ed.
Hughes, James.
A report of the causes determined by the late Supreme court for the district of Kentucky, and by the Court of appeals, in which titles to land were in dispute. [1785-1801] By James Hughes. Century ed. Ed. by Harvey Myers. Cincinnati, O., The W. H. Anderson co. [°1869]

YA: 21904
Myers, Harvey, 1828-1874.
Speech in the sixth congressional district of Kentucky. Delivered at Covington, October 29, 1872. n.p., n.d.
16 p.

NM 0921882 DLC

Myers, Hazel Irene, 1888-
see
Myers, Irene, 1888-

Myers, Helen Elizabeth, 1910-
M1619 .5 .S79M5 Phon Case
Stevenson, Robert Louis, 1850-1894.
A child's garden of verses, by Robert Louis Stevenson—with songs, sound and color. A talking book—directed by Will Adams and John Drake. Original music by Helen Myers, sung by Josephine Therese, paintings by H. Willebeek Le Mair. An R. C. A. recording. Philadelphia, David McKay company, °1940.

Myers, Helen Elizabeth, 1910-
Noah's ark, retold by Helen E. Myers, illustrated by Charlotte Steiner. Garden City, N. Y., Garden City publishing co., inc., °1941.
[17] p. illus. (part col.) 26½ x 26½cm.
Illustrated lining-papers.
I. Steiner, Charlotte, illus. II. Title.
Library of Congress PZ7.M983No 41-22953

NM 0921885 DLC WaSp PP

Myers, Helen Elizabeth, 1910-
Bannerman, *Mrs.* Helen.
The story of Little Black Sambo, by Helen Bannerman. Told by Helen Myers, with sound effects, color, and incidental music. A talking book directed by Will Adams and John Drake. Illustrations by Helen Bannerman. An R. C. A. Victor recording. Philadelphia, David McKay company [°1940]

Myers, Henry.
O King, live forever; a novel. New York, Crown Publishers [1953]
214 p. 22 cm.
I. Title.
PZ3.M99064O 53-5675 ‡

NM 0921887 DLC PWcS OCl PP GU OU CaBVa OrP WaE WaS WaT

Myers, Henry.
Our lives have just begun; a novel by Henry Myers. New York, Frederick A. Stokes company, 1939.
4 p. l., 212 p., 1 l. illus. 21cm.
Title on two leaves.
"Illustrations ... by Frank Lieberman."
1. Children's crusade, 1212—Fiction. I. Title.
Library of Congress PZ3.M99064Ou 39-4483

NM 0921888 DLC OCl OEac PPL ICRL NN OrU IdU

Myers, Henry.
The utmost island. New York, Crown Publishers [1951]
216 p. 21 cm.
1. Olav I Tryggvason, King of Norway, 968?-1000—Fiction. I. Title.
PZ3.M99064Ut 51-6679 ‡

NM 0921889 DLC NN MH UU TxU ViU OClU MiU KU NcU MB N CoU DAU IaAS IaU CaBVa CaBVaU OrCS IdB IdPI Or OrCS OrU OrP WaE WaS WaSp WaSpG WaT KMK

FILM 12767 PS
Myers, Henry, dramatist.
Hallowe'en, a play. Hollywood, Calif., 193-?
3 pts. on 1 reel (various pagings) On film (Negative)
Microfilm. Original in Library of Congress Copyright Office.

NM 0921890 CU

Myers, Henry, dramatist.
"Hallowe'en;" a play by Henry Myers... [New York, 1936] 42, 36, 23 f. 30cm.
Typewritten.
First New York production at the Vanderbilt theatre, Feb. 20, 1936.
148840B. 1. Drama, American. I. Title.
N. Y. P. L. April 27, 1942

NM 0921891 NN

Myers, Henry, religious writer.
God mends, by Henry Myers... London: J. M. Watkins, 1932. 96 p. 16cm.
"Bibliography," p. 95-96.
3163B. 1. Mental healing. I. Title.
N. Y. P. L. December 29, 1939

NM 0921892 NN

VOLUME 403

BT 2512 .M99 1937 n.c.
Myers, Henry, religious writer.
Helpful words for pilgrims on the mystic way ... [8th ed.] London, J. M. Watkins, 1937.
116 p. 15cm.
Pages 111-116 blank for notes.
1. Mysticism. 2. Quotations, English.

NM 0921893 DCU

Myers, Henry Alonzo, 1906–
Are men equal? An inquiry into the meaning of American democracy, by Henry Alonzo Myers. New York, G. P. Putnam's sons [1945]
viii p., 1 l., 188 p. 20 cm.
1. Equality. 2. Democracy. 3. U. S.—Pol. & govt. I. Title.
JC421.M96 323.41 45—2082

NM 0921894 DLC CoU WaT ViU OCl OClW OU PP PBm PSt NcD Or OrP OrSaW OrU WaS WaTC CU-I

Myers, Henry Alonzo, 1906–
Are men equal? An inquiry into the meaning of American democracy. Ithaca, N. Y., Great Seal Books [1955, °1945]
188 p. 19 cm.
1. Equality. 2. Democracy. 3. U. S.—Pol. & govt. I. Title.
[JC421] 323.41 55—3876 ‡
Printed for U. S. Q. B. R. by Library of Congress [59m1]

NM 0921895 PSt KEmT OCU OClJC MU NIC MiU OOxM Wa MiU NIC MU IdPI IdU NBuU CaBVaU OrPR OrCS MtU AU NbU AAP TxU FMU WaU AU OClU NcGU PBL PV PP PPT MiHM ViU-L CtY-L CLU

Myers, Henry Alonzo, 1906-
Half-pint. [New York, Z. & L. Rosenfield, n. d.] 34, 34, 26 l. 28cm.
Typescript.
1. Drama, American. 2. Drama, —Promptbooks and Typescripts. I. Title.

NM 0921896 NN

Myers, Henry Alonzo, 1906–
An introduction to the timely and synoptic elements of metaphysics, illustrated by the logic (synoptic element) and history (timely element) of the conceptions of perspectives and the metaphysical object appearing in the logos of Heraclitus, the attributes and substance of Spinoza, the perspectival monads of Leibniz, the categories and absolute of Hegel, and the concepts and intuition of Bergson ... by Henry Alonzo Myers ... [Ithaca, N. Y., 1933]
[4] p. 27cm.
Abstract of thesis (PH. D.)—Cornell university, 1933.
1. Metaphysics. I. Title: The timely and synoptic elements of metaphysics.
34-12468
Library of Congress BD111.M9 1933
Cornell univ. Libr. [2] 110

NM 0921897 NIC OU DLC

Myers, Henry Alonzo, 1906–
A short history of English literature, with reading references, by Henry Alonzo Myers ... and Elsie Phillips Myers ... Ithaca, N. Y., The Thrift press, °1938.
2 p. l., 124 p. 23cm.
"Reading references": p. 116–121.
1. English literature—Hist. & crit. I. *Myers, Mrs. Elsie (Phillips) joint author. II. Title.
39-31450
Library of Congress PR85.M9
——— Copy 2.
Copyright A 135175 [2] 820.9

NM 0921898 DLC CoU WaU ViU

Myers, Henry Alonzo, 1906–
A short history of English literature, with reading references, by Henry A. Myers and Elsie Phillips Myers. 2d ed. Ithaca, N. Y., Thrift Press, °1952.
124 p. 23 cm.
Includes bibliography.
1. English literature—Hist. & crit. I. Title.
PR85.M9 1952 820.9 52–4497 ‡

NM 0921899 DLC

Myers, Henry Alonzo, 1906–
The Spinoza-Hegel paradox, a study of the choice between traditional idealism and systematic pluralism, by Henry Alonzo Myers ... Ithaca, N. Y., Cornell university press, 1944.
xii p., 1 l., 95 p. 22cm.
"References": p. 93–95.
1. Hegel, Georg Wilhelm Friedrich, 1770–1831. 2. Spinoza, Benedictus de, 1632–1677. 3. Idealism. 4. Pluralism. I. Title.
44-2784
Library of Congress B2948.M9
[10] 193.5

NM 0921900 DLC CaBVaU IdU OrU OClW OO PBm PSt MB PPWe

Myers, Henry Lee, 1862-
U. S. *Congress. Senate. Committee on public lands.*
... Development of water power ... Report. <To accompany H. R. 408.> [Washington, Govt. print. off., 1916]

Myers, Henry Lee, 1862- FOR OTHER EDITIONS SEE MAIN ENTRY
U. S. *Congress. Senate. Committee on public lands.*
Development of water power ... Report. <To accompany H. R. 16673.> [Washington, Govt. print. off., 1915]

Myers, Henry L., 1862-
U. S. *Congress. Senate. Committee on public lands.*
... Exploration for and disposition of phosphate, oil, gas, and potassium ... Report. <To accompany H. R. 16136.> [Washington, Govt. print. off., 1915]

UB357 .A5 1918 b
Myers, Henry Lee, 1862-
U. S. *Congress. Senate. Committee on public lands.*
... Homes for returning soldiers and sailors ... Report. <To accompany S. 4947.> ... [Washington, Govt. print. off., 1918]

Myers, Henry Lee, 1862-
U. S. *Congress. Senate. Committee on public lands.*
Oil lands leasing bill; hearing before the Committee on public lands, United States Senate, Sixty-third Congress, third session, on H. R. 16136, An act to authorize exploration for and disposition of coal, phosphate, oil, gas, potassium, or sodium ... Washington, Govt. print. off., 1915.

Myers, Henry L, 1862-
Walsh, Thomas J.
... Recall of judges. Address delivered by Hon. T. J. Walsh ... before the Washington state bar association, Spokane, Wash., July 28, 1911 ... Washington [Govt. print. off.] 1911.

Myers, Henry Lee, 1862-
Shall the inner government or the constitutional government rule? 1919-

NM 0921907 PPProM

Myers, Henry Lee, 1862–
The United States Senate: what kind of body? By Henry Lee Myers; observations and reminiscences of a former senator from Montana. Philadelphia, Dorrance and company [°1939]
125 p. 20cm.
1. U. S. Congress. Senate. 2. U. S.—Pol. & govt.—20th cent.
39–17349
Library of Congress JK1161.M9
——— Copy 2. [3] 328.73

NM 0921908 DLC OrU MtHi MtBC Or CSt-H MB OClW OU PP

UB357 A5 919 g
Myers, Henry Lea, 1862-
U. S. *Congress. Senate. Committee on public lands.*
... Work and homes for returning soldiers, sailors, and marines ... Report. <To accompany S. 5652.> [Washington, Govt. print. off., 1919]

Myers, Henry Morris, *d.* 1872.
Life and nature under the tropics; or, Sketches of travels among the Andes, and on the Orinoco, Rio Negro, Amazons, and in Central America. By H. M. and P. V. N. Myers. Rev. ed. New York, D. Appleton and company, 1871.
3 p. l., [v]–xvi, 358 p. 7 pl. (incl. front.) fold. map. 20cm.
Narrative of a scientific expedition sent out by the Lyceum of natural history of Williams college in the summer of 1867. The present edition includes a brief record of an expedition to Honduras in 1870–1871.
1. South America—Descr. & trav. 2. Scientific expeditions. 3. Honduras—Descr. & trav. I. Myers, Philip Van Ness, 1846–1937, joint author.
17—3656
Library of Congress F2216.M98

NM 0921910 DLC DNLM MWA PPFr IU MeB NcU TxU MH NcD MU NIC MdBP PPT

Myers, Henry Stanley, 1915–
The electrodeposition of molybdenum ... by Henry Stanley Myers. New York city, 1941.
2 p. l., 34 p., 1 l. diagrs. 23cm.
Thesis (PH. D.)—Columbia university, 1941.
Vita.
"References": p. 33–34.
1. Molybdenum. 2. Electroplating.
41–25634
Library of Congress QD181.M7M8
[2] 671

NM 0921911 DLC WaS CU ICJ PPT

MYERS, Henry T.
The American automobile industry.
Typewritten.
nar. f°. Illustrated with clippings.

NM 0921912 MH-BA

---

390 M992
Myers, Herbert, 1922-
Seminar abstract. [n.p.] 1950.
4,5 l.
1. Enzymes. I. Plapinger, Robert E joint author.

NM 0921913 DNAL

Myers, Herbert, 1922–
The synthesis of hydrastic acid. Studies on the degradation of picropodophyllin. Studies on the synthesis of podophyllotoxin. [College Park, Md.] 1951.
88 l. diagrs., tables. 28 cm.
Typescript (carbon)
Thesis—University of Maryland.
Vita.
Bibliography: leaves 35–36, [51], [87]–88.
1. Chemistry, Organic—Synthesis. 2. Hydrastic acid. 3. Podophyllotoxin.
QD262.M9 A 55–10596
Maryland. Univ. Libr. for Library of Congress [3]†

NM 0921914 MdU DLC

VOLUME 403

Myers, Herbert J.
How to set standards; Jordan prize competition, by Herbert J. Myers ... William L. Keating ... [and] J. C. Metsch ... New York city, National association of cost accountants [c1931]
iv p., 3 l., 98 p. incl. diagr., forms. 22½cm.
Contains the three prize winning essays of a competition open to members of the National association of cost accountants. cf. Foreword.
1. Standardization. 2. Cost—Accounting. I. Keating, William L. II. Metsch, J. C. III. National association of cost accountants. IV. Title. V. Title: Jordan prize competition.
Library of Congress HD62.M8 [3] 31-19783
Copyright A 39162 658.516

NM 0921915 DLC ICJ NcD WaS MiU OCl OCU PPT PU-W

Myers, Herbert J
...The installation of standard costs... [New York, National association of cost accountants] 1931.
p.[1841]-1857. 0. (National association of cost accountants. Bulletin, Vol.XII, no.23 [Sect.I])
"Suggested bibliography": p.1857.

NM 0921916 IaU

Myers, Herbert J
Simplified time study, for factory supervisors, shop stewards and cost men, by Herbert J. Myers ... New York, The Ronald press company [1944]
viii, 140 p. incl. illus., forms. 22cm.
1. Time study.
Library of Congress T58.M92 [15] 44-47209 658.5421

PP-W MiHM CaBVa
NM 0921917 DLC NcD NcGU NcRS TU OCl OU PPD PSt

Myers, Herman.

Savannah, *Ga. Mayor, 1899-1901 (Herman Myers)*
Facts in favor of deepening the river and harbor at Savannah, Georgia, from 26 feet to 28 feet at mean high water ... [Savannah] 1900.

Myers, Howard, 1894- ed.
The house for modern living. 107 small house designs
see under **Architectural Forum.**

Myers, Howard, 1894-
Notes for talk: Past mistakes in public housing ... Annual meeting [of] National association of housing officials, Cleveland, Ohio, October 11, 1946. [Cleveland? 1946]
15 l. 28cm.
1. Housing - U.S.

NM 0921920 NNC

Myers, Howard Barton, 1901-
Another census of unemployment? ... (Chicago?) 1937.
p. 521-533. 24 cm.
(Reprinted from American journal of sociology, v. 42, no. 4, Jan., 1937)

NM 0921921 DL

Myers, Howard Barton, 1901-
... Defense migration [by] Howard B. Myers ... [Washington, 1942]
16 p. maps, tables, diagrs. 27 x 20½cm.
Caption title.
Reproduced from type-written copy.
"Testimony to be presented to the House committee investigating national defense migration, February 4, 1942."

Continued in next column

Continued from preceding column

1. Migration, Internal. 2. Labor supply—U. S. I. U. S. Congress. House. Select committee investigating national defense migration. II. Title.
Library of Congress HD5724.M93 [2] 45-31938 331.796

NM 0921922 DLC

331.8 M98e
Myers, Howard Barton, 1901-
Effects of the national defense program on unemployment and need, by Howard B. Myers. Chicago, Ill., American public welfare association [1941]
12p.
"Delivered at the National conference of social work, Atlantic City, New Jersey, June 5,1941."
1. World war, 1939- --Economic aspects--U.S. 2. Unemployed--U.S. I. Title.

NM 0921923 IU NN PBm PPT

Myers, Howard Barton, 1901-
The policing of labor disputes in Chicago; a case study. 1929.
iii, 1207 l. 29 cm.
Typescript (carbon copy)
Thesis—University of Chicago.
Bibliography: l. 1198-1207.
1. Labor disputes—Chicago—Case studies. 2. Strikes and lockouts—Chicago—Case studies. 3. Chicago—Police. 4. Labor laws and legislation—Illinois. I. Title.
HD5326.C4M83 331.89'29773'11 73-172687

NM 0921924 DLC ICU

Thesis R.T.S. B.D. 1924
Myers, Howard Fitch, 1894-1947.
The Chinese Renaissance. [Rochester, N. Y.] 1924.
vi., 77 l. 29 cm.
Thesis (B. D.) - Rochester Theological Seminary.
Includes Bibliography.
1. China - History. I. Rochester Theological Seminary, Rochester, N. Y. Thesis, B. D. II. Title.

NM 0921925 NRCR

Myers, Howard Fitch, 1894-1947.
A menace to our Baptist missions. [n.d.] [Rangoon, 1926]
23 p.

NM 0921926 NRCR KyLoS

Myers, Hugh Irvin, 1910-
... Graafian follicle development throughout the reproductive cycle in the guinea pig, with especial reference to changes during oestrus (sexual receptivity) ... Philadelphia, The Wistar institute press [1936]
cover-title, 381-401 p. incl. 3 pl., diagr. 25½cm.
Thesis (PH. D.)—Brown university, 1935.
At head of title: Myers, Hugh Irvin, William Caldwell Young and Edward Wheeler Dempsey.
Descriptive letterpress on versos facing the plates.
"Reprinted from the Anatomical record, vol. 65, no. 4, July, 1936."
"Literature cited": p. 395.
1. Graafian follicle. 2. Estrus. 3. Guinea-pigs. I. Young, William Caldwell, 1899- joint author. II. Dempsey, Edward Wheeler, 1911- joint author.
Library of Congress QL965.M98 [r43d2] 37-1181 Revised 591.172

NM 0921927 DLC RPB PBL OCU OO NcD

Myers, I. H., tr.

Rabaud, Étienne, 1868-
How animals find their way about; a study of distant orientation and place-recognition, by Etienne Rabaud ... tr. by I. H. Myers ... London, K. Paul, Trench, Trubner & co. ltd.; New York, Harcourt, Brace and company, 1928.

Myers, I M A ed.
Facts about industrial training in Clarendon Negro schools, session 1910-1911. Edited by I.M.A.Myers, assisted by Eveh Shawnee. n.p., Jeanes Foundation, [1911?]
10 p.

NM 0921929 TNF

Myers, Irene, 1888-
The face in the forest. What bib sister brought Bobbie, by Irene Myers... Kansas City, Mo., [c1912]

PZ7 .M985 F

NM 0921930 DLC

Myers, Irene *i. e.* **Hazel Irene,** 1888-
Home study course of Mother's kindergarten school, by Irene Myers, in seventeen lessons. Kansas City, Mo. [Printed by the Franklin Hudson publishing co.] 1914.
2 p. l., [3]-202 p. illus. 22cm. $3.00
Seventeen parts and twenty-six lessons; each part has special title-page. Contains bibliographies.
Revised edition [c1915] by Minnie Bell Myers and Hazel Irene Myers.
1. Kindergarten—Methods and manuals. I. Mother's kindergarten school, Kansas City, Mo.
Library of Congress LB1169.M8 14-13888

NM 0921931 DLC DHEW

Myers, Irene Tanner, d.1941.

Kentucky state federation of women's clubs. *Education committee.*
Report of Education committee of the Kentucky federation of women's clubs at Mt. Sterling, June 21, 1906. "Public schools of Kentucky," by Mrs. Herbert W. Mengel. "Higher education in Kentucky," by Dean Irene T. Meyers. Louisville, G. G. Fetter company, 1906.

Myers, Irene Tanner, d. 1941.
Report on the archives of the state of Kentucky ...
(*In* American historical association. Annual report ... for the year 1910. Washington, 1912. 24½ cm. p. 331-364)
Appendix c of the report of the Public archives commission, 1910.
——— Separate.
CD3251.M8
1. Archives—Kentucky.
E172.A60 1910 CD 17-852

NM 0921933 DLC WaTC MiU OCU MB

Myers, Irene Tanner, d.1941.
... A study in epic development, by Irene T. Myers, PH. D. New York, H. Holt and company, 1901.
159 p. 22½cm. (Yale studies in English, XI)
Bibliography: p. 149-156.
1. Epic poetry—Hist. & crit. I. Title.
Library of Congress PN1303.M8 4-1834

PPD PU MiU OCl OCU OU MB ViU
NM 0921934 DLC NjP IdU WaS MoU KyU KyLx MdBP PHC

Myers, Irene Tanner, d.1941. 4007.196
Training for power, or for money?
= Boston. Sloyd Training School. [1901.] 6 pp. 8°.

E6704 — Sloyd Training School, Boston. — Sloid. — T.r.

NM 0921935 MB

VOLUME 403

Myers, Irvin H
Science meets religion, a new approach to the concept of evolution. [1st ed.] New York, Exposition Press [1953]
241 p. 21 cm.
1. Religion and science—1900- 2. Evolution. I. Title.
BL263.M9 215 53-6718 ‡
NM 0921936 DLC MB

Myers, Irving Evan, 1918-
Mexico's modern architecture, by I. E. Myers in cooperation with the National Institute of Fine Arts of Mexico. New York, Architectural Book Pub. Co. [1952]
264 p. illus. 27 cm.
English and Spanish.
1. Architecture—Mexico. 2. Architecture—Designs and plans. I. Title.
NA755.M94 724.91 52—12831 ‡
NM 0921937 DLC IdPI MU CU-B NN MB NN ViU TxU NNC NIC CU PU PP NcD CaBVa CaBVaU MiU FMU Or OrU OrCS OrP Wa WaS WaT

Myers, Irwin, illus.
Myers, Agnes.
A King is born, retold by Agnes Myers; pictures by Irwin Myers. New York, Grosset & Dunlap, inc., °1938.

PZ 2 1934 M989g
Myers, Isabel Briggs.
Give me death. New York, Blue Ribbon Books [c1934]
viii,292 p. (A Burt book)
NM 0921939 CLU TxU

Myers, Isabel Briggs.
Give me death, by Isabel Briggs Myers ... New York, Frederick A. Stokes company, 1934.
viii, 292 p. 19½cm.
I. Title.
Library of Congress PZ3.M9907Gi 34-34013
NM 0921940 DLC TxU PP OO

Myers, Isabel Briggs.
Murder yet to come, by Isabel Briggs Myers. New York, Frederick A. Stokes company, 1930.
5 p. l., 3-311 p. 19½cm.
I. Title.
Library of Congress PZ3.M9907Mu 30-2773
NM 0921941 DLC PP PPGi PPL

Myers, Isidore, 1856-1922.
Acrostic dictionary; the face value of words, by Rev. Isidore Myers ... Los Angeles, 1915.
67, [1] p. front. (port.) 20½cm. $1.00
1. Acrostics.
Library of Congress PN6371.M9 16-7220
NM 0921942 DLC

BM499 .5 .E5M8
Myers, Isidore, ed.
Talmud. *Selections.*
Gems from the Talmud, translated into English verse, by Isidore Myers. New York, G. P. Putnam's Sons, 1894.

Myers, Isidore, 1856-1922.
The Jewish New Year. A sermon in verse. Delivered in the "Shaar Hashomayim" synagogue, on the Jewish New Year, 5657 (Tuesday, 8th September, 1896) ... Montreal, 1897.
16 p. 20 cm.
NM 0921944 CtY

Myers, Isidore, tr.
... The Proverbs of Solomon; or, The words of the wise, in verse
see under Bible. O.T. Proverbs. English. Paraphrases. 1912. Myers.

Myers, Isidore, 1856-1922.
The Shophar. A sermon in verse. Delivered in the "Ohabai Shalome" Synagogue, on the Jewish New Year, 5659... San Francisco: Levison Print. Co., 1898.
16 p.
NM 0921946 OCH

Myers, J. & P. B.
Catalogue of Sunday school supplies for Christmas, 1896. New York, J. & P. B. Myers, 1896.
24 p. illus. 8°.
NM 0921947 NN

Myers, J C
Sketches on a tour through the northern and eastern states, the Canadas & Nova Scotia, by J. C. Myers. Harrisonburg [Va.] J. H. Wartmann and brothers, prs., 1849.
xvii, [19]-475, [1] p. 16½ cm.
1. Atlantic states—Descr. & trav. 2. New England—Descr. & trav. 3. Canada—Descr. & trav.
F106.M99 14—14660
NM 0921948 DLC DGU NNC ICU ViW PPAmP PHC PSt OCl OClWHi CaOTU OC MsU FTaSU KyU MiU NjP ViU ICJ TKL MWA MB Vi NcU CSt ViHarEM FMU NcD ICRL CaBVaU

Myers, J C
Sketches of a tour through the northern and eastern states, the Canadas & Nova Scotia. Harrisonburg [Va.] J. H. Wartmann, 1849.
Microcard edition (6 cards) (Travels in the Old South III, 368) microprinted by the Lost Cause Press, Louisville, 1961.
1. Atlantic States—Descr. & trav. 2. New England—Descr. & trav. 3. Canada—Descr. & trav. I. Title. II. Ser.
NM 0921949 ViU FMU

Myers, J C 1842-
Buds and flowers. Poems, by J. C. Myers. Cincinnati, O., Elm street printing company, 1890.
viii, 9-192 p. front. (port.) illus., pl. 18½cm.
I. Title.
Library of Congress PS2459.M6 24-21730
NM 0921950 DLC RPB

Myers, J. E.
see
Myers, James Eckersley, 1890-
Myers, John Earle, 1923-

Myers, J H plaintiff-appellant.
In the Supreme Court of Utah territory, January term, 1893: J.H. Myers, plaintiff and appellant, vs. L.B. Adams [and others], defendants and respondents. Transcript...Ogden, Acme Printing Co., 1893.
9,8,20,4,3 p. 22 cm.
Cover title.
1. School-houses - Ogden, Utah. 2. Breach of contract - Ogden, Utah. I. Adams, L B ,defendant-respondent.
NM 0921952 NjP

BT775 .P8
Myers, Rev. J.H., tr.
Pressensé, Edmond Dehault de, 1824-1891.
The Redeemer: a sketch of the history of redemption. By Edmond de Pressensé. Translated from the second edition, by Rev. J. H. Myers ... Boston, American tract society [1867]

Myers, Rev. J.H., tr.
Monod, Adolphe, 1802-1856.
Saint Paul: five discourses. By Adolphe Monod. Translated from the French by Rev. J. H. Myers, D. D. Andover, W. F. Draper; Boston, Gould and Lincoln; [etc., etc.] 1860.

Myers, Rev. J. H., 1856-1905.
see Myers, Julian Henry, 1865-1905.

Myers, J. O., joint author.
GB608 .44 .C7G4
Gemmell, Arthur, 1915-
Underground adventure, by A. Gemmell and J. O. Myers. With 11 photos. and maps. Clapham, Yorkshire, Dalesman Pub. Co. [1952]

Myers, J Preston.
The Oraibi book of Indian designs for arts and crafts or decorative work, copyrighted ... by J. Preston Myers. [Horton, Kan.] °1930.
72 l. incl. illus. (part col.) plates. 22½ x 28½cm.
Loose-leaf; text, autographed from type-written copy, runs parallel with back of cover.
1. Indians of North America—Art. 2. Hopi Indians—Art. I. Title.
Library of Congress E98.A7M98 CA 30-917 Unrev'd
——— Copy 2.
Copyright A 24729 [2] [709.701] [745] 970.6
NM 0921957 DLC CU-A

Myers, J.W., writer on insurance
see Myers, Jenss Waldo, 1890-

Myers, J Walter,1919-
see
Myers, John Walter,1919-

Myers, Jack.
Little Star, by Jack and Louise Myers. Racine, Wis., Whitman, °1952.
[16] p. illus. 21 cm. (A Cozy-corner book)
I. Title.
PZ8.3.M995Li 52-24660 ‡
NM 0921960 DLC

VOLUME 403

Myers, Jack Edgar, 1913–
Studies on photosynthesis: some effects of high light intensities on *Chlorella* ... by Jack Edgar Myers ... [New York, 1940]
cover-title, p. 45–67. diagrs. 25ᶜᵐ.
Thesis (PH. D.)—University of Minnesota, 1939.
"By Jack Myers and G. O. Burr."
A reprint from the Journal of general physiology, September 20, 1940, v. 24, no. 1, with cover having thesis note on p. [1] and Vita on p. [3]
"Literature cited": p. 67.
1. Photosynthesis. 2. Chlorella. I. Burr, George Oswald, 1896– joint author.
Library of Congress QK882.M96 42-160
[2] 581.13342

NM 0921961 DLC OU

Myers, Jack Edgar, 1913- , joint author.
McAlister, Edward Dorris, 1901–
... The time course of photosynthesis and fluorescence observed simultaneously, by E. D. McAlister and Jack Myers ... City of Washington, The Smithsonian institution, 1940.

Myers, Jack M.
The Jewish story book, by Jack M. Myers... London. K. Paul, Trench, Trübner & Co., Ltd., 1910. vii, 9–64 p. front. 12°.
Contents: Hillel on the window-sill. Hillel's golden rule. A wager. Akiba, the shepherd lad. Akiba, the great scholar. A chapter of accidents. The fox and the garden. The two jewels.
1. Legends (Jewish). 2. Title.
N. Y. P. L. October 28, 1915.

NM 0921963 NN PPYH OCH OCl PPLT PPGratz

Myers, Jack M
Stories of the rabbis ... by Jack M. Myers. London, K. Paul, Trench, Trübner & co. l^td, 1909.
xiii, 88 p. front., illus., pl., ports. 19ᶜᵐ.
"Reprinted from the first volume of my book, 'The story of the Jewish people'."—Pref.
1. Tannaim. I. Title.
45-46861
Library of Congress BM750.M9

NM 0921964 DLC MoU OCH NN

Myers, Jack M. C933
The story of the Jewish people; being a history of the Jewish people since Bible times, with a prefatory note by the very rev. the chief rabbi. London: Kegan Paul, Trench, Trübner & Co., Ltd., 1909. v. illus., map, pl. (some folded). 12°.

NM 0921965 NN

---

296 M99s
Myers, Jack M
The story of the Jewish people; being a history of the Jewish people since Bible times ... N.Y. 1911–
v.1– illus., maps.

NM 0921966 IU

Myers, Jack M.
The story of the Jewish people, being a history of the Jewish people since Bible times ... by Jack M. Myers; with a prefatory note by the Very Rev. the Chief Rabbi ... 4th impression. New York, Bloch publishing co.; London, K. Paul, Trench, Trübner & co., ltd., 1914–
v. front. (map) illus., plates, ports., plan, fold. facsim. 18½ᶜᵐ.
$0.60 per vol.
Printed in Great Britain.
Bibliography: v. 1, p. 222.
1. Jews—Hist. I. Title.
15-14752
Library of Congress DS123.M85

NM 0921967 DLC NjP OClTem

Myers, Jack M
The story of the Jewish people; being a history of the Jewish people since Bible times. With a prefatory note by the chief Rabbi. London, K.Paul, Trench, Trubner & co., ltd., etc., etc., 1917.

NM 0921968 MH

Myers, Jack M. 2299.181
The story of the Jewish people. Being a history of the Jewish people since Bible times. With a prefatory note by the Very Rev. the Chief Rabbi [H. Adler]. Vol. I. 6th impression.
— London. Kegan Paul, Trench, Trübner & Co., Ltd. 1919. v. Illus. Portraits. Plates. Map. Plan. Facsimile. 18½ cm., in 8s.
Bibliography, vol. I, p. 222.

NM 0921969 MB

MYERS, JACK M.
The story of the Jewish people; being a history of the Jewish people since Bible times...by Jack M. Myers, with a prefatory note by the Very Rev. the Chief Rabbi... London: K. Paul, Trench, Trubner & Co., Ltd., 1921–24. 2 v. facsim., front. (map, v.1), illus., plan, plates, ports. 18½cm.
576707–8A. 1. Jews—Hist., B.C. 332–A.D.70.

NM 0921970 NN

DS123 .M85 1922
Myers, Jack M
The story of the Jewish people. Being a history of the Jeiwsh people since Bible times. With a pref. note by The Chief Rabbi. London, Kegan Paul, Trench, Trubner, 1922–
v.. illus. maps.
1. Jews - Hist. I. Title.

NM 0921971 NcU PPDrop

Myers, Jack M.
The story of the Jewish people, being a history of the Jewish people since Bible times ... by Jack M. Myers; with a prefatory note by the Very Rev. the Chief rabbi ... London, K. Paul, Trench, Trubner & co., ltd., 1924
v. front. (map) illus., plates, ports., plan, facsims. (1 fold.) 19ᶜᵐ.
Title varies slightly.
Vol. 1, 9th impression.
Bibliography: v. 1, p. 222.
1. Jews—Hist. I. Title.
24-31992
Library of Congress DS123.M85 1924

NM 0921972 DLC MiDW MoU ICRL KyLoU OCl OCU

Myers, Jack M
The story of the Jewish people; being a history of the Jewish people since Bible times... With a prefatory note by the Very Rev. the Chief Rabbi... London, Kegan Paul, Trench, Trubner & co., 1924–1925.
3 v., front. (map, v. 1) 19ᶜᵐ.

NM 0921973 NjPT OCH N

MYERS, Jack M.
The story of the Jewish people; being a history of the Jewish people since Bible times,with maps and numerous illustrations. In three volumes... London, Kegan Paul, 1925.
19 cm. Vol 1 and continued.

NM 0921974 MH-AH OCU PPYH

Myers, Jack M.
The story of the Jewish people, being a history of the Jewish people since Bible times... by Jack M. Myers; with a prefatory note by the Very Rev. the Chief rabbi... London, K. Paul, Trench, Trubner & co., ltd., 1927.
3 v.
Title varies slightly.

NM 0921975 OEac TNJ-R PP

DS 123 M8.5 1928
Myers, Jack M
The story of the Jewish people, being a history of the Jewish people since Bible times ... by Jack M. Myers; with a prefatory note by the ...the Chief Rabbi. London, K. Paul, Trench, Trubner & Co., 1928–
v. front. (map) illus., plates, ports., plan, facsims. (1 fold.) 19 cm.
Title varies slightly.
Vol. 1, 12th impression.
Bibliography: v. 1, p. 222.
1. Jews--History.

NM 0921976 OCH UU

Myers, Jacob, ed.
Der Fröhliche botschafter, und vertheidiger der allgemeinen, oder universal-erlösung, 1– bd.; may 1829– [Marietta, Pa., 1829–

Myers, Jacob, fl. 1800, collector.
Manuscript music book. 1801. [64] l. 21 cm.
Ms. in ink, containing many hymns (mostly SSB) in German; American and English secular tunes; and some works by Handel, Martini, and Pleyel Final leaf ([64]), pasted to back cover. On verso of l. [59]: Jacob Myers, Baltimore, May 16, 1801. Index of hymns on final three leaves.
1. Hymns, German. 2. Music - Manuscripts. 3. Music, Popular (Songs, etc.) - United States.

NM 0921979 NN

Myers, Jacob Martin, 1904–
A history of St. Luke's Union Church, Mount Pleasant Township, Adams County, Pa., 1846–1946, by J. M. Myers [and] John C. Brumbach. [n. p., 1946]
42 p. ports. 23 cm.
1. St. Luke's Union Church, Mount Pleasant Township, Adams Co., Pa. I. Brumbach, John Clark, 1901–
BX9999.M7S3 284.1748 48-12271*

NM 0921980 DLC

Myers, Jacob Martin, 1904–
The linguistic and literary form of the book of Ruth. Leiden, E. J. Brill, 1955.
69 p. 25 cm.
Bibliography: p. [65]–69.
1. Bible. O. T. Ruth—Language, style.
A 55-6636
Chicago. Univ. Libr. for Library of Congress [2]

IaU WaSpG CaBVaU NjNbS CtY-D IU OCH KStMC NIC CtY CU NcD PPDrop PU TxU ICMcC PPLT OCH CLSU
NM 0921981 ICU KyWAT OU DLC ICU OCU MB NNJ NjPT

Myers, Jacob Martin, 1904-
The significance of the Covenant. Philadelphia, 1937.
264p.
Thesis.

NM 0921982 PPT

VOLUME 403

Myers, James.
Narrative of two wonderful cures, wrought in the Monastery of the visitation at Georgetown, in the District of Columbia, in the month of January, 1831. Published with the approbation of the Most Rev. Archbishop of Baltimore, by James Myers ... Baltimore, Printed by W. A. Francis, 1831.
24 p. 21½cm.

1. Faith-cure.

7-41191†

Library of Congress RZ405.M9

NM 0921983 DLC DNLM PHi PPL MdBP

Myers, James, Jr.
Cooperative funeral associations, by James Myers, jr. 1st ed. Chicago, The Cooperative league of the U.S.A., 1946.
39 p. illus.
1. Undertakers and undertaking. I. Title. II. Title: Funeral associations.

NM 0921984 NNC Mi NN

Myers, James, 1882-1967.
Are these things religious? By James Myers. New York, Federal council of the churches of Christ in America n.d.
7 p. 17cm. (National preaching mission series
With, Federal council of the churches of Christ in America. Committee on worship. Seven principles of public worship

NM 0922001 NcD

Myers, James, 1882–
Churches in social action; why and how, by James Myers. New York city, Federal council of the churches of Christ in America [1935]
39 p. 20cm.
Bibliography: p. 32-34.

1. Sociology, Christian. I. Title.

36-5489

Library of Congress BV625.M92
——— Copy 2.
Copyright AA 195476 [3] 261

NM 0922002 DLC NcD DL OClW

Myers, James, 1882–
Do you know labor? Facts about the labor movement, by James Myers. Washington, D. C., National home library foundation [c1940]
ix, 139 p. 20½cm. [National home library. 30]

1. Labor and laboring classes—U. S.—1914– I. Title.

40-32815

Library of Congress HD8072.M95
——— Copy 2.
Copyright [5] 331.80973

NM 0922003 DLC OKentU NcD OCU WaU-L OrU Or Wa ViU OCl ODW PP

Myers, James, 1882–
Do you know labor? [By] James Myers. New York, The John Day company [1943]
xiii p., 1 l., 240 p. 19½cm.
Bibliography: p. [217]-222.

1. Labor and laboring classes—U. S.—1914– I. Title.

43-5612

Library of Congress HD8072.M95 1943
[3] 331.8

NM 0922004 DLC OKentU NcC NcRS NcD CU IdB TU PP PHC OCl OCU OU PSt OrCS OrSaW OrPR OrP WaE WaSpG WaT WaTC WaWW PBm

---

HD 8072 M95 1945
Myers, James, 1882-
Do you know labor? New York, The John Day company [1945]
240 p.

NM 0922005 KMK

FCp331.89 M99f
Myers, James, 1882-
Field notes: textile strikes in South. [New York, Federal Council of Churches of Christ in America, 1929]
18 p. 36 cm.
Survey of the attitudes of clergy towards the textile industry and strikes in Gastonia, N.C., Greenville, S.C., and Elizabethton, Tenn.

NM 0922006 NcU

Myers, James, 1882- ed.
How the churches are helping in unemployment. [1930]
3 p.

NM 0922007 PPFr

Myers, James, 1882–
Labor and co-ops, by James Myers ... 2d ed. Chicago, New York [etc.] The Cooperative league of the U. S. A., 1943.
48 p. illus., diagrs. 21cm.
"The first edition ... published under the title 'Organized labor and consumers cooperation' in October 1940."

1. Cooperation—U. S. I. Cooperative league of the U. S. A. II. Title.

44-47365

Library of Congress HD3444.M9 1943
[3] 334.5

NM 0922008 DLC NN MB DNAL OU

Myers, James, 1882–
Labor and co-ops, by James Myers ... [3d ed.] Chicago, New York [etc.] The Cooperative league of the U. S. A. [1944]
47 p. illus., diagrs. 21cm.
"The first edition ... published under the title 'Organized labor and consumers cooperation' in October 1940."

NM 0922009 NcD Or WHi CaBViP DNAL MH

Myers, James, 1882-
... Labor and democracy. [New York city, council for social action of the Congregational and Christian churches] 1939.
cover-title, 39, [1] p. illus. 21.5 cm. (Social action, v. V, no. 7)

NM 0922010 OrU

HD5724 .Z9 No. 89
Myers, James, 1882-
New methods for old in unemployment relief, by James Myers ... [New York, 1932]
[4] p. illus. 23 cm.
Pamphlets on unemployment in the U. S. no. 89.
Caption title.
"Reprinted from The Woman's press and the Federal council bulletin, Oct., 1932."

NM 0922011 DLC Or

Myers, James, 1882-
Organized labor and consumer cooperation ... Chicago, The Cooperative league, 1940.
40 p. 21 cm.
1. Cooperation. 2. Cooperation. U.S.

NM 0922012 NcD IU OO NBuG MH LU NN Or

BV 245 M87
Myers, James, 1882-
Prayers for self and society. New York, Association press [c1934]
30 p. 16 cm.

1. Prayers. I. Title.

NM 0922013 NRCR OCl NcD

Myers, James, 1882-
Prayers, personal and social, together with certain meditations... N. Y., Commission on worship, The Federal council of the churches of Christ in America [1943]
48 p. 16½cm. (On cover: Pamphlet library on worship)
"A few suggested readings": p.46-47.

NM 0922014 PHC KKcB

Myers, James, 1882–
Religion lends a hand; studies of churches in social action, by James Myers ... New York and London, Harper & brothers, 1929.
xi p., 1 l., 167 p. front. 20cm.
Bibliography: p. 153-158.

1. Sociology, Christian. I. Title.

29-20893

Library of Congress BR115.S6M9

NM 0922015 DLC CLU NcD MtU GU OKentU WaS Or OCl OClW PCC PP PU

Myers, James, 1882–
Representative government in industry, by James Myers ... New York, George H. Doran company [c1924]
xi p., 1 l., 15-249 p. incl. form. front. 20 cm.

1. Employees' representation in management. 2. Industry. I. Title.

HD5650.M8 24—13255

NM 0922016 DLC NcD NcRS MH OCl OClW ODW PHC PP PU ICJ NN MB AAP ViU WaU CU MtU OrPR OrP IdU-SB WaS OrU CaBVaU

Myers, James, 1882-1967.
King, William Peter, 1871– *ed.*
Social progress and Christian ideals, edited by William P. King. Nashville, Cokesbury press [c1931]

Myers, James Eckersley, 1890-
Hedges, Ernest Sydney.
The problem of physico-chemical periodicity, by E. S. Hedges ... and J. E. Myers ... with a foreword by Professor F. G. Donnan ... New York, Longmans, Green & co.; London, E. Arnold & co., 1926.

Myers, James H[avens] 1844–
Rudiments of geology and prospector's guide [by] Jas. H. Myers ... Madison, Wis., S. H. Alexander [c1905]
viii, 57 p. plates, 2 port. (incl. front.) 20cm.

1. Prospecting.

5-30588

[29d1]
Library of Congress TN270.M97 (Copyright A 124943)

NM 0922019 DLC ICJ MiHM

VOLUME 403

Myers, James Madison, 1916–
The Ligonier Valley Rail Road and its communities. Ann Arbor, University Microfilms [1955]
([University Microfilms, Ann Arbor, Mich.] Publication no. 13,881)
Microfilm copy (positive) of typescript.
Collation of the original, as determined from the film: v. 306 l. illus., maps.
Thesis—University of Pittsburgh.
Abstracted in Dissertation abstracts, v. 15 (1955) no. 10, p. 1839.
Vita.
Bibliography: leaves 288-306.
1. Ligonier Valley Rail Road Company.
Microfilm AC-1 no. 13,881 Mic 55-530

NM 0922020 DLC MtU

Myers, James Thorn, *comp.*
History of the city of Watervliet, N. Y., 1630 to 1910, comp. by James T. Myers ... Troy, N. Y., Press of H. Stowell & son [1910?]
124 p. front., illus., ports. 22½cm.
1. Watervliet, N. Y.—Hist.
13-3032
Library of Congress F129.W37M9

NM 0922021 DLC NN VtU DNW

Myers, James W comp.
Plat book of Snohomish County Washington. Compiled and published from actual surveys and the county records. Anderson Map Company, 1910.

NM 0922022 WaE

TN23 U7 4797
Myers, James W mining engineer.
Combustion characteristics and physical properties of packaged fuels containing bituminous coal, by James W. Myers and Richard C. Corey. [Washington] 1951.
ii,30 p. diagrs.,tables. 27 cm. (U.S. Bureau of Mines. Report of investigations 4797)
1.Combustion. 2.Bituminous coal. I.Corey, Richard C., jt. auth. II.Title: Packaged fuels. (Series)

NM 0922023 DI

TN315 M9
Myers, James W mining engineer.
Control of fires in coal-mine refuse piles. [Pittsburgh, 1955.
14 l. illus., diagrs. 27 cm. ([U.S. Bureau of Mines. Open-file report,])
Cover title.
1. Mine fires. 2. Coal mines and mining - Fires and fire prevention. I. Title. (Series)

NM 0922024 DI

Myers, Jane Pentzer.
Stories of enchantment by Jane Pentzer Myers; illustrated by Harriet Roosevelt Richards. Chicago, A. C. McClurg & co., 1901.
1 p. l., 215 p. incl. illus., pl. front. 19cm.
Cover-title: "Stories of enchantment: or, The ghost flower."
1. Fairy tales.
1-26210

NM 0922025 DLC

[**Myers, Janet D**] *ed.*
2002 household helps. Springfield, Ill., Myers and Kellner, 1932.
294 p. 21cm.
Preface signed: J. D. Myers, editor.
"First edition, Dec., 1932-10,000."
1. Domestic economy. 2. Receipts. I. Title.
33-5919 Revised
Library of Congress TX158.M9 1932
[r42d2] 640.8

NM 0922026 DLC PPD

Myers, Janet D *ed.*
2002 household helps, by Janet D. Myers. Cleveland, O., New York, N. Y., The World publishing co. [1941]
4 p. l., [7]-294 p. 21cm.
"Tower book edition. First printing, April, 1941 ... third printing, October, 1941."
1. Domestic economy. 2. Receipts. I. Title.
42-8021
Library of Congress TX158.M9 1941
[3] 640.82

NM 0922027 DLC OCl OEac WU

Myers, Jay Arthur, 1888–
The care of tuberculosis, a treatise for nurses, public health works, and all those who are interested in the care of the tuberculous, by J. A. Myers ... with an introduction by Richard Olding Beard ... Philadelphia and London, W. B. Saunders company, 1924.
229 p. illus. (1 col.) diagrs. 20½cm.
"Recent literature": p. 218-223.
1. Tuberculosis.
24-14898
Library of Congress RC311.M99

NM 0922028 DLC Or DNLM MiU OCl OClW PPC PPJ NN

Myers, Jay Arthur, 1888– *ed.*
The chest and the heart; section I, The chest, ed. by J. Arthur Myers and section II, The heart, ed. by C. A. McKinlay. [1st ed.] Springfield, Ill., C. C. Thomas [1948]
2 v. (xxvii, 1846 p.) illus., maps. 28 cm.
Includes bibliographies.
1. Chest—Diseases. 2. Heart—Diseases. 3. Respiratory organs—Diseases. I. McKinlay, Chauncey Angus, 1890– ed. II. Title.
RC941.M77 616.2 48-9022*

OCJ ViU
NM 0922029 DLC CaBVaU OrU-M OU MiU PPHa DNLM ICU

Myers, Jay Arthur, 1888–
The child and the tuberculosis problem, by J. Arthur Myers ... with an introduction by William P. Shepard ... Springfield, Ill., Baltimore, Md., C. C. Thomas, 1932.
xii p., 2 l., 230 p., 1 l. illus. (incl. maps) diagrs. 23cm.
Illustrated lining-papers.
"References": p. [209]-215.
1. Tuberculosis. 2. Tuberculosis — Transmission. 3. Tuberculosis—Prevention. 4. Children—Diseases. I. Title.
32-31886
Library of Congress RC311.1.M89
Copyright A 55836 [3] 614.542

NcD PPC PU-Penn PP OClW
NM 0922030 DLC Or OrU-M CU ICRL WaU TU MiU OCl

L616.995 8
Myers, Jay Arthur, 1888–
[Collected papers, chiefly on tuberculosis.]

NM 0922031 ICJ

Myers, Jay Arthur, 1888–
... Diseases of the chest, by J. Arthur Myers ... edited by Morris Fishbein ... New York, N. Y., National medical book company, inc., 1935.
xiii, 385 p. plates, map, diagrs. 19½cm. (National medical monographs)
"References" at end of each chapter.
1. Chest—Diseases. 2. Chest—Diseases—Diagnosis. I. Fishbein, Morris, 1889– ed.
36-6988
Library of Congress RC941.M78
——— Copy 2.
Copyright A 93004 [3] 616.2

OCl OU PPC ICJ IU
NM 0922032 DLC ViU NcU-H ICRL NcD OrU-M DNLM MiU

Myers, Jay Arthur, 1888-
The ever-continuing search for immunity in tuberculosis. n.p., n.p., 1952?
57 p. illus. sq.Q.

NM 0922033 CaBViP

[**Myers, Jay Arthur**] 1888–
The evolution of tuberculosis, as observed during twenty years at Lymanhurst, 1921 to 1941. [Minneapolis, The Journal-lancet, 1944]
1 p. l., 5-233, [3] p. incl. illus. (incl. ports.) tables, diagrs. col. pl. 24½ cm.
Includes two letters of transmittal: the first, to Dr. F. E. Harrington, signed: J. Arthur Myers; the second, to the Board of public welfare, Minneapolis, signed: F. E. Harrington.
Sequel to Lymanhurst; a report of ten years of activity, compiled from the records and the medical staff papers by J. Arthur Myers ... to F. E. Harrington ... for the Board of public welfare and the Board of education. Minneapolis, 1932.
1. Minneapolis. Public health center. 2. Tuberculosis—Cases, clinical reports, statistics. I. Harrington, Francis Edward, 1879–1947. II. Minneapolis. Board of public welfare. III. Title.
RC309.M6M553 614.542 44-48196

NM 0922034 DLC DNLM PPC

Myers, Jay Arthur, 1888–
Fighters of fate; a story of men and women who have achieved greatly despite the handicaps of the great white plague, by J. Arthur Myers ... with an introduction by Charles H. Mayo ... Baltimore, The Williams & Wilkins company, 1927.
xix, 318 p. 19½ cm.
"References" at end of each sketch except one.
1. Biography. 2. Tuberculosis. I. Title.
CT105.M9 27-24432

OrU WaS OrU-M OrCS Or CaBVaU
NM 0922035 DLC MiU OCl OCU OU PPC PPGi ICJ NcD

Myers, Jay Arthur, 1888-
From whom did he get it? To whom has he given it? 1933.
16 p.

NM 0922036 PPPHC

Myers, Jay Arthur, 1888–
Invited and conquered; historical sketch of tuberculosis in Minnesota. [St. Paul, Minnesota Public Health Association, 1949]
xvii, 501, 24, 4, 502-738 p. illus., ports. 24 cm.
"Let's plan a tuberculin testing and X-ray survey; a manual for professional workers [compiled by the staff of the Minnesota Public Health Association. 2d ed., rev.]" (24 p.) has special t. p.
1. Tuberculosis—Minnesota. I. Minnesota Public Health Association. Let's plan a tuberculin testing and X-ray survey. II. Title.
RC313.M6M9 616.246 49-49552*

NM 0922037 DLC ICU ICJ OrU-M CaBVaU DNLM

Myers, Jay Arthur, 1888–
Lymanhurst, a report of ten years of activity, compiled from the records and the medical staff papers by J. Arthur Myers ... to F. E. Harrington ... for the Board of public welfare and the Board of education. Minneapolis, 1932.
141, [3] p. incl. illus. (part col.) ports., diagr. 26½cm.
Cover-title: Childhood type tuberculosis. A report of ten years of activity, 1921-1931, Lymanhurst school for tuberculous children.
"References": p. 136-141.
1. Minneapolis. Lymanhurst health center. 2. Tuberculosis—Cases, clinical reports, statistics. 3. Children—Diseases. I. Harrington, Francis Edward, 1879– II. Minneapolis. Board of public welfare. III. Minneapolis. Board of education. IV. Title: Childhood type tuberculosis.
33-12340
Library of Congress RC309.M6M55
[a44e1] 614.542

NM 0922038 DLC MnHi MiU ICJ PPC MBCo

VOLUME 403

Myers, Jay Arthur, 1888–
Man's greatest victory over tuberculosis, by J. Arthur Myers ... Springfield, Ill., Baltimore, Md., C. C. Thomas [°1940]
ix, 419 p., 1 l. illus., plates, ports., maps. 26cm.
Bibliography: p. 402–410.

1. Tuberculosis in animals. 2. Tuberculosis. 3. Tuberculosis—Prevention. I. Title.
41-2717
Library of Congress SF808.M9
—— Copy 2.
Copyright [4] 616.995

PPJ TxU OCl OU PU PSt WaS OrU-M CaBVaU OrCS OrU
NM 0922039 DLC NcRS MBCo NcD-MC ViU DNLM TU PPC

Myers, Jay Arthur, 1888–
Modern aspects of the diagnosis, classification and treatment of tuberculosis, by J. Arthur Myers ... with an introduction by David A. Stewart ... Baltimore, The Williams & Wilkins company, 1927.
xii, 271 p. illus., plates, diagrs. 23½cm.

1. Tuberculosis.
27-23730
Library of Congress RC311.M996

PPT MiU
NM 0922040 DLC ICRL DNLM IdU-SB OrU-M OClW-H PPC

Myers, Jay Arthur, 1888–
The normal chest of the adult and the child, including applied anatomy, applied physiology, x-ray and physical findings, by J. A. Myers ... in collaboration with S. Marx White, R. E. Scammon ... [and others] with an introduction by Elias P. Lyon ... Baltimore, The Williams & Wilkins company, 1927.
xv, 419 p. illus., diagrs. 23½cm.
"References" at end of most of the chapters.

1. Chest—Diseases—Diagnosis. I. Title.
27-11793
Library of Congress RC941.M8

PPHa OCU OClW-H ICJ
NM 0922041 DLC NcD NIC ViU TU OrU-M DNLM PPC MiU

Myers, Jay Arthur, 1888–
Studies on the syrinx of *Gallus domesticus* ... by Jay Arthur Myers ... [Boston, 1917]
1 p. l., p. 165–215 incl. 7 pl. 25 cm.
Thesis (PH. D.)—Cornell university, 1914.
"Reprinted from Journal of morphology, vol. XXIX, no. 1, June, 1917."

1. Syrinx (of birds)
17-30189
Library of Congress QL697.M9
Cornell Univ. Libr.

NM 0922042 NIC DLC

Myers, Jay Arthur, 1888–
Tuberculosis among children, by J. Arthur Myers ... with chapters by C. A. Stewart ... Paul W. Giessler ... an introduction by Allen K. Krause ... Springfield, Ill., Baltimore, Md., C. C. Thomas, 1930.
xiv p., 3 l., 3–208 p., 1 l. incl. illus., pl., diagrs. col. pl. 23½cm.
"References" at end of each chapter except two.

1. Tuberculosis. 2. Children—Diseases. I. Stewart, Chester Arthur, 1891– II. Giessler, Paul William, 1885–
30-30319
Library of Congress RC311.1.M9
Copyright A 30290 [5] 616.995

OCl OU PPC ICRL MBCo PU-PSW
NM 0922043 DLC Or NcD ViU WaU ICJ NBuU DNLM MiU

Myers, Jay Arthur, 1888–
Tuberculosis among children and adults. An introd. by Allen K. Krause, with chapters by O. Theron Claggett [and others] 3d ed. Springfield, Ill., Thomas [1951]
xxii, 894 p. illus., maps. 24 cm.
First ed. published in 1930 under title: Tuberculosis among children.
Includes bibliographies.
1. Tuberculosis. 2. Children—Diseases. I. Title.
RC311.1.M9 1951 [616.246] 616.995 51—10709
[U. S. Armed Forces Med. Libr.: 1. Tuberculosis—Children. WF415 M996t]

NM 0922044 DLC OrU-M CaBVaU ICJ ICU ViU DNLM CU

Myers, Jay Arthur, 1888–
Tuberculosis among children and young adults, by J. Arthur Myers ... with chapters by C. A. Stewart ... [and] Paul W. Giessler ... an introduction by Allen K. Krause ... 2d ed. Springfield, Ill., Baltimore, Md., C. C. Thomas, 1938.
xviii, 401 p., 1 l. illus., col. pl., diagrs. 23cm.
First edition published under title: Tuberculosis among children.
"References" at end of each chapter except chapters VIII and XV.

1. Tuberculosis. 2. Children—Diseases. I. Stewart, Chester Arthur, 1891– II. Giessler, Paul William, 1885–
38-12302
Library of Congress RC311.1.M9 1938
—— Copy 2.
Copyright A 116588 [5] 616.995

OCl PPC Wa ICJ
NM 0922045 DLC NcD ICRL PU-PSW OClW OrU-M MtU OU

RC 311.1 .M98 1946
Myers, Jay Arthur, 1888–
Tuberculosis among children and young adults. 2d ed., 2d printing. By J. Arthur Myers ... with chapters by C.A. Stewart ... [and] Paul W. Giessler ... an introduction by Allen K. Krause ... Springfield, Ill., C.C. Thomas [1946]
xviii, 401 p., 1 l. illus., col.pl., diagrs. 23cm.
First edition published under title: Tuberculosis among children.
"References" at end of each chapter except chapters VIII and XV.

NM 0922046 MiU

Myers, Jay Arthur, 1888–
Vital capacity of the lungs; a handbook for clinicians and others interested in the examination of the heart and lungs both in health and disease, by J. A. Myers ... with introduction by S. Marx White ... Baltimore, The Williams & Wilkins company, 1925.
140 p. incl. illus., tables, diagrs. 23½cm.
Bibliography: p. 120–135.

1. Lungs. I. Title.
25-13643
Library of Congress QP121.M7

OCU PPC PPLas PPT ICRL
NM 0922047 DLC WaU CaBVaU OrU OrU-M DNLM MiU OCl

Myers, Jenss Waldo, 1890-
American management association.
... Problems of the insurance buyer, by J. W. Myers ... Kenneth C. Bell ... William J. Graham ... and others. New York, N. Y., American management association, °1940.

Myers, Jenss Waldo, 1890-
American management association.
... Trends in pension plans. The future of casualty insurance rates. By J. W. Myers ... John B. St. John ... F. P. Perkins ... [and others] New York, N. Y., American management association, °1941.

Myers, *Mrs.* **Jerome**
see
Myers, Ethel (Klinck) 1881–

Myers, Jerome, 1867–1940.
Artist in Manhattan, by Jerome Myers. New York, American artists group, inc. [°1940]
xiii p., 1 l., 263 p. incl. illus., plates. 24 cm.

1. Artists—Correspondence, reminiscences, etc. I. American artists group, New York. II. Title.
ND237.M95A2 927.5 40—7047

ViU PSt CLU IU GU CaBVa Or WaS OrU WaE WaTC
NM 0922051 DLC OCl OClh OU PP MH-FA MiU MnU NIC

Myers, Jerome, 1867-1940.
A memorial exhibition of the work of Jerome Myers
see under Virginia museum of fine arts, Richmond.

Myers, Jerome Keeley.
[The differential time factor in assimilation. n. p., 1951]
2 pts. tables. 24 cm.
Title from Yale University Commencement program.
Thesis—Yale.
A study of the assimilation of Italians in New Haven.
Reprinted from American sociological review, v. 15, no. 3, June, 1950, p. 367–372; and from Sociology and social research, v. 35, no. 3, Jan.–Feb., 1951, p. [175]–182.
CONTENTS.—[pt. 1] Assimilation to the ecological and social systems of a community.—[pt. 2] Assimilation in the political community.
1. Assimilation (Sociology) 2. Italians in New Haven. 3. New Haven—Pol. & govt. I. Title.
F104.N6M8 A 51-4006
Yale Univ. Library for Library of Congress [1]†

NM 0922053 CtY DLC

Myers, Jesse.
Baron Ward and the dukes of Parma [by] Jesse Myers; with a foreword by Professor G. M. Trevelyan ... London, New York [etc.] Longmans, Green and co. [1938]
xvi, 251 p. incl. illus., geneal. tables. front., port. 22½cm.
"First published 1938."
Bibliography: p. 241–244.

1. Ward, Thomas, baron, 1810–1858. 2. Parma—Hist. 3. Charles Louis de Bourbon, duke of Parma, 1799–1883. 4. Parma, Dukes of. 5. Lucca—Hist. I. Title.
[*Full name:* Jesse Paul Hudson Myers]
39-20625
Library of Congress DG975.P25M8
[2] 945.4

NM 0922054 DLC IdU ICN

Myers, Jesse Andrews.

Leeds intelligencer.
Extracts from the "Leeds intelligencer" and the "Leeds mercury," 1769–1776. Edited by G. Denison Lumb, F. S. A. Leeds, 1938.

Myers, Jessie Du Val, joint author.

Tindal, *Mrs.* **Emma Virginia (Thomas)** 1857–
Junior high school life, by Emma V. Thomas-Tindal ... and Jessie Du Val Myers ... New York, The Macmillan company, 1924.

Myers, Jessie Du Val, ed.

Trollope, Anthony, 1815–1882.
The warden, by Anthony Trollope; edited by Jessie Du Val Myers ... New York, The Macmillan company, 1926.

Myers, John.
The life, voyages and travels of Capt. John Myers, detailing his adventures during four voyages round the world ... and exhibiting a ... description of the north-west trade. London, Longman, Hurst, Rees and co.; [etc., etc.] 1817.
viii, [1], [11]–410 p. 21½cm.

1. Voyages around the world.
5-38247†
Library of Congress G440.M99

CtY NN WaU
NM 0922058 DLC OClWHi CU-S CaBVaU OrSaW CaBViPA

VOLUME 403

Myers, John.
The life, voyages and travels of Capt. John Myers, detailing his adventures during four voyages round the world ... and exhibiting a ... description of the northwest trade. London, Longman, Hurst, Rees and co.; [etc., etc.] 1817.
viii, [1], [1]-410 p. 21½ cm.
Microfilm (negative) (History of the Pacific Northwest, no.197, reel 20)

NM 0922059 UU

Myers, John, of North Carolina?
Memorial of John Myers and others, asking the charter of a railroad from Washington to Yanceville
see under title

Myers, John A.
Chickens. [Morgantown, 1896.] 2 p.l., 331-405 p. illus. 8°. (West Virginia. Agricultural Experiment Station. Bull. 45.)

1. Poultry.—Breeding, etc.
N. Y. P. L. July 8, 1914.

NM 0922061 NN

Myers, John A.
The creamery industry. Charleston: M. W. Donnally, 1891. 63 p. illus. 8°. (West Virginia. Agricultural Experiment Station. Bull 13.)

1. Dairies, etc., U. S.: W. Va.
N. Y. P. L. June 30. 1914.

NM 0922062 NN

[Myers, John Alva] 1853-1901.
Instructions for conducting fertilizing or making soil tests. [1900]

NM 0922063 DNAL

Myers, John Alva, 1853-1901.
Memorial exercises in honor of the late John A. Myers
see under title

Myers, John Alva, 1853-1901.
Nitrate of soda a blessing to the arts and to agriculture.)1900?)
33 p.

NM 0922065 DNAL

Myers, John Arthur.
An experimental investigation of the effect of varying the time between the onsets of conditioned and unconditioned stimuli on the conditioned eyelid response. Ames, Iowa, University of Iowa Microfilm Service [1950]
1 reel. 35 mm.
Microfilm (Negative) of typescript.
Thesis (Ph.D.) - State University of Iowa, 1950.
Collation of the original: 44 l.
1. Conditioned response. I. Title.

NM 0922066 PSt

Myers, John B., 1897-
Fundamentals of English, by J. B. Myers ... and Tommie Millican Peairs ... Dallas, Tex., The Southern publishing company [°1931]
viii, 300 p. 20cm.

1. English language — Grammar—1870- 2. English language—Composition and exercises. I. Peairs, Tommie Millican, 1901- joint author. II. Title.

31-5552
Library of Congress PE1111.M9
Copyright A 34126 [2] 425

NM 0922067 DLC LU MH

Myers, John B., 1897- joint author.

Matthews, James Carl, 1901-
Language and life ... [by] J. C. Matthews, Dorothy Nell Whaley [and] J. B. Myers, illustrated by Moselle Webb. Dallas, Tex., The Southern publishing company [1942-

---

Myers, John B 1897-
Principles of English, by J. B. Myers ... and Annie L. Peters ... Dallas, Tex., The Southern publishing company [°1933]
ix, 434 p. 20 cm.
"Based upon and is designed to follow 'Fundamentals of English'."—Pref.

1. English language—Grammar—1870- 2. English language—Composition and exercises. I. Peters, Annie L., joint author. II. Title.

PE1111.M92 808 33—9385

NM 0922069 DLC LU DHEW

Myers, John Brown, 1844 or 5-1915, ed.
The Centenary volume of the Baptist Missionary Society...
see under Baptist Missionary Society, London.

276.72 M996c
Myers, John Brown, 1844 or 45-1915.
The Congo for Christ; the story of the Congo mission. 2d ed. New York, Chicago, Toronto, Fleming H. Revell, [n.d.]
163p. illus. 19cm.

1. Missions - Congo. I. Title.

NM 0922071 PP OCIW NjPT ViHaI CtY

BV 3625 .C6 M85
Myers, John Brown, 1844 or 45-1915
The Congo for Christ; the story of the Congo Mission. London, S. W. Partridge [pref. 1895]
163 p. illus. 19 cm.

1. Missions - Congo, Belgian. I. Title.

NM 0922072 WU NNC NcRS NcD CSt-H

Myers, John Brown, 1844 or 45-1915.
The Congo for Christ; the story of the Congo Mission. New York, F. H. Revell [1895]
163p. illus.

Microfilm ed., positive and negative copies. Negative does not circulate.

NM 0922073 ICRL CtY-D

BV 3625 .C6 M94 1896
Myers, John Brown, 1844 or 45-1915.
The Congo for Christ; the story of the Congo mission. 2.ed. London, S.W. Partridge [1896?]
163p. illus.,ports.

1. Missions - Congo. I. Title.

NM 0922074 ScU

Myers, John Brown, 1844 or 45-1915.
Thomas J. Comber, missionary pioneer to the Congo; by John Brown Myers ... New York, Chicago, Fleming H. Revell, n.d.
160 p. front. (port.) illus., ports., map (double) 19 cm.

NM 0922075 NcD CtY

BV 3627 .C73M9
Myers, John Brown, 1844 or 45-1915.
Thomas J. Comber, missionary pioneer to the Congo. London, S. Partridge [1888]
160 p. illus.

1. Comber, Thomas James, 1852-1887.
2. Missions--Congo.

NM 0922076 ICU CU MH NjPT TNF

Myers, John Brown
Thomas J. Comber, missionary pioneer to the Congo. 2d ed. London, S. W. Partridge [1888]
160 p. illus., port.

1. Comber, Thomas James, 1852-1887.
2. Missions - Congo.

NM 0922077 NNC

Myers, John Brown, 1844 or 45-1915.
Thomas J. Comber, missionary pioneer to the Congo. 3d ed. London, S.W. Partridge [188-]
160 p. illus. 19 cm.
1. Comber, Thomas James, 1852-1887.
2. Congo-Missions.

NM 0922078 KyLxCB

Myers, John Brown, 1844 or 5-1915.
Thomas J. Comber; missionary pioneer to the Congo. 3d ed. London, S.W.Partridge [188-?]
viii,160,16p. illus. 18cm.

1. Comber, Thomas J., 1852-1887

NM 0922079 IEN

---

266 C72Y
Myers, John Brown.
Thomas J. Comber, missionary pioneer to the Congo. New York, Chicago, F.H. Revell [1888?]
viii,160p. front.,illus.,map. 19cm.

1. Comber, Thomas J., 1852-1887

NM 0922080 IEN

Myers, John Brown.
Thomas J. Comber, missionary pioneer to the Congo, by John Brown Myers... New York: F. H. Revell [1890?]. viii, 9-160 p. incl. front. (port.) illus. (incl. map, ports.) 2. ed. 12°.

1. Comber, Thomas James, 1852-87. 2. Missions (Foreign), Africa: Congo.
N. Y. P. L. May 14, 1919.

NM 0922081 NN ICN OCl OO

Myers, John Brown, 1845-
William Carey, the shoemaker who became "The father and founder of modern missions." 2nd ed. 10th thous. New York, F.H. Revell [n.d.]
160 p. front. (port.) 19 cm.

NM 0922082 NRAB

VOLUME 403

BV 3269 .C28 M96 Myers,John Brown,1844 or 45-1915.
William Carey,the shoemaker who became "the father and founder of modern missions". London, S.W.Partridge [1887]
160 p. illus.

1.Carey,William,1761-1834.

NM 0922083 MiU PHC

Myers, John Brown, 1844 or 45-1915.
William Carey, the shoemaker who became "the father and founder of modern missions," by John Brown Myers ... 6th ed. 22nd thousand. London, S.W. Partridge & co. [1887] pref.]
vi, 7-160 p. incl. front. (port.) illus. 19.5 cm.

NM 0922084 NSyU PBm

Myers, John Brown, 1844?-1915.
William Carey, the shoemaker who became "the father and founder of modern missions." By John Brown Myers ... Fourth edition ... New York [etc.] F. H. Revell co. [1887] vi, 7-160 p. incl. front. (port.) illus. 19cm.

937727A. 1. Carey, William, 1761-1834.
N. Y. P. L. June 3, 1938

NM 0922085 NN NjPT PWcS OClW ODW

MT35 C189 Xm99 Myers, John Brown, 1844 or 45-1915.
William Carey, the shoemaker who became "the father and founder of modern missions." 5th ed. New York, Revell [pref. 1887]
160 p. illus., ports. 19 cm.

NM 0922086 CtY-D CtY

Myers, John Brown, 1844 *or* 45-1915.
William Carey, the shoemaker who became "the father and founder of modern missions," by John Brown Myers ... Thirtieth thousand. London, S. W. Partridge & co. [189-?]
vi, 7-160 p. incl. front. (port.) illus. 19½cm.

1. Carey, William, 1761-1834.

Library of Congress BV3269.C3M9 3—26649

NM 0922087 DLC OOxM KyWAT NcD OrU

Myers, John C.
A daily journal of the 192d reg't Penn'a volunteers, commanded by Col. William B. Thomas, in the service of the United States for one hundred days. By John C. Myers. Philadelphia, Crissy & Markley, printers, 1864.
203 p. front. (port.) 19½cm.

1. U. S.—Hist.—Civil war—Regimental histories—Pa. inf.—192d. 2. Pennsylvania infantry. 192d regt., 1864.

Library of Congress E527.5.192d 2—15643

PSt
NM 0922088 DLC ViU NcD PHi PPL OClWHi OO MWA NjP

Myers, John C.
Loan exhibition of paintings selected from the John C. Myers collection, Ashland, Ohio; March 1-29, 1941, Allen memorial art museum, Oberlin college. [Oberlin, Allen memorial art museum, Oberlin college, 1941]
[20] p. illus.

I. Oberlin college. Dudley Peter Allen memorial art museum.

NM 0922089 MiDA

Myers, John C.
The United States' consulate general at Shanghai, China. Condensed statement of John C. Myers, consul general of the United States for China, under suspension In support of his request for an investigation...concerning his administration of the consulate general at Shanghai, and the differences between him and...George F. Seward, the present minister to China. Washington, D.C.,R.O.Polkinhorn,printer, [1877].
33p. 22-1/2 cm.

NM 0922090 OFH MB Nh

Myers, John Earle, 1923-
The effects of fluid properties on boiling coefficients. Ann Arbor, University Microfilms, 1951 [i. e. 1952]
([University Microfilms, Ann Arbor, Mich.] Publication no. 3538)
Microfilm copy of typescript. Positive.
Collation of the original: ix, 138 l. illus., diagrs., tables.
Thesis—University of Michigan.
Abstracted in Dissertation abstracts, v. 12 (1952, no. 2, p. 168-169.
Bibliography: leaf 138.

1. Heat—Transmission. 2. Ebullition. I. Title: Boiling coefficients.

Microfilm AC-1 no. 3538 Mic A 54-1010

Michigan. Univ. Libr.
for Library of Congress [1]†

NM 0922091 MiU DLC

Myers, John Ellis, 1872-1898.
Ueber das silber-voltameter und Ueber das Faraday'sche gesetz bei strömen von reibungselectricität ... Strassburg i. E., Buchdruckerei C. Gœller, 1895.
24 p., 1 l. illus. 23cm.
Inaug.-diss.—Strassburg.
Lebenslauf.

1. Electric currents. 2. Voltameter.

Library of Congress QC615.M8 7-17704

NM 0922092 DLC CU PU MB

Myers, John F 1889-
Accident experience in milling, by J. F. Myers and S. E. Sharp.
(*In* Mining technology. York, Pa., 1937-48. 23 cm. v. 10, no. 3, May 1946. 6 p.)
American Institute of Mining and Metallurgical Engineers. Technical publication no. 1981 (Class C, Milling and concentration, no. 191)
Discussion of this paper in Sept. 1946 issue (Technical publication, no. 2074)

1. Metallurgical plants. I. Sharp, Samuel E., joint author. II. Title.
[TN1.A5256 vol. 10, no. 3] P O 51-97

U. S. Patent Office. Library
for Library of Congress [3]

NM 0922093 DP

Myers, John F 1889-
Fine crushing with a rod mill at the Tennessee Copper Company, by J. F. Myers and F. M. Lewis.
(*In* Mining technology. York, Pa., 1937-48. 23 cm. v. 10, no. 4, July 1946. 13 p. diagrs.)
American Institute of Mining and Metallurgical Engineers. Technical publication no. 2041 (Class B, Milling and concentration, no. 207)
Bibliography: p. 13.

1. Ore-dressing. 2. Milling machinery. I. Lewis, F. M., joint author. II. Title.
[TN1.A5256 vol. 10, no. 4] P O 51-76

U. S. Patent Office. Library
for Library of Congress [3]

NM 0922094 DP

Myers, John F 1889-
... Flotation machines at the Tennessee copper company, by J. F. Myers ... and F. M. Lewis ...
(*In* Mining technology. New York, American institute of mining and metallurgical engineers, inc., 1944. 23cm. v. 8, no. 2, March 1944. 12 p. illus., tables, diagrs.)
At head of title: American institute of mining and metallurgical engineers. Technical publication no. 1680. (Class B, Milling and concentration, no. 155)

1. Flotation. 2. Mining machinery. I. Lewis, F. M., joint author. II. Title.

P O 46-29

U. S. Patent office. Libr.
for Library of Congress [2]

NM 0922095 DP

Myers, John F 1889-
Rod milling; plant and laboratory data, by J. F. Myers, S. D. Michaelson and F. C. Bond.
(*In* Mining technology. York, Pa., 1937-48. 23 cm. v. 11, no. 4, July 1947. 11 p. tables)
American Institute of Mining and Metallurgical Engineers. Technical publication no. 2175 (Class B, Mining technology, July 1947)
Bibliography: p. 11.

1. Ore-dressing. I. Title.
[TN1.A5256 vol. 11, no. 4] P O 51-135

U. S. Patent Office. Library
for Library of Congress [3]

NM 0922096 DP

Myers, John F 1889-
Symposium on milling devices and practices, by J. F. Myers and R. J. Tower.
(*In* Mining technology. York, Pa., 1937-48. 23 cm. v. 11, no. 3, May 1947. 15 p. illus.)
American Institute of Mining and Metallurgical Engineers. Technical publication no. 2162 (Class B, Mining technology, May 1947)
Bibliography: p. 15.

1. Ore-dressing. 2. Milling machinery. I. Tower, Russell J., joint author.
[TN1.A5256 vol. 11, no. 3] P O 51-128

U. S. Patent Office. Library
for Library of Congress [3]

NM 0922097 DP

Myers, John F 1889-
Use of a conductivity cell for flotation reagent control, by J. F. Myers and F. M. Lewis.
(*In* Mining technology. York, Pa., 1937-48. 23 cm. v. 10, no. 6, Nov. 1946. 4 p. diagrs.)
American Institute of Mining and Metallurgical Engineers. Technical publication no. 2083 (Class B, Mining technology, Nov. 1946)

1. Flotation. I. Lewis, F. M., joint author. II. Title: Conductivity cell for flotation reagent control.
[TN1.A5256 vol. 10, no. 6] P O 51-91

U. S. Patent Office. Library
for Library of Congress [3]

NM 0922098 DP

Myers, John Francis, 1834-
The poems of J. F. Myers, together with biography. [n. p., 1906]
1 p. l., iv, 200 p. 2 port. 19½ cm.
Imperfect: t.-p. wanting.
Half-title.
Genealogy of the Myers family: p. 169-186.
Genealogy of the John Lindley, sr., family: p. 187-196.
Genealogy of the William W. Birdsell family: p. 197-200.

1. Myers family (Henry Myers, 1765-1837) 2. Lindley family. 3. Birdsell family. I. Myers, John Grove, 1799-1868.

PS2459.M5 1906 11—20978

NM 0922099 DLC NN ViU MWA MB

Myers, John Francis, 1834-
The poems of John Francis Myers; together with biography. Bloomington, Ill., Press of Frank I. Miller company, 1911.
2 p. l., [11]-213, 8 p. plates, ports. 20½cm. $1.50

11-19390

NM 0922100 DLC

xSF219 M84 Myers, John G.
Catalogue of pure-bred short-horn and grade short-horn cattle. To be sold at auction at his residence, near Richmond, Iowa, on Wednesday, June 6, 1877. Auctioneers, Col.J.R. Heath, Iowa City [and] Col.J.S. Reeves, Washington. Washington, Iowa, Gazette print, 1877.
21p. 22cm.

On cover: Third annual sale.
1.Shorthorn cattle.

NM 0922101 IaU

VOLUME 403

HB 31 .N33 no.97
Myers, John G
Measuring job vacancies; a feasibility study in the Rochester, N.Y. area, by John G. Myers and Daniel Creamer. [New York, National Industrial Conference Board, n.d.]
xiv, 278 p. (The Conference Board. Studies in business economics, no.97)

1. Occupations. 2. Rochester, N.Y. - Econ. condit. I. National Industrial Conference Board

NM 0922102 DGU

Myers, John G.
... York and Cumb. R. R. Company, compl'ts in equity, vs. John G. Myers
see under Maine. Supreme Judicial Court.

Myers, John Golding, ed.

Avebury, John Lubbock, *baron*, 1834-1913.
Ants, bees, and wasps; a record of observations on the habits of the social *Hymenoptera*, by Sir John Lubbock (Lord Avebury) ... New edition, based on seventeenth, edited and annotated by J. G. Myers ... with 4 coloured plates by A. J. E. Terzi. New York, E. P. Dutton & company, 1929.

Myers, John Golding.
Cicadidae. (In: Insects of Samoa, Pt. 2, fasc. 2, 1928).

NM 0922105 PPAN

MYERS, John Golding.
Dry-season studies of cane homoptera at Soledad, Cuba, with a list of the Coccids of the district.

(Appended to SALT, George, Report on sugarcane borers, etc., Cambridge, 1926, pp.[63]-110)
"Bibliography", pp.108-110.

NM 0922106 MH

Myers, John Golding.
Insect singers; a natural history of the cicadas. By J. G. Myers ... London, G. Routledge and sons, limited, 1929.
xix, 304 p. illus., VIII pl. (incl. front.) 22½cm.
Bibliography: p. 237-285.

1. Cicada. [1. Cicadidae] I. Title.

Agr 29-1150

U. S. Dept. of agr. Library for Library of Congress 431M99 [45e1]

MoU GU MH MU OrCS CaBVaU IdU
NM 0922107 DNAL CtY MiU OC1W MH-Z PPAN CU NcD

MYERS, J[ohn] G[olding]
The morphology and ethology of Cicadas, with special reference to the New Zealand species. [Disssertation, Harvard University, 1928]

Typewritten. 4°. Plates.

NM 0922108 MH

Myers, John Golding. *3890A.63.1
Notes on Cuban Fulgoroid Homoptera. By J. G. Myers.
(*In* Banks, Nathan, 1868- . Notes on Cuban and other West Indian Psammocharidae. Pp. 11-28. Cambridge. 1928.)
References, p. 27, 28.

E1290 — Homoptera.

NM 0922109 MB

Myers, John Golding.
Notes on Cuban fulgoroid Homoptera.
(In Harvard university. Arnold arboretum. Atkins institution, Soledad, Cuba. Studies on Cuban insects. Cambridge, 1928. 27cm [vol.]I, p.[11]-28. 2pl.)
"No.3. Studies from the Biological laboratory in Cuba (Atkins foundation), of the Harvard institute for tropical biology and medicine".
"References": p.27-28.

.t11hc 016 1

NM 0922110 CtY

Myers, John Golding.
A preliminary report on an investigation into the biological control of West Indian insect pests, by J. G. Myers. London, H. M. Stationery Off., 1931.
178 p. maps (1 fold.) 26cm. (Gt. Brit. Empire Marketing Board. Publications E. M. B., 42)

Bibliography: p. 156-172.

1. Insects, Injurious and beneficial - West Indies. 2. Insect control - Biological control.

NM 0922112 FU NN CaBVaU

SB 360 M83 HRC GRA
Myers, John Golding.
Report on insect infestation of Australian dried fruit, by J.G. Myers. [London? 1927]
34p. 25cm.

Submitted to the Empire Marketing Board and the Commonwealth Council of Scientific and Industrial Research.
Stamped: Confidential.

1. Fruit - Diseases and pests. I. Title.

NM 0922113 TxU

Myers, John Golding.
...Report on insect infestation of dried fruit, by J. G. Meyers ...submitted to the Empire Marketing Board and the Commonwealth Council of Scientific and Industrial Research. November, 1928. London: H. M. Stationery Off., 1928. 36 p. sq. 8°. (Great Britain. Empire Marketing Board. E. M. B., no. 12.)
Bibliography, p. 32-33.

1. Insects, Injurious—to fruit. 2. Fruit, Dried. 3. Australia. Scientific and Industrial Research Council. 4. Ser.
N. Y. P. L. September 11, 1929

NM 0922114 NN CaBVaU

Myers, John Golding.

Salt, George.
... I. Report on sugar-cane borers at Soledad, Cuba, by George Salt ... and II. Dry-season studies of cane homoptera at Soledad, Cuba, with a list of the coccids of the district, by J. G. Myers ... Cambridge, Harvard university press, 1926.

Myers, John Grove. 4399.250
Poems.
(In Myers, J. F. Poems. Pp. 157-168. [Bloomington, Ill.] 1906.)

NM 0922116 MB

Myers, John H
Close or restricted communion; a sermon by Jno. H. Myers. Dallas, J. M. Colville [1901]
37p. 15cm.

1. Close and open communion. 2. Baptists--Sermons. 3. Sermons, American. I. Title.

NM 0922117 KyLoS NRAB TNDC

MYERS, JOHN HAYS.
Recollections of Bronxdale & West-Farms, New York city. Transcribed by Fred C. Haacker. [New York] 1951. mounted illus. 11 l. 28cm.

"John Hays Myers, obituary; After 1860, the 'Old Huckleberry' line; The centenary church (Methodist Episcopal) of Bronxdale; [and] Description of West-Farms" (4 l.) inserted.

1. Bronx county-- Hist. 2. Bronxdale, N.Y. I. Haacker, Frederick C.

NM 0922118 NN

HF5667 .D38
Myers, John Holmes, 1915- joint author.

Davies, Ernest Coulter.
Audit practice case, by Ernest Coulter Davies and John H. Myers. New York, Ronald Press Co. [1953]

Myers, John Holmes, 1915-
Statistical presentation. Ames, Iowa, Littlefield, Adams [1950]
68 p. diagrs. 21 cm. (Littlefield college outlines)
Bibliography: p. 67-68.

1. Statistics—Graphic methods. I. Title.

HA31.M9 311.26 51-508

NM 0922120 DLC ICU MB CU OC1W TxU FMU AAP OrCS IdB

Myers, John Myers, 1906-
The Alamo. [1st ed.] New York, E. P. Dutton, 1948.
240 p. maps. 22 cm.
"Limited to three hundred and ten copies signed by the author."
Bibliography: p. 237-240.

1. Alamo—Siege, 1836. 2. Texas—Hist.—To 1846. 3. Texas—Hist.—Revolution, 1835-1836.

F390.M9 976.4 48-5208*

IdB CU Or WaS WaT WaE TU
NM 0922121 DLC TxU MH MB OOxM PU Mi MiU FTaSU

Myers, John Myers, 1906-
Doc Holliday. [1st ed.] Boston, Little, Brown [°1955]
287 p. illus. 21 cm.

1. Holliday, John Henry, 1852?-1887. 2. Crime and criminals—The West. 3. Outlaws.

F594.H74M9 923.4173 55-5528 ‡

OC1 LU ViU MU IdB OrP Or Wa WaE WaS WaSp WaT OrCS
NM 0922122 DLC NcD MiU ICN WaU PP PU MB TxU NN

Myers, John Myers, 1906-
Fattiga riddare; roman. [Auktoriserad översättning av David Belin] Stockholm, Tidens förlag [1944]
424 p. 22 cm.
"Originalets titel: Out on any limb."

1. Gt. Brit.—Hist.—Elizabeth, 1558-1603—Fiction. I. Title.

PS3525.Y428O88 50-45280

NM 0922123 DLC

Myers, John Myers, 1906-
Fattige riddere. Overs. fra amerikansk af Jørgen Claudi. København, Forlaget Fremad, 1947.
412 p. 22 cm.
"Originalens titel: Out on any limb."

1. Gt. Brit.—Hist.—Elizabeth, 1558-1603—Fiction. I. Title.

PS3525.Y428O82 50-23866

NM 0922124 DLC

VOLUME 403

Myers, John Myers, 1906–
The harp and the blade, by John Myers Myers. New York, E. P. Dutton & co., inc., 1941.
345 p. 20½cm.
"First edition."

I. Title.
Library of Congress PZ3.M99065Har 41-10681

TxU
NM 0922125 DLC OrP WaS WaE OrU PP PU OCl OEac ViU

Myers, John Myers, 1906–
Harpan och svärdet; roman. [Översättning av Björn E. Petrén. Versen tolkad av Gösta Langenfelt] Stockholm, Tidens förlag [1943]
377 p. 20 cm.

I. Title.
PS3525.Y428H38 50-45284

NM 0922126 DLC

Myers, John Myers, 1906–
The last chance; Tombstone's early years. [1st ed.] New York, Dutton, 1950.
260 p. illus., ports., maps. 23 cm.
Bibliography: p. 244-246.

1. Tombstone, Ariz.—Hist. I. Title.
F819.T6M9 979.1 50—5638

WaChenE IdB Or WaE OrP WaS WaSp Wa WaU CaBVaU
PPL NmU CU OrU CoU FMU GU KMK CaBVa CaBViP
NM 0922127 DLC OkU UU ICU TU MH OCl PU PPT PP PSt

Myers, John Myers, 1906–
Out on any limb [by] John Myers Myers. New York, E. P. Dutton and company, inc., 1942.
3 p. l., 9-400, [1] p. 21cm.
"First edition."

1. Gt. Brit.—Hist.—Elizabeth, 1558-1603—Fiction. I. Title.
Library of Congress PZ3.M99075Ou 42-16187

OOxM PP WaE WaSp
NM 0922128 DLC IU NIC WaS IdB CaBVa OrU Wa OCl

Myers, John Myers, 1906–
Silverlock. [1st ed.] New York, E. P. Dutton, 1949.
349 p. map (on lining-papers) 21 cm.

I. Title.
PZ3.M99075Si 49-5070*

NM 0922129 DLC WaT WaE PP

F
819
.T65
M97
1950
Myers,John Myers,1906-
The Tombstone story; formerly titled: The last chance. New York, Grosset & Dunlap [c1950]
256 p. illus.,ports.,maps. 22 cm.

1.Tombstone,Ariz.--Hist. I.Title. II.Title: The last chance.

NM 0922130 MiU WaT MoU

Myers, John Myers, 1906–
... The wild Yazoo. New York, E. P. Dutton & company, inc., 1947.
378 p. 21cm.
"First edition."

I. Title.
PZ3.M99075Wi 47-30136

PPL WaE WaS
NM 0922131 DLC IU ViU MB CaBVa OrP CtY PP PPGi

Myers, John Platt, 1886–
Educational television; addresses by John P. Myers [and] Lewis A. Wilson. Albany, University of the State of New York Press [1952]
14 p. 23 cm.
Cover title.
Addresses delivered at the New York State Television Institute, Union College, Schenectady, November 12-13, 1952.

1. Television in education. I. Wilson, Lewis Albert, 1886– II. New York State Television Institute, Union College, Schenectady, 1952. III. Title.
A 53-6241
New York. State Libr. for Library of Congress [1]

NM 0922132 N CU IU

Myers, John Q.
Address of the president of the Medical society of the state of North Carolina...

Reprinted from Southern medicine and surgery. May, 1927.

NM 0922133 NcU

Myers, John S.

Institute of public administration, *New York.*
Governmental organization within the city of New York. 4th ed., rev. in accordance with the provisions of the charter effective January 1, 1938. New York city, Institute of public administration, Columbia university [1939]

Myers, John S., engineer.
... Examples of calculating designs ... New York city, The Industrial press, ©1908.

Myers, John S., engineer.
... Strength of cylinders ... New York city, The Industrial press, ©1908.

Myers, John S., engineer.
... Theory of crane design ... New York city, The Industrial press, ©1908.

QP999
.M94
Myers,John Tennyson.
...The relationship of hard water to health... By John Tennyson Myers... Chicago,1924.
1 l.,103,6 numb.l.incl.mounted photos. tables. diagrs. 29cm.

Typewritten.
Thesis(Ph.D.)-University of Chicago,1924.
Bibliography:l.102-103.
"Abstract":5 l.at end.
1.Water-Physiological effect.

NM 0922138 ICU

WB
120
M996m
1917
MYERS, John W 1872-
Dr. Myers' medical adviser; written for the use of the general public. 3d ed., rev. and enl. Philippi, W. Va., Myers Remedy Co., 1917.
154 p. illus., ports.

NM 0922139 DNLM

WB
120
M996m
1922
MYERS, John W 1872-
Dr. Myers' adviser; written for the use of the general public. 5th ed., rev. and enl. Philippi, W. Va., Myers Remedy Co., 1922.
156 p. illus., ports.
DLC: RC81.M97

NM 0922140 DNLM DLC

Myers, John W 1872-
Dr. Myers' medical adviser, written for the use of the general public. 7th ed., rev. and enl. Philippi, W. Va, Myers Remedy Co., 1926.
169p. illus.

NM 0922141 ICRL

Myers, John Walter, 1919- , ed.
Forest farmer manual
see Forest Farmer. Manual edition.

Myers, John Walter, 1919–

SD144
.A15 I 5
Illinois Central Railroad Company. *Agricultural Dept.*
Opportunities unlimited; the story of our southern forests. Prepared by J. Walter Myers, Jr., forestry agent, Illinois Central Railroad. Chicago, 1950.

Myers, John Walter, 1919–
Ten lessons in forestry, for use in the grade schools of Louisiana, by J. Walter Myers, jr. ... Illustrated by Roy H. Odom and Lucius La Cour. Baton Rouge, Louisiana Forestry commission, 1947.
3 p. l., 86, [1] p. illus. 28 x 21½ cm.
"References for teachers" at end of each lesson.

1. Forests and forestry. [1. Forestry—Education] 2. Trees—Louisiana. [2. Louisiana—Forestry] I. Louisiana. Forestry commission. II. Title.
SD373.M9 634.9 Agr 47-306
©3Apr47; publisher; AA52548.
U. S. Dept. of agr. Library for Library of Congress 99.06M99 [10]†

NM 0922144 DNAL PP DLC

Myers, John Walter, 1919–
Ten lessons in forestry, for use in grade schools. Illus. by Roy H. Odom and Lucius La Cour. [3d ed., southwide revision] Oklahoma City, Oklahoma Planning and Resources Board, Division of Forestry, 1948.
56 p. illus. 23 cm.
"First produced by the Louisiana Forestry Commission ... Revised to make ... applicable to the entire southern region."
"References for teachers": p. 54-56.

1. Forests and forestry. I. Louisiana. Forestry Commission. II. Title.
SD373.M89 634.9 48-45427*

NM 0922145 DLC DNAL NN Or OrCS

99.06
M99
Ed.3
1953
Myers, John Walter, 1919-
Ten lessons in forestry. [3d ed.]
New Orleans, Southern Pine Association, 1953.
55 p.

1. Forestry. Education. 2. Southern States. Forestry. 3. Trees. Southern States. I. Southern Pine Association. II. Louisiana. Forestry Commission. III. Title.

NM 0922146 DNAL

VOLUME 403

634.9 M98t 1954 Myers, John Walter, 1919-
Ten lessons in forestry. Illustrated by Roy H. Odom and Lucius LaCour. Prepared for Louisiana Forestry Commission. ₍3d ed. (Southwide rev.)₎ Baton Rouge, La., Louisiana Forestry Commission 1954 ₍c1948₎
56p. illus. 23cm.

Bibliography: p.54-55.

NM 0922147 IU DNAL

Myers, John Wesley, 1862- ed. FOR OTHER EDITIONS SEE MAIN ENTRY
Reliable incubator and brooder company, *Quincy, Ill.*
Success with poultry. 7th ed. A book on successful and profitable poultry raising, containing valuable information for persons who think of engaging in any branch of the poultry business for profit. Quincy, Ill., Reliable incubator & brooder co., ©1914.

Myers, John William.
Children, in the light of the teachings of Jesus. ₍Philadelphia₎ 1937.
141 p.
Thesis.

NM 0922149 PPT

---

308 Z Box 536 Myers, Joseph.
The religious situation in Mexico, by Joseph Myers, jr. ... ₍1926₎
₍13₎ p. 22cm.

"An address given in the Linwood Christian church, Kansas City, Mo., Sunday morning, August 15, 1926."

1. Catholic church in Mexico.

NM 0922150 NNC

MYERS, JOSEPH H. Substance of remarks made at the funeral of Mrs. Elizabeth Humes White, January 1, 1851. *Knoxville,Tenn.,Register off.*,1851. 8 p.

NM 0922151 TKL

Myers, Joseph Hart, *d.* 1823.
Dissertatio medica inauguralis, de diabete. Quam ... ex auctoritate ... d. Gulielmi Robertson ... Academiæ edinburgenæ præfecti ... pro gradu doctoratus ... eruditorum examini subjicit Josephus Hart Myers, A. M., Americanus. Ad diem 24. junii ₍1779₎ ... Edinburgi, apud Balfour et Smellie, academiae typographos, M,DCC,LXXIX.
2 p. l., 41 p. 22½cm.

1. Diabetes.

37-12021

Library of Congress RC909.M9 1779

NM 0922152 DLC MWA DNLM

Myers, Joseph N.
Joseph N. Myers, versus, The Alta Friendly Society. October Term, 1905, No. 187. Appellant's Paper Book. Phila., 1905.
61 p.

NM 0922153 PHi

Myers, Joseph Rawley, 1924-
see Myers, Rawley, 1924-

Myers, Joseph S. *and* Haag, Jackson D.
A prince of chivalry; being a romantic drama of the Cromwellian era. By Joseph S. Myers and Jackson D. Haag. ₍Pittsburg?₎ 1900.
1 p. l., 30 p. 8°.

Library of Congress Nov. 8, 1900-233

NM 0922155 DLC

Myers, Joseph Simmons, 1867-
The genius of Horace Greeley, by Joseph S. Myers ... Columbus, The Ohio state university press, 1929.
40 p. 21½cm. (₍Ohio state university₎ Journalism series no. 6)

1. Greeley, Horace, 1811-1872. I. Title.

29-27314

Library of Congress E415.9.G8M9

NM 0922156 DLC OrU ViU MiU OClW OU PU NN MoU

Myers, Joseph Simmons, 1867-
Mendenhall, Thomas Corwin, 1841-1924, *ed.*
History of the Ohio state university, edited by Thomas C. Mendenhall ... Columbus, The Ohio state university press, 1920-

---

Myers, Joseph Simmons, 1867-
... The journalistic code of ethics: a collection of codes, creeds, and suggestions for the guidance of editors and publishers, compiled by Joseph S. Myers ... Columbus, The University, 1922.
35 p. 19½cm. (The Ohio state university bulletin. vol. XXVI, no. 8. Feb. 18, 1922. Journalism series, v. 1, no. 4)

1. Journalism. I. Title.

A 22-723

Title from Ohio State Univ. Printed by L. C.

NM 0922158 OU MoU GU MtU OrU MiU OCU MiHM

PS3425 Y4364 1903 Myers, Julian Henry, 1856-1905.
Gleanings from the field of song. Edition petite. [Malone, N.Y., 1903]

NM 0922159 DLC RPB

Myers, Julian Henry, 1856-1905.
Philosophy of faith,
Syracuse, [©1896]
1v. 16°

NM 0922160 ODW WaTC PPLT NN MH

Myers, Julian Henry, 1856-1905.
The transfigured life, by Rev. J. H. Myers ... with introduction by Albert Leonard ... New York, Eaton & Mains; Cincinnati, Jennings & Pye ₍1900₎
135 p. front. (port.) 18cm.

1. Christian life. 2. Holiness. I. Title.

0-4607

Library of Congress BV4501.M86

NM 0922161 DLC

LD3907 .E3 1953 .M95 Myers, Julian Sherry, 1918-
The effect of testosterone upon certain aspects of personality in male paraplegics.
183p. illus.,diagrs.,forms.
Thesis (Ph.D.) - N.Y.U., School of Education, 1953.
Bibliography: p.173-176.

NM 0922162 NNU-W

Myers, Karl.
If Abraham Lincoln could talk to-night.
(In-his- The quick years. Charleston W. Va., 1926. p. 90-)

NM 0922163 RPB

PS2459 .M9Q8 1926 Myers, Karl.
The quick years. Charleston, W. Va., West Virginia Publishing Co., 1926.
109 p. 20cm.

NM 0922164 ViU RPB

Myers, Kenneth Hayes.
... Adjusting corn belt farming to meet corn-borer conditions. ₍By Kenneth H. Myers. Washington, U. S. Govt. print. off., 1932₎
ii, 26 p. illus., maps, diagrs. 23½cm. (U. S. Dept. of agriculture. Farmers' bulletin no. 1681)
Contribution from Bureau of agricultural economics.

1. European corn borer. I. Title.

Agr 32-322

Library, U. S. Dept. of Agriculture 1Ag84F no. 1681
Library of Congress [S21.A6 no. 1681]

NM 0922165 DNAL WaWW CaBVaU PBa PPAmP OU

Myers, Kenneth Hayes, joint author.
Economic factors in cattle feeding...
see under Case, Harold Clayton M 1890-

₍Myers, Kenneth Hayes₎ 1898-
Economic phases of the soil and moisture conservation programs on wheat farms in southwest Kansas ... United States Department of agriculture, Soil conservation service and Bureau of agricultural economics and Kansas Agricultural experiment station, Department of economics and sociology, cooperating. Amarillo, Tex., 1941.
2 p. l., 40 numb. l. map, tables, diagrs. 28½ x 20½cm.
"Preliminary."
Reproduced from type-written copy.
On leaf 1: By Kenneth H. Myers.

"The statistical work ... was made possible through ... the Work projects administration."—Leaf 1.

1. Soil conservation—Kansas. 2. Agriculture—Economic aspects—Kansas. I. U. S. Soil conservation service. II. U. S. Bureau of agricultural economics. III. Kansas. Agricultural experiment station, Manhattan. Dept. of economics and sociology. IV. U. S. Work projects administration. Kansas. V. Title.

44-50320

Library of Congress S623.M9
₍3₎ 631.45

NM 0922168 DLC

Myers, Kenneth Hayes, 1898-
Johnston, Paul Evans, 1895-
Harvesting the corn crop in Illinois; an economic study of methods and relative costs, by P. E. Johnston and K. H. Myers ... ₍Urbana, Ill.₎ University of Illinois ₍1931₎

VOLUME 403

Myers, Kenneth Hayes, 1898–
... Methods and costs of filling silos in the north central states. [By Kenneth H. Myers ... Washington, U. S. Govt. print. off., 1934]
ii, 22 p. illus. 23cm. (U. S. Dept. of agriculture. Farmers' bulletin no. 1725)
Contribution from Bureau of agricultural economics.

1. Ensilage. [1. Silo] I. Title.
Agr 34-334
Library, U. S. Dept. of Agriculture 1Ag84F no. 1725
Library of Congress [S21.A6 no. 1725]

NM 0922170 DNAL WaWW CaBVaU PPAmP OCl OU

Myers, Kenneth Hayes, 1898–
... Methods and costs of husking corn in the field. [By Kenneth H. Myers. Washington, U. S. Govt. print. off., 1933]
ii, 18 p. illus. 23cm. (U. S. Dept. of agriculture. Farmers' bulletin no. 1715)
Contribution from Bureau of agricultural economics.

1. Maize. 2. Harvesting. [1, 2. Maize—Harvesting] I. Title.
II. Title: Husking corn in the field.
Agr 33-678
Library, U. S. Dept. of Agriculture 1Ag84F no. 1715
Library of Congress [S21.A6 no. 1715]

NM 0922171 DNAL OU OCl PPAmP PP CaBVaU WaWW

Myers, Kenneth Hayes, 1898-
Types of farming in Illinois; an analysis of differences by areas, ... 1934.

NM 0922172 PP

HD9715 .U54B87 Myers, Kenneth Holston, 1919-
Williamson, Harold Francis, 1901–
Designed for digging; the first 75 years of Bucyrus-Erie Company, by Harold F. Williamson and Kenneth H. Myers, II. Evanston, Ill., Northwestern University Press, 1955.

Myers, Kurtz, comp.
ML156 .9 .C8
Cumulated index of record reviews. v. 1- 1948/50-
Washington, Music Library Association.

Myers, Kurtz.
The library and audio-visual materials; a bibliography. Detroit, Audio-Visual Materials Consultation Bureau, College of Education, Wayne University [©1949]
24 p. 23 cm.

1. Audio-visual education—Bibl. 2. Audio-visual library service. I. Title.
A 53-5437
New York Univ. Libraries Z5814.V8M9
for Library of Congress [5]

WaT NBuCC
NM 0922175 NNU NBuG IU CU ICU TxU TU NN N NNC Or

54 M99 **Myers, L F**
Better ditches and grades for horticultural farms, Murrumbidgee Irrigation Areas. Griffith, N.S.W., 1949.
47 p. (Murrumbidgee Irrigation Areas. Agricultural Extension Service. Farmers' bulletin.)

1. Ditches. 2. Drainage works. I. Murrumbidgee Irrigation Areas. Agricultural Extension Service.

NM 0922176 DNAL

Myers, L. H.
see Myers, Leopold Hamilton, 1881-1944.

A281.3659 M99 **Myers, Lawrence, 1898-**
[Addresses, statements, etc.]
Washington.

NM 0922178 DNAL

Myers, Lawrence, 1898–
... Agricultural programs and the processing tax ... By Lawrence Myers ... [Washington, U. S. Govt. print. off., 1938]
10 p. diagrs. 23½cm. (U. S. Agricultural adjustment administration. G—87. General information series)
At head of title: ... United States Department of agriculture. Agricultural adjustment administration. AAA.
Adapted from an address delivered in Philadelphia, Pa., April 28, 1938.

1. Agriculture—Economic aspects. 2. Agriculture—U. S. [1, 2. Agricultural policies and programs—U. S.] 3. [Processing tax.]
Agr 38-645
U. S. Dept. of agr. Library 1.4Ad4Ge no. 87
for Library of Congress [HD9006]

NM 0922179 DNAL OO DFT

1.9422 C6D64 1945 Myers, Lawrence, 1898-
Diversion of cotton and cotton products from their normal channels of trade. Washington, 1945.
124 p.

Reissued June 1945.

NM 0922180 DNAL

Myers, Lawrence, 1898-
Fertilizer consumption and cotton prices. Address delivered at the convention of the National fertilizer association at Atlanta, Georgia, November 10, 1926. [n.p., 1926]
12 leaves 4 diagrs.
Typewritten manuscript.

NM 0922181 MH-BA

Myers, Lawrence S.
The manufacturer and insurance, by Lawrence S. Myers ... Cincinnati, O., New York [etc.] The National underwriter company, 1939.
273 p. 22½cm.
"First edition."

1. Insurance. I. Title.
39-9662
Library of Congress HG8051.M87
——— Copy 2.
Copyright A 126882 [2] 368

NM 0922182 DLC OCl PPT NcU

Myers, Lawrence S
The manufacturer and insurance, by Lawrence S. Myers ... Rev. ed. Cincinnati, O., New York [etc.] The National underwriter company, 1940.
xvii p., 1 l., 282 p. 22½cm.
"First edition, 1939; second edition, 1940."

1. Insurance. I. Title.
43-9861
Library of Congress HG8051.M87 1940
[2] 368

NM 0922183 DLC MB OCl

Myers, Lawrence S
The manufacturer and insurance. Rev. [i. e. 3d] ed. Cincinnati, National Underwriter Co., 1948.
xvii, 250 p. 23 cm.

1. Insurance. I. Title.
HG8051.M87 1948 368 48-26769*

NM 0922184 DLC ICU CaBVa OCl PPT CU

Film B763 4 Myers, Lena Josephine, 1890-
Typical pessimistic attitudes in English literature 1880-1895. Urbana, Ill. [1926]
312 l.
Thesis - University of Illinois.
Bibliography: l. 242-312.
Vita.
Microfilm (negative) Urbana, Ill., University of Illinois Library, Photographic Services, 1967. 1 reel. 35 mm.

NM 0922185 CtY

Myers, Lena Josephine, 1890–
Typical pessimistic attitudes in English literature 1880-1895, by Lena Josephine Myers ... Urbana, Ill., 1928.
16 p. 24cm.
Abstract of thesis (PH. D.)—University of Illinois, 1926.
Vita.

1. English literature—19th cent.—Hist. & crit. 2. Pessimism. I. Title.
29-4471
Library of Congress PR734.P4M8 1926
Univ. of Illinois Libr.

NM 0922186 IU ODW OU MH NN DLC

Myers, Leo Hamilton
see Myers, Leopold Hamilton, 1881–1944.

Myers, Leonard, 1827–1905.
Abraham Lincoln. A memorial address delivered by Hon. Leonard Myers, June 15th, 1865, before the Union league of the thirteenth ward. Philadelphia, King & Baird, 1865.
15 p. 23cm.

1. Lincoln, Abraham, pres. U. S.—Addresses, sermons, etc.
Library of Congress E457.8.M99 12—6752

OCIWHi
NM 0922188 DLC NIC N PP PHi MB NjP CSmH MiU-C

Film 1338 no. 9 MYERS, Leonard, 1827-1905
Abraham Lincoln; a memorial address delivered June 15th, 1865, before the Union League of the Thirteenth Ward. Philadelphia, King & Baird, 1865.
15 p. Film 1338
Film copy.
1. Lincoln, Abraham, Pres, U. S., 1809-1865

NM 0922189 DNLM

Myers, Leonard, 1827-1905.
The bill for relief of the heirs of Jethro Wood; remarks. n.p., [1870]
4 p.
Without title-page. Caption title.

NM 0922190 MH

YA:5000 J17 Myers, Leonard, 1827-1905.
The centennial ... Speeches... Wash., 1874.

NM 0922191 DLC

VOLUME 403

Myers, Leonard, 1827- joint ed.

Philadelphia. *Ordinances, etc.*
A digest of the acts of Assembly relating to the city of Philadelphia and the (late) incorporated districts of the county of Philadelphia, and of the ordinances of the said city and districts, in force on the first day of January, A. D. 1856. Comp. and ed., under authority of city councils, by William Duane, William B. Hood and Leonard Myers. Philadelphia, J. H. Jones & co., printers, 1856.

Myers, Leonard, 1827-1905.
Frauds in the 5th district congressional nomination.
Philadelphia, [1874]
47p.
JK1359 43D .P4M

NM 0922193 DLC PPL PHi

YA:5000 J17 Myers, Leonard, 1827-1905.
French spoliation claims. Remarks of Hon. Leonard Myers... May 19, 1872. Wash., 1872.

NM 0922194 DLC PPB

Myers, Leonard, 1827-
French spoliation claims. Remarks of Hon. Leonard Myers ... [Washington, 1873]
2 p. 23½cm.
Caption title.
Reprint from the Congressional globe of May 21, 1872.

1. French spoliation claims.

12-23665

Library of Congress JX238.F75 1873

NM 0922195 DLC

Myers, Leonard, 1827-1905.
Geneva award. Speech of the Hon. Leonard Myers, of Penn. delivered in the H. of R. Feb. 15, 1873. Wash., Rivers, 1873.
7 p.

NM 0922196 PPAmP

Myers, Leonard, 1827-1905.
Impeachment of the president; speech ... in the House... February 29, 1868. Washington, F. & J. Rives & G.A. Bailey, 1868.
8 p. 25 cm.
DLC: YA 5000.J17

NM 0922197 ICN PHi DLC

Myers, Leonard, 1827- tr.

Sandeau, Jules *i. e.* **Léonard Sylvain Jules, 1811-1883.**
Money-bags and titles: a hit at the follies of the age. Tr. from the French of Jules Sandeau. By Leonard Myers. Philadelphia, Lippincott, Grambo and co., 1850.

YA:5000 J17 Myers, Leonard, 1827-1905.
Navy-yard at league island. Speech ... delivered in the House of representatives Jan. 20 and 25, 1870. Washington, 1870.
8 p.

NM 0922199 DLC

Myers, Leonard, 1827-1905.
Protection to American citizens—John Emilio Houard. Speech of Hon. Leonard Myers, of Pennsylvania, in the House of representatives, April 25, 1872. [Washington, Printed at the office of the Congressional globe, 1872]
8 p. 23cm.
Caption title.

1. Houard, John Emilio, b. 1815. 2. U. S.—For. rel.—Spain. 3. Spain—For. rel.—U. S.

13-19652

Library of Congress JX4231.C5M4

NM 0922200 DLC PHi PPL

Myers, Leonard, 1827-1905.
Purchase of Alaska. Speech of Hon. Leonard Myers, in the House of representatives, July 1, 1868. [Washington, Printed at the Congressional globe office, 1868]
4 p. 23cm.
Caption title.

1. Alaska—Annexation.

9-7013

Library of Congress F908.M99

NM 0922201 DLC

E 464 C585 v.32 no.20 Myers, Leonard, 1827-1905.
Speech of Hon. Leonard Myers, of Pennsylvania, delivered in the House of Representatives, February 28th, 1865. Compensation to American ship-builders. Our navy. Necessity of a navy yard for iron clads. Philadelphia, King & Baird, printers, 1865.
8 p. 25cm.
YA 5000. J17
1. Ship-building subsidies--U. S. 2. Navy-yards and naval stations--U. S.

NM 0922202 NIC PHi PPL CSmH DLC

Myers, Leonard, 1827-1905.
Speech of Hon. Leonard Myers, of Pennsylvania, delivered in the House of representatives, March 24, 1866. The responsibilities of Congress. Acceptance of the results of the war the true basis of reconstruction. Liberty regulated by law the safeguard of the republic. Washington, Printed at the "Chronicle" office, 1866.
16 p. 24cm.

1. Reconstruction—Speeches in Congress.

19-3951

Library of Congress E668.M99

NM 0922203 DLC NIC PP PHi PPL NN CSmH

Myers, Leonard, 1827-1905.
Speech of Hon. Leonard Myers, of Pennsylvania, delivered in the House of representatives, March 24, 1866. The responsibilities of Congress. Acceptance of the results of the war the true basis of reconstruction. Liberty regulated by law the safeguard of the republic. Washington, Printed at the Congressional globe office, 1866.
16 p. 23cm.
[Miscellaneous pamphlets, v. 463, no. 22]

1. Reconstruction—Speeches in Congress.

19-2114

Library of Congress AC901.M5 vol. 463

NM 0922204 DLC PPL PU OClWHi OFH TU CU

Myers, Leonard Morris, 1903-
Electron optics, theoretical and practical, by L. M. Myers ... London, Chapman & Hall, ltd., 1939.
xviii, 618 p. front. (port.) illus., plates, diagrs. (1 fold.) 23cm.
Bibliography: p. 585-608.

1. Optics, Electronic.

39-16642

Library of Congress QC447.M9
[3] 585

NM 0922205 DLC OrPR IdU WaS CaBVaU KMK NcD CU CtY OCU OO PPF

Myers, Leonard Morris, 1903-
Electron optics, theoretical and practical, by L. M. Myers ... New York, D. Van Nostrand Company, Inc., 1939.
xviii, 618 p. front. (port.) illus., plates, diagrs. (1 fold.) 23cm.
Printed in Great Britain.
Bibliography: p. 585-608.

NM 0922206 ICJ KEmT PHC PSC MH TxU PU-El

Myers, Leonard Morris, 1903-
Television optics; an introduction, by L. M. Myers. London, Sir I. Pitman & sons, ltd., 1936.
x, 338 p. incl. front., illus., diagrs. 2 fold. tab. 22cm.
Bibliography: p. 319-329.

1. Television. 2. Optics.

37-2238

Library of Congress TK6630.M9
[3] 621.3881

NM 0922207 DLC CU NcD DAU MB OrCS NN PPF

Myers, Leonard Morris, 1903- 654-M
Television optics; an introduction, by L. M. Myers. New York: Pitman Pub. Corporation, 1936. 338 p. charts, diagrs., front., illus., fold. pls., tables. 8°.

Bibliography, p. 319-329.
Also published in London by Sir Isaac Pitman & Sons, Ltd.

1. Television.
N. Y. P. L. April 6, 1937

NM 0922208 NN

D621.338 M99
Myers, Leonard Morris, 1903-
Television optics; an introduction, by L. M. Myers ... 2d ed. London, Pitman, 1938.
x, 362 p. incl. front., illus., tables, diagrs. 22cm.

Bibliography: p. 343-354.

1. Television. 2. Optics.

NM 0922209 NNC KMK MiD IU OCl OU

PR 6025 .Y5 A75 Myers, Leopold Hamilton, 1881-1944
Arvat; a dramatic poem in four acts. London, E. Arnold, 1908.
147 p. 20 cm.

NM 0922210 WU CtY NIC MiU MH NN IEN CoFS ICU

Myers, Leopold Hamilton, 1881-1944.
The Clio, by L. H. Myers ... London and New York, G. P. Putnam's sons, ltd. [1925]
257, [1] p. 19½cm

I. Title.

25-22987

Library of Congress PZ3.M9908Cl

NM 0922211 DLC LU NBuU ICU FMU OCl

Myers, Leopold Hamilton, 1881-1944.
The Clio, by L. H. Myers ... New York, C. Scribner's sons, 1925.
1 p. l., 253 p. 19½cm.

I. Title.

25-23221

Library of Congress PZ3.M9908Cl 2

NM 0922212 DLC WaU NN ViU CoU ICN IdU PSt

VOLUME 403

Myers, Leopold Hamilton, 1881-1944 ed.
FOR OTHER EDITIONS SEE MAIN ENTRY
Myers, Frederic William Henry, 1843-1901.
Human personality and its survival of bodily death, by Frederic W. H. Myers; edited and abridged by S. B. and L. H. M. London, New York [etc.] Longmans, Green and co. [1936]

NM 0922213

Myers, Leopold Hamilton, 1881-1944.
The near and the far, by L. H. Myers ... London, J. Cape [1929]
314, [1] p. 20cm.

I. Title.

Library of Congress PZ3.M9908Ne 30-2055

NM 0922214 DLC CtY ICU

Myers, Leopold Hamilton, 1881-1944.
The near and the far, by L. H. Myers. New York, Harcourt, Brace and company [c1930]
2 p. l., 3-306 p. 20cm.

I. Title.

Library of Congress PZ3.M9908Ne 2 30-4238

NM 0922215 DLC

Myers, Leopold Hamilton, 1881-
The near and the far; containing The root and the flower & The pool of Vishnu, by L. H. Myers. London, J. Cape [1940]
2 p. l., 9-583 p., 1 l., 17-412 p. 20½ cm.
"This collected volume ... first issued for members of the Book society, 1940."

I. Title. II. Title: The root and the flower. III. Title: The pool of Vishnu.

PZ3.M9908Ne 3 41-1128

NM 0922216 DLC OC1JC CSt WaE NBuU

Spec. PR 6025 Y 45 O 7 1922
Myers, Leopold Hamilton, 1881-1944.
The Orissers. London & New York, G. P. Putnam's Sons [1922]
538 p. 26 cm.
No. 112 of 250 copies printed; signed by the author.

NM 0922217 MoSW PSt ICU

Myers, Leopold Hamilton, 1881-1944.
The Orissers, by L. H. Myers. London & New York, G. P. Putnam's sons [1923]
4 p. l., 3-538 p. 19½cm.
"First published, December, 1922. Reprinted, January, 1923."

I. Title.

Library of Congress PZ3.M9908Or 23-7204

NM 0922218 DLC NcD

Myers, Leopold Hamilton, 1881-1944.
The Orissers, by L. H. Myers. New York, C. Scribner's sons, 1923.
4 p. l., 3-555 p. 19½cm.

I. Title.

Library of Congress PZ3.M9908Or 3 23-7318

NM 0922219 DLC ViU TNJ OrU OC1 OO OLak PBm PPL

Myers, Leopold Hamilton, 1881-1944.
The pool of Vishnu, by L. H. Myers. London, J. Cape [1940]
2 p. l., 9-412 p. 20½cm.
"First published 1940."
"Continues and finishes a tale which in The root and the flower was left incomplete."—Pref.

I. Title. 40-31113

Library of Congress PZ3.M9908Po 2

CtY
NM 0922220 DLC CSt OKentU INS CaBVa OC1 OLak PSC

Myers, Leopold Hamilton, 1881-1944.
The pool of Vishnu, by L. H. Myers. New York, Harcourt, Brace and company [c1940]
2 p. l., 9-412 p. 21cm.
"Continues and finishes a tale which in 'The root and the flower' was left incomplete."—Pref.
"First American edition."

I. Title. 40-30181

Library of Congress PZ3.M9908Po

KMK IdU
NM 0922221 DLC PPL PP ViU NBuU GU ICU NIC PHC NcD

Myers, Leopold Hamilton, 1881-1944.
Prince Jali... London, J. Cape [1931]
2 p.l., 274 p. 20 cm.
"First published 1931."
Sequel of The near and the far.

NM 0922222 CtY

MYERS, LEOPOLD HAMILTON, 1881-1944.
Prince Jali, by L.H. Myers. New York: Harcourt, Brace and Co.[, 1931.] 274 p. 19½cm.

Sequel to his: The near and the far.

628251A. 1. Fiction, English. I. Title.

NM 0922223 NN InU IEN IU INS CoU WaSp

PR6025 .Y45R6 1934
Myers, Leopold Hamilton, 1881-1944.
The root and the flower. New York, H. Brace [Pref. 1934]
538 p. 21cm.
Books 1 and 2 also printed separately.
CONTENTS.—The near and the far.—Prince Jali.—Rajah Amar.

CaBVaU IdB Or OrU WaSp
NM 0922224 ViU MtU MB IdU PPGi OC1 KMK TU MWelC

Myers, Leopold Hamilton, 1881-1944.
The root and the flower, by L. H. Myers. London, J. Cape [1935]
3 p. l., 9-583 p. 20½ cm.
"The near and the far" and "Prince Jali" have also been published separately.
CONTENTS.—The near and the far.—Prince Jali.—Rajah Amar.

I. Title.

PZ3.M9908Ro 35—15048

NM 0922225 DLC NN IU OC1 ODW WaTC

Myers, Leopold Hamilton, 1881-1944.
The root and the flower, by L. H. Myers. New York: Harcourt Brace & Co. Inc. [1935] 583 p. 20½cm.

Printed in Great Britain.
"The near and the far," and "Prince Jali" have also been published separately.
CONTENTS.—The near and the far.—Prince Jali.—Rajah Amar.

805806A. I. Fiction, English. I. Title. II. Title: The near and the far. III. Title: Prince Jali. IV. Title: Rajah Amar.
N. Y. P. L. March 10, 1937

INS GU
NM 0922226 NN MiU OO OOxM CoU FMU OC1 PPD MB WU

Myers, Leopold Hamilton, 1881-1944.
The root and the flower, by L. H. Myers. London, J. Cape [1938]
3 p.l., p.9-583 20.5 cm.
"The near and the far" and "Prince Jali" have also been published separately.
"Sixth impression, January 1938."
Contents. - The near and the far. - Prince Jali. - Rajah Amar.

NM 0922227 CtY

Myers, Leopold Hamilton, 1881-1944.
The root and the flower. New ed. New York, Harcourt, Brace [1947]
950 p. 21 cm.
CONTENTS.—The near and the far.—Prince Jali.—Rajah Amar.—The pool of Vishnu.

I. Title.

PZ3.M9908Ro 4 47-30337*

NN PP IaU NNC LU CaBVaU
NM 0922228 DLC TxU WaU MsU ViU OU WaS WaT WaE OrCS

Myers, Leopold Hamilton, 1881-1944.
Strange glory, by L. H. Myers. London, Putnam [1936]
5 p. l., 3-194 p. 19cm.

I. Title. 36-9470

Library of Congress PZ3.M9908St 2

NM 0922229 DLC ICU CtY

Myers, Leopold Hamilton, 1881-1944.
Strange glory, by L. H. Myers ... New York, Harcourt, Brace and company [c1936]
4 p. l., 3-249 p. 21cm.
"First American edition."

I. Title. 36-9229

Library of Congress PZ3.M9908St

OC1W ODW PPL ViU
NM 0922230 DLC GU TNJ CoU NBuU WaU NIC OrP NN MB

Myers, Leroy O
A bibliograph [i. e. bibliography] of urban works for use in courses of urban geography. [n. p.] 1940.
[12] l. 28 cm.
Imprint date on t. p. in ms.

1. Cities and towns—Bibl.

Z7164.L8M973 016.91 53-49243

NM 0922231 DLC

CS71 .M992 1950
Myers, Leslie William, 1894-
The Myers family in America. [Minneapolis, 1948]
cover-title, 17 l., 14 p. 15 ports. 30cm.

Loose-leaf.
Each leaf and corresponding portrait is inserted in a plastic folder.

NM 0922232 MnHi

Myers, Leta Elvis, 1893-
see under Moffett, Mrs. Leta Elvis (Myers), 1893-

VOLUME 403

H
783.95
M99m
1853

Myers, Levi C
Manual of sacred music, or a choice collection of tunes, psalms, hymns, and spiritual songs, arranged for three voices, adapted to Christian churches, singing schools, and private societies. Selected from the most approved authors. Together with an easy introduction to the ground work of music. By Levi C. Myers. Mountain Valley, Va., near Harrisonburg: Printed at the office of Joseph Funk & Sons c1853.

127 p. 13 1/2 x 21 1/2cm.

Last leaf torn, slightly affecting text. Covers broken.

1. Hymns. I. Title.

NM 0922235 ViHarEM

Myers, Levi N. Commerce and products of British Columbia. 10 pp. (U. S. 52 Cong. 1 sess. House miscel. doc. v. 39, p. 194.)

NM 0922236 MdBP

1482

Myers, Lewis E & co.
El maestro el hogar... Valparaiso, Ind., Myers, 1924.

NM 0922237 DPU

Myers, Lewis Edward, 1863–

Ericsson, Henry, 1861–
Sixty years a builder; the autobiography of Henry Ericsson, written in collaboration with Lewis E. Myers. Chicago, A. Kroch and son, 1942.

Myers, Lillie E., ed.
Ruppius, Otto, 1819–1864.
... José. By Otto Ruppius. From the German. Ed. by Lillie E. Myers. New York, Street & Smith, 1890.

Myers, Lloyd Shelton.
His word of honor, a drama in three acts. n.p. [c1901]
54 p. 23 cm.
Cover title.

NM 0922240 RPB

MYERS, LOIS P., administratrix of Frank S. Myers, appellant.
In the Supreme court of the United States, October term, 1924. Lois P. Myers, administratrix of the estate of Frank S. Myers, deceased, appellant v. the United States. Appeal from the Court of claims. The right of the president to remove executive officers and the power of congress to restrict him in the exercise of such prerogative. Substitute brief for the United States on reargument, James M. Beck, solicitor general. Govt 1925.
101 p. (No.77)

NM 0922241 OrP

JK750
.M8

Myers, Lois P., administratrix of Frank S. Myers, appellant.
U. S. Supreme court.
... Power of the President to remove federal officers. Opinion and dissenting opinions of the Supreme court of the United States in the case of Lois P. Myers, administratrix of Frank S. Myers, appellant, v. the United States, together with briefs and oral arguments by Mr. Will R. King, the senior senator from Pennsylvania, Mr. Pepper, and the then solicitor general, Mr. Beck, also briefs and reply briefs in reargument ... Washington, Govt. print. off., 1926.

PZ8
P979
My

Myers, Lou, illus.
Puss-in-Boots.
Puss-in-Boots. Illus. by Bernice & Lou Myers. Chicago, Rand McNally, °1955.

PZ5
.W765

Myers, Lou, illus.
The Wonder book of Christmas. [Including The night before Christmas, and 10 other stories] Pictures by Lou Myers. New York, Wonder Books [1951]

Myers, Louie Lloyd.
Teaching loads in large city high schools... 160 l. 3p.

Thesis - Ph. D. degree - Western Reserve university, May 15, 1939.

NM 0922245 OClW

MYERS, Louis Guerineau.
Illustrated catalogue of early American and English furniture and other contemporaneous treasures, to be sold [Feb. 24-26, 1921] By the American Art association, New York, [New York], 1921.

Front. and other illustr.

NM 0922246 MH MBAt PPPM

NK
2220
M99

Myers, Louis Guerineau.
The private collection of the late Louis Guerineau Myers. Duncan Phyfe: charateristic examples in his most beautiful designs... Sheraton and Hepplewhite, including notables Philadelphia and Baltimore examples, rare pewter, glass, porcelains, hooked and oriental rugs... New York, American Art Association, Anderson Galleries, 1932.
170 p. illus. 27cm.

Sale number 3963.

1. Furniture--Catalogs. 2. Art objects --Catalogs. I. American Art Association, Anderson Galleries, New York.

NM 0922248 NIC IU MBAt

Myers, Louis Guerineau.
Some notes on American pewterers, by Louis Guerineau Myers. Garden City, N. Y., Printed for L. G. Myers by Country life press, 1926.
xiii p., 1 l., 96 p. front., plates. 26cm.
"Limited to an edition of one thousand copies."

1. Pewter. 2. Metal-workers—U. S. 3. Collectors and collecting. I. Title.

Library of Congress NK8412.M8 26—10973
——— Copy 2.

CaBVa
OCl OEac OO OU IdU Wa WaSp WaS OrLgE CaBVaU Or
NM 0922249 DLC ICJ TxU NcD NN MWA MB PP PPPM WU

Myers, Louis McCorry, 1901–
American English; a twentieth-century grammar. New York, Prentice-Hall, 1952.
237 p. 23 cm. (Prentice-Hall English composition and introduction to literature series)

1. English language—Grammar—1870– I. Title.

PE1111.M95 425 52-10472 ‡

WaSpG IdPI
PHC OOxM NcD TU OCIW FMU OrCS OrP OrPS OrStbM
NM 0922250 DLC TxU MsU MsSM ViU PCM CaBVaU MtBC

Myers, Louis McCorry, 1901–
Guide to American English. New York, Prentice-Hall, 1955.
433 p. illus. 22 cm. (Prentice-Hall English composition and introduction to literature series)

1. English language—Grammar—1870– 2. English language—Rhetoric. I. Title.

PE1111.M954 808 55-8367 ‡

MB WaU OrSaW OrStbM MtBC WaS WaTC CaBVaU OrCS
NM 0922251 DLC IU FMU MsSM OrMonO MiU ViU ICU PP

Myers, Louis McCorry, 1901–
Our developing language, by Louis M. Myers ... Published by State department of public instruction, Phoenix, Arizona. H. E. Hendrix, superintendent, December 1940. [Phoenix] Messenger printing company [1940]
2 p. l., 35, [1] p. 23 cm.

1. English language—Hist. I. Arizona. State dept. of education. II. Title.

PE1095.M8 420 41-52422 rev

NM 0922252 DLC Or MtU ViU PP

Myers, Louis Wescott, 1872–
... The federal Constitution, if any; address by Judge Louis W. Myers, edited by Orra Eugene Monnette, LL.D. [Los Angeles? 1934]
14 p. 22cm.
At head of title: Society of colonial wars in the state of California.

1. U. S. Constitution. 2. U. S.—Pol. & govt.—1933– I. Monnette, Orra Eugene, 1873– ed. II. Society of colonial wars. California.

Library of Congress JK273.M8 34-24718
.2 342.739

NM 0922253 DLC

Myers, Louis Wescott, 1872-
The incompleat angler [by] Judge Louis W. Myers. [Los Angeles] The Sunset Club, 1951.
3 p.l.,3-46 p.,1 l. illus. 17cm.

Title vignette.
"150 copies ... printed by the Ward Ritchie Press."

NM 0922254 CLU-C

Myers, Louisa Palmier.
An idyl of the Rhine, by Louisa Palmier Myers ... New York [etc.] F. T. Neely co. [1901]
2 p. l., 41 p. plates, ports. 19½cm.
In verse.

I. Title.

Library of Congress PS3525.Y45 I 4 1901 1-20419

NM 0922255 DLC RPB MiU

T641.5
M992c

Myers, Louise (Holland)
... The capitol cook book. A selection of tested recipes, by the ladies of Albert Sidney Johnston chapter, Daughters of the Confederacy. Compiled by Mrs. E.G. Myers, Austin, Texas. Austin, Tex., Von Boeckmann, Schutze & company, printers, 1899.
168p. 23cm.
Advertisements interspersed.
1. Cookery, American - Texas. I. United daughters of the confederacy. Texas division. Albert Sidney Johnston chapter. II. Title.

NM 0922256 TxU

Myers, Louise Kifer.
Music fundamentals through song. Englewood Cliffs, N. J., Prentice-Hall [c1954]

90 p. illus. 22 x 29cm.

1. Music - Theory. I. Title.

NM 0922257 FU GU

VOLUME 403

Myers, Louise Kifer.
Music fundamentals through song. New York, Prentice-Hall, 1954.
90 p. illus. 22 x 29 cm.

1. Music—Theory. I. Title.
MT6.M973 781.2 53—11619 †

PWcS
TxU PSt OU OClW LU CoU IdU MtU OrP OrU WaS NcGU
NM 0922258 DLC OrMonO CaBVaU CaBVa AAP OO OOxM

Myers, Louise Kifer.
Teaching children music in the elementary school. New York, Prentice-Hall, 1950.
xvi, 327 p. music. 23 cm. (Prentice-Hall music series)
Bibliography: p. 295–314.

1. School music—Instruction and study—U. S. I. Title.
MT930.M97 780.72 50-9194

WaTC MtU
WaSp WaT NN MtBC NcU TxU TU OrMonO OrPS OrSaW IdU
NM 0922259 DLC PSt NcGU CoU WU Or OrCS OrP OrU

Myers, Louise Kifer.
Teaching children music in the elementary school. New York, Prentice-Hall [1952]
xvi, 327 p. music. 22 cm. (Prentice-Hall music series)
Bibliography: p. 295–314.

NM 0922260 ViU PBL MB

911.52
M996H
Myers, Lyla.
Here 'tis, by Lyla Myers. New York, London [etc.] Fleming H. Revell company [°1938]
94, [1] p. 19½cm.
Poems.

I. Title.
Library of Congress PS3525.Y46H4 1938 38-34736

NM 0922261 DLC NcD

Myers, M H comp.
Jewish calendar & diary; containing the date of each Sabbath and festival for the year 5646 [1885-6] With the portion of law and prophets read on those days. Also a condensed calendar, shewing the dates of leading festivals for ensuing ten years, and ... table for the ensuing five years, as well as a variety of other use ful information. London, Pub. by the Author, 1885.
1 v. (unpaged) illus. 25 cm.

NM 0922262 NcU

Myers, M[ ] H[ ]
Twelve hundred questions and answers on the Bible, intended principally for the use of schools and young persons.
London: Longmans, Brown, Green, & Longmans, 1845.
[v.1-] 2.
2v., (bd. in one)

NM 0922263 OCH NcU PPDrop

BS612
M9
Myers, M H
Twelve hundred questions and answers on the Bible. By Revs. M. H. and I. H. Myers ... Second edition. Carefully revised by Rev. E. M. Myers. Wilmington, N. C. [Stein & Jones, printers, Philadelphia] 1868.
iv,1l.[7]-237p. 18cm.

NM 0922264 NBuG NcU PU PPGratz

MYERS, M H
Twelve hundred questions and answers on the Bible. By Revs. M. H. and I. H. Myers, of London. Second edition. Carefully revised by Rev. E. M. Myers.
Wilmington,N.C.:1868.
ivp.,1l.,[7]-237p. 17½cm.
Orig. black cloth;spine damaged.
Autographed: H P Rosenbach 1868.

NM 0922265 PPRF NcU

658.3
M9961p
Myers, M Scott.
Personnel administration, by M.Scott Myers & Iraj Ayman. [Tehran] Personnel Management & Research Center, Institute for Administrative Affairs, Faculty of Law, University of Tehran [1955?]
1v.(various pagings) diagrs.,forms. 27cm.

Table of contents in English, text in Arabic.
1.Personnel management. I.Ayman, Iraj, joint author.

NM 0922266 CLSU

Thesis
1926
M995
Myers, Mabel Adelaide, 1900-
A study of the tonsillar development in the lingual region of the anurans. [Ithaca, N. Y.] 1926.
73 p. illus. 28cm.

Thesis (Ph. D.)--Cornell University, Sept., 1926.

NM 0922267 NIC

Myers, Mabel Adelaide, 1900–
A study of the tonsillar developments in the lingual region of anurans ... by Mabel A. Myers ... [Philadelphia, 1928]
cover-title, p. 399–439 incl. 1 illus., 3 pl. 26½cm.
Thesis (PH. D.)—Cornell university, 1926.
Descriptive letterpress on versos facing the plates.
"Reprinted from Journal of morphology and physiology, vol. 45, no. 2, June, 1928."
"Literature cited": p. 433.

1. Tonsils. 2. Anura. 3. Batrachia—Anatomy.
Library of Congress QL861.M8 1926 30-28301
——— Copy 2. [2] 591.43

NM 0922268 DLC NIC

Myers, Madeleine N 1896–
Pocketful of feathers, [by] Madeleine M. [sic] Myers. Philadelphia, Westminster Press [1950]
150 p. 21 cm.

I. Title.
PZ7.M988Po 50-2846 rev

NM 0922269 DLC Or OrP WaS WaSp WaT MB

Myers, Madeleine N 1896–
Pulling strings; illustrated by Adrienne Adams. [1st ed.] New York, Holt [1954]
228 p. illus. 21 cm.

I. Title.
PZ7.M988Pu 54-5739 ‡

NM 0922270 DLC CaBVa Or WaT PP

Myers, Madeleine N 1896–
Touch the harvest moon; illustrated by Michael Mitchell. [1st ed.] New York, Holt [1955]
256 p. illus. 21 cm. [Holt books for young people]

I. Title.
PZ7.M988To 55-10571 ‡

NM 0922271 DLC Or

Myers, Madeline.
The brown lamb, a missionary play. London, Epworth Press [1946]
19 p. 19 cm.

I. Title.
A 48-6695*
New York. Public Libr. for Library of Congress [1]

NM 0922272 NN

Myers, Malcolm.
Malcolm Myers; paintings, prints [and] drawings
see under Minnesota. University. University Gallery.

Myers, Manette A FOR OTHER EDITIONS SEE MAIN ENTRY
New Mexico. *State director of industrial education.*
Course of study in industrial education, including domestic science, manual training and agriculture for the schools of New Mexico. February, 1913. Prepared by Manette A. Myers, state director of industrial education, adopted by State board of education, issued by State department of education. [Santa Fe? 1913]

Myers, Manette A.
Textiles and sewing; a supplement to Morris's Household science and arts, by Manette A. Myers ... New York, Cincinnati [etc.] American book company [°1915]
xxxii p. illus. 18½cm.

1. Sewing. I. Morris, Josephine, 1863– Household science and arts. II. Title.
Library of Congress TT705.M97 15-17684

NM 0922275 DLC

Myers, Manuel.
The complete skip-tracing course, with specimen letters and dialogue (revised) Copyright ... by Manuel Myers. [Van Nuys, Calif.] °1943.
cover-title, 27 p. 23½cm.

1. Collecting of accounts. I. Title: Skip-tracing course.
Library of Congress HF5556.M9 1943 43-16703
[2] 658.88

NM 0922276 DLC

Myers, Marcelline Flora.
A story of pioneers and their children and some pioneer things you can make, by Marcelline Flora Myers and Louise Embree; illustrated by Clotilde Embree Funk. Indianapolis, New York, The Bobbs-Merrill company [°1937]
180 p. illus. 22cm.
"First edition."

1. Frontier and pioneer life. 2. Handicraft. I. Embree, Louise, joint author. II. Title. III. Title: Pioneers.
Library of Congress PZ7.M99St 37-19754

NM 0922277 DLC Or OCl OLak PP

Myers, Mardy, joint author.
Effect of specific merchandising
see under
Huelskamp, Henry Jacob, 1930-

Myers, Margaret Elizabeth (McHenry)
see Myers, Beth (McHenry) 1910–

VOLUME 403

Myers, Margaret Good, 1899–
Monetary proposals for social reform, by Margaret G. Myers. New York, Columbia university press, 1940.
x p., 1 l., 191 p. facsims. 22½cm.
"Published in celebration of the seventy-fifth anniversary of Vassar college and in honor of Henry Noble MacCracken in the twenty-fifth year of his presidency."
Bibliography: p. [181]–184.
1. Money. 2. Currency question. I. Title
40—10998
Library of Congress HG255.M9
—— Copy 2.
Copyright [41f3] 332.4
DAU NcD CU CoU OrSaW
NM 0922280 DLC MiU NRCR TU OC1 OC1W PSC PU ViU

Myers, Margaret Good, 1899–
The New York money market, volume I: Origins and development, by Margaret G. Myers ... New York, Columbia university press, 1931.
xv, 476 p., 1 l. front., plates, diagrs. 22½ cm.
Illustrated lining-papers.
Thesis (PH. D.)—Columbia university, 1931.
Vita.
Published also without thesis note as v. 1 of The New York money market.
Bibliography: p. [435]–466.
1. Banks and banking—New York (City) 2. National banks—U. S. 3. Federal reserve banks. 4. Loans. I. Title. II. Title: Money market, The New York.
HG184.N5M8 1931 332.097471 32—8136
NM 0922281 DLC MH

Myers, Margaret Good, 1899–
The New York money market ... New York, Columbia university press, 1931–32.

Myers, Margaret Good, 1899–
Paris as a financial centre, by Margaret G. Myers. London, P. S. King & son, ltd., 1936.
xii, 192 p. diagrs. 22cm.
"The Lucy Maynard Salmon fund for research, at Vassar college, has made possible the publication of the volume."—p. v.
Bibliography: p. 190.
1. Banks and banking—Paris. 2. Finance—France. I. Vassar college. Lucy Maynard Salmon fund for research. II. Title.
36-13471
Library of Congress HG3040.P22M85
[3] 332.1094436
MiU OC1 PBm PPFRB MB NN
NM 0922283 DLC WaU CU NIC OCU OU ViU NcD CtY OrU

Myers, Margret Esther, 1896–
... Contributions toward a knowledge of the life-histories of the *Melanophyceae*, a preliminary report, by Margret Esther Myers ... Berkeley, Calif., University of California press, 1925.
cover-title, 1 p. l., p. [109]–124. pl. 8–10. 27½cm. (University of California publications in botany. v. 13, no. 4)
Issued in single cover with v. 13, no. 3 of the series.
1. [Melanophyceae]
A 25–736
Title from Univ. of Calif. Library of Congress
NM 0922284 CU CaBVaU NNBG CU PSt OC1 OCU OU PPAmP

Myers, Margret Esther, 1896–1926.
The life-history of the brown alga, *Egregia menziesii*, by Margret E. Myers ... Berkeley, Calif., University of California press, 1928.
cover-title, 1 p. l., p. [225]–246. pl. 49–52. 28cm. (University of California publications in botany. v. 14, no. 6)
"A thesis submitted in partial fulfillment of the requirements for the degree of doctor of philosophy in the University of California, published posthumously. Dr. Myers successfully passed the public examination for the degree in December, 1926."—p. [225]
"Literature cited": p. 238.
1. Algae. 2. [Egregia menziesii] I. Title.
A 28–155
Title from Univ. of Calif. Library of Congress
MiU OrCS OC1 OCU OrU
NM 0922285 CU CaBVaU PPAmP MoU MiU NNBG PSt

Myers, Marie Honré, illus.
Barrows, Marjorie.
Little duck, story by Marjorie Barrows; sketches by Marie Honré Myers. New York, Grosset and Dunlap [°1935]

TA 7 S58 1954 no. 2+
Myers, Mark L
Corrugated containers for the handling of liquids. [Ithaca, N. Y., 1953]
[8] l. illus. 29cm. (Silent Hoist and Crane Company. Materials handling prize papers, 1954, no. 2)
"Second prize."
1. Containers. I. Series.
NM 0922287 NIC

Myers, Martin L
Yardbird Myers, the fouled-up leatherneck, by Martin L. Myers. Philadelphia, Dorrance and company [1944]
230 p. 19cm.
1. U. S. Marine corps. I. Title.
44-3772
Library of Congress VE23.M9
[5] 359.96
NM 0922288 DLC ViU

Wason Pamphlet B 68
Myers, Mary.
Chotbah diatas boekit; Jesoes Kristoes poenja Minggoe pengabisan. Easter play. Toneelstuk boeat perajahan Paska. Batavia, [19--?]
128, 36 p. 14cm.
1. Sermon on the Mount. 2. Sermons, Indonesian.
NM 0922289 NIC

Myers, Mary, *defendant.*
The trial and conviction of Mary Myers and John Parker, for the murder of John Myers, (the husband of Mary Myers,) late of Rockland township, Venango county, Penn'a., by administering arsenic. Reported by E. S. Durban. Franklin, Pa., E. S. Durban, printer, 1847.
55 p. 20cm.
"In the Court of oyer and terminer of Venango county, of May term, 1847."—p. [3]
1. Myers, John, d. 1847. I. Parker, John, of Venango co., Pa., defendant. II. Durban, E. S., reporter. III. Pennsylvania. Court of oyer and terminer (Venango co.)
45–29690
NM 0922290 DLC

Myers, Mary C
... Ezekiel's statue of Jefferson. By Miss Mary C. Myers. Unveiling of Ezekiel's statue of Jefferson. Presentation address by Senator T.S. Martin. Acceptance by President Alderman. Address by Sir Moses Ezekiel. Address by Hon. Daniel Harmon.
(In University of Virginia alumni bulletin. Charlottesville, Va., 1910. 23cm. Third ser., v.3,no.4, Aug. 1910. p.351-378. front., illus. (port.))
Detached copy.
1. Jefferson, Thomas, 1743-1826—Monuments, etc. 2. Ezekiel, Moses, 1844-1917. I. Alderman, Edwin Anderson, 1861-1931. II. Harmon, Daniel, 1859-1912. III. Martin, Thomas Staples, 1847-1919. IV. Ser.
NM 0922291 ViU

Myers, Mary Claire, 1916–
Aptitude determinations in the field of clinical psychology, by Mary Claire Myers ...
[Berkeley, Calif., 1941]
2 p.l., 58 numb. l., 1 l., xv numb. l. tables, diagrs. 29 cm.
Thesis (Ph.D.) - Univ. of California, May 1941.
"References": p. 58.
1. Ability - Testing. 2. Mental tests. 3. Clinical Psychology.
NM 0922292 CU

Myers, Maurice, tr.
Jews. *Liturgy and ritual. Hagadah.*
The passover Hagadah. Ed., with a new translation in prose and verse, by Maurice Myers. Illustrations by J. H. Amschewitz ... London, "Geographia" limited [°1916]

D769 .3 77th .A5
Myers, Max, ed.
U. S. *Army. 77th Division.*
Ours to hold it high: the history of the 77th Infantry Division in World War II, by men who were there. [Editor: Lt. Col. Max Myers. 1st ed.] Washington, Infantry Journal Press [1947]

Myers, Max, of Philadelphia.
A comparison of the required book list of the 4th, 5th and 6th grades of the Philadelphia schools with five selected standard lists. [Phila. Author] 1936.
20 p.
NM 0922295 PPPD

Myers, Max, of Philadelphia.
A survey of reported accidents to children of the Philadelphia public elementary schools which occurred on the grounds and in the buildings for the school year 1934-1935. [Philadelphia] 1936.
143 p. Thesis.
NM 0922296 PPT

Myers, Max, 1913–
Farm tenure processes in South Dakota. [Ithaca, N. Y.] 1950.
ix,327 l. illus., maps. 27cm.
Thesis (Ph.D.)--Cornell Univ., Feb. 1950.
Typewritten.
Vita.
Bibliography: leaves 273-285.
NM 0922297 NIC IaU

Mann Z 7164 L3 M99
Myers, Max, 1913–
A selected bibliography on land classification. (Prepared as an appendix to a paper, "Classifications of Land" submitted for credit in Agricultural Economics Course 281, Special Problem in Land Economics.) [Ithaca, N. Y.] Cornell University, 1949.
16 l.
1. Land - Classification - Bibl. 2. [Land utilization - Bibl.] I. Title.
NM 0922298 NIC

Myers, May Ethel (Klinck)
see
Myers, Ethel (Klinck) 1881–

Myers, May Lee.
Jefferson club, *Richmond. Library.*
Catalogue of the Jefferson club library ... Librarian: Miss May Lee Myers. Richmond, Virginia, February, 1911. Richmond, Va., H. T. Ezekiel, printer, 1911.

VOLUME 403

Myers, Melvin Keith, 1922-
The verbal categories in colloquial literary French. Ann Arbor, University Microfilms [1955]
([University Microfilms, Ann Arbor, Mich.] Publication no. 13,533)
Microfilm copy (positive) of typescript.
Collation of the original: lxxviii, 140 l.
Thesis—University of Illinois.
Abstracted in Dissertation abstracts, v. 15 (1955) no. 11, p. 2197.
Vita.

1. French language—Verb.
Microfilm AC-1 no. 13,533 Mic 55-1118 rev
Illinois. Univ. Library for Library of Congress [r60b2]†

NM 0922301 IU CU LU DLC

Myers, Meyer.
Exhibition of works in silver and gold
see under Brooklyn institute of arts & sciences. Museum.

Myers, Sir Michael, 1873-

New Zealand. *Laws, statutes, etc.*
The public acts of New Zealand (reprint) 1908-1931 ... New Zealand editorial board: the Right Honourable Sir Michael Myers ... the Honourable W. Downie Stewart ... James Christie ... Managing editor: H. Alleyn Palmer ... Consulting editor: James Christie ... Wellington, N. Z., Butterworth & co. (Aus.) ltd.; Toronto, Butterworth & co. (publishers) ltd.; [etc., etc.] 1932-33.

Myers, Michael S.

New York (*State*) *Commission on prison labor.*
Report of the State commission on prison labor, together with the proceedings of the Commission, minutes of evidence, and an index of subjects. Albany, The Argus company, printers, 1871.

Myers, Mildred, 1895-
Present tendencies in French fiction as shown by the works of Henry Bordeaux ... by Mildred Myers ... 1917.
5 p.

NM 0922305 OU

Myers, Millard Riley, 1873-
The Chicago Sunday school extension, by W. R. Miller, Galen B. Royer, Mrs. D. L. Miller, Millard R. Myers, Ralph W. Miller. Elgin, Ill., Brethren publishing house, 1904.

Myers, Minard C.
Different types of modern engines and their valve setting, in a condensed form, by Minard C. Myers ... Boston, Mass., M. C. Myers, 1910.
104 p. illus. 20½cm. $1.00

1. Steam-engines—Handbooks, manuals, etc. 2. Steam-engines—Valve-gears.
Library of Congress TJ471.M9 [34b1] 10-8400

NM 0922307 DLC ViU ICJ MB

Myers, *Mrs.* **Minnie Bell.** 372.2 R501
.... Home study course of Mothers' Kindergarten School. By Minnie Bell Myers and Hazel Irene Myers. In seventeen lessons. Kansas City, Mo., Press of Franklin Hudson Publishing Company, [©1915].
202 p. illus. 22cm.
At head of title: Revised edition.
Seventeen parts and twenty-six lessons; each part has individual title-page.
Part 2-17 imprint reads: Mothers Kindergarten School, ©1914.
1914 edition by Irene Myers.

NM 0922308 ICJ

[**Myers,** *Mrs.* **Minnie Bell**] *comp.*
... How to study a child; a mother's guide. Kansas City, Mo., Press of Franklin Hudson publishing co. [©1915]
46, [1] p. 19cm. (Life-book series) $1.25
Blank pages at end for "Child's life story."
"Compiled and copyrighted by Mrs. Minnie Bell Myers."

1. Child study. I. Title.
Library of Congress LB1117.M8 15-15160

NM 0922309 DLC DHEW

Myers, Minnie (Walter)
Romance and realism of the southern Gulf coast, by Minnie Walter Myers. Cincinnati, The Robert Clarke company, 1898.
xi, 137 p. incl. front., illus. 20cm.
CONTENTS.—Indians of the sea coast.—Early romance history.—Creoles, Acadians and plantation scenes.—New Orleans, its romances and picturesque charms.—Beauvoir and the mysterious music of the sea.—Past and present.

1. Gulf states—Descr. & trav. 2. Gulf states—Hist. I. Title.
Library of Congress F296.M98 1-7911

NM 0922310 DLC TxU CU OC WaS PHi ViU NN

Myers, M[ordecai]
Reminiscences, 1780 to 1814, including incidents in the war of 1812-14; letters pertaining to his early life written by Major Myers, 13th infantry, U. S. army. Washington, The Crane co., 1900.
56 p. incl. front. (port.) 24½cm.
One hundred copies only of this pamphlet have been printed. No. 93.

Subject entries: U. S.—Hist.—War of 1812—Personal narratives.
2-17436
Library of Congress, no. E361.M98.

NM 0922311 DLC WHi NNC DN DNW MB

330.951 M996p
Myers, Myrl S.
Preliminary survey of industry and mining in China. Prepared for Division of Economic Studies, Dept. of State. [Washington] 1943.
109p. tables. 27cm.
1. China - Industries. 2. Mines and mineral resources - China. I. T.

NM 0922312 CLSU

Myers, Nathan.
A brochure of architectural work from the office of the architect. Newark, N. J., [The Author] 1924.
[26] p. of plates.

NM 0922313 MiD NBuG OCH NN

Myers, O A
Alachua County, her attractive features and public improvements, by O.A. Myers, editor Advocate. Combined with a complete business directory, compiled and published by Cannon and McCreary. Gainesville, Fla., 1882.
41 p. 23cm.

Page 17-39 advertisements.

1. Alachua Co., Fla. - Descr. & trav. 2. Alachua Co., Fla. - Hist. I. Cannon and McCreary, Gainesville, Fla.

NM 0922314 FU

Myers, O Beta
The globe-trotters' dictionary; being an alphabetical list of the most ordinary and useful everyday English words and some common phrases with their equivalent meanings in French, German, Italian and Spanish, by O. Beta and William S. Myers. New York, Published by William S. Myers, n.d.
2-69 p.

NM 0922315 OU

60.1 M99
Myers, O H
Arid Zone programme; notes on the improvement of pasturage in semi-steppe desert and semi-desert. Paris, 1953.
[21] p. (UNESCO/NS/AZ/137)

1. Pastures. 2. Arid regions. I. United Nations Educatonal, Scientific and Cultural Organization.

NM 0922316 DNAL

Myers, O Jay.
Oxidation inhibitors in core-sand mixtures for magnesium castings.
(*In* Metals technology. New York, 1945. v. 12, no. 2, Feb. 1945. 9 p. illus.)
American Institute of Mining and Metallurgical Engineers. Technical publication no. 1776 (Class E, Institute of Metals Division, no. 447)

1. Magnesium founding. I. Title. II. Title: Inhibitors in core-sand mixtures.
[TN1.A5255 vol. 12, no. 2] P O 49-157*
U. S. Patent Office. Library for Library of Congress [1]

NM 0922317 DP

Myers, O. P.

Iowa. *Commission on land titles.*
... Report of Iowa commission on land titles. Submitted to the governor and the forty-first General assembly. Des Moines, The state of Iowa [1924]

Myers, Oliver Humphrys, 1903- joint author.

Mond, *Sir* **Robert,** 1867-
The Bucheum, by Sir Robert Mond ... and Oliver H. Myers; with chapters by T. J. C. Baly, D. B. Harden ... [and others] and the hieroglyphic inscriptions edited by H. W. Fairman ... London, The Egypt exploration society [etc.] 1934.

Myers, Oliver Humphrys, 1903- joint author.

DT73 .A8M6
Mond, *Sir* **Robert,** 1867-1938.
Cemeteries of Armant, I, by Sir Robert Mond ... and Oliver H. Myers, with chapters by T. J. C. Baly, J. Cameron ... A. J. E. Cave ... Suliman Huzayyin, J. W. Jackson ... and the Rev. DeLacy O'Leary, and other contributions ... London, The Egypt exploration society, H. Milford, Oxford university press, 1937.

Myers, Oliver Humphrys, 1903-
Little Aden Folklore. Le Caire, 1947.
233 p. illus.
Reprinted from the Bulletin de l'Institut Français d'Archéologie Orientale, t. XLIV.
1. Folk-lore - Aden.

NM 0922321 InU

VOLUME 403

Myers, Oliver Humphrys, 1903–
Some applications of statistics to archæology. Cairo, Govt. Press, 1950.
vi, 37 p. fold. map, diagrs. 38 cm.
At head of title: Service des antiquités de l'Égypte.
"Corrections and additions": leaf inserted.

1. Archaeology—Stat.
CC77.M9 571 52-64615

NM 0922322 DLC CU ICU TxU NcD NN

Myers, Oliver Humphrys, 1903– joint author.

Mond, *Sir* **Robert,** 1867–1938.
Temples of Armant; a preliminary survey, by Sir Robert Mond ... and Oliver H. Myers; with chapters by M. S. Drower, D. B. Harden, S. A. Huzayyin, R. E. McEuen, and Mary I. C. Myers. London, The Egypt exploration society, 1940.

Myers, Oma Lou, 1909–
This one thing I do; a biography of Frank Hamilton Marshall, pioneer Christian educator. [Portland? Or., 1953]
153 p. illus. 23 cm.

1. Marshall, Frank Hamilton, 1868– I. Title.
BX7343.M29M9 922.673 53-31319 ‡

NM 0922324 DLC

TK 9001 .U57 no.158 Myers, Orlo Edmund, 1922-
Vacuum sparking; a bibliography, by O.E.Myers [and] W.A.Raatz. [Livermore, Calif.] Printed for the U.S.Atomic Energy Commission by the University of California Radiation Laboratory, 1955.
49 *l.* 28 cm. (L[ivermore] R[esearch] L[aboratory]-158)
"Contract no.AT(11-1)-74."

1.Electric spark--Bibl. 2.Electric discharges through gases--Bibl. I.Raatz,W.A., joint author. II.Title.

NM 0922325 MiU

Z 7144 V25 M9 Myers, Orlo Edmund, 1922-
Vacuum sparking; a bibliography, by O.E. Myers and W. A. Raatz. Livermore, Calif., Livermore Research Laboratory, California Research and Development Co., [available from the Office of Technical Services, Dept. of Commerce] 1955.
49 p. 26 cm. (LRL-158)

"Operated by California Research and Development Company for the U.S. Atomic Energy Commission."

NM 0922326 OU

Myers, Orvil Floyd.
The significance of the mathematical element in the philosophy of Bertrand Russell. Chicago, 1926.
204 l. 29 cm.
Thesis—University of Chicago.
Typescript (carbon copy)
Bibliography: leaves [201]-204.

1. Russell, Bertrand Russell, 3d Earl, 1872– 2. Mathematics—Philosophy. I. Title.
B1649.R94M9 70-210752

NM 0922327 DLC ICU

Myers, O[sborne] A.
Questions national and of national importance to every American citizen, with reference to questions municipal, by O. A. Myers. [Los Angeles, G. Rice & sons, 1896]
167 p. 18cm.

1. Economics—Miscellanea.
Library of Congress HB171.7.M985 5-17064†

NM 0922328 DLC CU OFH OCU

Myers, Oscar.
Tables of French exchange, and equivalent rates for francs and sterling ... By Oscar Myers. New York, E. B. Clayton's sons [1864]
37 p. 23cm.

1. Foreign exchange—Tables, etc.
CA 9-233 Unrev'd
Library of Congress HG3866.M9

NM 0922329 DLC

Myers, Oscar, *comp.*
Tables of gold equivalents in currency. Showing the gold value in currency of 1 cent to 100,000 dollars, by eighths, from par to 150 per cent. ... By Oscar Myers. New York, Van Kleeck & Clark, 1867.
54 p. 12½cm.

1. Gold.
Library of Congress HG347.M9 6-8117†

NM 0922330 DLC

Myers, P. A.
Plat book of Alpena
see under Consolidated Publishing Company, Minneapolis

Myers, P. A.
Plat book of Charlevoix county, Michigan
see under Consolidated publishing company, Minneapolis.

Myers, P. A.
Plat book of Cheboygan county, Michigan
see under Consolidated publishing co., Minneapolis.

Myers, P. A.
Plat book of Emmet county, Michigan
see under Consolidated publishing company, Minneapolis.

Myers, P. A.
Plat book of Iosco County, Michigan
see under Consolidated Publishing company, Minneapolis.

Myers, P. A.
Plat book of Mecosta County, Michigan
see under Consolidated Publishing Company, Minneapolis.

Myers, P. A.
Plat book of Ogemaw County, Michigan
see under Consolidated Publishing Company, Minneapolis.

Myers, P. A.
Plat book of Osceola County, Michigan
see under Consolidated Publishing Company, Minneapolis.

Myers, P.H.

American management association.
Extra incentive wage plans for office employees, by F. L. Rowland ... W. J. Harper ... P. H. Myers ... New York, N. Y., American management association, °1925.

Myers, Patrick.
Uplifted hands; the story of leprosy... Tralee, Kerryman [1951] 114 p. illus. 20cm.

1. Leprosy—Hist. 2. Lepers—Hospitals, missions, etc. I. Title.
N. Y. P. L. February 11, 1952

NM 0922340 NN

Z5781 .S8 Myers, Paul, joint author.

Stallings, Roy.
A guide to theatre reading, by Roy Stallings and Paul Myers, under the editorial supervision of George Freedley; foreword by Rosamond Gilder. New York, National Theatre Conference, 1949.

Myers, Paul F
Population of the Federal Republic of Germany and West Berlin, by Paul F. Myers and W. Parker Mauldin. Washington, U. S. Govt. Print. Off., 1952.
vi, 95 p. maps, diagrs. 26 cm. (International population statistics reports, series P-90, no. 1)

1. Germany (Federal Republic, 1949–)—Population. 2. Berlin (West Berlin)—Population. I. Mauldin, W. Parker, joint author. II. Title. (Series: U. S. Bureau of the Census. International population statistics reports. Series P-90, no. 1)
HA155.A3 no. 1 312 52-61997

NSyU MtBC
NM 0922342 DLC TxU WaU NIC OClJC PU-W PP PSt DS

Myers, Paul F
The population of Yugoslavia, by Paul F. Myers and Arthur A. Campbell. Washington, U. S. Govt. Print. Off., 1954.
vi, 161 p. illus., maps. 26 cm. (U. S. Bureau of the Census. International population statistics reports series P-90, no. 5)
Includes bibliographies.

1. Yugoslavia—Population. I. Campbell, Arthur A., joint author. II. Title. (Series)
HA155.A3 no. 5 312 54-60955

NM 0922343 DLC NSyU TxU MtBC PSt NIC PU-W OOxM

AW 2 H85 AJ4 1: Myers, Paul F
The population of Yugoslavia, by Paul F. Myers and Arthur A. Campbell. Washington, U.S. Govt. Print. Off., 1954.
vi, 161 p. illus., maps. (U.S. Bureau of the Census. International population statistics reports series P-90, no. 5)
Includes bibliographies.
Microfiche.

NM 0922344 CLSU OrPS

VOLUME 403

338.5
M99h
Myers, Paul Forrest, 1887-
H.R. 8442; an act approved June 19, 1936, commonly called Robinson-Patman act. Its interpretation, meaning, intent and purpose as disclosed by the legislative record ... [Washington, D.C.? 1936?]
cover-title, 41p.

1. Prices--U.S. 2. Competition, Unfair--U.S. I. Title: Robinson-Patman act.

NM 0922345 IU OClFRB DNAL

Egleston
D669.09
S1620
Myers, Paul Forrest, 1887-
Jenkins petroleum process company, petitioner, v. Sinclair refining company, respondent. Paul F. Myers [and others] counsel for petitioner. Washington, B. S. Adams [1939?]
1 v.

At head of title: In the Supreme court of the United States. October term, 1938. No. 510.

NM 0922346 NNC

MYERS, Paul N.
Address, at the annual meeting [of Saint Paul Association of public and business affairs], Jan. 13, 1920. [St. Paul, The Association, 1920].

NM 0922347 MH

Myers, Paul Revere, 1888-
An American species of the hymenopterous **genus** *Wesmaelia* of Foerster. By P. R. Myers ...
(In U. S. National museum. Proceedings. Washington, 1917. 23½cm. v. 53, p. 293-294)

1. Wesmaelia.

18-14632

Library of Congress Q11.U55 vol. 53

NM 0922348 DLC CaBVaU WaS MiU OCl OU

Myers, Paul Revere, 1888-
An American species of the hymenopterous genus Wesmaelia of Foerster, by P. R. Myers... Washington: Gov. Prtg. Off., 1917. 1 p.l., p. 293-294. 8°.
Repr.: U. S. National Museum. Proc. v. 53, 1917.

1. Wesmaelia.
N. Y. P. L. March 28, 1919.

NM 0922349 NN

Myers, Paul Revere, 1888-
A new American parasite of the Hessian fly (*Mayetiola destructor* Say) By P. R. Myers ...
(In U. S. National museum. Proceedings. Washington, 1917. 23½cm. v. 53, p. 255-257)

1. Parasites—Hessian-fly.

18-14630

Library of Congress Q11.U55 vol. 53

NM 0922350 DLC NN OO OCl WaS CaBVaU

Myers, Paul Revere, 1888-
Polyscelis modestus Gahan, a minor parasite of the Hessian fly.
(In U. S. Dept. of agriculture. Journal of agricultural research. vol. XXIX, no. 6, September 15, 1924, p. 289-295. illus. 25cm. Washington, 1925)
Contribution from Bureau of entomology (K—146)
Published January 26, 1925.

1. Parasites—Hessian-fly. [1. Hessian flies — Parasites] 2. [Polyscelis modestus]

Agr 25-264

Library, U. S. Dept. of Agriculture 1Ag84J vol. 29

NM 0922351 DNAL OCl OO

891
Myers, Paul Revere, 1888-
Results of the Yale-Peruvian expedition... Washington, Government Printing Office, 1914.

NM 0922352 DPU

Myers, Paul Revere, 1888-
Results of the Yale-Peruvian expedition of 1911. Addendum to the *Hymenoptera ichne monoidea*. By P. R. Myers ...
(In U. S. National museum. Proceedings. Washington, 1915. 23½cm. v. 47, p. 361-362)

1. Hymenoptera—Peru. I. Yale Peruvian expedition, 1911.

15—14950

Library of Congress Q11.U55 vol. 47

NM 0922353 DLC CaBVaU WaS MiU OCl NN

Myers, Paul Revere, 1888-1925.

Gahan, Arthur Burton, 1880-
... The serphoid and chalcidoid parasites of the Hessian fly [*Phytophaga destructor* Say] By A. B. Gahan ... Washington [U. S. Govt. print. off.] 1933.

Myers, Paul Revere, 1888-
Touring the Holy Land; illustrated with actual photos. taken while in the land. Greentown, Ohio, °1954.
308 p. illus. 24 cm.

1. Palestine—Descr. & trav. I. Title.

DS107.3.M9 *915.694 54-33353 ‡

NM 0922355 DLC

BT
720
.M46
[Myers, Peter D]
Representation of the heart of man in its depraved state by nature, and the changes which it experiences under the influences of the spirit of God operating upon it. To which are added, directions for keeping the heart. 3rd. ed. New York, Minuse, 1835.
72p. illus.

Title on spine: Book of heart.

1. Sin, original. I. Title. II. Title: Book of heart.

NM 0922356 ScU MH

[Myers, Peter D]
Representation of the heart of man in its depraved state by nature, and the changes which it experiences under the influences of the spirit of God operating upon it. 3d ed. New York, J.H.Minuse, 1837.

NM 0922357 MH

Myers, Peter D.
Representation of the heart of man... 10th. ed. New York, [c1852]
1v. 12°

NM 0922358 PPL

Myers, Peter D
Zion Songster: being a collection of hymns and spiritual songs ... 2d ed. New York, 1827.
32°.

NM 0922359 CtY

Myers, Peter D comp.
The Zion songster: a collection of hymns and spiritual songs, generally sung at camp and prayer meetings, and in revivals of religion. Compiled by Peter D. Myers... 3d ed., enl. and improved. New York, M'Elrath & Bangs, 1830.
2 p.l., [3]-352p. 11 cm.
Original back cover wanting.
Without music.

NM 0922360 RPB NNUT CU NBu

Case
C
895
613
MYERS, PETER D comp.
The Zion songster: a collection of hymns and spiritual songs, generally sung at camp and prayer meetings, and in revivals of religion... 3d edition, enlarged and improved. New York, The compiler, 1830.
352p. front. 11½cm.

Added t.-p., engraved.
Without music.

NM 0922361 ICN CU

Myers, Peter D comp.
The Zion songster: a collection of hymns and spiritual songs, generally sung at camp and prayer meetings, and in revivals of religion... 9th edition, enlarged and improved. New York, M'Elrath & Bangs, P.D. Myers and J.C. Totten, 1831.
352 p. front. 11.5 cm.
Added t.-p., engraved.
Without music.

NM 0922362 MiU Nh

Myers, Peter D comp.
The Zion songster: a collection of hymns and spiritual songs, generally sung at camp and prayer meetings, and in revivals of religion, compiled by Peter D. Myers... Tenth edition, enlarged and improved. New York, M'Elrath & Bangs, 1832, [c. 1829]
352 p. front. 11 cm.
342 hymns.
Added t.-p. engr.

NM 0922363 NNUT ODW

Myers, Peter D comp.
The Zion songster: a collection of hymns and spiritual songs, generally sung at camp and prayer meetings, and in revivals of religion. Compiled by Peter D. Myers... Twentieth edition. New York, M'Elrath, Bangs, & Herbert, 1833, [c1829]
352 p. 11 cm.
342 hymns.

NM 0922364 NNUT NN ICRL OU

M2121
.M8
Myers, Peter D., comp.
The Zion songster: a collection of hymns and spiritual songs, generally sung at camp and prayer meetings, and in revivals of religion, comp. by Peter D. Myers... Rev. and corr. by the compiler. New York, Collins, Keese & co., 1838.
319p. 12cm.

NM 0922365 NNU-W

VOLUME 403

Case
C MYERS, PETER D comp.
895 The Zion songster: a collection of hymns and
.614 spiritual songs, generally sung at camp and
prayer meetings, and in revivals of religion...
Revised and corrected by the compiler. New
York, Collins, Keese & co., 1841.
319p. front. 11½cm.

Added t.-p., engraved.
Without music.

NM 0922366 ICN N

Myers, Peter D comp.
The Zion songster: a collection of hymns and spiritual songs, generally sung at camp and prayer meetings, and in revivals of religion; rev. and cor. by the compiler. New York, Collins, 1844.
319 p. illus. T.

NM 0922367 NcU

Myers, Peter D comp.
The Zion songster; a collection of hymns and spiritual songs generally sung at camp and prayer meetings, and in revivals of religion. Rev. and corrected by the compiler. New York, Redfield, 1850 [c1829]
319 p. 11.5 cm.
1. Revivals-Hymns. 2. Hymns, English.

NM 0922368 MBU-T

MYERS, PETER D., *comp.*
The Zion songster: a collection of hymns and spiritual songs, generally sung at camp and prayer meetings, and in revivals of religion. Compiled by Peter D. Myers... 95th ed. New York, Clark, Austin & Smith, 1854.
319p. 11½cm.
Without music.

1. Hymns. Collections. English. I. Title.

Printed by Wesleyan University Library

NM 0922369 CtW ICN RPB N NNUT

Myers, Peter Hamilton, 1812-1878.
Bell Brandon. A tale of New York in 1810. [n.p., 18-?]
68 p. 25 cm.
Caption title.
"Three hundred dollar prize story."
With this are bound: The withered fig tree. [n.p., 18-?]; and Clement Lorimer [n.p., 18-?]

NM 0922370 ViU

Myers, Peter Hamilton, 1812-1878.
Bell Brandon. [New York, Irwin & co., 1867]
[1]-100p. 17cm. (American novels, no. 32.)

Title page wanting, imprint supplied from Johannsen, Albert, House of Beadle and Adams, 1950. v.1, p.149.
With this is bound: Heroism of a woman, 1867.
Bound with: Inez: a tale of the Mexican war, 1867.

NM 0922371 KU

Myers, Peter Hamilton, 1812-1878

... Bell Brandon, a romance of New York in 1810, by P. Hamilton Myers. New York, F. M. Lupton pub., 1884.

15 p. 29.8cm. (The leisure hour library, n.s. v. 1, no. 43, June 28th, 1884)

Fourth edition.

NM 0922372 CSmH

Myers, Peter Hamilton, 1812-1878.
Bell Brandon; and The withered fig tree. A prize novel for which the proprietors of the Philadelphia dollar newspaper paid the premium which was awarded for it, of three hundred dollars. Philadelphia, T. B. Peterson and brothers [c1851]
114 p.

NM 0922373 NjP PU

FILM [Myers, Peter Hamilton] 1812-1878.
4274 Bell Brandon; and the withered fig tree.
PR A prize novel ... Phila., T. B. Peterson
v.2 [c1851]
reel 114 p. (Wright American fiction, v.II,
M28 1851-1875, no. 1771, Research Publications Microfilm, Reel M-28)

NM 0922374 CU

[Myers, Peter Hamilton] 1812-1878
Za Bell Brandon; and The withered fig tree ..
M992 Philadelphia, T.B.Peterson[1852]
852l 1p.l.,7-114p. 23½cm.
Contents - Bell Brandon, p.7-68. - The withered fig tree, p.69-114.

NM 0922375 CtY

---

xPS658 Myers, Peter Hamilton, 1812-1878.
D55 Bell Brandon; or, The great Kentrips estate.
v.13 [n.p., n.d.]
no.1 92+p. 16cm.

Vol.13, no.1, of the C.M.Hulett collection, with binder's title: Dime novels.
Incomplete copy: Title page, p.89-90 and all after p.92 wanting.

NM 0922376 IaU

Myers, Peter Hamilton, 1812-1878.
Bell Brandon; or, The great Kentrips estate. A tale of New York in 1810. By P. Hamilton Myers... New York: Irwin & Co. [cop. 1867.] 102 p. 16°. (Irwin's American novels. no. 32.)

NM 0922377 NN MH

Myers, Peter Hamilton, 1812-1878.
Blanche Montaigne. London, Routledge, 1850.
246p.

Bound with Trollope, F. M. Second love. London [n.d.]

NM 0922378 ScU

Myers, Peter Hamilton, 1812-1878.
Ellen Welles: or, The siege of Fort Stanwix. A tale of the Revolution... Rome, Published by W.O. M'Clure, 1848.
48 p. 21 cm.
Original yellow paper wrappers.

NM 0922379 CtY

Myers, Peter Hamilton, 1812-1878.
Ellen Welles: or, The siege of Fort Stanwix. A tale of the Revolution ... Rome, W. O. M'Clure, 1848.
48 p. (Wright American fiction, v.1, 1774-1850, no.1932, Research Publications Microfilm, Reel M-14)

1. U. S. - Hist. - Revolution - Fiction.

NM 0922380 NNC CU

Myers, Peter Hamilton, 1812-1878.
The emigrant squire. By P. Hamilton Myers ... Philadelphia, T. B. Peterson [°1853]
1 p. l., 7-109 p. 23½cm.

Library of Congress PZ3.M991E 7-23123†

NM 0922381 DLC

FILM Myers, Peter Hamilton, 1812-1878.
4274 The emigrant squire ... Phila., T. B.
PR Peterson [c1853]
v.2 109 p. (Wright American fiction, v.II,
reel 1851-1875, no. 1772, Research Publica-
M28 tions Microfilm, Reel M-28)

Caption title: The emigrant squire; or, The Dillons of Dillonborough.
I. Title.

NM 0922382 CU

[Myers, Peter Hamilton] 1812-1878.
Ensenore. A poem ... New York, Wiley and Putnam, 1840.
vi p., 1 l., [9]-104 p. 24cm.
Appeared later under the author's name.
I. Title.

Library of Congress PS2459.M7 1840 24-21731

NM 0922383 DLC PU ViU CLSU ICU MiU OO OU PHi NjP NN CSmH NBuG

Myers, Peter Hamilton, 1812-1878.
Ensenore, and other poems. By P. Hamilton Myers ... New York, Dodd & Mead [°1875]
196 p. 18cm.

I. Title.

Library of Congress PS2459.M7 1875 24-21732

NM 0922384 DLC OrU NcU ViU InU Vi PSt OOxM IU OU

Myers, Peter Hamilton, 1812-1878.
Der Erbe. Ellen Welles. Zwei Novellen von P. Hamilton Myers. Aus dem Englischen übersetzt von Marie Heine Leipzig: C. E. Kollmann, 1863. 2 v. in 1. 16cm. (Amerikanische Bibliothek. Bd. 416-417)

839617A. 1. Fiction, American. I. Heine, Marie, tr. II. Title. III. Title: Ellen Welles.
N. Y. P. L. August 25, 1937

NM 0922385 NN MoKU

[Myers, Peter Hamilton] 1812-1878.
The first of the Knickerbockers: a tale of 1673... New-York, G. P. Putnam; [etc., etc.] 1848.
vi, [9]-221 p. 20cm. (*On cover:* Putnam's choice library)
Published anonymously.

1. New York (State)—Hist.—Colonial period—Fiction. I. Title.

Library of Congress PZ3.M991F 7-24123

NM 0922386 DLC OU OKentU TU InU NcU MnU ViU PHi PSt PV NcD PPL NNC

F [Myers, Peter Hamilton] 1812-1878.
5200 The first of the Knickerbockers: a tale of 1673. New York, Putnam, 1848.
221 p. (Wright American fiction, v.1, 1774-1850, no.1933, Research Publications Microfilm, Reel M-14)

NM 0922387 NNC CU

VOLUME 403

Myers, Peter Hamilton, 1812–1878.
The first of the Knickerbockers: a tale of 1673. By P. Hamilton Myers ... 2d ed. New-York, G. P. Putnam; [etc., etc.] 1849.
vi, [9]–222 p. 19½cm. (On cover: Putnam's choice library)

1. New York (State)—Hist.—Colonial period—Fiction. I. Title.
7—24124
Library of Congress PZ3.M991F 2

NM 0922388 DLC InU ViU PSt OU NN

Myers, Peter Hamilton, 1812–1878.
The first of the Knickerbockers: a tale of 1673. By P. Hamilton Myers ... New York, Chapman & co., 1866.
vi, [15]–119 p. incl. front. 18cm.
Imperfect; p. 25–49 wanting.

1. New York (State)—Hist.—Colonial period—Fiction.
7-24125†
Library of Congress PZ3.M991F 4

NM 0922389 DLC OO CSmH

Myers, Peter Hamilton, 1812–1878.
The first of the Knickerbockers: a tale of 1673. By P. Hamilton Myers... New York: Chapman & Co., 1866. vi, 16–119 p. front. 16°. (Irwin's American novels. no. 30.)

NM 0922390 NN

Myers, Peter Hamilton, 1812–1878.
The first of the Knickerbockers: a tale of 1673. By P. Hamilton Myers ... New York, Chapman & co., 1866.
vi, [15]–119 p. incl. front. 18½cm. (On cover: The Sunny side series. no. 1)

1. New York (State)—Hist.—Colonial period—Fiction.
7-24126†
Library of Congress PZ3.M991F 5

NM 0922391 DLC

B2273 Myers, Peter Hamilton, 1812-1878.
The first of the Knickerbockers: a tale of 1673. [New York, Irwin & co., 1867]
[9]-102p. 17cm. (American novels, no. 30.)

Title page wanting, imprint supplied from Johannsen, Albert, House of Beadle and Adams, 1950. v.1,p.149.
Bound with: Inez; a tale of the Mexican war, 1867.

NM 0922392 KU

Myers, Peter Hamilton, 1812–1878.
Fort Stanwix; a tale of the Mohawk in 1777. By P. Hamilton Myers... New York: Amer. News Co. [cop. 1865.] 100 p. front. 16°. (Irwin's American novels. no. 7.)
Includes: A day in the life of a rich man, by a popular author, p. [76]–100.

NM 0922393 NN PBL PPRF

Myers, Peter Hamilton, 1812–1878.
Der Gefangene. Eine Erzählung aus dem canadischen Aufstand des Jahres 1838. Von P. Hamilton Myers... Leipzig: C. E. Kollmann, 1859. 3 v. in 1. 16½cm.

839616A. 1. Fiction, American. 2. Canada—Hist.—Rebellion, 1837–1838—Fiction. I. Title.
N. Y. P. L. August 2, 1937

NM 0922394 NN

Myers, Peter Hamilton, 1812–1878.
The gold crushers. A tale of California. By P. Hamilton Myers... New York: Irwin & Co. [cop. 1866.] 100 p. front. 16°. (Irwin's American novels. no. 25.)

NM 0922395 NN KU

B2272 Myers, Peter Hamilton, 1812-1878.
The gold crushers. [New York, I. P. Beadle, 1867]
[9]-100p. front. 17cm. (American novels, no. 25)

Title page wanting, imprint supplied from Johannsen, Albert, House of Beadle and Adams, 1950. v.1,p.149.
Bound with: Whittlesey, S.J.C., The bug oracle, 1866.

I. American novels, no.25. II. Title.

NM 0922396 KU

Myers, Peter Hamilton, 1812-1878.
The great mogul. A novel. New York, Street & Smith, 1878.
61 p.
Issued with Fleming, M. A. E. Carried by storm. New York, 1878.
First "8 chapters" of The great mogul, issued by Street & Smith to advertise the current serial in their New York weekly. Apparently never published in book form. Cf. Wright. American fiction, 1876-1900, p. 191-192.

NM 0922397 CLU ViU

[Myers, Peter Hamilton] 1812–1878.
The king of the Hurons. By the author of "The first of the Knickerbockers" ... New York, G. P. Putnam; [etc., etc.] 1850.
2 p. l., 319 p. 19½cm.
Republished in England as "Blanche Montaigne."

7-23122†
Library of Congress PZ3.M991K

OClWHi OU CaBVaU CSmH PPL
NM 0922398 DLC ViU IaU InU CLSU MnU NNC ICU MB

MICROFILM
F
5200 [Myers, Peter Hamilton] 1812-1878.
The king of the Hurons. By the author of "The first of the Knickerbockers," [etc.] New York, Putnam, 1850.
319 p. (Wright American fiction, v.1, 1774-1850, no.1935, Research Publications Microfilm, Reel M-14)

NM 0922399 NNC CU

Myers, Peter Hamilton, 1812–1878.
The miser's heir; or, The young millionaire. By P. Hamilton Myers ... Philadelphia, T. B. Peterson [c1854]
1 p. l., 7–222 p. 19cm.

7-23121†
Library of Congress PZ3.M991M

NM 0922400 DLC OU ViU MnU MB NN

M-film
810.8
Am35
128-5 Myers, Peter Hamilton, 1812-1878.
The miser's heir; or, The young millionaire. By P. Hamilton Myers... Philadelphia, T. B. Peterson [c1854]
222 p.

Laid in New York.
"Ellen Welles; or, The seige of Fort Stanwix," by P. Hamilton Myers: p. 167-222.
Microfilm (positive) Ann Arbor, Mich., University Microfilms, 1970. 5th title of 11. 35 mm. (American fiction series, reel 128.5)

NM 0922401 KEmT CaBVaU CU

Myers, Peter Hamilton, 1812-1878.
Nick Doyle, the gold-hunter... New York, Beadle & co., [c1870]
102 p. [Beadle's dime novels, no. 220]
(Dime Novel Collection - PZ 2)

NM 0922402 DLC

Myers, Peter Hamilton, 1812-1878.
Nick Doyle, the gold hunter. A tale of California. New York, 1870.
[Beadle dime novels, no. 223]
35

NM 0922403 DLC

Myers, Peter Hamilton, 1812–1878.
Nick Doyle, the gold hunter; a tale of California. By P. Hamilton Myers. New York: Beadle and Adams [cop. 1870]. 102 p. 16°. (Beadle's pocket novels. no. 105.)

NM 0922404 NN ViU

Myers, Peter Hamilton, 1812–1878.
The prisoner of the border; a tale of 1838. By P. Hamilton Myers ... New York, Derby & Jackson, 1857.
viii, 378 p. front. 19cm.

I. Title.
A 34-3156
Title from Univ. of Virginia. Printed by L. C.

NM 0922405 ViU MH ICU OU IU CaBVaU

813.39
M996r Myers, Peter Hamilton, 1812-1878.
The red spy; a tale of the Mohawk in 1777. New York, F. Starr [c1871]
70 p. 17 cm. (Frank Starr's American novels, no. 79)

NM 0922406 N

Ax
M992
873r MYERS, PETER HAMILTON, 1812-1878.
The red spy. A tale of the Mohawk in 1777. By P. Hamilton Myers ...
New York:Beadle and Adams,Publishers,98 William Street.[1873?] 1p.l.,[9]-85p. 16cm., in case 24cm. (Beadle's pocket novels. no. 220)
"The red dwarf, By James Fenimore Cooper": p.[73]-85.

NM 0922407 TxU

Myers, Peter Hamilton, 1812–1878.
... Roxy Hastings; or, A raffle for life. By P. Hamilton Myers. New York, Street & Smith, 1890.
242 p. incl. front. 20cm. (The select series. no. 55)

CA 9-4406 Unrev'd
Library of Congress PZ3.M991R
(Copyright 1890: 22788)

NM 0922408 DLC

Myers, Peter Hamilton, 1812-1878.
Science. A poem: delivered before the Euglossian society of Geneva college, August 4, 1841. By P.Hamilton Myers. Geneva,N.Y.,Printed by Stow & Frazee,1841.
20p. 21½cm.

NM 0922409 CtY NN RPB NHi Nh NjP NGH

VOLUME 403

Spec.
PS2459 .M7S5
MYERS, PETER HAMILTON, 1812-1878
... The sky traveler. By P. Hamilton Myers. New York, Street & Smith, c1890.
32 p. Illus. (Log cabin library, no. 93)

NM 0922410 InU

Myers, Peter Hamilton, 1812-1878.
Thrilling adventures of the prisoner of the border. By P. Hamilton Myers ... New York, Derby & Jackson, 1860.
viii, 9-378 p. front., plates. 19cm.

Library of Congress PZ3.M991T 7-23120†

NM 0922411 DLC OU ViU

Myers, Peter Hamilton, 1812-1878.
... The treasure ship. A tale of New York. By P. Hamilton Myers ... New York, G. Munro, 1884.
46 p. 32½cm. (The seaside library. v. 90, no. 1813)

Library of Congress PZ1.S44 (Copyright 1884: 6738) CA 9-4425 Unrev'd

NM 0922412 DLC OCl

[Myers, Peter Hamilton] 1812-1878.
The young patroon; or, Christmas in 1690. A tale of New-York. By the author of the "First of the Knickerbockers." New-York, G. P. Putnam; [etc., etc.] 1849.
v, [5]-142 p. 19cm.

I. Title.

Library of Congress PS2459.M7Y6 7-23119

NM 0922413 DLC InU ViU TU MnU MB PHi PU OU

M-film 810.8 Am35 119-9
Myers, Peter Hamilton, 1812-1878.
The young patroon; or, Christmas in 1690. A tale of New-York. By the author of the "First of the Knickerbockers". New York, G. P. Putnam; London, Putnam's American agency, 1849.
v, 142 p.

Microfilm (positive) Ann Arbor, Mich., University Microfilms, 1970. 9th title of 14. 35 mm. (American fiction series, reel 119.9)

NM 0922414 KEmT NNC CU

Microfilm F 5200
[Myers, Peter Hamilton] 1812-1878.
The young patroon; or, Christmas in 1690. A tale of New-York. By the author of the "First of the Knickerbockers." New York, Putnam, 1849.
142 p. (Wright American fiction, v.1, 1774-1850, no.1936, Research Publications Microfilm, Reel M-14)

NM 0922415 NNC CU

Myers, *Mrs.* Peter Michael
see
Myers, Cora Bosworth (Glasier) "*Mrs.* P. M. Myers," 1860-

Myers, Peter Michael, 1836- comp.
Chicago, Milwaukee and St. Paul railway company.
General deeds conveying various lines of railroad to the Chicago, Milwaukee & St. Paul railway company. Also certain joint trackage agreements with other companies. Compiled by P. M. Myers, Jan. 1, 1903. [Milwaukee, Evening Wisconsin co., 1903]

Myers, Philip Van Ness, 1846-1937.
Address, by Philip Van Ness Myers, at the commencement exercises of the Ohio military institute, May 28, 1917. [n. p., 1917]
[7] p. 23cm.

1. European war, 1914- —Addresses, sermons, etc.

Library of Congress D525.M9 18-22156

NM 0922418 DLC

DF 216 M99
Myers, Philip Van Ness, 1846-1937.
Analysis of lectures on Greek history, for the academic year 1891-2, University of Cincinnati. Cincinnati, R. Clark [1892?]
22 l. 23cm.

1. Greece--Hist.--Outlines, syllabi, etc.

NM 0922419 MB

Myers, Philip Van Ness, 1846-
Ancient and mediæval history, by Philip Van Ness Myers ... Boston, New York [etc.] Ginn and company [c1927]
xviii, 732, xxiv p. illus., xvi pl. (part col., incl. front.) maps (part double) 20cm.
"References" at end of each chapter.

1. History, Ancient. 2. Middle ages—Hist.
Library of Congress D59.M96 27-5697

NM 0922420 DLC

Myers, Philip Van Ness, 1846-1937.
Ancient history, by Philip Van Ness Myers ... Rev. ed. Boston and London, Ginn & company, 1904.
xvi, 639 p. illus., XII pl. (incl. front.) 21 maps (part double) 20cm.
"Selections from the sources" and "References (Modern)" at end of chapters.
"General bibliography": p. 609-616.

1. History, Ancient.

Library of Congress (✱) (D59.M9 1904) 4-16248

NM 0922421 OCU OU ViU MH PPT PWcS NIC KEmT PPeSchw PV TxU NcD OrU OrCS OrMonO OCl

---

Myers, Philip van Ness, 1846-1937.
Ancient history, by Philip van Ness Myers ... Rev. ed. Boston, New York [etc.] Ginn & company [1904?]
xvi, 639 p. front., illus., plates, maps. 20cm.
"Selections from the sources" and "References (Modern)" at end of chapters.
"General bibliography": p. 609-616.

1. History, Ancient.

Library of Congress D59.M9 1904 a 15-15318

NM 0922422 DLC WaTC WaE Wa OrCS OrAshS MB NN

Myers, Philip Van Ness, 1846-1937.
Ancient history, by Philip Van Ness Myers ... 2d rev. ed. Boston, New York [etc.] Ginn and company [c1916]
xviii, 592 p. col. front., illus., plates (part col.) maps (part double) 20cm.
Bibliography at end of the chapters.
"General bibliography": p. 563-572.

1. History, Ancient.

Library of Congress D59.M9 1916 16-17499

NM 0922423 OCl OClh PP PPYH PU MB NN DN DLC NIC TxU LU MoU NcD NcRS Or OrU WaS

Myers, Philip Van Ness, 1846-1937.
Ancient history for colleges and high schools. Boston, Ginn, 1894-98.
2 v. illus. (incl. port.) maps. 20cm.

NM 0922424 IEN

Myers, Philip Van Ness, 1846-1937.
Ancient history for colleges and high schools. By P. V. N. Myers ... Boston, Ginn & company, 1895.
2 v. in 1. fronts., illus. (incl. ports.) maps (part fold.) 19cm.
Revision and expansion of his Outlines of ancient history published in 1882. *cf.* Pref.
CONTENTS.—pt. I. Eastern nations and Greece.—pt. II. History of Rome.

1. History, Ancient. 2. Rome—Hist.

Library of Congress D59.M9 1895 33-37709
[a38b1] 930

NM 0922425 DLC OClW PPAmSwM OO

Myers, Philip Van Ness, 1846-1937.
Ancient history for colleges and high schools. Boston, Ginn, 1894.
2v. in 1. illus.

Part 1 also published as Part 1 of Ancient history for colleges and high schools, by William F. Allen and P.V.N. Myers. 1890.

NM 0922426 ICRL MH OClW

Myers, Philip Van Ness, 1846-
Ancient history for colleges and high schools. By P. V. N. Myers ... Boston, Ginn & company, 1899.
2 v. in 1. fronts., illus. (incl. ports.) maps (part fold.) 19cm.
Revision and expansion of his Outlines of ancient history published in 1882. *cf.* Pref.
CONTENTS.—pt. I. Eastern nations and Greece.—pt. II. History of Rome.

NM 0922427 ViU PPWa

Myers, Philip Van Ness, 1846-
Ancient history for colleges and high schools. By P. V. N. Myers... Boston: Ginn & Co., 1900. 2 v. in 1. fronts., illus., maps (part double), tables. 12°.
A revision and expansion of the corresponding parts of the author's Outlines of ancient history, New York, 1882. — *cf. Pref.*
Contents: Part 1. The eastern nations and Greece. Part 2. A history of Rome.

NM 0922428 NN

Myers, Philip Van Ness, 1846-
Ancient history for colleges and high schools. By P. V. N. Myers ... Boston, Ginn & co., 1901.
2 v. in 1. fronts., illus., maps (part double) 19cm.
CONTENTS.—v. 1. The eastern nations and Greece.—v. 2. A history of Rome.

NM 0922429 MiU MH TxU

VOLUME 403

Myers, Philip Van Ness, 1846–1937.
Ancient history for colleges and high schools. By William F. Allen and P. V. N. Myers. Part I. The eastern nations and Greece. By P. V. N. Myers ... Boston, Ginn & company, 1888.
1 p. l., viii p., 1 l., 369, 239–479 p. front., illus. (incl. port.) maps. 19½ cm.
"A revision and expansion of the corresponding part of my Outlines of ancient history [New York, 1882]"—Pref.
Foreseeing the delay in the appearance of Part II, A short history of the Roman people, by Allen, the publishers provisionally appended to Part I, p. 239–471, an extract from the corresponding part of Myers' Outlines of ancient history, 1882. In 1890 Allen's Part II appeared, but later in the same year another Part II, A history of Rome, by Myers, was published, being a revision of the corresponding part of the author's Outlines of ancient history, 1882.
1. History, Ancient.
Library of Congress D59.M994 3—7638

NM 0922430 DLC NcC DHEW ViU IEdS NcU

Myers, Philip Van Ness, 1846–
Ancient history for colleges and high schools. By William F. Allen and P. V. N. Myers. Part I. The eastern nations and Greece. By P. V. N. Myers ... Boston, Ginn & company, 1889.
viii p., 1 l., 369 p. front., illus. (incl. ports.) maps. 19½ cm.
"A revision and expansion of the corresponding part of my Outlines of ancient history" (New York, 1882)—Pref.
Pt. II, A short history of the Roman people, by Allen, was published in 1890, but later in the same year another pt. II, A history of Rome, by Myers, was published, this being a revision of the corresponding part of his "Outlines of ancient history," 1882.
1. History, Ancient.
3-19114
Library of Congress D59.M995

NM 0922431 DLC MH MdBP PPL MiU OU

D
59
.M92
1891

Myers, Philip Van Ness, 1846-1937.
Ancient history for colleges and high schools. By William F. Allen and P.V.N. Myers. Part I. The eastern nations and Greece. By P.V.N. Myers. Boston Ginn & company, 1891.
viii,369p. front., illus. (incl. port.) maps 20cm.
"A revision and expansion of the corresponding part of my Outlines of ancient history [New York,1882," Pref. In 1890 Allen's Part II appeared, but later in the same year another Part II. A history of Rome, by Myers, was published, being a revision of the corresponding part of the author's Outlines of ancient history, 1882.

NM 0922432 KU NjP MH-L

Myers, Philip Van Ness, 1846-
Ancient history for colleges and high schools. By William F.Allen and P.V.N.Myers. Pt.I. Boston, Ginn & co., 1892.

Contents: i.The eastern nations and Greece. By P.V.N.Myers.

NM 0922433 MH

Myers, Philip Van Ness, 1846–
Ancient history for colleges and high schools. By P. V. N. Myers ... Part I. The eastern nations and Greece. Boston, Ginn & company, 1897.
viii p., 1 l., 369 p. front., illus. (incl. ports.) maps (part fold.) 18½ cm.
"A revision and expansion of the corresponding part of my Outlines of ancient history" (New York, 1882)—Pref.
Title of edition of 1889 reads: Ancient history for colleges and high schools. By William F. Allen and P. V. N. Myers. Part I. The eastern nations and Greece. By P. V. N. Myers ...
Pt. II, A short history of the Roman people, by Allen, was published in 1890, but later in the same year another pt. II, A history of Rome, by Myers, was published, this being a revision of the corresponding part of his "Outlines of ancient history," 1882.
1. History, Ancient.
14-2728
Library of Congress D59.M92 1897

NM 0922434 DLC NN MH OCU NcD

Myers, Philip Van Ness, 1846–1937.
Ancient history for colleges and high schools, by P. V. N. Myers ... Part I. The eastern nations and Greece. Boston, Ginn & company, 1902.
viii p., 1 l., 369 p. front., illus. (incl. ports.) maps (part fold.) 19 cm.
"A revision and expansion of the corresponding part of my Outlines of ancient history" (New York, 1882)—Pref.
Title of edition of 1889 reads: Ancient history for colleges and high schools. By William E. Allen and P. V. N. Myers. Part I. The eastern nations and Greece. By P. V. N. Myers ...
Part II. A short history of the Roman people, by Allen, was published in 1890, but later in the same year another pt. II, A history of Rome, by Myers, was published, this being a revision of the corresponding part of his "Outlines of ancient history," 1882.
1. History, Ancient.
12—15067
Library of Congress D59.M92 1902

NM 0922435 DLC OU MH PPeSchW IdU MtBC PU

Myers, Philip Van Ness, 1846–1937.
Ancient history for colleges and high schools. By P. V. N. Myers ... Part II. A history of Rome. Boston, Ginn & company, 1890.
viii p., 1 l., 230 p. illus., maps. 20 cm.
A revision of the second part of the author's Outlines of ancient history, 1882.

1. Rome—Hist.
D59.M94 1890 3-7636 rev

NM 0922436 DLC MoU

MYERS,Philip Van Ness,1846-
Ancient history for colleges and high schools. Pt.II. Boston,Ginn & Co.,1896.

Contents:Pt.ii.A history of Rome.

NM 0922437 MH ViU

Myers, Philip Van Ness, 1846-1937.
Ancient history for colleges and high schools. Pt.II. Boston, Ginn & co., 1898.

Contents: ii.A history of Rome.

NM 0922438 MH

Myers, Philip Van Ness, 1846-

FOR OTHER EDITIONS SEE MAIN ENTRY

Allen, William Francis, 1830–1889.
Ancient history for colleges and high schools. By William F. Allen and P. V. N. Myers. Part II. A short history of the Roman people, by William F. Allen ... Boston, Ginn & company, 1901.

Myers, Philip Van Ness, 1846-1937.
Ancient History outlines. Studentsnotebooks. Ginn, 1905.

NM 0922440 PV

Myers, Philip Van Ness, 1846-1937.
The eastern nations and Greece, by Philip Van Ness Myers... Boston, New York [etc.] Ginn and company, 1891.
xv,369 p. illus., xiii pl. (part col., incl. front.) maps (part double) 20 cm.
"This little book is the first half of the second revised edition of the writer's Ancient history." Pref. to the 2d rev. ed.
"General bibliography": p. 337-342.
1. History, Ancient. 2. Greece - Hist.

NM 0922441 NcD

Myers, Philip Van Ness, 1846–1937.
The eastern nations and Greece, by Philip Van Ness Myers ... Rev. ed. Boston [etc.] Ginn & company [1904]
xiii, 367 p. illus., 10 pl. (incl. front.) maps (part double) 20 cm.
"This little volume comprises the first half of my revised Ancient history (1904) with only slight changes."—Pref.
"General bibliography": p. 350–354.

1. History, Ancient. 2. Greece—Hist.
4—23707
Library of Congress D59.M92 1904

PPWe
NM 0922442 DLC WaWW WaS PP PWcS ViU NN OClJC OU

Myers, Philip Van Ness, 1846–1937.
The eastern nations and Greece, by Philip Van Ness Myers ... 2d rev. ed. Boston, New York [etc.] Ginn and company [c1917]
xv, 353 p. illus., XIII pl. (part col., incl. front.) maps (part double) 20 cm.
"This little book is the first half of the second revised edition of the writer's Ancient history."—Pref. to the 2d rev. ed.
"General bibliography": p. 337–342.

1. History, Ancient. 2. Greece—Hist.
17—14801
Library of Congress D59.M92 1917

NM 0922443 DLC OC1

Myers, Philip Van Ness, 1846–1937.
General history, by Philip Van Ness Myers ... 2d rev. ed. Boston, New York [etc.] Ginn and company [c1921]
xiv, 711, xxxiii p. front., illus., plates, maps (part double) 20 cm.
"References" at end of each chapter.

1. History, Universal.
21—16147
Library of Congress D21.M94 1921

NM 0922444 DLC OClUr WaS MH NN PV DHEW

Myers, Philip Van Ness, 1846–1937.
General history, by Philip Van Ness Myers ... 2d rev. ed. Boston, New York [etc.] Ginn and company [c1923]
xiv, 725, xxxiii p. col. front., illus., plates, maps. 20 cm.
Contains bibliographies.

1. History, Universal.
23—9567
Library of Congress D21.M94 1923
—— Copy 2.

NM 0922445 DLC NN PV OClJC OClh

Myers, Philip Van Ness, 1846–1937.
A general history for colleges and high schools. By P. V. N. Myers ... Boston, Ginn & company, 1889.
ix, [1], 759 p. illus., 20 col. maps (part fold.) 19½ cm.
Based upon his "Ancient history" and "Mediaeval and modern history".

1. History, Universal.
11—20569
Library of Congress D21.M94 1889
—— Copy 2.

NM 0922446 DLC KyLx MiU OClh OO PV

Myers, Philip Van Ness, 1846-1937.
A general history for colleges and high schools. By P. V. N. Myers ... Boston and London, Ginn & company, 1890.
ix, (1) 759 p. front., illus. (incl. ports.) maps (part. double) 19½cm.

NM 0922447 DHEW MH ViU

MYERS,Philip Van Ness,1846-1937.
A general history for colleges and high schools. Boston and London,Ginn & Co.,1891.

NM 0922448 MH NRCR OCU

Myers, Philip Van Ness, 1846-1937.
A general history for colleges and high schools. Boston, etc., Ginn & co., 1892.

NM 0922449 MH PPD PPGi

VOLUME 403

D21
.M94
1893

Myers, Philip Van Ness, 1846-1937.
A general history for colleges and high schools. Boston, Ginn & Co., 1893.
ix, 759, illus., 20 col. maps (part fold.)
Based upon his "Ancient history" and "Medieval and modern history."

1. History, Universal.

NM 0922450 NBuU ODW MH

Myers, Philip Van Ness, 1846-1937.
A general history for colleges and high schools. Boston and London, Ginn & co., 1894.

NM 0922451 MH PHC

MYERS, Philip Van Ness, 1846-1937.
A general history for colleges and high schools. Boston and London, Ginn & Co., 1895.

NM 0922452 MH

MYERS, Philip Van Ness, 1846-1937.
A general history for colleges and high schools. Boston and London, Ginn & Co., 1896.

NM 0922453 MH

MYERS, Philip Van Ness, 1846-1937.
A general history for colleges and high schools. Boston and London, Ginn & Co., 1899.

NM 0922454 MH PP ViU

MYERS, Philip Van Ness, 1846-
A general history for colleges and high schools. Boston and London, Ginn & Co., 1901, [cop. 1889].

19 cm. pp. ix, (1), 759. Ports, maps and other illustr.

NM 0922455 MH OClWHi PPSchw

D21
.M94
1902

Myers, Philip Van Ness, 1846-1937.

A general history for colleges and high schools. Boston, Ginn & Company, 1902.
ix, 759 p. illus., 31 col. maps (part. fold.) 19cm.
Based upon his "Ancient history" and "Mediaeval and modern history."

1. History, Universal.

NM 0922456 ViU PV OEac

909
M99g

Myers, Philip Van Ness, 1846-1937.
A general history for colleges and high schools. Boston, Ginn, 1903.
ix, 759 p. illus., maps. 20 cm.

1. History, Universal. I. Title.

NM 0922457 LU PU ViU MH MoU

Myers, Philip Van Ness, 1846-1937.
A general history for colleges and high schools. Boston, etc., Ginn & co., 1904.

NM 0922458 MH PPSchw

Myers, Philip van Ness, 1846-
A general history for colleges and high schools. Trans. for Shansi Imperial Univ. Ed. by John Darroch. Shansi, Imperial University, 1905.

NM 0922459 PPAmSwM

Myers, Philip Van Ness, 1846-1937.
General history for colleges and high schools, by Philip Van Ness Myers ... Rev. ed. Boston, New York [etc.] Ginn & company [c1906]
2 p. l., [vii]-xv, 779 p. front., illus., maps (part double) 20cm.
Contains "References."

1. History, Universal.

6—18827

Library of Congress D21.M94 1906

CaBVaU OrStbM
ViU MB NN OCX PV IdU WaSp WaS OrU WaSp WaS Or
NM 0922460 DLC WaE MiU OCl OCU ViU MH PBa PHC PP

Myers, Philip Van Ness, 1846-
General history for colleges and high schools, by Philip Van Ness Myers... Rev. ed. Boston, Ginn, [c1889-1917]
779 p.

NM 0922461 NcRS

Myers, Philip Van Ness, 1846-1937.

General history for colleges and high schools. Rev. ed., including Search questions by Florence E. Leadbetter. Boston, Ginn [1917]
xv, 796, xxxii p. illus. maps. 20cm.

Includes bibliographies.

1. World history. I. Leadbetter, Florence Eugénie, 1861-

NM 0922462 ViU DN CaBVa

D169
.M8

Myers, Philip Van Ness, 1846-1937.
History as ethics; outline of lecture studies on the ethical interpretation of history...
[Boston, c1910]

NM 0922463 DLC

Myers, Philip Van Ness, 1846-1937.
History as past ethics; an introduction to the history of morals, by Philip Van Ness Myers ... Boston, New York [etc.] Ginn and company [c1913]
xii, 387 p. 21½cm.

1. Ethics—Hist. I. Title.

13—7341

Library of Congress BJ71.M8

OrU Or DAU MtBC
OCH OCl OU CU ICJ MB NN NjP WaTC IdU OrP WaS
NM 0922464 DLC DHEW NcD ViU NIC OC OKentU PHC PU

M-film
170.9
M992h

Myers, Philip Van Ness, 1846-1937.
History as past ethics; an introduction to the history of morals. Boston, Ginn [c1913]
xii, 387 p.

Microfilm (negative) Emporia, Kan., William Allen White Library, 1970. 1 reel. 35 mm.

1. Ethics - History. I. Title.

NM 0922465 KEmT

Myers, Philip Van Ness, 1846-1937.
A history of Greece for colleges and high schools. By Philip Van Ness Myers ... Boston and London, Ginn & company, 1895.
xiii, 577 p. incl. front., illus., plates, maps, plans. 19cm.
Bibliography: p. 555-558.

1. Greece—Hist.

4—34403

Library of Congress DF215.M96

PPLas OCU ODW OO WaSpG ViU DHEW
NM 0922466 DLC NcC NN WaTC WaS OrSaW OrCS NRCR PP

MYERS, Philip Van Ness, 1846-1937.
A history of Greece for colleges and high schools. Boston, U.S.A., and London, Ginn & Co., 1897.

NM 0922467 MH OClW

MYERS, Philip Van Ness, 1846-1937.
A history of Greece, for colleges and high schools. Boston, etc. Ginn & Co., 1898.

Front., maps, plans and other illustr.

NM 0922468 MH PHC NIC MiU

Myers, Philip Van Ness, 1846-1937.
A history of Greece for colleges and high schools. By Philip Van Ness Myers ... Boston and London, Ginn & company, 1899.
xiii, 577 p. incl. front., illus., plates, maps, plans. 19 cm.

NM 0922469 ViU PPT MoU

Myers, Philip Van Ness, 1846-1937.
A history of Greece for colleges and high schools. Boston, etc., Ginn & co., 1900.

NM 0922470 MH PBm PU

Myers, Philip Van Ness, 1846-1937.
A history of Greece for colleges and high schools. By Philip Van Ness Myers ... Boston and London, Ginn & company, 1900 [c1895]
xiii, 577 p. incl. front., illus., plates, maps, plans. 19cm.
Bibliography: p. 555-558.
Bookstamp of Lillian Day.
Bookplate of Spud Johnson.

NM 0922471 TxU

Myers, Philip Van Ness, 1846-1937.
A history of Greece for colleges and high schools. Boston, etc., Ginn & co., 1901.

NM 0922472 MH PPSchw

Myers, Philip Van Ness, 1846-1937.
A history of Greece for colleges and high schools. Boston, etc., Ginn & co., 1902.

NM 0922473 MH OCX

Myers, Philip Van Ness, 1846-1937.
A history of Greece for colleges and high schools. Boston, etc., Ginn & co., 1903.

NM 0922474 MH OClh Wa

VOLUME 403

DF215 .M96 Myers, Philip Van Ness, 1846-1937.
A history of Greece for colleges and high schools. Boston, Ginn [191-?]
xiii, 577 p. illus., maps. 19cm.
Bibliography: p. 555-558.

1. Greece—Hist.

NM 0922475 MB

Myers, Philip Van Ness, 1846-1937.
A history of Rome, by Philip Van Ness Myers ... Rev. ed. Boston, London [etc.] Ginn & company [1904]
ix, 275 p. front., illus., plates, double maps. 20cm.
"This book is the last half of my revised Ancient history (1904), and is substantially an abridgment of my Rome: its rise and fall."—Pref.
Contains bibliographies.

1. Rome—Hist. 4—30958
Library of Congress DG210.M99 1904

NM 0922476 DLC OrLgE ICU PV ViU NN Wa

Myers, Philip Van Ness, 1846-
A history of Rome, by Philip Van Ness Myers ... 2d rev. ed. Boston, New York [etc.] Ginn and company [c1917]
ix, 242 p. front., illus., pl., double maps. 20cm. $1.12
"General bibliography": p. 227-231.

1. Rome—Hist. 17-12507
Library of Congress DG210.M99 1917

NM 0922477 DLC

Myers, Philip Van Ness, 1846-1907, joint author.

Myers, Henry Morris, d. 1872.
Life and nature under the tropics: or, Sketches of travels among the Andes, and on the Orinoco, Rio Negro, Amazons, and in Central America. By H. M. and P. V. N. Myers. Rev. ed. New York. D. Appleton and company, 1871.

Myers, Philip Van Ness, 1846-1937.
Mediæval and modern history ... by Philip Van Ness Myers ... Boston and London, Ginn & company, 1902-03.
2 v. maps. 19 cm.
Includes short bibliographies.
Contents.—pt. 1. The middle ages.—pt. 2. The modern age.

1. Middle ages—Hist. 2. History, Modern.
D103.M96 2—15989

NM 0922478 DLC PPCCH NN PSC OCU OO NIC OEac MH AAP

Myers, Philip Van Ness, 1846-
Mediæval and modern history... by Philip Van Ness Myers ... Boston, Atlanta [etc.] Ginn & company [c1903]
2 v. maps. 19 cm.
Includes short bibliographies.
Contents. - pt. 1. The middle ages. - pt. 2. The modern age.
1. Middle ages - Hist. 2. History, Modern.

NM 0922479 ViU ODW PPeSchw

Myers, Philip Van Ness, 1846 - 1937.
Mediæval and modern history. Part 2.
Boston. Ginn. 1904. vii, (1), 650 pp. Maps. 18½ cm. 2229.108
Contents. — 2. The modern age.
Sources and source material at the ends of the chapters.
Most of the maps are colored.

NM 0922480 MB OU

Myers, Philip Van Ness, 1846-1937.
Mediaeval and modern history, by Philip Van Ness Myers ... Rev. ed. Boston, New York [etc.] Ginn & company [1905]
xvi, 751 p. illus., VIII pl. (incl. front., port.) maps (part double) 20cm.
Short bibliographies at end of chapters.
"General bibliography": p. 709-723.

1. Middle ages—Hist. 2. History, Modern. 5—10413
Library of Congress D103.M96 1905

NM 0922481 ODW OU PP ViU OCX PBa NN OrMonO OrLgE Or MB DLC WaTC WaSp WaS Wa OrU NcRS NBuU OCU

Myers, Philip Van Ness, 1846-1937.
Mediæval and modern history, by Philip Van Ness Myers ... Rev. to include the world war, 1914-1918. Boston, New York [etc.] Ginn and company [c1919]
xvi, 751, xxxix p. front., illus., plates, maps. 20 cm.
"Designed as a companion volume to my revised Ancient history."—Pref.
Bibliographies at end of each chapter; General bibliography: p. 700-723.

1. Middle ages—Hist. 2. History, Modern. 3. European war, 1914-19—6755
Library of Congress D103.M96 1919

NM 0922482 DLC

Myers, Philip Van Ness, 1846-1937.
Mediæval and modern history, by Philip Van Ness Myers ... 2d rev. ed., including the world war, 1914-1918. Boston, New York [etc.] Ginn and company [c1920]
xiv, 694 p. col. front., illus. (incl. ports.) plates, maps (part double) 20cm.
Bibliographies at end of each chapter.

1. Middle ages—Hist. 2. History, Modern. 3. European war, 1914-1918. 20—16921
Library of Congress D103.M96 1920

NM 0922483 DLC OClh OCX PRosC PV NN ViU

D03 .M96 Myers, Philip Van Ness, 1846-1937.
Mediaeval and modern history, ... 2d rev. ed. Boston, New York, [c1923]

NM 0922484 DLC DHEW WaS OClh PPT

Myers, Philip Van Ness, 1846-1937.
The Middle Ages. Boston, The Athenaeum press, 1902.

NM 0922485 PPeSchw

Myers, Philip Van Ness, 1846-1937.

Leadbetter, Florence Eugénie, 1861- FOR OTHER EDITIONS SEE MAIN ENTRY
Outlines and studies to accompany Myers' ancient history; a students' notebook, by Florence E. Leadbetter ... Boston, New York [etc.] Ginn & company [c1905]

Myers, Philip Van Ness, 1846-1937.

Leadbetter, Florence Eugénie, 1861-
Outlines and studies to accompany Myers' mediæval and modern history; a students' notebook, by Florence E. Leadbetter ... Boston, New York [etc.] Ginn & company [c1907]

Myers, Philip Van Ness, 1846-1937.
Outlines of ancient history, from the earliest times to the fall of the Western Roman empire, A. D. 476, embracing the Egyptians, Chaldæans, Assyrians, Babylonians, Hebrews, Phœnicians, Medes, Persians, Greeks, and Romans; designed for private reading and as a manual of instruction, by P. V. N. Myers ... New York, Harper & brothers, 1882.
xv, 484 p. 19cm.

1. History, Ancient. 3—7633
Library of Congress D59.M9 [a42b1]

NM 0922488 DLC PPL MiU OO OU MB NcD

Myers, Philip Van Ness, 1846-
Outlines of ancient history, from the earliest times to the fall of the Western Roman empire, A. D. 476, embracing the Egyptians, Chaldæans, Assyrians, Babylonians, Hebrews, Phœnicians, Medes, Persians, Greeks, and Romans; designed for private reading and as a manual of instruction, by P. V. N. Myers ... Boston, Ginn & company, 1887.
xv, 484 p. 19cm.

1. History, Ancient. 33-22803
Library of Congress D59.M9 1887 930

NM 0922483 DLC ViU

Myers, Philip Van Ness, 1846-1937.
Outlines of mediæval and modern history. A text-book for high schools, seminaries, and colleges. By P. V. N. Myers ... Boston, Ginn & company, 1886.
xii, 740 p. maps. 19cm.

1. Middle ages—Hist. 2. History, Modern. I. Title. 2—29456
Library of Congress D103.M95

NM 0922490 DLC NcC MH MiU ODW MB PBm PPL

MYERS, Philip Van Ness, 1846-1937.
Outlines of mediaeval and modern history. A text-book for high schools seminaries, and colleges. B., 1887. [cop. 1885]
pp. xii,740. Maps.

NM 0922491 MH CtY MB ViU

Myers, Philip Van Ness, 1846-1937.
Outlines of mediæval and modern history. A text-book for high schools, seminaries, and colleges. By P. V. N. Myers ... Boston, Ginn & company, 1888.
xii, 740 p. maps. 19cm.

NM 0922492 ViU MH PP

Myers, Philip Van Ness, 1846-1937.
Outlines of mediaeval and modern history. A text-book for high schools, seminaries, and colleges. Boston, Ginn & co., 1889.

NM 0922493 MH OrU

Myers, Philip Van Ness. 1846-1937.
Outlines of mediæval and modern history. By P. V. N. Myers.
Boston. Ginn & Co. 1890.

NM 0922494 MB PPD PPAmSwM

Myers, Philip Van Ness, 1846-1937. 940 O500
Outlines of mediæval and modern history. A text-book for high schools, seminaries, and colleges. By P. V. N. Myers, ... Boston, U. S. A., Ginn & Co., 1891.
xii, 740 p. 13 maps (part fold.) 19cm.

NM 0922495 ICJ OCU

VOLUME 403

Myers, Philip Van Ness, 1846-
Outlines of mediæval and modern history. A text-book for high schools, seminaries, and colleges. By P. V. N. Myers ... Boston, Ginn & company, 1895.
xii, 740 p. maps. 19cm.

NM 0922496 NcD OCU OrSaW

Myers, Philip Van Ness, 1846- .
Outlines of mediaeval and modern history; a text book for high schools, seminaries, and colleges. Boston, Ginn & co., 1901.

NM 0922497 MH

Myers, Philip Van Ness, 1846-
Outlines of mediæval and modern history. A text-book for high schools, seminaries, and colleges. By P. V. N. Myers ... Boston, Ginn & company. 1903.
xii, 748 p. maps. 19cm.

NM 0922498 ViU MtBC NBuU N OOxM DN NjP MH

Myers, Philip Van Ness, 1846-
Outlines of nineteenth century history, by Philip Van Ness Myers ... Boston, New York [etc.] Ginn & company [c1906]
v, 138 p. illus., maps. 20cm.
"This little book comprises those chapters of my revised 'Mediæval and modern history' which cover nineteenth century events after 1815."—Pref.

1. History, Modern—19th cent.

Library of Congress D358.M92 6—28265

NM 0922499 DLC NN

Myers, Philip Van Ness, 1846-1937.
Remains of lost empires: sketches of the ruins of Palmyra, Nineveh, Babylon, and Persepolis, with some notes on India and the Cashmerian Himalayas. New York: Harper & Bros. [1874.]
2 p.l., xiv, (1)16-531 p., 8 pl. illus. 8°.

1. Asia (Western).—Description, etc., 1871-72. 2. Asia (Western).—Archaeology.
N. Y. P. L.

NM 0922500 NN

Myers, Philip Van Ness, 1846-1937.
Remains of lost empires: sketches of the ruins of Palmyra, Nineveh, Babylon, and Persepolis, with some notes on India and the Cashmerian Himalayas. By P. V. N. Myers ... New York, Harper & brothers, 1875.
2 p. l., xiv, [15]-531 p. front., illus., plates. 21½cm.
Appendix. Ancient glaciers among the Himalayas: p. [489]-531.

1. Asia, Western—Descr. & trav. I. Title.

Library of Congress DS18.5.M98 4—14703

OC NIC PPG
NjNbS Mi PBm PP PPL MB MdBP NjP PRosC InAndC-T
NM 0922501 DLC CaBVa WaS FTaSU CU PPGi OCl OCU

Myers, Philip Van Ness, 1846-1937.
Rome: its rise and fall; a text-book for high schools and colleges. By Philip Van Ness Myers ... Boston, U. S. A., Ginn & company, 1900.
xii, 554 p. front., illus. (incl. ports., maps) double maps. 18½cm.
"References" at end of chapters.

1. Rome—Hist.

Library of Congress DG210.M99 1900 0—4293

PPLas
NM 0922502 DLC OrSaW WaS Wa MB MiU OClJC CDW PSC

Myers, Philip Van Ness, 1846-1937.
Rome: its rise and fall; a text-book for high schools and colleges. Boston, Ginn & co., 1901.
xii, 554 p.

NM 0922503 MH NjP PU

Myers, Philip Van Ness, 1846-1937.
Rome: its rise and fall; a text-book for high schools and colleges, by Philip Van Ness Myers ... 2d ed. extended to A. D. 800. Boston, U. S. A., Ginn & company [1901]
xiii, 626 p. front., illus., double maps. 19 cm.

1. Rome—Hist.

Library of Congress DG210.M99 1901 1—22894

MoU MB ViU
NM 0922504 DLC OCl OCU OClh MH PSt PPGi MU NcRS

Myers, Philip Van Ness, 1846-1937.
A short history of ancient times, for colleges and high schools, by Philip Van Ness Myers ... Boston, New York [etc.] Ginn & company [c1906]
ix, 388 p. front., illus., maps (part double) 20 cm.
"The present volume consists of the first half of my revised 'General history,' with merely such changes in a few matters of detail as were necessary in order to make the book independent of the last half of that work, which part is to be issued as a separate volume under the title of 'A short history of mediæval and modern times.'"—Pref.
Bibliography at end of chapters.
1. History, Ancient.

Library of Congress D59.M95 1906 6—32374

NM 0922505 DLC PPLas OCl DHEW ViU MB

Myers, Philip Van Ness, 1846-1937.
A short history of ancient times, by Philip Van Ness Myers ... Rev. ed. Boston, New York [etc.] Ginn and company [c1922]
xiii, 276, xv p. incl. front., illus. plates, maps. 20cm.
"The present volume consists of the first half of my second revised 'General history', with merely such changes in a few matters of detail as were necessary in order to make the book independent of the last half of that work, which part is to be issued as a separate volume under the title of 'A short history of mediæval and modern times'."—Pref.
"References" at end of each chapter.

1. History, Ancient.

Library of Congress D59.M95 1922 22—9773

NM 0922506 DLC PPLas PRosC TU

Myers, Philip Van Ness, 1846-1937.
A short history of mediæval and modern times, for colleges and high schools, by Philip Van Ness Myers ... Boston, New York [etc.] Ginn & company [c1906]
ix, 438 p. illus., maps (part double) 20cm.
References at end of chapters.
"This volume comprises the last half of the revised text of my 'General history'."—Pref.

1. Middle ages—Hist. 2. History, Modern.

Library of Congress D103.M963 7—4806

NM 0922507 DLC ViU

Myers, Philip Van Ness, 1846-1937.
A short history of mediæval and modern times, by Philip Van Ness Myers ... Rev. ed. Boston, New York [etc.] Ginn and company [c1923]
xii, 467, xx p. incl. front., illus. plates, maps. 20cm.
"This volume comprises the last half of the second revised text of my 'General history,' with such changes only as were necessary to render the book independent of the first half of that work, which part has already been published under the title 'A short history of ancient times' (revised edition)"—Pref.
"References" at end of each chapter.
1. Middle ages—Hist. 2. History, Modern.

Library of Congress D103.M963 1923 23—6301

NM 0922508 DLC

Myers, Philip Van Ness, 1846-1937.

Poston, Charles Debrille, 1825-1902.
The sun worshipers of Asia; by Charles D. Poston. Reprinted for the author from the London edition. San Francisco, A. Roman & co., 1877.

D103 .M96
Myers, Philip Van Ness, 1846-
Supplemental chapter to the revised edition of Myers's Mediaeval and modern history; the background and causes of the world war, and the outstanding events of the war up to the end of 1917. Boston, New York, c1918.

NM 0922510 DLC

Myers, Philip Van Ness, 1846-
Syllabus of lectures on the history of civilization in antiquity (the East, Greece and Rome). [Cincinnati, The Robert Clarke co., 1896]

NM 0922511 MH MB OCU

MYERS, Philip Van Ness, 1846-
Syllabus of lectures on the history of civilization in Europe (mediaeval and modern period). Cincinnati, R. Clarke Co., 1895.

NM 0922512 MH

RA901 M996.2
Myers, Philip Van Ness, 1846-1937.
Syllabus of lectures on the history of civilization in Europe (Mediaeval and Modern period) by P. V. N. Myers ... Cincinnati, The Robert Clarke Co., printers, 1897.
[2], 54p. 23cm.

1. Europe--Civilization--Hist.--Outlines, syllabi, etc. I. Title.

NM 0922513 OC OCU

Myers, Phineas Barton, 1888-
Eighty-five years after Lincoln; or, Four score and seven years after Lincoln's Gettysburg address, 1863-1950. Dayton, Ohio, P. B. Myers, Jr. Pub. Co.; distributed by the Church Federation of Dayton and Montgomery County [1950]
69 p. illus., ports. 21 cm.

1. Negroes. 2. Negroes—Dayton, Ohio. 3. Urban League of Dayton, Ohio. I. Title.
F499.D2M9 1950 325.2609771 50-29245

NM 0922514 DLC

Myers, Quincy Alden.
The constitutional guaranty of a Republican form of government. ... 1917.
(in Proceedings, Indiana State Bar Assoc., 1917)

NM 0922515 PU-L

Myers, R. C. [i. e. E. C.] of Iowa
see Myers, Edgar C.

VOLUME 403

Myers, R. Holtby.
Building and loan explained, by R. Holtby Myers... Cincinnati, O.: Amer. Building Assoc. News Co., 1924. 69 p. illus. (incl. ports.) 2. ed. 16°.

182238A. 1. Building and loan associations.
N. Y. P. L. May 12, 1925

NM 0922517 NN

016.071 M992c 1890 **Myers (R. Holtby) & company, Toronto.**
... R. Holtby Myers & co.'s complete catalogue of Canadian publications, containing carefully prepared lists of all the newspapers and periodicals published in the dominion of Canada, giving circulation, age and other valuable information ... [Toronto, 1890?]
48p. 21½cm.
At head of title: 1890 edition.
Pages 31-48, advertising matter.
1. Canadian newspapers - Direct. 2. Canadian periodicals - Direct.

NM 0922518 TxU

Myers, Mrs. R M ed.
Foods that rate at N.C. State
see under
North Carolina. University. State College of Agriculture and Engineering, Raleigh. Woman's Club.

Myers, R Maurice.
The vegetation of Idaho ... [Granville, O., Denison university] 1943.
p. 32-38. illus. (map)
"Reprinted from Denison university bulletin, Journal of the scientific laboratories, v.38, no. 1, April, 1943."
"References": p.38.

NM 0922520 IdB

Myers, Ralph Duane, 1912-
Angular distributions in nuclear processes. [Ithaca, N. Y.] 1937.
36 p. 27cm.
Thesis (Ph.D.)--Cornell University, 1937.
1. Scattering (Physics)

NM 0922521 NIC

Myers, Ralph E
... Report of air shipment of fresh fruits and vegetables by Ralph E.Myers Company, Salinas, Cal. Hagerstown, Md., Fairchild aircraft [1945]
cover-title, 2 p.l., 2-23 l.
Manifold copy.
A report by Ralph E.Myers and Glenn F. Phillips: cf. l.[1].

NM 0922522 MH-BA

Myers, Ralph Emerson.
Results obtained in electro-chemical analysis by the use of a mercury cathode ... Akron, O., The Myers printing co., 1904.
22 p. 22cm.
Thesis (PH. D.)—University of Pennsylvania.

Continued in next column

Continued from preceding column

1. Electrochemical analysis.

Library of Congress QD115.M8 7-30819

NM 0922523 DLC MiU PU NIC ICJ NN MB

Myers, Ralph Pratt, 1820-1898.
In memoriam. Ralph Pratt Myers
see under title

Myers (Randolph M.) Cramps as affecting stokers. 3 pp. 16°. *Richmond, Va.*, 1897.
Repr. from: Virginia M. Semi-Month., Richmond, 1897, ii.

NM 0922525 DNLM

Myers, Rawley, 1924- ed.
The greatest calling; a presentation of the priesthood by famous Catholics. New York, McMullen Books [1951]
183 p. 21 cm.
1. Catholic Church—Clergy. I. Title.
BX1912.M87 262.14 51—14228 ‡

NM 0922526 DLC DCU OrStbM WaSpG MB

Myers, Rawley, 1924-
Social distance according to St. Thomas Aquinas. Washington, Catholic University of America, 1955.
34 p. 24 cm. (Catholic University of America. Philosophical series, no. 162. Abstract [series] no. 17)
Abstract of thesis—Catholic University of America.
Bibliography: p. 29-34.
1. Class distinction. 2. Thomas Aquinas, Saint—Sociology. I. Title. (Series: Catholic University of America. Philosophical studies, no. 162)
Full name: Joseph Rawley Myers.
A 59-1542
Illinois. Univ. Library for Library of Congress [2]

NM 0922527 IMunS OCU CLSU CU IU MoU MnU OrStbM DCU MB NNC DCU NN

Myers, Rawley, 1924-
This is the seminary. Milwaukee, Bruce Pub. Co. [1953]
123 p. 21 cm.
1. Seminarians. I. Title.
Full name: Joseph Rawley Myers.
BX903.M43 271 53-2191 ‡

NM 0922528 DLC OrStbM OCl DCU

Myers, Raymond Henry.
The spectroscopy of flowed metals ... by Ray H. Myers. [Columbus] The Ohio state university, 1930.
2p.

NM 0922529 OU

Myers, Richard, 1901-
Bubbling over... Lyrics by Leo Robin. Music by Richard Myers. New York, Harms inc. [c1926]
First line: Jerry, we never saw you act in quite this way.
Chorus: I'm bubbling over.
From the musical comedy Bubbling over.
Portrait of Cleo Mayfield and Cecil Lean on t.-p.
Printed for the Music Division
I. Robin, Leo, 1900- II. Song index (3).

NM 0922530 NN

Myers, Richard, 1901-
Forsaken again. Words by Edward Heyman. Music by Richard Myers... New York, Harms inc. [c1932]
First line: Alone am I.
Chorus: The wind has stopped blowing.
From the tenth edition of Earl Carroll vanities.
Printed for the Music Division
I. Heyman, Edward, 1907- II. Song index (3).

NM 0922531 NN

Myers, Richard, 1901-
I gotcha where I wantcha. Words by Edward Heyman. Music by Richard Myers. New York, Famous music corp., c1933.
First line: When I was just a baby.
Printed for the Music Division
I. Heyman, Edward. II. Song index (2).
N. Y. P. L. August 20, 1948

NM 0922532 NN

Myers, Richard, 1901-
My darling. Lyric by Edward Heyman. Music by Richard Myers. New York, Harms inc. [c1932]
First line: Now we are together.
Chorus: My darling, say you're mine tonight.
Printed for the Music Division
1. No subject. I. Heyman, Edward. II. Song index (3).
N. Y. P. L. December 1, 1947

NM 0922533 NN

Myers, Richard, 1901-
Niagara moon. Words by Edward Heyman. Music by Richard Myers. New York, Famous music corp., c1933.
First line: There's someone on my mind.
Printed for the Music Division
1. Niagara falls. 2. Moon. I. Heyman, Edward. II. Song index (2).
N. Y. P. L. June 6, 1947

NM 0922534 NN

Myers, Richard, 1901-
Say it with a uke... Lyrics by Leo Robin. Music by Richard Myers. New York, Harms inc. [c1926]
First line: Sometimes Cupid makes men stupid.
From the musical comedy Bubbling over.
Portrait of Cleo Mayfield and Cecil Lean on t.-p.
Printed for the Music Division
1. Ukeleles. I. Robin, Leo, 1900- II. Song index (3).

NM 0922535 NN

Myers, Richard, 1901-
Snap out of the blues... Lyrics by Leo Robin. Music by Richard Myers. New York, Harms inc. [c1926]
First line: Come now, stop that sigh.
Chorus: Don't be dreary.
From the musical comedy Bubbling over.
Portrait of Cleo Mayfield and Cecil Lean on t.-p.
Printed for the Music Division
1. Blues. I. Robin, Leo, 1900- II. Song index (3).

NM 0922536 NN

Myers, Richard, 1901-
True to two... Lyrics by Leo Robin. Music by Richard Myers. New York, Harms inc. [c1926]
First line: If you would listen.
Chorus: I could be true to you.
From the musical comedy Bubbling over.
Portrait of Cleo Mayfield and Cecil Lean on t.-p.
Printed for the Music Div.
I. Robin, Leo, 1900- II. Song index (3).

NM 0922537 NN

VOLUME 403

Myers, Richard, 1901-
Whistling for a kiss. Words by E. Y. Harburg and John Mercer. Music by Richard Myers... New York, Harms inc. ⌈c1932⌉
First line: Lack-a-day ah lack-a-day.
From the musical revue "Americana."
Printed for the Music Division
1. Whistling. I. Harburg, Edgar Y., 1896- . II. Mercer, John H., 1909- . III. Song index (2).
N. Y. P. L. June 14, 1951

NM 0922538 NN

W 4 Z96 1950 MYERS, Richard, 1923-
Experimentelle hämoglobinurische Nephrose beim Meerschweinchen. Zürich, Fluntern, 1950.
17 p. illus.
Inaug.-Diss. - Zurich.
1. Hemoglobinuria

NM 0922539 DNLM

284.09758 M996p Myers, Richard A.
Protestantism in Carroll County; interdenominational study. Sponsored by: Carroll Service Council ⌈Panel on Religion⌉ Carrollton, Georgia ⌈and the⌉ Committee for Cooperative Field Research, New York. ⌈New York? Pref. 1948⌉
65p. illus. 28cm.
1. Protestants in Carroll County, Georgia. I. Title.

NM 0922540 NcU

Myers, Richmond E
The development of transportation in the Susquehanna Valley; a geographical study, 1700-1900. Ann Arbor, University Microfilms, 1951.
(⌈University Microfilms, Ann Arbor, Mich.⌉ Publication no. 3282)
Microfilm copy of typescript. Positive.
Collation of the original, as determined from the film: 291 l. illus., maps.
Thesis—Pennsylvania State College.
Bibliography: leaves 278-291.
1. Transportation—Susquehanna Valley.
Microfilm AC-1 no. 3282 Mic 53-133

NM 0922541 DLC

Myers, Richmond E
The long crooked river (the Susquehanna) Boston, Christopher Pub. House ⌈1949⌉
380 p. maps. 20 cm.
"Suggested readings": p. 370-375.
1. Susquehanna River. 2. Susquehanna Valley—Hist. I. Title.
F157.S8M9 974 49-3669*

NM 0922542 OClWHi PSt PWcS MB ViU DLC PPPrHi PPFr PHC Or NcD OU TU PBL

Myers, Richmond E
The Moravian Christmas putz. [Allentown, Pa., 1941]
10p. illus. (In Pennsylvania German folklore society, v.6)

NM 0922543 OCl PU PSt NNC

Myers, Robert Brown, 1921-
The development and implications of a conception of leadership for leadership education. Ann Arbor, University Microfilms ⌈1954⌉
(⌈University Microfilms, Ann Arbor, Mich.⌉ Publication no.7898)
Microfilm copy (positive) of typescript.
Collation of the original: 250 l. illus.
Thesis - University of Florida.
Abstracted in Dissertation abstracts, v.14 (1954) no.5, p.782.
Vita.
Bibliography: leaves 225-250.

NM 0922544 FMU

3781 S78M Myers, Robert Cobb.
Biographical factors and academic achievement; an experimental investigation. ⌈Stanford, Calif.⌉ 1950.
viii,119 l. diagr.,form, tables.
Thesis (Ph.D.) - Dept. of Sociology and Anthropology, Stanford University, 1950.
Bibliography: l. 117-119.
—— Another copy,
1.Educational tests and measurements.

NM 0922545 CSt

Myers, Robert Cornelius V
see Meyers, Robert Cornelius V 1858-1917.

MYERS, ROBERT DEMMING, 1906-
Section 7 of the Clayton act with emphasis on recent developments. [Columbus, O.] 1954. 226 l.
Film reproduction. Positive.
A study of the "Fourth merger movement".
Thesis--Ohio state university.
Vita.
Bibliography, leaves 209-225.
1. Clayton antitrust law, 1914. 2. Industrial combination--U.S.

NM 0922547 NN OU

Myers, Robert Demming, 1906-
Superpower in the eastern Ohio valley region; growth, interconnection, demand and supply ... by Robert D. Myers ... ⌈Columbus⌉ The Ohio state university, 1932.
6 p.

NM 0922548 OU

Myers, Robert Harry
Indiana bankers association. *Research committee.*
Report of the Research committee, Indiana bankers association ... May 1, 1937 ... ⌈Indianapolis⌉ 1937.

HZ10 .M9963 MYERS,ROBERT HARRY,1919-
A study of certain special incentives to motivate salesmen. ⌈Typewritten ms. Bloomington, Ind.⌉ 1952.
5+291 p.
Thesis (D.C.S.)--Indiana University.

NM 0922550 InU NIC

Myers, Robert Harry, 1919-
A study of Indiana bank public relations programs. ⌈Indianapolis? Indiana Bankers Association, 1949⌉
56 p. 22 cm.
Thesis (M. B. A.)—Indiana University.
Bibliography: p. 55-56.
1. Public relations—Banks and banking. I. Title.
HG1616.M9 51-25083

NM 0922551 DLC MH-BA ICU

MYERS, ROBERT HENRY
The politics of American banking: The dual system, 1929-1939. Chicago, 1955. v, 216 l.
Film reproduction. Positive.
Thesis—University of Chicago.
Bibliography, l. 209-216.
1. Banks and banking—U.S., 1913-1933. 2. Banks and banking—U.S., 1933-

NM 0922552 NN ICU

Myers, Robert James, 1904-
HD7106 .U5A36 U. S. *Social security board. Office of the actuary.*
Actuarial study no. ⌈1⌉-
⌈Washington⌉ Social security board, Office of the actuary, 1937-

Myers, Robert James, 1904-
The economic aspects of the production of men's clothing (with particular reference to the industry in Chicago). Chicago, 1937.
xii, 519 l. 32 cm.
Thesis—University of Chicago.
Bibliography: leaves 514-516.
1. Clothing trade—United States. 2. Clothing trade—Chicago. 3. Men's clothing. I. Title.
HD9940.U5C46 1937b 338.4'7'687110973 74-187409 MARC

NM 0922554 DLC

Myers, Robert James, 1904-
... The economic aspects of the production of men's clothing (with particular reference to the industry in Chicago) ... by Robert James Myers ... ⌈Chicago⌉ 1937.
1 p. l., ii-iv, 89 p. diagrs. 24½cm.
Part of thesis (PH. D.)—University of Chicago, 1937.
Lithoprinted.
"Private edition, distributed by the University of Chicago libraries, Chicago, Illinois."
Bibliography: p. 87-89.
1. Clothing trade—U. S. 2. Clothing trade—Chicago. I. Title.
37-29866
Library of Congress HD9940.U5C46 1937
Univ. of Chicago Libr.
—— Copy 2. ⌈2⌉ 338.4

NM 0922555 ICU NcU NcD DL ViU OCU OU PBm DLC

⌈Myers, Robert James⌉ 1904-
... Effects of a minimum wage in cotton-garment industry, 1939-41 ... Washington, U. S. Govt. print. off., 1942.
1 p. l., 29 p. incl. tables. 23cm. (U. S. Bureau of labor statistics. Serial no. R. 1415)
At head of title: ... United States Dept. of labor, Frances Perkins, secretary. Bureau of labor statistics, Isador Lubin, commissioner (on leave) A. F. Hinrichs, acting commissioner.
"By Robert J. Myers and Odis C. Clark."—p. 1.
"From the Monthly labor review of the Bureau of labor statistics, United States Department of labor, February 1942 issue."
1. Wages—U. S. 2. Clothing trade—U. S. I. Clark, Odis Carl, joint author. II. Title.
L 42-225
U. S. Dept. of labor. Libr. HD4966.C6M9
for Library of Congress ⌈2⌉

NM 0922556 DL

⌈Myers, Robert James⌉ 1904-
... Income from wages and salaries in the postwar period ... Washington, D. C., U. S. Govt. print. off. ⌈1945⌉
ii, 13 p. incl. tables. 23cm. (U. S. Bureau of labor statistics. Bulletin no. 845)
At head of title: United States Dept. of labor ... Bureau of labor statistics.
Prepared by Robert J. Myers and N. Arnold Tolles. cf. Letter of transmittal.
"Reprinted from the Monthly labor review, September 1945."—p. 1.
1. Wages—U. S. 2. Income—U. S. I. Tolles, Newman Arnold, 1903- joint author. II. Title.
U. S. Dept. of labor. Libr. L 45-109
for Library of Congress HD8051.A62 no. 845
—— Copy 3. HD4975.M9
⌈7⌉† (331.06173) 331.2973

NM 0922557 DL WaWW TxU PP PPT DLC

Myers, Robert James, 1904-
HD8051 .A62 no. 756 Douty, Harry Mortimer, 1909-
... Wages in manufacturing industries in wartime, by H. M. Douty, Robert J. Myers, and Herman D. Bloch ... Washington, U. S. Govt. print. off., 1943.

Myers, Robert James, 1909-
The collapse of monomolecular films of palmitic acid on acid solutions ... by Robert James Myers. Baltimore, 1935.
12 p. diagr. 27½ x 21½cm.
Abstract of thesis (PH. D.)—Johns Hopkins university, 1935.
Vita.
Bibliography: p. 12.
1. Capillarity. 2. Palmitic acid. I. Title: Monomolecular films of palmitic acid on acid solutions.
40-12285
Library of Congress QC183.M94 1935
Johns Hopkins Univ. Libr. ⌈2⌉ 532.6

NM 0922559 MdBJ DLC

VOLUME 403

Myers, Robert James, 1909- joint author.

TP156 .I 6K8

Kunin, Robert.
Ion exchange resins [by] Robert Kunin and Robert J. Myers. New York, Wiley [1950]

TP156 .I 6K816

Myers, Robert James, 1909- joint author.

Kunin, Robert.
Ионообменные смолы. Перевод с английского А. Л. Козловского, под ред. Г. С. Петрова. Москва, Изд-во иностранной лит-ры, 1952.

HD7106 .U5A532 1949

Myers, Robert Julius, 1912-

U. S. *Congress. House. Committee on Ways and Means.*
Actuarial cost estimates for expanded coverage and liberalized benefits proposed for the old-age and survivors insurance system by H. R. 6000. Prepared by Robert J. Myers, actuary to the committee. Washington, U. S. Govt. Print. Off., 1949.

HD7106 .U5A5 1952

Myers, Robert Julius, 1912- FOR OTHER EDITIONS SEE MAIN ENTRY

U. S. *Congress. House. Committee on Ways and Means.*
Actuarial cost estimates for the old-age and survivors insurance system as modified by the Social security act amendments of 1952; prepared by Robert J. Myers, actuary to the committee. Washington, U. S. Govt. Print. Off., 1952.

Myers, Robert Julius, 1912-
The financial principle of self-support in the old-age survivors insurance system. [Washington] 1955.
11 p. tables. 26 cm. (U. S. Social Security Administration. Division of the Actuary. Actuarial study no. 40)

1. Old age pensions—U. S. [1. Insurance, Old age—U. S.] 2. [Insurance, Old age—Benefits] 3. [Social security act—Amendments] I. Title. (Series)

HD7106.U5A36 no. 40 S S 55-212

U. S. Social Security Administration. Library for Library of Congress [2]†

NM 0922564 DHEW NIC MoU DLC

Myers, Robert Julius, 1912-
Illustrative U. S. population projection, 1946. [Washington] Federal Security Agency, Social Security Administration, Office of the Actuary, 1948.
iii, 24 p. 27 cm. ([U. S.] Social Security Administration. Office of the Actuary. Actuarial study no. 24)
Cover title.
1. U. S.—Population. 2. [Population] 3. [Fecundity] 4. [Insurance, Survivors—Finance] I. Title. (Series: U. S. Social Security Administration. Division of the Actuary. Actuarial study no. 24)
HD7106.U5A36 no. 24 312 S S 48-12 rev*

U. S. Social Security Administration. Library for Library of Congress [r51c1]†

NM 0922565 DHEW DLC

Myers, Robert Julius, 1912-
Illustrative U. S. population projections, 1952, by Robert J. Myers and E. A. Rasor. Washington, Federal Security Agency, Social Security Administration, Division of the Actuary, 1952.
46 p. charts, tables. 27 cm. (U. S. Social Security Administration. Division of the Actuary. Actuarial study no. 33)

1. Population. 2. U. S.—Population. 3. [Insurance, Survivors—Finance] I. Rasor, Eugene Adams, 1907- joint author. II. Title. (Series)
S S 53-35

U. S. Social Security Administration. Library for Library of Congress [2]

NM 0922566 DHEW OClCC

Myers, Robert Julius, 1912-
Long-range cost estimates for old-age, survivors, and disability insurance system. 1946-
[Washington] U. S. Dept. of Health, Education, and Welfare, Social Security Administration, Division of the Actuary [etc.]
v. illus. 27 cm. (U. S. Social Security Administration. Division of the Actuary. Actuarial study)
Title varies slightly.

Vols. for 1953-54 prepared with E. A. Rasor; 1963- with F. Bayo.

1. Old age pensions—U. S. [1. Insurance, Old-age—Finance] 2. Insurance, Disability [and invalidity]—U. S. I. Rasor, Eugene Adams, 1907- joint author. II. Bayo, Francisco, joint author. III. Title. IV. Title: Cost estimates for old-age, survivors and disability insurance system. (Series)
HD7106.U5A36 H E W 58-13 rev
U. S. Dept. of Health, Education, and Welfare. Library for Library of Congress [r65c1]†

NM 0922568 DHEW DLC MoU PP PPD MB NIC

Myers, Robert Julius, 1912- 9368.4A259
The 1950 amendments to the Social security act. [Chicago, University of Chicago Press] 1951.
30 p. illus. 23cm.
"Reprinted from the Transactions of the Society of Actuaries, Vol. III, 1951 Eastern Spring Meeting Number."
Bibliography: p. 30.
1. Insurance, State and compulsory—U. S. I. Society of Actuaries. II. Title: Social security act.

NM 0922569 MB

Myers, Robert Julius, 1912- joint author.
The social security amendments
see under Cohen, Wilbur Joseph, 1913-

Myers, Robert L.
Does the community get the worth of the money it expends on its schools? [Harrisburg, 1902]
23p. Y25140

NM 0922571 DLC

Myers, Robert Lancelot,
The dramatic theories of Élie-Catherine Fréron, by Robert Lancelot Myers ... Baltimore, 1951.
4 p.l., 282 p. 29½cm.
Thesis (Ph.D.) - Johns Hopkins university, 1951.
Required type-written copy.
Vita.
Bibliography: l. 279-281.

NM 0922572 MdBJ

Myers, Robert Lee, 1897- ed.

Patton, John Woodbridge, 1843-1921.
Practice in the Courts of common pleas of Pennsylvania, by John W. Patton and Henry B. Patton ... 2d ed., rev. and enl., by Robert L. Myers, jr. and Fred S. Reese .... Philadelphia, George T. Bisel company, 1927.

Myers, Robert Lee, 1923-
The preparation and polymerization of some substituted butadienes. Urbana, 1947.
3 p. 23 cm.
Abstract of thesis—University of Illinois.
Vita.
Bibliography: p. 3.

1. Butadiene. 2. Polymers and polymerization.
QD305.H7M98 A 53-3366
Illinois. Univ. Library for Library of Congress [1]†

NM 0922574 IU DLC

Myers, Robert M joint author.
Survey of special incentives
see under
Haring, Albert, 1901-

Myers, Robert Manson, 1921-
Anna Seward, an eighteenth-century Handelian. Williamsburg, Va., Manson Park Press, 1947.
25 p. 22 cm.
"One hundred and seventy-five copies ... printed for the author and signed by him for presentation to his friends ... No. 162."
Bibliographical footnotes.

1. Seward, Anna, 1742-1809. 2. Händel, Georg Friedrich, 1685-1759.
PR3671.S7Z77 928.2 48-2808*

NM 0922576 DLC IEN CLU GU MH

Myers, Robert Manson, 1921-
Early moral criticism of Handelian oratorio. Williamsburg, Va., Manson Park Press, 1947.
39 p. 22 cm.
"Two hundred and twenty-five copies ... printed for the author and signed by him for presentation to his friends ... No. 212."
Bibliographical footnotes.

1. Händel, Georg Friedrich, 1685-1759. I. Title.
ML410.H13M96 783.3 48-2269*

NM 0922577 DLC IEN GU MH

Myers, Robert Manson, 1921-
Fifty sermons on Handel's Messiah. [n. p., 1946?]
[217]-241 p. 24 cm.
Deals mainly with the sermons on Handel's Messiah preached by John Newton in 1784 and 1785.
"Reprinted from the Harvard theological review, vol. xxxix, no. 4, October, 1946."

1. Händel, Georg Friedrich, 1685-1759. The Messiah. 2. Newton, John, 1725-1807. I. Title.
ML410.H13M965 783.3 49-29100*

NM 0922578 DLC

Myers, Robert Manson, 1921-
From Beowulf to Virginia Woolf; an astounding and wholly unauthorized history of English literature. [1st ed.] Indianapolis, Bobbs-Merrill [1952]
75 p. illus. 21 cm.
"First published in the spring 1951 issue of Furioso."

1. English literature—Anecdotes, facetiae, etc. I. Title.
PR86.M9 820.88 52-10687 ‡

MiU DAU NcU NBuU IdPI Or WaE
NM 0922579 DLC OOxM PV TxU OCU ViU NN PPT PSt NcD

Myers, Robert Manson, 1921-
From Beowulf to Virginia Woolf; an astounding and wholly unauthorized history of English literature. [London] W. Laurie [1954]
78 p. illus. 19 cm.

1. English literature—Anecdotes, facetiae, satire, etc. I. Title.
PR86.M9 1954 820.88 56-43484 ‡

NM 0922580 DLC CtY MH MiU GU

Myers, Robert Manson, 1921-
Handel's Messiah, a touchstone of taste. New York, Macmillan Co., 1948.
xxii, 338 p. illus., ports., facsims. 22 cm.
Thesis—Columbia Univ.
Pub. also without thesis statement.
Vita.
"Select bibliography": p. 303-319.

1. Händel, Georg Friedrich, 1685-1759. The Messiah.
ML410.H13M97 1948a 783.3 A 48-4165*

Columbia Univ. Libraries. for Library of Congress [2]†

NM 0922581 NNC DLC OClND

VOLUME 403

Myers, Robert Manson, 1921-
Handel's Messiah, a touchstone of taste. New York, Macmillan Co., 1948.
xxii, 338 p. illus., ports., facsims. 22 cm.
"Select bibliography": p. 308-319.

1. Händel, Georg Friedrich, 1685-1759. The Messiah.

ML410.H13M97 783.3 48-1662*

Or OrCS WaTC OrP OrU WaS WaE IdPI CaBVa CaBVaU TU TxU MB NBuU WaWW PU NcGU PSt CtY MiU KU MtU WaT
NM 0922582 DLC NcD Mi MSohG OKentU OU PLF MH ViU

Thesis 1928 M996
Myers, Robert Page, 1900-
Germicidal properties of alkalies with special reference to the influence of hydroxyl ion concentration, buffer index, and osmotic pressure. [Ithaca, N. Y.] 1928.
156 l. illus. 28 cm.

Thesis (Ph. D.) - Cornell Univ., 1928.

1. Milk - Containers. 2. Milk hygiene. 3. Alkalies. I. Title.

NM 0922583 NIC MH

Myers, Robert Page, 1900-
The germicidal properties of alkaline washing solutions, with special reference to the influence of hydroxyl-ion concentration, buffer index, and osmotic pressure ... by Robert Page Myers ... [Washington, D. C., 1929]
cover-title, p. 521-563. diagrs. 22½cm.
Thesis (PH. D.)—Cornell university, 1928.
From the Journal of agricultural research, v. 38, no. 10, May 15, 1929.
"Literature cited": p. 562-563.

1. Washing powders. 2. Disinfection and disinfectants. 3. Hydrogen-ion concentration. 4. Osmosis.

Library of Congress RA766.W3M8 1928 31-15780
——— Copy 2. [4] 614.484

NM 0922584 DLC NIC OCl OU PPC

Myers, Robert Page, 1900-
The germicidal properties of alkaline washing solutions, with special reference to the influence of hydroxyl-ion concentration, buffer index, and osmotic pressure.
(In U. S. Dept. of agriculture. Journal of agricultural research. v. 38, no. 10, May 15, 1929, p. 521-563. diagrs. 23½cm. Washington, 1929)
Contribution from Cornell agricultural experiment station (N. Y. (Cornell)—14)
Condensed from thesis (PH. D.)—Cornell university, 1928.
Published May 14, 1929.
"Literature cited": p. 562-563.
1. Disinfection and disinfectants. 2. [Washing solutions] I. Title.

Library, U. S. Dept. of Agriculture 1Ag84J vol. 38, no. 10 Agr 29-985
Library of Congress S21.A75 vol. 38

NM 0922585 DNAL

Myers, Robin.
America arms the schools. Chicago, Young people's socialist league [1937]

23 p. 17 cm.

NM 0922586 MH NN NIC

QC463 H7M9
Myers, Rollie John, 1924-
The microwave spectra, structure and dipole moments of several isotopic species of methylene chloride. [Berkeley, 1951]
iii,72 l. diagrs.,tables.

Thesis (Ph.D.) - Univ. of California, July 1951.
Bibliography: p.57-58.

NM 0922587 CU

Myers, Rollin Guizot, 1877-
Studies on the blood of marine animals. I. A chemical study of the blood of several invertebrate animals. II. A chemical study of whale blood ... by Rollin Guizot Myers. Stanford University, 1920.
1 p. l., p. 119-135, 137-143. 23cm.
Thesis (PH. D.)—Leland Stanford junior university, 1919.
"Reprinted from the Journal of biological chemistry, vol. XLI, no. 1, January, 1920."
Bibliography: p. 134-135, 143.

1. Blood—Analysis and chemistry.

Library of Congress QP91.M9 20-5175
Leland Stanford junior Univ. Libr. 612.12

NM 0922588 CSt DLC

PQ2605 .O 15R33 1926
Myers, Rollo H., tr.

Cocteau, Jean, 1889-
A call to order, by Jean Cocteau, written between the years 1918 and 1926 and including 'Cock and harlequin,' 'Professional secrets,' and other critical essays, translated from the French by Rollo H. Myers, with a portrait of the author by himself. London, Faber and Gwyer, 1926.

ML66 .C65
Myers, Rollo H., tr.

Cocteau, Jean, 1889-
Cock and harlequin; notes concerning music, by Jean Cocteau, translated from the French by Rollo H. Myers. With a portrait of the author and two monograms by Pablo Picasso. London, The Egoist press, 1921.

Myers, Rollo H
Debussy. London, Duckworth [1948]
125 p. port. 19 cm. (Great lives. London [no. 89])
Bibliography: p. 119. "[List of] Debussy's works": p. 121-125.

1. Debussy, Claude, 1862-1918. (Series)
ML410.D28M9 1948a 927.8 49-20548*

NM 0922591 DLC OClJC OrCS CaBVaU NcD LU MiU MH

Myers, Rollo H
Debussy. New York, A. A. Wyn [1949]
125 p. port. 19 cm. [Great musicians series]
Bibliography: p. 119. "[List of] Debussy's compositions": p. 121-125.

1. Debussy, Claude, 1862-1918.

ML410.D28M9 927.8 49-8161*

OrU PPMoI KU
NM 0922592 DLC KMK PP WU NNC IdPI WaS WaT OrPS

Myers, Rollo H
Erik Satie. London, D. Dobson, 1948.
150 p. illus., ports., music. 22 cm. (Contemporary composers)
"Recordings": p. 144. "List of published works by Erik Satie": p. 145-146.

1. Satie, Erik, 1866-1925. 2. Satie, Erik, 1866-1925—Discography. (Series)
ML410.S196M9 927.8 49-1388*
[2]

RP WaS OrP OrPR IdU
NNC CtY TxU FMU NIC KyMoreT OKentU IaU OrU KMK MeB
NM 0922593 DLC OCl KEmT PP CaQMM PSt WaU CaBVa MB

W.C.L. 780.0711 S253MB
Myers, Rollo H
Erik Satie, son temps et ses amis. Sous la direction de Rollo Myers. Paris, Richard-Masse [1952]
154 p. illus. 26 cm.
"Numéro spécial de 'La Revue musicale'."
"Juin 1952, no. 214.

1. Satie, Erik, 1866-1925. I. La Revue musicale. II. Title.

NM 0922594 NcD

M1621 .R
Myers, Rollo H., tr.

Roussel, Albert Charles Paul, 1869-1937.
A flower given to my daughter; poème de James Joyce. [Traduction de Rollo H. Myers] Paris, Durand [1948]

Myers, Rollo H
Introduction to the music of Stravinsky. London, D. Dobson [1950]
59, [5] p. music. 16 cm. [Contemporary composers]
"Suggested gramophone recordings": p. [60]-[64]

1. Stravinskiĭ, Igor' Fedorovich, 1882- 2. Stravinskiĭ, Igor' Fedorovich, 1882- —Discography. (Series)
ML410.S932M9 780.81 51-2932

NM 0922596 DLC TxU NN OkU TU

Myers, Rollo H.
Modern music, its aims and tendencies, by Rollo H. Myers. With numerous musical illustrations in the text. London, K. Paul, Trench, Trubner & co., ltd.; New York, E. P. Dutton & co. [1923?]
3 p. l., 89 p. illus. (music) 19 cm. (Half-title: The Music-lover's library. Series II)

1. Music—Hist. & crit.—20th cent. I. Title.
ML197.M93 24-442

OrPR CaBVa OrStbM OrCS OCl ODW
NM 0922597 DLC PHC PPT TNJ-P WaU WU WaTC NN IdU

Myers, Rollo H.
Music in the modern world, by Rollo H. Myers. New York, Longmans, Green & co.; London, E. Arnold & co., 1939.
210 p. illus. (music) 19 cm.
Printed in Great Britain.

1. Music—Hist. & crit.—20th cent. 2. Music—Philosophy and aesthetics. 3. Music and state. I. Title.
ML197.M93M8 780.904 40-27107

NM 0922598 DLC MH OLak OO OU PP PSC PPT Or WaS

Myers, Rollo H
Music in the modern world. [2d ed., rev.] London, E. Arnold [1948]
211 p. music. 18 cm.

1. Music—Hist. & crit.—Modern. 2. Music—Philosophy and esthetics. 3. Music and state. I. Title.
ML197.M94 1948 780.904 49-15905*

NM 0922599 DLC OrPS WU NcU ICU GU NcD PP ICN

Myers, Rollo H
Music since 1939. London, New York, Pub. for the British Council by Longmans, Green [1947]
48 p. plates, ports. 21 cm. (The Arts in Britain, no. 7)

1. Music—Gt. Brit. I. Title. II. Series.
ML285.5.M9 780.942 48-796*

IdPI
NM 0922600 DLC PP KMK WU OrU FU NNC TxU CaBVaU

AC5 .S5
Myers, Rollo H. Music since 1939.

Since 1939; ballet, films, music, painting, by Arnold L. Haskell [and others] London, Phoenix House [1948]

VOLUME 403

Myers, Rollo H
Musiken och vi; översättning från engelskan av Disa Törngren. Stockholm, H. Gebers [1946]
183 p. music. 21 cm. (Gebers musikböcker, ser. A)
Translation of Music in the modern world.

1. Music—Hist. & crit.—20th cent. I. Title.
ML197.M9418 63-35659/MN

NM 0922602 DLC

M1621 .A
Myers, Rollo H., tr.
Auric, Georges, 1897-
[Chants de la France malheureuse]
Quatre chants de la France malheureuse. Traduction anglaise de Rollo Myers. Paris, New York, Salabert [1947]

QL999 Myers, Ronald Elwood, 1929-
The corpus callosum and hemispheric interaction. 1955.
36 l.
Thesis — Univ. of Chicago.
1. Corpus Callosum

NM 0922604 ICU

Myers, Ronald Elwood, 1929-
The corpus callosum and hemispheric interaction. Chicago [Library, Dept. of Photographic Reproduction, University of Chicago] 1955.
Microfilm copy (positive) of typescript.
Collation of the original, as determined from the film: iv, 36 l. illus., tables.
Thesis—University of Chicago.
Bibliography: leaves 34-36.

1. Brain. I. Title.
Microfilm 4663 QP Mic 57-5503

NM 0922605 DLC

WA 670 M996s 1924
MYERS, Roscoe Wallace, 1899-
Sanitary survey of the city of Keene, New Hampshire. [Boston, Harvard Medical School] 1924.
80 l. illus.
Typewritten copy.

NM 0922606 DNLM

Myers, Roy L
Mood-songs and peopled doorways. Boston, Christopher Pub. House [1953]
95 p. 21 cm.

I. Title.
PS3525.Y467M6 811.5 53-36237 ‡

NM 0922607 DLC

Myers, Roy Maurice, 1911-
The effect of growth substances on the absciss layer on leaves of coleus ... [Columbus] The Ohio state university, 1939.
2 p. l., 55, [1] numb. l. illus., diagrs. 28 cm.
Thesis (Ph.D.) - Ohio state university.

NM 0922608 OU

Myers, Roy Maurice, 1911-
Some effects of growth substances on rooting of plants ... by R. Maurice Myers ... [Columbus, O.] The Ohio state university, 1937.
1 p.

NM 0922609 OU

Myers, Ruby Andrews, ed.
The Lake Worth historian; a souvenir journal
see under title

Myers, Rupert P.
Coordination of the analytical and experimental characteristics of an induction motor. Thesis 1933

NM 0922611 OCIW

Myers, Ruth.
A child's song reader, by Ruth Myers ... Ann Arbor, Mich., Planographed by Edwards brothers, inc., 1937.
[15] p. 22½ x 18½cm.
Melodies unaccompanied.
Includes words.

1. Children's songs.
Library of Congress M1998.M9C5 44-32213

NM 0922612 DLC PPT

H 929.2 Eb3hm
[Myers, Ruth Ebersole]
Descendants of Henry Ebersole from 1823 to 1960. [Compiled by Ruth Ebersole Myers and Martha Yeager Ebersole, n.p., n.d.]
48p. 22cm.

NM 0922613 ViHarEM

Film 280
MYERS, Ruth Miriam, 1911-
Studies on Clostridium welchii alpha-toxin hemolysis, and its inhibition by antitoxin and red blood cell receptor-destroying agents. Chicago, 1952.
74 p.
Film copy.
Diss. - Univ. of Chicago.
1. Clostridium perfringens
2. Hemolysis & hemolysins

NM 0922614 DNLM ICU

Myers, S.
... London men and women, an account of the L. C. C. men's and women's institutes, by S. Myers ... and Miss E. Ramsay ... London, British institute of adult education, 1936.
cover-title, 42 p., 1 l. 21½cm. (Life and leisure pamphlets: no. 3)

1. London. County council. 2. Labor and laboring classes—Education. 3. Education—England—London. I. Ramsay, E., joint author. II. British institute of adult education. III. Title.
Library of Congress LC5056.G7M9 41-27605

NM 0922615 DLC

Myers, S. Etting.
An inaugural essay on indigestion, by S. Etting Myers of South Carolina. 1829.

NM 0922616 PU

Myers, S. F. & co., *New York.*
Annual illustrated catalogue ... v. 1- 1885-
New York, S. F. Myers & co., 1885-
v. illus. 24-31cm.
Binder's title: The New York jeweler.
Title varies: 1885- The New York jeweler and trade price list.
18 Annual illustrated price list.
18 The New York jeweler, annual catalogue or illustrated price list.
Annual illustrated catalogue.

1. Jewelry—Catalogs. I. Title: The New York jeweler.
99-1876 Revised
Library of Congress TS759.M97

NM 0922617 DLC WHi

Myers, S. S.
Satan. The story of Creation in verse. Los Angeles, Cal. [c1926]
35 p. 15 cm.

NM 0922618 RPB

Myers, *Mrs.* **Salmon C**
see
Myers, Zelda, 1907-

Myers, Sam Price.
London south of the river. Wood engravings by Rachel Reckitt. London, P. Elek [1949]
132 p. illus., map (on lining papers) 24 cm. (Vision of England)

1. London. South London. I. Title. (Series)
DA685.S65M9 914.216 50-30729

NM 0922620 DLC MH CU

Myers, Samuel B., 1830-
Memoir of Major Samuel B. Myers
see under title

Myers, Samuel Dale, 1899-
Institute of public affairs, *Southern Methodist university, Dallas. 3d conference,* 1936.
The Southwest in international affairs; proceedings of the third annual conference, Institute of public affairs. Auspices, Carnegie endowment for international peace, Dallas, Texas. Edited by S. D. Myres, jr. [Dallas] Published for the institute by the Arnold foundation, Southern Methodist university, 1936.

Myers, Samuel Lloyd, 1919-
Product testing and labeling with special reference to textiles.
Thesis - Harvard, 1949.

NM 0922623 MH

Myers, Samuel Lloyd, 1919-
Textile and apparel testing and labeling. Cambridge [Distributed for the Graduate School of Public Administration, Harvard University, by Harvard University Press] 1954.
39 p. 23 cm. (Harvard studies in marketing farm products, no. 5-H)
Bibliographical footnotes.

1. Textile industry and fabrics—Testing. 2. Labels. I. Title. (Series)
A 55-3546
Harvard Univ. Library for Library of Congress [2]

NM 0922624 MH MtBC ViU PPD

VOLUME 403

Myers, Samuel S comp.
The practical music course
see Myers, Shilo Shaffer.

Myers, Samuel S., defendant.

Myers, William R *defendant.*
An authenticated report of the trial of Myers and others, for the murder of Dudley Marvin Hoyt. With the able and eloquent speeches of counsel, and "the letters", in full, with explanatory notes, which furnish a clear and complete history of the case. Drawn up by the editor of the Richmond southern standard. New York, Richards and company [°1846]

Myers, Samuel S., defendant.
Speech of James Lyons, in defence of William R. Myers, Samuel S. Myers
see under Lyons, James, 1801-1882.

35 Myers, Sarah Ann(Irwin) 1800-1876.
Aunt Carrie's budget of fireside stories.
Philadelphia, [1860]

NM 0922628 DLC

Myers, Sarah Ann (Irwin) 1800-1876, *comp. and tr.*
The balloon. Translated from the German by Sarah A. Myers. Philadelphia, C. G. Henderson, 1855.
123 p. col. plates. 16 cm. (The Child's library)
On cover: Pray and work, then God will help!
CONTENTS.—The balloon.—The little cannon.—The two brothers.—The paper kite.

I. Title. II. Title: Pray and work, then God will help!

PZ6.M995Bal 66-57586

NM 0922629 DLC MH CoCA ICU PP

FreeLib ARE BOOKS CB n.d. B265v
Myers, Sarah Ann (Irwin) 1800-1876, tr.
Baron von Wollheim and His Children. Translated from the German by Sarah A. Myers.
[n. p., n. d.]
1 p. l., 145 p. col. front., 3 col. plates. 15.5 cm. (On spine: The Child's Library)

Inscription on front end leaf dated April, 1864.
Frontispiece and plates are hand-colored lithographs.
Original printed pictorial boards, printed in colors.

NM 0922630 PP

PZ 7 .M993Ba
Myers, Sarah Ann (Irwin) 1800-1876.
The Baron's children. Philadelphia, Lindsay & Blakiston [1900?]
1v, 13-265 p. 18 cm. (The girls library)

NM 0922631 OKentU

Myers, Sarah Ann(Irwin) 1800-1876.
Beads and Shot [and other stories]
see under title

Z662 A2M81 .85-
Myers, Sarah Ann (Irwin). 1800-1876, tr.
The Christmas gift. Tr. from the German by Sarah A. Myers. Philadelphia, J. Weik [185-?]
[1], 155, [1] p. col. front., col. plates.
On cover: Pray and work then God will help!
Contents.--The Christmas gift.--Carlo.--The open hand and liberal heart.--The little madcap.

NM 0922633 ICU

Myers, Sarah Ann (Irwin) 1800-1876.
Faithful Nicolette; or, the French nurse. [And Gertrude's dream; or, the little gray man. A story for negligent children.]
= New York. Carlton & Porter. [1856.] 179 pp. Plates. 24°.

E6426 — T.r. — Gertrude's dream. Nov. 26, 1902

NM 0922634 MB

35 Myers, Sarah Ann(Irwin) 1800-1876.
Faithful Nicolette; or the French nurse.
New York, 1857.

NM 0922635 DLC

Myers, Sarah Ann (Irwin) 1800-1876, ed.and tr. 6897.192
Fritz Harold; or, the temptation. Altered and enlarged from the German.
New York. Carter. 1854. 228 pp. Plate. 16°.

F6750 — T.r.

NM 0922636 MB N

Myers, Sarah Ann (Irwin), 1800-1876.
The Gulf stream; or, Harry Maynard's Bible, by the author of "Poor Nicholas", "The railroad boy", &c. Philadelphia, Presbyterian Board of Publication [c1864]
213 p. illus.

Based on tract by Professor Schubert of Munich.

NM 0922637 NNC

Myers, Sarah Ann (Irwin) 1800-1876. 492.58
The hero of Falcon's Island; or, the little boy who would be Robinson Crusoe. Altered from the German.
Philadelphia. Hazard. 1855. Plates. 16°.

NM 0922638 MB MiU

Myers, Sarah Ann (Irwin), 1800-1876.
The little shoemaker; or, The orphan's victory. By Mrs. Sarah A. Myers... New York, Carlton & Porter [1857] 232 p. illus. 16cm.

NM 0922639 NN DLC

* PZ7 .M973L 1867
Myers, Sarah Ann (Irwin) 1800-1876.
The little shoemaker; or, The orphan's victory. Richmond: Presbyterian Committee of Publication, 1867.
232 p. plates. 15cm.

NM 0922640 ViU

35 Myers, Sarah Ann (Irwin) 1800-1876.
Margaret Ashton; or, work and win.
Philadelphia, 1866.

NM 0922641 DLC

Myers, Sarah Ann (Irwin) 1800-1876.
Margaret Gordon, or Can I forgive? By Mrs. S. A. Myers ... Philadelphia, Presbyterian board of publication [°1869]
479 p. front., plates. 18cm.

I. Title.

12-36963

Library of Congress PZ7

NM 0922642 DLC-P4 NNC

Myers, Sarah Ann (Irwin) 1800-1876, tr.

Martin, F.
Martin's Natural history. Tr. from the thirty-fifth German edition, by Sarah A. Myers. Containing two hundred and sixty-two beautifully colored illustrations. First [and second] series. New York, Phinney, Blakeman & Mason; [etc., etc.] 1861-67.

Myers, Sarah Ann (Irwin) 1800-1876.
Model merchant
see under Arthur, William, 1819-1901.

5 Myers, Sarah Ann(Irwin) 1800-1876.
The neighbor's children. From the German.
Philadelphia, 1854.

NM 0922645 DLC PPL

Myers, Sarah Ann (Irwin) 1800-1876.
Our Katie; or, The grateful orphan. A story for children. By Sarah A. Myers. New York, Carlton & Porter [c1859]
90 p. front., plates.

Imperfect: plate and p. 51-52 wanting.

NM 0922646 NNC DLC

Myers, Sarah Ann (Irwin) 1800-1876.
Our Katie; or, The grateful orphan. A story for children. By Sarah A. Myers ... Richmond: Published by E. Thompson Baird, Secretary of publication, 1871.
90 p. front., illus. 15½cm.

NM 0922647 ViW

5 Myers, Mrs. Sarah Ann(Irwin) 1800-1876.
Parson Hubert's school; or Harry Kingsley's trial.
New York, [1861]

NM 0922648 DLC CU

Myers, Sarah Ann (Irwin) 1800-1876.
Poor Nicholas; or, The man in the blue coat. By Mrs. Sarah A. Myers. Philadelphia, Presbyterian board of publication [°1863]
316 p. front., plates. 15½cm. (On cover: Presbyterian board of publication. Series for youth)

I. Title.

12-36964

Library of Congress PZ7

NM 0922649

VOLUME 403

Epsteen Coll. in RareBooks Room
Myers, Sarah Ann (Irwin) 1800-1876.
The railroad boy. Philadelphia, 1860?
180 p. illus. 16cm. (Presbyterian Board of Publication. Series for youth)
Imperfect copy: t.-p. wanting.

NM 0922650 CoU

BV 2852 .G22 M98
Myers, Sarah Ann (Irwin) 1800-1876, comp.
Self-sacrifice, or, The pioneers of Fuegia. Compiled for the Board of Publication by Sarah A. Myers. Philadelphia, Presbyterian Board of Publication [1861]
300 p. port. 18 cm.

1. Gardiner, Allen Francis, 1794-1851. 2. Missions--Tierra del Fuego. I. Title. II. Title: The pioneers of Fuegia.

NM 0922651 MiU NcU MH PPrHi NjP TNF CtY NjR CCSC

PZ3 .S48
Myers, Sarah Ann (Irwin) 1800-1876, tr.
Sequel to The neighbors' children. From the German. By Mrs. Sarah A. Myers. Philadelphia, Lindsay & Blakiston, 1854.

35
Myers, Sarah Ann (Irwin) 1800-1876.
The young recruit, or under which king. Philadelphia, 1863.

NM 0922653 DLC

Myers, Schuyler R.
At the gateway of song; poems, by Schuyler R. Myers. Boston, Mass., The Stratford company, 1924.
2 p. l., 77 p. 19½cm.

I. Title.

Library of Congress PS3525.Y47A8 1924 24-1203

NM 0922654 DLC OClW PRosC

AW 1 R1402
Myers, Sheldon Stephen, 1917-
The nature of definition in high-school geometry: a critique of current practices. [Columbus] 1955.
vii, 203 l.
Microfilm copy of typescript. Ann Arbor, University Microfilms.
Thesis - Ohio State University.
Vita.
Includes bibliography.

1. Geometry - Study and teaching (Secondary). 2. Definition (Logic). I. Title.

NM 0922656 CaBVaU OU

Myers, Sherman.
Butterflies in the rain. Lyric by Erell Reaves. Music by Sherman Myers. London, C. Lennox, ltd., c1932.
First line: When the rain is pattering helter skelter.

1. Butterflies. 2. Rain. I. Reaves, Erell. II. Song index (2).
N. Y. P. L. Printed for the Music Division

NM 0922657 NN

---

4 Music 2445
Myers, Sherman.
Just an echo down the canyon. Lyrics by Tommie Connor. London, Bosworth, c1949.
4 p.

NM 0922658 DLC-P4

Myers, Sherman.
The queen was in the parlor. Words by Erell Reaves. Music by Sherman Myers. New York, Harms inc. [c1931]
First line: Long ago, once upon a time.

1. Queens. I. Reaves, Erell. II. Song index (2).
N. Y. P. L. Printed for the Music Division January 8, 1951

NM 0922659 NN

35
Myers, Shilo Shaffer.
Adventures of Sam Ruggles. Cincinnati, Fillmore brothers, [1897]
179 p. (incl. 19 full-page illus.) 12°.

NM 0922660 DLC

32
Myers, Shilo Shaffer.
The criterion; a collection of new, original and selected part-songs, glees, choruses, hymn tunes, etc. Cleveland & Chicago, S. Brainard's sons [1883]
160 p. obl. 8°.

NM 0922661 DLC OCl

Myers, Shilo Shaffer.
The day school choir, for public day schools, juvenile classes and the home circle... Chicago, c1890.
127 [1] p. 22 cm.

NM 0922662 RPB

32
Myers, Shilo Shaffer.
The ideal, for singing classes, musical conventions, [etc.] Cincinnati, [&] New York, Fillmore brothers [1893]
174 p., 1 l. 4°.

NM 0922663 DLC

32
Myers, Shilo Shaffer.
Myers' book of anthems. For quartet or chorus choirs. Cleveland and Chicago, S. Brainard's sons [1887]
190 p. 4°.

NM 0922664 DLC OCl

32
Myers, Shilo Shaffer.
Myers' musical method. For classes, institutes, [etc.] Cleveland, O. [&] Chicago, S. Brainard's sons [1885]
95 p. 4°.

NM 0922665 DLC

Myers, Shilo Shaffer, comp.
... Part songs, female voices designed for colleges, normal schools ... by Shilo Shaffer Myers, Mus. Doc... New York, [c1913]
24 cm.
At head of title: Standard musical library.

NM 0922666 RPB

Myers, Shilo Shaffer.
...Part songs, male voices, designed for colleges, normal schools and high school glee clubs, by Shilo Shaffer Myers... New York: Amer. Book Co. [cop. 1912.] 56 p. sq. 8°. (Standard musical library.)

1. Part songs.
N. Y. P. L. February 6, 1923.

NM 0922667 NN RPB

Myers, Shilo Shaffer, *comp.*
The practical music course for public schools ... By S. S. Myers ... Cincinnati, New York, Fillmore bros. [1900]
3 v. 21 x 16cm.
Books II-III have title: The practical music course.
CONTENTS.—book I. Adapted to third and fourth primary grades.—book II. For first and second grammar grades.—book III. For seventh and eighth grades.

1. School song-books. 2. Singing and voice culture. I. Title.

Library of Congress MT935.M996 0-4891 Revised

NM 0922668 DLC

Myers, Shilo Shaffer.
The practical music course for public schools ... By S. S. Myers ... Cincinnati, New York, Fillmore brothers, c1901.
4 v. 21cm.
Books III-IV have title: The practical music course.

1. School song-books. 2. Singing and voice culture. I. Title.

Library of Congress MT935.M997 12-10609

NM 0922669 DLC OOxM

Myers, Shilo Shaffer.
The prize, for singing classes, musical conventions... Cincinnati, c1898.
[2]-159+[60] p. 25 cm.

NM 0922670 RPB

Myers, Shilo Shaffer.
... School music reader; a complete course in vocal music for rural and village schools... New York [1915]
175 p. 21 cm.

NM 0922671 RPB Wa MH-Ed PP-

Myers, Shilo Shaffer.
Song life; a new and complete book for conventions, institutes, singing classes and schools, [etc.] Chicago, Ill., S. Brainard's sons co., c.1890.

NM 0922672 MH OO DLC

Music M9968so Harris Collection
Myers, Shilo Shaffer, comp.
The song prize for singing classes, musical conventions and high schools. A thorough, progressive rudimental department, also a collection of glees, anthems, choruses and selections for various occasions, by S. S. Myers. Toledo, Ohio, W. W. Whitney [c1887]
160 p. 27 cm.
1. Songs (Collections) I. Title.

NM 0922673 RPB DLC MiU

VOLUME 403

Myers, Shilo Shaffer.
The teachers music manual; a complete guide to the best method of presenting and teaching the elements of music. Especially designed to accompany the Ideal music course ... By Shilo Shaffer Myers ... Elgin, Ill., The Echo music company [1904]
128 p. 19cm.

1. Sight-singing.
4-7718
Library of Congress MT870.M94 Copyright

NM 0922674 DLC

Myers, Spencer Weldon, 1905-
Evaluating junior college athletic programs [by] Spencer Weldon Myers ... [n. p., 1944]
cover-title, 170-177 p. diagr. 23cm.
Abstracted from thesis (ED. D.)—Indiana university, 1942.
"Reprinted from Junior college journal, December, 1944, vol. XV, no. 4."

1. College sports. I. Title.
A 46-2600
Indiana. Univ. Library for Library of Congress GV347.M9

NM 0922675 InU DLC

[Myers, Stella Evelyn] 1866-
Heroes and happenings of Egypt, Assyria, Greece; a continuous account from papyri, inscriptions, and modern authors, with adaptations from the Greek historians. [Kansas City, Kan., 1910]
2 p. l., 118 p. 18½cm. $0.80
Bibliography: 2d prelim. leaf.

1. History, Ancient.
10-21761
Library of Congress D59.M97

NM 0922676 DLC

Myers, Susan, joint author.

Miller, *Mrs.* Alice (Duer) 1874-
Barnard college; the first fifty years, by Alice Duer Miller and Susan Myers. With a foreword by Nicholas Murray Butler ... New York, Columbia university press, 1939.

---

fQK188 M9 Biology Library
Myers, Susan (Bigelow) Bettle, 1828-1907.
Wild flowers of Texas; sixty-five water-color drawings. [n.p., 1861-65?]
65 mounted col. illus. (in portfolio) 37cm.

Title supplied by University of California Library.
Painted near Houston, Texas, during the Civil War.
fQK188 M9 text Biology Library
Accompanied by typewritten (5 ℓ.) biographical sketch and list of plates written by Professor John B. Leighly, University of California, Berkeley.

1. Wild flowers - Texas. 2. Wild flowers - Pictorial works. I. Leighly, John Barger, 1895-

NM 0922678 CU

PN6120 .C5M88
Myers, Susanna.
The Christmas path, a little play for little children, by Susanna Myers ... New York City, The Drama book shop, c1932.
4 l. 28x21½cm.

Mimeographed.

1. Christmas plays. I. Title.

NM 0922679 DLC RPB

Myers, Susanna.
The Christmas rose, a legend with carols in dramatic form, by Susanna Myers. [Brookline? Mass., c1931]
[10] p. 21½cm.

1. Christmas plays. I. Title.
CA 36-956 Unrev'd
Library of Congress PN6120.C5M9
Copyright D pub. 13621 [2] 791.6

NM 0922680 DLC

PN6120 .C5M92
Myers, Susanna.
Christmas toys ...
N.Y. city, c1935.
1 pam. 4°

Mimeographed.

NM 0922681 DLC

---

q782.1 M992cr CoD
Myers, Susanna.
The cricket and the ant; a folksong play in one act for children under ten. New York, Drama Bookshop, c1929.
10ℓ. 30cm.

"The words of the song are from Folk-songs of the Four Seasons by Susanna Myers; harmonizations by Harvey Officer."
Without music.

NM 0922682 CoD

Myers, Susanna.

Officer, Harvey, 1872-
Folk-songs of the four seasons; thirty-three traditional melodies associated with festivals and folkways; the text and translations by Susanna Myers; the harmonization by Harvey Officer. New York, G. Schirmer (inc.) [c1929]

Myers, Susanna.
The giant who swallowed the clouds, a Zuni folk-tale, dramatized in one act. By Susanna Myers ... New York city, The Drama bookshop, c1934.
1 p. l., 9 numb. l. 28 x 21½cm.
Autographic reproduction of type-written copy.

1. Zuñi Indians. 2. Indians of North America—Drama. I. Title.
CA 36-1895 Unrev'd
Library of Congress PN6120.I 6M8
Copyright D pub. 29664 [2] 812.5

NM 0922684 DLC

Myers, Susanna.
In the house of the White Wind, an Eskimo Indian play in three acts, by Susanna Myers ... New York city, The Drama bookshop, c1934.
2 p. l., 2-6, 3, 4 numb. l. 28cm.
Autographic reproduction of type-written copy.

1. Eskimos—Drama. I. Title.
CA 36-1896 Unrev'd
Library of Congress PN6120.I 6M82
Copyright D pub. 31933 [2] 812.5

NM 0922685 DLC

Myers, Susanna.
Indian fables, [New York city, Drama book shop, c1934]
4 v. in 1.

NM 0922686 OU

M1985 .M9L4
Myers, Susanna.
... Let's pretend--portfolio of plays-with-songs for children(with a primer of play-acting), by Susanna Myers; songs from Congdon music readers arranged for piano by Harvey Officer ... New York, C.H. Congdon, c1934-
v. 19x25½cm.

1. Children's plays. 2. Drama in education. 3. Amateur theatricals. I. Officer, Harvey, 1872- II. Title.

NM 0922687 DLC Or

Myers, Susanna.
Polly put the kettle on, The man in the Moon, and Simple Simon. Three nursery song pantomimes for young children. New York, c1933.
12 l. 23 cm.
Mimeograph copy.

NM 0922688 RPB

PN4305 .I 6M8
Myers, Susanna.
Rainbow path, a monologue, by Susanna Myers ... New York city, The Drama bookshop, c1934.
3 p.l., 2-4 numb. l. 28cm.
Mimeographed on one side of leaf only.

NM 0922689 DLC RPB

---

q782.1 M992ru
Myers, Susanna.
The runaway pancake; a Russian folksong play in one act for children under twelve. New York, Drama Bookshop, c1932.
9ℓ. 29cm.

"The song, Pancakes, is included in Folksongs of the four seasons by Susanna Myers; harmonizations by Harvey Officer."
Without music.

NM 0922690 CoD

Myers, Susanna.
Sea Lion town, Indians of the northwest coast; a play in two acts for grades 4-7, by Susanna Myers ... New York city, The Drama bookshop, c1934.
1 p. l., 11, 5 numb. l. 28cm.
Autographic reproduction of type-written copy.

1. Indians of North America—Drama. I. Title.
CA 36-1898 Unrev'd
Library of Congress PN6120.I 6M827
Copyright D pub. 31932 [2] 812.5

NM 0922691 DLC

Grosvenor Library Drama PS3525 E97S3
Myers, Susanna.
The secret garden, a play with songs, by Susanna Meyers. A music play for little children. [New York, etc., American book company, 1929?]

19p. 15½cm.

NM 0922692 NBuG

PN6120 .I6M83
Myers, Susanna.
The seven leaders, an Indian fable, dramatized in one act. By Susanna Myers ... New York city, The Drama bookshop, c1934.
1 p. l., 4 numb. l. 28x21½cm.
Printed on one side of leaf only.
Autographic reproduction of type-written copy.

1. Indians of North America--Drama. I. Title.

NM 0922693 DLC

VOLUME 403

Myers, Susanna.
Stronghold house, a play of the cliff-dwellers, three acts, by Susanna Myers ... New York city, Drama book shop, °1934.
1 p. l., 5, 8, 4, 3, 10 numb. l. 28cm.
Leaf preceding act 2 not included in paging.
Autographic reproduction of type-written copy.

1. Cliff-dwellers—Drama. I. Title.
CA 36-1807 Unrev'd
Library of Congress PN6120.I 6M836
Copyright D pub. 32384 [2] 812.5

NM 0922694 DLC

Myers, Susanna.
The sugar moon, an Indian play of the woodlands, with traditional dance, by Susanna Myers ... New York city, The Drama bookshop, °1934.
3 p. l., 2-8 numb. l. 28 x 21½cm.
Autographic reproduction of type-written copy.

1. Indians of North America—Drama. I. Title.
CA 36-1899 Unrev'd
Library of Congress PN6120.I 6M84
Copyright D pub. 30106 [2] 812.5

NM 0922695 DLC

Myers, Susanna.
Sur le pont d' Avignon. Pièce en deux actes.
New York, c1933.
23 l. 28 cm.
Mimeograph copy.

NM 0922696 RPB

PN6120
.C5M95 Myers, Susanna.
Three camp fires ...
N.Y.C., c 1935.
1 pam. 4°

Mimeographed.

NM 0922697 DLC

Myers, Susanna.
Three folksong pantomimes for young children: Fairy gold, Fairy mischief, Lioba ... The three songs are included in Folk-songs of the four seasons, by Susanna Myers ... New York, The Drama bookshop, °1933.
2 p. l., 5 numb. l., 2 l., 2-3 numb. l., 2 l., 2-5 numb. l. 28cm.
Mimeographed.

1. Pantomimes. I. Title.
CA 36-1611 Unrev'd
Library of Congress PN6120.P3M8
Copyright D pub. 23010 [2] 792.3

NM 0922698 DLC

Myers, Susanna.
Three nursery song pantomimes for young children, by Susanna Myers: Polly put the kettle on, The man in the moon, Simple Simon; by permission, from portfolio of plays, Let's pretend ... New York, The Drama bookshop, °1933.
2 p. l., 2-4, 3, 4 numb. l. 28cm.
Mimeographed.

1. Pantomimes. I. Title.
CA 36-1612 Unrev'd
Library of Congress PN6120.P3M82
Copyright D pub. 23153 [2] 792.3

NM 0922699 DLC

---

p1926 Myers, Susanna.
M99626u
Unexpected guests ... A music play for Christmas. [New York, American book company, 193-?]
32p. 14cm.

Without music

NM 0922700 RPB NBuG

Myers, Susanna.
Weaving-woman, a play of the Navajo Indians, in one act, by Susanna Myers ... New York city, The Drama bookshop, °1934.
1 p. l., 8 numb. l. 28 x 21½cm.
Autographic reproduction of type-written copy.

1. Navaho Indians. 2. Indians of North America—Drama. I. Title.
CA 36-1900 Unrev'd
Library of Congress PN6120.I 6M847
Copyright D pub. 34011 [2] 812.5

NM 0922701 DLC

Myers, Susanna.
The year 'round; folk-songs for four-part string ensemble
see under Officer, Harvey, 1872-

Myers, Sydney.
The hand-workers of the Mississippi Valley: their power and responsibility. An address, delivered before the Illinois farmers' association, in the Senate chamber, at Springfield, Ill., Jan. 25, 1877, by Sydney Myers. [Chicago, Printed by Rand, McNally & co., 1877]
8 p. 22½cm.
Caption title.

1. Labor and laboring classes—U. S. I. Illinois farmers' association.
CA 9-5355 Unrev'd
Library of Congress HD8072.M98

NM 0922703 DLC WHi IU

Myers, Sydney.
The philosophy of the great R. R. strike. Cure it by removing its cause. Letter from Sydney Myers to railroad men, strikers and stockholders. [Chicago, Rand, McNally & co., 1877]
4 p. 21½cm.
Printed in the Morning inter-ocean, and Evening post, Chicago, July 23, 1877.
Caption title.

1. Railroad strike, 1877.
CA 9-5362 Unrev'd
Library of Congress HD5325.1877.C4

NM 0922704 DLC

Myers, Sydney.
Speech at the mass meeting of workingmen at Cooper institute, New York, June 17, 1876.
[New York, 1876]

Caption title.

NM 0922705 MH

Myers, Sydney.
Speech of Sydney Myers, esq., before the Illinois state grange of the Patrons of husbandry, at Champaign, Illinois, Dec. 14, 1875. [Champaign, Ill., 1875]
12 p. 21½cm.
Caption title.

1. Paper money—U. S.
CA 7—6645 Unrev'd
Library of Congress HG593.M95

NM 0922706 DLC IU

BV Myers, Sydney, writer on religion.
4211
.2 The Old Testament and present-day
M9 preaching. London, Independent Press
[1953]
63p.
Bibliographical references.

NM 0922707 MoSCS PPLT PPEB

Myers, Sylvester, 1861-
Myers' history of West Virginia ... [Wheeling, W. Va., The Wheeling news lithograph company, 1915]
2 v. illus., port. 24cm.

1. West Virginia—Hist.
Library of Congress F241.M99 16—11770

WaS
NM 0922708 DLC NcD MWA NjP PP Vi GU CU OClWHi ViU

Myers, Sylvia Harcstark.
Ideals, actuality, and judgment in the novels of Tobias Smollett; a study in development.
[Berkeley, 1955]
ii,157l.

Thesis - Univ. of California.

1. Smollett, Tobias George, 1721-1771.

NM 0922709 CU

Film Myers, Sylvia Harcstark.
10304 Ideals, actuality, and judgment in the novels of Tobias Smollett; a study in development.
[Berkeley, 1955]
ii,157l.

Thesis - Univ. of California.
Microfilm copy of typescript. Berkeley, University of California Library Photographic Service, 1966. 1 reel.

1. Smollett, Tobias George, 1721-1771.

NM 0922710 IaU NNC

Myers (T. Halsted). The prognosis of pressure-paralysis. 4 pp. 8°. [*Philadelphia*, 1890.]
Repr. from: Tr. Am. Orthop. Ass., Phila., 1890, iii.

NM 0922711 DNLM

[MYERS, T. T.]
The church. The most modern idea relative to the authorship and classification of the sacred writings of the Hebrews. Huntingdon, Pa., [1907].

pp.8.
Cover serves as title page.
"Juniata College Bulletin, Vol. IV. no.1. January,1907".

NM 0922712 MH

Myers (T[alleyrand] D.) Some of the peculiarities of the climate of California, and their relation to the treatment of consumption of the lungs. 14 pp. 8°. *Philadelphia, W. F. Fell & Co.*, 1891.

NM 0922713 DNLM PU PPC

Myers, Talleyrand,D.
——. A study of the modern pathology and the treatment of chronic granulation of the eyelids. 12 pp. 8°. *Philadelphia, W. F. Fell & Co.*, 1891.

NM 0922714 DNLM PPC PU

VOLUME 403

Myers, Terrell Clay, 1920–
Syntheses of vinylogs of known plant growth regulators and syntheses and reactions of some substituted cyclohexanones and cyclohexane-1,3-diones. Ann Arbor, University Microfilms, 1953.
(¡University Microfilms, Ann Arbor, Mich.¡ Publication no. 5077)
Microfilm copy of typescript. Positive.
Collation of the original: v, 119 l. diagrs.
Thesis—University of Michigan.
Abstracted in Dissertation abstracts, v. 13 (1953) no. 3, p. 299.
Bibliography: leaves 117–119.
1. Growth (Plants) 2. Cyclohexanone. 3. Cyclohexane.
Microfilm AC-1 no. 5077 Mic A 53–533
Michigan. Univ. Libr. for Library of Congress ₍1₎†

NM 0922715 MiU DLC

HF5381 .D28 1941
Myers, Theodore Raymond, 1898– joint author.
Davey, Mildred A
Everyday occupations, by Mildred A. Davey ... Elizabeth M. Smith ... ₍and₎ Theodore R. Myers ... Boston, D. C. Heath and company ₍°1941₎

Myers, Theodore Raymond, 1898–
Intra-family relationships and pupil adjustment; the relation between certain selected factors of the home environment of junior-senior high school pupils and the adjustment and behavior of these pupils in school, by Theodore R. Myers ... New York city, Teachers college, Columbia university, 1935.
v, 115 p., 1 l. diagrs. 23ᶜᵐ.
Thesis (PH. D.)—Columbia university, 1935.
Vita.
Published also as Teachers college, Columbia university, Contributions to education, no. 651.
Bibliography: p. 88–90.
1. Parent and child. 2. Family. 3. School children. 4. Adaptability (Psychology) 5. Man—Influence of environment. I. Title. II. Title: Pupil adjustment.
Library of Congress HQ772.M9 1935 35–17473
Columbia Univ. Libr. ₍3₎ 173

NM 0922717 NNC DLC

Myers, Theodore Raymond, 1898–
Intra-family relationships and pupil adjustment; the relation between certain selected factors of the home environment of junior-senior high school pupils and the adjustment and behavior of these pupils in school, by Theodore R. Myers ... New York city, Teachers college, Columbia university, 1935.
v, 115 p. diagrs. 23½ᶜᵐ. (Teachers college, Columbia university. Contributions to education, no. 651)
Issued also as thesis (PH. D.) Columbia university.
Bibliography: p. 88–90.
1. Parent and child. 2. Family. 3. School children. 4. Adaptability (Psychology) 5. Man—Influence of environment. I. Title. II. Title: Pupil adjustment.
Library of Congress HQ772.M9 1935 a 35–17474
——— Copy 2. LB5.C8 no. 651
Copyright A 86021 ₍16₎ 173

OrCS OCl OU PBm PPPL MB ViU
NM 0922718 DLC DHEW OrU WaTC CoU KEmT PSt MtU MiU

Myers, Theodorus Bailey, 1821–1888, *comp.*
Cowpens papers, being correspondence of General Morgan and the prominent actors. From the collection of Theodorus Bailey Myers. Contributed to the centennial celebration, May 11th, 1881. First pub. in the News and courier, Charleston, S. C., 1881 ... ₍Charleston, The News and courier book presses, 1881₎
54 p., 1 l. 24ᶜᵐ.
100 copies.
1. Cowpens, Battle of, 1781. 2. Morgan, Daniel, 1736?–1802. I. News and courier, Charleston, S. C.
Library of Congress E241.C9M8 4—36342

Vi NjP DLC
NM 0922719 NN PPL OClWHi NcU GU NIC TxU ViW RPB

Myers, Theodorus Bailey, 1821-1888.
An honest earl, and a pirate captain, once near Wall Street. By T. B. Myers. New York, 1885.
8°. (In: Myers, T. B. Miscellanies ... Washington, 1902. 8°. v. 5)

NM 0922720 NN

₍Myers, Theodorus Bailey₎ 1821-1888.
Letters and manuscripts of all of the signers of the Declaration of independence, extracted from one of the seventeen complete sets which have been formed . . . New York, 1871.
1 p. l., 209-256 pp. front. (port.) 26ᶜᵐ.
A reprint, with additions and corrections, of the Historical magazine for November, 1868. 100 copies in this form.
Subject entries: 1. U. S. — Declaration of independence — Signers. 2. U. S.—Hist.—Revolution.
2-3209—M 2
Library of Congress, no. E221.M98.

NM 0922721 DLC NN RPJCB

Myers, Theodorus Bailey, 1821-1888.
New York. Public library. *Myers collection.*
Manuscript catalogue of the library of Theodorus Bailey Myers, and of his son Theodorus Bailey Myers Mason, lieutenant commander, United States navy. Washington, D. C., 1911.

Myers, Theodorus Bailey, 1821-1888.
A national heirloom and some details of its origin. 8 pp. (*Mag. Am. Hist.* v. 10, 1883, p. 235.)

NM 0922723 MdBP

Myers, Theodorus Bailey, 1821–1888.
One hundred years ago. The story of the battle of Cowpens. The Carolinas in 1780—a glance at the military situation—Morgan's command—the chain of events as shown in letters of Greene, Morgan, Pickens, Rutledge and others, hitherto unpublished. (From the News and Courier, Charleston, S. C., May 10, 1881.) ₍Charleston, 1881₎
17 p. 23½ᶜᵐ.
Caption title.
"25 copies printed."
1. Cowpens, Battle of, 1781. I. Title.
Library of Congress E421.C9M9 4—31153

NM 0922724 DLC NN OO MiU-C

Microfilm 8525 E
Myers, Theodorus Bailey, 1821-1888.
Johnson, *Sir* **John,** *bart.*, 1742–1830.
Orderly book of Sir John Johnson during the Oriskany campaign, 1776–1777; annotated by William L. Stone ... with an historical introduction illustrating the life of Sir John Johnson, bart., by J. Watts de Peyster ... and some tracings from the footprints of the Tories or loyalists in America, contributed by Theodorus Bailey Myers. Albany, J. Munsell's sons, 1882.

Myers, Theodorus Bailey, 1821–1888.
The Tories or loyalists in America; being slight historical tracings, from the footprints of Sir John Johnson and his cotemporaries in the revolution. By T. Bailey Myers ... Albany, Press of J. Munsell's sons, 1882.
123 p. front., pl., ports., facsims. 22 x 18ᶜᵐ.
1. American loyalists.
Library of Congress E277.M99 2–4636

NM 0922726 DLC MdBP PHi OFH MiU-C MWA

Myers, Thomas, 1774-1834.
An essay on improving the condition of the poor; including an attempt to answer the important question, how men of landed property may most effectually contribute towards the general improvement of the lower classes of society on their estates, without diminishing the value of their own property? With hints on the means of employing those who are now discharged from His Majesty's service. London, Printed for J. Hatchard, 1814.
vi, 77 p. 21cm.

NM 0922727 NNC MH

MYERS, Thomas, 1774-1834.
An essay on the nature and structure of the Chinese language; with suggestions on its more extensive study. L., 1825.
pp.32.

NM 0922728 MH DLC MB MSaE

Myers, Thomas, 1774-1834.
A new and comprehensive system of modern geography, mathematical, physical, political, and commercial; comprising a perspicuous delineation of the present state of the globe, with its inhabitants and productions ... v. 1-2. London, Sherwood, Neely & Jones, 1822.
2 v. maps, plates, tables. 4°.

NM 0922729 NN NWM PPL

L910 M996n
Myers, Thomas, 1774 - 1834.
A new and comprehensive system of modern geography, mathematical, physical, political and commercial; comprising a perspicuous delineation of the present state of the globe ... in two volumes. London, Henry Fisher, son, & P. Jackson, 1829.
v. plates, col. maps. 28cm.
1. Geography.

NM 0922730 LNHT

Wason DS465 Z99
Myers, Thomas, 1774 - 1834.
Observations on the third report of the Select committee of the House of Commons on the affairs of the East India Company. Dated 21st of June, 1811. Part I. By Thomas Myers. London, T. Cadell and W. Davies, 1812.
viii, 36 p. 21cm.
In vol. lettered: The East India Company, 1799-1814.
1. East India Company (English)

NM 0922731 NIC CtY

Myers, Thomas, 1774–1834.
Remarks on a course of education, designed to prepare the youthful mind for a career of honor, patriotism and philanthropy. By Thomas Myers ...
(*In* The Pamphleteer. London, 1818. 22½ᶜᵐ. v. 12, p. ₍337₎–349)
CA 6—391 Unrev'd
Library of Congress AP4.P2 vol. 12

NM 0922732 DLC MdBP MH ICN

Myers, Thomas, 1774-1834.
Remarks on the most effectual management of landed property; in a letter addressed ... to a distinguished nobleman. London, 1819.
20 p. 21 cm.
1. Real property - Management. 2. Real property - Gt. Brit.

NM 0922733 MdBP

Myers, Thomas, 1805 or 6-1867, ed. and tr.
Commentaries on the book of the prophet Daniel (by John Calvin)
see under Bible. O. T. Daniel. English. 1852-53 (Edinburgh, Calvin Translation Society)
Also with date 1948 (Grand Rapids, Eerdmans)

[supersedes DLC a. e.]

VOLUME 403

Myers, Thomas, 1805or6-1867, ed. and tr.
Commentaries on the first twenty chapters of the book of the prophet Ezekiel, by John Calvin. Now first translated... Edinburgh, Calvin Translation Society, 1849-50
see under Bible. O.T. Ezekiel. I-XX. English. 1849-50. Also with date 1948 (Grand Rapids, Eerdmans Pub. Co.)

Myers, Thomas, 1805 or 6-1867.
A Letter to a Friend, on the York Ragged Schools; ... York, 1850.
27 p. 8°. [In v. 1260, College Pamphlets]

NM 0922736 CtY

Myers, Thomas, 1805 or 6-1867.
The Nineveh inscriptions. [London, 1855]
16 p. 21 cm. (Ethnology; [pamphlets, no. 3])
"From 'The Journal of Sacred Literature', July, 1855."
1. Nineveh.

NM 0922737 IU

Sem 236.025 M99p
Myers, Thomas, 1805 or 6-1867.
The prophecies delivered by Christ Himself, and the miraculous gifts, exercised by His Apostles, applied to the present state and future prospects of the church of God. Two dissertations. London, James Nisbet, 1836.
xvi, 227 p.
1. Eschatology. 2. N.T.--Theology.

NM 0922738 CLamB

FILM 151.3 M98e
Myers, Thomas Irvin.
An experimental investigation of the effect of hunger drive upon the brightness discrimination learning of the rat. Ann Arbor, Mich., University Microfilms, 1952.
(University Microfilms, Ann Arbor, Mich. Publication no.4093)
Microfilm copy of typescript made in 1954. Positive.
Collation of the original: v, 54l. diagrs., tables.
Thesis--Iowa State University.
Abstracted in Dissertation abstracts, v.12 (1952) no.5, p.597.
Bibliography: leaves 43-45.
1. Animal intelligence. 2. Rats. 3. Hunger. I. Title.

NM 0922740 IU

Myers, Thomas J. How they made South Carolina "howl." 2 pp. (Southern Hist. Soc. *Papers*, v. 12, 1884, p. 113.)

NM 0922741 MdBP

Myers, Thomas Miller, 1884–
The Norris family of Maryland, by Thomas M. Myers. Limited ed. New York, W. M. Clemens, 1916.
119 p. 23cm.
1. Norris family (John Norris, d. 1740)
16-2037
Library of Congress CS71.N858 1916

NM 0922742 DLC MWA PHi NcD NN

Myers, Thomas Rathwell, 1884-
90 years of public utility service on Vancouver Island, 1860-1950, a history of the B.C.Electric. Victoria, British Columbia electric railway co., 1954. 359p.plates(incl.ports)tables.
Cover title.

NM 0922743 CaBVaU CaOTU CaBVa CaBViPA CaBViP

Myers, Tom, 1872–
Coal under capitalism. By Tom Myers... London: Published by the Trades union congress & the Labour party [1925?] 15 p. incl. tables. 21½cm.
1. Coal—Trade and stat.—Gt. Br., 1924. I. Trades union congress. II. Labour party (Gt. Br.).
N. Y. P. L. December 31, 1937

NM 0922744 NN DL MiU

Myers, Tom, 1872–
Liberalism and socialism; an open letter to Sir John Simon, by Tom Myers, foreword by Philip Snowden ... London, The Trades union congress and the Labour party [1923]
1 p. l., 15, [1] p. illus. (ports.) 25cm.
"Reprinted ... from 'The Dewsbury district news and Batley news', series August 11 and 18, 1923."
1. Socialism in Great Britain. 2. Simon, Sir John Allsebrook, 1873– 3. Labor party (Gt. Brit.) I. Title.
Library of Congress HX246.M9 23-18905

NM 0922745 DLC DL

Myers, Vance Askew, 1918–
Characteristics of United States hurricanes pertinent to levee design for Lake Okeechobee, Florida
see under
U.S. Weather Bureau.

Myers, Vest C.
Verses from an old vase, by Vest C. Myers. Fulton, Ky., Press of Moore bros., 1927.
42 p. 23½cm.
I. Title.
Library of Congress PS3525.Y52V4 1927 27-12403
[2]

NM 0922747 DLC NN NcU KyBgW

Myers, Vest Cleveland, 1897–
Great cities and why they grew; a story of the rise and development of human civilization, by Dr. Vest C. Myers and Felix Snider. Osceola, Mo., The Edwards press [1944]
158 p. front., illus. 28 x 21½cm.
"Books which you should read" at end of each chapter.
1. Cities and towns—Juvenile works. I. Snider, Felix, joint author. II. Title.
Library of Congress HT111.M9 44-14069
[3] 323.352

NM 0922748 DLC MoU

Myers, Vest Cleveland, 1897-
Seventh grade free reading - its relation to certain personal and environmental factors ... [Columbia, Mo.] 1940.
ix,151 numb. l. incl. tables (part fold.) forms (part fold.) 28cm. (University Microfilms. Pub.no.281)
Abstracted in Microfilm abstracts, v.III, no.2, p.38, 1941.
Thesis (PH.D.)--University of Missouri, 1940.
Typewritten copy.
Bibliography: p. [133]-136.
1. Reading (Elementary) 2. Reading, Psychology of. 3. Child study. I. Title.

NM 0922749 MiU

Myers, Victor Caryl, 1883- joint author.
Muntwyler, Edward, 1903–
The acid-base equilibrium of the body. Part II. A consideration of the colorimetric method of estimating the hydrogen ion concentration of the blood. By Edward Muntwyler ... [Baltimore, 1928]

Myers, Victor Caryl, 1883- joint author.
Mull, James William, 1896–
Aluminum in the animal organism. I. The estimation of aluminum in animal tissues. II. The influence of the administration of aluminum upon the aluminum content of the tissues, and upon the growth and reproduction of rats. By James William Mull ... [Baltimore, 1928]

Myers, Victor Caryl, 1883- joint author.
Morrison, Dempsie Barney, 1899–
Biochemical studies on aluminum. I. The estimation of aluminum in animal tissues. II. The influence of the administration of aluminum upon the aluminum content of the tissues of the dog. By Dempsie B. Morrison ... [Baltimore, 1928]

Myers, Victor Caryl, 1883-
Pfiffner, Joseph John, 1903–
Chemical studies on blood ... By Joseph John Pfiffner ... [Baltimore, Waverly press inc., 1930]

Myers, Victor Caryl, 1883–
"Cross-over transitions" in Cl^{38}, Co^{60}, Br^{82}, and Sb^{124}, by V. Myers [and] A. Wattenberg. Oak Ridge, Tenn., Technical Information Division, Oak Ridge Operations AEC, 1948.
2 p. 27cm.
At head of title: United States Atomic Energy Commission. AECD-2264.
"Declassified: August 31, 1948."
Bibliography: p. 2.
1. Gamma rays. I. Wattenberg, Albert, 1917- jt. author. II. Title. III. Ser.

NM 0922754 ViU

Myers, Victor Caryl, 1883–
Essentials of pathological chemistry, including description of the chemical methods employed in medical diagnosis, by Victor C. Myers ... and Morris S. Fine ... Reprinted from the Post-graduate, 1912-13. New York, 1913.
v, 137 p. 2 pl. 23cm. $1.25
1. Chemistry, Medical and pharmaceutical. 2. Diagnosis. I. Fine, Morris S., joint author.
13-16939
Library of Congress RB40.M8

NM 0922755 DLC ICJ PPJ DNLM DNAL NIC

Myers, Victor Caryl, 1883- joint author.
Wardell, Emma Louise, 1886–
The influence of the ingestion of methyl xanthines on the excretion of uric acid. By Emma Louise Wardell ... [Baltimore, 1928]

QU 25 qM996L 1942
MYERS, Victor Caryl, 1883-
Laboratory directions in biochemistry. St. Louis, Mosby, 1942.
288 p. illus.
1. Biochemistry - Laboratory manuals

NM 0922757 DNLM CLSU MH CtY-M OU IaU OClW-H

VOLUME 403

Myers, Victor Caryl, 1883–
Practical chemical analysis of blood; a book designed as a brief survey of this subject for physicians and laboratory workers, by Victor Caryl Myers ... St. Louis, C. V. Mosby company, 1921.
2 p. l., 9–121 p. illus., diagrs. 26cm.
"References" at end of each chapter.

1. Blood—Analysis and chemistry. I. Title.

Library of Congress RB145.M8 21—5156

OU ViU PPC PPJ PPHa ICJ
NM 0922758 DLC OrU-M DNLM ICRL OClW OClW-H MiU

Myers, Victor Caryl, 1883–
Practical chemical analysis of blood; a book designed as a brief survey of this subject for physicians and laboratory workers, by Victor Caryl Myers ... 2d rev. ed. ... St. Louis, C. V. Mosby company, 1924.
2 p. l., 9–232 p. illus., diagrs. 26cm.
"References" at end of most of the chapters.

1. Blood—Analysis and chemistry. I. Title.

Library of Congress RB145.M8 1924 24—2377

OCIND ODW PPHa PPT ICJ ViU PPJ MsU MU DNLM
NM 0922759 DLC NcU MtU WaSpG OrU-M CaBVaU WaSp MiU

Myers, Victor Caryl, 1883-
Practical suggestions regarding biochemical diagnostic methods; a digest prepared for use in connection with an exhibit on laboratory diagnostic methods, scientific exhibit, American medical association, by Victor C. Myers ... [Chicago, American medical association, c1928]
cover-title, 20 p. 23 cm.
"Reprinted from the Journal of the American medical association, vol. 91, p. 167-173, July 21, 1928. Revised, June, 1930."
Bibliographical foot-notes.

NM 0922760 NcD

TJ1167 .A7

Myers, Vincent M., 1892-

Arma corporation, *Brooklyn.*
Physical standards for job classifications, Arma corporation, Brooklyn, N. Y. Vincent M. Myers, M. D., medical director. [Brooklyn] ©1944.

Myers, Virginia.
Angelo's wife, a novel. [1st ed.] Indianapolis, Bobbs-Merrill [1948]
372 p. 21 cm.

I. Title.

PZ3.M9914An 48-8712*

NM 0922762 DLC TxU

Myers, Virginia.
This land I hold. [1st ed.] Chicago, Sears Readers Club [1950]
382 p. 22 cm.

NM 0922763 FU

Myers, Virginia.
This land I hold. [1st ed.] Indianapolis, Bobbs-Merrill [1950]
382 p. 22 cm.

I. Title.

PZ3.M9914Th 50-10146

NM 0922764 DLC OrP WaE WaS WaT

Myers, Mrs. Virginia (Pollard)

Myers, William R *defendant.*
An authenticated report of the trial of Myers and others, for the murder of Dudley Marvin Hoyt. With the able and eloquent speeches of counsel, and "the letters", in full, with explanatory notes, which furnish a clear and complete history of the case. Drawn up by the editor of the Richmond southern standard. New York, Richards and company [©1846]

Myers, Virginia (Pollard)
The letters and correspondence of Mrs. Virginia Myers, (which have never before been published or even read in court,) to Dudley Marvin Hoyt, who was murdered at Richmond, Sept. 28th, 1846, by Wm. R. Myers, and two others ... Likewise added a short biography of D. M. Hoyt, by a relative of the deceased. Philadelphia, 1847.
63 p. port. 22½cm.

1. Hoyt, Dudley Marvin, 1812-1846.

Library of Congress CT275.M86A3 43-27256

NM 0922766 DLC CtY ViU NjR NIC

TN24 .C2A3 no. 147

Myers, W. Bradley, 1917-

Leith, Carlton James, 1919–
Geology of the Quien Sabe quadrangle, California. Quicksilver and antimony deposits of the Stayton district, California, by Edgar H. Bailey and W. Bradley Myers. San Francisco, 1949.

Myers, W Strickland.
Because you are love. New York, H. Harrison [1948]
63 p. 23 cm.
Poems.

I. Title.

PS3525.Y55B4 811.5 48-4948*

NM 0922768 DLC

Myers, Wallis, ed.

Wilding, Anthony F.
On the court and off, by Anthony F. Wilding ... With fifty-eight illustrations. New York, Doubleday, Page & co., 1913.

RA824 .B4D9

Myers, Walter, joint author.

Durham, Herbert Edward, 1866–
... Notes on sanitary conditions obtaining in Pará, by the yellow fever expedition, H. E. Durham ... and Walter Myers ... June, 1900, to April, 1901 ... [Liverpool] The University press of Liverpool, 1901.

Myers, Walter. Roman villa at Benizza, Corfu. 3 pp. 1 pl. (Brit. Archaeol. Assoc. Journ. v. 39, 1883, p. 347.)

NM 0922771 MdBP

Myers, Walter, 1882–
The "Guv," a tale of midwest law and politics [by] Walter Myers. New York, F. Fell, inc., 1947.
4 p. l., 3–308 p. 22cm.

I. Title.
PZ3.M9917Gu 47-4089

NM 0922772 DLC ICU PP WaS

Myers, Walter, 1882- joint author.

Thompson, Joseph Wesley.
Indiana forms for pleading and practice in civil and criminal actions, probate matters and in commissioners' courts, thoroughly annotated ... By J. W. Thompson ... Indianapolis, The Bobbs-Merrill company [©1904–©12]

Myers, Walter Lawrence.
Certain changes in the characterization of the British realistic novel since the Victorian age, by Walter L. Myers, 1924.
169 l. 29 cm.
Typescript (carbon copy)
Thesis—University of Chicago.
Bibliography: l. 165–169.

1. English fiction—20th century—History and criticism. 2. Realism in literature. 3. Characters and characteristics in literature. I. Title.

PR888.R4M9 823'.03 74-191558 MARC

NM 0922774 DLC ICU

Myers, Walter Lawrence.
Handbook for graduate students in English; a guide to candidates for the degree of master of arts, by Walter L. Myers ... Pittsburgh, Pa. [©1934]
42 p. 23cm.

1. English literature—Study and teaching. 2. Dissertations, Academic.

Library of Congress PR33.M8 35-79
——— Copy 2.
Copyright AA 161033 [2] 378.242

NM 0922775 DLC PPPL

Myers, Walter Lawrence.
The later realism; a study of characterization in the British novel, by Walter L. Myers ... Chicago, Ill., The University of Chicago press [©1927]
ix, 173 p. 20cm.
Bibliography: p. 163–166.

1. English fiction—Hist. & crit. 2. Realism in literature. I. Title.

Library of Congress PR830.R4M8 27-3494

CaBVaU
IdU MiU OCl OU OrPR ViU WaWW WaS OrCS OrU OrMonO
NM 0922776 DLC NIC Vi GU AU NcD DAU MU MtU PPD PU

LD2566 1914

Myers, Walter Lawrence, joint author.

Schertz, Mary Winifred Conklin.
Thomas Huston Macbride, by Mary Winifred Conklin Schertz and Walter L. Myers. Iowa City, Univ. of Iowa Press, 1947.

Myers, Walter Neidig, ed. and tr.

Hilarius, *Saint, bp. of Poitiers, d. 367?*
The hymns of Saint Hilary of Poitiers in the Codex Aretinus; an edition, with introduction, translation and notes ... [by] Walter Neidig Myers. Philadelphia, 1928.

Myers, Walter Raleigh, 1881- joint author.

Koenig, Alfred Edmund.
Kleine deutsche grammatik, with direct method helps, by Alfred E. Koenig ... and Walter R. Myers ... Minneapolis, The Perine book company, 1917.

Myers, Walter Raleigh, 1881-

Guerber, Hélène Adeline, *d.* 1929, *ed.*
... Märchen und erzählungen New ed., rev. by the author H. A. Guerber, with direct-method exercises and revised vocabulary by W. R. Myers ... Boston, New York [etc.] D. C. Heath & co. [©1916–

VOLUME 403

Myers, Walter Raleigh.
... The technique of bridging gaps in the action of German drama since Gottsched. Part first: Until the death of Lessing ... Chicago, 1911.
vi, 94 p. 24½cm.
Thesis (PH. D.)—University of Chicago.
"Reprinted from Modern philology, vol. VIII, nos. 2 and 3."
Bibliography: p. 89-92.

1. German drama—Hist. & crit.
A 11-1685 x
Univ. of Chicago Libr.
Library of Congress PT641.M8

NM 0922781 ICU NcU CU NIC OrU DLC PU NN

HG2611 .M61S8
Myers, Walter Raleigh, 1881-

Stevenson, Russell Alger, 1890- ed.
... A type study of American banking: Non-metropolitan banks in Minnesota, edited by Russell A. Stevenson ... Minneapolis, The University of Minnesota press [1934]

Myers, Walter Raleigh, 1881- ed.

Gerstäcker, Friedrich Wilhelm Christian, 1816-1872.
... Der wilddieb, von Friedrich Gerstäcker, with introduction, notes, exercises, and vocabulary by Walter R. Myers ... Boston, New York [etc.] D. C. Heath & co. [1915]

Myers, Ward Rolston, 1907-

Fluorine corrosion: (A) high-temperature attack on metals by fluorine and hydrogen fluoride; and (B) behavior of insulated steel parts in fluorine cells, by W. R. Myers [and] W. B. DeLong. Declassified: November 13, 1947. Oak Ridge, Tenn., Technical Information Division, Oak Ridge Directed Operations [1947]
19 p. illus. 27cm.
At head of title: United States Atomic Energy Commission. MDDC - 1465.
Bibliography: p.19.
1. Fluorine. I. DeLong, W. B., jt. author. II. Title. III. Ser.

NM 0922784 ViU

Myers, Weldon Thomas, 1879-
... Aldine S. Kieffer, the Valley poet, and his work. By Weldon T. Myers.
(In The Musical million. Dayton, Va., August, 1908. 20 cm. vol. XXXIX, no. 8. p. [229]-236)

This "essay was awarded, in June, 1908, the Linden Kent memorial prize offered by ... the University of Virginia." p. [229]
1. Kieffer, Aldine Silliman, 1840-1904. 2. American literature - Virginia. 3. Music - Va. - Rockingham co. I. Hours of fancy; or, Vigil and vision. II. The Musical million. III. The Temple star. IV. Ruebush, Ephraim, 1833-1924. ML1.M9.v.39.no.8 2 - 40

NM 0922785 Vi ViU

PS558 .S6M6
Myers, Weldon Thomas, 1879- , ed.
Lavrels of the campvs; a collection of Converse prize pieces, with illustrations by Inez Livingston Ney, preface by Weldon Myers. [Spartansburg, S. C., Band & White] 1924.
168 p. front., illus., plates. 16cm.
Illustrated lining-papers.

1. American literature—South Carolina. 2. American literature (Collections). 3. American literature—20th cent. I. Converse college, Spartansburg, S.C. II. Title.

NM 0922786 ViU RPB

Myers, Weldon Thomas, 1879-
The relations of Latin and English as living languages in England during the age of Milton. [n. p., 1912]
v, 136, [3] l. 28cm.
Typewritten.
Thesis—Univ. of Virginia, 1912.
Bibliography: [3] l. at end.
1. Latin language, Medieval and modern—Hist. 2. Latin language—Hist.—England. I. Title.

NM 0922787 ViU

Myers, Weldon Thomas, 1879-
The relations of Latin and English as living languages in England during the age of Milton ... By Weldon T. Myers ... [Dayton, Va., Ruebush-Elkins co., printers, 1913]
163, [3] p. 22½cm.
Thesis (PH. D.)—University of Virginia, 1912.
Bibliography: 2 p. at end.

1. Latin language, Medieval and modern—Hist. 2. Latin language—Hist.
13-25630
Library of Congress PA2847.E5M8
Univ. of Virginia Libr. 470—M996

PHC PBm PU
NM 0922788 ViU NcU DLC NIC MB NcD NjP MiU OClW

[Myers, Wilbur A] ed.
The book of the sesqui centennial celebration of the battle of Wyoming, July 1st-4th, 1928 ... [Wilkes-Barre, Pa., Printing by The Smith-Bennett corporation, °1928]
128 p. illus. (incl. ports., facsim.) 28cm.
"Wilbur A. Myers, editor."

1. Wyoming massacre, 1778. 2. Wyoming Valley, Pa.—Centennial celebrations, etc. 3. Wyoming Valley, Pa.—Hist. I. Title. II. Title: The sesqui centennial celebration of the battle of Wyoming.
29-10701
Library of Congress F157.W9M9

NM 0922789 DLC NN IdU PP PHC PHi OClWHi

Myers, Wilbur F.
Typhoid Fever, 1875.

NM 0922790 PU

SB187 .U6W5
Myers, Will Martin, 1911- joint author.

Wilson, Harold Kirby, 1900-
Field crop production; agronomic principles and practices [by] Harold K. Wilson [and] Will M. Myers. Philadelphia, Lippincott [1954]

Myers, Will Martin, 1911-
Meiotic behavior of *Phleum pratense*, *Phleum subulatum*, and their F_1 hybrid, by W. M. Myers ...
(In U. S. Dept. of agriculture. Journal of agricultural research. Washington, 1941. 23cm. v. 63, no. 11, Dec. 1, 1941, p. 649-659. illus.)
Contribution from Bureau of plant industry (G-1228)
Published Nov. 14, 1941.
"Literature cited": p. 658-659.

1. Timothy-grass. [1. Timothy—Breeding] I. Title.
Agr 42-194
U. S. Dept. of agr. Library for Library of Congress 1Ag84J vol. 63, no. 11 [S21.A75 vol. 63, no. 11]
[3°] (630.72)

NM 0922792 DNAL OU

Myers, Will Martin, 1911-
Meiotic instability as an inherited character in varieties of *Triticum aestivum*. By W. M. Myers ... and LeRoy Powers ...
(In U. S. Dept. of agriculture. Journal of agricultural research. v. 56, no. 6, Mar. 15, 1938, p. 441-452. 23cm. Washington, 1938)
Joint contribution from Minnesota Agricultural experiment station and U. S. Bureau of plant industry (Minn.—104)
Paper no. 1515, Journal series, Minnesota Agricultural experiment station.
Published May 17, 1938.
"Literature cited": p. 451-452.
1. [Triticum aestivum] I. Powers, LeRoy, 1902- joint author. II. Title.
Agr 38-382
U. S. Dept. of agr. Library for Library of Congress 1Ag84J vol. 56, no. 6 [S21.A75 vol. 56, no. 6]
[5°] (630.72)

NM 0922793 DLC DNAL OU

Myers, Will Martin, 1911-
The nature and interaction of genes conditioning reaction to rust in flax ... by Will Martin Myers ... [Washington, D. C., 1938]
p. 631-666 incl. tables. 3 pl. on 2 l. 23cm.
Thesis (PH. D.)—University of Minnesota, 1936.
Thesis t.-p. with Vita, mounted on p. [2] of cover.
"Paper no. 1492 of the Journal series, Minnesota Agricultural experiment station."
Reprint from Journal of agricultural research, v. 55, no. 9, Nov. 1, 1937.
"Literature cited": p. 666.
1. Flax—Diseases and pests. 2. Uredineae. 3. Heredity. I. Title: Genes conditioning reaction to rust in flax.
39-14909
Library of Congress SB253.M8 1936
Univ. of Minnesota Libr.
——— Copy 2. [2] 575.126

NM 0922794 MnU OCl DLC

Myers, Will Martin, 1911-
... The nature and interaction of genes conditioning reaction to rust in flax ...
(In U. S. Dept. of agriculture. Journal of agricultural research. v. 55, no. 9, Nov. 1, 1937, p. 631-666. 3 pl. on 2 l. 23½cm. Washington, 1937)
Contribution from Minnesota Agricultural experiment station (Minn.—100)
"Submitted to the faculty of the Graduate school of the University of Minnesota in partial fulfillment of the requirements for the degree of doctor of philosophy."—Foot-note, p. 631.
Paper no. 1492, Journal series, Minnesota Agricultural experiment station.
Published Dec. 29, 1937.
"Literature cited": p. 666.
[1. Flax—Disease resistant varieties] [2. Flax rust] 1, 2. Flax—Diseases and pests.
U. S. Dept. of agr. Library for Library of Congress 1Ag84J vol. 55, no. 9 Agr 38-58 [S21.A75 vol. 55, no. 9]
[5°]

NM 0922795 DNAL DLC

HC108 .L6M3
Myers, Will S., joint author.

Martin, James Walter, 1893-
Aspects of the Louisville area economy, by James W. Martin and Will S. Myers, with the cooperation of the Louisville Courier-journal and times, the Louisville Chamber of Commerce [and] the Agricultural and Industrial Development Board of Kentucky. Frankfort, Agricultural and Industrial Development Board of Kentucky, 1953.

Myers, Will S
Kentucky income payments by counties, 1939, 1947, 1950, and 1951, by Will S. Myers, Jr., John L. Johnson, and James W. Martin. Lexington, Ky., 1953.
37 p. illus. 28 cm. (Bulletin of the Bureau of Business Research, College of Commerce [University of Kentucky] no. 26)

1. Income—Kentucky. I. Title.
HC107.K4M9 339.3769 53-62651 ‡

NM 0922797 DLC WaU-L CU TxU MiU ViU ICRL

Myers, Willard Gilman.
The unbelievable city, by Willard Gilman Myers. New York, 1926.
1 p. l., 26 p. front., illus. 23½cm.

1. New York (City)—Descr.—Views. I. Title.
Library of Congress F128.5.M97 26-11816

NM 0922798 DLC

Myers, Willard Henry, 1847-1895, tr.

Hofberg, Herman, 1823-1883.
Swedish folk-lore, by Herman Hofberg. Translated by W. H. Myers. Chicago, New York [etc.] Belford, Clarke & co., 1888.

Myers, Willard Richard.
The analysis of distribution transformer failures from lightning surges ... by Willard R. Myers ... [Cincinnati] 1933.
35 l.

NM 0922800 OCU

VOLUME 403

Myers, William Alexander.
Money from a new point of view ... Chicago, W. A. Meyers co., 1899.
47, [1] p. 24°. Feb. 23, 99-58.

NM 0922801 DLC

Myers, William Alexander.
The quadrature of the circle, the square root of two, and the right-angled triangle, by William Alexander Myers ... 1st ed. ... Cincinnati, Wilstach, Baldwin & co., printers, 1873.
1 p. l., viii, [9]-150, 14 p., 1 l. incl. front. diagrs. on XIII pl. 22½cm.
Appendix: A chapter on construction for the use and benefit of draughtsmen, builders, and mechanics: 14 p. at end.
"History of the quadrature of the circle, translated from the French of Montucla, by J. Babin": p. [9]-33.
Authors made use of in the present volume: p. [iv]
1. Circle-squaring. I. Montucla, Jean Étienne, 1725-1799. II. Babin, J., tr. III. Title.
Library of Congress QA467.M99 7—12652

NM 0922802 DLC OCU CoU ICJ NjP

Myers, William Alexander
The quadrature of the circle, the square of two, and the right-angled triangle, by William A. Myers...2d ed., Cincinnati, Wilstarch, Baldwin & co., printers, 1874.
1 p.l., viii- 9-150 14 p. 1 l., incl. front diagrs on XIII pl. 22½ cm.
99644

NM 0922803 DNW MiU

Myers, William Alexander.
The relation of the Indiana accounting board to public schools.
(*In* National education association of the United States. Journal of proceedings and addresses, 1911. p. 1002-1005)
1. Education—Indiana—Finance.
E 12-493
Library, U. S. Bur. of Education

NM 0922804 DHEW OU

Myers, William Beswick.
The "Schwedler" bridge. A comparison of the various forms of girder bridges, showing the advantages of the "Schwedler" bridge; together with an elucidation of the theoretical principles of the same. Being a paper read at the Institution of civil engineers, and to which the council awarded a Miller prize. By W. Beswick Myers... London, New York, E. & F. N. Spon, 1876.
23 p. 3 fold. pl. 21 1/2cm.
1. Bridges. 2. Girders. I. Title.

NM 0922805 DP CU OCU MiU PPF

Myers, William E., comp.
Book of the Republican National Convention, Cleveland, Ohio, June 10th, 1924. [Cleveland] 1924?

NM 0922806 CSt OEac

Myers, William E
The convention of '98
see under Louisiana. Constitutional Convention, 1898.

Myers, William E., pub.
Guide book to the city of New Orleans
N.O., Myers, 1895.

NM 0922808 LNHT

359.73
L93
[Myers, William E]
History of the First naval battalion of Louisiana. [New Orleans, La., comp. and pub. by W. E. Myers, 1902?]
[48] p. illus.
Advertising matter included in pagination.
1. Louisiana - Naval battalion - 1st. I. Title.

NM 0922809 NNC TxU

Myers, William E., comp.
History of the naval brigade of Louisiana. N.O., Ray, n.d.

NM 0922810 LNHT IU

Myers, William E
The Israelites of Louisiana.
New Orleans, Meyers [1904]

NM 0922811 LNHT

Myers, William Fenton, 1868–
Brief on procedure in the Surrogate's court, by Wm. Fenton Myers ... Albany, W. C. Little & co., 1916.
v, [v]-xii, 752 p. 21cm. $5.50
1. Probate law and practice—New York (State) 2. New York (State) Surrogates' courts.
16-10466

NM 0922812 DLC

Myers, William Fenton, 1868–
Brief on procedure in the Surrogate's court, by Wm. Fenton Myers ... 2d ed., including amendments to 1920. Albany, W. C. Little & co., 1920.
xxx, 752 p. 21cm.
1. Probate law and practice—New York (State) 2. New York (State) Surrogate's courts.
20-1527

NM 0922813 DLC NIC

MYERS, William Fenton, 1868-
Chart showing exemptions and rates of tax under the Transfer Tax Laws of 1910, 1911, and 1916 and Estate Tax under United States revenue act of 1916. [Albany, cop. 1916]
Folded in.

NM 0922814 MH-L

Myers, William Fenton, 1868– *comp.*
Income, estate, transfer and stamp taxes under federal and state acts, comp. by William Fenton Myers ... New York state ed. Albany, N. Y., Aiken book company, 1917.
5 p. l., 41 p. 21½cm.
1. Inheritance and transfer tax—U. S. 2. Inheritance and transfer tax—New York (State) 3. Income tax—U. S.—Law. 4. Income tax—New York (State)—Law. 5. War revenue law of 1917. I. Title.
17-31566
Library of Congress HJ5805.M8

NM 0922815 DLC WaS

Myers, William Fenton, 1868- ed.

Heaton, Willis Edgar, 1861–
... The procedure and law of Surrogates' courts of the state of New York, by Willis E. Heaton ... 5th ed., rev. by Wm. Fenton Myers ... with a foreword by Hon. James A. Foley ... with introduction by Hon. George Albert Wingate ... Albany, N. Y., and New York, N. Y., M. Bender & company, incorporated, 1929-34.

Myers, William Fenton, 1868–
Woman and the law, including rights and duties of citizenship, by William Fenton Myers ... New York state ed. Albany, N. Y., Aiken book company, 1918.
2 p. l., [7]-544 p. 19½cm.
1. Woman—Legal status, laws, etc.—New York (State) 2. New York (State)—Pol. & govt. I. Title.
Library of Congress HQ1256.N7M85 18-12241

NM 0922817 DLC NN MB

Div. of maps
Myers, William G.

Showalter, Noah Daniel, 1886–
Atlas of Rockingham county, Virginia, by Noah D. Showalter ... assisted by Homer B. Vance, C. E. Map of Harrisonburg, by Wm. G. Myers ... Editorial assistants, John W. Wayland ... [and] John S. Flory ... Harrisonburg, Va., Noah D. Showalter, 1939.

Myers, William Graydon, 1908-
The literature of thixotropy to 1937; a review ... by William Graydon Myers ... [Columbus] The Ohio state university, 1937.
44 numb.

NM 0922819 OU

Myers, William Graydon, 1908-
A study of some properties of thixotropic gels containing egg albumin as the disperse phase ... [Columbus] The Ohio state university, 1939.
68, [1] numb. l. diagrs. 28 cm.
Thesis (Ph. D.) -Ohio state university.

NM 0922820 OU

Myers (William H.) The limitation of craniotomy. 8 pp. 8°. *New York*, 1895.
Repr. from: Am. Gynæc. & Obst. J., N. Y., 1895, vii.

NM 0922821 DNLM

Myers (William H.) Puerperal pyæmia. 19 pp. 8°. *Chicago, Review Printing Co.*, 1884.
Repr. from: J. Am. M. Ass., Chicago, 1884, iii.

NM 0922822 DNLM

4HQ
539
Myers, William H of Reading, Pa.
The 19th century young man, a series of lectures. Philadelphia, Lutheran Book Store, 1890.
164 p.

NM 0922823 DLC-P4 NNUT PPLT

284.1748
M996Q
Myers, William H of Reading, Pa.
Quarto-centennial history of Grace Lutheran Church, Reading, Pennsylvania, 1878-1903 ... [Reading, Pa., Press of Pengelly & Brother, 1903]
152 p. 20 cm.
1. Reading, Pennsylvania. Grace Lutheran Church.

NM 0922824 NcD PPLT

VOLUME 403

Myers, William H of Reading, Pa.
Through wonderland to Alaska. Reading, Pa., Reading Times Print, 1895.
271 p. 19 cm.

1. Alaska--Descr. & trav. 2. U. S.--Descr. & trav.--1865-1900. I. Title.

NM 0922825 AkU CaBViPA CaBViP PPrHi

Myers, William Howard, 1908- joint author.

Minssen, Herman Frederick.
Survey of mathematics, by H. F. Minssen ... and W. H. Myers ... San Jose, Calif., San Jose state college [°1940]

Myers, William Irving, 1891-
Advantages of cooperative credit. An address at the annual agricultural conference, Purdue university, January 15, 1935.
20 p.

NM 0922827 OClFRB

Myers, William Irving, 1891-
The debtor's ability to pay. Wash., 1935.
12p.

NM 0922828 PP

Myers, William Irving, 1891-
An economic study of farm layout ... by William Irving Myers ... [Ithaca, 1920]
1 p. l., p. 385-563. illus. (incl. plans) 24cm.
Thesis (PH. D.)—Cornell university, 1918.
"Reprinted from Memoir 34, June, 1920," of Cornell university agricultural experiment station.

1. Farm buildings. 2. Agriculture—Economic aspects. I. Title.

21-6282

Library of Congress S563.M8
Cornell Univ. Libr. [2]

NM 0922829 NIC PU DLC

Myers, William Irving, 1891- joint author.

S95
.E335
no. 1015

Pearson, Frank Ashmore, 1887-
Forty years of farm prices in New York State; revised index numbers of New York State farm prices [by] F. A. Pearson and W. I. Myers. Ithaca, Dept. of Agricultural Economics, Cornell University Agricultural Experiment Station, New York State College of Agriculture, 1955.

389
M99I

Myers, William Irving, 1891-
The impact of European recovery on American food production. Washington, D.C., National Canners Association [1948]
4 l.

NM 0922831 DNAL

Myers, William Irving, 1891-
Permanent sources of cooperative credit for agriculture, by W. I. Myers ... An address before the annual meeting of the Mortgage bankers association of America, French Lick, Ind., October 1935. [Washington, U. S. Govt. print. off., 1935]
1 p.l., 22 p. 23 cm.

"Publications available from the Farm credit administration": p. 22.

Continued in next column

Continued from preceding column

1. Agricultural credit - U. S. 2. U. S. Farm credit administration. 3. Banks and banking, Cooperative - U. S. I. Title.

NM 0922833 ViDL

284.2
M992

Myers, William Irving, 1891-
The production credit system and commercial banks. Ithaca, N.Y., 1944.
7 numb. l.

1. Agricultural credit. U.S. 2. Farm mortgages. U.S. 3. Banks and banking. U.S.

NM 0922834 DNAL

389
M99

Myers, William Irving, 1891-
The United States food situation and outlook. Ithaca, New York, 1943.
10 numb. l.
1. Food supply. U.S. 2. World war, 1939- Food question. U.S. 3. Price control. 4. Food. Prices.

NM 0922835 DNAL

Myers, William Mackie, 1925-
A functional associated with a continuous transformation. 1952.
57 l.
Thesis - Ohio State University.

NM 0922836 OU

Myers, William Marsh, 1892-1951.

U. S. *Bureau of mines.*
... Comparative tests of instruments for determining atmospheric dusts ... Washington, Govt. print. off., 1925.

Myers, William Marsh, 1892-1951.
... Frederick Augustus Genth, 1820-1893, chemist, mineralogist, collector, by W. M. Myers and S. Zerfoss. State College, Pa., The Pennsylvania state college, School of mineral industries, 1946.
cover-title, 341-354 p. illus. (port., facsim.) 24cm. (The Pennsylvania state college. Mineral industries experiment station. Circular 27)
"Reprinted from the Journal of the Franklin institute, vol. 241, no. 5, May, 1946."
"Sources of data concerning Dr. Genth": p. 347. "Scientific papers published by F. A. Genth": p. 348-354.
1. Genth, Friedrich August Ludwig Karl Wilhelm, 1820-1893. I. Zerfoss, Samuel, 1912- joint author.

TN24.P4P4 no. 27 925.4 A 47-2521

Penn. state college. Libr. for Library of Congress [3]†

NM 0922838 PSt ViU DLC

Myers, William Marsh, 1892-1951.
... Garnet: its mining, milling, and utilization, by W. M. Myers and C. O. Anderson ... Washington, Govt. print. off., 1925.
iv, 54 p. incl. tables, diagrs. III pl. (incl. fold. diagr.) 24½cm. ([U. S.] Bureau of mines. Bulletin 256)
At head of title: ... Department of commerce. Herbert Hoover, secretary. Bureau of mines. D. A. Lyon, acting director.
"Selected bibliography": p. 51.

1. Garnet. I. Anderson, Carl Otto, 1896- joint author.

25-27520

Library of Congress TN23.U4 no. 256
——— Copy 2. TN997.G3M8

NM 0922839 DLC WaWW WaS OrP MiU OCl OCU ICJ MB

Myers, William Marsh, 1892-1951, joint author.

TN260
.L3
1951

Ladoo, Raymond Bardeen, 1893-
Nonmetallic minerals, by Raymond B. Ladoo and W. M. Myers. 2d ed. New York, McGraw-Hill, 1951.

Myers, William Marsh, 1892-1951.
Principles of mineral conservation. State College, Pa., Pennsylvania State College, School of Mineral Industries [1946]
19 p. 23 cm. (Mineral Industries Experiment Station. Circular 25)
The Pennsylvania State College bulletin, v. 40, no. 32.

1. Mines and mineral resources—U. S. I. Title: Mineral conservation. II. Series: Pennsylvania. State College. Mineral Industries Experiment Station. Circular 25.

TN24.P4P4 no. 25 338.2 A 48-107*

Pennsylvania. State College. Library for Library of Congress [3]†

NM 0922841 PSt ViU DLC

Myers, William Marsh, 1892-1951.
... Problems and trends in the mineral industries of Pennsylvania, by W. M. Myers ... State College, Pa., School of mineral industries, The Pennsylvania state college, 1939.
xiv, 77 p. incl. illus. (map) tables, diagrs. 23cm. (Pennsylvania. State college. Mineral industries experiment station. Bulletin 17 [i. e. 27])
The Pennsylvania state college bulletin, vol. XXXIII, no. 34, June 26, 1939.

1. Mineral industries—Pennsylvania.

G S 39-194

U. S. Geol. survey. Library for Library of Congress TN24.P4M9 [n45d1]† 338.2

NM 0922842 DI-GS NcRS OClFRB OU PPT DLC PU-W

Myers, William Marsh, 1892-1951.

Bowles, Oliver, 1877-
... Quarry problems in the lime industry, by Oliver Bowles and W. M. Myers ... Washington, Govt. print. off., 1927.

Myers, William R., *defendant.*
An authenticated report of the trial of Myers and others, for the murder of Dudley Marvin Hoyt. With the able and eloquent speeches of counsel, and "the letters", in full, with explanatory notes, which furnish a clear and complete history of the case. Drawn up by the editor of the Richmond southern standard. New York, Richards and company [°1846]
48 p. 23½cm.
Trial of W. R. Myers, S. S. Myers and W. S. Burr in the Mayor's court of Richmond, October, 1846.
"Appendix letters of Mrs. Myers to Mr. Hoyt": p. 34-48.
1. Hoyt, Dudley Marvin, 1812-1846. I. Myers, Samuel S., defendant. II. Burr, William S., defendant. III. Myers, Mrs. Virginia (Pollard) IV. Richmond southern standard, Editor of the.

37-37624

NM 0922844 DLC ViU PP PPL MH NcD

Myers, William R., defendant.
Speech of James Lyons, in defence of William R. Myers, Samuel S. Myers
see under Lyons, James, 1801-1882.

Myers, William R 1836-
National banks and fraudulent corporations. Speech of Hon. W. R. Myers, of Indiana, in the House of representatives, February 14, 1880. [Washington. R. H. Darby, printer, 1880]
8 p. 23cm.
Caption title.

1. National banks—U. S.

CA 8-1152 Unrev'd

Library of Congress HG2557.M9

NM 0922846 DLC

Myers, William Shields, 1866-
Apple growing in the United States. n.d.

NM 0922847 PPHor

VOLUME 403

Myers, William S[hields] 1866–
... Chlorine in the natural waters of the state. By William S. Myers. (*In* New Jersey. Geological survey, 1863– Trenton, 1864– 23cm. 1899 (1900) [v. 1] p. 141–148; 1900 (1901) p. 189–196; 1901 (1902) p. 129–132. fold. maps)
Minor variations of title.

1. Water—Analysis—New Jersey.
G S 5-161

Library, U. S. Geol. survey

NM 0922848 DI-GS

633.51 M996c Myers, William Shields 1866– ed.
The cultivation of cotton. New York, Pub. by William S. Myers [1905?]
80p. front. illus., fold. map. 24cm.

1. Cotton - Diseases and pests. 2. Nitrates. I. Title.

NM 0922849 LNHT

1502 Myers, William Shields, 1866– ed.
The culture of the orange and olive...
New York, Myers, 1908.

NM 0922850 DPU

Myers, William Shields, 1866– ed.
The cultivation of tobacco ...
see under Hillman, Joseph.

Myers, William Shields, 1866–
The cultivation of the sugar cane
see under Hillman, Joseph.

Myers, William Shields, 1866– ed.
The cultivation of the olive
see under Hillman, Joseph.

Myers, William Shields, 1866–
The effect of structure on the strength and wearing qualities of cloth. [By] William Myers... [Boston? 1914?] 23 p. illus. 8°.
Caption-title.
At head of title: National Assoc. of Cotton Manufacturers.
Advance copy of paper to be presented at meeting, Sept. 29 – Oct. 1, 1914.

1. Cotton fabrics and fibre.
N. Y. P. L. November 2, 1917.

NM 0922854 NN

Myers, William Shields, 1866–
Effects of nitrate of soda upon vegetation.
3rd ed. enl. n.d.

NM 0922855 PPHor

Myers, William Shields, 1866–
Fertilizers for corn and cereals including wheat, rye, oats and barley. n.d.

NM 0922856 PPHor

Myers, William Shields, 1866– ed
Fertilizers in forestry
see under Rane, Frank William, 1868–

Myers, William Shields, 1866– ed.
Food for plants. New ed. with supplementary notes. New York, William S. Myers [n.d.]
236p. illus.

NM 0922858 ICRL MiEM

Myers, William Shields, 1866– *ed.*
Food for plants. New [11th] ed. with supplementary notes. Ed. and pub. by William S. Myers ... New York, W. S. Myers [19—]
295 p. illus. 23½cm.

1. Sodium nitrate.
Agr 26-543.

Library, U. S. Dept. of Agriculture 57M992F

NM 0922859 DNAL NNBG MU TU PPHor CU

Myers, William Shields, 1866– ed.
Food for plants. New [12th] ed. with supplementary notes. Ed. and pub. by William S. Myers ... New York, Myers [19–]
236 p.

NM 0922860 NcRS

Myers, William Shields, 1866– *ed.*
Food for plants. Harris. New ed. with supplementary notes. Edited and published by William S. Myers ... New York [1903?]
146 p., 1 l. illus. 23cm.
"From the writings of Joseph Harris, M. SC. Rev. by S. M. Harris."

1. Sodium nitrate. I. Harris, Joseph, 1828–1892. II. Harris, S. M., ed. III. Title.
Agr 8—934

U. S. Dept. of agr. Library for Library of Congress 57M992F [S651.M]

NM 0922861 DNAL NcRS CU OrCS Or

Myers, William Shields, 1866– *ed.*
Food for plants. Harris and Myers. New ed. with supplementary notes, 1905. Ed. and pub. by William S. Myers ... New York [W. S. Myers, 1905]
230, [1] p., 1 l. illus. 23cm.
"In part from the writings of Joseph Harris."

1. Fertilizers [and manures] 2. Saltpeter, Chile. [2. Sodium nitrate] I. Harris, Joseph, 1828–1892. II. Title.
Agr 6—1722

U. S. Dept. of agr. Library for Library of Congress 57M992F S651.M9

NM 0922862 DNAL MBH NcRS ViU DLC IdU NIC NcU FMU

Myers, William Shields, 1866–
Food for plants. New edition, with supplementary notes. [By] Myers. New York: W. S. Myers [1907]. 234 p., 6 l. incl. illus., tables. 8°.

1. Nitrates. 2. Fertilizers and manures.
N. Y. P. L. May 20, 1919.

NM 0922863 NN ICRL KMK OCU PU-V NIC CU NNBG

Myers, William Shields, 1866– *ed.*
Food for plants. New ed. with supplementary notes. Edited and published by William S. Myers ... New York [191–?]
295 p. illus. (incl. maps) diagrs. 23½cm.
"Eleventh edition."

1. Fertilizers and manures. 2. Saltpeter, Chile. [2. Sodium nitrate] I. Title.
Agr 26-543 Revised

U. S. Dept. of agr. Library for Library of Congress 57M992F S651.M92

NM 0922864 DNAL OrCS AU DLC TU

Myers, William Shields, 1866–
Food for plants. New edition with supplementary notes. Edited and published by W. S. Myers. New York, [1914?].
295 p. incl. illus., tables. 23½cm.

NM 0922865 ICJ

S651 M9 Myers, William Shields, 1866– ed.
Food for plants. New ed. with supplementary notes. Ed. and pub. by William S. Myers...
New York, W. S. Myers [1922?]
200p. illus. 24cm.

1. Fertilizers and manures. 2. Saltpeter, Chile. I. Title.

NM 0922866 NcRS CU IU

S 651 .M93 1923 Myers, William Shields, 1866– ed.
Food for plants. New [13th] ed. with supplementary notes. New York [1923?]
246 p. illus.

1. Fertilizers and manures. 2. Saltpeter, Chile. I. Title.

NM 0922867 MiEM

Myers, William Shields, 1866–
Food for plants
For 15th and later editions see under Chilean Nitrate of Soda Educational Bureau, New York.

Myers, William Shields, 1866– *ed.*
Grass growing for profit. A short compilation of experimental work on the effects of nitrate of soda on hay crops. Including some directions for the preparation of land and harvesting the crop ... Ed. and pub. by William S. Myers ... New York [The Richardson press, 1906?]
33, [3] p. illus. 23cm.

1. Fertilizers and manures. 2. Meadows.
7-4837

Library of Congress SB197.M98

NM 0922869 DLC OrCS OU NIC NN OO DNAL ICJ

1502 Myers, William Shields, 1866–
Growing Timothy hay for market... (by Myers)
New York, Myers, 1908.

NM 0922870 DPU

Myers, William Shields, 1866–
The home mixing of fertilizers and straight fertilizer formulas... N. Y., W. S. Myers [1911]
30 p. illus.

Reprinted from Farmers' digest.

NM 0922871 MiD

VOLUME 403

Myers, William Shields, 1866-
Instructions for using nitrate of soda on grapes. n.d.

NM 0922872 PPHor

Myers, William Shields, 1866-
Market gardening with nitrate. New York, The author, n.d.
38 ₍2₎ p.

NM 0922873 OU

S651 .M9 Myers, William Shields, 1866-
Nitrate in the garden. 3d ed. ₍New York, Nitrate of Soda Propaganda, Chilean Nitrate Works, n.d.₎
8 p. 24 cm.

Cover title.

1. Nitrogen fertilizers. 2. Saltpeter, Chile. i. t.

NM 0922874 NNBG PPHor

Myers, William Shields, 1866-

Cuevas, Enrique.
The nitrate industry, by Señor Enrique Cuevas, counselor of the Chilean embassy to the U. S. A. Pub. by William S. Myers ... director Chilean nitrate propaganda ... ₍New York, 1916₎

Myers, William S₍hields₎ 1866–
Nitrate of soda for money crops. Investigations by United States experiment stations. 4th ed. enl. Ed. and pub. by William S. Myers, director ... New York ₍190–₎
62 p. illus. 23ᶜᵐ.
"This pamphlet is composed of extracts and reprints from bulletins and annual reports of various American agricultural experiment stations."—Pref.

1. Sodium nitrate.

Agr 6-1502

Library, U. S. Dept. of Agriculture 57M992

NM 0922876 DNAL

Myers, William Shields, 1866- ed.
Nitrate of soda for profit with sugar beets
see under Moercker, Maximilian Heinrich, 1842-1901.

Myers, William Shields, 1866-
A review of our present knowledge of sodium nitrate; a brief description of the methods in use for the extraction of nitrate of soda from the caliche of Chile, including the origin, production and destruction of nitrates in the soil. ₍By₎ Myers. New York, W. S. Myers ₍n. d.₎
1 p. l., 5-48 p. front. (map) illus. (incl. diagrs.) 23ᶜᵐ.
"Based on articles by the late Dr. John A. Myers and on Dr. Weitz' publication."

1. Saltpeter, Chile. I. Title: Sodium nitrate.

NM 0922878 MiU

Myers, William Shields, 1866–
A review of our present knowledge of sodium nitrate, including the origin, production and destruction of nitrates in the soil, also a brief description of the methods in use for the extraction of nitrate of soda from the caliche of Chile. Myers. New York, W. S. Myers ₍1909?₎
50 p. front. (map) illus. 23ᶜᵐ.
"Based on articles by the late Dr. John A. Myers and on Dr. Weitz' publication."

1. Saltpeter, Chile.

G S 17-125

Library, U. S. Geological Survey 443(430) M9

NM 0922879 DI-GS DPU MiU NNC WaU

Myers, William Shields, 1866–
Selected addresses by William S. Myers, 1920–1930. ₍New York. M. B. Brown printing & binding co., 1930₎
23, ₍1₎ p. 23½ᶜᵐ.
Title from cover.

33-20161

Library of Congress AC8.M97
——— Copy 2.

081

NM 0922880 DLC

Myers, William Shields, 1866-
Views of the Chilian nitrate works and ports; the Nitrate association of propaganda of Chili, South America. Representative for the United States and colonies, William S. Myers ... ₍New York, The Richardson press, 19—₎

Myers, William Shields, 1866–
What nitrate has done in the farmers' own hands in North America, from Maine to California and from Alaska to Florida. Published by William S. Myers . . . director Chilian Nitrate Propaganda . . . New York ₍1916₎. 26 l. 8°.

1. Sodium nitrate.
N. Y. P. L. April 3, 1918.

NM 0922882 NN

Myers, William Stanley, 1888- joint author.

Stemen, Thomas Ray, 1892–
Oklahoma flora (illustrated) by Thomas R. Stemen ... and W. Stanley Myers ... Oklahoma City, Okla., Harlow publishing corporation, 1937.

Myers, William Stanley, 1888- joint author.

Stemen, Thomas Ray, 1892–
Spring flora of Oklahoma, with key, by Thomas R. Stemen ... and W. Stanley Myers ... 1st ed. Oklahoma City, Okl., Harlow publishing company, 1929.

Myers, William Starr, 1877-1956.
American democracy today, and other essays on politics and government, by William Starr Myers ... Princeton, Princeton university press; ₍etc., etc., ᶜ1924₎
5 p. l., 162 p. 22½ᶜᵐ.
CONTENTS.—American democracy today.—Certain contemporary dangers.—The Constitution and the people.—Presidential leadership.—The position of the Senate.—The House of representatives.—The importance of the judiciary.—State governments—good and bad.—Parties and partizanship.—The organization of the American government and the conduct of war.

1. U. S.—Pol. & govt.—Addresses, essays, lectures. I. Title.

24-17826

Library of Congress JK21.M95

PSC ViU OrU NN PU
NM 0922885 DLC NcRS ICRL LU DAU OrCS MiU OCl ODW

Myers, William Starr, 1877-1956
The American government of today, by William Starr Myers ... New York and London, Harper & brothers, 1931.
viii p., 1 l., 563 p. illus., forms. 22½ᶜᵐ.
"First edition."

1. U. S.—Pol. & govt. I. Title.

31-14708

Library of Congress JK274.M95

Copyright A 37703 ₍5₎ 342.73

OCl OClJC OO MtU IdU ViU WaU OrU Or WaS
NM 0922886 DLC MH-L MB NN NcD KEmT PHC PSC PWcS

Myers, William Starr, 1877-1956, ed.

Stryker, William Scudder, 1838-1900.
The battle of Monmouth, by the late William S. Stryker ... edited by William Starr Myers ... Princeton, Princeton university press, 1927.

Myers, William Starr, 1877-1956.
... Country schools for city boys, by William Starr Myers ... Washington, Govt. print. off., 1912.
22 p. front., plates. 23ᶜᵐ. (U. S. Bureau of education. Bulletin, 1912: no. 9. Whole no. 480)

1. Private schools—U. S. 2. Public schools—U. S. I. Title.

E 12—885

U. S. Off. of educ. Library L111.A6 1912, no. 9
——— Copy 2. LC53.M9
for Library of Congress L111.A6 1912, no. 9
——— Copy 2. LB1621.M8

OCU DLC ICJ MB
NM 0922888 DHEW Or OrU CaBVaU PBm PU NjP MiU OCl

Myers, William Starr, 1877-1956, ed.

Kraus, Herbert, 1884–
The crisis of German democracy; a study of the spirit of the constitution of Weimar, by Dr. Jur. Herbert Kraus ... edited with an introduction by William Starr Myers ... and with an English translation of the German constitution by Marguerite Wolff ... Princeton, Princeton university press, 1932.

₍Myers, William Starr₎ 1877-1956.
Fifty years of the Prudential, the history of a business charged with public interest, 1875–1925. Newark, N. J., The Company, 1927.
5 p. l., 3-66 p., 2 l., ₍70₎ p. illus. (part col.) 28½ᶜᵐ.
Preface signed: William Starr Myers.
"Publications contemporary with the fiftieth anniversary of the Prudential": ₍70₎ p. at end.

1. Prudential insurance company of America, Newark, N. J. I. Title.

Library of Congress HG8963.P82M8 27-3967

MtBC DL MtU WaS ICJ OrU CaBVaU
NM 0922890 DLC NcD CoU NIC PSC PPT PV OCl OCU OU

Myers, William Starr, 1877-1956.
The foreign policies of Herbert Hoover, 1929–1933, by William Starr Myers. New York, C. Scribner's sons; London, C. Scribner's sons, ltd., 1940.
x p., 1 l., 259 p. 21ᶜᵐ.

1. U. S.—For. rel.—1929–1933. 2. Hoover, Herbert Clark, pres. U. S., 1874– I. Title.

40-9670

Library of Congress E801.M93
——— Copy 2.

Copyright ₍45₎ 327.73

OrCS OrSaW OrU WaS
OCl OCU OO OU PWcS MiHM ViU MtU IdU MtBC OrPR WaWW
NM 0922891 DLC NRCR PSC-Hi NcRS KEmT NBuC WHi PBm

973.41 W27Wmy Myers, William Starr, 1877-1956.
George Washington as a constructive statesman; an address by Professor Wm. Starr Myers ... before the Washington association of New Jersey, with greetings by Mr. Lloyd W. Smith, president of the association, a report by Dr. Francis S. Ronalds, superintendent of the Morristown national historical park and proceedings in the celebration of Washington's birthday at Washington's headquarters in Morristown, N.J. February 22,1940. ₍Morristown, N.J., 1940₎
cover-title, 23p.

NM 0922892 IU

Myers, William Starr, 1877-1956, ed.

Kitazawa, Naokichi.
The government of Japan, by Naokichi Kitazawa, M. A., edited with an introduction by William Starr Myers ... Princeton, Princeton university press, 1929.

Myers, William Starr, 1877-1956.
Historical background of our electoral system and its relation to the 1944 presidential campaign. Politics and the electoral college. By William Starr Myers... ₍New York, Committee of Americans, 1944₎ 8 p. 22cm.

1. United States. President— Elections. I. Committee of Americans, inc., New York.
N. Y. P. L. February 21, 1946

NM 0922894 NN

VOLUME 403

Myers, William Starr, 1877-1956.
The Hoover administration; a documented narrative, by William Starr Myers ... and Walter H. Newton ... New York, C. Scribner's sons; London, C. Scribner's sons, ltd., 1936.
viii p., 2 l., 3-553 p. front. (port.) 24 cm.

1. U. S.—Pol. & govt.—1929-1933. I. Hoover, Herbert Clark, pres. U. S., 1874-1964. II. Newton, Walter Hughes, 1880- joint author. III. Title.

E801.M94 973.916 36—27108

IdU MtBuM WaS MtBC OrPR IdU-SB OrP WaWW OrSaW KEmT OrAshS Wa CaBVaU PCM PPEB OrCS OrMonO Or WaTC WaE ODW OU CtY CoU LU TU MH NIC NcRS NcD MoSW OrLgE
NM 0922895 DLC WaSpG PU MB MiHM NN WaU ViU-L OCl

Myers, William Starr, 1877-1956.
... The Maryland constitution of 1864, by William Starr Myers ... Baltimore, The Johns Hopkins press, 1901.
98 p., 1 l. 24 cm. (Johns Hopkins university studies in historical and political science, ser. XIX, no. 8-9)

1. Maryland. Constitution.

H31.J6 1—15035
——— Copy 2. JK3825.1864.M8
Library of Congress [58i1]

GU-L MB
ICJ NN DCU WaS WaU-L Or CaBViP NBuU-L OU PSt CoU
NM 0922896 DLC GU PHC PSC PU MiU OCl OClWHi OU ViU

Myers, William Starr, 1877-1956,ed.

McClellan, George Brinton, 1826-1885.
The Mexican war diary of George B. McClellan, edited by William Starr Myers ... Princeton, Princeton university press; [etc., etc.] 1917.

HG2481 M996
Myers, William Starr, 1877-1956.
The origins of the banking panic of March 4, 1933, by William Starr Myers and Walter H. Newton... [New York, N.Y., Mail and express printing co., inc. 1935?]
54, [1] p. 23cm.
"Reprinted by permission of the Saturday evening post, June 8, 15, 22, 29, 1935."
A condensation of chapters 15-19 of the authors' The Hoover administration, a documented narrative, which was not pub. until 1936. - cf. p.7.

1. Banks and banking - U.S. 2. U.S. - Politics and government - 1929-1933. 3.Panics - 1929. I. Newton,Walter Hughes,1880- II.Hoover, Herbert Clark,pres.U.S., 1874- III.Title.

NM 0922898 CSt-H

Myers, William Starr, 1877-1956.
... Politics and the electoral college, by William Starr Myers ... [New York, Committee of Americans, 1944]
cover-title, 8 p. 21½cm.
At head of title: Historical background of our electoral system and its relation to the 1944 presidential campaign.
Text on p. [3] of cover.

1. Presidents—U. S.—Election. I. Committee of Americans. II. Title.

A 45-5177

Harvard univ. Library for Library of Congress [2]

NM 0922899 MH

Myers, William Starr, 1877-1956.
The Republican party, a history [by] William Starr Myers ... New York, London, The Century co. [c1928]
xii, 487 p. front., plates, ports., facsims. 23cm.

1. Republican party—Hist. 2. U. S.—Pol. & govt.

Library of Congress JK2356.M85 28—8896

WaTC MtU WaSp IdU OrPR WaWW OrSaW WaS OrCS Or OrU OCU OU KyBgW NjN MB NN ICJ WaU AAP CoU FMU MiU NIC
NM 0922900 DLC ViU NcD NBuHi OFH PPA PPGi PV OCl

Myers, William Starr, 1877-1956.
The Republican party, a history [by] William Starr Myers ... Rev. ed. with additions. New York, London, The Century co. [c1931]
xii, 517 p. front., illus., plates, ports., facsims. 23cm. $5.00

1. Republican party—Hist. 2. U. S.—Pol. & govt.

Library of Congress JK2356.M85 1931 32-1529
——— Copy 2.
Copyright A 45913 [5] 329.6

OClCC PHC PU
NM 0922901 DLC OrP WaS IdU NmU NN TU OCl OClJC

Myers, William Starr, 1877-1956.
... The self-reconstruction of Maryland, 1864-1867, by William Starr Myers ... Baltimore, The Johns Hopkins press, 1909.
131 p. 24½cm. (Johns Hopkins university studies in historical and political science. series XXVII, no. 1, 2)

1. Maryland—Pol. & govt.—1865- 2. Maryland—Pol. & govt.—Civil war.

Library of Congress F186.M99 9—7419

MB DCU I
PHC PPL WaS MiU OCl OCU OU ViU GU-L WaU-L OrU ICJ
NM 0922902 DLC PSt Or OKentU CoU NjP MH-L NBuU OFH

Myers, William Starr, 1877-1956.
Socialism and American ideals, by William Starr Myers ... Princeton, Princeton university press; [etc., etc.] 1919.
ix, 89 p. 20cm.
"The following essays originally appeared in the form of articles contributed at various times to the (daily) New York Journal of commerce and commercial bulletin."—Pref.
CONTENTS.—Introduction. Materialism and socialism.—The conflict with the idea of equality of opportunity.—Why socialism appeals to our foreign-born population.—Its conflict with the basic principles of democracy and religion.—Some instances of its practical failure.—The true antidote found in cooperative effort.
1. Socialism. 2. Socialism in the U. S. I. Title.

Library of Congress HX86.M94 19—7231

Or WaSpG
ODW OU ViU NjP ICJ NN MB OKentU OrSaW OrCS OrU
NM 0922903 DLC NcD PSt AU WHi MtU PHC PPL OrP OCl

Myers, William Starr, 1877-1956,ed.

Hoover, Herbert Clark, *pres. U. S.*, 1874-
The state papers and other public writings of Herbert Hoover, collected and edited by William Starr Myers ... Garden City, N. Y., Doubleday, Doran & company, inc., 1934.

Myers, William Starr, 1877-1956,*ed.*
The story of New Jersey; editor, William Starr Myers ... New York, Lewis historical publishing company inc. [1945]
5 v. fronts., illus. (incl. maps) plates, ports., diagrs. 27½cm.
Chapters I-XX of v. 1 were written by the editor.

1. New Jersey—Hist. 2. New Jersey—Indus. 3. New Jersey—Biog.

45-6570

Library of Congress F134.M97
[4] 974.9

NM 0922905 DLC PPT MsSM CU NN ICU PHi PP

Myers, William Starr, 1877-1956.
A study in personality, General George Brinton McClellan, by William Starr Myers ... New York, London, D. Appleton-Century company, incorporated, 1934.
xiii, [1], 520 p. front., ports., maps, facsim. 23cm.

1. McClellan, George Brinton, 1826-1885.

Library of Congress E467.1.M2M8 34-33656
——— Copy 2.
Copyright A 76542 [5] 923.573

OCl OCU OU WaS OrU MB WaU
NM 0922906 DLC DNW DAU ViU MeB MU PPA PSC PU MiU

Pam. Coll. 15058
Myers, William Starr, 1877-1956.
The true Republican record [1929-1933] ... [New York, Printed by The Scribner press, 1939]
28 p. 20cm.

Second printing.
Reprinted from July to November, 1939, issues of Guide, The Women's national political review, published by Women's National Republican club, inc

1. Campaign literature, 1940. Republican. I. Title

NM 0922908 NcD CSt

Myers, William Starr, 1877-1956.
... When doctors disagree, what next? By William Starr Myers ... [New York, Committee of Americans, 1944]
cover-title, 15 p. 21½cm.
At head of title: An analysis of the views on post-war planning of Harry Hopkins, Herbert Hoover, Vice-President Henry A. Wallace, Bernard Baruch, Stuart Chase [and] V. Orval Watts.
Text on p. [3] of cover.

1. Reconstruction (1939-)—U. S. 2. U. S.—Economic policy. I. Committee of Americans. II. Title.

A 45-5176

Harvard univ. Library for Library of Congress [2]

NM 0922909 MH NN CSt-H

Myers, William Starr, 1877-1956,*ed.*
Woodrow Wilson, some Princeton memories [by] George McLean Harper, Robert K. Root, Edward S. Corwin [and others] ... Edited by William Starr Myers. Princeton, Princeton university press, 1946.
vi p., 1 l., 91 p. front. (port.) 20cm.

1. Wilson, Woodrow, pres. U. S., 1856-1924. 2. Princeton university. I. Harper, George McLean, 1863-

E767.M8 923.173 A 47-266

Princeton univ. Library for Library of Congress [20]†

MB FU OrCS WaTC PClvU
ViU Or DLC WaSpG ViU-L AU MnHi TU CoU OrMonO KU
NM 0922910 NjP NcD NcGU CoFS PHi PU PWcS MtU TxU MH

Myers, William Wilshire.
Hotep: a dream of the Nile, by William Wilshire Myers. Cincinnati, The R. Clarke company, 1905.
xv, 356 p. front., 3 pl. 19½cm.

I. Title.

Library of Congress PZ3.M992H 5—38486

NM 0922911 DLC OrU OC

Myers (W[illiam] Wykeham). Observations on filaria sanguinis hominis in south Formosa. 25 pp., 1 ch. 4°. *Shanghai*, 1881.

NM 0922912 DNLM

Myers, William Wykeham.
Report to the Subscribers to the Medical Education Scheme supported by Foreigners... resident in China... to prove the Feasibility of educating and passing Native Surgeons in their own Country in Similar Manner and up to the Average Standard required for Medical Qualifications in Western lands [with photographs] Shanghai, American Presbyterian Mission Press, 1889.
65 p.

NM 0922913 CtY

Myers, Willis Engel, 1866-

Harlan, Henry David, 1858-
The law of domestic relations in Maryland; outline of lectures to the law students of the University of Maryland. By Henry D. Harlan ... Baltimore, Baltimore city printing and binding co., 1909.

VOLUME 403

Myers, Willis Engel, 1866-

Harlan, Henry David, 1858-
Syllabus of the Hon. Henry D. Harlan's lectures on the law of domestic relations. By Willis E. Myers ... Husband and wife, parent and child, guardian and ward, infancy, master and servant. Baltimore, Press of King brothers, 1898.

Myers, Wilmer L
Stim-mem-scheme trade mark, West Virginia. 1939 edition. Correct to 3rd Div. Gen. Ord. no. 832. Dec. 6, 1938 ... Washington, D. C., Published by Wilmer L. Myers, copyright 1939.
iv, 114 p. 28½ x 11½cm.
Mimeographed copy.
"Changes & corrections" laid in.

1. Trade-marks. I. Title.

NM 0922916 ViU

Myers, Winifred R
From a tuned harp. West Los Angeles, Wagon & Star Press [1951]
44 p. 21 cm.
Poems.

I. Title.

PS3525.Y58F7 811.5 52-16425 ‡

NM 0922917 DLC

Myers, Zelda, 1907-
Worship settings [by] Mrs. Salmon C. Myers. Drawings by Robert Schwing. [Cincinnati] Woman's Division of Christian Service, the Board of Missions of the Methodist Church, °1955.
29 p. illus. 20 cm.
Includes bibliography.

1. Christian art and symbolism. I. Title.

BV150.M9 246 55-10388 ‡

NM 0922918 DLC

Myers-Funnell, Rozelle V
76-01 MY479b Harris Collection
A "booklet of verse," by Rozelle V. Myers-Funnell. Ottawa, C.J.A. Birkett, 1897.
25p. 19 cm.
On cover: A jubilee offering.

1. Canadian poetry. I. Title.

NM 0922919 RPB TxU

Myers, *firm, law booksellers, Chicago.*
(1868. *E. B. Myers & co.*)
... Catalogue of law books, including their own publications. Chicago, 1868.
2 p. l., [3]-120, x p. 17cm.

1. Law—Bibl.—Catalogs.

Library of Congress Z6459.Z9M9 '68 7-18319

NM 0922920 DLC

Myers American Ballot Machine Co.
Cfv54 1 1890
An honest ballot freely cast, is the foundation upon which our American republic rests [Rochester, N.Y., 1892?]
24 p. illus. 23 cm.
Cover title.

NM 0922921 CtY

Myers & co., booksellers, London.
... Autograph letters, manuscripts, historical documents, etc., on sale by Myers & co. ... London, Myers & Co., 1918.
cover-title, 54 p. plates (facsims) 25 cm. (No. 219)
1. Autographs- Collections.

NM 0922922 CU

Myers & co., *booksellers, London.*
... A catalogue of a selection of H. B.'s [*i. e.* John Doyle's] political sketches, specially coloured for subcribers [!] and miscellaneous caricatures on important national events. A rare collection illustrating the public life of Pitt and Fox in a folio volume; humorous productions of Bunbury and Rowlandson; and a selection of portraits of remarkable characters. London, Myers & co. [1910]
8 p. 21½cm.
"No. 159. May 1910."
Title within ornamental border containing 6 portraits.
120 items.
Priced.
1. Doyle, John, 1797-1868.

Library of Congress NC1479.D62M9 42-49103

NM 0922923 DLC

Myers & co., booksellers, London.
... Catalogue of books from the library of John Lothrop Motley ...
see under Motley, John Lothrop, 1814-1877.

Myers & co., booksellers, London.
... Catalogue of manuscripts and rare books... no.
London, Myers & co., 1926-36.
7 v. in 3. illus., plates, maps, facsims. 26 cm.
Binder's title. Cover-titles vary.
1. Bibliography - Rare books. 2. Manuscripts-Catalogs.

NM 0922925 CU

Myers & co., booksellers, London.
... Catalogue of scarce & interesting books in all branches of literature, together with a long series of early tracts on marriage, etc...
London, Myers [1929]
cover-title, [2]-60 p. 22cm.

1.Bibliography - Rare books. 2.Marriage - Bibliography.

NM 0922926 NNC

Myers & Co., booksellers, London.
An illustrated catalogue of fine and rare books, illuminated and other manuscripts, early printed books, autograph letters and historical documents and a selection of scarce engraved portraits. London, Myers & Co., [1926].
[2], 90 p. plates, facsims. 25cm. ([Catalogue] no. 251.)

NM 0922927 ICJ NBuU OCl

Myers & Co., booksellers, London.
Illustrated catalogue of illuminated and other manuscripts, rare books, autograph letters & documnets, drawings, &c ... pl. London, Myers & co., 1924.
Catalogue No. 241, 1924.
94p.

NM 0922928 OCl

Z 1012 .Z9 M89
MYERS & CO., booksellers, London.
An illustrated catalogue of manuscripts and rare books, autograph letters and documents, etc....on sale at the moderate prices affixed. London, 1925.
86 p. illus., facsims.

Catalogue no. 246.

1. Bibliography--Rare books. 2. Manuscripts--Catalogs. I. Title.

NM 0922929 InU

Myers & co., booksellers, London.
An illustrated catalogue of illuminated and other manuscripts, rare books, including a number of incunabula, autograph letters and documents ... on sale by Myers & co.
[London, Myers, 1928]
... 76 p.
At head of title-page: No. 263, 1928.

NM 0922930 OCl

Z6525 .M8
Myers & co., booksellers, London.
...An illustrated catalogue of illuminated, literary & historical manuscripts & rare books... on sale by Myers & co. London, Myers & co., 1929.
88p. plates. 25cm.
"No.270."
299 items listed.

1.Catalogs,Booksellers-Gt.Brit. 2.Manuscripts-Catalogs. 3.Bibliography-Rare books.

NM 0922931 NNU-W OCl

Myers & co., booksellers, London.
An illustrated catalogue of illuminated and other manuscripts, incunabula and early printed books ... [1930]
cover-title, 96 p. plates, facsims. (Its Catalogue no. 277, November 1930)

1. Catalogs, Booksellers'. 2. Bibliography - Rare books.

NM 0922932 NNC

Myers & co., booksellers, London.
An illustrated catalogue of rare books ... on sale ... by Myers & co. London, 1917.
cover-title, 46 p. plates, facsims. 25 cm. ([Catalogue] no. 214)
Items on tobacco: nos. 192-194, p. 40-41.
1. Tobacco - Bibl.

NM 0922933 CU

Myers & co., booksellers, London.
An illustrated catalogue of rare books...
London, [Printed by G.R. Plower, 1918].
58 p. pls., facsims. 25 cm.

Purchases of Alfred C. Chapin indicated in manuscript.

NM 0922934 MWiW-C MiU-C

Myers & co., booksellers, London.
...An illustrated catalogue of rare books, illuminated and other manuscripts, autograph letters & documents, engraved portraits, etc.
Lond., Myers & co., 1923.
74p. plates.
Cover-title.
At head of title: No. 236. April, 1923.

NM 0922935 OCl

Myers & co., booksellers, London.
An illustrated catalogue of rare books, manuscripts, autograph letters, historical documents. etc. ... London,Myers & co.,1930.
Q930m
108p. plates,ports.,facsims. 24½cm.
Covers included in pagination.
Catalogue no.274, March, 1930.

NM 0922936 CtY

VOLUME 403

Myers & co., *booksellers, London.*
... An illustrated catalogue of very rare books, choice illuminated manuscripts, important autograph letters (old & modern) etc., recent purchases from private collections now offered for sale at most reasonable prices by Myers & co. ... London. [London, Printed by R. Stockwell, 1933]
124 p. plates, port., facsims. 24½cm.
Catalogue no. 291, March, 1933.
1. Bibliography—Rare books. 2. Illumination of books and manuscripts—Catalogs. 3. Manuscripts—Catalogs.
33-11514
Library of Congress Z1012.Z9M95
[2] 016.09

NM 0922937 DLC WaPS OCl

Myers & co., booksellers, London.
An illustrated catalogue of very rare books from the XVth to the XXth century, including illuminated and other manuscripts, scarce autograph letters, etc. ... London, Author, 1936.
100p. plates, (facsims.)
At head of title-page: No. 310.
Cover-title.

NM 0922938 OCl

Myers & Jeffries, leather dealers. Glasgow, Barren County Ky., 1834-1840.
Known also as Jeffries & Bush.

NM 0922939 KyBgW

NE250 .M9
Myers & Rogers, London.
Catalogue of engraved portraits, comprising many rare mezzotints, stipple and line engravings by Faber, Simon, J. Smith... and others...
London, Myers & Rogers, [1901]

NM 0922940 DLC

Myers & Rogers, *London.*
Catalogue of engraved portraits of noted personages, principally connected with the history, literature, arts and genealogy of Great Britain. With brief biographical notes, and a topographical index ... London, Myers & Rogers, 1903.
4, 196 p. front., 4 ports. 25½cm.
Illus. t.-p.
3-30497

NM 0922941 DLC NN MdBJ PP

Myers & Sneed.
The debt of the city of Memphis. Bondholders' proposition to compromise at 50-4 for five years; after that, 50-6. [Memphis? 188-]
15, 6 p.
Cover serves as title-page.
Signed: Myers & Sneed and Wm. M. Randolph.

NM 0922942 MH

Myers & Wood, *firm, Portland, Me.*
Address. To the friends of the York and Cumberland rail road, who desire its early completion. [Portland, Me., 1857]
cover-title, 8 p. 22cm.
1. York and Cumberland railroad.
A 14-510
Title from Bureau of Railway Economics. Printed by L. C.

NM 0922943 DBRE

... Myers' celebrated improved detergent!
see under Mather Manufacturing Co., Philadelphia.

Myers' centennial calendar
see under Myers, Edward K

Myers collection, New York public library
see New York (City) Public library. Myers collection.

*CS71 M995M9
[Myers family. Buffalo, N. Y., 1933?]
[5] l. 30½cm.
Newspaper clippings placed in scrap book by the Grosvenor Library, Buffalo, N. Y.
1. Myers family.

NM 0922947 NBuG

Myers family chart
see under
Wright, Walter F 1886-

SPECIAL COLL. G 1872 M992
Myers' hall, Portland, Ore.
...Friday evening, November 15, '72, the beautiful and accomplished Miss Edith O'Gorman, the escaped nun...will deliver her startling and thrilling lecture, entitled, Life in a convent...Portland, Ore., A.G. Walling, 1872.
broadside. 30½x15½ cm.
1. O'Gorman, Edith.

NM 0922949 OrU

Myer's Mercantile Advertiser
see Liverpool Mercantile Gazette.

Myers' perpetual calendar and reference book
see under Myers, Edward K

SF917 .M95
Myers' royal spice co., Niagara Falls, N.Y.
Myers' royal spice for horses, cattle, sheep, hogs and poultry...
[Niagara Falls, c1904]

NM 0922952 DLC

The Myers' simple segment system of short story writing
see under Myers, Edwin Eugene.

Myers' tactics. The Templar manual
see The Templar manual.

Myers, William Joseph, & co., firm, Liverpool.
[**Gibbs, Antony, & sons,** *firm, London*]
Peruvian and Bolivian guano: its nature, properties and results. London, J. Ridgway, 1844.

CPA VF 1050
Myerscough, Tom.
The name is Lewis - John L., Czar of the U.M.W.A., servant of the big coal interests, an example of an A.F. of L. leader.
[Pittsburgh, Pa., 1922?]
39 p.
1. Lewis, John Llewellyn, 1880-
2. United Mine Workers of America. I. Title.

NM 0922956 MiEM

Myerscough, Tom.
The name is Lewis - John L.; czar of the U.M.W.A., servant of the big coal interests, an example of an A.F.of L. leader.. [Pittsburgh, 193-?]
40 p. 15 cm.
1.Lewis, John Llewellyn, 1880-
2.United mine workers of America.

NM 0922957 NjP

MYERSCOUGH, TOM.
The name is Lewis—John L., czar of the U.M.W.A., servant of the big coal interests, an example of an A.F. of L. leader, by Tom Myerscough. [Pittsburgh, Pa.: The author, 1931?] 39 p. 15 x 11½cm.
870280A. 1. Lewis, John Llewellyn, 1880- . 2. Trades unions, Coal miners'—U.S.

NM 0922958 NN CU FU

331.092 L587Ym
Myerscough, Tom.
The name is Lewis—John L., czar of the U.M.W.A., servant of the big coal interests; an example of an A.F. of L. leader. [Pittsburgh, Pa., 1933?]
39,[1]p. 15cm.
1. Lewis, John Llewellyn, 1880- 2. United Mine Workers of America. I. Title.

NM 0922959 TxU

Myerscough, Tom.
The name is Lewis - John L., czar of the U. M. W. A., servant of the big coal interests; an example of an A. F. of L. leader ... [Pittsburgh, Pa., The author, 1934?]
39, [1] p. port. 15 cm.
1. Lewis, John Llewellyn, 1880- 2. United mine workers of America.

NM 0922960 RPB

Myerscough, W
... Air navigation simply explained, by W. Myerscough ... London, Sir I. Pitman & sons, ltd. [1942]
40 p. diagrs. 18cm. (Pitman's 'Simply explained' series)
"First edition 1941. Reprinted Jan. 1942."
1. Navigation (Aeronautics) I. Title.
42-51100
Library of Congress TL586.M9
[2] 629.1325

NM 0922961 DLC

Myerscough, W
Maps and elementary meteorology for airmen, by W. Myerscough ... London, Sir I. Pitman & sons, ltd., 1942.
viii, 60 p. illus., fold. charts, diagrs. 18cm.
1. Maps. 2. Meteorology. 3. Navigation (Aeronautics)
43-10587
Library of Congress TL587.M78
[4] 629.13254

NM 0922962 DLC CtY

VOLUME 403

Myerscough, W
Maps and elementary meteorology for airmen, by W. Myerscough ... 2d ed. London, Sir I. Pitman & sons, ltd., 1944.
vi, 74 p. illus., fold. charts, diagrs. 18cm.

1. Maps. 2. Meteorology. 3. Navigation (Aeronautics)
45-3008
Library of Congress TL587.M78 1944
[4] 629.13254

NM 0922963 DLC PP

Myerscough, W.
Rapid navigation tables, by W. Myerscough and W. Hamilton. London, Sir I. Pitman & sons, ltd., 1939.
108, [4] p. illus., ports. (1 col.) 21½cm.
Tables on front lining-paper. "Plotting sheet" in pocket.

1. Navigation (Aeronautics)—Tables. 2. Navigation—Tables. I. Hamilton, W., joint author. II. Title.
40-8100
Library of Congress TL587.M8
[2] 629.132520834

NM 0922964 DLC NcD WaS

Myerscough, W
Rapid navigation tables, by W. Myerscough and W. Hamilton. 2d ed. London, Pitman [1950]
v, 114 p. 30 cm.

1. Navigation (Aeronautics)—Tables. 2. Navigation—Tables. I. Hamilton, W., joint author. II. Title.
TL587.M8 1950 629.13252083 50-13525

NM 0922965 DLC

Myerscough-Walker, Raymond.
Choosing a modern house, by R. Myerscough-Walker, A. R. I. B. A. London, The Studio ltd.; New York, The Studio publications inc. [1939]
14, [2], 80 p. illus. (incl. plans) 25½cm.

1. Architecture, Domestic. I. Title.
[Full name: Herbert Raymond Myerscough-Walker]
40-13340
Library of Congress NA7120.M93
——— Copy 2. [5] 728

OCLND PPD MH WaS Or WaE
NM 0922966 DLC CtY CU NIC CaBVa OClW OCU OLak PSt

Myerscough-Walker, Raymond.
Stage and film décor, by R. Myerscough-Walker, A. A. dipl. With a foreword by Charles B. Cochran. London, Sir I. Pitman & sons, ltd., 1940.
xii, 13-192 p. mounted col. front., illus. (incl. plans) x mounted col. pl. 28½ x 22½ cm.

1. Theaters—Stage-setting and scenery. 2. Moving-pictures—Setting and scenery. I. Title.
[Full name: Herbert Raymond Myerscough-Walker]
A 41—3006
New York. Public Libr. for Library of Congress PN2091.S8M85
[a50m1]† 792

MH Or CLSU DLC OOxM MU PSt OrCS OrU CaBVaU
NM 0922967 NN WaU NcGU TxU NcU IaU CtY OCl OCU OU

Myerscough-Walker, Raymond.
Stage and film décor, by R. Myerscough-Walker, A. A. dipl. With a foreword by Charles B. Cochran. London, Sir I. Pitman & sons, ltd. [1948]
xii, 13-192 p. mounted col. front., illus. (incl. plans) x mounted col. pl. 28½ x 22½ cm.

NM 0922968 ViU

Myersohn, Maxwell, ed.
E806 .R79
Roosevelt, Franklin Delano, Pres. U. S., 1882-1945.
The wit and wisdom of Franklin D. Roosevelt. Edited, with an introd., by Maxwell Meyersohn, with the collaboration of Adele Archer. Boston, Beacon Press, 1950.

MYERSON, ABRAHAM, 1881-1948.
...Critica de la teoria sexual de Freud. Ubicación histórica de S. Freud, por C. Yung. B. Aires: Ediciones Iman, 1934. 49 p. 18cm. (Cuadernos economicos. [no.] 9.)

1. Freud, Sigmund, 1856- . 2. Psychoanalysis. I. Yung, C. G. II. Ser.

NM 0922970 NN

Myerson, Abraham, 1881-1948.
American neurological association. Committee for the investigation of eugenical sterilization.
Eugenical sterilization; a reorientation of the problem, by the Committee of the American neurological association for the investigation of eugenical sterilization: Abraham Myerson, M. D., James B. Ayer, M. D., Tracy J. Putnam, M. D., Clyde E. Keeler, SC. D. [and] Leo Alexander, M. D. New York, The Macmillan company, 1936.

Myerson, Abraham, 1881-1948.
The foundations of personality, by Abraham Myerson, M. D. Boston, Little, Brown, and company, 1921.
3 p. l., 406 p., 1 l. 21cm.

1. Personality. 2. Character. 3. Mind and body. I. Title.
21—20064
Library of Congress BF818.M9

WaTC NN ICJ CU MB
OO OLak PBm PWcS WaWW WaS OrCS OrU Or IdPI WaOB
NM 0922972 DLC NcD NSyU MoU IdU NRCR OrP OCl ODW

MYERSON, Abraham, 1881-1948.
The foundations of personality.
Boston, Little, Brown, 1922.
406 pp. 21 cm.

NM 0922973 MBCo MtU MH MiU OCU OU PPC

Myerson, Abraham, 1881-1948.
The foundations of personality. Boston, Little, Brown, and co., 1926.
406 p. 21 cm.

NM 0922974 MH ICRL WaTC PHC PU PU-PSW OOxM PP

BF 818 M99
Myerson, Abraham, 1881-1948.
The foundations of personality, by Abraham Myerson, M. D. Boston, Little, Brown, and company, 1927.
3 p. l., 406 p., 1 l. 21cm.

NM 0922975 NIC OCU

Myerson, Abraham, 1881-1948.
The German Jew, his share in modern culture [by] Abraham Myerson ... and Isaac Goldberg ... New York, A. A. Knopf, 1933.
xii p., 2 l., [3]-161, ix, [1] p. 19½cm.
"First edition."

1. Jews in Germany. 2. Jews—Civilization. 3. Jewish question. I. Goldberg, Isaac, 1887- joint author. II. Title.
33-14309
Library of Congress DS135.G3M9
——— Copy 2.
Copyright A 61962 [5] 296

OCl OCH OO PBm Or OrP
NM 0922976 DLC CU CoU NcD NN PSt DAU InU MiU MB

Myerson, Abraham, 1881-1948.
The inheritance of mental diseases, by Abraham Myerson ... Baltimore, Williams & Wilkins company, 1925.
336 p. diagrs. 23½cm.
Bibliography: p. 321-330.

1. Insanity. 2. Heredity of disease. I. Title.
25—6226
Library of Congress RC602.M9

DNLM
OCl OCU ViU PPC PHC Or OrU-M PU-PSW ICJ MB WaU OrU
NM 0922977 DLC NcRS ICRL MU NIC MtU WaWW OrCS MiU

Myerson, Abraham, 1881-1948. *3766.137
Mental hygiene.
(In Rosenau, Milton J. Preventive medicine and hygiene. Pp. 433-451. Tables. New York. 1927.)

D4894 — Mental hygiene.

NM 0922978 MB

Myerson, Abraham, 1881-1948.
The nervous housewife, by Abraham Myerson, M. D. Boston, Little, Brown, and company, 1920.
3 p. l., 273 p. 21cm.

1. Woman. 2. Woman—Health and hygiene. 3. Nervous system—Diseases. 4. Neurasthenia. I. Title.
20—21011
Library of Congress RC351.M83

OU ICJ NN WaU PSt WaE MtU OrCS Or OrMonO PPD
NM 0922979 DLC NcD OLak MCR KEmT DNLM MiU OCl ODW

Myerson, Abraham, 1881-1948.
The nervous housewife. Boston: Little, Brown, and Co., 1926. 273 p. 8°.

1. Nervous system—Diseases. 2. Women—Health and hygiene. 3. Title.
N. Y. P. L. December 12, 1927

NM 0922980 NN OrPR PP

Myerson, Abraham, 1881-1948.
The nervous housewife. Boston, Little, Brown, and Co., 1927.
273p.

NM 0922981 ICRL MtBC

RC351 .M83 1929
Myerson, Abraham, 1881-1948.
The nervous housewife, by Abraham Myerson, M. D. Boston, Little, Brown, and company, 1929 [c1920]
3 p. l., 273 p. 21cm.

NM 0922982 OrPS

Myerson, Abraham, 1881-1948.
The "nervousness" of the Jew. 1920.
(National committee for mental hygiene, New York. Reprints. #75)

NM 0922983 OrCS

Myerson, Abraham, 1881-1948, FOR OTHER EDITIONS SEE MAIN ENTRY
RA425 .R78 1940
Rosenau, Milton Joseph, 1869-1946.
Preventive medicine and hygiene, by Milton J. Rosenau ... With chapters upon mental hygiene, by Abraham Myerson, sewage and garbage, by Gordon M. Fair, vital statistics, by John W. Trask, statistical methods, by Carl R. Doering, conservation of vision, by J. Herbert Waite, contraception, by Eric M. Matsner. 6th ed. New York, London, D. Appleton-Century company incorporated [c1940]

VOLUME 403

Myerson, Abraham, 1881-1948.
The psychology of mental disorders, by Abraham Myerson, M. D. New York, The Macmillan company, 1927.
vii p., 1 l., 135 p. 17½cm.

1. Psychology. Pathological. 2. Insanity. I. Title.

Library of Congress RC602.M93 27-12883

PU-PSW ICJ NN MB WaU
OCU OU OrSaW MtU IdU-SB Or OrCS CaBVaU WaTC DNLM
NM 0922985 DLC NcD MsSM WU MU NIC PHC PPGi MiU OCl

Myerson, Abraham, 1881-1948.
Results of the Swift-Ellis intradural method of treatment in general paresis. Boston, 1914.

NM 0922986 PP

RA790 .S6

Myerson, Abraham, 1881-1948.

Social aspects of mental hygiene; addresses by Frankwood E. Williams, C. Macfie Campbell, Abraham Myerson, Arnold Gesell, Walter E. Fernald, Jessie Taft, with a foreword by James Rowland Angell and an introduction by Maurice R. Davie. New Haven, Yale university press; [etc., etc.] 1925.

Myerson, Abraham, 1881-1948.
... Social psychology, by Abraham Myerson ... New York, Prentice-Hall, inc., 1934.
xv, 640 p. 21 cm. (Prentice-Hall psychology series)
"Both the visceral-organic and the sociological bases of social psychology are here given the emphasis they deserve."—Pref.
Bibliography at end of each chapter.

1. Social psychology. 2. Mind and body.

HM251.M9 301.15 34—2399

TU OrAshS OrMonO IdPI
WaU ODW NIC MtU KEmT IdU OrPR OrP CaBVaU WaWW OrCS
NM 0922988 DLC NcD NcRS OCl OOxM OU ViU MB NN PSC PU

Myerson, Abraham, 1881-1948.
Speaking of man. [1st ed.] New York, Knopf, 1950.
vii, 270 p. 22 cm.

I. Title.

R154.M97A3 926.1 50-14341

WaT PPsKF
CaBVa NIC OCU DNLM CaBViP IdB Or OrP WaE Wa WaS
NM 0922989 DLC InU NcRS MH-AH NN LyLx MH ViU TU MB

Myerson, Abraham, 1881-1948.
Speaking of man. London, Secker and Warburg, 1952 [c1950]
255 p. 21 cm.

I. Title.

R154.M97A3 1952 926.1 53-23231 ‡

NM 0922990 DLC KEmT OClJC PU

Myerson, Abraham, 1881-1948.
The terrible Jews, by one of them, Dr. Abraham Myerson ... Boston, Mass., The Jewish advocate publishing company, 1922.
64 p. 18½cm.

1. Jewish question. I. Title.
Library of Congress DS145.M9 22-5460

NM 0922991 DLC NN OCH PPDrop

Myerson, Abraham, 1881-1948.
... When life loses its zest, by Abraham Myerson ... Boston, Little, Brown, and company, 1925.
xix, 218 p., 1 l. 19cm. (Mind and health series, ed. by H. A. Bruce) $1.75

1. Mental physiology and hygiene. I. Title.

Library of Congress RA790.M9 25—4467

PPGi PPFr ICJ NN MB
NM 0922992 DLC NcC KU-M MU WaS Or OrU MiU OCU OLak

Myerson, Dorothy.
... Homemaker's handbook; an economical standard practice manual for the cook and housekeeper. New York, London, Whittlesey house, McGraw-Hill book company, inc. [c1935]
xi, 566 p. illus., pl. 23½cm.
Includes blank pages for "Additional recipes".
Bibliography: p. 531-534.

1. Domestic economy. 2. Cookery, American. I. Title.

Library of Congress TX145.M88 35-9219
—— —— Copy 2.
Copyright A 83855 [8] 640

OCl OEac MB NN OClh
NM 0922993 DLC WaSp WaE IdU WaS CaBVaU PP PPD Or

Myerson, Dorothy.
... Homemaker's handbook; an economical standard practice manual for the cook and housekeeper. New York, Garden City publishing co., inc. [1939]
xi, 3-566 p. illus., plates. 22cm.
Includes blank pages for "Additional recipes".
Bibliography: p. 531-534.

1. Domestic economy. 2. Cookery, American. I. Title.

Library of Congress TX145.M88 1939 39-27119
—— —— Copy 2. [5] 640

NM 0922994 DLC WU NcRS Wa OrCS CaBViP

MYERSON, Mrs. Edith (Small).
The Catholic requiem; the relation between art and religion as treated by Mozart, Berlioz, Verdi, Fauré.

Typewritten. 29 x 23 cm.
Honors thesis - Radcliffe College, 1942.

NM 0922995 MH

Myerson, Golda.
A report from Palestine. New York, Council of Jewish Federations and Welfare Funds, 1948.

At head of title.: Assembly Papers.

I. Council of Jewish Federations and Welfare Funds - General Assembly, II. ti.

NM 0922996 OCH

Myerson, Mervin Carueth, 1891-
Tuberculosis of the ear, nose, and throat; including the larynx, the trachea, and the bronchi, by Mervin C. Myerson ... Springfield, Ill., Baltimore, Md., C. C. Thomas, 1944.
ix, 291 p., 1 l. 23½ cm.
"First edition, first printing."
Includes bibliographies.

1. Ear—Tuberculosis. 2. Nose—Tuberculosis. 3. Throat—Tuberculosis.

RF91.M9 616.995 S G 44—115
U. S. National Library for Library of Congress of Medicine [a59h½]†

NM 0922997 DNLM PPC PPJ OU ViU DLC NcD ICJ OrU-M

Myerson, Moses Hyman, 1893-
Germany's war crimes and punishment, the problems of individual and collective criminality, by M. H. Myerson ... Toronto, The Macmillan company of Canada limited, 1944.
x p., 2 l., 272 p. 20 cm.

1. World war, 1939-1945—Atrocities. 2. War crimes. I. Title.

D804.G4M9 940.54056 45—5548

TU TxU NIC ViU WaS OCU CaBVaU
NM 0922998 DLC OrU WaTC CaBVa NcU CaBViP ViU-L MB

Myerson's American family magazine. [A monthly journal for the home] v. 1-3, June 1905-May 1906. St. Louis, S. F. Myerson printing co. [etc.] 1905-06.
3 v. in 1. illus. (incl. ports.) 40cm. monthly.
From June to Sept. 1905 title reads: The American family magazine.
M. A. Aldrich, editor, Sept. 1905-May 1906.
No more published.

I. Aldrich, M. A., ed.

Library of Congress AP2.M96 8-4137†

NM 0922999 DLC

Myerstown, Pa. Albright college
see
Albright college, *Reading, Pa.*

Myerstown, Pa. Albright collegiate institute
see
Albright college, *Reading, Pa.*

Myerstown, Pa. Convention of Ministers and Laymen belonging to the German Reformed Church
see Convention of Ministers and Laymen Belonging to the German Reformed Church, Myerstown, Pa., 1867.

Myerstown, Pa. Palatinate college
see Palatinate college, Myerstown, Pa.

[Myevre.]
Dissertation sur les suites de la découverte de l'Amérique, qui a obtenu en 1785 une mention honorable de l'Académie des sciences, arts & belles-lettres de Lyon. Revue & corrigée pour le concours de l'année 1787, sous l'emblême d'un navire avec ces mots: Orbem conjungit utrumque. Par un citoyen, ancien syndic de la Chambre du commerce de Lyon. [Paris?] 1787. 140 p. illus. 8°.
With bookplate of Museo del Montino.

FORD COLLECTION

1. America—Discovery.
N. Y. P. L. March 26, 1928

NM 0923004 NN OCl

Myèvre, Alexandre.
Katalog der Bibliothek des verstorbenen Herrn Prof. Dr. Alexandre Myèvre. Nice, J. Myèvre, [1908?].
[2], 423, 15 leaves. 33cm.
Carbon copy with manuscript title.

NM 0923005 ICJ

Myevre (Jean-Baptiste-Louis). * Dissertation sur l'hydropisie ascite et l'emploi des purgatifs dans cette maladie. 17 pp. 8°. *Montpellier, G. Izar & A. Ricard, an XII* [1804].

NM 0923006 DNLM

VOLUME 403

Myfanwy Meirion, bardic name
see Jones, Margaret, called Myfanwy Meirion.

Myffant (Guillelmus). * Quæstio med.: An aër spiritu ductus sanguinem fermentet? 5 pp. 4°. *Cadomi. A. Cavelier.* 1711. [P., v. 1218.]

NM 0923008 DNLM

Y MYFYR, pseud.

see JOSEPH, W. B. ,called y Myfyr.

Myfyr, Owain, 1741-1814
see Jones, Owen, 1741-1814.

Myfyr Arthen, pseud.
see Davies, J J called Myfyr Arthen.

Myfyr Hevin, pseud.
see Bowen, David, 1875-

Myfyr Emlyn, properly Benjamin Thomas.
see Thomas, Benjamin, called Myfyr Emlyn, 1836-1893.

Myfyr Morganwg, properly Evan Davies
see Davies, Evan, called Myfyr Morganwg, 1810-1888.

Myfyrdod mewn mynwent
see under [Gray, Thomas] 1716-1771.

The Myfyrian archaiology of Wales,
see under Jones, Owen 1741-1814, ed.

MYFYRION a chaneuon Maes y Tân. Gan Dyfnallt. Caerfyrddin, W. M. Evan a'i Fab., 1917.

pp.92.

NM 0923017 MH

Mygatt, Emmie D

Rim-rocked, a story of the new West. Decorations by Peter B. Andrews. [1st ed.] New York, Longmans, Green, 1952.

215 p. illus. 21 cm.

I. Title.

PZ7.M993Ri 52-5639 ‡

NM 0923018 DLC Or

Mygatt, Emmie D

Stand by for danger. [1st ed.] New York, Longmans, Green, 1954.

186 p. illus. 21 cm.

I. Title.

PZ7.M993St 54-5792 ‡

NM 0923019 DLC CaBVa Or OEac PP

Mygatt, Frederick Thomas, *b.* 1811.

A historical notice of Joseph Mygatt, one of the early colonists of Cambridge, Mass., and afterward one of the first settlers of Hartford, Conn.; with a record of his descendants. By Frederick T. Mygatt ... Brooklyn N. Y., Printed by the Harmonial association, 1853.

116 p. 25½cm.

1. Mygatt, Joseph, 1596-1680. 2. Mygatt family (Joseph Mygatt, 1596-1680)

Library of Congress CS71.M996 1853 3—7929

NM 0923020 DLC OCl MB MWA

Mygatt, Gerald, 1887-

Nightmare, by Gerald Mygatt. Philadelphia, The Penn publishing company [©1929]

312 p. 19½cm.

I. Title.

Library of Congress PZ3.M9927Ni 29-2612

NM 0923021 DLC OrU

[**Mygatt, Gerald**] 1887- *comp.*

Soldiers' and sailors' prayer book. A non-sectarian collection of the finest prayers of the Protestant, Catholic and Jewish faiths, for the men and women of the United States army, the United States navy, the United States Marine corps, the United States Coast guard, the United States maritime service ... [New York, A. A. Knopf, 1944]

126, [2] p. 15½ x 12cm.

"Compiled by Gerald Mygatt ... and Chaplain (Lieutenant Colonel) Henry Darlington."

"First edition."

1. Soldiers—Prayer-books and devotions—English. I. Darlington, Henry, 1889- joint comp. II. Title.

Library of Congress BV273.M9 44-3297

[8] 264.1

NM 0923022 DLC FU TxU WaS WaT ViU OO PPPD

Mygatt, Gerald, 1887-

The truth about the Panama canal. [New York, 1910.]

1005-1030 p. illus. 8°.

Excerpt: Columbian magazine. May, 1910.

1. Canals (Interoceanic), America: Panama.

N. Y. P. L. September 25, 1912.

NM 0923023 NN

Mygatt, John Tracy.

What I do not know of farming, by John Tracy Mygatt. New York, Broadway publishing company [©1908]

3 p. l., 37 p. 20½cm.

I. Title.

Library of Congress PZ3.M993W 8—27362

NM 0923024 DLC

Mygatt, Mrs. Mary Stevens (Dickinson).

Dickinson, Daniel Stevens, 1800-1866.

Speeches, correspondence, etc., of the late Daniel S. Dickinson, of New York. Including: addresses on important public topics; speeches in the state and United States Senate, and in support of the government during the rebellion; correspondence, private and political (collected and arranged by Mrs. Dickinson), poems (collected and arranged by Mrs. Mygatt), etc. Ed., with a biography, by his brother, John R. Dickinson ... New York, G. P. Putnam & sons, 1867.

Mygatt, Tracy Dickinson.

Armor of light, by Tracy D. Mygatt [and] Frances Witherspoon. New York, H. Holt and company [©1930]

xi p., 2 l., 3-273 p. 19½cm.

I. Witherspoon, Frances, joint author. II. Title.

Library of Congress PZ3.M9934Ar 30-8787

NM 0923026 DLC MBrZ NRCR PU OCl NN

Mygatt, Tracy Dickinson.

Bird's nest, a fantasy in one act, by Tracy D. Mygatt ... Boston, Walter H. Baker company, 1922.

3 p. l., 32 p. 18½cm. (*On cover:* Baker's royalty plays)

Without the music (by Stanley Muschamp)

I. Muschamp, Stanley Cooper, jr. II. Title.

Library of Congress PS3525.Y6B5 1922 34-28871

Copyright D 60630 812.5

NM 0923027 DLC OCl

Mygatt, Tracy Dickinson.

Children of Israel, a play in three acts, by Tracy D. Mygatt ... with an introduction by Clara Fitch. New York, George H. Doran company [©1922]

x p., 2 l., 15-92 p. 19½cm. (The Drama league series)

I. Title.

Library of Congress PS3525.Y6C5 1922 22-15488

NM 0923028 DLC WaS OCH OCl ODW PBa PV NN

Mygatt, Tracy Dickinson.

Friendly-kingdom. N. Y., Womans press, ©1921.

[24] p.

Cover-title.

Typewritten copy, duplicated.

Text runs parallel with back of cover.

"A pageant-play for girl reserves."

NM 0923029 MiD

Mygatt, Tracy Dickinson.

The glorious company; lives and legends of the twelve and St. Paul, by Tracy D. Mygatt, Frances Witherspoon, with drawings by Charles O. Naef. New York, Harcourt, Brace and company [©1928]

xii p., 2 l., 3-343 p. incl. front., plates. 21cm.

"Notes": p. 325-343.

1. Apostles. I. Witherspoon, Frances, joint author. II. Title.

Library of Congress BS2440.M8 28-8355

WaS OrU ViU PU MB NN PP

NM 0923030 DLC MBrZ Or NcC MH-AH CU NIC MtU OrSaW

Mygatt, Tracy Dickinson.

Good Friday; a passion play of now, by Tracy D. Mygatt ... with an introduction by John Haynes Holmes. [New York, ©1919]

1 p. l., 5-52 p. 17½cm.

"Deals with one of the most highly controverted questions of the great war—that of the so-called 'conscientious objector'."—Introd.

I. Title.

Library of Congress PS3525.Y6G6 1919 19—10442

PU MB

NM 0923031 DLC MiU MtU IdU Or OrU CtY OCl OO PBm

Mygatt, Tracy Dickinson.

Grandmother Rocker, a costume play in one act, by Tracy D. Mygatt ... Boston, Walter H. Baker company, 1922.

2 p. l., 32 p. 18½cm. (*On cover:* Baker's edition of plays)

I. Title.

Library of Congress PS3525.Y6G7 1922 34-28872

Copyright D 60629 812.5

NM 0923032 DLC OU OCl OClh OLak

VOLUME 403

Mygatt, Tracy Dickinson.
His son; a play in one act, by Tracy D. Mygatt.
(*In* Poet lore. Boston, 1928. 25½cm. vol. XXXIX [no. 4] p. 605–631)

I. Title.

C D 30-45

Library of Congress (Card Division) PN2.P7 vol. 39

NM 0923033 DLC OCl MB MH

Mygatt, Tracy Dickinson.
Julia Newberry's sketch book; or, The life of two future old maids, by Tracy D. Mygatt. New York, W. W. Norton & company, inc. [c1934]
x, 101, [1] p., 1 l. 18 pl. (1 double) facsim. 15½ x 23½cm.
Descriptive letterpress on versos facing the plates.
"First edition."

1. Newberry, Julia Rosa, 1853–1876. 2. Mygatt, Mrs. Minnie (Clapp) 1854?– I. Title.

34-27022

Library of Congress CT275.N46M8
——— Copy 2.
Copyright A 70224 [5-5] 920.7

NM 0923034 DLC WaS NcC PSt CU WaSp Or PBm PP PPPL OCl OO OClh WaE NN

Mygatt, Tracy Dickinson.
"The new star"... New York [n.d.] 14 f. 29cm.

Typescript.

1. Drama, American. I. Title.

NM 0923035 NN

Mygatt, Tracy Dickinson.
The noose. A play in one act.
(*In* The Drama. Vol. 20, pp. 42–48. New York. 1930.)

D2703 — T.r.

NM 0923036 MB NN

PS3525 .Y5 1922 Atkinson Coll.
Mygatt, Tracy Dickinson.
[Plays in the Atkinson collection] Boston, 1922.
2v. 19cm.

NM 0923037 ICU

Mygatt, Tracy Dickinson.
The sword of the samurai. [Religious drama.]
(*In* Federal Council of the Churches of Christ in America. Religious dramas. Vol. 2, pp. 67–132. New York. 1926.)
The hero is converted to Christianity.

D2583 — T.r.

NM 0923038 MB NN

Mygatt, Tracy Dickinson.
Watchfires, a play in four acts, by Tracy D. Mygatt, with an introduction by David Starr Jordan. New York, 1917.
50 p. 20½cm.

1. War. I. Title.

17-12599

Library of Congress PS3525.Y6W3 1917

NM 0923039 DLC NcRS MB OrU RPB NRCR PHC

Mygatt, Wallace.
Some account of the first settlement of Kenosha. By Wallace Mygatt.
(*In* Wisconsin. State historical society. Annual report and collections ... 1856. Madison, 1857. 21½cm. v. 3, p. [395]–420)

1. Kenosha, Wis.—Hist.

20-4659

Library of Congress F576.W81 vol. 3

NM 0923040 DLC UU

La 917.63 M47d 1857
Mygatt & co.'s directory [for 1857] W.H. Rainey, compiler. New Orleans, L. Pessou & B. Simon, lithographers, 1857.
188p. 23cm.

1. New Orleans--Directories. I. Rainey, W H comp.

NM 0923041 LU NcD MH

MYGDAL, Elna, 1868-
Amagerdragter vaevninger og syninger. I. halv-bind. København, Det Schønbergske forlag, 1930.

1.8°. Illustr.
Cover serves as title-page.
"Danmarks folkeminder, 37¹."

NM 0923042 MH

Mygdal, Elna, 1868–
... Amagerdragter, vævninger og syninger. Med 14 farvetrykte plancher, 6 plancher i sort tryk og 266 illustrationer i teksten, samt et résumé paa tysk. København, Det Schønbergske forlag, 1932.
4 p. l., 298, [1] p. illus., xx pl. (14 col.) 29cm. (Danmarks folkeminder, nr. 37)
CONTENTS.—Hollandske Amageres dragter i det 19. aarhundrede.—Hollandske Amageres dragter, historisk oversigt.—Danske Amageres dragter i det 19. aarhundrede.—Danske Amageres dragter, historisk oversigt.—Amager vævninger.—Amagersyninger paa lærred.

1. Costume—Denmark—Amager. 2. Weaving—Amager. 3. Needlework. I. Title.

A C 33-7

Illinois. Univ. Library for Library of Congress [a40c1]

NM 0923043 IU CU NcD NIC OCl

Mygdal, Niels Peter Madsen, 1835-1913
see Madsen-Mygdal, Niels Peter, 1835-1913.

Mygdal, Niels Peter Madsen-, 1909-
see
Madsen-Mygdal, Niels Peter, 1909-

Mygdal, Thomas Madsen-
see
Madsen-Mygdal, Thomas, 1876- 1943.

Mygge, Johannes, 1850–1935.
... Étude sur l'écolsion épidémique de l'influenza, par Johs. Mygge. Copenhague, Levin & Munksgaard, 1930.
cover-title, 145 p. v fold. tab., diagrs. 24 cm. (Acta medica scandinavica. Supplementum XXXII)
"Index bibliographique": p. [138]–145.

1. Influenza. 2. Epidemics.
Full name: Lauritz Johannes Mygge.

A C 33-2175

John Crerar Library for Library of Congress [a49c1]

NM 0923046 ICJ CtY PPC OU PU

Mygge, Johannes, 1850–1935.
Om ægteskaber mellem blodbeslægtede, med specielt hensyn til deres betydning for døvstumhedens ætiologi, af Johannes Mygge ... Kjøbenhavn, I kommission hos V. Tryde, 1879.
xiii, 289 p. 20cm.
Thesis—Copenhagen.
"Litteratur-fortegnelse": p. 281–289.

1. Consanguinity. 2. Deaf and dumb. I. Title: Ægteskaber mellem blodbeslægtede.
[*Full name:* Lauritz Johannes Mygge]

36-33189

Library of Congress HV4981.M85 1879
[2] 575.133

NM 0923047 DLC DNLM CtY ICRL NN

Mygge, Johannes, 1850-1935.
Om den saakaldte alkaliske uringjæring og dens forhold til blærebetændelsen; en kritisk undersøgelse, af Johannes Mygge ... Kjøbenhavn, Gyldendalske boghandels forlag (F. Hegel & søn), 1889.
[2], 80 p. 24cm.

NM 0923048 ICJ DNLM

WN M996r 1899
MYGGE, Johannes, 1850-1935.
Röntgen straalernes anvendelse i lægevidenskaben og deres betydning for samme. Kjøbenhavn, Hagerup, 1899.
127 p. illus.

NM 0923049 DNLM

WM 11 M996s 1917
MYGGE, Johannes, 1850-1935.
Sjælebehandling indenfor Lægekunst i Fortid og Nutid, almenfattelig fremstillet. København, Hagerup [1917]
252 p.

NM 0923050 DNLM

Mygge, Lauritz Johannes
see
Mygge, Johannes, 1850–1935.

Mygind, Carolus Valentinus.
De cephalaematomate neonatorum.
Inaug. diss. Kiel, 1841

NM 0923052 ICRL

Mygind, Eduard.
Syrien und die türkische Mekkapilgerbahn. Ein beitrag zur kenntnis des landes und der bedeutung der bahn. Von Eduard Mygind. Halle a. S., Gebauer-Schwetschke, 1906.
1 p. l., iv, 76 p. fold. map. 24cm. (*Added t.-p.:* Angewandte geographie ... Redaktion: Prof. dr. Karl Dove ... II. ser., 11. hft.)
"Quellenverzeichnis": p. 76.

1. Hejaz railroad. 2. Syria. 3. Railroads—Syria. I. Title.

7-15905

Library of Congress DS94.M8

NM 0923053 DLC NN CU CtY ICJ

Mygind, Eduard. *5017.38.5
Syrien und die türkische Mekkapilgerbahn.
(In Beiträge zur Kenntnis des Orients. Band 5, pp. 1–76. Map. Halle. 1908.)

K5881 — Syria. R.Rs. — Turkey. R.Rs.

NM 0923054 MB

VOLUME 403

Mygind, Eduard.
Vom Bosporus zum Sinai. Erinnerungen an die Einweihung der Hamidié-Pilgerbahn des Hedjas (Teilstrecke Damaskus—Ma'an). — Leipzig. Keil. 1905. (5), 93 pp. Illus. Portraits. Plates. Map. Profile. 8°.

F9067 — Hejaz Railroad. — Syria. Geog. — T.r.

NM 0923055 MB NjP IU NN CSt-H

QH 43 A3 1897a
Mygind, Ferenc, 1710-1789.
Observationes critico-botanicae, seu epistolae ad Linnaeum scriptae. E genuinis, quae Londini apud "Societatem Linneanam" asservantur, manuscriptis descriptas exhibuit Carolus de Flatt. Wien, A. Hölder, 1897.
48 p.
At head of title: Francisci a Mygind...
LINNÉ, CARL VON, 1707-1778--LETTERS
Flatt, Carl de
t

NM 0923056 KMK

Mygind, H J
Det store tidens tegn jødefolket. København, O. Lohse, 1945. 66 p. 20cm.

1. Jewish question.
N. Y. P. L. August 23, 1950

NM 0923057 NN

Mygind, Holger Peter Theodor, 1855-1928.
Die angeborene taubheit. Beitrag zur aetiologie und pathogenese der taubstummheit. Von dr. med. Holger Mygind ... Berlin, A. Hirschwald, 1890.
4 p. l., 119 p. 23cm.
"Literaturverzeichniss": p. [112]-119.

1. Deafness.

18-23017

Library of Congress RF290.M85

NM 0923058 DLC DNLM PPJ

Mygind, Holger Peter Theodor, 1855-1928.
.... Badene i de pompejanske privathuse, af Holger Mygind.
158112 København, V. Pio, 1924.
97 p. illus., plans, diagrs. 21½cm. (Studier fra sprog- og oldtidsforskning udgivne af det Filologisk-historiske samfund, nr. 132.)

NM 0923059 ICJ NN CU MH ICU MiU

WVA M996d 1894a
MYGIND, Holger Peter Theodor, 1855-1928.
Deaf-mutism. London, Rebman, 1894.
vii, 300 p.
Translation of Døvstumhed, særligt i Danmark.

NM 0923060 DNLM ICJ ICRL MoSU MnU OU

WVA M996d 1893
MYGIND, Holger Peter Theodor, 1855-1928.
Døvstumhed, særligt i Danmark. Kjøbenhavn, Høst, 1893.
226 p.

NM 0923061 DNLM

Mygind, Holger Peter Theodor, 1855-1928.
Festskrift til Professor Holger Mygind, 1. Januar 1898-1923.
see under title

DG70 .P7M97
Mygind, Holger Peter Theodor, 1855-1928.
Hygiejniske forhold i oldtidens Pompeji. København, H. Koppel, 1918.
141 p. illus., fold. plan.
"Udgivet af Dansk medicinsk-historisk selskab".
--p. [2]
Elaboration of an article published under the same title in Ugeskrift for laeger, 1911. cf. p. [5]
Bibliographical foot-notes.

1. Pompeii--Sanitary affairs.

NM 0923063 ICU CU MiU

WV M996k 1900
MYGIND, Holger Peter Theodor, 1855-1928.
Kortfattet fremstilling af de øverste luftvejes sygdomme. Kjøbenhavn, Det Nordiske forlag, 1900.
xi, 206 p. illus

NM 0923064 DNLM

WV M996k 1908
MYGIND, Holger Peter Theodor, 1855-1928.
Kortfattet fremstilling af de øverste luftvejes sygdomme. 2. udg. [København] Gyldendal, 1908.
xi, 230 p. illus.

NM 0923065 DNLM

WV M996k 1901
MYGIND, Holger Peter Theodor, 1855-1928.
Kurzes Lehrbuch der Krankheiten der oberen Luftwege. Berlin, Coblentz, 1901.
xi, 252 p. illus.
Translation of Kortfattet fremstilling af de øverste luftvejes sygdomme.

NM 0923066 DNLM

WVA M996m 1889
MYGIND, Holger Peter Theodor, 1855-1928.
Den medfødte døvhed; et Bidrag til Døvstumhedens Aetiologi og Pathogenese. Kjøbenhavn, Gyldendal, 1889.
137 p.

NM 0923067 DNLM

Mygind, Holger Peter Theodor, 1855-1928.
... De nye udgravninger i Pompei, af Holger Mygind. København, V. Pios boghandel--P. Branner, 1928.
85 p. illus. 21½cm. (Studier fra sprog- og oldtidsforskning, udgivne af det Filologisk-historiske samfund, nr. 148)

1. Pompeii--Antiq.

NM 0923068 MiU ICU NN MH CU

Mygind, Holger Peter Theodor, 1855-1928.
Om jodoformens anvendelse til sårbehandling. ... Kjøbenhavn, 1883.
Inaug. Diss. - Kjøbenhavn, 1883.
Litteraturfortegnelse.

NM 0923069 ICRL DNLM

Mygind, Holger Peter Theodor, 1855-1928.
... Pompeji. [København] Gyldendal, 1923.
3 p. l., 137, [1] p. illus., fold. plan. 20cm.
At head of title: Holger Mygind.

1. Pompeii. I. Title.

Library of Congress DG70.P7M9 24-7535

NM 0923070 DLC

Mygind, Holger Peter Theodor, 1855-1928.
... Pompejis undergang, af Holger Mygind. København, V. Pios boghandel--P. Branner, 1920.
67 p. 21½cm. (Studier fra sprog- og oldtidsforskning, udgivne af det Filologisk-historiske samfund. nr. 117)
Bibliographical foot-notes.

1. Pompeii--Antiq.
DG70.P7M992 1920

NM 0923071 MiU ICU CU MH

Mygind, Holger Peter Theodor, 1855-1928.
... Pompejis vandforsyning. København, V. Tryde, 1916.
82 p. illus., fold. plan. 20½cm. (Half-title: Medicinsk-historiske smaaskrifter, ved Vilhelm Maar. 15)
Bibliographical foot-notes.

1. Pompeii--Water supply.
DG70.P74W3M99

NM 0923072 MiU

Mygind, Holger Peter Theodor, 1855-1928.
——. Sæby Jærnvand, et Bidrag til Bedømmelsen af dets Egenskaber og til Oplysning om nogle Betingelser for en dansk Jærnvandskuranstalts Anlæggelse her. [The iron waters of Sæby; contribution to define its qualities and to the explanation of some conditions for the establishment of a water-cure there.] 72 pp., 1 pl. 8°. *Kjøbenhavn, B. Lunos Kgl. Hof-Bogtr.*, 1887.
Suppl. to: Ugesk. f. Læger, Kjøbenh., 1887, 4. R., xvi, No. 30.

NM 0923073 DNLM

Mygind, Holger Peter Theodor, 1855-1928.
Taubstummheit, von dr. med. Holger Mygind ... Berlin und Leipzig, O. Coblentz, 1894.
vii, 278 p. incl tables. 24cm.
"Literaturverzeichnis": p. [265]-278.

1. Deaf and dumb.

18-17605

Library of Congress RF320.M8

NM 0923074 DLC DNLM CtY OU

Mygind, Jørgen.
Studier over træbrand, med særlig henblik paa eksperimentelle undersøgelser vedrørende forbrænding af fyrretræ, af Jørgen Mygind. København, J. Jørgensen & co., 1951. 153 p. illus. 25cm.
"Resume" in English.
"Litteraturfortegnelse," p. 153.

1. Wood—Combustion.

NM 0923075 NN

Mygind, Sidney Holger, 1884-
Further labyrinthine studies. Helsingfors, 1948.
80 p. illus., diagrs. 23 cm. (Acta oto-laryngologica. Supplementum 68)
"From the Ear Clinic of the Kommune hospital, Copenhagen."
"Translated by Dr. Hans Andersen."
"References": p. 49-50, 79-80.

1. Ear—Diseases. 2. Labyrinth (Ear) I. Andersen, Hans, 1880- tr. (Series)

A 49-1324*

John Crerar Library for Library of Congress [3]

NM 0923076 ICJ ViU MoU

VOLUME 403

Mygind, Sidney Holger, 1884–
Static function of the labyrinth; attempt at a synthesis. Introduction to the discussion on the vestibular apparatus at the meeting of the Collegium Otolaryngologicum in Copenhagen, September 1948. ₍København, 1948₎
114 p. illus., diagrs. 23 cm. (Acta oto-laryngologica. Supplementum 70)
Translated from Danish by Hans Andersen.
"References": p. 107–114.
1. Equilibrium (Physiology) 2. Labyrinth (Ear) (Series)
A 55–3458
John Crerar Library for Library of Congress ₍2₎

NM 0923077 ICJ ViU ICU MoU DNLM

WV 258 M996s 1934
MYGIND, Sidney Holger, 1884-
Les syndromes meniériques ₍par₎ S. H. Mygind et Dida Dederding. Paris, Presses universitaires de France, 1934.
273 p. illus. (Monographies oto-rhino-laryngologiques internationales, no. 26) WV258 M996s
Summary in English and German.
1. Vertigo - Aural I. Dederding, Dida Dagmar Mary (Hansen) 1889- Series

NM 0923078 DNLM

Mygind, Sidney Holger, 1884–
Vestibulære undersøgelser over patienter med hovedtraumer, af S. H. Mygind ... København, I kommission hos Gyldendal, 1917.
294 p. 25cm.
Thesis—Copenhagen.
"Journaler": p. ₍193₎–283.
"Literaturfortegnelse": p. ₍285₎–294.
1. Labyrinth (Ear) 2. Ear—Diseases. 3. Head—Wounds and injuries. I. Title.
Library of Congress RF270.M8 22—11960

NM 0923079 DLC CtY MiU

Myhand, Ethel.
The modern spinisters' association, a farce ... Lebanon, O. [c1923]
13 p. 18 cm.

NM 0923080 RPB

Myhill, Alphonse Renfred.
Retort-house technical control. London, W. King ₍1945₎
vi, 125 p. illus. 22 cm.
"References": p. 120.
1. Gas-retorts. 2. Coal—Carbonization. I. Title.
TP764.M9 662.6 A 48–1153*
New York. Public Libr for Library of Congress ₍1₎†

NM 0923081 NN WaT DLC

Myhill, John Renfred.
A semantically complete foundation for logic and mathematics.
Thesis - Harvard, 1949.

NM 0923082 MH

Myhill, Samuel.
A proposal for raising the annual sum of 520000 l. and not touch the prime cost of wrought goods above one farthing in the shilling ...
[n.p., 1690?]
broadside. 22.5 cm.
Ms. note at head of title: 1690.

NM 0923083 CtY

Myhlowski, Pietro, graf.
Im Lande der Möwen und Pinguine: Naturmärchen. Dresden, Aurora [1923]
136 p.
Fairy tales.

NM 0923084 OCl

Myhr, Ivar Lou, 1902- joint author.

PE1408 .D235 1947
Davidson, Donald, 1893–
American composition and rhetoric. Rev. ed. In collaboration with Ivar Lou Myhr. New York, C. Scribner's Sons ₍1947₎

Myhr, Ivar Lou, 1902–
... The evolution and practice of Milton's epic theory ... by Ivar Lou Myhr ... ₍Nashville₎ 1942.
2 p. l., 53 p. 24½cm.
Summary of thesis (PH. D.)—Vanderbilt university, 1940.
"Private edition, distributed by the Joint university libraries, Nashville, Tennessee."
Bibliographical foot-notes.
1. Milton, John, 1608–1674. 2. Epic poetry. I. Title: Milton's epic theory.
A 42–5544
Joint university libraries, for Library of Congress Nashville PR3592.P6M9 ₍5₎† 821.47

NM 0923086 OU DLC TNJ NcU GU NIC NcD IdU PBm PSC PSt OrU

Myhre, Alf.
En storbanks organisasjon ₍av₎ Alf Myhre og Egil Stensen. Oslo, Eget forlag, 1948.
134 p. diagrs. 21 cm.
1. Banks and banking. I. Stensen, Egil, joint author. II. Title.
HG1607.M9 50–19720

NM 0923087 DLC

Myhre, Anna, 1875–
... Innbilningens makt ... ₍Oslo₎ Eget forlag ₍1931₎
2 v. plates, diagr. 21cm.
Paged continuously.
1. Mental suggestion. 2. Mental healing. 3. Coué, Émile, 1857–1926. 4. Vivisection. I. Title.
35–25881
Library of Congress RM921.M9 [159.962861] 134.861

NM 0923088 DLC

Myhre, Elisabeth, tr.

RC311 .F88
Frostad, Simon.
... Tuberculosis incipiens; a clinical roentgenological investigation on the earliest forms of the pulmonary tuberculosis, with a special view to its relation to the primary infection, by Simon Frostad ... Avec un résumé français. Mit deutscher zusammenfassung. Oslo, Fabritius & sønner, 1944.

Myhre, Ethelyn, illus.

PZ8 .3 .D755 Haw
Doyle, Emma Lyons.
Hawaiian Mother Goose, the nonsense rhymes of Tutu Nene, by Emma Lyons Doyle; illustrations by Ethelyn Myhre. Honolulu, Hawaii, Tongg publishing company, 1944.

Myhre, Ethelyn.
Hawaiian yesterdays, written & illustrated by Ethelyn Myhre. New York, A. A. Knopf ₍1942₎
₍55₎ p. incl. front., illus. 17½ x 23½cm.
"First edition."
I. Title.
Library of Congress PZ9.M98Haw 42–5137

NM 0923091 DLC WaSp Or OCl PP

Myhre, Jacob Fabricus, 1860-1936.
Handbook of loading and discharging ports... see under title

Myhre, Jacob Fabricius, 1860–1936.
Nationalfølelse og Internationalisme. Foredrag af J. F. Myhre ... København: F. G. Knudtzon, 1917. 31 p. 12°.
1. Nationality. 2. Internationalism.
N. Y. P. L. January 27, 1921.

NM 0923093 NN

Myhre, Jacob Fabricius, 1860–1936.
Twenty years with the Baltic and White sea conference; memoirs of J. F. Myhre. Liverpool, C. Birchall, ltd., 1927.
102, ₍1₎ p. plates, ports. 23cm.
1. Baltic and international maritime conference. 2. Shipping—Baltic sea. I. Title.
HE564.E3B35 47–33887

NM 0923094 DLC

Myhre, Ørnulf, ed.

T173 .O8A56
Oslo. Yrkesskolen.
Frisøravdelingens 50-års jubileum, 1902–1952. Oslo, 1952.

Myhre, Reidar.
Bjørnstjerne Bjørnson. ₍Oslo₎ Ansgar ₍°1947₎
127, ₍1₎ p. 18 cm. (Livet ble dåd, 5. bd.)
"Litteratur": page at end.
1. Bjørnson, Bjørnstjerne, 1832–1910. (Series)
PT8821.M9 49–24931*

NM 0923096 DLC NN

Myhre, Reidar.
Henrik Wergeland. ₍Oslo₎ Ansgar forlag ₍1950₎
125, ₍1₎ p. 18 cm. (Livet ble dåd)
Bibliography: p. ₍126₎
1. Wergeland, Henrik Arnold, 1808–1845. (Series)
PT8940.M9 52–22073

NM 0923097 DLC NN

Myhre, Reidar.
Oversikt over norsk litteraturhistorie. Oslo, A. Cammermeyers forlag, 1946.
63 p. 19 cm.
1. Norwegian literature—Hist. & crit.—Outlines, syllabi, etc.
PT8369.M9 54–27779

NM 0923098 DLC NN

Myhre, Reidar.
Vokalismen i Iddemålet. Oslo, I kommisjon hos J. Dybwad, 1952.
vi, 118 p. 28 cm. (Skrifter frå Norsk målførearkiv, 1)
Bibliography: p. ₍97₎–98.
1. Norwegian language—Dialects—Idd. I. Title. (Series: Norsk målførearkiv. Skrifter, 1)
A 53–4981
Minnesota. Univ. Libr for Library of Congress ₍1₎

NM 0923099 MnU TxU NIC ICU MH

VOLUME 403

Myhre, Tollef Gautesen, 1867-
Hallingdalens historie. Omfatter begivenheder i tiderne omkring aar 700 efter Kristi fødsel, til vor tid 1927, med mange billeder. Drammen, Eget forl., 1928-1934.
4 v. illus., ports. 24 cm.

1. Hallingdal, Norway.

NM 0923100 WU

Myhre's handbook of Baltic and White Sea loading ports
see
Handbook of loading and discharging ports.

Micro DK 458 .M95 Govt. Doc. Rm.
Myhrman, Anders Mattson, 1888-
The Swedish nationality movement in Finland. Chicago, 1938.
Microfilm copy (positive) of typescript by Dept. of Photoduplication. University of Chicago Library.
Thesis - (Ph.D.) - University of Chicago.

1. Swedes in Finland. 2. Finland - Nationality. 3. Finland - Pol. & govt. I. Title.

NM 0923102 NBuU

Myhrman, Anders Mattson, 1888–
... The Swedish nationality movement in Finland ... by Anders Mattson Myhrman ... ₍Chicago₎ 1939.
ii numb. l., 22, 56-64, 97-120, 128-137, 144-152, 165-180, 185-198 p. 24ᶜᵐ.
Part of thesis (PH. D.)—University of Chicago, 1937.
Lithoprinted.
"Private edition, distributed by the University of Chicago libraries, Chicago, Illinois."
Bibliographical foot-notes.

1. Swedes in Finland. 2. Finland—Nationality. 3. Finland—Pol. & govt. I. Title.
40-6574
Library of Congress DK458.M95 1937
Univ. of Chicago Libr.
——— Copy 2. ₍4₎ 947.1

PBm
NM 0923103 ICU NcU DLC NcD NIC Wa Or OClW OCU OU

Myhrman, David Vilhelm, 1866-
An Aramaic incantation text. Repr. The Hilprecht anniversary volume.
Leipzig, 1909.

NM 0923104 DCU-H

Myhrman, David Vilhelm, 1866-
Babel-Bibel eller Bibel-Babel. Uppsala, E. U. Hallatroms [1903]

NM 0923105 MH

Myhrman, David Vilhelm, 1866– *ed.*
... Babylonian hymns and prayers, by David W. Myhrman ... Philadelphia, University museum, 1911.
12 p. XLVII pl. 28½ᶜᵐ. (University of Pennsylvania. The Museum. Publications of the Babylonian section. vol. I. no. 1)
"Eckley Brinton Coxe junior fund."

1. Hymns, Sumerian. 2. Hymns, Assyro-Babylonian. 3. Sumerian language—Texts. I. Title.
11—29097
Library of Congress PJ3711.P5 vol. 1, no. 1

PP PU MiU OCl OO NBB CtY MB NN NNUT
NM 0923106 DLC IEG CU DSI TNJ-R NjNbS CtY NjP PHC

Myhrman, David Vilhelm, 1866- ed.

BJ1291 .S78 1908 Orien Arab
al-Subkī, Tāj al-Dīn ʻAbd al-Wahhāb ibn ʻAlī, 1327 (*ca.*)-1370.
Kitāb muʻīd an-niʻam wa-mubīd an-niqam: The restorer of favours and the restrainer of chastisements, by Tāj-ad-Dīn Abū Naṣr ʻAbd-al-Wahhāb as-Subkī. The Arabic text with an introduction and notes. Edited by David W. Myhrman. London, Luzac, 1908.

MYHRMAN, David Vilhelm, tr. & ed.
Die Labartu-Texte. Babylonische Beschwoerungsformeln nebst Zauberverfahren gegen die Daemonin Labartu. Inaugural-Dissertation... Universitaet Leipzig... Strassburg, Verlag von Karl J. Truebner, 1902.
60p. facs. 23.5cm.

[Transliterated and translated]

NM 0923108 MH-AH CtY MH PU ICRL

Myhrman, David Vilhelm, 1866– *ed.*
Sumerian administrative documents dated in the reigns of the kings of the second dynasty of Ur from the temple archives of Nippur preserved in Philadelphia, by David W. Myhrman ... seventy plates of autographed texts and twelve plates of halftone illustrations. Philadelphia, Pub. by the Dept. of archaeology, University of Pennsylvania, 1910.
xii, 113, ₍1₎13-146 p., 1 l. 82 pl. 32 x 25ᶜᵐ. (*Added t.-p.:* The Babylonian expedition of the University of Pennsylvania. Series A: Cuneiform texts ... vol. III, pt. 1)
"Eckley Brinton Coxe, junior, fund."
1. Babylonia—Pol. & govt.
11-1230
Library of Congress DS70.H6

PPAmP PU CtY ICJ NN MB
NM 0923109 DLC TNJ-R InU NjP NjNbS CtY MiU OCl

Myhrman, David Vilhelm, 1866-
Svår på K.V. Zetterstéens yttrande. Stockholm, Marcus, 1912.
121 p.

NM 0923110 PU

WA 617 M996v 1946
Myhrman, Gustaf Christofer, 1903-
Var hälsa och samhället. «Stockholm» Radiotjänst «1946»
163 p. illus.

Includes bibliographies.

1. Public health - Sweden

NM 0923111 DNLM

Myhrman (Gustavus)
*De amicitia felicitatis adjutrice. *Upsaliae*, [1798].
14 pp. 4°.
In: YFH p. v. 1.

NM 0923112 NN

Myhrvold, Jul
"Morgenbladet" og bondeopposisjonen 1838–1857. Oslo, J. G. Tanum, 1949.
120 p. 24 cm.
"Skrevet som hovedoppgave til historie-eksamen våremestret 1946."
Bibliography: p. 120.

1. Morgenbladet, Oslo.
PN5299.O75M65 51-31997

NM 0923113 DLC DNAL MnU NN

Myhrwold, Albert Karsten, 1856-1920.
Skogbrukslaere, by A. K. Myhrwold. Revised J. Nygaard. Oslo, 1923.
24 cm.

NM 0923114 CtY

Myhrwold, Albert Karsten, 1856-1920.
... Skogbrukslære, forelæsninger ved Norges land brukshøiskole. Bearbeidet og utgit ved Julius Nygaard ... Oslo, Grøndahl & søns forlag, 1928.
xii, 791 p. front. (port.) pl., illus., tables, diagrs. 23ᶜᵐ.
"Trykt med bidrag av Det Norske skogselskap og Det Norske gjensidige skogbrandforsikringsselskap."
Bibliographies included; bibliographical foot-notes.

1. Forests and forestry—Sweden. I. Nygaard, Julius, ed.

NM 0923115 MiU

Myhulin, O O
Звірі УРСР; матеріали до фауни. Київ, Вид-во Академії наук УРСР, 1938.
421 p. illus. 23 cm.
At head of title: Академія наук УРСР. Інститут зоології та біології. О. О. Мигулін.
Added t. p.: Mammals of the Ukr. SSR.
Summary in Russian and English.
Bibliography: p. 384-402.

1. Mammals—Ukraine. I. Title. II. Title: Mammals of the Ukr. SSR.
Title romanized: Zviri URSR.
QL728.R8M95 74-218262

NM 0923116 DLC IU

Myint, Hla
see
Hla Myint, *U.*

Microfilm
TX 556 P9 M99
Myint, Than.
The content of carotene, vitamin A and B complex vitamins in the tissues of four breeds of chickens. ₍Logan, Utah State University of Agriculture and Applied Science, 1950₎
Microfilm copy of typescript (negative) filmed by Photo Science Studios, Cornell University, Ithaca, N. Y.
Collation of the original: 47 l. illus., tables.
Thesis - Utah State University of Agriculture and Applied Science.
Bibliography: leaves 43-47.

NM 0923118 NIC

Myint, Thein Pe, *U*
see
Thein Pe, *Maung*, 1916–

Myint, U Hla
see
Hla Myint, *U.*

Myionnet, Clément, 1812–1886.
Clément Myionnet, premier membre de la congrégation des frères de Saint-Vincent de Paul; sa vie, ses œuvres (1812–1886), d'après son autobiographie, annotée et complétée, par Charles Maignen... Paris: Letouzey et Ané, 1925. 315 p. front. (port.) 12°.

235121A. 1. Society of St. Vincent de Paul. 2. Maignen, Charles, 1858– , editor.
N. Y. P. L. May 25, 1926

NM 0923121 NN

Myionnet (Paul-Henri). *De l'allongement des os de la jambe à la suite d'ulcères. 60 pp. 4°. Paris, 1879. No. 403.

NM 0923122 DNLM

MYIONNET DUPUY, Auguste.
Deux ans de séjour dans Nicaragua. 1850, 1851 1852. Projet de fondation sur le lac de Nicaragua, transit des deux oceans d'un hospice religieux a l'instar du Saint-Bernard, P., 1853.

pp.32.

NM 0923123 MH CU RPB

Myk, ujo, pseud.
Slovenské hádanky, podávajú: ujo Myk, stryco Cvik. Rimavska Sobota, Tlačou knihtlač. Tairy banky, 1921.
39p.

Slovak.

NM 0923124 OCl OClBHS

VOLUME 403

MYKA, Jozeff.
Norbertynske sedmistwo, a nato w letu 1627. wyzdwjzene nynj ale w letu 1727. gakozto stym obnowene, a na kazatedlnicy chramu Pane Hory Syon predstawene [Prague], v Frantisska Girjho Sskrochowskyho, 1727.

4°. pp. (14).
(Appended to SAECULUM Sionem in illuminatione vultus Norbertini)

NM 0923125 MH

Mykēnai kai Mykēnaios politismos. Athens, 1893.
264p. 11 plates. 22cm.

1. Greece - Antiq. 2. Mycanae.

NM 0923126 NcU

Mykhaïl, *Abp. of Toronto and Eastern Canada*
see
Michael, *Abp. of Toronto and Eastern Canada.*

Mykhaĭlenko, M
see Mikhaĭlenko, M

Mykhaĭlenko, P P
see
Mikhaĭlenko, P P

Mykhaĭlíùk, Bohdan, *pseud.*
see
Knysh, Zynoviĭ.

Mykhaĭlov, M M *writer on geography*
see
Mikhaĭlov, Nikolaĭ N

Mykhaĭlyk, ÎUriĭ Petrovych, 1903–
Степовики; роман. Київ, Радянський письменник, 1949.
298 p. 21 cm.
At head of title: Юрій Дольд-Михайлик.

I. Title. *Title transliterated:* Stepovyky.

PG3948.M78S8 53-40584 ‡

NM 0923132 DLC

Mykhal'chuk, Kost'
see
Mikhal'chuk, Konstantin Petrovich, 1840–1914.

Mykhalevych, Oleksandr Volodymyrovych
see
Mikhalevich, Aleksandr Vladimirovich.

MYKLAND, Gunnar.
Public housing procedure in a middle-sized southern city; Austin, Texas, acts to meet a pressing problem.. [Chicago?, American Municipal Association, 1938].

Manifold copy. ff.8.

NM 0923135 MH-BA

Mykland, Gunnar.
... Public housing procedure in a middle-sized southern city, by Gunnar Mykland ... [Washington, 1939]
6 numb. l. 27cm. (United States housing authority. [Publications, 1938-1940. 4])

Caption-title.
Reproduction of type-written copy.
"An article in the 'Virginia municipal review', March, 1939."

NM 0923136 NNC

Mykland, Knut.
Grandeur et décadence; en studie i Ernst Sars' historiske grunnsyn. Oslo, Akademisk forlag, 1955.
66 p. 23 cm. (Avhandlinger fra Universitetets historiske seminar, 10)
Includes bibliography.

1. Sars, Johan Ernst Welhaven, 1835–1917. 2. History—Philosophy. I. Title.
DL401.O7 bd. 10 58-41968 ‡

NM 0923137 DLC NNC RPB CtY NN MH NIC MnU

Mykle, Agnar, 1915-
"Jeg er like glad," sa gutten, noveller. Oslo, Gyldendal, 1952.
176 p. 21 cm.

I. Title.
PT8950.M9J4 53-15066 ‡

NM 0923138 DLC WU MnU CU MH

Mykle, Agnar, 1915-
Lasso rundt fru luna; roman. Oslo, Gyldendal, 1954.
508 p. 24 cm.

I. Title.
PT8950.M9L3 55-16370 ‡

NM 0923139 DLC WU MnU OCl

Mykle, Agnar, 1915-
Morgen i appelsingult; en makaber spøk om et alvorlig tema i 2 akter. Oslo, Tiden norsk forlag, 1951.
49 p. 19 cm.
"Etter Torolf Elster's novelle: 'Morgen i Ellert Sundts gate.'"

I. Elster, Torolf, 1911– Morgen i Ellert Sundts gate. II. Title.
A 52-5464
Minnesota. Univ. Libr. for Library of Congress [2]

NM 0923140 MnU WU

Mykle, Agnar, 1915-
Taustigen; noveller. Oslo, Dreyer, 1948.
131 p. 20cm.

NM 0923141 MnU CU

Mykle, Agnar, 1915-
Tipp, og verden er din! Ein diskusjon på scenen av Agnar Mykle etter et originalutkast av Helge Schult. [Utgitt av Arbeidernes opplysnings-forbunds teateravdeling] Drammen, Fremtidens trykkeri [1948?]
26 p. illus. (Serien Saken på spissen, 1)

NM 0923142 MH

Mykle, Agnar, 1915-
Tyven, tyven skal du hete; roman. Oslo, Tiden norsk forlag [1951]
251 p. 24 cm.

I. Title.
A 52-7843
Minnesota. Univ. Libr. for Library of Congress [2]

NM 0923143 MnU CU

PN 1972 H9 1954
Mykle, Jane, 1916-
Dukketeater [av] Jane og Agnar Mykle. Oslo, Gyldendal, 1954.
158p. illus. 24cm.
Includes bibliography.

1. Puppets and puppet-plays I. Mykle, Agnar, 1915- joint author II. Title

NM 0923144 WU DSI

Myklebost, Hallstein.
Drammen; befolkningsforhold, næringsliv og bystruktur. Med bidrag av H. Chr. Barre og Håkon Råstad, og med et forord av Fridtjov Isachsen. [Drammen] Drammen kommune, 1949.
147 p. maps. 28 cm.
Bibliography: p. 146-147.

1. Drammen, Norway—Econ. condit. 2. Drammen, Norway—Population.
HC368.D7M9 330.9481 50-32660

NM 0923145 DLC MnU

PS379 .M9
Myklebost, Tor.
Drømmen om Amerika; den amerikanske roman gjennom femti år. Oslo, Gyldendal, 1953.
172 p. 22 cm.

1. American fiction—20th cent.—Hist. & crit. I. Title.
A 54-4737
Minnesota. Univ. Libr. for Library of Congress [2]

NM 0923146 MnU NN NcD DLC

Myklebost, Tor, joint ed.

Olav, Hans, 1903- ed.
He who laughs ... lasts, anecdotes from Norway's home front, edited and published by Hans Olav and Tor Myklebost ... Chief illustrator, Johan Bull ... [Brooklyn, Distributed by the Norwegian news company, 1942]

PT5822 .C67 M345
Myklebost, Tor, tr.
Corsari, Willy, 1900–
... Mannen uten uniform, oversatt av Tor Myklebost. Oslo, Nasjonalforlaget [194-?]

Myklebost, Tor, joint ed.

[Olav, Hans] 1903- ed.
Norway fights! [Brooklyn, Distributed by the Norwegian news co., 1943?]

Myklebost, Tor.
They came as friends [by] Tor Myklebost, translated by Trygve M. Ager. Garden City, N. Y., Doubleday, Doran & co., inc., 1943.
xii, 297 p. incl. front. (map) 20½cm.
"First edition."

1. Norway—Hist.—German occupation, 1940– 2. World war, 1939– —Norway. I. Ager, Trygve Martinus, tr. II. Title.
43-1897
Library of Congress DL532.M8
[35] 940.542

PHC PPL ViU PP WaS IdB MtU Or OrP WaT IdU
NM 0923150 DLC NcD NcRS CaBVa CaBViP OCU OCl OU

VOLUME 403

Myklebost, Tor.
They came as friends ⌊by⌋ Tor Myklebost, translated by Trygve M. Ager. London, V. Gollancz ltd., 1943.
204 p. incl. front. (map) 19cm.

1. Norway—Hist.—German occupation, 1940– 2. World war, 1939– —Norway. I. Ager, Trygve Martinus, tr. II. Title.

44-112

Library of Congress D802.N7M9 1943 a
⌊3⌋ 940.542

NM 0923151 DLC CU LU MH PSt OKentU CaBVaU IdPI

Myklebust, Bjørn.
Fiskeribiologi; alminnelig fiskeribiologi, biologien til våre viktigste nyttedyr i sjøen, bestand og beskatning. ⌊Oslo⌋ Fabritius ⌊°1952⌋
222 p. illus. 21 cm. (Fagbøker for fiskere)

1. Fishes. I. Title.

A 53-1880

Washington (State) Univ. Library
for Library of Congress ⌊1⌋

NM 0923152 WaU DLC

Myklebust, Bjørn.
Planter og dyr i sjøen. ⌊Oslo⌋ Fabritius ⌊°1952⌋
96 p. illus. 21 cm. (Fagbøker for fiskere)

1. Marine fauna. 2. Marine flora. I. Title.

A 53-1881

Washington (State) Univ. Library
for Library of Congress ⌊1⌋

NM 0923153 WaU DLC

Myklebust, Helmer R
Auditory disorders in children; a manual for differential diagnosis. New York, Grune & Stratton, 1954.
367 p. 21 cm.

1. Deafness. 2. Speech, Disorders of. 3. Children—Diseases. I. Title.

RF290.M9 618.92 54—7372 ‡

OrU-M
DNLM PPC PPJ ViU OrU CLU Or OrLgE OrMonO OrPS
IdU MtU Wa OO OU PSt NcU PPT ICJ NcD TxU PPT-M
OC1U OCU WaSpG AAP MsU MB WaTC CaBVaU IdPI OrCS
PPWM PLF MiU RPB MtBC OOxM KEmT WU ScU NBuC
NM 0923154 DLC OC1W-H MsSM UU TU OOxM OC1W

Myklebust, Helmer R.
A comparison of congenital and acquired deafness with respect to its effect on intelligence, personality, and social maturity. ⌊Philadelphia, Pa.⌋ 1941.
Thesis, 1941.

NM 0923155 PPT

371.912
M996r

Myklebust, Helmer R
Research in the education and psychology of the deaf and hard of hearing. [Bloomington, Ill., 1947]
598-607p. 23cm.

Caption title.
"Reprinted from the April, 1947, issue of the Journal of Educational Research."
Bibliography: p. 605-607.

1. Deaf. Education. 2. Hearing.
I. Title.

NM 0923156 IEN

Myklebust, Helmer R
A study of the visual perception of deaf children, by Helmer R. Myklebust and Milton Brutten. Lund, 1953.
126 p. illus., diagrs., tables. 26 cm. (Acta oto-laryngologica. Supplementum 105)
Bibliography: p. ⌊122⌋-126.

1. Deaf. 2. Perception. 3. Sight. I. Brutten, Milton, joint author. (Series)

A 55-3457

John Crerar Library
for Library of Congress ⌊2⌋

NM 0923157 ICJ DNLM MoU OrU PSt NN ViU TU IEN IdPI

Myklebust, Helmer R
Your deaf child; a guide for parents. With a foreword by Hallowell Davis. Springfield, Ill., Thomas ⌊1950⌋
xv, 133 p. illus. 23 cm. (American lecture series, no. 94. American lectures in otolaryngology)
Bibliography: p. ⌊109⌋-113.

1. Children, Deaf. I. Title. (Series: American lecture series, no. 94. Series: American lectures in otolaryngology)

HV2395.M9 1950 362.4 50-12819

Wa WaS CaBVa CaBVaU WaTC WaT WaE Or MtU IdPI
NcD IU ViU TxU PPC NcGU OrP ICU ICJ TU OrU OrU-M
NM 0923158 DLC DNLM OrCS WaSp KEmT MsSM OC1U MB

Myklebust, Olav Guttorm, 1905-
An international institute of scientific missionary research... Oslo, Egede-instituttet, 1951.
34 p., 21cm. (Occasional paper. 1)

Bibliographical footnotes.

NM 0923159 NjPT MoSCS CtY-D TxFTC

Myklebust, Olav Guttorm, 1905– *ed.*
Muhammedanismen som misjonsproblem. Oslo, Egede-instituttet, 1949.
78 p. 22 cm. (Serien "Evangeliet i verden i dag," nr. 3)
CONTENTS.—Muhammedanismen som misjonsproblem, av O. G. Myklebust.—Problemet i historisk sikt, av G. O. Lislerud.—Problemet som aktuell virkelighet: Nord-Afrika, av H. L. Aurbakken. Sudan, av H. Endresen. Midt-Østen, av G. Melbø. India, av O. G. Myklebust. Indonesia, av J. Befring.—Bibliography (p. 75-77)

1. Missions—Mohammedans. I. Title. (Series: Evangeliet i verden i dag, nr. 3)

BV2625.M9 50-32376

NM 0923160 DLC CU

Myklebust, Olav Guttorm, 1905-
Skolen som misjonsfaktor, opgaver og problemer ... København, Særtryk af Nordisk missionstidsskrift, 1934.
43 p. 23.5 cm.

NM 0923161 CtY-D

Myklebust, Olav Guttorm, 1905–
The study of missions in theological education; an historical inquiry into the place of world evangelisation in Western Protestant ministerial training, with particular reference to Alexander Duff's chair of evangelistic theology. Oslo, Egede instituttet; hovedkommisjon Land og kirke, 1955–
v. 24 cm. (Studies of the Egede Institute, 6)
Errata slip inserted.
Bibliography: v. 1, p. 393-444.
CONTENTS.—v. 1. To 1910.
1. Missions—Study and teaching. 2. Duff, Alexander, 1806-1878. I. Title: Missions in theological education. (Series: Egede-instituttet, Oslo. Avhandlinger, 6)

BV2090.M9 266.07 56-59176

PPLT PPWe NjPT TxDaM CtY-D OO
NM 0923162 DLC MoSU-D PPiPT KyWAT PPEB MH-AH NcD

Myklestad, Johannes Meyer, 1891–
... Engelsk-norsk, norsk-engelsk. English-Norwegian, Norwegian-English. Av lektor J. Meyer Myklestad og lektor H. Søraas. 2. opl. Oslo, N. W. Damm & søn, 1936.
4 p. l., ⌊11⌋-341 p. 13½cm. (Damms lommeordbøker)
Half-title: Engelsk-norsk, norsk-engelsk lommeordbok. English-Norwegian, Norwegian-English pocket dictionary.

1. English language—Dictionaries—Norwegian. 2. Norwegian language—Dictionaries—English. I. Søraas, Haakon, 1887– joint author.

36-22303

Library of Congress PD2691.M9 1936
⌊2⌋ 439.8232

NM 0923163 DLC OU ViU

Myklestad, Johannes Meyer, 1891–
... Engelsk-norsk, norsk-engelsk, av lektor J. Meyer Myklestad og lektor H. Söraas. 2. opl. ... Oslo, N. W. Damm & son, 1936.
4 p. l., ⌊11⌋-341 p. 13½cm. (Damms lommeordböker)
Added t.-p.: ... English-Norwegian, Norwegian-English ... London, Bailey bros & Swinfen ltd., 1941.
"Denne utgave er utgitt i England i mai 1941 paa den Kgl. norske regjerings foranledning og fremstillet ved reproduksjon av originalutgaven i et antall av 5,000 eksemplarer."

1. English language—Dictionaries—Norwegian. 2. Norwegian language—Dictionaries—English. I. Søraas, Haakow, 1887– joint author.

46-34391

Library of Congress PD2691.M9 1936 a
⌊2⌋ 439.8232

NM 0923164 DLC ViU PU

Myklestad, Johannes Meyer, 1891–
Engelsk-norsk; norsk-engelsk ⌊lommeordbok⌋ English-Norwegian; Norwegian-English ⌊pocket dictionary⌋ Av J. Meyer Myklestad og H. Søraas. 5. oppl. Oslo, N. W. Damm, 1948.
345 p. 14 cm. (Damms lommeordbøker)

1. English language—Dictionaries—Norwegian. 2. Norwegian language—Dictionaries—English. I. Søraas, Haakon, 1887– joint author.

PD2691.M9 1948 439.8232 52-15560

NM 0923165 DLC MnU DNLM

Myklestad, Johannes Meyer, 1891-
... Engelsk-norsk; norsk-engelsk ⌊lommeordbok⌋ English-Norwegian; Norwegian-English ⌊pocket dictionary⌋ av ... J. Meyer Myklestad og ... H. Søraas. Oslo, N.W. Damm, 1952.
345 p. 13cm. (Damms lommeordbøker)

NM 0923166 MH-L

Myklestad, Johannes Meyer, 1891-
... Engelsk-norsk, norsk-engelsk ⌊lommeordbok⌋ english-norwegian, norwegian-english ⌊pocket dictionary⌋ av lektor J. Meyer Myklestad og lektor H. Søraas. Oslo, N.W. Damm, 1955.
2 p.l., ⌊7⌋-345 p. 13½cm. (Damms lommeordbøker)

NM 0923167 MH-L

Myklestad, Nils O
Vibration analysis, by N. O. Myklestad ... 1st ed. New York, London, McGraw-Hill book company, inc., 1944.
xiii, 303 p. diagrs. 21½cm. ⌊McGraw-Hill publications in aeronautical science⌋

1. Vibration.

45-99

Library of Congress TA355.M9
⌊15⌋ 620.1123

OrPR WaSpG
ViU TU OC1 OCU OU ICJ MiHM OrP PP PPD PHC MtBC WaS
NM 0923168 DLC NN PWpM OC1JC NcRS NcD CaBVa IdU

Myklestad, O. Leiðarvísir um fjárbaðanir. (Akureyri, prentari O. Björnsson, 1904). 8°. f. (1). IcN1M995

NM 0923169 NIC

Myklestad, O.

—— Leiðbeiningar við útrýmingu fjárkláðans. (Akureyri, prentari O. Björnsson, 1903). 8°. pp. 7. IcN1M995
—— *The same.* (Reykjavík, Prentsm. Gutenberg, 1905.) 8°. pp. 10 + (3). IcN1M995

NM 0923170 NIC

BF1141
.M9

Myklestad, Ørnulf Th
Hypnotisørens mystiske makt: hypnotisme, suggesjon, helbredelse ved ånd, tankeoverføring, framsynthet, fakirkunster og andre psykiske mysterier. Oslo, J. Saabye, 1949.
164 p. 22cm.

1. Hypnotism. 2. Psychical research.

NM 0923171 ICU DLC-P4

VOLUME 403

Myklukha-Maklaĭ, Mykola
see
Miklukha-Maklaĭ, Nikolaĭ Nikolaevich, 1846-1888.

Mykola I, Emperor of Russia
see
Nicholas I, Emperor of Russia, 1796-1855.

Mykola, M F
Курс будівельної механіки; для технікумів будівельних і шляхових фахів. Харків, Держ. науково-техн. вид-во України, 1933.
336 p. diagrs. 26 cm.

1. Structures, Theory of. 2. Strength of materials.
Title transliterated: Kurs budivel'noï mekhaniky.

TG260.M9 50-47272

NM 0923174 DLC

Mykolaienko, Leonid.
Український степ. ₍Прага, 1932₎
23 p. 24 cm.
"Відбитка з II. 'Наукового збірника' Укр. висок. пед. інституту ім. М. Драгоманова. Прага, 1932."

1. Ukraine in literature. I. Title.
Title transliterated: Ukraïns'kyĭ step.

PG3906.U4M9 68-52157 ‡

NM 0923175 DLC

428.24
M997
MYKOLAINIS, PETRAS, 1868-1934.
Gramatika angliškos kalbos; ištarimas, pasikalbėjimai, gramatikos dalis ir rankius žodžių. Pagal Ahn'ą ir Reussner'ą sutaisė P.M. Tilžėje,1904.
174p. 22cm.

NM 0923176 PU

Mykolaĭs'kyĭ, Oleksander, *ed.*
Українські вишивки. Ukrainian embroideries. ₍Graz, 1941₎-
portfolios. / illus. 18 x 24 cm.
CONTENTS.—1. Буковинські взори.

1. Embroidery—Ukraine. I. Title. II. Title: Ukrainian embroideries.
Title transliterated: Ukraïns'ki vyshyvky.

NK9256.M9 57-52574

NM 0923177 DLC

Mykolaitis.
Mindaugis, didysis Lietuvos kunigaikštis ir karalius. Trumpas aprašymas jo gyvenimo ir darbu. Tilžeje, 1899. 58 p. 16°.
Repr.: Ukininko.

1. Biography (Lithuanian).
N. Y. P. L. November 5, 1913.

NM 0923178 NN

Mykolaitis, Vincas, 1893-1967.
Hhk55
M58X
M995
Adomas Mickevičius ir Lietuvių literatūra. Vilnius, Valstybinė Grožinės Literatūros Leidykla, 1955.
99 p. illus. 20 cm.
At head of title: Lietuvos TSR Mokslų Akademija. Lietuvių Kalbos ir Literatūros Institutas.
1. Mickiewicz, Adam, 1798-1855.- Appreciation - Lithuania.

NM 0923179 CtY NN

Mykolaitis, Vincas, 1893-1967.
Altorių šešėly. ₍Kaune₎ Valstybinė grožinės literatūros leidykla, 1946.
3 v. 23 cm.
At head of title: V. Mykolaitis-Putinas.

I. Title.

PG8721.M9A67 55-23815 rev ‡

NM 0923180 DLC NN

PG
8721
.M9K4
1936
Mykolaitis, Vincas, 1893-1967.
Keliai ir kryžkeliai; lyrika. [Kaune] Sakalas [1936]
302 p. 20 cm.
At head of title: V. Mykolaitis-Putinas.
Stamped on title page: Dievas - Tevyne - Alka. R.F.D. 2, Putnam, Conn.

1. Lithuanian collection. I. Title

NM 0923181 OKentU

Mykolaitis, Vincas, 1893-1967.
Keliai ir kryžkeliai; lyrika. ₍Chicago₎ Terra ₍1953₎
299 p. 19 cm.
At head of title: V. Mykolaitis-Putinas.

I. Title.

PG8721.M9K4 54-26395 rev ‡

NM 0923182 DLC MiD IU PU

Mykolaitis, Vincas, 1893-1967.
Krizė; romanas. ₍Kaune₎ Sakalas ₍1937₎
330 p. 19 cm.
At head of title: V. Mykolaitis-Putinas.

I. Title.

PG8721.M9K7 55-48111 rev

NM 0923183 DLC

Mykolaitis, Vincas, 1893-1967.
Lietuviškoji tematika Adomo Mickevičiaus kūryboje. Viešos paskaitos, skaitytos 1948 m. gruodžio 30 dieną, stenograma. ₍Kaune₎ Valstybinė enciklopedijų, žodynų ir mokslo literatūros leidykla, 1949.
31 p. 21 cm. (Lietuvos TSR Politinių ir mokslinių žinių skleidimo draugija. Paskaitos, 33)

1. Mickiewicz, Adam, 1798-1855. I. Title. (Series)

AS262.L515 no. 33 58-34568 rev 2

NM 0923184 DLC

Mykolaitis, Vincas, 1893-1967.
Literaturos etiudai. [Kaunas] Sakalas [1937]
289 p. 20 cm.
At head of title: V. Mykolaitis-Putinas.
Contents. - Visuomeninis Maironio kurybos pagrindas. - Vaižgantas sintetikas. - Vaižganto vieklus lietuvis ir jo darbas. - Idealizmas ir romantizmas. - Naujosios lieturviu literaturos angoje. -Idėjiniai Vinco Krėvės kurybos pradai. Tendencinės literaturos kolektyvas. -Granitas. Garbinga senovė literaturoj ir praeities skriaudos tikrovėj. -Tautinė idėja lietuviu literaturoj.

Konspektinė lietuviu, literaturos apžvalga. Musu, dramos teatras ir dramaturgija. -Musu literaturos ugdymos problemos. -Dane Alighieri.

NM 0923186 PU

Mykolaitis, Vincas, 1893-1967.
Naujoji lietuviu literatura. 1. tomas. Kaunas, "Spindulio" b-vės spaustuvė, 1936.
vii, 425 p. 25 cm. (Humanitariniu mokslu fakulteto leidinys)
No more published.
At head of title: V. Mykolaitis-Putinas.
Bibliographical footnotes.

NM 0923187 PU

Mykolaitis, Vincas, 1893-1967.
Pirmoji lietuviška knyga. ₍Kaune₎ Valstybinė grožinės literatūros leidykla, 1948.
40 p. illus. 21 cm.

1. Mažvydas, Martynas, 1520 (ca.)-1563. Catechismusa prasty Szadei. 2. Luther, Martin. Catechismus, Kleiner. Lithuanian. I. Title.

BX8070.L727M9 61-40498 rev

NM 0923188 DLC PU DLC-P4

PG8271
.M9
1921
Mykolaitis, Vincas, 1893-1967.
Putino raštai. Vilniuje, "Svyturio" bendrovė, 1921
1 v. 19 cm.
CONTENTS.
2. t. Drama. Novelės.

NM 0923189 MB

Mykolaitis, Vincas, 1893-1967, ed.
BX8080
.M36L5
Lietuvos TSR Mokslų akademija, *Vilna. Lietuvių literatūros institutas.*
Senoji lietuviška knyga; pirmosios lietuviškos knygos 400 metų išleidimo sukakčiai paminėti. ₍Redakcinė kolegija: K. Korsakas, P. Pakarklis, J. Kruopas. Atsakingasis redaktorius V. Mykolaitis. Kaune₎ Valstybinė enciklopedijų, žodynų ir mokslo literatūros leidykla ₍1947₎

Mykolaitis-Putinas, Vincas
see
Mykolaitis, Vincas, 1893-

Mykolajewycz, Maria Wladymira, 1906-
... Bericht über 53 Unterkieferbrüche nach Entstehung, Frakturform und Röntgenbild ... Göttingen, 1929.
28 p.
Inaug.-diss. - Göttingen.
Lebenslauf.
"Literatur": p. 28.

NM 0923192 CtY MiU

Mykolas Sleževičius. Julius Būtėnas, Mečys Mackevičius ₍et al.₎ Redagavo Antanas Rūkas. Chicago₎ Terra ₍1954₎
343 p. illus., ports., facsim. 23 cm.

1. Sleževičius, Mykolas, 1882-1939. I. Būtėnas, Julius, 1908-
II. Mackevičius, Mečys.

DK511.L28S55 57-26294

NM 0923193 DLC CLU InU NN WaS NNC OCl PU CtY

Mykologia; měsíčník pro pěstování a šíření znalosti hub po stránce vědecké i praktické. roč. 1-8; 1924-1931. Praha, Československý klub mykologický.
8 v. in plates.

Text mostly in Czech but scattered articles in French, Italian, Latin, etc.

I. Československý klub mykologický, Prague.

NM 0923194 ICJ NSyU OU LU CU NcRS ICJ NIC

VOLUME 403

Mykologický sborník.

[Praha]

v. in illus., plates (part col.), ports. 21 cm. 10 no. a year.

Began publication in 1919 under title Časopis československých houbařů. Cf. Union list of serials.
"Odborný list Čs. mykologické společnosti v Praze," 19

1. Mycology—Period. I. Československá mykologická společnost.

QK600.M97 67-36959

NM 0923195 DLC NSyU ICRL NIC

Mykologische Hefte, nebst einem allgemein-botanischen Anzeiger
see under Kunze, Gustav, 1793-1851, ed.

[Mykoniatika chronika]

DF901 f.M8M8

Μυκονιάτικα χρονικά; δημοσιευομένα τήν πρώτην καί τρίτην Κυριακήν ἑκάστου μηνός. ἀρ.1- 31 Δεκεμβρίου 1933-
nos.in v. illus. 36cm.

Issued semimonthly, Dec. 31, 1933-Mar. 24, 1935; monthly, Apr. 1935-
Subtille varies.
Editor, Dec. 1933- Giannoules A. Bones.
1.Mykonos (Island) I. Giannoules A. ed.

NM 0923197 OCU

Mykonius, Friedrich
see
Myconius, Friedrich, 1490?-1546.

Mykonius, Oswald, 1488-1552.
Erasmus, Desiderius, *d.* 1536.
Erasmi Roterodami Encomium moriae, i. e. Stultitiae laus, Praise of folly, published at Basle in 1515 and decorated with the marginal drawings of Hans Holbein the younger; now reproduced in facsimile with an introduction by Heinrich Alfred Schmid, translated by Helen H. Tanzer. Basle, H. Oppermann. 1931.

Myksvoll, Birger, 1912–
An analysis of educational changes attending an in-service child study program. [College Park, Md.] 1951.

272 l. maps, diagrs., tables. 28 cm.

Thesis—University of Maryland.
Typescript (carbon copy)
Vita.
"Selected bibliography": leaves [257]-261.

1. Education—Maryland—Anne Arundel Co. 2. Teachers, Training of. 3. Child study. I. Title: In-service child study program.

LA302.A5M9 A 52-5047

Maryland. Univ. Libr. for Library of Congress [2]†

NM 0923200 MdU DLC

Mykytenko, Fed'.
(Pro shcho v Kremli pryzabuly)
Про що в Кремлі призабули. Федь Микитенко. [n. p., 1946]

80 p. illus. 22 cm.

1. Political poetry, Ukrainian. 2. Russia — Politics and government — 1936-1953 — Caricatures and cartoons. 3. Ukraine — Politics and government—1917- —Caricatures and cartoons. I. Title.

PG3979.M9P7 73-215457

NM 0923201 DLC CaBVa

Mykytenko, Ivan Kindratovych, 1897- 1937.
Диктатура; п'єса. Харків, Література і мистецтво, 1931.

196 p. illus. 29 cm.

I. Title. *Title transliterated:* Dyktatura.

PG3948.M8D9 1931 51-46059

NM 0923202 DLC

Mykytenko, Ivan Kindratovych, 1897- 1937.
Диктатура. Вид. 3. Харків, Л[итература] і м[истецтво] 1934.

95 p. 18 cm.

I. Title. *Title transliterated:* Dyktatura.

PG3948.M8D9 1934 51-46062

NM 0923203 DLC

Mykytenko, Ivan Kindratovych, 1897-1937.
Kleine Strolche [von] I. Mykytenko, aus dem ukrainischen von Elisabeth Weller. Charkiw, Kyiw, Staatsverlag "Literatur und Kunst," 1931.

248 p. 20 cm.

CONTENTS.—Kleine Strolche.—Auszug aus einem Protokoll.—Brüder.

I. Weller, Elisabeth, tr. II. Title.

PG3948.M8K5 891.793 35-31712 rev*

NM 0923204 DLC NN

Mykytenko, Ivan Kindratovych, 1897-1937, ed.

PG3932 .L49

Літературний рапорт XII і XVII з'їздам партії. [За ред. І. Кириленко, І. Кулика, І. Микитенко. Харків?] ДВОУ, ЛІМ, 1934.

Mykytiak, Andrew, tr.

Turians'kyĭ, Osyp, 1880-1933.
Lost shadows. By Osyp Turiansky. Translated from the Ukrainian by Andrew Mykytiak. New York, Empire books [c1935]

Mykytiuk, Ihor, 1924–
Zur Geschichte des Machtverfalls des Halyč-Volynischen Staates; die Auseinandersetzungen der Hohen Bojaren mit der Obersten Regierungsgewalt in Halyč-Volynien. München, 1952.

151 l. maps. 30 cm.

Typescript (carbon)
Inaug.-Diss.—Munich.
Vita.
Bibliography: leaves 145-151.

1. Galich (Duchy)

DK511.G14M9 55-39014

NM 0923207 DLC

Mykytka, Stepan.
Володимир Дорошенко. З нагоди 75-річчя визначного вченого й громадянина. З передмовою Олександра Оглоблина. Филаделфія, Накл. гуртка приятелів, 1955.

36 p. illus. 23 cm.

"Доповнена відбитка із щоденника 'Америка' з 1955 р."
"Праці В. Дорошенка": p. 15-26.

1. Doroshenko, Volodymyr Viktorovych, 1879- —Bibl.
Title transliterated: Volodymyr Doroshenko.

Z8237.87.M9 56-17091 ‡

NM 0923208 DLC

Mykytyn, Mykhaĭlo.
Штука життя; правила суспільного поведення. [New York] Говерля, 1952.

80 p. 16 cm.

1. Etiquette. I. Title. *Title transliterated:* Shtuka zhyttia.

BJ1838.M9 56-57556 ‡

NM 0923209 DLC

[Myl, Abraham van der] 1563-1637.
Archaeologus Teuto; sive, Glossarium multorum vocabulorum veterum Teutonicorum Celticorumque collectorum ex variis vocabulariis & antiquissimis Teutonicis scriptoribus. Ex Otfrido & Willeramo & Glossariis Rabani, Keronis, Gassari, Lipsii, Lazii &c. ... (In Leibniz, G.W. freiherr von. Collectanea etymologica, 1717. pt. 2, p. [1]-208)

NM 0923210 NNC

Myl, Abraham van der, 1563-1637.
De origine animalium, et migratione populorum, scriptum Abrahami Milii. Ubi inquiritur, quomodo quaque via homines cæteraque animalia terrestria provenerint; & post deluvium in omnes orbis terrarum partes & regiones ... pervenerint. Genevæ, apud P. Columesium, 1667.

68 p. 15cm.

11-9426

NM 0923211 DLC CU NIC DNLM RPJCB InU ICU

Myl, Abraham van der, 1563-1637.
Abrah. Vander-Milii Lingva Belgica; sive De linguae illius communitate tum cum plerisque alijs, tum presertim cum Latinâ, Graecâ, Persicâ; deque communitatis illius causis; tum de linguae illius origine & latissimâ per nationes quamplurimas diffusione; ut & de ejus prestantiâ. Quâ tum occasione, hîc simul quaedam tractantur consideratu non indigna, ad linguas in universum omnes pertinentia. Additus & est index. Lugvni Batavorvm,

pro Bibliopolio Commeliniano, excudebant Vlricus Cornelii & G. Abrahami, 1612.

12 p. l., 259, [9] p. 20½cm.

1. Language and languages. 2. Dutch philology. 31-5516

NM 0923213 MiU NNC MH ICN

Lilly GN 370 .M99 B624 Mendel

MYL, ABRAHAM VAN DER, 1563-1637.
... Merckwürdiger Discurss Von dem Vrsprung der Thier, Vnd Ausszug der Völcker. In welchem nachgeforschet wird, wie vnd auff was Weise, so wohl die Menschen, als auch alle Thier dess gantzen Erd-Kreyss anfänglich entsprungen ; vnd nach der Sündflut, in alle vier Theil der Welt, vnd dero Landschafften, benantlichen Asiam, Europam, Africam, beyderley Americam, auch in die Sud- oder Magellanische Mittag-Länder kommen seyen. Auss dem Lateinischen, in die Teutsche Sprach ver- setztet, vnd mit vielen

Sinnreichen seltenen Anmerckungen, denckwürdigen Begebenheiten, artigen wohlgefügten Fragen, auch einer Medicinalischen Zugab, non der Fürtrefflichdeit dess Brod, vnd schädlichem Missbrauch dess Fleisch vnd Weine zc, vermehret, Durch Joh. Christoph Bickerkraut... Saltzburg, gedruckt vnd verlegt durch Johann Baptist Mayr, Hoff- vnd Academ. Buchtrucker, 1670.

7 p.l., 400, [36]p. front. 12mo (13.3 cm)

At head of title: ABRAH; MILII.
First edition; Graesse IV, 523.
Contains also Balthasar Schultz. Synopsis Historiae naturalis, 1606; Brevis Historia De Homine Microcosmo, 1606.
From the li rary of Bernardo Mendel.

In quarter leather and patterned boards.

NM 0923217 InU CU DNLM RPJCB

VOLUME 403

Myl, Abraham van der, 1563-1637.
Den Slach van Lepanten
see under James I, King of Gt. Brit., 1566-1625.

Myl, Arnold
see Mylius, Arnold, 1540-1604.

Mÿl, Yvon.
...Vingt mélodies. Paris: chez l'auteur [190-?]. Publ. pl. no. Y. M. 21. 2 p.l., 81 p. 4°.
French words with piano accompaniment.

1. Songs (French).
N. Y. P. L. December 5, 1919.

NM 0923220 NN

Rare Book Room Bf2A 548M
Mylaeus, Christophorus, d. 1570.
Consilivm historiae vniversitatis scribendae, per Christophorvm Mylaevm. Florentiae Ex officina Laurentii Torrentini Mense Iulio.1548.
197,[1]p. 22cm.
Signatures: A-Bb⁴(Bb₄ blank)

NM 0923221 CtY NNUT ICN CSt

Wing ZP 535 C 2714
[Mylaeus, Christophorus,] d.1570.
De primordiis clarissimae vrbis Lvgdvni commentarivs. Lvgdvni apvd Seb. Gryphivm,1545. sq.O. (with Castiglione, Bonaventura] Gallorvm Insvbrvm antiqvae sedes. 1541)

"C.Mylaevs haec commentabatvr, anno M.D.XXXXIIII.cal.ianvar."-p.39.
Printer's device (title vignette)

NM 0923222 ICN

*fGC5 M9894 551d
Mylaeus, Christophorus, d.1570.
De scribenda vniversitatis rervm historia libri qvinqve. Christophoro Mylaeo autore ...
[Basel,1551]
f°. 4p.ℓ.,317,[1]p.,1ℓ. 30.5cm.
Colophon: Basileae, ex officina Ioannis Oporini, anno salutis humanae M.D.LI. mense martio.
Printer's marks on t.-p. & verso of last leaf.
Bound with Jacques de Meyer, Commentarii siue Annales rerum flandricarum, 1561.

NM 0923223 MH CtY MiU DFo

Case A 19 .574
Mylaeus, Christophorus, d. 1570.
De scribenda vniuersitatis rerum historia commentarius, complectens naturae, artium, reip. principatuum, doctrinarum atq; literatorum hominum ab ipsis primordiis ad nostra vsq; tempora perbreuem enumerationem.. Florentiae, Ex officina, L.Torrentini,1557.
[16],5-197,[1]p. 22cm.

NM 0923224 ICN

x937 R35d 1579 cop.2
Mylaeus, Christophorus, d.1570.
De scribenda vniversitatis rervm historia libri qvinqve. Christoforo Milaeo avtore.
[Baileae, Ex Officina Pernae, 1579]
650, [36]p. fold.table. 17cm.

Bound with Riccoboni, Antonio. De historia liber. Basileae, 1579. cop.2.
Caption title.
Contains also Uberti Folietae De ratione scribendae historiae.- Uberti Folietae De similitudine normae Polybianae.- David Chytraeus. De lectione historiarum recte instituenda.- Lucianus. De scribenda historia.- Simon Grinaeus. De utilitate legendae historiae.- Caelii Secundi Curionis De historia legenda sententia.- Oratio de argumento historiarum, et fructu ex earum lectione petendo, a Christophoro Pezelio.- Theodorus Zuingerus De historia.- Ioan. Sambucus. De historia.

NM 0923226 IU

Mylaeus, Johann Philipp.
Eine nuetzliche vnd nothwendige predig von dem allgemeinen kirchen gebett, darinnen zugleich etwas ampt der oberkeit vnd vnderthanen erinnert wirt, gehalten zu Heidelberg... 92... hiezu ist auch noch ein andere predig komen... n.p., n.p., 1592.
51 p.

NM 0923227 PPLT

Myland, David Wesley
Full redemption songs. Cleveland, O., the gospel union [1895]
107 p. 12°.
1. Kirk, James M

NM 0923228 DLC OO

Myland, David Wesley.
Full redemption songs. For conventions, camp meetings, revivals and pentecostal work. Cleveland, Gospel Union, 1896.
142p. D.

NM 0923229 OO

Myland, David Wesley.
Gospel praise ... Columbus, O. [c1911]
unp. 19 cm.
Cover-title.

NM 0923230 RPB

Myland, David Wesley.
The latter rain covenant and pentecostal power, with testimony of healings and baptism, by Rev. D. Wesley Myland. Chicago, Ill., The Evangel publishing house, 1910.
4 p. l., 215, [1] p. diagr. 17½cm. $0.50
"These lectures, with the exception of 'The pentecostal psalm,' were delivered in 'the Stone church' (undenominational) ... Chicago ... at a pentecostal convention called in the spring of 1909."

10-10545

NM 0923231 DLC

Myland, David Wesley, ed.
Redemption songs, by Rev. D.W. Myland and Jas. M. Kirk... for conventions, camp meetings, revivals and pentecostal work. Cleveland, Gospel union, 1898.
[225] p. front. (group port.) 19 cm.
With piano accompaniment.

NM 0923232 RPB

Myland, David Wesley.
The Revelation of Jesus Christ; a comprehensive harmonic outline and perspective view of the book, by Rev. D. Wesley Myland. Chicago, Ill., The Evangel publishing house, 1911.
xiv, 15-255 p. illus. (map) 19½cm.

11-29052

NM 0923233 DLC

Mylander, C H
You and your bank... Columbus, Ohio, 1926.
50 l.

NM 0923234 OClFRB

Wing ZP 539 .G 23
MYLANDER, GODEFRIDUS.
Eidyllia quaedam lyrica strenarum nomine calendis Ianuariis ad varios tum principes, tum etiam doctrina insignes viros missa.. Aureliis, Apud Eligium Gibierium,1578.
[84]p. 22cm. (with Vallambert, Simon de. Epigrammata.. 1545)

Signatures: A-K⁴, L².
Title vignette (printer's device)

NM 0923235 ICN

Mylar, Isaac L.
Early days at the mission San Juan Bautista, by Isaac L. Mylar; a narrative of incidents connected with the days when California was young. Watsonville, Calif., Evening pajaronian [°1929]
195 p. illus. (incl. ports.) 23cm.
Originally appeared in the Evening pajaronian, Watsonville, California, as a serial narrative of Mr. Mylar's reminiscences. A small edition of 300 autographed copies issued; this copy no. 22. cf. To the reader (slip mounted on lining-paper)
Written from the author's narrative by James G. Piratsky. cf. Foreword.
1. San Juan Bautista, Calif. 2. Frontier and pioneer life—California—San Benito Co. I. Piratsky, James G., ed. II. Title.
Library of Congress F868.S136M9 29-10700

NM 0923236 DLC WHi CU-S WU NIC CSmyS

Mylbeke, Albert van
see Stuyver, Valery Albert, 1916-

A myld and ivst defence of certeyne argvments, at the last session of Parliament directed to that most honorable high court,....
see under
Bradshaw, William, 1571-1618.

Myle, de La
see De La Myle.

Myle, Aegidius van der, 17th cent.
Antiqua Pomeranorum respublica.

(In RANGO, Martin,editor. Pomerania diplomatica,etc.,1707. pp.80-100.)

NM 0923240 MH

Myle, Aegidius van der, 17th cent.
Oblectatio vitae rusticae Egidii van der Myle: auctior & emendatior secundum edita. Stetini, typis & impensis J.V. Rhetti, MLXI [i.e., 1661]
[24], 330, [1] p. 13 cm.
Title vignette; head and tail pieces.
Added t.-p., engr., dated 1661.
"Vitae rusticae encomium ... Antonii de Gvevara": p. 257-283.
1. Agriculture - Early works to 1800.

NM 0923241 ICU

Myle, Ægidius van der, 17th cent. Vitæ rusticæ ecomium.

Guevara, Antonio de, d. 1545?
The praise and happinesse of the countrie-life, written originally in Spanish by Don Antonio de Guevara, put into English by H. Vaughan, silurist ... Reprinted from the edition of 1651, with an introduction by Henry Thomas, and wood engravings by Reynolds Stone. Newtown, The Gregynog press, 1938.

Myle, Arnold
see Mylius, Arnold, 1540-1604.

Myle, Cornelis van der
see Mijle, Cornelis van der, 1579-1642.

Bon. Coll. No.10930
MYLECHARANE: the popular and most ancient Manx national song, rendered into English verse, adapted to the old Manx air. By Elizabeth Cookson. With notes... Douglas,Isle of Mann,M.A.Quiggin,1858.
26p. 19cm.

"Manx legends, &c.,": p.[15]-26.
Inserted: Mylecharane, Manx national air (music)

NM 0923245 ICN

VOLUME 403

Mylechreest, Winifred Brooks.
The fairest of the Stuarts, by Winifred Brooks Mylechreest... London: S. Low, Marston & Co., Ltd., 1912. 304 p., 4 pl., 2 port. (incl. front.) 8°.

1. Elizabeth (of England), queen consort of Frederick I, king of Bohemia, 1596–1662.—Fiction. 2. Fiction (English). 3. Title.
N. Y. P. L. June 28, 1916.

NM 0923246 NN

Mylen, Bernbardt von
see Melen, Berend von.

Mylén, Bruno.
Torparsonen som skapade en världsindustri; Lars Magnus Ericsson. Stockholm, Missionsförbundets förlag [1946]
79 p. 19 cm.

1. Ericsson, Lars Magnus, 1846–1926. I. Title.
HD9697.S84E76 63–52968 ‡

NM 0923248 DLC NN

Mylenbusch, Rudolf, 1896-
... Untersuchungen zur Unterscheidung des Kreis laufhormons "E.K. Frey" von Hisyamin, Cholin und Hypophysin ... Bielefeld, 1936.
Inaug.-diss. - München.
Lebenslauf.

NM 0923249 CtY

Mylene, Alice R *comp.*
Advice to young authors. To write or not to write; hints and suggestions concerning all sorts of literary and journalistic work, personally contributed by leading authors of the day; comp. and ed. by Alice R. Mylene ... Boston, Morning star publishing house, 1891.
vi, 102 p. 20cm.

1. Authorship—Handbooks, manuals, etc.
11–14886
Library of Congress PN147.M8

NM 0923250 DLC OU MB

Myler, Eberhard Wilhelm, respondent.
... De salvo condvctv Latine commeatv
see under Leyser, Augustin, reichsfreiherr von, 1683-1752, praeses.

Myler, Larkin Sylvester, *comp.*
Jewels of masonic oratory. A compilation of brilliant orations, delivered on great occasions by masonic grand orators in the United States. Illustrated with half-tone portraits of the orators. Comp. by L. S. Myler. [Akron, O., Wright publishing co. pref., 1899]
xvi, [2], [19]–748 p. incl. front., ports. 24½cm.

1. Freemasons—Addresses, essays, lectures. I. Title.
18—1824
Library of Congress HS371.M8
Copyright 1897: 32187 [a31c1] 366.1

NM 0923252 DLC ViU Or

HS 371 M8 1900
Myler, Larkin Sylvester, comp.
Jewels of masonic oratory; a compilation of brilliant orations, delivered on great occasions by masonic grand orators in the United States. New York, M.W. Hazen, 1900.
xvi, 748 p. front., ports. 25cm.

1. Freemasons - Addresses, essays, lectures. I. Title.

NM 0923253 CoU NIC

Myler, Larkin Sylvester, *comp.*
Jewels of masonic oratory; a compilation of brilliant orations, delivered on great occasions by masonic grand orators in the United States. Illustrated with half-tone portraits of the orators. Compiled by L. S. Myler. Chicago, Ill., Fraternal publishers' syndicate [1930]
672 p. front., ports. 24½cm.

1. Freemasons—Addresses, essays, lectures. I. Title.
30–7959
Library of Congress HS371.M8 1930

NM 0923254 DLC OrU MiU

Myler, Lok, *pseud.*
see
Müller, Paul Alfred, 1901-

Myler, William M., joint author.

Augustine, Charles Edward, 1880-
... Value of bituminous coal and coke for generating steam in a low-pressure cast-iron boiler, by C. E. Augustine, James Neil, and William M. Myler, jr. ... Washington, Govt. print. off., 1925.

FL6 M9965t 1687
Myler von Ehrenbach, Johann Nikolaus, 1610-1677.
Nicolai Myleri ab Ehrenbach, JCti, Archologia ordinum imperialium, seu De principum & aliorum statuum Imperii Rom. Germanici priscâ origine, liber singularis. Editio secunda, correctior. Tubingae, impensis J.G.Cottae, literis M.Rommeii, 1683.
4 p.ℓ., 231 p. 20 cm.
Bound with the author's Tractatus de jure asylorum tam ecclesiasticorum quàm secularium. Tubingae, 1687.
1. Holy Roman Empire - Nobility. 2. Feudalism - Holy Roman Empire. I. Title: Archologia ordinum imperialium.

NM 0923257 MiU-L CLU

Myler von Ehrenbach, Johann Nikolaus, 1610–1677.
Nicolai Myleri ab Ehrenbach De principibus et statibus Imperii rom. german. succincta tractatio; duplo, quam olim, auctior, gemino etiam indice. Tubingæ, sumptibus Joh. Georg. Cottæ, bibliopol., typis Martini Rommeii, 1685.
12 p. l., 895, [31] p. 17cm.
With this is bound: Temmen, Henricus. Tractatus novus et absolutus de litium expensis. Coloniæ Agrippinæ, 1690.

1. Holy Roman empire—Constitutional law. 2. State governments—Holy Roman empire.
46–44007

NM 0923258 DLC

Myler von Ehrenbach, Johann Nikolaus, 1610–1677.
Nicolai Myleri ab Ehrenbach, jcti. Etologia ordinum imperialium, sive de principum & aliorum statuum imperii romano-germanici jure concedendi veniam ætatis; libellus singularis. Tubingæ, sumtibus G. Stolli, 1706.
5 p. l., 82 (i. e. 81), [1] p. 21½cm. [With his Gambologia personarum imperii illustrium. Tubingæ, 1723]

1. Age (Law) 2. Law—Holy Roman empire.
9–21130†
Library of Congress HQ731.M9

NM 0923259 DLC

X HQ731 .M9 1664
Myler von Ehrenbach, Johann Nikolaus, 1610-1677.
Nicolai Myleri ab Ehrenbach gamologia personarum imperii illustrium, in quo de matrimonio tàm inter se quàm cum exteris: aequali vel inaequali, ex ratione status; et ad morganaticam virorum illustrium; idem de uxore illustri; de dispensatione; de vidua; dotalitio, ac dono matutinali; nec non de liberis illustribus, tam naturalibus quam legitimis, corumque jure & dignitate agitur. Stvtgardiae, Impensis Joan. Georgii Cottae, 1664.
[16], 555, [9] p. 21cm. vellum.

NM 0923260 NjR MH

Myler von Ehrenbach, Johann Nikolaus, 1610–1677.
Nicolai Myleri ab Ehrenbach. Gamologia personarum imperii illustrium, in qua de matrimonio, tàm inter se, quàm cum exteris: æquali vel inæquali: ex ratione statûs. Et ad morganaticam virorum illustrium. Item de uxore illustri. De dispensatione. De vidua: dotalitio: ac dono matutinali, nec non de liberis illustribus, tam naturalibus quam legitimis, eorumque jure & dignitate agitur. Tubingæ, impensis T. Mezleri, 1723.
4 p. l., 586 (i. e. 576) p. 21½cm.
With this is bound his Etologia ordinum. Tubingæ, 1706.
1. Marriage law—Holy Roman empire. 2. Marriages of royalty and nobility.
9–21128†
Library of Congress HQ731.M9

NM 0923261 DLC

Myler von Ehrenbach, Johann Nikolaus, 1610-1677.
Nicolai Myleri ab Ehrenbach Metrologia. Hoc est, de jure statuendi de mensuris, ponderibus & moletrinis. Vbi in specie quoque. De lapide terminali & torculis, tam privatis quam publicis ac bannalibus, singularia quaedam & non vulgaria exhibentur & variae quaestiones explicantur. Tractatus practicus. In quo quicquid vulgari aut exotica lingua traditum, in linguam latinam transversum est. Tubingae, impensis J.G.Cottae, literis J.-H.Reisii, 1668.

8p.ℓ., 623 (i.e.619) p. 20 cm.
Bound with the author's Tractatus de jure asylorum tam ecclesiasticorum quàm secularium. Tubingae, 1687.

1. Weights and measures - Holy Roman Empire. 2. Boundaries (Estates) - Holy Roman Empire. 3. Sacrilege (Canon law) I. Title: Metrologia.

NM 0923263 MiU-L CU

K 50 W42M98
Myler von Ehrenbach, Johann Nikolaus, 1610-1677.
Nicolai Myleri ab Ehrenbach Metrologia. Hoc est, de jure statuendi de mensuris, ponderibus & moletrinis. Ubi in specie quoque. De lapide terminali & torculis, tam privatis quam publicis ac bannalibus, singularia quaesda & non vulgaria exhibentur & vaiae quaestiones explicantur. Tractatus practicus. In quo quicquid vulgari aut exotica lingua traditum, in linguam latinam transversum est.

Tubingae, Impensis J. G. Cottae, 1683.
[16], 623, [1] p. (His Opus de jure publico Imperii Romano-Germanici, pt.4)

With this is bound the author's Archologia ordinum imperialium. Tubingae, 1683.

NM 0923265 CLU

Myler von Ehrenbach, Johann Nikolaus, 1610-1677.
... Stratologia Germanici Imperii statuum, sive Militandi libertas Germanorvm, et imprimis Imperii ordinvm apvd exteros. Cum quaestionibus eò pertinentibus olim disceptatis, nunc primum in lucem edita, notis illustrata, et praefatione in qua b. authoris vita recensetur, adducta à Jacobo Davide Moeglingio ... Ulmae, G.W. Kühne, 1710.

12 p.l., 204, [24] p. 18½cm.

At head of title: B. Nicolai Myleri ab Ehrenbach.

NM 0923267 MH-L

Myler von Ehrenbach, Johann Nikolaus, 1610-1677
Nicolai Myleri ab Ehrenbach... Tractatus de jure asylorum tam ecclesiasticorum quàm saecularium. In quo omnia fere asyla, quaeque in orbe omnium gentium ... recensentur: praesertim verò de illis asylis, quae in imperio romano germanico etiam nunc temporis efflorescant... Stutgardiae, typis & sumptibus J.W. Rösslini, 1663.
8 p.l., 172, [37] p. 19 cm.
1. Ius asyli. 2. Asylum, Right of.

NM 0923268 MBtS MH-L

VOLUME 403

J 832 .609 MYLER VON EHRENBACH, JOHANN NIKOLAUS, 1610-1677.
Tractatus de jure asylorum tam ecclesiasticorum quàm secularium. Editio secunda. Tubingae, Sumptibus J.G.Cottae,1686.
172p. 22cm.

NM 0923269 ICN

FL6 M9965t 1687 Myler von Ehrenbach,Johann Nikolaus,1610-1677.
Nicolai Myleri ab Ehrenbach ... Tractatus de jure asylorum tam ecclesiasticorum quàm secularium. In quo omnia fere asyla,quaeque in orbe omnium gentium,& populorum usu adhucdum vigeant, eorumque ab omni aevo competentes qualitates & conditiones,ac quibus profugis illa pateant aut praecludantur,recensentur: praesertim verò de illis asylis,quae in Imperio Romano Germanico etiam nunc temporis efflorescant & quibus asyla aperiendi jus fasque sit,annexis variis provinciarum constitutionibus latiùs differitur; praeviis summariis cum indice gemino,tàm quaestionum,quàm rerum & verborum. Editio secunda. Tubingae, sumptibus J.G.Cottae, typis M.Rommelii, 1687.
8 p.ℓ.,172 p.,18 ℓ. 20 cm.
With this are bound the author's Archologia ordinum imperialium. Editio secunda. Tubingae, 1683; Metrologia. Tubingae, 1668.
1.Asylum,Right of. I.Title: Tractatus de jure asylorum.

NM 0923271 MiU-L

Mylerus ab Ehrenbach, Nicolaus
see
Myler von Ehrenbach, Johann Nikolaus, 1610-1677.

Myles, A E
Establishment; addresses given in Barbados, 1933. London, Stew Hill Bible and Tract Depot [1933?]
v, 109 p.

NM 0923273 CLamB

Myles, Charles Derwentwater.

Campbell-Taylor, Arthur Edwin, 1864–
The practice and procedure relating to the registration of companies and the filing of the returns and other documents prescribed by the Companies acts, 1908 to 1917, by A. E. Campbell-Taylor ... with an appendix of cases referred to, by C. D. Myles ... London, Jordan & sons, limited, 1925.

Myles, David, d.1702.
The last words and confession of David Myles who was executed for incest, at Edinburgh, on the 27 day of November, 1702. [Edinburgh? 1702?]
1 p. 31cm.
Broadside.

NM 0923275 CLU-C

Myles, Eugenie.

Gillis, Elsie (McCall)
North Pole boarding house, as told by Elsie McCall Gillis to Eugenie Myles. Toronto, Ryerson Press [1951]

Myles, F[rederic] W.
Thargominda, Buloo River. [With vocabulary.] (In: E. M. Curr's The Australian race... Melbourne, 1886-87. 8°. v. 2. p. 36-41.)

1. Australian languages: Thargominda. N. Y. P. L.
N. Y. PUBLIC LIBRARY January 5, 1911.

NM 0923277 NN

Myles, George B
The winning hand; or, The imposter. A comedy...by Geo B. Myles... Clyde, O., Ames, 1895. 25 p. 19cm. (Ames' series of standard and minor drama. no. 351.)

1. Drama, American. I. Title. N. Y. P. L. March 12, 1948

NM 0923278 NN DLC RPB CtY CLSU

Myles, G.
Head waters of the MacIntyre River. Preagalgh language. [Vocabulary.] (In: Curr, E. M. The Australian race... Melbourne, 1886-87. 8°. v. 3. p. 268-269.)

1. Australian languages: Preagalgh. N. Y. P. L.
N. Y. PUBLIC LIBRARY January 9, 1911.

NM 0923279 NN

Mylès, Henri.
... L'autre carrière, scènes de la vie consulaire. Paris, H. Floury, 1927.
4 p. l., 11-231, [3] p., 1 l. 19cm.

I. Title.
Library of Congress PQ2625.Y5A8 1927 28-21173

NM 0923280 DLC CtY

Mylès, Henri.
... Clair de lune sur le Bosphore, histoire orientale. Paris, Floury, 1926.
3 p. l., 9-218 p., 1 l. 18½cm.

I. Title.
Library of Congress PQ2625.Y5C5 1926 26-6096

NM 0923281 DLC CtY

Mylès, Henri.
... La fin de Stamboul; le décor—les survivances—les fantômes humains—les cendres. Paris, E. Sansot [1921]
216 p. 16½cm. fr. 6

1. Constantinople—Descr. 2. Turkey—Soc. life & cust. I. Title.
Library of Congress DR722.M8 21-13242

NM 0923282 DLC GU

Mylès, Henri.
... Perdreaux manqués. Paris, "La France combattante" [©1932]
223 p. 18½cm.

I. Title.
Library of Congress PQ2625.Y5P4 1932 32-22279
Copyright A—Foreign 17633
[2] 843.91

NM 0923283 DLC CtY

238.66 Se17pr Myles, J E
A review of a sermon of Rev. A. D. Sears, touching points of difference between Baptists and Disciples, by J. E. Myles. New York, Holman, 1867.
40p. 19cm.

1. Disciples of Christ--Doctrinal and controversial works--Baptist authors. I. Sears, A D The Points of difference between the Baptists and other religious denominations.

NM 0923284 KyLoS PPPrHi OO

HD 8039 R392 N4 HRC GRA Myles, J J
Signalmen. Redfern [Australia, Australian Railways Union, 193-?]
[4]p. 20cm.
Cover title.

1. Railroads - New South Wales - Employees. I. Title.

NM 0923285 TxU

DA 816 M9 Myles, James, 1819-1851.
Chapters in the life of a Dundee factory boy; an autobiography. Dundee, J. Myles, 1850.
96 p.

Chapters in the life of a Dundee factory boy
Life of a Dundee factory boy

NM 0923286 KMK

Myles, James, 1819-1851.
Chapters in the life of a Dundee factory boy, an autobiography. Dundee, Kidd, 1887.
76 p.

NM 0923287 PU NN

Myles, James, 1819–1851.
Rambles in Forfarshire; or, Sketches in town and country. By James Myles. Dundee, J. Myles; [etc., etc.] 1850.
xvi, [17]-289 p. 19½cm.
"Most of the ... present volume originally appeared in ... the Dundee courier."—Introd.

1. Angus, Scot.—Descr. & trav. I. Title.
Library of Congress DA880.A5M9 3-28713 Revised

NM 0923288 DLC

Myles, Jean, pseud.
see Purvis, Ellen Jane.

25.9 Myles, Joseph, comp.
Builders' and traders' exchange hand-book, containing by-laws, constitution, certificate of incorporation, rules, regulations and classified list of the members of the builders' exchange of Detroit, [etc.] Detroit, J.W. Ritchie & co. [1892]
159 p., v. I. 12°.

NM 0923290 DLC

Myles, Joseph F
A cost analysis of the principal methods of financing pension plans. New Brunswick [N.J.] Rutgers University, 1954.
iii, 75 ℓ.

NM 0923291 MH-BA

WQ 165 M997t 1953 MYLES, Margaret Fraser.
A textbook for midwives. Edinburgh, Livingstone, 1953.
xii, 676 p. illus., ports.
1. Obstetrics

NM 0923292 DNLM

[Myles, *Mrs.* Mary Anna (Henry)] 1865–
Social science in the light of the solar system, by Jean Francis Leroy [*pseud.*] San Jose, Calif., Printed by V. S. Hillis co. [©1913]
2 p. l., [9]-295 p. illus. 17½cm. $1.50

1. Astrology. I. Title.
Library of Congress BF1701.M8 14-250

NM 0923293 DLC

VOLUME 403

Myles, Nora Ware.
Behold Russia; a vivid description of modern European Russia, by Nora Ware Myles. [Dallas, Mathis, Van Nort & company [1944]
xiv, 258 p. illus. 22½cm.

1. Russia—Descr. & trav.—1917- I. Title.
44-9625
Library of Congress DK267.M95
[10] 914.7

NM 0923294 DLC PP

Myles, Rev. Percy W.
Contemporary English literature... A lecture delivered at the Rudy Institute Pa., 1890.

NM 0923295 PPL

Myles, Percy Watkins, 1849-1891, ed.
The Selborne magazine and "Nature notes," the organ of the Selborne society ... v. 1- Jan. 1890-
London, H. Sotheran & co. [etc.] 1890-

Myles (Robert C.) Diagnosis of the diseases of the accessory sinuses, and their treatment. 14 pp. roy. 8°. *New York*, 1895.
Repr. from: N. York Polyclin., 1895.

NM 0923297 DNLM

Myles, *Mrs.* Rose.
The sin of her youth. By Mrs. Rose Myles. Dallas, Tex., A. D. Aldridge & co., 1900.
195 p. 19½cm.

I. Title.
0-3524 Revised
Library of Congress (✱) (P23.M994s1)

NM 0923298

Myles, Samuel, 1664-1728.
Works by this author printed in America before 1801 are available in this library in the Readex Microprint edition of Early American Imprints published by the American Antiquarian Society.
This collection is arranged according to the numbers in Charles Evans' American Bibliography.

NM 0923299 DLC

[**Myles, Thomas,**] 1809-1891.
The kernel of the controversy; or, The church question brought to a point. By X. Y. Z. Edinburgh: M. Macphail, 1843. 15 p. 8°.

1. Church and state—Gt. Br.—Scotland. 2. Church of Scotland—Hist., 1843. I. Title.
N. Y. P. L. *Revised* July 22, 1931

NM 0923300 NN

[Myles, Thomas,] 1809-1891.
The kernel of the controversy; or, The church question brought to a point. By X. Y. Z... Edinburgh: M. Macphail, 1844. 15 p. 2. ed. 8°.

474685A. 1. Church and state—Gt. Br.—Scotland. 2. Church of Scotland.
N. Y. P. L. November 25, 1930

NM 0923301 NN

[Myles, Thomas,] 1809-1891.
The kernel farther discussed; or, The Convocation resolutions based on an erroneous doctrine. By X. Y. Z. Edinburgh: M. Macphail, 1844. 21 p. 8°.

742642. 1. Church and state—Gt. Br.—Scotland. 2. Church of Scotland—Hist., 1844. I. Title.
N. Y. P. L. *Revised* July 23, 1931

NM 0923302 NN

Div.S. 287.6 M997CHA
Myles, William.
A chronological history of the people called Methodists, containing an account of their rise and progress from the year 1729 to the year 1799; including the minutes of the several conferences, an account of their doctrines and rules of discipline, with the most remarkable transactions. Also short accounts of some of the most eminent men who have laboured among them. With an appendix containing two lists of the itinerant preachers the one taken in the year 1765, the other in the year 1790. With the last will and testament of the Rev. John Wesley. The whole interspersed with reflections. Liverpool, Printed for the author by J. Nuttall; sold by Hartley, Rochdale [1799]
iii, 223 p. 18 cm.

With this are bound the author's A list of all the Methodist preachers. Bristol [1801?] Pawson, John. A serious and affectionate address. [n.p., 1798]

1. Methodism. History.

NM 0923305 NcD CtY TxDaM NNUT PPL TxU

M 287.0942 M997c 1813
Myles, William.
A chronological history of the people called Methodists, of the connexion of the late Rev. John Wesley; from their rise, in the year 1729, to their last conference, in 1812. 4th ed., enl. London, Printed at the Conference office, 1813.
xi, 486p. 22cm.

1. Wesleyan Methodist church--History. I. Title.

NM 0923306 TxDaM MBU-T MdBP GEU OO PHC

Myles, William.
The life and writings of the late Reverend Wm. Grimshaw... Newcastle upon Tyne, Printed for the author by Edw. Walker [1806]
v, 199 p. 19 cm.
Pages [71]-155: An answer to a sermon lately published against the Methodists, by the Rev. Mr. George White... Preston, Printed by James Stanley and John Moon, 1749, has special title page.
1. Grimshaw, William, 1708-1763. 2. Methodis Church. Doctrinal and controversial works.

I. Grimshaw, William, 1708-1763. An answer to a sermon, lately published against the Methodists, by the Rev. Mr. George White.

NM 0923308 NcD CtY

Myles, William.
The life and writings of the late Reverend William Grimshaw... 2d ed. London, Printed at the Conference Office, by Thomas Cordeux, 1813.
vi, 204 p. port. 17 cm.
An answer to a sermon, lately published against the Methodists by the Rev. George White: p. [75]-160.

NM 0923309 NcD IEG

Div.S. 287.6 M997CHA
Myles, William.
A list of all the Methodist preachers who have laboured in connexion with the late Rev. John Wesley and with the Methodist Conference. Also a list of all the preaching-houses in the Methodist connexion in Great-Britain and Ireland taken in the year 1801. Bristol, Printed for the author by R. Edwards [1801?]
36 p. 18 cm. [With his A chronological history, Liverpool [1799]]
1. Methodist Church. Biography. 2. Methodist Church in Great Britain.

NM 0923310 NcD

Myles, William Harris.
HD9011 .6 .A5 1935
Gt. Brit. *Ministry of agriculture and fisheries.*
... Agricultural marketing schemes in action, by W. H. Myles ... senior marketing officer ... [London, Red lion press ltd.] 1935.

Myles, William Harris.
Condition of weights and measures in the Punjab; being the results of investigations in thirteen areas in the province. Inquiry conducted under the supervision of W. H. Myles. [Lahore, Civil & Military Gazette, 1936.
xii, 88 p. 25 cm. (The Board of Economic Inquiry, Punjab. Publication no. 42)
"The present report was drafted by Mr. Roshan Lal Anand."

1. Weights and measures—India—Punjab. I. Anand, Roshan Lal. II. Title. (Series: Board of Economic Inquiry, Punjab. Publications, no. 42)
QC89.I4M9 52-52896

NM 0923312 DLC WU NcD

Myles, William Harris, ed.
Board of economic inquiry, Punjab.
... Punjab village surveys ... <General editor: W. H. Myles, M. A.> ... [Lahore, Printed at the "Civil and military gazette" press] 1928-

Myles, William Harris.
Sixty years of Punjab food prices, 1861-1920. [Lahore, "C. & M. Gazette" Press, 1925.
52 p. diagrs. (part fold.) 25 cm. (The Board of Economic Inquiry, Punjab. Rural section publication, 7)
"Reprinted ... from the Indian journal of economics."

1. Prices—Punjab. 2. Agriculture—Economic aspects—India—Punjab. I. Title. (Series: Board of Economic Inquiry, Punjab. Publications, no. 7)
HB233.A3M84 50-41098

NM 0923314 DLC NN MH NcD MoU

Mylich (Henricus Carolus). *Morborum ad folliculos sebaceos pertinentium, in justum ordinem redigendorum ac describendorum, specimen. [Dorpat.] 62 pp. 8°. *Mitaviæ, ex off. J. F. Steffenhagen et filii*, 1897.

NM 0923315 DNLM

Mylimoms sesems
see under
Matuzevičius, Eugenijus, ed.

Mylin, Amos H., 1838-1926.
Pennsylvania. *Auditor-general's office.*
Charitable institutions of Pennsylvania which have received state aid in 1897 and 1898, embracing their history and the amount of state appropriations which they received. Compiled under authority of an act of assembly, approved July 26, 1897, by Alexander K. Pedrick ... under the direction of Amos H. Mylin, auditor general of Pennsylvania. [Harrisburg] W. S. Ray, state printer, 1898.

HV8 .P5 1897
Mylin, Amos H., 1838-1926.
Pennsylvania. *Auditor-general's office.*
State prisons, hospitals, soldiers' homes and orphan schools controlled by the commonwealth of Pennsylvania, embracing their history, finances and the laws by which they are governed. Compiled under authority of an act of assembly approved July 2, 1895, by direction of Amos H. Mylin, auditor general of Pennsylvania ... [Harrisburg] C. M. Busch, state printer, 1897.

Mylin, Barbara Kendig, joint author.
Fulton, Eleanore Jane, 1882-
An index to the will books and intestate records of Lancaster county, Pennsylvania, 1729-1850, with an historical sketch and classified bibliography ... prepared by Eleanore Jane Fulton and Barbara Kendig Mylin. [Lancaster, Pa., Intelligencer printing co.] 1936.

Myling, F H
see **Mijling, F H**

VOLUME 403

Myling, Wilhelmina Maria
see **Mijling, Wilhelmina Maria, 1904–**

Mylius,
Der Wasserbau an den Binnenwasserstrassen
see Mylius, Bernhard, engineer.

Mylius, of Genoa.
Catalogue d'objets d'art et de curiosite, formant la galerie de Mr. Mylius de Genes. Tableuax et sculptures... porcelaines... objets d'orfevrerie et bijaux... vases... enventails... miniatures ... livres... dont la venteuax encheres publiques aura leis a Genes a la villa Mylius le... 5 novembre 1879...
Rome, 1879.

N5273
.M8

NM 0923323 DLC

Mylius, Schulrat
see Mylius, Albert, Schulrat.

Mylius, A. F., respondent.
... De censibus promobilibus...
see under Beier, Adrian, 1634-1712, praeses.

Mylius (Adolphus Theodorus) [1809-]. *De venaesectionis historia. 28 pp., 2 l. 8°. *Berolini, typ. Nietackianis*, [1835].

NM 0923326 DNLM

NK
1560
.M9

Mylius, Agnese.
Modelli di oreficeria floreale; 50 tavole con riproduzioni di 100 motivi diversi da composizioni originali dell'autrice. Milano, U. Hoepli, 1911.
xii, xLix [1] plates. (Manuali Hoepli)

1. Design, Decorative - Plant forms. 2. Goldsmithing. I. Title.

NM 0923327 DGU N

Mylius, Albert.
Untersuchungen ueber oxykobaltiake und anydrooxykobaltiake.
Zuerich, 1898.
Dissert.

QD181
.N15-

NM 0923328 DLC

Mylius, Albert, Schulrat
Die praktischen Ideen Herbarts "Freiheit, Vollkommenheit und Wohlwollen" als Grundlage der Ethik in ihrem Verhältnis zur Bergpredigt und zur methodischen Verwertung deutscher Gedichte in der Schule. Von Königl. Schulrat a. D. Mylius... Langensalza: H. Beyer & Söhne, 1918. 45 p. 8°. (Paedagogisches Magazin. Heft 688.)

1. Herbart, Johann Friedrich, 1776–1841: Freiheit, Vollkommenheit und Wohlwollen. 2. Sermon on the Mount. 3. Poetry (German).—Study and teaching. 4. Series.
N. Y. P. L. April 10, 1922.

NM 0923329 NN

Mylius, Albert, Schulrat
Von der anschauung zur erkenntnis. Ein gang mit Comenius zu Herbart-Ziller. Von schulrat Mylius ... Langensalza, H. Beyer & söhne, 1913.

21 p. 21½ cm. (Pädagogisches magazin, hft. 523)

1. Knowledge, Theory of. 2. Comenius, Johann Amos, 1592–1670. 3. Herbart, Johann Friedrich, 1776–1841. 4. Ziller, Tuiskon, 1817–1882. I. Title.

BD171.M9 E 33-94

U. S. Office of Education. Library
for Library of Congress [a59c½]†

NM 0923330 DHEW NN DLC

Mylius, Albert de.
Description of a planetarium, or astronomical machine... 1791
see under title

Mylius ([Albertus] Oscar) [1829-]. *De aneurysmatibus nonnulla. 32 pp. 8°. *Berolini, G. Schade*, [1864].

NM 0923332 DNLM

Mylius, Andreas, 1649-1702, praeses.
.. De actione ad palinodiam ...
Lipsiae, J. Georg [1682]

[16] p. 18cm.

Diss. - Leipzig (J.F. Leuchte, respondent)

NM 0923333 MH-L CtY-L MH-L

Mylius, Andreas, 1649-1702, ed.
Jurisprudentia forensis romano-saxonica...
see under Carpzov, Benedict, 1595-1666.

Mylius, Andreas, 1649-1702, praeses.
... De censu emigrationis. Von Abzugs-Gelde ... Lipsiae, J. Brand [1684]

[19] p. 18½cm.

Diss. - Leipzig (Christoph Schaller, respondent)

NM 0923335 MH-L

Mylius, Andreas, 1649-1702, praeses.
... De censu emigrationis. Von Abzugs-Gelde ... Lipsiae, 1719.

[24] p. 18½cm.

Diss. - Leipzig (Christoph Schaller, respondent)
First published in 1684.

NM 0923336 MH-L

Mylius, Andreas, 1649-1702, praeses.
... De constituto obligatorio ...
Lipsiae, J. Georg [1682]

[16] p. 20cm.

Diss. - Leipzig (Georg Breuer, respondent)

NM 0923337 MH-L

Mylius, Andreas, 1649-1702, praeses.
... De condictione, L. Si quis conductionis. 25. C. de locato conducto ... Lipsiae, J.Z. Zschauens [1696]

[24] p. 19cm.

Diss. - Leipzig (J.G. Schönfeld, respondent)

NM 0923338 MH-L

Mylius, Andreas, 1649-1702, praeses.
... De competentia fori ratione rei haereditariae ad L. un. C. ubi de haereditate agatur ...
Lipsiae, Literis Banckmannianis [1698]

[23] p. 19cm.

Diss. - Leipzig (J.H. Mayer respondent)

NM 0923339 MH-L

Mylius, Andreas, 1649-1702.
... De contractu libellario ... disputabit Andreas Mylius ...
Lipsiae, Typis viduae Joh. Wittigau [1678]

[19] p. 19cm.

Diss. - Leipzig.

NM 0923340 MH-L

Mylius, Andreas, 1649-1702, praeses.
... De jure carnificum ... Lipsiae, J. Georg [1682]

[20] p. 19½cm.

Diss. - Leipzig (J.C. Eylenbergk, respondent)

NM 0923341 MH-L

Mylius, Andreas, 1649-1702, praeses.
... De inveniendis cauteq; objiciendis exceptionibus ... Lipsiae, J. Georg [1698]

[20] p. 19cm.

Diss. - Leipzig (J.A. von Ponigkau, respondent)

NM 0923342 MH-L

Mylius, Andreas, 1649-1702, praeses.
... De intercessione foeminarum, occasione SCti Vellejani .... Lipsiae, C. Banckmann [1687]

[24] p. 19cm.

Diss. - Leipzig (Andreas Hasskerl, responsent)

NM 0923343 MH-L

Mylius, Andreas, 1649-1702, praeses.
... De fideicommisso sub clausula: Quicquid super fuerit, relicto, ad L. Titius rogatus est. 54. ff. ad SCtum Trebellianum ... Lipsiae, C. Fleischer [1687?]

[40] p. 18cm.

Diss. - Leipzig (M.J. von Arensdorf, respondent)

NM 0923344 MH-L

Mylius, Andreas, 1649-1702, praeses.
... De feudo in pecunia consistente. Von dem Lehn-Stamm ...
Lipsiae, 1716.

[36] p. 19½cm.

Diss. - Leipzig (J.G. Von Maxen, respondent)
First published in 1693

NM 0923345 MH-L

Mylius, Andreas, 1649-1702, praeses.
... De exceptione dominii, ad L. Paulus notat pen. & L. Publiciana actio fin. de Publ. in rem actione ... Lipsiae, C. Goezius [1695]

[24] p. 19cm.

Diss. - Leipzig (C.A. Anschütz, respondent)

NM 0923346 MH-L

VOLUME 403

Mylius, Andreas, 1649-1702, praeses.
... De corruptionibus ... Lipsiae, J. Georg [1680]
[24] p. 18cm.
Diss. - Leipzig (J.F. von Wedig, respondent)

NM 0923347 MH-L

Mylius, Andreas, 1649-1702, praeses.
... De copia instrumentorum vidimata ... Lipsiae, C. Banckmann [1685]
[28] p. 18cm.
Diss. - Leipzig (Christoph Herrwieg, respondent)

NM 0923348 MH-L

Mylius, Andreas, 1649-1702, praeses.
... De jure carnificum. Vulgo, Vom Scharff- und Nach-Richtern ... Ed. 2. [n.p.] 1716.
[24] p. 19cm.
Diss. - Leipzig (J.C. Eylenbergk, respondent)
First published in 1682.

NM 0923349 MH-L

Mylius, Andreas, 1649-1702, praeses.
... De libris mercatorum. Von denen Handelsbüchern ... Lipsiae, J. Georg [1681]
43, [1] p. 19cm.
Diss. - Leipzig (A.C. Rösener, respondent)

NM 0923350 MH-L

Mylius, Andreas, 1649-1702, praeses.
De jure vicinorum ... Lipsiae, C. Banckmann [1684]
[20] p. 19cm.
Diss. - Leipzig (J.H. Schindler, respondent)

NM 0923351 MH-L

Mylius, Andreas, 1649-1702, praeses.
... De muliere domina. Germanicè, Von der Weiber Herrschafft ... Lipsiae, 1718.
22 p. 19cm.
Diss. - Leipzig (G.B. Homilius, respondent)
First published in 1687.

NM 0923352 MH-L

Mylius, Andreas, 1649-1702, praeses.
... De muliere domina (Von der Weiber-Herrschafft) ... Halae, Recusa literis Hendelianis, 1723.
22 p. 20cm
Diss. - Leipzig, 1687 (G.B. Homilius, respondent)
FL6 D613 v.19 no.30 **Vol.19, no.30 of a collection with binder's title: Dissertationes juridicae.**
1. Woman - Legal status, laws, etc. I. Homilius, Gottlieb Benjamin, respondent.

NM 0923353 MiU-L MH-L

Mylius, Andreas, 1649-1702, praeses.
De remediis subsidiariis ... Lipsiae, C. Banckmann [1683]
[3] p. 18½cm.
Diss. - Leipzig (J.G. Roesner, respondent)

NM 0923354 MH-L

Mylius, Andreas, 1649-1702, praeses.
De remdeiis, qvae per modum actionis et exceptionis proponi possunt, occasione L. 156. §. I. ff. de R.J. ... Lipsiae, C. Banckmann [1685]
[20] p. 18cm.
Diss. - Leipzig (C.F. Keyser, respondent)

NM 0923355 MH-L CtY-L

Mylius, Andreas, 1649-1702, praeses.
... De remissione facinorosorum, eorumqve transportatione per territorium alienum. Von abfolge und durchführung der maleficanten, qvam ... submittit ... Christian Siegfried Fritsch ... Lipsiae, typis Joh. Christoph. Brandenburgeri, 1690.
[32] p. 17½cm.
Diss.- Leipzig (Christian Siegfried Fritsch, respondent)

NM 0923356 MH-L

Mylius, Andreas, 1649-1702, praeses.
... De remissione facinorosorvm eorvmqve transportatione per territorivm alienvm. Von Abfolge und Durchführung der Maleficanten ... [n.p.] 1729.
32 p. 18½cm.
Diss. - Leipzig (C.S. Fritsch, respondent)
First published in 1690.

NM 0923357 MH-L

Mylius, Andreas, 1649-1702.
... De remissione facionorosorvm eorvmqve transportatione per territorivm alienvm. Oder: Von Abfolge und Durchführung der Maleficanten. Francofvrti et Lipsiae, J.C. Schroeter, 1743.
32 p. 20½cm.
First published as dissertation (Leipzig, 1690) with Christian Siegfried Fritsch as respondent.

NM 0923358 MH-L

Mylius, Andreas, 1649-1702, praeses.
... De remissione poenae ... Lipsiae, Literis Banckmannianis [1689]
[24] p. 20cm.
Diss. - Leipzig (L.H. von Kalitsch, respondent)

NM 0923359 MH-L

Mylius, Andreas, 1649-1702, praeses.
... De renunciationibus ... Lipsiae, J. Georg [1681]
[20] p. 19cm.
Diss. - Leipzig (J.F. Scheibe, respondent)

NM 0923360 MH-L

Mylius, Andreas, 1649-1702, praeses.
... De testamento tempore pestis condito. Von dem Testament, so zur Zeit der Pest auffgerichtet wird ... Lipsiae, J. Georg [1680]
[19] p. 18cm.
Diss. - Leipzig (Nicolaus Einert, respondent)

NM 0923361 MH-L

Judaica Mch30 636M
Mylius, Andreas, 1606-1649.
De Tetragrammato; i.e., De nomine proprio Dei יהוה, authore M. Andrea Mylio ... Regiomonti, Typis Lavrentii Segebadii, 1636.
[48]p. 19cm.

1. God - Name. 2. Jews - Religion

NM 0923362 CtY

MYLIUS, Andreas, 1649-1702, praeses.
Disputatio juridica de seditione. Lipsiae, n. d.
(2) - 26 p.
Inaug. diss.---[Leipzig], 1682. Respondent, J.B. Mylius.

NM 0923363 MH-L

Mylius, Andreas, 1649-1702, praeses.
... Exceptionem excussionis extraneo possessori competentem ... Lipsiae, C. Banckmann [1688]
[24] p. 19½cm.
Diss. - Leipzig (C.H. Albhart, respondent)

NM 0923364 MH-L

Mylius, Andreas, 1649-1702, praeses.
... Evictionem imminentem occasione L. Si post perfectam XXIV. C. de evictionibus ... Lipsiae, J. Georg [1693]
[16] p. 19cm.
Diss. - Leipzig (J.G. Arnst, respondent)

NM 0923365 MH-L

Mylius, Andreas, 1649-1702, *ed.*
... Institutionum juris paraphrasis perpetua, cum additione juris novi, inprimis saxonici, & tabellis ad calcem cujusvis libri ...
see under Fuchs, Paul, freiherr von, 1640-1704.

Mylius, Andreas, 1649–1702, *praeses.*
... Jura circa musicos ecclesiasticos ... Lipsiæ, literis C. Banckmanni [1688?]
[40] p. 19 x 14½cm.
Diss.—Leipzig (J. Kuhnau, respondent and author)

1. Musicians. I. Kuhnau, Johann, 1660–1722, respondent.

9-6430

Library of Congress ML3882.A2K87

NM 0923367 DLC NNUT

Mylius, Andreas, 1649-1702, praeses.
... Jura vagabundorum ... Lipsiae, J. Georg [1679]
[20] p. 19cm.
Diss. - Leipzig (David Barthel, respondent)

NM 0923368 MH-L

VOLUME 403

Mylius, Andreas, 1649-1702, praeses.
... Liqvidationem ..., Lipsiae,
J. Georg [1681]
[20] p. 18½cm.
Diss. - Leipzig (Severinus Weiss, respondent)

NM 0923369 MH-L

349.37 V768s 1672
Mylius, Andreas, 1649-1702.
Andreæ. Mylii., J.U.D. & pr of publ. in Academia lipsiensi Nucleus. Institutionum. Definitiones, divisiones & titulorum connexiones præcipuas exhibens, in gratiam cupidæ legum juventutis editus. Lipsiæ, sumptibus Georgii Henrici Frommanni, literis viduæ wittigavianæ, 1680.
4 p.l., 168, [14]p. 14cm. [With Vinnius, Arnoldus. Selectarum juris quæstionum libri duo. Roterodami, 1673]
Title in red and black.
1. Law--Terms and phrases.

NM 0923370 IU

Mylius, Andreas, 1649-1702.
... Nucleus institutionum. Definitiones, divisiones et titulorum connexiones praecipuas exhibens ... Ed. 3., priori auctior & correctior. Lipsiae, Sumpt. Augusti Martini, 1719.
192, [12] p. 14cm.

NM 0923371 MH-L

Mylius, Andreas, 1649-1702.
... Nucleus pandectarum, definitiones, divisiones & titulorum connexiones praecipuas exhibens. Cui accesserunt Germani Cousinii ... receptarum utriusqve juris regularum. Partitiones. Lipsiae, apud Friderici Lanckisii hered., literis Christiani Banckmanni, 1686.
4 p.l., 328, [12], 76 p. 13cm.

NM 0923372 MH-L

Uznl2 610 2
Mylius, Andreas, 1649-1702, praeses.
... Venationem ferarum bestiarum .. praeside Dn. Andrea Mylio ... respondendo tuebitur, George Gottfriedt Gey ... Lipsiae Literis Joh.Georg.[1682]
[24]p. 20cm. [Dissertationes de venatio... ... Vol. II]
Diss. - Leipzig (Georg Gottfried Gey, respondent)
Signatures: A-C^4.

NM 0923373 CtY

Mylius (Andreas Christophorus). * De medicamentis selectioribus. 32 pp. 4°. *Halæ Magdeb., typ. G. J. Lehmanni,* [1713].

NM 0923374 DNLM MH

Mylius, Andreas Friedrich, respondent.
... De censibus promobilibus...
see under Beier, Adrian, 1634-1712, praeses.

Mylius, Anton von.
Die heutige gemeindeverfassung in ihren wirkungen auf gemeindewohl... Köln am Rhein, J.P. Bachem, 1830.
168p.

NM 0923376 MiU

[Mylius, Arnold] 1540-1604, *comp.*
De rebvs hispanicis, lvsitanicis, aragonicis, indicis & aethiopicis. Damiani à Goes, Lusitani, Hieronymi Pauli, Barcinonensis, Hieronymi Blanci, Cæsaraugustani, Iacobi Teuij, Lusitani, opera ... partim ex manuscriptis nunc primum eruta, partim auctiora edita. Coloniae Agrippinae, in officina Birckmannica, sumptibus A. Mylij, 1602.
12 p. l., 443 p. incl. port. 16^{cm}.
CONTENTS.—Damiani à Goes vita.—Hispaniæ descriptio, eademq à calumnijs Seb. Munsteri defensa.—Olisiponensis vrbis descriptio.—De rebus & imperio Lusitanorum, ad Paulum Iouium disceptatiuncula.—Hieronymi Pauli de fluminibus & montibus Hispaniæ. mss.—Barcinonensis vrbis descriptio & episcoporum cathalogus. mss.—Hieronymi Blanci

regum Aragoniæ cathologus, cum succincta eorum vita. mss.—Damiani à Goes de religione & morib. Aethiopũ.—Epistolæ aliquot Preciosi Ioannis, Damiano & Paulo Iouio interpretibus.—Deploratio lappianæ gentis.—Láppiæ descriptio.—Epistola Emanuel regis Portugalliæ, ad Leonem x. pon. maximũ, de victorijs in Africa habitis.—Epistola Ioannis III. regis Portugalliæ etc. de rebus in Oriente feliciter gestis.—Damiani à Goes bellum cambaicum I. seu obsidio vrbis Diensis.—Bellum cambaicum II.—Iacobi Teuij de rebus ad Dium gestis commẽtarius.
1. Spain. 2. Portugal. 3. Aragon (Kingdom)—Hist. 4. Abyssinia—Hist. 5. Diu, India—Siege, 1539 and 1545. 6. Lapland—Descr. & trav. I. Blancas y Tomás, Gerónimo de, d. 1590. II. Goes, Damião de, 1502-1574. III. Teive, Diogo de, fl. 1565. IV. Pau, Jerónimo, fl. 1490. V. Title.

vrbis descriptio & episcoporum cathalogus. mss.—Hieronymi Blanci regum Aragoniæ cathalogus, cum succincta eorum vita. mss.—Damiani à Goes de religione & morib. Aethiopũ.—Epistolæ aliquot Preciosi Ioannis, Damiano & Paulo Iouio interpretibus.—Deploratio lappianæ gentis.—Láppiæ descriptio.—Epistola Emanuel regis Portugalliæ, ad Leonem x. pon. maximũ, de victorijs in Africa habitis.—Epistola Ioannis III. regis Portugalliæ etc. de rebus in Oriente feliciter gestis.—Damiani à Goes bellum cambaicum I. seu obsidio vrbis Diensis.—Bellum cambaicum II.—Iacobi Teuij de rebus ad Dium gestis commẽtarius.
1. Spain. 2. Portugal. 3. Aragon (Kingdom)—Hist. 4. Abyssinia.—Hist. 5. Diu, India — Siege, 1539 and 1545. 6. Lapland — Descr. & trav. I. Blancas y Tomás, Gerónimo de, d. 1590. II. Goes, Damião de. III. Teive, Diogo de, fl. 1565. IV. Pau, Jerónimo, fl. 1490.

Library of Congress DP64.M99 4-30714

NM 0923379 DLC MdBJ MB

---

920 M98e
[Mylius, Arnold] 1540-1604, comp.
Epitaphius in serenissimum Alexandrum, Farnesium, Parmae et Pacentiae Ducem, aurei velleris equitem, summumque olim Belgiae praefectum ... Coloniae Agrippinae, sumptibus Arnoldi Mylii, 1598.
[257]p. plate. 16½cm.
Autograph of John Dickinson.

NM 0923380 PCarlD

Mylius (Bernhard). * Ueber Laryngeal-Croup. 20 pp. 8°. *Würzburg, C. J. Becker,* 1868.

NM 0923381 DNLM

Mylius, Bernhard, engineer.
Der wasserbau an den binnenwasserstrassen; ein lehr- und handbuch für stromaufsichtsbeamte der preussischen wasserbauverwaltung, im auftrage des Ministeriums der öffentlichen arbeiten hrsg. von Mylius und Isphording ... Berlin, W. Ernst & sohn, 1904-06.
3 v. illus., diagrs. 22^{cm}.
CONTENTS.—t. I. Verwaltungs- und gesetzeskunde. 1904.—t. II. Baukunde, 1906.—Anhang: Leitfaden für das rechnen, für flächen- und körperlehre.
1. Hydraulic engineering. 2. Canals. 3. Rivers. 4. Inland navigation—Prussia. 5. Mensuration. I. Isphording, J., joint ed. II. Prussia. Ministerium der öffentlichen arbeiten.

Library of Congress TC145.M8 10-9095

NM 0923382 DLC ICJ NN

Mylius, Bernhard, engineer.
Der Wasserbau an den Binnenwasserstrassen [von] Mylius und Isphording. 2., erweiterte Aufl., bearb. für Aufsichtsbeamte der deutschen Wasserbau- und Wasserstrassenverwaltungen von Walther Paxmann. Berlin, W. Ernst, 1950-
v. in illus. 25 cm.
CONTENTS.—T. 1. Baukunde: 1. Bd. Baustoffe, Baugeräte, Bauweisen.
1. Hydraulic engineering. 2. Inland navigation—Germany.

TC145.M82 51-26145

NM 0923383 DLC

WG 27994
Mylius, Bruno, 1883-
Ueber den Einfluss des Lösungsmittels auf die Reaktionsgeschwindigkeit. Breslau, 1908.
45 p. illus.
Inaug.-Diss. - Breslau.

NM 0923384 CtY MH NN PU ICRL

Mylius, C. J.
see Mylius, Karl Jonas, 1839-1883.

Mylius, Carolus Gottlieb.
see Mylius, Karl Gottlieb, b. 1766.

808.8 M994
MYLIUS, Christian Friedrich, fl. 1812, comp.
Aus volkes mund. Sprichwörtliche redensarten; citate aus classischen dichtungen, aus der oper, aus der Bibel. Jüdisch-deutsch. Gesammelt von C. Fr. Mylius... Frankfurt a. M., Jaeger, 1878.
vii p., 1 l., 235 p. 19cm.
1. Quotations, German. 2. Proverbs, German. 3. Yiddish languages. Glossaries, vocabularies, etc. I. Title.

NM 0923387 MnU OCH OO OCl PU ICN DLC-P4 NNJ

Mylius, Christian Friedrich, *fl.* 1812.
Malerische fussreise durch das südliche Frankreich und einen theil von Ober-Italien, von Christ. Fried. Mylius ... Carlsruhe, Bey dem verfasser, 1818-19.
8 v. in 4. fronts. 20½ cm.

1. France—Descr. & trav. 2. Italy—Descr. & trav. I. Title.

Library of Congress DC607.7.M99 4—25946

NM 0923388 DLC TNJ CtY MiU MH

Mylius, Christian Friedrich, fl. 1812.
Reise durch das südliche Frankreich, und einen theil von Ober-Italien, von Christ. Friedr. Mylius. 2. ausgabe... Karlsruhe, C.T. Groos, 1830.
4 v. 21 cm.
1. France - Descr. & trav.

NM 0923389 CU

Mylius, Christian Otto, 1678-1760.
Corpus constitutionum Marchicarum...
see under Prussia. Laws, statutes, etc.

Mylius, Christian Otto, 1678-1760, praeses
... De reservatione hypothecae a venditore facta in secvritatem pretii residvi ... Halae Magdeburgicae, J. Gruneri, 1704.
[38] p. 18½cm.
Diss. - Halle (T.H. Sachsensche, respondent)

NM 0923391 MH-L

Mylius, Christlob, 1722-1754.
An account of a new zoophyte, &c.
[London. 1753.] 27 pp. 19 cm., in 4s.
The figures are missing
The "Zoophyte" was a stemmed crinoid.

K1821 — Crinoidea.

NM 0923392 MB

QL384 .C8M92 Toner Coll.
Mylius, Christlob, 1722-1754.
An account of a new zoophyte, or animal plant, from Groenland. In a letter to Dr. Albert Haller, president of the Royal society of science at Gottingen. Written in high German by Christlob Mylius. Now translated into English ... London, Printed for, and sold by A. Linde, 1754.
2 p.l., 27 p. fold. pl. 20cm.
1. Crinoidea. I. Haller, Albrecht von, 1708-1777.

NM 0923393 DLC CtY PPAN

VOLUME 403

PT 1251 [Mylius, Christlob] 1722-1754.
G3 Die Aerzte. Ein Lustspiel in fünf
A6 Aufzügen. [n.p.] 1745.
(Rare) ([In German plays. 1745-95. v. 6])

NM 0923394 ICU NNC

Mylius, Christlob, 1722-1754.
Beschreibung einer neuen grönländischen Thierpflanze. Jn einem Sendschreiben an...Hrn. Albrecht von Haller...von Christlob Mylius... London, Bey Andreas Linde, und in Hannover bey J. W. Schmidt, 1753. 19 p. fold. plate. 24cm. (4°.)

Sabin 51647.
Dated: London, den 16. Nov. 1753.
The author suggests naming the zoöphyte Asterias zoophytos composita.

Ford Collection

1. Haller, Albrecht von. 1708-1777. 2. Zoöphytes—Greenland.

NM 0923395 NN MH PPAN RPJCB CSt

Mylius, Christlob, 1722-1754.
Gedanken über die Atmosphäre des Monds. Hamburg: J. A. Martini, 1746. 4 p.l., (1)6-56 p., 2 pl. 8°.

In: OSV p. v. 1, no. 14.

1. Moon (Atmosphere of), 1746.
N. Y. P. L. April 7, 1911.

NM 0923396 NN NNC

Mylius, Christlob, 1722-1754.
Lessing, Gotthold Ephraim, 1729-1781.
Gotthold Ephraim Lessings sämmtliche schriften. Neue rechtmässige ausg. ... mit Lessings portrait in stahlstich. Berlin, Voss, 1838-40.

Mylius, Christlob, 1722-1754, ed.
PG3313
.K3Z64
Kantemir, Antiokh Dmitrievich, *kniaz'*, 1708-1744.
Heinrich Eberhards, freyherrn von Spilcker ... versuchte freye uebersetzung der Satyren des prinzen Kantemir, nebst noch einigen andern poetischen uebersetzungen und eigenen gedichten, auch einer abhandlung von dem ursprunge, nutzen und fortgange der Satyren, und der lebensbeschreibung des prinzen Kantemir. Herausgegeben und mit einer vorrede begleitet von C. Mylius. Berlin, A. Haude und J. C. Spener, 1752.

Cincinnati
RA822.6
G566bZm Mylius, Christlob, 1722-1754.
A letter to Mr. Richard Glover on occasion of his tragedy of Boadicia. By Crisp Mills. ... London: Printed for A. Linde, 1754.
[4,51[1]p.20cm.

1. Glover, Richard, 1712-1785./Boadicia.
I. Title.

NM 0923399 OC MB

Q157
.P57
Rare bk. coll.
Mylius, Christlob, 1722-1754, ed.
Physikalische belustigungen. 1.-3. bd.; 1751-57. Berlin, C. F. Voss, 1751-57.

Mylius, Christlob, 1722-1754.
Die Schäferinsel, ein Lustspiel in drey Aufzügen.
(In his Vermischte Schriften. Gesammelt von Gotthold Ephraim Lessing. 1754. p.472-570)
Microcard edition.

NM 0923401 ICRL

RA43
M997
[Mylius, Christlob, 1722-1754.
Philosophische Untersuchungen und Nachrichten von einigen Liebhabern der Weisheit [Christlob Mylius und J.A. Cramer] ... Leipzig, G. Clanner, 1744-46.
6pt.in lv. front. 20cm.
Paged continuously.

NM 0923402 NNUT

Mylius, Christlob, 1722-1754.
Sendschreiben von dem Samenthierchen. An seine Hochedlen Herrn D. Christian Tobias Ephraim Reichard, aus Tamenz, in der Oberlausitz; als Derselbe den 29 October 1745 zu Frankfurt am der Oder, die hochste Würde in der Arzncywissenschaft erhalten hatte. Hamburg, 1746.

NM 0923403 PPAN

Mylius, Christlob, 1722-1754.
Vermischte schriften des hrn. Christlob Mylius, gesammelt von Gotthold Ephraim Lessing. Berlin, A. Haube und J.C. Spener, 1754.
xlviii,600 p. 2 diagrs. 17½cm.

Title vignette; head and tail pieces; initials. Several errors in paging.

NM 0923404 WU CtY PHC CU MH NIC

MYLIUS, Conrad.
Meletemata catechetica, sive In catechismum heydelbergensem homiliae, ad populum neapolitiatnum nemetum habitae. Ed. nova, recensta. Amst., 1654.
24°. pp.(16). 688. 23+.

NM 0923405 MH-AH NjNbS

Mylius (Conradus Christianus). *De pernione. 11 l. 4°. *Lugd. Bat., apud viduam et hæred. J. Elsevirii*, 1671. [P., v. 1915.]

NM 0923406 DNLM PU

Mylius, Curt Richard Wilhelm, 1904- joint author.
Pehrman, Gunnar, 1895-
... Optische und kristallographische untersuchung basischer calciumsalze, von Gunnar Pehrman und C. R. Wilhelm Mylius. Åbo, Åbo akademi, 1935.

Mylius, Curt Richard Wilhelm, 1904-
... Über calciumaluminathydrate und deren doppelsalze, von C. R. Wilhelm Mylius. [Åbo] Åbo akademi [1933]
147 p., 1 l. incl. tables, diagrs. plates. 24½cm. (Acta Academiae aboensis. Mathematica et physica. VII, 3)
"Vorliegende arbeit wurde im laboratorium des zementwerkes Lojo kalkwerk a/b in Gerknäs unter ekonomischer [!] unterstützung dieser firma sowie des Betongvereins [!] in Finnland und des Unterrichtsministeriums Finnlands ausgeführt."—Vorwort.
"Literaturverzeichnis": p. 144-147.

1. Calcium aluminates. 2. Salts, Double.
A C 33-4448
Title from John Crerar Libr.
Library of Congress [AS262.A35 vol. 7, no. 3]

NM 0923408 ICJ OU PU

Mylius, Edward Frederick.
The morganatic marriage of George v., king of Great Britain and Ireland, and of the dominions beyond the seas ... etc., etc. By E. F. Mylius. New York, Priv. print. [1916]
cover-title, 8 p. 20½cm.

1. George v, king of Great Britain, 1865- I. Title.
20-22096
Library of Congress DA573.M9

NM 0923409 DLC PU NN

Mylius, Edward Frederick, defendant.
The Mylius case. [New York, 1912?] 26 p. 23cm.
"The defendant, Edward F. Mylius, was charged...with having published a libel of and concerning the King."

648780. 1. Libel and slander—Trials—Gt. Br. 2. George V, king of Great Britain, 1865-1936.
N. Y. P. L. Card revised February 7, 1946

NM 0923410 NN

[Mylius, Edward Frederick]
The socialization of money; a treatise presenting a practical solution of the money problem. [New York, The Graphic press, °1919]
28 p. 21cm.

1. Money. 2. Currency question. I. Title.
19-13635
Library of Congress HG221.M95

NM 0923411 DLC NjP NcD NN

330.8
P191e
v.1
no.7
Mylius, Edward Frederick.
The socialization of money; a treatise presenting a practical solution of the money problem. 2d ed. [n.p., c1920]
29p. 25cm. (In Pamphlets on economic problems and theory. v.1,no.7)

1. Money. 2. Currency question.
I. Title.

NM 0923412 OrU

Mylius, Ernst.
Bogenschiessen. Mit einem Anhang werfen mit dem Bumerang von Oswald Faber. Leipzig, Grethlein [1927?]
77 p. illus. 19 cm. (Miniatur-Bibliothek für Sport und Spiel, Bd.11)

I. Faber, Oswald. II. Title.

NM 0923413 OkU

GV 1189 MYLIUS, Ernst.
.M997
The theory of archery. Edited by Clement C. Parker. Norristown, Penn., Privately printed for the Editor, 1949.
15 p. illus.

1. Archery. I. Title.

NM 0923414 InU NN

Mylius, Ernst, Chemist.
Kohlensaurederivate des isobutylalkohols. Berlin, 1873.
Dissert. - Goettingen.
QD319
.M99

NM 0923415 DLC

Mylius, Ernst, meteorologist
Ueber Böen und Gewitter. Von Dr. E. Mylius in Potsdam. [Magdeburg,] 1909. 10 p. 8°.
Caption-title.
Excerpt: Das Wetter. Jan., 1909.

1. Squalls. 2. Thunderstorms.
N. Y. P. L. June 17, 1916.

NM 0923416 NN

VOLUME 403

Mylius, Ernst, meteorologist
Volkswetterkunde, Witterungstypen und Witterungs-Katechismus für Nord- und Mitteldeutschland. Mit drei Tabellen. Berlin, Otto Salle, 1908.
40 p., 3 l. 8°.

NM 0923417 NN DAS

Mylius, Ernst, meteorologist.
Wetterinstinkt. Von Dr. E. Mylius in Leipzig. [Magdeburg,] 1906. 15 p. 8°.
Caption-title.
Repr.: Das Wetter. 1906.

1. Weather forecast. 2. Weather.— Physiological effects.
N. Y. P. L. June 17, 1916.

NM 0923418 NN

Mylius, Ernst, meteorologist
Wetterkunde fur den Wassersport. 1914.

NM 0923419 DAS

Mylius, Ernst, meteorologist
Die Windwellen des Wassers. Von Dr. E. Mylius in Potsdam. [Magdeburg,] 1909. 217–223 p. illus. 8°.
Caption-title.
Excerpt: Das Wetter. Oct., 1909.

1. Waves.
N. Y. P. L. June 20, 1916.

NM 0923420 NN

Mylius, Ernst Friedrich, 1710-1774.
Bibliotheca Myliana, sive Catalogus bibliothecae qua usus est ... Ernest. Fridr. Mylius ... Publica apparatus huius librarii venditio fiet ... 1775. d. viii jun. Hamburgi litteris Eckermannianis [1775]
183, 20 p.

NM 0923421 MH

Mylius, Ernst Heinrich, 1716-1781
... De citatione vasalli et simvltanee investiti saxonici eivsqve insinvatione ... offert Ernestvs Henricvs Mylivs. Lipsiae, Litteris Breitkopfianis [1739]
4 p.l., 36 p. 18½cm.
Diss. - Leipzig.

NM 0923422 MH-L

Mylius, Ernst Heinrich, 1716-1781, praeses
... De dispositionis vasalli inter liberos recte facienda interpretatione potissimvm de fevdo feminino ... Lipsiae, Ex Officina Langenhemiana [1740]
23 p. 20cm.
Diss. - Leipzig (J.F. Knoblach, respondent)

NM 0923423 MH-L

Mylius, Ernst Heinrich, 1716-1781, praeses
... De felonia ante praestitvm fidelitatis ivramentvm commissa ... Lipsiae, Ex Officina Breitkopfiana [1739]
2 p.l., 24 p. 20cm.
Diss. - Leipzig (J.E. Wehner, respondent)

NM 0923424 MH-L

Mylius, Ernst Heinrich, 1716-1781, praeses
... De fictione qvasi contractvvm in ivre germanico otiosa ... Lipsiae, Litteris Takkianis [1741]
xvi p. 19cm.
Diss. - Leipzig (J.G.C. Wallbaum, respondent)

NM 0923425 MH-L

Mylius, Ernst Heinrich, 1716-1781, praeses
... De poena indignationis eivsqve effectv ... [Lipsiae, Litteris Zvnkelii [1741]
40 p. 19cm.
Diss. - Leipzig (J.A. Schedlich, respondent)

NM 0923426 MH-L

Mylius, Ernst Heinrich, 1716-1781, praeses
... De remedio L. II. C. de resc. vendit. in locatione condvctione ... Lipsiae, Ex Officina Langenhemiana [1740]
xvi p. 19cm.
Diss. - Leipzig (F.F. Beuche, respondent)
At head of title: Specimen ivris.

____. Another issue, with Specimen Ivris I at head of title

NM 0923428 MH-L

Mylius, Ernst Heinrich, 1716-1781, praeses
... De remissione mercedis propter sterilitatem in praediis rvsticis ... Lipsiae, Litteris Zvnkelianis [1740]
xv, [1] p. 19½cm.
Diss. - Leipzig (J.T. Richter, respondent)
At head of title: Specimen ivris III.

NM 0923429 MH-L

Mylius, Ernst Heinrich, 1716- resp.
Procancellarivs... ad promotionen doctoralem ...
see under Fries, Friedrich, d. 1741.

WG 27583 Mylius, Franz, 1854-
Beitrag zur Kenntniss organischer Thiobasen. Berlin, 1883.
63 p.
Inaug.-Diss. - Berlin.

NM 0923431 CtY ICRL

Mylius, Franz, 1854-
Juglon und hydrojuglon. Freiburg i. B., Univ.- Buchdr. v. Chr. Lehmann, 1885.
60 S.
Habilitationsschrift Freiburg, 1885.

NM 0923432 ICRL

Lomb Q311 .L65 v.21, no.30 Mylius, Franz, 1854-
Die Prüfung der Oberfläche des Glases durch Farbreaktion. [Berlin, Verlag von Julius Springer, 1889]
[50]-57 p. plate. 33cm. (Lomb miscellaneous pamphlets, v. 21, no. 30)
Caption title.
"Sonderabdruck aus der Zeitschrift für Instrumentenkunde. Neunter Jahrgang. Februar 1889.
Original paper wrappers.

1. Optics, Physical I. Title.

NM 0923433 ViU

Mylius, Friedrich Heinrich, b. 1725, respondent.
Actvarivs peccans in Ord. crim. car. art. CXLIX. de inspectione cadaveris ante sepvltvram..
see under Mylius, Gustav Heinrich, 1684-1765, praeses.

Mylius, Friedrich Heinrich, b. 1725.
... De genvino ivris germanici vniversalis hodierni privati civilis conceptv, mediisqve illvd meliorem in ordinem redigendi ... svbmittit Fridericvs Henricvs Mylivs ... Lipsiae, Litteris Langenhemianis [1751]
3 p.l., 50 p. 20cm.
Diss. - Leipzig.

NM 0923435 MH-L

Mylius, F H respondent.
De insignibus consulum romanorum disserit
see under Küstner, Gottfried Wilhelm, praeses.

Mylius, Friedrich Heinrich, b. 1725, praeses
... De ivre consvetvdinario vniversali Germaniae medii aevi in specvlis saxonico et svevico, eivsqve cognoscendi ratione ... Lipsiae, Ex Officina Langenhemia [1756]
4 p.l., 48 p. 20cm.
Diss. - Leipzig (H.G. Bauer, respondent)

NM 0923437 MH-L

MYLIUS, G.
Neuestes taschen-fremdwörterbuch. 3e aufl. Wurzburg, 1873.
24°.

NM 0923438 MH

Mylius, G H
... De patre ivdaeo alimenta svmtvs stvdiorvm et legitimam filio Christiano denegante ...
see under Brascha, Anton Daniel, b. 1704

YAR 146 Mylius, Georg.
Drei weihenacht predigten. Wittemberg, M.DC.V.
70 p. [With Gerhardt, Johan. Erklaehrung der historien des leidens unnd sterbens unsers Herrn Christi Jesu. Jehna, 1611]

NM 0923440 DLC

VOLUME 403

Mylius, Georg.
Das polyderm; eine vergleichende untersuchung über die physiologischen scheiden polyderm, periderm und endodermis. Arbeit aus dem Botanischen institut der universität Marburg, von dr. Georg Mylius, mit 4 tafeln. Stuttgart, E. Schweizerbart, 1913.
2 p. l., 119 p. IV pl. 31½cm. (Added t.-p.: Bibliotheca botanica ... Hrsg. von C. Luerssen ... hft. 79)
"Literaturverzeichnis": p. [107]-110.
1. Botany—Anatomy.
13-15005
Library of Congress QK707.M88

NM 0923441 DLC OU ICRL MiU CtY PPAN MH PU ICJ

GC5 M4804 550e RARE BOOK COLLECTION
Mylius, Georg, of Borna, fl. ca. 1555.
Declamatiuncula cum carmine elegiaco & Sapphico de salutifera natiuitate seruatoris ac Domini nostri Iesu Christi: ad ... Principem Ducem Saxoniae Augustum ...
Leipzig, Georg Hantzsch [ca.1555]
36ℓ. 17cm.
Contains also poems by Matthaeus Colerus, Friedrich Dedekind, Lucas Schaub, and Heinrich Friderich.
Bound with Melanchthon, Enarrati Symboli Nicen^ Wittenberg, 1550.

NM 0923442 PU

GT90 M997 JA 1586
Mylius, Georg, 1548-1607.
Augspurgische Handel So sich daselbsten wegen der Religion, vnd sonderlich jüngst vor zwey Jahren im werenden Calender streit mit Georgen Müller D.Pfarrer vnd Superintendenten daselbst zugetragen ... Beschrieben Durch Doct.Georgen Müller ... [Wittemberg?]Gedruckt bey Matthes Welack,1586.
[155]p. 19.5cm.

NM 0923443 NNUT MnU DFo NNG MH-AH

Tr.R. Mylius, Georg, 1548-1607.
Avgvstanae Confessionis, qvae Ecclesiarvm Evangelicarvm novissimi temporis Avgvstissimvm Symbolvm, & doctrinae Lutheranae lapis verè Lydius est, explicatio. Ienae, Typis Tobiae Steinmanni, 1596, 1594.
2 v. in 1 20cm.
Title within ornamental borders. Initials. Head and tail-pieces.
1. Augsburg Confession.

NM 0923444 NcD

608.2 M97.4augc 1604
MYLIUS, Georg, 1548-1607.
Augustanae confessionis, qvae ecclesiarum evangelicarum novissimi temporis augustissimum symbolum, & doctrinae Lutheranae lapis verè Lydius est ... nunc verò secunda vice edita... Jenae, typis Tobiae Steinmanni, sumtibus Salomonis Gruneri, Bibliop. Ienens. Anno 1604.
2v. in 1. 20cm.
Title page within ornamental borders.

NM 0923445 MH-AH

608.2 M97.4bap 1615
MYLIUS, Georg, 1548-1607.
Bapstpredigten/ in welchen gehandlet/ vnd gründlich angezeiget wird/ Was/ vnd Wer der Bapst zu Rom sey/ vnnd nicht sey/ wie sein gantzes Reich/ ausz Lügen/ Mord/ Schand vnd Raub zusammen gestücket/ wie solches erstlich angefangen/ wie es gestiegen vnd gewachsen/ vnnd was sein endlicher fall vnd vntergang sey/ Ob/ vnd wo Gottes Volck vnd Kirche vor D.Luthers zeit vnter dem Bapsthumb worden sey/ vnd wie ein Rechtgläubiger Christ gegen Bapst vnd Bapsthumb sich verhalten solle/ In Vierzehen vnterschiedliche Predigten gebracht/ vnnd meistentheils gehalten in der Pfarrkirchen bey der löblichen Universitet Jena ... Sampt einem nützlichen

Continued in next column

Continued from preceding column

Register. Zum dritten mal mit fleisz vbersehen vnd Corrigicret. Gedruckt zu Franckfurt am Meyn/ bey Egenolph Emmeln/ anno M.DCXV.
6p.ℓ.,338,[13]p. 19.5cm.

NM 0923448 MH-AH MnU

*GC5 A100 B606m
Mylius, Georg, 1548-1607.
Christliche Begängnis Predigt am tage der fürstlichen Begräbnis, als der ... Fürstin vnd Frawen, Frawen Sibillen Elisabethen, Hertzogin zu Sachsen, etc. des ... Herrn Johan Georgen, Hertzogen zu Sachsen, etc. fürstlicher hertzgeliebter Gemahlin, verstorbener Leichnam zu Freyberg beygesetzet, vnd zur Erden bestattet wurde, gehalten, auff den 25. Februarii 1606 ... zu Wittenberg ... durch Georgivm Mylivm ...
Wittenberg,Gedruckt,bey Johan Gormann,im 1606. Jahr.
4°. [27]p. 20cm.
Signatures: A-C⁴,D².
Woodcut illus. (burial scene) on t.-p.; title & each page of text within border of rules.
No.3 in a volume of largely 16th-century German sermons.

NM 0923450 MH

608.2 A55.5zwo 1580
MYLIUS, Georg, 1548-1607.
Christliche Leichpredigt bey der trawrigen Begräbnus/ des weilandt Edlen vnd Wolgebornen Herren Christoffen/ Grafens zu Solms...welcher den 24. Januarij in Gott sanfft vnd seliglich entschlaffen... Gedruckt zu Jena durch Tobiam Steinman. Anno 1596.
[43]p. 20cm.
Signatures: A-E⁴, F² (last leaf blank)
Title page within ornamental borders.
No.4 in a volume of 16th century works.

NM 0923452 MH-AH

608.2 M97.4dre 1592
MYLIUS, Georg, 1548-1607.
Eine christliche Predigt/ aus dem Euangelio des Sontags Latare, in der Churfürstlichen Schlosskirchen zu Wittemberg gethan... sampt angehengtem Gnadenzeichen ... Gedruckt zu Jena/ durch Thobiam Steinman. Anno 1592.
[31]p. 20cm.
Signatures: A-D⁴
No.4 in a volume of 16th century works.

NM 0923453 MH-AH

608.2 M97chp 1592
MYLIUS, Georg, 1548-1607.
Ein Christliche Predigt/ ausz dem Euangelio/ des Sontags Letare/ inn der Churfürstlichen Schloszkirchen zu Wittemberg gethan ... Sampt angehengten Gnadenzeichen/ welches zwischen werender Predigt/ am hellen Himmel/ vmb die Sonnen/ der gnädige Gott/ seiner Rechtgläubigen Kirch zu Trost/ so wol auch Christlicher Oberkeit/ zu besterckung jhres Gottseligen Eyffers/ offentlich hat scheinen vnd leuchten lassen ... Getruckt zu Tübingen/ durch Alexander Hock/ Anno M.D.LXXXXII.
[34]p. 19.5cm.
Signatures: A-D⁴,E² (last leaf a blank).
Title-page printed in red and black.
Title vignette (sun with halos) repeated in black on verso of D4 with explanatory text.
Contemporary annotations.

NM 0923456 MH-AH

t608.2 M97.4chp 1586
MYLIUS, Georg, 1548-1607.
Christliche Predigt bey der trawrigen Leich vnd Begrebnus/des weiland ehrnuesten vnd fürnemen Herrn Lvcas Cranachs ... gehalten XXVIII. Januarij anno 1586. In der Pfarrkirchen daselbst ... Wittemberg gedruckt durch Matthew Welack. Anno M.D.L XXXVI.
[24]p. 21cm.
Signatures: A-C⁴
Title page within ornamental border.

NM 0923457 MH-AH

R.B.R. Mylius, Georg, 1548-1607.
Eine christliche Predigt bey Nidersetzung der Leich und Begräbniss ... des ... Friderich Wilhelmen, Hertzogen zu Sachsen ... Welcher ... den 19. Julij zu Weymar in der Pfarrkirchen ... nider gesetzet worden. Gehalten daselbsten durch Georgium Mylium. Magdeburg, J. Francken, 1602.
[35] p. 21 cm.
No. [1] in a vol. with spine title: Contiones funebris.
1. Friedrich Wilhelm, Duke of Saxony, 1562-1602.

NM 0923458 NcD

BOOK ROOM 741.9 M997ch 1589
[MYLIUS, Georg, 1548-1607.
Eine christliche Predigt/ uber das Euangelium am Zwölfften Sontage nach Trinitatis/ Marci am siebenden Capitel. Von dem tauben unnd stummen Menschen/ dem Christus zu rechte geholffen. Gehalten in der Pfarrkirchen zu Meissen/ bey wehrender Visitation des Churfürstenthumbs Sachsen. Durch Georgen Müllern ... Gedruckt zu Leipzig/ bey Johan:Beyer/ M.D.XCij.
[22]p. 20.5cm.
Signatures: A-C⁴(last leaf blank)
Title vignette and printer's mark with colophon.
No.17 in bound volume of 16th century tracts.

NM 0923460 MH-AH

608.2 M97.4ire 1592
MYLIUS, Georg, 1548-1607.
Eine christliche Predigt/ Vber das Euangelium des eilfften Sontags nach Trinitatis, Luc. am 18. Capitel...Gehalten zu Leipzig inn der Pfarrkirchen zu S. Thomas...Leipzig/ bey Johann: Beyer. M.D.XCij.
[27]p. 20cm.
Signatures: A-C⁴, D²
Colophon with printer's mark.
No.7 in a volume of 16th century works.

NM 0923461 MH-AH

[Mylius, Georg] 1548-1607.
Ein christliche Predigt vom alten und newen Babel und deren beiden Untergang aus dem 51. Capitel des Propheten Jeremiae welche nicht unfuglich die dritte Bapstpredigt kan genennet werden. Gehalten in Augsburg dem 5. Februarij Am Anno 1584. in der Pfarkirchen zu Sanct Anna durch Georgium Muller... [Jhena durch Tobiam Steinman?] Gedruckt im Jar 1585.
[38] p. 20.5 cm.
Signatures: A-E⁴ (last leaf blank)
No. 1 in bound volume of 20 tracts.

NM 0923462 MH-AH

*GC5 A100 B598p
Mylius, Georg, 1548-1607.
Eine christliche Predigt, vom Handel vnd Streit desz hochwirdigen Abendmals, darinnen der vnterscheid reiner Lutherischer, vnd widerwertiger sacramentirischer Lehr, angezeiget, auch der richtige Grund vnserer Confession von diesem streit einfeltiglich gewiesen wird, gehalten, in der Pfarrkirchen zu Wittemberg ... auff den andern Sontag nach Epiphaniae, welcher gewesen der 16. Ianuar. disz lauffenden 1592. Jahrs. Durch Georgen Müllern ...
1592.Gedruckt zu Hall in Sachsen,bey Achatio Liszkaw.
4°. 4p.ℓ.,23p. 20cm.
Title vignette (Last supper).
No.12 in a volume of 16th-century tracts.

NM 0923464 MH

VOLUME 403

741.9 MYLIUS, Georg, 1548-1607.
M997ch Comoediae Misnicae synopsis, reditata
1589 in avspicio continvandarvm lectionum Ienae
27.Febr.1593 ... Jeanae typis Tobiae
Steinmanni.[1593]
[36]p. 20.5cm.
Signatures: A-D4, E2.
Title within ornamental border.
No.14 in bound volume of 16th century
tracts.

NM 0923465 MH-AH CtY

Mylius, Georg, 1548-1607, praeses.
De abrogatione exorcismi in baptismo
dispvtatio in qua svb patrocinio Dei ter optimi
maximique, praeside Georgio Mylio ... exercitij
causa respondebit M. Iohannes Hofstetterus,
ecclesiae Ienensis diaconus. Die 24. Aprilis,
hera & loco conseutis. Ienae typis Tobiae
Steinmani. Anno 1591.
[56] p. 20.5 cm.
Signatures: A-G4.
Title vignette.
No. 7 in bound volume of tracts

NM 0923466 MH-AH

609.2 MYLIUS, Georg, 1548-1607, praeses.
P381.4des De praedestinatione Disputatio Quarta.
1592 Scripta pro defensione articvli qvarti
in visitatione Misnica propositi, aduersus ea, quae eidem articulo nuper Daniel
Tossanus, Sacramentarius Heidelbergensis
opposuit. In qva Svb Praedisio Georgii
Mylii S. Theologiae Doctoris & Professoris in Academia Ienensi, pro doctoratv
in theologia consequendo respondebit publicè M. Leonhardvs Hvttervs Vlmensis, Die
XXI. Decembris, Hora & loco consuetis.
VVitebergae CI .I .XCIII.
20p. 20cm.
Signatures: A-B4.
Diss. - Jena (Leonhardus Hutterus, respondent).

No.16 in a vol.of 16th-cent. German
academic publications, bound in a contemporary manuscript.

NM 0923469 MH-AH

609.2 MYLIUS, Georg, 1548-1607, praeses.
P381.4des De spe dispvtationis themata, excerpta
1592 ex V. et VIII. capp. Epistolae Pavlinae
ad Romanos: Ad quas diuina favente gratia Sub praesidio Georgii Mylii D. & Professoris primarij respondere conabitur M.
Ioannes Georgivs Volcmarvs Lobensteinensis Die 31. Iulij, hora & loco consuetis
Anno CIↃ IↃ XCI. Ienae Typic Tobiae Steinmanni [1591].

[16]p. 20cm.
Signatures: A-B4.
Title vignette.
Diss. - Jena (Johann Georg Volkmar,
respondent).
No.25 in a vol.of 16th-cent.German academic publications, bound in a contemporary manuscript.

NM 0923471 MH-AH

BOOK
ROOM
741.9 MYLIUS, Georg, 1548-1607. praeses.
M997ch De visitatione ecclesiastica dispvtatio
1589 in qva svb avspiciis Dei opt.maximi praeside
Georgio Mylie ... respondere pro virili
conabitur M.Michael Hopfivs Rettenburgo
Tuberanus, 24.Martij, loco & hora consuetis.
Ienae typis Tobiae Steinmanni. 1593.
[23]p. 20.5cm.
Signatures: A-C4.
Title within ornamental border.
No.13 in bound volume of 16th century
tracts.

NM 0923472 MH-AH

Mylius, Georg, 1548-1607.
Dispvtatio von Abschaffung des Exorcismi
bey der heiligen Tauffe so gehalten von dem
ehrwurdigen Achtbaren und hochgelarten Herren
Georgio Mylio... Gedruckt zu Jhena durch
Tobiam Steinman, 1591.
[72] p. 20.5 cm.
Signatures: A-I4.
Title vignette.
No. 8 in bound volume of 16th century
tracts.

NM 0923473 MH-AH

FILM Mylius, Georgius.
4338 Disputatio XXIII de integro usu sacramenti
DL eucharistici. Jena, Tobias Steinmann, before
Roll 1 March 1596.
10 4 l. 4°
Collijn, III, 231.
Original in University of Jena Library.

NM 0923474 CU

FILM Mylius, Georgius.
4338 Disputatio XLII de persona Jeusu Christi.
DL Jena, Tobias Steinmann [1596?]
Roll 4 l. 4°
10 Original in University of Jena Library.

NM 0923475 CU

FILM Mylius, Georgius.
4338 Disputation VI de justificatione hominis
DL peccatoris. Jena, Tobias Teinmann, before 19
Roll July 1595.
10 4 l. 4°
Collijn, III, 211.
Original in University of Jena Library.

NM 0923476 CU

608.2 MYLIUS, Georg, 1548-1607.
M97.4dre Drey christliche Predigten/ Die erste/ von
1592 Handel vnd Streit des Hochwirdigen Abendmals/
Die ander/ von dem H. Sacrament der Tauffe
... Die Dritte von der Göttlichen Fürsehung
vnd ewigen Gnadenwahl/ Gehalten in der
Pfarkirchen zu Wittemberg/ den 16. 19. Januarij vnd den 26. Febr. dieses 1592. Jahrs
...Gedruckt zu Jhena/ durch Thobiam Steinman/ Anno 1592.
[79]p. 20cm.
Signatures: A-K4

Title page within ornamental borders.
No.2 in a volume of 16th century works.

NM 0923478 MH-AH

---

t608.2 MYLIUS, Georg, 1548-1607.
M97.4exo Exodvs evangelica. Oder Wittembergischer
1588 Aller Heiligen Tag/ eine christliche Predigt/
von der seligen vnd wunderthätigen Erlösung
der christlichen Israeliten/ auss der langwirigen Gefänknis des Römischen Pharaonis/
im Bäpstischen Aegypto: welche sich durch
gnadenreiche erscheinung des H. Evangelij vor
70 jaren auff Aller Heiligentag angefangen
hat in Wittemberg...Gehalten auff Aller
Heiligentag/ in der Schlosskirchen daselbst/
Anno 1587. [Laugingen, 1588]

[23]p. illus. (port.) 20cm.

Signatures: A-C4
Colophon: Dem Wttembergischen Exemplar
nachgetruckt/ zu Laugingen bey Leonhart
Reinmichel/ Anno 1588.
Portrait of Mylius on verso of title page.
Title page within ornamental borders.

NM 0923480 MH-AH

608.2 MYLIUS, Georg, 1548-1607.
M97.4gr Gründlicher Beweisz/ dasz Doct. Martinus
1725 Luther in allen und jeden, mit dem Röm.
Pabstthum streitigen Puncten/ geglaubet
und gelehret habe dasjenige/ was stracks
nach der Heil. Apostel Zeiten ... öffentlich is geglaubet und gelehret worden ...
Nebst einer Vorrede D. Valent. Ernst
Löschers ... [N.p.] Gedruckt im Jahr 1725.

12, 8, 175, [9]p. 13.5cm.
Number 1 in a bound volume of 18th-century tracts.

NM 0923482 MH-AH CtY-D

Mylius, Georg, 1548-1607.
In Epistolam D[ivi] Pavli ad Romanos ...
explicatio ... cum textv bilingvi ... Ienae,
Steinman, 1595
see under Bible. N. T. Romans. Greek.
1595.

Mylius, Georg, 1548-1607, ed.
Das kunstbuch. [Die aelteste taeuferische
Schriftsammlung...]
see under title

ROOM
608.2 MYLIUS, Georg, 1548-1607.
M97.4kur Kurtze/ doch augenscheinliche/ Entwerffung
1593 der Caluinischen Comoedien in Meissen/ erstmals in Latein von dem ehrwürdigen/ achtbarn
vnd hochgelarten Herrn Georg Müllern...den
27.February des 1593. Jahres öffentlich
recitirt. Hernach aber guthertzigen vnd
frommen Christen zum Vnterricht vnnd trewlichen Warnung für dieser argen vnd schedlichen Sect Deudsch gegeben. Gedruckt zu
Jhena durch Tobiam Steinman Anno 1593.
[40]p. 18.5cm
Signatures: A-E4
Title page within ornamental border

NM 0923485 MH-AH

Mylius, Georg, 1548-1607.
*GC5 Land Tags Predigt, wie christliche
M9946 Landschaften, auff ergangene Ausschreiben jhrer
597l gnädigen vnd landsfürstlichen Oberkeit, sich
auff gemeinen Landtägen: beuorab bey gegenwertiger vorstehender Gefahr gemeiner
Christenheit, wegen des Türcken, bezeigen vnnd
verhalten sollen. Gehalten zu Weymar in der
Schlosskirchen, auff dem angestalten Land Tag
daselbsten, 6. Decembr. Anno 1596. durch
Georgivm Mylivm ...

Gedruckt zu Jhena durch Tobiam Steinman,Anno
1597.
4°. [31]p. 20.5cm.
Signatures: A-D4.
Title within woodcut ornamental border.

NM 0923487 MH

Mylius, Georg, 1548-1607.
Oratio de migrationibvs sacrorvm hominvm in
avspicio praelectionvm theologicarvm Ienae
habita X. Febrvarij anni huius ... Jenae, typis
Tobiae Steinmanni, 1589.
[26] p. 20.5 cm.
Signatures: A-C4, D2 (last leaf blank)
No. 11 in bound volume of 16th century tracts.

NM 0923488 MH-AH

Mylius, Georg, 1548-1607.
A30 Oratio funebris de Augusto ....Saxonum duce
W7 Vitebergae,1586.
1586m Oratio-Wittenberg

NM 0923489 CtY

VOLUME 403

Mylius, Georg, 1548-1607.
Spongia abstersoria pro Confessione Augustana... Jenae, Steinmanni, 1591.

NM 0923490 PPLT

Z940.7 Z 1595:1 Mylius, Georg, 1548-1607, praeses.
Theses pro integro sacramenti evcharistici vsv, adversvs ea, qvae pro sacrilega eiusdem mutilatione Robertus Bellarminus in suo opere disputat. Ad quas sub praesidio Georgii Mylii, respondebit Petrvm Piscator ad diem 5. Aprilis. Jenae, typis Tobiae Steinmanni, 1595.
[17] l. 20 cm. [Reformation pamphlets. 1595:1]
Signatures: A-D 4, E 2 (last leaf blank)

1. Lord's supper. Lutheran church. 2. Bellarmino, Roberto Francesco Romolo, Saint, 1542-1621. I. Piscator, Petrus, respondent. II. Title (thru vsv.)

NM 0923492 MnU

BOOK ROOM 741.9 M997ch 1589 [MYLIUS, Georg] 1548-1607.
Warnungspredigt/ uber dem unuersehenen Tumult/ welcher sich in Leipzig bey stürmung eines Calvinischen Bürgers Behausung/ sehr gefehrlich erhoben hat. Auff gnedigsten Befehlich/ und in gegenwart/ des durchlauchtigsten hochgebornen Fürsten und Herrn/ Herrn Friderich Wilhelms/ Hertzogë zu Sachsen/ Vormund und der Chur Sachsen Administratorn/ etc. Gethan/ zu Leipzig in S. Thomas Kirchen/ am tage

der siegreichen Himmelfarth unsers Seligmachers Jesu Christi. Durch Georgen Müllern ... Gedruckt zu Jhena/ durch Donatum Richtzenhain/ Anno 1593.
[32]p. 20.5cm.
Signatures: A-C^4.
No.20 in bound volume of 16th century tracts.

NM 0923494 MH-AH

609.2 F654.41u 1609 MYLIUS, Georg, 1548-1607.
Wüschschwam zu Rettung der rechten vnd eigentlichen also genandten Augspurgischen Confession ... Wider: Die vnbefügte Vorenderung derselben/ vnd eines sonder Garstvogels daherrfende jr angethane Caluinische vnlust vnd Beschmeissung ... Auff begehern guthertziger Leut/ Durch einen Liebhaber der Warheit vordeutscht. Zu Wittenbergk. Gedruckt zu Ihena/ durch

Donat Richtzenhan/ Anno 1592.
[31]p. 20cm.
Signatures: A-D^4
No.12 in bound volume of late 16th and early 17th century works.

NM 0923496 MH-AH

*GC5 G3333 597f Mylius, Georg, 1548-1607.
Zehen Predigten vom Türcken ... Gehalten jn der Pfarrkirchen bey der löblichen Vniuersitet Jena durch Georgivm Mylivm ... Zu andern mal, mit fleiss vbersehen, vnd corrigiret ... Gedruckt zu Jena durch Tobiam Steinman,jn verlegung Salomon Gruners,bibliopolae ienensis, anno 1595.
4°. 5p.l.,2-130 numb.l. 20.5cm.
Title within woodcut ornamental border.

With this are bound S. Gessner's Funffzehen Predigten vom Türcken, 1597, and G. Bünting's Gründliche Erklerung, 1598.

NM 0923498 MH

608.2 M97.4dre 1592 MYLIUS, Georg, 1548-1607.
Zwo christliche Predigten. Die erste von der Person vnsers Heilandes vnnd Seligmachers Jhesu Christi/ vnnd den beiden persönlich in derselben vereinigten Naturen/ Die andere vom Herrn Martino Luthero...Gehalten in der Pfarrkirchen zu Wittemberg/ den 9. v.d 16. Februarij dieses 1592. Jahres... Gedruckt zu Jhena durch Thobiam Steinman Anno 1592.
[47]p. 20cm.
Signatures: A-F^4
Title page ornamental borders.
No.3 in a vol. of 16th century works

NM 0923499 MH-AH

4PT Ger.-1682 Mylius, Gottfried.
Cecco, der Trapezschwinger, abenteuerliche Erzählung von Zirkusleuten, Meuteren, Bösewichtern, guten Menschen und einem prachtvollen Jungen. Mannheim, N. Wohlgemuth, 1948.
248 p.

NM 0923500 DLC-P4

Mylius, Gottlieb Friedrich, 1675-1726.
G. F. Mylii Memorabilium Saxoniae subterraneae pars prima i.e. Des unterirdischen Sachsens seltsame wunder der natur. 1. th. Worinnen die auf denen steinen an kräutern, bäumen, bluhmen, fischen, thieren und andern dergleichen besondere abbildungen so wohl unsers Sachsen-landes als deren so es mit diesen gemein haben, gezeiget werden ... Leipzig, F. Groschuffen, 1709.
3 p.l., 80 [19] p. front., illus., fold plates. 21 cm. (Geological miscellany from Walther library... 1687-1803. v. 2, no. 5)
1. Paleontology - To 1830.

NM 0923501 CU PBa PPAN NjP IU NNBG MH

Sg10dc 843 [Mylius, Gottlieb Friedrich] 1675-1726.
... Memorabilia Saxoniae subterraneae. Des Unter-irrdischen Sachsens seltsame Wunder der Natur ... Leipzig,In Verlegung des Autoris zu finden bey F.Groschuffen[1718]
2p.l.,80,[19]p.,1l.,89p. illus.,plates (part fold.) 19½cm.
At head of title: G.F.M.
Pars II has individual t.-p.

NM 0923502 CtY MH

Mylius, Gottlieb Friedrich, 1675–1726.
Gottlob Friedrich Mylii memorabilia Saxoniæ subterraneæ; *i. e.* des unterirrdischen Sachsens seltsame wunder der natur. Worinnen die auf denen steinen an kräutern, bäumen, blumen, fischen, thieren, und andern dergleichen, besondere abbildungen, sowohl unsers Sachsenlandes, als deren, so es mit diesem gemein haben, gezeiget werden: mit vielen kupffern gezieret. Leipzig, M. G. Weidmann, 1720.
3 p. l., 80, (19), 89 p. front., illus., plates (part fold., 1 col.) 20 x 16½cm.
1. Paleontology.
G S 15-74
Library, U. S. Geological Survey 204(530) M99

NM 0923503 DI-GS

Mylius, Gottlieb Friedrich, 1675-1726.
Des Unterirdischen, Sachsens Seltsamer Wunder der Natur. Leipzig, 1707-18.
2 vols. 4° in 1.

NM 0923504 PBL

Mylius (Guilielmus). * De glandulis. 16 l. 4°. *Lugd. Bat., A. Elzevier.* 1698. [P., v. 2244.]

NM 0923505 DNLM

FLGZ 402 no.14 **Mylius, Gustav Heinrich, 1684-1785, praeses.**
Actvarivs peccans circa sententias ... Lipsiae, litteris Breitkopfianis [1739]
16p. 23cm.
(Foreign law pamphlet collection, v.402, no.14)
Diss. - Leipzig (C.F. Facius)

NM 0923506 CtY-L

Mylius, Gustav Heinrich, 1684-1765, praeses.
Actvarivs peccans in possessorio svmmariissimo ... Lipsiae, Ex Officina Trogiana [1740]
8 p. 18cm.
Diss. - Leipzig (G.C. Francke, respondent)

NM 0923507 MH-L

Mylius, Gustav Heinrich, 1684-1765, praeses.
Actvarivs peccans in Ord. crim. car. art. CXLIX. de inspectione cadaveris ante sepvltvram ... Lipsiae, Ex Officina Langenhemiana [1748]
15 p. 20cm.
Diss. - Leipzig (F.H. Mylius, respondent)

NM 0923508 MH-L

Mylius, Gustav Heinrich, 1684-1765, praeses.
Actvarivs peccans in legem ivdiciariam de compositione amicabili tentanda ... Lipsiae, Ex Officina Langenhemiana [1746]
xii p. 19½cm.
Diss. - Leipzig (F.N. Rosencrantz, respondent)

NM 0923509 MH-L

Mylius, Gustav Heinrich, 1684-1765, praeses.
Actvarivs peccans in constitvtiones imperii et saxonicas contra fvres et raptores promvlgatas ... Lipsiae, Ex Officina Langenhemiana [1754]
19 p. 20cm.
Diss. - Leipzig (C.E. Brescius, respondent)

NM 0923510 MH-L

Mylius, Gustav Heinrich, 1684-1765, praeses.
Actvarivs peccans in formandis et conscribendis actis ivdicialibvs qvoad cavssas civiles ... Lipsiae, Ex Officina Langenhemiana [1740]
15 p. 20½cm.
Diss. - Leipzig (C.G. Muller, respondent)

NM 0923511 MH-L

Mylius, Gustav Heinrich, 1684-1765, praeses.
Actvarivs peccans in citatione quoad cavsas civiles ..., Lipsiae, Litteris Breitkopfianis [1738]
14, [2] p. 19½cm.
Diss. - Leipzig (C.G. Junge, respondent)

NM 0923512 MH-L

VOLUME 403

Mylius, Gustav Heinrich, 1684-1765, praeses.
Actvarivs peccans in actv tortvrae ... Lipsiae, Ex Officina Langenhemiana ⌜1743⌝
12 p. 20cm.
Diss. - Leipzig (A.G.F. Conradi, respondent)

NM 0923513 MH-L

Mylius, Gustav Heinrich, 1684-1765, praeses.
Actuarius peccans in actu jurandi ... Lipsiae, Literis Trogianis ⌜1741⌝
⌜10⌝ p. 19cm.
Diss. - Leipzig (G.B. Hasskerl, respondent)

NM 0923514 MH-L

Mylius, Gustav Heinrich, 1684-1765, praeses.
Actvarivs peccans in cavssis inivriarvm ... Lipsiae, Ex Officina Langenhemiana ⌜1738⌝
15 p. 19cm.
Diss. - Leipzig (T.A. Wolff, respondent)

NM 0923515 MH-L

Mylius, Gustav Heinrich, 1684-1765, praeses.
Actvarivs peccans in cavssis appellationvm ... Lipsiae, Ex Officina Langenhemiana ⌜1739⌝
16 p. 20cm.
Diss. - Leipzig (J.C. Seidler, respondent)

NM 0923516 MH-L

Mylius, Gustav Heinrich, 1684-1765.
... Actvm praesentationis solennem qvatvor licentiandorvm ivris ⌜Christian Gottlob Bose, Friedrich Heinrich Mylius, Friedrich Platner, Johann Lüder Albrecht⌝ ... pvblice celebrandvm indicit. ⌜Lipsiae, Ex Officina Langenhemiana, 1752⌝
xiv p. 20½cm.

NM 0923517 MH-L

Mylius, Gustav Heinrich, 1684-1765,
... Ad solennia inavgvralia ... Ioannis Godofredi Nevmanni ... celebranda lectorem benevolvm ea qva decet hvmanitate invitat. ⌜Lipsiae, Litteris Langenhemianis, 1738⌝
xvi p. 19cm.

NM 0923518 MH-L

Mylius, Gustav Heinrich, 1684-1765, praeses.
... Ad solemnia inavgvralia ... Thomae Wagneri ... celebranda lectorem benevolvm qva decet observantia invitat. ⌜Lipsiae, Ex Officina Langenhemiana, 1735⌝
⌜14⌝ p. 18½cm.

NM 0923519 MH-L

Mylius, Gustav Heinrich, 1684-1765, praeses.
... De beneficio restitvtionis contra rem ivdicatam, qvae fit brevi manv ... Lipsiae, Ex Officina Langenhemiana ⌜1756⌝
31 p. 26cm.
Diss. - Leipzig (F.L. Klingling, respondent)

NM 0923520 MH-L CtY-L

Mylius, Gustav Heinrich, 1684-1765, praeses.
... De anticipatione vsvrarvm ... Lipsiae, Litteris Breitkopfianis ⌜1734⌝
30, ⌜2⌝ p. 20cm.
Diss. - Leipzig (C.S. Ewald, respondent)

NM 0923521 MH-L CtY-L

Mylius, Gustav Heinrich, 1684-1765, praeses.
... Admonitionem de vitando perivrio qvae fit per clericvm ... Lipsiae, J.C. Langenheim ⌜1733⌝
2 p.l., ⌜3⌝-34 p. 19½cm.
Diss. - Leipzig (G.F. Helbing, respondent)

NM 0923522 MH-L

Mylius,Gustav Heinrich,respondent.
De condictione,ex L.4. C. Fin.reg. ...Lipsiae, Literis Fleischeri Junioris ⌜n.d.⌝
79 p. 20cm.
Diss. - Leipzig,1707.

1.Condictio(Roman law).

NM 0923523 MiU-L

Mylius, Gustav Heinrich, 1684-1765, praeses.
⌜De eo quod iustum est circa mulierem partum lactantem vel gravidam intuitu poenae, in primis torturae.⌝ Pro-cancellarivs Gvstavvs Henricvs Mylivs ... ad panegyrin doctoralem domini Ioh. Henrici Schwarzii ... die XIX. aprilis MDCCXXXI. in Avditorio ictorvm celebrandam invitat. ⌜Lipsiae, Literis Io. Christiani Langenhemii, 1731⌝
⌜8⌝ p. 23cm.

NM 0923524 MH-L

Mylius, Gustav Heinrich, 1684-1765, praeses
... De ivre narivm et poena ampvtationis ac scapellationis nasi ... Lipsiae, J.C. Langenheim ⌜1734⌝
31 p. 18½cm.
Diss. - Leipzig (G.H. Mylius, junior, respondent)

NM 0923525 MH-L

Mylius, Gustav Heinrich, 1684-1765, praeses.
De ivdiciis denvnciatoriis saxonicis, Rüge-Gerichte dictis ... Lipsiae, Ex Officina Langenhemiana ⌜1737⌝
1 p.l., 55 p. 20cm.
Diss. - Leipzig (B.G. Huhn, respondent)

NM 0923526 MH-L

Mylius, Gustav Heinrich, 1684-1765.
... De ivre Romanorvm incerto ... ⌜Lipsiae, Ex Officina Langenhemiana, 1753⌝
xii p. 20cm.
At head of title: Gvstavvs Henricvs Mylivs ... exercitivm dispvtandi pvblicvm ... institvendvm indicit ...

NM 0923527 MH-L

Mylius, Gustav Heinrich, 1684-1765, praeses.
... De pvrgatione saxonica ... Lipsiae, Ex Officina Langenhemia ⌜1758⌝
2 p.l., 24 p. pl. 21cm.
Diss. - Leipzig (G.A. Vinold, respondent)

NM 0923528 MH-L

Mylius, Gustav Heinrich, 1684-1765, praeses.
De privatione ivrisdictionis ob eivs abvsvm ... Lipsiae, Ex Officina Langenhemiana ⌜1755⌝
4 p.l., 23 p. 20½cm.
Diss. - Leipzig (J.F. Schomburgk, respondent)

NM 0923529 MH-L

Mylius, Gustav Heinrich, 1684-1765, praeses.
... De poenis militvm famosis. Von Ehrenstrafen der Soldaten ... Lipsiae, Ex Officina Langenhemiana ⌜1741⌝
40 p. 23cm.
Diss. - Leipzig (G.E. Wend, respondent)

NM 0923530 MH-L

Mylius, Gustav Heinrich, 1684-1765, praeses.
... De poena inficiationis, occasione dispositionis in Ordin. proc. sax. recogn. ad tit. XVI. Von der litis contestation §. II. et III. ... Lipsiae, I.Titius ⌜1725⌝
32 p. 19cm.
Diss. - Leipzig (E.H.A. Rasch, respondent)

NM 0923531 MH-L

Mylius, Gustav Heinrich, 1684-1765, praeses.
... De patre ivdaeo alimenta svmtvs stvdiorvm et legitimam filio Christiano denegante ... Lipsiae, J.C. Langenheim ⌜1740⌝
20 p. 20½cm.
Diss. - Leipzig (A.D. Brascha, respondent)

NM 0923532 MH-L

Mylius, Gustav Heinrich, 1684-1765, praeses.
... De oppignoratione ivrisdictionis. Von Verpfändung der Gerichte ... Lipsiae, Literis Breitkopfianis ⌜1742⌝
28 p. 20½cm.
Diss. - Leipzig (S.R. Stahn, respondent)
With this is bound: Rechenberg, K.O. Solemnia inavgvralia ... Samvelis Rvdolphi Stahnii ... celebranda indicit. ⌜Lipsiae, 1742⌝

NM 0923534 MH-L

VOLUME 403

Mylius, Gustav Heinrich, 1684-1765, praeses.
... De oppignoratione fevdorvm, vasallorvm et instrvmentorvm fevdalivm ... / Lipsiae, Litteris Breitkopfianis [1744]
30 p. 22cm.
Diss. - Leipzig (A.F. Grosschupf, respondent)

NM 0923535 MH-L

Mylius, Gustav Heinrich, 1684-1765, praeses.
... De officio ivdicis et clerici in actv admonitionis de vitando perivrio eorvmqve honorario ... [Lipsiae, Litteris Breitkopfianis [1737]
37, [1] p. 21½cm.
Diss. - Leipzig (O.J. Wolff, respondent)

NM 0923536 MH-L

Mylius, Gustav Heinrich, 1684-1765, praeses.
[De termino peremtorio saxonico coarctando.] Solennia inavgvralia ... Caroli Ottonis Packbvschii ... celebranda indicit Gustavvs Henricvs Mylivs ... [Lipsiae, Ex Officina Langenhemiana, 1748]
xii p. 22cm. [With Rivinus, J.F., praeses. De fine litivm vt finiantvr. Lipsiae, (1748)]
Title taken from text.

NM 0923537 MH-L

Mylius, Gustav Heinrich, 1684-1765, praeses.
... Panegyrin inavgvralem ... Ioannis Gothofredi Richteri ... celebrandam indicit. Lipsiae, Literis Breitkopfianis [1744]
[8] p. 20½cm. [With Richter, J.G. De moribvs maiorvm tanqvam antiqvissimo romani ivris fonte. (Lipsiae, 1744)]

NM 0923538 MH-L

Mylius, Gustav Heinrich, 1684-1765, praeses.
... Panegyrin inavgvralem ... Ioannis Pavli Trvmmeri ... celebrandam indicit. [Lipsiae, Ex Officina Langenhemiana, 1741]
xii p. 20cm.

NM 0923539 MH-L

Mylius, Gustav Heinrich, 1684-1765, praeses.
Observationes ad processvm inhibitivvm saxonicvm spectantes ... Lipsiae, G. Saalbach [1728]
24 p. 20cm.
Diss. - Leipzig (J.H. Mylius, respondent)

NM 0923540 MH-L

Mylius, Gustav Heinrich, 1684-1765, praeses.
Notarivs peccans in instrvmento pvblico conficiendo... Lipsiae, Ex Officina Langenhemiana [1740]
24 p. 19cm.
Diss. -Leipzig (J.G. Dabel, respondent)
Imperfect: p. [3]-[4] lacking

NM 0923541 MH-L

Mylius, Gustav Heinrich, 1684-1765, praeses.
Mutationes clericorum .../ Lipsiae, Litteris Breitkopfianis [1740]
2 p.l., [3]-42 p. 20cm.
Diss. - Leipzig (F.W. Schütz, respondent)

NM 0923542 MH-L

Mylius, Gustav Heinrich, 1684-1765, praeses.
... Historiam legatorvm ... / Lipsiae, Opera Breitkopfiana [1731]
4 p.l., 40 p. 19cm.
Diss. - Leipzig (J.D. Kirsten, respondent)

NM 0923543 MH-L

Mylius, Gustav Heinrich, praeses.
Positionum ad processum inhibitivum Saxonicum spectantium semi-centuria ... defensa a Christian. Ludov. Crellio ... [Lipsiae] Literis I. Titii [n.d.]
20 p. 21cm.
Diss. - Leipzig, 1722.
Vol. 13, no. 49 of a collection with binder's title: Dissertationes juridicae.
1. Actions and defenses - Saxony. I. Crell, Christian Ludwig, respondent.

FL6 D613 v.13 no.49

NM 0923544 MiU-L

Mylius, Gustav Heinrich, 1684-1765.
Procancellarivs ... actvm ... promovendi qvatvor candidatos [Christian Gottlob Bose, Friedrich Heinrich Mylius, Friedrich Platner, Johann Lueder Albrecht] ... ad svmmos in ivre honores ... indicit [Quatenus parentes ad praestandos liberis sumtus studiorum et honorum academicorum obligati sint. Lipsiae, ex officina Langenhemiana, 1752]
xix p. 19½cm.

NM 0923545 MH-L

Pam. Coll. 35078

Mylius, Gustav Heinrich, 1684-1765.
Procancellarivs Gvstavvs Henricvs Mylivs ... panegyrin inavgvralem ... indicit et de chasmate disserit. [Lipsiae, Ex officina Langenhemiana, 1756]
xi p. 20 cm.
1. Earthquakes. 2. Roman law. Interpretation and construction. I. Title: De chasmate.

NM 0923546 NcD MH-L

Mylius, Gustav Heinrich, 1684-1765, praeses.
... Vsvm doctrinae de novi operis nvnciatione in foris Germaniae sistens .../ Lipsiae, Litteris Breitkopfianis [1741]
23 p. 20cm.
Diss. - Leipzig (C.F. Joecher, respondent)
Trimmed too closely, imprint lacking.

NM 0923547 MH-L

Mylius, Gustav Heinrich; 1684-1765.
... Solennia inavgvralia ... Caroli Augusti Salzmanni .../celebranda indicit. Lipsiae, Litteris Breitkopfianis [1732]
[12] p. 20cm.

NM 0923548 MH-L

Mylius, Gustav Heinrich, 1684-1765.
Procancellarivs ... inavgvralia ... Iohannis Christophori Kindii ... indicit [An praelectionis protocolli aut registraturae omissio illi vim probandi per omnia vel ex parte adimat? Lipsiae, ex officina Langenhemia, 1761]
xvi p. 20cm.

NM 0923549 MH-L

Mylius, Gustav Heinrich, 1684-1765, praeses.
Pro-cancellarivs Gvstavvs Henricvs Mylivs ... solemnia inavgvralia candidati nobilissimi Caroli Lvdovici Stieglitzii ... celebranda indicit. [Lipsiae, Ex Officina Breitkopfia, 1752]
xvi p. 20cm. [With Stieglitz, K.L. De fideicommissis familiae ... Lipsiae (1752)]

NM 0923550 MH-L

Mylius, Gustav Heinrich, 1684-1765.
... Selectae fori conclusiones ...
see under Mylius, Johann Heinrich, 1659-1722.

Mylius, Gustav Heinrich, jr., b. 1711, respondent.
... De ivre narivm et poena ampvtationis ac scapellationis nasi...
see under Mylius, Gustav Heinrich, 1684-1765, praeses.

Mylius, Gustav Heinrich, b. 1711.
Vindiciarvm Theophili specimen ad prooem
see under Mylius, Johann Heinrich, 1710-1773.

Mylius, Heinrich.
Gedichte in Themarer mundart von Heinrich Mylius, mit einer einleitung von Friedrich Hofmann. Hildburghausen, 1845.
80 p. 19 cm.

NM 0923554 CU

MYLIUS, Heinrich.
Gedichte in Themarer mundart. Mit einer einleitung von Friedrich Hofmann. 2e, vermehrte aufl. Hildburghausen, M. Achilles, 1895.
pp. 72+.

NM 0923555 MH

Mylius, Hermann.
Badenweilers Kurbad zu römischer Zeit; ein Führer durch die Ruine, von Hermann Mylius und Rolf Nierhaus. [Badenweiler] Kurverwaltung Badenweiler und Staatl. Amt für Ur- und Frühgeschichte, Freiburg i. Br. 1953. 31 p. illus., fold. plan. 19cm.
Bibliography, p. 31.
1. Baths, Roman—Germany—Badenweiler. 2. Bedenweiler, Germany—Archaeology—Roman remains. I. Nierhaus, Rolf. II. Badenweiler, Germany. Kurverwattung. III. Baden-Würtemberg. Ur- und Frühgeschichte, Staaliches Amt für. t. 1953.

NM 0923556 NN

VOLUME 403

Mylius, Hermann.
Die Krufter grabdenkmäler und ihre rekonstruktion. Von Hermann Mylius.
(*In* Bonner jahrbücher. Jahrbücher des Vereins von altertumsfreunden im Rheinlande. Bonn, 1925. 27½cm. hft. 130, p. [180]–192. illus., pl. VI–XI (5 fold.))

1. Kruft, Ger.—Antiquities, Roman. 2. Sepulchral monuments. 3. Sculpture, Roman. I. Title.
A C 40-1854
Metropolitan mus. of art, for Library of Congress — N. Y. Library [DD491.R4B7 hft. 130]
[2] (943.42)

NM 0923557 NNML OU

Mylius, Hermann.
Die ostthermen von Nida und ihr prätorium, von Hermann Mylius.
(*In* Bonner jahrbücher. Jahrbücher des Vereins von altertumsfreunden im Rheinlande. Darmstadt, 1936. 27½cm. hft. 140/141, 2. t., p. 299–324. illus. (plans) pl. 2–7 (incl. 2 plans))

1. Baths—Nidden, Ger. 2. Nidden, Ger.—Antiquities. 3. Architecture, Roman. I. Title.
A C 40-1024
Metropolitan mus. of art, for Library of Congress — N. Y. Library [DD491.R4B7 hft. 140/141]
[2] (943.42)

NM 0923558 NNMM OU

Mylius, Hermann.
Die rekonstruktion der römischen villen von Nennig und Fliessem. Von dr. Hermann Mylius.
(*In* Bonner jahrbücher. Jahrbücher des Vereins von altertumsfreunden im Rheinlande. Bonn, 1924. 27½cm. hft. 129, p. [109]–128. illus., pl. IV–VII (part fold., incl. plans))

1. Architecture—Conservation and restoration. 2. Nennig, Ger. 3. Fliessem, Ger. I. Title.
A C 40-1984
Metropolitan mus. of art, for Library of Congress — N. Y. Library [DD491.R4B7 hft. 129]
[2] (943.42)

NM 0923559 NNMM ICU NCH MiU OU IEN

Mylius, Hermann.
Die rekonstruktion des sogenannten legatenpalastes im römischen lager Vetera bei Xanten. Von Hermann Mylius ...
(*In* Bonner jahrbücher. Jahrbücher des Vereins von altertumsfreunden im Rheinlande. Bonn, 1921. 27½cm. hft. 126, p. [22]–44. illus., pl. VI–VIII (fold.; incl. plans))

1. Camps (Military) 2. Xanten, Ger.—Antiquities, Roman. 3. Rome—Military antiquities. I. Title.
A C 40-2336
Metropolitan mus. of art, for Library of Congress — N. Y. Library [DD491.R4B7 hft. 126]
[2] (943.42)

NM 0923560 NNMM

Mylius, Hermann.
... Die römischen Heilthermen von Badenweiler, von Hermann Mylius; mit Beiträgen von E. Fabricius und W. Schleiermacher ... Berlin [etc.] W. de Gruyter & Co., 1936. viii, 154 p. incl. tables. illus., plans, plates. 32cm. (Römisch-germanische Kommission des Deutschen archäologische Instituts zu Frankfurt a. M. Römisch-germanische Forschungen. Bd. 12.)
"Verzeichnis der Literatur," p. 150.

873122A. 1. Baths—Germany—Badenweiler. 2. Germany—Archaeology—Roman remains. I. Fabricius, Ernst, 1857– . II. Schleiermacher, Wilhelm. III. Ser.
N. Y. P. L. May 11, 1937

NM 0923561 CU NcU NcD WU MoU NIC NN DDO MH ICU CtY DDO PBm ICU NNC

Mylius, Hermann.
Die tribunenbauten von Vetera. Von Hermann Mylius.
(*In* Bonner jahrbücher. Jahrbücher des Vereins von altertumsfreunden im Rheinlande. Bonn, 1929. 27½cm. hft. 134, p. [67]–78. illus. (incl. plans) pl. III)

1. Xanten, Ger.—Architecture, Roman. I. Title.
A C 40-1808
Metropolitan mus. of art, for Library of Congress — N. Y. Library [DD491.R4B7 hft. 134]
[2] (943.42)

NM 0923562 NNMM ICU NCH MiU OU IEN

Mylius, Hermann.
Zu den rekonstruktionen des hauptgebäudes im gallorömischen bauernhof bei Mayen. Von Hermann Mylius.
(*In* Bonner jahrbücher. Jahrbücher des Vereins von altertumsfreunden im Rheinlande. Bonn, 1928. 27½cm. hft. 133, p. [141]–152. pl. IV–IX)

1. Mayen, Ger. Villa. 2. Architecture, Roman. 3. Architecture—Conservation and restoration. 4. Architecture, Domestic—Mayen, Ger.
A C 40-1573
Metropolitan mus. of art, for Library of Congress — N. Y. Library [DD491.R4B7 hft. 133]
[2] (943.42)

NM 0923563 NNMM ICU OU IEN NCH MiU

Mylius, Hermann.
Zwei neue formen römischer gutshäuser (villa bei Blankenheim). Von Hermann Mylius.
(*In* Bonner jahrbücher. Jahrbücher des Vereins von altertumsfreunden im Rheinlande. Darmstadt, 1933. 27½cm. hft. 138, p. 11–31. illus., plates (incl. plans))

1. Blankenheim, Ger. Villa. 2. Architecture, Domestic—Blankenheim, Ger. 3. Architecture, Roman. 4. Architecture—Conservation and restoration. I. Title.
A C 40-1345 Provisional
Metropolitan mus. of art, for Library of Congress — N. Y. Library [DD491.R4B7 hft. 138]
[2] (943.42)

NM 0923564 NNMM

Mylius, Hermann, *musician.*
[Suite, viola & harpsichord, op. 30, C minor]
... Suite in C moll, für viola und cembalo (klavier) Op. 30. Leipzig, Breitkopf & Härtel [1939]
11 p. *and* pt. 30½cm. (*On cover:* Edition Breitkopf, nr. 5722)
Publisher's plate no.: 31064.
Score (viola and harpsichord or piano) and part.

1. Suites (Viola and harpsichord)
46-40831
Library of Congress M226.M95 op. 30

NM 0923565 DLC

Mylius, Hermann, *musician.*
[Suite, violin & harpsichord, op. 29, D major]
... Suite in D dur, für violine und cembalo (klavier) Op. 29. Leipzig, Breitkopf & Härtel [1939]
11 p. *and* pt. 30½cm. (*On cover:* Edition Breitkopf, nr. 5721)
Publisher's plate no.: 31063.
Score (Violin and harpsichord or piano) and part.

1. Suites (Violin and harpsichord)
46-40832
Library of Congress M220.M95 op. 29

NM 0923566 DLC

Mylius, H.
Ueber englische orthographie u. aussprache ... Stolp, 1868.

NM 0923567 NjP

Mylius, Hugo, 1876–1918.
Geologische forschungen an der grenze zwischen Ost- und Westalpen, von Hugo Mylius ... München, Piloty & Loehle, 1912–13.
2 v. illus., plates (part fold., incl. maps, profiles) 24cm.
Plates x–xiv, t. I, and xxiii pl., t. II, in pockets.
"Literaturverzeichnis": t. I, p. 2–3; t. II, p. 1–4.
CONTENTS.—I. teil. Beobachtungen zwischen Oberstdorf und Maienfeld. 1912.—II. teil. Beobachtungen zwischen Maienfeld und Tiefenkastel. 1913.

1. Geology—Alps. I. Title.
G S 39-214
U. S. Geol. survey. Library for Library of Congress — 203 (535) M99g [QE285]
[2]

NM 0923568 DI-GS CU ICJ IU PPAN

55½.36
M997

Mylius, Hugo, 1876-1918.
Die geologischen Verhältnisse des Hinteren Bregenzer Waldes in den Quellgebieten der Breitach und der Bregenzer Ach bis südlich zum Lech. Erlangen, Junge & Sohn, 1909.
96, [2] p. plates, fold. profiles(in pocket) fold.maps(in pocket) 24cm.
Inaug.-Diss. - München.
Issued also in "Mitt. Geogr. Ges., München IV. 1909."
Lebenslauf.
Bibliography: p.[93]-96.

1. Geology - Austria.

NM 0923569 CSt PU NN MH

Mylius (Joannes Christophorus). *De resolutione noxia. 1 p. l., 20 pp., 2 l. 4°. *Erlangæ, apud J. D. M. Camerarium*, [1765].

NM 0923570 DNLM

Mylius, Joannes Guilelmus
see Mylius, Johann Wilhelm.

Mylius, Joh. Balthasar, respondent.
Disputatio juridica de seditione
see under Mylius, Andreas, 1649-1702, praeses.

Mylius (Joh. Gottlieb). *De cognoscenda et curanda arthritide. 24 pp. 4°. *Erfordiæ, typ. J. H. Groschii*, [17..].

NM 0923573 DNLM

Mylius, Johann, 1558–1630. Ger 1840.2
Viel und längst gewündschter, gründlicher, warhafftiger bericht ob was, woher und wiefern Herr D. Hoe mit der böhmischen sach und sonderlich der fürgegangenen wahl eines newen königs in Böhmen zu thun gehabt, *etc.* Leipzig, in verlegung A. Lambergs und C. Klosemans, 1620.
sm. 4°. pp. (16), 71.

Bohemia–Hist. To 1620 HCL 25–2458

NM 0923574 MH

---

*GC6
M9946
604e

[Mylius, Johann, b.1567, ed.]
Epigrammata in effigiem reverendi & clarissimi viri, d. m. Pauli Crusii ... ab amicis, cognatis, & conterraneis honoris, amoris & benevolentiae ergô scripta, &
Jenae in typographéo Tobiae Steinmanni excusa anno ChrIstI MeDIatorIs.Vel: DebIta nostra,rogo, nobIs,bone ChrIste,reMItte.[i.e.1604]
[8]p. 1 illus.(port.) 18.5cm.
Dedication signed "M. Johannes Mylius, archidiac. schleusingensis"; Mylius also did the woodcut portrait of Crusius.

NM 0923575 MH

Mylius, Johann Carl, 1864-
Geschichte der Familien Mylius; genealogisch-biographische Familienchronik der Mylius aller Zeiten und Länder. Buttstädt, Selbstverlag des Verfassers, 1895
352 p. illus.

NM 0923576 MH

Mylius, Johann Christoph, 1710–1757.
Bibliotheca anonymorvm et psevdonymorvm ad svpplendvm et continvandvm Vincentii Placcii Theatrvm et Christoph. Avg. Hevmanni schediasma de anonymis et psevdonymis, collecta et adornata à M. Joh. Christoph. Mylio ... cvm præfatione M. Gottlieb Stollii. Hamburgi, C. W. Brandt, 1740.
2 pt. in 1 v. 18cm.

1. Anonyms and pseudonyms. I. Placcius, Vincent, 1642–1699. II. Title.
6–44955
Library of Congress Z1041.M99

NM 0923577 DLC MoU CLU-M CtY ICU ICN NjP PU NN

VOLUME 403

LF 2845 .M997 MYLIUS, JOHANN CHRISTOPH, 1710-1757
Das in dem Jahre 1743 blühende Jena; . . .
Jena, G. M. Marggrafen ₍1743₎
319 p.

Contains also A. L. Thura's Regiae academiae and M. T. Q.'s Examen quaestionis.

1. Jena--Universität--Biog. 2. Jena--Universität--Hist. I. Title.

NM 0923578 InU

Z929 .J4 Mylius, Johánn Christoph, 1710-1757.

Jena. Universität. *Bibliothek.*
Memorabilia bibliothecae Academicae ienensis; sive, Designatio codicvm manvscriptorvm in illa bibliotheca et librorvm impressorvm, plervmqve rariorvm concinnata potissimvm ad vsvs svorvm in collegiis litterariis avditorvm a m. Ioh. Christoph. Mylio ... Ienae et Weissenfelsae, apvd Ioh. Christoph. Croekervm, 1746.

RARE BOOK DEPT.
Mylius, Johann Daniel, b. 1585 or 6.
Anatomia avri, sive Tyrocinivm medico-chymicvm continens in se partes quinque. Francofurti, 1628.

NM 0923580 WU

WZ 250 M9965a 1620 MYLIUS, Johann Daniel, b. 1585 or 6
... Antidotarium medico-chymicum reformatum: continens quatuor libros distinctos. Quorum I. Generaliora in pharmaciam requisita explicat. II. Tractat de quibusdam exoticis in nostris Basilicis omissis. III. Tradit praecepta Galenic. & chymicorum de praeparatione medicamentorum. IV. Resolvit formas & dividit medicamenta tam Galen. quam chymicorum. Francofurti, Sumptibus Lucae Jennis, 1620.
[12], 1044, [71] p. port. 20 cm.

NM 0923581 DNLM MH

WZ 250 M9965 1620 MYLIUS, Johann Daniel, b. 1585 or 6
... Complementum operis medico-chymici, continens tres tractatus sive Basilicas. Quorum prior inscribitur Basilica medica, contines III. libros de medicina antiqua Hippocratica. Secundus inscribitur Basilica chymica, contines libros septem de metallis mineralibus, vegetabilibus & animalibus. Tertius Basilica philosophica, tractat de medicina universali, chymicorum instrumnetis & obscuritatibus. Francofurti, Impensis Lucae Jennis, 1620.
1.v. plates. 20 cm.
Various pagings.
Imperfect: books 1 and 2 of Basilica medica, books 1 and 7 of basilica chymica, book 1 of Basilica philosophica and the index wanting.

NM 0923583 DNLM

Mylius, Johann Daniel, b. 1585, or 6.
Disputatio hermetica juxta ac dogmatica, de elephantiasi seu lepra arabum ... in academia Mauritiana defendendam suscipiet ... Johannes Daniel Mylius ... Marpurgi Cattorum, excudebat P. Egenolphus, 1613.
9 l. 21 cm.

NM 0923584 CtY-M

Mylius, Johann Daniel.

₍Grasshoff, Johann₎
Dyas chymica tripartita, das ist: Sechs herrliche teutsche philosophische tractätlein, deren II. von an jtzo noch im leben: II. von mitlern alters: vnd II. von ältern philosophis beschrieben worden. Nunmehr aber allen filiis doctrinæ zu nutz an tag geben, vnd mit schönen figuren gezieret durch H. C. D. Franckfurt am Mayn, Bey L. Jennis zu finden. 1625.

Mylius, Johann Daniel, ed.
...Iatrochymicus; sive, De praeparatione et compositione medicamentorum chymicorum artificosa tractatus...
see under Burnet, Duncan, 16th-17th cent.

WZ 250 M9965p 1628 MYLIUS, Johann Daniel, b. 1585 or 6
... Pharmacopoeae spagyricae; sive, Practicae universalis Galeno-chymicae liber secundus ... Cui accessit Marci Antonii Cornacchini ... Methodus hactenus incognito modo, cito & chymice curandi affectiones corporis, ab humoribus copia vel qualitate peccantibus geritae ... Francofurti, Impensis Theobaldi Schönwetteri, 1628.
[21], 896 p. 18 cm.
Liber II. only.

I. Cornacchini, Marco, d. 1621

NM 0923587 DNLM WU ICU NNNAM InU CtY

WZ 250 M9965 1618 MYLIUS, Johann Daniel, b. 1585 or 6
... Opus medico-chymicum: continens tres tractatus sive basilicas: quorum prior inscribitur Basilica medica; secundus Basilica chymica; tertius Basilica philosophica. Francofurti, Apud Lucam Jennis, 1618.-30
2 v. illus., plates, port. 20 cm.
Vol. 1 contains the first three books of Basilica medica; and the first four books of Basilica chymica with special title page.
Vol. 2 has title: Operis medico- chymici pars altera. Qua continentur tres libri posteriores Basilicae chymicae, ut & Basilica philosophica, perfecta, in libros tres distributa ... 1620. "Tractatus secundi, seu, Basilicae chymicae, liber septimus: De animalibus". "Tractatus III. seu, Basilica philosophica" and the index, have special title pages dated 1620, 1618, 1630 respectively.

NM 0923589 DNLM

Mylius, Johann Daniel, b. 1585 or 6.
Philosophia reformata continens libros binos. I.liber in septem partes divisus est: pars 1. agit de generatione metallorum in visceribus terræ. 2. tractat principia artis philosophicæ. 3. docet de scientia divina abbreviata. 4. enarrat 12 grad. sapientū philosoph. 5. declarat amb. in hac divina scientia. 6. dicit de recap. artis divinæ theori. 7. ait de artis divinæ recap. practica. II.liber continet authoritates philosophorum. Francofvrti, L. Iennis, 1622.

NM 0923591 WU

FILM 500 M98p Mylius, Johann Daniel, b. 1585 or 6.
Philosophia reformata continens libros binos. I.liber in septem partes divisus est: pars 1. agit de generatione metallorum in visceribus terræ. 2. tractat principia artis philosophicæ. 3. docet de scientia divina abbreviata. 4. enarrat 12 grad. sapientū philosoph. 5. declarat amb. in hac divina scientia. 6. dicit de recap. artis divinæ theori. 7. ait de artis divinæ recap. practica. II.liber continet authoritates philosophorum. Francofvrti, L. Iennis, 1622.
Microfilm copy (negative) made in 1958 of the original in Wisconsin University Library.
Collation of the original, as determined from the film: 703p. illus.

NM 0923593 IU WU

Mylius, Johann Daniel, b. 1585 or 6.
Tractatus primus, seu Basilica medica continens tres libros seu partes de salutifera medicina antiqua Hippocratica; 1, physiologiam, 2 pathologiam, 3 therapeuticam succincte demonstrat. Francofurti, Jennis, 1618.

Title vignette.

NM 0923594 CtH

RARE BOOK DEPT.
Mylius, Johann Daniel, b. 1585 or 6.
Tractatvs secvndi Basilicæ chymicæ, liber septimvs, De animalibus. Francofurti, 1620.

NM 0923595 WU

W 4 L68 1724 M.3 MYLIUS, Johann Friedrich, 1698-1764
Dissertatio medica inauguralis, morbos eorumque affinitatem ex incompletis motibus haemorrhagicis ortos ... Lugduni Batavorum, Apud Conradum Wishoff [1724]
26 p. 19 cm.
Diss. - Leyden.

W 6 P3 v.72 no.5 -- --- Copy 2. 20 cm.

NM 0923596 DNLM RPB

Mylius, Johann Heinrich, 1659-1722
... Annum juridicum ejusqve effectus generales ex utroq; jure demonstrat & ... submittit Johannes Henricus Mylius ... Lipsiae, J. Georg ₍1682₎
36 p. 19cm.
Diss. - Leipzig.

NM 0923597 MH-L

Mylius, Johann Heinrich, 1659-1722, praeses
... De juramento minorationis. Germ. Vom Verminderungs Eyde ... ₍Lipsiae₎ J. Georg ₍1685₎
₍48₎ p. 20cm.
Diss. - Leipzig (Melchior Redel, respondent)

NM 0923598 MH-L

Mylius, Johann Heinrich, 1659-1722, praeses
... Selectae fori conclusiones ... Lipsiae, J.C. Brandenburger ₍1703₎
1 p.l., 22 p. 20cm.
Diss. - Leipzig (G.H. Mylius, respondent)

NM 0923599 MH-L

Mylius, Johann Heinrich, 1710-1733
Vindiciarvm Theophili specimen ad procem. L. I. Tit. I. et partem Tit. II., a Ioan. Henrico Mylio ... et Gvstavo Henrico Mylio propositvm ... Lipsiae, Ex Officina Langenhemiana ₍1731₎
16 p. 20½cm.
Diss. - Leipzig.

NM 0923600 MH-L

Mylius, Johann Heinrich, 1710-1733, respondent.
... Ad avdiendam orationem qva qvinqve ivris
see under Gribner, Michael Heinrich, 1682-1734.

Mylius, Johann Heinrich, 1710-1773.
Io. H. Mylii Opvscvla academica ad illvstrandam atqve vindicandam Theophili Paraphrasin et Ivstiniani imp. procem. Institvtionvm potissimvm facientia. Praefationem de vita et scriptis Mylianis praemisit G. A. Ienichen. Lvgdvni Batavorvm: apud T. Haak, 1738. xxviii p., 3 l., 64 p., 2 l., 65-163(1) p., 2 l. 16° in twelves.

Theophilus; sive, De Graecarum juris institutionum. 1733.
Specimen vindiciarvm Theophili. 2. ed. 1738.
Quae...procemio Institvtionvm svpposita perperam credvntvr dispvtando vindicata. 2. ed.
Qvae...in procemio...svpposita...vlterivs vindicata. 2. ed.

Continued in next column

VOLUME 403

Continued from preceding column

Separate title-pages to each Opusculum. Theophilus; sive, De Graecarum juris institutionum, together with its index, is wrongly bound before the general title-page.
Bound with: Justinian I., emperor of the East. D. Justiniani Institutionum... Lugduni Batavorum, 1733. 16° in twelves.

1. Law (Greek). 2. Law (Roman). 3. Jenichen, Gottlob August. 4. Theophilus, antecessor.
N. Y. P. L. January 7, 1913.

NM 0923603 NN

Mylius, Johann Heinrich, 1710-1733, respondent.
... Procancellarivs De primo academiae lipsiensis cancellario
see under Gribner, Michael Heinrich, 1682-1734.

Mylius, Johann Heinrich, 1710-1733.

Corpus juris civilis. *Institutiones.*

Θεοφίλου Ἀντικήνσωρος τὰ εὑρισκόμενα. Theophili Antecessoris paraphrasis graeca Institutionum caesarearum: cum notis integris P. Nannii, J. Curtii, D. Gothofredi, H. Ernstii, et C. A. Fabroti, ac selectis quamplurimorum eruditorum observationibus, cum editis tum ineditis. Lectionum varietates ex primariis editionibus et Pithoeano ms. inseruit, novam versionem *κατὰ ποδὰς* concinnavit, suasque animadversiones & *ἐπικρίσεις* addidit Gul. Otto Reitz, J. CTUS: qui & Fragmenta Theophilina nunc primum collecta, & titulos græcos de v. s. ac de r. j. denuo recognitos, ...

Mylius, Johann Wilhelm, respondent.
... De testamentis ordinandis
see under Carpzov, Konrad, 1593-1658, praeses.

W 4 MYLIUS, Johann Wilhelm
S89 Specimen inaugurale de fibrae simplicis natura ...
1792 Argentorati, Ph. J. Dannbach [1792]
M.1 28 p. 21 cm.
Diss. - Strasbourg.

NM 0923607 DNLM

Mylius, Jonas
see Mylius, Karl Jonas, 1839-1883.

Mylius, Karl, 1896–
... Funktionelle veränderungen am gefässsystem der netzhaut, von dr. K. Mylius. Mit 16 tafeln. Berlin, S. Karger, 1928.

1 p. l., 82 p. xvi pl., diagrs. 25½cm. (Abhandlungen aus der augenheilkunde und ihren grenzgebieten. Beihefte zur Zeitschrift für augenheilkunde ... hft. 10)

At head of title: ... Aus der Universitäts-augenklinik in Hamburg.

1. Retina—[Blood vessels]

A C 37-783

John Crerar library
for Library of Congress [2]

NM 0923609 ICJ CtY PPC

Mylius, Karl, 1896–
Rheumatismus und auge, von prof. dr. med. Karl Mylius ... mit 15 abbildungen im text und auf 2 farbigen tafeln. Dresden und Leipzig, T. Steinkopff, 1942.

viii p., 2 l., 91, [1] p. illus., 2 col. pl. 22 cm. (*Added t.-p.:* Der Rheumatismus, sammlung von einzeldarstellungen aus dem gesamtgebiet der rheumaerkrankungen, hrsg. von professor dr. Rudolf Schoen ... bd. 22)

"Literaturverzeichnis": p. [84]-91.

1. Rheumatism. 2. Eye—Diseases and defects.

RC927.R47 bd. 22 616.991 43—15088
——— Copy 2. RE46.M9

NM 0923610 DLC IU MnU NNC DNLM

HIST SCI
RG Mylius, Karl Gottlieb, b. 1766.
600 Dissertatio inauguralis medica De signis
M99 foetus vivi ac mortui, quam...publice defendet auctor Carolus Gottlieb Mylius. Ienae, Litteris Goepferdtianis [1789]
16 p. 21cm.

Diss.--Jena.

1. Fetus. 2. Fetus, Death of. 3. Obstetrics--Early works to 1800.

NM 0923611 NIC DNLM

Mylius, Karl Hugo
see Mylius, Hugo, 1876-1918.

NA
2510 Mylius, Karl Jonas, 1839-1883.
H3 Baulichkeiten für Cur- und Badeorte von
sect.4 Jonas Mylius und Heinrich Wagner. Gebäude für Gesellschaften und Vereine von Eduard
v.4 Schmitt und Heinrich Wagner. Baulichkeiten
no.2 für den Sport. Panoramen; Musikzelte; Stibadien und Exedren, Pergolen und Veranden; Gartenhäuser, Kioske und Pavillons von Josef Durm [et al.] 2. Aufl. Darmstadt, A. Bergsträsser, 1894.
vii, 254 p. illus., plans, plates. 27 cm. (Handbuch der Architektur. IV. Th. Entwerfen, Anlage und Einrichtung der Gebäude. 4. Halb- Bd. Gebäude für Erholungs-, Beherbergungs- und Vereinszwecke, 2. Heft)
Bibliographies included.

1. Health resorts, watering places, etc. 2. Baths, Public. 3. Clubs. 4. Recreation centers. 5. Pavilions. I. Schmitt, Eduard, 1842-1913. Gebäude für Gesellschaften und Vereine. II. Wagner, Heinrich, joint author. III. Durm, Josef Wilhelm, 1837-1919. Baulichkeiten für den Sport. IV. Lieblein, Jacob. V. Reinhardt, Robert, 1843- VI. Gebäude für Erholungs-, Beherbergungs- und Vereinszweck, Heft 2. VII. Title.

VIII. Title: Gebäude für Gesellschaften und Vereine. IX. Title: Baulichkeiten für den Sport. X. Series.

NM 0923615 LU

Mylius, Karl Jonas, 1839-1883.
Treppen- vestibul- und hof-anlagen aus Italien. Skizzen von C.J.Mylius, architect. 50 tafeln photolithographisch ausgeführt von W.Korn & comp.in Berlin. Leipzig, A.Dürr, 1867.
[6] p., 50 pl.(incl.plans) 37½cm.

1.Architecture--Italy. 2.Staircases. I.Title.

NM 0923616 MiU

Mylius (Leonh. Henricus) [1696-1721]. * De anatomia et physiologia in genere. 23 pp. sm. 4°. [*Lipsiæ*]. *lit. I. Titii*, [1715].

NM 0923617 DNLM

Mylius, Leonh. Henricus, 1696-1721.
——. * De puella monstrosa. 33 pp., 1 pl. sm. 4°. *Lipsiæ, lit. I. Titii*, [1717]

NM 0923618 DNLM

Mylius, Louis Aubrey, 1890–
... Oil and gas development and possibilities in parts of eastern Illinois, by L. A. Mylius. Printed by authority of the state of Illinois. Urbana, Ill., 1923.

64 p. vii pl. (part fold., incl. maps) tables (part fold.) diagrs. 25½cm. (Illinois. State geological survey. Extract from Bulletin no. 44)

At head of title: State of Illinois. Department of registration and education. Division of the State geological survey. Frank W. DeWolf, chief.

1. Petroleum—Illinois. 2. Gas, Natural—Illinois. I. Title.

G S 23-83

Library, U. S. Geological Survey (253) Il5b [QE105.A]

NM 0923619 DI-GS MtBuM MoU UU CU ViU PSt ICJ MB

Mylius, Louis Aubrey, 1890–
... Oil and gas development and possibilities in east-central Illinois. (Clark, Coles, Douglas, Edgar and parts of adjoining counties) By L. A. Mylius. Printed by authority of the state of Illinois. Urbana, Ill. [Springfield, Jeffersons printing & stationery co.] 1927

205 p. incl. illus., tables, diagrs. xxxi fold. pl. (incl. maps, plans, diagrs., pl., xxi-xxxi in separate portfolio) fold. tables. 26 cm. (Illinois. State geological survey. Bulletin no. 54)

At head of title: State of Illinois. Department of registration and education. Division of the state geological survey.
Bibliographical foot-notes.

1. Petroleum—Illinois. 2. Gas, Natural—Illinois. I. Title.

QE105.A16 G S 28—288

U. S. Geol. Survey. Libr.
for Library of Congress [a55i½]†

PPAmP DLC
NM 0923620 DI-GS MtBC MtBuM WaS ICJ MoU PSt CU

Mylius, Louis Aubrey, 1890–
... A restudy of the Staunton gas pool, by L. A. Mylius. Printed by authority of the state of Illinois. Urbana, Ill., 1919.

23 p. incl. tables, diagrs. (1 fold.) fold. chart (in pocket) 26cm.

At head of title: State of Illinois. Department of registration and education. Division of the State Geological survey. Extract from bulletin no. 44.
Bibliographical foot-notes.

1. Petroleum—Geology—Illinois. 2. Gas, Natural—Illinois.
I. Title: Staunton gas pool.

G S 23-75

U. S. Geol. survey. Library
for Library of Congress TN880.M87

MdBJ PP DLC OCl OU
NM 0923621 DI-GS MtBuM PPAmP CU ViU MoU ICJ ICU

A30 Mylius, Ludwig Gottlieb, 1687-ca.1751.
J4 Socratis theologiam e reliquiis dicto-
171AM rum ipsius et factorum, per discipulos memoriae posteritatis consecratorum, erutam, et ad quasdam naturalis cognitionis classes brevissime revocatam. Jenae, 1714.

Diss. - Jena.

NM 0923622 CtY

BR335 [Mylius, Martin] 1542-1611.
.A1M9 Chronologia scriptorum Philippi Melanchthonis. Gorlicii, excusum typis A. Fritschij, 1582.

[174] p. 15½cm.

Signatures: a-b⁸, A-I⁸ (last leaf blank)
Woodcut port. on t.-p.; tail piece; initials.
Dedication signed: Martinus Mylius.

1. Melanchthon, Philipp, 1497-1560—Bibl.

NM 0923623 ICU ICN NcD NNUT IU

Case
C [MYLIUS, MARTIN] 1542-1611.
696 Homo disce mori, et lege quid reuelat tibi
.608 Spiritus Sanctus in agone personarum 130 utriusq; sexus, qui cum ex hac miseria discesserunt, quid de Deo & vita æterna sentirent, declararunt. Hamburg: Impensis P.Kretzeri, 1593.
[1], 269, [12]p. illus., ports. 14cm.

Abridged from the author's "Apothegmata morientium".
Bound by E.Niedrée.

NM 0923624 ICN CtY

---

x875 Mylius, Martin, 1542-1611.
M985h Hortvs philosophicvs consitvs stvdio Martini Mylii Gorlicensis. Gorlicii, I. Rhamba excudebat, 1597.
[24], 630, [24]p. 16cm.

NM 0923625 IU OkU

P [Mylius, Martin] 1542-1611.
361 Nomenclator selectissimas rerum appellationes
M8 tribus linguis, Latinâ, Germanicâ, Polonicâ,
1643 explicatas indicans: 6.ed... In vsum scholarum
Cage Borussicarum & Polonicarum: maximè verò gymnasij Thoruniensis nomenclator ... Dantisci, Typis & sumptibus Andreae Hünefeldii, 1643.

[A]⁴, A-O⁸, P⁴. 8vo.
Possibly Thomas Gore copy.

NM 0923626 DFo

VOLUME 403

PA 2365 G5 M8 1591 Cage

Mylius, Martin, 1542-1611.
Nomenclatura rerum communium in vsum tyronum scholae Gorlicensis, studio Iohannis Byberi edita. Nunc; recognita & locis vocabulis; aliquot aucta ... [n.p.] 1591.
A-K8. 8vo.

NM 0923627 DFo

Mylius, Martin, 1542-1611.
Sterbenskunst, gefasset in schöne ausserlesne exempel, etlicher frommen Christen, welche selig-lich von dieser welt abgeschieden... Goerlitz, Fritsch, 1593.
431 p.

NM 0923628 PPLT

Mylius, Melchior, respondent.
... De inivriis
see under Besold, Christoph, 1577-1638, praeses.

Mylius, Norbert.
Afrika Bibliographie, 1943-1951. Wien, Verein Freunde der Völkerkunde, 1952.
vi, 237 p. 30 cm.

1. Africa—Bibl.
Z3501.M9 A 53-5340
Harvard Univ. Library for Library of Congress [a54b½]†

NM 0923630 NN DLC FU WaU OrPR OrU CaBVaU MH MB GAU KU PU OU PSt TU NcD ViU CtY

Microfm Z 306

Mylius, Norbert.
Afrika Bibliographie, 1943-1951. Wien, Verein Freunde der Völkerkunde, 1952.
Negative made in 1969 by Library of Congress Photoduplication Service, Washington, D.C

1. Ethnology--Africa--Bibl. 2. Negroes in Africa--Bibl. I. Title.

NM 0923631 ICU

Mylius, Oscar, 1829-
see Mylius, Albertus Oscar, 1829-

MYLIUS, OTTFRIED.
Cecco, der Trapezschwinger; Abenteuerliche Erzählung von Zirkusleuten, Meuterern, Bösewichtern, guten Menschen und einem prachtvollen Jungen. [Bilder von Ferdinand Schwarz] Mannheim, N. Wohlgemuth, 1948. 248 p. illus. 20cm.

NM 0923633 NN DLC-P4

Mylius, Peter Benzon, 1689-1745.
Den vidt-berømmte Søe-Heltes, Herr Cort Sivertsøn Adelers ...hans maerkvaerdige Liv og Levnets Beskrivelse, udstaedt af Peter Benzon Mylius. Kjøbenhavn: J. C. Groth, 1740. 175 p. front. (port.), illus., plates, geneal. table. 12°.

PROUDFIT COLLECTION.
197179A. 1. Adeler, Cort Sivertsen, 1622-1675. 2. Navy, Danish—Hist.—Biog.
N. Y. P. L. January 20, 1926

NM 0923634 NN DLC-P4

MYLIUS, Theodor.
Die ablösung der holzberechtigungen im freistaate Braunschweig, ihre notwendigkeit und möglichkeit. Inaug. diss., München, n.p. [1926]

Tables.
"Literatur-verzeichnis", pp.[102]-104.

NM 0923635 MH

*GC6 M9948 600a

Mylius, Tilemann, 1557-1622.
Tilemanni Mylii ... Annales hebraei: rervm, a regibvs xii tribvvm popvli israëlitici, vltra 750. annos, pacis & belli temporibus gestarum, è S. S. maximè Bibliis depromptam veritatem continentes, heroico versu constituti ac pertractati: atque in duo volumina, quorum primum lv. libellos de vita & obitu Savlis ac Davidis; secundum de vita & obitu Salomonis ac reliquorum ad captiuitatem vsq; babylonicam, libellos lxv. complectitur, digesti ac distri-buti, lectu ...tiles & iucundi. Nunc primùm in ... lucem editi.

Hanoviae apud Guilielmum Antonium, MDC.
8°. 2v.in 1. 17.5cm.
Printer's mark on title-pages.

NM 0923637 MH

Mylius, Walter, 1881- Über die Stauungspapille bei Meningitis serosa. Rostock 1911: Adler. 40 S. 8°
Rostock, Med. Diss. v. 9. Febr. 1912, Ref. Peters
[Geb. 31. Dez. 81 Eberswalde; Wohnort: Rostock; Staatsangeh.: Preußen; Vorbildung: Ritterakad. Liegnitz Reife M. 00; Studium: Leipzig 4, Berlin 2, Rostock 4 S.; Coll. 22. Juni 11; Approb. 26. Mai 07.] [U 12. 4164

NM 0923638 ICRL MH MiU

Mylius, Werner, 1890-
Uber einige Abkömmlinge des γ - und β - Mercaptopropylamins ... [Berlin, 1915]
43 p., 1 l. 23 cm.
Inaug. - diss. - Berlin.
Lebenslauf.

NM 0923639 CtY

Mylius, Wilhelm Christhelf Sigmund, 1754-1827. Drei hüpsche kurzweilige märlein.

Maier, Albert, 1873-
Das glossar zu den Märlein des Mylius <1777>. Ein wortgeschichtlicher kommentar ... Bonn, C. Georgi, 1909.

Mylius, Wilhelm Christhelf Sigmund, 1754-1827 tr.

Restif de La Bretonne, Nicolas Edme, 1734-1806.
Der fliegende mensch. Ein halbroman, von dem verfasser der Zeitgenossinnen. Dresden und Leipzig, In der Breitkopfischen buchhandlung. 1784.

PT 1337 M8

Mylius, Wilhelm Christhelf Siegmund, 1754-1827, ed.
Gallerie von romantischen Gemälden, Arabesken, Grotesken, und Calots. 1. Abtheilung. Originale und Kopien. [Vorbericht von W. Ch. S. M s] Berlin, F. Maurer, 1792.
411p. 17cm.
Imperfect copy: frontispiece wanting.
Dedication and foreword bound after p. 402, and continued after p. 406.
Authorship confirmed in Goedeke, Karl.

Grundriss zur Geschichte der deutschen Dichtung, 3. ed., IV, 1, 603.

1. Short stories, German 2. French literature - Translations into German I. Title

NM 0923643 WU

[Mylius, Wilhelm Christhelf Sigmund] 1754-1827.
Gallerie von romantischen gemälden, arabesken, grotesken, und calots ... Originale und kopien. Berlin, F. Maurer, 1796.
1 v. fronts. 16 cm.

NM 0923644 CU

Mylius, Wilhelm Christhelf Sigmund, 1754-1827, tr.

Holberg, Ludvig, *baron*, 1684-1754.
Niels Klimm's unterirdische reisen, neuverteutscht. Berlin, C. F. Himburg, 1788.

Mylius, Wilhelm Christhelf Sigmund, 1754-1827, tr.

France. *Contrôle général des finances.*
Rechnung von seiner finanzverwaltung, Sr. Majestät dem könig von Frankreich abgelegt von herrn Necker, generaldirektor der königlichen finanzen. Aus dem französischen übersetzt. Mit einer vorrede und erläuternden anmerkungen von Christian Wilhelm Dohm ... Berlin, Bey C. F. Voss und sohn, 1781.

[Mylius, Wilhelm Christhelf Siegmund] 1754-1827.
Teufel Asmodi Hinkebein und sein Befreier in England. Eine Fortsezzung des lahmen Teufels von Le Sage. Nach dem Englischen ... Berlin, E. Felisch, 1793.
2 v. front. (v.1) 15 cm.
Title-page of v.2, wanting.
I. Le Sage, Alain René, 1668-1747. II. Title.

NM 0923647 CtY

Mylius, W[illiam] F[rederick]
An abridged history of England for the use of schools; to which is added an abstract of the constitution; and a geographical treatise, according to the Roman, Saxon, and modern divisions. To the end of the reign of George IV. By W. F. Mylius. Baltimore, F. Lucas, jr. [183-?]
xii, [13]-364 p. 19cm.

Subject entries: Gt. Brit.—Hist.—Compends. 2-21348

Library of Congress, no. DA32.M907.

NM 0923648 DLC OClJC DGU

Mylius, William Frederick, *comp.*
The first book of poetry. For the use of schools. Intended as reading lessons for the younger classes. By W. F. Mylius. With two engravings. London, M. J. Godwin, 1811.
xii, 176 p front., pl. 17cm.
Includes 22 pieces, signed Mrs. Leicester, reprinted from Charles and Mary Lamb's "Poetry for children", 1809 (a very rare book), and one signed "M. L.", changed in later editions to "C. L." (cf. I. S. Livingston's Bibliography of Charles and Mary Lamb, 1903, p. 97; J. C. Thomson, Bibliography of C. and M. Lamb, 1908, p. 34) Two other poems signed "Mrs. Leicester" may also be theirs.
1. Children's poetry. I. Lamb, Charles, 1775-1834. II. Lamb, Mary Ann, 1764-1847. III. Title.
25-6606

Library of Congress PN6110.C4M8

NM 0923649 DLC CtY NcU NjP TxU CSmH

Mylius, W.F.
The first book of poetry. For the use of schools. Intended as reading lessons for the younger classes. With two engravings. new edition. London, for M.J. Godwin and Co., 1818.
12 mo. Bound in tree calf.

NM 0923650 CSmH

Mylius, William Frederic.
Junior class-book; or, Reading lessons, for every day in the year, selected from the most approved authors, for the use of schools. Ed. 7. Lond., Godwin, 1824.
328 p.

NM 0923651 PU

VOLUME 403

x839.31 Mylius, Willem, fl.1702.
M99v De veldgezangen van Thyrsis, gesierd met toegepaste zinneminnebeelden, door W. M. Leyden, H. van Damme, 1702.
ɛ8ɜ, 81, ɛ3ɜp. illus. 21cm.
Engr. front. and 20 copperplates by H. Elandt.
Introd. is signed: Modestè. No signature follows. Cf. Praz. Studies in seventeenth-century imagery. p.409.
Cop. 1: bound with Hesman, Gerrit. Cupidoos Mengelwerken — Amsterdam, 1728.

NM 0923652 IU ICN NjR IaU

MYLIUS, WILLIAM FREDERICK
The poetical class-book: or, Reading lessons for every day in the year, selected from the most popular English poets, ancient and modern. For the use of schools ...
London:Printed for M.J.Godwin,and to be had of all booksellers;by B.M'Millan.1810.
xvi,344p. front.(port.) 18cm.
Signatures: A8,B-P12,Q4.
Three-quarter calf; hinges repaired; 12p. book-list inserted at end.

NM 0923653 PPRF NIC NjP

Mylius, William Frederick, comp.
Ia822 The poetical class-book: or, Reading lessons for every day in the year, selected from the most popular English poets, ancient and modern.
810mc For the use of schools. By William Frederick Mylius ... The second edition. London:Printed for M.J.Godwin,at the Juvenile library,no.41, Skinner-street,and to be had of all booksellers: by B.M'Millan,Bow street,Covent Garden,1814.
xvi,344p. front.(port.) 18cm.
Signatures: a8, B-P12,Q4.

I.Title.

NM 0923654 CtY

Mylius, William Frederick.
Mylius's school dictionary of the English language, intended for those by whom a dictionary is used as a series of daily lessons: in which such words as are pedantical, vulgar, indelicate, and obsolete, are omitted; and such only are preserved as are purely and simply English, or are of necessary use and universal application. The 2d ed., to which is prefixed, A new guide to the English tongue, by Edward Baldwin ɪpseud.ɪ ... London, Printed for M. J. Godwin, 1809.
1., ɪ214ɪ p. 14½cm.
Edward Baldwin is the pseud. of William Godwin.
"A new guide to the English tongue. By Edward Baldwin": p. ɪvɪ-L.
1. English language — Dictionaries. 2. English language—Suffixes and prefixes. I. Godwin, William, 1756-1836.

Library of Congress PE1628.M8 1809 10-29025†

NM 0923655 DLC

MYLIUS, William Frederick.
School dictionary of the English language. Constructed as a series of daily lessons. New ed., London,1830.

NM 0923656 MH

MYLIUS, William Frederick.
School dictionary of the English language. L., 1837.

NM 0923657 MH

[MYLIUS, WOLFGANG MICHAEL] d.1712 or 1713.
Rvdimenta Mvsices, das ist: Eine kurtze und grund-richtige Anweisung zur Singe-Kunst. Wie solche denen Knaben so wohl in Schulen, als in der Privat-Information wohl und richtig beyzubringen, in welcher auch alle weitläufftige und zu solcher Unterrichtung unnöthige Regeln ausgelassen, das nützlichste und nothwendigste aber mit Fleiss angeführet, und mit kurtzen Exempeln, der lieben Jugend zum besten, deutlich erkläret worden. Von W. M. M. M. T. C. M. G. Gotha, in Verlegung des Autoris, 1686.
[149] p. 10 x 20cm.

1. Singing--Study and teaching. 2. Singing--Instruction, to 1800. 3. Singing--Exercises. I. Title: Rudimenta musices. II. W. M. M. M. T. C. M. G. III. G, W. M. M. M. T. C. M.

NM 0923659 NN

[MYLIUS, WOLFGANG MICHAEL] d. 1712 or 1713.
Rvdimenta Mvsices, das ist: Eine kurtze und grund-richtige Anweisung zur Singe-Kunst. Wie solche denen Knaben so wohl in Schulen, als in der Privat-Information wohl und richtig beyzubringen, in welcher auch alle weitläufftige und zu solcher Unterrichtung unnöthige Regeln ausgelassen, das nützlichste und nothwendigste aber mit Fleiss angeführet, und mit kurtzen Exempeln, der lieben Jugend zum besten, deutlich erkläret worden. Von W.M.M.M. T.C.M.G. Gotha, in Verlegung des Autoris, 1686. [149] p. 10 x 20cm.
Film reproduction. Master negative.

NM 0923660 NN

Microfilm 37435 G
Mylius-Erichsen, Ludvig, 1872-1907.
Friis, Achton, 1871-
Danmark ekspeditionen til Grønlands nordostkyst, af Achton Friis. Illustreret med fotografier samt med tegninger og malerier af Aage Bertelsen og Achton Friis. ɪKøbenhavn; Gyldendalske boghandel, Nordisk forlag, 1909.

Mylius-Erichsen, Ludvig, 1872-1907.
Danmark-Ekspeditionen til Grønlands Nordøstkyst, 1906-1908. København, 1912-1917.
see under title

Mylius-Erichsen, Ludwig, 1872-1907, ed.
Det Danske studentertog til Faerøerne og Island, sommeren 1900
see under Dansk Turistforening.

PT 8175 M94 F7 1912
Mylius-Erichsen, Ludwig, 1872-1907.
Fra Klit og hav; udvalgte fortaellinger [af] L. Mylius-Erichsen. København, Gyldendal, 1912.
253 p.

NM 0923664 WLacU

Mylius-Erichsen,Ludwig,1872-1907.
... Grønland; illustreret skildring af den Danske literaere Grønlandsexpeditions rejser i Melvillebugten og ophold blandt jordens nordligst boende mennesker--Polareskimoerne,1903-1904. København og Kristiania, Gyldendalske boghandel,Nordisk forlag, 1906.
4 p.ℓ.,628,vi,ɛ2ɜ p. illus.(incl.ports.) 10 col. pl.(incl.front.) 3 fold.maps. 25½cm.
At head of title: L.Mylius-Erichsen og Harald Moltke.
"Tekst af L.Mylius-Erichsen og Harald Moltke. Illustrationerne dels efter fotografier dels efter malerier og tegninger af Harald Moltke."
1.Eskimos--Greenland. 2.Greenland--Descr.& trav. I.Moltke,Harold Viggo, greve,1871- joint author.

NM 0923665 MiU DLC-P4 IEN CSt ICJ MH NN CaBVaU

Mylius-Erichsen, Ludwig, 1872-1907.
Grønland og Grønlaenderne i vore Dage. Udg. af Universitetsudvalget. [København] J. Erslev, 1905.
16 p. 8°. (Grundrids ved folkelig Univ.-Undervisning. No. 99)

NM 0923666 NN

V 839.81 M99i
Mylius-Erichsen, Ludwig, 1872-1907.
...Isblink; digte fra den grønlandske polarregion. København og Kristiania, Gyldendalske boghandel, Nordisk forlag, 1904.
203 p. 21½cm.

1. Poetry of places - Greenland. 2. Greenland - Description - Poetry. I. Title.

NM 0923667 CSt NN IEN CaOTP

Mylius-Erichsen, Ludwig, 1872-1907, L948.945 Q300
116806 Den jydske hede for og nu. Studier og skildringer af L. Mylius Erichsen. Tegninger af Valdemar Neiiendam. København, Gyldendalske boghandels forlag (F. Hegel & søn), 1903.
[8], 520 p. illus. 29½cm.
Originally published in 32 parts.

NM 0923668 ICJ MH

Mylius-Erichsen, Ludvig, 1872-1907.
Amdrup, Georg Carl, 1866-
... Mylius-Erichsen's report on the non-existence of the Peary channel; information brought home by Ejnar Mikkelsen, by G. C. Amdrup ...
(*In* Meddelelser om Grønland. København, 1913. 28cm. bd. XLI, p. ɪ469ɪ-474)

Mylius-Erichsen, Ludwig, 1872-1907.
Nye strandingshistorier; skildringer fra Jyllands vestkyst. København, 1905.
214 p.
Contents: "Dødt" skib. Strandtyveri. En ungdomsven. Redningsmanden fra Bovbjerg. Kineserskibet. Et strandfogednjem. Fire slaegtled. Hummer au naturel. "St. George" og "Defence". Ogsaa en stranding.

NM 0923670 WaS

Mylius-Erichsen, Ludwig, 1872-1907.
Strandingshistorier; skildringer fra Jydske vestkyst og Skagen. København, 1901.
197 p.
Contents: Strandvagt. En redningsmand. Skagens fiskere før og nu. Paa den hjemlige ø. Julegaester fra havet. Tilbage til livet. Sommerstranding. Ude paa revet. Bark "Erato" af Sølvitsborg. Kaerlighed og grundstødning.

NM 0923671 WaS

Mylius-Erichsen,Ludwig,1872-1907.
... Vestjyder; smaa fortaellinger og skitser. København, Gyldendal (F.Hegel & søn) 1900.
236,ɛ1ɜ p. 19½cm.
"Af denne samling fortaellinger og skitser,der er skreven i aarene 1895-1900,har enkelte tidligere vaeret trykt,navnlig i 'Illustreret tidende'.--Note at end.
CONTENTS.--Havet.--Byen.--Heden.

NM 0923672 MiU WaU

The Mylius case
see under Mylius, Edward Frederick, defendant.

Mylke, Ernst v.: Geschlechtsunterschiede an Zähnen und Kiefern. [Maschinenschrift.] 28 S. 4°. — Auszug: Berlin (1922): Ebering. 2 Bl. 8°
Berlin, Med. Diss. v. 1. Aug. 1922 [1923] [U 23.228

NM 0923674 ICRL

Mylko, Sergei Nesterovich.
Практика скоростного сталеварения; из опыта Ворошиловградского паровозостроительного завода. Москва, Гос. научно-техн. изд-во машиностроит. лит-ры, 1953.
62 p. illus. 20 cm.
At head of title: С. Н. Мылко и В. Е. Видишев.

1. Steel — Metallurgy. 2. Voroshilovgradskiĭ parovozostroitel'nyĭ zavod. I. Vidishev, V. E., joint author. II. Title. Title transliterated Praktika skorostnogo stalevarenia.

TN730.M93 54-21342

NM 0923675 DLC

Myll, Ben, pseud.
see Bánffy, Miklós Domokos Pál, gróf, 1874-

VOLUME 403

Myllar, Andrew, fl. 1508.
Ancient poetry of Scotland
see under Golagros and Gawane.

Myllar, Androw, fl. 1508.

The Chepman and Myllar prints; nine tracts from the first Scottish press, Edinburgh, 1508, followed by the two other tracts in the same volume in the National Library of Scotland. A facsimile, with a bibliographical note by William Beattie. [Edinburgh] Edinburgh Bibliographical Society, 1950.

Myllar, Androw, fl. 1508.

Stevenson, George Shields, *d.* 1915, *ed.*
Pieces from the Makculloch and the Gray mss., together with the Chepman and Myllar prints, edited by the late George Stevenson ... Edinburgh and London, Printed for the Society by W. Blackwood and sons, 1918.

Myllar, Andrew, *fl. 1508.*
Who was Scotland's first printer?
see under Dickson, Robert, 1828-1893.

Myller, Alex, *pseud.*
see Anastasiadēs, Alexandros A 1894-

Myller, Alexander, 1879-
Gewöhnliche Differentialgleichungen höherer Ordnung in ihrer Beziehung zu den Integralgleichungen. Göttingen, 1906.
35 p.

Inaug.-Diss. - Göttingen.

NM 0923682 CtY NN PU MiU MH

MYLLER, ANGELICUS MARIA.
Peregrinus in Jerusalem. Fremdling zu Jerusalem, oder: Ausführliche reiss-beschreibungen/worinnen p. Angelicus Maria Myller...seine fünff...in Europa, Asia, und Africa glücklich zurück gelegte haupt-reisen, nebst allen anbey vorgefallenen denckwürdigkeiten...beschreibet/und in fünff bücher abgetheilet, unverhalten an tag giebt... Prag, Gedruckt bey J.Emler, 1729.
[39], 462, [12] p. incl. port. 21½x17cm.
Title in red and black; head and tail pieces.
1.Palestine— Descr.& trav. 2.Levant— Descr.& trav.

NM 0923683 ICU NIC

Myller, Angelicus Maria.
Peregrinus in Jerusalem. Fremdling zu Jerusalam, oder Ausführliche Reiss-Beschreibungen, worinnen P. Angelicus Maria Myller ... seine fünf Haupt-Reisen, die er in Europa, Asia und Africa vor einigen Jahren gethan und unter Gottes Schutz glücklich vollendet hat, richtig erzehlet ... Wien, bey P. C. Monath, 1735.
10 p. l., 964, [18] p. front., plates. ports., maps, plants. 22 cm.

NM 0923684 OU PPDrop MH PBa

Myller, Christoph Heinrich
see Müller, Christoph Heinrich, 1740-1807.

Myller, Otto, 1883-
Dunjas Vater. Wien, Rikola, 1924.
191p.

Autographed copy.

NM 0923686 NcU

Myller, Otto, *1883-*
Spielende kinder; ein novellenbuch von Otto Myller. Wien und Leipzig, Deutsch-österreichischer verlag, 1913.
158, [2] p. 17cm. M.3.50
CONTENTS.—Edgar und Violet.—Der grosse und der kleine Hans.—Maras liebe.—Eine lehre.—Trauer im walde.—Der teufelsjochsteinbruch.—Stille stunden.—Spielende kinder.—Saisonbeginn.—Die billardpartie.

I. Title.

Library of Congress PT2625.Y5S6 1913 13-26285

NM 0923687 DLC

Myller, Otto Frider.
see Müller, Otto Frederik, 1730-1784.

Myller von Freyburg, Franz Xaver Joseph.

Holy Roman Empire. Laws, statutes, etc.
Jurisprudentia criminalis in judicio castrensi et forensi; seu, Corpus juris Caesarei, in delictis militaribus & criminalibus opus theorico-practicum. Das ist: Käyserliches corpus juris, in Kriegs-Rechten als Land-Gerichten zu gebrauchen. Authore Francisco Xaverio Josepho Myller von Freyburg. Wienn, Gedruckt und zufinden bey A. Heyinger, 1726.

Myllerus, Conradus, respondent.
Theses physicae miscellaneae speciatim de thermoscopio botanico quas defendent Conradus Myllerus et Beatus Faesius
see under Gessner, Johann, *1709-1790, praes.*

Mylles, James.
Making ready for social service, by James Mylles; issued by the I. L. P. Information committee on behalf of the Independent labour party. London [1925] 23 p. 21cm.

1. Education, Adult. I. Independent labor party (Gt. Br.). Information committee.
N. Y. P. L. June 16, 1942

NM 0923691 NN OrU

Myllin, Saint
see Moling, Saint, 7th cent. Legend.

Myllius, Martin, *d.* 1521.
Passio Christi Von Martino Myllio in Wengen zů Vlm gaistlichen Chorherren / gebracht vnnd gemacht nach der gerümpten Musica / als man die Hymnus gewont zebrauchē. Vñ hie bey an gezaigt vor yedem gedicht / vnder wass Melodey zůsingen werd ... Cum gratia e priuilegio. [*Colophon:* ¶ Getruckt vnd vollend / in kosten des erbern Joannis Haselbergs auss der reichen ow Costentzer bistumbs. Anno M.D.xvij. kaleñ. april.]
[26] p. 22cm.
Title vignette.

5-26561

NM 0923693 DLC

Myllius, Martin, d. 1521.
Passio Christi Von Martino Myllio in Wengen zů Vlm gaistlichen Chorherren/ gebracht vnnd gemacht nach der gerůmpten Musica/ als man die Hymnus gewont zebrauchē. Vñ hie bey an gezaigt vor yedem gedicht vnder wass Melodey zůsingen werd... Cum gratia e priuilegio. [Colophon: Getruckt vnd vollend/ in kosten des erbern Joannis Haselbergs auss der reichen ow Costentzer bistumbs. Anno M.D.xvij. kalen. april] [Strassburg, Johan Knobloch for J. Haselberger, 1517]
Fol.

NM 0923695 CU CaBVaU

Myllynen, Roy.
A bibliography of chemical engineering nomographs [by] Roy Myllynen and D. S. Davis ... [1941] 65 p., 10 l.
Film reproduction. 35mm. Position II. Positive.
Caption-title.
The present bibliography embraces alignment charts of chemical engineering interest and includes many closer to the field of chemistry; an attempt has been made to cover articles in periodicals for the quarter century ending June 1941.—*cf. p. 2.*

F2300. 1. Engineering, Chemical—Bibl. I. Davis, Dale Stroble, jt. au.
N. Y. P. L. October 16, 1942

NM 0923696 NN OCU OU

Myllyng, Thomas, bp. of Hereford, d. 1492.
Registrum Thome Myllyng
see under Hereford, Eng. (Diocese) Bishop, 1474-1492 (Thomas Myllyng)

Myln, Alexander, 1474-1548.
see
Mylne, Alexander, 1474-1548.

Mylne, Alexander, 1474-1548?

Dunkeld, *Scot.* (*Diocese*)
Rentale dunkeldense; being accounts of the bishopric (A. D. 1505-1517), with Myln's 'Lives of the bishops' (A. D. 1483-1517), tr. and ed. by Robert Kerr Hannay, and a note on the cathedral church by F. C. Eeles. Edinburgh, Printed by T. and A. Constable for the Scottish history society, 1915.

Mylne, Alexander, 1474-1548?
Vitae Dvnkeldensis ecclesiae episcoporvm, a prima sedis fvndatione, ad annvm M.D.XV., ab Alexandro Myln, eivsdem ecclesiae canonico, conscriptae. Impressvm Edinbvrgi, 1823. 4 p.l., 75 p., col'd front., 1 col'd fac. 4°. (Bannatyne Club, Edinburgh. [Publ. no. 1.])
Edited by Thomas Thomson.

——— [Appendix.] Compotum magistri fabrice pontis Dunkeldensis. M.D.XIII.-M.D.XVI. Impressum Edinburgi, 1831. 2 p.l., vii p., 2 l., (1)82-141, xii p., 1 fac. 4°. (Bannatyne Club, Edinburgh. [Publ. no. 40.])
"The Compotum was printed as an appendix to the second edition of the Vitæ, and separate copies of it, together with the preface and index, were struck off for this edition."—*British Museum. Catalogue.*

1. Dunkeld, Scotland (Diocese). 2. Bishops, Gt. Br.: Scotland: Dunkeld. 3. Bannatyne Club, Edinburgh. 4. Thomson, Thomas, 1768-1852, editor.
N. Y. P. L. January 28, 1918.

NM 0923701 NN ICU MH PU CaBVaU ICN NBuU IU

Mylne, Alexander, 1474-1548?
Vitae Dvnkeldensis ecclesiae episcoporvm, a prima sedis fvndatione, ad annvm M.D.XV. ab Alexandro Myln, eivsdem ecclesiae canonico, conscriptae. Editio altera, cui accedit appendix cum nominum et locorum indice. Impressvm Edinbvrgi, 1831.
1 p. l., vii, 141, xii p. col. front., 2 facsim. (1 col.) 27½cm. [Bannatyne club. Publications, no. 1]
Edited by Cosmo Innes, with a notice of the author and an appendix of the accounts of the bishopric, 1513-16, for building the bridge over the Tay.
The 1st edition, 1823, was by Thomas Thomson.
1. Dunkeld, Bishops of. I. Thomson, Thomas, 1768-1852, ed. II. Innes, Cosmo Nelson, 1798-1874, ed.

Library of Congress DA750.B2 no. 1 10-21207

NM 0923702 DLC NIC CaBVaU MdBP PU MB

VOLUME 403

F 43 .81 ser.2 v.10
Mylne, Alexander, 1474-1548?
Myln's 'Vitae episcoporum dunkeldensium' (From the promotion of George Brown) (in Dunkeld, Scotland (Diocese) Rentale dunkeldense. 1915. p.302-339)
Caption title.
Tr. from the Latin and ed. by R.K.Hannay.

NM 0923703 ICN MB

Mylne, Andrew, 1775?-1856.
An elementary treatise on astronomy; or, An easy introduction to a knowledge of the heavens ... By the Rev. A. Mylne ... 2d ed. Edinburgh, W. Blackwood [etc.] 1819.
1 p. l., [v]-xvi, 268 p. 5 fold. pl. 21cm.
1. Astronomy.
3-10547†* Cancel
Library of Congress QB45.M99

NM 0923704 DLC ScU PPWa

Mylne, Andrew, 1775?-1856.
An epitome of English grammar, with a variety of exercises for the use of schools. By Andrew Mylne ... The 7th ed., improved. Edinburgh, W. Blackwood, and Oliver & Boyd, 1820.
x, 170 p. 14.5cm.
1. English language - Grammar - 1800-1870.

NM 0923705 NNC

Mylne, Andrew, 1775?-1856.
An epitome of English grammar, by the Rev. Dr. Mylne ... With important alterations and additions, adapted to the use of American schools. By J. F. Gibson. New York, C. B. Norton, 1854.
159 p. 15½cm.
1. English language—Grammar—1800-1870. I. Gibson, J. F., ed.
10-25533†
Library of Congress PE1109.M96

NM 0923706 DLC ODW OO

Mylne, Christopher K joint author.
Ornithological observations
see under
Hyatt, John H

Coxe collection BV210 M9
Mylne, George W
Intercessory prayer, its duties and effects by G. W. Mylne. From the seventh English edition. Boston, E. P. Dutton and company, 1861.
160p. 14cm.
1. Prayer.
I. Title.

NM 0923708 NBuG CtY ViU MH MBU-T

BV4510 .A1M9
Mylne, George W.
Plain tracts in large type...
London [n.d.]
12 tracts, separately paged.

NM 0923709 DLC

Mylne, George W.
The sick room; or, Meditations and prayers, in the simplest form, for the use of sick persons. By G. W. Mylne ... 5th thousand. London, Wertheim and Macintosh; [etc., etc.] 1853.
iv, [5]-57 p. 17½cm.
1. Sick—Prayer-books and devotions—English. 2. Meditations. I. Title.
35-32295
Library of Congress BV4585.M9 242

NM 0923710 DLC

Mylne, James, 1737-1788.
British kings. (In his Poems) Edinburgh, 1790.
(In Three centuries of drama: English, 1751-1800)
Microprint.

NM 0923711 MoU

Mylne, James, 1737-1788.
Darthula. (In his Poems) Edinburgh, 1790.
(In Three centuries of drama: English, 1751-1800)
Microprint.

NM 0923712 MoU

Mylne, James, 1737-1788.
Poems, consisting of miscellaneous pieces, and two tragedies. By the late James Mylne, at Lochill. Edinburgh, W. Creech; [etc., etc.] 1790.
8, xxiii, 435 p. 22½cm.
[Longe, F. Collection of plays. v. 281, no. 1]
Dedication signed by the author's son, George Mylne.
"List of subscribers": xxiii p.
CONTENTS.—Poems.—The British kings.—Darthula.
I. Title: British kings. II. Title: Darthula.
27-14387
Library of Congress PR1241.L6 vol. 281

CaBVaU
NM 0923713 DLC MWiW-C ICU DFo CtY NjP TxU NIC MH

MYLNE, JAMES, 1757-1839.
A statement of the facts connected with a precognition, taken in the College of Glasgow, on the 30th and 31st of March, 1815. By Professor Mylne. Glasgow: Printed by A. & J.Duncan, sold by A. and J.M.Duncan [etc., etc.] 1815. 64 p. 21cm.
823909. 1. Glasgow University.
Revised

NM 0923714 NN

Mylne, James William, 1800-1855, reporter.
Gt. Brit. *Court of chancery.*
Condensed reports of cases decided in the High court of chancery in England [1807-1839] ... Philadelphia, J. Grigg, 1831-49.

Mylne, James William, 1800-1855, reporter.
FOR OTHER EDITIONS SEE MAIN ENTRY
Gt. Brit. *Court of chancery.*
Reports of cases argued and determined in the High court of chancery during the time of Lord Chancellor Lyndhurst. By James Russell, and J. W. Mylne ... 1829[-1833] ... London, Saunders and Benning, 1832-37.

MT80 EB M994
Mylne, Louis George, bp. of Bombay, 1843-1921.
The charge of the Lord Bishop of Bombay, delivered to the clergy of the diocese in S. Thomas' cathedral, on Tuesday, December 16th, 1884; together with an authorised report of the proceedings at the Bombay diocesan conference, held in S. Thomas' cathedral on the 16th, 17th, and 18th of December 1884. Bombay, Thacker, 1885.
93 p. tables. 26 cm.
At head of title: Supplement to the "Bombay diocesan record," January 1885.

NM 0923717 CtY-D

Mylne, Louis George, 1843-
The holy Trinity; a study of the self-revelation of God, by Louis George Mylne ... London, New York [etc.] Longmans, Green and co., 1916.
x, 286 p. 22½cm.
I. Title.
17-6642

NM 0923718 DLC IEG CBBD PPPD NNUT NN MB OO

Mylne, Louis George, 1843-1921.
Missions to Hindus; a contribution to the study of missionary methods... London, Longmans, Green, 1908.
viii, 189 p. 20cm.

NM 0923719 NjPT OrU PPPD MH MB ICU CtY CU

Microfilm 1517 reel 13 BV
Mylne, Louis George, *Bp.,* 1843-1921.
Personal loyalty to Christ the secret of missionary effort. A sermon, preached in St. Peter's Church, Eaton Square, during the session of the Lambeth Conference, July, 1878. London, Society for the Propagation of the Gospel in Foreign Parts, 1878.
Microfilm copy. Positive.
Collation of the original, as determined from the film: 12 p.
1. Missions—Sermons. 2. Church of England—Sermons. I. Title.
Mic 54-373

NM 0923720 DLC

BX5133 .M997 1889 in: SWTS
Mylne, Louis George, Bp. of Bombay, 1843-
Sermons preached in St. Thomas' Cathedral, Bombay. London and New York, Macmillan 1889.
xii, 288p. 19cm.
1. Church of England--Sermons. I. Title.

NM 0923721 IEG NjP

Mylne, Louis George, Bishop of Bombay, 1843- No.17 in *7468.51
Statistics and prayer. Culture and religion. Two sermons.
Boston. Williams & Co. 1873. 38 pp. 18½ cm., in 6s.
L234 — T.r. (2) — Prayer.

NM 0923722 MB MH RPB

---

v HQ 1597 M945
Mylne, Margaret.
Woman, and her social position. An article reprinted from the Westminster review, no. LXVIII., 1841. London, Printed by C. Green, 1872.
xii, 71 p. 22 cm.
"A letter to my friends" signed: Margaret Mylne. Dated April 25, 1872.
1. Woman - History and condition of women. I. Title.

NM 0923723 NcGU CSmH

VOLUME 403

Mylne, Robert, Jr. Memoir of John Geddy.
37 pp. (Abbotsford Club, *Miscel.* v. 1, p. 325.)

NM 0923724 MdBP

Mylne, Robert, 1734-1811.
Robert Mylne, architect and engineer

see under

Richardson, Sir Albert Edward, 1880-

Mylne, Robert Scott. *3531.15
The canon law. With a preface by J. Maitland Thomson.
= [Edinburgh.] Morrison & Gibb, Ltd. 1912. xxiv, 212 pp. Plates. Vignettes. 28½ cm., in 4s.
One of an edition of 250 copies.

H7741 — Law, Ecclesiastical and canon. — Thomson, John Maitland, pref.

NM 0923726 MB OClW

Mylne, Robert Scott.
The canon law, by the Reverend R. S. Mylne ... with a preface by J. Maitland Thomson ... [London] Morrison & Gibb limited, 1912.
xxiv, 212 p. incl. front. pl. 29½cm.
CONTENTS.—Preface.—The origin of the canon law.—Decretum Gratiani.—Decretalia Gregorii IX. (books I., II., III., IV., V.)—The canon law of England.—The ecclesiastical courts.—Patronage.—The distribution of ancient mss. of the canon law.—Index.

1. Canon law.

12-5890

NM 0923727 DLC GU-L PU-L PP PPPD CtY NcD NN

Mylne, Robert Scott.
The cathedral church of Bayeux, and other historical relics in its neighbourhood, by the Rev. R. S. Mylne ... with XL illustrations. London, G. Bell & sons, 1904.
xv, 80 p. incl. front., illus., plates. plan. 19cm. (*Half-title:* Bell's handbook to continental churches)

1. Bayeux, France. Notre-Dame (Cathedral)

5-4543

Library of Congress NA5551.B3M9

NM 0923728 DLC NIC OClW OO OU PPL MB NjP WaU-L

Mylne, Robert Scott.
The master masons to the crown of Scotland and their works. By Rev. Robert Scott Mylne ... Edinburgh, Scott & Ferguson [etc.] 1893.
xviii p., 1 l., 307, [1] p. col. front. (coat of arms) illus., plates, ports., plans, facsims., geneal. tables. 39cm.
CONTENTS.—book I. Royal architecture prior to the reformation.—book II. Result of the union of Great Britain under one crown.—book III. The restoration of the house of Stuart.—book IV. The descendants of the master mason to Queen Anne.—Pedigrees.

1. Architecture—Gt. Brit. I. Title.

2-5404

Library of Congress NA972.M9

NjP MWA
NM 0923729 DLC WU CtY MdBP PP PPL CaBVaU MB ViU

Mylne, Robert Scott.
Old Bridewell, by the Rev. R.S. Mylne ... London, Blades, East & Blades, 1905.
3 p.l., [5]-29, [1] p. plates, port., map. 22.5 cm.

NM 0923730 CtY-M

Mylne, Robert William, 1817-1890. No. 10 in *4091.6.4
A brief account of the ancient basilicæ with a description of the Church of San Clemente, at Rome. 10 pp. 4 plates.
(In Quarterly papers on architecture. Vol. 4. London. 1845.)

NM 0923731 MB MdBP

Mylne, Robert William, 1817-1890.
The Mylne family. Master masons, architects, engineers, their professional career, 1481-1876. Printed for private circulation by Robert W. Mylne ... London, 1877.
3 p. l., 31 p., 1 l. illus. (incl. coat of arms, facsim.) 26cm.
Title vignette: coat of arms.
Portrait of Robert Mylne inserted at page 17.
CONTENTS.—The Mylne family ... comp. by Wyatt Papworth ... for the Dictionary of architecture, of the Architectural publication society, published for the Society. London, 1876. p. 1-14.—Register of arms—Lyon office—Scotland—1672. p. 15.—The Mylne family. From the History of the Lodge of Edinburgh (Mary's Chappel, no. 1) by D. Murray Lyon (Blackwood, Edinburgh, 1873) p. 17-24.—Contract by the master masons and fellow-craftsmen of the ancient Lodge of Scone and Perth, on the decease of John Mylne, master mason and master of the said lodge, p. 25-31.
1. Mylne family. I. Papworth, Wyatt Angelicus Van Sandau, 1822-1894. II. Lyon, David Murray. III. Title.

22-633

Library of Congress CS479.M88

NM 0923732 DLC

W 4
B29
1609
M.1

MYLNES, Richard, fl. 1609, respondent
Theses medicae de febris hecticae tum cognitione, tum curatione ... Basileae, Typis Joan. Jacobi Genathii, 1609.
[12] p. 20 cm.
Thesis - Basel.

NM 0923733 DNLM

Myl'nikov, A
Учебникъ топографіи для подготовки офицеровъ запаса и для курсовъ военнаго времени. С.-Петербургъ, Изд. Глав. штаба, 1906.
143 p. illus. 28 cm.

1. Topographical surveying. 2. Military topography. I. Title.
Title transliterated: Uchebnik topografii.

TA590.M9 60-59189 ‡

NM 0923734 DLC

Myl'nikov, Aleksandr.
(Russkiia piesni)
Русскія пѣсни; сочиненія Александра Мыльникова. Санктпетербургъ, Въ Тип. К. Вульфа, 1859.
94 p. 22 cm.

I. Title.

PG3337.M94R8 1859 74-222457

NM 0923735 DLC

Myl'nikov, Petr Vladimirovich.
Памятка по технике безопасности для кочегара парового котла. Москва, Научно-техн. изд-во автотрансп. лит-ры, 1954.
37 p. illus. 17 cm. (Техника безопасности на дорожных работах)

1. Steam-boilers—Safety measures. I. Title.
Title transliterated: Pamiatka po tekhnike bezopasnosti dlia kochegara parovogo kotla.

TJ298.M9 63-48054

NM 0923736 DLC

QD305
.A7M9

Mylo, Bruno, 1884-
Ueber amide von aminosauren.
Berlin, 1906.
45p.
Inaug. diss. Berlin.

NM 0923737 DLC CtY PU ICRL

Mylo, G. R.

Bloch, Leopold, 1876-
Lichttechnik; von dr. W. Bertelsmann, dr.-ing. L. Bloch, dr. G. Gehlhoff, prof. dr. A. Korff-Petersen, dr. H. Lux, dr. A. R. Meyer, ober-ingenieur G. R. Mylo, reg.- und baurat W. Wechmann, geh. regierungsrat prof. dr. W. Wedding ... im auftrage der Deutschen beleuchtungstechnischen gesellschaft hrsg. von dr.-ing. L. Bloch. Mit 356 abbildungen. München und Berlin, R. Oldenbourg, 1921.

Mylo, Mme. Juliette Ralph
see Ralph-Mylo, Mme. Juliette.

---

ar W
12988

Mylo, Paul, 1881-
Das Verhältnis der Handschriften des mittelenglischen Jagdbuches Maistre of Game.
Berlin, 1908.
56 p. 22cm.

Diss.--Würzburg.
"Erscheint... als Heft XIX der Palaestra."

1. Gaston III Phoebus, Count of Foix, 1331-1391. Déduits de la chasse des bestes sauvaiges et des oiseaulx de proye. 2. English language--Middle English

NM 0923740 NIC NjP NcD PU MiU IU CtY ICRL

Mylo, Rudolf: Ueber Speichelsteine. [Maschinenschrift.] 24, III S. 4°. — Auszug: Berlin (1922): Berlin. Verlagsanst. 2 Bl. 8°
Königsberg, Med. Diss. v. 13. Dez. 1922 [1923] [U 23. 7557

NM 0923741 ICRL

Mylōnakēs, Stephanos Dēmētriou
'Ο ἐπίσκοπος Κυδωνίας καί 'Αποκορώνου Κρήτης, 'Αγαθάγγελος Ξηρουχάκης 1872-1948. 'Εκκλησία Κρήτης: Γερμανική κατοχή 1941-1945. Χανιά, Τύποις: Κ.Μαριδάκη, 1948

488, IV, p. illus.

NM 0923742 MH OCU

---

cl-g
HD1963
1919

Mylōnas, Alexandros K
[Geōrgikē kai ktēmatikē pistis]
Γεωργικὴ καὶ κτηματικὴ πίστις· ὑποδείξεις διὰ τὴν ὀργάνωσιν αὐτῶν ἐν 'Ελλάδι. "Εκθεσις 'Αλεξάνδρου Κ. Μυλωνᾶ. 'Εν 'Αθήναις, 'Εκ τοῦ 'Εθνικοῦ Τυπογραφείου, 1919.
η', 84 p. 24cm.

Added t. p., in French.

1. Agriculture - Economic aspects - Greece, Modern. 2. Credit - Greece, Modern. I. Title.

NM 0923743 OCU

Mylonas, Alexandros K
The Greek currant industry. [Athens, 1925]
56 numb. l., 192, lxxdi p. tables, fold, diagrs. 28 cm.
Cover-title.
Text in English and Greek.
1. Currants.

NM 0923744 CU

Film
68

Mylonas, C
The construction of a new photoelasticity apparatus and an investigation into the use of various plastics suitable for stress investigation by photoelastic methods. [London?], 1949.

Microfilm copy (positive) of typescript. Collation of the original, as determined from the film: 178 l. illus.
Thesis--University of London.
Stamped on t.p.: Midwest Research Institute Library, 3463.
"The present copy of the thesis differs from the original in that some figures have been omitted. These are the figures 2, 3, 5, 9, and 11 of part II, which represent components of the polariscope also shown in the general figure 12, and also figure 2 of part IV."

1. Photoelasticity. 2. Polariscope. 3. Plastics--Testing.

NM 0923747 NIC

VOLUME 403

Mylonas, George Emmanuel, 1898-
The Balkan states; an introduction to their history, by George E. Mylonas ... Saint Louis, Mo. [Printed by Eden publishing house] 1946.
xi, 208 p. maps (part fold.) 24cm.
"Footnotes" (bibliographical): p. [190]-198.

1. Balkan peninsula—Hist. 2. Eastern question (Balkan)
46-4073
Library of Congress DR36.M9 [7] 949.6

PU
NM 0923748 DLC MU OrP WaT Wa KyU CoU NcD NcC TxU

DR 36 M9 1946 Mylonas, George Emmanuel, 1898-
The Balkan states; an introduction to their history. 2d ed. Saint Louis, Mo. [Printed by Eden Pub. House, 1946]
xii, 239 p. maps (part fold.) 24cm.

"Footnotes" (bibliographical): p. [214]-225.

1. Balkan Peninsula - Hist. 2. Eastern question (Balkan) I. Title.

NM 0923749 CoU

Mylonas, George Emmanuel, 1898-
The Balkan states; an introduction to their history, by George E. Mylonas ... 2d ed. Saint Louis, Mo. [Printed by Eden publishing house] 1947.
xii, 239 p. maps (part fold.) 24cm.
Erratum slip inserted.
"Footnotes" (bibliographical): p. [214]-225.

1. Balkan peninsula—Hist. 2. Eastern question (Balkan)

DR36.M9 1947 949.6 47-1943

PBm PSC PU OrSaW OrU WaS IdPI
NM 0923750 DLC OrCS Or OrPR OrPS NcD MH ViU TxU

Mylonas, George Emmanuel, 1898-
The Balkan states; an introduction to their history, by George E. Mylonas ...Washington, D. C., Public Affairs Press [1947]
xi, 239 p. maps (part fold.) 24 cm.
"Footnotes" (bibliographical): p. [190]-198.

NM 0923751 NcRS PSt PPT MH Mi IU

AS36 M75 v. 10 p. 79-103 Mylonas, George Emmanuel, 1898-
Crete in the dawn of history.

(In Missouri. Northwest Missouri State College, Maryville. Studies. Maryville, 1946. 26 cm. v. 10, p. [79]-103.)

1. Crete - Antiquities. I. Title. (Series: Missouri. Northwest Missouri State College, Maryville. Studies, v. 10, p. 79-103)

NM 0923752 MeB

DF261 .O53J6 Mylonas, George Emmanuel, 1898-

Johns Hopkins University.
Excavations at Olynthus. Baltimore, Johns Hopkins Press, 1929-52.

Mylonas, George Emmanuel, 1898-
The hymn to Demeter and her sanctuary at Eleusis, by George Emmanuel Mylonas ... St. Louis, 1942.
xii, 99 p. illus., fold. map, fold. plan. 24 cm. (Washington university studies. New series. Language and literature, no. 13)
Bibliography: p. xi-xii.

1. Eleusis. I. Title.

DF261.E4M9 913.385 42-18609

CaBVaU NcU TNJ-R
NM 0923756 DLC OC1W OCU OU PBm PSC PU OrU NcD MB

Mylonas, George Emmanuel, 1898-
The neolithic settlement at Olynthus, by George E. Mylonas ... Baltimore, The Johns Hopkins press, 1929.
1 p. l., 20 p., 1 l. plates, plans (1 fold.) diagr. 27½cm.
Thesis (PH. D.)—Johns Hopkins university, 1929.
Vita.
"Extract from a complete illustrated volume published by the Johns Hopkins press."

1. Olynthus, Macedonia. I. Title.
29-19302
Library of Congress GN776.M3M8 1929
Johns Hopkins Univ. Libr.

DLC
NM 0923757 MdBJ NIC MU MsU CaBVaU IdPI MB PU DAU

cl-g f DF261 .E4M89 Mylonas, George Emmanuel, 1898-
Προϊστορικὴ Ἐλευσίς [ὑπὸ] Γεωργίου Ε. Μυλωνᾶ. Ἐν Ἀθήναις, Δημοσιεύματα Ἀρχαιολογικοῦ Τμήματος Ὑπουργείου Παιδείας, 1932.
183 p. illus., plans. 31cm.

Author's signed inscription to Professor Carl W. Blegen on cover.

1.Eleusis. I.Title. Title romanized: Proïstorikē Eleusis.

NM 0923758 OCU RPB NjP

Mylonas, George Emmanuel, 1898-
Οι προϊστορικοι κατοικοι της Ελλαδος και τα ιστορικα ελληνικα φυλα. Ἀνατυπωσις εκ της Αρχαιολογικης Εφημεριδος, 1930.
cover-title, 29p. O.

Bibliographical foot-notes.

NM 0923759 IaU

Mylonas, George Emmanuel, 1898-
O prōtoattikos amphoreus tēs Eleusinos. En Athēnais, 1954.
xv, 134p. illus. 18 plates (2 col.) 31cm. (Bibliothēkē tēs en Athēnais Archaiologikēs Hetaireias, arith., 39)

Summary in English: p.[119]-126.

1. Vases - Eleusis. 2. Vases, Greek. 3. Eleusis - Antiquities.

NM 0923760 NcU

Mylonas, George Emmanuel, 1898- ed.
Studies presented to David Moore Robinson on his seventieth birthday. Saint Louis, Washington University [1951-
v. illus., plates, port., maps. 29 cm.
"A list of the published writings of David Moore Robinson": v. 1, p. [xxii]-xli.

1. Robinson, David Moore, 1880- 2. Art, Ancient. 3. Art—Addresses, essays, lectures.

N8375.R6M9 913.38 51-13567

MdBWA CaBVaU KU PP
NM 0923761 DLC DDO IEdS TxU MH ViU TU OrU NN NcGU

JN5060 1946 .M8 Mylōnas, Geōrgios Al.
Eklogiká systēmata ... [Athēnai] Ekdótēs to tetradio, 1946.
150 p.

Bibliographia: p. 150.

1. Elections - Greece. 2. Greece - Elections. 3. Elections - History - Greece. 4. Greece - Elections - History. I. Title.

NM 0923762 DS DLC-P4 OCU MH

4HC Greek -8 Mylōnas, Geōrgios D.
Hellēnika oikonomika problemata. Me prologou tou Archēgou tou demokratikou prodeutikou Kommatos k. Emmanouēl Tsouderou. Athēnai, 1949.
79 p.
In Greek letters.

NM 0923763 DLC-P4

Mylōnas, Geōrgios D
Οἰκονομικὸν πρόβλημα καὶ οἰκονομικὴ πολιτική. Ἀθῆναι, 1953.
59 p. 25 cm.

1. Greece, Modern—Econ. condit.—1918- I. Title.
Title transliterated: Oikonomikon problēma kai oikonomikē politikē.

HC295.M85 67-38519

NM 0923764 DLC

GN 776 .G7 3M9 Mylonas, Georgios E
Hē neolithikē epochē en Helladi. En Athēnais, 1928.
14, 174 p. illus., 3 tables, maps. (Bibliothēkē tēs en Athēnais Archaiologikēs Hetaireias, arith. 24)
In Greek characters.
Transliterated from Greek.
Bibliography: p. [6]-9.
Bibliographical footnotes.

1. Stone age - Greece. 2. Greece - Antiq. I. Title. Series.

InU MoU CSt OCU
NM 0923765 NBuU TxU MH ICU MiU PU-Mu TNJ FTaSU

Jk5 $\frac{0c}{2}$ Mylonas, Kyriakos Dion, 1835-1913.
Ἀμφορεὺς πήλινος ἐκ Μήλου. (Ἐξεδόθη τὸ πρῶτον ἐν τῷ τετάρτῳ τεύχει τῆς Ἀρχ. Ἐφημερίδος τοῦ 1894.) Ἀθήνησιν, 1895. 4°. 10 pp. 3 pl. (In "Antique vases" 2.

NM 0923766 CtY

Mylonas, Kyriakos Dion, 1835-1913.
Anathēmatikon anaglyphon ex Attikēs.
10 col. + 2 pl. 4°. (Ephemeris archaiologikē, 1890)
(In "Greek art", 2)
In Greek letters.

NM 0923767 CtY

Mylonas, Kyriacus Dion, 1835-1913.
De Smyrnaeorum rebus gestis. Pars prima. Inaug. diss. Gottingen, 1866

NM 0923768 ICRL NjP MH CtY PU

VOLUME 403

Mylōnas, Kyriakos Dion, 1835–1913.
Δύο πτυκτὰ κάτοπτρα.

(*In* Archäologisches institut des Deutschen reichs. Athenische zweiganstalt. Mitteilungen. Athen, 1878. 24½cm. 3. jahrg., p. ⌜265⌝–270. pl. IX–X)

Signed: K. A. Μυλωνᾶς.

1. Mirrors. 2. Implements, utensils, etc.—Greece.
Title transliterated: Dyo ptykta katoptra.

A 44-3709

Hamilton college. Library for Library of Congress DE2.D44 jahrg. 3

NM 0923769 NCH DLC

---

*NK8440 Mylonas, Kyriakos Diōn., 1834-1913.
.M8
'Ελληνικὰ κάτοπτρα, ἀρχαιολογικὴ διατριβὴ... ὑπὸ Κ.Δ.Μυλῶνα... 'Αθῆναι, Τυπογραφεῖον 'Ερμῆς, 1876.
35 p. 28 cm.

"Δοθεῖσα εἰς τὴν φιλοσοφικὴν σχολὴν τοῦ 'Εθνικοῦ πανεπιστημίου ἐπὶ ὑφηγεσίᾳ τοῦ μαθήματος τῆς ἀρχαιολογίας."

1. Mirrors. 2. Greece - Antiquities. I. Title: Hellēnika katoptra.

NM 0923770 OCU NN CtY

Mylōnas, Kyriakos Dion, 1835–1913.
Πανὸς ἀγαλμάτιον.

(*In* Archäologisches institut des Deutschen reichs. Athenische zweiganstalt. Mitteilungen. Athen, 1880. 24½cm. 5. jahrg., p. ⌜353⌝–363. pl. XII)

Signed: K. Δ. Μυλωνᾶς.

1. Pan (Deity) 2. Sculpture, Greek.
Title transliterated: Panos agalmation.

A 44-3772

Hamilton college. Library for Library of Congress DE2.D44 jahrg. 5

NM 0923771 NCH DLC

Mylonas, Paul
Windows, their functions, types and trends New York, Columbia university, School of architecture, 1948.
160 l. illus., diagrs.

Thesis (Ph.D.) - Columbia university.

1. Windows.

NM 0923772 NNC

Mylōnas, Spyros E
Ζάκυνθος· καλλιτεχνικὸς καὶ τουριστικὸς ὁδηγός ⌜ὑπὸ⌝ Σπύρου Μυλωνᾶ. 'Αθῆνα ⌜195–?⌝
69 p. illus., maps (part fold.) 25 cm.

1. Zante—Descr. & trav.—Guide-books.
Title transliterated: Zakynthos.

DF901.Z3M92 66-89346

NM 0923773 DLC

Mylōnas, Spyros E *ed.*
Ζάκυνθος ⌜ὑπὸ⌝ Σπύρου Ε. Μυλωνᾶ. 'Αθῆνα, 1953.
90 p. illus. 25 cm.
Articles by various authors.

1. Zante—Hist. 2. Intellectuals—Zante. 3. Greek literature, Modern—Bio-bibliography.
Title transliterated: Zakynthos.

DF901.Z3M9 65-33859

NM 0923774 DLC MH DDO OCU

Mylonius, Nicolas. Ger 1750.32.5
Davidis Chytræi ludimagistri Rostochiensis imposturæ, quas in oratione quadam inservit, quam de statu ecclesiarum hoc tempore in Græcia, Asia, Africa, Ungaria, Boëmia, inscriptam edidit, & per Sueciam ac Daniam disseminari curavit. Ingolstadii, ex officina D. Sartorii, 1582.
ff. (1), 51, (31).
Epist. ad regem Polon. Stephanum, ff. (30).

Chytræus

NM 0923775 MH

---

*DF825 Mylōnopoulos, Basileios, ed.
.3
.M8
'Ιστορικὰ μνημεῖα ἀναγόμενα εἰς τὴν ἕνωσιν τοῦ Ιονικοῦ κράτους μετὰ τοῦ βασιλείου τῆς 'Ελλάδος. Κερκύρα, ἀδελφ. Γ. 'Ασπιώτης, 1914.
4 l., 85 p. fold.tab. 29 cm.
Preface signed: Βασίλειος Μυλωνόπουλος
1. Greece, Modern - History - George I, 1863-1913 - Sources. 2. Ionian islands - History - Sources.

NM 0923776 OCU

68.3
M99
Mylord, E
Kakao, Anbau und Düngung. Bochum, Ruhr-Stickstoff ⌜1953⌝
109 p. (Schriftenreihe über tropische und subtropische Kulturpflanzen)

1. Cacao. 2. Fertilizers for cacao. I. Ruhr-Stickstoff Aktiengesellschaft, Bochum.

NM 0923777 DNAL

Mylord Arsouille; ou, Les bamboches d'un gentleman ... A Bordet-opolis, chez Pinard, rue de la Motte. 1789. [Gibraltar, le Révérend Flutt, 1886?]
142 p.

NM 0923778 DLC

Mylord Stanley, ou Le criminel vertueux
see under [Lamorlière, Jacques Rochette de] 1719-1785.

MZ56
M994
'n Mylpaal in die geskiedenis van die N.G. Kerk in Suid-Afrika. Groot Sendingkonferensie te Uitenhage, gehou van 25 tot 28 junie, 1931. Kaapstad, Nasionale Pers, 1931.
iii, 128 p. 18 cm.

Cover title.

1. Africa, South - Missions. 2. Missions - Conferences, congresses, etc. 3 Missions - Statistics. 4. Nederduits Gereformeerde Kerk (South Africa) - Missions. 5. Reformed Church - Missions - Africa. I. Algemene Sendingkonferensie, Uitenhage, 1931. Afr

NM 0923780 CtY-D

MYLPHORT, Henricus.
Emblemata; symbolica; miscellae. Olsnae, typis Bössemesser, 1617.

nar.16°. pp.(64).

NM 0923781 MH

Mylrea, A. J.
...The fire at the Quaker Oats Company's premises at Peterboro', Ontario, Canada, on December 11, 1916; being two reports: part I by A. J. Mylrea...and part II by T. D. Mylrea... London: Offices of the British Fire Prevention Committee, 1918. 64 p. incl. plates. plans (1 fold.). 8°. (British Fire Prevention Committee. Red book. no. 225.)

Plates printed on both sides.

1. Fires in factories. 2. Fires in warehouses. 3. Mylrea, T. D. 4. Series.
N. Y. P. L. September 4, 1919.

NM 0923782 NN

Mylrea, C G
The Holy Spirit in Qur'án and Bible. By the Rev. C. G. Mylrea ... and Shaikh Iskandur 'Abu' l-masíh ... London, Madras and Colombo, Christian literature society, 1910.
1, 53 p. 18 cm. (In: Islam series, no. 5)

NM 0923783 NcD

Mylrea, C. G., joint ed.

Missionary conference on behalf of the Mohammedan world. *2d, Lucknow,* 1911.
Islam and missions; being papers read at the second Missionary conference on behalf of the Mohammedan world at Lucknow, January 23–28, 1911, ed. by E. M. Wherry, D. D., S. M. Zwemer, D. D., C. G. Mylrea, M. A. New York, Chicago ⌜etc.⌝ Fleming H. Revell company ⌜c1911⌝

Al.Alc. Mylrea, Clarence Stanley Garland
Kuwait before oil; memoirs of Dr. C. Stanley G.Mylrea, pioneer medical missionary of the Arabian Mission, Reformed Church in America. Written between 1945 and 1951. [Edited by Dr. Samuel M. Zwemer. Priv. pub., n.d.]
162 l.
Mimeographed.
1. Mylrea, Clarence Stanley Garland. 2. Kuwait - Social conditions. I. Zwemer, Samuel Marinus, 1 - 1952, ed. II. Title.

NM 0923785 CtHC

Mylrea, Thomas Douglas, 1886-
Concrete slabs reinforced with welded wire fabric, tested at the University of Delaware under the direction of T. D. Mylrea. ⌜n.p.⌝ 1935.
cover-title, 12, ⌜15⌝ p. incl. illus., 11 plates. 28½cm.
Planographed.
Plates printed on both sides.

NM 0923786 OrCS

620.137 Mylrea, Thomas Douglas, 1886-
M994r
Reinforced concrete in flexure ... 1927. Champaign, Ill., The College publishing company, c1927.
89(i.e.93) numb.l. incl.tables, diagrs. 4 tables.

Page 35 omitted in numbering.
Mimeographed.

1. Concrete, Reinforced. 2. Flexures.

NM 0923787 IU

Mylroie, A.W., appellant.
... A.W. Mylroie, appellant, vs. British Columbia Mills Tug & Barge Company, a corporation, appellee. No. 3448. Seattle, Ivy press, 1917?
2 v.

NM 0923788 WaU-L

Mymrin, Grigorii Evdokimovich.
(Razgrom interventov i belogvardeitšev na Severe)
Разгром интервентов и белогвардейцев на Севере. ⌜Архангельск⌝ Архангельское обл. изд-во, 1940.
97 p. illus. 23 cm.
At head of title: Г. Мымрин, М. Пирогов, Г. Кузнецов.
Includes bibliographical references.

1. Russia—History—Allied intervention, 1918–1920. I. Pirogov, M., joint author. II. Kuznetšov, G., joint author. III. Title.

DK265.4.M95 73-216982

NM 0923789 DLC

VOLUME 403

Mynář, Antonín, joint author.

Vorel, Václav.
Kontrola a revise jako nástroj řízení podniků. [Vyd. 1.] Praha, Průmyslové vydavatelství, 1950.

Mynard, Joseph, 1890-
... Contribution à l'étude de l'éosinophilie pleurale; pleurésies paranéoplasiques à éosinophiles ... Lyon, 1916.
25.5 cm.
Thèse - Univ. de Lyon.

NM 0923791 CtY

Mynas, C. Minoide.
see
Menas, Minoides, ca. 1790-1860.

Mynchenberg, George C., 1897- ed.
Official catalog of Canada precancels.
Winter Park, Fla., G. W. Noble.

Mynchenberg, George C 1897- ed.
Official catalog of double line electro precancels./ George C. Mychenberg, editor; Edgar C. Hissrich, assistant editor. - 5th ed. - Findlay, Ohio: G. W. Noble, 1955.
96 p.: ill.; 18 cm.

1. Precancels - United States - Catalogs. I. Hissrich, Edgar C., joint ed. II. Noble, Gilbert W. III. Title. IV. Title: Double line electro precancels.

NM 0923794 Wa WHi

Mynchin; a novel. London, Saunders, Otley, and Co., 1867.
3 v. 21 cm
Includes ms. notes.

NM 0923795 NjP

Mynck, Lockwood, jr.
The railroad to Danvers. [West Newbury, Mass., 1941]

NM 0923796 MH

Myndabók handa börnum. I. Kaupmannahöfn, Egill Jónsson, 1853. 16°. ff. (32), *illustr.* IcF85B259

NM 0923797 NIC

Myndabók handa börnum. Ný útg. Kaupmannahöfn, Prentari A. Rosenberg, 1897.
v. illus. 14cm.

1. Children's stories

NM 0923798 WU NIC MH

[Myndabók íslenzk.] En islandsk Tegnebog fra Middelalderen af Harry Fett. (Videnskabs-Selskabets Skrifter. II. Hist.-filos. Klasse. 1910. No. 2.) Christiania, 1910. 8°. pp. 29 + (2), 41 *pls., 2 figs. in text.* IcF81M115
The MS. of this sketch-book is to be found in AM. 673a, 4°. The editor places its date in the earlier half of the 15th cent.

NM 0923799 NIC NN MoU

Mynders, Seymour Allen, 1861- joint author.

McBain, Howard Lee, 1880-
How we are governed in Tennessee and the nation, by Howard Lee McBain ... and Seymour A. Mynders ... Knoxville, Tenn., Southern school supply company, 1909.

Mynderse, Bart, *pseud.*
Four years nine. New York, F. A. Stokes co. [1900]
2 p. l., 344 p. 12°.

Aug. 2, 1900-119

NM 0923801 DLC PPL

Mynderse, Hannah Hoskins(Gould) 1858-
Lines of descent from honored New England ancestors. New York: De Vinne Press, 1897. 32 p. 12°.

1. Bradford family. 2. Brewster family. 3. Alden family. 4. Gould family. 5. Smith family. 6. Mather family. 7. Griswold family. 8. Ripley family. 9. Seabury family.
N. Y. P. L. December 8, 1913.

NM 0923802 NN

[**Mynderse,** *Mrs.* **Hannah Hoskins (Gould)**] 1858-
Lines of descent from honored New England ancestors. New York, Printed at the De Vinne press, 1897.
1 p. l., 5-62 p. 20cm.
The ancestry of Seabury Smith Gould.
p. 49-56 duplicated.

1. Gould, Seabury Smith, 1812-1886. 2. Gould family (William Gould, 1687-1730) 3. Bradford family. 4. Brewster family. 5. Alden family. 6. Smith family. 7. Mather family. 8. Griswold family. 9. Ripley family. 10. Seabury family.

10-31150

Library of Congress CS71.G697 1897

NM 0923803 DLC OClWHi

Mynderse, Wilhelmus, 1849-1906.
Catalogue of the library of the late Wilhelmus Mynderse of Brooklyn, N. Y. ... to be sold ... October 28 ... 29, 1909 ... New York, The Anderson auction company [1909]
78 p. front., facsims. 24cm.
Catalogue no. 775.
628 titles. Priced in manuscript.

I. Anderson galleries, New York.

42-2733

Library of Congress Z999.A55 no. 775
——— Copy 2. [With Hermann, William. Rare books. New York [1909] Copy 2] Z1012.Z9H4
Prices and some of the purchasers noted in manuscript.
[2]

NM 0923804 DLC NNGr NN CtY MWA ICL NBHi

Mynegai i'r Testament Newydd.
Aberystwyth, P. Williams, 1869.
16 p. 12 cm.

1. Bible. N. T.--Indexes, Topical.

NM 0923805 MB

Mynegai 'r Bibl Cyssegrlan; neu, Hanes y pethau hynottaf yn llyfrau 'r Hen Destament a'r Newydd; yn dangos pa amser y digwyddasant, a pha leoedd yn y 'sgrythur y maent wedi eu gosod i lawr. n. t.-p. [London: J. Baskett, and assigns of T. Newcomb and H. Hills, 1717.] 8°.
This Bible index, including chronological notes, and tables of offices, Jewish time, etc., was translated from the English, by S. Williams.
Text printed in double columns, with chapter headings, and marginal references. Unpaged. Last signature B4.
Bound with: Bible. Welsh. 1717. Y Bibl Cyssegr-lan... Llundain, 1717. 8°.

1. Bible.—Chronology. 2. Williams, S., translator.
AMERICAN BIBLE SOCIETY. April 15, 1913.

NM 0923806 NNAB

Mynehieur von Herrick Heimelman
see under Hawkins, Micah, 1777-1825.

Mynett, Bruno.
Der Steinkohlenverkehr innerhalb Polens. Würzburg-Aumühle, K. Triltsch, 1939.
104 p. fold. map, diagrs. 21 cm.
Issued also as dissertation, Technische Hochschule, Danzig.
"Literaturnachweis": p. 103-104.

1. Coal trade—Poland. 2. Coal mines and mining—Poland. I. Title.
HD9555.P62M9 1939 A F 47-6734*
Northwestern Univ. Libr. for Library of Congress [2]†

NM 0923808 IEN NN DLC

Mynette, *Sister*
see **Gross, Mynette,** *Sister,* 1911-

Mynheer vraagt een knecht
see Mijnheer vraagt een knecht.

Mynheer Wryneck Vanhausen.
1 half page. (Miscellaneous pamphlets, 1044:38)

NM 0923811 DLC

The mylner of Abyngton
see The miller of Abington (Tale)

Myndir fra Islandi
see under Oskarsson, Ingimar.

Mynko, Vasyl', 1902-

Dubkovets'kyĭ, Fedir Ivanovych, 1894-1960.
На путях к коммунизму; записки зачинателя колхозного движения на Украине. [Литературная запись В. П. Минко. Перевел с украинского В. И. Синенко. Москва] Московский рабочий, 1951.

Mynko, Vasyl', 1902-

Dubkovets'kyĭ, Fedir Ivanovych, 1894-1960.
На шляхах до комунізму; записки зачинателя колгоспного руху на Україні. Літературний запис Василя Минка. Київ, Держлітвидав України, 1949.

VOLUME 403

Mynko, Vasyl', 1902–
Над річкою Хоролом. Київ, Радянський письменник, 1949.
191 p. 17 cm.

I. Title. *Title transliterated:* Nad richkoŭ Khorolom.

PG3948.M82N3 53-35316 ‡

NM 0923816 DLC

Mynko, Vasyl', 1902–
Не называя фамилий; комедия в трех действиях. Авторизованный перевод с украинского И. Киселева. Москва, Искусство, 1953.
102 p. 17 cm.

I. Title. *Title transliterated:* Ne nazyvaiā familiĭ.

PG3948.M82N4 54-42184 ‡

NM 0923817 DLC

Mynlieff A.
——. Hydrorrhœa gravidarum. 20 pp. 8°. *Berlin & Neuwied. L. Heuser*, 1890.

NM 0923818 DNLM

Mynlieff (A.) Ueber den Einfluss der Influenza auf Menstruation, Schwangerschaft und Wochenbett. Deutsch von Mensinga. 4 pp. 8°. [*Berlin, Heuser*, 1890.]
Repr. from: Frauenarzt, Berl., 1890, v.

NM 0923819 DNLM

Mynona, *pseud.*
see **Friedlaender, Salomo,** 1871–1946.

BV772
.M99
1920

in:
GTS

Mynors, Aubrey Baskerville, ed.
The spending of a thank-offering; being some account of the use made of the £352,000 offered in St. Paul's Cathedral on June 24, 1908, at the Pan-Anglican Congress. With a preface by...H.H. Montgomery. London, Society for Promoting Christian Knowledge, 1920.
XIV, 196p. illus., map (folded) 22cm.
1. Christian giving. 2. Pan-Anglican Congress, 1908. 3. Church of England- Missions. I. Title.

NM 0923821 IEG CtY

Mynors, Robert, 1739-1806.
——. A history of the practice of trepanning the skull, and the after-treatment; with observations upon a new method of cure. xii, 152 pp. 12°. *Birmingham, G. Robinson*, 1785.
Bound with preceding.

NM 0923822 DNLM PPPH

Mynors, Robert, 1739-1806.
Practical thoughts on amputations, &c. Birmingham, Pr. by Piercy and Jones, for G. Robinson. London [1783]
[4] p., 91 p., 1 pl. (Marbled boards, leather back & corners)
1. Amputation.

NM 0923823 KU-M PPPH PPL DNLM

Mynors, Roger Aubrey Baskerville, ed.

Cassiodorus Senator, Flavius Magnus Aurelius, *ca.* 487–*ca.* 580.
Cassiodori Senatoris Institutiones, edited from the manuscripts by R. A. B. Mynors. Oxford, The Clarendon press, 1937.

PR3562 **Mynors, Willoughby.**
.P35
Comfort under affliction. A sermon preach'd at the parish-church of S. Mary White-chappel, on Thursday, March 15, 1715-16 ... By Willoughby Mynors, M. A. London, Printed for J. Morphew, 1716.
[2], 18 p. 20cm. [*With* [Pearce, Zachary] A review of the text of Milton's Paradise lost. London, 1732].

1. Sermons, English.

NM 0923825 ICU CSmH InU NjPT

Mynors, Willoughby.
True loyalty; or, Non-resistance the only support of monarchy; a sermon preach'd at S. Pancras, Middlesex, on Sunday, June 10, 1716... London, Printed for John Morphew, 1716.
2 p.l., 23 p., 20cm.

NM 0923826 NjPT MnU CaBVaU ICN

Mynott, Arthur.

Oxford and Cambridge university club, *London. Library.*
Catalogue of the library of the Oxford and Cambridge club. [Aberdeen] Printed for the members [at the Aberdeen university press] 1887.

Mynsbrugge, E. vander.

Leclère, Constant.
Les avoués de Saint-Trond, par Constant Leclère ... Louvain, Typographie C. Peeters; Paris, A. Fontemoing, 1902.

Mynsbrugge, Maurice van der
see Mijnsbrugge, Maurice van der.

Mynsheu, John
see
Minsheu, John, fl. 1617.

Mynshul, Geffray
see Minshull, Geffray, 1594?-1668.

Mynshull, Richard.
Vienna...
see under [Mainwaring, Matthew] 1561-1652.

BF 1623
R7 M95
1621

Mynsicht, Adrian von, 1603-1638.
Aureum seculum redivivum, das is, die uhralte entwichene Güldene Zeit, so nunmehr wieder auffgangen, lieblich geblühet und wollrichenden güldenen Samen gesetzet... welchen...offenbahret Henricus Madathanus, medicus...aureae crucis frater. Monte abiegno, 1621.
illus. col.
1. Rosicrucians. I. Title.

NM 0923833 CaBVaU

Mynsicht, Adrian von, 1603–16 8.
Avrevm secvlvm redivivvm, qvod nvnc itervm apparvit, suauiter floruit, & odoriferum aureumque semen peperit. Carum pretiosumque illud semen omnibus veræ sapientiæ & doctrinæ filiis monstrat & reuelat Hinricvs Madathanvs [pseud.]... (IN: Musæum hermeticum. Francofurti, 1625. 21cm. (4°.) p. [75]–99)

See: Young: Bibliotheca chemica, II, 61.

377399. 1. Alchemy. t. 1625.

NM 0923834 NN

Mynsicht, Adrian von 1603-1638.
Aureum seculum redivivum
[**Grasshoff, Johann**]
Dyas chymica tripartita, das ist: Sechs herrliche teutsche philosophische tractätlein, deren I. von an jtzo noch im leben: II. von mitlern alters: vnd II. von ältern philosophis beschrieben worden. Nunmehr aber allen filiis doctrinæ zu nutz an tag geben, vnd mit schönen figuren gezieret durch H. C. D. Franckfurt am Mayn, Bey L. Jennis zu finden, 1625.

WZ
250
M985
1678

MYNSICHT, Adrian von, 1603-1638
Aureum seculum redivivum, cum nunc iterum apparuit, suaviter floruit, & odoriferum aureumque semen peperit. Carum pretiosumque illud semen omnibus verae sapientiae & doctrinae filiis monstrat & relevat Hinricus Madathanus [pseud. of Adrian von Mysicht] Francofurti, Apud Hermannum a Sande, 1677.
[53]-72 p. 22 cm. (In Musaeum Hermeticum, Francofurti, 1678)

NM 0923836 DNLM

Mynsicht, Adrian von, 1603–1638.
Aureum seculum redivivum, quod nunc iterum apparvit, suaviter floruit, & odoriferum aureumque semen peperit. Carum pretiosumque illud semen omnibus veræ sapientiæ & doctrinæ filiis monstrat & revelat Hinricus Madathanus [pseud.] Francofurti et Lipsiae, 1749. (IN: Musaeum hermeticum. Francofurti et Lipsiae, 1749. 24cm. (4°.) p. [53]–72)

Young: Bibliotheca chemica, II, 61.

372494. 1. Alchemy. t. 1749.

NM 0923837 NN

Mynsicht, Adrian von, 1603-1638.
Aureum seculum redivivum
Hartmann, Franz, *comp. and tr.*
Cosmology, or Universal science. Cabala. Alchemy. Containing the mysteries of the universe, regarding God, nature, man, the macrocosm and microcosm, eternity and time, explained according to the religion of Christ, by means of the secret symbols of Rosicrucians of the sixteenth and seventeenth centuries. Copied and tr. from an old German manuscript, and provided with a dictionary of occult terms, by Franz Hartmann, M. D. Boston, Occult publishing company, 1888.

Mynsicht, Adrian von, 1603-1638.
Aureum seculum redivivum
Secret symbols of the Rosicrucians; an exact reproduction of the original, but with the German text and terms literally translated. Chicago. G. Engelke, The Aries press, 1935.

Mynsicht, Adrian von, *17th cent.*
... Medicinisch-chymischer schatz und rüstkammer / das ist: eine sonderbahre art und weiss / wie man die ausserlesenste und geheimbdeste arzneymittel / wider allerley kranckheiten und zustände dess menschlichen leibs / ... verfertigen soll. Zusambt eines jeden krafft und würckung / wie auch gebrauchs und gewichts / den liebhabern der edlen artzney und chymischen künsten entdekt und mitgetheilet. Anfangs von dem authore in lateinischer sprach geschriben; anjetzo ... in unsere teutsche mutter-sprach übersetzt / und mit etlichen nutzlichen registern versehen. Von einem eiferigen liebhaber der edlen medicin. Stuttgart, J. G. Zubrodt, 1682.
1 p. l., (12), 727, (85) p. 16cm.

1. Pharmacy—Early works to 1800. 2. Medicine, Medieval.

NM 0923841 MiU

VOLUME 403

WZ
250
M997tG
1686

Mynsicht, Adrian von, 1603-1638
... Medicinisch-chymische Schatz- und Rüst-Kammer, das ist: Eine sonderbahre Art und Weiss wie man die ausserlesenste und geheimste Arzney-Mittel wider allerley Kranckheiten und Zustände dess menschlichen Leibs ... verfertigen soll ... Anfangs von dem Authore in lateinischer Sprache geschrieben; anjetzo aber denen so das Latein nicht gnugsam verstehen zu gefallen mit sonderbarem Fleiss in unsere teutsche Mutter-Sprach übersetzt ... Von einem eiferigen Liebhaber der edlen Medicin ... Stuttgart, In Verlegung Joh. Gottfried Zubrodts, Gedruckt bey Melchior Gerhard Lorbern, 1686.
[16], 663, [85] p. 17 cm.

— — Film copy. Negative.

NM 0923843 DNLM MiU TxU

1695

RBS18.A

Mynsicht, Adrian von, 1603-1638.
Medicinisch-chymische Schatz-und Rüst-Kammer das ist...
Offenbach am Main: Vorlegts P. Brunn, und Bonaventura de Launoy, Hochgräfl. Ysenburg. Hof-Buchdrucker, 1695.

NM 0923844 NNNAM

Mynsicht, Adrian von, 1603-1638.
Medicinisch-chymische schatz- und rüstkammer; das ist: eine sonderbahre ... Tübingen A. Metzler, 1702.
7 l., 663 p., 42 l. 16 cm. (8°.)

NM 0923845 NNNAM

WZ
260
M997tG
1713

MYNSICHT, Adrian von, 1603-1638
... Medicinisch-chymische Schatz- und Rüstkammer. Das ist: eine sonderbahre Art und Weiss wie man die ausserlesenste und geheimste Artzney-Mittel wider allerley Kranckheiten und Zustände dess menschlichen Leibs, so der Autor selbst durch eigenthumliche Erfahrenheit in vielfältig und beglückter Praxi bewehrt erfunden, verfertigen soll. Zusamt eines jeden Krafft und Würckung, wie auch Gebrauch und Gewicht, den Liebhabern der edlen Artzney und chymischen Künsten entdeckt und mitgetheilt. Infangs von dem Autore in lateinischer Sprache geschrieben, anjetzo ... in unsere teutsche Mutter-Sprach übersetzt ... von einem eiferigen Liebhaber der edlen Medicin ... Stuttgart, In Verlegung Augustus Metzlern, 1713.
[16], 663, [85] p. 17 cm.
Translation of Thesaurus et armamentarium medico-chymicum.

NM 0923848 DNLM

WZ
260
M997tG
1725

Mynsicht, Adrian von, 1603-1638
... Medicinisch-chymische Schatz- und Rüst-Kammer, das ist: Eine sonderbahre Art und Weiss wie man die ausserlesenste und geheimste Artzney-Mittel wider allerley Kranckheiten_ und Zustände, dess menschlichen Leibs ... verfertigen soll ... Anfangs von dem Autore in lateinischer Sprache geschrieben; anjetzo aber denen, so das Latein nicht verstehen in unsere teutsche Mutter-Sprach übersetzt ... Von einem eiferigen Liebhaber der edlen Medicin ... Stuttgardt, Bey Joh. Benedict Metzlern [etc.] 1725.
[16], 663, [85] p 17 cm.

NM 0923850 DNLM WU

Mynsicht, Adrian von, 1603-1638.

Thesaurus et Armamentarium medico-chymicum.. 19 l., 523 p., 27 l.
Epilogus. 10 p.
Testamentum Hadrianeum. 24 p.

Lübeck, V. Schmalhertzii 1638

NM 0923851 PPJ NNNAM

RARE BOOK
DEPT.
729195

Mynsicht, Adrian von, 1603-1638
Thesavrvs et armamentarivm medico-chymicvm. Cui in fine adiunctum est Testamentvm Hadrianevm De aureo Philosophorum lapide. Lugduni, 1640.

NM 0923852 WU PPC

Mynsicht, Adrian von, 1603-1638.
Thesavrus et armentarivm medico-chymicvm. Cui in fine adiunctum est Testamentvm Hadrianevm de aureo philosophorum lapide. Lvgdvni, I.A. Hvgvetan, 1640. [Louisville, Lost Cause Press, 1960]
7 cards. 7 1/2 x 12 1/2 cm.

Microprint copy.
Collation of the original: 490,[68] p. 18 cm.

NM 0923853 OkU

WZ
250
M997t
1641

Mynsicht, Adrian von, 1603-1638
... Thesaurus et armamentarium medico-chymicum. In quo selectissimorum contra quosvis morbos pharmacorum conficiendorum secretissima ratio aperitur, unà cum eorumdem virtute, usu, & dosi. Cui in fine adjunctum est Testamentum Hadrianeum de aureo philosophorum lapide. Lugduni, Sumpt. Joan. Antonii Huguetan, 1641.
[40], 490, [68] p. 17 cm.

-- -- Film copy. Negative.

NM 0923854 DNLM CtY

WZ 250
M959
1645

Mynsicht, Adrian von, 1603-1638.
...Thesaurus et armamentarium medico-chymicum...Cui in fine adiunctum est Testamentum Hadrianeum de aureo philosophorum lapide. Lugduni, Sumpt. Ioan. Antonii Huguetan, 1645.
490 p. 18 cm.
(1. Medicine - 15th-18th cent.)
[2. Medicine - Early works to 1800]
3. Alchemy. I. Title.

NM 0923855 CaBVaU

WZ
250
M997t
1646

MYNSICHT, Adrian von, 1603-1638
... Thesaurus et armamentarium medico-chymicum. Hoc est selectissimorum, contra quosvis morbos, pharmacorum conficiendorum secretissima ratio ... Cui in fine adjunctum est Testamentum Hadrianeum de aureo philosophorum lapide ... Lubecae, Sumptibus Henrici Schernwebel, et typis Valentini Schmalhertzii, 1646.
[43], 24, [44], 95, 532 p. front. (port.), 20 cm.
Added engraved title page, undated.

NM 0923856 DNLM

WZ
250
M997t
1651

Mynsicht, Adrian von, 1603-1638
... Thesaurus et armamentarium medico-chymicum. In quo selectissimorum contra quosvis morbos pharmacorum conficiendorum secretissima ratio aperitur, unà cum eorumdem virtute, usu, & dosi. Cui in fine adjunctum est Testamentum Hadrianeum de aureo philosophorum lapide. Rothomagi, Sumptibus Joannis Berthelin, 1651.
[40], 490, [67] p. 17 cm.

-- -- Film copy. Negative.

NM 0923857 DNLM DFo WU CtHT MH

WZ
250
M997t
1662

Mynsicht, Adrian von, 1603-1638
... Hadriani à Mynsicht aliàs Tribudenii ... Thesaurus, et armamentarium medico-chymicum. Hoc est, Selectissimorum, contra quosvis morbos, pharmacorum conficiendorum secretissima ratio ... Cui in fine adjunctum est Testamentum Hadrianeum de aureo philosophorum lapide ... Lubecae, Impensis Augusti Johannis Beckeri, typis haeredum Schmalhertzianorum, 1662.
[12], 532, [50], 24 p. port. 20 cm.

-- -- Film co Negative.

NM 0923858 DNLM MH PPL PPPH TxU WU

WZ
250
M997t
1664

Mynsicht, Adrian von, 1603-1638
... Thesaurus et armamentarium medico-chymicum. In quo selectissimorum contra quosvis morbos pharmacorum conficiendorum secretissima ratio aperitur, unà cum eorumdem virtute, usu & dosi. Cui in fine adjunctum est Testamentum Hadrianeum de aureo philosophorum lapide. Ed. novissima. Lugduni, Apud Jacobum Faeton, 1664.
[32], 490, [67] p. 18 cm.

-- -- Film copy. Negative.

NM 0923859 DNLM PPC

WZ
250
M997t
1670

Mynsicht, Adrian von, 1603-1638
... Thesaurus et armamentarium medico-chymicum. In quo selectissimorum contra quosvis morbos pharmacorum conficiendorum secretissima ratio aperitur, unà cum eorumdem virtute, usu, & dosi. Cui in fine adjunctum est Testamentum Hadrianeum de aureo philosophorum lapide. Ed. 2. emendatior. Lugduni, Sumptib. Joannis Antonii Huguetan [etc.] 1670.
[40], 490, [67] p. 19 cm.
-- Film copy. Negative.

NM 0923860 DNLM WU MH

WZ
250
M997t
1675

Mynsicht, Adrian von, 1603-1638
... Hadriani à Mynsicht alias Tribudenii ... Thesaurus, et armamentarium medico-chymicum. Hoc est, Selectissimorum, contra quosvis morbos, pharmacorum conficiendorum secretissima ratio ... Cui in fine adjunctum est Testamentum Hadrianeum de aureo philosophorum lapide ... Francofurti, Impensis & typis Balthas. Christoph. Wustii, 1675.
[14], 525 (i. e. 522), [54], 22 p. port. 18 cm.
-- -- Film copy. Negative.

NM 0923861 DNLM MiU WU

WZ
250
M997t
1696

MYNSICHT, Adrian von, 1603-1638
... Thesaurus et armamentarium medico chymicum. In quo selectissimorum contra quosvis morbos pharmacorum conficiendorum secretissima ratio aperitur, una cum eorumdem virtute, usu, & dosi. Cui in fine adjunctum est Testamentum Hadrianeum de aureo philosophorum lapide. Ed. 3. emend. Venetiis, Apud Combi & La Nou, 1696.
[32], 490, [46] p. 17 cm.

NM 0923862 DNLM PBL

Y615.4
M995
1697

MYNSICHT, Adrian von, d.1638.
Hadriani a Mynsicht... Thesavrvs et armamentarivm medico-chymicum, in quo selectissimorum contra a quosvis morbos pharmacoporum conficiendórum secretissima ratio aperitur, unà cum eorumdem virtute, vsu, & dosi. Cui in fine adjunctum est, Testamentum Hadrianeum de aureo philosophorum lapide. Ed. novissima emendatior. Genevae, apud Fratres De Tournes, 1697.

8 p.l., 525 (i.e. 521) [54], 22 p. 18cm.

Title in red and black; title vignettes.
Pages 465-521 incorrectly numbered 468-525.
"Testamentvm Hadrianevm" has special t.-p. and pagination.
With this is bound: Musitano, C. Ad Had. a Mynsicht... Thesaurum et armamentarium medico- chymicvm mantissa. 1701.

1. Pharmacy. Early works to 1800.
2. Medicine. Formulae, receipts, prescriptions. I. Title: Thesavrvs et armamentarivm medico-chymicum.

NM 0923865 MnU WU

VOLUME 403

Mynsicht, Adrian von, *d.* 1638. **615.02 E2**
Hadriana a Mynsicht ... , **Thesavrvs,** et armamentarivm medico-chymicum, in quo ſelectiſſimorum contra quoſuis morbos pharmacorum conficiendorum ſecretiſſima ratio aperitur, vnà cum eorundem virtute, vſu, & doſi. Cui in fine adiunctum eſt Testamentvm Hadrianevm de avreo philosophorvm lapide. Acceſſit etiam D. Caroli Mvsitani ... Mantissa, atque Andreæ Battimelli Avctvarivm. Neap[oli], Ex typ. C. Troyſe, & I. D. Petriboni, 1697.
187985
[24], 490, [68] p. 17cm.

NM 0923866 ICJ

WZ
260
M997t
1701

Mynsicht, Adrian von, 1603-1638
... Thesaurus, et armamentarium medico-chymicum, in quo selectissimorum contra quosvis morbos pharmacorum conficiendorum secretissima ratio aperitur, unà cum eorumdem virtute, usu, & dosi. Cui in fine adjunctum est Testamentum Hadrianeum de aureo philosophorum lapide. Accessit etiam D. Caroli Musitani ... Mantissa. atque Andreae Battimelli Auctuarium denique Hieronymi Piperi ... Corollarium. Opus hac in novissima impressione variis erroribus expurgatum. Neap., Ex officina

Michaelis Aloysii Mutio, 1701.
4 pts. in 1 v. port. 17 cm.
Imperfect: port. wanting.

I. Battimellus, Andreas II. Musitano, Carlo, 1635-1714 III. Piperi, Girolamo, 17th cent.

NM 0923868 DNLM NIC

615.1
M997t
1707

Mynsicht, Adrianus von, d.ca.1668.
Hadriani a Mynsicht ... Thesaurus et armamentarium medico-chymicum ... Cui in fine adjunctum est Testamentum Hadrianeum de aureo philosophorum lapide. Accessit etiam d. Caroli Musitani ... Mantissa, atque Andreæ Battimelli Auctarium, deniqne Hieronymi Piperi ... Corollarium ... Venetiis, apud J. G. Hertz, 1707.
446, [52], 162p.

1. Materia medica--Early works to 1800.

NM 0923869 IU-M PPC DNLM

Mynsicht, Adrian von, 1603-1638.

Hadriani a Mynsicht ... Thesaurus, & armamentarium medico-chymicum. In quo selectissimorum contra quo suis morbos pharmacorum conficiendorum secretissima ratio operitur, unà cum eorumdem virtute, vsu, & dosi. Cui in fine adjunctum est testamentum Hadrianeum de aureo philosophorum lapide. Mantissa D. Caroli Musitani academici peregrini, pigri, &c. Auctarium Andreæ Battimelii. Corollarium Hieronymi Piperi academici pigri, gelidi, &c. nunc demum Præ lectiones

erroribus expurgatum. Atque Petri Poterii Arcanis & inventis chymicis adauctum. Venetiis, apud Jo: Gabrielem Hertz, 1718.
8 p. l., 452, [52], 36, 166, [2] p. illus $16\frac{1}{2}$cm.

Added engr. t.-p.: Armamentarivm medico-chymicv.

NM 0923871 ViU

RARE BOOK
DEPT.

CA 3963

Mynsicht, Adrian von
Thesaurus et armamentarium medico-chymicum ... cui in sine adjunctum est Testamentum Hadrianeum de aureo philosophorum lapide. Editio novissima, cui accessit R.D. Caroli Musitani Mantissa &c. Genevae, Apud G. De Tournes, 1726.
[16], 525, [53], 22p. 18cm.
"Appendix philosophico-poëtica: videlicet Testamentum Hadrianeum" (22p.) 4th paging.
Bound with Musitanus, C. Ad. Had. a Mynsicht Thesaurum et armamentarium medico-chymicum mantissa. Genevae, 1701.

NM 0923872 WU ICU

WZ
250
M997tE
1682

Mynsicht, Adrian von, 1603-1638
Thesaurus & armamentarium medico-chymicum: or, A treasury of physick. With the most secret way of preparing remedies against all diseases ... Written originally in Latine ... and faithfully rendred into English by John Partridge ... London, Printed by J. M. for Awnsham Churchill, 1682.
[16], 377, [34] p. port. 18 cm.
Imperfect: port. wanting.

— — Film copy. Negative.

NM 0923873 DNLM CaBVaU WaU MH CtY-M PPC WU

WZ
250
M997t
1631

Mynsicht, Adrian von, 1603-1638
... Hadriani à Mynsicht, aliàs Tribudenii ... Thesaurus medico-chymicus, hoc est: Selectissimorum pharmacorum conficiendorum secretissima ratio. Propriâ laborum experientiâ, multiplici & felicissimâ praxi confirmata & antea nunquam edita ... Cui in fine adjunctum est Testamentum Hadrianeum, de aureo philosophorum lapide ... Hamburgi, Ex Bibliopolio Frobeniano, 1631.
[28], 304 (i. e. 404) p. port. 20 cm.

— — Film copy. Negative.

NM 0923875 DNLM CtY-M

Mynsicht, Hadrianus a.

see

Mynsicht, Adrian von, 1603-1638.

Mynsinger (Gustavus Benoni). * Diss. sistens methodum curandi pestem. 1 p. l., 40 pp. 4°. *Halæ Magdeb., lit. J. Gruneri.* [1708]

NM 0923877 DNLM

Mynsinger, Heinrich, fl. 1421-1465, tr.

[**Albertus Magnus,** *bp. of Ratisbon*] 1193?-1280.
Heinrich Mynsinger von den falken, pferden und hunden, hrsg. von dr. K. D. Hassler. Stuttgart, Litterarischer verein, 1863.

Mynsinger, Joachimus, 1517-1588.
... Apotelesma hoc est, corpvs perfectvm scholiorvm, ad Institvtiones Ivstinianeas pertinentivm. Ex secundâ recognitione Arnoldi de Reyger ... Helmaestadii, ex officina Iacobi Lvcii, impensis heredum Ludolphi Brandes, 1595.
20 p.l., 704, [62] p., 1 l. $35\frac{1}{2}$cm.
Title vignette.

NM 0923879 MH-L

Mynsinger, Joachimus, 1517-1588.
... Apotelesma, hoc est, corpus perfectum scholiorum, ad Institutiones Iustinianeas pertinentium. Accessit etiam hvic editioni passim ivs novissimvm: tam ex novellis constitutionibus, quàm ex imperialibus recessibus & observationibus Cam. imp. ... pluribus in locis castigate ... ex secunda recognitione Arnoldi de Reyger ... [n.p.] excudebat Stephanus Gamonetus, 1605.
30 p.l., 914, [76] p., 1 l., [8] p. 24cm.

NM 0923880 MH-L

Mynsinger, Joachimus, 1517-1588

Joachimi Mynsingeri a Frvndeck, I.C. nobiliss, et clariss. apotelesma hoc est, corpus perfectum scholiorum, as institutiones Justinianeas pertinentium; accessit huic editioni passim ius nouissimum, tam ex Nouellis constitutionibus, quàm ex imperialibus recessibus & obseruationibus Cam. Imp. fundamenta quoque & legis in marginae allegatae pluribus in locis casti-

gatae, restitutae & distinctae, de voluntare & consilio authoris. Ex quarta recognitione Arnoldi de Reyger, I.C. cum indice quadrigemino. Postrema editione, prioribus auctior & emendatior...Lugduni, G.Rovillii, 1616.

NM 0923882 InU

7635
.818

Mynsinger, Joachimus, 1517-1588.
...Apotelesma; hoc est, Corpvs perfectvm scholiorvm ad Institutiones Istinianeas pertinentium. Post adiectvm ex postrema recognitione Arnoldi de Reyger...passim ius nouissimum.. Accesservnt hvic postremae, recens avctae, emendatae & ab omni offensiuâ doctrinâ vindicatae editioni..remissiones plurimae ad ipsius Mynsingeri, nec non Andreae Gaillii obseruationes... Vaeneunt Lovanii, Apud I.Sassenvm, 1619.
16 l., 752, 62 p. 24 cm.

NM 0923883 NjP

Mynsinger, Joachimus, 1517-1588.
Ioachimi Mynsingeri a Frvndeck ... Apotelesma, hoc est, corpvs perfectvm scholiorvm, ad Institutiones Iustinianeas pertinentium. Accessit passim ivs novissimvm, tam ex nouellis constitutionibus, quàm Imperialibus recessibus & obseruationibus, Cam. Imp. Fundamenta quoque & leges in margine allegatae pluribus in locis castigatae, restitutae & distinctae, de voluntate & consilio auctoris ... Cvm indice qvadrigemino. Ad fidem indicis expurgatorij sacrae inquisitionis. Editio novissima. Lvgdvni, sumptibus Clavdii Larjot, typrographi Regij, MDCXXIII [1623]
914 p.

NM 0923884 CLL

Mynsinger, Joachimus, 1517-1588.
... Apotelesma, id est, corpvs perfectvm scholiorvm ad Institvtiones Iustinianeas pertinentium ... ex recognitione Arnoldi de Reyger ... cum remissionibus ad ipsius Mynsingeri, Gailli observationes imp. Cam. Studio & labore Ioannis Fehi ... Ed. reformata ... Lvgdvni, sumptibus FFR. Anissoniorvm, & Ian. Poysvel, 1676.
8 p.l., 854, [74] p. 23cm.

NM 0923885 MH-L

Mynsinger, Joachimus, 1517-1588.
... Apotelesma, hoc est, corpus perfectum scholiorvm ad institvtiones Justinianeas pertinentium. Post adiectvm ex postrema recognitione Arnoldi de Reyger ... Accesservnt ad oram libri passim remissiones plurimae ad ipsius Mynsingeri, necnon Andreae Gailii Observationes ac commentaria, cupidae legum juventuti ... opportune insertis. Post plvrimas alias ed. vltima, novis & eruditis additionibus locupleta, &

à multis mendis vindicata, ac nunc demum ex postrema eaque ac curatissima ipsius autoris recognitione de integro correcta ... Coloniae et Francofvrti, sumptibus Joannis Hermanni Weyer, 1678.
10 p.l., 956, [84] p., 1 l. front. (port.) diagrs. 21cm.

NM 0923887 MH-L

VOLUME 403

Mynsinger, Joachimus, 1517-1588.
Ioachimi Mynsingeri a Frundeck ... Apotelesma hoc est corpus perfectum scholiorum ad institvtiones Justinianeas pertinentium. Post adiectvm ex postrema recognitione Arnoldi de Reyger ... Coloniae et Francofvrti, sumptibus haeredum Joannes Widenfeld, & Godefridi de Berges, M.DC.LXXXVIII.
7 p. l., 856 [85] p. port. 21 1/2 cm.

1. Roman law. 2. Corpus juris civilis. Institutiones. I. Title: Apotelesma hoc est corpus

NM 0923888 NcU

Mynsinger, Joachimus, 1517-1588.
Ioachimi Mynsingeri a Frundeck, ... Apotelesma, id est, corpus perfectum scholiorum ad Institutiones Iustinianeas pertinentium ... Accesserunt nunc demum, paragraphorum summae jurisconsultorum clarissimorum notae, graduum descriptiones; & librorum titulorúmque synopses; cum remissionibus ad ipsius Mynsingeri, Gailli observationes Imp. Cam. Studio & labore Ioannis Fehl ... Editio reformata, & indici sacrae inquisitionis expurgatorio conformis facta. Lugduni, sumpt. Anissoniorum, Ioan. Posuel & Claudii Rigaud, MDCLXXXXI [1691]
854 p.

NM 0923889 CLL

Mynsinger, Joachimus, 1517–1588.
Dn. Ioachimi Mynsingeri a Frvndeck ... Apotelesma, sive corpvs perfectvm scholiorum ad quatuor libros Institutionum iuris ciuilis: iam denuò ... renatum ... & à mendis ... repurgatum: multoq; auctius redditum ... Basileae, apvd Nicolaum Episcopium iuniorem, MDLIX.
14 p. l., 660, [68] p. 33cm.
Device of Episcopius on t.-p. and at end.
Insignia gentilitia Mynsingerorvm a Frvndeck (woodcut coat of arms), sig. [α8] Initials.
1. Roman law. I. Corpus juris civilis. Institutiones. II. Title: Apotelesma, sive corpvs perfectvm scholiorum.

32-19418

Library of Congress [2] 349.374

NM 0923890 DLC MiU

DG
403
[illegible]76
[illegible].516

Mynsinger, Joachimus, 1517-1588.
Apotelesma, sive corpus perfectvm scholiorvm ad quatuor libros Institutionum Iuris Ciuilis: iam denuò, sed multò felicius quàm antea, impressum ... Venetiis, excudebat Dominicus Nicolinus, 1569.
660 p. [Consilia/statuti collection, v. 516]

1. Roman law. 2. Corpus juris civiles. Institutiones. I. Title. II. Series.

NM 0923891 CLU

Mynsinger, Joachimus, 1517-1588.
Ioachimi Mynsingeri a Frvndeck Apotelesma, sive Corpvs perfectum scholiorum ad quatuor libros Institutionum juris civilis: iam denuò ... renatum: et à mendis propemodum innumeris ... repurgatum, multoq; auctius redditum. Additis IIII. indicibus ... Lvgdvni, Apud G. Rouillium, 1579.
[16], 814, [62+] p. 26cm.
Imperfect: 2? leaves lacking at end.
In manuscript on title page: Willmis Juxon ex legato Mri Joh. Whicksteede Archiquinternistae. 1607. / John Chichester Esq.

1. Corpus juris civilis. Institutiones. I. Title: Apotelesma. LC

NM 0923893 MiU-L

Mynsinger, Joachimus, 1517-1588.
... Apotelesma, sive corpvs perfectvm scoliorvm ad quatuor libros institutionum iuris ciuilis. Iam denuò, sed multò faelicius quàm antea, impressum ... Venetiis, apud Ioannem Baptistan à Porta, 1587.
34 p.l., 660 p. 30½cm.

Title vignette.

NM 0923894 MH-L

Mynsinger, Joachimus, 1517–1588.
Ioachimi Mynsingeri a Frvndek ... Apotelesma, sive Corpvs perfectvm scoliorv̄, ad quatuor libros Institutionum iuris civilis. Hac novissima editione multò uberius et emendatius quam ante excussum ... Adiectis rerum memorabilium & paragraphorum indicibus singularibq; necnon elencho locorum Codicis atque Pandectarum quae inter explicandum enucleantur. Venetiis, apud Paulum Vgolinum, 1595.
37 p. l., 706 p. 29½cm.
L. C. copy imperfect: t.-p. wanting, supplied in manuscript; 4th–6th prelim. leaves wanting.
1. Roman law. 2. Corpus juris civilis. Institutiones. I. Title: Apotelesma.

45–34547

NM 0923895 DLC CtY-L

Mynsinger, Joachimus, 1517–1588.
Ioachimi Mynsingeri a Frvndek ... Apotelesma, sive Corpvs perfectvm scoliorvm, ad quatuor libros Institutionum iuris ciuilis. Hac nouissima editione multo vberius & emendatius quàm antea excusum ... Adiectis rerum memorabilium, & paragraphorum indicibus singularibus; necnon elencho locorum Codicis atq; Pandectarum, quæ inter explicandum enucleantur. Venetiis, apud hæredes Melchioris Sessæ, MDXCIX.
37 p. l., 706 p. 30cm.
Title vignette (publisher's device)
1. Roman law. 2. Corpus juris civilis. Institutiones. I. Title: Apotelesma. II. Title: Corpvs perfectvm scoliorvm, ad quatuor libros Institutionum iuris ciuilis.

38-33587

NM 0923896 DLC

MYNSINGER, Joachim.
Apotelesma, sive corpus perfectum scholiorum ad quatuor libros Institutionum juris civilis. Venetiis, 1581.

NM 0923897 MH-L

Mynsinger, Joachimus, 1517–1588.
Ioachimi Mynsingeri...Avstriados Libri Dvo... Basileæ, Apud Mich. Isingriniū, 1540. 6 p.l., 75 p. 20cm. (4°.)

MAITLAND COLLECTION.
12772. 1. Poetry, German, Neo-Latin. 2. Austria—Hist.—Poetry. I. Title.
N. Y. P. L. *Card revised* February 1, 1950

NM 0923898 NN MH

Bonaparte Collection No. 9939

Mynsinger, Joachimus. 1517-1588.
1517-1588.
Ein christlick vnde sehr schön bedeboeck, vull godtsaliger betrachtingen vnde gebeden vor allerley gemeinen vnde sunderbaren nöden vnde anliggen... Am ende mit schönem trost vnde gebeden vor de seevarenden vnde wanderslüde gemehret vnde gebetert. Genamen vth m. Stephani Praetorii Seevarer trost. Lübeck, 1611.

"Thom christlyken leser" signed: Joachim Münsinger van Frondeck.
Title in red and black within ornamental border.

NM 0923899 ICN

MYNSINGER, Joachim.
Exhortatio ad bellum contra Turcas suscipiendum. [Tübingen, cir, 1533]

sm.4°. ff.(10).

NM 0923900 MH

Rare
PA
8555
.M455
A6
1540

Mynsinger, Joachimus, 1517-1588.
Exhortatio ad bellum contra Turcas suscipiendum. Hymni in aliquot festa. Murium et ranarum pugna, ex Homero translata. Naufragium Venetum. Elegiarum liber unus. Epigrammatum liberunus. Basileae, apud Mich. Isingriniū, 1540.
4p.ℓ., 170p. 18.2cm.

Signature: a-x4, y5
Brown paper covers. Closely trimmed, affecting some running titles.

At head of title: "Ioachimi Mynsingeri Dentati a Frvndeck, ivre consvlti, Neccharides. Eivsdem."

I. Title. II. Title: Hymni in aliqout festa. III. Title: Murium et ranarum pugna. IV. Title: Naufragium Venetum. V. Title: Elegiarum liber unus. VI. Title: Epigrammatum liberunus.

NM 0923902 ScU

Mynsinger, Joachimus, 1517-1588
... In qvatvor libros, institutionum iuris civilis, scholia. Hac nostra novissima editione multo vberius, & emendatius, quàm antea excusa, atque ... allegationibus iurium restitutis in publicum emissa. Adivnctis qvatvor indicibvs ... Venetiis, apud Ioannem Guerilium, 1618.
30 p.l., 630 p. 32½cm.

NM 0923903 MH-L

DG 88
.M96
(Rare)

Mynsinger, Joachimus, 1517-1588.
In tit. Instit. De actionibvs, Ioachimi Mynsingeri ... scholia, materiam eius uniuersam, diffuse atque infelici superiorum stylo conditam ... Basileae, Apud Mich. Isingrinium, 1545.
[6] 387 [25] p.
Printer's device.

1. Corpus juris civilis. Institutiones. 2. Actions in rem (Roman law) I. Title: In titulum Institutionum De actionibvs ... scholia.

NM 0923904 ICU

BU
169
M97

Mynsinger, Joachimus, 1517-1588.
...In tres libri II. Decretal. titulos de probationib., de testib. & attest. & de fide instrument. commentarii...accesserunt eiusdem...Enarrationes breves...in solenne ac memorabile cap. "Quoniam frequenter" &c. quod sub tit. VI...lib. II Decretal. extat [sic]... Helmstadii, ex officina Iacobi Lucii Transylvani, 1582.
6 l., 291p. 15 l., 103p. 7 l., 33cm.
1. Evidence (Canon law). 2. Gregorius IX, Pope, ca. 1170-(1227)-1241. Decretals. I. Sixteenth century books 1582.

NM 0923905 IMunS MH-L CU-L

MYNSINGER, Joachim, 1517-1588.
Neccharides. Tubingae, per Huldenrichum Morhart, 1533.

4°. ff.(12).

NM 0923906 MH

Gr8
187

Mynsinger, Joachimus, 1517-1588.
Ioachimi Mynsingeri ... Neccharides. Eivsdem Exhortatio ad bellum contra Turcas suscipiendum. Hymni in aliquot festa. Murium & ranarum pugna ex Homero translata. Naufragium venetum. Elegiarum liber unus. Epigrammatum liber unus. Basileae, apud Mich. Isingriniū, 1540.
4p.ℓ., 170p. 20 x 15½cm.
Title vignette (device of Johann Bebel)
Errors in paging: p.98-99 numbered 102-103; p.102-103 numbered 98-99.

NM 0923907 CtY MiU

VOLUME 403

Vault AL 141 H7 M99 +1576 Mynsinger, Joachim, 1517-1588.
Responsorvm ivris, sive consiliorum decades decem, sive centuria integra, nuno primim in communem iuris studiosorum usum publicatae ac editae. Accessit index rerum & uerborum loupletiss ... Basileae, Ex officina Evsebii Episcopii et Nicolai fratris haeredum, MDLXXVI.
[6]p.,774 numbered columns on [387]p.,[34]p. 34cm.
Printer's device on title-page and on last leaf.
Author's coat of arms on verso of t.p.

NM 0923908 CtY-L MH-L

Mynsinger, Joachimus, 1517-1588.
Ioachimi Mynsingeri a Frvndeck Responsorvm ivris sive consiliorvm decades decem, sive centuria integra, nunc primum ... publicatae ac editae ... Basileae, Ex officina Evsebii Episcopii et Nicolai fratris haeredum, 1580.
702 columns. illus. 34 cm.
Printers' device on t. p. and at end. Armorial device of the Mynsinger family on verso of t. p.

1. Law—Basel (Diocese)

74-235461

NM 0923909 DLC MiU-L NIC MH-L

Mynsinger, Joachimus, 1517-1588.
Ioachimi Mynsingeri Singvlarivm obseruationum Iudicij Imperialis Camerae (uti uocant) centuriae quatuor, iam primvm in lvcem emissae. Basileae, Apvd N. Episcopium F., 1563.
176 p. 33 cm.

1. Law reports, digests, etc.—Holy Roman Empire. 2. Holy Roman Empire—Constitutional law. I. Holy Roman Empire. Reichskammergericht. II. Title: Singularium observationum Iudicii Imperialis Camerae centuriae.

68-129502

NM 0923910 DLC PPL CSmH

LB FL6 M997s 1570 Mynsinger,Joachimus,1517-1588.
Dn.Ioachimi Mynsingeri à Frvndeck Singularium obseruationum iudicij Imp.(ut uocant) Camerae centvriae IIII. Iam denuò renatae,& à mendis propemodum innumeris(ut nouum opus uideri possit) quàm accuratissimè repurgatae. Basileae, Per Evsebivm Episcop.& Nicolai fratris haeredes, 1570.
15 p.l.,482,[80] p.
Device of Episcopius on t.p.and at end.
Original(?) vellum binding with sections of ten printed leaves used as filler.

NM 0923911 MiU-L MH-L CtY-L CLU

Mynsinger, Joachimus, 1517-1588.
... Singvlarivm observationvm imper. camerae centur. VI. Ed.4. ex recognitione Arnoldi de Reyger, prioribvs castigatior et correctior ... ad concordantes quaestiones in ... Andreae Gail obseruationibus videndas ... Lipsiae, excudebat J. Beyervs, 1591.
22 p.l., 652, [95] p. 19½cm.
Title vignette (device of printer)

NM 0923912 MH-L

Mynsinger, Joachimus, 1517-1588.
... Singvlarivm observationvm Imper. camerae, centur. VI. Ed. 5, ex recognitione Arnoldi de Reyger, prioribvs castigatior et correctior ... ad concordantes quaestiones in ... Andreae Gail obseruationibus videndas ... Helmaestadii, excudebat Iacobus Lucius impensis haeredum Ludolphi Brandes, 1594.
24 p.l., 652, [98] p. 19½cm.

NM 0923913 MH-L

MYNSINGER, Joachim, 1517-
Singularium observationum imper, camerae centur, vi. Editio prioribus castigatior.... ex novissima & omnium postrema recognitione Arnoldi de Reyger. Helmaestadii,1599.

Same.
Appended to GAIL, A. Observationum practicarum libri duo,1609.

NM 0923914 MH-L

Mynsinger, Joachimus, 1517-1588.
Dn. Ioachimi Mynsingeri a Frvndeck ... Singvlarivm observationvm Imper. cameræ centuriæ VI. Editio prioribus castigatior, correctior, & locupletior, ex nouissimâ & omnium postremâ recognitione Arnoldi de Reyger ... Aureliæ Allobrogum, svmptibvs M. Berjon, M.DC.IX.
18 p. l., 370, [63] p. 22½cm.

1. Law reports, digests, etc.—Holy Roman empire. 2. Holy Roman empire—Constitutional law. I. Reyger, Arnold von, 1559-1615? ed. II. Holy Roman empire. Reichskammergericht. III. Title: Singvlarivm observationvm Imper. cameræ centuriæ VI.

35-38233

NM 0923915 DLC

Mynsinger, Joachimus, 1517-1588.
... Singularium observationum imperialis camerae, centur. VI. Ed. prioribus castigatior, correctior & locupletior, ex novissimâ & omnium postremâ recognitione Arnoldi de Reyger ... Francofurti, impensis Andreae Hartmanni, 1671.
20 p.l., 539, [85] p. 20½cm.

NM 0923916 MH-L

Mynsinger, Joachimus, 1517-1588.
Dn. Joachimi Mynsingeri à Frundeck ... Singularium observationum Imperialis camerae centur. VI. Ed. prioribus castigatior, correctior & locupletior ... Ex novissimâ & omnium postremâ recognitione Arnoldi de Reyger ... Coloniae Agrippinae, sumptibus Joannis Schlebusch, 1697.
20 p.l., 539, [85] p. 19½cm.
Title in red and black.

NM 0923917 MH-L

Mynssen, Frans
see Mijnssen, Frans.

Mynssen, Gerard Jan Adolph
... De quaestione an jure hodierno europaeo conductori rei immobilis, jus in re locata collatum videatur ... submittit Gerardus Janus Adolphus Mynssen ... Amstelaedami, P.N. van Kampen, 1842.
viii, 51, [2] p. 20½cm.
Diss.- Leiden.
Bibliographical footnotes.

NM 0923919 MH-L

Mynster, Christian Ludvig Nicolai, 1820-1883, ed.
Sibbern, Frederick Christian, 1785-1872.
Breve til og fra F. C. Sibbern. Udg. af C. L. N. Mynster. Kjöbenhavn, Gyldendal (F. Hegel) 1866.

198 K472my Mynster, Christian Ludvig Nicolai, 1820-1883.
Har S. Kierkegaard fremstillet de christelige Idealer - er dette Sandhed? Udgivet med et Forord af Jakob Paulli. Kjøbenhavn, C. A. Reitzel, 1884.
46p. 18cm.

1. Kierkegaard, Søren Aabye, 1813-1855. I. Paulli, Jakob Peter Mynster, 1844-1915, ed. II. Title.

NM 0923921 IEN MH MnU NN

Mynster, Christian Ludvig Nicolai, 1820-1883, ed.
Mindeblade om Oehlenschläger og hans kreds hjemme og ude
see under Oehlenschläger, Adam Gottlob, 1779-1850.

B M997m Mynster, Christian Ludvig Nicolai, 1820-1883, ed.
Nogle blade af J. P. Mynster's liv og tid. Kjøbenhavn, Gyldendal, 1875.
vi, 483p. 22cm.

1. Mynster, Jakob Peter, Bp., 1775-1854.

NM 0923923 IU MB KU

Pamph. v.539 MYNSTER, Christian Ludvig Nicolai, 1820-1883.
Nogle eringringer od bemaerkninger om J.P. Mynster. Kjoebenhavn, Gyldendal, F. Hegel & Son, 1877.
65p. 18.5cm.

NM 0923924 MH-AH

Western Americana Z064 862my [Mynster, Christian Peter Outzon] 1804-1877.
Vogt Dig for mormonerne ... Kjøbenhavn,F Wøldikes Forlagsboghandel,1862.
22cm. 18½cm.

1.Mormons and Mormonism. I.Title(2)

NM 0923925 CtY

Mynster, Frederik Joachim, 1816-1857.
Mynster, Jacob Peter, *bp.*, 1775-1854.
Meddelelser om mit levnet. Af dr. J. P. Mynster. Kiøbenhavn, Gyldendal (F. Hegel) 1854.

Mynster, Frederik Ludvig, 1811-1885, tr.
FOR OTHER EDITIONS SEE MAIN ENTRY
[Macpherson, James] 1736-1796.
Digte af Ossian. 2. samling. (Med en ossiansk sangmelodi.) Ved F. L. Mynster. Kjøbenhavn, I commission hos A. F. Høst, 1850.

Mynster, Frederick Ludvig, 1811-1885.
Lidt mere om Ossians Digte. En Afhandling af F. L. Mynster. Kjøbenhavn: A. F. Høst & Søn, 1878. 26 p. 16°.
Cover-title.

1. Ossian. 2. Macpherson, James, 1736-96.
N. Y. P. L. September 7, 1922.

NM 0923928 NN

PD 3085 .M9 Mynster, Frederik Ludvig.
Den moderne retskrivnings ødelæggende virkninger. Kjøbenhavn, Schubothe, 1871.
85 p. 19 cm.

1. Danish language - Hist. I. Title.

NM 0923929 WU

VOLUME 403

PT 1621 M99 Mynster, Frederik Ludvig.
Niebelungenliedversets rythmiske eiendommeligheder saaledes som dette vers har udviklet sig i den danske digtekunsts frembringelser. Kjøbenhavn, H. Hagerup, 1854.
32 p. 23cm.

1. Nibelungenlied--Versification.

NM 0923930 NIC

BX8080 .M96A4 Mynster, Jacob Peter, Bp., 1775-1854.

Af efterladte breve til J. P. Mynster. Kjøbenhavn, Gyldendal, 1862.

---

943 Luth.350 M997ko 1836 [MYNSTER, Jakob Peter, bp.] 1775-1854
Almindelig kirkeboen og collector paa Jubelfesten i 1836 til erindring om reformationens indfoerelse i Danmark. Kioebenhavn, Jens Hostrup Schultz [1836]
15p. 21cm.

Bound with his Kort beretning ... 1836.

NM 0923932 MH-AH

BS 2652 M9 LC Coll. Mynster, Jacob Peter, Bp., 1775-1854.
Annalium Paulinorum adumbratio; qua programmatis loco inaugurationem ... Petri Christiani Stenersen Gad, Theologiae Doctoris, primo die festo Adventus Domini in aede Divae Virginis sacro ritu peragendam indicit Jacobus Petrus Mynster. Hauniae, Typis Directoris Jani Hostrup Schultz, 1845.
39 p. 25cm.

Cover title.

1. Paul, Saint, apostle. I. Gad, Peter Christian Stenersen. II. Title.

NM 0923933 CBPL

Mynster, Jacob Peter, *bp.*, 1775-1854.
Betrachtungen über die christlichen glaubenslehren. Von dr. J. P. Mynster ... Übersetzt von Theodor Schorn ... Hamburg, F. Perthes, 1835.
2 v. 21 cm.

1. Devotional literature. I. *Schorn, Theodor, 1796-1879, tr. II. Title.
BV4836.M94 48-41747

NM 0923934 DLC MH-AH PPLT ICU

Mynster, Jacob Peter, 1775-1854.
Betrachtungen über die christlichen Glaubenslhren. Übersetzt von Theodor Schorn. Zweite Auflage. Hamburg, Friedrich Perthes, 1840.
iv, 690 p. 22 cm.

NM 0923935 PPLT

Mynster, Jacob Peter, *Bp.*, 1775-1854.
Betragtninger over de christelige Troeslærdomme. 2. Opl. Kiøbenhavn, Gyldendal, 1837.
2 v. 18 cm.
First pub. 1833.

1. Devotional literature. 2. Christian life.
BV4836.M9 1837 17-6070*

NM 0923936 DLC KyU

BV 4836 .M 9 1846 Mynster, Jacob Peter, bp., 1775-1854.
Betragtninger over de christelige troeslærdomme. Af dr. J. P. Mynster ... 3. opl. Kjøbenhavn, J. Deichmanns (forhen Gyldendals) forlag, 1846.
2 v. 18cm.

Bibliographical references included in footnotes.

1. Devotional literature. I. Title.

NM 0923937 MdBJ

BR123 M95 Mynster, Jacob Peter, Bp., 1775-1854.
Betragtninger over de christelige troeslaerdomme. 4. Opl. Kiøbenhavn, Glydendal, 1855.
v. 20cm.

1. Christianity - Addresses, essays, lectures. I. Title.

NM 0923938 IaU

Mynster, Jacob Peter, *Bp.*, 1775-1854.
Bidrag til læren om drifterne.

(*In* Danske videnskabernes selskab, Copenhagen. Skrifter. Historisk og filosofisk afdeling. Kjöbenhavn, 1827. 25 cm. [4. række] 3. deel, p. [1]-58)

Bibliographical footnotes.

1. Instinct.
[AS281.D222 4. række, 3. deel] A 49-3650*

Chicago. Univ. Libr. for Library of Congress [2]

NM 0923939 ICU

Mynster, Jacob Peter, 1775-1854.
Blandede skrivter. Kjoebenhavn, 1852-55.
4 v. 8vo.

NM 0923940 NN

Mynster, Jacob Peter, *Bp.*, 1775-1854.
Breve. Kjøbenhavn, Gyldendal, 1860.
234 p. 22 cm.

BX8080.M96A42 63-56299 †

NM 0923941 DLC WU NN MH-AH

Mynster, Jakob Peder.
Christlicher haus-alter oder, Religiöse vorträge fuer geist und herz, auf alle Sonn-und festtage im jahre; aus dem Dänischen. Hamburg, Nestler, 1834-35.
2 v.

NM 0923942 PPLT

BS 2675 M9 LC Coll. Mynster, Jacob Peter, Bp., 1775-1854.
De illo fratre, cuius Paulus 2 Cor. VIII, 18 mentionem facit, commentatio; qua programmatis loco inaugurationem ... Helgii Gudmundi Thordersen ... in aede Divae Virginis solenni ritu peragendam indicit Jacobus Petrus Mynster. Hauniae, Typis Directoris Jani Hostrup Schultz, 1846.
16 p. 24cm.

Cover title.

1. Bible. N.T. 2 Corinthians VIII, 18--Criticism, interpretation, etc. I. Thordersen, Helgius Gudmundus. II. Title.

NM 0923943 CBPL

BF118 D3M9 Educ.-Psych. Library Mynster, Jacob Peter, Bp, 1775-1854.
Grundrids af den almindelige psychologie. Kiöbenhavn, Gyldendal, 1830.
x, 132 p.

Bibliographical footnotes.

1. Psychology - To 1850.

NM 0923944 CU

Mynster, Jacob Peter. Hugleidíngar um høfudatridi kristinnar trúar samdar af Dr. J. P. Mynster. . . . Útgefnar á íslensku af Þorgeiri Gudmundssyni. . . . Kaupmannahøfn, prentadar í Brünnichs prenthúsi, 1839. 8°. pp. viii + 567. IcH11M995
Inserted is a prospectus. According to Jón Borgfirðingur (Rithöfundatal, p. 78) this translation is by Bryn. Pétursson, Jónas Hallgrímsson, and Konráð Gíslason. A later ed., Kmhöfn, 1853, is not in the Collection.

NM 0923945 NIC NN NdU

MYNSTER, Jacob Peter, 1775-1854.
Hugleiðingar um höfuðatriði kristinnar trúar. Ný útgáfa. Kaupmannahöfn, hjá L. Klein, 1853.
Scan 5994.591.5
Útgefandi: Egill Jónsson.
According to the preface, this edition is the same as the 1839, with slight corrections in spelling. The 1839 edition, according to Jón Borgfirðingur (Rithöfundatal, p.78) was translated by Bryn. Pétursson, Jónas Hallgrímsson and Konráð Gíslason.

NM 0923946 MH

Mynster, Jacob Peter, Bp., 1775-1854.
Kirkelige Leiligheds-Taler. Kiøbenhavn, E. A. Reitzels Bo og Arvinger, 1854.
2v.

NM 0923947 ICRL

Mynster, Jacob Peter, 1775-1854.
Kleine theologische Schriften, von Dr. J. P. Mynster ... Kopenhagen, Verlegt von der Gyldendalschen Buchhandlung, 1825.
xiv, 408p. 22cm.

NM 0923948 NNUT MH CtY

---

943 Luth.350 M997ko 1836 [MYNSTER, Jakob Peter, bp.] 1775-1854.
Kort beretning om den danske kirkes reformation. For menige Christne ved Jubelfesten 1836. Kioebenhavn, Jens Hostrup Schultz [1836]
60p. 21cm.

With this is bound his Almindelig kirkebeon og collecter ... 1836.

NM 0923949 MH-AH

Mynster, Jakob Peter, *Bp. of Seeland*. 1775-1854. Logiske bemaerkninger om identited. 34 pp. (*Skandin. litteraturselskab*, v. 21, p. 319.)—
Nathan den vise.—52 pp. (*Skandin. litteraturselskab*, v. 13, p. 136.)

NM 0923950 MdBP

Mynster, Jacob Peter, *bp.*, 1775-1854.
Meddelelser om mit levnet. Af dr. J. P. Mynster. Kiøbenhavn, Gyldendal (F. Hegel) 1854.
6 p. l., 292 p. front. (port.) $20\frac{1}{2}$cm.
Ed. by his son, Frederik Joachim Mynster.

1. Mynster, Frederik Joachim, 1816-1857.
17-1140

NM 0923951 DLC MH-AH IU NdU

VOLUME 403

BX 8080
.M94 A2
1884
Mynster, Jacob Peter, bp., 1775-1854.
Meddelelser om mit levnet. Af dr. J. P. Mynster. 2. opl. Kjøbenhavn, Gyldendalske boghandling (F. Hegel & søn) 1884.
7 p.l., 298 p. front. (port.) 21cm.

Edited by his son, Frederik Joachim Mynster.

I. Mynster, Frederik Joachim, 1816-1857, ed.

NM 0923952 MdBJ

Mynster, Jacob Peter, 1775-1854.
Nogle Blade af J.P. Mynster's Liv og Tid
see under Mynster, Christian Ludvig Nicolai, 1820-1883.

BX
8066
M9
P68
Mynster, Jacob Peter, Bp., 1775-1854
Praedikener holdte i aarene 1852 og 1853. Kiøbenhavn, Gyldendal, 1855.
185p. 21cm.
Bibliographical footnotes.

1. Sermons, Danish 2. Lutheran Church - Sermons I. Title

NM 0923954 WU

Mynster, Jacob Peter, bp., 1775-1854.
Prædikener paa alle Søn- og Hellig-Dage i Aaret, af Dr. J. P. Mynster... København: Gyldendalske Boghandlings Forlag, 1823. 2 v. 8°.

530721-2A. 1. Sermons, Danish. April 28, 1932
N. Y. P. L.

NM 0923955 NN

BX
8066
Mynster, Jacob Peter, Bp., 1775-1854.
Prædikener paa alle søn- og hellig-dage i aaret. 3. opl. Kjøbenhavn, Gyldendal, 1837.
2 v. illus. 22 cm.

1. Sermons, Danish. I. Title.

NM 0923956 WU

252
M99p4
Mynster, Jakob Peter, 1775-1854.
Praedikener paa alle søn-og hellig-dage i aaret ... 4.oplag. Kiobenhavn, 1845.
2v. front.(port.v.1)

NM 0923957 IU

BX8066
.M8P7
Mynster, Jacob Peter, bp., 1775-1854.
Predigten ... Aus dem Dänischen übersetzt. Riga, gedruckt in der Müllerschen buchdruckerei, 1830.
288 p. 19 cm.

NM 0923958 DLC

948.9
4254Ym
Mynster, Jacob Peter, Bp., 1775-1854.
Sörgetale over Geheime-Stataminister Ove Malling ... ved Bisaettelsen i Holmens Kirkes Capel den 24de November 1829. Kiöbenhavn, C. A. Reigel [1829]
14p. 20cm.

1. Malling, Ove, 1747-1829. 2. Denmark. History. 1660-1814.

NM 0923959 IEN

BX
8034
S54
M95
Mynster, Jakob Peter, bp. 1775-1854
Visitatsdagbøger 1835-1853, udgivne af Selskabet for Danmarks kirkehistorie og det Danske sprog- og litteraturselskab, ved Bjørn Kornerup. København, Levin & Munksgaard, 1937.
2v. in 1. fronts. 25cm.

1. Visitations, Ecclesiastical - Sjaelland, Denmark (Diocese) 2. Danske folkekirke - Government I. Kornerup, Bjørn, 1896-1957, ed. II. Selskabet for Danmarks kirkehistorie, Copenhagen III. Danske sprog- og Litteratur- selskab IV. Title

NM 0923960 WU MH-AH CtY MnU

[Mynster, Ludvig]
En Lærerinde. Skuespil i 2 Acter. Kjøbenhavn, H. Hagerup, 1864.
93 p., 1 l. 12°.

NM 0923961 NN

Mynster (Ole Hieronymus) [1772-1818]. *De carbone ejusdemque præcipuis connubiis, de ætiologia phthiseos Beddoesiana et de remediis alcalinis carbonicis. 3 p. l., 80 pp. 8°. *Havniæ, typ. C. F. Holmii*, [1797].

NM 0923962 DNLM

Mynster, Ole Hieronymus. 1772-1818.
Grundtraekkene af electricitetslaeren og magnetismen. 62 pp. (*Skandin. litteraturselskab*, v. 4, p. 1.)—Fragment af en lovtale over Daniel Ranzau. 30 pp. (*Skandin. litteraturselskab*, v. 17, p. 1.)

NM 0923963 MdBP

CT
1278
M8
A47
Mynster, Ole Hieronymus, 1772-1818
O. H. Mynster, Kamma Rahbek: en brevsamling. Udg. af Hans Kyrre og Vilhelm Maar. Leiden, E. J. Brill, 1926.
74p. illus. 22cm.
Bibliographical footnotes.

I. Rahbek, Karen Margrethe (Heger) 1775-1829 II. Kyrre, Hans Peter, 1885- ed. II. Maar, Vilhelm, ed.

NM 0923964 WU

Mynster, Ole Hieronymus, 1772-1818.
Pharmakologie ved Ole Hieronymus Mynster. Kjebenhavn (Copenhagen,) Popp, 1810.
590 p.

NM 0923965 PPPCPh

Mynter (Herman) 1845-1903. Aneurism of the innominate artery treated with ligature of the right carotid and subclavian arteries. 12 pp. 12°. *New York, Trow's*, 1887.
Repr. from: Med. Rec., N. Y. 1887, xxxii.

NM 0923966 DNLM

Mynter, Herman, 1845-1903.
Appendicitis and its surgical treatment, with a report of seventy-five operated cases, by Herman Mynter ... Philadelphia [etc.] J. B. Lippincott company, 1897.
303 p. 21½cm.
Translation of the author's thesis, Copenhagen.
Bibliography: p. [292]-295.

1. Appendicitis.

Library of Congress RD542.M98 7-2335

NM 0923967 DLC DNLM ICRL PPC OCl ICJ MB

Mynter, Herman, 1845-1903.
Appendicitis and its surgical treatment; with a report of one hundred and eighty-five operated cases, by Herman Mynter ... 3d rev. ed. Philadelphia [etc.] J. B. Lippincott company, 1900.
2 p. l., 3-231 p. 20cm.
Bibliography: p. 221-226.

1. Appendicitis.

Library of Congress RD542.M983 1-29355 Revised

NM 0923968 DLC PPC PU ICJ

Mynter, Herman, 1845-1903.
Appendicitis og dens kirurgiske behandling. Med beretning om 68 opererede tilfælde, af Herman Mynter ... København, C. A. Reitzel, 1897.
4 p. l., 200 p. 26½cm.
Thesis—Copenhagen.
RD542.M97

——— Efterskrift til Appendicitis og dens kirurgiske behandling. Supplerende beretning om 23 operede tilfælde, af Herman Mynter ... København, C. A. Reitzel, 1897.
27 p. 26½cm.

1. Appendicitis. 37-22014
Library of Congress RD542.M97 Efterskrift
[2] 617.55

NM 0923969 DLC ICRL

Mynter (Herman) [1845-1903]. Stricture of the trachea. 7 pp. 8°. [*Buffalo*, 1881.] A. L. A.
Repr. from: Buffalo M. & S. J., 1880-81, xx.

NM 0923970 DNLM

Myntkabinettet, *Stockholm*
see
Stockholm. Statens historiska museum. *Myntkabinettet.*

Mynyddog, *pseud.*
see **Davies, Richard,** 1833-1877.

[Myo]
Les vacances de Mr. et Mme Jars. [Paris] Librairie Hachette [1925?] 8 p. illus., 8 col'd pl. 26½cm.
Illustrated t.-p. and plates colored by hand.
On cover: Dessins de Jean de La Fontinelle.
Signed: Myo.

1. Juvenile literature—Picture books, French. I. La Fontinelle, Jean de, illus. II. Title.
N. Y. P. L. August 25, 1938

NM 0923973 NN

Myo Chit, Khin
see Khin Myo Chit.

DS485
B81
Z9
1947
Myo Min, *U*, 1910- ed.
Old Burma as described by early foreign travellers. With a foreword by Htin Aung. [Rangoon] Hanthawaddy [Press] 1947.
102 p. 18 cm.

NM 0923975 CtY

Myo Min, *U*, *ed.* 1910-
Old Burma as described by early foreign travellers. With a foreword by Htin Aung. [Rangoon] Hanthawaddy [Press] 1948.
102 p. 18 cm.

1. Burma—Descr. & trav. I. Title.

DS485.B87M95 S A 64-1005

NM 0923976 DLC NIC

VOLUME 403

Myobŏp yŏnhwagyŏng
see
Saddharmapuṇḍarīka.

XJ
.0885
v.48
pt.4
Myodo, Hiroshi
Effects of X-rays upon tulip plants when irradiated in different developmental stages of floral organs. Sapporo [Japan] 1952.
[359]-382 p. illus., 2 plates. 26 cm. (Journal of the Faculty of Agriculture, Hokkaido University, v.48, pt.4)
Bibliography: p. 380-381.
1. Tulipa. 2. Liliaceae. 3. Plants, Effect of X-rays on. i.t. ii.s.

NM 0923978 NNBG

Myōhōrengekyō
see
Saddharmapundarīka.

PL726
.6
.O4
Orien
Japan
Myōjō (Indexes)
Shomotsu Kara mita Meiji no bungei
Okano, Takeo, 1901-
書物から見た明治の文藝 岡野他家夫著 東京 東洋堂 昭和 17 [1942]

Myŏlgong Ŭigŏdan.
적을알고싸우자 〈이땅에와서진실을알았다〉 〈반공방첩계몽용〉 멸공의거단편저 [서울]
343 p. illus. 19 cm. 350
In colophon: 편저자 김혁
1. Korea (Democratic People's Republic) I. Kim, Hyŏk. II. Title.
Title romanized: Chŏk ŭl algo ssauja.
DS932.M9 77-826991

NM 0923981 DLC

Myology-Amphibia and Reptilia [by] Gadow, Samlian ... [and others. Vienna, New Haven etc.] 1852-1936.
28 v. in 1. illus., plates (part. col., part. fold.) fold. tab., diagrs. (part. fold) 27 cm.
Binder's title.
Extracts and reprints from various scientific publications.
1. Muscles. 2. Reptiles- Anatomy. 3. Batrachia-Anatomy.

NM 0923982 CU

Myology - Mammals. [By] Coues, Schwalbe, H. Allen, Windle et al. [Boston, etc., 1861-1909]
28 v. in 1. illus., plates (part. fold.) diagrs. 26 cm.
Binder's title.
Extracts from scientific publications.
1. Muscles. 2. Mammals.- Anatomy.

NM 0923983 CU

Myology - Mammals and birds. Sawalischin, Schuck, Frey, Romer et al. [Leipzig, etc., 1911-34]
21 v. in 1. illus., plates, diagrs. 27 cm.
Binder's title.
Extracts from scientific publications and theses.
1. Muscles. 2. Mammals - Anatomy. 3. Birds - Anatomy and phsiology.

NM 0923984 CU

明解國史 受驗參考 [丁海英等著 서울 永和出版社 1950]
4, 439 p. 19 cm.
On verso of t. p.: 洪喜裕 [等] 共著
1. Korea—Hist. I. Chŏng-Hae-yŏng. II. Hong, Hŭi-yu.
Title romanized: Myŏnghae kuksa.
DS907.M93 K 67-1256

NM 0923985 DLC

明心寶鑑抄 [n. p.· 孫基祖開刊 18—]
18 double l. 27 cm.
Title romanized: Myŏngsim pogam ch'o
K 64-113
Harvard Univ. Chinese-Japanese Library 1682 for Library of Congress [3]

NM 0923986 MH-HY

名臣史傳 京城 新民社藏版 昭和2 [1927]
2, 11, 312 p. ports. 22 cm.
At head of title: 國朝實錄準據
1. Korea—Biog.
Title romanized: Myŏngsin sajŏn.
K 64-3
Harvard Univ. Chinese-Japanese Library 2291.7 for Library of Congress [2]

NM 0923987 MH-HY

Myonius, Eutichius, pseud
see Musculus, Wolfgang, 1497-1563.

Myonne, *pseud.*
see Nielsen, Charlotte, 1906-

MYONNET, JOHN.
The blessedness of dying in the Lord consider'd. A funeral sermon, occasion'd by the death of Mrs. Anne Myonnet, preach'd at Salters-Hall, Sept. the 12th, 1725. By John Myonnet. London, Printed for J. Clark and R. Hett, 1725.
36p. 20cm. (In [Funeral sermons. (Bound pamphlet collection) v. 5, no. 13])
1. Myonnet, Mrs. Anne, d. 1725. I. Title.

NM 0923990 CtW MH

Myopia hunt club, Hamilton, Mass.
Myopia races and riders, 1879-1930
see under
Alley, Frederick J.

Myopia Hunt Club, Hamilton, Mass. *4009a.327
[Year book, containing list of officers, by-laws, list of members.] 1882-1907.
= [Hamilton, Mass.] 1907. 29 pp. 14 cm.

NM 0923992 MB

Myopia (or nearsightedness) its cause and chronic cure
see under [Celsius, Robert C]

Myopia songs and waltzes
see under Abbott, Marshall Kittredge.

PQ3870
M96
Myosotis. no.1-36; 10 avril 1863-30 mars 1864.
Vevey, Impr. Gschwind & Suter.
1 v. 25 cm.
"Légendes et nouvelles."
1. French literature - Swiss authors - Period.

NM 0923995 CtY OCl

Myothermische. Untersuchungen aus den physiologischen Laboratorien zu Zürich und Würzubrg
see under Fick, Adolf, 1829-1901.

Myover, J.H.
Jacob Franklin Highsmith.
(In Ashe, S.A. ed. Biographical history of N.C. 1905- v.2.)

NM 0923997 NcU

Myovitch, Dobrivoye.
... La réforme agraire en Voïvodine (partie septentrionale de la Yougoslavie) ... par Dobrivoye Myovitch ... Nancy, Imprimerie du centre, 1938.
2 p. l., [7]-166 p. 23cm.
Thèse—Nancy.
"Bibliographie": p. 163-164.
1. Land tenure—Yugoslavia. 2. Peasantry—Yugoslavia. I. Title.
42-40548
Library of Congress HD823.M9

NM 0923998 DLC CtY MH NNC

Myquel-Gogois, Christiane
Les Tests Mentaux.
Leur Application en Pratique Psychiatrique Infantile.
Toulouse, 1942
Thèse - Toulouse

NM 0924001 CtY-M

Myr Davoud Zadour de Melik Shahnazar
see Melik Schahnazar, Mir Davoud Zadour de.

P27
.A26
Myra, pseud.
Adventures of Kwei, the Chinese girl. By Myra [pseud.] ... London, Griffith & Farran, 1872.
iv, 203 p. front., 1 pl. 15 1/2cm.
Head and tail pieces.
I. Myra, pseud.

NM 0924003 MB

Myra: a pastoral dialogue, sacred to the memory of a lady, who died December 29, 1753, in the twenty-fifth year of her age. Bath, T. Boddley [175-?]
2 p.l., 11 p. f°.
In: NCI p.v. 13.

NM 0924004 NN

VOLUME 403

Myra Hess album, from her repertoire. Piano solo. **Wien,** Universal edition, °1938.
79 p. 30½cm.
Publisher's plate no.: U. E. 11077.

1. Piano music. I. Hess, Dame Myra, 1890–

Library of Congress M21.M995 45-34082

NM 0924005 DLC CSt OrP ICN CLSU NcD MB

---

813 M996 Myra Sherwood's cross, and how she bore it. By the author of "The object of life", "Homo in humble life", etc. Boston, Lothrop ᶜ1871ᶟ
337p. front. 18cm.

I. The object of life, Author of. II. Home in humble life, Author of.

NM 0924006 OrU

TX715 .M9 The Myra Sowell auxiliary cookbook. Franklin, Tenn. ᶜ1911?ᶟ
64 p. 20 cm.

1. Cookery, American. I. Sowell, Myra.

NM 0924007 T

Myrach, Willi.
Werkzeug- und Gerätefertigung im Apparatebau. Berlin, Verlag Technik, 1954.
188 p. illus. 21 cm. (Schriftenreihe des Verlages Technik, Bd. 86. Spanlose Formung, Heft 5)

1. Tools. I. Title.

TJ1180.M9 63-40327

NM 0924008 DLC

The myracles of our lady. ᶜLondon, W.de Worde, 1514ᶟ
Film reproduction,position 3.
Edwards brothers no.612 (case 3,carton 17)
Short-title catalogue no.17540.

1.Mary, Virgin--Legends.

NM 0924009 MiU PPT

STC 17541 The myracles of our lady.
Colophon: Imprynted in London by me Wynkyn de Worde, 1530.
A-F⁴. 4to.
Possibly White Knights library-Britwell Court-Harmsworth copy.

NM 0924010 DFo

FILM S-8 reel 1210 The Myracles of oure blessyd Lady. ᶜWestmynster, Enprynted in Caxtons house by W.de Worde, 1496ᶟ
Later editions issued under title: The myracles of our Lady.
Short-title catalogue no.17539 (carton 1210)

1.Mary, Virgin--Legends.

NM 0924011 MiU ViU

A myraculous, and Monstrous, but yet most true, and certayne discourse, of a Woman (now to be seene in London) of the age of threescore yeares, or there abouts, in the midst of whose fore-head (by the wonderfull worke of God) there groweth out a crooked Horne, of foure ynches long. [woodcut]
Imprinted at London by Thomas Orwin, and are to be sold by Edward White, dwelling at the little North dore of Paules Church, at the Signe of the Gun. 1588.
4to A⁴ unpaged black letter
A1ʳ, title; A1ᵛ, prefatory note 'The censure [i.e. judgment] of a learned Preacher that examined the woman, and perused the copie of this Booke, before it was printed.' (authenticating the prodigy & commending 'the [following] Discourse and Exhortation'); A2ʳ–A4ᵛ, text.
Britwell (sale 16: 529)

NM 0924012 CSmH

FILM A myraculous,and monstrous,but yet most true, and certayne discourse,of a woman (now to be seene in London) of the age of threescore yeares, or there abouts,in the midst of whose fore-head ... there groweth out a crooked horne,of foure ynches long. Jmprinted at London by Thomas Orwin,and are to be sold by Edward VVhite ... 1588.
University microfilms no.12232 (case 70,carton 419)
Short-title catalogue no.6911†.

1.Deformities.

NM 0924013 MiU DLC

[Hygroi taphoi]

PA5610 .M798H9 1938 Myraktios, Anestēs
Ὑγροὶ τάφοι. Θαλασσινὲς ἱστορίες ᶜὑπὸᶟ Ἀνέστη Μυρακτίου. Ἀθῆνα, 1938.
96 p. 18cm.

NM 0924014 OCU

Myraly
see
ʻAlī Shīr, *Mīr, called* al-Nawāʼī, 1441–1501.

Myraly-Emir Aly Novaïi
see ʻAlī Shīr, Mīr, called al-Nawāʼī, 1441-1501.

Myran, Henrik.
...Fra seil til damp; de gamle skipsverfter på Laksevåg, en historikk. Bergen, J. Grieg ᶜ1943ᶟ 62 p. illus. 23cm.
On cover: Bergens sjøfartsmuseum.

1. Shipbuilding—Norway. I. Bergen, Norway. Bergens sjøfartsmuseum.
N. Y. P. L. March 17, 1949

NM 0924017 NN

Myran, Henrik.
Herfra går skibe. Aksjeselskapet Bergens mekaniske verksteder, 1855–1955 ᶜavᶟ Henrik Myran og Kåre Fasting. ᶜBergen, 1955ᶟ
261 p. illus. (part col.) ports. 26 cm.

1. Bergens mekaniske verksteder, Aksjeselskapet. I. Fasting, Kåre, 1907– joint author. II. Title.

VM301.B4M9 57-49018 ‡

NM 0924018 DLC OKentU NN

Myrand, Ernest *i. e.* J Ernest, 1854–
Une fête de Noël sous Jacques Cartier, par Ernest Myrand. Québec, Impr. de L. J. Demers & frère, 1888.
256 p., 2 l. port., map. 23cm.

1. Cartier, Jacques, 1491–1557. 2. Christmas. I. Title.

Library of Congress E133.C3M97 15-17572
——— Copy 2.

NM 0924019 DLC CaBVaU MH

Myrand, Ernest, i.e. J Ernest, 1854–
... Une fête de Noël sons Jacques Cartier... 2. éd. L.-J. Demers & frère, 1890.
294 ᶜ1ᶟp.

NM 0924020 OCl CtY CU CaBVaU

Myrand, Ernest *i. e.* J Ernest, 1854–
... Une fête de Noël sous Jacques Cartier ... 3. éd. Lille ᶜetc.ᶟ Société Saint-Augustin, Desclée, De Brouwer et cie ᶜ1911ᶟ
239, ᶜ1ᶟ p. illus., pl., port. 25½cm. fr. 5

1. Cartier, Jacques, 1495–1552. I. Title.

Library of Congress E133.C3M99 12-1945

NM 0924021 DLC

Myrand, Ernest *i. e.* J Ernest, 1854–
... Une fête de Noël sous Jacques Cartier ... 3. éd. Montréal, Librairie L. J. A. Derome, limitée, 1911.
239, ᶜ1ᶟ p. incl. front. (port.) 1 illus. pl. 24½cm.

1. Cartier, Jacques, 1491–1557. 2. Christmas. I. Title.

Library of Congress E133.C3M992 19-20233

NM 0924022 DLC CtY CaQML

Myrand, Ernest *i. e.* J Ernest, 1854–
... Frontenac et ses amis; étude historique. **Québec,** Dussault & Proulx, 1902.
xi, 188 p. illus., 2 port. 23cm.

1. Frontenac, Louis de Buade, comte de, 1620–1698. 2. Canada—Hist.—to 1763 (New France)

Library of Congress F1030.M99 10-6757

NM 0924023 DLC CaOTP CU RWoU MiD-B CaBVaU PU

Myrand, Ernest *i. e.* J Ernest, 1854–
... M. de La Colombière; orateur. Historique d'un sermon célèbre prononcé à Notre-Dame de Québec, le 5 novembre 1690, à l'occasion de la levée du siège de cette ville ... Suivi des relations officielles de Frontenac, Monseignat et Juchereau de Saint Ignace.—Notices critique et biographique, etc. Montréal, Cadieux & Derôme, 1898.
304 p., 1 l. front. (port.) plates. 17cm.

1. La Colombière, Joseph Séré de, 1651?–1723. 2. Quebec expedition, 1690. 3. U. S.—Hist.—King William's war, 1689–1697.

Library of Congress E196.L13 13-5984

NM 0924024 DLC CaBViP

Myrand, Ernest, 1854–
... Noels anciens de la Nouvelle-France; étude historique ... Québec, Dussault & Proulx, imprimeurs, 1899.
199, ᶜ1ᶟ p. pl., facsims. 23cm.
Contains music.

1. Carols. 2. Folk-songs, French-Canadian. I. Title.

Library of Congress ML2881.C2M9 2-2155
ᶜ37c1ᶟ 783.63

NM 0924025 NcU DLC CaBVaU CtY PPAmP MB CaOTU RWoU

Myrand, Ernest, 1854–
... Noëls anciens de la Nouvelle-France. 2. éd. ... Québec, Typ. Laflamme & Proulx, 1907.
3 p. l., ᶜ9ᶟ–323 p. pl. 23½cm.

1. Carols. 2. Canada—Soc. life & cust. I. Title.

Library of Congress ML3620.M992 8-32669 Revised

NM 0924026 DLC CtY OCl TxU

VOLUME 403

Myrand, Ernest *i. e.* **J Ernest, 1854–**
... Noëls anciens de la Nouvelle-France. **3. éd. ...**
Montréal, Librairie Beauchemin, limitée, 1913.
3 p. l., ⌊13⌋–363 p. mounted front., plates. 26½cm. (*Added t.-p.:* **Bibliothèque** canadienne. Collection Jacques Cartier)
Preface signed: Ch. ab der Halden.
The music is given for part of the songs.
"Ouvrages de M. Ernest Myrand": 3d prelim. leaf.

1. Carols. 2. Canada—Soc. life & cust. I. Title.

16-612

Library of Congress ML3620.M993

NM 0924027 DLC NjPT CU

Myrand, Ernest, 1854–
Pageants du tricentenaire de Québec, mis en scène par M. Frank Lascelles, dialogues et discours par M. Ernest Myrand... musique préparée par M. Joseph Vézina...1608–1908. Québec: Laflamme & Proulx [1908]. 36 p. 8°.
Music omitted.

1. Pageants, Canada: Quebec. 2. Lascelles, Frank.
N. Y. P. L. December 22, 1919.

NM 0924028 NN MnHi MH

Myrand, Ernest, 1854–
Pageants du tricentenaire de Québec. Dialogues et discours par Ernest Myrand. Mis en scène par M. Frank Lascelles. Musique préparée par M. Joseph Vézina. Québec, Typ. Laflamme & Proulx [1935?]

NM 0924029 MH

Myrand, Ernest, 1854–
... Sir William Phips devant Québec; **histoire d'un** siège, par Ernest Myrand. Québec, **Impr. de L. J. Demers & frère, 1893.**
428 p., 1 l. front., plates, ports., plans (2 double) 24cm.
At head of title: 1690.
CONTENTS.—Histoire documentaire.—Études critiques.

1. Quebec expedition, 1690. 2. Phips, Sir William, 1651–1695.

2-11911 Revised

Library of Congress E196.M99

MB ViU RWoU MnHi
NM 0924030 DLC CaBVaU CtY PHi PPL OCl MiU-C NcD

1854-
MYRAND, ERNEST. La société de St.-Vincent de Paul... Que., Demers, 1880. 35 p. fold. tables. 22 cm.

NM 0924031 CaNSWA

Myrand, J. Ernest
see
Myrand, Ernest, 1854-

MYRAND, M. D. P. Recueil historique. Memoires sur le Canada. Etudes sur l'instruction publique chez les Canadiens-Français... Qué., Brousseau, 1857. 24 p. 21½ cm.

NM 0924033 CaNSWA

463.61
M99
Myrann, Per, 1916-
Forelesninger i arvelære og planteforedling. Oslo, Norsk gartnerforenings forlag, 1954.
97 l.

1. Plant genetics. Text-books. 2. Plant-breeding. Text-books.

NM 0924034 DNAL

Myranth, Jean Ch.
The universal arbitration court for all nations ... U.S. in Europe...
[New York? 1918?]
D613
.M9

NM 0924035 DLC MH

Mýrasýslu.
Reglugjörð fyrir Mýrasýslu um eyðingu refa og um dýratoll. Sampykkt á fundi sýslunefndarinnar í Mýrasýslu 21. okt. 1886. Reykjavík, 1887.
4 p. 8°.

NM 0924036 NIC

Myrat, Dēmētrios Alexandrou, 1878-
'Ο Μυράτ κ' ἐγώ, πενῆντα χρόνια ζωή καί θέατρο. 'Αθῆναι [Τύποις πυρσοῦ] 1950
230 p. ports.

NM 0924037 MH

Myrat, Dēmētrios Alexandrou, 1878-
'Η ζωή μου. **'Αθήνα** [Πυρσός] 1928
309 p. ports.

NM 0924038 MH

N
6493
1901
M99a
Myrbach, Felicien de, 1853-1909, ed.
Ars nova. Hervorragende Werke der bildenden Künste des Jahres 1901 in Heliogravure. Unter der künstlerischen Redaktion von Felician Freiherrn von Myrbach. Herausgegeben von Max Herzig. [Wien, M. Herzig, 1901]
20 p. 45 plates.

1. Paintings, European. 2. Sculpture, European. I. Title. II. Herzig, Max.

NM 0924039 CLU

L759.06
M998a
Myrbach, Felician de, 1853- ed.
Ars nova; hervorragende Werke der bildenden Künste des Jahres 1901 in Heliogravure. Unter der künstlerischen Redaktion von Felicien Freiherrn von Myrbach. Hrsg. von Max Herzig. ⌊Wien, 1901⌋
30 plates. 36cm.

Guard sheets with descriptive letterpress.

NM 0924040 IEN

Myrbach, Félicien de, illus.
... Contes de Paris et de Provence...
see under Arène, Paul Auguste, 1843-1896.

---

xq745
M99f
Myrbach Felician, 1853- ed.
Die Fläche. Entwürfe für decorative Malerei, Placate, Buch- und Druckausstattung, Vorsatzpapier, Umschläge, Menu- u. Geschäftskarten, Illustrationen, Tapeten Schwarz-Weisskunst, Textiles, Druck- und Webereischablonen, Bleiverglasungen, Intarsia, Stickerei, Monogramme, Kleiderschmuck, etc., etc. Hrsg. von Felician Baron Myrbach ⌊et al. Band 1⌋ Wien, A. Schroll ⌊1901?⌋

192p. of col.illus. 32cm.

Issued in 12 fascicles.
No more published.

NM 0924043 IU OCl

Myrbach, Félicien de, 1853 –
... Napoléon. 12 illustrations ...
see under Masson, Frédéric, 1847-1923.

Myrbach, Félicien de, illus.
Masson, Frédéric, 1847–1923.
Napoleon at home; the daily life of the emperor **at the** Tuileries, by Frédéric Masson; tr. by James E. Matthew, **with** twelve illustrations by F. de Myrbach ... London, **H. Grevel** and co.; Philadelphia, J. B. Lippincott company, 1894.

Myrbach, Félicien de, illus.
FOR OTHER EDITIONS SEE MAIN ENTRY
Masson, Frédéric, 1847–
... Napoléon chez lui; la journée de l'empereur **aux** Tuileries. Illustrations par F. de Myrbach. **Paris, E.** Dentu [1894]

Myrbach, Felicien de, 1853–
Série de gravures devant servir à illustrer **Le sacre et** le couronnement de Napoléon Ier, par **Frédéric Masson;** compositions de F. de Myrbach. Paris, P. **Ollendorff** [c1911]
cover-title, 7 pl. 25cm. fr. 0.50

1. Napoléon I, emperor of the French, 1769–1821. I. **Masson, Frédéric,** 1847– Le sacre et le couronnement de Napoléon Ier.

11-19373

Library of Congress DC206.M8

NM 0924047 DLC

Myrbach, Felicien de
Sketches of England by a foreign artist
see under Villars, Paul, 1849-

MYRBACH, Felician de, 1853-
Wienerstadt. 1895.

NM 0924049 MH

Myrbach, Franz Xaver, Freiherr von, 1850–
See
Myrbach von Rheinfeld, Franz Xaver, Freiherr, 1850–

Myrbach, Otto,
Haben die Leoniden einen Einfluss auf das Wetter? Kijiw. 1927.
11 p. figs. 26½cm.

48223

NM 0924051 DAS

VOLUME 403

Myrbach, Otto
Die Schwankungen der Grosswetterlage in ihrer Abhangigkeit von der Sonnentatigkeit nebst eines Anhang uber die alteration dieser Beziehungen durch die Mondphase.
p. 217-288. figs. 27 cm.
48229

NM 0924052 DAS

Myrbach, Otto.
...Sterne, Wetter und Menschen. Wien, "Neues Osterreich," 1948. 335 p. illus. 22cm.

451284B. 1. Meteorology. 2. Weather forecasting.
N. Y. P. L. July 16, 1948

NM 0924053 NN

Myrbach, Otto.
Wanderers Wetterbuch; Einführung in das Verständnis der Wettervorgänge, von Dr. Otto Myrbach... Mit einem Beitrag von Dr. Peter Lautner und Wolkenbildern... Leipzig: Verlag Berg und Buch, 1931. 185 p. incl. diagrs., tables. illus., map. 12°.
Map in pocket.

588509A. 1. Weather forecast. I. Title.
N. Y. P. L. August 31, 1932

NM 0924054 NN DAS

Myrbach, Otto.
Dia wichtigsten Grundbegriffe und Grundlagen der Wetterprognoss. 1913.
34701 (Excerpt)

NM 0924055 DAS

Myrbach von Rheinfeld, Felicien, Freiherr, 1853-
see Myrbach, Felicien de, 1853-

Myrhbach von Rheinfeld, Franz Xaver, Freiherr von, 1850-1919.
Die arbeit und ihre stellung in der menschlichen wirtschaft. Prag, 1901.
19+1 p.

NM 0924057 MH-L

Myrbach von Rheinfeld, Franz Xaver, Freiherr von, 1850-1919.
164170 Die Besteuerung der Gebäude und Wohnungen in Oesterreich und deren Reform. Eine finanzwissenschaftliche Studie von Dr. Franz Freiherrn von Myrbach ... Tübingen, H. Laupp'sche Buchhandlung, 1886.
iv, [2], 287 p. 22cm.

NM 0924058 ICJ NSyU

Myrbach von Rheinfeld, Franz Xaver, freiherr, 1850-
Die entwicklung des wirtschaftssysteme. ... von dr. Franz freiherrn von Myrbach ... Innsbruck, Selbstverlag der k.k. Universität, 1900.
35 p. 22½cm.
"Inaugurationsrede gehalten am 5. November 1900 in der aula der Universitaet."

NM 0924059 MH-L

Myrbach von Rheinfeld, Franz Xaver, freiherr, 1850-
Der gemeinwirtschaftliche betrieb elektrischer anstalten aus dem gesichtspunkte des ökonomischen vorteils ... Tübingen, Verlag der H.Laupp'schen buchhandlung, 1886.
2 p.l., 142 p. table.

NM 0924060 MH-BA MB

Myrbach von Rheinfeld, Franz Xaver, *freiherr*, 1850-
Grundriss des finanzrechts. Von dr. Franz freiherrn von Myrbach-Rheinfeld ... Leipzig, Duncker & Humblot, 1906.
xiv, 312 p. 26cm. (*Added t.-p.:* Grundriss des österreichischen rechts ... 3. bd., 7. abt.)
"Literaturübersicht": p. xii-xiv.

8-11548

NM 0924061 DLC ICJ

HG 954 M97 1916
Myrbach von Rheinfeld, Franz Xaver, Freiherr, 1850-
Grundriss des Finanzrechts. Von Dr. Franz Freiherrn von Myrbach-Rheinfeld ... 2.veränd. Aufl. Leipzig, Duncker & Humblot, 1916.
xiv, 312 p. (Grundriss des österreichischen Rechts ... 3.Bd.,7.Abt.)
"Literaturübersicht": p.xii-xiv.

1.Finance--Austria--Law. 2.Austria--Econ. condit. I.Title.

NM 0924062 NSyU

Myrbach von Rheinfeld, Franz Xaver, Freiherr, 1850-
...Preisbestimmung bei Staatsanstalten. Von Universitätsprofessor Dr. Franz Freiherrn v. Myrbach... Brünn: F. Irrgang [1907?]. 20 p. 4°.
Repr.: Österreichische Rundschau. Bd. 12, Heft 1, 1907.
Cover-title.

1. Prices.—Regulation, Austria. 2. Monopolies (Government), Austria.
N. Y. P. L. May 19, 1924.

NM 0924063 NN

---

ar W 32593
Myrbach von Rheinfeld, Franz Xavier, Freiherr, 1850-
Die Reform der österreichischen Gebäudesteuer. [Tübingen, 1886]
[162]-210 p. 22cm.
Caption title.
Detached from Zeitschrift f. die gesammte Staatswissenschaft. 1. Heft.

1. Taxation--Austria. 2. Real property tax--Austria.

NM 0924064 NIC

Myrbach von Rheinfeld, Franz Xaver, *Freiherr*, 1850-1919.
Die Uebertretung der Zinsverheimlichung nach österreichischer Gesetzgebung. Systematisch dargestellt und erläutert von Franz Freiherrn von Myrbach. 2., gänzlich umbearb. Aufl. Graz, Leuschner & Lubensky, 1891.
viii, 170 p. 22 cm.
Includes bibliographical references.

1. Real property tax—Austria. 2. Tax evasion—Austria. I. Title.

68-41324

NM 0924065 DLC

QD1 .A325
Myrbäck, Karl, 1900- ed.
Acta chemica Scandinavica. v. 1- 1947-
[Copenhagen, E. Munksgaard]

---

390 M99
Myrbäck, Karl, 1900-
Amylas i korn och malt. Stockholm, Nyman, v.

NM 0924067 DNAL

Myrbäck, Karl, joint author. FOR OTHER EDITIONS SEE MAIN ENTRY

Euler-Chelpin, Hans Karl August Simon von, 1873-
Chemie der enzyme. Von Hans Euler ... 2., nach schwedischen vorlesungen vollständig umgearb. aufl. ... München und Wiesbaden, J. F. Bergmann, 1920-27.

Myrbäck, Karl, 1900-
Das co-enzym der alkoholischen gärung, die co-zymase, ihre bestimmung und isolierung. Von Karl Myrbäck und Hans v. Euler ...
(*In* **Abderhalden, Emil, ed. Handbuch der biologischen arbeitsmethoden ... Berlin, 1920- 25cm. abt. IV, Angewandte chemische und physikalische methoden. t. 2 (1936) p. [2009]-2016)**
Bibliographical foot-notes.

1. Fermentation. 2. Zymase. I. Euler-Chelpin, Hans Karl August Simon von, 1873- joint author. II. Title.
[*Full name:* Karl David Reinhold Myrbäck]

A C 36-2579

Title from Ohio State Univ. Library of Congress [QH324.A3 1920 abt.4, t.2] [2] (574.072)

NM 0924069 OU

Myrbäck, Karl, 1900-
Enzymatische Katalyse; Einführung in die Enzymchemie. Berlin, W. de Gruyter, 1953.
181 p. illus. 23 cm.
First published in 1931 as v. 2 of Homogene Katalyse.

1. Enzymes. 2. Catalysis. I. Title.
Full name: Karl David Reinhold Myrbäck.

QP601.M93 54-43843 ‡

NM 0924070 DLC CtY NN ICJ DNLM

Myrbäck, Karl, 1900-
Enzymatische Katalysen
... **Homogene katalyse ... Berlin, Leipzig, W. de Gruyter & co., 1931.**

QP601 .E525
Myrbäck, Karl, 1900- ed.
The **Enzymes**; chemistry and mechanism of action, edited by James B. Sumner [and] Karl Myrbäck. New York, Academic Press, 1950-52.

QP601 .B24
Myrbäck, Karl, 1900- joint ed.
Bamann, Eugen, 1900- *ed.*
Die methoden der fermentforschung, unter mitarbeit von fachgenossen herausgegeben von prof. dr. Eugen Bamann ... und prof. dr. Karl Myrbäck ... Mit 802 abbildungen ... Leipzig, G. Thieme, 1941.

Myrbäck, Karl, 1900-
Über verbindungen einiger enzyme mit inaktivierenden stoffen ... von Karl Myrbäck ... Berlin und Leipzig, W. de Gruyter & co., 1926.
145, 84 p. diagrs. 22½cm.
Akademische abhandlung—Stockholms högskola.
"Sonderabdruck aus Hoppe-Seyler's Zeitschrift f. physiol. chemie, band 158 u. 159."

1. Enzymes. [*Full name:* Karl David Reinhold Myrbäck]

35-23763

Library of Congress QP601.M95 1926 612.0151

NM 0924074 DLC ICRL

VOLUME 403

Myrbeau, Jean
Notre Dame de Consolation. Paris, Aubier, 1953.
156 p.

NM 0924075 DCU

Myrberg, Augustus Melcher resp.
Notionem peccati ad norman fidei ...
See
Beckman, Anders Fredrik, 1812-1894 pr.
Notionem peccati ad norman fidei ...

QK999 Myrberg, Ellen Marie, 1927-
Nuclear and cell division in Allium cepa as influenced by slow neutrons and x-rays. 1950.
41 l.

Typewritten.
Thesis--Univ. of Chicago.

1. Onions. 2. Plant cells and tissues.

NM 0924077 ICU

Myrberg, Erik M., respondent.
Dissertatio de usu anthropologiae in philosophia morali
see under Boëthius, Daniel, 1751-1810, praeses.

Law Myrberg, Israel, 1875- joint author.

Fahlbeck, Erik, 1893-
Konfiskatoriska skatteförfattningars rättagiltighet; utlåtanden av Erik Fahlbeck och Israel Myrberg. Stockholm, Institutet för offentlig och internationell rätt [1948]

Myrberg, Israel, 1875-
Om statstjänstemäns oavsättlighet; en rättsdogmatisk undersökning ... av Israel Myrberg ... Uppsala, Wretmans boktryckeri a.-b., 1930.
viii, 215, [1] p. 24½cm.
Akademisk avhandling—Uppsala.

1. Sweden—Officials and employees. 2. Administrative law—Sweden. I. Title.

Library of Congress JN7895.M8 34-3474
[2] 351.409485

NM 0924080 DLC ICRL ICU CtY

AS284 Myrberg, Israel, 1875-
.L9 Om tjänstemäns oavsättlighet; en redogörelse för svensk
no. 4 praxis av Israel Myrberg. Malmö, Förlagsaktiebolagets i Malmö boktryckeri, 1925.
vi, [1], 122, [1] p. 25½cm. (Half-title: Skrifter utgivna av Fahlbeckska stiftelsen, IV)

1. Civil service—Sweden. 2. Sweden—Officials and employees—Appointment, qualifications, tenure, etc.

NM 0924081 ICU MH-L NN MH DLC-P4

Myrberg, Lauri.
Bemerkungen zur Theorie der harmonischen Funktionen. Helsinki, Suomalainen tiedeakatemia, 1952.
8p. illus. (Suomalaisen tiedeakatemian toimituksia. Ser. A. I. Mathematica-physica, 107)

In German.

NM 0924082 ICRL PU-Math

Myrberg, Lauri.
Normalintegrale auf zweiblättrigen Riemannschen Flächen mit reellen Verzweigungspunkten. Helsinki, 1950.
50, [1] p. diagrs. 25 cm.
Thesis—Helsinki.
Bibliography: p. [51]

1. Riemann surfaces.

QA333.M9 51-32654

NM 0924083 DLC CtY IEN OrU NIC NNC

Myrberg, Lauri.
Normalintegrale auf zweiblättrigen Riemannschen Flächen mit reellen Verzweigungspunkten. Helsinki, Suomalainen tiedeakatemia, 1950.
50p. illus. (Suomalaisen tiedeakatemian toimituksia. Ser. A. I. Mathematica-physica, 71)

In German.

NM 0924084 ICRL PU-Math

Myrberg, Lauri.
Über das Verhalten der Greenschen Funktionen in der Nähe des idealen Randen einer Riemannschen Fläche. Helsinki, Suomalainen tiedeakatemia, 1952.
8p. illus. (Suomalaisen tiedeakatemian toimituksia. Ser. A. I. Mathematica-physica, 139)

In German.

NM 0924085 ICRL PU

Myrberg, Lauri.
Uber die vermischte randwertaufgabe der harmonischen funktionen. Helsinki, Sumoalainen tiedeakatemia, 1951.
8 p. 25 cm. (Suomalaisen tiedeakatemian toimituksia. Annales Academiae scientiarum fennicae Sarja series A.I. Mathematica-physica, 103)
"Literatur": p. 8.

NM 0924086 PU PU-Math

Myrberg, Lauri.
Uber die Existenz der Greenschen Funktion der Gleichung $\Delta u = c(P)$ auf Riemannschen Flächen. Helsinki, Suomalainen tiedeakatemia, 1954.
8 p. 26 cm. (Suomalaisen tiedeakatemian Toimituksia. Annales Academiae scientiarum fennicae. Sarja, series A.I. Mathematica-physica, 170)
"Literatur": p. 8.

NM 0924087 PU PU-Math

Myrberg, Lauri.
Über die Existenz von positiven harmonischen Funktionen auf Riemannschen Flächen. Helsinki, Suomalainen tiedeakatemia, 1953.
6p. illus. (Suomalaisen tiedeakatemian toimituksia. Ser. A. I. Mathematica-physica, 146)

In German.

NM 0924088 ICRL PU-Math

Myrberg, Lauri.
Uber die Integration der poissonschen Gleichung auf offenen Riemannschen Flächen. Helsinki, Suomalainen tiedeakatemia, 1953.
9 [1] p. 26 cm. (Suomalaisen tiedeakatemian Toimituksia. Annales Academiae scientiarum fennicae. Sarja, series A.I. Mathematica-physica, 161)
"Literatur": p. [10]

NM 0924089 PU PU-Med

Myrberg, Lauri.
Uber die Integration der Poissonschen Gleichung in einem Kreis. Helsinki, Suomalainen tiedeakatemia, 1954.
20 p. 26 cm. (Suomalaisen tiedeakatemian Toimituksia. Annales Academiae scientiarum fennicae. Sarja, series A.I. Mathematica-physica, 167)
"Literatur": p. 20.

NM 0924090 PU PU-Math

Myrberg, Lauri.
Über die vermischte Randwertaufgabe der harmonischen Funktionen. Helsinki, Suomalainen tiedeakatemia, 1951.
8p. illus. (Suomalaisen tiedeakatemian toimituksia. Ser. A. I. Mathematica-physica, 103)

In German.

NM 0924091 ICRL

Myrberg, Lauri.
Über reguläre und irreguläre Randpunkte des harmonischen Masses. Helsinki, Suomalainen tiedeakatemia, 1951.
11p. illus. (Suomalaisen tiedeakatemian toimituksia. Ser. A. I. Mathematica-physica, 91)

In German.

NM 0924092 ICRL PU-Math

Myrberg, Otto Ferdinand, 1824-1899, ed.
Bibelforskaren; tidskrift för skrifttolkning och praktisk kristendom. 1.- årg.; 1884- Stockholm, Z. Haeggström, 1884-

---

Myrberg, Otto Ferdinand, 1824-1899.
Bidrag till en biblisk theologi. Afhandlingar och skrifter samlade och utgifna af O. F. Myrberg. I-II Stockholm, 1863.
2 v. 21.5 cm.

NM 0924094 CtY

Myrberg, Otto Ferdinand 1824-1899.
Commentarius in epistolam johanneam primam,... Inaug. diss. Upsala, 1859

NM 0924095 ICRL

Myrberg, Otto Ferdinand, 1824-1899.
De schismate donatistarum dissertation historico-dogmatica.
Inaug.diss. Upsala, 1856.

NM 0924096 ICRL

Myrberg, Otto Ferdinand, 1824- resp.
In librum, qui Joelis nomine inscribitur...
see under Hesse, Jonas Fredrik, praeses.

Myrberg, Otto Ferdinand, 1824-1899.
Johanneksen Ilmestys
see under Bible. N. T. Revelation. Finnish. 1903.

Myrberg, Otto Ferdinand, 1824-1899.

Bible. N. T. Revelation. Swedish. 1888.
Johannis Uppenbarelse, med ledning af Gamla Testamentets profetia och verlds- och kyrkohistorien, förklarad af O. F. Myrberg. Stockholm, I. Hæggströms boktryckeri, 1888.

VOLUME 403

MYRBERG, O[tto], F[erdinand], 1824-1899.
Om forhallandet mellan teologi och filosofi i allmänhet och om den Boströmska filosofien i synnerhet; ett bihang till skrift af Kristian Claëson Bd. 2. Upsala, C.A. Leffler, 1861.
pp.(2). III, 58.

NM 0924099 MH

Myrberg, Otto Ferdinand, 1824-1899, ed. and tr.
Profeten Esaias, öfversatt med förklarande anmärkningar
see under Bible. O. T. Isaiah. Swedish. 1887. Myrberg.

Murberg, Otto Ferdinand, 1824-1899.
Quae de ineunda pace inde a pugna pultavensi egerit Carolus XII ...
see under Carlson, Fredrik Ferdinand, 1811-1887, praeses.

Myrberg, Pekka Juhana, 1892-
Beispiele von automorphen Funktionen zweier Variablen, von P. J. Myrberg. Helsinki, Suomalainen tiedeakatemia, 1951.
15p. illus. (Suomalaisen tiedeakatemian toimituksia. Ser. A. I. Mathematica-physica, 89)
In German.

NM 0924102 ICRL PU-Math

Myrberg, Pekka Juhana, 1892-
Commentationes in honorem Pekka Juhana Myrberg...
see under title

Myrberg, Pekka Juhana, 1892-
Die Kapazität der singulären Menge der linearen Gruppen, von P. J. Myrberg. Helsinki, Suomalainen tiedeakatemia, 1941.
19p. illus. (Suomalaisen tiedeakatemian toimituksia. Ser. A. I. Mathematica-physica, 10)
In German.

NM 0924104 ICRL

Myrberg, Pekka Juhana, 1892-
Cartan, Henri Paul, 1904-
Sur un cas de prolongement analytique pour les fonctions de plusieurs variables complexes, par Henri Cartan. Helsinki, Suomalainen tiedeakatemia, 1949.

NM 0924105 ICRL

Myrberg, Pekka Juhana, 1892-
Über automorphe Thetfunktionen, von P. J. Myrberg. Helsinki, Suomalainen tiedeakatemia, 1952.
13p. illus. (Suomalaisen tiedeakatemian toimituksia. Ser. A. I. Mathematica-physica, 111)
In German.

NM 0924106 ICRL PU-Math

Myrberg, Pekka Juhana, 1892-
Über den Fundamentalbereich der automorphen Funktionen, von P. J. Myrberg. Helsinki, Suomalainen tiedeakatemia, 1941.
25p. illus. (Suomalaisen tiedeakatemian toimituksia. Ser. A. I. Mathematica-physica, 2)
In German.

NM 0924107 ICRL

Myrberg, Pekka Juhana, 1892-
Über die analytische Fortsetzung von beschränkten Funktionen, von P. J. Myrberg. Helsinki, Suomalainen tiedeakatemia, 1949.
7p. illus. (Suomalaisen tiedeakatemian toimituksia. Ser. A. I. Mathematica-physica, 58)
In German.

NM 0924108 ICRL

Myrberg, Pekka Juhana, 1892-
Über die Existenz von beschränktartigen automorphen Funktionen, von P. J. Myrberg. Helsinki, Suomalainen tiedeakatemia, 1950.
7p. illus. (Suomalaisen tiedeakatemian toimituksia. Ser. A. I. Mathematica-physica, 77)
In German.

NM 0924109 ICRL PU-Math

Myrberg, Pekka Juhana, 1892-
Uber die Iteration von algebraischen Funktionen. Helsinki, Suomalainen tiedeakatemia, 1954.
9 p. 26 cm. (Suomalaisen tiedeakatemian Toimituksia. Annales Academiae scientiarum fennicae. Sarja, series A.I. Mathematica-physica, 164)

NM 0924110 PU-Math

Myrberg, Pekka Juhana, 1892-
Über die Linearisierung der schlichten konformen Abbildungen, von P. J. Myrberg. Helsinki, Suomalainen tiedeakatemian, 1953.
8p. illus. (Suomalaisen tiedeakatemian toimituksia. Ser. A. I. Mathematica-physica, 145)
In German.

NM 0924111 ICRL PU-Math

Myrberg, Pekka Juhana, 1892-
... Über die numerische ausführung der uniformisierung, von P. J. Myrberg. Helsingfors, Druckerei der Finnischen litteraturgesellschaft, 1920.
53 p. diagrs. 29 x 23cm. ([Finska vetenskaps-societeten, Helsingfors] Acta Societatis scientiarum fennicæ. t. XLVIII, n° 7)

1. Functions.

A C 38-1522

New York. Public library for Library of Congress [Q60.F5 vol. 48, no. 7]
[4] (508)

NM 0924112 NN DLC

Myrberg, Pekka Juhana, 1892-
Über Integrale auf transzendenten symmetrischen Tiemannschen Flächen, von P. J. Myrberg. Helsinki, Suomalainen tiedeakatemia, 1945.
20p. illus. (Suomalaisen tiedeakatemian toimituksia. Ser. A. I. Mathematica-physica, 31)
In German.

NM 0924113 ICRL

Myrberg, Pekka Juhana, 1892-
Über Primfunktionen auf einer algebraischen Riemannschen Fläche, von P. J. Myrberg. Helsinki, Suomalainen tiedeakatemia, 1951.
15p. illus. (Suomalaisen tiedeakatemian toimituksia. Ser. A. I. Mathematica-physica, 104)
In German.

NM 0924114 ICRL PU-Math

Myrberg, Pekka Juhana, 1892-
Über systeme analytischer funktionen welche ein additionstheorem besitzen, von P. J. Myrberg ... Leipzig, B. G. Teubner, 1922.
2 p. l., 23, [1] p. 30½cm. (*Added t.-p.:* Preisschriften gekrönt und hrsg. von der Fürstlich Jablonowskischen gesellschaft zu Leipzig. [L])

1 Functions.

A C 34-2209

Title from Univ. of Chicago Library of Congress [AS182.L3 no. 50]

NM 0924115 ICU NN ICJ MiU CtY CU

Myrberg, Pekka Juhana, 1892-
Über transzendente hyperelliptische Integrale erster Gattung, von P. J. Myrberg. Helsinki, Suomalainen tiedeakatemia, 1943.
32p. illus. (Suomalaisen tiedeakatemian toimituksia. Ser. A. I. Mathematica-physica, 14)
In German.

NM 0924116 ICRL

Myrberg, Pekka Juhana, 1892-
... Zur theorie der automorphen funktionen beliebig vieler veränderlichen, von P. J. Myrberg. Helsingfors, Druckerei der Finnischen litteraturgesellschaft, 1922.
27 p. 29cm. ([Finska vetenskaps-societeten, Helsingfors] Acta Societatis scientiarum fennicae. t. L, n:o 3)

1. Functions, Automorphic.

A C 38-3125

Iowa. Univ. Library for Library of Congress [Q60.F5 vol. 50, no. 3]
[4] (508)

NM 0924117 IaU NN DLC

Myrberg, Pekka Juhana, 1892-
Zur theorie der konvergenz der poincaréschen reihen. Inaug. diss. Helsingfors, 1916.

NM 0924118 ICRL CtY MH IU

Myrberget, Mari.
...Ein lærepenge; komedie i 2 akter. Oslo: O. Norli, 1934. 61 p. 18½cm. (Spelstykke for ungdomslag.)

836168A. 1. Drama, Norwegian. I. Title.
N. Y. P. L. August 14, 1936

NM 0924119 NN

MYRBERGET, MARI, and S. Myrberget.
...Radiodill; komedie i to akter. Oslo: O. Norlis forlag, 1930. 52 p. 12°. (Spelstykke for ungdomslag.)

581908A. 1. Drama, Norwegian. I. Myrberget, Simon, jt. au. II. Title.

NM 0924120 NN

VOLUME 403

Myrberget, Mari.
...Vegg i vegg; komedie i 2 akter. 2. oplag. Oslo: O. Norli, 1938. 48 p. 19cm. (Half-title: Amatørscenen.)

1. Drama, Norwegian. I. Title.
N. Y. P. L. July 9, 1940

NM 0924121 NN OCl

Myrberget, Mari.
Vegg i vegg; komedie i 2 akter. Oslo, O. Norli, 1947.
48 p. 19 cm. (Amatørscenen)

I. Title.

PT8950.M93V4 *839.8227 839.8226 53-26843

NM 0924122 DLC

Myrberget, Simon, 1902–
Fisk og fangst i ferskvann. 6. rev. utg. [Oslo] O. Norli [°1949]
246 p. illus., fold. col. plate. 21 cm.

1. Fishing—Implements and appliances. I. Title.
A 50-6739
Washington (State) Univ. Library for Library of Congress [2]

NM 0924123 WaU

MYRBERGET, SIMON, 1902–
...Pengesorger; komedie i 5 stutte akter. Oslo: O. Norli, 1936. 69 p. 19cm. (Spelstykke for ungdomslag.)

878361A. 1. Drama, Norwegian. I. Title.

NM 0924124 NN

Myrberget, Simon, 1902–
... Selskapsleker. Oslo, Olaf Norlis forlag, 1928.
87p.

Norwegian.

NM 0924125 OCl

[Myrberget, Simon,] 1902–
...Storpoll'tikk og barndåp; eller, No skal det bli! Komedie i 3 akter med 8 songar. Oslo: O. Norli, 1933. 56 p. 18½cm. (Spelstykke for ungdomslag.)
At head of title: Døl-Simen og Ola Østerdøl.

743305A. 1. Drama, Norwegian. I. Title.
N. Y. P. L. January 28, 1935

NM 0924126 NN

Myre, John
see
Mirk, John, fl. 1403?

Myrcha, Marian Alfons.
Dowod ze świadków w procesie kanonicznym. Lublin, Tow. Naukowe Katolickiego Uniwersytetu Lubelskiego, 1936.
viii, 163 p. 25 cm. (Katolicki Uniwersytet Lubelski. Rozprawy doktorskie, magisterskie i seminaryjne. 2. Wydział Prawa Kanonicznego. Rozprawy doktorskie, t. 3)
Thesis—Katolicki Uniwersytet Lubelski.
Bibliography: p. [159]-163.
1. Witnesses (Canon law) 2. Evidence (Canon law) I. Title. (Series: Lublin (City) Uniwersytet. 2. Wydział Prawa Kanonicznego. Rozprawy doktorskie, t. 3)
52-55411

NM 0924128 DLC NNC MH-L MH CU

Myrcha, Marian-Alfons
... Sady polubowne w prawie kanonicznym: studium prawno-porównawcze. Lublin, Towarzystwo naukowe, 1948.
303, [6] p. 28½cm. (Towarzystwo naukowe katolickiego uniwersytetu lubelskiego. Rozprawy wydziału kanoniczno-teologicznego, 3)
French summary: p. 293-297.
Bibliography: p. 299-303.

NM 0924129 MH-L NNC DCU NN

Myrdacz, Paul, 1847–
...Beiträge zur kenntnis des militarsanitätswesens der europaischen grossmächte und des sanitätedienstes in den wichtigsten feldzugen der neuesten zeit. Mit benutzung der acten des k.u.k. kriegs-archivs und unter mitwirkung hervorragender fachgenossen hrsg. von Dr. Paul Myrdacz. Wien, Josef Safer, 1898.
v. 27 cm. (Handbuch fur k. und k. militararzte v.2

NM 0924130 DNW

UH
M995e
1887

MYRDACZ, Paul, 1847– ed.
Ergebnisse der Sanitäts-Statistik des K. K. Heeres in den Jahren 1870-1882, mit vergleichender Berücksichtigung der Jahre 1883-1885, sowie der Sanitäts-Statistik fremder Armeen. Wien, Seidel, 1887.
vii. 334 p. illus.

NM 0924131 DNLM MB

Myrdacz, Paul, 1847-
——. Ergebnisse der Sanitäts-Statistik des k. k. Heeres in den Jahren 1883-7. 1. Theil. Ergebnisse der Recrutirungs-Statistik. 42 pp. 8°. *Wien, A. Hölder*, 1889.
Also forms No. 3 of: Samml. med. Schrift., Wien.

NM 0924132 DNLM

UH
600
M998h

MYRDACZ, Paul, 1847– ed.
Handbuch für k. und k. Militärärzte, systematisch geordnete Sammlung der in Kraft stehenden Vorschriften, Zirkularverordnungen, Erlässe, u. s. w., über das k. und k. Militärsanitätswesen und die persönlichen Verhältnisse der Militärärzte als Ergänzung zum Reglement für den Sanitätsdienst des k. u. k. Heeres. [1.]-5. Aufl. Wien, Šafář, 1890-1913.
v. illus.

Subtitle varies slightly.
4th ed. issued as Militärärztliche Publikationen, Nr. 92 A.
In 1898 a 2d vol. was issued with subtitle: Beiträge zur Kenntnis des Militär-Sanitätswesens der europäischen Grossmächte und des Sanitätsdienstes in den wichtigsten Feldzügen der neuesten Zeit.

—— —— Nachtrag. 1.-
1890-
Wien.
v.
Series: Militärärztliche Publikationen, Nr. 92 A

NM 0924135 DNLM

Myrdacz, Paul, 1847–
Handbuch für k. und k. militärärzte. Systematisch geordnete sammlung der in kraft stehenden vorschriften, circular-verordnungen ... als ergänzung zum Reglement für den sanitätsdienst des K. und K. Heeres. Bearb. von dr. Paul Myrdacz ... 2., verm. und verb. aufl. Wien, J. Šafář, 1893.
xii, 1185 p. 26½cm.

1. Austro-Hungarian monarchy. Heer—Sanit. affairs. 2. Austro-Hungarian monarchy. Heer—Regulations.
19-2749 Revised
Library of Congress UH265.M9 1893

NM 0924136 DLC

Myrdacz, Paul, 1847-
——. Leitfaden für den Blessiertenträger in hundert Fragen und Antworten. Mit Zugrundelegung des "Leitfadens für den Krankenträger" des königlich preussischen Oberstabsarztes Villaret für die k. und k. österreichisch-ungarische Armee. 24 pp. 12°. *Wien, J. Šafář*, 1893.

NM 0924137 DNLM

UH
M995s
1885

MYRDACZ, Paul, 1847-
Sanitäts-Geschichte der Bekämpfung des Aufstandes in der Hercegovina, Süd-Bosnien und Süd-Dalmatien im Jahre 1882. Wien, Seidel, 1885.
208 p.

NM 0924138 DNLM

UH
M995sa
1882

MYRDACZ, Paul, 1847-
Sanitäts-Geschichte und Statistik der Occupation Bosniens und der Hercegovina im Jahre 1878. Wien, Urban & Schwarzenberg, 1882.
xii, 420 p. illus.

NM 0924139 DNLM

UH
M998s
1899

MYRDACZ, Paul, 1847-
Statistischer Sanitäts-Bericht über das k. u. k. Heer für die Jahre 1883-1893, mit vergleichender Berücksichtigung der Jahre 1870-1882, dann 1894-1896, sowie der Sanitätsstatistik fremder Armeen. Nach den Militärstatistischen Jahrbüchern und anderen authentischen Quellen. Wien, Šafář, 1899.
vii, 253 p.

NM 0924140 DNLM ICRL NN ICJ

Myrdacz, Paul, 1847-
——. Die Verbreitung der zu Kriegsdiensten untauglich machenden Gebrechen der Wehrpflichtigen in Oesterreich-Ungarn. pp. 1-26, 3 maps. 8°. *Wien*, 1887.
Forms pt. 1, 25. Hft., of: VI. Internat. Cong. f. Hyg. u. Demog. zu Wien.

NM 0924141 DNLM

Myrdahl, Thorkil Christian, 1894– joint ed.

Hindenburg, Theodor, 1836–1919.
... Juridisk formularbog, ved Aage Svendsen og Thorkil Myrdahl. 7. gennemsete og forøgede udg. København, Gyldendalske boghandel, Nordisk forlag, 1935.

Myrdal, Alva (Reimer) 1902–
America's role in international social welfare, by Alva Myrdal, Arthur J. Altmeyer, and Dean Rusk. New York, Columbia University Press, 1955.
109 p. 21 cm. (The Florina Lasker lectures, 1953)

1. International relief. 2. Technical assistance. I. Title.

HV544.5.M87 *309.22 338.91 54-12723 ‡

MtU Or OrP OrU Wa WaS WaT OOxM OU PSt PP PPPSW CaBVa GU-L WaU CSt GU MtBC
NM 0924143 DLC AAP CaBVaU NN TU OClW TxU NcD OCl

Undergraduate Library
HV
544.5
.M97
1955a

Myrdal, Alva (Reimer) 1902–
America's role in international social welfare, by Alva Myrdal, Arthur J. Altmeyer, and Dean Rusk. New York, Columbia University Press, 1955. [Ann Arbor, Mich., 1959]
109 p. 21 cm. (The Florina Lasker lectures, 1953)
Photocopy (positive) made by University Microfilms.
Printed on double leaves.

NM 0924144 MiU

VOLUME 403

312
M998a Myrdal, Alva (Reimer) 1902-
Are there too many people? By Alva Myrdal and Paul Vincent. New York, Manhattan Pub. Co., in cooperation with United Nations Educational, Scientific and Cultural Organization [1950?]
48p. illus.,maps. 21cm. (Food and people, no. 5)

1. Demography. I. Vincent, Paul, 1912- joint author. II. Title. III. Series.

NM 0924145 IEN DNAL

Myrdal, Alva (Reimer) 1902–
Are we too many? By A. Myrdal and P. Vincent. London, Bureau of Current Affairs, 1949.
51 p. maps, diagrs. 22 cm. (Food and people)
Bibliography: p. 48.

1. Demography. I. Vincent, P., joint author. II. Title. (Series)
HB871.M88 312 50–31166

NM 0924146 DLC NN TxU DNAL

Myrdal, Alva (Reimer) 1902–
Efterkrigsplanering. ⌈Stockholm, Informationsbyrån Mellanfolkligt samarbete för fred och Världssamling för fred, Svenska kommitten, 1944⌉
106, ⌈1⌉ p. 19 cm.
Bibliography: p. ⌈107⌉

1. Reconstruction (1939–) 2. World politics.
D825.M9 50–43940

NM 0924147 DLC

HB 3617
.M 9
1944 Myrdal, Alva (Reimer) 1902-
Folk och familj, av Alva Myrdal. Stockholm, Kooperativa förbundets bokförlag [1944]
496 p. illus. (diagrs.) 24½cm.
"Litteraturförteckning": p. 483-496.

1. Sweden - Population. 2. Public welfare - Sweden. 3. Family. I. Title.

NM 0924148 MdBJ NNUN MH InU

MYRDAL, ALVA (REIMER), 1902-
Kobieta szwedzka, Wydane staraniem Komitetu współpracy dla odbudowy demokratycznej. [Lund, C. Bloms boktryckeri, 1946] 30 p. illus., ports. 20cm.

1. Woman--Sweden.

NM 0924149 NN

Myrdal, Alva (Reimer) 1902–
Kommentarer, av Alva Myrdal. Stockholm, A. Bonnier ⌈1944⌉
225 p. 22cm.
"Artiklar som-med ett undantag-under år 1943 varit delar av en löpande kommentar varje onsdag i Aftontidningen."
Contents.—Planerna på världens återuppbyggnad.—De utrikespolitiska växlingarna.—Utvecklingstendenser här hemma.—Skolfrågan som kulturfråga.—Framtidens socialreformer.

1. World politics. 2. Education—Addresses, essays, lectures.
AC55.M9 47–17262

NM 0924150 DLC

Myrdal, Alva (Reimer) 1902–
... Kontakt med Amerika. Stockholm, A. Bonnier ⌈1941⌉
373 p. 22cm.
At head of title: Alva Myrdal–Gunnar Myrdal.
"Sjätte tusendet."

1. U. S.—Civilization. 2. Swedes in the U. S. I. *Myrdal, Gunnar, 1898– II. Title.
42–19414
Library of Congress E169.1.M987
⌈2⌉ 917.3

MnU NN OCl
NM 0924151 DLC OKentU CU WaS MiD ICU CtY PP PU

917.3
M997k2d
1946 Myrdal, Alva (Reimer) 1902-
Kontakt med Amerika. København, Athenaeum, 1946.
320p. 22cm.
At head of title: Alva og Gunnar Myrdal.
Translated from the Swedish by Ulf Ekman.
Translation of Kontakt med Amerika.

1. U.S. Civilization. 2. Swedes in the U.S. I. Myrdal, Gunnar, 1898- II. Title.

NM 0924152 KU GU

F
8389
.609 MYRDAL, ALVA (REIMER) 1902-
Kontakt mit Amerika. ⌈Aus dem Schwedischen übertragen und bearbeitet von Walter A. Berendsohn⌉ Stockholm, Bermann-Fischer, 1944.
349p. 20cm. (Bücher zur Weltpolitik)
At head of title: Alva und Gunnar Myrdal.
"Die Titel der Originalwerke, die der deutschen Ausgabe zugrunde liegen, lauten: 'Kontakt med Amerika' und 'Amerika mitt i världen'."

NM 0924153 ICN MiD CU

Myrdal, *Fru* Alva (Reimer) 1902–
Kris i befolkningsfrågan, av Alva Myrdal och Gunnar Myrdal. Stockholm, A. Bonnier ⌈1934⌉
332 p. 22½cm.

1. Sweden—Population. 2. Fecundity. 3. Sweden—Soc. condit. 4. Sweden—Econ. condit.—1918– I. *Myrdal, Gunnar, 1898– joint author. II. Title.
36–29385
Library of Congress HB3617.M8
⌈2⌉ 312.09485

NM 0924154 DLC CU ICU NN

Myrdal, Alva (Reimer) 1902-
Kris i befolkningsfrågan, av Alva Myrdal och Gunnar Myrdal. 2.upplagan. Stockholm, Bonnier [1934]
332 p.

NM 0924155 MH

312
M996 MYRDAL, Fru Alva (Reimer) 1902-
Kris i befolkningsfrågan, av Alva Myrdal och Gunnar Myrdal. Folkupplaga (3. omarbetade och utvidgade uppl.) Stockholm, A. Bonnier ⌈1935⌉
403 p. 19cm.
1. Population. 2. Sweden. Population. 3. Social problems. I. Myrdal, Gunnar, 1898- jt.auth. II. Title.

NM 0924156 MnU

Myrdal, Alva (Reimer) 1902-
Kris i befolkningsfrågan; av Alva Myrdal och Gunnar Myrdal. Folkupplaga. 7.uppl. Stockholm, Bonnier [1935]
403 p.

NM 0924157 MH

HB3617
M8167 Myrdal, Alva (Reimer) 1902-
Krisen i befolkningsspørsmålet ⌈av⌉ Alva og Gunnar Myrdal. Norsk utgave ved Aase Lionaes og Arne Skaug. Oslo, Tiden Norsk Forlag, 1936.
404 p. 22cm.
Translation of Kris i befolkningsfrågan.

1. Sweden - Population. 2. Fertility. 3. Sweden - Social conditions. 4. Sweden - Economic conditions - 1918- 5. Norway - Population. I. Myrdal, Gunnar, 1898- joint author. II. Title.

NM 0924158 GU

HQ1216
.K9 Myrdal, Alva (Reimer) 1902-
Kvinden i samfundet, ved Alva Myrdal ⌈et al.⌉ København, Martin, 1937.

Myrdal, Alva (Reimer) 1902–
Nation and family; the Swedish experiment in democratic family and population policy, by Alva Myrdal. New York and London, Harper & brothers, 1941.
xv p., 1 l., 441 p. incl. tables, diagrs. 24cm.
"Written anew for the public in English-speaking countries ... to be considered as a substitute for an English version of the Kris i befolkningsfrågen, Stockholm, 1934, by the present author in collaboration with Dr. Gunnar Myrdal."—Pref.
"First edition."
"Selected bibliography": p. 427–436.

1. Sweden—Population. 2. Public welfare—Sweden. 3. Family. I. Title.
41–24160
Library of Congress HB3617.M82
⌈a44b²2⌉ 312.09485

PU OCl OCU ODW IdPI ICJ ViU OrU Or MtU
NM 0924160 DLC NIC CU OrP WaWW NcRS NcD TU PP PPD

Myrdal, Alva (Reimer) 1902–
Nation and family; the Swedish experiment in democratic family and population policy, by Alva Myrdal. London, K. Paul, Trench, Trubner & co., ltd. ⌈1945⌉
xiv, 441 p. diagrs. 22½ cm. ⌈International library of sociology and social reconstruction; editor: Dr. Karl Mannheim⌉
"Written anew for the public in English-speaking countries ... to be considered as a substitute for an English version of the Kris i befolkningsfrågan, Stockholm, 1934, by the present author in collaboration with Dr. Gunnar Myrdal."—Pref.
"First published in England 1945."
"Selected bibliography": p. 427–436.

1. Sweden—Population. 2. Public welfare—Sweden. 3. Family. I. Title.
HB3617.M82 1945 312 45—7805

PPLas NcGU
NM 0924161 DLC ICU CtY PJB WaSpG IdU CaBVaU TU

HB
3617
.M82
1945 Myrdal, Fru Alva (Reimer) 1902-
Nation and family; the Swedish experiment in democratic family and population policy, by Alva Myrdal. London, K. Paul, Trench, Trubner ⌈1947, 1945⌉
xiv, 441 p. illus. 22 cm. (International library of sociology and social reconstruction)
"Written anew for the public in English-speaking countries ... to be considered as a substitute for an English version of the Kris i befolkningsfrågen, Stockholm, 1934, by the present author in collaboration with Dr. Gunnar Myrdal."--Pref.
"Selected bibliography": p. 427-436.

1. Sweden--Population. 2. Charities--Sweden. 3. Family. I. Title.

NM 0924163 OrU

Myrdal, *Fru* Alva (Reimer) 1902–
A programme for family security in Sweden, by Alva Myrdal.
(*In* International labour review, Geneva. June, 1939. v. 39, p. ⌈723⌉–763)
A survey of the work of the Befolkningskommissionen.
"Reports of the Population commission": p. 762–763.

1. Sweden. Befolkningskommissionen. 2. Sweden — Population. 3. ⌈Maternal and infant welfare—Sweden⌉ I. Title. II. Title: Family security in Sweden.
L 39–64
U. S. Dept. of labor. Libr. for Library of Congress [HD4811.I 65 vol. 39]

NM 0924164 DL DLC

VOLUME 403

HB
871
.M9
Myrdal, Alva (Raimer) 1902-
Seremos demais? [por] Madame A. Myrdal e Paul Vincent (Tradução de Maria de Lourdes Lima Modiano) Rio de Janeiro, Departamento de Imprensa Nacional, 1950.
63 p. diagr. 23 cm. (Brazil. Departamento Administrativo do Serviço Público. Serviço de Documentação. Publicação avulsa no. 355)
Original title: Sommes-nous trop nombreux?

NM 0924165 DPU

Myrdal, Alva (Reimer) 1902–
Sommes-nous trop nombreux? Par Alva Myrdal et Paul Vincent. Paris, Dunod, 1950.
71 p. illus., maps. 19 cm. (Les Hommes et leur nourriture)

1. Population. I. Vincent, Paul, 1912– joint author. II. Title. (Series)

HB871.M883 312 50–36157

NM 0924166 DLC CtY NN

Myrdal, Alva (Reimer) 1902-
¿Somos demasiados? por A. Myrdal y P. Vincent. Traducción de Víctor Aizábal. Buenos Aires, Editorial Sudamericana [1951]
TX
357
.U5
v.7
109 p. maps, diagrs. 17 cm. (Los hombres y su alimentación, 7)
"Lecturas complementarias": p. [107]-109.

NM 0924167 DPU

372.17
M997
MYRDAL, Fru Alva (Reimer) 1902-
Stadsbarn; en bok om deras fostran i storbarnkammare... Stockholm, Kooperative förbundet [1935]
184 p. illus. 20cm.
"Litteratur": p. 182-184.
1. Nursery schools. 2. Children. Care and hygiene. 3. Children. Charities, protection, etc. in Sweden. I. Title.

NM 0924168 MnU MH NN

Myrdal, Gunnar, 1898–
An American dilemma; the Negro problem and modern democracy, by Gunnar Myrdal, with the assistance of Richard Sterner and Arnold Rose ... New York, London, Harper & brothers [1944]
2 v. illus. (map) diagrs. 24 cm.
Paged continuously.
"First edition."
"List of books, pamphlets, periodicals and other material referred to in this book": v. 2, p. 1144–1180.
1. Negroes. I. Sterner, Richard Mauritz Edvard, 1901– II. Rose, Arnold Marshall, 1918– III. Title.
Full name: Karl Gunnar Myrdal.

E185.6.M95 325.260973 44—635

WaS WaWW MH OOxM NNR OU NcD CaBVaU MtU OrSaW IdB MtBC Or OrP OrPR OrU WaSp PU DAU CaBVa MB WaSpG MiU CaBViP DI WaOB NcGU
NM 0924169 DLC WaE OCl OClJC ODW NN PP PHC CtY

Myrdal, Gunnar, 1898–
An American dilemma: the Negro problem and modern democracy, by Gunnar Myrdal, with the assistance of Richard Sterner and Arnold Rose ... New York, London, Harper & brothers [1944]
2 v. illus. (map) diagrs. 24 cm.
Paged continuously.
"Second edition."
"List of books, pamphlets, periodicals and other material referred to in this book": v. 2, p. 1144–1180.
1. Negroes. I. Sterner, Richard Mauritz Edvard, 1901– II. Rose, Arnold. III. Title.

E185.6.M95 1944a 325.260973 44—6249

PPG OrCS Wa WaT NNUT OOxM
NM 0924170 DLC MiHM ViU KyLxT KyLxCB KyLx KyU-A

Myrdal, Gunnar, 1898–
An American dilemma; the Negro problem and modern democracy, by Gunnar Myrdal, with the assistance of Richard Sterner and Arnold Rose. [3d ed.] New York, Harper [°1944]
2 v., [lv, 1483 p.] illus. 24 cm.
"List of books, pamphlets, periodicals and other material": v. 2, p. 1144–1180.

1. Negroes. I. Title.
Full name: Karl Gunnar Myrdal.

E185.6.M95 1944b 325.260973 49–48794*

NM 0924171 DLC MsU CLSU DNAL OrPS NNUN

E
185.6
M95
1944c
Myrdal, Gunnar, 1898-
An American dilemma; the Negro problem and modern democracy. With the assistance of Richard Sterner and Arnold Rose. [4th ed.] New York, Harper [1944]
2 v. illus.

NEGROES
Title

NM 0924172 KMK

E
185.6
M95
1944a
Myrdal, Gunnar, 1898-
An American dilemma; the Negro problem and modern democracy, by Gunnar Myrdal with the assistance of Richard Sterner and Arnold Rose. [5 ed.] New York, Harper [1944]
2v. 1483p. maps, diagrs. 24cm.

NM 0924173 MU TxU

E
185.6
M95
Myrdal, Gunnar, 1898-
An American dilemma; the Negro problem and modern democracy, by Gunnar Myrdal, with the assistance of Richard Sterner and Arnold Rose ... New York, London, Harper & brothers [1944]
2 v. illus. (map) diagrs.
Paged continuously.
"Sixth edition."
"List of books, pamphlets, periodicals and other material referred to in this book": v. 2, p. 1144-1180.
1. Negroes. I. Sterner, Richard Mauritz Edvard, 1901- II. Rose, Arnold. III. Title.

NM 0924174 NmU TxDaM KyWAT MH

Myrdal, Gunnar, 1898–
An American dilemma; the Negro problem and modern democracy, by Gunnar Myrdal, with the assistance of Richard Sterner and Arnold Rose ... New York, London, Harper & brothers [°1944]
2 v. illus. (map) diagrs. 24 cm.
Paged continuously.
"Seventh edition."
"List of books, pamphlets, periodicals and other material referred to": v. 2, p. 1114–1180.
1. Negroes. I. Sterner, Richard Mauritz Edvard, 1901– II. Rose, Arnold Marshall, 1918– III. Title.
Full name: Karl Gunnar Myrdal.

E185.6.M95 1944f 325.260973 45—10326

NM 0924175 DLC OrHi

E
185
.6
M99
1944
Myrdal, Gunnar, 1898–
An American dilemma; the Negro problem and modern democracy, by Gunnar Myrdal, with the assistance of Richard Sterner and Arnold Rose ... New York, London, Harper & brothers [1944]
lix, 1483 p. illus., map. 24cm.
"Eighth edition."

NM 0924176 NIC ViHaI

Myrdal, Gunnar, 1898–
An American dilemma; the Negro problem and modern democracy, by Gunnar Myrdal with the assistance of Richard Sterner and Arnold Rose. [9th ed.] New York, Harper [1944]
lix, 1483 p. map, diagrs. 25 cm.

1. Negroes. I. Sterner, Richard Mauritz Edvard, 1901– II. Rose, Arnold Marshall, 1918– III. Title.

E185.6.M95 1944 325.260973 48—10226*

OrStbM
PP OrU NIC KyU WaSpG NcC MB NcD WaS WaT OrU MtBuM
NM 0924177 DLC InU MH NcRS PPPD PPDrop TxU NNC PIm

Myrdal, Gunnar, 1898-
An American dilemma; the Negro problem and modern democracy. By Gunnar Myrdal, with the assistance of Richard Sterner and Arnold Rose. New York, Harper [1949]

lix, 1483 p.

NM 0924178 MH

E185
.6
.M952
Myrdal, Gunnar, 1898– An American dilemma.
Stewart, Maxwell Slutz, 1900–
... The Negro in America, by Maxwell S. Stewart. [New York, Public affairs committee, inc., 1944]

E185
.6
.R75
Myrdal, Gunnar, 1898– An American dilemma.
Rose, Arnold Marshall, 1918–
The Negro in America; with a foreword by Gunnar Myrdal. [1st ed.] New York, Harper [1948]

Microfilm
E–1135
Myrdal, Gunnar, 1898– An American dilemma.
Problems of the American Negro. [1940?]

Myrdal, Gunnar, 1898-
An American dilemma
see also Wyer, Samuel S 1879-
Digest of Myrdal's "An American dilemma"

Myrdal, Gunnar, 1898–
... Amerika mitt i världen. Stockholm, Kooperativa förbundets bokförlag, 1943.
128 p. 20ᶜᵐ.
CONTENTS.—Pearl harbor som vändpunkt.—Den amerikanska världsbilden.—Amerikas ställning till bundsförvanter och fiender.—Amerika och Norden.—Återverkningar inom Amerika av dess nya ställning i världen.—Negerfrågan i Amerika just nu.—Rasfrågan i världspolitiken.—Konjunkturpolitik och social välfärdspolitik.—Monopolism och industriell expansion.—Det internationella återuppbyggnadsproblemet.
1. U. S.—For. rel.—20th cent. 2. World politics. I. Title.
[*Full name:* Karl Gunnar Myrdal]

Library of Congress E744.M9 46–3665
[2] 327.73

NM 0924183 DLC MnU OCl CtY

MYRDAL, GUNNAR, 1898–
...Befolkningsproblemet i Sverige; radioforedrag den 27 jan. 1935. Stockholm: Arbetarnes bildningsforbunds centralbyra [1935] 20 p. 20cm.

At head of title: ... En studieorientering.

820749A. 1. Population—Sweden.

NM 0924184 NN

Myrdal, Gunnar, 1898–
Bostadsfrågan såsom socialt planläggningsproblem under krisen och på längre sikt; en undersökning rörande behovet av en utvidgning av bostadsstatistiken jämte vissa därmed förbundna socialpolitiska frågor, av Gunnar Myrdal och Uno Åhrén. Stockholm, Distribueras av Kooperativa förbundets bokförlag [1933]
111 p. diagrs. 24 cm.
Cover title.
Issued also as Statens offentliga utredningar 1933: 14.
1. Housing—Sweden. 2. Sweden—Soc. condit. I. Åhrén, Uno, joint author. II. Title.

HD7350.A3M9 1933 64–58355

NM 0924185 DLC

Myrdal, Gunnar, 1898-
The cost of living in Sweden, 1830-1930.
Stockholm. Högskolan. *Socialvetenskapliga institutet.*
Wages, cost of living and national income in Sweden, 1860–1930, by the staff of the Institute for social sciences, University of Stockholm ... London, P. S. King & son, ltd. [1933]–

VOLUME 403

Myrdal, Gunnar, 1898-
Digest of Myrdal's "An American dilemma"
see under Wyer, Samuel S 1879-

Myrdal, Gunnar, 1898-
Economic developments and prospects in America... Address before the National economic society of Sweden, March 9, 1944. Washington, D.C., National planning association [1944]
27 p. 28cm.
Reproduced from typewritten copy.
"Slightly condensed translation from the Swedish."
1. U.S. Economic conditions. I. Title.

NM 0924188 MnU DNAL

---

330 M98fN
Myrdal, Gunnar, 1898-
Los efectos economicos de la política fiscal. Traducción directa del sueco por Bengt Becker, revisión y nota preliminar por Manuel de Torres. Prólogo por Manuel Orbea. Madrid, M. Aguilar, 1948.
408p. 22 cm. (Biblioteca de ciencias económicas políticas y sociales)
Translation of: Finanspolitikens ekonomiska verkningar.
1. Economics. I. Title.

NM 0924189 KU

Myrdal, Gunnar, 1898-
... L'elemento politico nella formazione delle dottrine dell' economia pura. Firenze, G. C. Sansoni [1943]
xiii p., 1 l., 340 p., 2 l. 24cm. (On cover: Biblioteca Sansoni di economia, diretta da Giuseppe Bruguier Pacini. 1)
At head of title: K. Gunnar Myrdal.
"Nota bibliografica": p. [vii]
1. Economics—Hist. 2. Economic policy. I. Title. Translation of Vetenskap och politik i nationalekonomien.
[Full name: Karl Gunnar Myrdal]
HB75.M955 A F 47-2972
Illinois. Univ. Library for Library of Congress [2]†

NM 0924190 IU DLC

---

332 M99Nf 1950
Mydral, Gunnar, 1898-
L'équilibre monétaire. Avant-propos par André Marchal. Traduit de l'anglais par Béatrix Marchal. Paris, Librairie de Médicis [1950]
209p. 23cm.
Bibliographical footnotes.
1. Money. I. Title.

NM 0924191 KU

HB179 .M96
MYRDAL,GUNNAR,1898-
...Finanspolitikens ekonomiska verkningar,av Gunnar Myrdal. Stockholm,Kungl.boktryckeriet,P.A.Norstedt & söner,1934.
xii,279 p. 24cm. (Arbetslöshetsutredningens betänkande II,Bilagor,bd.2)
At head of title: Statens offentliga utredningar 1934:1. Socialdepartementet.
Also numbered "Bilaga 5."
1.Economics. 2.Unemployed.

NM 0924192 ICU KU

HG221 .M977 Schultz
Myrdal,Gunnar,1898-
...Der gleichgewichtsbegriff als instrument der geldtheoretischen analyse. Von Gunar Myrdal ... (Aus dem schwedischen übersetzt von dr. Gerhard Mackenroth... Wien,J.Springer,1933.
p.[361]-487. 23cm.
Caption title.
"Sonderabdruck aus Beiträge zur geldtheorie".
1.Money. 2.Wicksell,Knut,1851-1926.

NM 0924193 ICU

B C344m 1945
Myrdal, Gunnar, 1898-
Gustav Cassel in memoriam. [Uppsala, 1945]
13p. 24cm.
From Ekonomisk revy, utg. av Svenska Bankföreningen, Häfte 1, feb. 1945.
Author's autograph inscription on cover.
1. Cassel, Gustav, 1866-1945.

NM 0924194 KU

Myrdal, Gunnar, 1898-
De internationella förhandlingarna i Washington om ekonomiska efterkrigsproblem, föredrag i Svenska bankföreningen den 29. mars 1944. Stockholm, Svenska bankföreningen, 1944.
36 p. 25 cm. (Skrifter utg. av Svenska bankföreningen, 75)
1. Economic policy. I. Title. (Series: Svenska bankföreningen. Skrifter, 75)
Full name: Karl Gunnar Myrdal.
HC58.M9 55-52875

NM 0924195 DLC

Myrdal, Gunnar, 1898-
Jordbrukspolitiken under omläggning, av Gunnar Myrdal. Stockholm, Kooperativa förbundets bokförlag [1938]
126 p. 20cm.
1. Agriculture and state—Sweden. [1. Agricultural policies and programs—Sweden]
[Full name: Karl Gunnar Myrdal]
Agr 39-385 Revised
U. S. Dept. of agr. Library for Library of Congress 281.173M99 HD2018 1938
[r44c2]† 338.1

NM 0924196 DNAL KU ICU ICJ MH DLC

Myrdal, Gunnar, 1898-
... Konjunktur och offentlig hushållning, en utredning. Stockholm, Kooperativa förbundets bokförlag, 1933.
76 p. 19cm. (On cover: Ekonomiska debatten. 2)
1. Finance. 2. Business cycles. I. Title.
[Full name: Karl Gunnar Myrdal]
44-38536
Library of Congress HJ191.S92M9

NM 0924197 DLC CtW NN MnU

Myrdal, Gunnar, 1898-

Myrdal, Alva (Reimer) 1902-
... Kontakt med Amerika. Stockholm, A. Bonnier [1941]

Myrdal, Gunnar, 1898- joint author.

Myrdal, Fru Alva (Reimer) 1902-
Kris i befolkningsfrågan, av Alva Myrdal och Gunnar Myrdal. Stockholm, A. Bonnier [1934]

Film 3734 reel 9 no. 7
Myrdal, Gunnar, 1898-
Memoranda on the study of the Negro. [n.p., 1940]
304 p.
Microfilm of typescript in the Schomburg Collection, New York Public Library. Millwood, N.Y., Kraus-Thomson [1973?] part of reel. 35mm. (Carnegie-Myrdal study of the Negro in America. Roll 9)
1. Myrdal, Gunnar, 1898- An American dilemma.

NM 0924200 NIC

Myrdal, Gunnar, 1898-
Monetary equilibrium, by Gunnar Myrdal ... London [etc.] W. Hodge & company, limited, 1939.
xi, 214 p. 22 cm.
"The original Swedish text, 'Om penningteoretisk jämvikt,' published in Ekonomisk tidskrift, 1931, was a condensation of a series of lectures on Wicksell's monetary theory ... A German translation entitled 'Der gleichgewichtsbegriff als instrument der geldtheoretischen analyse' was included in the 'Beiträge zur geldtheorie,' a collection of essays edited by Professor Friedrich A. Hayek (Vienna, 1933) ... As now published in English, the essay is a translation of the German text."—Pref.
1. Money. 2. Wicksell, Knut, 1851-1926. I. Title.
HG221.M973 332.401 40-8911

OrU WaWW
MiU AU OCU OO OU NNUN ViU MH NIC ScU OrPR IdU
NM 0924201 DLC NcRS PPT CtY NcD PBm PHC PU CU

Myrdal, Gunnar, 1898-
The political element in the development of economic theory; translated from the German by Paul Streeten. London, Routledge & Paul [1953]
xvii, 248 p. 23 cm. (International library of sociology and social reconstruction)
Originally published in Swedish under title: Vetenskap och politik i nationalekonomien.
Bibliographical references included in "Notes" (p. 218-241)
1. Economics—Hist. 2. Economic policy. I. Title. (Series: International library of sociology and social reconstruction (London))
Full name: Karl Gunnar Myrdal.
HB75.M953 1953 330.1932 54-894

WaSpG ViU-L MCM IdPI OrU MNtcA
ICU ViU TxU CaBVaU CaBVa PHC PPL PU PV PPT MiU CoU
NM 0924202 DLC IEN OCl GU TU NcD LU IU MH CU NcU NNC

Myrdal, Gunnar, 1898-
The political element in the development of economic theory. Translated from the German by Paul Streeten. Cambridge, Harvard University Press, 1954.
xvii, 248 p. 23 cm.
Title of original Swedish ed.: Vetenskap och politik i nationalekonomien.
"Appendix: Recent controversies, by Paul Streeten": p. 208-217.
"Notes": p. 218-241.
1. Economics—Hist. 2. Economic policy. I. Title.
Full name: Karl Gunnar Myrdal.
[HB75.M] A54-6170
Harvard Univ. Library for Library of Congress [a56b3]

TxU WaWW MiU PU-W NN MB IU NNC
PPD PPLas OOxM OCU PSC IdU MtBC OrP WaS IEdS OCl
NM 0924203 MH KEmT OClW OrCS NcRS OO PP PBm PSt CU

Myrdal, Gunnar, 1898-
Das politische element in der nationalökonomischen doktrinbildung, von Gunnar Myrdal ... Aus dem schwedischen übersetzt von Gerhard Mackenroth ... Berlin, Junker und Dünnhaupt, 1932.
xi, 309 p. 24cm. (Half-title: Sozialwissenschaftliche studien)
1. Economics—History. 2. Economic policy. I. Mackenroth, Gerhard, 1903- tr. II. Title. Translation of Vetenskap och politik i nationalekonomien.
[Full name: Karl Gunnar Myrdal]
A C 33-410
Yale univ. Library for Library of Congress [a40c1]

NM 0924204 CtY MU DNAL CU NcD MiU OCU OU ViU

Myrdal, Gunnar, 1898-
Population, a problem for democracy ... By Gunnar Myrdal. Cambridge, Mass., Harvard university press, 1940.
xiii, 237 p. 19½cm.
"The Godkin lectures, 1938."
1. Population. 2. Sweden—Population. I. Godkin lectures, Harvard university. II. Title.
[Full name: Karl Gunnar Myrdal]
40-7943
Library of Congress HB871.M9
——— Copy 2.
Copyright A 138288 [10] 312.09485

ViU NcRS NcD CU OrP OrPR MtBC WaS OrU Or
NM 0924205 DLC TNJ OrU NSyU TU PBm PHC PSC OCl OU

VOLUME 403

Myrdal, Gunnar, 1898–
Prisbildningsproblemet och föränderligheten, av Gunnar Myrdal ... Uppsala, Almqvist & Wiksells boktryckeri-a.-b., 1927.
v p., 2 l., (3)-254 p. diagrs. 24cm.
Akademisk avhandling—Stockholms högskola.
Published also as Ekonomisk skriftserie, 1.
"Anförd litteratur": p. (252)-254.

1. Prices. I. Title.
(Full name: Karl Gunnar Myrdal)
35-33258
Library of Congress HB221.M9 1927 338.5

NM 0924206 DLC KU GASC OU NN ICU MH MiU CtY

Myrdal, Gunnar, 1898–
Psychological impediments to effective international co-operation. (New York, Published by the Association Press for the Society for the Psychological Study of Social Issues) 1952.
31 p. 23 cm. (The Journal of social issues. Supplement series, no. 6)

1. International cooperation—Psychological aspects. I. Title.
Full name: Karl Gunnar Myrdal.
JX1963.M95 341 54-18788 ‡

NM 0924207 DLC NIC PU OrU

Myrdal, Gunnar, 1898–
Realities & illusions in regard to inter-governmental organizations. London, Oxford University Press, 1955.
28 p. 23 cm. (L. T. Hobhouse memorial trust lecture, no. 24)

1. International agencies. I. Title.
Full name: Karl Gunnar Myrdal.
JX1995.M93 341.132 58-31898 ‡

MiU CLSU GU
NM 0924208 DLC KU MnU N CU CtY NIC NNC NcU ICU NN

Myrdal, Gunnar, 1898–
The reconstruction of world trade and Swedish trade policy. Stockholm, 1946.
30 p.

1. Sweden - Econ. condit. 2. Sweden - Comm.

NM 0924209 NNUN

Myrdal, Gunnar, 1898–
The reconstruction of world trade and Swedish trade policy. (Stockholm, 1947)
29 p. 24 cm.
"Supplement B to Svenska handelsbanken's Index, December 1946."

1. Sweden—Commercial policy. I. Svenska handelsbanken. Index. Supplement.
Full name: Karl Gunnar Myrdal.
HF1568.M9 337 47-27125*

NM 0924210 DLC MH

Myrdal, Gunnar, 1898-
Samhällskrisen och socialvetenskaperna, by Gunnar Myrdal and Herbert Tingsen. Stockholm, Kooperativa förbundets publishing co., 1935.
68 p. 20.2 cm.

NM 0924211 PPAmSwM

330.9485 M997s 1931
Myrdal, Gunnar, 1898-
Sveriges väg genom penningkrisen.
Bilaga: Hur Sverige tvingades att överge guldmyntfoten, av Karin Kock. Stockholm Natur och Kultur (1931)
163p. 20cm.

1. Sweden. Economic conditions. 1918-
I. Kock, Karin II. Title.

NM 0924212 KU NjP NN MnU PPAPB MH

MYRDAL, GUNNAR, 1898-
Toward a more closely integrated free-world economy. [New York, 1954] 18 l. 28cm.
At head of title: ...Columbia university in the city of New York, 1754. Bicentennial celebration, 1954; Bicentennial conference III: "National policy for economic welfare at home and abroad," May 27-29, 1954.
1. Economic relations, International. I. Columbia university. Bicentennial conference III: "National policy for economic welfare at home and abroad" 1954.

NM 0924213 NN DAU

Myrdal, Gunnar, 1898–
Undersökning rörande behovet av en utvidgning av bostadsstatistiken jämte vissa därmed förbundna bostadspolitiska frågor. Stockholm, I. Marcus boktr.-aktiebolag, 1933.
111 p. diagrs. 24 cm. (Statens offentliga utredningar 1933:14)
At head of title: Finansdepartementet.
Published also separately, with cover title: Bostadsfrågan såsom socialt planläggningsproblem under krisen och på längre sikt.
1. Housing—Sweden. I. Ahrén, Uno, joint author. II. Title. (Series: Sweden. Statens offentliga utredningar 1933:14)
Full name: Karl Gunnar Myrdal.
J406.R15 1933:14 60-57361

NM 0924214 DLC

Myrdal, Gunnar, 1898-
Vad gäller striden i befolkningsfrågan? Stockholm, Frihets förlag, 1936.
36 p. 19 cm.

NM 0924215 MH DNAL

Myrdal, Gunnar, 1898–
Varning för fredsoptimism, av Gunnar Myrdal. Stockholm, A. Bonnier (1944)
354, (1) p. 20cm.
"Fjärde tusendet."

1. U. S.—Economic policy. 2. U. S.—For. rel.—1933– 3. U. S.—Pol. & govt.—1933-1945. I. Title.
(Full name: Karl Gunnar Myrdal)
46-13455
Library of Congress HC106.4.M9

NM 0924216 DLC KU OU

HB75 M9
Myrdal, Gunnar, 1898-
Vetenskap och politik i nationalekonomien. Stockholm, P.A. Norstedt [1930]
308 p.
Bibliography: p.[296]-308.

1. Economics - Hist. 2. Economic policy.

NM 0924217 CU MnU

Myrdal, Gunnar, 1898-
Vetenskap och politik i nationalekonomien. Stockholm, Kooperativa förbundets bokförlag[1937?]
308p. 23cm.
Bibliographical references in "Noter" (p.[296]-308)

NM 0924218 CtY WU

Myrdal, Gunnar, 1898–
Warnung vor dem friedensoptimismus, von Gunnar Myrdal, uebersetzung aus dem schwedischen. (n. p., 1944?)
253 p. 21cm.
Label on cover: Ausschliesslich für den dienstgebrauch.

1. U. S.—Economic policy. 2. U. S.—For. rel.—1933– 3. U. S.—Pol. & govt.—1933-1945. I. Title.
(Full name: Karl Gunnar Myrdal)
HC106.4.M94 338.973 47-20075

NM 0924219 DLC

Myrdal, Gunnar, 1898–
... Warnung vor friedensoptimismus. Zürich, New York, Europa verlag (1945)
240 p. 21½cm. (Half-title: Neue internationale bibliothek, bd. 1)
"Deutsche übertragung von Verner Arpe."

1. U. S.—Economic policy. 2. U. S.—For. rel.—1933– 3. U. S.—Pol. & govt.—1933-1945. I. Arpe, Verner, tr. II. Title.
(Full name: Karl Gunnar Myrdal)
A 46-1355
Harvard univ. Library for Library of Congress (2)

NM 0924220 MH ICU NcD PPT

Myrdal, Gunnar, 1898 -
Who is a negro? (In Encore. December 1946).

NM 0924221 PPAmSwM

Myrdal, Jan.
Folkets hus, samtal vid en invigning. (Stockholm, Tryckeri ab. Björkmans eftr., 1954)
35 p. 19 cm.

I. Title.
A 54-5521
Minnesota. Univ. Libr. for Library of Congress (1)

NM 0924222 MnU NN

Myrdal, Jan.
Hemkomst; roman. Stockholm, Tidens förlag (1954)
198 p. 20 cm.

I. Title.
A 55-4081
Minnesota. Univ. Libr. for Library of Congress (1)

NM 0924223 MnU NN

Myrdal, Jan.
Jubelvår; roman. Stockholm, Tidens förlag (1955)
199 p. 19 cm.

I. Title.
A 56-2451
Minnesota. Univ. Libr. for Library of Congress (2)

NM 0924224 MnU NN KyU

Jónsson,
Mýrdal, Jón (1825–99). Grýla. I. Nokkur ljóðmæli. II. Vinirnir, skáldsaga eptir Jón Mýrdal. Akureyri, 1873. 8°. pp. 322.
IcF86M952

NM 0924225 NIC MH

VOLUME 403

PK 2911 .M9 M2 1872
Mýrdal, Jón Jónsson, 1825-1899.
Mannamunur, skáldsaga eptir Jon Mýrdal. Kostnaðarmaður: Magnús Sigurðsson. [Akureyri, Prentaður í prentsmiðju Norður og Austuramtsins, B. M. Stephánsson, 1872]
390 p., 1 l. 16½cm.

NM 0924226 MdBJ NIC MH NN

Hlp M989 M3
Mýrdal, Jón Jonsson, 1825-1899.
Mannamunur; skáldsaga. Önnur útg. Reykjavík, J.Jóhannesson,1912.
x,400p. port. 18cm.

NM 0924227 CtY NN NdU NIC WaU MH

Myrdal, Jón, Jónsson 1825-99.
—— [Skin eptir skúr. Akureyri, 1887.]
8°. pp. 1-72, 89-128. IcF86M953
No t.-p.; imperfect copy. — Appeared as a supplement to the fortnightly "Fróði," 1887, and p. 128 was the last printed.

NM 0924228 NIC MH

Myrdal, Karl Gunnar
see
Myrdal, Gunnar, 1898-

[Myrdal collection; documents prepared for the Carnegie Corporation and used in the writing of An American dilemma; the Negro problem and modern democracy, by Gunnar Myrdal. 1940]
see Problems of the American Negro.

Z1361 .N39M9
[Myrdal collection; checklist. New York, 1948?]
3 l. 29x38cm.
Photoprint.
Collation of original: 5 p.
A list of the documents of filmed; films have call no. Micro-film E 152
1. Negroes--Bibl.

NM 0924231 ICU

Myrddin, Gwilym, d. 1946.
Cerddi [gan] Gwilym Myrddin. Llandysul, Gwasg Gomer, 1948. xv, 121 p. port. 19cm.

504447B. 1. Welsh language—Texts and translations.
N. Y. P. L. November 1, 1949

NM 0924232 NN MH

Myrddin, Gwilym, pseud.? d. 1946
"Y ferch o'r Scer" a "Peniel", dwy gerdd Eisteddfod gan Gwilym Myrddin. Llandysul, J.D.Lewis [1938?]
47 p.

NM 0924233 MH

Myrddin Emrys
see Merlin.

Myrddin Farrd, pseud.
see Jones, John, 1836-1921.

Myrddin Gwent, properly Job Thomas
see Thomas, Job.

Myrddin, Wyllt.
Ymddiddan Myrddin a Thaliesin
see under Black Book of Carmarthen.

Myrddin-Evans, Guildhaume, joint author.
Chegwidden, Thomas Sidney.
The employment exchange service of Great Britain; an outline of the administration of placing and unemployment insurance, by T. S. Chegwidden and G. Myrddin-Evans; with foreword by the Rt. Hon. Winston S. Churchill ... New York, Industrial relations counselors, incorporated, 1934.

Myrdin
see Merlin.

Myre, John.
see
Mirk, John, fl. 1403

SPECIAL COLLECTIONS xSCG .P923 .M99C
Myre, Manuel.
Catalogo; preço corrente de selos de Portugal e colonias, xiv edição. Lisboa, M. Myre, 1923.
64p. illus. 16cm.

1. Postage-stamps--Portugal--Catalogs. 2. Postage-stamps--Portugal--Colonies--Catalogs.

NM 0924241 MB

SPECIAL COLLECTIONS xSCG .P937 .M99C
Myre, Manuel.
Catalogo; preço corrente de selos de Portugal e colonias. xxx edição. Lisboa, M. Myre, 1937.
85p. illus. 16cm.

1. Postage-stamps--Portugal--Catalogs. 2. Postage-stamps--Portugal--Colonies--Catalogs.

NM 0924242 MB

Mann S 591 Z992 no. 5
Myre, Mário
Breve reconhecimento geobotânico e pedológico na região do Mazeminhama (Maputo) (Extracto dum relatório) por Mário Myre e Mário F. Bento Ripado. Lourenço Marques, 1953.
64 p.

1. Botany - Ecology. 2. Botany - Mozambique. 3. Soils - Mozambique. I. Title. II. Ripado, Mário F.

NM 0924243 NIC

Myre, Olav, 1878-
Edvard Munch og hans boksamling. Oslo, Damm, 1946
35 p. front. (Småskrifter for bokvenner, 69)

NM 0924244 MH

PT8098 W5Z79
Myre, Olav, 1878-
Johan Herman Wessel på strøket og i bibliofilien. [Oslo] Dybwad, 1942.
98 p. illus.

1. Wessel, Johan Herman, 1742-1785.

NM 0924245 CU

019.2481 M997
MYRE, Olav, 1878-
Presten og trykkeren. [Oslo] J. Dybwad, 1943-45.
2 v. in 1. 20cm.
1. Bang, Christen Stephensøn, 1594 (ca.)-1678. 2. Nielszøn, Tyge, b. ca. 1600. 3. Printing in Norway. Hist. I. Title.

NM 0924246 MnU

PN5292 M9
Myre, Olav, 1878-
Svunne tiders sensasjoner, streiftog gjennem norsk pressehistorie. Oslo, J. Dybwad, 1944.
352 p. ports.,facsims.

1. Press - Norway. 2. Norwegian periodicals Hist. 3. Journalism - Norway.

NM 0924247 CU NN IEN

Myre, Olav, 1878-
To kronikker. Oslo, Damm, 1950
29 p. (Småskrifter for bokvenner, 77)

NM 0924248 MH

PT8098 W5Z8
Myre, Olav, 1878-
Wessel på skolen og i "Det norske selskab". Oslo, N.W. Damm, 1944.
18 p. (Småskrifter for bokvenner, nr.44)

1. Wessel, Johan Herman, 1742-1785.

NM 0924249 CU MH

Myré, Paul.
... L'éducation psychique et l'Institut Coué ... Paris, Oliven, 1923.
51, [1] p. 22½cm.

1. Mental suggestion. 2. Coué, Émile, 1857- I. Title.
Library of Congress RM921.C8M8 24-92

NM 0924250 DLC

Myre de Vilers, Charles Marie Le.
See
Le Myre de Vilers, Charles Marie, 1833-1918.

VOLUME 403

MYREEN, Carolus Joh .
Donationes Pippini et Caroli Magni ad Ecclesiam Romanam, paucis disquisitura.... Upsaliae, [1764]

4°.

NM 0924251 MH

Myreen, Daniel, respondent.
Dissertatio de spiralibus et lineis curvis ejusdem rectificationis inveniendis ...
see under Landerbeck, Nils, 1735-1810, praeses.

Myreen, Daniel.
... Om penningar och mynt ... Andra delen ... af Daniel Myreen ... och Axel Fredric Norström ... Upsala, Hos Stenhammar och Palmblad, Kongl. acad. boktr. [1811]
1 p.l., p.23-42. 20 cm.

Diss.--Upsala.
Part 1: Rabenius, L.G. Om penningar och mynt ... 1810.
Bibliographical foot-notes.

NM 0924253 MH-BA

Myréen (Oskar). *Om cirrhos i lefvern. 70 pp. 8°. Helsingfors, J. C. Frenckell & Son, 1860.

NM 0924254 DNLM

WA 30 M998s 1950
MYREN, Johs
Sosialmedisinske beretninger fra Stryn og Hormindal legedistrikt. [Stockholm, 1950]
88 p. illus.
Published as supplement to Nordisk hygienisk tidskrift, 12, 1950.
1. Public health - Norway - Sogn og Fjordane 2. Social medicine I. Nordisk hygienisk tidskrift, 12. Supplement

NM 0924255 DNLM MnU

DK459 M998
Myrén, Paul, 1884-
I revolutionstider, av Paul Myrén. Med teckningar av författaren. Stockholm, Tryckeriet Progress, 1920.
2 p.l., 241, [1] p. illus. 28x21 cm.

1.Finland - History - Revolution, 1917-1918 - Personal narratives. I. Title.

NM 0924256 CSt-H WU

Myren, Richard Albert, 1924-
Cases and materials on criminal procedure, with North Carolina annotations. Chapel Hill, N.C., Institute of Government, 1955.
300 l. 28 cm.

NM 0924257 NcU

137a 2366.3
Myren, Richard Albert, 1924-
Collection provisions in United States bilateral income tax treaties ... [Cambridge, Mass.] 1952.
1 p.l., 30, [i.e.31] numb. l. 26cm.
Paper submitted to Profs. Louis B. Sohn and Kingman Brewster for the seminars on world economic development and legal measures to promote American investment abroad.
Bibliographical footnotes.
Typewritten.

NM 0924258 MH-L

Law
Myren, Richard Albert, 1924-

North Carolina. University. Institute of Government.
Coroners in North Carolina; a discussion of their problems [by Richard A. Myren, assistant director, Institute of Government] Chapel Hill, University of North Carolina, 1953.

Myren, Richard Albert, 1924-
Investigation of arson and other unlawful burnings. [Chapel Hill, 1954]
90, 14 l. 28 cm. (Institute of Government, University of North Carolina. Guidebook series)
"Appendix B: The statutory law of arson and other burnings in North Carolina": leaves [9]-14.

1. Arson. 2. Arson—North Carolina. I. North Carolina. Laws, statutes, etc. II. Title. (Series: North Carolina. University. Institute of Government. Guidebook series)

HV8079.A7M85 *364.16 364.38 54-63078

NM 0924260 DLC NcU IU TU NNC WaU-L

Cp610.4 N87i
Myren, Richard Albert, 1924-
Legal aspects of financial problems in medical practice. Chapel Hill, Institute of Government, University of North Carolina, 1954.
10 p. 28cm.
At head of title: Legal problems in medical practice; topic number two.

1. N.C.--Physicians and surgeons I. Legal problems in medical practice.

NM 0924261 NcU

Cp343.1 M99s
Myren, Richard Albert, 1924-
Selected news reports of the Roman murder case. Chapel Hill, Institute of Government, University of North Carolina, 1954.
36 p. 28cm. (Special study)

1. Hinshaw, Beulah Miller, -1951 2. Roman, John Andrew 3. N.C.--Murder

NM 0924262 NcU

Myrén, Viktor, 1883-1941.
Dalbolåtar; dikter. Stockholm, H. Geber [1909]
68 p.

NM 0924263 MH

Myrén, Viktor, 1883-1941.
Gränsfolk, av Viktor Myrén. Roman. Uppsala, Lindblad [1939] 277 p. 20cm. (Svensk skönlitteratur.)

NM 0924264 NN

Myrén, Viktor, 1884-1941.
... In den spuren des Meisters ... Wuppertal-Elberfeld, R. Brockhaus, 1941.
239 p. 19cm. (His Waldbauerngeschichten aus dem schwedisch-norwegischen bergland, bd. 2)
"Der titel der schwedischen ausgabe dieses buches lautet: De goda fotspåren; berechtigte übersetzung von Werner Schnepper."

I. Schnepper, Werner, tr. II. Title.

44-50064

Library of Congress PT9875.M9G63
[2] 839.736

NM 0924265 DLC

Myren, Viktor, 1884-1941.
Linäkrar; dikter. Stockholm, Normans förlag [1911]
75- p.

NM 0924266 MH

Myrén, Viktor, 1884-1841.
Lustgården. Stockholm, Svenska Andelsförlaget [1929]
77- p.

NM 0924267 MH

Myrepsus, Nicolaus
see
Nicolaus Myrepsus.

Myrer, Anton.
Evil under the sun. New York, Random House [1951]
373 p. 22 cm.

I. Title.

PZ4.M998Ev 51-13135 ‡

NM 0924269 DLC NN MB OrP

Myres, B F
Riparian rights
see under Hill, Adelia, plaintiff-appellant.

Myrès, Jean.
... Julie va la boucler, comédie en un acte ... Paris, C. Joubert, ©1921.
19 p. 21cm.

I. Title.

Library of Congress PQ1223.Z9M89 21-20639

NM 0924271 DLC

DR701 .S5G74
Myres, Sir John Linton, 1869-1954.

Gt. Brit. Naval Intelligence Division.
Albania [by John Myres, H. S. L. Winterbotham, and F. Longland. London] 1945.

GN1 .A6
Myres, Sir John Linton, 1869- ed.

Annals of archaeology and anthropology, issued by the Institute of Archaeology. v. 1-28; Sept. 1908-1948. Liverpool, University Press.

Myres, John Linton, 1869-

Marett, Robert Ranulph, 1866- ed.
Anthropology and the classics; six lectures delivered before the University of Oxford, by Arthur J. Evans, Andrew Lang, Gilbert Murray, F. B. Jevons, J. L. Myres, W. Warde Fowler, ed. by R. R. Marett ... Oxford, The Clarendon press, 1908.

VOLUME 403

PC 5061 .E9 M91 1941
[Myres, John Linton] 1869-
Arthur John Evans, 1851-1941. [London and Edinburgh, Printed for the Royal society of London by Morrison and Gibb, ltd., 1941]
cover-title, 28 p. port. 27cm.
Signed: J. L. Myres.
Reprinted from Obituary notices of fellows of the Royal society 1941.

NM 0924275 MdBJ

N3750 N5M9
Myres, Sir John Linton, 1869-
A catalogue of the Cyprus Museum, with a chronicle of excavations undertaken since the British occupation and introductory notes on Cypriote archaeology, by John L. Myres and Max Ohnefalsch-Richter. Oxford, Clarendon Press, 1899.
xii,222 p. 8 plates.
1. Nicosia, Cyprus. Cyprus Museum. 2. Archaeological museums and collections. 3. Cyprus - Antiq.

NM 0924276 CU DDO MiU CSt MB MH MiU ICU

Myres, John Linton, 1869- FOR OTHER EDITIONS SEE MAIN ENTRY
Gardner, Percy, 1846-
Classical archaeology in schools, by Percy Gardner ... with an appendix containing lists of archaeological apparatus, by Professor P. Gardner and J. L. Myres ... 2d ed. Oxford, The Clarendon press, 1905.

GN 2 H9 1933
Myres, John Linton, 1869-
The Cretan labyrinth; a retrospect of Aegean research. London, Royal Anthropological Institute of Great Britain and Ireland [1933?]
269-3-2 p. 28 cm. (The Huxley memorial lecture for 1933)
Cover title.
Reprinted from the Journal of the Royal Anthropological Institute, Vol. LXIII, July-December, 1933
Bibliography: p.308-312.
1. Crete--Antiquities. I. Title.

NM 0924278 CU-SC NcD CU

Myres, *Sir* John Linton, 1869-
The dawn of history, by J. L. Myres ... London, Williams and Norgate [°1911]
256 p. 17 cm. (*Added t.-p.:* Home university library of modern knowledge. New York, H. Holt and company)
Title and added title within ornamental borders.
"Notes on books": p. 253-254.
1. History, Ancient. I. Title.
Library of Congress D65.M95 11—30396

OrSaW IdU WaS Or OrU AAP
NM 0924279 DLC MeB CaBVaU PBm PHC PU ODW ICJ NcD

Myres, *Sir* John Linton, 1869-1954.
The dawn of history, by J. L. Myres ... New York, H. Holt and company; [etc., etc., °1911]
256 p. 18 cm. (*Half-title:* Home university library of modern knowledge, no. 26)
"Notes on books": p. 253-254.
1. History, Ancient. I. Title.
D65.M96 12—133

IEG NIC WaTC MtU OrPR OrCS WaWW Wa IdPI
NM 0924280 DLC PPDrop MiU OCl OO OU ViU NN MB KEmT

DS52 .G73 1943
Myres, Sir John Linton, 1869-1954. FOR OTHER EDITIONS SEE MAIN ENTRY
Gt. Brit. *Naval Intelligence Division.*
Dodecanese [by J. L. Myres] 2d ed. [London] 1943.

GN6 .F6
Myres, John Linton, 1869-1954, ed.
Pitt-Rivers, Augustus Henry Lane-Fox, 1827-1900.
The evolution of culture, and other essays, by the late Lt.-Gen. A. Lane-Fox Pitt-Rivers ... Ed. by J. L. Myres ... With an introduction by Henry Balfour ... Oxford, Clarendon press, 1906.

Myres, John Linton, 1869- *2960a.53.9
Excavations at Palaikastro. II. The sanctuary-site at Petsofa. Illus. Plates.
(In British School at Athens. Annual. No. 9. Session 1902/1903; pp. 356-387. London. [1903.])
F9710 — Palaikastro, Crete. Antiq.

NM 0924283 MB OO

Mu 913.3937 M995
MYRES, JOHN LINTON, 1869-
Excavations in Cyprus, 1913, by Sir John L. Myres... [1913]
cover-title, [53]-98, [2]p. illus. (incl. plans), plates. 25cm.
"Reprinted from The Annual of the British school at Athens, no. XLI."

NM 0924284 PU

Myres, *Sir* John Linton, 1869-
Geographical history in Greek lands. Oxford, Clarendon Press, 1953.
ix, 381 p. illus., maps. 23 cm.
"A select list of the works of John Linton Myres": p. [351]-381.
1. Greece—Description, geography. I. Title.
DF30.M79 938 53-1115

WaT MtU InU PU OKentU OrU WaWW
ViU ICU MH CtY PPT CaBVaU PSt TU IEN MB OU OCl
NM 0924285 DLC MeB OrPS CaBVa PHC OClW TxU NN NcU

Myres, John Linton, 1869-
Greek lands and the Greek people; an inaugural lecture delivered before the University of Oxford, November 11, 1910, by J. L. Myres ... Oxford, Clarendon press, 1910.
32 p. 23cm.
1. Greeks. 2. Greece—Hist.
A 12-170* Cancel
Title from Columbia Univ. Printed by L. C.

NM 0924286 NNC NjP CLSU MiU OO OU PU

Myres, John Linton, 1869-
New York. Metropolitan museum of art. ***Cesnola collection.***
... Handbook of the Cesnola collection of antiquities from Cyprus, by John L. Myres ... New York, 1914.

Myres, John Linton. 1869- 3824.197
Herodotus and anthropology.
(In Marett, R. R., editor. Anthropology and the classics. Pp. 121-168. Oxford. 1908.)
G9360 — Herodotus.

NM 0924288 MB OCX

Myres, *Sir* John Linton, 1869-
Herodotus, father of history. Oxford, Clarendon Press, 1953.
vi, 315 p. illus., maps. 23 cm.
Includes bibliographies.
1. Herodotus.
PA4004.M9 888.1 A 53—6296
Missouri. Univ. Libr. for Library of Congress [55r53e3]†

OrAshS
OCU OU PBm PPDrop TxU OCl OKentU OO CaBVaU OrPR
CaBVa OrCS OrP DLC PPT MiU PSt PLFM PSC PBL OClW
MH CtY InU CU WaSpG MsU CSf CaQML DAU OrU OrStbM
NM 0924289 MoU FMU OClU LU ICU TU NN NcU MB ViU

Reserve Book Room Gfh66 Y953Ma
Myres, John Linton, 1869-1954.
Herodotus, father of history, by John L. Myres. Oxford, Clarendon Press, 1953. [Ann Arbor, Mich., University Microfilms, 1966]
vi, 315 p. illus. 21 cm.
Photocopy.

NM 0924290 CtY

Myres, *Sir* John Linton, 1869-
Herodotus, father of history. Oxford, Clarendon Press [1953]
vi, 315 p. illus., maps. 23 cm.
Includes bibliographies.

NM 0924291 OkS

Myres, John Linton, 1869-
Herodotus, outline anlaysis of books I-VI [by] John L. Myres ... Oxford [University press] 1912.
3 p.l., 4-16 numb. l. 26 cm.
Leaves printed only on rectos.
Compiler's autograph presentation copies.

NM 0924292 CU

Myres, John L[inton] 1869-
Herodotus: outline analysis of books I-VI ... Oxford [Horace Hart, printer to the University] 1912.
16 numb. l. 25cm.
Second edition.
1. Herodotus. Historiae.

NM 0924293 NNRU

Myres, John Linton, 1869-
A history of Rome for middle and upper forms of schools, with maps and plans, by J. L. Myres ... 2d ed. London, Rivingtons, 1910.
xiv, 627 p. illus. (incl. maps, plans) 19cm.
1. Rome—Hist.
A 14-1053
Title from Leland Stanford Jr. Univ. Printed by L. C.

NM 0924294 CSt PPL

Myres, John Linton, 1869-
A history of Rome for middle and upper forms of schools. 3d ed. London, Rivingtons, 1920.

NM 0924295 MsU

Myres, John Linton, 1869-
A history of Rome for middle and upper forms of schools, with maps and plans, by J. L. Myres ... London, Rivingtons, 1932.
xiv, 627 p. illus. (incl. maps, plans) 19cm.

NM 0924296 ViU

VOLUME 403

Myres, Sir John Linton, 1869-
... The influence of anthropology on the course of political science. n.p., 1909.
30 p.
Presidential address delivered to the Anthropological section of the British Association for the Advancement of Science, at Winnipeg, 1909.

NM 0924297 PU-Mu

Myres, John Linton, 1869-
The influence of anthropology on the course of political science.
(In British Association for the Advancement of Science. Report. 1909. Pp. 589-617. London. 1910.) *7912.1.1909

Presidential address delivered to the Anthropological Section of the British Association for the Advancement of Science, at Winnipeg, 1909.

K8091 — Anthropology. — Political science. — British Association for the Advancement of Science. Anthropological Section. Addresses.

NM 0924298 MB

Myres, *Sir* John Linton, 1869-
... The influence of anthropology on the course of political science, by John Linton Myres ... Berkeley, University of California press, 1916.
[1]-81 p. 25 cm. (University of California publications in history, v. 4, no. 1)
"This essay was originally written as a presidential address to the Anthropological section of the British association for the advancement of science ... 1909 ... The investigation is resumed here with ... the addition of two sections on Comparative philology, and on Polygenism ..."—Foot-note, p. [1]
Bibliographical foot-notes.
1. Anthropology. 2. Political science. I. Title.
E173.C15 vol. 4, no. 1 A 16-365
——— Copy 2. JA80.M9
California. Univ. Libr. for Library of Congress [a55r53g3]†

WaTC CaBViP MiU DLC KEmT PSt WaS MB NcD OrPE OrU
NM 0924299 CU ViU ICJ OC1 OCU OO PPAmP CoU CaBVaU

[MYRES, John Linton, 1869- .]
John Knight Fotheringham, 1874-1936. London, H. Milford, [1937].
26 cm. pp.16.
"From the Proceedings of the British Academy, Vol. XXIII."
Signed at end: John L. Myres.

NM 0924300 MH

AS 922M
Myres, John Linton, 1869-
Learned societies; a lecture delivered in the library of the Department of Education at the University of Liverpool, 4th November 1922. [Liverpool, C. Tinling, 1922?]
31p. 25cm.
"Bibliographical note": p. [2]

1. Learned institutions and societies - Addresses, essays, lectures.

NM 0924301 CtY-M

Myres, John Linton, 1869-
Mediterranean culture, by John L. Myres ... Cambridge [Eng.] The University press, 1943.
51, [1] p. 18½cm. (The Frazer lecture, 1943)

1. Mediterranean sea—Hist. 2. Culture. 3. Europe—Civilization. I. Title.
A 43-3404
Harvard univ. Library for Library of Congress D973.A2M9
[a44f1]† 940

NM 0924302 MH MU WaS OC1 OC1W OU NcD PBm PSC DLC

D973 .A2M9
Myres, John Linton, 1869-
Mediterranean culture, by John L. Myres. Cambridge [Eng.] University Press [1944]
51 p. 19cm. (The Frazer lecture, 1943)

1. Mediterranean sea—Hist. 2. Culture. 3. Europe—Civilization. I. Title. II. Series.

NM 0924303 ViU PSC

Myres, Sir John Linton, 1869-1954.
Mediterranean culture ... Cambridge [Eng.] The University press, 1944.
51 [1] p. (The Frazer lecture, 1943)
"First edition, 1943; reprinted, 1944."

NM 0924304 MiEM OrPR OrPS

Myres, John Linton, 1869-1954.
Mediterranean culture, by John L. Myres ... Cambridge [Eng.] The University press, 1944
51, [1] p. 18½cm. (The Frazer lecture, 1943)
First edition 1943.

Photocopy. Ann Arbor, Mich., University Microfilms, 1969.

NM 0924305 OrPS OrPR

Myres, John Linton, 1869- joint ed.

British association for the advancement of science.
Notes and queries on anthropology. 4th ed., edited for the British association for the advancement of science, by Barbara Freire-Marreco ... and John Linton Myres ... London, The Royal anthropological institute, 1912.

Myres, John Linton, 1869- 3311.1.66
Notes on the 'prison of Saint Catharine' at Salamis in Cyprus.
(In Archaeologia ... Vol. 66, pp. 179-191. Plate. Plan. Oxford. 1915.)

L1033 — St. Catharine, Prison of, Salamis, Cyprus.

NM 0924307 MB

Myres, John Linton, 1869- *4073.04-102
Painted vases from Cyprus in the Pitt-Rivers Museum at Oxford.
(*In* Casson, Stanley, editor. Essays in Aegean archaeology. Pp. 72-89. Plates. Oxford. 1927.)

D5049 — Vases. Greek. — Cyprus. A — University of Oxford Pitt-Rivers Museum.

NM 0924308 MB

JC 73 .M8
Myres, Sir John Linton, 1869-1954
The political ideas of the Greeks. London, E. Arnold, 1927.
271 p. 23cm.

"Contains a course of lectures given in March, 1926, in the Wesleyan University, at Middletown, Connecticut, on the George Slocum Bennett Foundation."

1. Political science - Hist. - Greece. I. Title

NM 0924309 WU PJA CtY-M TU NcD

Myres, *Sir* John Linton, 1869-
The political ideas of the Greeks, with special reference to early notions about law, authority, and natural order in relation to human ordinance, by John L. Myres ... New York, Cincinnati, The Abingdon press [°1927]
436 p. 19½ cm. [Wesleyan university. George Slocum Bennett foundation. Lectures. 8th ser., 1925-1926]

1. Political science—Hist.—Greece. I. Title.
JC73.M8 27-14202 rev

IdU MtU OrCS OrPR Or OrSaW WaS WaU-L MtBC PWcS MiU OC1 OCU OU ViU IaU ICN DAU MB CaBVaU
NM 0924310 DLC CaOTP IEG PPT PHC NcD LU PBm NN PU

Myres, John Linton, 1869-
The provision for historical studies at Oxford surveyed in a letter to the president of the American historical association on the occasion of its meeting in California, 1915, by John L. Myres ... London, New York [etc.] H. Milford, 1915.
27 p. 23cm.

1. History—Study and teaching. 2. Oxford. University.
16-10942
Library of Congress D16.5.O9M9

NM 0924311 DLC OrU PBm PHC PU NN

Myres, John Linton, 1869-
The provision for historical studies at Oxford surveyed in a letter to the president of the American historical association on the occasion of its meeting in California, 1915, by John L. Myres ... Oxford, F. Hall, printer to the University, 1915.
27 p. 23½cm.

1. History—Study and teaching. 2. Oxford. University.
23-25488
Library of Congress D16.5.O9M9 1915 a

NM 0924312 DLC CaBViP WaTC CtY OU NN

Myres, John Linton, 1869-
Science and the humanities; the use and abuse of information, by John L. Myres ... London, Oxford university press, H. Milford, 1933.
32 p. 24½cm.
"Address delivered at the ninth annual conference of the Association of special libraries and information bureaux at Somerville college, Oxford, on 23 September 1932."

1. Science—Addresses, essays, lectures. 2. Education—Addresses, essays, lectures. 3. Classical education. I. Association of special libraries and information bureaux. II. Title.
35-420
Library of Congress Q171.M98
[2] 500.013

NM 0924313 DLC MiU NN

Myres, John Linton. 1869- *3823.171
The Sigynnae of Herodotus. An ethnological problem of the early Iron Age.
(In Anthropological essays presented to Edward Burnett Tylor ... Pp. 255-276. Oxford. 1907.)

G7268 — Sigynnae. — Iron Age.

NM 0924314 MB

[Myres, John Linton] 1869-
Sir Arthur Evans, 1851-1941 ... London, H. Milford [1942?]
36 p. front. (port.) 25½cm.
Signed: J. L. Myres.
"From the Proceedings of the British academy. Volume XXVII."

1. Evans, Sir Arthur John, 1851-1941. I. Title.
43-608
Library of Congress DF212.E82M9
[3] 925.71

NM 0924315 DLC NIC DDO OCU OO OC1W

[Myres, John Linton] 1869-
Sir Henry Stuart Jones. 1867-1939. (In British academy, London. Proceedings. v.26, 1940. p.[467]-478. port.)

Signed: J.L.M.

1. Jones, Sir Henry Stuart, 1867-1939.

NM 0924316 NNC MH

VOLUME 403

Myres, *Sir* John Linton, 1869–
The structure of stichomythia in Attic tragedy.
(*In* British Academy, London. (Founded 1901) Proceedings. 1948. London ⌊1952⌋ 26 cm. v. 34, p. ⌊199⌋–231)

1. Stichomythia. 2. Greek drama (Tragedy)—Hist. & crit. I. Title.
AS122.L5 vol. 34 A 52-7226
Wisconsin. Univ. Libr. for Library of Congress ⌊1⌋†

NM 0924317 WU CaBVaU NNC DLC

Myres, *Sir* John Linton, 1869–
The structure of stichomythia in Attic tragedy. London, G. Cumberlege ⌊1949?⌋
35 p. 26 cm.
"From the Proceedings of the British Academy, volume xxxv."

1. Stichomythia. 2. Greek drama (tragedy)—Hist. & crit. I. Title.
PA3136.M9 882.09 52-17470

NM 0924318 DLC DCU MH

Myres, John Linton, 1869–
The value of ancient history; a lecture delivered at Oxford, May 13th, 1910, by John L. Myres ... Liverpool, The University press ⌊1910⌋
40 p. 23cm.

1. History, Ancient. 2. History, Ancient—Study and teaching.
10-24908
Library of Congress D16.M97

NM 0924319 DLC NcD Or

⌊**Myres, John Linton**⌋ 1869–
The value of ancient history; a lecture delivered at Oxford, May 13th, 1910. ⌊n. p., 1910?⌋
2 p. l., ⌊3⌋–39 p. 23cm.
First page of text faced by reproduction, in Greek, of the beginning of the first chapter of the first book of Herodotus.

1. History, Ancient. 2. History, Ancient—Study and teaching. I. Title.
12-14617
Library of Congress D16.M972

NM 0924320 DLC

Myres, John Linton, 1869–
Who were the Greeks? By John Linton Myres ... Berkeley, Calif., University of California press, 1930.
xxxvii, 634 p. illus. (incl. maps) diagrs. 23½cm. (*Half-title:* Sather classical lectures, v. 6, 1930)
"Notes": p. 545-605.

1. Greeks. 2. Ethnology—Greece. 3. Greek language—Hist. 4. Civilization, Greek. 5. Greece—Hist. I. Title.
Library of Congress DF77.M85 30-9296
Copyright A 20702 ⌊5⌋ 938

NM 0924321 PU CaBVaU CaBViP OrCS Or OU ViU MB NBB MH NN PHC MtU IdU OrPR WaWW OrSaW DLC PPDrop AAP CU TU MnU NcD TxU OCl OCU

H 6771 C9 B6 no.6
Myres, John Nowell Linton.
Portraits of the sixteenth and early seventeenth centuries. Oxford, Bodleian Library ⌊1952⌋
7 p., 23 p. of plates. (Bodleian picture books, no.6)
Includes bibliography.

1. Portraits--Catalogs. I. Title. Series.

NM 0924322 NSyU MWiCA NNC

Myres, John Nowell Linton.
Roman Britain, by J. N. L. Myres ... London, Published for The Historical association by G. Bell and sons, ltd., 1939.
31 p. 21½ cm. (*On cover:* Historical association pamphlet no. 113)
Bibliography: p. 29-30.

1. Gt. Brit.—History—Roman period, 55 B. C.–449 A. D. I. Title.
[D1.H25 no. 113] A 40—333
Yale Univ. Library for Library of Congress ⌊n66c½⌋

NM 0924323 CtY CaOTP PU CoU CaBVaU

Myres, John Nowell Linton. FOR OTHER EDITIONS SEE MAIN ENTRY
Collingwood, Robin George, 1889–
Roman Britain and the English settlements, by R. G. Collingwood ... and J. N. L. Myres ... 2d ed. Oxford, The Clarendon press, 1937.

Myres, Miles Timothy.
Survey of the harlequin duck. n. p., n. d.
[5] p. sq. Q.

NM 0924325 CaBViP

Tzz 685.1 M997s
Myres (S.D.) Saddle Co., El Paso, Tex.
S.D. Myres Saddle Co., El Paso, Texas, manufacturers of the world's finest saddles. Cowboys' wants a specialty. [Catalogue. El Paso, 1930?]
94p. illus. 25cm.

1. Harness making and trade - Texas.

NM 0924326 TxU

Myres, Samuel Dale, 1899- ed.
Institute of public affairs. *Southern Methodist university, Dallas. 6th conference,* 1939.
America and the world crisis; proceedings of the sixth annual conference, Institute of public affairs, auspices Carnegie endowment for international peace, Waco, Denton, Dallas, Fort Worth, Waxahachie. Edited by S. D. Myres, jr. ⌊Dallas, Pub. for the Institute by the Arnold foundation, Southern Methodist university, 1939.

Myres, Samuel Dale, 1899–
... American foreign policy; an interpretation, by S. D. Myres, jr. Dallas, Tex., Southern Methodist university, 1933.
46 p. 23cm. (Arnold foundation studies in public affairs. v. 1, no. 4, Spring, 1933)
Bibliographical foot-notes.

1. U. S.—Foreign relations. I. Title.
A 33-2583
Carnegie endow. int. peace. for Library of Congress Library [H35.A7 vol. 1, no. 4]

NM 0924328 NNCE CoU NcRS OO OU PPT PU

H35 .A7 v.1 no.4 1934
Myres, Samuel Dale, 1899–
American foreign policy, an interpretation. Dallas, Southern Methodist University, 1934.
40 p. 21cm. (Dallas. Southern Methodist University. Arnold Foundation studies in public affairs, v. 1, no. 4, rev.)
Bibliographical footnotes.

1. U. S.—For. rel. I. Title. II. Ser.

NM 0924329 ViU

Myres, Samuel Dale, 1899–
Timm, Charles August.
... Basic processes of international government, by Charles A. Timm and S. D. Myres, jr. Dallas, Tex., Southern Methodist university, 1937.

Myres, Samuel Dale, 1899- joint author.
Selecman, Charles Claude, 1874–
... The challenge of citizenship, by Charles C. Selecman and S. D. Myres, jr. Dallas, Tex., Southern Methodist university, 1933.

Myres, Samuel Dale, 1899–
... Community development in Palestine, by S. D. Myres, jr. Dallas, Tex., Southern Methodist university, 1932.
1 p. l., 32 p. 24 cm. (Arnold foundation studies in public affairs, v. 1, no. 2, fall, 1932)
Bibliographical foot-notes.

1. Palestine—Pol. & govt. 2. Jews in Palestine. 3. Arabs in Palestine.
H35.A7 vol. 1, no. 2 956.9 A 33-678
Carnegie Endow. for Int. Peace. Library for Library of Congress ⌊n63e½⌋†

NM 0924332 NNCE DLC OO OU PU CoU OrU ViU

Myres, Samuel Dale, 1899- ed.
Institute of public affairs, *Southern Methodist university, Dallas. 2d conference,* 1935.
The cotton crisis; proceedings of second conference, Institute of public affairs, edited by S. D. Myres, jr. ... Southern Methodist university, Dallas, Texas, January 31 and February 1, 1935. ⌊Dallas, Tex., The George F. and Ora Nixon Arnold foundation, Southern Methodist university, 1935⌋

Myres, Samuel Dale, 1899- ed.
Arnold foundation conference on public affairs, *Southern Methodist university. 1st,* 1934.
The government of Texas; a survey, edited by S. D. Myres, jr. Papers presented at the first Arnold foundation conference on public affairs, Southern Methodist university, March 2-3, 1934. ⌊Dallas, The George F. and Ora Nixon Arnold foundation, Southern Methodist university, ©1934⌋

Myres, Samuel Dale, 1899–
... Governmental reform in Texas, by S. D. Myres, jr., and J. Alton Burdine. Dallas, Tex., Southern Methodist university, 1936.
1 p. l., 49 p. 23cm. (Arnold foundation studies in public affairs. vol. v, no. 1. Summer, 1936)
Bibliographical foot-notes.

1. Texas—Politics and government. I. Burdine, John Alton, 1905– joint author. II. Title.
A 37-101
Carnegie endow. int. peace. for Library of Congress Library [H35.A7 vol. 5, no. 1]
⌊2⌋ (308.2)

NM 0924335 NNCE CoU FTaSU OU OO PPT ViU

Myres, Samuel Dale, 1899- ed.
Institute of public affairs. *Southern Methodist university, Dallas. 4th conference,* 1937.
International institutions and world peace: proceedings of the fourth annual conference. Institute of public affairs, auspices Carnegie endowment for international peace, Dallas, Denton, Waxahachie. Fort Worth. Edited by S. D. Myres, jr. ⌊Dallas⌋ Pub. for the Institute by the Arnold foundation, Southern Methodist university. 1937.

Myres, Samuel Dale, 1899- ed.
Institute of public affairs, *Southern Methodist university, Dallas. 5th conference,* 1938.
Mexico and the United States; proceedings of the fifth annual conference, Institute of public affairs, auspices Carnegie endowment for international peace, Dallas, Huntsville, Waxahachie, Waco, Denton. Fort Worth. Edited by S. D. Myres, jr. ⌊Dallas, Pub. for the Institute by the Arnold foundation, Southern Methodist university, 1938.

VOLUME 403

Myres, Samuel Dale, 1899–
... Party bolting, by S. D. Myres, jr. Dallas, Tex., Southern Methodist university, 1932.
20 p. 23ᶜᵐ. (Arnold foundation studies in public affairs ⌊v. 1, no. 1⌋ Summer, 1932)
"Reprinted ... from the Southwest review, Spring, 1932."
Bibliographical foot-notes.

1. Political parties. 2. Voting. I. Title.
A 33—1451
Carnegie endow. int. peace. Library for Library of Congress [H35.A7 vol. 1, no. 1]

NM 0924338 NNCE CoU ViU OO OU OCU DLC

Myres, Samuel Dale, 1899–
... Politics in the South; an estimate, by S. D. Myres, jr. Dallas, Tex., Southern Methodist university, 1934.
1 p. l., 38 p. 23ᶜᵐ. (Arnold foundation studies in public affairs. vol. III, no. 1. Summer, 1934)
Bibliographical foot-notes.

1. Southern states—Politics and government. I. Title.
A 35-513
Title from Carnegie Endow. Int. Peace. Printed by L. C.

NM 0924339 NNCE Or FTaSU NcD-L OCl OO OU ViU PPT

Myres, Samuel Dale, 1899-

Southwestern states probation and parole conference.
... Proceedings of the ... Southwestern states probation and parole conference ... 1st– 1936–
Dallas, Tex., 1936–

Myres, Samuel Dale, 1899-

Institute of public affairs, *Southern Methodist university, Dallas. 3d conference,* 1936.
The Southwest in international affairs; proceedings of the third annual conference, Institute of public affairs. Auspices, Carnegie endowment for international peace, Dallas, Texas. Edited by S. D. Myres, jr. ⌊Dallas⌋ Published for the institute by the Arnold foundation, Southern Methodist university, 1936.

Myres, Samuel Dale, 1899–
... Texas: nationalist or internationalist, by S. D. Myres, jr. Dallas, Tex., Southern Methodist university, 1935.
1 p. l., 56 p. 23½ cm. (Arnold foundation studies in public affairs. vol. IV, no. 1. Summer, 1935)

1. U. S.—Economic policy. 2. Texas—Econ. condit.—1918– 3. Cotton trade—Texas. 4. Nationalism—U. S.⌋ 5. International co-operation. ⌊5. Internationalism⌋ I. Title.
[H35.A7 vol. 4, no. 1] A 36—164
Carnegie Endow. for Int. Peace. Library for Library of Congress ⌊a55f1⌋

CoU ICarbS OrU Or
NM 0924342 NNCE OCl OCU OO OU DNAL PPT ViU FTaSU

Myres, T. Harrison.
Bells & bell lore; church bells of the Amounderness and the Archdeaconry of Lancaster, by T. Harrison Myres ... Preston: Guardian Prtg. Works. 1916. 112 p., 17 pl. (part fold.) illus., tables. 8°.

1. Bells. (Church), Gt. Br.: Eng.: Lancashire. 2. Title.
N. Y. P. L. September 6, 1917.

NM 0924343 NN WU WaS

Myres, William Miles, ed.
The Book of common prayer, A. D. 1886 ... 1887
see under Church of England. Book of common prayer.

Myres pressebyraa, Oslo
Den Norske presse
see under title

Ly myreur des histors.

Jean *d'Outremeuse*, 1338–1400.
Ly myreur des histors, chronique de Jean des Preis dit d'Outremeuse ... Bruxelles, M. Hayez, 1864–87.

Myrfors, Josef.

Kjellin, Elis, *ed.*
Byggnadskonsten; dess teori, juridik och praktik. Redaktion: Elis Kjellin ... O. Hökerberg ... Medverkande: Einar Valberg ... Gust. Hermansson ... Sven Bergström ... Paul Valberg ... Josef Myrfors ... Arv. O. Smith ... P. L. Bergström ... Stockholm, L. Hökerberg ⌊1928⌋

Myrh, Françoise.
Légendes limousines. [Limoges, Imprimerie nouvelle, 1946]

Cover: 15 contes et légendes du Limousin.

NM 0924348 MH

B2798
.M87y

Myrho, Friedrich, ed.
Kritizismus, eine Sammlung von Beiträgen aus der Welt des Neu-Kantianismus. Berlin, Pan-Verlag Rolf Heise, 1925.
vi, 143 p. 24 cm.
Most of the collection taken from Kantstudien.
CONTENTS.--Eine Vorlesng über Kant, von F. Paulsen.--Fichtes Atheismusstreit und die Kantische Philosophie, von H. Rickert.--Kant und der Pessimismus, von E. v. Hartmann.--Kant - ein Metaphysiker? von H. Vaihinger.--Immanuel Kant und sein Verhältnis zur Naturwissenschaft, von B. Bauch.--Kant und die modern e Mathematik, von E. Cassirer.

NM 0924349 OCU WU CaBVaU IaU MH

Myrhorods'kyĭ, Pavlo.
Щастя. ⌊n. p.⌋ Прометей, 1947.
94 p. 15 cm.

I. Title. *Title transliterated:* Shchastía
PG3948.M83S45 53-23930 ‡

NM 0924350 DLC

AP85
f.M9

Μυρία ὄσα. 'Εκδιδόμενα ἐν Παρισίοις καὶ συντασσόμενα ὑπὸ Ι. 'Ισιδωρίδου Σκυλίσση. 'Εν Παρισίοις, παρὰ τῷ ἐκδότῃ, 1868-1869.
2 v.in 1. illus. 30cm.

1. Skylitses, Ioannes Isidorides, 1819-1890, ed.

NM 0924351 OCU

Myria, the mad actress; or, The mysterious murder
see under [Ritner, William D]

Myriam de G...

BT660
.F3F3

Fatima, les trois favoris de Notre Dame ⌊par⌋ **Myriam de G...** Préf. de son éminence le cardinal Fossati; couverture et illus. de Barberis. Grenoble, Éditions de la revue "Les Alpes," 1944.

Myriam Teresa, Sister
see Miriam Teresa, Sister, 1901-1927.

Myriam, Harry
see Harry, Myriam, pseud.

Myrian, A 521 Q400
51084 ... Physique astronomique. Tulle, Imprimerie Crauffon, 1904.
252 p. diagrs. 25ᶜᵐ.
At head of title: A. Myrian.

NM 0924355 ICJ

Myrian, A 531.51 Q300
44870 ... Le système de Newton est faux. Tulle, Imprimerie Crauffon, 1903.
27, [1] p. 24ᶜᵐ.
At head of title: A. Myrian.

NM 0924356 ICJ

Myriantheas, Kōstas.
Γεωγραφια της Κυπρου μετα εἰσαγωγης εἰς την γεωγραφιαν. Λευκωσια, Κυπρος, 'Εκδοτικος οἰκος "'Ερμης", 1945. 232 p. illus., plates, fold. map. 22cm.

Film reproduction. Negative.

Title transliterated: Geōgraphia tēs Kyprou.

1. Cyprus--Economic geography.

NM 0924358 NN

DF803
.9
.K3M8

Myriantheus Hierōnymos
Λόγος εἰς τὸ μνημόσυνον τοῦ ἀοιδίμου Κωνσταντίνου Κανάρη, ἐκφωνηθεὶς ἐν Λονδίνῳ τῇ Β΄ οκτωβρίου ΑΩΟΖ΄, ἐν τῷ ἱερῷ Ναῷ τοῦ Σώτηρος, ὑπὸ τοῦ ἀρχιμανδρίτου 'Ιερωνύμου Μυριάνθεως. Λόνδινος, Clayton & co., Temple printing works, 1877.
1 ℓ., 31, ⌊1⌋ p. 21½ cm.

1. Kanarēs. Kōnstantinos, 1790-1877.

NM 0924359 OCU

Myriantheus, Hieronymos.
Peri tōn archaiōn Kypriōn. En Athēnais, 1868.
90 p.
In Greek letters.

NM 0924360 PU NjP

VOLUME 403

Myriantheus, L.
Die Açvins: oder, Arischen Dioskuren, von dr. L. Myriantheus. München, T. Ackermann, 1876.
xxxii, 185 p., 1 l. 22cm.

1. Aśvins. I. Title.

32-23194

Library of Congress BL1225.A7M9 294.1

NM 0924361 DLC ICU PBa CtY MH-AH NjP OClW

BL
1225
.A7
M9
Myriantheus, L
Die Açvins, oder, Arischen Dioskuren. München, T. Ackermann, 1876.
xxxii, 185 p. 22cm.

Photocopy.
Bibliographical footnotes.

NM 0924362 NNC

MICROFILM
F4710
Myriantheus, L.
Die Açvins; oder, Arischen Dioskuren, von dr. L. Myriantheus. München, T. Ackermann, 1876.
xxxii, 185 p., 1 l. 22cm.

Microfilm (negative) New Haven, Conn., Yale University Library, 196-?

NM 0924363 NNC

Myriantheus, L., comp.

Lascarides, G P.
A comprehensive phraseological English-ancient and modern Greek lexicon. Founded upon a manuscript of G. P. Lascarides, esq., and compiled by L. Myriantheus ... London, Trübner and co., 1882.

Myriantheus,L
882.09
M998M
Die Marschlieder des griechischen Drama. Muenchen, T. Ackermann, 1873.
vii, 141 p. diagr. 22 cm.

1. Greek drama. Incidenta. music. 2. Music, Greek and Roman. 3. Drama. Chorus (Greek drama) 1. Title.

NM 0924365 NcD CU PBm IU MH PU

Myrianthis, Hieronymos
see Myriantheos, Hieronymos.

DS54
.7
.M9
Myrianthopoulos, Konstantinos I
Χατζηγεωργάκις Κορνέσιος, ὁ διερμηνεὺς τῆς Κύπρου, 1779-1809; ἤτοι συμβολαὶ εἰς τὴν ἱστορίαν τῆς Κύπρου ἐπὶ Τουρκοκρατίας 1570-1878 [ὑπὸ] Κωνσταντίνου I. Μυριανθοπούλου. Ἐν Λευκωσίᾳ, τυπ. Μουσῶν Λευκωσία, 1934.
260 p. port. 24cm.

1. Kornesios, Chatzegeorgakis. 2. Cyprus - History. I. Title.

NM 0924367 OCU

[Ho promachon ton hiereon]
BX619
.A1M8
Myrianthouses, Theokritos Ch
Ὁ Προμαχὼν τῶν ἱερέων...
'Αθῆναι, 1870.
79 p. 24cm.

1. Orthodox Eastern Church, Greek - Biographies. I. Title.

NN 0924367-1 OCU

Myriapoda. Miscellaneous collection of papers on myriapoda
see Miscellaneous collection of papers on myriapoda.

PA
5610
M9
A5
Myribeles, Strates, pseud., 1892-
Ap' tin Ellada. [Athēnai] Kollarou [1949]
286 p. illus. 21cm. (His Taxidiotichá, 1)

In modern Greek.
Title and imprint transliterated by this library.

NM 0924369 C OrP MiD OCU NN

Myribēlēs, Stratēs.
'Απ' τὴν 'Ελλάδα· ταξιδιωτικά. ['Αθῆναι] Βιβλιοπωλεῖον τῆς «Ἑστίας» Ι. Δ. Κολλάρου [1954, °1949-
v. illus. 20 cm.

1. Greece, Modern—Descr. & trav.—1951- I. Title.
Title transliterated: Ap' tēn Hellada.

DF727.M9 64-36685

NM 0924370 DLC ICU MB CU MH

[HO BASILES HO ARBANITES]
PA5610
.M8B3
1943
Myribeles, Strates, 1892-
Ὁ Βασίλης ὁ 'Αρβανίτης [ὑπὸ] Στράτη Μυριβήλη. 'Αθήνα, Πήγασος, 1943.
115 p. illus. 20cm.

NM 0924371 OCU MH

Myribēlēs, Stratēs.
Ὁ Βασίλης ὁ 'Αρβανίτης. 2. ἔκδ. 'Αθήνα, 1944.
113 p. illus. 22 cm.

I. Title.
Title transliterated: Ho Basilēs ho Arbanitēs.

PA5610.M9B3 1944 64-58383

NM 0924372 DLC TxU MoU ICU NN

MYRIBĒLĒS, Stratēs.
'Η δασκάλα μὲ τὰ χρυσὰ μάτια,(μυθιστόρημα). 'Αθήνα,"Πυρσὸς" Α. Ε.,[193-].

19 cm.
Special paper issue of first edition,no. 48/100.
Holograph dedication by author on preliminary leaf.
Published not before 1932.

NM 0924373 MH

PA
5610
.M9D3
1954
Myribēlēs, Stratēs.
Ἡ δασκάλα μὲ τὰ χρυσὰ μάτια· μυθιστόρημα. 9. ἔκδοση. ['Αθῆναι] Βιβλιοπωλεῖον τῆς Ἑστία [c1954]
356 p. illus.

Title transliterated: Hē daskala me ta chrysa matia.
B69791
Constitutes v. 2 of his trialogia tou polemou.

I. Title. II. Title: Trialogia tou polemou, 2.

NM 0924374 MoU IEN CSt OCU OCl NjP MH

PA
5610
.M9
D5
Myribelēs, Stratēs, 1892-
Διηγήματα. Μυτιλήνη [1928]
115 p.

Title transliterated: Diēgēmata.

NM 0924375 NNC

Myribeles, Stratēs.
...Το γαλαζιο βιβλιο. Δευτερη χιλιαδα. 'Αθηνα: «Πυρσος» ἀ. ἑ., 1940.
215 p. 19cm.

74796B. 1. Fiction, Greek, Modern. I. Title.
N. Y. P. L. January 27, 1941

NM 0924376 NN MH

4PA-62
Myribeles, Stratēs, 1892-
Griechenland. Gauting bei München, Bavaria-Verlag, 1948.
40 p. (Stimmen der Völker, Meisternovellen der Weltliteratur. 1948, Heft 1)

NM 0924377 DLC-P4

Myribēlēs, Stratēs, pseud., 1892-
'Ιωάννης Γρυπάρης' Σκαραβαῖοι καί τερρακόττες καί ἕνα 'ανέκδοτό του ποίημα. ['Αθῆναι] 'Εκδοτικός Οἶκος Παρθενών [1943]

32 p. (Σύγχρονοι Ἕλληνες ποιητές)
'Από τῆς διαλέξεις τοῦ θεάτρου Κυβέλης

NM 0924378 MH

Myribēlēs, Stratēs.
Τὸ κόκκινο βιβλίο' διηγήματα. 1. ἔκδ. 'Αθῆναι, Βιβλιοπωλεῖον τῆς «Ἑστίας» Ι. Δ. Κολλάρου [1952, °1953]
202 p. illus. 21 cm.
Short stories.

I. Title.
Title transliterated: To kokkino biblio.

PA5610.M9K6 64-36739

NM 0924379 DLC MoU

PA5637
.M95K79
1953
Myribēlēs, Stratēs, 1892-1969.
Τὸ κόκκινο βιβλίο. (Διηγήματα) 2. ἔκδ. ['Αθῆναι] Βιβλιοπωλειον τῆς "Ἑστιας" Ι. Δ. Κολλαρου [c1953]
183 p. illus.
Short stories.

I. Title.
Title: To kokkino biblio.

NM 0924380 ICU NNR IEN MH OCU NNC

DF849
M9
Myribēlēs, Stratēs, 1892-
Ὁ Κομμουνισμὸς καὶ τὸ παιδομάζωμα. Με την ἐπιμέλεια τῆς Λαϊκῆς Βιβλιοθήκης. Καλάματα, Τυπογραφεῖα "Σημαίας", 1948.
29 p. 21cm.

At head of title: Στράτη Μυριβήλη.

NM 0924381 OCU

VOLUME 403

LF 2845
.M957
MYLIUS, JOHANN CHRISTOPH, 1710-1757
Das in dem Jahre 1743 blühende Jena; . . .
Jena, G. M. Marggrafen ⌊1743⌋
319 p.

Contains also A. L. Thura's Regiae academiae and M. T. Q.'s Examen quaestionis.

1. Jena--Universität--Biog. 2. Jena--Universität--Hist. I. Title.

NM 0923578 InU

Z929
.J4
Mylius, Johânn Christoph, 1710-1757.

Jena. Universität. *Bibliothek.*
Memorabilia bibliothecae Academicae ienensis; sive, Designatio codicvm manvscriptorvm in illa bibliotheca et librorvm impressorvm, plervmqve rariorvm concinnata potissimvm ad vsvs svorvm in collegiis litterariis avditorvm a m. Ioh. Christoph. Mylio ... Ienae et Weissenfelsae, apvd Ioh. Christoph. Croekervm, 1746.

RARE BOOK DEPT.
Mylius, Johann Daniel, b. 1585 or 6.
Anatomia avri, siue Tyrocinivm medico-chymicvm continens in se partes quinque. Francofurti, 1628.

NM 0923580 WU

WZ
250
M9965a
1620
MYLIUS, Johann Daniel, b. 1585 or 6
... Antidotarium medico-chymicum reformatum: continens quatuor libros distinctos. Quorum I. Generaliora in pharmaciam requisita explicat. II. Tractat de quibusdam exoticis in nostris Basilicis omissis. III. Tradit praecepta Galenic. & chymicorum de praeparatione medicamentorum. IV. Resolvit formas & dividit medicamenta tam Galen. quam chymicorum. Francofurti, Sumptibus Lucae Jennis, 1620.
[12], 1044, [71] p. port. 20 cm.

NM 0923581 DNLM MH

WZ
250
M9965
1620
MYLIUS, Johann Daniel, b. 1585 or 6
... Complementum operis medico-chymici, continens tres tractatus sive Basilicas. Quorum prior inscribitur Basilica medica, contines III. libros de medicina antiqua Hippocratica. Secundus inscribitur Basilica chymica, contines libros septem de metallis mineralibus, vegetabilibus & animalibus. Tertius Basilica philosophica, tractat de medicina universali, chymicorum instrumnetis & obscuritatibus. Francofurti, Impensis Lucae Jennis, 1620.
1.v. plates. 20 cm.
Various pagings.
Imperfect: books 1 and 2 of Basilica medica, books 1 and 7

of basilica chymica, book 1 of Basilica philosophica and the index wanting.

NM 0923583 DNLM

Mylius, Johann Daniel, b. 1585, or 6.
Disputatio hermetica juxta ac dogmatica, de elephantiasi seu lepra arabum ... in academia Mauritiana defendendam suscipiet ... Johannes Daniel Mylius ... Marpurgi Cattorum, excudebat P. Egenolphus, 1613.
9 l. 21 cm.

NM 0923584 CtY-M

Mylius, Johann Daniel.

⌊Grasshoff, Johann⌋
Dyas chymica tripartita, das ist: Sechs herrliche teutsche philosophische tractätlein, deren II. von an jtzo noch im leben: II. von mitlern alters: vnd II. von ältern philosophis beschrieben worden. Nunmehr aber allen filiis doctrinæ zu nutz an tag geben, vnd mit schönen figuren gezieret durch H. C. D. Frankfurt am Mayn, Bey L. Jennis zu finden. 1625.

Mylius, Johann Daniel, ed.
...Iatrochymicus; sive, De praeparatione et compositione medicamentorum chymicorum artificosa tractatus...
see under Burnet, Duncan, 16th-17th cent.

WZ
250
M9965p
1628
MYLIUS, Johann Daniel, b. 1585 or 6
... Pharmacopoeae spagyricae; sive, Practicae universalis Galeno-chymicae liber secundus ... Cui accessit Marci Antonii Cornacchini ... Methodus hactenus incognito modo, cito & chymice curandi affectiones corporis, ab humoribus copia vel qualitate peccantibus geritae ... Francofurti, Impensis Theobaldi Schönwetteri, 1628.
[21], 896 p. 18 cm.
Liber II. only.

I. Cornacchini, Marco, d. 1621

NM 0923587 DNLM WU ICU NNNAM InU CtY

WZ
250
M9965
1618
MYLIUS, Johann Daniel, b. 1585 or 6
... Opus medico-chymicum: continens tres tractatus sive basilicas: quorum prior inscribitur Basilica medica; secundus Basilica chymica; tertius Basilica philosophica. Francofurti, Apud Lucam Jennis, 1618.-30
2 v. illus., plates, port. 20 cm.
Vol. 1 contains the first three books of Basilica medica; and the first four books of Basilica chymica with special title page.
Vol. 2 has title: Operis medico-chymici pars altera. Qua continentur tres libri posteriores Basilicae chymicae, ut & Basilica philosophica, perfecta, in libros tres distributa ... 1620.
"Tractatus secundi, seu, Basilicae chymicae, liber septimus:

De animalibus", "Tractatus III. seu, Basilica philosophica" and the index, have special title pages dated 1620, 1618, 1630 respectively.

NM 0923589 DNLM

Mylius, Johann Daniel, b. 1585 or 6.
Philosophia reformata continens libros binos. I.liber in septem partes divisus est: pars 1. agit de generatione metallorum in visceribus terræ. 2. tractat principia artis philosophicæ. 3. docet de scientia divina abbreviata. 4. enarrat 12 grad. sapientū philosoph. 5. declarat amb. in hac divina scientia. 6. dicit de recap. artis divinæ theori. 7. ait de artis divinæ recap. practica. II.liber continet

authoritates philosophorum. Francofvrti, L. Iennis, 1622.

NM 0923591 WU

FILM
500
M98p
Mylius, Johann Daniel, b. 1585 or 6.
Philosophia reformata continens libros binos. I.liber in septem partes divisus est: pars 1. agit de generatione metallorum in visceribus terræ. 2. tractat principia artis philosophicæ. 3. docet de scientia divina abbreviata. 4. enarrat 12 grad. sapientū philosoph. 5. declarat amb. in hac divina scientia. 6. dicit de recap. artis divinæ theori. 7. ait de artis divinæ recap. practica. II.liber continet

authoritates philosophorum. Francofvrti, L. Iennis, 1622.
Microfilm copy (negative) made in 1958 of the original in Wisconsin University Library.
Collation of the original, as determined from the film: 703p. illus.

NM 0923593 IU WU

Mylius, Johann Daniel, b. 1585 or 6.
Tractatus primus, seu Basilica medica continens tres libros seu partes de salutifera medicina antiqua Hippocratica; 1, physiologiam, 2 pathologiam, 3 therapeuticam succincte demonstrat. Francofurti, Jennis, 1618.

Title vignette.

NM 0923594 CtH

RARE BOOK DEPT.
Mylius, Johann Daniel, b. 1585 or 6.
Tractatvs secvndi Basilicæ chymicæ, liber septimvs, De animalibus. Francofurti, 1620.

NM 0923595 WU

W 4
L68
1724
M.3
MYLIUS, Johann Friedrich, 1698-1764
Dissertatio medica inauguralis, morbos eorumque affinitatem ex incompletis motibus haemorrhagicis ortos ... Lugduni Batavorum, Apud Conradum Wishoff [1724]
26 p. 19 cm.
Diss. - Leyden.

W 6
P3
v. 72
no. 5
-- --- Copy 2. 20 cm.

NM 0923596 DNLM RPB

Mylius, Johann Heinrich, 1659-1722
... Annum juridicum ejusqve effectus generales ex utroq; jure demonstrat & ... submittit Johannes Henricus Mylius ... Lipsiae, J. Georg ⌊1682⌋
36 p. 19cm.
Diss. - Leipzig.

NM 0923597 MH-L

Mylius, Johann Heinrich, 1659-1722, praeses
... De juramento minorationis. Germ. Vom Verminderungs Eyde ... ⌊Lipsiae⌋ J. Georg ⌊1685⌋
⌊48⌋ p. 20cm.
Diss. - Leipzig (Melchior Redel, respondent)

NM 0923598 MH-L

Mylius, Johann Heinrich, 1659-1722, praeses
... Selectae fori conclusiones ... Lipsiae, J.C. Brandenburger ⌊1703⌋
1 p.l., 22 p. 20cm.
Diss. - Leipzig (G.H. Mylius, respondent)

NM 0923599 MH-L

Mylius, Johann Heinrich, 1710-1733
Vindiciarvm Theophili specimen ad proem. L. I. Tit. I. et partem Tit. II., a Ioan. Henrico Mylio ... et Gvstavo Henrico Mylio propositvm ... Lipsiae, Ex Officina Langenhemiana ⌊1731⌋
16 p. 20½cm.
Diss. - Leipzig.

NM 0923600 MH-L

Mylius, Johann Heinrich, 1710-1733, respondent.
... Ad avdiendam orationem qva qvinqve ivris
see under Gribner, Michael Heinrich, 1682-1734.

Mylius, Johann Heinrich, 1710-1773.
Io. H. Mylii Opvscvla academica ad illvstrandam atqve vindicandam Theophili Paraphrasin et Ivstiniani imp. prooem. Institvtionvm potissimvm facientia. Praefationem de vita et scriptis Mylianis praemisit G. A. Ienichen. Lvgdvni Batavorvm: apud T. Haak, 1738. xxviii p., 3 l., 64 p., 2 l., 65-163(1) p., 2 l. 16° in twelves.

Theophilus; sive, De Graecarum juris institutionum. 1733.
Specimen vindiciarvm Theophili. 2. ed. 1738.
Quae...prooemio Institvtionvm svpposita perperam credvntvr dispvtando vindicata. 2. ed.
Qvae...in prooemio...svpposita...vlterivs vindicata. 2. ed.

Continued in next column

VOLUME 403

Mylius, Hermann.
Die Krufter grabdenkmäler und ihre rekonstruktion. Von Hermann Mylius.
(*In* Bonner jahrbücher. Jahrbücher des Vereins von altertumsfreunden im Rheinlande. Bonn, 1925. 27½cm. hft. 130, p. [180]-192. illus., pl. VI-XI (5 fold.))

1. Kruft, Ger.—Antiquities, Roman. 2. Sepulchral monuments. 3. Sculpture, Roman. I. Title.
A C 40-1854
Metropolitan mus. of art, for Library of Congress — N. Y. Library [DD491.R4B7 hft. 130]
[2] (943.42)

NM 0923557 NNML OU

Mylius, Hermann.
Die ostthermen von Nida und ihr prätorium, von Hermann Mylius.
(*In* Bonner jahrbücher. Jahrbücher des Vereins von altertumsfreunden im Rheinlande. Darmstadt, 1936. 27½cm. hft. 140/141, 2. t., p. 299-324. illus. (plans) pl. 2-7 (incl. 2 plans))

1. Baths—Nidden, Ger. 2. Nidden, Ger.—Antiquities. 3. Architecture, Roman. I. Title.
A C 40-1024
Metropolitan mus. of art, for Library of Congress — N. Y. Library [DD491.R4B7 hft. 140/141]
[2] (943.42)

NM 0923558 NNMM OU

Mylius, Hermann.
Die rekonstruktion der römischen villen von Nennig und Fliessem. Von dr. Hermann Mylius.
(*In* Bonner jahrbücher. Jahrbücher des Vereins von altertumsfreunden im Rheinlande. Bonn, 1924. 27½cm. hft. 129, p. [109]-128. illus., pl. IV-VII (part fold., incl. plans))

1. Architecture—Conservation and restoration. 2. Nennig, Ger. 3. Fliessem, Ger. I. Title.
A C 40-1984
Metropolitan mus. of art, for Library of Congress — N. Y. Library [DD491.R4B7 hft. 129]
[2] (943.42)

NM 0923559 NNMM ICU NCH MiU OU IEN

Mylius, Hermann.
Die rekonstruktion des sogenannten legatenpalastes im römischen lager Vetera bei Xanten. Von Hermann Mylius ...
(*In* Bonner jahrbücher. Jahrbücher des Vereins von altertumsfreunden im Rheinlande. Bonn, 1921. 27½cm. hft. 126, p. [22]-44. illus., pl. VI-VIII (fold.; incl. plans))

1. Camps (Military) 2. Xanten, Ger.—Antiquities, Roman. 3. Rome—Military antiquities. I. Title.
A C 40-2336
Metropolitan mus. of art, for Library of Congress — N. Y. Library [DD491.R4B7 hft. 126]
[2] (943.42)

NM 0923560 NNMM

Mylius, Hermann.
...Die römischen Heilthermen von Badenweiler, von Hermann Mylius; mit Beiträgen von E. Fabricius und W. Schleiermacher... Berlin [etc.] W. de Gruyter & Co., 1936. viii, 154 p. incl. tables. illus., plans, plates. 32cm. (Römisch-germanische Kommission des Deutschen archäologische Instituts zu Frankfurt a. M. Römisch-germanische Forschungen. Bd. 12.)
"Verzeichnis der Literatur," p. 150.

873122A. 1. Baths—Germany—Badenweiler. 2. Germany—Archaeology—Roman remains. I. Fabricius, Ernst, 1857- . II. Schleiermacher, Wilhelm. III. Ser.
N. Y. P. L. May 11, 1937

CU NcU NcD WU MoU NIC
NM 0923561 NN DDO MH ICU CtY DDO PBm ICU NNC

Mylius, Hermann.
Die tribunenbauten von Vetera. Von Hermann Mylius.
(*In* Bonner jahrbücher. Jahrbücher des Vereins von altertumsfreunden im Rheinlande. Bonn, 1929. 27½cm. hft. 134, p. [67]-78. illus. (incl. plans) pl. III)

1. Xanten, Ger.—Architecture, Roman. I. Title.
A C 40-1808
Metropolitan mus. of art, for Library of Congress — N. Y. Library [DD491.R4B7 hft. 134]
[2] (943.42)

NM 0923562 NNMM ICU NCH MiU OU IEN

Mylius, Hermann.
Zu den rekonstruktionen des hauptgebäudes im gallorömischen bauernhof bei Mayen. Von Hermann Mylius.
(*In* Bonner jahrbücher. Jahrbücher des Vereins von altertumsfreunden im Rheinlande. Bonn, 1928. 27½cm. hft. 133, p. [141]-152. pl. IV-IX)

1. Mayen, Ger. Villa. 2. Architecture, Roman. 3. Architecture—Conservation and restoration. 4. Architecture, Domestic—Mayen, Ger.
A C 40-1573
Metropolitan mus. of art, for Library of Congress — N. Y. Library [DD491.R4B7 hft. 133]
[2] (943.42)

NM 0923563 NNMM ICU OU IEN NCH MiU

Mylius, Hermann.
Zwei neue formen römischer gutshäuser (villa bei Blankenheim). Von Hermann Mylius.
(*In* Bonner jahrbücher. Jahrbücher des Vereins von altertumsfreunden im Rheinlande. Darmstadt, 1933. 27½cm. hft. 138, p. 11-21. illus., plates (incl. plans))

1. Blankenheim, Ger. Villa. 2. Architecture, Domestic—Blankenheim, Ger. 3. Architecture, Roman. 4. Architecture—Conservation and restoration. I. Title.
A C 40-1345 Provisional
Metropolitan mus. of art, for Library of Congress — N. Y. Library [DD491.R4B7 hft. 138]
[2] (943.42)

NM 0923564 NNMM

Mylius, Hermann, *musician.*
[Suite, viola & harpsichord, op. 30, C minor]
... Suite in C moll, für viola und cembalo (klavier) Op. 30. Leipzig, Breitkopf & Härtel [1939]
11 p. and pt. 30½cm. (*On cover:* Edition Breitkopf, nr. 5722)
Publisher's plate no.: 31064.
Score (viola and harpsichord or piano) and part.

1. Suites (Viola and harpsichord)
46-40831
Library of Congress M226.M95 op. 30

NM 0923565 DLC

Mylius, Hermann, *musician.*
[Suite, violin & harpsichord, op. 29, D major]
... Suite in D dur, für violine und cembalo (klavier) Op. 29. Leipzig, Breitkopf & Härtel [1939]
11 p. and pt. 30½cm. (*On cover:* Edition Breitkopf, nr. 5721)
Publisher's plate no.: 31063.
Score (Violin and harpsichord or piano) and part.

1. Suites (Violin and harpsichord)
46-40832
Library of Congress M220.M95 op. 29

NM 0923566 DLC

Mylius, H.
Ueber englische orthographie u. aussprache ... Stolp, 1868.

NM 0923567 NjP

Mylius, Hugo, 1876-1918.
Geologische forschungen an der grenze zwischen Ost- und Westalpen, von Hugo Mylius ... München, Piloty & Loehle, 1912-13.
2 v. illus., plates (part fold., incl. maps, profiles) 24cm.
Plates X-XIV, t. I, and XXIII pl., t. II, in pockets.
"Literaturverzeichnis": t. I, p. 2-3; t. II, p. 1-4.
CONTENTS.—I. teil. Beobachtungen zwischen Oberstdorf und Maienfeld. 1912.—II. teil. Beobachtungen zwischen Maienfeld und Tiefenkastel. 1913.

1. Geology—Alps. I. Title.
G S 39-214
U. S. Geol. survey. Library for Library of Congress — 203(535) M99g [QE285]
[2]

NM 0923568 DI-GS CU ICJ IU PPAN

55½.36 M997
Mylius, Hugo, 1876-1918.
Die geologischen Verhältnisse des Hinteren Bregenzer Waldes in den Quellgebieten der Breitach und der Bregenzer Ach bis südlich zum Lech. Erlangen, Junge & Sohn, 1909.
96, [2] p. plates, fold. profiles(in pocket) fold.maps(in pocket) 24cm.
Inaug.-Diss. - München.
Issued also in "Mitt. Geogr. Ges., München IV. 1909."
Lebenslauf.
Bibliography: p.[93]-96.

1. Geology - Austria.

NM 0923569 CSt PU NN MH

Mylius (Joannes Christophorus). *De resolutione noxia. 1 p. l., 20 pp., 2 l. 4°. *Erlangæ, apud J. D. M. Camerarium*, [1765].

NM 0923570 DNLM

Mylius, Joannes Guilelmus
see Mylius, Johann Wilhelm.

Mylius, Joh. Balthasar, respondent.
Disputatio juridica de seditione
see under Mylius, Andreas, 1649-1702, praeses.

Mylius (Joh. Gottlieb). *De cognoscenda et curanda arthritide 24 pp. 4°. *Erfordiæ, typ. J. H. Groschii*, [17..].

NM 0923573 DNLM

Mylius, Johann, 1558-1630. Ger 1840.2
Viel und längst gewündschter, gründlicher, warhafftiger bericht ob was, woher und wiefern Herr D. Hoe mit der böhmischen sach und sonderlich der fürgegangenen wahl eines newen königs in Böhmen zu thun gehabt, *etc.* Leipzig, in verlegung A. Lambergs und C. Klosemans, 1620.
sm. 4°. pp. (16), 71.

Bohemia-Hist. To 1620 HCL 25-2458

NM 0923574 MH

---

*GC6 M9946 604e
[Mylius, Johann, b.1567, ed.]
Epigrammata in effigiem reverendi & clarissimi viri, d. m. Pauli Crusii ... ab amicis, cognatis, & conterraneis honoris, amoris & benevolentiae ergò scripta, &
Jenae in typographeo Tobiae Steinmanni excusa anno ChrIstI MeDIatorIs.Vel: DebIta nostra,rogo, nobIs,bone ChrIste,reMItte.[i.e.1604]
[8]p. 1 illus.(port.) 18.5cm.
Dedication signed "M. Johannes Mylius, archidiac. schleusingensis"; Mylius also did the woodcut portrait of Crusius.

NM 0923575 MH

Mylius, Johann Carl, 1864-
Geschichte der Familien Mylius; genealogisch-biographische Familienchronik der Mylius aller Zeiten und Länder. Buttstädt, Selbstverlag des Verfassers, 1895
352 p. illus.

NM 0923576 MH

Mylius, Johann Christoph, 1710-1757.
Bibliotheca anonymorvm et psevdonymorvm ad svpplendvm et continvandvm Vincentii Placcii Theatrvm et Christoph. Avg. Hevmanni schediasma de anonymis et psevdonymis, collecta et adornata à M. Joh. Christoph. Mylio ... cvm præfatione M. Gottlieb Stollii. Hamburgi, C. W. Brandt, 1740.
2 pt. in 1 v. 18cm.

1. Anonyms and pseudonyms. I. Placcius, Vincent, 1642-1699. II. Title.
6-44955
Library of Congress Z1041.M99

NM 0923577 DLC MoU CLU-M CtY ICU ICN NjP PU NN

VOLUME 403

Mylius, Gustav Heinrich, 1684-1765, praeses.
... De oppignoratione fevdorvm, vasallorvm et instrvmentorvm fevdalivm ... / Lipsiae, Litteris Breitkopfianis [1744]
30 p. 22cm.
Diss. - Leipzig (A.F. Grosschupf, respondent)

NM 0923535 MH-L

Mylius, Gustav Heinrich, 1684-1765, praeses.
... De officio ivdicis et clerici in actv admonitionis de vitando perivrio eorvmqve honorario ... [Lipsiae] Litteris Breitkopfianis [1737]
37, [1] p. 21½cm.
Diss. - Leipzig (O.J. Wolff, respondent)

NM 0923536 MH-L

Mylius, Gustav Heinrich, 1684-1765, praeses.
[De termino peremtorio saxonico coarctando.] Solennia inavgvralia ... Caroli Ottonis Packbvschii ... celebranda indicit Gustavvs Henricvs Mylivs ... [Lipsiae, Ex Officina Langenhemiana, 1748]
xii p. 22cm. [With Rivinus, J.F., praeses. De fine litivm vt finiantvr. Lipsiae, ‹1748›]
Title taken from text.

NM 0923537 MH-L

Mylius, Gustav Heinrich, 1684-1765, praeses.
... Panegyrin inavgvralem ... Ioannis Gothofredi Richteri ... celebrandam indicit. Lipsiae, Literis Breitkopfianis [1744]
[8] p. 20½cm. [With Richter, J.G. De moribvs maiorvm tanqvam antiqvissimo romani ivris fonte. ‹Lipsiae, 1744›]

NM 0923538 MH-L

Mylius, Gustav Heinrich, 1684-1765, praeses.
... Panegyrin inavgvralem ... Ioannis Pavli Trvmmeri ... celebrandam indicit. [Lipsiae, Ex Officina Langenhemiana, 1741]
xii p. 20cm.

NM 0923539 MH-L

Mylius, Gustav Heinrich, 1684-1765, praeses.
Observationes ad processvm inhibitivvm saxonicvm spectantes ... Lipsiae, G. Saalbach [1728]
24 p. 20cm.
Diss. - Leipzig (J.H. Mylius, respondent)

NM 0923540 MH-L

Mylius, Gustav Heinrich, 1684-1765, praeses.
Notarivs peccans in instrvmento pvblico conficiendo... Lipsiae, Ex Officina Langenhemiana [1740]
24 p. 19cm.
Diss. -Leipzig (J.G. Dabel, respondent)
Imperfect: p. [3]-[4] lacking

NM 0923541 MH-L

Mylius, Gustav Heinrich, 1684-1765, praeses.
Mutationes clericorum ... / Lipsiae, Litteris Breitkopfianis [1740]
2 p.l., [3]-42 p. 20cm.
Diss. - Leipzig (F.W. Schütz, respondent)

NM 0923542 MH-L

Mylius, Gustav Heinrich, 1684-1765, praeses.
... Historiam legatorvm ... / Lipsiae, Opera Breitkopfiana [1731]
4 p.l., 40 p. 19cm.
Diss. - Leipzig (J.D. Kirsten, respondent)

NM 0923543 MH-L

Mylius, Gustav Heinrich, praeses.
Positionum ad processum inhibitivum Saxonicum spectantium semi-centuria ... defensa a Christian. Ludov. Crellio ... [Lipsiae] Literis I. Titii [n.d.]
20 p. 21cm.
Diss. - Leipzig, 1722.
FL6 D613 v.13 no.49 Vol. 13, no. 49 of a collection with binder's title: Dissertationes juridicae.
1. Actions and defenses - Saxony. I. Crell, Christian Ludwig, respondent.

NM 0923544 MiU-L

Mylius, Gustav Heinrich, 1684-1765.
Procancellarivs ... actvm ... promovendi qvatvor candidatos [Christian Gottlob Bose, Friedrich Heinrich Mylius, Friedrich Platner, Johann Lueder Albrecht] ... ad svmmos in ivre honores ... indicit [Quatenus parentes ad praestandos liberis sumtus studiorum et honorum academicorum obligati sint. Lipsiae, ex officina Langenhemiana, 1752]
xix p. 19½cm.

NM 0923545 MH-L

Pam. Coll. 35078 Mylius, Gustav Heinrich, 1684-1765.
Procancellarivs Gvstavvs Henricvs Mylivs ... panegyrin inavgvralem ... indicit et de chasmate disserit. [Lipsiae, Ex officina Langenhemiana, 1756]
xi p. 20 cm.
1. Earthquakes. 2. Roman law. Interpretation and construction. I. Title: De chasmate.

NM 0923546 NcD MH-L

Mylius, Gustav Heinrich, 1684-1765, praeses.
... Vsvm doctrinae de novi operis nvnciatione in foris Germaniae sistens ... / Lipsiae, Litteris Breitkopfianis [1741]
23 p. 20cm.
Diss. - Leipzig (C.F. Joecher, respondent)
Trimmed too closely, imprint lacking.

NM 0923547 MH-L

Mylius, Gustav Heinrich, 1684-1765.
... Solennia inavgvralia ... Caroli Augusti Salzmanni ... / celebranda indicit. Lipsiae, Litteris Breitkopfianis [1732]
[12] p. 20cm.

NM 0923548 MH-L

Mylius, Gustav Heinrich, 1684-1765.
Procancellarivs ... inavgvralia ... Iohannis Christophori Kindii ... indicit [An praelectionis protocolli aut registraturae omissio illi vim probandi per omnia vel ex parte adimat? Lipsiae, ex officina Langenhemia, 1761]
xvi p. 20cm.

NM 0923549 MH-L

Mylius, Gustav Heinrich, 1684-1765, praeses.
Pro-cancellarivs Gvstavvs Henricvs Mylivs ... solemnia inavgvralia candidati nobilissimi Caroli Lvdovici Stieglitzii ... celebranda indicit. [Lipsiae, Ex Officina Breitkopfia, 1752]
xvi p. 20cm. [With Stieglitz, K.L. De fideicommissis familiae ... Lipsiae ‹1752›]

NM 0923550 MH-L

Mylius, Gustav Heinrich, 1684-1765.
... Selectae fori conclusiones ...
see under Mylius, Johann Heinrich, 1659-1722.

Mylius, Gustav Heinrich, jr., b. 1711, respondent.
... De ivre narivm et poena ampvtationis ac scapellationis nasi...
see under Mylius, Gustav Heinrich, 1684-1765, praeses.

Mylius, Gustav Heinrich, b. 1711.
Vindiciarvm Theophili specimen ad prooem
see under Mylius, Johann Heinrich, 1710-1773.

Mylius, Heinrich.
Gedichte in Themarer mundart von Heinrich Mylius, mit einer einleitung von Friedrich Hofmann. Hildburghausen, 1845.
80 p. 19 cm.

NM 0923554 CU

MYLIUS, Heinrich.
Gedichte in Themarer mundart. Mit einer einleitung von Friedrich Hofmann. 2e, vermehrte aufl. Hildburghausen, M. Achilles, 1895.
pp. 72+.

NM 0923555 MH

Mylius, Hermann.
Badenweilers Kurbad zu römischer Zeit; ein Führer durch die Ruine, von Hermann Mylius und Rolf Nierhaus. [Badenweiler] Kurverwaltung Badenweiler und Staatl. Amt für Ur- und Frühgeschichte, Freiburg i. Br. 1953. 31 p. illus., fold. plan. 19cm.
Bibliography, p. 31.
1. Baths, Roman—Germany—Badenweiler. 2. Bedenweiler, Germany—Archaeology—Roman remains. I. Nierhaus, Rolf. II. Badenweiler, Germany. Kurverwattung. III. Baden-Würtemberg. Ur- und Frühgeschichte, Staaliches Amt für. t. 1953.

NM 0923556 NN

VOLUME 403

Mylius, Gustav Heinrich, 1684-1765, praeses.
Actvarivs peccans in actv tortvrae ... Lipsiae, Ex Officina Langenhemiana [1743]

12 p. 20cm.

Diss. - Leipzig (A.G.F. Conradi, respondent)

NM 0923513 MH-L

Mylius, Gustav Heinrich, 1684-1765, praeses.
Actuarius peccans in actu jurandi ... Lipsiae, Literis Trogianis [1741]

[10] p. 19cm.

Diss. - Leipzig (G.B. Hasskerl, respondent)

NM 0923514 MH-L

Mylius, Gustav Heinrich, 1684-1765, praeses.
Actvarivs peccans in cavssis inivriarvm ... Lipsiae, Ex Officina Langenhemiana [1738]

15 p. 19cm.

Diss. - Leipzig (T.A. Wolff, respondent)

NM 0923515 MH-L

Mylius, Gustav Heinrich, 1684-1765, praeses.
Actvarivs peccans in cavssis appellationvm ... Lipsiae, Ex Officina Langenhemiana [1739]

16 p. 20cm.

Diss. - Leipzig (J.C. Seidler, respondent)

NM 0923516 MH-L

Mylius, Gustav Heinrich, 1684-1765.
... Actvm praesentationis solennem qvatvor licentiandorvm ivris [Christian Gottlob Bose, Friedrich Heinrich Mylius, Friedrich Platner, Johann Lüder Albrecht] ... pvblice celebrandvm indicit. [Lipsiae, Ex Officina Langenhemiana, 1752]

xiv p. 20½cm.

NM 0923517 MH-L

Mylius, Gustav Heinrich, 1684-1765.
... Ad solennia inavgvralia ... Ioannis Godofredi Nevmanni ... celebranda lectorem benevolvm ea qva decet hvmanitate invitat. [Lipsiae, Litteris Langenhemianis, 1738]

xvi p. 19cm.

NM 0923518 MH-L

Mylius, Gustav Heinrich, 1684-1765, praeses.
... Ad solemnia inavgvralia ... Thomae Wagneri ... celebranda lectorem benevolvm qva decet observantia invitat. [Lipsiae, Ex Officina Langenhemiana, 1735]

[14] p. 18½cm.

NM 0923519 MH-L

Mylius, Gustav Heinrich, 1684-1765, praeses.
... De beneficio restitvtionis contra rem ivdicatam, qvae fit brevi manv ... Lipsiae, Ex Officina Langenhemiana [1756]

31 p. 26cm.

Diss. - Leipzig (F.L. Klingling, respondent)

NM 0923520 MH-L CtY-L

Mylius, Gustav Heinrich, 1684-1765, praeses.
... De anticipatione vsvrarvm ... Lipsiae, Litteris Breitkopfianis [1734]

30, [2] p. 20cm.

Diss. - Leipzig (C.S. Ewald, respondent)

NM 0923521 MH-L CtY-L

Mylius, Gustav Heinrich, 1684-1765, praeses.
... Admonitionem de vitando perivrio qvae fit per clericvm ... Lipsiae, J.C. Langenheim [1733]

2 p.l., [3]-34 p. 19½cm.

Diss. - Leipzig (G.F. Helbing, respondent)

NM 0923522 MH-L

Mylius, Gustav Heinrich, respondent.
De condictione, ex L.4. C. Fin.reg. ...Lipsiae, Literis Fleischeri Junioris [n.d.]
79 p. 20cm.
Diss. - Leipzig, 1707.

1. Condictio (Roman law).

NM 0923523 MiU-L

Mylius, Gustav Heinrich, 1684-1765, praeses.
[De eo quod iustum est circa mulierem partum lactantem vel gravidam intuitu poenae, in primis torturae.] Pro-cancellarivs Gvstavvs Henricvs Mylivs ... ad panegyrin doctoralem domini Ioh. Henrici Schwarzii ... die XIX. aprilis MDCCXXXI. in Avditorio ictorvm celebrandam invitat. [Lipsiae, Literis Io. Christiani Langenhemii, 1731]

[8] p. 23cm.

NM 0923524 MH-L

Mylius, Gustav Heinrich, 1684-1765, praeses
... De ivre narivm et poena ampvtationis ac scapellationis nasi ... Lipsiae, J.C. Langenheim [1734]

31 p. 18½cm.

Diss. - Leipzig (G.H. Mylius, junior, respondent)

NM 0923525 MH-L

Mylius, Gustav Heinrich, 1684-1765, praeses.
De ivdiciis denvnciatoriis saxonicis, Rüge-Gerichte dictis ... Lipsiae, Ex Officina Langenhemiana [1737]

1 p.l., 55 p. 20cm.

Diss. - Leipzig (B.G. Huhn, respondent)

NM 0923526 MH-L

Mylius, Gustav Heinrich, 1684-1765.
... De ivre Romanorvm incerto ... [Lipsiae, Ex Officina Langenhemiana, 1753]

xii p. 20cm.

At head of title: Gvstavvs Henricvs Mylivs ... exercitivm dispvtandi pvblicvm ... institvendvm indicit ...

NM 0923527 MH-L

Mylius, Gustav Heinrich, 1684-1765, praeses.
... De pvrgatione saxonica ... Lipsiae, Ex Officina Langenhemia [1758]

2 p.l., 24 p. pl. 21cm.

Diss. - Leipzig (G.A. Vinold, respondent)

NM 0923528 MH-L

Mylius, Gustav Heinrich, 1684-1765, praeses.
De privatione ivrisdictionis ob eivs abvsvm ... Lipsiae, Ex Officina Langenhemiana [1755]

4 p.l., 23 p. 20½cm.

Diss. - Leipzig (J.F. Schomburgk, respondent)

NM 0923529 MH-L

Mylius, Gustav Heinrich, 1684-1765, praeses.
... De poenis militvm famosis. Von Ehrenstrafen der Soldaten ... Lipsiae, Ex Officina Langenhemiana [1741]

40 p. 23cm.

Diss. - Leipzig (G.E. Wend, respondent)

NM 0923530 MH-L

Mylius, Gustav Heinrich, 1684-1765, praeses.
... De poena inficiationis, occasione dispositionis in Ordin. proc. sax. recogn. ad tit. XVI. Von der litis contestation §. II. et III. ... Lipsiae, I.Titius [1725]

32 p. 19cm.

Diss. - Leipzig (E.H.A. Rasch, respondent)

NM 0923531 MH-L

Mylius, Gustav Heinrich, 1684-1765, praeses.
... De patre ivdaeo alimenta svmtvs stvdiorvm et legitimam filio Christiano denegante ... Lipsiae, J.C. Langenheim [1740]

20 p. 20½cm.

Diss. - Leipzig (A.D. Brascha, respondent)

NM 0923532 MH-L

Mylius, Gustav Heinrich, 1684-1765, praeses.
... De oppignoratione ivrisdictionis. Von Verpfändung der Gerichte ... Lipsiae, Literis Breitkopfianis [1742]

28 p. 20½cm.

Diss. - Leipzig (S.R. Stahn, respondent)
With this is bound: Rechenberg, K.O. Solemnia inavgvralia ... Samvelis Rvdolphi Stahnii ... celebranda indicit. [Lipsiae, 1742]

NM 0923534 MH-L

MISSISSIPPI

MsG William Alexander Percy Memorial Library, Greenville.
MsSC* Mississippi State University, State College.
MsSM Mississippi State University, State College.
MsU University of Mississippi, University.

MONTANA

MtBC Montana State University, Bozeman.
MtBozC* Montana State University at Bozeman.
MtU University of Montana, Missoula.

NEW YORK

N New York State Library, Albany.
NAlU State University of New York at Albany.
NAurW Wells College, Aurora.
NB Brooklyn Public Library, Brooklyn.
NBB Brooklyn Museum Libraries, Brooklyn.
NBC Brooklyn College, Brooklyn.
NBM Medical Research Library of Brooklyn.
NBPol Polytechnic Institute of Brooklyn, Brooklyn.
NBSU-M State University of New York, Downstate Medical Center Library, Brooklyn.
NBiSU-H State University of New York, Harpur College, Binghamton.
NBronSL Sarah Lawrence College, Bronxville.
NBu Buffalo and Erie County Public Library, Buffalo.
NBuC State University of New York, College at Buffalo.
NBuG Grosvenor Reference Division, Buffalo and Erie County Public Library, Buffalo.
NBuU State University of New York at Buffalo.
NCH Hamilton College, Clinton.
NCaS St. Lawrence University, Canton.
NCorniC Corning Glass Works Library, Corning. (Includes Corning Museum of Glass Library)
NCoxHi Greene County Historical Society, Inc., Coxsackie.
NFQC Queens College Library, Flushing.
NGrnUN* United Nations Library.
NHC Colgate University, Hamilton.
NHi New York Historical Society, New York.
NIC Cornell University, Ithaca.
NJQ Queens Borough Public Library, Jamaica.
NL* Newberry Library, Chicago.
NLC Not a library symbol.
NN New York Public Library.
NNAB American Bible Society, New York.
NNAHI Augustinian Historical Institute, New York.
NNAJHi American Jewish Historical Society, New York.
NNB Association of the Bar of the City of New York, New York.
NNBG New York Botanical Garden, Bronx Park, New York.
NNC Columbia University, New York.
NNC-T — Teachers College Library.
NNCFR Council on Foreign Relations, New York.
NNCoCi City College of New York, New York.
NNE Engineering Societies Library, New York.
NNF Fordham University, New York.
NNFI French Institute in the United States, New York.
NNG General Theological Seminary of the Protestant Episcopal Church. New York.
NNGr Grolier Club Library, New York.
NNH Hispanic Society of America, New York.
NNHeb Hebrew Union College, Jewish Institute of Religion Library, New York.
NNHi New York Historical Society.
NNJ Jewish Theological Seminary of America, New York.
NNJIR* Jewish Institute of Religion, New York.
NNJef Jefferson School of Social Science, New York. (Library no longer in existence)
NNM American Museum of Natural History, New York.
NNMM Metropolitan Museum of Art Library, New York.
NNMor* Pierpont Morgan Library.
NNNAM New York Academy of Medicine, New York.
NNNM New York Medical College, Flower & Fifth Avenue Hospitals, New York.
NNNPsan New York Psychoanalytic Institute, New York.
NNPM Pierpont Morgan Library, New York.
NNQ* Queens Borough Public Library, New York.
NNQC* Queens College Library, Flushing.
NNRI Rockefeller Institute for Medical Research, New York.
NNSU-M* State University of New York College of Medicine at New York City.

NEW YORK *continued*

NNU New York University Libraries, New York.
NNU-W — Washington Square Library.
NNUN United Nations Library, New York.
NNUN-W — Woodrow Wilson Memorial Library.
NNUT Union Theological Seminary, New York.
NNUT-Mc — McAlpin Collection.
NNWML Wagner College Library, Staten Island.
NNYI Yivo Institute for Jewish Research, New York.
NNZI Zionist Archives and Library of Palestine Foundation, New York.
NNerC College of New Rochelle, New Rochelle.
NNiaU Niagara University, Niagara University.
NPV Vassar College, Poughkeepsie,
NRAB Samuel Colgate Baptist Historical Library of the American Baptist Historical Society, Rochester.
NRU University of Rochester, Rochester.
NSchU Union College, Schenectady.
NSyU Syracuse University, Syracuse.
NUt Utica Public Library.
NWM U.S. Military Academy, West Point.
NYPL* New York Public Library.
NYhI International Business Machines Corporation, Thomas J. Watson Research Center, Yorktown Heights.

NEBRASKA

NbOC Creighton University, Omaha.
NbU University of Nebraska, Lincoln.

NORTH CAROLINA

Nc North Carolina State Library, Raleigh.
Nc-Ar North Carolina State Department of Archives and History, Raleigh.
NcA Pack Memorial Public Library, Asheville.
NcA-S — Sondley Reference Library.
NcAS* Sondley Reference Library, Asheville.
NcC Public Library of Charlotte & Mecklenburg County, Charlotte.
NcCC Charlotte College Library, Charlotte.
NcCJ Johnson C. Smith University, Charlotte.
NcCU University of North Carolina at Charlotte.
NcD Duke University, Durham.
NcDurC North Carolina College at Durham, Durham.
NcGU* University of North Carolina at Greensboro.
NcGW University of North Carolina at Greensboro.
NcGuG Guilford College, Guilford.
NcR Olivia Raney Public Library, Raleigh.
NcRR Richard B. Harrison Public Library, Raleigh.
NcRS North Carolina State University at Raleigh.
NcU University of North Carolina, Chapel Hill.
NcWfC* Wake Forest College, Winston-Salem.
NcWfSB Southeastern Baptist Theological Seminary Library, Wake Forest.
NcWilA Atlantic Christian College, Wilson.
NcWilC Carolina Discipliniana Library, Wilson.
NcWsW Wake Forest College, Winston-Salem.

NORTH DAKOTA

NdFA North Dakota State University, Fargo. (Formerly North Dakota Agricultural College)
NdHi State Historical Society of North Dakota, Bismarck.
NdU University of North Dakota Library, Grand Forks.

NEW HAMPSHIRE

Nh New Hampshire State Library, Concord.
NhD Dartmouth College, Hanover.
NhU University of New Hampshire, Durham.

NEW JERSEY

NjGbS Glassboro State College, Glassboro.
NjHi New Jersey Historical Society, Newark.
NjMD Drew University, Madison.
NjN Newark Public Library.
NjNBR* Rutgers–The State University, New Brunswick.
NjNbS New Brunswick Theological Seminary, New Brunswick.
NjNbT* New Brunswick Theological Seminary.
NjP Princeton University, Princeton.
NjPT Princeton Theological Seminary, Princeton.
NjR Rutgers–The State University, New Brunswick.
NjT Trenton Free Library, Trenton.

NEW MEXICO

NmA Albuquerque Public Library, New Mexico.
NmU University of New Mexico, Albuquerque.
NmUpU New Mexico State University, University Park.

NEVADA

NvU University of Nevada, Reno.

OHIO

O Ohio State Library, Columbus.
OAU Ohio University, Athens.
OAkU University of Akron, Akron.
OBerB Baldwin-Wallace College, Berea.
OBlC Bluffton College, Bluffton.
OC Public Library of Cincinnati and Hamilton County, Cincinnati.
OCH Hebrew Union College, Cincinnati.
OCHP Historical and Philosophical Society of Ohio, Cincinnati.
OCLloyd Lloyd Library and Museum, Cincinnati.
OCU University of Cincinnati, Cincinnati.
OCX Xavier University, Cincinnati.
OCl Cleveland Public Library.
OClCS Case Institute of Technology, Cleveland.
OClFC Cleveland State University, Cleveland. (Formerly Fenn College)
OClJC John Carroll University, Cleveland.
OClMA Cleveland Museum of Art, Cleveland.
OClSA Cleveland Institute of Art, Cleveland.
OClW Case Western Reserve University, Cleveland.
OClWHi Western Reserve Historical Society, Cleveland.
ODW Ohio Wesleyan University, Delaware.
ODa Dayton and Montgomery County Library, Dayton.
ODaStL St. Leonard College Library, Dayton.
ODaU University of Dayton, Dayton.
OEac East Cleveland Public Library.
OFH Rutherford B. Hayes Library, Fremont.
OGK Kenyon College, Gambier.
OHi Ohio State Historical Society, Columbus.
OKentC Kent State University, Kent.
OO Oberlin College, Oberlin.
OOxM Miami University, Oxford.
OSW Wittenberg University, Springfield.
OTU University of Toledo, Toledo.
OU Ohio State University, Columbus.
OWibfU Wilberforce University, Carnegie Library, Wilberforce.
OWicB Borromeo Seminary, Wickliffe.
OWoC College of Wooster, Wooster.
OWorP Pontifical College Josephinum, Worthington.
OYesA Antioch College, Yellow Springs.

OKLAHOMA

Ok Oklahoma State Library, Oklahoma City.
OkEG Graduate Seminary Library, Enid.
OkS Oklahoma State University, Stillwater.
OkT Tulsa Public Library.
OkU University of Oklahoma, Norman.

OREGON

Or Oregon State Library, Salem.
OrCS Oregon State University Library, Corvallis.
OrHi Oregon Historical Society, Portland.
OrP Library Association of Portland, Portland.
OrPR Reed College, Portland.
OrPS Portland State College, Portland.
OrSaW Willamette University, Salem.
OrStbM Mount Angel College, Mount Angel Abbey, Saint Benedict.
OrU University of Oregon, Eugene.

PENNSYLVANIA

PBL Lehigh University, Bethlehem.
PBa Academy of the New Church, Bryn Athyn.
PBm Bryn Mawr College, Bryn Mawr.
PCA* Samuel Colgate Baptist Historical Library of the American Baptist Historical Society, Rochester, N. Y.
PCC Crozer Theological Seminary, Chester.
PCamA Alliance College, Cambridge Springs.
PCarlD Dickinson College, Carlisle.
PHC Haverford College, Haverford.
PHi Historical Society of Pennsylvania, Philadelphia.
PJA Abington Library Society, Jenkintown.
PJAlG Alverthorpe Gallery, Rosenwald Collection, Jenkintown.
PJB Beaver College, Jenkintown.